도해법(1)

2. 구의 종류와 분석법

(1) 전치사구

A friend *from Korea* called on me *at the office.*

(2) 무(無)

He will c

(3) 부정사구

a. It is necessary *for you to do so.*

b. Give me something cold *to drink.*

c. I am very glad *to see you.*

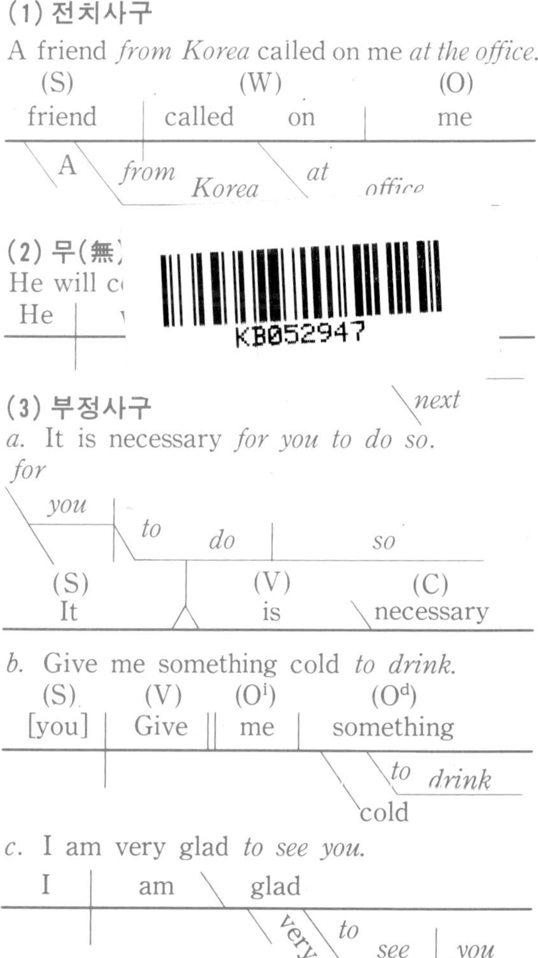

MINJUNGSEORIM'S

ESSENCE
MASTERY OF ENGLISH
WORDS, PHRASES & GRAMMAR

고교영어 단어 숙어 문법 총정리

민중서림 편집국 편

제 3 판
증보판

사전 전문
민 중 서 림

머 리 말

하나의 언어를 정복하는 데 있어서 단어는 가장 기본적인 형태임과 동시에 가장 거추장스러운 존재이다. 언어를 배우는 종국적인 목표는 이 단어를 운용하여 우리의 생각을 나타내는 데 있다. 단어의 운용에는 어느 정도의 규칙이 있으며, 흔히 어법이란 말로 통용된다. 자동차나 비행기가 우리 생활에 있어서 편리한 교통 수단인 것처럼, 어법은 언어를 배우는 데 있어서 아주 편리한 존재인 것이다. 따라서 단어와 어법은 언어 습득에 불가결의 요소라고 볼 수 있다.

There is no royal road to learning. (학문에는 왕도가 없다.) 이란 말이 있다. 그러나, 이는 꾸준한 노력이 필요하다는 말이지 학문하는 요령이나 방법을 무시해도 좋다는 말은 아니다. 외국어를 습득하는 것은 그 길을 어떻게 가느냐에 따라 결과는 엄청난 차이를 가져온다. 이 책은 이러한 관점에서 모든 지능과 경험을 동원하여 '가장 효과적인 방법' 에 초점을 맞추었으며, 다음과 같은 특징을 살렸다.

(1) **어휘** – 현행 교과서의 어휘와, 대학 입시 수험자 정도의 학력을 위하여 이것만은 암기하지 않으면 안 된다는 어휘를 과학적인 정확한 방법을 써서 바르게 골라, 그 중요도를 표시해 놓았다.
또, 기본어를 주축으로 하여 각 단어의 발음 · 역어 · 동의어 · 어원 · 파생어 · 반의어 · 용례(用例) · 어법 · 주의 사항 등 다각도로 철저히 연구하여 싫건 좋건 암기하도록 해 놓았다.

(2) **기본 문형 33** – 실제 영문을 이해하고 표현하는 데 꼭 필요한 기본 문형을 33개로 세분하여 5문형과 관련지어 다루었으며, 충분한 예문, 보충 자료, 참고 자료를 줌으로써 이해와 활용에 부족함이 없게 하였다.

(3) **문법 필수 사항 300** – 고교생이나 수험생이 꼭 알아야 할 문법 사항을 300개로 압축하였다. 영문의 독해력과 표현력을 증진시키고, 나아가서 실제 수험에서 급소와 함정이 되는 사항을 빠짐없이 다루었으며, 시간과 노력을 줄이고 최대의 학습 효과를 얻을 수 있게 하기 위하여 단순한 문법 해설에 그치지

않고, 독립 항목을 설정하여 핵심→예문→보충의 학습 방법을 채택하였다.

(4) **작문 공식 100** - 영작문의 모형이 될 표현 100개를 엄선하여 구문에 관한 것, 술부에 관한 것, 접속 어구에 관한 것, 수식 어구에 관한 것으로 공식화했다. 영문의 표현력은 기본 문형과 문법 필수 사항의 정확한 활용, 어구의 적당한 선택, 실제 연습을 통한 응용력에 달려 있다는 점을 감안하여, 여기서는 각 기본 표현에 대한 해설→기본 문형→보충의 학습 방법을 제시하였다.

굳이 말한다면 적어도 이 책을 이용하면 다른 기계적으로 만들어진 단어집이나 문법책 따위보다는 월등 적은 노력으로 단어, 숙어, 어법을 정확하게 익힐 수가 있으며, 또 이것만 충분히 활용한다면 대학 입시 정도에는 절대로 충분할 뿐만 아니라 일반적인 영자 신문이나 소설, 평론을 소화하는 데는 우선 걱정 없음을 보증한다.

앞으로 여러분은 문화 국가를 건설하는 중책을 맡아야 하며, 또 세계인으로서 세계 속에 살아야 할 운명에 놓여 있다. 그러기 위해서는 영어 정도는 아무쪼록 마스터해 주기 바란다. 이 책이 여러분의 영어 공부에 큰 보탬이 되기를 기원한다.

1980년 2월

1984년 2월에 개정 2판을 낸 후, 교과서 개편과 대입제도의 변화를 반영하여 교과서의 어휘를 빠짐없이 다룸은 물론, 문형의 이해에 필요한 용례를 대폭 보완하여 1992년 개정 제3판을 냈다.

이번에 제7차 교육과정의 교과서와 수능시험에 자주 나오는 단어들, 최근 자주 접하게 되는 정보통신 분야의 용어들을 중심으로 최신 단어 모음을 덧붙였다. 부족하지만 참고하여 학습에 도움이 되기를 바란다.

2004년 3월

민중서림 편집국

차 례

제 1 편 어 휘

어휘의 분석적 연구

단어 · 숙어

제 2 편 기본 문형 33

제 3 편 문법 필수 사항 300

제 4 편 작문 공식 100

부 록

약 어 표

ⓜ……명 사	ⓙ……조 동 사	NB ……주 의
ⓓ……대 명 사	ⓙ……접 속 사	〔미〕……미 어
ⓗ……형 용 사	ⓚ……감 탄 사	〔영〕……영 어
ⓙ……자 동 사	원……어 원	〔이〕……이탈리아어
ⓣ……타 동 사	반……반 의 어	〔프〕……프랑스어
ⓑ……부 사	파……파 생 어	〔독〕……독 일 어
ⓙ……전 치 사	(예) …용 례	〔라〕……라 틴 어

List of Abbreviation

abbrev.	abbreviation	*i.e.*	id est (=that is)
a., adj.	adjective	*interj.*	interjection
ad., adv.	adverb	*Ital.*	Italian
Am.	American	*Lat.*	Latin
aux. v.	auxiliary verb	*M. E.*	Middle English
c.	circa (=about)	**NB*	nota bene (=take notice)
cap.	capital	*n.*	noun
**cf.*	confer (=compare)	*O. E.*	Old English
colloq.	colloquial	*p.*	past
conj.	conjunction	**pl.*	plural
e. g.	exempli gratia (=for example)	*pp.*	past participle
Eng.	English	*prep.*	preposition
equiv.	equivalent	*pron.*	pronoun
etymol.	etymology	*ref.*	reference
ex.	example	*sing.*	singular
Fr.	French	*syn.*	synonym
Gk.	Greek	*v.*	verb
ibid.	ibidem (=the same)	*v.i.*	intransitive verb
		v.t.	transitive verb
		vulg.	vulgar

〔주〕 영문 약호는 *를 붙인 것 이외에는 이 책에서는 사용하지 않았으나 다른 일반 사전을 사용하는 데 편리를 도모하고자 덧붙였다.

제1편 어 휘

══ 어휘의 분석적 연구 ══

〔이 책을 참되게 활용하기 위해 꼭 숙독하기 바란다.〕

제1장 본편의 내용 및 학습법

이 책의 내용을 설명하는 것은 결국 이 책의 장점을 말하는 것이 된다. 좀 아전인수(我田引水)의 감이 있으나 이 책에 의한 학습 효과를 보다 크게 하기 위해서 참고 읽어 주기 바란다.

(1) 기본 단어·숙어

정해진 시간 안에 필요한 단어·숙어를 보다 많이 암기해야 한다는 이유에서 단어 및 숙어집을 만드는 데 우선 부딪치는 난관은 어떠한 단어를 선택하는가 하는 것이다. 우리는 이 난관을 해결하기 위하여 여러 가지 연구 끝에 Thorndike의 통계표도 참고로 하고, 또한 Horn의 것, 미국 시민권 선정 위원이 조사한 것 따위도 상세하게 검토하고, 또 우리 나라 고등 학교까지 사용되고 있는 신제 교과서와 그 밖에 과거 입시 문제 따위에 나온 수십만 단어를 모든 각도에서 과학적으로 분석 정리하여 표제어를 선정하였으며, 어휘의 중요도를 다음과 같이 기호를 써서 구분하였다.

⊙ ◇ 표에 대하여

현행 교과서에서 새로운 단어나 숙어로 다룬 것은 빠짐없이 다 실었으며, 그 앞에 ◇표를 붙였다. 표제어로 내세울 필요가 없는 것은 예문으로 보여, 그 앞에 ◇표를 붙였으므로 학습에 유의하기 바란다.

⊙ * 표에 대하여

단어·숙어·파생어에 붙인 *표는 입시 빈출 어휘로서 반드시 알아두어야 한다.

⊙ ☆ 표에 대하여

가장 기본적인 단어·숙어로서 단어 564어, 숙어 24어, 파생어 10어에 붙였다. 뜻은 물론이고 그 용법도 잘 익혀 두어야 한다.

⊙ ★ 표에 대하여

〔보기〕 achieve★ [ətʃíːv], career [kəríər]★ take care of★

위 〔보기〕에서와 같이 단어 우측 상단에 붙인 ★표는 대학 입시에 있어서 철자법·파생어 문제로 자주 출제되는 단어임을 표시한다. 그리고 발음 기호 우측 상단에 붙인 ★표는 악센트·발음 문제에 자주 출제되는 단어를 표시한다. 또한 숙어 우측 상단에 붙인 ★표는 문장을 완성시키라는 등의 문제와 두 문장을 대조하라는 등의 문제에 자주 출제되는 숙어를 표시한다.

수험생 여러분이 이 책을 볼 경우, 이 책에 실려 있는 표제어 전부를 모두 암기하는 것이 곤란하면 우선 이 ☆표, ◇표, ★표, *표가 붙어 있는 것만이라도 모두 암기하도록 하라. 이 ☆표, ◇표, ★표, *표가 붙어 있는 어휘만으로도 여러분이 어떠한 문제를 대하더라도 자신이 있을 것이다. 이것들을 완전히 암기한 후에 아무런 표도 없는 단어에 눈을 돌리도록 하라.

(2) 철자와 발음

원칙적으로 이 책의 철자와 발음 기호는 미국식 표기를 우선적으로 했다. 철자와 발음 모두가 영·미어에서 차이가 있는 경우는 [미어 발음/영어 발음]의 형태로 나타냈다. 또한 파생어에도 모두 악센트를 표시하고, 악센트만으로는 알 수 없다고 생각되는 것은 Phonetic Sign을 붙여 놓았다. 특히 발음 기호 뒤에는 동음어(同音語)를 표시했다. 음성, 즉 구어(口語)야말로 말의 본래의 모습이므로 우선 발음을 정확히 암기해야 한다. 특히 악센트의 위치는 정확히 머리에 넣도록 하라. 또한 영·미어의 철자, 발음상의 차이에 관해서는 부록편의 「미어와 영어의 차이」를 참조하라.

(3) 어형 변화(語形變化)

단어가 실지 문장에 사용되는 경우에는 문맥에 의하여 어형이 변화하는 것이 있다. 예컨대 명사의 복수 변화, 동사의 과거, 과거 분사, 형용사의 비교 변화라고 하는 것 등이 그것이다. 이러한 변화에는 규칙적인 것과 불규칙적인 것이 있으나, 이 책에서는 불규칙적인 변화와 틀리기 쉬운 변화형을 밝히고, 특히 그 용법에 대해 주의해야 할 것(예컨대 p. 295의 elder, p. 478의 last 참조)에는 일일이 설명을 붙였다. 또한 부록편에 형용사와 동사, 조동사의 불규칙 변화를 분류하여 정리해 놓았다. 충분히 활용해 주기 바란다.

(4) 어의(語意) 및 동의어(同意語)

단어에서 가장 중요한 것은 어의이다. 말의 뜻을 나열한 것만으로는 종래의 사전(dictionary)과 다를 것이 없다. 이 책은 말을 찾기 위한 Dictionary가 아니라, 말을 외워서 활용하기 위한 Vocabulary Book이다. 이에 어의에도 주의하면서, 여러분의 부담을 될 수 있는 한 적게 하고, 더욱 어휘 지식을 풍부하게 하기 위하여 다음과 같은 방법을 취했다. 즉, 단어 풀이는 비슷한 뜻은 되도록 피했다. 그리고 뜻이 둘 이상인 단어에는 그 중에서 특히 중요한 것은 고딕체로 나타내고, 또한 여러분이 특히 주의해서 외워 두어야 할 어의(語意)에는 특별히 붉은 색 밑줄을 그어 놓았다. 이것은 최근 대학입시에 자주 나오는 문제를 면밀히 분석한 결과로 선택한 것이며 이러한 것을 소홀히 함은 의외로 여러분의 맹점이 될 수도 있을 것이다. 암기 방법으로는 우선 고딕체로 된 것을 외워서 그 말의 전체적인 윤곽을 잡은 후 밑줄 친 부분으로 넘어가도록 하라.

단어 풀이 뒤에는 영어로 동의어(同意語)를 붙였다. 이것을 보면 「과연 이와 같은 뜻으로 이러한 단어도 있구나, 이러한 뜻의 경우에는 이런 말과 같구나.」라고 생각할 수 있을 것이다. 동의어라고 하는 것은 뜻이 대개 비슷하기는 하나 그렇다고 해서 그 용법까지 같다는 것은 아니다. 단어의 구조가 다른 이상 다소 그 용법이나 뜻이 다른 것은 당연하다.

또한, 동의어는 될 수 있는 한 일반적이고 평이한 것을 선택했다. 여러분에게 실질적으로 도움을 주는 단어를 외게 하고 싶기 때문이다. 이 동의어는 단어를 암기하기 위하여도, 또 영문 번역을 하는 데에도 퍽 도움이 될 것이다. 이와 같은 것들은 숙어에 있어서도 같다.

그리고, 동사에 있어서는 자동사와 타동사의 뜻이 같은 것일 때에, 자동사인 경우의 의미로 풀이했다면 타동사인 경우는 여러분 스스로 타동사의 의미로 풀이해야 할 것이다. 그 반대인 경우도 같다. 이를테면 cool에 있어서 타동사인 경우에 「식히다」라는 뜻으로 풀이되었다면, 여러분은 자동사인 경우에는 「식다」로 풀이할 수가 있다.

(5) 어 원(語源)

단어의 어원을 아는 것은 단어를 외는 데 도움이 될 뿐 아니라, 긴 미지(未知)의 단어가 나왔을 때, 이를 분해하여 그 뜻을 미루어 아는 데 극히 유리하다. 이 책에서는 이와 같은 학습 효과를 얻을 수 있는 관점에서 어원을 분석했다. 따라서 어원을 외는 것이 오히려 혼동을 일으킬 우려가 있는 것은 제외했다. 이것은 기억하는 데에 도움이 될 뿐 아니라 어학에 흥미를 갖게 하는 데에도 큰 도움이 될 것이다.

(6) 반의어(反意語)

단어를 암기할 때는 대조적으로 외면 보다 쉽고, 동시에 그 말의 뜻이 명확해진다. 예컨대, wealth의 반의어가 poverty라는 것을 알게 되면, 두 단어의 뜻이 명확히 살아난다. 이 책에서는 이 반의어는 전연 반대의 뜻만이 아니고 대조적인 말도 기술하고 있다. 또, 대어(對語)에 관해서는 *cf.*의 기호로 그 단어의 뒤에 명기했다. 「반의어」라고 하는 것은 편의상 붙인 것으로, 이에는 대조적인 관련어를 포함하고 있음을 알아야 한다. 이 상대적인 단어에는 한 단어에 대해 여러 개가 있는 경우도 있으나 그러한 경우에는 비교적 중요한 것을 선택했다.

(7) 파생어(派生語)

기본어에는 여러 개의 파생어가 있는 경우가 많다. 이를테면 여러분에게 낯익은 cheer「좋은 기분」이라는 말에도 cheery「명랑한」 cheerily「활발하게」 cheeriness「기분이 썩 좋음」 cheerful「쾌활한」 cheerfully「기분 좋게」 cheerfulness「유쾌함」 등의 파생어가 있다. 이들을 하나하나 따로 외려면 몹시 따분한 일이 될 것이다. 그러나 이들을 cheer라는 하나의 단어를 기초로 하여 한데 모아 외면 보다 쉽고 능률적이다. 다만, 기본어와 어형(語形)이 현저하게 다른 것이나 빈도가 높은 기본어와 같은 정도로 중요한 파생어는 독립한 표제어로 풀이했다. 물론 이 경우에도 기본어와의 관계를 확실히 알 수 있도록, 예컨대 deep에서는 deepen, deeply, deepness와 함께 (⇨)표로 depth를 참조하고, 또한 depth에서는 deep에서 온 것임을 명시했다. 이 책에 기술한 단어·숙어는 그 파생어를 합치면 실로 17,945어나 되어, 종래의 어떠한 단어·숙어집보다도 그 어휘 수가 풍부하고 또 보다 쉽고 능률적으로 암기할 수 있도록 되어 있다. 그것은 파생어를 외는 데는 기본어만 암기하고 있으면 비교적 수월하게 외워지기 때문이다. 이 파생어들 중에서도 특히 입시 빈출어에는 * 표를 붙여 놓았다. 따라서 * 표가 붙어 있는 것을 우선적으로 암기해 놓아야 한다.

이것에 의하여 여러분은 때로는 기본어보다도 파생어가 더 중요한 경우도 있다는 것을 알 수 있을 것이다. 또한 이 책에서는 파생어항에 중요한 합성어, 복합어 등도 널리 수록되어 있으므로 잘 활용해 주기 바란다.

(8) 어법(語法)·**NB**

단어·숙어를 암기할 경우에 꼭 알고 있지 않으면 안 될 것이 있다. 이를테면 여러분이 잘 알고 있는 doubt와 suspect를 사전에서 그 뜻을 찾아보고 양자가 서로 어떻게 다른가를 알 수 있는 사람은 극히 드물다. 그러나 이 두 개는 사용 방법에 있어서 큰 차이가 있다(p. 810의 suspect 참조). 이와 같이 일견 비슷하게 보여도 그 뜻·용법이 다른 것, 유사한 형을 갖고 있기 때문에 혼동하기 쉬운 숙어(p. 564의 not less ~ than 참조), 여러분이 가장 다루기 힘든 전치사의 용법(p. 436의 in, p. 578의 on 참조) 및 전치사나 부사 등과 연결할 경우 뜻이 변하는 말(p. 381의 go, p. 473의 know 참조) 등을 이 난에서 상세히 설명했다.

NB 난에서는 주로 철자, 발음, 어형 변화(語形變化)를 대상으로 하여 이제까지의 입시 문제에서 여러분의 선배가 가장 많이 틀렸고, 그리고 항상 틀리기 쉬운 것을 지적해 놓았다(p. 209의 conquest, p. 488의 liar, p. 739의 shine 참조).

이것들은 어느 것이고 극히 중요한 것뿐이므로 충분히 연구하고, 반드시 암기해 두도록 하라.

(9) 용　례(用例)

단어에는 여러 가지 용법이 있다. 이를테면 ago도 「전(前)」이고 before도 「전(前)」이다. already도 yet도 「벌써」란 뜻이다. as는 접속사로서 때나 이유를 나타내고, 전치사·부사·관계사로서의 용법이 있다. 따라서 이러한 것들은 적당한 용례와 설명이 없으면 배우는 사람으로서 이해하기가 몹시 곤란하므로 아무래도 이와 같이 복잡한 용법이 있는 단어나 까다로운 단어는 용례가 필요하게 된다. 동시에 단어를 외는 데에는 산 용례와 연관하여 기억하는 것이 가장 좋다. 단어를 독립적으로 외면 아무래도 시간이 걸리고, 또 암기했다 하더라도 곧 잊어버린다. 그러나 문장의 일부로서 암기하면 비교적 외기 쉽고 또한 윈 것은 좀처럼 잊지 않게 된다.

여러분은 사전(dictionary)의 용례를 보고 어딘가 이상하게 느껴지는 점이 있을 것이다. 거기에는 타당한 이유가 있다. 왜냐하면 Dictionary의 용례는 여러분의 능력과 일치하지 않기 때문이다. 즉, 사전은 모든 계층에 맞도록 만들어졌기 때문에 어떤 것은 너무 어렵고, 또 어떤 것은 너무 쉽기도 하다. 모든 사람에게 도움이 된다고 하는 것은 특수한 일부에게는 도움이 되지 않는다는 말과도 같다. 이 책의 용례는 어디까지나 대학에 진학하려는 여러분에게 꼭 필요하고 또 여러분의 능력에 부합되는 것을 주로 하여 선택한 것이다.

이 책의 용례를 선정함에 있어서는 오랜 시일과 온갖 노력을 기울였다. 용례의 선정에 있어서 유의한 점은

① 가급적 말의 참 뜻을 명확히 나타낸 것,
② 가급적 외기 쉽고 또 문장이 명확한 것,
③ 그 말의 쓰임새를 보여줄 수 있는 것.

용례를 선정하는 데 있어서는 우선 과거 수년간의 입시 문제에 출제된 영문을 예의 분석 정리하고 또한 입시에 가장 많이 사용되는 영·미의 대표적 작가의 작품에서 선택하고, 그것으로 부족한 경우는 영문 잡지, 신문 따위에서 간추렸다. 이 용례는 최근 입시의 대표적인 문제의 척도라고 해도 과언은 아닌 것으로, 종래의 어떠한 참고서의 문제보다도 새롭고, 또 보다 우수하게 선택되어 있다는 자신을 갖고 있다. 또한 입시에서 항용 출제되는 고쳐 쓰기 형식의 문장은 ↔표로 표시했다.

역문은 우리가 노력하여 만든 것으로 어느 하나라도 부자연스럽지 않은 극히 모범적인 역문이 되도록 힘썼다. 이 역문은 실제의 입시 답안을 만들 때, 여러분에게 해석 기준이 될 수 있으리라고 생각한다. 용례 문장 중에서 표제 단어·숙어는 이탤릭체로 해 놓았다. 이것에 의하여 단어·숙어라고 하는 것은 문장의 전후에 있어서 그 해석에 상당한 변화가 있다는 것을 알 수 있으리라 생각한다. 하나의 단어, 하나의 숙어라도 백개 이상의 상이한 뜻이 있는 경우가 있다. 그러므로 영문 번역에 있어서는 그 문장의 전체적인 문맥에 따라 가장 적당한 의미로 단어·숙어를 풀이해야 할 것이다. 그것이 산 단어의 힘이다. 이러한 면에서도 이 책은 여러분에게 유익한 힘을 길러 줄 것이다.

(10) 참고 사항

말은 살아 있는 것이라고 하지만 언어의 탄생의 유래, 생성 과정, 현재의 모습이나 개성 등 말의 생태는 극히 변화가 많고 흥미롭다. 이 책에서는 이와 같은 단어의 생태를 여러 가지 각도에서 측정하고, 단어·숙어에 대한 토픽, 퀴즈나 수수께끼, 유어(類語)의 이동(異同), 중요한 접두·접미어나 어근에 이르기까지 광범위하게 조사 정리했다. 내용면으로는 전문적인 어학서(語學書)에 설명되어 있는 것도 있으나, 대부분은 부담 없이 읽을 수 있도록 정리했다. 여러분의 단어 실력을 증가시키고, 아울러 단어에 대한 흥미와 이해를 도울 수 있다면 다행이겠다. (또한 책 끝에 참고 사항 색인을 붙여 찾아 보는 데 도움이 되도록 했다.)

(11) 수록 어휘 수

이 책에 수록된 어휘의 수는 다음과 같다.

표제 단어 7603 }
표제 숙어 2254 } 계 9857 파생어 8088

☆ 표(중학 필수 어휘)
단어 574 숙어 24

◇ 표(고등 학교 교과서 새 어휘)
 단어 3933 숙어 910
* 표(입시 빈출 어구)
 단어 3071 숙어 338
★ 표(분야별 입시 빈출 어휘 —— 표제 단어·숙어는 붉은 색으로 표시했다.)
 발음·악센트 관계 542
 파생어·철자 관계 367
 숙 어 104

제 2 장 단어 형성(Word-formation)

1. 단어의 종류

단어에도 종류가 있다. 그것은 발전의 과정, 환언하면 그것의 생성과 그것이 하는 역할로 나누어진다. 전자는 단순어, 파생어, 합성어로 나뉘며, 후자는 여러분이 잘 알고 있는 명사, 대명사, 조동사 따위의 소위 품사이다.

(A) 단 순 어

원시 시대에는 인류는 말이라는 것을 갖지 않고 있었다. 그러나, 점차 문명의 진화에 따라서 언어라는 것을 갖게 되고, 또 문자를 쓰는 것을 배웠다. 전문가가 발표하는 바에 의하면, 이집트인은 약 5천 년 전에 이미 문자를 가지고 있었다. 원시 시대에 사용된 말은 극히 유치한 것이었음에 틀림없다. 마치, 겨우 말을 하기 시작한 어린애가 지껄이듯이 말한 것이 지금 말하는 단순어에 근사한 것일 것이다. 이것은 이 이상 분해할 수 없는 것으로서, 이 이상 분해하면, 말(word)로서의 의미를 상실하고, 문자(letter)로 되어버리는 것이다. 예를 들면 self-education에서 self는 앵글로·색슨계의 말로 「자기」라는 의미를 가지며, educate는 라틴어에서 변화한 것으로 「～의 결과를 가져오다」라는 의미가 원 뜻이며, 점차 「교육」이라는 뜻을 갖게 되었다. -tion은 접미어(接尾語)이며, 이것이 붙으면 명사가 된다. 이상에 분해한 것은 그 자신의 역할을 가지고 있으나, 이 이상 분해하면 의미를 나타내지 못한다. 예를 들면, self의 sel만으로는 아무런 뜻도 없다. 즉 s, e, l의 세 개의 문자의 연속에 지나지 않는다.

이것을 화학식에 비기면 단순어는 분자식이다. 즉 H_2O라든가 H_2SO_4이다. 이것을 이 이상 분해하면 원자가 되어버리며, 물로서의, 또는 황산으로서의 성질을 잃고 만다. 이것을 단순어라고 한다. 이 단순어는 어느 품사에도 있다.

예를 들면
- 명 사 dog, paper, way, name
- 대명사 I, you, he, she, it, they
- 형용사 good, ill
- 부 사 much, only
- 접속사 and, but
- 동 사 write, catch
- 전치사 on, in
- 감탄사 ah, oh

따위이다. 여러분이 생각해 보아도 얼마든지 있을 것이다.

(B) 복합어(Compound)

독립한 두 개 혹은 그 이상의 말이 결합하여 새로운 말을 만드는 것을 복합(composition)이라 하고, 그 결과로 생긴 말을 복합어(compound)라고 한다.

복합어는 문법적으로는 한 단어로 취급되지만, 쓰임에 따라서 완전한 단어로서 쓰는 것, 부호 「-」으로 결합된 것, 말하는 대로 쓰는 것이 있다. 악센트는 하나가 되어 최초의 음절에 놓이는 예가 많으나, 복합된 두 개의 말에 함께 놓일 수도 있다.

(1) 복합어의 형태

① 한 단어로서 쓰는 것 :
earthquake(지진), blackboard(흑판), typewriter(타자기), headache(두통), seasick(배멀미)

② 「-」으로 결합되는 것 :
father-in-law(시아버지), man-of-war(군함), self-support(자활), many-sided(다방면의, 다재 다능한), up-to-date(최신의)

③ 말하는 대로 쓰는 것 :
blood pressure(혈압), postage stamp(우표), fountain pen(만년필), sleeping car(침대차)

또 「-」의 유무는, father-in-law와 같이 확립되어 있는 것과 확립되어 있지 않은 것이 있다. 예를 들면 home work, home-work, homework와 같이 3가지로 쓰는 것도 있다.

(2) 복합어의 악센트

① 제 1 강세가 제 1 음절에 있는 것 :
blackboard [blǽkbɔ̀ːrd](흑판), sunrise [sʌ́nràiz](일출), daytime [déitàim](주간)

② 제 1 강세가 두 개 있는 것 :
headmaster [hédmɑ́ːstər](국민·중학교의 교장), general election [dʒénərəliléкʃən](총선거), good-looking [gúdlúkiŋ](잘 생긴)

복합어를 품사별로 보면 명사가 가장 많고, 형용사, 동사 등이 다음으로 많다. 또 복합어의 구성 요소의 연결 방법에는 제 1 요소가 그대로 연결되는 것, 제 1 요소가 소유격이 되는 것, 동명사가 되는 것, 혹은 제 2 요소가 과거 분사가 되는 것 등 여러 종류가 있다.

(3) 복합어의 품사와 구성

① 복합 명사(compound noun) :
명사+명사 — bedroom(침실), manservant(하인), goldfish(금붕어), lady's maid(시녀), lion's share(제일 좋은 몫)
형용사+명사 — highway(공로), nobleman(귀족)
대명사+명사 — he-goat(숫염소), she-cat(암코양이)
동사+명사 — breakfast(조반), pickpocket(소매치기)
동명사+명사 — looking glass(거울), swimming suit(수영복)

명사+동명사 — handwriting(필적), money-making(돈벌이)
부사+동사 — income(수입), outcome(결과)
동사+부사 — breakdown(파손), comeback(회복)
어군—son-in-law(사위, 양자), forget-me-not(물망초)

② 복합 형용사(compound adjective) :
명사+형용사 — snow-white(눈같이 하얀), knee-deep(무릎까지의 깊이의), life-long(일생의)
형용사+형용사 -- red-hot(적열의), blue-black(진한 남빛의)
부사+형용사 — ever-green(늘 푸른), overdue(지불이 늦은), overcareful(지나치게 조심하는)
명사+과거 분사 — heart-broken(애끓는), handmade(손으로 만든), terror-stricken(공포에 질린)
명사+현재 분사 — eye-opening(괄목할 만한), heart-warming(마음이 따뜻해지는)
어군 — up-to-date(최신식의), word-for-word(한 마디 한 마디의)

③ 복합 동사(compound verb) :
부사+동사 — overeat(과식하다), understand(이해하다), underestimate(과소 평가하다), overlap(겹치다)
명사+동사 — typewrite(타자를 치다)

④ 기 타 :
이 밖에 복합 대명사(myself, somebody, whoever), 복합 부사(sometimes, meanwhile, nevertheless) 등이 있다.

(C) 파생어(Derivative)

기존의 독립한 말에 접두사(prefix)나 접미사(suffix)를 붙여서 새로 만든 말을 파생어(derivative)라 한다. 접두사, 접미사는 독립적으로 한 단어로서 쓰이는 일은 없는 것이다. 복합어는 독립된 두 단어 혹은 그 이상의 말이 결합된 것이지만, 파생어는 독립된 말과 독립할 수 없는 요소가 결합된 것이다.

파생어에는 food—feed와 같이 모음을 바꾸어 파생어를 만드는 제 1 차 파생어(primary derivative)와 접두사, 접미사를 붙여 만드는 제 2 차 파생어(secondary derivative)가 있다.

(1) 제1차 파생어

① 모음이 변화하는 것 :
blood(피)→bleed(출혈하다), full(가득)→fill(가득 채우다), food(음식)→feed(먹을 것을 주다), rise(오르다)→raise(올리다), fall(넘어지다)→fell(넘어뜨리다)

② -th로 끝나는 것(주로 명사형을 만든다) :
wide(넓은)→width(넓이), broad(폭 넓은)→breadth(폭), long(길다)→length(길이), deep(깊은)→depth(깊이), foul(더러운)→filth(오물)

(2) 제2차 파생어

① 접두사를 붙이는 것 :
honest(정직한)→dishonest(정직하지 않은), appear(나타

내다)→disappear(모습을 감추다), perfect(완전한)→imperfect(불완전한), regular(규칙적인)→irregular(불규칙적인), happy(행복한)→unhappy(불행한), education(교육)→coeducation(공학), cycle(원)→bicycle(자전거), conscious(의식적인)→subconscious(잠재 의식의)

② 접미사를 붙이는 것 :
sing(노래하다)→singer(가수), assist(도와 주다)→assistant(조수), boy(소년)→boyhood(소년 시절), friend(친구)→friendship(우정), decide(결정하다)→decision(결정), nation(국가)→national(국가의), hope(희망)→hopeless(가망이 없는), kind(친절한)→kindly(친절히), gold(금)→golden(금의)

(D) 그 밖의 단어

단어 형성에는 복합어, 파생어 외에, 전혀 새로운 말을 창조하는 어근 창조, 다음절어의 일부를 생략하여 신어를 만드는 단축, 단어의 어미를 접미사와 같이 취급하여 제거된 역형성 따위가 있다.

(1) 어근 창조(root-creation)

① 의성어(onomatopeia) :
bowwow(멍멍), thud(털썩), splash(철벅)

② 혼성어(blend-word) :
Eurasia(=Europe+Asia), motel(=motorists'+hotel)

(2) 단 축(shortening)
memorandum→memo(메모), advertisement→ad(광고)

(3) 역형성(back-formation)
beggar(거지)→beg(구걸하다), editor(편집자)→edit(편집하다)

2. 주요 접두어·접미어·어근

(A) 접 두 어

(1) **Negative**(부정)의 뜻이 있는 것

① **un-** : *un*even(평평하지 않은, 울퉁불퉁한), *un*precedented(전례가 없는), *un*speakable(이루 말할 수 없는)

② **mis-** : *mis*fortune(불행), *mis*fit(부적합)

③ **in-** : 어근의 첫 글자와 동화(同化)해서 **ig-, il-, im-, ir-** 따위로 바뀌는 수가 있다.
*in*correct(부정확한), *ig*noble(비천한), *il*legal(불법의), *im*moral(부도덕한), *im*polite(무례한), *ir*rational(불합리한)

④ **dis-** : *dis*comfort(불쾌), *dis*honest(정직하지 않은)

⑤ **non-** : *non*sense(무의미한 말), *non*age(미성년), *non*descript(막연한)

⑥ **n-** : *n*ever(결코 ~ 않다), *n*or(…도 또한 ~ 않다)

(2) **Against**(반대)의 뜻이 있는 것

① **contra-** : *contra*dict(반박하다), *contra*vene(위반하다)

② **counter-** : *counter*act(거역하다), *counter*attack(역습

하다), *counter*feit(모조의)

③ **anti- :** 어근의 첫 글자가 모음일 때는 **ant-.** *anti*dote(해독제), *anti*pathy(반감), *ant*agonist(반대자)

④ **with- :** *with*hold((승낙 등을) 보류하다), *with*stand(저항하다)

(3) **Away, From**(분리)의 뜻이 있는 것

① **ab-, a- :** *ab*normal(이상한), *ab*use(악용하다), *a*theism(무신론), *a*vert(비키다)

② **de- :** *de*cline(거절하다), *de*form(불구로 하다), *de*legation(대표단), *de*liver(배달하다), *de*nounce(~을 비난하다), *de*sert(돌보지 않다), *de*tach(분리하다), *de*tain(붙들다), *de*tect(~을 발견하다), *de*throne(왕위에서 물러나게 하다), *de*tract(손상시키다), *de*viate(벗어나다)

③ **dis-, di- :** *dis*cord(불화), *dis*criminate(구별하다), *dis*join(분리시키다), *dis*pel(쫓아버리다), *dis*perse(흩뜨리다), *dis*pute(논쟁하다), *dis*sert(논하다), *di*minish(줄이다), *di*vert((딴 데로) 돌리다), *di*vorce(이혼)

④ **se- :** *se*clude((사람·장소 따위를) 분리하다), *se*parate(분리하다), *se*ver(절단하다)

(4) **Before, Forward**(앞·전진)의 뜻이 있는 것

① **ante- :** *ante*cedent(선행사), *ante*chamber(대기실), *an*terior(전방의)

② **anti- :** *anti*cipate(예기하다), *anti*cipation(예상), *anti*que(고대의)

③ **pre- :** *pre*cedent(전례), *pre*cede(선행하다), *pre*dict(예언하다), *pre*liminary(예비적인), *pre*mier(수상), *pre*position(전치사), *pre*vious(앞의)

④ **pro- :** *pro*ceed(진행하다), *pro*gress(진보하다), *pro*ject(~을 내던지다), *pro*long(연장하다), *pro*noun(대명사), *pro*pel(추진하다), *pro*tract(오래 끌게 하다), *pro*trude(밀어내다)

(5) **After, Backward**(뒤·후퇴)의 뜻이 있는 것

① **post- :** *post*erity(자손), *post*humous(사후의), *post*pone(연기하다), *post*war(전후의)

② **retro- :** *retro*cede(돌려주다), *retro*grade(후퇴하다), *retro*gress(뒤로 되돌아가다), *retro*spect(회고하다)

(6) **Over, Beyond**(위·넘음)의 뜻이 있는 것

① **super- :** *super*ficial(피상의), *super*human(초인간의), *super*intend(감독하다), *super*lative(최고의), *super*natural(초자연의), *super*vise(감독하다)

② **sur- :** *sur*face(표면), *sur*mount((곤란 따위를) 이겨내다), *sur*pass(보다 낫다), *sur*plus(나머지의)

③ **extra- :** *extra*judicial(재판외의), *extra*ordinary(이상한), *extra*vagant(엄청난, 돈을 함부로 쓰는)

④ **ultra- :** *ultra*microspic(초현미경적인), *ultra*modern(초현대적인), *ultra*violet(자외(선)의)

(7) **Down, Under**(아래)의 뜻이 있는 것

① **sub- :** *sub*duce(~을 제거하다), *sub*marine(잠수함), *sub*terranean(지하의), *sub*urb(교외), *sub*way(지하 철도)

② **sup- :** *sup*plant(대신 들어앉다), *sup*plement(보충하다), *sup*port(지탱하다), *sup*pose(예상하다), *sup*press(가라앉히다)

③ **subter- :** *subter*fuge(핑계)

④ **de-:** *de*cay(썩다), *de*duce(연역하다), *de*grade(타락하다), *de*preciate(값이 떨어지다), *de*pression(저하), *de*scend(내리다)

(8) **In, Within**(가운데·안)의 뜻이 있는 것

① **in- :** 어근의 첫 글자와 동화해서 **il-, im-, ir-** 따위로 변하는 수가 있다.
*in*clude(포함하다), *in*come(수입), *in*sert(끼워 넣다), *in*spection(시찰), *in*terval(간격), *in*tervene(사이에 들다), *in*volve(포함하다), *il*luminate(조명하다), *im*merse(잠그다), *ir*rigate(물을 대다)
en- : *en*joy(즐기다), *en*velop(싸다), *en*velope(봉투)
em- : *em*brace(껴안다), *em*body(구체화하다)

② **inter- :** *inter*course(교제), *inter*national(국제의), *inter*cept(도중에서 빼앗다), *inter*locutor(대화자)
intro- : *intro*duce(소개하다), *intro*spect(내성하다)
enter- : *enter*prise(기업), *enter*tain(대접하다)

(9) **Out, Without**(밖)의 뜻이 있는 것

① **ex- :** *ex*cursion(소풍, 유람 여행), *ex*hibit(전시하다), *ex*ile(유형), *ex*pedition(원정), *ex*pose(노출하다), *ex*plain(설명하다), *ex*pel(내쫓다), *ex*pand(확장하다), *ex*pense(비용), *ex*pire((숨을) 내쉬다)
ec- : *ec*centric(괴짜인), *ec*stasy(무아경), *ec*lipse(일식·월식 따위의) 식(蝕)
es- : *es*cape(달아나다), *es*cheat(몰수하다)

② **exo- :** *exo*tic(외국식의), *exo*teric(통속적인)

(10) **Around**(주위)의 뜻이 있는 것

① **circum- :** *circum*stance(환경), *circum*ference(순회, 원주)
circu- : *circu*it(주변), *circu*late(순환하다)

② **peri- :** *peri*od(기간, 종지부), *peri*scope(잠망경)

(11) **Reversal**(역)의 뜻이 있는 것

① **dis- :** *dis*arm(무장 해제하다), *dis*miss(해고하다)

② **de- :** *de*camp(진영을 거두고 물러나다)

(12) **All, Thorough**(전부)의 뜻이 있는 것

① **omni- :** *omni*potence(전능), *omni*bus(합승 버스)

② **pan- :** *pan*orama(전경, 파노라마), *pan*demic((병 따위의) 전국적 유행(의))

(13) **With**(합동)의 뜻이 있는 것

① **com- :** *com*passion(동정), *com*panion(동료, 상대)
con- : *con*sist(성립하다), *con*sort(교제하다)
co- : *co*-operation(공동 작업), *co*partnership(협동 조합)

col- : *col*lect(모으다), *col*laborate(공동으로 일하다)
cor- : *cor*respond(통신하다), *cor*relation(상호 관계)
cog- : *cog*nate(같은 어원의), *cog*nizance(인식)
coun- : *coun*cil(회의), *coun*sel(상담, 조언)
② **syn- :** *syn*onym(동의어), *syn*thesis(종합)
sym- : *sym*pathy(동정심), *sym*phony(교향곡)
sy- : *sy*stem(계통, 체계)

(14) **Good**(좋음)의 뜻이 있는 것
① **bene- :** *bene*factor(은인), *bene*volence(박애)
beni- : *beni*gn(친절한, 온화한), *beni*son(축복)
② **wel- :** *wel*come(환영하다), *wel*fare(행복)

(15) 수에 관한 것
half(반)의 뜻이 있는 것
semi- : *semi*circle(반 원), *semi*-express(준 급 행), *semi*final(준결승)
hemi- : *hemi*sphere(반구)
one(단일)의 뜻이 있는 것
uni- : *uni*form(제복), *uni*fy(통일하다), *uni*t(단위)
mono- : *mono*tone(단조로움), *mono*poly(전매), *mono*logue(독백)
many(다수)의 뜻이 있는 것
multi- : *multi*tude(다수), *multi*ply(늘리다, 곱하다)
poly- : *poly*gon(다각형), *poly*syllable(다음절어)
same, equal(동일)의 뜻이 있는 것
homo- : *homo*nym(동음 이의어), *homo*geneous(동질의, 균질의)
equi- : *equi*valent(동등한), *equi*brium(균형), *equi*nox(주야 평분시, 춘〔추〕분)
two의 뜻이 있는 것
bi- : *bi*cycle(자전거), *bi*noculars(쌍안경)
di- : *di*phthong(이중 모음)
twi- : *twi*ce(두 번), *twi*n(쌍둥이)
three의 뜻이 있는 것
tri- : *tri*angle(삼각형), *tri*cycle(삼륜차)
tre- : *tre*ble(삼중의)
four의 뜻이 있는 것
quadr- : *quadr*angle(사각형), *quadr*uped(네발 짐승의)
five의 뜻이 있는 것
penta- : *penta*gon(오각형), *penta*thlon(오종 경기)
six의 뜻이 있는 것
hexa- : *hexa*gon(육각형), *hexa*hedron(육면체)
seven의 뜻이 있는 것
sept- : *Sept*ember(9월(로마력의 7월))
hepta- : *hepta*gon(칠각형), *hept*archy(칠두 정치)
eight의 뜻이 있는 것
oct(o)- : *octo*pus(낙지), *Octo*ber(10월(로마력의 8월))
ten의 뜻이 있는 것
deca- : *deca*de(10년간), *deca*meter(10미터), *deca*thlon

(십종 경기)

hundred의 뜻이 있는 것

hecto- : *hecto*meter(100 미터), *hecto*liter(100 리터)

thousand의 뜻이 있는 것

kilo- : *kilo*meter (1000 미터(1 킬로미터))

(16) 타동사를 만드는 것

명사·형용사에 붙는 것

be- : *be*calm(잠잠하게 하다), *be*friend(~의 친구가 되다)

en- : *en*rich(부유케 하다), *en*courage(격려하다)

im- : *im*peril(위태롭게 하다), *im*press(~에게 감명을 주다)

in- : *in*sure (보증하다), *in*debted(은혜를 입고, 빚이 있는), *in*corporate(합동시키다)

동사에 붙는 것

be- : *be*fall(~한 운명이 되다), *be*set(포위하다, 습격하다)

(17) 그 밖의 접두어

auto-(자신) : *auto*mobile(자동차), *auto*graph(자필)

geo-(땅) : *geo*graphy(지리학), *geo*logy(지질학)

tele-(먼 곳) : *tele*phone(전화), *tele*gram(전보)

vice-(부) : *vice*-president(부통령), *vice*-consul(부영사)

mis-(과오) : *mis*lead(그릇 인도하다), *mis*take(잘못)

neo-(신) : *neo*logy(신어 고안), *neo*logism(신조 어구)

re- ① (재(再), 복(復), 상호, 반(反), 후(後), 비(秘), 이(離), 거(去), 하(下), 다(多), 불(不), 비(非))
*re*duce(~을 감하다), *re*flect(반사하다), *re*fute(~을 반박하다), *re*hearse(연습하다), *re*pair(수선하다)
② (재차, 새로이, 되풀이해서, 현상으로)
*re*house(새 집에 살게 하다), *re*sist(저항하다)

(B) 접 미 어

《명사 접미어》

(1) **Person**(사람)의 뜻이 있는 것

① **-or:** doct*or*(의사)
-eur: amat*eur*(아마추어)

② **-an:** histori*an*(사학자) **-ain:** capt*ain*(선장)
-en: citiz*en*(시민)

③ **-ant:** merch*ant*(상인)
-ent: stud*ent*(학생)

④ **-aire:** million*aire*(백만장자) **-ar:** schol*ar*(학자)
-eer: engin*eer*(기사)

⑤ **-ate:** candid*ate*(후보자)

⑥ **-ee:** employ*ee*(고용인)

⑦ **-ist:** art*ist*(예술가)

⑧ **-er:** teach*er*(교사)

⑨ **-wright:** play*wright*(극작가)

⑩ **-monger:** fish*monger*(생선 장수)
⑪ **-man:** post*man*(우편 집배인)
woman(여성)의 뜻이 있는 것
⑫ **-ess:** poet*ess*(여류 시인)
⑬ **-ine:** hero*ine*(여주인공)

(2) **Abstract Noun**(추상 명사)을 만드는 것
① **-age:** hom*age*(경의), advant*age*(이익)
② **-al:** surviv*al*(살아 남음), deni*al*(부정)
③ **-ance:** endur*ance*(인내), attend*ance*(출석)
④ **-ancy:** const*ancy*(불변), ascend*ancy*(우월)
⑤ **-acy:** accur*acy*(정확), fall*acy*(잘못된 생각)
⑥ **-ce:** innocen*ce*(무죄), justi*ce*(공평)
⑦ **-ency:** frequ*ency*(빈번), depend*ency*(종속)
⑧ **-ice:** coward*ice*(겁)
⑨ **-ion:** relat*ion*(관계), submiss*ion*(복종)
⑩ **-ment:** state*ment*(진술), develop*ment*(발전)
⑪ **-ry:** poet*ry*(시), jewel*ry*(보석류)
⑫ **-tude:** magni*tude*(크기)
⑬ **-ty:** beau*ty*(아름다움), oddi*ty*(기이함)
⑭ **-ure:** cult*ure*(문화), advent*ure*(모험)
⑮ **-ism:** social*ism*(사회주의), traditional*ism*(전통주의)
⑯ **-dom:** free*dom*(자유), king*dom*(왕국)
⑰ **-hood:** boy*hood*(소년 시절)
⑱ **-ing:** sleep*ing*(수면)
⑲ **-ness:** good*ness*(선)
⑳ **-ship:** friend*ship*(우정)
㉑ **-th:** leng*th*(길이)
㉒ **-craft:** handi*craft*(수공)

(3) **Diminutive**(축소어)를 만드는 것
① **-icle:** part*icle*(미립자)
② **-en:** chick*en*(새새끼)
③ **-et:** pock*et*(호주머니), haml*et*(작은 마을)
④ **-y:** bab*y*(갓난아기)
⑤ **-kin:** lamb*kin*(새끼 양)
⑥ **-let:** stream*let*(작은 시내)
⑦ **-ette:** cigar*ette*(궐련)

(4) 그 밖의 접미어
-ics: mathemat*ics*(수학), phys*ics*(물리학)

《형용사 접미어》

(5) **Plenty**(충분한)의 뜻이 있는 것
① **-ful:** care*ful*(주의 깊은), use*ful*(유용한)
② **-ous:** fam*ous*(유명한), peril*ous*(위태로운)
③ **-y:** worth*y*(가치 있는), dream*y*(꿈 같은)

(6) **Slight Degree**(약간)의 뜻이 있는 것
-ish: redd*ish*(불그스레한), child*ish*(어린애 같은)

(7) **Fold**(배)의 뜻이 있는 것
① **-ble:** dou*ble*(두 배의)

② **-fold:** two*fold*(두 배의)

(8) **Direction**(방향)의 뜻이 있는 것

① **-ern:** west*ern*(서쪽의), east*ern*(동쪽의)

② **-ward:** for*ward*(전방의), west*ward*(서방의)

(9) **Ability**(가능성)의 뜻이 있는 것

① **-able:** eat*able*(먹을 수 있는), lov*able*(사랑스러운)

② **-ible:** cred*ible*(믿을 수 있는), impress*ible*(느끼기 쉬운)

③ **-ble:** solu*ble*(풀 수 있는)

(10) **Like**(~와 같은, ~다운)의 뜻이 있는 것

① **-like:** man*like*(남자다운), god*like*(신과 같은)

② **-ly:** man*ly*(남자다운)

③ **-esque:** pictur*esque*(그림과 같은), grot*esque*(기괴한)

(11) 그 밖의 접미어

① **-less:** hope*less*(희망 없는), tree*less*(수목이 없는)

② **-most:** further*most*(가장 먼), fore*most*(맨 먼저의)

③ **-some:** trouble*some*(귀찮은)

④ **-ate:** fortun*ate*(행운의), collegi*ate*(대학생의)

⑤ **-ed:** ragg*ed*(누덕누덕한), learn*ed*(학문이 있는)

⑥ **-en:** gold*en*(금빛의), wood*en*(목재의)

⑦ **-ique:** un*ique*(유(類)가 없는)

⑧ **-al:** music*al*(음악의), sensation*al*(선정적인)

⑨ **-ive:** act*ive*(활동적인), sensit*ive*(민감한)

⑩ **-fic:** terri*fic*(무시무시한)

⑪ **-ent:** pend*ent*(미결의)

《동사 접미어》

(12) **Causative**(사역)의 뜻이 있는 것

① **-ify:** class*ify*(분류하다), satis*fy*(만족시키다)

② **-ize:** real*ize*(실현하다), material*ize*(물질화하다)

③ **-ise:** advert*ise*(광고하다)

④ **-en:** dark*en*(어둡게 하다)

(13) 그 밖의 접미어

① **-ish:** pun*ish*(벌하다), dimin*ish*(감소하다)

② **-ite:** un*ite*(결합하다)

③ **-ate:** captiv*ate*(넋을 빼앗다), gradu*ate*(졸업시키다)

《부사 접미어》

(14) **Manner**(양식)의 뜻이 있는 것

① **-wise:** other*wise*(그 밖의 방법으로), like*wise*(똑같이)

② **-long:** head*long*(곤두박이로)

③ **-way:** any*way*(어쨌든)

④ **-ly:** bad*ly*(나쁘게)

(15) **Direction**(방향)의 뜻이 있는 것

-wards: down*wards*(아래 쪽으로), for*wards*(전방에)

(C) 어 근

《주로 말 첫머리에 붙는 것》

ac- =sharp(날카로운) : acid(산), acute(날카로운), acrid

(매운), acumen(예민)
aer-=air(공기) : aeriform(공기 모양의), aerodrome(비행장), aery(공기의)
ag-, act-=do(행하다) : agitate(선동하다), active(활동적인)
agr-=field(밭) : agrestic(시골의), agriculture(농업)
alt-=high(높은) : altitude(높은)
alter-, ali-=other(다른) : alter(바꾸다), aline(외국인)
am-=love(사랑하다) : amateur(아마추어), amiable(애교 있는)
anc-=before(앞에) : ancestor(조상), ancient(옛날의)
ang-=strangle(억제하다) : anguish(고민), anxious(걱정스러운)
anim-=breath(숨), mind(마음), courage(용기) : animal(동물), animate(살리다)
ann-=year(연) : anniversary(기념일), annual(일 년의)
anthrop-=man(사람) : anthropology(인류학)
arm-=arms(무기) : armament(무장), army(육군)
astro-=star(별) : astrology(점성학), astronomy(천문학)
aud-=hear(듣다) : audience(청중), audible(들리는)
auto-=self(자기) : autobiography(자서전), automobile(자동차)
avi-=bird(새) : aviation(비행), aviary(새장)
ball-=dance(춤추다) : ball(무도회), ballet(무도)
bat-=beat(치다) : bat(배트로 치다), battle(전투)
bel-=war(전쟁) : bellicose(호전적인), belligerent(교전국)
bene-=good(선(善)) : benefit(이익), benevolence(자비심)
bibli-=book(책) : Bible(성서), bibliography(서사(書史))
bio-=life(삶) : biography(전기), biology(생물학)
brev-=short(짧은) : brevity(간결), brief(짧은)
byrn-=burn(타다) : brand(타다 남은 나무), brown(다갈색)
cand-=shine(빛나다) : candid(공평한), candle(양초)
cap-=head(머리) : capital(수도), captain(선장)
carn-=flesh(고기) : carnal(육욕의), carnivorous(육식의)
car-=car(차), run(달리다) : career(경력), carry(나르다), cart(짐수레)
caval-=horse(말) : cavalier(기사), cavalry(기병대)
ceapi-=buy(사다) : cheap(값싼), chapman(행상인)
cent-=hundred(배) : centipede(지네), century(1 세기)
cert-=sure(확실한) : certain(확실한), certify(증명하다)
chron-=time(때) : chronic(만성의), chronometer(정밀시계)
circ-, cyc-=ring(고리) : circle(원), cyclist(자전거 타는 사람)
com-=revel(마시고 흥청거리다) : comedy(희극), comic(익살스런)
cord-=heart(마음) : cordial(충심으로부터의)
corp-=body(몸) : corporal(신체의), corpse(시체)
cred-=believe(믿다) : credit(신용), credulous(경솔하게

믿어 버리는)
cruc-=cross(십자) : cruciform(십자형의), crusade(십자군)
cure-=care(주의하다) : cure(치료하다), curious(기묘한, 호기심 있는)
curr-=run(달리다) : current(조류), course(진로)
deb-, due-=owe(빚지고 있다) : debt(부채), due(지불해야 할)
dem-=people(인민) : democracy(민주주의), demos(인민)
dent-=tooth(이) : dentifrice(치마분), dentist(치과 의사)
di-=day(날) : dial(해시계), diary(일기)
divid-=divide(나누다) : dividend(배당금), division(분할)
doc-=teach(가르치다) : docile(유순한), doctor(박사)
dom-=house(집) : domestic(가정의), domicile(주소)
dorm-=sleep(자다) : dormant(자고 있는), dormitory(기숙사)
drige-=dry(건조한) : drought(가뭄), drug(약품)
du-=two(둘) : dual(둘의), duel(결투)
ego-=self(자기) : egoism(이기주의), egoist(이기주의자)
equ-=equal(동등) : equality(평행), equity(공평)
erg- = work(일하다) : energy(기력), urge(격려하다)
ess- = be(존재하다) : essence(실질), essential(본질의)
example- = take out(끄집어내다) : example(예)
experi- = try(해 보다) : experience(경험), experiment(실험)
facul-, facil- = do(하다) : faculty(능력), facility(용이, 편의)
fam- = speak(이야기하다) : fame(명성), famous(유명한)
fest- = joyful(즐거운) : feast(축제), festival(축제일)
fin- = end(종결) : final(최후의), finish(끝내다)
flor- = flower(꽃) : floral(꽃의), florid(화려한)
flu- = flow(흐르다) : fluent(유창한), fluid(유동체)
fort- = strong(강한) : force(힘), fortify(강화하다)
fract- = break(깨뜨리다) : fraction(분수), fragment(파편)
found- = base(기초) : foundation(토대), fundamental(기초적인)
geo- = earth(땅) : geography(지리학), geology(지질학)
grad- = walk(걷다) : grade(등급), gradual(점진적인)
grav- = heavy(무거운) : grave(중대한), gravity(중력)
grip- = seize(붙잡다) : grip(쥐다), grasp(붙잡다)
gyro- = surround(에워싸다) : gird(말다), girdle(띠), garden(정원)
helio- = sun(태양) : helio-chrome(천연색 사진)
hippo- = horse(말) : hippopotamus(하마)
hom- = man(사람) : homicide(살인)
hum- = ground(토지) : humble(천한), humiliate(창피를 주다)
hydro- = water(물) : hydrogen(수소), hydrophobia(공수병)

iso- = equal(같은) : isobar(등압선), isotherm(등온선)
journ- = a day(하루) : journal(일지), journey(여행)
jud- = judge(심판) : judgement(판결), judicious(분별 있는)
just-, juris- = just(바른) : justice(정의), jurisprudence(법률학)
labor- = work(일하다) : labor(노동), laborious(힘드는)
later- = side(옆) : lateral(측면의), latitude(위도)
lav-, laun- = wash(씻다) : lavatory(세면소), laundry(세탁소)
leg- = lawful(합법적인) : legal(합법의), illegal(불법의)
leg- = send(보내다) : legacy(유산), legend(전설)
lex- = word(말) : lexicographer(사전 편찬자), lexicon(사전)
liber- = free(자유) : liberal(관대한, 자유로운), liberty(자유)
liqu- = fluid(유동) : liquefy(녹이다), liquid(액체), liquor(액체)
loc- = place(장소) : local(지방의), locality(장소, 산지)
loqu-, locut- = speak(이야기하다) : loquacious(수다스러운)
magni- = great(큰) : magnify(확대하다), magnitude(크기)
manu- = hand(손) : manual(손의), manufacture(제조)
mari- = sea(바다) : marine(바다의), mariner(선원)
matr- = mother(어머니) : maternal(어머니의), matrimony(결혼)
med- = heal(치료하다) : medicine(의학, 약)
medi- = middle(중간) : medieval(중세의), medial(중간에 있는)
mod- = manner(방식) : modal(양식의), model(모형)
mono- = alone(하나) : monologue(독백), monopoly(전매)
monstr- = show(보이다) : monster(괴물, 눈에 띄는 것)
mort- = death(죽음) : mortal(죽음의), mortuary(매장의)
mov-, mob-, mot- = move(움직이다) : movement(운동), mob(폭도), motion(운동), motive(동기)
mut- = change(바꾸다) : mutable(변하기 쉬운), mutation(변화)
nat- = born(태어난) : natal(출생의), native(본국의)
nau-, nav- = ship(배) : nautical(선박의), navy(해군)
necess- = needful(필요한) : necessary(필요한), necessity(필요)
neg- = deny(부정하다) : negative(부정의), neglect(태만)
norm- = rule(법칙) : normal(정상의), normalize(상태(常態)로 하다)
not- = mark(표) : notable(현저한), note(메모)

numer- = number(수) : numeral(수 사), numerable(셀 수 있는)
nutr- = nourish(육성하다) : nutrition(영 양), nutritious (자양분이 많은)
ocul- = eye(눈) : ocular(눈의), oculist(안과 의사)
opt- = wish(바라다) : optative(기원을 나타내는), option (수의)
or- = speak(이야기하다) : oracle(신탁), oration(연설), orator(변사)
ordin- = order(순서) : ordinal(순서 의), ordinary(통 상 의, 보통의)
ori- = rise(오르다) : orient(동방의), origin(기원)
orn- = deck(장식하다) : ornament(장치), ornate(화려하 게 꾸민)
pac- = peace(평화) : pacific(평화로운), pacify(평화롭게 하다)
pan- = bread(빵) : pantry(식료품 저장실)
pan- = all(전부) : panacea(만병 통치약), pantheist(범신 론자)
parl- = talk(말하다) : parley(회담하다), parlor(거실)
pass- = step(걸음) : passenger(통행인), passport(여권)
patr- = father(아버지) : patriot(애국자), paternal(아버 지의)
ped- = foot(발) : pedal(발판), pedestrian(보행자)
pen-, pun- = punish(벌하다) : penalty(벌), punitive(형 벌의)
petr- = rock(바위) : petrify(돌이 되다), petrography(암 석학)
phil- = love(사랑하다) : philanthropy(박애), philosophy (철학(지식을 사랑하다의 뜻))
phot- = light(빛) : photograph(사진), photometer(광도 계)
phys- = nature(자연) : physic(의술), physical(자연의)
pic- = point(점) : picket(말뚝), pike(창), peak(봉우리)
poly- = many(많은) : polytheism(다신교)
popul- = people(민중) : popular(통속의), population(인 구)
port- = gate(문) : portal(정문), portico(현관)
prim- = first(제일의) : primer(입문서), primitive(원시의)
prob- = test(시험하다) : probation(시험), probe(탐침으 로 찾다)
pur- = clean(깨끗한) : purge(깨끗이 하다), purity(순결)
qui- = rest(쉬다) : quiet(조용한), quit(떠나다)
radi- = ray(광선) : radiant(빛나는), radiate(방사하다)
rap- = snatch(잡아채다) : rapid(급속한), rapt(정신이 팔 린)
riv- = stream(시내) : rival(경쟁자), river(강), rivulet (개울)

rus- = country(시골) : rustic(시골뜨기), rusticate(시골풍으로 하다)
sacr- = holy(신성한) : sacred(신성한), sacrifice(희생)
sag- = clever(명민한) : sagacious(영리한), sage(현인)
sal- = salt(소금) : salad(샐러드), salary(급료(소금을 사는 돈))
san- = sound(건전함) : sanitary(위생적인), sanity(건전)
sat- = enough(충분한) : satiate(물리게 하다), satisfy(만족시키다)
sect- = cut(자르다) : sect(종파), section(구역)
sent- = feel(느끼다) : sentiment(감정), sentimental(감상적인)
serv- = keep(간직하다) : servant(사용인), service(봉사)
simil-, simul- = like(유사) : similar(유사한), simile(비유)
snic- = crawl(네 발로 기다) : sneak(몰래 움직이다), snake(뱀)
sol- = alone(혼자) : sole(유일한), solitary(쓸쓸한)
solute- = loosen(끄르다) : solution(용해), soluble(녹기 쉬운)
splend- = shine(빛나다) : splendid(훌륭한), splendor(광채)
stat- = stand(서다) : state(상태), station(위치)
sundri- = part(분리하다) : sunder(찢다), sundry(갖가지의)
tele- = far(먼) : telegram(전보), telescope(망원경)
ten- = hold(쥐고 있다) : tenable(공격에 견딜 수 있는), tenacity(끈기)
term- = boundary(경계) : term(기한), terminate(끝나다)
tex- = weave(짜다) : textile(직물의), texture(짜임새)
theo- = god(신) : theocracy(신정(神政)), theology(신학)
tim- = fear(두려워하다) : timid(겁 많은), timorous(겁 많은)
tour- = turn(돌다) : tour(만유), tourist(관광객)
trad- = deliver(건네다) : tradition(전설), traitor(배반자)
tread- = walk(걷다) : tread(밟다), trade(거래), treadle(발판)
trem- = tremble(떨다) : tremor(진율), tremulous(전율하는)
tuit- = look(보다) : tuition((보수를 받는) 교수)), tutelage(보호 받기)
tum- = swell(팽창하다) : tumid(부은), tumult(소동)
twi- = two, twice(두 배) : twilight(황혼), twin(쌍둥이의)
type- = impression(인상) : type(전형), typical(전형적인)
umbr- = shadow(그림자) : umbrage(분노), umbrella(우산)
und- = wave(파도) : undulate(물결이 일다), undulation(파동)

uni- = one(하나) : union(합동), unity(통일)
use- = use(사용하다) : useful(유용한), usage(관용)
vac- = empty(빈) : vacant(공허한), vacation(휴가)
vag- = wander(헤매다) : vagabond(방랑자), vague(막연한)
val- = strong(강한) : valiant(용감한), valor(용기)
van- = empty(빈) : vanish(사라지다), vanity(허영)
vict- = conquer(이기다) : victor(승리자), victory(승리)
vol- = wish(바라다) : voluntary(자발적인), volution(의지)
voro- = devour(게걸스럽게 먹다) : voracious(탐욕스러운), voracity(포식)
wan- = lack(결핍하다) : wane(감소하다), want(결핍하다)
war- = protect(보호하다) : ward(후견), warn(경고하다)

《주로 어미에 붙는 것》

-apt = fit(적당한) : apt(적당한), adapt(적응시키다)
-arch = government(정부) : monarch(군주), anarchy(무정부)
-cad, -cid, -cas = fall(떨어지다) : decadence(타락), accident(사고), cascade(폭포), occasion(기회)
-camp = field(들) : encamp(야영하다)
-cav = hollow(공동(空洞)) : cave(동굴), concave(오목면)
-cede, -ceed, -cess = go(가다), come(오다) : precede(~에 선행하다), proceed(나아가다), excess(초과)
-ceive, -cept = take(취하다) : conceive(마음에 품다), except(~을 제외하고)
-centr = centre(중심) : concentrate(집중하다)
-cern = separate(잘라서 떼어 놓다) : concern(~에 관계하다), discern(구별하다)
-cide = cut(자르다) : decide(결정하다), suicide(자살)
-cite = call(부르다) : excite(흥분시키다), recite(암송하다)
-claim = cry(부르짖다) : exclaim(큰 소리로 말하다), proclaim(선언하다)
-clin = bend(구부러지다) : decline(쇠퇴하다), incline(기울다)
-clude = close(닫다) : conclude(결말을 내다), include(포함하다)
-cognis = know(알다) : recognize(인식하다)
-commod = convenience(편리) : accommodate(적합시키다)
-cosmo = universe(우주) : microcosm(소우주)
-cracy = strength(힘) : autocracy(독재 정치), democracy(민주주의)
-cre = make(만들다) : decrease(감소하다), increase(증가하다)

-cult = till(경작하다) : agriculture(농업)
-cur = run(달리다), flow(흐르다) : occur(일어나다), excursion(소풍, 여행)
-damn = condemn(비난하다) : condemn(비난하다)
-dic = proclaim(선언하다) : indicate(지시하다), index (*pl.* indices)(색인)
-dict = say(말하다) : contradict(반박하다), predict(예언하다)
-dole = grieve(슬퍼하다) : condole(조상(弔喪)하다)
-don = give(주다) : pardon(용서하다), condone((죄를) 용서하다)
-dox = opinion(의견) : orthodox(정통의), paradox(역설)
-duce, -duct = lead(이끌다) : induce(꾀다), deduction(추론)
-dur = last(계속하다) : endure(견디다)
-fact, -fac = make(만들다) : satisfactory(만족스러운), manufacture(제조하다)
-fect = make(행하다) : defect(결점), perfect(완전한)
-fend = strike(치다) : defend(지키다), offend(죄를 범하다)
-fer = carry(나르다) : refer(조회하다), transfer(옮기다)
-fess = say(말하다) : confess(자백하다), profess(공언하다)
-fid = trust(신용) : confide(신뢰하다), infidel(무신앙자)
-fig = form(형성하다) : disfigure(~의 모양을 손상하다)
-fin = end(끝), limit(한계) : confine(제한하다), define (한계를 정하다, 정의하다)
-firm = firm(굳은) : confirm(확인하다), infirm(허약한)
-fix = fix(정하다) : affix(부가물, 접사(接辭)), transfix (찌르다)
-flect, -flex = bend(구부리다) : inflect(구부리다), reflect (반사하다), flexible(구부리기 쉬운)
-flict = strike(때리다) : afflict(괴롭히다), conflict(충돌하다)
-form = form(형성하다) : conform(적합하다), reform(교정하다)
-fort = chance(기회) : misfortune(불운), unfortunate(불운한)
-fuse = pour(쏟다) : confuse(혼란시키다), effuse(흘러 나오다)
-gam = marriage(결혼) : monogamy(일부 일처제), polygamy(일부 다처)
-gen = produce(산출하다) : ingenuous(솔직한), progeny (자손)
-gener = kind(종류) : degenerate(퇴화하다)
-gest = carry(나르다) : digest(소화하다), suggest(암시하다)
-gog = lead(이끌다) : demagogue(민중의 지도자, 선동

정치가), pedagogy(교육학)

-gon = corner(각) : pentagon(오각형), trigonometry(삼각법)

-gram = write(쓰다) : program(프로그램), telegram(전보)

-grat = please(기쁘게 하다) : congratulate(축하하다)

-greg = collect(모으다) : congregate(집합하다)

-gress = step(걷다) : aggress(공세를 취하다), progress(전진하다)

-hab, -habit = hold(지니다) : inhabit(살다)

-haerere = stick(달라붙다) : adhere(고수하다), cohere(밀착하다)

-her = heir(상속자) : inherit(상속하다)

-hor = shudder(전율하다) : abhor(혐오하다)

-insul = island(섬) : peninsula(반도)

-jac, -ject = throw(던지다) : ejaculate(갑자기 소리지르다), reject(배척하다)

-junct = join(결합하다) : conjunction(접속사), disjunctive(분리적인)

-laps = glide(미끄러지다) : relapse(뒤로 되돌아가다), collapse(함락)

-lat = carry(나르다) : relate(이야기하다, 관계하다), relation(관계)

-lect = gather(모으다), choose(고르다): collect(모으다), select(고르다)

-leg = send(보내다) : delegation(대리 파견)

-lev = light(가벼운) : elevate(올리다)

-lex = word(말) : dialect(방언)

-litera = letter(문자) : illiteracy(문맹)

-log = thought(사상), speech(언어) : apology(사죄), dialogue(대화), logic(논리), prologue(머리말)

-lyse = loosen(풀다) : analyse(해부하다), paralyze(마비시키다)

-mand = order(명하다) : command(명령하다), reprimand(견책하다)

-memor = mention(언급하다) : commemorate(기념하다)

-meno = measure(재다) : immense(거대한)

-ment = mind(마음) : comment(주의하다), document(증거가 되는 문서)

-merce = trade(장사하다) : commerce(상업)

-meter = measure(재다) : barometer(기압계), chronometer(시계)

-migr = remove(옮기다) : emigrant((타국으로의) 이민), immigrant((타국으로부터의) 이민)

-min = project(돌출하다) : eminent(탁월한), prominent(돌출한)

-min = small(작은) : diminish(감소하다)

-mir = wonder(놀라다) : admire(감탄하다)

-miss, -mit = send(보내다) : admission(입장), dismiss(해고하다), emit((빛 따위를) 내다), omit(빠뜨리다)
-mont = mount(오르다) : paramount(최고의), surmount(~의 위에 놓다)
-mov, -mot, -mob = move(움직이다) : remove(옮기다, 제거하다), promote(승진하다), automobile(자동차)
-nect = bind(맺다) : connect(연결하다)
-nomin = name(이름) : denominate(이름을 붙이다)
-nomy = law(법률) : astronomy(천문학), economy(경제학)
-nunci = report(보고하다) : announce(알리다), enunciate((똑똑하게) 발음하다)
-onym = name(이름) : anonymous(익명의), synonym(동의어)
-opt = wish(소망하다) : adopt(채용하다)
-par = equal(똑같은) : compare(비교하다)
-par = prepare(준비하다) : preparation(준비), repair(고치다)
-par = appear(출현하다) : apparent(명백한), appearance(외관)
-part, -port = part(가르다) : apart(따로따로), depart(떠나다), apportion(배당하다)
-pass = step(걸음), pass(지나다): surpass(~보다 낫다), trespass(침해하다)
-path = feeling(감정) : apathy(무감동), sympathy(동정)
-pel = drive(쫓다) : compel(강제하다), expel(내쫓다)
-pend, -pense = hang(걸다) : depend(의지하다), suspend(걸다), compensate(~에게 보상하다)
-phon = sound(소리) : microphone(마이크), telephone(전화)
-pict = paint(채색하다) : depict((회화적으로) 서술하다)
-plan = flat(평평한) : explain(설명하다)
-ple, -pli = full(충분한) : complete(완전한)
-ply = fill(채우다) : comply(승낙하다), supply(공급하다)
-polis = city(도시) : metropolis(수도)
-port = carry(나르다) : export(수출하다), import(수입하다)
-pose = put, place(놓다) : dispose(처치하다), expose((햇빛 따위에) 쐬다)
-potent = powerful(유력한) : impotent(무력한)
-preti (um) = price (가격) : appreciate (평가하다), depreciate(값을 내리다)
-prehend = seize(붙잡다) : apprehend(붙잡다, 이해하다), comprehend(이해하다)
-press = press (누르다) : impress (~에게 감명을 주다), suppress(억제하다)
-prove = test, try (시험하다) : approve (실증하다), improve(개량하다)
-quire, -quest = seek(찾다) : acquire(얻다), inquire(묻다),

request(요구)
-range = rank(열) : arrange(늘어놓다), derange(교란시키다)
-rect = rule(규정하다) : correct(바로잡다, 옳은)
-rupt = break(깨뜨리다) : abrupt(갑작스러운), bankrupt(파산자)
-sal = leap(도약하다) : assail(공격하다)
-scend = climb(오르다) : ascend(오르다), transcend(초월하다)
-sci = know(알다) : conscience(양심)
-scop = see(보다) : microscope(현미경), telescope(망원경)
-scribe, -script = write(쓰다) : describe(기술하다), inscription(비문)
-sect = cut(자르다) : bisect(이등분하다), intersect(교차하다)
-sed = sit(앉다) : preside(사회하다), reside(살다)
-sequ = follow(계속하다) : consequence(결과), sequence(연속)
-sert = join(참가하다) : assert(단언하다), desert(버리다)
-serve = keep(간직하다), heed(주의하다) : conserve(보존하다), preserve(지키다)
-sever = severe(엄한) : persevere(인내하다)
-sign = mark(표시) : design(의장), resign(그만두다, 사직하다)
-sist = stand(일어서다) : assist(돕다), insist(주장하다)
-soci = join(결합하다) : associate(결합하다)
-sol = sun(태양) : parasol(양산), solar(태양의)
-sol = solace(위안하다) : console(위안하다)
-sol = accustomed(익숙한) : absolute(절대의), insolent(거만한)
-solve = loosen(풀다, 늦추다) : absolve(면제하다), dissolve(용해하다)
-son = sound(소리) : consonant(자음)
-soph = wise(현명한) : philosophy(철학)
-sort = share(몫) : assort(분류하다), consort(배우자)
-spect, -scope = look(보다) : inspect(시찰하다), respect(존경하다), periscope(잠망경)
-sper = hope(희망) : prosper(번영하다)
-spers = scatter(뿔뿔이 흩어버리다) : disperse(해산시키다)
-sphere = glove(공) : atmosphere(분위기), hemisphere(반구)
-spire = breathe(호흡하다) : expire(숨을 내쉬다), inspire(숨을 들이쉬다)
-spond = promise(약속하다) : correspond(일치하다), respond(대답하다)
-stinct = prick(찌르다) : distinct(명백한), extinct(소멸

한)
-strain, -strict = tighten(죄다) : restrain(제지하다), restrict(제한하다)
-struct = build (세우다) : construct (만들다), destruction (파괴)
-sue = follow(계속하다) : ensue(계속해서 일어나다), pursue (뒤쫓다)
-sume = take(잡다) : assume(꾸미다, 가정하다), consume(소비하다)
-sure = certain(확신하는) : assure(보증하다), insure(~의 보험을 계약하다)
-tach = touch(~에 접하다) : attach(부착하다), detach (떼다)
-tain = hold(보유하다) : obtain(얻다), contain(포함하다)
-tect = over(덮어) : detect(발견하다), protect(보호하다)
-tempt = try(시험하다) : attempt(시도하다), contempt (경멸)
-tend = stretch(넓히다) : contend(다투다), extend(뻗다)
-terr = earth(땅) : inter(매장하다), interior(내부의)
-test = witness(증언하다) : attest(증명하다), contest(경쟁)
-tide = time(때) : eventide(저녁 때), noontide(낮 동안)
-tom = cut(자르다) : anatomy(해부), atom(원자)
-ton = thunder(우레 같은 소리) : monotone(단조)
-tort = twist(뒤틀다) : contort(구부리다), retort(반박하다)
-tract = draw(끌다) : abstract((개념 따위를) 추상하다), attract(끌다)
-tribute = give(주다) : attribute(~에 돌리다, ~탓으로 하다), contribute(기여하다)
-trude = thrust(밀어 내다) : intrude(밀어 넣다)
-tuit = look(보다) : intuition(직각, 직관)
-turb = disturb(혼란시키다) : disturbance(소동), perturb(마음을 어지럽히다)
-typ = pattern(형) : stereotype(연판 (인쇄))
-vad = go(가다) : evade(피하다), invade(~에 침입하다)
-vang, -veng = punish(벌하다) : avenge(복수하다), revenge(앙갚음하다)
-vapor = steam(증기) : evaporate(증발시키다)
-vent = come(오다) : adventure(모험), event(사건)
-verse, -vert = turn (회전하다) : convert (바꾸다), reverse(거꾸로 하다, 뒤엎다)
-via = way(길) : deviate(빗나가다), previous(이전에)
-vid = see(보다) : evident(명백한), provide(준비하다)
-viv = live(살다) : revive(소생하다), survive(살아 남다)
-voc, -voke = call(부르다) : convoke(소집하다), revoke (취소하다)
-void = empty(빈) : avoid(피하다), devoid(~이 없는)

-volve = roll(말다, 회전하다) : evolve(진화하다), revolve (회전하다)

-voy = way(길) : convoy(호송하다), envoy(사절)

제 3 장 숙어의 구성

1. 숙어란 무엇인가?

숙어는 두 낱말 이상이 모여 특수한 뜻과 용법을 갖는 것을 말한다. 이를테면 by way of(~의 목적으로), by the way (도중에서) 등과 같은 것은 단어의 뜻을 알고 있는 것만으로는 해석할 수 없다. 비단 번역의 경우뿐만 아니고, 용법도 특수한 것이 있다. 이를테면 call on(방문하다)은 사람을 방문하는 경우에, call at는 집을 방문하는 경우에 쓴다. 이들을 call in 혹은 call for 라고 말하지 않는다. 그러나 very well 은 두 낱말로 되어 있지만, very 는 「몹시」, well 은 「좋다」이고, 각각의 낱말은 독자의 뜻을 나타내고, 두 단어가 모여 특수한 용법을 갖지 않으므로 이러한 것은 특히 숙어라고 할 가치는 없다. 그렇다고 해서, 어느 정도의 것이 특수한 용법인가 묻는다면, 그것은 명확히 대답할 수는 없다. 그 이유는 말을 사용할 경우에, 어떤 것이 숙어라고 확실히 지정해서 사용치 않기 때문이다. 그러므로, 생각에 따라서는 특수 용법이라고 생각되지 않더라도 사람에 따라서 숙어에 포함시킬 수도 있을 것이다. 소위 공식이든가, 관용구든가, 짧은 구 등을 모두 숙어에 넣는 사람도 있고, 또 넣지 않는 사람도 있을 것이다. 이 책에서 숙어라고 하는 것은, 단어의 해석이 생각대로 되지 않는 것, 용법이 곤란한 것이다. 따라서, 두 개 이상의 낱말이 떨어져 존재하는 것도 있고, 공식과 같은 것도 있고, 관용구도 있을 것이다. 요컨대 단어로서 암기한 것만으로는 말이 이해되지 않는 것, 혹은 쓰지 못하는 것을 이 책에는 될 수 있는 한 많이 수록했다.

2. 숙어의 종류

이상 말한 설명에서 알 수 있듯이 숙어에는 여러가지 품사가 포함되어 있다. 긴 것도 있고 짧은 것도 있다. 그러나 숙어는 대체로 두 낱말, 세 낱말, 네 낱말로 되어 있는 것이 많고, 다섯 낱말 이상의 것은 극히 드물다.

(1) 숙어를 형성하고 있는 단어를 품사로 나누면

「전치사+명사」 at length (드디어)
at least (적어도)
on purpose (고의로)

「전치사+명사+전치사」 in front of (~의 앞에)
for want of (~가 부족하여)
in honor of (~을 축하하여)

「전치사+형용사+명사」 at all events=in any case (좌우지간)
by all means (반드시)

「동사+부사」 go away (떠나다) hold on (붙어 있다)

sit down (앉다)
「동사+전치사」 call on(아무를 방문하다)
look after (시중들다)

따위가 많고, 이 밖에

「전치사+명사+전치사+명사」 from hand to hand (손에손에)
from day to day (날마다)

「동사+명사」 take counsel (상담하다)
take care (주의하다)

「동사+명사+전치사」 catch sight of (~을 발견하다)
find fault with (~을 비난하다)
get hold of (~을 붙잡다)
make room for (~에 자리를 양보하다)

「동사+전치사+명사」 keep in health (건강을 유지하다)
move to tears (눈물로 목이 메다)

「형용사+전치사」 free from (~가 없는)
sick of (~에 싫증난, 지친)

따위와 같이 여러 가지가 있으나, 우선 이것을 대표적인 것으로 생각하면 된다. 이상은 품사에 의해 분류한 것이다.

(2) 숙어 뜻의 성립으로 분류하면

두 개 이상의 낱말이 합쳐서 아주 특수한 뜻을 갖는 것으로, 그 하나하나의 뜻을 아는 것만으로는 전연 의미를 짐작할 수 없는 것이 있다. 예를 들면,

take in 속이다
set out 출발하다
so long as ~동안은, ~하는 한은

이들은 하나하나의 뜻을 암기해도 전연 뜻을 짐작할 수 없다. 아무래도 이것은 단어와는 따로 외지 않으면 안 된다. 그 수는 많지 않으니까 그리 걱정할 것은 없다. 대개의 숙어는 각기의 본래의 뜻과 변함 없는 낱말이 두셋이 결합되어 있는 것이다. 이런 종류의 숙어를 해석하는 데는 뜻을 알고 있으면 풀리지만, 한편으로는 전치사 따위와 결합되어 전연 뜻이 달라지는 것도 적지 않으니까 용례에 따라 확실히 머리에 넣어두지 않으면 안 된다.

(3) 형식상으로 분류하면

① 단어와 단어가 보통 계속하고 있는 것
이것은 대부분이 그렇다.

② 떨어져 있는 것
(예) **Compare** it **with** other things.
이것은 Compare와 with 사이에 다른 말이 들어 있어 즉시 구별하기 어려운 것이다.

③ 전도되어 있는 것
(예) They had used coal ruinously in order to heat the stove for a special sort of bread **of** which her mother was very **fond.**
이것은 fond of(좋아하다)가 전도된 예인데, 이들은 연결을 해서 이해하기 좀 곤란한 예다.

제 4 장 발 음

단어를 외는 데는 우선 그 발음을 정확히 알지 않으면 안 된다. 영어의 발음에 대한 규칙은 몇 개 있으나 예외가 몹시 많다. 이는 발음과 그 철자(spelling)가 일치하지 않는 경우가 많기 때문이다. 따라서 모르고 있는 단어에 대해서는 물론, 이미 알고 있다고 생각되는 단어라도 사전이나 단어집에서 찾아 그 발음, 악센트, 철자를 관련지어 옳게 암기하기 바란다.

Ⅰ. 모 음(Vowels)

모음에는 ɑ, e, i(:), ɔ, o, u(:), æ, ə*r*, ɑ(:), ʌ 등의 단모음과, ai, au, ɔi, iə*r*, ei, ou, uə*r* 등의 2중 모음이 있다. 같은 철자가 다른 발음을 갖는 예가 많고, 또 다른 철자로 같은 발음을 갖는 것도 있다. 이 중에서 몇 종류의 발음을 갖는 모음을 들어 본다.

「**a**」 ① [æ]: bat, capacity [kəpǽsəti] (수용력), man
② [ɑː] (주로 영식. 미식은 [æ]) : dance, half, path (오솔길)
③ [ei] (주로 e로 끝나는 말) : cake, lady, nation (국민)
④ [εə*r*] (-ar-와 연결할 경우) : compare (비교하다), librarian (도서관원)
⑤ [ɔ] (주로 영식. 미식은 [ɑ]) : quality(질), watch (시계, 망보다)
⑥ [ɔː]: all, warm, water
⑦ [e]: many, Thames [temz] (템스강)

「**e**」 ① [e]: bed, lend, nest
② [i]: English, pretty
③ [iː]: complete (완전한), fever (열)
④ -er-와 연결될 경우 :
[iə*r*]: here, mere (단순한)
[εə*r*]: there, where
[əː*r*]: mercy (자비), university [jùːnivə́ː*r*səti]
[ɑː] (주로 영식. 미식은 [əː*r*]) : clerk (서기), sergeant [sɑ́ː*r*dʒənt] (중사)
⑤ 묵음 (silent letter) : hope, infinite [ínfənit] (무한의)

「**ea**」 ① [iː]: breathe (호흡하다), clean (깨끗한)
② [e]: breakfast [brékfəst], breath (숨), cleanly (산뜻한)
③ [ei]: break, great
④ -ear-과 연결될 경우
[əː*r*]: earth, learn
[ɑː*r*]: heart, hearth (난로)
[εə*r*]: bear (곰), pear (배), tear (찢다)
[iə*r*]: beard (턱수염), tear (눈물)

「**ei** (*or* **ey**)」 ① [ei]: weight (무게), veil (베일), grey
② [iː]: perceive(지각(知覺)하다), receipt [risíːt] (인수) *cf.* believe
③ [ai]: either (미식은 [íːðər]), height (높이)
④ [e]: leisure [léʒə] (틈) (미식은 [líːʒər])

「**i**」 ① [i]: fill, spirit
② [iː]: police, machine [məʃíːn]
③ [ai] (주로 e로 끝나는 말): line, tight (단단한)
④ [əːr] (-ir-와 연결되는 경우) bird, stir (움직이다), virtue

「**o**」 ① [ɔ] (미식은 [ɑ]): hot, stock (재고품)
② [ou] (주로 e로 끝나는 말): folk (사람들), rope
③ [uː]: lose, move, who
④ [ʌ]: above, thorough [θʌ́rə] (완전한) (미식은 [θə́ːrə])
⑤ -or-와 연결되는 경우
[ɔːr]: corn (곡물), short
[əːr]: world, worse

「**oo**」 ① [u]: book, good, wool
② [uː]: brood (한 배의 병아리), food, goose, pool
③ [ʌ]: blood, flood (홍수)
④ -oor와 연결되는 경우:
[ɔːr]: door, floor
[uər]: moor (황야), poor (빈곤한)

「**ou** (*or* **ow**)」 ① [au]: count, bow (뱃머리, 절을 하다), owl (올빼미)
② [ou]: shoulder (어깨), bow (활), bowl (공기)
③ [ɔː]: brought (bring의 과거·과거 분사)
④ [uː]: group, through (~을 통하여)
⑤ [ʌ]: country, enough, touch (접촉하다)
⑥ -our-와 연결되는 경우
[auər]: flour (가루), flower, sour (시어지다)
[əːr]: adjourn (연기하다), journey (여행)

「**u**」 ① [u]: bull, bush (수풀)
② [uː] (주로 e로 끝나는 말): blue, conclude (단정하다)
③ [juː]: music, pupil, union (조합)
④ -ur-와 연결되는 경우
[uə]: allure (유혹하다), jury (배심원)
[əːr]: burst (파열하다), hurt (상처입다)
⑤ [i]: busy (바쁜), business (일)
⑥ [e]: bury (매장하다)

2. 자 음(Consonants)

자음은 모음처럼 복잡하지는 않으나, 철자와 발음이 일치되지 않고 혼동되기 쉬운 것이 몇 개 있기 때문에, 그들을 알파벳순으로 들어 본다.

「c」 ① [s] (e, i, y의 앞에 있을 때): center, citizen, cylinder
② [k] (e, i, y 이외의 앞 또는 어미에 있을 때) : careful (주의 깊은), climate [kláimit] (기후), picnic
③ [ʃ]: ocean (대양), special (특별한)

「ch (*or* tch)」 ① [tʃ]: church (교회), orchard (과수원), catch
② [k]: architect (건축가), chorus (합창), epoch (시대)
③ [ʃ]: machine (기계), moustache [məstǽʃ / məstɑ́:ʃ] (콧수염)
④ [dʒ]: Greenwich [grínidʒ] (지명)

「d」 ① [d]: indeed (실은), examined, handed
② [t]: (-ed가 무성 자음(voiceless consonant)의 뒤에 있을 때) : watched, walked, stopped
③ [dʒ]: procedure [prəsí:dʒə*r*] (절차), soldier (군인)

「g」 ① [g]: great, begin, big
② [dʒ]: gem(보석), magic(마법), rage(화)
③ [ʒ]: garage [gərɑ́:*dʒ* / gǽrɑ:ʒ] (차고), rouge(연지)

「gh」 ① [g]: ghost (유령)
② [f]: cough [kɔ:f / kɔf] (기침을 하다), draught [drɑ:ft] (한 모금)
③ [p]: hiccough (딸꾹질)
④ 묵음 : plough [plau] (쟁기), through (~을 통하여)

「ph」 ① [f]: philosophy [filɑ́səfi] (철학), photograph (사진)
② [v]: nephew [néfju: / névju:] (남자 조카)
③ [p]: shepherd [ʃépə*r*d] (양치기)

「qu」 ① [kw]: conquest [kɑ́ŋkwest] (정복), equal [í:kwəl]
② [k]: conquer [kɑ́ŋkə*r*] (정복하다), quay [ki:] (선창)

「s」 ① [s]: sink (침몰), basis (기초), hats (hat의 복수)
② [z]: observe (관찰하다), reason, dogs (dog의 복수)
③ [ʃ]: excursion (소풍), expansion (확장), sugar
④ [ʒ]: confusion (혼란), treasure (보물)

「ss」 ① [s]: assembly [əsémbli] (회의), impress (인상지우다)
② [z]: possess [pəzés] (소유하다), scissors [sízə*r*z] (가위)
③ [ʃ]: assure (보증하다), impression (인상)

「th」 ① [θ]: breath (숨), method (방법), theory (학설)
② [ð]: breathe (호흡하다), smooth (원활한), this
③ [t]: Thames [temz] (템스강)

「x」 ① [ks]: box, exit (출구), experience (경험)

② [gz]: examine (시험하다), luxurious [lʌgʒúəriəs] (사치스러운)
③ [kʃ]: anxious [ǽŋkʃəs] (염려스런) (미국에서는 [ǽŋ*k*ʃəs]), luxury (사치)
④ [z]: anxiety [æŋzáiəti] (걱정)

묵음(Silent letters)
① b : clim*b* (기어오르다), de*b*t (빚)
② c : mus*c*le (근육), s*c*ene (장면)
③ d : han*d*some (미모의), We*d*nesday [wénzdi] (수요일)
④ g : si*g*n (기 호 *cf.* signal [sígnəl]), *g*naw [nɔː] (갉아먹다)
⑤ h : fore*h*ead [fɔ́ːrid] (이마), *h*eir [εə*r*] (상속인)
⑥ k : *k*nee (무릎), *k*night (기사)
⑦ l : sa*l*mon (연어), fo*l*k (사람들), cou*l*d
⑧ n : autum*n*(가을), solem*n* (엄숙한)
⑨ p : *p*sam [sɑːm] (찬미가), recei*p*t (수령)
⑩ s : ai*s*le [ail] (통로), i*s*land [áilənd] (섬)
⑪ t : cas*t*le (성), ches*t*nut (밤)

3. 악센트(Accent)

영어 단어에서 대부분은 두 개 이상의 음절(syllable)로 되어 있다. 그 중에서 가장 세게 발음되는 음절에 악센트가 있다고 할 수 있다. 음절의 수가 많은 말에는, 가장 세게 발음되는 제일 악센트(primary accent) 이외에, 제 2 악센트(secondary accent)를 취하는 것이 있다. 악센트에는 몇 개의 규칙이 있으나, 그 중에서 특히 알아 두면 편리한 것을 설명하도록 한다.

(1) **-ion, -ian, -ial, -ient** (**-ence**), **-ious, -sive** (**-tive**), **-ic**(**al**), **-ible** 등으로 끝나는 말은 그 앞의 음절에 악센트가 있다.

de-cí-sion [disíʒən], po-sí-tion [pəzíʃən]; mu-sí-cian [mju(ː)zíʃən]; es-sén-tial [isénʃəl] (필수의), con-vén-ient [kənvíːnjənt] (편리한), cón-science [kάnʃəns] (양심), am-bí-tious [æmbíʃəs] (야심이 있는), ex-cés-sive [iksésiv] (극단적인), at-trác-tive [ətrǽktiv] (매력 있는); sci-en-tíf-ic [sàiəntífik], po-lít-i-cal [pəlítikəl](정치상의) (*cf.* pól-i-tic [pάlitik] (분별 있는)); pós-si-ble [pάsibl] (가능한)

(2) **-ate, -graph, -ify, -ise** (**-ize**), **-ite, -ity** (**-ety**), **-ment, -ude** (**-te**) 등으로 끝나는 말은, 끝에서 세 번째의 음절에 악센트가 있다.

as-só-ci-ate [əsóuʃièit] (교제하다); tél-e-graph [téligræ̀f] (전보); per-són-i-fy [pəː*r*sάnifài] (의인화하다), cóm-pro-mise [kάmprəmàiz] (타협하다), ór-ga-nize [ɔ́ː*r*gənàiz] (조직하다); éx-qui-site [ékskwizit] (정묘한); op-por-tú-ni-ty [ὰpə*r*t*j*úːniti] (기회), anx-í-e-ty [æŋzáiəti] (걱정); pár-lia-ment [pɑ́ːrləmənt] (의회); lón-gi-tude [lɑ́ndʒətjùːd] (경도); ir-rés-o-lute [irézəlùːt] (결단력이 없는)

(3) **-eer, -esque, -igue, -ique, -oo, -oon** 등으로 끝나는 말은 그 음절의 위에 악센트가 있다.

en-gi-néer [èndʒiníər] (기사); gro-tésque [groutésk] (기괴한); fa-tígue [fətíːg] (피로); an-tíque [æntíːk] (고대풍의); bambóo [bæmbúː] (대나무); ty-phóon [taifúːn] (태풍)

(4) 품사에 의한 악센트의 차이

같은 낱말이 품사에 의하여 악센트의 위치를 달리하는 경우가 있다.

① 명사는 앞 음절에, 동사는 뒷 음절에 악센트를 주는 말:

conduct [kɑ́ndʌkt, kəndʌ́kt] (행위, 행동하다)
contest [kɑ́ntest, kəntést] (경쟁, 경쟁하다)
contrast [kɑ́ntræ̀st, kəntrǽst] (대조, 대조하다)
decrease [díːkriːs, dikríːs] (감소, 감소하다)
export [ékspɔːrt, ikspɔ́ːrt] (수출, 수출하다)
import [ímpɔːrt, impɔ́ːrt] (수입, 수입하다)
increase [ínkriːs, inkríːs] (증가, 증가하다)
object [ɑ́bdʒikt, əbdʒékt] (목적, 반대하다)
present [prézənt, prizént] (선물, 선사하다)
produce [prɑ́djuːs, prədjúːs] (산물, 산출하다)
progress [prɑ́gres, prəgrés] (진보, 진보하다)
record [rékərd, rikɔ́ːrd] (기록, 기록하다)
subject [sʌ́bdʒikt, səbdʒékt] (주제, 복종시키다)
survey [sə́ːrvei, sərvéi] (개관, 개관하다)
transport [trǽnspɔːrt, trænspɔ́ːrt] (수송, 수송하다)

② 형용사는 앞 음절에, 동사는 뒷 음절에 악센트를 주는 말:

absent [ǽbsənt, æbsént] (부재의, 결석하다)
abstract [ǽbstrækt, æbstrǽkt] (추상적인, 추상하다)
frequent [fríːkwənt, frikwént] (빈번한, 가끔 방문하다)

③ 명사는 앞 음절에, 형용사는 뒷 음절에 악센트를 주는 말:

compact [kɑ́mpækt, kəmpǽkt] (콤팩트, 치밀한)
expert [ékspəːrt, ikspə́ːrt] (노련가, 노련한) (다만, 형용사도 [ékspəːrt] 라고 발음하는 것이 있다.)
instinct [ínstiŋkt, instíŋkt] (본능, 가득 찬)
minute [mínit, mainjúːt] (분, 극소의)

단어 · 숙어

본문에 들어가기 전에, 한 가지 주의하겠다. 자꾸자꾸 외라. 잊어버려도 좋다. 잊거든 또 다시 외면 된다. 단어를 외는 데, 전부를 정확히 하나 남기지 않고 외려고 하면, 앞으로 나아가지 못한다. 신경 쇠약에 걸리기가 일쑤다. 잊어버리는 것을 두려워해서는 안 된다. 자꾸자꾸 외면 된다. 굳은 땅에 물이 괴는 법이다.

☆**a** [ə, (강하게 낼 경우에만) ei], ☆**an** [ən, (강하게 낼 경우에만) æn] 《부정관사》

NB 철자에 관계없이 발음이 자음으로 시작되는 말 앞에는 a, 모음으로 시작되는 말 앞에는 an을 쓴다: *an* hour [auər], a historian [histɔ́:riən], *an* uncle [ʌ́ŋkl], *a* university [jù:nivə́:rsəti]. 명사 앞에 형용사가 붙는 경우는 그 형용사의 발음에 의해 a, an이 결정된다: *a* big apple, *an* old man.

① 하나의

어법 ① one의 약한 뜻으로 보통 번역하지 않을 경우: This is *a* book.(이것은 책이다), *an* old man(노인) ② one의 강한 뜻으로 반드시 번역할 경우: *a* day or two(하루 이틀), *an* hour(한 시간).

② 《총칭적》 어느 ~도, ~라는 것은 모두

(예) *A* dog is a faithful animal. 개는 충실한 동물이다.

어법 any(어느, 어떤)의 뜻. 「어떤 개를 보더라도」의 기분. 종족 전체를 나타내는 데는 이 밖에 the+단수 명사(형식적인 느낌)나, 무관사의 복수 명사(막연한 느낌)가 있다.

③ 《고유 명사에 붙여서》 ~집안 사람; ~같은 사람; ~라는 사람; ~의 작품

(예) *a* Smith 스미스 집안 사람 // *a* Mr. Brown 브라운이란 사람 // *an* Edison 에디슨 같은 발명가 // I bought *a* Picasso. 나는 피카소의 그림을 샀다.

어법 *a* Mr. Brown은 말하는 사람이 Mr. Brown을 잘 모르는 경우. *a certain* Mr. Brown은 말하는 사람은 잘 알고 있으나 듣는 사람에게 분명히 알릴 필요가 없을 때 쓴다.

④ 같은, 동일한(=the same)

(예) We are of *an* age. 우리는 같은 나이이다.

⑤ ~에, ~마다(=per)

(예) work eight hours *a* day 하루에 8시간 일하다 // twice *a* week 일 주일에 두 번

A

*◇**a·ban·don** [əbǽndən] ㉶ 버리다, 포기하다(=give up, forsake)
반 maintain 유지하다
(예) He was forced to *abandon* the attempt. 그는 그 계획을 버리지 않을 수 없었다. // She *abandoned* her son *to* his fate. 그 여자는 자식을 운명에 맡기고 내버려 두었다.
파 **abándoned** ㉻ 자포자기의(an *abandoned* villain 무뢰한) **abándonment** ㉹ 포기, 버림받음
abandon oneself to ~에 내맡기다, ~에 빠지다
(예) He *abandoned* him*self to* despair. 그는 자포자기했다.
어법 to 뒤에는 명사 또는 명사에 맞먹는 어구가 온다.
a·bate [əbéit] ㉵㉶ 감소하다(=diminish), 누그러뜨리다, 약해지다; 줄이다, 경감하다
반 raise 증가하다, 올리다
(예) *abate* a tax 감세하다 // The wind *abated* a little. 바람이 약간 약해졌다.
파 **abátement** ㉹ 감소, 누그러짐, 완화
◇**ab·bey** [ǽbi] ㉹ 수도원(修道院), 대성당(大聖堂)
파 **ábbess** [ǽbis, ǽbes] ㉹ 여자 수도원장 ◈**ábbot** [ǽbət] ㉹ 수도원장
ab·bre·vi·ate [əbríːvièit] ㉶ (낱말·어구 따위를) 생략하다, 단축하다(=shorten)
파 **abbreviátion** ㉹ 생략, 단축, 약어
ab·duct [æbdʌ́kt] ㉶ 유괴하다(=carry away, kidnap)
ab·hor [əbhɔ́ːr] ㉶ 몹시 싫어하다(=hate), 증오하다
반 love 사랑하다
파 **abhórrence** ㉹ 혐오 **abhórrent** ㉻ 몹시 싫은
a·bide [əbáid] ㉵㉶ 《***abode, abided***》 살다(=live), 머무르다(=stay, remain); 《주로 부정(否定)·의문문에서》 참다, 견디다(=endure)
원 a(=on)+bide(=dwell 살다)
(예) I cannot *abide* him. 그 자에게는 참을 수 없다.
파 **abíding** ㉻ 영속적인 **abóde** [əbóud] ㉹ 거처, 주소
abide by (약속·결의·규칙 따위를) 굳게 지키다, 따르다
(예) *abide by* one's promise 약속을 엄수하다
*◇**a·bil·i·ty**⋆ [əbíləti] ㉹ ① 능력, 수완 ② 《종종 *pl.*》 재능(=gift, talent)
원 abil(=able)+ity (명사 어미)
반 inabílity 무능
(예) a man of *ability* 유능한 사람, 수완가 // to the best of one's *ability* 힘이 닿는 한
파 (⇨) **able**

▶ **1.** 「능력」의 유사어

ability는 지적·육체적 능력을 뜻하고, 선천적인 것과 후천적인 것 양쪽에 쓰인다. **talent**는 어떤 특수한 일을 하는 선천적인 재능을 말하고, 후천적인 것에는 쓰지 않는다. **capacity**는 원래 「수용 능력」을 뜻하고 주로 지적 재능을 말한다. ability의 뒤에는 the ability *to swim* like a fish와 같이 부정사(不定詞)를 쓰는 것이 옳다.

ab·ject [ǽbdʒekt] ㉻ (행위·태도 따위가) 천한, 비열한(=mean, contemptible); 참혹한

반 proud 자랑할 만한, 당당한

a·blaze [əbléiz] 부형 《형용사로는 서술적》 불타는 ; 타올라
(예) be *ablaze with* anger 노여움으로 확 달아 오르다 // set the sticks *ablaze* 막대기에 불을 붙이다

*__a·ble__★ [éibl] 형 할 수 있는; 재능 있는; (재능이) 훌륭한
반 unable 할 수 없는
(예) a man *able* to speak French 프랑스말을 할 수 있는 사람 // an *able* speech 훌륭한 연설

NB an *able* man 은 옳지만, an *unable* man 이라고 쓰는 법은 없다. 다만 예전에는 특수한 뜻으로 쓰였다.

파 **ábly** 부 잘, 능숙하게 (⇨) **enable**

NB 접미사 -*able*은 ①「~할 수 있는」(eat*able*). ②「~하기 쉬운」(change*able*)의 뜻을 나타내는 형용사를 만든다.

*◇**(be) able to do**★ ~할 수 있는(=can)
(예) He *is able to* speak English. 그는 영어를 (말)할 줄 안다. (↔He can speak English.) // I shall *be able to* visit you tomorrow. 내일 너를 방문할 수 있을 것이다.

어법 can 에는 미래형, 완료형이 없으므로 be able to 의 변화로 대용한다. 과거 시제는 could 를 쓰는 경우가 있으나, 가정법과 혼동되기 쉬우므로, was〔were〕able to 로 하는 것이 좋다.

*__ab·nor·mal__★ [æbnɔ́ːrməl]
형 이상한(=unusual), 변칙의
원 ab(=from)+normal
반 nórmal 정상의

> ▶ 2. 접두어 **ab**
> 접두어 **ab**는 away, from, off(분리)를 나타낸다.
> (예) *ab*normal, *ab*stract 따위

파 **abnormálity** 명 이상(異常) **abnórmally** 부 이상하게 **abnormity** [æbnɔ́ːrməti] 명 이상, 불구(不具)

◇**a·board** [əbɔ́ːrd] 부전 배에, 배에 올라; 〘미〙 기차〔비행기, 버스, 배〕를 타고
원 a(=on)+board(갑판) 반 ashóre 육지에
(예) At last all were *aboard*. 마침내 전원이 배〔비행기〕에 올랐다. // get〔go〕*aboard* (*of*) a ship 배에 타다 // All *aboard*! 승선〔승차〕해 주십시오.

*◇**a·bol·ish** [əbáliʃ/-bɔ́l-] 타 (관례·제도 따위를) 폐지〔철폐〕하다 (=do away with), 무효로 하다
반 establish 설치하다
(예) We must *abolish* unnecessary punishments. 불필요한 형벌은 폐지하지 않으면 안 된다.
파 **abólishment** 명 폐지 **abolítion** 명 폐지, 철폐

A-bomb [éibàm/-bɔ̀m] 명 원자 폭탄 (=atomic bomb) (*cf.* H-bomb)

a·bom·i·na·ble [əbáminəbl/əbɔ́m-] 형 지긋지긋한, 혐오할 만한 (=detestable), 싫은 (=hateful)
반 fávorable 호감이 가는

a·bound [əbáund] 자 풍부하다 (=be plentiful)
반 lack 결핍하다, 부족하다
파 *__abúndance__★ 명 풍부, 많음 *__abúndant__★ 형 풍부한,

A

많은

***abound in* 〔*with*〕** ~이 풍부하다 (=be rich in)
(예) This stream *abounds in* fish. 이 개울에는 물고기가 많다.

☆**a·bout** [əbáut] [전] ① ~에 관하여〔관한〕(=concerning)
(예) a book *about* animals 동물에 관한 책 // talk *about* business 사업 이야기를 하다 // What are you so happy *about*? 무엇을 그렇게 좋아하고 있는가?
② ~의 주위에(=around), ~의 신변에
[어법] 미국에서는 흔히 around를 쓴다.
(예) *about* the neck 목 언저리에 // Look *about* you. 주위를 (살펴) 보아라. // There is something noble *about* him. 그에게는 어딘지 모르게 고상한 데가 있다.
③ ~의 여기저기를 (=around)
[어법] 미국에서는 흔히 around를 쓴다.
(예) walk *about* the street 거리를 여기저기 거닐다 // He traveled *about* France and Spain last year. 그는 작년에 프랑스와 스페인을 여기저기 여행하였다.
④ ~에 종사하고 (=engaged)
(예) What are you *about* now? 지금 무엇을 하고 있는가? (↔What are you doing now?) // Mother is busy *about* cooking. 어머니는 요리하느라 바쁘시다.
— [부] ① 약, 대략; 무렵; 정도(=nearly); 거의(=almost, 〖미〗 around)
[어법] 흔히 시간·수량·정도에 관해서 쓴다.
(예) *about* a mile 약 1마일 // *about* ten days ago 약 10일 전
② 주위에, 근처에; 여기저기에 (=〖미〗 around)
(예) hang *about* 주위를 어슬렁거리며 배회하다 // There was nobody *about*. 근처에는 아무도 없었다.

*◇ **(*be*) *about to* do** 막 ~하려고 하는 (=on the point of)
[어법] *be going to*에 비해서 문어적이다. 미래를 나타내는 부사적 수식어를 붙이지 않는다.
(예) The boat *was about to* capsize. 보트는 금방 뒤집힐 듯했다. // ◇The man *about to* open an account proved a prisoner. 이제 막 거래를 시작하려고 하는 남자가 죄수임이 판명되었다.

☆**a·bove** [əbʌ́v] [전] ~보다 위에 (=higher than), ~이상으로 (=more than, over); ~을 초월해서 (=beyond); ~을 수치스럽게 생각하여
[어법] *on*은 「~의 위에 접촉하여」, *over*는 「~의 바로 위에」「~을 넘어」, *above*는 다만 「~에서 떨어져서 위에」로, *over*와 *above*는 일치하는 점도 있다.
[부] 머리 위에 (=overhead); 그 위에 (=in addition)
[반] belów 아래에
(예) A shrill cry was heard *above* the noise. 소음 가운데 유달리 높고 날카로운 비명 소리가 들렸다. // He is not *above* asking questions. 그는 질문하는 것을 수치스럽게 여기지 않는다. // It is *above* my understanding. 그것을 나는

도저히 이해할 수 없다. (↔ I cannot understand it. ↔ It is too difficult for me to understand.)

파 **abóve-méntioned** ⓗ 앞서 말한, 상기(上記)의

*◇***above all (things)** 무엇보다도 (먼저); 그 중에서도 특히 (=more than anything else)

(예) You must, *above all,* be loyal to your country. 무엇보다도 여러분은 국가에 충성스러워야 합니다.

from above 위로부터(의), 하늘로부터(의)

◇**a·breast** [əbrést] ⓟ 나란히, 병행하여

◇***keep abreast of* 〔*with*〕** ~에 뒤지지 않고 따라가다

a·bridge [əbrídʒ] ⓣ 요약하다, 단축〔축소〕하다 (=make shorter)

(예) This is *abridged from* the original. 이것은 원문을 요약한 것이다.

파 **abrídged** ⓗ (책·이야기 등을) 요약한(an *abridged* edition 간약판) **abrídg(e)ment** ⓜ 단축, 적요(摘要)

*◇**a·broad** [əbrɔ́ːd]★ ⓟ 외국에서〔으로〕(=overseas); 널리 (=widely)

원 a(=in, to)+broad (널리) 반 home 본국에

(예) at home and *abroad* 국내외에 // He *went abroad* last year. 그는 작년에 외국에 갔다.

ab·rupt [əbrʌ́pt] ⓗ 돌연한, 갑작스러운(=sudden), 험한; 퉁명스러운

(예) He took an *abrupt* turn to the left. 그는 갑자기 왼쪽으로 돌았다.

파 ***abrúptly** ⓟ 갑자기; 험하게 **abrúptness** ⓜ 갑작스러움; 험준

*◇**ab·sence** [ǽbsəns] ⓜ 결석, 부재 ; 없음

반 présence 출석

(예) *absence* from school 결석 // *absence* of mind 방심, 얼빠짐(*cf.* presence of mind 침착) // *absence* of light 빛이 없음 // He called on me in my *absence.* 그는 나의 부재 중에 찾아왔다.

> ▶ **3. 접미어 ce**
> 접미어 **ce**는 추상 명사를 만드는 데 쓰인다.
> (예) absen*ce*, diligen*ce*, intelligen*ce* 따위

in the absence of ~이 없을 때에, ~이 없으므로

(예) *in the absence of* proper examples 적당한 예가 없으므로

***ab·sent** [ǽbsənt] ⓗ 결석한, 부재의 [~from], ~이 없는 (=lacking) ; 방심 상태의 ⓣ [æbsént] 결석하다, 집을 비우다(=keep away) [~ oneself from]

반 présent 출석한, 있는

(예) Tom has been *absent from* school. 톰은 학교를 쉬고 있다.

파 **absently** [ǽbsəntli] ⓟ 멍하니 **ábsent-mínded** ⓗ 멍청한 ◇**ábsent-míndedly** ⓟ 멍청하게 **ábsent-míndedness** ⓜ 방심(상태) (⇨) **absence**

A

*◇**ab·so·lute** [ǽbsəlùːt] ㊍ 절대의 (=positive); 완전한 (=perfect); 전제적(專制的)인 (=despotic); 무조건의; 〖문법〗 독립의
반 rélative 상대의, 상대적인
(예) an *absolute* principle 절대 원리 // an *absolute* construction 〖문법〗 독립 구문 // an *absolute* infinitive 〔participle〕 독립부정사〔분사〕 // the *Absolute* (Being) 절대자, 신 // *absolute* monarchy 전제 군주 정치 // *absolute* majority 절대 다수 // an *absolute* agreement 무조건의 동의
파 ***ábsolutely** ㊕ 절대(적으)로, 전혀; 〖구어〗 바로 그렇고 말고(=yes) (어법 이 경우에는 흔히 [æbsəlúːtli]로 발음한다.) **ábsoluteness** ㊐ 절대, 완전

ab·solve [æbzálv / əbzɔ́lv] ㊏ (죄를) 용서하다 [~ a person of]; (의무를) 해제〔면제〕하다 [~ a person from]
(예) The priest *absolved* him of his sins. 신부는 그의 죄를 사면했다.

*◇**ab·sorb** [əbsɔ́ːrb, -zɔ́ːrb] ㊏ 흡수하다, (마음을) 사로잡다; (작은 기업·마을 따위를) 병합하다
원 ab (=away)+sorb (=suck 빨다)
(예) *absorb* new ideas 새로운 사상을 흡수하다 // Dry sand *absorbs* water. 마른 모래는 물을 빨아들인다.
파 **absórbed** ㊍ 몰두한 **absórbing** ㊍ 마음을 사로잡는; 재미있는 **absorption** [əbsɔ́ːrpʃən, -zɔ́ːrp-] ㊐ 흡수, 전념

*◇(***be***) ***absorbed in*** (독서·사색 따위에) 몰두해 있는
(예) He *was absorbed in* thought. 그는 생각에 잠겨〔몰두해〕 있었다.

ab·stain [əbstéin] ㊉ ~을 끊다, 억제하다, 삼가다 (=refrain) [~ from]
(예) You had better *abstain from* smoking. 담배를 끊는 것이 좋겠다.
파 **abstáiner** ㊐ 절제가, 금주자 **abstέntion** ㊐ 자제, 절제, 근신, (투표의) 기권 **ábstinence** ㊐ 절제, 금욕, 금주

*◇**ab·stract*** [ǽbstrækt] ㊐ 추상; 적요; 발췌 ㊍ 추상적인, 추상파의 《그림》; 난해한 (=difficult) ㊏ [æbstrǽkt] 추상하다; 제거하다(=take away); (주의력 따위를) 빼앗다; 발췌〔요약〕하다; 추출하다
반 cóncrete 구체적인
(예) an *abstract* noun 추상 명사 // make an *abstract* of a book 책의 요점을 발췌하다 // *abstract* iron from ore 광석에서 철을 추출하다
파 **abstrácted** ㊍ 추출(抽出)한; 멍한 **abstractedly** [æbstrǽktidli] ㊕ 멍하니 **abstráction** ㊐ 추상; 방심

in the abstract 추상적으로
반 in the concrete 구체적으로
(예) consider a problem *in the abstract* 문제를 추상적으로 생각하다

*◇**ab·surd*** [əbsə́ːrd, -zə́ːrd] ㊍ 터무니없는, 당치않은, 불합리한 (=unreasonable)

반 rátional 합리적인
(예) Don't be *absurd*. 얼빠진 소리〔짓〕 마라. // It was *absurd of* me to think that you loved me. 당신이 나를 사랑하는 줄로 알았으니 나도 바보였다.
파 **absúrdity** 명 불합리, 부조리; 터무니〔어이〕없는 일〔이야기〕 **absúrdly** 부 불합리하게, 터무니없이

◇**a·bun·dance** [əbʌ́ndəns] 명 풍부함, 다수, 다량; 유복
(예) *an abundance* of grain 많은 곡물 // live in *abundance* 유복하게 살다

◇**a·bun·dant** [əbʌ́ndənt] 형 풍부한, 많은 [~ in, with]
(예) The land is *abundant in* minerals. 그 지방에는 광물이 많다. // ◇The river is *abundant with* fish. 그 강에는 고기가 많다.

*◇**a·buse** 타 [əbjúːz] (지위·특권을) 남용하다; (말을) 오용하다 (=misuse); 학대하다 (=ill-use); 모욕하다 명 [əbjúːs] 남용; 학대; 《종종 *pl.*》 악폐, 폐해
(예) He *abused* his official authority. 그는 직권을 남용했다.
파 **abúsive** 형 남용하는, 욕설의 **abúsively** 부 함부로, 무례하게

◇**a·byss** [əbís] 명 지옥(=hell); 심연(深淵)

***ac·a·dem·ic(al)** [æ̀kədémik(əl)]* 형 학문상의, 학구적인

◇**a·cad·e·my** [əkǽdəmi] 명 학교, 학원; 예술원, 학술원; 사관 학교 〖약어〗 *acad.*
(예) an *academy* of music 음악 학교 // the Royal *Academy* of Arts (영국) 왕립 미술원 // a naval 〔military〕 *academy* 해군〔육군〕 사관 학교 // the *Academy* Award 〖미〗 아카데미상

> ▶ **4.** 「아카데미」의 유래
> **academy**는 보통, 대학 정도에 미치지 못하는 것이라든가, 사립 학교, 특수한 기술 학교 및 과학·문예의 전문가의 집단에 대해서 쓰이는데, 그것들은 어느 것이나 B.C. 387년에 플라톤이 아테네 교외의 Akademia에 세운 학원의 이름에서 유래한다.

ac·cede [æksíːd] 자 (요구 따위에) 동의하다 (=agree), 응하다; (관직에) 취임하다
(예) *accede to* a proposal 제안에 동의하다 // *accede to* the throne〔crown〕 왕위에 오르다

ac·cel·er·ate [ækséləreìt, ək-] 자타 속도를 더하다(=make quicker), 촉진하다 (=hasten)
반 decélerate 감속하다
(예) The sun *accelerates* the growth of a plant. 태양은 식물의 성장을 촉진한다.
파 ◇**accelerátion** 명 가속(도), 촉진 **accélerator** 명 (화학 반응 따위의) 촉진제; (자동차 따위의) 가속 장치, 액셀러레이터

***ac·cent** 명 [ǽksent / -sənt] 강세, 악센트 《강음·강음부》; 사투리, 그런 말투; 《*pl.*》 어조 타 [æksént] 강하게 발음하다, 강조하다 (=emphasize)
(예) speak French with a strong English *accent* 강한 영국식 말투로 프랑스 말을 하다 // in tender *accents* 부드러

운 어조로 // The *accent* is on the second syllable. 악센트는 제 2 음절에 있다.

파 **accentuate** [æksént∫uèit, ək-] 타 악센트를 붙이다; 역설하다 **accentuátion** 명 악센트를 붙임; 역설(力說)

*◇**ac·cept*** [æksépt, ək-] 타 받다 (=receive); 승낙하다 (=consent to, receive); 인정하다, 용인하다 (=approve)

반 refúse 거절하다

(예) *accept* a gift 선물을 받아들이다 // I cannot *accept* your proposal. 나는 너의 제의에 응할 수 없다. // *accept* a person *as* a companion 아무를 동료로서 인정하다

어법 *receive*는 단지 「받다」의 뜻. *accept*는 receive 한 사물을 승낙하여 「받아들이다」란 뜻. 이를테면 초대장을 receive 해도 사정이 여의치 않을 때는 accept 할 수 없다.

파 **acceptabílity** 명 응낙할 수 있음 ◇**accéptable** 형 수락할 수 있는, 마음에 드는 ◇**accéptance*** 명 수락, 승낙; (어음 따위의) 인수

*◇**ac·cess** [ǽkses] 명 접근 (=approach), 출입, 접근 통로〔방법〕; 가까이할 기회〔권리〕

(예) ◇The only *access* to the farmhouse is across the fields. 그 농가로 가는 길은 밭을 가로질러 가는 수 밖에 없다.

파 **accessibílity** 명 접근〔출입〕하기 쉬움; 영향받기 쉬움 ***accéssible** 형 가까이하기 쉬운 **accéssibly** 부 가까이하기 쉽게 **accéssion** 명 (어떤 상태에로의) 근접, 도달; 취임; (권리·재산 따위의) 취득, 상속

have access to ~에 접근〔출입〕할 수 있다

(예) He *has access to* my library. 그는 나의 서재(書齋) 출입이 허용되어 있다.

ac·ces·sa·ry, -so·ry [æksésəri, əks-]* 형 보조적인, 부속의 명 《보통 *pl.*》 부속품, 액세서리 《여자의 손수건, 브로치 따위 의복의 부속품》; 종범자(從犯者)

*◇**ac·ci·dent*** [ǽksidənt] 명 사고, 뜻밖의〔우발〕 사건 (=unexpected event), 우연(=chance); (뜻밖의) 재난(=unfortunate event)

(예) meet with an *accident* 재난을 당하다 // He was killed in a traffic *accident*. 그는 교통 사고로 죽었다.

파 *◇**accidéntal*** 형 우연의, 뜻밖의 **accidéntally** 부 우연히, 우발적으로; 문득

◇***by accident*** 우연히, 뜻밖에(=by chance)

반 on purpose 고의로, 일부러

(예) He tries to do it and doesn't do it *by accident*. 그는 그것을 마음먹고 하려는 것이지, 어쩌다 우연히 그것을 하는 것이 아니다.

ac·claim [əkléim] 자타 갈채하다, 환호하다

파 **acclamátion** 명 갈채, 환호

ac·cli·ma·tize [əkláimətàiz] 타자 〘영〙 (동식물·사람을) 새 풍토〔환경〕에 익숙하게 하다〔익숙해지다〕

(예) *acclimatize* one*self to* the temperature 그 온도에 익숙해지다 // get 〔become〕 *acclimatized* 순응하다

__ac·com·mo·date__ [əkámədèit / -kɔ́m-] 타 수용하다 (=admit); 적응시키다 [~ to]; 융통하다 (=supply, furnish); 편의를 봐 주다; 화해시키다

(예) The hotel can *accommodate* 1,000 guests. 그 호텔은 1,000명의 손님을 수용할 수 있다. // *accommodate* a friend *with* money 친구에게 돈을 빌려주다

파 **accómmodating** 형 친절한; 융통성 있는 **accommodátion** 명 수용 능력; (숙박)설비; 편의; 대부금, 융자

*__ac·com·pa·ny__ [əkʌ́mpəni] 타 ~에 동반하다 (=go with), 수반하다, 잇달아 ~이 생기다 (=follow); 반주(伴奏)하다

원 ac(=to)+company

(예) In these walks I always *accompanied* him. 이러한 산책에 나는 언제나 그를 따라갔다. // *accompany* one's speech *with* gestures 몸짓을 해가며 말하다

파 **accómpaniment** 명 부수물, 반주 **accómpanist** 명 동반자, 반주자

***(be) accompanied by* 〔*with*〕** ~이 따르는, 수반하는, 잇달아 일어나는

(예) Poverty *is accompanied with* sickness. 가난에는 병이 따른다.

ac·com·plice [əkámplis / əkʌ́m-] 명 공범자

*__ac·com·plish__ [əkámpliʃ / əkʌ́m-] 타 성취하다, 달성하다 (=finish successfully), 완성하다 (=complete)

원 ac(=to)+complish(=complete 완전한)

(예) I will *accomplish* it by tomorrow. 내일까지는 그것을 완성하겠다.

파 **accómplished** 형 성취한, 숙달한; 교양이 있는 ***accómplishment** 명 수행; 《*pl.*》 (취미로 닦은) 예능, 교양

(be) accomplished in ~에 능란한

(예) He *is* thoroughly *accomplished in* painting. 그는 그림에 아주 능란하다.

ac·cord [əkɔ́ːrd] 자 타 일치하다 [~ with], 조화하다; 주다 (=give) 명 일치(=agreement); 조화(=harmony)

반 disaccórd 불일치, 불화

(예) His deeds *accord with* his words. ↔ His deeds and his words *accord*. 그의 언행은 일치한다.

어법 「주다」의 의미로는 give와 같아서, *accord* him praise, *accord* praise to him 양쪽 모두 가능하다.

파 ***accórdance** 명 일치 **accórdant** 형 일치한 ***accórding** 부 따라서 ***accórdingly** 부 그러므로, 따라서 (=therefore)

(be) in* 〔*out of*〕 *accord with ~와 일치하는〔하지 않는〕

(예) My views *are in accord with* his. 나의 의견은 그의 의견과 일치한다.

of one's own accord 자발적으로 (=voluntarily)

(예) He would never have done it *of* his *own accord*. 그는 자발적으로는 결코 그것을 하지 않았을 것이다.

in accordance with ~에 따라서, …와 일치하여

(예) Everything has been done *in accordance with* the rules. 모든 일이 규정에 따라 행해졌다.

according as ~(함)에 따라서

(예) The thermometer rises or falls *according as* the air is hot or cold. 온도계는 공기의 온도에 따라서 오르내린다.

*◇***according to*** ~에 일치하여; ~에 의하면; ~에 따라서

(예) *according to* the report 그 보고에 의하면 // Act *according* to circumstances. 환경에 따라 행동하라.

[어법] according as는 다음에 clause를 수반하여 하나의 접속사 역할을 하는 데 대해서 according to는 하나의 전치사 역할을 한다.

ac·cor·di·on [əkɔ́ːrdiən] [명] 아코디언, 손풍금

ac·cost [əkɔ́ːst / əkɔ́st] [타] ~에게 다가가서 말을 걸다; ~에게 인사하다

*◇**ac·count** [əkáunt] [자][타] 설명하다 (=explain) [~ for]; …을 ~이라고 생각하다 [명] 계산; 설명, 이유; 기사

[원] ac(=to)+count (=reckon 세다)

(예) *account* him (*to be*) foolish 그를 바보로 생각하다 // give an *account* of ~을 설명하다 // newspaper *accounts* 신문기사

[파] **accountabílity** [명] 책임 **accóuntable** [형] 책임 있는 (=responsible), 설명〔해명〕할 수 있는 **accóuntably** [부] 책임을 지도록, 설명할 수 있도록 ◇**accóuntant** [명] 회계원 **account book** 회계〔출납〕부

*◇***account for*** ~을 설명하다(=explain), (이유를) 밝히다

(예) There is no *accounting for* them. 그것들을 설명할 수 없다. // Poor health *accounts for* his failure. 그의 실패는 건강이 나쁜 탓이다.

make much 〔***no***〕 ***account of*** ~을 중요시하다〔무시하다〕

(예) You need not *make much account of* his words. 그의 말을 중시하지 않아도 좋다.

not ~ on any account ; on no account 결코 ~아니다〔않다〕 (=by no means)

(예) I can*not* forgive him *on any account*. 난 절대로 그를 용서 못해. // You ought *on no account* to take part in that. 너는 결코 거기 참가해서는 안 된다.

of much 〔***no***〕 ***account*** 중요한, 대단한〔대수롭지 않은〕 (*cf.* of importance 〔consequence〕)

(예) a man *of no account* 대수롭지 않은 사람

on account of ~때문에, ~이유로(=because of)

(예) He was absent from school *on account of* illness. 그는 병으로 학교를 결석했다.

on every account 〔***all accounts***〕 무슨 일이 있더라도, 기어이; 모든 점에서

(예) It is best to do so *on every account*. 어떤 일이 있더라도 그렇게 하는 것이 제일 좋다.

on *one*'***s own account*** 자기의 부담으로; 자기의 이익을 위해서

(예) He started business *on* his *own account.* 그는 자비로 사업을 시작했다.

on this* 〔*that*〕 *account 이것〔그것〕 때문에

square accounts with ~와의 셈을 청산하다

(예) He has enough money to *square accounts with* you. 그는 너와의 셈을 청산할 충분한 돈이 있다.

take* ~ *into account ~을 참작하다, 고려하다

(예) You should *take* these *into account.* 이런 것들을 고려해야 한다.

turn* ~ *to account ~을 이용하다(=utilize)

(예) They are *turned to account* in the long run. 그들은 결국 이용당하고 있다.

***ac·cu·mu·late** [əkjú:mjəlèit] [자][타] 축적〔저축〕하다(=amass), 쌓(아 올리)다(=heap up)

[반] díssipate 낭비하다

[파] ***accumulátion** [명] 축적 **accúmulative** [형] 축재에 여념이 없는; 누적(累積)의 **accúmulatively** [부] 누적하여, 누적적으로 **accúmulator** [명] 축전지; 축재자

*◇**ac·cu·ra·cy**★ [ǽkjərəsi]★ [명] 정확(=correctness), 정밀

[원] ac(=to)+cura(=care 주의)+cy(명사 어미)

[반] ináccuracy 부정확

(예) with *accuracy* 정확히

*◇**ac·cu·rate**★ [ǽkjərit / ǽkjurət]★ [형] 정확한(=correct), 정밀한(=precise)

[반] ináccurate 부정확한

(예) He is *accurate at* figures. 그는 계산이 정확하다.

[파] *◇**áccurately** [부] 정확하게, 정밀하게

to be accurate 정확〔엄밀〕히 말하면

ac·cu·sa·tive [əkjú:zətiv] 〖문법〗 [형] 대격(對格)의 [명] 대격 《직접 목적어의 격: I gave him *a book.*》

*◇**ac·cuse** [əkjú:z] [타] 고소하다(=charge), 고발하다; 비난〔문책〕하다, 나무라다(=blame)

[반] defénd 항변하다, 방어하다

[파] **accusátion** [명] 고발, 비난 **accúsed** [형] 고발된, 비난받은 [명] (the ~) 피고 **accúser** [명] 고발자, 원고, 비난자

***accuse* ~ *of* 〔*as*〕** ~을 힐책〔힐난〕하다, 비난하다; 고소하다

(예) *accuse* a person *of* murder 〔*as* a murderer〕 아무를 살인죄〔살인자〕로 고소하다 // I was *accused of* making mistakes. 나는 잘못해서 문책받았다.

*◇**ac·cus·tom** [əkʌ́stəm] [타] 익숙케 하다, 습관을 붙이다

[원] ac(=to)+custom(습관)

(예) ◇*Accustom* your*self to* early rising. 일찍 일어나는 습관을 붙여라.

[어법] 보통 Passive(수동) 또는 Reflexive(재귀형)로 쓰인다.

*◇(***be***) ***accustomed to*** ~에 익숙해져 있는, 항상 ~하는

(예) He *is accustomed to* Korean way of life. 그는 한국 생활 양식에 익숙해져 있다.

어법 *to* 다음에는 흔히 명사(상당어)가 오나, 동사 원형이 오는 수도 있다. 「익숙하다」「익숙해지다」에는 be 대신 get, become을 앞에 붙인다.

ace [eis] 명 (트럼프의) 1; 최고의 것; 《형용사적》 최고의
(예) an *ace* reporter 우수한 기자

ache* [eik] 자 아프다(=suffer pain); 간절히 바라다 [~ for]; ~하고 싶어 못 견디다 [~ to do] 명 아픔 (=pain), 고통 (*cf.* héadache 두통, stómachache 위통, tóothache 치통)
(예) My tooth *aches.* 이가 아프다. // The boy *ached to* see his mother. 그 소년은 어머니를 간절히 만나고 싶어했다.
파 **áching** 형 아픈

a·chieve [ətʃíːv] 타 성취하다, 달성하다, 해내다(=finish successfully); 획득하다(=gain)
반 fail 실패하다
(예) *achieve* success 성공을 거두다 // Work *achieved* is above knowledge. 성취된 사업은 단순한 지식보다 낫다.
파 ***achíevement** 명 성공, 성취, 업적

ac·id [ǽsid] 명 〔화학〕 산(酸) 형 신, 산미(酸味)가 있는, 산성의; (성미·표정 따위가) 까다로운

***ac·knowl·edge** [əknɑ́lidʒ / -nɔ́l-] 타 인정하다(=admit); 감사하다, (표정·웃음 따위로) 인사하다; (서신·선물 따위의) 수령〔도착〕을 알리다
원 ac(=to)+know+ledge(명사 어미)
반 deny [dinái] 부정하다
(예) *acknowledge* its truth ↔ *acknowledge* it *as* true ↔ *acknowledge* it *to be* true ↔ *acknowledge that* it is true 그것을 사실로 인정하다 // *acknowledge* a gift 선물을 잘 받았다고 알리다 // *acknowledge* his services 그의 공적에 감사하다
파 **acknówledged** 형 인정받은 **acknówledg(e)ment** 명 승인, 감사; (편지 따위를) 잘 받았다는 통지

in acknowledgement of ~의 답례로

a·corn [éikɔːrn] 명 도토리, 상수리

***ac·quaint** [əkwéint] 타 (사실 따위를) 알리다(=make known) [~ with], 정통(精通)케 하다, 숙지(熟知)시키다 (=make familiar)
(예) I *acquainted* him *with* my plans. 내 계획을 그에게 알렸다. // You must *acquaint* your*self with* your new duties. 너는 새 직무를 잘 알지 않으면 안 된다.
원 ac(=to)+quaint(=known)
파 **acquáintanceship** 명 친분, 면식, 안면; 교제

*(***be***)* ***acquainted with*** ~을 알고 있는, 정통한
(예) He *was acquainted with* it from the beginning. 그는 처음부터 그것을 알고 있었다.
어법 「알게 되다」는 get 〔become〕 acquainted with : I did not have any opportunity to *become acquainted with* him. (나는 그를 알게 될 기회가 없었다)

ac·quaint·ance [əkwéintəns] 명 아는 사람; (아무와의)

면식; 익히 앎, 지식
(예) make the *acquaintance* of 〔with〕 a person ↔ make a person's *acquaintance* 아무와 아는 사이가 되다

*◇**ac·quire** [əkwáiər] 타 얻다(=gain), 습득하다, (습관 따위를) 붙이다
원 ac(=to)+quire(=seek 구하다)
반 lose 잃다
(예) I desire to *acquire* French quickly. 프랑스말을 얼른 익히고 싶다.
파 **acquíred** 형 취득〔습득〕한; 후천적인(*cf.* natural) **acquírement** 명 습득, 학식 **acquisítion** 명 획득, 취득

ac·quit [əkwít] 타 방면하다, 놓아 주다, 무죄로 하다; 행동〔처신〕하다 [~ oneself], (임무를) 다하다 [~ oneself of]
반 arrést 체포하다
(예) He was *acquitted* after a long trial. 그는 장시간의 심문 끝에 석방되었다. // They *acquitted* him *of* murder. 그의 살인 용의는 무죄가 되었다. // He *acquitted* him*self* like a man. 그는 남자답게 행동했다.
파 **acquíttance** 명 면제

◇**a·cre** [éikər] 명 에이커《약 4,046.8 m²》

ac·ro·bat [ǽkrəbæt] 명 곡예사, 줄타기꾼
파 **acrobátic** 형 줄타기하는, 곡예 같은 **acrobátics** 명 곡예, 재주넘기

a·crop·o·lis [əkrάpəlis / -rɔ́p-] 명 성채(城砦)《옛 그리스 도시의》; [the A-] 아크로폴리스《Parthenon 신전 소재지》

a·cross [əkrɔ́:s / əkrɔ́s] 전 ~의 저쪽에(=on the other side of); ~을 가로질러 부 가로질러, 교차하여
(*cf.* round (주위), high (높이), wide (폭), long (길이))
(예) ◇They went *across* the river to the village. 그들은 강을 건너서 그 마을에 갔다. // The lake is five miles *across.* 이 호수는 이 쪽에서 저 쪽까지 5마일이다.

*◇**act** [ækt] 자타 행하다(=do); 연기〔출연〕하다(=play) 명 행위(=deed); 조례(條例), 법률(=law); (연극의) 막 (*cf.* scene)
파 ***áction** 명 활동; 행동, 동작; 소송(◇in *action* 활동중, 전투중, 실행중) **ácting** 형 대리의, 임시의, 사무 취급의
⇨ **enact**

act as ~의 역(할)을 하다
(예) *act as* guide 안내역을 하다
NB as 뒤의 명사는 흔히 무관사.

◇***act on*** 〔***upon***〕 ~에 작용하다; ~에 따르다
(예) Alcohol *acts on* the brain. 알코올은 머리에 영향을 미친다. // *act on* his advice 그의 권고대로 행동하다

◇***in the*** (***very***) ***act of*** 한참 ~을 하고 있는 중에, ~을 하는 현장에서
(예) He was *in the very act of* starting. 그는 막 출발하려던 참이었다.

◇***take action*** 조치를 취하다; 행동을 개시하다 [~ in]; 제소「하다

A

*ac·tive [ǽktiv] ⓗ 활발한, 활동적인; 적극적인; 〖문법〗 능동의
반 pássive 수동의
파 *áctively ⓟ 활동적으로, 활발하게 áctiveness ⓜ 활발 *actívity ⓜ 활동(성), 활기

▶ 5. 접미어 ive
접미어 ive는 「~의 경향이 있는」 「~의 성질을 갖는」의 뜻의 형용사를 만든다. (예) act*ive*, nat*ive*, pass*ive*, sugges*tive* 따위

*ac·tor★ [ǽktər] ⓜ (영화)배우, 남우(*cf.* actress)
파 áctress★ ⓜ 여배우

*ac·tu·al [ǽktʃuəl] ⓗ 현실의(=real), 실제의; 현재의
(예) *actual* condition 현상(現狀) // *actual* money 현금(=cash) // the *actual* state of affairs 실정
파 actuálity ⓜ 현실 *áctually ⓟ 현실적으로, 실제로

ac·u·punc·ture [ǽkjupʌ̀ŋktʃər] ⓜ 침술 ⓣ 침을 놓다
파 ácupuncturist ⓜ 침술사

*a·cute [əkjúːt] ⓗ 날카로운(=sharp), 예민한; 격렬한; (병이) 급성인
반 dull 둔한, chrónic 만성의
(예) an *acute* observer 날카로운 관찰자 // *acute* appendicitis 급성 맹장염
파 acútely ⓟ 날카롭게, 격렬하게 acúteness ⓜ 날카로움, 격렬

ad [æd] ⓜ 〖미〗 광고《advertisement 의 약어》

A.D. [éidíː, ǽnoudɑ́minài / -dɔ́mi-] 〖약어〗 기원 후 (〖라〗 *Anno Domini*=in the year of our Lord, 즉 「서기 ~년」의 뜻으로 씀(*cf.* B.C.))
(예) *A.D.* 100 서기 100년

*a·dapt [ədǽpt] ⓣ (습관·언동을) 적합〔적응〕시키다(=fit); 개작〔번안〕하다(=remodel)
NB adopt(채용하다)와 혼동하지 말 것.
(예) We must *adapt* our plans *to* the new situation. 우리의 계획을 새로운 상황에 적응시켜야 한다. // The book is *adapted for* children. 그 책은 아동용으로 개작되어 있다.
파 adáptable ⓗ 적응할 수 있는 adaptabílity ⓜ 적응성 *adáption, adaptátion ⓜ 적응; 개작(작품)

**adapt oneself to* ~에 순응하다, 적응하다
(예) You will easily *adapt* your*self to* any circumstances. 너는 어떤 환경에도 쉽게 순응할 것이다.

*add [æd] ⓙⓣ 더하다, 보태다(=join), 합하다; 증가하다; 부언하다
반 subtráct 줄이다
(예) *add* A *to* B, A를 B에 보태다 // He *added that* it was true. 그는 그것이 사실이라고 부언하였다.

add in 산입하다, 포함시키다(=include); (요리 따위에 재료를) 첨가하다, 추가하다

**add to* ~을 늘리다(=increase)
(예) I don't want to *add to* your troubles by any means. 나

는 결코 당신의 고충을 더해 드리고 싶지 않습니다.

◇ ***add up to*** 총계 ~이 되다; 결국 ~의 뜻이 되다
(예) The figures *add up to* 365. 숫자는 총계 365이다. // It all *adds up to* this—he is a fool. 그것은 결국 그는 바보란 뜻이 된다.

add up (***together***) ~을 합계하다
(예) *Add up* these figures and see if the sum is correct. 이 수를 전부 합계하여 총계가 옳은가 확인하여라.

ad·dict ㉦ [ədíkt] 《수동태, ~ one*self* 로》 열중하게 하다, 탐닉케〔빠지게〕 하다, (심신을) 내맡기다(=give up) ㉤ [ǽdikt] (마약 따위의) 중독자

(***be***) ***addicted to*** ~에 빠진, 탐닉한
(예) He *is addicted to* gambling. 그는 도박에 빠져 있다.

*◇ **ad·di·tion** [ədíʃən] ㉤ 부가, 추가, 보탬, 덧셈
㉥ ***addítional** ㉣ 추가의 **addítionally** ㉠ 덧붙여, 부가적으로 ◇**ádditive** ㉣ 추가의; 덧셈의 ㉤ 첨가제; 부가물〔어(語)〕

in addition 그 외에, 더욱이, 게다가
(예) I paid 5 dollars *in addition.* 5 달러를 더 지불했다.

◇ ***in addition to*** ~에 더하여, ~ 이외에(=besides)
(예) *In addition to* swimming, he likes tennis. 그는 수영이외에 정구도 좋아한다.

*◇ **ad·dress*** [ədrés] ㉦ (편지 따위 겉봉에) 주소 성명을 쓰다; (편지 따위를) ~앞으로 보내다; 말을 걸다(=speak to) ㉤ 주소 (NB [ǽdres]라고도 발음함); 연설(=speech)
㉯ ad(=to)+dress(=direct 향하게 하다)
(예) *address* a letter *to* ~에게 편지를 보내다 // *address* a person 아무에게 말을 걸다 // *address* him as Captain Smith 그를 스미스 선장이라고 부르다 // make an *address* 연설을 하다
㉥ **addressee** [ædresí:] ㉤ 수신인 **addrésser** ㉤ 발신인

* ***address** one**self** to* ~에게 말을 걸다(=speak to); ~에 본격적으로 착수하다
(예) He *addressed* him*self to* the chairman. 그는 사회자에게 말을 걸었다.

*◇ **ad·e·quate** [ǽdəkwit] ㉣ (기량 따위가) 충분한(=enough); 알맞은, 적당한(=suitable) [~ to, for]
㉯ ad(=to)+equ(=equal)+ate(형용사 어미)
㉧ inádequate 불충분한
(예) the wages *adequate to* support one's family 가족을 부양할 수 있는 봉급 // He is *adequate to* the task. 그는 그 일에 적임이다. (↔He is equal to the task.) // Ten dollars is *adequate for* the trip. 이 여행에는 10 달러면 충분하다.
㉥ **ádequacy** ㉤ 타당(성), 적절, 충분 **ádequately** ㉠ 적당히, 충분히

ad·here [ədhíər] ㉧ 들러붙다(=stick); 고수〔고집〕하다(=remain faithful to) [~ to]

원 ad(=to)+here(=stick 들러붙다)
(예) *adhere to* one's decision 결심을 굳게 지키다
파 **adhérence** 명 고수; 점착 **adhérent** 형 들러붙는; 고수〔고집〕하는 명 지지자편(=supporter) **adhésion** [ədhíːʒən] 명 점착; 고수 **adhésive** 형 점착성의

A

a·dieu [ədjúː] 감〔프〕 안녕! 명《*pl.* **-s, *adieux***》 작별(=farewell)
(예) bid〔say〕him *adieu* 그에게 작별을 고하다

ad·ja·cent [ədʒéisənt] 형 인접한 [~ to]

◇**ad·jec·tive** [ǽdʒiktiv] 명〔문법〕 형용사 형 형용사의〔약어〕 *a., adj.*

◇**ad·join** [ədʒɔ́in] 자타 이웃하다(=be next to), 인접하다
원 ad(=to)+join(결합하다)
반 disjóin 분리하다
파 **adjóining** 형 이웃의, 인접하는

◇**ad·journ** [ədʒə́ːrn] 자 타 연기하다 (=put off), 휴회하다
(예) The meeting was *adjourned* for a month. 그 회합은 한 달 연기되었다.
파 **adjóurnment** 명 연기, 휴회

***ad·just** [ədʒʌ́st] 타 조절하다, (바르게) 맞추다; (기계·금액 따위를) 조정(調整)하다; (불화 따위를) 조정(調停)하다; 순응하다 [~ oneself to]
반 distúrb 교란하다
(예) *adjust* expenses *to* income 수입에 맞춰 지출하다
파 ◇**adjústment** 명 조절, 조정

adjust oneself to ~에 순응하다
(예) *adjust* one*self to* environment 환경에 순응하다

◇**ad·min·is·tra·tion** [ədmìnəstréiʃən] 명 행정, 통제; 경영(=management), 관리(管理);〔미〕 중앙 정부, 연방 정부
원 ad(=to)+minister(=servant)+tion(명사 어미)
파 **administer** [ədmínəstər] 자타 관리하다, (약을) 주다 ◇**admínistrative** 형 관리의, 행정의 ◇**admínistrator** 명 지배자, 행정관

◇**ad·mi·ral** [ǽdmərəl] 명 해군 대장, 사령관(*cf.* general)
원 admir(=chief 우두머리)+al(명사 어미)
파 **ádmiralship** 명 해군 대장의 직

*◇**ad·mire**★ [ədmáiər]★ 타 감탄하다, 칭찬하다, 탄복하다, 숭배하다(=honor greatly);〔미〕 ~하고 싶어하다 [~ to do]
원 ad(=to)+mire(=wonder) 반 despíse 멸시하다
(예) *admire* Korean architecture 한국의 건축을 찬미하다 // He is *admired for* his achievements. 그는 그의 업적 때문에 칭찬받는다.
파 ***admirable** [ǽdmərəbl]★ 형 탄복할 만한, 훌륭한 **ádmirably** 부 훌륭하게 ◇**admiration** [ædməréiʃən] 명 감탄, 칭찬 **admírer** 명 찬미자, 숭배자 **admiring** [ədmáiəriŋ] 형 탄복하는

*◇**ad·mit** [ədmít] 자타 들이다; 인정하다(=recognize); 수용

할 수 있다(=have room for)
[원] ad(=to)+mit(=send)
[반] exclúde 쫓아내다, 거부하다
(예) *admit* a boy *to* 〔*into*〕 a school 소년의 입학을 허락하다 // The hall *admits* 2,000 persons. 그 홀은 2,000명을 수용할 수 있다. // I *admit* it *to be* difficult. 그것이 어렵다는 것을 인정한다. // He *admitted* his mistake. ↔ He *admitted* having made a mistake. ↔ He *admitted* that he had made a mistake. 그는 자기 잘못을 시인했다.
[어법] 이 때는 부정사를 목적어로 취하지 않는다.
[파] **admíssible** [형] 허용할 수 있는 ◇**admíssion** [명] 입장료, 입학 **admíttance** [명] 입장(허가) ◇**admíttedly** [부] 분명히

admit of (의심·변명 따위의) 여지가 있다
(예) His conduct *admits of* no excuse. 그의 행위에는 변명의 여지가 없다.
[어법] admit of는 사람을 주어로 하지 않는다. 부정에 쓰일 때가 많다.

ad·mon·ish [ədmániʃ / -mɔ́n-] [타] 타이르다, 충고하다(=advise), 경고하다(=warn)
[파] **admonítion** [명] 충고, 경고

a·do [ədúː] [명] 법석(=fuss); 고심, 애씀(=trouble)
(예) with much *ado* 야단법석을 쳐서, 애쓴 끝에

ad·o·les·cence [æ̀dəlésns] [명] 청춘기, 사춘기
[파] ◇**adoléscent** [형] 청춘기의

*◇**a·dopt** [ədápt / ədɔ́pt] [타] 채택하다(=accept); 양자〔양녀〕로 삼다
[원] ad(=to)+opt(=wish)
[반] rejéct 기각하다(*cf.* adapt)
[파] **adópted** [형] 입양된; 채용된 ◇**adóption** [명] 채용, 양자로 들임 **adóptive** [형] 양자 관계의

◇**a·dore** [ədɔ́ːr] [타] 숭배하다, 사모하다(=admire); 〖구어〗 몹시 좋아하다(=like very much)
[파] ***adorátion** [명] 동경, 숭배(They joined together in *adoration* of the Supreme Being. 그들은 상제(上帝)를 추앙하기 위하여 모였다.) ◇**adórable** [형] 숭배할 만한, 귀여운 **adórer** [명] 숭배자

a·dorn [ədɔ́ːrn] [타] 꾸미다, 장식하다(=decorate)
[원] ad(=to)+orn(=deck 꾸미다)
(예) *adorn* oneself *with* jewels 보석으로 몸을 단장

▶ **6.** 미국 영어가 본고장

활발하게 신어(新語)를 만들어 내는 것이 미국 영어의 특징으로 되어 있는데, 이른바 본고장인 영국에서는 이미 쓰이지 않게 된 어구가 미국에서는 그대로 남아 있는 예도 적지 않다. 그 대표적인 것은 무어니 해도 **fall**(가을)일 것이나. 이것은 원래 이민들이 본국에서 가지고 들어온 말이다. 뜻은 the season when leaves fall로서, 이처럼 아름다운 말이 영국 영어에서 그 자취를 감춰 버린 것을 *Animal Farm*으로 잘 알려진 George Orwell이 한탄하고 있음은 흥미로운 일이다.

하다
㊉ **adórnment** ㉢ (겉을) 꾸미기, 장식(품)

A

*◇**a·dult** [ədʌ́lt, ǽdʌlt] ㉢ 성인(成人) ㉦ 성인의, 어른의, 성숙한
㊃ child 아이
㊉ ◇**adúlthood** ㉢ 성인임

*◇**ad·vance** [ədvǽns / -vɑ́ːns] ㉧㉨ 나아가다, 전진하다(=move forward), 진보하다; 승진시키다(=raise to a higher rank); 등귀(騰貴)하다 ; (시기를) 앞당기다, (의견 따위를) 제출하다 ㉢ 전진, 진보; 승진; 앙등
㊃ retréat 후퇴하다, 퇴각
(예) *advance* in years 나이를 먹다 // the *advance* in the cost of living 생활비의 앙등 // Civilization has made a great *advance.* 문명이 크게 진보하였다.
㊉ ◇**advánced** ㉦ 진보한, 고등의 *◇**adváncement** ㉢ 전진, 진보, 발달, 승진; 선불

*◇***in advance* (*of*)** ~보다 앞서서, ~보다 진보하여
(예) His thought was *in advance of* our own. 그의 사상은 우리들의 사상보다 앞서 있었다.

*◇**ad·van·tage*** [ədvǽntidʒ / -vɑ́ːn-]* ㉢ 유리한 점〔입장〕, 장점; 우위(優位); 편의, 이익
㊃ disadvántage 불리
(예) ◇On land or in a boat, a man has a big *advantage over* a fish. 땅이나 배에서는 사람이 물고기보다 크게 유리하다. // be *of advantage* 도움이 되다, 유리하다 // the *advantages* of city life 도시 생활의 편의
㊉ ◇**advantageous*** [æ̀dvəntéidʒəs]* ㉦ 유리한, 이로운, 형편에 알맞은 **advantágeously** ㉥ 유리하게

***have* 〔*get, gain*〕 *the* 〔*an*〕 *advantage of* 〔*over*〕**
~보다 유리한 입장에 서다, ~보다 낫다〔우월하다〕
(예) I *had the advantage of* my antagonist in correct spelling. 철자를 옳게 쓰는 점에서 나는 상대보다 우월했다. // They *gained an advantage over* their opponents. 그들은 상대보다 유리한 입장에 서 있었다.

◇***take advantage of*** ~을 이용하다; (기회·틈을) 타다; 속이다
(예) ◇He *took* the fullest *advantage of* his success. 그는 자기의 성공을 최대 한도로 활용하였다.

to advantage 유리하게
(예) She looks *to advantage* in black. 그녀는 검은 옷을 입으면 아름답게 보인다. // They spent their time *to* the best *advantage.* 그들은 시간을 가장 유효하게 보냈다.

◇***turn ~ to one's advantage*** ~을 이용하다
(예) You had better *turn* the opportunity *to* your *advantage.* 그 기회를 이용하는 것이 좋겠다.

*◇**ad·ven·ture** [ədvéntʃər] ㉢ 모험; 뜻밖의〔진기한〕 경험; 《*pl.*》 모험담
㊉ **advénturer** ㉢ 모험가, 투기꾼(=speculator) **advénture-**

some 형 모험적인 **advénturous** 형 모험심이 많은, 위험한 **advénturously** 부 모험적으로, 대담하게(=daringly)

ad·verb [ǽdvəːrb] 명 〖문법〗 부사 〖약어〗 *ad., adv.*
원 ad(=to)+verb(=word) 파 **advérbial** 형 부사의

A

*°**ad·verse** [ædvə́ːrs / ǽdvəːs] 형 역의(=turned against); 불리한(=unfavorable); 불우한(=unfortunate)
원 ad(=to)+verse(=turn)
반 fávorable 유리한, 순조로운
(예) *adverse* winds 역풍 // *adverse* criticism 악평 // be *adverse* to our interests 우리의 이익에 반하다
파 **ádversary** 명 적(=enemy), 상대자, 반대자 **advérsely** 부 거꾸로, 운수 사납게 °**advérsity** 명 역경, 고난

*°**ad·ver·tise, -tize** [ǽdvərtàiz] 자 타 광고하다(=make known), ~의 광고를 내다
(예) *advertise for* a house 집을 구하는 광고를 내다 // He *advertises* a great deal. 그는 자기 선전을 굉장히 한다.
파 *°**advertisement, -tiz-** [æ̀dvərtáizmənt, ədvə́ːrtiz- / ədvə́ːrtismənt] 명 광고 *°**advertiser, -tiz-** [ǽdvərtàizər] 명 광고주

*°**ad·vice**★ [ədváis]★ 명 충고, 조언; 《보통 *pl.*》 (상업상의) 통지(서), (외교·정치상의) 보고, 정보
원 ad(=according to ~에 따라서)+vice(=see)
(예) take a person's *advice* 아무의 충고에 따르다 // ask *advice* of a person ~에게 조언을 구하다 // Let me give you a piece of *advice.* 당신에게 한마디 충고하겠습니다.

> ▶ **7.** 「복수형」의 뜻
> 단수·복수에서 뜻이 바뀌는 것이 있다. advice의 복수형은 「보고」 「통지서」의 뜻이다. (「충고」의 뜻일 때는 a piece 〔bit〕 of advice와 같이 말한다.) 또한, affair의 복수형은 「사무」(=business), 「정무(政務)」 따위를 뜻한다. 그 밖에 goods, means 따위에 주의하자.

*°**ad·vise**★ [ədváiz]★ 타 충고〔조언〕하다(=give advice to); 알리다(=inform)
(예) He *advised* me *of* his arrival. 그는 나에게 그의 도착을 알렸다. // The doctor will *advise* him *on* his health. 의사는 그에게 건강에 관한 조언을 할 것이다. // The doctor *advised* me *to* abstain from drinking. 의사는 나에게 술을 삼가도록 충고하였다. (← The doctor said to me, "You had better abstain from drinking.")
어법 마지막 용례와 같이 인용문의 내용이 「충고」이면 advise ~ to의 꼴을 쓴다
파 **advísable** 형 타당한, 현명한 °**advíser, -sor** 명 충고자, 의논할 상대자(⇨)**advice**

°**ad·vo·cate** 명 [ǽdvəkit, -kèit] 창도자; 변호사(=lawyer) 타 [-kèit] 창도〔주장〕하다; 지지하다, 변호하다

ae·on, e·on [íːən] 명 무한히 긴 시대〔기간〕; 영원

aer·i·al [ɛ́əriəl] 형 공기의, 공기 같은; 공중의, 항공에 관

한 ⓜ (라디오·TV 따위의) 안테나

ae·ro- [ɛ́ərə-] 《합성어 요소》 항공의, 비행의

ⓟ **áerodrome** ⓜ 비행장 **aeronáutics** ⓜ 항공학 ***áeroplane** ⓜ 비행기 **áerospace** ⓜ 대기권과 우주; 항공 우주

Ae·sop [íːsɑp / -sɔp] ⓜ 이솝《기원 전 6세기경의 그리스의 우화(寓話) 작가》

(예) *Aesop's* Fables 이솝 이야기

aes·thet·ic, es·thet·ic [esθétik / iːsθétik] ⓗ 미적인; 심미적인; 감각적인

ⓟ **aesthetics, es-** ⓜ 《*pl.*》《단수 취급》 미학(美學); 미적 정서의 연구

a·far [əfáːr] ⓗ 멀리(=far away)

ⓦ a(=on)+far ⓑ near 가까이

af·fa·ble [ǽfəbl] ⓗ 상냥한, 사근사근한, 붙임성 있는

***af·fair** [əfɛ́ər] ⓜ 사건(=matter), 일, 관심사;〖구어〗 (막연한) 사물(=thing); 《*pl.*》 사무

(예) an everyday *affair* 일상사 // foreign *affairs* 외무 // Mind your own *affairs.* 네 할 일이나 해라(참견 마라). (↔ None of your business.)

***af·fect** [əfékt] ⓣ 영향을 주다, 감동시키다(=move the feelings); ~인 체하다(=pretend); (병이) 침범하다(=attack)

ⓦ af(=to)+fect(=do)

(예) *affect* ignorance 모르는 체하다 // be *affected by* 〔*with*〕 sorrow 슬픈 기분이 되다 // It doesn't *affect* me. 그것은 나와 아무 관계가 없다.

ⓟ **affectátion** ⓜ 꾸민〔뽐내는〕 태도 (NB affection과 구별할 것) **affected** [əféktid] ⓗ ~인 체하는, 뽐내는; 영향을 받은, 감염된 **afféctedly** ⓑ ~인 체하여, 뽐내어 **affécting** ⓗ 애처로운, 가련한(an affecting sight 애처로운 광경)

***af·fec·tion** [əfékʃən] ⓜ 애정, 사랑; 병

NB affect의 다른 명사형인 affectation과 혼동하지 말 것.

(예) have an *affection* for ~에 애정을 가지다

ⓟ **afféctionate** ⓗ 애정 깊은, 상냥한 **afféctionately** ⓑ 자애롭게(*Affectionately* yours. 《편지의 맺음말》 친애하는 ~으로부터.)

af·fin·i·ty [əfínəti] ⓜ 유사(성); 친척(관계); 밀접한 관계

***af·firm** [əfə́ːrm] ⓙⓣ 단언〔확언〕하다; 긍정하다(=say "yes"); (판결 따위를) 확인하다

ⓑ dený 부정하다

(예) He *affirmed* his innocence. ↔ He *affirmed that* he was innocent. 그는 자기가 무죄임을 확언하였다.

ⓟ **affirmátion** ⓜ 단언, 긍정 **áffirmative** [əfə́ːrmətiv] ⓗ 단언의, 긍정〔찬성〕의 (ⓑ négative 부정의) (He answered in the *affirmative.* 그는 「그렇다」고 말했다. ↔ He said, "Yes.")

어법 화법의 전환에 쓰인다. "No."일 때는 in the negative

af·flict [əflíkt] ⓣ 괴롭히다(=give pain to), ~의 마음을 아프

게 하다
(예) He *was afflicted with* an optical disorder. 그는 눈병을 앓았다. // He *was afflicted by*〔*at*〕 her death. 그는 그 여자의 죽음을 비통해 했다.
파 **afflíction** 명 고난, 고뇌, 고통; 불행, 재난

af·flu·ence [ǽfluəns] 명 풍부, 부유, 유복(=riches)
파 **affluent** [ǽfluənt] 형 풍부한, 부유한

*◇**af·ford** [əfɔ́ːrd] 타 주다(=give), 공급하다; 《can과 함께》 ~할 여유가 있다
(예) Singing *affords* him pleasure. 노래는 그에게 기쁨을 준다. // I cannot *afford* a car. 나는 차를 살 여유가 없다. // I can well 〔ill〕 *afford* the expense. 그 비용은 충분히 지불할 수 있다〔없다〕.

◇***can afford to*** ~할 수 있다, ~할 여유가 있다
(예) I *cannot afford to* be idle. 나는 놀고 있을 만한 여유가 없다. // I *can afford to* speak frankly. 나는 솔직하게 말할 수 있다.

a·fire [əfáiər] 형 부 불타; (감정이) 격(激)하여, 흥분하여

a·flame [əfléim] 부 형 불타 올라; 《비유적으로》 열렬한, 크게 성나서
원 a(=on)+flame(불꽃)
(예) *aflame* with patriotism 애국심에 불타

a·float [əflóut] 형 부 (물·공중에) 떠서, 해상에; (소문이) 유포되어; (어음이) 유통하여
원 a(=on)+float　반 agróund 지상에
(예) We got the boat *afloat*. 우리는 보트를 띄웠다.

***a·fraid** [əfréid] 형 〖서술적 용법〗 두려워하여(=in fear), 겁이 나서(=frightened), 걱정〔염려〕하여[~ to]
(예) She *is afraid of* thunder. 그 여자는 천둥을 무서워한다. // ◇*Are you afraid that* it will rain tomorrow? 내일 비가 오지나 않을까 염려되느냐?

◇(***be***) ***afraid to*** *do* 두려워서 ~할 수 없다
(예) He *was afraid to* jump into the river. 그는 두려워서 강에 뛰어들지 못했다.
어법 ① 한정적 용법은 없으므로 명사 앞에 올 수 없다. ② very는 쓰지 않고, much로 수식함이 보통. ③ I am *afraid* (that) ... 의 형식은 「~이 아닐까 하고 염려하다」란 뜻으로 불안한 기분을 나타낸다. (반대의 기분은 I hope.) ④ 문어(文語)에서는 위의 that 절 내신 *lest* 절을 쓸 때도 있다: I was *afraid lest* he *should* fail. ⑤ *afraid+of doing*은 「~하는 것은 아닐까 걱정이다, ~하기가 두렵다」의 뜻. afraid+to 부정사는 「무서워서 ~할 기분이 나지 않다」란 기분을 내포하고 있다. 그러나 명확히 구별이 되지 않고 같은 뜻일 때가 많다.

a·fresh [əfréʃ] 부 새로이(=again), 다시
원 a(=of)+fresh

***Af·ri·ca** [ǽfrikə] 명 아프리카

***af·ter** [ǽftər / áːftə] 전 ① 《시간·위치》 ~의 뒤〔다음〕에

A

(=behind)
(예) the week *after* next 다음다음 주 // *after* school 방과 후 // *after* ten o'clock 10시 지나서 // the day *after* tomorrow 모레 // Read *after* me. 나를 따라서 읽어라.
[어법] 시간에 대하여, after ~는 과거 어느 때부터 「~ 후」; *in* ~은 현재로부터 「~ 후」의 뜻으로 많이 쓰이나 절대적인 구별은 아니다.
② 《순서》 ~의 다음에 (=next to)
(예) the greatest dramatist *after* Shakespeare 셰익스피어 다음가는 대극작가
③ 《목적·추구》 ~을 찾아〔추구하여〕(=in search of), ~의 뒤를 따라 〔쫓아서〕
(예) He *is* always *after* something new. 그는 항상 새로운 것을 추구한다.
④ 《모방》 ~을 본받아, ~을 따라서, ~식〔풍〕의
(예) a painting *after* Picasso 피카소풍의 그림 // He was named *after* his uncle. 그는 삼촌의 이름을 따서 이름이 지어졌다.
⑤ 《명사+after+명사의 꼴로 「반복·계속」을 나타냄》
[어법] 명사에 관사는 생략된다.
(예) day *after* day 매일 // month *after* month 매달
— [접] ~한 뒤〔다음〕에, 나중에
(예) I shall start *after* he comes. 그가 온 다음에 출발한다.
[어법] 미래의 일을 말할 경우, after 이하의 종속절에 will, shall을 쓰지 않는다. 또 미래 완료 대신으로 현재 완료를 쓴다. 완료에 중점을 두지 않으면 현재형도 좋다
— [부] 《시간》 후에, 나중에 (=afterwards); 《위치》 뒤에 (=behind)
(예) a few days *after* 그로부터 며칠 후에 // You go first; I'll go *after*. 네가 먼저 가라, 나는 나중에 가겠다.
— [형] 《주로 다음 구에 써서》 뒤의, 나중의 (=later)
(예) in *after* days〔years〕 후일〔후년〕에 // in the *after* life 저 세상에서
[반] befóre 앞에, 전에
[어법] 품사의 구별에 주의할 것: *after* the war (전치사), *after* the war ended (접속사), He came soon *after*. (부사), the *after* life (형용사). 형용사로서는 특정 구에서만 쓰인다.
[파] **áftermath** [명] 결과, 영향

*◇ ***after all*** 결국; 뭐니뭐니 해도; ~에도 불구하고
(예) *After all,* I am a man, not a machine. 결국 나는 인간이지 기계는 아니다. // *After all*, we are friends. 뭐니뭐니 해도, 우린 친구가 아닌가. // *After all* my care, it was broken. 조심했음에도 불구하고 그것은 깨졌다.
[어법] after all is said and done 이라 해도 같은 뜻이 된다.

☆**af·ter·noon** [æftərnúːn / àːftə-] [명] 오후

af·ter·thought [ǽftərθɔ̀ːt / áːf-] [명] 되씹어 생각함, 뒷궁리, 때늦은 생각〔방편〕; 추상(追想)

*◇**af·ter·ward(s)** [ǽftərwərd(z) / ɑ́:ftə-] [부] 뒤에, 나중에
☆**a·gain** [əgén, əgéin] [부] 다시(=once more), 그 위에, 게다가(=besides), 또; (수량이) 두 배로; 응하여
[반] once 한 번
(예) answer *again* 말대꾸하다 // get 〔be〕 well *again* 병이 완쾌하다 // He is as tall *again* as John. 그는 존보다 두 배나 크다.
◇***again and again*** 몇 번이고, 되풀이하여
as much 〔large, many〕 again (***as***) (~의) 두 배의 양〔크기, 수〕의
(예) books *as many again as* yours 너보다 두 배나 많은 책
half as much 〔large, many〕 again (***as***) (~의) 한 배 반의 양〔크기, 수〕의
◇***once 〔over〕 again*** 한 번 더
(예) They did it *once again.* 그들은 그것을 한 번 더 했다.
***a·gainst** [əgénst, əgéinst] [전] ~에 반대〔대항〕하여(=in opposition to); ~와 대조되어(=in contrast with); ~에 대비하여; ~에 대하여; ~에 맞부딪쳐; ~에 기대어
[반] for 찬성하여
(예) *against* one's will 본의 아니게 // sail *against* the wind 바람을 거슬러 항행하다 // lean *against* a tree 나무에 기대다 // run *against* a rock 바위에 부딪치다 // Is he *for* or *against* our plan? 그는 우리 계획에 찬성이냐 반대냐? // Lay up money *against* a rainy day. 만일의 경우에 대비하여 저축하라.
*◇**age** [eidʒ] [명] 연령; 노령(=old age); 시대, 기간(=period) [자][타] 나이가 들다(=grow old), 늙게 하다
(예) the Atomic *Age* 원자력 시대 // be five years of *age* 다섯 살이다(NB five years *old*는 구어적 표현) // ◇at the *age* of ten 10살 때에 // I haven't seen him for *ages.* 오랫동안 그를 만나지 못했다. // They are of an *age.* 그들은 동갑이다. // What *age* are you? 너는 몇 살이냐? // I have a son your *age.* 나는 네 나이와 같은 아들이 있다.
[어법] 마지막 두 예문은 이론상으로는 *Of* what age, *of* your age라고 해야 하지만 생략하는 것이 보통이다.
[파] *◇**aged** [éidʒid] [형] 늙은, 낡은(the *aged* 늙은이들)
NB ① aged [éidʒid]는 명사 앞에 쓴다: an *aged* man 노인. ② 동사의 과거(분사)형은 [eidʒd]로 발음하며 수사 앞에 놓이어 「~세의」 뜻이 된다: a man *aged* thirty(30세의 남사)
ágeless [형] 영원히 젊은 ◇**áge-old** [형] 고대부터의
come 〔be〕 of age 성년이 되다〔성년이다〕
(예) In England a man *comes of age* at twenty-one. 영국에서는 21세에 성년이 된다.
from 〔with〕 age 노령 때문에; 여러 해를 거쳐; 해가 지남에 따라
(예) The envelope was yellow *with age.* 그 봉투는 오래되어 낡아서 색이 누랬다. // He is bent *with age.* 그는 노

령으로 허리가 굽었다.

*a·gent [éidʒənt] 명 대리인, 대리점, 행위자; 작인(作因)(=cause); 간첩; 자연력, 작용물, 약제
(예) a transmitting *agent* of disease 병의 매개체
파 *agency [éidʒənsi] 명 작용, 기관; 주선, 대리(점)

ag·gran·dize [əgrǽndaiz, ǽgrəndaiz] 타 크게 하다, 확대〔증대〕하다, 강화〔과장〕하다
파 **aggrándizement** 명 증대, 강화

ag·gra·vate [ǽgrəvèit] 타 악화시키다; (죄 따위를) 한층 더 무겁게 하다
(예) *aggravate* one's illness 병을 악화시키다 // larceny *aggravated* by murder 살인에 의해 죄가 가중된 절도죄

*ag·gre·gate 자 타 [ǽgrigèit] 총계 ~이 되다, 모으다 형 [ǽgrəgit] 집합한, 총계의(=total) 명 [ǽgrəgit] 집합, 총계
반 ségregate 분리하다
(예) The guns *aggregate* 20. 총은 총계 20정이다. // in the *aggregate* 총계로, 전체로서
파 **aggregátion** 명 집합(체), 집단

ag·gres·sion [əgréʃən] 명 침략, 공격; (권리의) 침해
반 repúlsion 격퇴
파 ***aggréssive** 형 침략적인 **aggréssor** 명 침략자

ag·grieve [əgríːv] 타 괴롭히다, 학대하다, 압박하다

ag·ile [ǽdʒəl / ǽdʒail] 형 기민한, 경쾌한(=quick-moving)

ag·i·tate [ǽdʒətèit] 자 타 동요시키다(=cause to move); 흥분시키다(=excite); 선동하다
반 compóse 진정시키다
(예) *agitate* oneself 초조해하다 // *agitate for* a strike 파업을 하자고 선동하다
파 **agitátion** 명 동요; 선동 **ágitator** 명 선동자

☆a·go [əgóu] 부 이전에(*cf.* before)
반 hence 지금으로부터 ~ 후에
(예) How long *ago* was that? 그것은 얼마 전의 일인가?
어법 ① *ago*는 현재를 기준으로 하여 「~ 전」의 뜻으로 반드시 시간을 한정하는 어구를 수반한다. 과거의 어느 때를 기준으로 하여 그보다 「~ 전」이라고 할 때에는 *before*를 쓴다: He graduated from college three years *ago*. (그는 3년 전에 대학을 졸업했다) He had graduated from college three years *before*. (그는 (그보다) 3년 전에 대학을 졸업했었다) ② 직접 화법의 *ago*는 간접 화법에서 보통 *before*로 된다. 또한 막연히 「이전에, 이제까지」의 뜻으로도 *before*를 쓴다: I have met him *before*. (그를 만난 적이 있다)

ag·o·ny [ǽgəni] 명 고뇌(=great pain); 죽음〔단말마〕의 고통; (격정의) 절정
파 **ágonize** 타 괴롭히다, 번민시키다 **ágonizing** 형 고통을 주는

*a·gree [əgríː] 자 동의하다 [~ to, with]; 일치하다, 부합(符合)하다 [~ with]; (기후·음식 따위가) 적합하다(=fit) [~ with]; (~하겠다고) 약속하다 [~ to do]

반 disagrée, objéct 반대하다, díffer 다르다
(예) Mr. White was stupid to *agree to* the proposal. 화이트씨가 그 제안에 동의하다니 어리석었다. // We *agreed to* decide quickly. ↔ We *agreed on* (mak*ing*) a quick decision. ↔ We *agreed that* we (should) decide quickly. 우리는 빨리 결정할 것에 의견이 일치했다(NB 〔미〕에서는 should를 쓰지 않음) // The climate here does not *agree with* me. 여기 기후는 내게는 안 맞는다. // Your story *agrees with* what I have already heard. 네 이야기는 내가 이미 들은 것과 일치한다.
어법 사람의 경우에는 with, 사물에는 to를 수반하는 것이 보통이다.
파 ***agréeable** 형 기분 좋은 **agréeably** 부 기분 좋게, 쾌히 ***agréement*** 명 동의, 일치; 협정

***ag·ri·cul·ture** [ǽgrikʌ̀ltʃər]* 명 농업(=farming), 농학
원 agri(=field)+cult(경작)+ure(명사 어미)
(예) the Department of *Agriculture* 〔미〕 농무성
파 ***agricúltural** 형 농업의 **agricúlturist** 명 농부(=farmer)

ah [ɑː] 감 아아! 《놀람·고통·슬픔·기쁨·분함·칭찬 따위를 나타내는 소리》

***a·head** [əhéd] 부 앞에(=in front of); 앞서(=in advance), 앞으로(=forward), 전도(前途)에
원 a(=on)+head 반 abáck 뒤에, 뒤로
(예) He was far *ahead of* us. 그는 우리보다 훨씬 앞서 있었다.

go ahead with ~을 계속하다, 속행하다
(예) The weather was hot, but we *went ahead with* our trip. 날씨가 더웠으나 우리는 여행을 계속했다. // We are *going ahead with* our plans. 우리는 계획을 추진하고 있다.

***aid** [eid] 타 도와주다(=help), 원조하다 명 도움(=help), 조력자(助力者); 보조 기구
반 hínder 방해하다
(예) *aid* him *in* the work 그의 일을 돕다 // *aid* him *to* success 〔*to* succeed〕 그의 성공을 돕다 // a hearing *aid* 보청기 // He came to our *aid*. 그는 우리를 도우러 왔다. // I rely upon you for *aid*. 나는 너의 도움을 기대한다.

with the aid of ~의 도움으로
(예) He could reach there *with the aid of* a map. 그는 지도의 도움으로 거기에 도착할 수 있었다.

AIDS [eidz] 〔약어〕 Acquired Immune Deficiency Syndrome 에이즈, 후천성 면역 결핍증

ail [eil] 타 괴롭히다(=trouble)
(예) What *ails* you? 왜 그러는가?, 어디가 아픈가?

***aim** [eim] 자 타 겨누〔겨냥하〕다 [~ at]; (~할) 목적이다 [~ to do] 명 목적(=purpose); 과녁(=mark), 겨냥
(예) *aim* a gun *at* the lion 사자에게 총을 겨누다 // He *aims to* get (the) first prize. 그는 1등상을 노리고 있다. // one's *aim* in life 인생의 목적 // take *aim* 겨냥하다

파 **áimless** 형 목적없는 ◇**áimlessly** 부 목적없이, 정처없이

__air__ [ɛər] 〈동음어 heir〉 명 공기, 공중; 외양, 태도(=manner); 산들바람(=breeze); 〖음악〗 곡, 가락(=melody); 《*pl.*》 젠 체하는 태도 타 공기〔바람〕에 쐬다, 말리다; (말·의견 따위를) 퍼뜨리다, 떠벌리다, (불평을) 늘어놓다

(예) *air* attack 공습 // give oneself *airs* 점잔빼다 // a change of *air* 전지(轉地) // *air* one's clothes 옷을 바람에 쐬다〔말리다〕

어법 「공기」의 뜻으로 물질을 가리킬 때는 관사가 없지만, 「대기」를 가리킬 경우에는 the를 붙인다: leap into *the air* (공중으로 뛰어오르다)

파 ◇**áiry** 형 공기의, 통풍이 잘 되는; 쾌활한 **áir-borne** 형 공수(空輸)의, 공수된 **áir-condition** 타 공기 조절을 하다, 냉방〔난방〕 장치를 하다 ◇**áir-conditioned** 형 냉(난)방 장치를 한 ◇**áircraft** 명 《단수·복수 동형》 비행기 **áirfight** 명 공중전 **air fleet** 항공기 편대 **air force** 공군 ◇**áirline** 명 항공로; 《*pl.*》 〖미〗 항공 회사 ◇**áirliner** 명 (대형) 정기 여객기 **air mail** 항공 우편 ◇**áirman** 명 《*pl.* -men》 비행가〔사〕 ***áirplane** 명 비행기 **air pocket** 에어포켓, 수직 기류 **air pollution** 대기 오염 **áirport** 명 공항 **air pressure** 기압 **áirproof** 형 공기가 통하지 않는 ◇**áir-raid** 형 공습의 **air route** 항공로 ◇**air shaft** 통풍공(孔) **áirship** 명 비행선 ◇**áirspeed** 명 풍속; 대기(對氣) 속도 **áirway** 명 항공로(=airline); 《*pl.*》 항공 회사(=airlines)

by air 비행기로(*cf.* by land, by sea)

(예) travel *by air* 비행기로 여행하다

in the air (소문 따위가) 퍼져

(예) The rumor is *in the air.* 그 소문이 돈다.

on the air 방송되어, 방송 중에

(예) What's *on the air* this evening? 오늘 저녁에는 무엇이 방송되느냐?

air·sick [ɛ́ərsìk] 형 항공병에 걸린, 비행기 멀미가 난

파 **áirsickness** 명 항공병

aisle [ail] 명 (교회의) 측랑(側廊), (좌석 사이의) 통로

a·kin [əkín] 형 《서술 용법뿐》 동족의, 같은 종류의 [~ to]

(예) Pity is *akin to* love. 동정은 사랑에 가깝다.

*◇**a·larm** [əlɑ́ːrm] 타 놀라게 하다(=frighten); 경보(警報)를 발하다(=warn) 명 놀람; 경보(기)

(예) a fire *alarm* 화재 경보(기) // an *alarm* clock 자명종(自鳴鐘) // in *alarm* 놀라서 // be *alarmed at* ~에 놀라다

파 **alárming** 형 놀라운, 심상치 않은 **alármingly** 부 놀랄 만큼

◇**a·las** [əlǽs, əlɑ́ːs] 감 아아!, 슬프도다!, 가엾도다!

al·bum [ǽlbəm] 명 앨범, 사진첩

al·che·my [ǽlkəmi] 명 연금술

파 **álchemist** 명 연금술사(師)

*◇**al·co·hol** [ǽlkəhɔ̀ːl, -hɑ̀l / -hɔ̀l] 명 알코올, 주정(酒精)(=〖영〗 spirit)

파 *alcoholic* [ælkəhɔ́lik, -hɔ́ːl- / -hɔ́l-] ⓗ 알코올의

*__a·lert__ [əlɔ́ːrt] ⓗ 빈틈없는, 재빠른 ⓜ 경계(상태), 경보
반 dull 둔한, slow 느린
(be) on the alert (for) 빈틈없이 경계하고 있는
(예) He was instructed to *be on the alert for* any indications of battle. 그는 어떤 전쟁의 조짐에도 경계하라고 지시를 받았다.

al·ge·bra [ǽldʒəbrə] ⓜ 대수(학) 〖약어〗 *alg.*

al·i·bi [ǽləbài] ⓜ 알리바이, 현장 부재 증명

*__al·ien__ [éiliən, -ljən] ⓗ 외국(인)의(=foreign), 성질을 달리하는 [~ to, from], (생각 따위가) 맞지 않는 ⓜ (거류) 외국인
(예) Luxury is *alien to* his nature. 사치는 그의 성미에 맞지 않는다.

▶ 8. 「외국인」의 유사어
단순히 「외국인」 일반을 가리키는 **foreigner**에 대해서, 어떤 나라에 살면서 귀화하지 않고 거류하고 있는 외국인을 **alien**이라고 한다.

a·light [əláit] ⓙ (말·차 등에서) 내리다(=get down)[~ from]; (새가 나뭇가지에) 내려앉다(=come to rest), (비행기가) 착륙하다[~ on] ⓗ 불타(=on fire)
파 **alíghting** ⓜ 착륙, 강하(降下), 착수(着水)

*__a·like__ [əláik] ⓗ 비슷한(=like each other), (서로) 같은(=equal) ⓑ 마찬가지로(=similarly)
어법 형용사는 서술 용법뿐이며, 명사 앞에 쓰지 않는다. much로 수식.
원 a(=on)+like 반 unlíke 같지 않은
(예) young and old *alike* 노소를 막론하고

*__a·live__ [əláiv] ⓗ 살아 있는(=living), 현존의, 생기 있는(=lively); ~에 민감한[~ to]
어법 서술 용법뿐임. 명사 앞에서는 *living*을 쓴다.
원 a(=on)+live(=life) 반 dead 죽은
(예) bury *alive* 생매장하다 // the greatest man *alive* 살아 있는 세계 제일의 위인 // The horse is *alive to* dangers. 말은 위험에 민감하다.

☆**all** [ɔːl]★ ⓗ 모든, 온갖, 전부〔전체〕의
(예) *all* day 〔night〕 (long) 종일〔밤새도록〕 // *all* the day 그 날 종일 // in *all* points 모든 점에서 // *all* the classes (전교의) 학급 전부 // *All* his friends were kind to me. 그의 친구들은 모두 나에게 친절했다.
어법 형용사로서 (1) 복수 명사에 붙는 것은 당연하나, 추상·고유·물질 명사 뿐만 아니라 단수 보통 명사에도 붙음: *all* the money, *all* Korea, *all* connection, *all* day(*cf.* every day) (2) 어순에 주의: all+「the, 지시 형용사, 인칭 대명사」+명사: *all* these books, *all* his boys(*cf.* both)

— ⓜⓓ 모두, 전부, 누구나 다
(예) *All* is over. 만사는 끝났다〔틀렸다〕. // *All* is silent. 만물이 고요하다. // *All* are happy. 모두들 행복하다. // *All* are agreed. 전원 찬성.

대명사로서 (1) 사물을 가리킬 때는 단수: *All is* over. (2) 사람을 가리킬 때는 복수: *All were* happy. (3) 동격으로 생각되는 경우: They *all* went away.

— ㊄ 전부, 온통, 아주(=completely)

(예) The pin was *all* gold. 그 핀은 전부 금이다. // It was *all* covered with dust. 온통 먼지투성이었다.

어법 주의해야 할 용법 (1) all에 부정어를 붙이면 부분 부정: *All of* them are *not* present. (그들 전부가 출석한 것은 아니다. ↔ Some of them are absent.) (2) He is *all* attention. (그는 긴장하여 경청하고 있다) (3) *All* you have to do is to wait here. (너는 여기서 기다리고만 있으면 된다)

파 **áll-impórtant** ㊊ 가장 중요한 **áll-óut** ㊊ 총력을 기울인, 철저한(an *all-out* attack 총공격) **áll-pówerful** ㊊ 전능의 **áll-róund** ㊊ 다방면의

all along 처음부터, (그 동안) 죽, 내내; ~을 따라 죽

(예) He knew it *all along.* 그는 (처음부터) 죽 그것을 알고 있었다. // *all along* the street 거리를 따라 죽

◇***all around*** 사방에, 도처에

(예) It was foggy *all around.* 주위는 온통 안개가 끼어 있었다.

◇***all at once*** 갑자기, 별안간(=all of a sudden)

(예) *All at once* I heard a cry. 갑자기 비명 소리를 들었다.

◇***all but*** ~ 이외에는 모두; 거의

(예) Keep this space free of *all but* study materials. 이 공간은 연구 자료 이외에는 아무 것도 두지 마라.

****all over*** 온 몸에; 어느 곳이나; 완전히 끝나 [~ with]

(예) ◇*all over* the world ↔ *all* the world *over* 세계의 어느 곳에서나 // The party is *all over.* 파티는 다 끝났다. // It's *all over with* me. 나는 가망이 없다.

****all right*** 더할 나위 없이, 틀림없이; 무사히; 좋아

(예) Everything is *all right.* 만사 오케이다. // He is *all right.* 그는 여전[건강]하다. // *All right !* Don't rub it in. 좋아, 잔소리 마라.

all sorts of 모든 종류의

(예) *all sorts of* roses ↔ roses *of all sorts* 온갖 종류의 장미

all the more 더욱 더, 한층 더, 도리어 더

(예) I love him *all the more* because he has some faults. ↔ I love him *all the more* for his faults. 그에게 약간의 결점이 있기 때문에 나는 그를 더욱 좋아한다.

어법 more 이외에 여러 가지 낱말의 비교급이 쓰인다. 이유를 나타내는 부사구나 절을 수반하는 경우가 많다: I feel *all the better* for a night's sleep. 하룻밤 자면 그만큼 더 기분이 좋다.

◇***all the same*** (결국) 같은 일; (그래도) 역시

(예) Man are *all the same.* 인간은 결국 마찬가지다. // He gives us a lot of troubles, but I like him *all the same.* 그는 우리에게 여러 가지 말썽은 피우지만, 그래도 역시 나는 그를 좋아한다.

*◇ ***at all***★ 《조건절에서》 이왕에 ~할 바에는; 《긍정문에서》 어쨌든; 《의문문에서》 조금이라도, (도)대체; 《부정문에서》 조금도〔전연〕 ~(않다)
(예) The question is whether he works *at all.* 문제는 그가 조금이라도 일을 하는가 안 하는가이다. // If you do it *at all,* you must do your best. 이왕에 그것을 할 바에는 전력을 다해야 한다.

(be) all for nothing (in) (~에) 아무 영향도 없는
(예) *Is* his absence *all for nothing in* the prosperity of the company? 그가 없어도 회사의 번영에는 아무 영향이 없소? // I worked hard, and *all for nothing.* 나는 열심히 일했으나 아무 소용없었다.

◇ ***in all*** 통틀어서
(예) We were eleven *in all.* 우리는 통틀어서 11명이었다.

*◇ ***not ~ at all*** 조금도〔전혀〕 ~ 않다
(예) I'm *not at all* tired. ↔ I'm *not* tired *at all.* 나는 조금도 피곤하지 않다.

al·lege [əlédʒ] ㊉ 주장하다(=assert), (이유·변명 따위의 목적으로) 말하다
(예) He *alleges* his innocence. ↔He *alleges that* he is innocent. 그는 무죄를 주장하고 있다. // He *alleges* illness for his failure to come. 그는 오지 못한 것은 병 때문이라고 말했다.
㉶ **alleged** [əlédʒd] ㊗ ~이라고 주장된, ~이라고 하는

al·le·go·ry [ǽləgɔ̀ːri / -gəri] ㊐ 우의(寓意), 풍유(諷喩), 비유; 비유담, 우화; 상징(=emblem)
派 **allegóric, -ical** ㊗ 우의의, 비유적인

al·ley [ǽli] ㊐ (공원·숲 따위의) 좁은 길, 오솔길(=narrow path), 샛길(=byway); 〖미〗 뒷골목(=back lane)

al·li·ga·tor [ǽligèitər] ㊐ (미국산) 악어, 악어 가죽
어법 *crocodile* [krɑ́kədàil / krɔ́k-]은 아프리카 및 아시아산의 악어를 말한다.

al·lot [əlɑ́t / əlɔ́t] ㊉ 할당하다 [~ to]; 정하다
㉶ **allótment** ㊐ 할당; 운명

*◇ **al·low**★ [əláu]★ ㊋㊉ 허락하다(=permit), 인정하다; 주다(=give)
반 forbíd 금하다
(예) *allow* a person 30,000 won a month 아무에게 달마다 3만원을 주다 // ◇ I *was allowed to* do it then. 나는 그때 그것을 하도록 허용되었다.
㉶ **allówable** ㊗ 허락〔허용〕할 수 있는, 정당한 *◇ **allówance**★ ㊐ 급여, 수당, 지급액; 허가, 참작

allow for ~을 고려〔참작〕하다
(예) *allow for* human weakness 인간이 약함을 고려에 넣다

> ▶ **9.** 「허락하다」의 유사어
> **allow**는 「~하는 것을 방해하지 않다」의 뜻으로 부주의나 태만으로 「그대로 놔두다」란 뜻이다. **permit**은 「(권한 있는 사람이) 정식으로 허가하다」란 뜻이다.

allow of ~의 여지가 있다; 허용하다
(예) It *allows of* no excuse. 그것은 변명의 여지가 없다.
◇***make allowance(s) for*** ~을 참작하다(=allow for), 고려하다
(예) You must *make allowance for* his youth. 그가 젊다는 것을 고려에 넣어야 한다.

A

al·lude [əlúːd] [자] 언급(言及)하다(=refer to), 넌지시 말하다, 암시하다
(예) He often *alludes to* his birth. 그는 종종 자기 가문을 들먹인다.
[파] **allúsion** [명] 언급; 암시, 빗댐, 변죽울림; 풍자
al·lure [əlúər] [타] 유혹하다, 꾀다(=tempt) [명] 매력
(예) *allure* us *to* buy it 우리에게 그것을 사라고 꾀다
[파] **allúrement** [名] 유혹(물) (the *allurements* of a big city 대도시의 유혹) **allúring** [형] 유혹적인
al·ly [타] [əlái, ǽlai] 동맹하다, 결연(結緣)하다 [명] [ǽlai, əlái] 동맹자, 동맹국, 자기편
[반] séparate 이반(離反)하다
(예) England *allied itself with* 〔*to*〕 France. 영국은 프랑스와 동맹했다.
[파] **allíed** [형] 동맹의 (the *Allied* Powers 제 2 차 대전시의 연합국) ◇**allíance** [명] 동맹, 결연
Al·ma Ma·ter [ǽlmə máːtər] (〖라〗=fostering mother) 모교, 출신교
al·ma·nac [ɔ́ːlmənæ̀k, ǽl-] [명] 달력, 책력(册曆), 연감(年鑑)
◇**al·might·y** [ɔːlmáiti] [형] 전능(全能)의
[원] al(=all)+might(=strength)+y(형용사 어미)
(예) the *Almighty* (God) 전능의 신
al·mond [áːmənd] [명] 편도(扁桃), 아먼드; 편도선
☆**al·most** [ɔ́ːlmoust, ɔːlmóust] [부] 거의(=nearly), 거반
(예) *almost* always 거의 언제나 // *almost* all of the students 거의 모든 학생 // She was *almost* killed. 그녀는 거의 죽을 뻔했다.
[어법] ① 「거의 없다」를 *almost* no, *almost* never와 같이 말하는 것은 미국식 어법. 영국에서는 hardly 〔scarcely〕 any, hardly 〔scarcely〕 ever 라고 한다. ② *nearly*보다 접근의 정도가 높다. *nearly* finished(대체로 끝났다), *almost* finished (거의 끝났다)의 기분이다. ③ 감정을 나타내는 동사·형용사 등에는 *nearly*를 쓰지 않고 *almost*가 보통. I'm *almost* glad he has gone. (그가 가 버려서 기쁠 지경이다) ④ 명사를 수식할 때도 있다: in *almost* terror
alms [ɑːmz] [명] 《단수·복수 동형》 보시(布施), 의연금(義捐金)
a·loft [əlɔ́(ː)ft] [부] 위에, 높게(=high up)
◇**a·lo·ha** [əlóuə, ɑːlóuhɑː] [명] (환송·환영의) 인사 [감] 안녕; 안녕히 계시오〔가시오〕
[파] **aloha shirt** 알로하 셔츠, 남방 셔츠
*◇**a·lone** [əlóun] [형][부] (다만) 홀로〔혼자서〕, 단독으로, 혼자 힘으로, 다만 ~뿐(=only); 단지

원 al(=all)+one
반 togéther 함께
(예) ◇*all alone* 단지 혼자서 // He came *alone.* 그는 홀로 왔다.
어법 형용사로는 서술 용법 또는 명사〔대명사〕의 뒤에 온다: He was *alone.*(그는 혼자였다) He *alone* knew it. (그만이 알고 있었다)

▶ **10.** 「혼자서」의 유사어
alone은 사람이나 물건이 단독이라는 것으로서, 반드시 외롭다고는 할 수 없다. **lonely**는 슬픔, 음울, 불안을 나타내고 사람과 물건에 모두 쓰인다. **solitary**는 같은 무리에서 떨어져 있다는 것으로 고독감을 강하게 나타낸다.

let* 〔*leave*〕 ~ *alone ~을 홀로 놔두다, ~을 (그냥) 내버려두다; ~에 간섭하지 않다
(예) *Let* me *alone.* 나 좀 내버려 두게《괴롭히지 말게》.

☆**a·long** [əlɔ́ːŋ / əlɔ́ŋ] 전 ~을 따라서; 부 따라서; 함께(=together); 앞으로
(예) walk *along* the river 강을 따라서 걷다 // A man came *along.* 사람이 (저쪽에서) 왔다.
어법 come 〔go〕 *along*의 along에는 사실상 의미가 없다.
파 ◇**alóngside** 전 부 (~에) 옆으로 대어, (~의) 곁〔옆〕에

◇***along with*** ~와 함께(=together with)
(예) Come *along with* me. 나와 같이 가자. // I'll send some books *along with* the package. 짐과 함께 책을 좀 보내 주겠다.

alongside of ~와 나란히
(예) I walked *alongside of* my uncle. 나는 아저씨와 나란히 걸었다.

a·loof [əlúːf] 부 따로 떨어져서; 초연히, 무관심하게
(예) keep 〔hold, stand〕 *aloof* 멀리 (떨어져) 있다, 초연해 있다.
파 **alóofness** 명 초연함, 냉담

***a·loud** [əláud]* 〈동음어 allowed〉 부 큰 소리로(=loudly), 소리를 내어서
반 sílently 조용히
(예) think *aloud* 혼잣말을 하다 // read *aloud* 소리 내어 읽다

al·pha [ǽlfə] 명 그리스 알파벳의 첫 자《A, α》; 제일, 처음
(예) *alpha* and omega 처음과 끝; 근본적인 이유〔뜻〕, 가장 중요한 부분

***al·pha·bet** [ǽlfəbèt] 명 알파벳; 초보
파 ◇**alphabétic, -cal** 형 알파벳의 **alphabétically** 부 알파벳순으로

al·pine [ǽlpain] 형 높은 산의; 〔A-〕 알프스 산맥의
(예) *alpine* plants 고산 식물
파 **álpinist** 명 등산가, 〔A-〕 알프스 등산가

Alps [ælps], **the** 명 알프스 산맥

☆**al·read·y**[ɔːlrédi] 부 벌써, 이미
파 al(=all)+ready 반 yet 아직
어법 의문·부정문에서는 통상 already 대신에 *yet*를 쓴다. 이 경우에 *already*를 쓰면 「놀람·뜻밖」이란 뜻이 가미된다.

Has the bell rung *yet?*(벌써 종 쳤니?) Has the bell rung *already?*(아니, 벌써 종 쳤어? (놀랐는데))

☆**al·so** [ɔ́:lsou] 부 (～도) 또한, 역시(=besides, too), 마찬가지로
원 al(=all)+so
어법 ① *also*는 문어적(文語的)이다. 구어에서는 too를 쓴다. ② also의 위치는 통상 동사의 앞, be·조동사가 있는 경우는 그 뒤에 두는데, 가능하면 수식되는 낱말 가까이 두는 경향이 있다. 그렇게 함으로써 수식을 받는 말을 강조한다. ③ 어느 낱말을 수식하느냐는 전후 관계로 파악해야 되는데, 회화에서는 수식되는 낱말에 강세를 두어 이를 명백히 한다: *Hé also* wanted the book.(그도 역시 그 책을 원했다.) He *also* wanted the *bóok*. ↔ He wanted the *bóok also.*(그는 그 책도 가지기를 원했다)

◇**al·tar** [ɔ́:ltər] 〈동음어 alter〉 명 제단(祭壇)

*◇**al·ter** [ɔ́:ltər] 〈동음어 altar〉 타 자 바꾸다(=change), 변경하다, 개조하다
(예) *alter* the plan 계획을 바꾸다 // That *alters* the case. 그렇다면 사정이 달라진다.
파 **alterátion** 명 변경

al·ter·nate 자 타 [ɔ́:ltərnèit] 교대하다, 갈마들(게 하)다, 교체하다〔시키다〕 형 [ɔ́:ltə:rnit] 서로 갈마드는, 번갈아 하는, 하나 걸러의 명 [ɔ́:ltərnit] 대리인
(예) in *alternate* months 한 달씩 건너, 격월로 // Day *alternates with* night. 낮과 밤은 번갈아 온다. // *alternate* kindness *with* severity 때로는 친절히 때로는 엄히 다루다
파 **alternátion** 명 교대, 교체; 하나씩 거름; 〖수학〗 착렬(錯列); 〖전기〗 교류

*◇**al·ter·na·tive** [ɔ:ltə́rnətiv]* 형 (둘 가운데) 어느 한 쪽의 명 양자 택일(兩者擇一)
(예) What is the *alternative* to this plan? 이 계획을 대신할 다른 방도는 무엇인가? // There is no (other) *alternative* but to walk. 걷는 수밖에 다른 방법이 없다.

*◇**al·though** [ɔ:lðóu]* 접 (비록) ～일지라도, ～이기는 하나 (=though)
원 al(=all)+though(*cf.* though)
(예) *Although* it was cold, we went out together. 비록 날씨가 추웠지만 우리는 함께 외출했다.

◇**al·ti·tude** [ǽltitjù:d / -tjù:d] 명 고도, 해발(海拔), 표고 높이; 《*pl.*》 높은 곳(=height)
원 alti(=high)+tude(명사 어미)

◇**al·to·geth·er** [ɔ̀:ltəgéðər] 부 전혀(=completely); 전적으로; 모두 합쳐; 대체로(=on the whole)
원 al(=all)+together 반 pártially 부분적으로, 얼마간
어법 부정어와 함께 쓰면 부분 부정: You are *not altogether* right. (네가 하나에서 열까지 다 옳은 것은 아니다)

al·tru·is·tic [æ̀ltruístik] 형 이타적인, 이타주의의

al·u·min·i·um [æ̀ljəmíniəm] 명 〖영〗 =aluminum

◇**a·lu·mi·num** [əlú:mənəm] 명 알루미늄 〖약어〗 *Al.*

a·lum·nus [əlʌ́mnəs] 명 《*pl.* ***alumni*** [-nai]》 (남자) 졸업생, 동창생, 교우
(예) an *alumni* association 교우회, 동창회

☆**al·ways** [ɔ́:lwiz, -weiz]★ 부 항상(=at all times), 언제나
원 al(=all)+ways 반 sómetimes 때때로
어법 not 따위의 부정어(否定語)가 따르면 「반드시 ~은 아니다」「항상 ~이라고는 할 수 없다」라는 부분 부정이 된다: ◇The rich are *not always* happy. (부자라고 해서 반드시 행복한 것은 아니다)

a.m. [èiém] 〖약어〗 오전 (〖라〗 *ante meridiem*의 약어)
반 p.m.(<*post meridiem*) 오후
(예) at 3 *a.m.* 오전 3시에

a·mass [əmǽs] 타 자 쌓다, 축적(蓄積)하다(=accumulate)

*◇**am·a·teur** [ǽmətə̀r, -tʃùər] 명 아마추어, 전문가가 아닌 사람, 호사가(好事家) 형 아마추어의
반 proféssional 직업적인
파 **amatéurish** 형 아마추어 같은

> ▶ **11.** 접미어 **eur**
> **eur**이란 접미어는 사람을 뜻한다. (예) amat*eur*

*◇**a·maze** [əméiz] 타 몹시 놀라게 하다, 대경 실색케 하다 (=astonish greatly)
원 a(=on)+maze(당황)
반 compóse (감정을) 가라앉히다
파 *◇**amázement** 명 깜짝 놀람, 대경 실색(to one's *amazement* 놀랍게도) **amazedly** [əméizidli] 부 몹시 놀라 **amázing** 형 놀라운 **amázingly** 부 놀랄 만큼

*◇(***be***) ***amazed at*** ~에 깜짝 놀라는
(예) He *was amazed at* the sight of the dark cloud. 그는 먹구름을 보고 몹시 놀랐다. (↔ ~ *to* see the dark cloud.)

am·bas·sa·dor [æmbǽsədər] 명 대사(大使), 사절(使節)
NB 호칭에는 Your Excellency를 쓴다.
(예) be appointed *ambassador* to Italy 주이(駐伊) 대사로 임명되다

◇**am·big·u·ous** [æmbígjuəs] 형 애매〔모호〕한, 분명치 못한
반 clear, distínct 분명한
파 **ambiguity** [æ̀mbigjú(:)əti] 명 애매함, 모호함

*◇**am·bi·tion** [æmbíʃən] 명 야심, 대망(大望)(=aspiration)
파 ◇**ambítious** 형 큰 뜻을 품은, 야심적인; 열망하는

(***be***) ***ambitious to*** *do* 〔***of***〕 ~하기를〔~을〕 열망하는
(예) Climbers *are ambitious to* conquer Everest. 등산가들은 에베레스트 정복을 열망한다.

◇**am·bu·lance** [ǽmbjələns] 명 병원차, 구급차(救急車)

am·bush [ǽmbuʃ] 자 타 숨어서 기다리다 명 잠복, 매복

a·mend [əménd] 자 타 수정하다; 개정하다〔되다〕; 개심(改心)하다
원 a(=out of)+mend(=error)
NB *amends*라고 하면 명사가 되어 「배상」「벌충」의 뜻: Work hard to make *amends* for lost time. 헛되게 보낸 시간

을 벌충하기 위하여 열심히 일하여라.
[파] **améndment** [명] 수정; 개선; (법률 따위의) 수정안

a·men·i·ty [əmíːnəti, əmén-] [명] 쾌적; 《*pl.*》 즐거움, 쾌적한 설비〔환경〕, 문화적 시설; 예의

A

☆**A·mer·i·ca** [əmérikə] [명] 아메리카, 미국(=the United States of America; the U.S.A.; the United States; the U.S.)
[파] **Américan** [형] 아메리카의, 미국(인)의 [명] 아메리카 사람, 미국 사람 **Americanism** [əmérikənìzəm] [명] 미국말, 미국풍(風), 미국인 기질

a·mi·a·ble [éimiəbəl] [형] 사랑스러운; 마음씨가 고운, 상냥한(=good-natured)
[원] ami(=love)+able(=can)
[파] **amiabílity** [명] 사랑스러움, 상냥함

◇**a·mid** [əmíd] [전] ~의 가운데에, ~ 속에
[원] a(=on)+mid(=middle) [NB] *amidst*라고도 쓴다.
(예) He smiled *amid*(*st*) adversity. 그는 역경 속에서도 미소를 지었다.

a·midst [əmídst] [전] =amid

am·mu·ni·tion [æ̀mjəníʃən] [명] 탄약 [타] 탄약을 공급하다

a·moe·ba [əmíːbə] [명] 《*pl.* ***-bas, -bae***》 아메바

☆**a·mong** [əmʌ́ŋ] [전] ~의 가운데, ~ 중에, ~ 사이에
(예) It is *among* the best. 우량품 중의 하나이다. (= ... one of the best.)
among other things 여럿 가운데서, 더우기, 특히
(예) He liked history *among other things*. 그는 특히 역사를 좋아했다.
among the rest 그 중에서도, 그 중의 하나
(예) Only a few have passed, myself *among the rest*. 합격한 사람은 극히 적었는데 나도 그 중의 한 사람이다.

▶ **12.** 「~ 사이에」의 유사어
두 사람일 경우에는 **between**, 세 사람 이상일 경우에는 **among** 또는 **amongst**를 쓴다(**amid**는 문법적이다). 단, 상호 관계를 나타낼 때는, 3사람 이상이라도 between을 쓴다.

*◇**a·mount** [əmáunt] [자] 총계가 ~이 되다(=add up to); ~이나 매한가지다 [~ to] [명] 양(量), 액수(=sum), 총계(=total)
(예) a large 〔small〕 *amount* of 다〔소〕량의 ([NB] 수에 관해서는 a large 〔small〕 *number* of) // His debts *amount to* 500 dollars. 그의 빚은 모두 500달러가 된다. // His answer *amounts to* refusal. 그의 대답은 거절이나 같다. // What he has done does not *amount to* much. 그가 한 것은 대단한 것은 아니다.
◇***an amount of*** 상당한 (양의)
(예) He did *an amount of* work. 그는 상당히 많은 일을 했다.

am·pere [ǽmpiər / ǽmpɛə] [명] 〖전기〗 암페어《전류의 단위》 〖약어〗 *amp, amp.*
[원] <프랑스 물리학자의 이름

◇**am·phib·i·ous** [æmfíbiəs] ⓗ 양서류의; 수륙 양용의; 육·해·공군 합동의
◇**am·phi·the·a·ter, -tre** [ǽmfəθì:ətər] ⓜ (옛 로마의) 원형 경기장〔극장〕, 투기장; 〖미〗 계단식 교실
am·ple [ǽmpəl] ⓗ 충분한(=quite enough), 풍부한(=plentiful); 넓은, 광대한(=large)
반 scánty 부족한
파 **amplificátion** ⓜ 확대, 부연(敷衍) **ámplify** ⓩⓣ 확대하다; 상설(詳說)하다 **ámply** ⓑ 충분히, 넓게
am·pu·tate [ǽmpjətèit] ⓣ (손발 따위를) 절단하다
파 **amputátion** ⓜ 절단(수술)
*◇**a·muse** [əmjú:z] ⓣ 재미나게〔즐겁게〕 하다(=entertain), 흥겹게 해 주다, 웃기다, 위로하다
반 bore 따분하게 하다
(예) The teacher's story *amused* the children. 선생님의 이야기는 아이들을 즐겁게 하였다. // They *amused* themselves with toys 〔*by* drawing pictures〕. 그들은 장난감을 가지고 〔그림을 그리며〕 재미나게 놀았다.
파 *◇**amúsement** ⓜ 오락, 즐거움 *◇**amúsing** ⓗ (이야기·사건 따위가) 재미있는, 즐거운 (어법 amusing은 「재미있고 우스운」, interesting은 「흥미를 일으키는」)의 기분.
***(be) amused at* 〔*by, with*〕** ~을 즐기는
(예) We *were* much *amused at* his joke. 그의 농담이 참 재미 있었다.
a·nach·ro·nism [ənǽkrənìzəm] ⓜ 시대 착오; 시대에 뒤진 사람〔사물〕
파 **anachronístic** ⓗ 시대 착오의
*◇**an·a·lects** [ǽnəlèkts] ⓜ 《*pl.*》 선집, 어록(語錄)
(예) the *Analects* (of Confucius) 논어
◇**an·a·logue, an·a·log** [ǽnəlɔ̀(:)g] ⓜ 비슷한 물건, 유사물; 〖언어학〗 동류어(同類語)
a·nal·o·gy [ənǽlədʒi] ⓜ 유사(점) [~ between, to, with], 유추
(예) have some *analogy with* 〔*to*〕 ~에 얼마쯤 닮다
파 **analogous** [ənǽləgəs] ⓗ 유사한, 비슷한
*◇**an·a·lyze, -lyse** [ǽnəlàiz]* ⓣ 분해〔분석〕하다; 〖문법〗 분석하다; 〖수학〗 해석(解析)하다, 〖미〗 정신 분석하다
(예) We can *analyze* water into oxygen and hydrogen. 물을 산소와 수소로 분해할 수 있다.
파 **ánalyzer** ⓜ 분석자(=analyser) *◇**analysis** [ənǽləsis] ⓜ 《*pl.* -ses》 분해, 분석(결과), 분석표, (문장의) 분석, ◇**ánalyst** ⓜ 분석자(=analyzer), 해설자, 정신 분석자 ◇**analýtic** ⓗ 분해〔분석〕의
◇***in the last analysis*** 결국, 요컨대
(예) We are all, *in the last analysis,* alone. 결국 우리는 모두 혼자다.
an·ar·chy [ǽnərki] ⓜ 무정부(상태); 무질서, 혼란
원 an(=without)+archy(=leader)

파 *ánarchism 명 무정부주의 ánarchist 명 무정부주의자

a·nat·o·my [ənǽtəmi] 명 해부, 해부학

파 **anatómic, -cal** 형 해부(학)의 ◇**anatómically** 부 해부학상; 해부적으로 **anátomist** 명 해부학자

*◇**an·ces·tor** [ǽnsestər, -səs-]* 명 조상, 선조

반 descéndant 자손, 후손

파 ◇**ancéstral** 형 선조의 ◇**áncestry** 명 선조, 조상; 가계(家系)

***an·chor** [ǽŋkər] 명 닻 자 타 닻을 내리다, 정박하다

(예) cast 〔weigh〕 *anchor* 닻을 내리다〔올리다〕 // lie at *anchor* 정박하다

파 **ánchorage** 명 닻을 내림, (배의) 정박지

◇**an·cient** [éinʃənt]* 형 고대의, 오래된(=old)

반 módern 현대의

(예) the ruins of an *ancient* temple 고대 사원의 유적

☆**and** [ænd, ənd, n] 접 ① 《낱말·구·절을 이음》 ~와, 및, 또, 그리고

(예) John *and* Mary are great friends. 존과 메리는 매우 친하다. // Bread *and* butter is good for most sick people. 버터 바른 빵은 대개의 환자에게 좋다.

어법 ① 수의 일치. and로 연결하면 (1) 보통 복수 취급. (2) 단수 취급의 경우는 (a) 같은 인물을 가리킬 때: the statesman *and* poet(정치가인 동시에 시인인 사람) *a* white *and* black dog(흑백 반점의 (한 마리) 개) and 다음의 명사는 관사를 붙이지 않는다. *a* white *and a* black dog(흰 개와 검은 개)는 두 마리 개임에 주의. (b) 전체로서 일체가 되는 사물: a watch *and* chain (줄이 달린 시계), bread *and* butter(버터 바른 빵), Early to bed *and* early to rise *makes* a man healthy. (일찍 자고 일찍 일어남은 사람을 건강하게 한다) (c) every, each, no에 수식될 때: *Every* boy *and* (*every*) girl *was* invited. *No* sentence *and no* word *is* to be neglected. (어떤 문장이나 단어도 경시해서는 안 된다) ② 어순. 두 낱말 이상일 경우는 A, B *and* C의 꼴이 보통이나, 절대적인 규칙은 아니다. 또 2인칭, 3인칭·1인칭의 순으로 된다.

② 《명령형에 이어서 결과를 나타냄》 그렇게 하면, 그러면

(예) Work hard, *and* you will succeed. 열심히 공부하면 성공할 것이다.

어법 Work hard, and…는 If you work hard…의 뜻. 이 반대의 표현은 명령형+or 이다. Work hard, *or* you will fail. 열심히 공부하지 않으면 실패할 것이다. (↔Unless you work hard, you will fail.)

③ 《come 〔go, try〕 and ~의 꼴로 부정사에 붙는 to를 대신함》 ~하기 위해

(예) Come *and* see me. 만나러 오시오. (=Come to see me.)

어법 come 〔go, try〕 and ~는 come 〔go, try〕 to ~ 와 같은 뜻으로 흔히 구어에 쓰인다. 이 경우, and 또는 to를 생략하기도 한다: You'd better *go get* a new battery. 새 전지를 가서 사 오는 게 좋겠다.

and so forth 〔*on*〕 ~ 따위, 등등, 기타(=and the like)
(예) the rent, the wages, the profits *and so forth* 집세, 임금, 이익금 등등

and that 더우기, 그 위에
(예) He did it himself, *and that* very well. 그는 그것을 혼자 힘으로, 더구나 그것도 아주 잘 했다.
어법 흔히 이 that은 앞의 절 전부를 받는다.

and yet 그런데도, 그럼에도 불구하고
(예) She is foolish, *and yet* people like her. 그녀는 바보지만 그런데도 사람들은 그녀를 좋아한다.

an·ec·dote [ǽnikdòut] 명 일화(逸話), 기담

an·es·thet·ic [æ̀nəsθétik] 명 마취제 형 마취의; 둔감한

a·new [ən*j*úː/ənjúː] 부 새로이(=again), 다시 한 번(=once more)

an·gel [éindʒəl] 명 천사, 천사 같은 사람
파 **angélic, -ical** [ændʒélik(əl)] 형 천사 같은 **ángel-fish** 명 에인절피시《관상용 열대어의 일종》

an·ger* [ǽŋgə*r*] 명 노여움(=rage), 화, 분노 자 타 노하게 하다(=make angry), 성내다
반 appéase 진정시키다
(예) in *anger* 노해서 // be *angered* by 〔at〕 ~에 성을 내다
파 ⇨ **angry**

> ▶ 13. 「노여움」의 유사어
> **anger**는 노여움을 뜻하는 보통의 말. **indignation**은 부정 따위에 대한 깊고 정당한 분노. **rage**는 강렬한 분노. **fury**는 rage보다 한층 강한 격노를 나타낸다.

an·gle [ǽŋgəl] 명 모, 구석, 모퉁이; 견지(=point of view); 〖수학〗 각(角), 각도 자 낚다(=fish) [~ for]
(예) Let's look at it from another *angle*. 다른 견지에서 그것을 보자.
파 **ángler** 명 낚시꾼 **ángular** 형 모난, 모진, 여윈

An·gles [ǽŋglz] 명 《복수 취급》 앵글족《튜튼족의 일파》

An·glo-A·mer·i·can [ǽŋglo*u*əmérikən] 형 영미의

An·glo-Sax·on [ǽŋglo*u*sǽksən] 명 앵글로색슨 민족〔말〕 형 앵글로색슨 민족〔말〕의, 영국 인종의

an·gry* [ǽŋgri] 형 노한, 화난, 성난
(예) He *was angry at* what I said. 그는 내 말에 화를 냈다.
어법 ① 사물에 대해서는 전치사 *at, about, over*를 쓰며, 사람일 경우에는 *with*를 쓰는 것이 보통이다: She easily gets *angry with* me *over* trifles. (그녀는 사소한 일에도 쉽사리 나에게 화를 낸다) ② 「화내고 있다」에는 be *angry*, 「성을 내다」에는 get *angry*를 쓴다.
파 **ángrily** 부 성나서, 노하여

an·guish [ǽŋgwiʃ] 명 (심신의) 고통, 큰 고뇌(=great sorrow), 고민
(예) be in *anguish* over ~으로 크게 괴로워하다

an·i·mal [ǽnəməl] 명 동물, 짐승 형 동물의, 동물적인
(예) the *animal* kingdom 동물계

파 **ánimalism** 명 수욕(獸慾)주의 **ánimalize** 타 동물화하다 **animálity** 명 동물성, 수성(獸性)

an·i·mate 타 [ǽnəmèit] 활기〔생기〕를 주다(=give life to), 고무하다 형 [-mit] 활발한(=full of life), 살아 있는(=living)
반 inánimate 활기 없는
(예) Her kind words *animated* him *with* fresh hope. 그녀의 친절한 말에 고무되어 그는 새 희망을 갖게 되었다.
파 **ánimated** 형 생기 있는 **ánimatedly** 부 활발하게 **ánimating** 형 고무적인 **animátion** 명 생기, 활기, 활발 ; 〖영화〗 만화 영화 제작

◇**an·kle** [ǽŋkəl] 명 복사뼈, 발목

◇**an·nex(e)** 명 [ǽneks] 부가물; 별관, 분교 타 [ənéks] 부가(附加)하다, 병합하다
(예) The United States *annexed* Texas in 1845. 1845년에 미국은 텍사스를 병합하였다.
파 **annéxable** 형 부가할 수 있는 **annexátion** 명 병합

◇**an·ni·hi·late** [ənáiəlèit] 타 전멸시키다(=destroy utterly)
파 **annihilátion** 명 전멸, 절멸(絶滅)

◇**an·ni·ver·sa·ry** [ӕnivə́ːrsəri] 명 기념일, 기념제 형 매년의, 기념의
원 anni(=year)+vers(=turn 돌아오다)+ary(명사 어미)
(예) the 18th anniversary of my birth 나의 제 18 회 생일

*◇**an·nounce** [ənáuns] 타 알리다, 고지하다(=give notice of), 발표하다(=publish), 방송하다
원 an(=to)+nounce(=report)
(예) It has been informally *announced that* he is dead. 그의 서거가 비공식적으로 발표되었다. // *announce* Mr. Brown *as* 〔*to be*〕 the sponsor 브라운씨가 후원자라고 공표하다
파 ◇**annóuncement** 명 알림, 방송 **annóuncer** 명 알리는 사람, 아나운서

*◇**an·noy** [ənɔ́i] 타 괴롭히다(=trouble), 성가시게 하다
반 grátify 기쁘게 하다
(예) be 〔feel, get〕 *annoyed* with 〔at, about, by〕 ~을 불쾌하게 느끼다
어법 대상이 사물이면 *at, about, by,* 사람이면 *with*를 쓴다.
파 **annóyance** 명 괴로움, 성가심, 고뇌(to one's *annoyance* 곤란하게도) **annóying** 형 괴롭히는, 못살게 구는, 성가신

*◇**an·nu·al** [ǽnjuəl] 형 매년의, 일 년에 한 번의
원 annu(=year)+al(형용사 어미)
(예) an *annual* income 연수(年收) // ~ revenue 〔expenditure〕 세입〔세출〕 // *annual* rings (식물의) 나이테
파 ◇**ánnually** 부 해마다, 매년

a·non [ənɑ́n / ənɔ́n] 부 〖옛〗 이내(곧), 머지 않아, 조만간에

☆**a·non·y·mous** [ənɑ́nəməs / ənɔ́n-] 형 무명의, 작가 불명의; 익명의, 가명의

an·oth·er [ənʌ́ðər] ⓗ 또 하나의(=additional), 제 2 의 (=second), 다른(=different) ⓓ 또 다른 한 개(=additional one), 또 다른 한 사람, 다른 사람
원 an+other (*cf.* one another)
(예) in *another* ten days 다시 10 일이 지나면 // That is quite *another* story. 그것은 전혀 별개의 이야기이다. // Love means one thing to Hollywood, quite *another* to a church man. 헐리우드의 영화 배우와 목사가 가지는 사랑의 뜻은 전연 다르다. // Give me *another* cup of tea. 차를 한 잔 더 주시오. // That boy will be *another* Edison someday. 그 소년은 장차 제 2 의 에디슨이 될 것이다.

어법 ① 어원 an+other로 명백하듯이 단수 취급한다. 첫 예문의 ten days는 복수형이지만 「10 일이라는 기간」을 말하는 단일 관념으로 생각된다. ② another와 the other : another는 그 밖에도 여러 개〔사람〕 있다고 예상했을 때의 「또 하나」이고, the other는 그 밖에는 이것〔사람〕밖에 없다고 예상했을 때의 「나머지 하나」를 가리킨다. ③ 많은 것들 중에서 불특정한 순서로 물건〔사람〕을 지칭할 때는 one, another, a third의 순서로 나타낸다: He has three sons. *One* is a poet, *another* is a teacher, and *a third* is an actor. (그에게는 세 아들이 있다. 한 사람은 시인, 한 사람은 선생, 그리고 한 사람은 배우이다)

☆**an·swer** [ǽnsər / á:nsə] ⓩ ⓣ (대)답하다(=speak or write in return), 응(답)하다[~ to]; 응수하다; (목적·요구 등에) 일치〔부합〕하다 ⓜ 대답, 응답, 회답(=reply), 해답
반 ask 묻다, quéstion 질문
(예) *answer* the purpose 목적에 부합하다 // make 〔give〕 an *answer* 회답을 하다 // I've had no *answer to* my letter. 나는 내 편지의 답장을 받지 못했다. // *answer* the door 〔the knock〕 (노크 소리를 듣고) 손님을 맞으러 나가다 // *answer* blows with blows 되받아 갈기다

> ▶ **14.** 「대답하다」의 유사어
> **answer**는 가장 일반적인 말이다. **reply**는 약간 형식에 치우친 말이지만, 종종 answer와 전혀 똑같이 쓰인다. **respond**는 희망·기대에 대답하다. **retort**는 비난·비평 따위에 대하여 응수할 경우에 쓰인다.

파 **ánswerable** ⓗ 대답할 수 있는, 책임이 있는
answer back 말대꾸하다, 항변하다
answer for ~의 책임을 지다, 보증하다
(예) I will *answer for* his conduct. 내가 그의 행위에 대하여 책임을 지겠다.
answer to ~에 부합하다, 일치하다
(예) His features *answer to* this description. 그의 인상은 이 인상서(人相書)와 부합한다.
in answer to ~에 답하여, 응하여
(예) He rose to speak *in answer to* his name. 그는 지명에 응하여 일어서서 말했다.

ant [ænt] ⓜ 개미

an·tag·o·nist [æntǽgənist] 명 반대자(=an opponent), 적대자, (경쟁) 상대
원 ant(=against)+agon(=contest 경쟁)+ist(명사 어미)
반 suppórter 지지자
파 **antágonism** 명 반대, 적대 **antagonístic** 형 반대의, 상반되는 **antágonize** 타 적으로 돌리다, 적의를 갖게 하다; 반대하다

ant·arc·tic [æntɑ́ːrktik] 형 남극의 명「the A-」 남극(=South Pole), 남극 지대
반 árctic 북극의
(예) the *Antarctic* Ocean 남빙양(南氷洋)

an·te·ced·ent [æ̀ntəsíːdənt] 형 선행(先行)의, 이전의 [~ to] 명 〖문법〗 선행사
원 ante(=before)+ced(=go)+ent(형용사·명사 어미)
반 súbsequent 뒤의
파 **antecédence** 명 선행, 선임(先在); 우선

> ▶ **15. 접두어 ante**
> **ante**는 「시간적, 위치적으로 앞의」(before)를 뜻한다. (예) *ante*cedent, *ante* meridiem. 또 ante가 anti로 되는 경우도 있다.
> (예) *anti*cipate

◇**an·te·lope** [ǽntəlòup] 명 《*pl.* **-(s)**》 영양(羚羊); 〖미〗 뿔이 갈라진 영양

*◇**an·ten·na** [ænténə] 명 《*pl.* ***-nas***》 안테나, 공중선; 《*pl.* ***antennae*** [-niː]》 〖동물〗 촉각(觸角)(=feeler); 〖식물〗 촉모(觸毛)

an·te·ri·or [æntíəriər] 형 (공간적으로) 전방〔전면〕의; (시간적·논리적·순위적으로) 전〔앞〕의
반 postérior
파 **anteriórity** 名 (시간·공간적으로) 앞섬, 앞선 시간〔위치〕

◇**an·them** [ǽnθəm] 명 찬가, 축가; 국가(國歌)

an·thol·o·gy [ænθɑ́lədʒi / -θɔ́l-] 명 (시의) 선집(選集), 명시선(名詩選)

an·thro·pol·o·gy [æ̀nθrəpɑ́lədʒi / -pɔ́l-] 명 인류학
파 **anthropólogist** 명 인류학자 **anthropológic, -ical** 형 인류학적인

an·ti-air·craft [æ̀ntiέərkræ̀ft / -έəkrɑ̀ːft] 형 방공의, 대공(對空)의
원 anti(=against)+aircraft
(예) an *anti-aircraft* gun 고사포

an·ti·bi·ot·ic [æ̀ntibaiɑ́tik / -ɔ́t-] 형 항생의 명 항생 물질
파 ◇**antibiótics** 명 《*pl.*》《단수 취급》 항생 물질학

***an·tic·i·pate** [æntísəpèit] 타 예기하다(=expect), 낙으로 삼고 기다리다; 미리 짐작하다(=realize beforehand), 앞질러 수배〔처리〕하다
(예) I did not *anticipate* a

> ▶ **16. 접두어 anti**
> 접두어 **anti**는 반대(against)를 뜻한다. (예) *anti*pathy, *anti*aircraft. 단, 어근의 첫 글자가 모음일 때는 *ant*로 된다. (예) *ant*agonist

refusal. 거절하리라고는 짐작하지 못하였다. // We are not *anticipating that* it will rain. 우리는 비가 오리라고는 생각지 않는다.

파 ◇**anticipátion** 명 예견, 예상, 예기

◇**an·ti-Na·zi** [æ̀ntinɑ́:tsi, -nǽtsi] 명 형 반나치(당)(의)

an·tin·o·my [æntínəmi] 명 모순; 〖철학〗 이율 배반

an·tip·a·thy [æntípəθi] 명 반감, 비위에 안 맞음

an·ti-pol·lu·tion [æ̀ntipəlú:ʃən / -lju:-] 명 형 공해 반대〔방지〕(의), 오염 금지〔방지〕(의)

◇**an·tique** [æntí:k] 형 고대의(=ancient), 고풍의, 구식의(=old-fashioned)

반 mɔ́dern 현대의

파 **antíquity** 명 고대(=old times), 고풍; 《*pl.*》 고대의 풍습〔제도〕, 고물

an·ti·tank [ǽntitǽŋk] 형 대전차(對戰車)용의

***an·to·nym** [ǽntənìm] 명 〖문법〗 반의어

반 sýnonym 동의어

an·vil [ǽnvil] 명 모루; 모루뼈, 침골(砧骨)

*◇**anx·i·e·ty*** [æŋzáiəti]* 명 걱정, 불안(=uneasiness); 갈망(=eager desire)

(예) with〔in〕 *anxiety* 염려하여 // He is all *anxiety.* 그는 대단히 걱정하고 있다.

*◇**anx·ious*** [ǽŋkʃəs] 형 걱정하는, 불안스런(=feeling uneasy) [~ about]; 갈망하여 [~ for, to do]

반 éasy 마음 편한

(예) I *was anxious about* the result. 결과가 걱정이었다. // He *was anxious lest* he (*should*) be late. 그는 지각하지 않을까 걱정했다.

NB 어의에 의한 전치사의 변화에 주의. 다음 숙어를 참조.

파 ◇**ánxiously** 부 걱정하여; 갈망하여

*◇**(*be*) *anxious for* 〔*to do*〕** ~을 갈망하는

(예) They *were anxious for* his safety. 그들은 그의 안전을 갈망하고 있었다. // She *is anxious to* gain your confidence. 그녀는 당신의 신뢰를 얻기를 갈망하고 있습니다.

***an·y** [éni] 형 대 ① 《의문문·조건절에서》 무언가의, 누군가의, 얼마간의

(예) if you have *any* doubt 의문이 있으면 // Are there *any* books to read? 읽을 만한 책이 (몇 권인가) 있는가? // Have you *any* question? 무언가 질문이 있는가?

어법 ① 단수·복수 어느 쪽의 명사에도 붙는다. 긍정 평서문에 쓰는 some에 대응. ② 의문문에서 긍정의 답을 예기할 때는 some을 쓴다(*cf.* some). ③ 대명사로는 앞서 나온 생략된 명사의 대신 또는 any of ~의 형식으로 쓰인다. any of ~가 주어인 때, 동사의 단수·복수는 of에 계속되는 낱말의 단수·복수에 따라 정해진다.

② 《부정문》 아무것도, 누구도, 조금도

(예) Hardly *any* time is left. 조금도 시간이 없다. // I have not *any* brother. 형제가 하나도 없다.
어법 단수·복수 어느 쪽에도 붙는다. 긍정 평서문에서 some을 쓰는 경우에 대응. not any는 no와 같은 뜻.
③ 《긍정문》 무엇이든지, 누구든지, 얼마든지
(예) *Any* pupil knows it. 어느 학생이라도 알고 있다. // He will rush in *any* minute now. 그는 당장이라도 뛰어 들어올 것이다.
어법 ① 단수 명사에 붙는 것이 보통. *Any* boy likes it. 는 All boys like it. Every boy likes it.와 뜻은 같으나「어느 소년이라도」의 기분이 내포된다. ② 동종의 것과 비교해서「누구보다도」「어느것보다도」를 나타내는 데는 any other＋단수 명사의 형식을 쓴다. 단, 다른 종류의 비교에는 other가 불필요 : Seoul is larger than *any other city* in Korea. ③ 주어를 부정하는 경우는 No ~. 의 형식으로 하지, any ~ not의 형식은 쓰지 않는다: Any boy can't do it.(×) → No boy can do it.(○)
— 부 《의문문》 조금은, 좀; 《조건절》 조금이라도; 《부정문》 조금도
(예) if he has become *any* wiser 그가 조금이라도 영리해진다면 // Are you *any* better today? 오늘은 기분이 조금 좋은가? // No, I don't have *any*. 아니, 조금도 없다.
어법 의문문·조건절에서는 주로 비교급과 함께 쓰인다.
파 ***ánybody** 대 누구라도, 누군가, 아무도 **ánhow** 부 아무튼 ◇**anymóre** 부 《부정문·의문문에서》 이제는, 더 이상 **ányone** 대 누구라도, 누군가, 아무도 **ánything** 대 무엇이든, 무엇이고, 아무것도 ***ányway** 부 아무튼, 하여간(= anyhow) ***ánywhere** 부 어디서나, 아무데도
NB *anybody, anything* 의 용법은 any 에 준한다. *anybody*는 *anyone*보다 구어적. *any one*처럼 두 낱말로 할 경우는 any single person 〔thing〕의 뜻으로 one 에 강세를 두며 그 뒤에 *of*의 구가 계속될 때가 많다.

◇***any longer*** 《주로 의문문·부정문·조건절에서》 이 이상
(예) You are not a child *any longer*. 너는 더 이상 어린 애가 아니다.

anything but ~이외에는 무엇이든; 결코 ~은 아니다
(예) You may drink *anything but* that. 그것 이외에는 무엇이든 마셔라 《그것만은 마시지 마라》. // He is *anything but* a smart boy. 그는 결코 영리한 소년이 아니다. (↔He is far from a smart boy.) (*cf.* nothing but)

anything of 《의문문·조건절에서》 조금은; 《부정문에서》 조금도
(예) Is he *anything of* a gentleman? 그에게 신사다운 데가 좀 있는가? // I have not seen *anything of* Mr. Smith lately. 요즘 스미스씨를 통 못 만났다.

◇***for anything*** 《I would not과 함께》 무엇을 준대도, 결코
(예) I wo*n't* go there *for anything*. 나는 결코 거기에 가

지 않겠다.

get anywhere 《의문문·부정문에서》 조금(은) 성공하다
(예) You can't *get anywhere.* 목적은 전연 이룰 수 없을 것이다《글렀다》.

a·pace [əpéis] ㉮ 빨리, 신속히(=with speed, quickly)

***a·part** [əpɑ́ːrt] ㉮ 떨어져서(=separately), 따로
반 togéther 함께
(예) He *set* some money *apart* for the vacation. 그는 방학 때에 쓰려고 약간의 돈을 따로 마련해 두었다.

apart from ~은 별도로 하고, ~은 그만두고
(예) *apart from* joking 농담은 그만두고(=joking apart) // *Apart from* the question of expense, the project is impracticable. 비용 문제는 별도로 하더라도 그 사업은 실현성이 없다.

take ~ apart ~을 분해하다, 풀어 헤치다
(예) He *took* the machine *apart.* 그는 기계를 분해하였다.

***a·part·ment** [əpɑ́ːrtmənt] ㉱ 아파트, (apartment house의 한 가족〔세대〕 분의) 구획; 〖영〗 (휴양지 등의) 셋방, 방(=room)
(예) *apartment* house 〖미〗 아파트(*cf.* 영국에서는 flat)

ap·a·thy [ǽpəθi] ㉱ 무감동(無感動), 냉담

***ape** [eip] ㉱ 원숭이(=monkey) ㉰ 흉내내다(=imitate)

aph·o·rism [ǽfərìzəm] ㉱ 금언(金言), 격언, 경구(警句)

a·piece [əpíːs] ㉮ 한 사람〔하나〕에 대하여(=for each), 각자에게, 각각

***A·pol·lo** [əpɑ́lou / əpɔ́l-] ㉱ 아폴로 《그리스 신화에서 태양·음악·미술을 주관하는 젊고 아름다운 신》

a·pol·o·gize [əpɑ́lədʒàiz / əpɔ́l-] ㉲ 사죄〔사과〕하다 [~ for], 변명하다
(예) I must *apologize to* you *for* my rudeness. 무례함을 사과합니다.
파 **apologétic** ㉳ 변명의 **apologétically** ㉮ 변명〔사죄〕하여 ***apólogy*** ㉱ 변명, 사과

a·pos·tle [əpɑ́sl / əpɔ́sl] ㉱ [A-] 사도《예수의 12 제자의 한 사람》; 주창〔선구〕자

ap·pal(l) [əpɔ́ːl] ㉰ 놀라게〔섬뜩하게〕 하다(=terrify)
(예) I was *appalled* at the sight. 나는 그것을 보고 소스라쳐 놀랐다.
파 **appálling** ㉳ 소름 끼치게 하는, 간담을 서늘케 하는

***ap·pa·ra·tus** [æ̀pəréitəs, æ̀pərǽtəs / -réi-] ㉱ 기구류(器具類) (=appliance), 기계, 장치, 장구

***ap·par·ent** [əpǽrənt]* ㉳ 명백한(=obvious, visible); ~처럼 보이는(=seeming), 겉보기의, 외관상의
원 appar(=appear 나타나다)+ent(형용사 어미)
반 dúbious 애매한, real 진실의
(예) The solution to the problem was *apparent* to all. 문제의 해결 방법은 누가 봐도 명백했다.
파 ***appárently*** ㉮ 명백하게, 분명히, 외견상

A

ap·pa·ri·tion [æ̀pəríʃən] [명] 허깨비, 유령(=ghost)
*◇**ap·peal** [əpíːl] [자][타] (여론·무력·인정 따위에) 호소하다 [~ to], 애원하다 [~ for], 흥미를 돋우다; 〖법〗 공소하다 [~ to] [명] 호소, 애원 ; 매력(=attraction)
(예) *appeal to* arms 무력에 호소하다 // Jazz *appeals to* young people. 재즈는 젊은이들이 좋아한다. // ◇I *appealed* to him *for* support 〔*to* support me〕. 나는 그에게 지지를 〔나를 지지해 줄 것을〕 부탁했다.
[파] **appéaling** [형] 호소하는 듯한, 애원적인
◇***make an appeal to*** ~에 호소하다, ~을 매혹하다
*◇**ap·pear** [əpíər]★ [자] 나타나다(=come out), 출석〔출두〕하다; 출판되다, (기사 따위가 신문·잡지에) 실리다; ~처럼 보이다, ~인 듯하다(=seem)
[반] disappéar, vánish 사라지다
(예) The report *appears* (*to be*) true. ↔ It *appears that* the report is true. 그 보고는 사실인 것 같다.

> **▶17.** 「~으로 보이다」「~인 듯하다」의 유사어
> **seem**은 진실한(true)·있을 듯한(possible) 일면을 가진 것에 쓰인다. **appear**는 표면적 또는 착각일지도 모르는 것을 암시하고, **look**는 눈에 그렇게 보일 경우에 쓰인다.

*◇**ap·pear·ance** [əpíərəns] [명] 출현, 출두, 출연(出演); 외관, 겉모양, 풍채
(예) make an *appearance* 모습을 나타내다 // judge by *appearances* 겉모양으로 판단하다 // There was every *appearance* of a storm. 아무래도 폭풍우가 올 것 같았다.
***to* 〔*in*〕 *all appearance*(*s*)** 어느 모로 보나
(예) *To all appearance* he is healthy. 어느 모로 보나 그는 건강하다.
ap·pease [əpíːz] [타] 달래다; 가라앉히다, 진정〔완화〕시키다; 만족시키다; 유화(宥和)하다
[파] **appéasement** [명] 진정, 완화, 달램; 유화(정책), 양보
◇**ap·pen·dix** [əpéndiks] [명] 《*pl.* ***-dices*** [-disìːz], ***-es***》 부록(=supplement); 맹장
*◇**ap·pe·tite** [ǽpətàit] [명] 식욕(=desire for food or drink), 욕망, (지식 등에 대한) 욕구(=want, craving) [~for]
(예) have a good 〔poor〕 *appetite* 식욕이 왕성하다〔하지 않다〕 // *appetite* for reading 독서에 대한 욕구
[파] **áppetizer** [명] 식욕을 돋구는 음식 **áppetizing** [형] 식욕을 돋구는, 맛있어 보이는
◇**ap·plause** [əplɔ́ːz] [명] 박수갈채, 성원, 칭찬(=expression of approval)
(예) The performance met with general *applause*. 그 공연(公演)은 만장의 박수갈채를 받았다.
[파] ◇**applaud** [əplɔ́ːd] [자][타] 박수갈채를 하다, 칭찬하다 **appláudingly** [부] 박수갈채하여
ap·ple [ǽpl] [명] 사과, 능금
(예) the *apple* of the eye 눈동자; 장중 보옥(掌中寶玉),

매우 귀중한 것
◇**ap·pli·ance** [əpláiəns] [명] 기구(=apparatus), 기계, 장치; 설비[~for]
(예) electrical〔medical〕 *appliances* 전기〔의료〕 기구
◇**ap·pli·cant** [ǽplikənt] [명] 지원자(=candidate) [~ for]
(예) an *applicant for* admission to a school 입학 지원자
*◇**ap·pli·ca·tion** [æ̀plikéiʃən] [명] 적용, 응용; 신청(서), 지원 [~ to, for]; 약의 사용; 전념, 근면
[원] <apply
*◇**ap·ply** [əplái] [자][타] 적용하다, 충당하다〔시키다〕; 사용하다(=use), (표면에) 칠하다〔바르다, 대다〕; 종사하다, 전념하다 [~ oneself to]; 신청하다
(예) ◇This rule cannot be *applied to* every case. 이 규칙은 모든 경우에 적용될 수는 없다. // *apply* one's mind *to* one's work ↔ ◇*apply* one*self to* one's work 일에 전념하다 // *apply* paint to a house 집에 페인트를 칠하다
[파] **applíed** [형] 적용된, 응용된 ◇**applicable** [ǽplikəbl] [형] 적용할 수 있는 **ápplicably** [부] 적합하도록
◇***apply for*** ~을 지원(志願)하다, 부탁하다
(예) *apply for* a job 일자리에 응모하다 // I *applied* to him *for* help. 나는 그에게 조력을 부탁하였다.
ap·point [əpɔ́int] [자][타] (시일·장소를) 지정하다(=fix); 명하다, 임명하다(=assign to a position)
[원] ap(=to)+point
(예) They *appointed* him (*to be*) president. 그들은 그를 학장으로 임명하였다.
[파] **appóinted** [형] 정해진 ◇**appóintment** [명] 임명; 약속
NB *appointment*는 시간과 장소를 정해서 사람과 만나는 약속을 말함: ◇make an *appointment* with a person (「시간을 정해서」 아무와 만나는 약속을 하다)
*◇**ap·pre·ci·ate** [əpríːʃièit]* [자][타] 감상하다, (높이) 평가하다; 감사하다(=feel grateful for); (바르게) 인식〔판단〕하다; (부동산·주식 따위가) 오르다
[원] ap(=to)+preci(=price)+ate(동사 어미)
[반] depréciate 얕보다, (값이) 내리다
(예) *appreciate* the value of science 과학의 가치를 인식하다 // Your kindness is deeply *appreciated*. 너의 친절에 깊이 감사한다.
[파] *◇**appreciation** [əpriːʃiéiʃən] [명] 감상〔이해〕(력); 감지; 감사 ◇**appreciative** [əpríːʃiətiv, -ʃièitiv] [형] 감상적인, 감지하는 ◇**appréciator** [명] 감식자; 감상자; 감사하는 사람 **appréciable** [형] 감지할 수 있는, 알 수 있는
(***be***) ***appreciative of*** ~을 인정하는; ~에 감사하고 있는
(예) He *is* always *appreciative of* kindness. 그는 항상 친절에 감사하고 있다.
ap·pre·hend [æ̀prihénd] [타] 우려하다, 염려하다(=fear); 붙잡다, 체포하다(=take hold of); 깨닫다(=understand)

반 reléase 석방하다, 안심시키다
(예) It is *apprehended* that the escaped prisoner may kill himself. 탈옥수가 자살하지나 않을까 우려된다.
파 **apprehénsion** 명 이해; 《종종 *pl.*》 불안 **apprehénsive** 형 이해력이 빠른; 염려하는

ap·pren·tice [əpréntis] 명 (일을 배우는) 계시(=제자), 도제(徒弟), 견습생 타 계시로 보내다; 계시로 삼다
파 **apprénticeship** 명 계시 노릇, 그 생활〔연한〕

*◇**ap·proach** [əpróutʃ]* 자 타 접근하다(=come near); ~에 가깝다〔근사하다〕[~ to] 명 접근(=access), 근사(近似); 입문서 [~ to], 방법
(예) *approach* completion 완성에 가깝다 // easy 〔difficult〕 of *approach* (사람·장소가) 접근하기 쉬운〔어려운〕 // His answer *approaches to* a refusal. 그의 대답은 거절하는 것이나 마찬가지이다. (NB 이 의미의 경우에만 to를 쓴다.)
파 **appróachable** 형 가까이 하기 쉬운 **appróachableness** 명 (사귀기) 쉬움 **approachabílity** 명 접근하기 쉬움

ap·pro·ba·tion [æ̀prəbéiʃən] 명 허가, 인가; 면허; 시인(=thinking good of); 찬동(=favorable opinion)
원 <approve

*◇**ap·pro·pri·ate** 타 [əpróuprièit] 불법으로 사용하다, 착복하다, 훔치다; (용도)에 충당하다 형 [-priit] 적당한(=suitable)

> ▶ **18.** 「적당한」의 유사어
> 「적당한, 알맞은」의 뜻을 나타내는 낱말에는 **appropriate, suitable, fit, timely, proper** 따위가 있다.

반 inappróp riate 부적당한
(예) *appropriate* a thing to oneself 물건을 횡령〔전용〕하다 // Don't *appropriate* others' ideas. 남의 아이디어를 도용해서는 안 된다. // *appropriate* the money *for* road building 그 돈을 도로 건설에 충당하다
파 **appropriátion** 명 전유(專有), 횡령, 도용(盜用); 충당 **appróp riator** 명 (부당한) 전용자, 횡령자 ◇**appróp riately** 부 적당히, 상당하게 **appróp riateness** 명 적당, 타당성

*◇**ap·prov·al** [əprúːvəl] 명 시인, 허가(=consent), 승인, 찬성
원 <approve
(예) give one's *approval* to ~에 찬성〔동의〕하다 // meet with a person's *approval* 아무의 승인을 얻다

*◇**ap·prove** [əprúːv]* 자 타 시인하다, 인가하다; 찬성하다
원 ap(=to)+prove(=test)
반 disappróve 찬성하지 않다, repróve 비난하다
(예) Do you approve this plan? 당신은 이 계획에 찬성합니까?
파 **appróved** 형 승인된, 찬성한 **appróvable** 형 시인할 수 있는 **appróving** 형 옳다고 인정할 만한, 찬성하는 **appróvingly** 부 찬성하여, 만족스러운 듯이(⇨)**approbation**

◇***approve of*** ~을 시인하다, ~에 찬성하다
(예) *approve of* the scheme 그 계획에 찬성하다

어법 자동사인 경우에는 of를 수반하고 목적어를 필요로 한다. of의 유무에 따라 뜻이 달라지지는 않음.

◇**ap·prox·i·mate** [əprάksəmit / -prɔ́ksə-] 형 어림셈의, 근사(近似)한 자 [-simèit] (양·질 따위가) ~에 가깝다, ~에 접근하다(=come near to)
원 ap(=to)+proxim(=nearest)+ate(형용사·동사 어미)
(예) The *approximate* cost will be five dollars. 대략 비용은 5달러가 될 것이다. // His income *approximates to* fifty thousand won a month. 그의 월수입은 5만원에 가깝다.
파 ◇**approximately** [əprάksəmitli / -prɔ́ksə-] 부 대개, 대략 **approximátion** 명 접근, 근사; 〖수학〗 근사치

☆**A·pril** [éiprəl] 명 4월 〖약어〗 *Apr.*

◇**a·pron** [éiprən] 명 에이프런, 앞치마, 행주치마

*◇**apt** [æpt] 형 ~하기 쉬운(=liable) [~ to do]; 적당한(=suitable); 영리한(=clever) [~ at]
반 inápt 부적당한, 서투른
(예) an *apt* example 적절한 보기 // He is *apt at* languages. 그는 어학에 재간이 있다.
파 **áptness** 명 적절함, 재능, 경향 **áptly** 부 적절하게(=suitably), 재치 있게 (⇨) **aptitude**

*◇(***be***) ***apt to*** ~하기 쉬운, ~하는 경향이 있는(=(be) likely to)
(예) He *is apt to* catch cold. 그는 감기에 잘 걸린다.
어법 *apt at*는 good at 「~을 능란하게〔잘〕 하다」의 뜻으로 *apt to*와는 다르다.

◇**ap·ti·tude** [ǽptətjù:d/-tjù:d] 명 적절함(=aptness), 재능; 적성, 경향(傾向)
(예) have an *aptitude* for ~의 소질〔재능〕이 있다 // have an *aptitude* to ~의 경향이 있다
파 **aptitude test** 적성 검사

◇**aq·ua·cul·ture** [ǽkwəkʌ̀ltʃər, ά:k-] 명 수산(水產) 양식; 양어, 양식

aq·ua·lung [ǽkwəlʌ̀ŋ] 명 아콸렁, (잠수용의) 수중 호흡기

a·quar·i·um [əkwέəriəm] 명 《*pl.* ***-ums, -ria***》 양어장, 수족관
원 aqua(=water)+rium(~에 속하다)

a·quat·ic [əkwǽtik, əkwά- / əkwǽ-, əkwɔ́-] 형 수생(水生)의; 물의, 물 속의, 물 위의 명 수생 동물, 수초(水草); 《*pl.*》 수상 경기

Ar·ab [ǽrəb] 명 아라비아 사람〔말(馬)〕 형 아라비아 사람의
파 ***Árabic** 명 아라비아 어(語) 형 아라비아 어〔문학〕의; 아라비아식의

A·ra·bi·a [əréibiə] 명 아라비아
파 **Arábian** 형 아라비아(사람)의

ar·a·ble [ǽrəbl] 형 경작에 알맞은, 개간할 수 있는 명 경지(耕地)

ar·bi·trar·y [ά:rbətrèri / ά:bətrəri] 형 임의의; 독단적인(=despotic), 제멋대로의(=capricious), 전횡적(專橫的)인

ar·bi·trate [áːrbətrèit] [자][타] (분쟁을) 중재〔조정〕하다, 중재에 맡기다

ar·bi·tra·tion [àːrbətréiʃən] [명] 중재(재판), 조정

◇**ar·bo(u)r** [áːrbər] [명] 정자(亭子)

◇**arc** [ɑːrk] [명] 호(弧); 〖기하〗 호선
(예) an *arc* lamp 아크 등(燈)

ar·cade [ɑːrkéid] [명] 유개 가로(有蓋街路), 아케이드

◇**arch** [ɑːrtʃ] [명] 아치, 궁형(弓形) [타][자] 아치를 만들다, 활 모양으로 하다〔되다〕
(예) a triumphal *arch* 개선문 // a memorial *arch* 기념문
[파] **árchway** [명] 아치가 있는 통로

ar·ch(a)e·ol·o·gy [àːrkiáləd͡ʒi / -ɔ́l-] [명] 고고학
[파] ◇**arch(a)eologist** [àːrkiáləd͡ʒist / -ɔ́l-] [명] 고고학자 ◇**arch(a)eólogical** [형] 고고학의

◇**arch·er** [áːrtʃər] [명] (활의) 사수, 궁술가

◇**arch·er·y** [áːrtʃəri] [명] 궁술, 양궁

*◇**ar·chi·tect** [áːrkətèkt]★ [명] 건축가, 건축 기사, 설계자
[원] archi(=chief)+tect(=builder)

*◇**ar·chi·tec·ture**★ [áːrkətèktʃər]★ [명] 건축, 건축학, 건축술
[파] **architéctural** [형] 건축술의, 건축학의

*◇**arc·tic** [áːrktik] [형] 북극의 [명] [the A-] 북극 (지방)
[반] antárctic 남극의
(예) the *Arctic* Circle 북극권 // the *Arctic* Ocean 북극해, 북빙양 // the *Arctic* Zone 북극대, 북한대

ar·do(u)r [áːrdər] [명] 열심(=eagerness), 열정, 열의; 《드물게》 작열(灼熱)
[파] **árdent** [형] 열심인, 열렬한, 강렬한 **arduous** [áːrd͡ʒuəs / -dju-] [형] 험한; 힘드는 **árduously** [부] 힘들이어, 애써

*◇**ar·e·a** [ɛ́əriə] [명] 면적(=space), 지역(=zone); 분야, 영역, (활동의) 범위(=extent, range)
(예) a fortified *area* 요새 지대 // a service *area* 시청 가능 범위, 급수 지역 // The *area* of the room is 130 square feet. 이 방의 면적은 130 평방 피트이다.

◇**a·re·na** [əríːnə] [명] 투기장《고대 로마의 원형극장 중앙에 있는》; 경기장; 활동 무대, ~계(界)
(예) the *arena* of politics 정계

◇**ar·gon** [áːrgɑn / -gɔn] [명] 〖화학〗 아르곤 《기호 Ar》

*◇**ar·gue** [áːrgjuː] [자][타] 논하다(=discuss); 주장하다, 입증하다(=prove); 설복시키다, 설득하여 ~시키다 [~ into]
(예) His clothes *argue* poverty. ↔ His clothes *argue* him (*to be*) poor. ↔ His clothes *argue that* he is poor. 그의 옷을 보건대 그는 가난하다.
[파] ◇**árguable** [형] 논〔논증〕할 수 있는; 의심스러운

***argue ~ into* 〔*out of*〕** ~을 설득하여 ~시키다〔…하지 못하게 하다〕
(예) He *argued* me *into* accepting his proposal. 그는 나를 설득하여 그의 제안을 받아들이도록 하였다.
[어법] 「설득하여 단념시키다」의 경우는 *out of*를 쓴다. (*cf.*

persuade)
argue with ~ about 〔***on***〕 …에 대해 ~와 논의하다
(예) I *argued with* him *about* it. 나는 그 일로 그와 논쟁하였다.

◇*__ar·gu·ment__ [ɑ́ːrgjəmənt] 명 논의(=discussion); 논거, 논점; (책 따위의) 요지, 개요
파 **arguméntal** 형 논의의 **argumentátion** 명 입론, 추론, 논증 **arguméntative** 형 논의의, 논쟁을 즐기는
ar·id [ǽrid] 형 (토지가) 건조한, 불모의; (두뇌·사상이) 빈약한; 무미 건조한(=dull)
파 **arídity** 名 건조; 빈약; 무미건조
a·right [əráit] 부 옳게, 바르게(=rightly), 틀림없이
원 a(=on)+right
NB *alight*「내리다」「앉다」와 혼동하지 말 것.
어법 ① rightly와 같은 뜻이지만 그것보다 문어적. ② 과거분사의 앞에서는 rightly를 쓴다.
◇*__a·rise__ [əráiz] 자 《***arose; arisen*** [ərízn]》 생기다[~ from], 일어서다(=rise), 일어나다(*cf.* arouse)
(예) A mist *arose.* 안개가 끼었다. // The dispute *arose* from 〔out of〕 misunderstanding. 그 분쟁은 오해에서 비롯됐다.

▶ **19.**「일어나다」의 유사어
「일어나다」의 뜻의 말로서 가장 구어적인 것은 **get up**이다. **rise**는 약간 형식적인 말이며, **arise**는 흔히 시나 비유적으로 쓰인다.

ar·is·to·crat [ərístəkræ̀t, ǽristə-] 명 귀족; 귀족적인 사람; 귀족 정치
파 **aristócracy** 명 귀족 정치(의 나라) ◇**aristocrátic** 형 귀족의, 귀족적인
◇*__a·rith·me·tic__ [əríθmətìk]* 명 산수, 셈
파 **arithmétical** 형 산수의 **arithmétically** 부 산수적으로
*__arm__ [ɑːrm] 명 팔; 《*pl.*》 무기(=weapon), 군사 타자 무장시키다, 무장하다; 마련하다
(예) receive 〔welcome〕 a person *with open arms* 아무를 쌍수를 벌려〔따뜻하게〕 맞이하다 // *To arms!* 전투 준비! // *arm* a person *with* a weapon 아무를 무장시키다
어법 be *armed* with (~으로 무장하고 있다), *arm* oneself with (~으로 무장하다)의 어법에 주의
파 **ármful** 명 한 아름 **armed** 형 무장한(*armed* forces 군대) **ármament** 명 군비
arm in arm 서로 팔을 끼고
◇***hold ~ in one's arms*** ~을 껴안다
ar·ma·da [ɑːrmɑ́ːdə] 명 대함대; 대편대
◇**arm·chair** [ɑ́ːrmtʃɛ̀ər] 명 (팔걸이가 있는) 안락의자 형 편안한; 이론뿐인
◇**ar·mi·stice** [ɑ́ːrmistis] 명 휴전, 정전(=truce)
☆**ar·mo(u)r** [ɑ́ːrmər] 명 갑옷 자타 장갑(裝甲)하다
ar·mo(u)r·y [ɑ́ːrməri] 명 〖옛〗 문장(紋章)(학); 〖미〗 병기 공장; 병기고; 군사 교련장

A

*__ar·my__ [ɑ́ːrmi] ㊔ 육군; 군대; 큰 무리〔떼〕
반 návy 해군, air force 공군
(예) an *army* of ants 개미의 큰 떼

*__a·round__ [əráund] ㊕ 주위에, 사방에(=on every side); 〖미〗 그 언저리에 ㊉ ~의 주변에, ~을 둘러싸고(=in a circle); 〖미〗 ~경(=about)
(예) Is there anybody *around?* 주위에 누가 있느냐?
어법 원칙으로 *round*는 동작에, *around*는 정지 상태에 씀: go *round* the sun, the trees *around* the pond. 단, 미국에서는 구별을 두지 않음.

*◇__a·rouse__ [əráuz] ㊇ 깨우다(=awaken), 분기(奮起)시키다
NB arise에 대응하는 타동사.
(예) *arouse* him *from* his sleep 그를 잠에서 깨우다 // *arouse* him *to* action 〔anger〕 그를 활동케 하다〔격분시키다〕

*◇__ar·range__ [əréindʒ] ㊆㊇ 정돈하다(=put in order), 배열하다; 조정하다, 결정하다; 준비하다(=prepare)
원 ar(=to)+range(=put into line)
반 derânge 혼란케 하다
(예) be *arranged* according to size 크기에 따라서 배열되다 // Can you *arrange to* meet her tomorrow? 내일 그녀와 만나도록 약속할 수 있겠느냐? // We *arranged* the problem between us. 우리들은 협력하여 그 문제를 해결하였다.
파 *◇__arrángement__ ㊔ 정돈, 배열; 협정; 《*pl.*》 준비 (flower *arrangement* 꽃꽂이) __rearránge__ ㊇ ~을 재조정〔재정리〕하다

arrange for (회합 따위의 약속을) 정하다; 준비하다
(예) *arrange for* a party 파티의 준비를 하다

__ar·ray__ [əréi] ㊔ 정렬, (포진된) 군세(軍勢), 진용(陣容) ㊇ 배열하다; 차려입다(=dress); 성장시키다

◇__ar·rest__ [ərést] ㊇ 체포하다(=seize); (주의를) 끌다(=attract), 억제하다, 저지하다 ㊔ 체포; 저지
원 ar(=to)+rest(=stop)
반 relêase 석방하다
(예) A policeman *arrested* him *for* murder. 경관이 살인혐의로 그를 체포하였다.

(be) under arrest 체포〔수감〕되어 (있는)

◇__ar·riv·al__ [əráivəl] ㊔ 도착, 도달

☆__ar·rive__ [əráiv] ㊆ 도착하다 [~ at, in], 닿다, (결론·연령 따위에) 도달하다(=attain); (때가) 오다
반 depárt, start 출발하다
(예) I *arrived at* the station just in time. 바로 제시간에 정거장에 도착했다. // *arrive at* a conclusion 어떤 결론에 도달하다
어법 reach는 타동사이므로 바로 뒤에 목적어를 두지만, arrive는 at 또는 in 따위를 수반한다: *arrive at* the station (역에 도착하다) *arrive in* Seoul (서울에 도착하다) in이나 at는 각각의 용법에 따르면 된다. (*cf.* at)

ar·ro·gant [ǽrəgənt] ⓗ 오만한(=very proud), (사람·태도가) 거만한, 거드름 부리는
반 módest 겸손한
파 ◇**árrogance, -cy** ⓜ 거만, 오만 **árrogantly** ⓑ 거드름 부리며

*◇**ar·row*** [ǽrou] ⓜ 화살(*cf.* bow), 화살표
파 ◇**árrowhead** ⓜ 화살촉

*◇**art** [ɑːrt] ⓜ 예술, 미술(=fine arts); 인공(人工), 기술(=skill, craft); 술책(=cunning); 《*pl.*》 과목; 학예
(예) the fine *arts* 미술 // a work of *art* 예술 작품 // *Art* is long, life is short. 예술은 길고, 인생은 짧다.
파 **ártful** ⓗ 교활한, 교묘한 **ártfully** ⓑ 교활하게, 교묘하게 **ártless** ⓗ 소박한, 꾸밈 없는 **ártlessly** ⓑ 꾸밈 없이, 천진난만하게

◇**ar·ter·y** [ɑ́ːrtəri] ⓜ 동맥; (철도·도로 따위의) 간선
반 vein 정맥
(예) the main *artery* 대동맥

*◇**ar·ti·cle** [ɑ́ːrtikl] ⓜ 물품; 〖문법〗 관사; 조항; 기사 ⓣ 조목별로 쓰다; 연기(年期) 계약으로 고용하다

ar·tic·u·late ⓗ [ɑːrtíkjəlit] (언어가) 뚜렷한; 관절이 있는 ⓣ ⓙ [ɑːrtíkjəlèit] 뚜렷하게〔분명하게〕 발음하다

*◇**ar·ti·fi·cial** [ɑ̀ːrtifíʃəl]* ⓗ 인공의, 모조의; 부자연한
반 nátural 자연의
(예) *artificial* rain 인공 비 // an *artificial* satellite 인공 위성
파 **artificiálity** ⓜ 인위(人爲), 꾸밈, 인위적인 것

ar·til·ler·y [ɑːrtíləri] ⓜ 포병, 《집합적으로》 대포, 포술
파 **artílleryman** ⓜ 《*pl.* -men》 포병, 포수(砲手)

ar·ti·san [ɑ́ːrtəzən / ɑ̀ːtəzǽn] ⓜ 직공, 숙련공

*◇**art·ist** [ɑ́ːrtist] ⓜ 예술가; 미술가; 《특히》 화가
파 *◇**artístic** ⓗ 예술적인

◇**art·ist·ry** [ɑ́ːrtistri] ⓜ 예술적 수완〔기교〕; 예술〔미술〕적 효과; 예술품

> ▶ **20. 접미어 ist**
> **ist**는 「～하는 사람」「～주의자」「～집안」 따위의 뜻을 나타낸다.
> (예) art*ist*, novel*ist*, typ*ist*, fatal*ist*

☆**as** [əz, 강음 æz] (NB 보통은 약음) ⓙ ① 《원인·이유》 ～이므로, ～이니까
(예) *As* it rained, I stayed at home. 비가 내렸으므로 집에 있었다. // *As* he is honest, he is loved by everybody. 그는 정직하므로 모두에게 사랑받는다.
② 《때》 ～일 때, 하면서(=when, while)
(예) She sang *as* she worked. 그녀는 일을 하면서 노래를 불렀다. // Just *as* he was speaking, there was a loud explosion. 마침 그가 이야기하고 있을 때에 대폭발이 있었다.
③ 《양태》 ～처럼, ～대로
(예) ◇*As* you know, the crops were planted after the Nile flooded. 네가 알다시피, 곡물은 나일강이 범람한 후에 심어졌다. // Do *as* you are told. 시키는 대로 해라. // *As* food nourishes our body, so books nourish

our mind. 음식이 몸의 영양이 되는 것과 같이 책은 마음의 양식이 된다.

④ 《양보》 ~이지만, ~이긴〔이라고는〕 하나(=though)
(예) Poor *as* he is, he is happy. 가난하지만 그는 행복하다. // Young *as* he is, he knows much of the world. 그는 젊지만 세상 일을 많이 알고 있다.
[어법] ① 접속사 중 원인·이유의 as 절은 문두에 오는 경우가 많다. because 에 비하여 의미가 약하고 널리 쓰인다. ② 예문 중 Young as he is, ~는 Though he is young 과 같은 뜻이지만 좀 문어적인 표현이다. 이 형태는 이유를 나타내는 경우도 있으므로 주의해야 한다.

— [전] ~으로서
(예) *As* a child he lived on a farm. 어린 시절 그는 농장에서 살고 있었다. // He acted *as* chairman. 그는 의장 노릇을 했다. // He treats me *as* a child. 그는 나를 어린애처럼 취급한다.
[어법] as 다음의 명사가 「관직」「역할」 따위를 뜻할 때는 관사를 붙이지 않는다.

— [부] ~와 같이, ~만큼
(예) They are *as* like as two peas. 그들은 아주 꼭 닮았다. // I am always *as* busy as now. 나는 항상 지금처럼 바쁘다.
[어법] 보통 as A as B 의 형태로 쓴다. 앞의 as는 「같은 정도」의 뜻을 나타내는 부사이고 뒤의 as 는 접속사, A 는 형용사 또는 부사이다.

— [대] ~와 같은 《the same, such, as 따위와 함께 쓰이는 의사 관계 대명사》 (*cf.* as ~ as, the same ~ as, such ~ as)
(예) He is *as* good-natured a man *as* ever breathed. 그는 천하무쌍의 호인이다. // We shall never again hear *such* a speech *as* that. 그 같은 연설은 두 번 다시 들을 수 없을 것이다. // Bees like *the same* odors *as* we do. 꿀벌은 사람이 좋아하는 것과 똑같은 냄새를 좋아한다.
[어법] He was an Englishman, *as* I knew from his accent. (그는 영국 사람이었다. 그것은 그의 말투로 알았지만) 이 경우의 as 는 which 와 거의 같으며, 앞의 절 전체를 선행사로 하고 있다.

as a matter of course 당연한 일로서, 물론(=naturally)
(예) *As a matter of course,* I know nothing about the affair. 당연히 나는 그 사건에 대해 전혀 아는 바가 없다.

*◇***as a matter of fact*** 사실은, 사실상
(예) It really wasn't my dog, *as a matter of fact.* 사실은 그것은 나의 개가 아니었다.

* ***as a* (*general*) *rule*** 대체로, 일반적으로
(예) The artist is not a propagandist *as a rule.* 예술가는 대체로 선전이 서투르다.

☆◇***as ~ as***★ ~와 같은 정도로, ~만큼(=equally; just as much)

(예) Take *as* much *as* you want. 필요한 만큼 가져라.

어법 ① as ~ as 의 부정은 보통 not so ~ as 이지만 not as ~ as 의 형식을 취할 때도 있다. (*cf.* not so ~ as) ② as ~ as ever 는 「여전히 ~」의 뜻이다. ③ *As* many people *as* came were pleased. (나온 사람은 모두 만족하였다)와 같이 명사가 있을 경우, 뒤의 as 는 의사 관계 대명사라고 한다.

◇ ***as ~ as any*** 어느 것〔누구〕에 비교해도 못하지 않다
(예) He is *as* diligent *as any* student in his class. 그는 자기 반의 어느 학생보다도 근면하다.

as ~ as ever 변함 없이, 여전히
(예) He is *as* poor *as ever*. 그는 여전히 가난하다.

☆◇ ***as ~ as possible*** 〔one ***can***〕 될 수 있는 대로
(예) Do it *as* quickly *as possible*. 되도록 빨리 해라.

*◇ ***as far as*** ~하는 한 ; ~까지〔만큼〕
(예) *As far as* I know, he is an honest fellow. 내가 아는 한에 있어서 그는 정직한 사나이이다. // He went *as far as* Taegu. 그는 대구까지 갔다.

어법 so far as 와 비슷하지만 *so far as*는 in such a degree 란 뜻으로 한도 또는 조건을 나타내고, *as far as*는 범위를 나타낸다.

*◇ ***as for*** ~에 관해서는, ~로서는, ~만은(=as regards)
(예) *As for* that man, I hope never to see him again. 저 남자라면 다시 만나지 않았으면 좋겠다. // *As for* myself, I don't like it. 나로서는 그것을 좋아하지 않는다.

어법 일반적으로 문두에 온다. (*cf.* as to)

*◇ ***as if***★ 〔***though***〕 마치 ~인 것처럼
(예) He talks *as if* he knew everything. 그는 마치 무엇이든지 알고 있는 것처럼 말한다. // The speaker raised his hand *as if* to command silence and order. 연사는 마치 정숙과 질서를 명하듯 손을 들었다. // She looks 〔looked〕 *as if* she had seen the ghost. 그녀는 마치 유령이라도 본 듯한 얼굴이다〔얼굴이었다〕

어법 ① as if 절에는 대체로 가정법 과거(subjunctive past) 또는 가정법 과거완료(subjunctive past perfect) 형의 동사가 따른다. 주절의 동사와 같은 때의 일을 나타내는 경우는 과거형, 그 이전의 일이나 완료·경험·계속 따위를 나타내는 경우는 과거완료형이 쓰인다. ② 구어에서는 as if 절에 가정법이 아닌 지설법이 올 때도 있다: It looks *as if* it's going to snow. (눈이 올 듯하다) (← It looks *as if* it were going to snow. 마치 눈이라도 내릴 것 같은 날씨다)

as it is 《문미(文尾)에 있을 때》 현재 상태로, (있는) 그대로(=as it stands); 《문두(文頭)에 있을 때》 (그러나) 실정〔사실〕은 (그렇지 않으므로)
(예) Leave it *as it is*. 그것을 있는 그대로 놔두어라. // I thought things would get better, but, *as it is*, they are getting worse. 사태가 호전되는 줄 여겨 왔으나 실정〔사실〕은 악화되고 있다.

*◇ ***as it were*** 말하자면(=so to speak)

(예) He became, *as it were,* a man without a country. 그는 말하자면 나라 없는 사람이 되었다.

◇***as long as*** ~하는 동안에는, ~하는 한에는, ~하는 이상에는

(예) I will work hard *as long as* I live. 나는 살아 있는 한 열심히 일하겠다.

as many 같은 수의

(예) I waited ten minutes, but it seemed like *as many* hours. 나는 10분 기다렸는데, 10시간이나 기다린 것 같았다.

◇***as many as*** ~와 같은 수만큼〔정도의〕

(예) Take *as many as* you want. 갖고 싶은 만큼 가져라.

****as much as*** ~와 같은 양만큼〔정도로〕, ~와 마찬가지로

(예) *as much as* you like 좋아하는 만큼 // half *as much as* ~의 반정도

어법 *as many as* 는 수에, *as much as* 는 양에 쓴다.

as much as to say 마치 ~라고 (말)하기나 하려는 듯이

(예) He gave a look *as much as to say,* "Mind your own business." 그는 마치 「주제넘은 간섭 마라」라고 하는 듯한 인상을 지었다.

as of 《정식으로 날짜를 쓸 때》 ~부터; ~ 이후; ~ 현재의〔로〕

(예) *as of* January 1st, 1월 1일부터 // the population *as of* Jan. 1. 1991, 1991년 1월 1일 현재의 인구

as regards ~에 대하여, ~에 관하여

(예) *As regards* its climate, Korea probably does not differ materially from the country. 기후에 관해서는 한국이 아마 그 나라와 크게 다르지 않을 것이다.

****as ~, so ~*** ~와 마찬가지로 ~(이다)

(예) *As* the desert is like a sea, *so* is the camel like a ship. 사막이 바다라면 낙타는 배다. (↔ The camel is like a ship *just as* the desert is like a sea.)

☆◇***as soon as*** ~하자마자, 곧(=immediately after)

(예) I started *as soon as* I heard of it. 그것을 듣자마자 출발하였다. (↔ *No sooner* had I heard of it *than* I started. ↔ *On* hear*ing* of it I started.)

as such 그런 것으로 치고, 그렇게

(예) As he is a child, you had better treat him *as such.* 그는 어린애이므로 그렇게 다루는 것이 좋다.

*◇***as to*** ~에 관하여, ~에 대해서

(예) There was some doubt *as to* the truth of his statement. ↔ There was some doubt *as to* whether his statement was true. 그가 하는 말의 진실성에 관해서는 다소 의문이 있었다.

어법 「~은 어떤가 하면」「~에 대하여 말하면」의 뜻에서는 *as for*와 같이 글 첫머리에 온다.

*◇***as well*** ~도 또, ~도 마찬가지로(=too, also)

(예) He gave me advice, *and* money *as well.* 그는 나에게 충고도 해주었고, 또 돈도 주었다.

*◇ ***as well as*** ~와 마찬가지로, ~은 물론이고 또(=in addition to)
(예) He gave me money *as well as* advice. 그는 나에게 충고만 해 준 것이 아니라 돈까지도 주었다. // You'd better think of saving money *as well as* earning it. 돈을 버는 일 뿐만 아니라 저축하는 일도 생각해 봄이 좋겠다.
어법 ① as well as는 그 다음에 있는 말부터 먼저 번역하는 것이 원칙임. ② as well as로 이어진 어구가 주어일 때, 동사는 첫번째 나오는 명사의 인칭·수와 일치한다: You *as well as* he *are* wrong. (그와 마찬가지로 너도 나쁘다) *Not only* he *but also* you are wrong. 도 같은 뜻이지만 어순이 반대인 점에 주의.

as yet 아직(껏), 지금까지
(예) The plan is working well *as yet.* 그 계획은 아직까지는 잘 돼 가고 있다.

◇ **as·bes·tos** [æsbéstəs, æz-] 명 아스베스토, 석면; 방화(防火) 커튼

as·cend [əsénd] 자 타 올라가다(=go up), 오르다(=climb), 상승하다(=rise)
원 a(=to)+scend(=climb) 반 descénd 내려가다, 내리다
어법 높은 산이나 지위에 오르는 것이 *ascend*이고, 기어 오르는 것은 *climb,* 높은 데나 말에 올라타는 것은 *mount,* 해가 점점 떠오르듯이 계속적으로 오르는 것은 *rise*이다.
(예) *ascend* to the 18 th century 18세기로 거슬러 올라가다 // *ascend* a lookout tower 전망대에 오르다 // The balloon *ascended* high up in the sky. 기구(氣球)는 하늘 높이 올라갔다.
파 **ascéndant** 형 떠오르는, 뛰어난 **ascéndancy** 명 우세, 주도권 **ascent** [əsént] 〈동음어 assent〉 명 올라감, 오르막(길) (반 descént 내려감) **ascénsion** 명 상승, 즉위(卽位)

***as·cer·tain** [æ̀sərtéin]* 타 확인하다, 탐지하다, 알아내다
원 as(=to)+certain(=sure)
(예) He wanted to *ascertain* who did so. 그는 누가 그렇게 했는지 확인하기를 원했다.

as·cribe [əskráib] 타 ~으로 돌리다, ~의 탓〔덕택〕으로 하다 [~ to]
원 a(=to)+scribe(=write)
(예) He *ascribes* his success *to* hard work. 그는 자기가 성공한 것은 노력한 덕택이라고 보고 있다. // This poem is *ascribed to* Byron. 이 시는 바이런의 작품이라고 일컬어지고 있다.
파 **ascríbable** 형 ~에 돌릴 수 있는 **ascríption** 명 탓으로 함, 귀속시킴

◇ **ash** [æʃ] 명 재; 《*pl.*》 폐허; 《*pl.*》 유골(遺骨)(=bones)
(예) an *ash* tray 재떨이 // be burnt *to ashes* 재가 되다 // rise (like a phoenix) from the *ashes* (불사조처럼) 부활하다, 폐허에서 일어나다

*◇ **a·shamed** [əʃéimd] 형 부끄러워하는 [~ of]
원 a(=to)+shame(부끄러움)+ed(과거 분사)

반 proud 뽐내는, 교만한
(예) I *am ashamed to* see her. 나는 부끄러워서 그 여자를 대할 수 없다.
어법 몇 가지의 예외를 제외하고는 서술 용법만으로 쓰인다.

(be) ashamed of ~을 부끄러워하는, ~하여 부끄러운
(예) You ought to *be ashamed of* your ignorance. ↔ You ought to *be ashamed of* being ignorant. 너는 무식함을 부끄러워해야 한다. (↔ You ought to *be ashamed that* you are ignorant.)

a·shore [əʃɔ́ːr] 부 땅 위에, 물가에(=on shore)
원 a(=on)+shore 반 abóard 배 위에
(예) Four days later we *went ashore.* 나흘 후에 우리는 상륙하였다.

☆**A·sia** [éiʒə / éiʃə] 명 아시아
파 **Asiátic** 형 아시아의 명 아시아 사람 ***Asian** [éiʒən / éiʃən] =Asiatic **Asia Minor** 소아시아

a·side [əsáid] 부 곁에, 옆에(=to one side)
(예) joking *aside* 농담은 그만두고 // He took me *aside.* 그는 나를 옆으로 데리고 갔다.

aside from ~은 별문제로 하고, ~은 제쳐놓고
(예) Others, *aside from* the captain, had noticed it. 선장은 별문제로 하고, 다른 사람들이 그것을 알아챘다.

☆**ask** [æsk / ɑːsk] 타 자 묻다, 물어보다(=inquire); 요구하다(=request), 부르다(=invite)
반 ánswer, replý 대답하다
(예) *ask* a person a question ↔ *ask* a question *of* a person 아무에게 질문하다 // I *asked* him *to* the party. 나는 그를 파티에 초대했다. // I *asked* him *to* wait. ↔ I *asked that* he (*should*) wait. 나는 그에게 기다려 달라고 했다. // He went to them to *ask if* they had any problems. 그는 그들에게 무슨 문제가 있는지 물어보기 위해서 갔다.
어법 의문문·의뢰문을 피전달문으로 하는 글의 화법을 전환할 때는 ask를 쓴다: He said to me, "Will you post this letter?" (의뢰) → He *asked* me *to* post that letter. She said to me, "Have you seen the film?" → She *asked* me *if* I had seen the film.

> ▶ **21.** 「묻다」의 유사어
> **ask**가 가장 흔히 쓰이는 말. **inquire**는 격식을 갖춘 말이며, **question**은 진상을 캐기 위하여 되풀이하여 끈질기게 질문할 경우에 쓰인다.

> ▶ **22.** 「의뢰하다」, 「요구하다」의 유사어
> **ask**는 의뢰의 뜻을 나타내는 가장 흔히 쓰이는 말, **beg**는 열심히 바라는 것을 뜻하고, **request**는 격식을 갖춘 정중한 말이다. **demand**는 권위를 가지고 또 당연한 권리로서 요구할 때에 쓰인다.

ask after ~의 안부를 묻다, 문안하다
(예) He *asked after* you 〔your health〕. 그는 네 안부를 물었다.

*◇ ***ask for*** ★ ～을 찾다; ～을 청구하다
(예) *ask* a person *for* help 아무에게 도움을 청하다 // *ask for* a person 아무를 찾다 // Why didn't you *ask for* a holiday? 왜 휴가를 달라고 하지 않았느냐?

*◇ **a·sleep** [əslíːp] ⓗⓑ 잠들어; (손·발이) 마비되어, 저려서 (=without feeling)
원 a(=on)+sleep 반 awáke 깨어
(예) He is fast 〔sound〕 *asleep.* 그는 깊이 잠들어 있다. // His left hand is *asleep.* 그는 왼손이 저려 놀릴 수가 없다.
어법 서술 용법으로만 쓰인다. 명사 앞에는 *sleeping*을 쓴다.

◇ ***fall*** 〔***drop***〕 ***asleep*** 잠들다

◇ **as·par·a·gus** [əspǽrəgəs] ⓜ 〖식물〗 아스파라거스

◇ **as·pect** [ǽspekt]★ ⓜ 일면, 방면; 얼굴 생김새, 양상(樣相) (=appearance); 견지(見地), 관찰면(=view)
(예) assume a new *aspect* 면목을 일신하다, 새로운 양상을 띠다 // Consider the question in all its *aspects.* 그 문제를 모든 견지에서 고찰하라.

as·phalt [ǽsfɔːlt / -fælt] ⓜ 아스팔트

as·pire [əspáiər] ⓙ 열망하다, 간절히 바라다(=desire eagerly) [～ to, after], 대망을 품다
(예) *aspire to* the highest honors 최고의 영예를 열망하다 // The whole nation *aspired after* independence. 온 국민이 독립을 갈구했다. // *aspire to* be an author 작가가 되기를 열망하다
파 **aspirant** [əspáiərənt, ǽspərənt] ⓗ 큰 뜻을 품은 ⓜ 열망하는 사람 ***aspiration** [æ̀spəréiʃən] ⓜ 대망; 〖의학〗 호흡

◇ **as·pi·rin** [ǽspərin] ⓜ 아스피린

ass [æs / ɑːs] ⓜ 나귀; 바보(=fool)
NB 「바보」의 뜻일 때에는 [ɑːs]라고 발음하는 것이 보통이다.

as·sail [əséil] ⓣ 공격하다(=attack); (일에) 과감히 착수하다
원 as(=to)+sail(=leap 뛰다) 반 defénd 막다
(예) The fortress was *assailed* on all sides. 그 요새는 사방으로부터 공격을 받았다. // I was *assailed with*〔*by*〕 fears. 불안이 나를 엄습했다.
파 **assailant** [əséilənt] ⓜ 공격자, 가해자

as·sas·sin [əsǽsin] ⓜ 암살자, 자객(刺客)

as·sas·si·nate [əsǽsənèit] ⓣ 암살하다
파 ◇**assassination** ⓜ 암살

◇ **as·sault** [əsɔ́ːlt] ⓜ 공격(=violent attack); 〖법〗 폭행 ⓣ 공격하다

as·sem·ble [əsémbl] ⓙⓣ (사람이) 모이다(=meet), (사람·물건을) 모으다(=collect), (기계를) 조립하다
원 as(=to)+semble(=together)

▶ **23.** 「모으다」의 유사어
gather는 흔히 쓰이는 말로 막연히 「모으다」란 뜻. 그 상태가 정연할 필요는 없다. **collect**는 정연하게 수집되어 전체적으로 통일을 이룬다. **assemble**은 특정한 목적, 또는 정리의 준비 때문에 모으다.

A

반 dissólve 해산하다
파 **assemblage** [əsémblidʒ] 명 모임, 집회 *◇**assembly** [əsémbli] 명 집회, 회의 ; 의회 **assembly hall** 회의장(會議場) **assembly line** 일관 작업 ◇**assémblyman** 명 《*pl.* -men》 의원; 〖미〗 주의회 하원 의원 **assembly plant** 조립 공장 **assembly room** 집회실

as·sent [əsént] 〈동음어 ascent〉 자 동의하다(=agree) [~ to] 명 동의, 찬동(=consent)
반 dissént 불찬성
(예) give one's *assent to* ~에 동의하다 // with one *assent* ↔ by common *assent* 만장 일치로, 이의없이 // He may *assent* to the doctrine. 그는 그 설에 찬성할 것이다.

▶ **24.** 「동의하다」의 유사어
agree는 동의를 뜻하는 가장 흔히 쓰이는 말. **assent**는 소극적으로 동의를 표명한다. **consent**는 의견·요구에 동의하여, 그 실현에 적극적으로 협력하는 의사가 있음을 암시한다.

***as·sert** [əsə́ːrt] 타 주장하다(=maintain), 단언하다
원 as(=to)+sert(=join 잇다)
(예) He *asserted* his innocence. ↔ He *asserted that* he was innocent. 그는 자기는 죄가 없다고 단언했다.
파 ◇**assértion** 명 주장, 단언 **assértive** 형 단정적인, 제 주장을 고집하는, 독단적인 **assértively** 부 단호히
assert oneself 제 고집을 세우다, 주제넘게 나서다
(예) Justice *asserts* it*self*. 사필귀정(事必歸正).

◇**as·sess** [əsés] 타 평가하다; (세금·벌금 따위의) 금액을 산정하다 [~ at]
(예) Looking back, we can *assess* the significance of past occurrences. 돌이켜 봄으로써 우리들은 과거에 일어난 일들의 의의를 평가할 수 있다. // Damages were *assessed at* $1,000. 피해액은 1,000 달러로 산정되었다.
파 **assessor** [əsésər] 명 (세액의) 사정인 **asséssment** 명 (과세를 위한) 사정, 평가; 세액, 사정액

◇**as·set** [ǽset] 명 자산의 한 항목; 《*pl.*》 (채무로 충당하는) 개인이나 회사의 재산, 자산

as·sid·u·ous [əsídʒuəs] 형 부지런한(=diligent), 끈기 있는[~ in] 반 lázy 게으른
파 **assidúity** 명 근면(=diligence)

◇**as·sign** [əsáin] 타 할당하다(=give, allot); (임무 따위에) 임명하다, 선임하다; ~의 탓으로 돌리다
원 as(=to)+sign(=mark)
(예) ◇They *assigned* work *to* each man. 그들은 각자에게 일을 할당했다. // I was *assigned to* the position of manager. 나는 지배인의 자리에 임명되었다. // *assign* him *to* stand guard 그를 뽑아서 보초를 세우다 // The incident is *assigned to* several causes. 이 사건은 몇 가지의 원인에 기인된 것이라고 한다.
파 **assígnable** 형 할당할 수 있는 ◇**assígnment** 명 할당, 숙제

as·sim·i·late [əsíməlèit] ㉺ ㉻ 동화하다[~ to, with]; 한결같이 하다(=make similar); 소화 흡수하다
원 as(=to)+simil(=like)+ate(동사 어미)
반 dissímilate 이화(異化)하다, 다르게 하다
(예) The newcomers were *assimilated with* the natives. 새로 이주해 온 사람들은 토인과 동화되었다.
파 **assimilátion** ⑬ 동화, 동화 작용

*◇**as·sist** [əsíst] ㉺ ㉻ 돕다(=help, aid), 원조하다
원 as(=to)+sist(=stand) 반 resíst 저항하다
(예) *assist* a person *with* money 아무에게 돈을 주어 원조하다 // *assist* him *in* solv*ing* 〔*to* solve〕 the problem 그가 문제를 해결하는 것을 돕다
파 *◇**assístance** ⑬ 원조, 도움 *◇**assístant** ⑬ 조수

*◇**as·so·ci·ate** [əsóuʃièit] ㉺ ㉻ 교제하다, 제휴하다 [~ with]; 관련시키다, 연상하다 ⑬ [-ʃiit] 조합원, 동료(=member of a group) ⑬ [-ʃiit] 결합한, 동료의; 준(准)…, 부(副)…
원 as(=to)+soci(=join)+ate(동사 어미)
반 dissóciate 분리하다
(예) ◇an *associate* professor 〖미〗 부교수 // Don't *associate with* dishonest people. 정직하지 않은 사람과는 교제하지 마라. // His name is *associated with* electricity. 그의 이름을 들으면 전기를 연상한다. // He has been my *associate* for a long time. 그는 오래 전부터 나의 동료이다.
파 **assóciated** ⑬ 연합한 **assóciative** ⑬ 조합의; 연상〔결합〕의

associate** one**self with ~에 가입하다; 찬동하다
(예) I *associated* my*self with* the remarks of Mr. Brown. 나는 브라운씨의 설에 찬동하였다.

*◇**as·so·ci·a·tion** [əsòusiéiʃən] ⑬ 연합; 동료; 교제 [~ with]; 연상(聯想)
(예) a cooperative *association* 협동 조합 // the Young Men's 〔Women's〕 Christian *Association* 기독교 청년〔여자 청년〕회《Y.M. 〔W.〕 C.A.라 약함》

as·sort [əsɔ́ːrt] ㉻ ㉺ 유별(類別)하다(=classify); (각종 물품의) 구색을 갖추다, (비슷한 것끼리) 서로 맞추다
원 as(=to)+sort(=classify)
어법 「구색을 맞추다」「짝맞추다」의 뜻일 때는 과거 분사의 꼴로서 형용사처럼 쓰는 것이 보통.
파 **assórtment** ⑬ 유별, 분류; 여러가지로 구색을 갖춰 놓은 것

*◇**as·sume*** [əsúːm / -sjúːm] ㉺ ㉻ 체하다(=pretend); 가정하다, ~이라고 생각하다; 횡령하다; 떠맡다(=undertake)
원 as(=to)+sume(=take) 반 rénder 내주다
(예) *assume* a look of innocence 결백한 체하다 // I *assume* his guilt. ↔ I *assume* him *to be* guilty. ↔ I *assume that* he is guilty. (증거는 없으나) 나는 그가 유죄라고 생각한다. // He *assumed* the right to himself. 그는 그 권리를 제것으로 차지했다.
파 **assúmed** ⑬ 가정한, 가장한 **assúming** ⑬ 거만한, 건방진

assúmingly [부] 거만하게
◇**as·sump·tion*** [əsʌ́mpʃən] [명] 가정; 횡령; 떠맡음, 장악
(예) His *assumption* of power was welcomed by everyone 그의 권력 장악은 모든 사람들로부터 환영을 받았다.

A

*◇**as·sure** [əʃúər] [타] 확실하게 하다(=make certain), 확신시키다(=cause to believe); 보증하다
[원] as(=to)+sure(확실한) [반] decéive 속이다
(예) ◇be *assured of* ~을 확신하다 // I can *assure* you (*of*) a hearty welcome. 진정으로 너를 환영한다. // I *assure* you *of* his innocence. ↔ I *assure* you *that* he is innocent. 나는 그가 결백하다는 것을 보증한다. // It is no easy task, I *assure* you. 그건 결코 쉬운 일이 아니다.
[파] **assúred** [형] 확실한, 보증된 **assuredly** [əʃúəridli] [부] 확실히 **assúrance** [명] 확신, 보증, 자신(自信) **assúring** [형] 다짐하는, 자신을 갖게 하는(듯한) **reassúre** [타] ~을 재보증하다, 안심시키다
a·stir [əstə́ːr] [부][형] 《형용사로는 서술적》 일어나; 흥분하여; 법석대어, 떠들썩하여
(예) be early *astir* 일찍 일어나다
*◇**as·ton·ish** [əstɑ́niʃ / -tɔ́n-] [타] 놀라게 하다, 깜짝 놀라게 하다(=surprise greatly)
[반] éase 안심시키다
(예) The news *astonished* us. ↔ We *were astonished by* 〔*at*〕 the news. 우리는 그 소식에 놀랐다. // He was *astonished* to find her there. 거기에 그 여자가 있는 것을 알고 그는 깜짝 놀랐다. // I am *astonished that* he has won. 그가 이겼다니 놀랍다.
[파] ◇**astónishing** [형] 놀라운 **astónishingly** [부] 놀랄 만큼, 몹시 *◇**astónishment** [명] 놀람
as·tound [əstáund] [타] 대경실색하게 하다(=astonish greatly), 간담이 서늘해지게 하다
(예) be *astounded at* 〔*by*〕 ~에 깜짝 놀라다 // She sat for some moments, too *astounded* for speech. 그 여자는 어찌나 놀랐던지 잠시 말도 못하고 앉아 있었다.
a·stray [əstréi] [부][형] 길을 잃어, 길을 잘못 들어
[원] a(=on)+stray(길을 잃다)
(예) He went *astray*. 그는 길을 잃어버렸다.
lead ~ astray ~을 미혹시키다, 나쁜 길로 끌어들이다
(예) He was *led astray* by bad friends. 그는 나쁜 친구들 때문에 길을 잘못 들었다.
as·trol·o·gy [əstrɑ́lədʒi / -trɔ́l-] [명] 점성학(占星學), 점성술
[원] astro(=star)+logy(=science)
*◇**as·tron·o·mer** [əstrɑ́nəmər / -trɔ́nəmə] [명] 천문학자
[원] astro(=star)+nom(=law)+er(명사 어미)
[파] *◇**astronaut** [ǽstrənɔ̀ːt] [명] 우주 비행사 *◇**astronomy** [əstrɑ́nəmi / -trɔ́n-]* [명] 천문학 **astronómical** [형] 천문학(상)의; 천문학적인
as·tute [əstjúːt / əstjúːt] [형] 기민한(=shrewd); 교활한(=

cunning)

a·sun·der [əsʌ́ndər] [부] 산산조각으로, 따로 떨어져(=apart); (성격 따위가) 매우 달라
[원] a(=on)+sunder(=separate)
(예) be driven *asunder* 쫓겨서 뿔뿔이 흩어지다 // fall *asunder* 조각이 되어 무너지다

a·sy·lum [əsáiləm] [명] 양육원, 양로원; 피난처
(예) a lunatic *asylum* 정신 병원

☆**at** [æt, 보통은 약음 ət] [전] ① 《장소》 ~에서, ~에
(예) enter the house *at* the front door 현관에서 집으로 들어가다 // *at* a distance 떨어진 곳에서, 떨어져서 // arrive *at* the destination 목적지에 이르다 // put up *at* an inn 여관에 묵다
[어법] 일반적으로 *at*는 좁은 장소, *in*은 넓은 장소에 쓰이지만, 넓이에는 관계 없이 at는 어떤 장소를 하나의 점(point)으로 생각할 때에, in은 어떤 장소가 넓이를 가진 것으로 생각할 때 쓰인다: On our trip, we stopped *at* Chicago and stayed two days *in* New York. 여행 도중 우리는 시카고에 들르고 뉴욕에서 2일간 머물렀다.

② 《시간》 ~에; ~ 때에
(예) *at* the beginning 〔the end〕 of the month 월초〔월말〕에 // *at* the latest (아무리) 늦어도 // *at* times 가끔

③ 《종사·능력》 ~에 종사하여, ~을 하고 있는
(예) be *at* table 식사중이다 // be good 〔poor〕 *at* painting 그림을 잘〔잘 못〕 그리다 // They are hard *at it.* 그들은 열심히들 하고 있다. // What are you *at ?* 너는 무엇을 하고 있는가? // He was *at* play while the rest *were at* work. 그는 다른 사람들이 일하는 동안 놀고 있었다.

④ 《상태·상황》 ~(하고 있는) 중
(예) *at* anchor 정박중 // *at* leisure 한가하게 // *at* peace 평화롭게 // *at* war with ~와 교전중 // *at* will 뜻대로, 자유롭게

⑤ 《감정의 원인》 ~을 보고, 듣고
(예) *at* the sight of ~을 보고 // be surprised *at* the news 소식을 듣고 놀라다

⑥ 《방향·목적》 ~을 (향하여), ~을 겨냥하여
(예) catch *at* a straw 지푸라기를 잡으려고 하다 // guess *at* ~을 맞히다 // shoot *at* ~을 겨냥하여 쏘다 // throw a stone *at* 돌을 ~을 향해 던지다 // jump *at* ~을 향해 달려들다

⑦ 《연령》 ~에
(예) *at* (the age of) seventy 70 살(인 때)에

⑧ 《정도·비율》 ~(의 비율)로
(예) *at* 5 dollars a piece 한개에 5 달러로 // *at* full 〔a high〕 speed 전속력〔고속〕으로 // run *at* twenty miles per hour 한 시간 20 마일의 속도로 달리다

at that 그 점에서는; 더구나; 그 말을 듣고

A

(예) It is difficult to use and expensive *at that.* 그것은 사용하기 어렵고 더구나 값도 비싸다 // I told him that he was a fool, and *at that* he immediately left the room. 내가 그를 바보라고 했더니 그는 바로 방을 나가 버렸다.

*ath·let·ic [æθlétik] ⓗ 체육의, 운동 경기의(=of sports); 강건한(=strong)
(예) an *athletic* meeting 운동회
파 *athlete [ǽθliːt] ⓜ 경기자, 운동가 *athlétics ⓜ 《*pl.*》 운동 경기

*At·lan·tic [ətlǽntik] ⓗ 대서양의 ⓜ 대서양(=the Atlantic Ocean) (*cf.* Pacific)

at·las [ǽtləs] ⓜ 지도책 (*cf.* map)

at·mos·phere [ǽtməsfiər] ⓜ 분위기, 환경(=environment); [the ~] 대기(大氣)(=the air round the earth)
원 atmo(=vapor 기(氣))+sphere(=circle 권(圈))
파 atmosphéric ⓗ 대기의(*atmospheric* pressure 기압)

*at·om [ǽtəm] ⓜ 원자, 미분자

a·tom·ic [ətámik / ətɔ́m-] ⓗ 원자의
(예) *atomic* age 원자 시대 // *atomic* bomb 원자 폭탄 // *atomic* energy 원자력 // *atomic* pile 원자로(原子爐) // *atomic* structure 〖물리〗 원자 구조

*at·tach [ətǽtʃ] ⓣ ⓙ 붙이다[~ to]; 덧붙이다; 애착을 가지게 하다; 배속하다
반 detách 떼다
(예) *attach* oneself to ~에 애착을 가지다 // *attach* importance *to* ~에 중점을 두다 // His students *were* warmly *attached to* him. 그의 제자들은 진심으로 그를 따랐다.
파 **attáchment** ⓜ 부착(물), 애착 **attáchable** ⓗ 붙일 수 있는

at·ta·ché [ætəʃéi / ətǽʃei] ⓜ 〖프〗 대사관원, 수행원, 무관

*at·tack [ətǽk] ⓣ 공격하다(=assail, assault); (병이) 침범하다(=seize); 착수하다(=set about) ⓜ 공격, 비난; (병의) 발생; 착수
반 defénd 막다
(예) He was *attacked* by critics. 그는 비평가들로부터 공격을 받았다. // He *had a* bad *attack of* influenza. 그는 지독한 유행성 감기에 걸렸다. // make an *attack* on the city 그 도시를 공격하다

*at·tain [ətéin] ⓣ ⓙ ~을 달성하다(=complete); ~에 도달하다(=reach) [~ to]
원 at(=to)+tain(=touch)
(예) *attain to* greatness 위대하게 되다 // *attain* one's end 목적을 달성하다 // The greatest results are usually *attained* by simple means. 가장 큰 업적도 간단한 수단으로 달성되는 것이 보통이다.
파 **attáinable** ⓗ 달성할 수 있는 **attáinment** ⓜ 달성, 도달; 학식, 기예(技藝)

*at·tempt [ətémpt] ⓣ 시도하다(=try), 기도하다 ⓜ 시도

원 at(=to)+tempt(=try)
(예) *attempt* (*to* do) a difficult work 어려운 일을 시도하다 // *attempted* murder 살인 미수

> ▶ **25.** 「시도하다」의 유사어
> **try**가 일반적인 말로서 구어적이다. **attempt**는 try 보다 격식을 갖춘 말이고, **endeavo(u)r**는 노력의 뜻이 강하다.

◦***make an attempt at* 〔*to do*〕** ~을 〔하려고〕 기도하다
(예) They *made* no *attempt at* escaping 〔*to* escape〕. 그들은 탈주를 기도하지 않았다.

◦**at·tend** [əténd] 자타 출석하다(=be present at); ~에 주의하다 [~ to]; ~을 돌보다(=care for), 시중들다 [~ on, upon]; 수반하다, 수행하다(=accompany)
원 at(=to)+tend(=stretch)
반 disregárd 무시하다
(예) *attend* school 학교에 다니다 // a cold *attended with* fever 열을 수반하는 감기 // Three doctors are *attending* him. 의사 셋이 그를 돌보고 있다.
어법 「출석하다」의 뜻에서는 타동사이므로 to 따위의 전치사가 필요 없다: *attend* a meeting
파 ◦**atténdance** 명 출석, 참석; 출석자(수); 시중 ◦**atténdant** 형 수행의, 참석의; 부수의 명 시중드는 사람, 수행원; 출석자(⇨)**atténtion, atténtive**

***attend on* 〔*upon*〕** ~에게 시중들다; 간호하다, 섬기다
(예) There are people who are ready to *attend on* sick persons. 환자를 간호하는 일이라면 기꺼이 나서는 사람이 있다.

attend to ~에 주의하다, 보살피다, 경청하다; (일에) 전념하다, (일을) 하다
(예) *Attend to* your studies. 연구에 열중하여라. // *attend to* a sick person 환자를 간호하다

at·ten·tion [əténʃən] 명 주의, 배려, 돌봄
반 inatténtion 부주의
(예) *Attention*, please! 여러분께 알려 드립니다. // I am all *attention*. 열심히 듣고 있다. // ◦He shouted to *draw the attention of* the passengers. 승객의 주의를 끌기 위해서 그는 소리쳤다.
파 ◦**atténtive** 형 주의 깊은(=heedful); 정중한 ◦**atténtively** 부 주의깊게; 정중하게

draw* 〔*attract*〕 *attention to ~에 주의를 끌다

pay* 〔*give, call*〕 *attention to ~에 주의하다
(예) I *paid* no *attention to* him. 나는 조금도 그에게 주의를 하지 않았다.

at·test [ətést] 타자 입증〔증명〕하다(=prove); 선서시키다 명 증언; 선서
(예) I *attested* for him. 나는 그를 위해 증언했다. // This fact *attests to* his innocence. 이 사실은 그의 무죄를 증명한다.
파 **attestátion** 명 증명, 증언

at·tic [ǽtik] 명 다락방, 고미다락(=garret)

at·tire [ətáiər] [타] 차려 입히다(=dress) [명] 복장, 의상

*◇**at·ti·tude** [ǽtitjùːd / -tjùːd]* [명] 태도, 자세
(예) a serious *attitude* 진지한 태도 // a threatening *attitude* 협박적인 태도 // This is his *attitude* toward life. 이것이 그의 인생관이다.

◇**at·tor·ney** [ətə́ːrni] [명] 변호사(=lawyer), 대리인
(예) *attorney* general 검찰 총장; 법무 장관

*◇**at·tract** [ətrǽkt] [타] 끌다, 잡아당기다 ; 유인하다
[원] at(=to)+tract(=draw)
(예) ◇*attract* attention 주의를 끌다 // be *attracted* by ~에 관심이 쏠리다 // Such a life does not *attract* me. 그런 생활은 조금도 내 마음을 끌지 않는다.

*◇**at·trac·tion** [ətrǽkʃən] [명] 유인, 인력; 매력; 흥미를 끄는 것, 인기거리
[파] ***attráctive** [형] 매력 있는, 애교 있는 **attráctively** [부] 매력적으로 **attráctiveness** [명] 매력, 애교

***at·trib·ute** [타] [ətríbjuːt]* ~에 귀결시키다, ~의 탓〔때문〕이라고 생각〔말〕하다 [~ to]; ~의 작자를 …라고 생각하다 [명] [ǽtrəbjùːt]* 속성, 특질; 부속물, 붙어다니는 것, 상징물
[원] at(=to)+tribute(=assign)
(예) He *attributed* his success *to* good luck. 그는 자기의 성공을 운이 좋은 탓이라고 했다. // This painting *is attributed to* da Vinci. 이 그림은 다빈치의 작품이라고 여겨진다.
[파] **attribútion** [명] 귀속, 속성 **attríbutable** [형] ~에 귀속시킬 수 있는 **attríbutive** [형] 속성의

auc·tion [ɔ́ːkʃən] [명] 경매, 공매 [타] 경매하다
(예) sell goods at 〔『영』 by〕 *auction* 상품을 경매하다 // put it up at 〔『영』 to, for〕 *auction* 그것을 경매에 붙이다
[파] **auctioneer** [ɔ̀ːkʃəníər] [명] 경매인 [타] 경매하다

au·dac·i·ty [ɔːdǽsəti] [명] 대담 무쌍(=boldness); 방약 무인, 뻔뻔스러움(=impudence)
[반] timídity 겁, 소심
[파] **audacious** [ɔːdéiʃəs] [형] 대담한, 뻔뻔스러운 **audáciousness** [명] 대담 무쌍, 뻔뻔스러움

au·di·ble [ɔ́ːdəbl] [형] 들리는, 들을 수 있는(*cf.* visible)
[반] ináudible 들을 수 없는
[파] **áudibly** [부] 들리도록, 들을 수 있도록 **audibílity** [명] 가청성(可聽性), 들을 수 있음

*◇**au·di·ence** [ɔ́ːdiəns] [명] 청중, 관객; (라디오·TV의) 청취자〔시청자〕; (공식의) 접견(=formal interview)
[원] audi(=hear)+ence(명사 어미)
(예) the *audience* at a movie 영화의 관객 // give *audience* to ~을 접견하다
[어법] ① 「청중」의 뜻에서는 집합 명사 : There was a *large audience* in the hall. (홀에는 청중이 많이 있었다) 청중 한 사람 한 사람을 염두에 두고 쓸 때는 복수. ② 야구 따위를 「보는」 관객은 *spectator.*

au·di·o [ɔ́:diòu] ⓗ 가청 주파의; 〖텔레비전〗 음성의
ⓟ **áudio-vísual aids** 시청각 교육 보조 재료 《레코드·텔레비전·영화·환등기 따위》
au·di·tor [ɔ́:dətər] ⓜ 회계 검사관; 감사역
au·di·to·ri·um [ɔ̀:dətɔ́:riəm] ⓜ 강당 ; 청중석
◇**au·di·to·ry** [ɔ́:dətɔ̀:ri / -təri] ⓗ 청각의
aught [ɔ:t] 〈동음어 ought〉 ⓓ 무엇이든, 무언가(=anything); 영(零) (=naught)
(예) for *aught* I know 잘 알 수는 없으나, 아마
☆**Au·gust** [ɔ́:gəst] ⓜ 8월 〖약어〗 *Aug.*
NB **august** [ɔ:gʌ́st] ⓗ 「위엄 있는, 존엄한」과 구별할 것.
☆**aunt** [ænt / ɑ:nt]★ ⓜ 아주머니, 백모, 숙모, 고모, 이모 (*cf.* uncle 아저씨)
au·ral [ɔ́:rəl] ⓗ 귀의, 청각의 (*cf.* oral 구두의)
(예) an *aural* aid 보청기
◇**au·rum** [ɔ́:rəm] ⓜ 〖화학〗 금 《기호 Au》
aus·pice [ɔ́:spis] ⓜ 《*pl.*》 보호, 원조, 찬조; 길조, 징조 (=omen)
(예) under the *auspices* of ~의 주최로, 후원으로
ⓟ **auspicious** [ɔ:spíʃəs] ⓗ 길조의, 행운의, 경사스러운
aus·tere [ɔ:stíər] ⓗ 엄한, 엄격한(=stern); 검소한, 내핍의
***Aus·tra·lia** [ɔ:stréiljə / ɔs-] ⓜ 오스트레일리아
ⓟ **Austrálian** ⓜⓗ 오스트레일리아 사람, 오스트레일리아(사람) (의)
NB **Austrian** [ɔ́(:)striən] ⓜⓗ 「오스트리아 사람, 오스트리아(사람)의」와 구별.
au·then·tic [ɔ:θéntik] ⓗ 진짜의(=genuine), 신뢰할 수 있는
ⓟ **authentícity** ⓜ 진실성, 확실성
☆**au·thor** [ɔ́:θər]★ ⓜ 저자(=writer) (*cf.* authoress 여류 작가); 창시자, 입안자; 장본인
ⓑ réader 독자
(예) the *author* of the trouble 말썽꾸러기 // Stevenson is my favorite *author.* 스티븐슨은 내가 좋아하는 작가다.
☆**au·thor·i·ty** [əθɔ́:rəti / ɔ:θɔ́rə-]★ ⓜ 권위; 권한; 근거; 《*pl.*》 관헌, 당국(자)
(예) the school *authorities* 학교 당국 // an *authority on* grammar 문법의 권위자 // Parents used to have greater *authority* over 〔with〕 children. 어버이는 아이들에 대해서 더 큰 권위를 가지곤 했다. // Who gave you *authority* to do such a thing? 누가 그런 일을 하는 권한을 자네에게 주었는가?
ⓟ ◇**authorize** [ɔ́:θəràiz] ⓣ 인가하다, 권능을 주다 **áuthorized** ⓗ 인정받은, 공인된, 검정필(畢)의; 권능을 부여받은 **authorizátion** ⓜ 공인 **authoritative** [əθɔ́:rətèitiv / ɔ:θɔ́rətə-] ⓗ 권위 있는, 신뢰할 수 있는(=reliable) **authoritárian** ⓜ 독재〔권위〕주의자 ⓗ 독재〔권위〕주의의, 반민주적인 ◇**authoritárianism** ⓜ 권위주의

A

au·to [ɔ́:tou] 명 〖미·구어〗 자동차(=automobile)
어법 지금은 그다지 쓰지 않음. *car*가 보통.
파 **autócracy** 명 전제〔독재〕 정치 **autocrátic** 형 전제의 **autocrátically** 부 독재적으로 **áutograph** 명 자필, 자서(自署) **autográphic** 형 자필의, 자서의 **áutomat** 명 자동 판매기 ◇**áutomate** 자 타 오토메이션〔자동〕화하다 ◇**automátion** 명 자동 조작, 오토메이션 **autómaton** 명 《*pl.* -s, -mata》 자동 기계 장치; 자동 인형 **autónomy** 명 자치, 자율; 자치제〔권〕 **autónomous** 형 자치적인, 자율적인, 자주적인 ◇**auto racing** 자동차 경주

▶ **26. 접두어 auto**
auto는 「자신의, 독자의, 자기의」 등의 뜻을 나타낸다. (예) *auto*biography, *auto*matic, *auto*mobile 따위

*◇**au·to·bi·og·ra·phy** [ɔ̀:təbaiágrəfi / -ɔ́grə-]* 명 자서전
파 ◇**autobiográphical** 형 자서전(체)의, 자전(自傳)(식)의

*◇**au·to·mat·ic** [ɔ̀:təmǽtik] 형 자동(식)의; 기계적인
파 *◇**automátically** 부 자동적으로, 기계적으로

*◇**au·to·mo·bile** [ɔ́:təməbì:l, ɔ̀:təməbí:l] 명 〖미〗 자동차
(예) an *automobile* factory 자동차 공장

◇**au·to·mo·tive** [ɔ̀:təmóutiv] 형 자동차의; 자동의

☆**au·tumn** [ɔ́:təm]* 명 가을(NB 미국에서는 fall 이라고도 함.)
파 **autúmnal** 형 가을의

aux·il·ia·ry [ɔ:gzíljəri] 형 보조의, 부(副)의
(예) an *auxiliary* verb 조동사

a·vail [əvéil] 타 자 소용이 되다(=be useful); 이용하다(=make use of) 명 이익, 쓸모(=worth)
원 a(=to)+vail(=be of use 유용하다)
(예) Our wealth *avails* us nothing. 부(富)는 우리들에게 아무런 도움이 되지 않는다.
파 *◇**aváilable** 형 쓸모 있는, 이용할 수 있는; 손에 넣을 수 있는; (차표 따위가) 유효한(every means *available* 이용할 수 있는 온갖 수단) **aváilably** 부 유효하게 ◇**availability** 명 이용 가능성, 유효성, 유용성.

avail** one**self** of ~을 이용하다, (기회를) 타다
(예) I *availed* my*self of* the holidays to go on a tour. 나는 휴가를 이용하여 여행에 나섰다.

(be) of avail 도움이 되는; 효과가 있는
(예) *be of* little 〔no〕 *avail* 거의〔조금도〕 효과가 없다 // Will it be *of* any *avail* to do so? 그렇게 하면 무슨 도움이 될까?

◇***(be) available for*** 〔***to***〕 ~에 도움이 되는, 쓸모 있는
(예) A yacht *is available for* fishing. 요트는 고기잡이에 쓸모가 있다. // Those books *were available to* his research. 그 책들은 그의 연구에 도움이 되었다.

av·a·lanche [ǽvəlæ̀ntʃ / -lɑ̀:nʃ] 명 눈사태, 사태

av·a·rice [ǽvəris] 명 탐욕, 욕심 많음(=greediness)
파 **avaricious** [æ̀vəríʃəs] 형 탐욕스러운 **avaríciously** 부 욕심을 부려

a·venge [əvéndʒ] [타] 복수하다, ~의 원수를 갚다
[원] a(=to)+venge(=punish, take vengeance for)
(예) He *avenged* his father *on* 〔*upon*〕 his murderer. 그는 아버지의 살해자에게 복수했다. // He swears that he will *avenge* him*self* *on* you. 그는 너에게 복수한다고 맹세하고 있다.
[파] **avénger** [명] 복수자

▶ **27.** 「복수하다」의 유사어
revenge는 주로 「자기의 원수를 갚다」의 뜻으로, **avenge**는 자기 이외의 「사람의 원수를 갚다」의 뜻으로 쓰인다.

av·e·nue [ǽvənjùː / -njùː] [명] 가로수 길; 〖미〗 큰 가로 〖약어〗 *Ave.*; (성공 따위에 이르는) 길
[어법] 미국에서는 *street* 에 직각으로 교차하는 도로를 *avenue* 라고 부르기도 한다.

av·er·age [ǽvəridʒ]* [명] 평균(=middle value) [형] 평균의, 보통의(=common) [타] 평균하다, 평균이 ~이다
(예) Tom's work at school is above 〔below〕 the *average.* 톰의 학업(성적)은 평균 이상〔이하〕이다. // We *averaged* eight hours' work a day. 하루 평균 8 시간 일했다.
on an* 〔*the*〕 *average 평균하여, 대개
(예) *On the average,* there are twenty boys present every day. 하루 평균 열 명의 소년이 참석한다.

a·verse [əvə́ːrs] [형] 싫어하는(=very unwillng to)
[원] a(=away)+verse(=turn 향하다)
[반] desírous 원하는
(예) No cat is *averse to* fish. 물고기를 싫어하는 고양이는 「없다
[파] **avérsion** [명] 혐오

a·vert [əvə́ːrt] [타] (눈을) 돌리다(=turn away); 피하다
(예) *avert* one's eyes 〔gaze〕 from a terrible sight 끔찍스러운 광경으로부터 눈(길)을 돌리다

a·vi·a·tion [èiviéiʃən] [명] 비행, 항공, 비행술
[원] avi(=bird)+ation(명사 어미)
[파] **aviator** [éivièitər] [명] 비행사 **áviatress, aviátrix** [명] 여류 비행사

av·id [ǽvid] [형] 탐욕스러운(=greedy), 몹시 탐〔욕심〕내는 [~ of, for]; 열심인
(예) be *avid of* 〔*for*〕 money 몹시 돈을 탐내다 // an *avid* fan 열렬한 팬
[파] **avídity** [명] 갈망(=eagerness); 탐욕

a·vo·ca·tion [æ̀vəkéiʃən] [명] 직업(=occupation); 부업, 내직(內職); 도락, 취미(=hobby)

a·void [əvɔ́id] [타] 피하다(=keep away from), 회피하다
[원] a(=out)+void(=empty 비우다)
(예) Why did you *avoid* me? 왜 나를 피하는가? // You should *avoid* doing such a thing. 너는 그런 일을 하지 않도록 해야 한다. // Mr. Smith was driving fast and couldn't *avoid* hitting the other car. 스미스씨는 차를 빨리 달려 딴 차와 부딪치는 것을 피할 수가 없었다.

어법 목적어로 부정사는 쓸 수 없고 동명사를 써야 한다: avoid *meeting* (만나지 않도록 하다)
파 **avóidable** 형 피할 수 있는 **avóidance** 명 기피; 무효

a·vouch [əváutʃ] 자 타 단언하다(=assert); 보증하다; 승인하다

a·vow [əváu] 타 공언하다(=declare openly); 고백하다(=confess); 승인하다(=admit)
원 a(=to)+vow(맹세하다)
반 denу́ 부정(否定)하다
(예) *avow* oneself (*to be*) a patriot 자기는 애국자라고 공언하다
파 **avówal** 명 공언, 자인 **avówed** 형 자인한; 공공연한

◇**aw** [ɔː] 감 오!, 제기랄!, 흥! 《항의·혐오 등을 나타냄》

◇**a·wait** [əwéit] 타 기다리다, 대기하다(=wait for), 예기하다(=expect)
원 a(=to)+wait(*cf.* wait)
(예) We *await* your answer. 답장해 주시기 바랍니다. // A real welcome *awaits* you. 진심으로 환영합니다.

*◇**a·wake** [əwéik] 자 타 《***awoke; awaked, awoke***》 깨다, 눈뜨다; ~을 깨닫다; (기억 따위) 환기하다, 불러일으키다 형 깨어 있는, 자지 않는; 정신 차린(=watchful), 잘 알고 있는 [~ to]
어법 형용사의 경우는 서술 용법뿐이다.
반 asléep 잠들어
(예) He *awoke to* find the house on fire. 그가 깨어 보니 집에 불이 나 있었다. // Then we *awoke to* the danger. 그때 우리는 위험을 깨달았다. // I was wide *awake* all night. 나는 밤새도록 한잠도 안 잤다.
파 *◇**awáken** 자 타 깨다, 깨우다, 각성시키다; 깨닫다 (어법 타동사로서 비유적인 뜻으로 사용될 때가 많다) **awákening** 명 잠을 깸 형 잠을 깨우는, 각성시키는

(*be*) *awake* 〔*awakened*〕 *to* ~을 알(아채)고 있는
(예) He *was awakened to* a sense of his responsibility. 그는 자기의 책임감을 깨달았다.

◇**a·ward** [əwɔ́ːrd] 명 상품(=prize); 심판, 판정(=decision) 타 심사하여 수여하다(=give by judgment)
(예) the Academy *Award* 아카데미상 // A medal will be *awarded* for good conduct. 선행에는 상패가 수여된다.

*◇**a·ware** [əwɛ́ər] 형 알고, 알아채고(=conscious) [~ of, that]
원 a(=quite)+ware(=cautious 주의 깊은)
반 ígnorant 모르는
(예) I was too sleepy to be *aware* how cold it was. 너무 졸려서 얼마나 추운지 몰랐다. // I was *aware* that I was being followed. 나는 미행당하는 것을 알고 있었다.
파 ***awáreness** 명 자각(어법 서술 용법뿐임.)

*◇**(*be*) *aware of*** ~을 알고 (있는), ~을 알아채고 (있는)
(예) We *are* fully *aware of* the importance of the situa-

tion. 우리는 그 문제의 중요성을 충분히 알고 있다.

☆**a·way** [əwéi] [부] 떨어져서(=off), 멀리(=far), 부재(不在)하여(=absent); 저쪽에, 저리로; 《동사와 결합하여》 차차 ~하다, 계속해서 ~하다
[반] near 가까이
(예) fade *away* 차차 사라져 가다 // work *away* 꾸준히 공부하다 // He is *away*. 그는 저쪽에 가 있다. 《여기에는 없다》 // ◇The sea is two miles *away from* here. 바다는 여기서 2마일 떨어져 있다. // *Away with* you! 꺼져버려! // *Away with* it! 그것을 치워버려.
[어법] Away with ~는 Take away ~의 뜻. (*cf.* do away with, make away with)

from away 〔미〕 멀리서부터

*◇**awe** [ɔː]* [타] 두렵게 하다 [명] 두려움, 경외(敬畏)
[어법] 위대·숭고함에 대한 「공포」.
(예) be *awed* by Nature 자연에 대해 경외감을 느끼다 // We were *awed into* obedience. 우리는 두려운 생각이 들어 복종했다.
[파] ***áwful** [형] 두려운, 장엄한; 〔구어〕 대단한, 심한(=terrible) **áwfully** [부] 무섭게, 〔구어〕 대단히, 심하게(=terribly) **áwfulness** [명] 두려움, 위엄(威嚴) **áwesome** [형] 무서운, 두려운

a·while [əhwáil] [부] 잠깐, 잠시(=for a while)
[반] forέver 영원히

*◇**awk·ward** [ɔ́ːkwərd]* [형] 어설픈, 서투른(=clumsy), 거북한, 어색한(=embarrassing); 다루기 힘든, 귀찮은, 난처한
[반] déxterous 솜씨 있는, skíl(l)ful 숙련된, 솜씨 좋은
(예) an *awkward* tool to handle 다루기에 힘든 도구 // feel *awkward* 거북〔어색〕하게 느끼다 // He is *awkward* in his movements. 그의 거동은 어설프다.
[파] **áwkwardly** [부] 어설프게, 볼품없이, 서투르게

◇**ax(e)** [æks] 《*pl.* ***axes*** [ǽksiz]》 [명] 도끼(=hatchet) [타] 도끼로 찍다〔다듬다〕; 《비유적으로》 삭감하다; 해고하다
(예) have an *ax* to grind 〔구어〕 뭔가 속셈이 있다
[파] **áx(e)man** [명] 《*pl.* -men》 나무꾼

ax·i·om [ǽksiəm] [명] 공리(公理); 자명한 이치, 근본 원리; 격언
[파] **axiomátic** [형] 자명한; 공리와 같은; 격언적인

ax·is** [ǽksis] [명] 《*pl.* ***axes [ǽksiːz]》 축, 굴대; 추축(樞軸)
[NB] *ax(e)*의 복수형은 axes [ǽksiz], *axis*의 복수형은 axes [ǽksiːz]로서 형태는 같지만 발음이 다르다.

ax·le [ǽksəl] [명] 굴대, 차축(車軸)
[파] **áxletree** [명] 굴대, 차축

ay(e) [ai] [부] 그렇다(=yes) [명] 찬성(투표자)
(예) the *ayes* and noes 찬성자와 반대자

◇**a·zal·ea** [əzéiljə] [명] 진달래

az·ure [ǽʒər / ǽʒjuə, ǽʒə] [형] 푸른 빛의 [명] 하늘빛; 창공

A

B

bab·ble [bǽbl] [자] [타] (물의 흐름이) 졸졸 소리나다; 재잘거리다(=chatter) [명] 졸졸 흐르는 소리; 허튼 소리(=idle talk)
[파] **bábbler** [명] 수다쟁이

☆**ba·by** [béibi] [명] 갓난아이(=infant) [형] 어린, 어린애 같은; 소형(小型)의
[어법] ① 성별을 나타낼 때는 baby boy, baby girl과 같이 한다. 성별을 모르는 경우는 it으로 받는다. ② **babe**는 baby의 시어(詩語).
[파] **baby sitter** 〖미〗 (양친이 외출한 동안에) 어린애 봐주는 사람

▶ **28. 접미어 y**
① 명사에 붙여서 「~에 가득찬」 「~으로 된」 「~의 성질을 갖는」 따위의 뜻을 가진 형용사를 만든다.
② 명사에 붙여서 「작은」이란 뜻과 친근함을 나타낸다.
(예) bab*y*, dogg*y*

◦**bach·e·lor** [bǽtʃələr] [명] (남자) 독신자(*cf.* spinster), 미혼 남자; 학사
[NB] 「석사」는 *master*, 「박사」는 *doctor*이다. 「독신의」는 *single*.
(예) a *Bachelor* of Arts 문학사 〖약어 B.A. 또는 A.B.〗 // a *Bachelor* of Science 이학사 〖약어 B.S. 또는 B.Sc.〗 // the *bachelor's* degree 학사 학위
[파] **báchelorhood** [명] 미혼, 독신(생활) **báchelorship** [명] 독신, 미혼; 학사의 자격

☆**back** [bæk] [부] 뒤로〔에〕(=behind); 본디 위치〔상태〕로 [자] [타] 후퇴하다(=move back); 후원하다 [~ up] [형] 뒤의(=rear) [명] 뒤, 등, 배후
[반] front 전면, 앞의 forth 앞으로
(예) *back* a car 차를 후퇴시키다 // I'll be *back* soon. 곧 돌아옵니다. // carry a box on one's *back* 상자를 등에 짊어지다
[파] ◦**bácker** [명] 후원자 **bácking** [명] 후원 **báckbite** [자] [타] 험담하다 **báckbiter** [명] 험담하는 사람 **báckboard** [명] (짐차·액자 따위의) 뒤판(板); (농구의) 백보드; 척추 교정판 ◦**báckbone** [명] 등골뼈, 중축(中軸) **báckfire** [명] (내연 기관의) 역화(逆火); (산불의 불길 따위를 막기 위한) 맞불 *****báckground** [명] 배경 **báckhand** [명] 〖정구〗 백핸드, 역타(逆打) **back number** (잡지의) 구호(舊號) ◦**báckstáge** [부] 무대 뒤에서〔로〕, 분장실에서; 비밀로 [형] 무대 뒤의〔에서 일어나는〕; 비밀의 **báckstop** [명] 〖야구〗 백네트《캐처 뒤의 그물이나 벽》 ◦**báckward** [형] 후방의, 뒤떨어진 [부] 뒤로, 후방으로 **báckwardness** [명] 진보〔향상〕의 더딤, 후진성; 망설임 *****báckward(s)** [부] 후방에〔으로〕 ◦**báckyárd** [명] 뒤뜰

◇***back and forth*** 앞뒤로, 여기저기에 (=to and fro)
(예) He was walking *back and forth*, lost in thought. 그는 생각에 잠겨 왔다갔다 거닐고 있었다.
◇***back up*** 후원하다; 후퇴시키다
(예) I will *back* you *up* one hundred percent. 전적으로 자네를 후원하겠네. // The driver tried to *back up*, but he couldn't move at all. 운전사는 후진하려 했으나 조금도 움직일 수 없었다.
at the back of ~의 뒤〔배후〕에 (=behind)
(예) He must be *at the back of* this affair. 이 사건의 뒤에는 그가 있음에 틀림없다.
◇***behind a person's back*** 아무가 없는 곳에서
(예) Don't speak ill of others *behind their backs.* 본인이 없는 데서 남을 욕하지 마라.
look back on ~을 회고〔반성〕하다
on one's back 반듯이 누워; 병상에 누워
(예) lie *on one's back* 반듯이 눕다 (*cf.* on one's face 엎드려서, on one's side 옆으로, 모로)
on 〔***upon***〕 ***the back of*** ~의 뒤에, ~의 배후에; ~의 위에, ~에 더하여
turn one's back (***on***) ~에 등을 돌리다
◇**ba·con** [béikən] ⓜ 베이컨《돼지고기를 훈제(燻製)한 것》; 〖속어〗 약탈품; 이익, 수입
◇**bac·te·ri·a** [bæktíəriə] ⓜ 《*pl.*》 박테리아, 세균
[어법] bacterium의 복수형. 단수형은 거의 쓰지 않는다.
[파] **bacterióIogist** ⓜ 세균학자 **bacterióIogy** ⓜ 세균학 **bacteriological warfare** 세균전
☆**bad** [bæd] ⓗ 《***worse*** ; ***worst***》 나쁜(=not good), 불량한; 서투른 (=poor) [~ at]; 틀린(=incorrect); (질병이) 심한(=severe) ⓜ 나쁜 상태〔것〕
[반] good 좋은
(예) make a *bad* decision 잘못된 결정〔결론〕을 내리다 // ◇go from *bad* to worse 점점 악화하다 // He is a *bad* man. 그는 나쁜 사람이다. // He is *bad at* drawing. 그는 그림에 서툴다. // I have a cold.—That's too *bad*. 나 감기 걸렸네. — 그것 참 안됐군.

> ▶ **29.** 「나쁜」의 유사어
> **bad**가 가장 일반적인 말. **evil**은 bad보다 강의적이고, 도덕적으로 나쁜, 사악한 것을 뜻하며, **ill**은 evil보다 약간 약하고 흔히 관용적인 표현에 쓰인다. **wicked**는 도덕적으로 나쁜 뜻인데 evil보다 강하다. **wrong**은 right에 대해서 「부정(不正)한」이라든가 도덕·법칙·질서에 위배됨을 뜻한다.

[어법] 동일한 사람〔물건〕의 두 가지 성질을 비교할 때는, *more* kind than intelligent(총명하다기보다는 오히려 친절)와 같이 more+원급+than의 형식을 쓰는 것이 보통이지만, *worse* than useless(유해무익한)의 표현에 주의. (*cf.* more)
[파] ◇**bádly** ⓑ 나쁘게; 몹시 ([반] well 좋게) (be *badly* off 생활에 쪼들리다) **bádness** ⓜ 나쁨, 나쁜 상태 **bad blood**

적의, 나쁜 감정
◇***all for the bad*** 전적으로 나쁜
(예) The tendency to marry young is not *all for the bad.* 조혼 경향이 나쁘지만은 않다.
◇***go bad*** (음식 따위가) 상하다, 썩다
badge [bædʒ] ⓜ 배지, 표지(=emblem, mark)
badg·er [bǽdʒər] ⓜ 오소리, 너구리

B

◇**bad·min·ton** [bǽdmìntən] ⓜ 배드민턴
baf·fle [bǽfl] ⓣ 좌절시키다(=frustrate), 방해하다, 곤혹스럽게〔곤란하게〕 하다(=perplex)
(예) *baffle* all description 형용할 수 없다(↔be beyond description)
㉺ **báffling** ⓗ 곤란케 하는; 불가해한(a *baffling* question 난문(難問))
☆**bag** [bæg] ⓜ 자루 (=sack), 가방 ⓙⓣ 자루에 넣다
(예) The cat is out of the *bag.* 비밀이 알려졌다〔샜다〕. // the whole *bag* of tricks 온갖 수단
㉺ **bágful** ⓜ 자루에 가득(한 양) **bággy** ⓗ 자루 같은, 헐렁헐렁한
◇**bag·gage** [bǽgidʒ] ⓜ 〖미〗 수화물 (=〖영〗 luggage)
(예) a *baggage* car 〔office〕 〖미〗 수화물 차 〔취급소〕 // a *baggage* check 수화물 물표 // a *baggage* claim (공항의) 수화물 찾는 곳
◇**bag·pipe** [bǽgpàip] ⓜ 《종종 *pl.*》 (가죽 자루로 된) 풍적(風笛), 백파이프《스코틀랜드 고지 사람이 부는 피리》
㉺ **bágpiper** ⓜ bagpipe 를 부는 사람
bail [beil] ⓜ 보석(保釋)(금); (바께쓰 따위의) 손잡이 ⓣ (보석금 지불로) ~를 보석받게 하다; (뱃바닥에 괸 물 따위를) 퍼내다
bait [beit] ⓜ 미끼, 유혹(=temptation) ⓙⓣ 미끼로 꾀다; (사람을) 괴롭히다, 지분거리다
(예) put *bait* on a hook 낚싯바늘에 미끼를 달다
◇**bake** [beik] ⓙⓣ (빵 따위를) 굽다
㉺ *****báker** ⓜ 빵 장수, 빵 제조업자 ◇**bákery** ⓜ 빵 제조소, 빵집 **baking powder** 베이킹 파우더 ◇**bákeshop** ⓜ 제과점
*◇**bal·ance** [bǽləns] ⓜ 균형, 평형; 저울; 잔액(殘額) ⓣⓙ 평균하다; (저울에) 달다 (=weigh); 결산하다 (=settle)
㉥ unbálance 불균형
(예) (the) *balance* of payments 국제 수지 // (the) *balance* of trade 무역 수지 // the *balance* of power 힘의 균형 // He is holding the *balance.* 그는 결정권을 쥐고 있다.
(***be***) ***in the balance*** 미정 상태로, 애매한 상태로
(예) hang *in the balance* 위험〔불안한 상태〕에 있다
◇***keep ~ in balance*** 균형을 유지하다, 평정을 유지하다
(예) A food chain helps to *keep* things *in balance.* 먹이사슬은 사물의 균형을 유지하는 데 도움이 된다.
◇**bal·co·ny** [bǽlkəni] ⓜ 발코니, 노대(露臺); (극장의) 특

별석

bald [bɔːld] ⓗ (머리가) 벗어진; 꾸밈없는; 무미 건조한 (=dull)
NB bold [bould]와 발음을 구별할 것.
ⓟ báldly ⓑ 노골적으로 báldheaded ⓗ 대머리의; 불모(不毛)의 ⓑ 무모하게; 맹렬히 báldness ⓜ 벗어짐

☆ball [bɔːl] 〈동음어 bawl〉 ⓜ 공, 공 모양의 것; 야구(=baseball); 〔야구〕 볼(*cf.* strike); 무도회
(예) a *ball* game 야구 시합 // a fast *ball* 속구 // a *ball* of wool 털실꾸리 // start 〔set〕 the *ball* rolling (일을) 시작하다; 행동을 개시하다 // give a *ball* 무도회를 개최하다
ⓟ ballroom [bɔ́ːlrù(ː)m] ⓜ 무도실 ball bearing 볼베어링 bállpark ⓜ 〔미〕 야구장; 범위, 근사치 ballpoint pen [bɔ́ːl-pɔ̀int pén] 볼펜

bal·lad [bǽləd] ⓜ 민요, 발라드

bal·le·ri·na [bæ̀lərí:nə] ⓜ 《*pl.* **-s, -ne** [-ne]》 〔이〕 발레리나, (주연) 무희 《발레의》

bal·let [bæléi, bǽlei / bǽlei] ⓜ 발레, 군무(群舞), 무용단

bal·loon [bəlúːn] ⓜ 기구, 풍선
ⓟ ballóonist ⓜ 기구 조종사

bal·lot [bǽlət] ⓜ 투표(용지) ⓩⓣ 투표하다
(예) a *ballot* box 투표함 // by secret *ballot* 비밀〔무기명〕 투표로 // hold 〔take〕 a *ballot* 투표하다 // *ballot for* the chairman 의장을 뽑는 투표를 하다

balm [bɑːm] ⓜ 향유, 방향(芳香) (=pleasant smell); 진통제
ⓟ bálmy ⓗ 향기로운 bálmily ⓑ 향기롭게 embálm ⓣ 향유를 바르다

bal·sa [bɔ́ːlsə] ⓜ (열대 아메리카산(産)) 관목의 일종 《벽오동과의 나무로 가볍고 단단함》; 그 재목

*bam·boo [bæmbúː] ⓜ 대
(예) *bamboo* shoots 〔sprouts〕 죽순(竹筍)

ban [bæn] ⓜ 금지 ⓩⓣ 금지하다

*ba·nan·a [bənǽnə / -náːnə] ⓜ 바나나 《열매 또는 나무》
(예) a bunch of *banana* 바나나 한 송이

band [bænd] ⓜ 띠, 끈; 무리 (=group); 악단 ⓩⓣ 결합하다, 단결하다〔시키다〕 (=unite)
(예) We *banded* ourselves *together.* 우리는 단결했다.
ⓟ bándmaster ⓜ 악장(樂長)

band·age [bǽndidʒ] ⓜ 붕대 ⓣ 붕대로 감다
(예) apply a *bandage* to ~에 붕대를 감다 // He has his head *bandaged.* 그는 머리에 붕대를 감고 있다.

bang [bæŋ] ⓩⓣ 탕 치다, 쾅〔쿵〕 소리나다 ⓜ 탕〔쾅〕소리
(예) The speaker *banged* the table with his fist. 변사는 주먹으로 테이블을 쾅하고 쳤다. // The door *banged* shut. 문이 쾅 닫혔다. // *Bang !* went the gun. 쾅하고 대포가 울렸다.

ban·ish [bǽniʃ] ⓣ 추방하다(=exile), 쫓아버리다(=drive away)

원 ban(=prohibit 금하다)+ish(동사 어미)
(예) They *banished* him (*from*) the country. 그들은 그를 국외로 추방했다.
파 **bánishment** 명 추방, 유형(流刑), 귀양

:bank [bæŋk] 명 은행; 둑, 제방 자 타 제방을 쌓다; 은행에 예금하다
(예) We put money in a *bank*. 우리는 돈을 은행에 예금한다. // *bank* a river 강에 둑을 쌓다
파 ◇**bánker** 명 은행가 **bánkbook** 명 은행 통장 **bank account** 은행 예금〔계좌〕 **bank card** (은행 발행의) 크레디트 카드 **bank clerk** 은행원 **bank note** (은행) 지폐, 은행권

◇**bank·rupt** [bǽŋkrʌpt] 명 파산자 형 파산의
원 bank+rupt(=broken)
파 **bánkruptcy** 명 파산(상태); (명성 등의) 실추
go 〔become〕 bankrupt 파산하다

◇**ban·ner** [bǽnər] 명 기(=flag), 군기; 표지

ban·quet [bǽŋkwit] 명 연회 자 타 잔치를 베풀다
원 banqu(=table 식탁)+et(명사 어미)
(예) give 〔hold〕 a *banquet* 연회를 열다

◇**ban·yan** [bǽnjən] 명 〖식물〗 벵갈보리수(=banyan tree)

bap·tism [bǽptizəm] 명 세례
파 **baptísmal** 형 세례의(*baptismal* name 세례명)

Bap·tist [bǽptist] 명 침례교도; [the B-] 세례 요한; [b-] 세례 시행자

◇**bap·tize** [bæptáiz] 타 세례를 주다; 명명(命名)하다(=christen); 정화(淨化)하다 (=purify)

◇**bar** [bɑːr] 명 막대기; 술집, 바; 법정(=court); 모래톱 타 막다, 방해하다(=prevent); 빗장을 지르다(=bolt); 제외하다 [~ from]
(예) a *bar* of light 한 줄기의 광선 // an iron *bar* 쇠막대기(↔ a *bar* of iron) // a snack *bar* 간이 식당 // be judged at the *bar* of public opinion 여론의 심판을 받다 // The way is *barred*. 그 길은 막혀 있다. // *bar out* the police 빗장을 질러 경찰관이 못 들어오게 하다
파 (⇨)**barrier**

◇**barb** [bɑːrb] 명 미늘, 가시 타 미늘을〔가시를〕 달다
파 ◇**barbed** 형 미늘이〔가시가〕 있는; 신랄한

***bar·bar·i·an** [bɑːrbέəriən] 명 야만인 형 야만적인(=uncivilized), 잔인한(=cruel)
파 **barbaric** [bɑːrbǽrik] 형 야만의 ***bárbarism** 명 야만, 포학 **barbárity** 명 만행 **bárbarous** 형 야만적인, 조잡한

:bar·ber [bɑ́ːrbər] 명 이발사(=hairdresser), 이발관
파 ◇**bárbershop** 명 〖미〗 이발관(=〖영〗 barber's shop)

◇**bard** [bɑːrd] 명 옛 켈트(Celt)족의 음영〔방랑〕 시인; (서정) 시인

:bare [bεər] 〈동음어 bear〉 형 벌거벗은(=naked); 적나라한, 알몸의; 모자를 쓰지 않은; 가까스로의 타 벌거벗기다;

폭로하다
반 clad 옷을 입은
(예) *bare* necessities of life 겨우 연명할 정도의 생활 필수품 // with *bare* hands 맨손으로 // This part of the country is *bare* of trees. 이 지방은 나무가 없다.
파 ◇**báreback(ed)** 형부 안장 없는 말의; (말에) 안장 없이 **bárefaced** 형 염치 없는, 얼굴을 가리지 않은 **bárefoot** 형 맨발의 부 맨발로 ◇**bárefóoted** 형 맨발의 **báreheáded** 형부 모자를 쓰지 않은〔않고〕 *◇**bárely** 부 겨우; 숨김 없이 (He *barely* escaped death. 그는 겨우 죽음을 면했다. NB hardly나 scarcely는 부정적인 뜻이 강하고 barely는 긍정적인 뜻이 강하다.) **báreness** 명 나체; 무장식

***bar·gain** [báːrgin] 명 흥정, 매매 계약(賣買契約); 싸게 산 물건, 싸구려 물건 자타 흥정하다, 매매 계약을 하다 [~ with a person for 〔about, over〕], 값을 깎다 형 아주 싼, 떨이의
(예) *bargain* for ~을 기대하다, 예기하다(≒expect) // I got this camera at a *bargain*. 나는 이 카메라를 싸게 샀다. // We *bargained with* him *for* the car. 우리는 차의 가격을 그와 흥정하였다.
파 **bargain hunter** 싼 것만 찾아다니는 사람 **bargain sale** 바겐세일, 할인 판매(NB 간단히 sale이라고도 함)
into* 〔*in*〕 *the bargain 그 위에, 게다가(=besides), 덤으로
(예) He saved the lady from drowning and married her *into the bargain*. 그는 그 숙녀가 물에 빠진 것을 구했고, 게다가 그녀와 결혼까지 했다.
strike* 〔*make*〕 *a bargain 매매 계약〔약속〕을 하다, 거래하다
(예) *The bargain* was *struck*. 거래가 이루어졌다.

*◇**bark** [baːrk] 자타 짖다; 나무 껍질을 벗기다 명 (개·여우 따위의) 짖는 소리; 나무 껍질; 범선(帆船)
(예) A *barking* dog seldom bites. 〖속담〗 짖는 개는 물지 않는다. // Your dog *barks at* me. 네 개가 나를 보고 짖는다.

bar·ley [báːrli] 명 보리 (*cf.* wheat, corn)

◇**barn** [baːrn] 명 헛간, 광; 〖미〗 외양간, 차고
파 **barnyard** [báːrnjàːrd] 명 광 주위의 마당, 뒤뜰

*◇**ba·rom·e·ter** [bərámətər / -rɔ́mətə]★ 명 청우계, 기압계; 지표(指標)
원 baro(=weight)+meter(=measure)
(예) the *barometer* of public opinion 여론의 바로미터

bar·on [bǽrən] 명 남작(男爵) (*cf.* baroness)
파 **báronage** 명 남작의 지위 **báronet** 명 준남작《baron 아래이며, knight의 위》

bar·rack [bǽrək] 명 《보통 *pl.*》 바라크, 병사(兵舍)
어법 *barracks* 는 단수 동사로도 받고 복수 동사로도 받는다.

◇**bar·rel** [bǽrəl] 명 (나무로 된) 통(=cask) 타 통에 넣다〔채우다〕

◇**bar·ren** [bǽrən] 형 불모의 (=sterile); 불임(不姙)의; 무

미 건조한(=dull); ~이 없는[~ of]; 쓸모 없는(=useless) [명] 메마른 땅, 황무지
[반] fértile 비옥한
(예) be *barren of* children 어린애가 없다 // be *barren of* ideas 사상이 빈곤하다 // A desert is *barren.* 사막은 황무지이다.
[파] **bárrenness** [명] 불모; 불임; 무익

B

bar·ri·cade [bǽrəkèid / bæ̀rəkéid] [명] 방책(防柵), 바리케이드; 통행 차단물; 장애물 [타] 바리케이드를 쌓다〔치다〕

*◇**bar·ri·er** [bǽriər] [명] 방책, 장벽, 장애[~ to, against]
(예) a *barrier* to education 교육의 장애 // tariff *barrier* 관세 장벽

◇**bar·ter** [báːrtər] [자][타] 물물 교환하다, 교역하다[~ for, against] [명] 물물 교환, 교역(품)

*◇**base** [beis] [명] 토대(=foundation), 기지(基地); 〖야구〗 누(壘) [형] 비열한(=mean), 천한 [타] 기초를 두다, 바탕으로 삼다
(예) a lamp *base* 등잔 받침 // the home *base* 본루
[파] **báseless** [형] 근거 없는 **básely** [부] 비열하게 ◇**básement** [명] 지계(地階), 지하실 **báseness** [명] 비열 *◇**básic** [형] 기본의, 근본적인 ◇**básically** [부] 근본적으로

*◇***base ~ on** 〔***upon***〕 ~을 …의 기초 위에 두다
(예) My decision is *based on* 〔*upon*〕 the news we had yesterday. 나의 결정은 어제 들은 뉴스에 근거를 둔 것이다.

***base·ball** [béisbɔ̀ːl] [명] 야구
(예) a *baseball* team 야구팀 // play *baseball* 야구를 하다

bash·ful [bǽʃfəl] [형] 부끄럼타는(=shy), 암띤
(예) a *bashful* girl 수줍어하는 소녀 // Don't be *bashful.* 수줍어 마라, 얼굴을 붉히지 마라.
[파] **báshfully** [부] 수줍어〔부끄러워〕하여 **báshfulness** [명] 수줍음

◇**ba·sin** [béisən] [명] 대야, 세면기; 분지(盆地); 유역(流域)
(예) a *basin* of water 물 한 대야 // the Thames *basin* 템스 강 유역

*◇**ba·sis** [béisis] [명] ⟪*pl.* ***bases*** [béisiːz]⟫ 기초, 토대(=foundation)
[NB] 복수형은 base의 복수인 bases [béisiz]와 같으나 발음이 다르다.
(예) ◇on the *basis* of ~을 기초로 하여 // on the war *basis* 전시 체제로 // ◇He is paid on a daily *basis.* 그는 일당으로 급료를 받는다.

bask [bæsk / baːsk] [명] (햇볕·열을) 쬐다 [~ in]

☆**bas·ket** [bǽskit / báːs-] [명] 바구니 [타] 바구니에 넣다
(예) a *basket* of apples 사과 한 바구니 // a shopping *basket* 시장 바구니 // a clothes *basket* 빨랫바구니
[파] **básketful** [명] 바구니 하나 가득 **básketball** [명] 농구

◇**bass** [beis] [형] 저음의 [명] 베이스, 저음(가수)

◇**bas·tard** [bǽstərd] [명] 서자(庶子), 사생아

ₒ**baste** [beist] Ⓔ 시침질하다; (방망이 따위로) 치다; 야단치다; 버터·양념장을 치다((고기를 구울 때))

*ₒ**bat** [bæt] ⓜ (야구의) 배트; 〔동물〕 박쥐 ⓙⓔ 공을 치다
(예) be as blind as a *bat* (박쥐처럼) 눈이 먼 // *bat* a runner home 쳐서 주자를 홈인시키다
㉺ **bátting** ⓜ 타격

batch [bætʃ] ⓜ (빵 따위의) 한 가마, 한 번에 구워내는 것〔양〕; 한 벌; 한 묶음; 한 떼

ₒ**bath** [bæθ / bɑːθ]* ⓜ ((*pl.* ***baths*** [bæðz / bɑːðz])) 목욕, 미역; 목욕실, 목욕탕 Ⓔ 목욕시키다
(예) take 〔have〕 a *bath* 목욕하다 // a public *bath* 공중목욕탕 // a sand *bath* 모래 찜질 // a sun *bath* 일광욕
㉺ **bathrobe** [bǽθròub / bɑ́ːθ-] ⓜ 〔미〕 화장옷 ₒ**bath-room** [bǽθrùːm, -rùm / bɑ́ːθ-] ⓜ 목욕실; 변소(=toilet) **báthtub** ⓜ 목욕통, 욕조

***bathe** [beið]* ⓙⓔ 미역감다, 씻다 ⓜ 미역
(예) have 〔go for〕 *a bathe* 수영하다〔하러 가다〕 // *bathe* in sweat 땀투성이가 되다 // be *bathed* in tears 눈물에 젖다

어법 *bath*를 동사로 사용하면 「목욕시키다」의 뜻으로 bathe와 다르다. 명사의 경우 bath는 「목욕」, *bathe*는 「미역감음」의 차이가 있으므로 주의할 것.

㉺ **bather** [béiðər] ⓜ 미역감는 사람, 탕치객(湯治客) **bathing** [béiðiŋ] ⓜ 미역, 해수욕; 목욕

ₒ**ba·ton** [bətɑ́n, bæ- / bǽtən] ⓜ (관직을 나타내는) 지팡이, 사령장(司令仗); 경찰봉; 〔음악〕 지휘봉; 〔경기〕 바통

bat·tal·ion [bətǽljən] ⓜ 보병〔포병〕 대대; 대부대, 집단

bat·ter [bǽtər] ⓙⓔ 연타〔난타〕하다; 쳐〔때려〕부수다 [~ down]; 혹평하다; 학대하다
㉺ ₒ**báttered** ⓗ 찌그러진, 오래 써서 낡은; (생활에) 지친

ₒ**bat·ter·y** [bǽtəri] ⓜ 포격, 포대; 전지(電池); 구타; 〔야구〕 배터리 ((투수와 포수))

*ₒ**bat·tle** [bǽtl] ⓜ 전투, 싸움(=fight) ⓙ 싸우다, 투쟁하다
(예) a close *battle* 접전 // a decisive *battle* 결전 // a hand-to-hand *battle* 백병전 // *battle* for freedom 자유를 위하여 싸우다 // fall in *battle* 전사하다 // give 〔have, gain〕 the *battle* 싸움에 지다〔이기다〕 // *battle with* 〔*against*〕 misfortune 불행과 싸우다

> ▶ **30.** 「싸움」의 유사어
> **fight**는 「싸움」을 뜻하는 일반적인 말. **battle**은 상당히 오랜 기간에 걸친 조직적인 전투를, **combat**는 무장한 양자간의 싸움을, **war**는 국가간 또는 국내에서 대립되는 집단끼리의 전면적인 무력 항쟁 상태를 뜻한다.

㉺ **báttlement** ⓜ 총안(銃眼)이 있는 벽 ₒ**báttlefield** ⓜ 싸움터 ₒ**báttleship** ⓜ 전함(戰艦) **battle cry** 함성(喊聲)

ba(u)lk [bɔːk] ⓜ 장애; 〔야구〕 보크 Ⓔ 방해하다 ⓙ (말이) 멈춰 서다; 뒷걸음질치다

bawl [bɔːl] 〈동음어 ball〉 ㉶㉺ 고함치다, 울부짖다 ㊔ 고함소리
(예) *bawl* and squall 떠들어대다 // *bawl* out 소리치다, 외치다

◇**bay** [bei] ㊔ 만(灣); 짖는 소리 (=bark); 궁지 ㉶㉺ 짖다
어법 원칙적으로 만의 이름에는 the를 붙이지 않음: Asan Bay. 단, of ~가 따르면 *the*를 붙인다. *the* Bay of Asan (*cf.* gulf)
파 **bay window** 퇴창, 밖으로 내민 창

bay·o·net [béiənit] ㊔ 총검(銃劍) ㉺ 총검으로 찌르다

ba·za(a)r [bəzάːr] ㊔ (동양의) 시장, 상점가, 자선시(慈善市); (큰 상점의) 특매장
(예) a Christmas *Bazaar* 크리스마스 특매장 // a charity *bazaar* 자선시

B.B.C. 〖약어〗 British Broadcasting Corporation 영국 방송 협회

***B.C.** [bìːsíː] 〖약어〗 기원 전(=Before Christ)
반 A.D. 서력
(예) 150 *B.C.* 기원 전 150년

☆**be** [biː, bi] 〈동음어 bee〉 ㉶ ① ~이다, ~다
(예) She *is* ill. 그녀는 앓고 있다. // It *is* nothing to me. 그것은 나에게 아무 것도 아니다. // Twice two *is* four. 2의 배는 4(이다). // Two and 〔plus〕 three *are* 〔*is*〕 five. 2더하기 3은 5(이다).
어법 「주어+동사+보어」의 문형으로서, 동사 be는 불완전 자동사이며 보어는 명사·형용사·부사(구)를 쓴다. be는 =의 뜻이므로 보어에 명사가 오는 경우 He is illness.(그=병)과 같은 잘못을 저지르지 않도록 주의하여야 한다. 이 때는 He is ill.로 한다.

② 있다, 존재하다(=exist); 일어나다(=occur); 남아 있다(=remain); 지속하다(=continue)
(예) Can such things *be?* 그런 일이 있을 수 있을까? // Whatever *is,* is right. 세상에 존재하는 것은 무엇이든지 (신의 뜻이므로) 모두 옳다. // God *is.* 신은 존재한다. // To *be* or not to *be,* that is the question. 사느냐 죽느냐 그것이 문제다. // When will the meeting *be?* 회합은 언제 있는가? // Let it *be.* 그대로 내버려둬.
어법 「주어+동사」의 문형으로서, 동사는 완전 자동사이다. Whatever *is,* is right.에서 첫번째의 *is*는 exist의 뜻으로서 완전 자동사, 두번째의 is는 그 다음에 보어 right를 취하므로 불완전 자동사.

③ ~하기로 되어 있다, ~할 예정이다 [~ to do]
(예) ◇If you *are to* succeed, you must study hard. 성공하려면 열심히 공부해야 한다. // Where *am* I *to* write my name? 어디에 이름을 씁니까? // This house *is to* let. 이 집은 셋집입니다. // He *was* never *to* return to his native village. 그는 두 번 다시 고향에는 돌아올 수 없는 운명이었다.
어법 「**be+to**부정사」는 예정·의무·가능·운명 등을 나타낸다: The meeting *is* to be held tomorrow. (예정) You *are* not

to do that. (의무) Not a soul *was* be seen. (가능) He *was* never *to* see his home again. (운명)

— [조] ① 《be+타동사의 과거 분사형으로 수동형을 나타냄》 ~되다, ~받고 있다, 당하다
(예) He *was injured* in the accident. 그는 그 사고로 부상당했다. // The house has just *been burnt* down by fire. 그 집은 화재로 지금 막 불에 타서 내려앉았다.
[어법] 「be+타동사의 과거 분사」는 수동형이지만 자동사의 과거 분사가 오면 일종의 완료를 나타낸다: He *is gone.* (그는 가 버렸다.) 이 경우 현재의 상태(이제 여기에 없다)에 중점이 있다.

② 《be+현재 분사형으로 진행형을 나타냄》 ~하고 있다
(예) He *is building* a house. 그는 집을 짓고 있다. // What have you *been doing* this week? 금주에 너는 무엇을 하고 지내왔느냐? // Life *is passing* away, and we *are doing* nothing. 인생은 지나가는데 우리들은 아무 것도 하고 있지 않다.
[어법] 「be+현재 분사」로 진행형을 나타낸다. 과거의 진행형을 나타낼 경우는 He *was building* a house.(그는 집을 짓고 있었다.) 또, 진행형의 수동태는 The house *is* 〔*was*〕 *being built.* (그 집은 건축중이다〔이었다〕.) 동사가 come, go, leave 등일 때는 「~하려고 하다」라고 가까운 미래를 나타낼 때가 있다.

be it true or not 사실이든 아니든
[NB] 이와 같은 양보구는 하나의 문형(文型)으로서 기억해 두어야 한다.

be ~ what it may ~은 어쨌든
(예) *Be* the matter *what it may*, always speak the truth. 무슨 일에든 항상 진실을 말하라. (↔ Whatever the matter may be, ~.)

beach [biːtʃ] 〈동음어 beech〉 [명] 해안(=seashore), 해변
(예) We played on the *beach*. 우리는 해변에서 놀았다.

bea·con [bíːkən] [명] (경계·신호의) 표지(標識); 봉화, 등대
(예) a aerial *beacon* 항공 표지

bead [biːd] [명] 염주(알), 장식용 구슬
(예) a *bead* bag 구슬 백 // in *bead* 염주처럼 묶여

beak [biːk] [명] 부리, 부리처럼 생긴 것
[어법] 독수리 같은 굽은 부리를 가리키며 일반적인 것은 *bill.*

beam [biːm] [명] 광선(=ray); 들보; (저울의) 대; (쟁기의) 자루
[자] [타] 빛을 내다; 미소를 짓다 [~ upon, at]
[파] **béaming** [형] 빛나는, 웃음을 띤

bean [biːn] 〈동음어 been〉 [명] 콩 《대두, 강낭콩, 잠두 따위》

bear★ [bɛər]★ 〈동음어 bare〉 [명] 곰 [자] [타] 《***bore*** ; ***borne, born***》 낳다; 참다(=suffer); 나르다 (=carry); 몸에 지니다; 처신하다 (=behave); 지지하다, 관계 있다
(예) He *was born of* poor parents. 그는 가난한 집에 태어났다. // I *can't bear* liv*ing* 〔*to* live〕 alone. 나는 더 이

상 혼자 살 수 없다. // I *cannot bear* you *to* treat him like that. 네가 그를 그처럼 다루는 데는 참을 수 없다.

어법 과거 분사에서 *born*을 쓰는 것은 be born「태어나다」라는 경우뿐이다. She had *borne* three children.과 같은 완료형이나, He was *borne* by a Greek mother.와 같은 by를 수반하는 수동형에서는 borne을 쓴다.

파 **béarable** 형 참을 수 있는 ◇**béarer** 명 지참인, 운반인 ***béaring** 명 태도; 관계; 의미; 방향

bear in mind 기억하다(=remember), 명심하다

(예) This fact should be *borne in mind*. 이 사실을 기억해야 한다.

***bear on* 〔*upon*〕** ～에 관계가〔영향이〕 있다; ～을 압박하다; ～쪽을 향하다.

(예) The conversation *bears on* the subject. 회화는 그 문제와 관계가 있다. // Taxation *bears* heavily *on* the poor. 과세가 가난한 사람들에게 무거운 부담을 준다.

bear** one**self 처신하다, 거동하다

(예) He *bears* him*self* like a gentleman. 그는 신사답게 행동한다.

bear out ～을 지지하다; 확증〔입증〕하다

(예) You will *bear* me *out*. 내 말을 지지하겠지.

bear the burden of ～을 떠맡다, 곤란을 참다

(예) I'll *bear the burden of* financing this enterprise. 내가 이 사업의 자금 조달을 맡겠다.

***bear witness* 〔*testimony*〕 *to* 〔*against*〕** ～의 증언〔반대 증언〕을 하다

(예) His friends will *bear witness to* his innocence. 그의 친구들이 그의 무죄를 증언할 것이다.

***have no* 〔*some*〕 *bearing on* 〔*upon*〕** ～에 관계가 없다〔있다〕

(예) What you say *has no bearing upon* the question. 네가 말하는 것은 그 문제와 관계 없다.

▶ **31.**「수염」의 유사어
beard는 「턱수염」, **moustache**는 「콧수염」, **whisker(s)**는 「구레나룻」을 말한다.

*◇**beard** [biərd]★ 명 턱수염 타 ～의 수염을 잡아뽑다

파 **béarded** 형 수염을 기른 **béardless** 형 수염이 없는; 풋내기의

*◇**beast** [biːst] 명 짐승 (=animal), 야수; 비인간

파 **béastly** 형 짐승 같은, 지독한 부 지독하게 **béastliness** 명 야수성(性)

*◇**beat**★ [biːt]★ 〈동음어 beet〉 자 타 《***beat ; beaten, beat***》 (계속적으로) 치다, 패배시키다 (=defeat) 명 침, 고동, 박자; (경관·야경의) 순찰구역

(예) My heart *beats* fast. 나는 가슴이 몹시 두근거린다. // *beat at* the door 문을 똑똑 두드리다 // The rain *beats against* the window. 비가 창에 들이친다.

파 ***béaten** 형 두들겨서 반반하게 한; 패배한; 밟아 다져진 (*beaten* track 상도(常道), 관례) **béater** 명 몰이꾼; 망치

beat back 격퇴하다
(예) He *beat back* the warships of the Japanese fleet. 그는 일본 함대의 전함을 격퇴했다.
◇**on the 〔one's〕 beat** 전문으로; 순찰중에
(예) The soldiers were *on* their *beats* during the night. 군인들은 야간 순찰을 돌고 있었다.

***beau·ti·ful** [bjúːtəfəl] ㉻ 아름다운, 훌륭한(=fine)
반 úgly 보기 흉한
(예) He has an eye for the *beautiful.* 그는 심미안(審美眼)이 있다.
파 ◇**béautifully** ㊇ 아름답게 **béautifulness** ㊐ 아름다움

▶ **32.** 「아름다운」의 유사어
beautiful은 가장 일반적인 말로서, 감각뿐이 아니고 마음에 최고의 기쁨을 주는 것에 쓰인다. **fair**는 청결·무구(無垢)·신선한 아름다움을, 특히 여성에 대하여 쓸 경우는 용모의 아름다움을 말한다. 귀여운 느낌을 갖게 해 주는 아름다움은 **pretty**로서, 이것은 남성에게는 쓰지 않는다. 이에 대해서 **handsome**은 보통 남성에게 쓴다. 그 밖에 **lovely, fine**도 「아름다운」의 뜻이다.

*◇**beau·ty** [bjúːti] ㊐ 미, 미관; 미인
파 **béautify** ㊉ 아름답게 하다 ◇**beautificátion** ㊐ 미화; 장식

☆**be·cause** [bikɔ́ːz, -kʌ́z / bikɔ́z] ㊈ 왜냐하면(=for); (왜냐하면) ~이기 때문에, ~ 까닭에(=since)
어법 ① *because*는 가장 뜻이 세고 직접적인 원인·이유를 나타내며, *since*나 *as*는 보다 가벼운 뜻으로 구어적이다. *for*는 부수적인 이유를 나타내며 문어에 많이 쓰인다. ② 부정어를 수반하여 「~라고 해서」라고 번역해야 할 때가 있다. 다음의 차이점에 주의: He did not go to school *because* he was too busy. (너무 바빠서 학교에 가지 않았다) ◇You must *not* be absent from school just *because* you are busy. (그저 바쁘다고 해서 학교를 결석해서는 안 된다) ③ Why로 시작하는 의문문의 대답으로서 글 첫머리에 쓰인다.

▶ **33.** 접미어 **ty**
접미어 **ty**는 형용사에서 그 「성질·상태」를 나타내는 추상 명사를 만들 경우에 쓰인다. (예) abili*ty*, accountabili*ty*, beau*ty*, generosi*ty* 따위

*◇***because of**** ~ 때문에, ~한 까닭으로
(예) He cannot work *because of* his age. 그는 나이가 많이서 일을 못 한다.

beck·on [békən] ㉶㊉ 고개를 끄덕이다, (손짓 따위로) 부르다, 신호하다
(예) He *beckoned* me *to* open the window. 그는 나에게 창문을 열라고 손짓했다. // I *beckoned* her in. 나는 그녀에게 들어오라고 손짓했다.

☆**be·come** [bikʌ́m] ㉶㊉ ⟪***-came ; -come***⟫ (~이) 되다; 어울리다(=suit)
반 misbecóme 어울리지 않다
(예) The poet *became* known after his death. 그 시인은

사후에 세상에 알려지게 되었다. // The dress *becomes* you very well. 이 옷은 너에게 아주 잘 어울린다. // *It* does not *become* you 〔*It* ill *becomes* you〕 *to* say such a thing 그런 것을 말하다니 너답지 않다.
파 **becóming** 형 어울리는 명 생성; 상응 **becómingly** 부 어울리게

◇***become of*** ~은 결국 …이 되다
(예) I wonder what has *become of* him. 그는 어떻게 되었을까.

☆**bed** [bed] 명 침대; 강 바닥; 묘상(苗床), 꽃밭
파 **bédding** 명 침구류(類) ***bédroom** 명 침실 ◇**bédside** 명 침대곁; 머리맡 **bédtime** 명 취침 시간 **bédbug** 명 빈대 ◇**bédclothes** 명 《*pl.*》 침구
make a 〔***the, one's***〕 ***bed*** 잠자리를 펴다〔개다〕
(예) *Make* your *bed* after you get up. 일어나면 잠자리를 개라.

*◇**bee** [biː] 〈동음어 be〉 명 꿀벌
(예) as busy as a *bee* 몹시 바쁜
파 **béehive** 명 꿀벌집 **béekeeper** 명 양봉가 **béeline** 명 (벌집으로 돌아가는 벌의 진로와 같은) 일직선, 직선《2점 간의 최단 거리》

beech [biːtʃ] 〈동음어 beach〉 명 너도밤나무, 그 재목

◇**beef** [biːf] 명 쇠고기
파 **beefsteak** [bíːfstèik] 명 비프스테이크

◇**beer** [biər] 명 맥주
파 **béerhouse** 명 비어홀 **draught beer** 생맥주

beet [biːt] 〈동음어 beat〉 명 사탕무

◇**bee·tle** [bíːtl] 명 딱정벌레; 근시(近視)인 사람; 메, 큰 망치
(예) blind as a *beetle* ↔ *beetle* blind 아주 심한 근시안의

be·fall** [bifɔ́ːl] 자 타 《-fell*** ; ***-fallen***》 (신변에) 일어나다 (=happen to), 신변에 닥치다(=fall upon)
(예) An unforeseen disaster *befell* him. 뜻하지 않은 재난이 그에게 닥쳐왔다. // What *befell* him? 그의 신상에 무슨 일이 생겼는가?

☆**be·fore**★ [bifɔ́ːr] 부 ① 《위치·장소》 ~ 앞에(=ahead), 전방에(=in front)
(예) go *before* 앞(장)서서 가다 // look *before* and after 앞뒤를 보다 // There were trees *before* and behind. 앞에도 뒤에도 나무가 있었다.
② 《때·시간》 이전에(=previously)
(예) the day *before* 그 전날 // long *before* 훨씬 이전에 // I have never seen it *before*. 나는 그것을 이전에 본 일이 없다. // I had met him five years *before*. 나는 그를 그때부터 5년 전에 만난 일이 있다.
— 전 ① ~앞에(=in front of), ~보다 전에
(예) sit *before* him 그의 앞에 앉다 // the question *before* us 우리 앞에 놓인 문제 // *before* noon 정오 전에 // *before* dark 어둡기 전에 // He appeared *before* the

court. 그는 출정(出廷)했다. // Please come *before* five (o'clock). 다섯 시 전에 와 주시오.

② ~보다는 오히려(=rather than), ~에 우선하여

(예) choose freedom *before* fame. 명예보다 자유를 택하다 // I would die *before* yielding. 굴복하느니 차라리 죽을 테다.

— 접 ① ~보다 앞에

(예) I had not waited long *before* she came. 얼마 기다리지 않아서 그녀가 왔다. // Morning had come *before* I knew it. 모르는 사이에 아침이 되었다. // It will not be long *before* he comes. 그는 곧 올 것이다.

② ~보다는 오히려

(예) I would die *before* I steal. 도둑질을 하느니보다 차라리 죽겠다. // He would die *before* he would live on in shame. 그는 수치스럽게 살아 가느니보다 차라리 죽음을 바랄 것이다.

어법 ago와의 차이에 관해서는 ago를 참조할 것.

반 behínd 후방에, 늦게 áfter 다음에, 뒤에

파 ***befórehand** 부 미리

before long 머지 않아, 곧(=soon)

(예) It will be recognized *before long.* 그것은 머지 않아 인정받을 것이다.

NB *long before*「훨씬 전에」와 구별할 것.

be·friend [bifrénd] 타 도와주다(=aid), ~의 편이 되다

***beg** [beg] 자 타 청하다, 원하다, 빌다 (=beseech); 구걸하다(=ask for in charity), 빌어먹다

(예) He *begged* (me) *for* water. 그는 물을 (나에게) 청했다. // *beg* money *of* 〔*from*〕 people 사람들에게 돈을 달라고 청하다 // I *begged* him *to* stay. ↔ I *begged that* he (should) stay. 나는 그에게 있어 달라고 청했다. // I *beg* a favor *of* you. 너에게 부탁이 있다.

어법「청하다」beg for,「원하다」beg (~) of라고 전치사를 쓸 때가 있다: May I *beg of* you *to* do it? (그것을 해 주시겠습니까?)

파 (⇨) **beggar**

beg one's pardon 사과〔사죄〕하다, 용서를 빌다

어법 I beg your pardon. 끝을 내려 발음하면「실례합니다」, 올려 발음하면「실례지만 다시 한번 말씀해 주십시오」의 뜻.

be·get [bigét] 타 《***-got*** ; ***-gotten***, ***-got***》 생기게 하다, 일으키다; (아버지가 자식을) 보다, 낳다(*cf.* bear)

(예) Money *begets* money. 돈이 돈을 낳는다.

beg·gar* [bégər] 명 거지; 가난뱅이

(예) *Beggars* must not be choosers. 〖속담〗 빌어먹는 놈이 이밥 조밥 가리랴.

파 **béggarly** 형 거지 같은 **béggary** 명 거지 신세; 빈궁

☆**be·gin** [bigín] 타 자 《***began*** ; ***begun***》 시작하다, 착수하다

반 end, fínish 끝나다

(예) *begin* to write 〔writing〕 쓰기 시작하다 // Today we

begin at page 30, line 5. 오늘은 30페이지의 다섯째 줄부터 시작한다.

어법 「~부터 시작하다」는 from을 쓰지 않고 begin *at* six [*on* Monday, *in* January]와 같이 말한다.

파 ◦**begínner** 명 초학자, 초보자 ***begínning** 명 시초, 단서

begin by** do**ing 우선 ~하기부터 시작하다

(예) I *began by* read*ing* the preface. 나는 우선 서문부터 읽기 시작했다.

◦***begin with*** ~부터 시작하다

(예) What shall I *begin with?* 무엇부터 시작할까? // The word *begins with* a consonant. 그 말은 자음부터 시작한다.

****at the beginning of*** ~의 처음에

(예) *at the beginning of* this term 이번 학기 초에

◦***in the beginning*** 처음에, 태초에

(예) You will find it difficult *in the beginning*. 너에게 그것이 처음에는 어려울 것이다.

*◦***to begin with*** 우선 첫째로(=in the first place)

(예) *To begin with,* he is very kind. 우선 첫째로 그는 매우 친절하다.

be·guile [bigáil] 타 속이다(=deceive); (한가한 시간 따위를) 잊게 하다

파 be (=to)+guile (=cheat 속이다)

(예) He *beguiled* her (*out*) *of* her money. 그는 그 여자를 속여서 돈을 빼앗았다. // He *beguiled* me *into* accepting it. 그는 나를 속여서 그것을 받아들이게 했다. // I *beguiled* my journey *with* reading. 나는 독서를 하면서 여행의 지루함을 덜었다.

파 **begúilement** 명 파적, 기만

***be·half** [bihǽf / -hɑ́ːf] 명 위함, 이익

NB 숙어로만 쓰인다.

in behalf of ~을 위하여, ~의 이익이 되도록

(예) I spoke *in behalf of* the accused. 나는 피고를 옹호하여 변론했다.

on behalf of ~을 대표[대리]하여, ~을 위하여

(예) I went there *on behalf of* him. 나는 그를 대리해서 거기에 갔다.

*◦**be·have**★ [bihéiv]★ 자 행동하다(=act), 예절 바르게 행동하다

어법 타동사로 쓰면 **behave oneself**로서 위에 말한 뜻과 같아진다.

(예) He doesn't know how to *behave* upon these occasions. 그는 이런 경우에 어떻게 행동해야 하는지 모른다. // He *behaves* him*self* like a gentleman. 그는 신사처럼 행동한다.

*◦**be·hav·io(u)r**★ [bihéivjər]★ 명 행위, 행실, 태도

◦***be* [*stand*] *on* one*'s good* [*best*] *behavior*** 근신중이다; 얌전하게 있다

(예) You should *be on* your *best behavior* with her. 너는 그 여자에게 얌전하게 굴어야 한다.

☆**be·hind** [biháind, bə-] [부] 뒤에, 뒤떨어져, 남아; 배후에 [전] ~의 뒤에, ~에 뒤떨어져, (지능 따위가) ~보다 못하여 [명] 뒤, 배후; 엉덩이

[반] befóre 앞에

(예) from *behind* the curtain 커튼 뒤에서 // He has someone *behind* him. 그에겐 누군가 배후의 인물이 있다.

[파] **behindhand** [형][부] 뒤떨어진, 뒤떨어져서

behind the times 시대에 뒤떨어져서

(예) Those who do not read newspapers are apt to be *behind the times.* 신문을 읽지 않는 사람은 시대에 뒤떨어지기 쉽다.

behind time 시간에 늦게, 지각하여

(예) The train was twenty minutes *behind time.* 기차는 20분 연착했다.

[NB] 앞의 *behind the times* 와 혼동하지 말 것.

be·hold [bihóuld] [타] ⟪*-held*⟫ 보다, 바라보다 (=look at, see)

(예) Lo and *behold !* 어찌된 셈인가! 저런! // *Behold !* There goes the man. 봐라! 그 사나이가 간다.

[파] **behólder** [명] 구경꾼(=onlooker)

▶ 34. 고장이 바뀌면

corn이라는 말이 가리키는 것은 여러 가지가 있다. 우선 England에서는 wheat, barley, oats, rye, maize 등. 그 중에서도 말의 사료로서는 oats, 사람의 식용으로는 wheat를 가리키는 것이 통례이다. 그런데 Scotland에서는 oats를 가리키며, America에서는 maize를 뜻하는 것이 보통인 것처럼 고장에 따라서 그 가리키는 것이 바뀐다.

주의해야 할 것은 미국에서 단지 **corn**이라 하면 가축용의 옥수수로서 문자 그대로 사람은 먹을 수 없는 것이다. 사람이 먹는 것은 sweet corn이다.

be·hoove [bihú:v] [타] ~하는 것이 …의 의무이다.

(예) *It behooves* him *to* do so. 그렇게 하는 것이 그의 의무이다. (↔ It is his duty to do so.)

[어법] 항상 *it* 를 수반하여 쓰인다.

be·ing [bí:iŋ] [자] be의 현재 분사 [명] 실재, 존재(=existence); 사람; 본질(=essence); [B-] 신(=God)

(예) a human *being* 인간 // come into *being* 태어나다, 생기다 // the Supreme *Being* 절대자, 신

belch [beltʃ] [자][타] 트림하다; 분출하다; (화염, 연기 따위를) 내뿜다; (폭언을) 내뱉다 [명] 트림 (소리); 폭발음; 분출; 〖미〗 불평

(예) The volcano *belched forth* 〔*out, up*〕 flame and smoke. 화산은 화염과 연기를 내뿜었다. // a *belch* of flame 확 내뿜는 화염

be·lief* [bəlí:f] [명] 신념, 신앙; 신뢰

(예) My *belief* is that it will end in failure. 내가 믿는 바로는 그것은 실패로 끝날 것이다. (↔ I believe that ~.)

be·lieve* [bəlí:v] [자][타] 믿다(=trust); 생각하다(=think),

신용하다
반 doubt 의심하다
(예) ◇*believe* it or not 믿든 안 믿든 // I *believe* you. ↔ I *believe* what you say. 네 말을 믿는다. // I *believe* him (*to be*) honest. ↔ I *believe* (*that*) he is honest. 나는 그를 정직하다고 생각한다.
파 **belíevable** 형 믿을 수 있는 ◇**belíever*** 명 믿는 사람, 신도(a *believer* in Christianity 기독교 신자)

B

*◇***believe in*** ~을 신뢰하다; ~의 존재를 믿다
(예) They *believed in* progress. 그들은 진보가 있을 것이라고 믿고 있었다. // *believe in* God 신을 믿다

◇***make believe*** ~로 뵈게〔믿게〕 하다, ~인 체하다
(예) They *made believe* they were princes. 그들은 왕자인 것처럼 했다.

***bell** [bel] 명 종, 방울 타 방울을 달다
(예) a chime of *bells* (교회의) 종소리 // I heard the alarm *bell*. 경종 소리가 들렸다.
파 **béll-house** 명 종각(鐘閣)

bell the cat 자진하여 어려운 일을 맡다 《이솝 우화에서》

◇**bel·low** [bélou] 자 타 큰 소리로 울다, 울부짖다(=roar) 명 크게 우는 소리; 《*pl.*》 풀무

◇**bel·ly** [béli] 名 배, 위(=stomach)

*◇**be·long** [bilɔ́ːŋ / -lɔ́ŋ] 자 (~에) 속하다, ~의 것이다 [~ to]
(예) Which club do you *belong to* ? 너는 어느 클럽에 속해 있느냐? // ◇The blue coat *belongs to* Mary. 파란 코트는 메리의 것이다.
파 **belóngings** 명 《*pl.*》 소유물, 재산; 휴대품, 부속물

◇**be·lov·ed** [bilʌ́vid, -vd] 형 가장 사랑하는, 귀여운; 애용하는 명 애인(=darling)
NB beloved의 과거 분사로서는 [bilʌ́vd].

***be·low** [bilóu] 부 아래에, 하계(下界)에(=on earth) 전 ~보다 아래에(=lower than); ~할 가치가 없는
반 abóve 위에
NB over는 under의 반대어.
(예) from *below* 아래로부터 // *below* contempt 경멸할 가치도 없는 // Such a thing is *below* notice. 그런 것은 대수롭지 않다.
NB *bellow* 「큰 소리로 울다」와 혼동하지 말 것.

*◇**belt** [belt] 명 띠(=band); 지대(=zone) 타 띠를 매다, 두르다(=surround)
(예) *belt* a sword on 칼을 차다

☆**bench** [bentʃ] 명 벤치, 긴 의자
파 **béncher** 명 벤치에 앉은 사람, 보트를 젓는 사람

◇**bend** [bend] 타 자 《***bent***》 구부리다, 구부러지다, (마음 따위를) 기울이다, (시선, 진로 따위를) 향하다 [~ to, toward, on, upon, at]; (몸을) 굽히다; 굴복하다(=yield) [~ to] 명 굴곡(=bending), 절(=bow)

(예) He is *bent* with age. 그는 나이가 많아서 허리가 꼬부라졌다. // We cannot *bend* him from his purpose. 그의 목적을 바꿀 수는 없다. // *bend* one's steps 〔way〕 to the house 집쪽으로 발길을 돌리다 // I *bent to* his will. 나는 그의 의지에 굴복했다.

(*be*) *bent on* ~에 열중하고 있는, ~을 결심하고 있는
(예) He *is bent on* becoming a vocalist. 그는 성악가가 되기로 결심하고 있다.

be·neath [biníːθ] ㉠ ~바로 밑에, ~할 가치가 없는, ~보다 낮은(=below) ㉥ 아래에
반 on 위에, abóve ~의 위쪽에
(예) be *beneath* criticism 비평할 가치도 없다 // It is *beneath* the dignity of a gentleman. 그것은 신사의 위신을 떨어뜨리는 것이다.
어법 「~의 바로 밑에」의 뜻으로는 요즘은 보통 below, under를 쓴다.

ben·e·fit [bénəfit] ㉢ 이익(=profit); 특전, 은혜(=favor) ㉣㉤ 이익이 되다(=profit), 은혜를 베풀다
원 bene(=good)+fit(=do)
반 loss 손실
(예) be of great *benefit* to ~에 크게 이익이 되다 // You will *benefit from* 〔*by*〕 a holiday. 휴가를 얻으면 좋아질 것이다. // A gentle exercise *benefits* all the pupils. 가벼운 운동은 모든 학생에게 유익하다.

> **▶ 35. 접두어 bene, beni**
> **bene, beni**는 「선(善)·양(良)」(good)을 나타낸다.
> (예) *bene*fit, *bene*factor, *beni*gn 따위.

파 **bénefactor** ㉢ 은인, 후원자 **benefáction** ㉢ 은혜, 자선 **benéficence** ㉢ 선행, 자선 **benéficent** ㉦ 자혜로운 **benéficently** ㉥ 자혜롭게 ***benefícial** ㉦ 유익한 (be *beneficial* to ~에 유익하다) **benefícially** ㉥ 유익하게 **benévolence** ㉢ 선의, 자비심, **benévolent** ㉦ 자혜로운 **benévolently** ㉥ 자혜롭게

for the benefit of ~을 위하여, ~의 이익을 위하여
(예) He traveled *for the benefit of* his health. 그는 건강을 위하여 여행했다.

be·nign [bináin] ㉦ 인자한, 상냥한, 친절한(=gracious, kind, generous); (기후·풍토·영향 따위가) 온화한(=mild)
반 malígn (병이) 악성인
(예) a *benign* old lady 친절한 노부인 // a *benign* climate 온화한 기후

bent [bent] ㉢ 경향, 성벽; 굴곡

be·numb [binʌ́m] ㉤ 무감각하게 하다, 마비시키다, 저리게 하다[~ by, with]; 실신케 하다; 멍하게 하다
원 be(=make)+numb(=insensible 무감각한)
(예) be *benumbed with* 〔*by*〕 cold 추위에 마비되다
파 **benúmbed** ㉦ 감각을 잃은, (손·발 따위가) 곱은

be·queath [bikwíːð, -kwíːθ] ㉤ 유언으로 물려주다

(예) He *bequeathed* her the old house. ↔ He *bequeathed* the old house to her. 그는 그녀에게 그 낡은 집을 유언으로 물려 주었다.

파 **bequéathment** 명 유언으로 물려줌, 유증(遺贈), 유산

be·reave [bərí:v] 타 《**bereaved, bereft**》 (희망·기쁨 따위를) 빼앗다 [~ of]; (죽음이 사람을) 빼앗아가다

(예) Death *bereaved* him *of* his only child. 그는 외아들을 잃었다.

어법 「희망·즐거움 따위를 빼앗다」란 뜻의 과거·과거 분사는 bereft, 「죽음이 사람을 빼앗아가다」란 뜻일 때는 bereaved

the *bereaved* family of the war dead 전쟁 유가족

파 **beréaved** 형 (가족 따위를) 여읜 **beréavement** 명 사별(死別)

be·ret [bəréi / bérei] 명 베레 모자

berg [bə:rg] 명 빙산(=iceberg)

◇**ber·ry** [béri] 〈동음어 bury〉 명 장과(漿果), (일반적으로 핵이 없고 연한) 식용의 작은 과일《주로 딸기류》

berth [bə:rθ] 〈동음어 birth〉 명 (선실·침대차 따위의) 침대; 정박소

be·seech [bisí:tʃ] 타 《**besought**》 탄원하다(=ask eagerly), 간청하다(=implore)

원 be (=very)+seech (=seek 구하다)

(예) He *besought* an interview. 그는 면회를 간청했다. // I *beseech* you *to* listen. ↔ I *beseech that* you *may* listen. 제발 들어봐라.

파 **beséechingly** 부 간청하여, 탄원하듯이

be·set [bisét] 타 《**beset**》 포위하다, 습격하다(=attack); 괴롭히다(=harass)

> ▶ **36. 접두어 be**
>
> **be**는 타동사를 만들 때에 쓰인다.
>
> ① 명사·형용사에 붙어서 (예) *be*friend, *be*calm(가라앉히다)
>
> ② 자동사에 붙어서 (예) *be*speak(예약하다)
>
> ③ 타동사에 붙어서 「전연, 아주」의 뜻을 나타낸다. (예) *be*set

(예) a task beset by 〔with〕 difficulties 어려움 투성이의 일 // Troubles *beset* him. 그는 여러 가지 걱정으로 괴로움을 받았다.

파 **besétting** 형 붙어다니며 괴롭히는

☆**be·side** [bisáid] 전 ~의 곁에(=by); ~와 비교하여(=compared with); ~을 벗어나

(예) *beside* the mark 〔point〕 과녁을 벗어나서, 겨냥이 틀려서 // My merit is little *beside* yours. 나의 공적은 네 것에 비하면 보잘 것 없다.

◇***beside oneself*** 정신을 잃고, 미쳐

(예) They were quite *beside* them*selves* with joy. 그들은 미친 듯이 기뻐했다.

***be·sides** [bisáidz] 전 ~외에(=in addition to), ~을 제외하고(=except) 부 게다가 또(=moreover), 그 밖에(=else)

(예) I don't like it; *besides* it's too dear. 마음에 들지도 않고, 게다가 너무 비싸다. // Many people were there *besides* me. 그 곳에 나 이외에도 많은 사람들이 있었다. // ◦*Besides* being a poet, he is a musician. 그는 시인일 뿐만 아니라 음악가이기도 하다. (↔ He is not only a poet but (also) a musician.)
[어법] ① beside와 구별할 것. ② 부정·의문에서는 except의 뜻: Nobody knew it *besides* me. (나 이외에는 아무도 그것을 몰랐다)

B

be·siege [bisíːdʒ] [타] 포위하다; 몰려들다; (요구·질문 따위로) 몰아세우다, 괴롭히다
(예) *besiege* a city 도시를 포위 공격하다 // He was *besieged* by callers. 그는 손님 공세를 받았다. // be *besieged with* questions 질문 공세를 받다

best [best] [형] 가장 좋은, 최선의 [부] 가장 잘 [명] 최상, 최선
[원] good, well의 최상급　　[반] worst 가장 나쁜
(예) Do it as *best* (as) you can. 할 수 있는 한 최선을 다하라.
[파] **bést-known** [형] 가장 잘 알려진, 가장 유명한

at best 기껏해야, 잘해야
(예) Books can *at best* present only a theory. 서적이란 기껏해야 어떤 이론을 제시할 따름이다.
[NB] *at one's best* 「한창 때에」와 혼동하지 말 것.

at one's best 한창 때에, 활짝 피어, 전성기에
(예) The cherry blossoms are *at* their *best*. 벚꽃이 한창이다. // He is *at* his *best* in this essay. 그는 이 수필이 최고의 작품이다.

do one's best 최선을 다하다
(예) Everyone should *do* his *best*. 각자는 최선을 다해야 한다.

to the best of ~하는 한(에서는)
(예) *to the best of* my knowledge 내가 아는 바로는 // *to the best of* one's power 힘이 자라는 데까지

be·stow [bistóu] [타] 수여〔부여〕하다, (선물로) 주다(= give as a gift, confer)
(예) God *bestowed* happiness *upon* us. 하느님은 우리들에게 행복을 주셨다.
[파] **bestówal** [명] 증여, 선물

bet [bet] [자][타] 《**bet, betted**》 걸다 [명] 내기, 내기에 건 돈
(예) I *bet* you. 〘미·속어〙 틀림없이, 꼭 // I'll *bet* you *on* it. 그것에 관해서 너와 내기라도 하겠다. // I will *bet* the horse 10 dollars. ↔ I will *bet* 10 dollars *on* the horse. 그 말에 10달러 걸겠다. // We *bet that* he would win. 우리는 그가 승리한다고 걸었다. // I *bet* him two dollars *that* she would succeed. 그 여자가 성공하지 못하면 2달러 주겠다고 그와 내기를 했다.

be·take [bitéik] [타] 《**betook ; betaken**》 ~로 향하다; ~에 호소하다; 정성을 쏟다

(예) He *betook* him*self to* the river. 그는 강으로 향해 갔다.

◇**be·tray** [bitréi] [타] 배신하다, (조국·친구를) 팔다; 밀고하다, 폭로하다(=reveal, show)
(예) *betray* one's country *to* an enemy 적에게 나라를 팔다 // *betray* one*self* (무심결에) 본성을〔정체를〕 드러내다 // His face *betrays* his fear. ↔ His face *betrays* him *to be* in fear. 공포가 그의 얼굴에 나타나 있다.
[파] **betráyal** [명] 배신 **betráyer** [명] 배신자, 매국노

B

☆**bet·ter**★ [bétər] [형] 더 좋은, 더 한층 나은 [부] 더욱 잘, 더 한층 낫게 [자][타] 좋아지다, 개선하다(=improve)
[원] good, well의 비교급 [반] worse 더욱 나쁜
(예) feel *better* (기분이) 전보다 나아지다 ([NB] 형용사 well의 비교급) // This is the *better* of the two. 둘 중에서 이것이 더 좋다.
[어법] I like it very *much.*와 같이 like를 수식하는 much의 비교급은 more, most가 아니라 *better, best*가 보통이다.
[파] **bétterment** [명] 개선, 개량(=improvement); 등귀

all the better 오히려 더 좋게, 그만큼 더욱 (*cf.* all the more)
(예) I like her *all the better* for it. 그러므로 오히려 더욱 그녀가 좋다.

◇(***be***) ***better off*** 더욱 부유한, 형편이 더 나은
(예) He would be *better off* if he had worked harder. 더 열심히 일했더라면 그는 더 잘 살 텐데.
[NB] *well off* 의 비교급.

◇***for the better*** 나은 쪽으로, 호전〔개선〕의
(예) change *for the better* 호전되다

☆**be·tween**★ [bitwí:n] [전] ~의 사이에 [부] 사이에
[어법] *between* 은 두 사물의 사이란 뜻으로 쓰는 것이 보통이며, 셋 이상인 경우에는 *among*을 쓴다.
(예) *between* the lines 언외〔말 밖〕에; 숨은 뜻을 짐작하여 // *Between* astonishment and delight, she could not speak even a word. 놀랍기도 하고 기쁘기도 하여 그녀는 한 마디도 못했다.

between ourselves 〔***you and me***〕 우리끼리만의 이야기이지만

bev·er·age [bévəridʒ] [명] 마실 것, 음료

◇**be·ware** [biwɛ́ər] [자][타] 조심하다, 주의하다 [~ of]
(예) *Beware of* pickpockets. 소매치기를 조심하십시오. // *Beware lest* you (*should*) fall into this mistake again. 또 이런 오류를 범하지 않도록 주의해라.
[어법] 명령문에 많이 쓰인다. 그 밖에 조동사 뒤나 *to* 뒤에만 쓰인다.

◇**be·wil·der** [biwíldər] [타] 어리둥절하게 하다(=confuse), 당황하게 하다, 어쩔 줄 모르게 하다
[파] **bewíldering** [형] 어리둥절한 **bewílderingly** [부] 당황하여, 어리둥절해서 **bewílderment** [명] 당황, 어리둥절함

be·yond [bijánd / -jɔ́nd] 전 《위치》 ~의 저편에; 《시간》 ~을 지나서; 《정도》 ~ 이상으로(=more than) 부 저편에, 그 밖에
(예) *beyond* doubt 의심할 여지 없이, 물론 // That's *beyond* me. 그것은 모르겠다. (↔I cannot understand [do] that.) // There's nothing *beyond*. 저쪽에는 아무 것도 없다.

beyond description* 형언할 수 없을 정도로, 무어라고 말할 수 없이
(예) The beauty of the place is *beyond description*. 그 곳의 아름다움은 이루 다 말할 수 없을 정도다.
어법 *beyond* 다음에 추상 명사를 쓰는 경우가 많다. 그 중의 중요한 것으로는 *beyond* measure 「엄청나게」, *beyond* one's power 「힘이 미치지 않는」, *beyond* all praise 「아무리 칭찬해도 지나치지 않는」, *beyond* comparison 「이 위에 더 없이」 따위.

bi·as [báiəs] 명 치우침; (마음의) 경향, 편견, 선입관[~ toward, for, against] 타 《***-ased, -assed***》 편견을 갖게 하다
(예) He has a *bias toward* [*against*] the plan. 그는 그 계획에 처음부터 호의를[반감을] 갖고 있다. // a *biased* view 편견 // be *biased* against ~에 편견을 가지다
파 **bías(s)ed** 형 치우친

Bi·ble [báibl] 명 [the ~] 성경

bi·cen·ten·ni·al [bàisenténiəl, -njəl] 형 2백 년(째)의; 2백 년 (기념)제(祭)의 명 2백 년(기념)제; 2백 년(째); 2백 년기(忌)

> ▶ **37. 접두어 bi**
> **bi**는 「2, 양(兩), 복(複)·중(重)」(two) 따위를 나타낸다.
> (예) *bi*cycle, *bi*centennial

bick·er [bíkər] 자 말다툼[언쟁]하다(=quarrel) [~ over, about], 졸졸 흐르다(=babble); 가물거리다 명 말다툼, 언쟁; 졸졸거림

bi·cy·cle [báisikəl] 명 자전거
원 bi (=two)+cycle (=wheel 바퀴)
(예) go on a *bicycle* [by *bicycle*] 자전거로 가다
파 **bícyclist** 명 자전거 타는 사람

bid [bid] 자 타 《***bid, bad, bade; bidden, bid***》 명령하다(=command); 말하다, 고(告)하다(=tell); 값을 매기다 명 매긴 값, 입찰
(예) I *bade* him farewell. ↔I *bade* farewell *to* him. 나는 그에게 작별 인사를 했다. // He *bid* ten dollars *for* the bicycle. 그는 자전거 값을 10 달러로 매겼다.
어법 ① 이 동사의 활용형에 주의할 것. 「값을 매기다」란 뜻으로는 무변화. ② 「명령하다」란 뜻으로는 사역 동사로서 「bid+목적어+원형부정사」의 형식을 취한다. 오늘날에는 문어에만 쓰이고 그 대신 command, tell 따위를 쓴다.
파 **bídder** 명 입찰자 **bídding** 명 입찰, 명령

big [big] 형 큰(=large), 중요한; 거드름피우는(=very proud)

B

반 líttle, small 작은 《small은 large의 반대말이기도 하다》
파 **bígly** 부 젠체하며, 거드름 부리며 **bígness** 명 크기, 위대 **Big Ben** 빅벤《영국 국회 의사당 탑 위의 Westminster clock에 달린 큰 시계종》 **Big Dipper** 북두칠성 **big game** 큰 시합; 큰 사냥감, 맹수 사냥

▶ **38.** 「큰」의 유사어
big는 특히 용적·체적의 크기에 쓰인다. **large**는 주로 길이·넓이·분량·비율 등의 크기에 쓰고 **great**는 정도의 크기에 쓰인다. big와 large에서는 big쪽이 구어적이다.

◇**bike** [baik] 명 자 자전거(로 가다); 오토바이(를 타다)
파 ◇**bíke-riding** 명 자전거 타기
◇**bi·ki·ni** [bikí:ni] 명 비키니《여자 수영복》
***bill** [bil] 명 어음, 계산서; 〔미〕 지폐(=〔영〕 note); 광고(지), 삐라; 부리 (*cf.* beak)
파 **bíllboard** 명 게시판 **bill of sale** 매도 증서
◇**bil·liards** [bíljərdz] 명 《단수·복수 동형》 당구(撞球)
◇**bil·lion** [bíljən] 명 〔미·프〕 10억(=a thousand millions), 〔영·독〕 1조(=a million millions); 무수
◇**bil·low** [bílou] 명 큰 파도(=big wave)
반 rípple 잔 물결, 작은 파도
bi·month·ly [baimʌ́nθli] 형 부 한 달 걸러의〔서〕; 한 달에 두 번의(=semimonthly) 명 격월 간행물
*◇**bind**★ [baind] 자 타 《***bound***》 매다(=tie), 속박하다, 의무를 지우다(=oblige) 명 묶은 것, 끈
반 loose 풀다, líberate 해방하다
(예) *bind* the papers *into* a bundle 신문을 묶어 다발 짓다 // *bind up* a wound 상처를 붕대로 묶다 // I must *bind* you *to* secrecy. 비밀은 꼭 지켜주어야 되겠습니다.
파 **bínder** 명 묶는 사람; 제본업자 **bíndery** 명 제본소 **bínding** 명 장정; 제본 형 묶는; 의무적인
bind oneself to do ~할 것을 약속하다, 맹세하다
(예) He has *bound* him*self* *to* complete it in a year. 그는 그것을 1년 내에 완성하겠다고 약속했다.
◇(***be***) ***bound up with*** ~와 이어져 있는, ~와 밀접한 관계가 있는
bi·o·chem·is·try [bàioukémistri] 명 생화학(生化學)
*◇**bi·og·ra·phy** [baiágrəfi / -ɔ́g-]★ 명 전기(傳記), 전기 문학
원 bio(=life)+graph(=write)+y(명사 어미)
파 **biográphic, -cal** 형 전기의 **biográphically** 부 전기적으로, 전기상으로 ***biógrapher** 명 전기 작가 (⇨) **autobiography**
◇**bi·ol·o·gy** [baiálədʒi / -ɔ́lə-] 명 생물학
원 bio(=life)+logy(=science)
파 *◇**biológic, -cal** 형 생물학의 ◇**biólogist** 명 생물학자
◇**bio·med·i·cal** [bàioumédikəl] 형 생물 의학의
◇**bi·on·ics** [baiániks / -ɔ́n-] 명 〔미〕 《단수 취급》 생체〔생물〕공학

bi·o·sphere [báiəsfìər] 명 〖우주〗 생물권(圈)
birch [bəːrtʃ] 명 자작나무
bird [bəːrd]* 명 새; 사람, 놈
(예) a queer *bird* 괴짜 // kill two *birds* with one stone 일석이조 // *Birds* of a feather flock together. 〖속담〗 깃털이 같은 새는 함께 모인다《유유상종》.
파 **bírdman** 명 《*pl.* -men》 비행사 **bird's-eye view** [bə́ːrdzai vjúː] 조감도(鳥瞰圖)
birth [bəːrθ] 〈동음어 berth〉 명 출생, 탄생; 태생, 혈통 (=family line), (특히 좋은) 가문; 기원(=beginning)
반 death 사망
(예) the *birth* of a new country 새 국가의 탄생 // He was of low *birth.* 그는 비천한 태생이었다. // The average life expectancy of Egyptian *at birth* was thirty years. 이집트인의 출생시의 평균 예상 수명은 30 세였다.
파 ***bírthday** 명 탄생일 **bírthmark** 명 모반(母斑); 특징 **bírthplace** 명 출생지 ***birth rate** 출생률
by birth 출생이, 태생은
(예) He is a nobleman *by birth.* 그는 태생이 귀족이다.
give birth to ~을 낳다; ~의 원인이 되다
(예) She *gave birth to* a son. 그 여자는 아들을 낳았다.
bis·cuit [bískit] 명 비스킷 (*cf.* cracker)
bish·op [bíʃəp] 명 주교, 감독
bit [bit] 명 작은 조각(=small piece), 소량, 조금; 송곳의 뾰족한 끝
(예) break into *bits* 산산이 깨지다 // I was in Seoul for a *bit.* 잠시 서울에 있었다.
bit by bit 조금씩, 점차로
a bit of 한 조각의, 소량의
(예) She has learned *a bit of* English. 그녀는 영어를 조금 배웠다.
a (little) bit 조금
(예) Wait *a bit.* 잠깐 기다려. // I was *a* (*little*) *bit* surprised. 나는 좀 놀랐다.
every bit 어느 모로 보아도, 전혀, 전부
(예) He is *every bit* a gentleman. 어느 점으로 보아도 그는 신사다. // We ate *every bit* of our lunch. 점심을 완전히 먹어 치웠다.
bite [bait] 자 타 《***bit; bitten, bit***》 물다, 물어뜯다 명 묾, 한 입(의 음식); 침식(浸蝕)
(예) Let me have a *bite.* 한 술 뜨게 해주시오.
어법 빈대·이·벼룩 따위가 무는 것은 *bite,* 벌 따위가 쏘는 것은 *sting.*
파 **bíter** 명 무는 사람; 사기꾼 **bíting** 형 찌르는 듯한, 신랄한 **bítingly** 부 호되게, 살을 에듯이, 신랄하게
bite into ~을 베어먹다; 먹어들어가다, 부식하다
(예) We *bit into* the apples at once. 우리는 즉시 사과를 베어먹었다.

*bit·ter [bítər] ⓗ 쓴, 혹독한(=hard); 쓰라린(=painful) ⓜ ⟪the bitter(s)로 하여⟫ 쓴맛, 고난
반 sweet 단, 단 것
(예) *bitter* experience 쓰라린 경험 // a *bitter* quarrel 심한 말다툼
파 bítterly ⓑ 혹독하게, 비통하게 bítterness ⓜ 쓰라림, 격렬, 비통

B

bi·zarre [bizɑ́:r] ⓗ 〔프〕 기괴한

☆black [blæk] ⓗ 검은, 캄캄한(=dark), 음울한(=dismal); 나쁜(=not good) ⓜ 검정색, 검정옷, 흑인(=Negro) ⓙⓣ 검게 하다, 구두약으로 닦다
반 white 흰, 흰색, 흰 옷, 백인
파 blácken ⓣ 검게 하다 bláckish ⓗ 거무스름한 bláckbird ⓜ 〔미〕 찌르레기, 〔영〕 지빠귀 *bláckboard ⓜ 칠판 bláckIist ⓜ 요주의 인물 명단, 요시찰인 명부 bláckmail ⓜ 갈취, 공갈 ⓣ 갈취하다 bláckmailer ⓜ 공갈자 black market 암시장 bláckout ⓜ 등화 관제 bláċksmith ⓜ 대장장이, 대장간

blad·der [blǽdər] ⓜ 방광(膀胱), 기포(氣胞)

blade [bleid] ⓜ 풀잎; 칼날
어법 *blade*는 풀이나 벼과 식물의 가늘고 긴 잎을 말하며, 나뭇잎은 *leaf*, 바늘 같은 잎은 *needle* 이라고 한다.

*blame [bleim] ⓣ 책망하다(=accuse), ~의 탓으로 돌리다 ⓜ 책망, 나무람(=finding fault); 책임
반 praise 칭찬, 칭찬하다
(예) lay 〔put〕 the *blame* on ~에게 죄를〔책임을〕 씌우다 // The engineer *got the blame for* the mistake. 그 기사는 실수에 대해서 비난을 받았다. // He *blamed* me *for* the accident. ↔ He *blamed* the accident *on* me. 그는 사고의 책임이 내게 있다고 했다.
파 blámable ⓗ 비난할 만한 blámeless ⓗ 결백한, 나무랄 데 없는 blámelessly ⓑ 나무랄 데 없이 bláme worthy ⓗ 비난할 만한

be to blame 책망받아야 하다, ~이 나쁘다
(예) I *am to blame* for it. 그것은 내가 나쁘다.

blanch [blæntʃ / blɑ:ntʃ] ⓙⓣ 바래다, 표백하다; (안색이) 창백해지다
(예) He *blanched with* fear. 그는 두려워서 창백해졌다.

blank [blæŋk] ⓜ 백지, 여백 ⓗ 백지의; 공백의
(예) Fill the *blank* spaces. 빈 칸을 채워라. (↔ Fill in the *blanks*.)
어법 미국에서는 각자가 써 넣어야 할 여백의 난이 있는 각종의 용지를 *blank*라고 할 때가 있으나, 영국에서는 *form*을 쓴다.

blan·ket [blǽŋkit] ⓜ 담요 ⓣ 담요로 싸다
(예) The snow *blanketed* the ground. 눈이 땅을 덮었다.

blare [blɛər] ⓙⓣ (나팔 따위가) 울려 퍼지다, 큰 소리로 외치다 ⓜ (나팔의) 울림; 고함

blast [blæst / blɑ:st] ⓜ 한바탕 부는 바람, 돌풍(突風); 폭

발 ㉠㉣ 폭발하다(=explode); 말라죽게 하다(=wither), 망치다(=do great damage)
(예) a strong *blast* of wind 한바탕 부는 강풍 // We saw navvies *blasting* rocks. 공사장의 인부들이 바위를 폭파시키는 것을 보았다.

blaze [bleiz] ㉢ 불꽃(=bright flame) ㉠㉣ 타오르다, 밝게 빛나다; 널리 알리다, 포고하다 [~ abroad]
(예) a *blaze* of fire 화염 // the *blaze* of day 백주의 강한 빛 // The fire sprang into a *blaze*. 불이 확 타올랐다. // The big building was *blazing* with lights. 그 큰 건물은 불빛으로 빛나고 있었다.
파 **blázer** ㉢ 운동복; 빛나는 것 ◦**blázing** ㉦ 타오르는 (듯한)

bleach [bli:tʃ] ㉠㉣ 표백하다(=make white)
파 **bléacher** ㉢ 표백업자; 《보통 *pl.*》 (옥외 경기장의 지붕 없는) 관람석

bleak [bli:k] ㉦ 황량한(=desolate), 쓸쓸한(=dreary), 한랭한(=cold)
(예) a *bleak* view 황량한 경치 // a *bleak* wind 찬 바람 // a *bleak* prospect 어두운 전망

bleat [bli:t] ㉠㉣ (양·염소·송아지가) 매애 울다; 재잘거리다; 우는 소리를 하다 ㉢ (양·염소·송아지의) 울음 소리

bleed [bli:d] ㉠㉣ 《*bled*》 피를 흘리다; 애통해 하다
(예) *bleed* at 〔from〕 the nose 코피를 흘리다 // *bleed* to death 출혈하여 죽다 // My heart *bleeds for* him. 그의 일을 생각하니 가슴이 아프다.
NB *breed* 「번식시키다, 기르다」와 혼동하지 말 것. 명사는 blood.

blend [blend] ㉠㉣ 《*blended*, 〖시〗 *blent*》 혼합하다, 섞다(=mix) ㉢ 혼합, (색깔·담배·차 따위의) 혼합물
반 sort 분류하다
(예) green *blended with* blue 파랑이 섞인 녹색 // Oil and water will not *blend*. ↔ Oil will not *blend with* water. 기름과 물은 섞이지 않는다.

***bless** [bles] ㉣ 《*blessed, blest*》 축복하다, 찬미하다(=praise), 감사하다
반 curse 저주하다
NB blessed는 과거, 과거 분사일 때 [blest]로, 형용사일 때 [blésid]로 발음한다.
(예) *Blessed* [blésid] are the pure in heart. 마음이 청결한 자는 복이 있도다.《성경》
파 **blessed** [blésid] ㉦ 신성한; 축복받은; 행복한; 고마운 **blésseedness** ㉢ 행복, 행운 **bléssing** ㉢ 축복, 천은(天恩)
(*be*) *blessed with* ~의 혜택을 받는
(예) He *is blessed* [blest] *with* good health. 그는 건강의 혜택을 받고 있다.

***blind** [blaind] ㉦ 눈 먼, 맹목적인(*cf.* deaf, dumb), 막다른; (표면에) 보이지 않는 ㉣ 눈멀게 하다, 분간 못하게 하다 ㉢ 차양; (말의) 눈가리개; 병풍; 속임
(예) be *blind of* an eye 〔*in* one's left eye〕 한쪽 눈〔왼쪽

눈]이 멀다
[파] **blíndly** [부] 맹목적으로 ◇**blíndness** [명] 맹목, 무분별 **blínder** [명] 《보통 *pl.*》 (말의) 눈가리개 가죽 ◇**blíndfold** [형] 눈이 가려진, 무분별한(=rash) **blind flight** 〔**flying**〕 맹목〔계기〕 비행

(**be**) ***blind to*** ~이 보이지 않는, ~을 모르는
(예) He *is blind to* its importance. 그는 그 중요성을 알아차리지 못하고 있다. // He *is blind to* his own defects. 그는 자기의 결점을 모른다.

B

◇**blink** [bliŋk] [자][타] 깜박거리다, 힐끔 보다 [명] 깜박거림
◇**blip** [blip] [명] (레이더의 스크린에 나타나는) 영상
bliss [blis] [명] 더할나위 없는 행복, 지복(至福)(=great happiness), 희열(喜悅)
[원] <bless 축복하다 [반] woe 비애, 고난
(예) Ignorance is *bliss.* 〖속담〗 모르는 것이 약.
[파] **blíssful** [형] 큰 복의, 기쁨에 찬
blis·ter [blístə*r*] [명] 물집 [자][타] 물집이 생기다〔생기게 하다〕
◇**bliz·zard** [blízə*r*d] [명] 눈보라
blob [blɑb / blɔb] [명] 물방울; 작은 얼룩 [자][타] ~에 얼룩을 묻히다(=blot)
*◇**block** [blɑk / blɔk] [명] 덩어리; 블록; (시가의) 한 구획; 방해 [타] 방해하다(=get in the way of), (통로를) 막다
(예) The building occupies a whole *block.* 그 건물은 한 구획 전체를 차지하고 있다. // The road was *blocked* by the heavy snowfall. 도로는 심한 눈으로 막혀 있었다.
[파] **blockáde** [명] 봉쇄 [타] 봉쇄하다 **blóckhead** [명] 멍청이, 바보
*◇**blond(e)** [blɑnd / blɔnd] [형] 금발(金髮)의 [명] (눈이 파랗고 살결이 흰) 금발의 사람
[파] ◇**blónd-haired** [형] 금발의
*◇**blood**★ [blʌd]★ [명] 피, 혈액; 혈통(=family line), 태생(=birth); 가문
(예) shed *blood* 피를 흘리다 // *Blood* will tell. 핏줄은 어쩔 수 없다. // Her *blood* was up. 그녀는 격노하고 있었다. // *Blood* is thicker than water. 〖속담〗 피는 물보다 진하다.
[파] ◇**blóody**★ [형] 피가 흐르는, 피투성이의, 피비린내 나는, 잔인한 **blóodily** [부] 피를 흘려서, 무참하게 ◇**blóodless** [형] 핏기 없는, 창백한, 무혈의 **blóodroot** [명] (뿌리가 붉은) 양귀비과의 식물 ◇**blóodshed** [명] 유혈, 살육 **blóodshot** [형] 충혈된 **blood vessel** 혈관 **blóodthirsty** [형] 피에 굶주린 **blood bank** 〖미〗 혈액 은행 (⇨) **bleed**

▶ **39.** 「금발」에 관해서
우리들은 구미 사람들의 머리털을 금발이라 하지만, 좀 더 세분하면 **golden** 「북유럽 사람에게 많고 엷은 황금색에 가까움」, **blond(e)** 「갈색 또는 다갈색이며, 남성에게는 blond를, 여성에게는 blonde를 씀」, **brunet(te)** 「거무스름한 피부·눈·머리털에 대해서 말하며 이탈리아인이나 스페인인에 많음」 따위의 형용사를 써서 구분한다.

◇**bloom** [blu:m] ⓜ 꽃(=flower) (*cf.* blossom); 개화(開花); 한창때(=prime) ⓙ 꽃이 피다, 개화하다(=blossom); 한창이다
반 fade 시들다, 쇠퇴하다
(예) ◇be in *bloom* 피어 있다 // be in full *bloom* 만발하다, 한창이다 // The plum-trees have come into *bloom.* 자두꽃이 피었다. // He is still in the *bloom* of thirty-five. 그는 아직 서른 다섯의 한창때이다.
파 **blóoming** ⓗ 활짝 핀, 한창때의

▶ **40.**「꽃」의 유사어
flower가 일반적인 말이다. **bloom**은 장미·국화꽃과 같은 관상용의 꽃이고 **blossom**은 과실나무의 꽃을 가리킨다.

◇**blos·som** [blɑ́səm / blɔ́s-] ⓜ (특히 과실의) 꽃, 개화(시) ⓙ 꽃이 피다, 개화하다(=bloom); 번영하다
(예) The cherry-trees are now in full *blossom.* 벚꽃이 지금 만발해 있다.

blot [blɑt / blɔt] ⓜ 얼룩(=spot, stain), 결점(=fault), 흠 ⓙⓣ 더럽히다, 얼룩지게 하다; 지우다
반 cleanse [klenz] 청결하게 하다
(예) That building is a *blot* on the landscape. 저 건물은 풍경을 손상시키고 있다.
파 **blotting paper** 압지

blot out (글자 따위를) 지우다; (경치 따위를) 가려 안 보이게 하다

◇**blouse** [blaus / blauz] ⓜ (여성·어린이용의) 블라우스

*◇**blow** [blou]* ⓙⓣ 《***blew*** [blu:]; ***blown*** [bloun]》 불다, 취주(吹奏)하다; 허풍치다; 꽃피다; 코를 풀다 ⓜ 한바탕 붊, 취주; 뽐냄; 코를 풂; 고래의 물뿜기; 타격
(예) *blow* one's nose 코를 풀다 // It 〔The wind〕 is *blowing* hard. 강한 바람이 불고 있다. // The dead leaves are *blowing* about. 낙엽이 바람에 흩날리고 있다. // It was a great *blow* to us. 그것은 우리에게 큰 타격이었다.
파 **blówer** ⓜ 부는 사람〔물건〕, 송풍기; 〖속어〗 허풍선이
blówy ⓗ 바람이 부는〔센〕(=windy)

blow down 불어 쓰러뜨리다
(예) The tree was *blown down.* 그 나무는 바람에 쓰러졌다.

◇***blow off*** 불어 날려 버리다; (증기 따위를) 내뿜다
(예) The wind *blew* my hat *off.* 바람에 모자가 날아가 버렸다.

◇***blow up**** 폭파하다
(예) Suddenly, the airplane *blew up* in midair. 갑자기 그 비행기는 공중에서 폭발하였다.

at a* 〔*one*〕 *blow 한 번 쳐서, 일격에
(예) He was knocked down *at a blow.* 그는 일격에 쓰러졌다.

☆**blue** [blu:]* 〈동음어 blew〉 ⓗ 파란; 우울한(=sad) ⓜ 파랑; 《*pl.*》 우울(=feeling sad)
(예) *blue* blood 귀족 태생, 명문 출신 // *blue* ribbon 가터 훈장의 푸른 리본, 최고의 명예 // be in 〔have〕 the *blues* 우울하다
파 ◇**blú(e)ish** ⓗ 푸른 빛을 띤

B

blue·ber·ry [blúːbèri] ㉮ 월귤나무의 일종; 그 열매

blue·print [blúːprìnt] ㉮ 청사진; 정밀한 계획 ㉳ 정밀한 계획을 세우다

bluff [blʌf] ㉮ 절벽; 오만한 태도, 허세(虛勢) ㉱ 절벽의; 무뚝뚝한 ㉲㉳ 고압적으로 위협하다, 허세를 부리다
  ㉴ **blúffness** ㉮ 무뚝뚝함; 절벽

B

blun·der [blʌ́ndər] ㉮ 큰 실수(=foolish mistake) ㉲㉳ 큰 실수를 하다, 실책을 하다, 망치다

◇**blunt** [blʌnt] ㉱ 무딘(=dull), 무뚝뚝한 ㉳ 무디게 하다
  ㉵ sharp 날카로운
  (예) be *blunt* in behavior 태도가 무뚝뚝하다 // *blunt* the edge of a knife 칼날을 무디게 하다

◇**blur** [bləːr] ㉲㉳ 부예지다, 희미해지다, 또렷치 않게 하다, 흐려지다(=dim); 더럽히다 ㉮ 흐림, 불명료; 얼룩(=stain)
  (예) The windows *blurred* with rain. 창문이 비로 흐려졌다. // It was only a *blur* to my sleepy eyes. 나의 졸린 눈에는 부옇게 보일 뿐이었다.

◇**blush** [blʌʃ] ㉲ 얼굴을 붉히다, 부끄러워하다〔지다〕(=be ashamed) ㉮ 얼굴을 붉힘, 홍조(紅潮)
  NB *brush* 「솔」과 혼동하지 말 것.
  (예) He *blushed for* shame. 그는 부끄러워 얼굴을 붉혔다. // He *blushed at* the thought of it 〔*to* think of it〕. 그는 그것을 생각하면 부끄러웠다. // She *blushed* red. 그 여자는 부끄러워 얼굴이 빨개졌다.
  ㉴ **blúshingly** ㉶ 얼굴을 붉히고

blus·ter [blʌ́stər] ㉲㉳ (바람·물결이) 거세게 휘몰아치다(=rage, storm); 뻐기다, 고함지르다

*◇**board** [bɔːrd] ㉮ 널빤지; 선내(船內); 식사; 회의; 원(院), 국(局) ㉲㉳ 승선〔승차〕하다; 하숙하다〔시키다〕, 식사를 제공하다
  (예) sit at the *board* 식탁에 앉다(↔sit at table) // *board* a train 열차를 타다 // He *boards at* his uncle's 〔*with* his uncle〕. 그는 아저씨 집에 하숙하고 있다.
  어법 영국에서는 주로 배에 탈 경우에 쓰이나, 미국에서는 열차·자동차에도 쓰인다. aboard 참조.
  ㉴ **bóarder** ㉮ 기숙생, 하숙인 **bóarding-house** ㉮ 하숙집; 기숙사 **bóarding-school** ㉮ 기숙 학교

◇***go* 〔*get*〕 *on board*** (배·비행기 따위에) 타다
  (예) He *got on board* at once. 그는 즉시 탔다.

on board 승선하여, 승차하여
  (예) The ship had 300 passengers *on board*. 그 배는 300명의 승객을 태우고 있었다.
  어법 *on board* (of) the ship 같은 표현에서는 보통 of를 생략.

*◇**boast** [boust] ㉲㉳ 자랑하다[~ of, that](=brag), 자랑거리로 가지고 있다 ㉮ 자랑
  (예) make a *boast of* ~을 자랑하다 // He never *boasts of* 〔*about*〕 his wealth. 그는 자기 재산을 절대로 자랑하지

않는다. // He *boasts* him*self* (*to be*) a patriot. ↔ He *boasts that* he is a patriot. 그는 애국자라고 뽐낸다.
[파] **bóaster** [명] 자랑쟁이, 허풍쟁이 **bóastful** [형] 자랑스러운, 풍떠는 **bóastfully** [부] 자랑스러운 듯이, 자랑스럽게

☆**boat** [bout]★ [명] 보트, 기선 [자][타] 보트를 젓다
(예) go by *boat* 배로 가다 // cross a river in a *boat* 보트로 강을 건너다 // row a *boat* 보트를 젓다
[파] **bóating** [명] 보트 젓기(go *boating* 보트 놀이를 가다) **bóathouse** [명] 보트 집 ◇**bóatman** [명] ((*pl.* -men)) 보트 젓는 사람 **boat race** 보트 경주

◇**bob** [bɑb / bɔb] [명] 단발; (말·개의) 자른 꼬리; 갑자기 움직임 [자][타] (상하 좌우로) 홱 움직이다; (여성이) 무릎을 굽혀 절하다; 단발로 하다

*◇**bod·y** [bɑ́di / bɔ́di] [명] 몸; 몸통; 나무의 줄기; 주요 부분, 본문; 시체; 신병(身柄); 단체
[반] mind 마음, soul 정신
(예) a *body* of girls 일단(一團)의 소녀 // in a *body* 한 덩어리가 되어 // A sound mind in a sound *body*. 〖속담〗 건전한 몸에 건전한 정신이 깃든다.
[파] **bódily** [형] 신체의; 유형의 [부] 온통, 그대로; 통째로 **bódyguard** [명] 호위(병)
give body and soul to ~에 전심 전력을 다하다

bog [bɑg, bɔːg / bɔg] [명] 수렁, 늪

◇**boil** [bɔil] [자][타] 끓다, 끓이다, 삶다; 분개하다 [명] 비등; 부스럼
(예) keep the pot *boiling* 그럭저럭 먹고 지내다 // His blood *boiled*. 그의 피는 끓었다. // He *boiled* me three eggs. ↔ He *boiled* three eggs *for* me. 그는 나에게 달걀 세 개를 삶아 주었다. // He *boiled* the egg soft. 그는 달걀을 반숙했다.
[어법] *The water is boiling. The kettle is boiling.* (주전자가 끓고 있다)와 같은 표현이 있음에 주의.
[파] **bóiling** [형] 들끓는, 격한 ◇**bóiler** [명] 기관(汽罐), 보일러 **boiling point** 비등점
boil down 끓여〔바싹〕 졸이다; 간단히 말하다, 요약하다 (=summarize)
(예) *boil* the news *down* 뉴스를 요약하다 // It *boils down* to this. 그것은 간단히 요약하면 결국 다음과 같이 된다.

bois·ter·ous [bɔ́istərəs] [형] 떠들썩한, (바람·바다·날씨가) 사나운(=stormy, violent), 거친(=rough)

*◇**bold** [bould] [형] 대담한(=fearless), 뻔뻔스러운; 뚜렷한
[반] shy 수줍은, cówardly 소심한 (*cf.* brave)
(예) a *bold* idea 대담한 생각 // the *bold* outline of the mountain 산의 뚜렷한 윤곽 // I am 〔make〕 *bold* to say that you are drinking too much. 실례지만 당신은 술이 과합니다.
[파] ◇**bóldly** [부] 대담하게 **bóldness** [명] 대담

Bol·she·vism [bɑ́lʃəvìzəm, bóul- / bɔ́l-] [명] 러시아 과격파

의 주장〔주의〕

bolt [boult] 명 전광; 볼트, 걸쇠, 빗장(=bar); 도망, 도주 자 타 도망하다(=run away); 걸쇠로 문을 잠그다

(예) a *bolt* from the blue 청천 벽력, 날벼락 // He *bolted* away with all the money. 그는 돈을 몽땅 갖고 도망갔다.

*bomb** [bɑm / bɔm]* 명 폭탄 자 타 폭격하다, 폭탄을 투하하다

파 **bombard** [bɑmbɑ́ːrd / bɔmbɑ́ːd] 타 포격하다, 폭격하다 **bombárdment** 명 포격, 폭격 **bomber** [bɑ́mər / bɔ́mə] 명 폭격기

bom·bast [bɑ́mbæst / bɔ́m-] 명 큰소리, 호언 장담(=tall talk)

bo·nan·za [bənǽnzə] 명 노다지판; 운수 대통

bond [bɑnd / bɔnd] 명 속박, 의무; 공채(公債), 증서 타 저당하다

(예) His word is as good as his *bond*. 그의 말은 전적으로 신용할 수 있다. // He asked me to renew the *bond*. 그는 나에게 증서를 갱신할 것을 요구했다.

파 **bóndman** 명 ((*pl.* -men)) 농노(農奴), 노예 **bóndsman** 명 ((*pl.* -men)) 〖미〗 농노; 보증인

bond·age [bɑ́ndidʒ / bɔ́nd-] 명 속박, 굴레; 노예의 신분

***bone** [boun] 명 뼈; ((*pl.*)) 골격 타 (고기의) 뼈〔가시〕를 발라내다

반 flesh 살

파 **bóny** 형 뼈가 많은, 뼈만 앙상한

bon·fire [bɑ́nfàiər / bɔ́nfàiə] 명 (축제일이나 놀이 또는 신호를 위하여 노천에 피우는) 화톳불, 모닥불

bon·net [bɑ́nit / bɔ́n-] 명 보닛((여성용의 테가 없는 모자)); 〖영〗 (자동차의) 엔진 덮개(=〖미〗 hood)

bo·nus [bóunəs] 명 상여금, 보너스, 배당금

book [buk] 명 책, 서적, 권(卷), 편(編), 장부 타 (장부에) 기입하다; 표를 발행하다; 예약하다; 예정하다

(예) *book* a passage *for* 〔*to*〕 New York 뉴욕까지의 선실을 예약하다 // The room is *booked up*. 그 방은 예약되어 있습니다.

> ▶ **41.** 「책」의 유사어
> **volume** 내용의 종합과 관계없이 한 권의 책 모양을 갖춘 서적, **book**은 내용이 종합된 한 권의 책을 말한다. 그러나 대개의 경우 book=volume으로서 book 쪽이 일반적으로 쓰인다고 생각하면 된다.

파 **bóokish** 형 서적상의; 딱딱한 **bóokbinder** 명 제본업자 **bookkeeper** 명 부기계원 **bóokkeeping** 명 부기 **booklet** [búklit] 명 소책자, 팜플렛 **bóokmaker** 명 저술가, 편집자 **bóokplate** 명 장서표 **bóokseller** 명 〖영〗 책방, 서적상인 **bóokshelf** 명 책꽂이 **bóokstore** 명 〖미〗 책방, 서점 (=〖영〗 bookshop) **bookworm** [búkwə̀ːrm] 명 좀; 독서광

boom [buːm] 명 (대포 따위의) 울리는 소리; 벼락 경기〔인기〕 타 우르르〔쾅, 붕붕〕 울리다; 벼락 경기를 띠게 하다

(예) a war *boom* 군수(軍需) 경기 // a *boom* town 〖미〗 갑자기 생겼다가 곧 쇠퇴하는 도시 // Every market is *booming*. 어느 시장이나 호경기다.

◦**boom·er·ang** [búːməræ̀ŋ] ㊐ 부메랑; 자업자득이 되는 것 ㉶ (부메랑처럼) 되돌아오다 [~ on]; 자업자득이 되다

boon [buːn] ㊐ 은혜(=blessing), 고마운 선물 ㊗ 유쾌한

◦**boost** [buːst] ㊅ 밀어올리다, (값을) 올리다 ㊐ 밀어올림
(예) *boost* (*up*) prices 물가를 올리다 // a *boost* in prices 물가의 상승

*◦**boot** [buːt] ㊐ 〘미〙 장화(=high boot); 〘영〙 목이 긴 구두
㉯ **bóotblàck** ㊐ 〘미〙 (길가의) 구두닦이(=〘영〙 shoeblack)

to boot 게다가, 더욱이
(예) He is lame *to boot.* 게다가 그는 다리까지 전다.

◦**booth** [buːθ / buːð] ㊐ 작은 (칸막이) 방, 매점, 임시로 지은 오두막; 전화실

*◦**bor·der** [bɔ́ːrdər] 〈동음어 boarder〉 ㊐ 경계(=boundary), 가장자리(=edge) ㉶ ㊅ 인접하다(=be next to); 가장자리를 달다
(예) They camped on the *border* of a lake. 그들은 호반에서 야영했다. // His land *borders on* mine. 그의 땅은 내 땅과 인접해 있다.
㉯ **bórderland** ㊐ 국경 지대 **bórderline** ㊐ 국경선, 경계선

*◦**bore**★ [bɔːr] ㊅ 싫증나게 하다(=tire), 진력나게 하다; 구멍을 뚫다 ㊐ 귀찮은 것, 귀찮은 사람, 진절머리나는 것, 싫증나는 일
(예) get *bored* 싫증나다 // His old jokes *bore* me. ↔ I *am bored with* 〔*by*〕 his old jokes. 그가 언제나 하는 농담에 진력이 난다.
㉯ ◦**bored** ㊗ 지루한, 싫증나는 ***bóredom** ㊐ 권태, 따분함 ◦**bóring** ㊗ 지루한, 따분한

***born** [bɔːrn] ㊗ 타고난, 천성의, 선천적인
㉲ bear 「낳다」의 과거 분사　　㉥ acquíred 후천적인
(예) He is a *born* linguist. 그는 타고난 어학자다.

born of ~에서 태어난, ~ 출신의
NB *come of* 와 비교 대조할 것.
(예) He was *born of* German parents. 그는 독일인 양친에서 태어났다.

born to 〔***to*** *do*〕 ~로 태어난, ~을 타고난
(예) He was *born to* sorrows. 그는 슬픈 운명을 타고났다. // He was *born to* be happy. 그는 행복하게 태어났다.

*◦**bor·row** [bárou, bɔ́ː- / bɔ́r-] ㉶ ㊅ 빌리다, 차용하다; 모방하다(=copy)　　㉥ lend 빌려주다
(예) *borrow* money *from* 〔*of*〕 a friend 친구에게서 돈을 빌리다 // *Borrowing* makes sorrowing. 〘속담〙 빚은 근심의 원인. // This word was *borrowed from* French. 이 단어는 프랑스어로부터 차용되었다. // May I *borrow* your dictionary? 사전을 좀 빌려주겠느냐?
어법 ① 「~에게서 빌리다」의 「에게서」는 from 〔of〕로 나타낸다. ② 집·자동차 따위를 「빌리다」는 *rent.*
㉯ **bórrower** ㊐ 차용인

***bos·om** [búzəm]★ ㊐ 가슴(=human breast), 마음; 내부,

깊숙한 곳 [형] 친한, 가슴에 품은
(예) a *bosom* friend 친구(↔ a close friend) // in the *bosom* of a mountain 깊은 산 속에

◇**boss** [bɔːs, bɑs / bɔs] [명] 우두머리(=chief), 감독자; 〖미〗 (정당의) 영수(領袖)

*◇**bot·a·ny** [bɑ́təni / bɔ́t-] [명] 식물학
[파] ◇**bótanist** [명] 식물학자 ◇**botánical** [형] 식물학상의 **botanical gardens** 식물원

☆**both** [bouθ]★ [형] 양쪽의 [대] 양쪽 다 [부] ~도 …도
(예) *both* sides 양쪽 // *Both* are alive. 두 사람 모두 살아 있다.

[어법] ① 부정어와 함께 써서 부분 부정을 나타냄: *Both* of them are not alive. (둘 다 살아 있는 것은 아니다. ↔ One of them is dead.) 완전 부정은 *Neither* of them is alive. ② 어순에 주의: (1) 인칭 대명사+*both* (They *both* went.) (2) *both* +명사 (*Both* boys are happy.) (3) *both* +the 〔these, my 따위〕+명사 (*Both* the writers came.) The writers *both* came. 은 강조적. (4) 주어에 걸리는 *both* 가 뒤에 오는 경우 조동사나 연결 동사(주로 be)가 있으면 그 다음에 가져와도 된다: They are *both* happy. The boys have *both* gone to bed. ③ **both boys**와 **both *the* boys**는 같은 뜻. 이 점 all boys (모든 소년), all *the* boys(그 소년들 모두)의 경우와 다르다. ④ 부사로 쓰일 경우는 both ~ and 의 형식이 많다.

☆◇***both ~ and*** ~도 …도, 양쪽 다
(예) *both* by day *and* by night 낮이나 밤이나 // This is *both* cheap *and* good. 이것은 싸고도 좋다. // Exercise is good for *both* body *and* mind. 운동은 육체에도 정신에도 좋다.

[어법] ① *both* A *and* B의 A, B는 문법상 대등: both in Korea and America 는 불가. → both in Korea and *in* America. ② 부정은 neither ~ nor로 나타낸다.

*◇**both·er** [bɑ́ðər / bɔ́ðə] [타] [자] 괴롭히다, 근심〔걱정〕하다 (=be anxious) [~ about] [명] 성가심(=trouble), 귀찮은 일〔것〕
(예) What is all this *bother* about? 이 소동은 대관절 무슨 일이냐? // Don't *bother to* get dinner for me today. 오늘은 일부러 내 저녁 준비를 할 필요는 없다. // Tom *bothered* me *for* 〔*to* give him〕 the toy. 톰은 그 장난감을 달라고 귀찮게 졸라댔다.
[파] **bóthersome** [형] 번거로운

> ▶ **42.** 「괴롭히다」의 유사어
> **bother**는 당혹·걱정을 끼치거나 일 따위를 방해한다는 뜻이고, **annoy**는 bother에 의해서 「화나게 하다 ; 애태우다」란 뜻. **vex**는 annoy보다 더욱 강한 방해를 나타내고, 격심한 노여움이나 걱정을 일으킨다.

*◇**bot·tle** [bɑ́tl / bɔ́-] [명] 병, 술병 [타] 병에 넣다
(예) a *bottle* of beer 한 병의 맥주 // *bottle* up 병에 밀봉하다; (노여움 따위를) 억누르다
[파] **bóttled** [형] 병에 넣은 **bóttleneck** [명] 애로, 난관

bot·tom [bátəm / bɔ́t-] ⓜ 밑, 밑바닥(=the lowest part), (산 따위의) 기슭(=foot); 기초(=foundation); 진상 ⓗ 최저의, 밑바닥의
반 top 꼭대기
(예) the *bottom* of a well 우물 바닥 // at the *bottom* of the sea 해저에서 // get to the *bottom* of a matter 일의 진상을 규명하다 // from the *bottom* of one's heart 충심으로, 진심으로
파 **bóttomless** ⓗ 밑바닥이 없는, 밑바닥을 알 수 없는
bottom gear 〖영〗 최저속 기어(=〖미〗 low gear)
at bottom 마음 속은, 마음은(=at heart); 본심은
(예) He is, *at bottom,* an honest man. 그는 마음은 정직한 사람이다.
at the bottom of ~의 밑바닥〔구렁텅이〕에; ~의 밑에, 주원인으로
(예) He is *at the bottom of* his class. 그는 그의 반에서 꼴찌이다. // He is *at the bottom of* the scheme. 그는 그 음모의 밑바닥에 숨어 있다《그는 그 음모의 원흉〔장본인〕이다》.
bough [bau]* 〈동음어 bow〉 ⓜ 큰 가지(=main branch) (*cf.* branch)
bounce [bauns] ⓙⓣ (공처럼) 튀다, 튀어 오르다, 튀게 하다; 허풍 떨다 ⓜ 튀어 오름; 허풍
(예) He *bounced* out of the chair. 그는 의자를 박차고 일어났다.
파 **bóuncer** ⓜ 튀어 오르는 것〔사람〕 **bóuncing** ⓗ 튀어 오르는, 기운찬
bound* [baund] ⓜ 경계(=limiting line), 범위; 튐(=spring) ⓣⓙ ~을 경계짓다; 되튀다; 뛰어 가다 ⓗ ~행(行)의 [~ for]
(예) by leaps and *bounds* 급속도로 // England is *bounded* on the north by Scotland. 잉글랜드는 북쪽은 스코틀랜드와 접하고 있다.
파 **bóundless** ⓗ 끝없는, 무한(無限)의 **bóundlessly** ⓟ 무한히, 끝없이 ⁑**bóundary** ⓜ 경계
(*be*) *bound for* ~행의〔인〕
(예) I got on board a steamer *bound for* New Orleans. 나는 뉴올리안즈행의 기선에 올라 탔다. // The train *is bound for* Seoul. 그 열차는 서울행이다.
(*be*) *bound to do* ~하지 않으면 안 되는; 〖미〗 ~할 설심인
(예) I *am bound to* tell you. 자네에게 말하지 않으면 안 되겠네. // He *is bound to* go. 그는 꼭 갈 결심이다.
NB *bound to*와 *bound for*를 명백히 구별할 것.
at a bound 단 한 번의 도약으로, 일약
(예) Few men rise to eminence *at one bound.* 일약 저명해지는〔출세하는〕 사람은 적다.
boun·ty [báunti] ⓜ 관대함(=generosity); 활수함; 선물

(=gift); 장려금
(예) a *bounty* for manufacture 생산 장려금 // *bounties* on exports 수출품에 대한 보조금
㊀ **bóuntiful** ㊂ 풍부한, 후한, 관대한

bou·quet [boukéi, buː-] ㊔ 〘프〙 꽃다발, 부케; 향기(=sweet smell)

B

bow [bou, bau]* 〈동음어 bough [bau]〉 ㊔ 활; 절; 나비 매듭 리본〔넥타이〕; 선수(船首), 이물 ㊅㊆ 절하다, 복종하다, (머리를) 숙이다
반 stern 선미(船尾)
(예) draw 〔bend〕 a *bow* 활을 당기다 // The girl *bowed to* me. 소녀는 나에게 절을 하였다. // I *bow to* your opinion. 너의 의견에 따르겠다.
NB 「활」「나비 매듭 리본」일 때는 [bou], 기타는 [bau]로 발음한다.
㊀ **bowman** [bóumən] ㊔ 《*pl.* -men》 궁수(弓手)

bow·el [báuəl] ㊔ 《보통 *pl.*》 내장(=intestines), 장(腸), 내부; 인정(人情)

bow·er [báuər] ㊔ 정자(=summer house), 나무 그늘진 휴식처

bowl [boul]* ㊔ 사발, 바리; 나무공; 볼 ㊅㊆ (공 따위를) 굴리다
㊀ **bówling** ㊔ 볼링

box [bɑks / bɔks] ㊔ 상자; 관람석, 파수간; (법정의) 증인석, 배심석; 손으로 침(=blow) ㊅㊆ 상자에 넣다, 가두다; 권투하다
(예) give a person a *box* on the ear 따귀를 때리다
㊀ **bóxing** ㊔ 권투; 상자에 넣음 **bóxer** ㊔ 권투 선수 **box office** (극장 따위의) 매표소(賣票所)

boy [bɔi] 〈동음어 buoy〉 ㊔ 소년, 사내아이, 아들(=son) (*cf.* girl); 사동
㊀ **bóyish** ㊂ 소년 같은 **bóyhood** ㊔ 소년 시대 **boy scouts** 소년단

boy·cott [bɔ́ikɑ̀t / -kɔ̀t] ㊆ 공동으로 거래를 끊다, 배척하다 ㊔ 집단 배척, 보이콧

brace [breis] ㊆ 죄다; 분발시키다 ㊔ 한 쌍; 《*pl.*》 바지의 멜빵(=suspenders); 죔쇠, 꺾쇠, 거멀장
반 lóosen 늦추다
(예) a *brace* of wild ducks 야생오리 한 쌍 // *Brace up* your*self* to fight. 분발해서 싸워라.
㊀ **brácer** ㊔ 죄는 물건 **brácelet** ㊔ 팔찌

brack·et [brǽkit] ㊔ 까치발, 선반받이; 《보통 *pl.*》 (모난) 괄호 ㊆ 괄호로 묶다, 일괄하다 (*cf.* parenthesis [pərénθəsis] (둥근) 괄호)

braid [breid] ㊆ (리본 따위를) 엮다, 땋다 ㊔ (옷단 따위를 꾸미는 데 쓰는) 짠 끈; 땋은 머리

brain [brein] ㊔ 뇌; 《*pl.*》 두뇌, 지력(=intelligence)
(예) have good 〔bad〕 *brains* 머리가 좋다〔나쁘다〕

파 **bráinless** 형 머리가 나쁜 **bráiny** 형 〔구어〕 머리가 좋은 **brain trust** 정치 고문단, 브레인 트러스트 **bráinwashing** 명 세뇌(洗腦) **brain work** 머리를 쓰는 일, 정신 노동 **brain worker** 정신 노동자

***brake** [breik] 〈동음어 break〉 명 브레이크, 제동기 자 타 브레이크를 걸다
(예) apply 〔put on〕 the *brake* 브레이크를 걸다 // take off the *brake* 브레이크를 풀다

***branch** [bræntʃ / brɑːntʃ] 명 가지; 갈라져 나온 것, 지류(支流), 지점, 지부, 지선, 분가(分家); 학과, 부문 자 가지를 뻗다, 가지로 갈라지다
(예) a *branch* line 지선 // a *branch* office 지점 // The railroad tracks *branch off* in all directions. 철도 선로는 사방으로 갈라진다.

> ▶ **43.** 「가지」의 유사어
> 「가지」의 일반적인 말은 **branch**이지만, 「큰 가지」는 **bough**, 「작은 가지」는 **twig**, **spray**는 특히 끝이 갈라져 꽃이나 잎이 달린 작은 가지를 말한다.

brand [brænd] 명 불 붙은 나무(토막) (=a piece of burning wood); 상표, 낙인(烙印); 오명(汚名) 타 낙인을 찍다, 오명을 씌우다
(예) *brand* him *with* dishonor 그에게 오명을 씌우다 // He was *branded as* a swindler. 그는 사기꾼이라는 오명을 썼다.

brand-new [brǽndnjúː / -njúː] 형 아주 새로운, 신품의

bran·dy [brǽndi] 명 브랜디, 화주(火酒)

brass [bræs / brɑːs] 명 놋쇠; 뻔뻔스러움
(예) He is as bold as *brass.* 그는 몹시 뻔뻔스럽다.
파 **brássy** 형 놋쇠의, 값싼 **brazen** [bréizən] 형 놋쇠로 만든, 단단한; 뻔뻔스러운 타 뻔뻔스럽게 해내다 **brázen-faced** 형 철면피인, 뻔뻔스러운 **brazier** [bréizər / -zjə] 명 화로 **brass band** 취주 악단

***brave** [breiv] 형 용감한(=courageous); (복장이) 화려한 타 용감히〔굴하지 않고〕 해내다 [~ it out]
반 cówardly, tímid 겁 많은
어법 *brave*는 외면적인 용감성, *courageous*는 정신적인 용감성, *bold*는 스스로 위험을 무릅쓰고 나아가는 대담성.
파 ***brávely** 부 용감하게 **brávery** 명 용감; 화려함 (반 cówardice, timídity 겁)

bra·vo [brɑ́ːvou, brɑːvóu] 감 브라보!, 잘한다!, 좋다! (=Well done!)

brawn·y [brɔ́ːni] 형 (근육이) 억센, 튼튼한, 건장한

Bra·zil [brəzíl] 명 브라질
파 **Brazílian** 형 브라질(사람)의

breach [briːtʃ] 명 파약(破約) (=breaking a law or promise), 분열, 불화 타 (성벽 따위를) 부수다
원 <break

***bread** [bred]* 〈동음어 bred〉 명 빵, 식량
NB bread and butter [brédnbʌ́tər] 버터 바른 빵; 생업

(예) a slice of *bread* 빵 한 조각 // a loaf of *bread* 빵 한 덩어리 // Don't quarrel with your *bread and butter.* 생업을 잃을 짓은 하지 마라.

파 **bréadfruit** 명 빵나무(의 열매) **bréadwinner** 명 (한 가정의) 밥벌이하는 사람; 재원(財源)

***breadth** [bredθ, bretθ]★ 명 폭, 너비(=width); 넓이
원 <broad(형용사) 반 length 길이
(예) What we need in politics is *breadth* of vision. 정치에 필요한 것은 넓은 시야이다.

☆**break**★ [breik]★ 〈동음어 brake〉 타 자 ⟪*broke; broken*⟫ 부수다, (약속 따위를) 깨뜨리다, 중지하다; (말을) 길들이다(=bring under control) 명 깨짐, 갈라진 틈; 중단; 새벽
반 mend, repáir 수선하다
(예) ◇without a *break* 휴식도 없이 // at (the) *break* of day 새벽에 // *break* the record 기록을 깨뜨리다 // *break* a box open 궤짝을 부수고 열다 // Glass *breaks* easily. 유리는 깨지기 쉽다. // Day *breaks.* 날이 샌다.

어법 구체적인 것이나 추상적인 것〔법률 따위〕이라도, 방법을 묻지 않고 「파괴하다」가 근본적인 뜻. 격렬함이 더해지면 *smash, shatter, crash* 등의 단어가 쓰인다.

파 **bréakable** 형 깨지기 쉬운 **bréakage** 명 파손 ◇**bréak·er** 명 깨는 사람〔물건〕; 부서지는 파도 ◇**bréakdown** 명 고장; 쇠약; 몰락 **bréakneck** 형 위험한 ***bróken** 형 깨진; 기가 죽은

break away 도망치다(=escape), 이탈하다; (습관 따위를) 갑자기 그만두다
(예) *break away* from the conventions 전통을 깨다

◇***break down*** ~을 파괴하다, 쓰러뜨리다; 쓰러지다; 부서지다
(예) His car *broke down.* 그의 차가 고장이 났다.

break in (말을) 길들이다; (아이들을) 훈육하다; (강제로) 침입하다; 말참견하다
(예) He is *broken in* to the job. 그는 그 일에 이력이 나 있다. // Burglars have *broken in.* 강도들이 침입했다. // Don't *break in* on the conversation. 이야기하는 데 말참견하지 마라.

◇***break into*** ~에 침입하다; 별안간 ~하기 시작하다(=burst into)
(예) *break into* tears 갑자기 울기 시작하다 // Thieves *broke into* his house last night. 간 밤에 도둑이 그의 집에 들었다.

break loose 탈출하다, 도망치다
(예) One of the tigers in the zoo has *broken loose.* 동물원의 호랑이 한 마리가 탈출했다.

◇***break off*** ~을 꺾어 내다; (갑자기) 그만두다; 가로막다
(예) *break off* a branch of a cherry tree 벚나무 가지를 하나 꺾다 // The meeting was *broken off.* 회의는 중지되었다.

break out* (전쟁·화재 따위가) 일어나다; (종기가) 생기다; 탈출하다[~ from, of]; 갑자기 ~하기 시작하다[~ into, in]
(예) The Korean War *broke out* in 1950. 한국 전쟁은 1950년에 일어났다. // *break out of* prison 탈옥하다 // Fires *break out* from various causes. 화재는 여러 가지 원인으로 일어난다. // The king *broke out into* rage. 왕은 갑자기 불 같은 노염을 터뜨렸다.

break through ~을 밀어 젖히고 나아가다; (곤란을) 이겨〔뚫고〕 나가다
(예) He has *broken through* his reverse. 그는 역경을 극복했다.

break up 산회(散會)하다; 붕괴하다; 방학이 되다
(예) The meeting *broke up* in confusion. 그 회의는 혼란 속에 산회되었다.

break with ~와 관계를 끊다
(예) It is difficult for us to *break with* bad friends and habits. 나쁜 친구와 나쁜 습관을 끊는다는 것은 어렵다.

break·fast [brékfəst]* ㊀ 아침밥 ㉶㉣ 아침밥을 먹다(*cf.* dinner)
㉯ break+fast(단식) 즉「단식을 중지하고 식사를 하다」란 뜻.

break·through [bréikθrùː] ㊀ 적진 돌파(작전); (과학·기술 따위의) 획기적인 약진〔진전〕

breast [brest]* ㊀ 가슴(=chest), 마음(=heart), 유방(乳房) ㉣ ~을 정면으로 향하여 나아가다, 굳세게 대항하다, 가슴에 받다
(예) make a clean *breast* of ~을 속시원히 털어 놓다
㉰ **abréast** ㊊ 나란히 ◇**bréast-beating** ㊀ (고충·의혹 등을) 가슴을 치면서 호소함, 강력히 항의함 ㊕ 큰 소리로 호소하는 ◇**breast stroke** 개구리헤엄

breath* [breθ]* ㊀ 숨, 한 호흡; 미풍(微風)
(예) ◇draw a long 〔deep〕 *breath* 한숨쉬다, 심호흡하다 // hold one's *breath* 숨을 죽이다 // at a *breath* 단숨에 // a *breath* of air 미풍 // There is *not a breath of* suspicion. 의심할 여지가 추호도 없다.
㉰ ***bréathless** ㊕ 숨을 죽인; 숨을 거둔; 숨찬 **bréathlessly** ㊊ 숨을 죽이고; 숨을 헐떡이고 ◇**bréathtaking** ㊕ 깜짝 놀랄, 아슬아슬한 ◇**bréathtakingly** ㊊ 아슬아슬하게, 깜짝 놀랄 만하게

out of breath 헐떡이며, 숨이 차서(=breathlessly)
(예) He arrived there *out of breath.* 그는 숨을 헐떡이며 거기에 도착했다.

take (away) a person's breath 아무를 놀라게〔경탄하게〕 하다

breathe* [briːð]* ㉶㉣ 숨쉬다, 호흡하다; 휴식하다; 속삭이다
(예) *breathe* one's last 마지막 숨을 거두다, 죽다
어법 one's *last breath* 의 뜻으로, 동족 목적어를 생략한 형

식이다.

[파] **breather** [bríːðər] [명] 숨쉬는 것; 잠깐 쉼; 심한 운동
breathing [bríːðiŋ] [명] 호흡, 휴식; 미풍

◇**breech·es** [brítʃiz] [명] ⟪*pl.*⟫ 바지(=trousers), 반 바지

NB 발음에 주의. 단수형일 때는 [briːtʃ]로 「궁둥이」의 뜻이 된다.

B

◇**breed** [briːd] [자] [타] ⟪***bred***⟫ 기르다(=raise, bring up), 낳다(=produce), 양육하다; 생기게 하다(=cause) [명] 종족(種族)

(예) well〔ill〕-*bred* 품행이 좋은〔나쁜〕; 집안이 좋은〔나쁜〕 // born and *bred* 순수한, 토박이의 // His father *bred* him a lawyer. 그의 아버지는 그를 법률가로 키웠다. // War *breeds* misery. 전쟁은 불행을 낳는다.

[파] **bréeder** [명] (가축의) 사육자 ***bréeding** [명] 번식, 훈육
◇**breeding ground** 사육장, 번식지; 온상

*◇**breeze** [briːz] [명] 미풍(=light wind)

[반] gale 질풍

[파] **bréezy** [형] 산들바람이 부는; 쾌활한, 기운찬

breth·ren [bréðrən] [명] ⟪brother의 옛 복수형⟫ 동포, 동업자

brev·i·ty [brévəti] [명] 간결, 짧음, 간약

NB brief의 명사형. [반] compléxity 복잡

(예) *Brevity* is the soul of wit. 〖속담〗 재치의 극치는 간결한 데 있다.

brew [bruː] [자] [타] 양조(釀造)하다 [명] 양조(물)

◇**bribe** [braib] [명] 뇌물 [자] [타] 뇌물을 쓰다, 매수하다

(예) I *bribed* him *to* say nothing. 나는 그를 매수하여 아무 말도 못하게 했다.

[파] **bríbery** [명] 뇌물, 증회(贈賄)

*◇**brick** [brik] [명] 벽돌 [타] 벽돌을 깔다〔쌓다〕

[파] ◇**brícklayer** [명] 벽돌공

◇**bride** [braid] [명] 신부, 새색시 (*cf.* bridegroom)

[파] **brídal** [형] 신부의, 신혼의 **bridesmaid** [bráidzmèid] [명] 신부 들러리 **brídegroom** [명] 신랑

☆**bridge** [bridʒ]* [명] 다리, 선교(船橋); (의치(義齒)의) 틀; 브리지⟪카드놀이의 일종⟫ [타] 다리를 놓다

bri·dle [bráidl] [명] 구속(=restraint); 말 굴레; 고삐 [타] [자] 구속하다, 제어하다(=control); 굴레를 씌우다

*◇**brief** [briːf] [형] 단시간의, 간단한(=short), 짧은 [명] 요점, 대요

[파] ◇**bríefly** [부] 간단히 **bríefness** [명] 간략 (⇨) **brevity** **bríefcase** [명] 서류 가방

in brief 요컨대(=in short), 간단히 말하면

(예) *In brief,* I want some money. 요컨대 돈이 좀 필요하다.

bri·er [bráiər] [명] 찔레(=small bush which pricks the skin)

NB 영국에서는 briar 라고 쓴다.

***bright** [brait] [형] 밝은(=having light); 맑은(=fine), 명랑한, 쾌활한(=cheerful), 유망한; 영리한(=clever)

반 dark 어두운
(예) Your prospects are *bright*. 너의 앞날은 유망하다.
파 ◦**brighten** [bráitn] 타 빛나게〔밝게〕 하다, 즐겁게 하다 ◦**bríghtly** 부 밝게 ⁑**bríghtness** 명 밝게 빛남, 현명; 광도 ◦**bríght-eyed** 형 눈이〔눈매가〕 시원한〔또렷한〕

⁑**bril·liant** [bríljənt] 형 빛나는(=shining brightly), 찬란한; 뛰어난, 훌륭한(=splendid)
반 glóomy 음울한
(예) a *brilliant* idea 명안; 희한한 생각
파 **brílliantly** 부 찬란히, 훌륭히 ◦**brílliance, -cy** 명 광채; 재기 발랄

◦**brim** [brim] 명 가장자리, 언저리(=edge of a cup, hat, *etc.*), (호수 따위의) 물가
자 《brim over의 형식으로》 넘칠 정도로 채우다〔차다〕
파 **brímful(l)** 형 넘칠 정도의 **brímfully** 부 넘칠 정도로

⁑**bring** [briŋ] 타 《***brought*** [brɔːt]》 가져〔데려〕오다, 권하여 ~하게 하다; (상태·현상 따위를) 초래하다
반 take 가져〔데려〕가다 (*cf.* fetch)
(예) *Bring* me a chair. ↔ *Bring* a chair *to* me. 의자를 갖다 다오. // I could not *bring* him *to* consent. 나로서는 그의 승낙을 얻어낼 수가 없었다. // What *brought* you here today? 당신은 오늘 무슨 일로 여기에 왔습니까? // His visit *brought* the two nations *into* a better understanding. 그의 방문으로 두 나라 국민은 더 잘 이해하게 되었다.

bring about (일을) 일으키다; 정신 차리게 하다
(예) Gambling *brought about* his ruin. 도박으로 그는 파멸했다.

bring back 도로 찾다; 되부르다; 상기시키다
(예) The story *brought back* my happy days. 그 이야기를 듣고 행복했던 지난 날이 생각났다.

bring forth (열매를) 맺다, 생기다; 발표하다
(예) *bring forth* a plan 계획을 제시하다 // Idleness and luxury *bring forth* poverty. 나태와 사치는 가난을 낳는다.

bring forward (안건·논의 따위를) 제출하다
(예) *bring forward* a new scheme of taxation 새로운 과세안을 제출하다

bring ~ home to ~을 명심시키다, 뼈저리게 느끼게 하다; 생각나게〔회상케〕 하다
(예) The sound of church bells *brought home to* him the happiness he had lost. 교회의 종소리가 그에게 이미 돌이킬 수 없는 행복을 회상하게 했다.

bring in 가져오다, 소개하다; (소송을) 제기하다, (의안을) 제출하다; ~의 수입이 있다.
(예) Her extra job doesn't *bring in* much, but she enjoys it. 그녀의 아르바이트는 별로 수입이 많지 않으나 재미있게 하고 있다.

bring ~ into the world ~을 낳다
(예) He was *brought into the world* in 1975. 그는 1975년

에 태어났다.

◇**bring on** 가져오다; (일을) 야기시키다, 생기게 하다, 만들어내다

(예) His overwork *brought on* an illness. 그는 과로로 병이 났다.

◇**bring out** (뜻을) 분명히 하다, (진상 따위를) 밝히다; (색채 등을) 돋보이게 하다; 출판하다; (재능을) 발휘시키다; 생각해 내다

(예) *bring out* the point 요점을 밝히다

☆**bring** *one***self to** *do* 〔*do***ing**〕 ~할 마음이 생기다 《보통 부정적》

(예) I cannot *bring* my*self to* do it. 나는 그것을 할 마음이 도무지 나지 않는다.

bring to 의식을 회복시키다

(예) She will soon be *brought to*. 그녀는 얼마 안 있어 의식이 회복될 것이다.

bring to life 소생시키다

(예) *bring to life* a half-drowned victim of a wreck 파선으로 거의 죽게 된 희생자를 소생시키다

bring to light 공표하다, 밝히다

(예) A new fact was *brought to light*. 새로운 사실이 밝혀졌다.

bring to mind ~을 생각나게 하다

(예) That story *brings to mind* a similar experience. 그 이야기는 비슷한 경험을 생각나게 해 준다.

bring to pass 생기게 하다

*◇**bring up** 기르다, 교육하다; (화제 따위를) 내놓다

(예) She was *brought up* in America. 그녀는 미국에서 자랐다. // The question will be *brought up* again in the next meeting. 그 문제는 다음 모임에서도 제기될 것이다.

◇**brink** [briŋk] 명 (낭떠러지 따위의) 가장자리(=edge), 벼랑; 물가; 위기

(***be***) ***on the brink of*** 바야흐로 ~하려고 하는

(예) He *was on the brink of* death. 그는 죽음 직전에 있었다.

◇**brisk** [brisk] 형 활발한(=active), 빠른(=quick), 상쾌한

반 slow, slack, dull 활발치 않은

(예) He walked at a *brisk* pace. 그는 빠른 걸음으로 걸었다.

파 ◇**brískly** 부 활발하게, 민첩하게 **brískness** 명 활발

bris·tle [brísəl] 명 뻣뻣한 털《돼지 털 따위》 자 타 (털이) 곤두서(게 하)다; 밀생하다, (마스트 따위가) 빽빽하게 들어서다; 격노하다

(예) The roof *bristles with* chimneys. 지붕에는 굴뚝이 빽빽이 서 있다.

파 **brístled** 형 억센 털이 난, 빽빽하게 들어선 **brístling** 형 빽빽하게 들어선 명 청어속(屬)의 물고기

***Brit·ain** [brítən] 명 영국 《Great Britain 의 약칭》

***Brit·ish** [brítiʃ] 형 영국의 명 [the B-] 《집합적》 영국인

NB 개인은 Englishman.
(예) the *British* Commonwealth 영연방 // the *British* Empire 대영 제국
파 **Brítisher** 명 영국인(=Englishman)

broad [brɔːd]* 형 넓은(=wide); 관대한(=open, free); 밝은, 명료한(=clear)
반 nárrow 좁은
NB 명사형은 breadth.
(예) in *broad* daylight 백주에 // It is as *broad* as it is long. 폭도 길이도 같다 《결국 같은 것이다》.

▶ **44.** 「영국」의 명칭
Great Britain은 England, Scotland, Wales의 총칭으로, the British Empire는 영 본국(the United Kingdom), 자치령, 식민지의 총칭이나 현재는 쓰지 않으며, 그 대신에 공식으로는 the Commonwealth of Nations라고 한다.

▶ **45.** 「폭이 넓은」의 유사어
broad는 대단히 wide한, 특히 표면의 넓이를 강조한다.
wide는 가늘고 긴 물건의 폭을 나타낸다.

파 **bróaden** 타 넓히다 **bróadly** 부 널리, 분명하게 **bróad-mínded** 형 도량이 넓은

broad·cast [brɔ́ːdkæ̀st / -kɑ̀ːst] 타 자 《*-cast, -casted*》 방송하다; (소문 따위를) 퍼뜨리다 명 방송
파 **bróadcasting** 명 방송(a *broadcasting* station 방송국)

broad·side [brɔ́ːdsàid] 명 뱃전; (군함의) 우현 또는 좌현의 대포의 전부

broil [brɔil] 명 싸움, 소동; 굽기 자 타 싸움하다; 불에 굽다

bron·to·saur [brɑ́ntəsɔ̀ːr / brɔ́n-] 명 뇌룡(雷龍) 《공룡의 일종》

bronze [brɑnz / brɔnz] 명 청동, 청동제의 물건, 청동색(채료)

brooch [broutʃ]* 명 브로치

brood [bruːd]* 명 한배 병아리; 종족 자 타 심사 숙고하다 [~ (up)on, over]; 알을 품다
(예) *brood over* one's misfortune 불행을 곰곰이 생각하다

brook [bruk] 명 시내, 개울《river보다 작은 것》

broom [bru(ː)m] 명 비; 금작화(金雀花) 타 비로 쓸다

broth [brɔ(ː)θ] 명 (살코기·물고기의) 묽은 수프; 고깃국

broth·er [brʌ́ðər] 명 형제, 형, 아우(*cf.* sister); 동료, (종교상의) 동신자; 동국인, 동포
어법 「형」은 *elder* brother, 「동생」은 *younger* brother이지만 *elder, younger*를 특별히 명시하지 않을 때가 많다.
파 **brótherly** 형 형제의 **bróther-in-law** 명 《*pl.* brothers-in-law》 처남, 매부, 시숙 **brótherhood** 명 형제 관계, 형제의 우애

brow [brau]* 명 이마(=forehead); (산·낭떠러지의) 돌출한 끝(=edge of a hill); 눈썹(=eyebrow)

brown [braun] 형 갈색의 명 갈색, 갈색 채료, 갈색 옷 자 타 갈색으로 하다, 갈색으로 물들다
파 **brównish** 형 약간 갈색을 띤 **brown study** 멍하니 생각에 잠김, 공상

bruise [bruːz] 명 타박상 자 타 타박상을〔상처를〕 입다〔입

히다] (=injure) (*cf.* cut 벤 상처)
(예) I *bruised* my left hand. 나는 왼손에 타박상을 입었다. // Apples *bruise* easily. 사과는 흠이 생기기 쉽다.

brunch [brʌntʃ] ㉰ 〔구어〕 조반 겸 점심, 이른 점심

***brush** [brʌʃ] ㉰ 솔; 화필 ㉶㉻ 솔로 털다, 솔질하다, 스치고 지나가다
(예) Give it another *brush.* 다시 한 번 솔질해라.
㉯ **brúshy** ㉱ 더부룩한 **brush pencil** 화필

brush off (브러시로) ~을 털어 버리다, 청소하다; (제안 따위를) 퇴짜 놓다; (아무를) 내쫓다
(예) He *brushed off* the dust. 그는 먼지를 털어 버렸다. // The girl *brushed off* the bench. 소녀는 벤치 위를 털어냈다.

brush up 솔질을 하다; 다시 고쳐 하다
(예) *brush up* one's English 영어 공부를 다시 하다

◇**brusque** [brʌsk / bru(:)sk] ㉱ 무뚝뚝한
㉯ **brúsquely** ㉲ 퉁명스럽게

brute [bru:t] ㉰ 야수(같은 사람) ㉱ 짐승 같은, 동물적인
㉯ **brútal** ㉱ 야수적인, 잔인한 **brútally** ㉲ 야수와 같이 **brutálity** ㉰ 잔인 무도, 야수적 행위 **brútalize** ㉻ 야수처럼 되게 하다 **brútish** ㉱ 짐승 같은

bub·ble [bʌ́bl] ㉰ 거품 ㉶ 거품이 일다; 투덜거리다

buck [bʌk] ㉰ 수사슴

***buck·et** [bʌ́kit] ㉰ 바께쓰, 물통
㉯ **búcketful** ㉰ 한 바께쓰 가득(한 양) (a *bucketful* of water 한 바께쓰 가득한 물)

buck·le [bʌ́kl] ㉰ 죔쇠, 혁대 버클 ㉻ 죔쇠로 죄다; 전력을 다하다

◇**bud** [bʌd] ㉰ 싹, 봉오리 ㉶㉻ 싹트다, 봉오리를 갖(게 하)다

Bud·dha [búdə] ㉰ 부처; 석가모니
㉯ ◇**Búddhism** ㉰ 불교 ◇**Búddhist** ㉰ 불교 신자, 불교도

budg·et [bʌ́dʒət] ㉰ 예산(안) ㉶ 예산을 세우다, 예산을 짜다
(예) introduce 〔open〕 the *budget* (의회에) 예산안을 제출하다 // *budget for* the coming year 내년도 예산을 세우다
㉯ **búdgetary** ㉱ 예산에 관한, 예산의

buff [bʌf] ㉰ (물소 따위의) 담황색의 연한 가죽(으로 만든 군복); 담황색; 〔속어〕 ~팬, ~광(狂) ㉻ 연한 가죽으로 닦다; 담황색으로 물들이다

◇**buf·fa·lo** [bʌ́fəlòu] ㉰ 《*pl.* ***-los, -loes,*** 《집합적》 ***-lo***》 물소, 들소

bug [bʌg] ㉰ 〔영〕 빈대 (=bedbug); 〔미〕 갑충, 작은 벌레
㉯ **búggy** ㉱ 벌레투성이의 ◇**búghunter** ㉰ 곤충 채집가〔학자〕

bu·gle [bjú:gl] ㉰ 나팔 ㉶ 나팔을 불다
㉯ **búgler** ㉰ 나팔수

☆**build** [bild]★ ㉻㉶ 《***built*** [bilt]》 짓다, 세우다, 건축하다 (=construct); 쌓다, 쌓아 올리다 [~ up] ㉰ 구조, 골격

반 destróy 파괴하다
(예) *build* a fire 불을 피우다 // a house *built of* wood 목조 가옥 // I will *build* you a new house. ↔ I will *build* a new house *for* you. 너에게 새 집을 지어주겠다. // a man of sturdy *build* 늠름한 사나이
파 *búilder 명 건축가 (⇨) **building**
build up ~을 쌓아 올리다
(예) *build up* one's character 훌륭한 인격을 쌓다 // *build up* one's health 몸을 단련하다
build·ing [bíldiŋ] 명 건물, 빌딩, 건축
파 **building blocks** 집짓기 놀이의 나무토막
bulb [bʌlb] 명 구근(球根); 전구(電球) 자 구근이 생기다, 둥글게 부풀다
(예) an electric *bulb* 전구
bulge [bʌldʒ] 명 부풂; 불룩한 부분 자 타 부풀다, 부풀게 하다
(예) Their pockets *bulged out* with gold coins. 그들의 호주머니는 금화로 불룩했다.
bulk [bʌlk] 명 용적(=volume), 크기(=size); 뱃짐(=cargo); 태반(太半) 자 부풀다(=swell), 부피가 커지다 [~ up]
어법 「태반」의 뜻에서는 the를 붙인다: *the bulk of* his debt (그가 진 빚의 태반)
파 **búlky** 형 부피가 큰 **búlkily** 부 부피가 크게
in bulk 짐으로 꾸리지 않은 채로; 대량으로
(예) Tankers carry raw oil *in bulk*. 유조선은 원유를 용기에 담지 않고 나른다.
bull [bul] 명 황소 (*cf.* ox, cow)
(예) John *Bull* 영국인 (*cf.* Uncle Sam 미국인)
파 **búllfight** 명 (스페인의) 투우
bull·dog [búldɔ̀(:)g] 명 불독
bull·doz·er [búldòuzər] 명 불도저
bul·let [búlit] 명 탄환, 소총탄; 낚싯봉
파 **búlletproof** 형 방탄(防彈)의
bul·le·tin [búlətin] 명 공보, 회보, 고시(告示)
파 **bulletin board** 게시판
bul·ly [búli] 명 마구 으스대는 사람, 약한 자를 못살게 구는 자; 골목대장 자 타 마구 뽐내다, 위협하다
(예) *bully* a person *into* 〔*out of*〕 doing it 아무를 위협하여 그것을 하게〔못 하게〕 하다
bum·ble·bee [bʌ́mblbìː] 명 〖곤충〗 뒝벌
bump [bʌmp] 명 충돌, 부딪치는 소리 타 자 쾅하고 부딪치다 [~ against, into, on]
(예) *bump* one's head *against* the wall 벽에 머리를 부딪치다 // We *bumped into* each other. 우리는 서로 쾅하고 부딪쳤다.
파 **búmper** 명 완충기 **búmpy** 형 (길 따위가) 울퉁불퉁한; (차가) 덜컹거리는

◦**bun** [bʌn] ⓜ 작은 단 빵 《건포도가 든 단 롤빵》, 둥근 빵
◦**bunch** [bʌntʃ] ⓜ 송이, 다발; 무리, 떼 ⓣⓙ 다발로 하〔되〕다, 모이다
(예) a *bunch of* flowers 꽃 한 다발 // a *bunch of* cattle〔boys〕 소〔아이들〕의 떼
*◦**bundle** [bʌ́ndl] ⓜ 다발, 묶음 ⓣⓙ 묶다, 싸다
(예) a *bundle of* letters 편지 뭉치 // *bundle up* flowers 꽃을 묶다

B

◦**bunk** [bʌŋk] ⓜ (배·열차의 선반 모양의) 침대; 〖구어〗 침상 ⓙ 잠자리〔침대〕에서 자다
◦**bun·ny** [bʌ́ni] ⓜ 토끼; 다람쥐
◦**bu·oy** [bɔi 〈동음어 boy〉, bu:i] ⓜ 부표, 부이 ⓣⓙ 띄우다, 뜨다
buoy·ant [bɔ́iənt, bú:jənt] ⓗ 쾌활한 (=merry), 활기 있는; (물위에) 뜨는
반 dísmal 우울한
파 **búoyance**, ◦**búoyancy** ⓜ 부력(浮力); 경쾌
bur, burr [bə:r] ⓜ (밤·도꼬마리 따위 열매의) 가시
*◦**bur·den** [bə́:rdn] ⓜ 무거운 짐, 부담 ⓣ 짐을 지우다(=load heavily); 괴롭히다
반 líghten 가볍게 하다
(예) *burden* the people *with* heavy taxes 국민에게 중세(重稅)를 과하다 // He is a *burden to* 〔*on*〕 his family. 그는 가족에게 부담이 된다.
파 **búrdensome** ⓗ 무거운, 괴로운, 귀찮은
◦**bu·reau** [bjúərou] ⓜ 《*pl.* ***-reaux***》 국(局), 부, 처; 사무용 큰 책상; 〖미〗 옷장 「집권
파 ◦**bureaucracy** [bjuərɑ́krəsi / -rɔ́k-] ⓜ 관료 정치, 중앙
bur·glar [bə́:rglər] ⓜ 강도, 밤도둑 (*cf.* thief, robber)
(예) a *burglar* alarm 도난 경보기
파 **búrglary** ⓜ 강도죄, (야간) 불법 가택 침입
burn** [bə:rn] ⓙⓣ 《burnt, burned***》 타다, 볕에 타다; 열중하다; 태우다, 화상을 입(히)다(=hurt by fire) ⓜ 화상(火傷); 태워 그슬림; 볕에 탐
(예) ◦*burn* with anger 화가 불같이 치밀다 // ◦be *burned* to death 타 죽다
파 **burnt** ⓗ 탄 **búrning** ⓗ 열렬한, 불타는, 뜨거운
burn down 전소하다, 불기운이 약해지다
(예) His house was *burnt down.* 그의 집은 소실되었다.
burn to the ground 완전히 타다〔태우다〕, 전소하다
(예) His house (was) *burned to the ground.* 그의 집이 전소되었다.
◦***burn up*** 다 태워〔타〕 버리다; 〖미〗 열을 올리다
(예) The fire *burned up* more than $50,000 worth of antiques. 5만 달러어치 이상의 골동품들이 불타 버렸다.
(***be***) ***burnt to ashes*** 타서 재가 된; (집 따위가) 소실된
(예) Many houses *were burnt to ashes.* 많은 집이 소실되었다.

bur·row [bə́ːrou / bʌ́r-] ⓜ (굴·토끼 따위의) 굴; 피난처 ⓣ ⓙ 굴을 파다; 숨다

burst* [bəːrst] ⓙ ⓣ 《*burst*》 파열하다(=break), 폭발하다; 터지다, (갑자기) 일어나다 ⓜ 파열, 폭발, 돌발
(예) *burst* open the door 문을 홱 열다 // *burst* into a room 방으로 난입하다 // The box is *bursting* with gold and silver. 그 상자는 금과 은으로 가득 차 터질 듯하다.

burst into 갑자기 ~하기 시작하다
(예) *burst into* tears 갑자기 울음을 터뜨리다 // The oil lamp fell down on the floor and *burst into* flames. 오일 램프가 마룻바닥에 떨어져 순식간에 화염이 솟았다.

***burst on* 〔*upon*〕** ~에 갑자기 나타나다; ~을 엄습하다
(예) The view of the lake *burst on* our sight. 호수의 경치가 갑자기 우리의 눈 앞에 펼쳐졌다. // A violent storm *burst on* us. 사나운 폭풍우가 우리를 덮쳤다.

burst out do**ing 갑자기 ~하기 시작하다
(예) We both *burst out* laugh*ing*. 우리 둘은 와하고 웃음을 터뜨렸다.
　[어법] 현재 분사일 때는 *out* 를, 명사일 때는 *into* 를 취한다.

bur·y [béri]* 〈동음어 berry〉 ⓣ 묻다, 매장하다, 감추다; 몰두하다; 잊다
[반] dig 파다
(예) be *buried* alive 생매장되다 // *be buried in* thought 생각에 잠기다
[파] ◇**burial** [bériəl] ⓜ 매장(*burial* site 매장지)

bury* one*self in ~에 몰두하다, 파묻히다
(예) He *buried* him*self in* his studies. 그는 공부에 몰두했다.

bus [bʌs] ⓜ 《*pl.* **buses, busses**》 버스; 합승 마차 ⓙ 버스에 타다〔로 가다〕
[원] omnibus 의 단축형

> ▶ **46.** 「버스」의 유사어
> **bus**는 omnibus의 단축형이고, **coach**는 역마차에서 발전해 온 말이다. 영국의 2층의 버스는 보통 double decker라 한다.

bush [buʃ] ⓜ 덤불, 수풀(=thicket), 무성한 곳; 관목
(예) A bird in the hand is worth two in the *bush*. 〖속담〗 잡은 새 한 마리는 숲속의 새 두 마리의 가치가 있다.
[파] **búshy** ⓗ 관목과 같은; 관목이 많은; 털이 많은

bush·el [búʃəl] ⓜ 부셸 (《〖미〗 8 갤런》)

busi·ness [bíznis] ⓜ **직업**(=job, profession), 업무, 일(=work), 용건; 장사, 사업; 문제, 사항(=matter)
　NB [bízines]라고 발음하지 말 것.
(예) a man of *business* 실업가 // go into *business* 실업계에 나서다 // Mind your own *business*. ↔ None of your *business*. 네 할 일이나 해라, 남의 일에 간섭하지 마라. // *Business* is *business*. 장사는 장사다; 계산은 계산이다; 일이 제일.
[파] ***búsinessman** ⓜ 《*pl.* -men》 실업가 **búsinesslike** ⓗ 사무적인, 능률적인

◇***do business*** 장사하다, 상거래를 하다
(예) It's a pleasure to *do business* with you. 귀하와 거래를 하게 되어 기쁩니다.
on business 상용으로, 사업차; 용무가 있어
(예) He went abroad *on business.* 그는 사업차 외국에 갔다.

B

bust [bʌst] 명 흉상(胸像), 반신상; (여성의) 앞가슴(=breast)
◇**bus·tle** [bʌ́sl] 자 타 떠들다, 부산떨다, 재촉하다, 서두르다 명 소동, 야단법석
반 quíet 진정시키다; 평온
(예) He was *bustling about.* 그는 부산을 떨며 다녔다. // Tell him to *bustle up.* 그에게 서두르라고 말해라.
파 ◇**bústling** 형 떠들썩한, 번잡한, 설치는
☆**bus·y** [bízi]★ 형 바쁜, 번잡한 타 바쁘게 하다
반 ídle 일이 없는, free 한가한
(예) ◇be *busy with* one's work 일하느라고 바쁘다
파 **búsily** 부 바쁘게, 부지런히 **búsybody** 명 참견하기 좋아하는 사람
◇***be*** 〔***keep***〕 ***busy*** (***in***) *do**ing*** ~하느라고 바쁘다, 바쁘게 ~하고 있다
(예) I *am busy* prepar*ing* for the examination. 나는 수험 준비 때문에 바쁘다. // He *is busy* do*ing* something. 그는 바쁘게 무엇인가 하고 있다.
☆**but** [bʌt, bət] 〈동음어 butt〉 접 ① 그러나, 그래도
(예) I should like to come, *but* I don't have time. 가고는 싶으나 시간이 없다.
② ~이 아니고〔아니라〕
(예) He is not a young man *but* an elderly man. 그는 청년이 아니라 중년이다.
어법 **not** A ~ **but** B (A가 아니라 B): He is *not* a scholar *but* a teacher. (그는 학자가 아니라 선생이다)
③ ~ 않고는 (…안 하다), ~하기만 하면 반드시 (…하다)
(예) He is not so foolish *but* he can tell that. 그는 그것을 모를 정도의 바보는 아니다. // It never rains *but* it pours. 〖속담〗 비가 온다 하면 억수같이 쏟아진다.
어법 부정 구문에서: He is *not* so foolish *but* can do it.(↔ … *that* he can *not* do it.) // It *never* rains but it pours. (↔ It never rains without pouring.)
— 부 다만, 단지 ~만 (=only)
(예) She is *but* a child. 그녀는 단지 어린애에 불과하다. // I can *but* wait. 단지 기다릴 뿐이다.
— 전 ~을 제외하고는(=except)
(예) All *but* him were present. 그를 제외하고는 모두 출석했다. // The books are all new *but* one. 그 책은 한 권을 제외하고는 모두 새 책이다. // ◇There is nothing to do *but* to read books. 독서 이외에는 아무 할 일이 없다.

— [대] ⟪관계 대명사로서 부정문에 연결됨⟫ ~하지 않는; ~이 아닌
(예) There is no one *but* knows it. 그것을 모르는 사람은 하나도 없다. (↔There is no one that does not know it.) // There is no rule *but* has its exceptions. 예외 없는 규칙은 없다.

***but for**★ ~이 없다면(=without)
(예) *But for* your assistance, I should not be able to succeed. 너의 도움이 없다면 나는 성공할 수 없을 것이다. (↔If it were not for your assistance, ~; If you did not assist me, ~.)
[어법] *but for* 는 if it were not for ~(현재의 사실에 반대되는 가정)과 if it had not been for ~(과거의 사실에 반대되는 가정)의 양쪽의 뜻이 들어 있다.

but little 거의 ~하지 않다(=very little)

but that 만일 ~이 아니면; ~이란 것
(예) *But that* I saw it, I could not have believed it. 그것을 보지 않았더라면 나는 그것을 믿을 수가 없었을 것이다. (↔If I had not seen it, I ~.) // I don't deny *but that* he is diligent. 그가 근면하다는 것을 나는 부정 않는다.
[어법] ① *but that*은 「that 이하와 같은 사실이 없다면」의 뜻이니까 직설법이 따른다. ② deny, doubt 따위의 부정에 계속되면 *but that* 은 *that* 와 동일하다.

all but 거의(=nearly, almost)
(예) I was *all but* drowned. 거의 익사할 지경이었다.

butch·er [bútʃər] [명] 푸주한; 백정 [타] 도살하다
[파] **bútchery** [명] 학살; 도살장 **bútcherly** [형] 잔인한

but·ler [bʌ́tlər] [명] 집사, 하인의 우두머리(=head servant)

butt [bʌt] 〈동음어 but〉 [명] (총의) 개머리; (웃음거리의) 대상 [타] (머리·뿔 따위로) 받다

but·ter [bʌ́tər] [명] 버터 [타] 버터를 바르다, 아첨하다

but·ter·fly [bʌ́tərflài] [명] 나비, (수영의) 버터플라이

but·ton [bʌ́tn] [명] 단추 [타][자] 단추를 채우다 [~ up]
[파] **búttonhole** [명] 단추 구멍, 단추 구멍에 꽂는 꽃

buy [bai] 〈동음어 by〉 [타] ⟪***bought***⟫ 사다(=get, purchase)
[반] sell 팔다
(예) *buy* him a book ↔ *buy* a book *for* him 그에게 책을 사주다 // *buy* a book *from* 〔*of*〕 a person 아무에게서 책을 사다 // I *bought* this book for 900 won. 나는 이 책을 900원에 샀다.
[파] **búyable** [형] 살 수 있는 **búying** [명] 구매 **búyer** [명] 사는 사람

buy in 사들이다, 구입하다
(예) We *bought in* coal for the winter. 우리는 겨울에 대비하여 석탄을 사들였다.

buy out (돈으로 지위·권리 따위를) 사다

buy up 매점(買占)하다
(예) *buy up* all the goods 물품을 전부 매점하다

B

◇**buzz** [bʌz] [명] (벌·모기 등의) 윙윙하는 소리, 웅성거림 [자] 윙윙 소리내다, 웅성거리다
[파] **búzzer** [명] 윙윙거리는 벌레; 기적, 사이렌
☆**by** [bai] 〈동음어 buy〉 [전] ① 《위치·방향》 ~의 곁에, 가까이에(=near)
(예) There is a cherry tree *by* the gate. 문 곁에 벚나무가 있다. // north *by* east 북에서 약간 동, 북북동
② 《경로》 ~을 따라서; 경유하여
(예) walk *by* the river 강가를 따라서 걷다 // by (way of) Canada 캐나다 경유로
③ 《기한》 ~까지는 (*cf.* till)
(예) *by* the end of this month 이달말까지는 // Finish it *by* tomorrow morning. 내일 아침까지는 끝내라.
④ 《시간의 경과》 ~의 동안에
(예) *by* day 〔night〕 낮〔밤〕 동안에 // *by* night and day 낮이나 밤이나
⑤ 《수단·방법》 ~으로
(예) They may be counted *by* the hundreds. 백 단위로나 셀 수 있을 게다. // go *by* the nearest road 지름길로 가다 // I caught him *by* the arm. 나는 그의 팔을 잡았다. // What do you mean *by* that? 그것은 무슨 뜻인가?
[어법] *by, with*는 모두 「~으로」란 뜻으로 사용되지만, *by*는 「수단」「방법」을, *with*는 「도구」를 나타낸다: I traveled *by* plane. (나는 비행기를 타고 여행했다) // I cut it *with* a knife. (나는 그것을 칼로 잘랐다)
⑥ 《연속》 (하나)씩, (조금)씩
(예) day *by* day 하루하루 // one *by* one 하나씩 // *by* halves 반씩, 중도에서 // *by* (the) hundred(s) 몇 백씩이나 // work *by* the hour (together) 몇 시간이고 계속해서 일하다
[어법] 「명사+*by*+명사」로 「~씩」의 뜻을 나타낸다: page *by* page(한 페이지씩), step *by* step (한걸음 한걸음)
⑦ 《정도》 ~만큼
(예) miss a train *by* a minute 일 분 차로 기차를 놓치다 // He is taller than I *by* an inch. 그는 나보다 1인치 더 키가 크다. (↔He is an inch taller than I.)
⑧ 《관계》 ~의 점으로는, ~에 관하여는
(예) I know him *by* name 〔sight〕. 나는 그의 이름〔얼굴〕을 알고 있다. // He is a German *by* birth. 그는 독일 태생이다.
⑨ 《맹세》 ~에 맹세코
(예) *by* God 신의 이름을 걸고, 맹세코
⑩ 《대중·단위》 ~을 기준으로, ~에 따라
(예) judge a person *by* his appearance 겉모양으로 아무를 판단하다 // sell sugar *by* the pound 설탕을 파운드당 얼마로 팔다
⑪ 《수동형으로 동작의 주체를 나타내어》 ~에 의해서 (…

되다)
(예) a novel written *by* Hemingway 헤밍웨이가 쓴 소설 // America was discovered *by* Columbus. 아메리카 대륙은 콜룸부스에 의해 발견되었다.
[어법] 수동형의 동작주(動作主)의 앞에는 보통 by를 사용하지만, be covered with ~와 같이 by 이외의 전치사가 쓰이는 표현에 특히 주의해야 한다.

B

— ㉮ ① 곁에, 옆에
(예) Many were standing *by* at the time. 그때 많은 사람이 곁에 서 있었다. // He lives close *by*. 그는 바로 옆에 살고 있다.
② 곁으로, 따로, 제쳐놓고
(예) We have put money *by*. 우리는 돈을 따로 떼어 두었다〔챙겨 넣었다〕.
③ 지나서
(예) The car sped *by*. 차가 (옆을) 스치듯 지나갔다. // A boy saw him pass *by*. 소년은 그가 지나가는 것을 보았다.
[파] ◦**bȳgone** ㉻ 지나간 ㉹ 지나간 일 **bȳ-election** ㉹ 보결 선거 **bȳ-pass** ㉹ 샛길 ㉰ 돌아서 가다, 짐짓 모른 체하다 **bȳ-path** ㉹ 샛길, 간도 **bȳ-product** ㉹ 부산물 **bȳstander** ㉹ 구경꾼, 방관자 **bȳway** ㉹ 샛길, 옆길 **bȳword** ㉹ 속담(=proverb); 웃음거리[~ of]; (나쁜) 전형[~ for] **bȳ-work** ㉹ 부업, 내직

by and by 얼마 안 있어, 이윽고
(예) *By and by* it rained hard. 얼마 안 있어 비가 몹시 쏟아졌다.
[어법] *gradually*(점차, 점점)의 뜻이 아니고, *before long, after a while*의 뜻이다. by the by(e)와 구별할 것.

by and large 전반적으로, 대체로
(예) Taking it *by and large*, ~. 전반적으로 보면 ~.

by land 육로로
(예) He went there *by land* instead of by sea. 그는 수로로 안 가고 육로로 그 곳에 갔다.
[어법] *by sea*는 「수로로」「선편으로」의 뜻. 기타 같은 모양의 구에는 *by train*(열차로), *by air*(비행기로), *by steamer*(기선으로) 따위가 있다. 이들은 모두 관사가 안 붙는다.

***by one**self* 혼자, 단독으로(=alone)
(예) He read many, many books *by* him*self*. 그는 혼자서 많은 책을 읽었다. // The new machine operates *by* it*self*. It is automatic. 그 새 기계는 저절로 작동한다. 그것은 자동이다.
[어법] 원칙적으로 *for oneself* 「혼자서, 자력으로」와 구별하지만 같은 뜻으로 쓰일 때도 있다. *of oneself* 「저절로」

***by the by*(*e*) 〔*way*〕** 그런데, 말이 나온김에
(예) *By the by* 〔*way*〕, how's your brother doing at school? 그런데 네 동생은 학교에서 공부를 잘 하느냐?

bye-bye [báibài] ㉿ 〖구어〗 안녕(=good-bye)

C

*cab [kæb] 명 택시, (4륜) 마차 자 택시로 가다
(예) take a *cab* 택시를 타다
cab·a·ret [kæ̀bəréi / kǽbərèi] 명 카바레
cab·bage [kǽbidʒ] 명 캐비지, 양배추
***cab·in** [kǽbin] 명 선실, 객실; 오두막집 타 (좁은 장소에) 가두다
(예) a *cabin* boy (상선의) 급사
cab·i·net [kǽbinit] 명 (귀중품을 넣어 두는) 사실(私室); [보통 C-] 내각; 캐비닛
ca·ble [kéibəl] 명 해저 전신, 해외 전보; 굵은 밧줄; 와이어로프, 닻줄 자 타 해외 전보를 치다; 닻줄을 매다
(예) a *cable* car 케이블 카 // send a *cable* ↔ send a message by *cable* 해외 전보를 치다
cack·le [kǽkəl] 명 꼬꼬댁〔꽥꽥〕하고 우는 소리 자 타 꼬꼬댁〔꽥꽥〕하고 울다
cad·die [kǽdi] 명 캐디 《골프장에서 심부름하는 사람》
ca·det [kədét] 사관 학교 생도, 사관 후보생; 젊은 단원, 견습생
Cae·sar·e·an [si(ː)zέəriən] 형 카이사르의; (로마) 황제의 명 카이사르파의 사람; 전제 정치론자
파 **Caesarean section** 제왕 절개(술)
ca·fé [kæféi, kə- / kǽfei] 명 커피점, 다방(=coffee house); 간이 식당
caf·e·te·ri·a [kæ̀fətíəriə] 명 〖미〗 카페테리아 《손님이 손수 음식을 식탁으로 날라다 먹는 식당》
***cage** [keidʒ] 명 새장, (짐승의) 우리, 감옥 타 새장에 넣다, 우리에 넣다
cairn [kεərn] 명 케른 《기념·이정표로서의 원추형 돌무덤》
☆**cake** [keik] 명 과자; (비누 따위의) 덩어리
(예) a *cake* of soap 비누 한 개
ca·lam·i·ty [kəlǽməti] 명 재난(=disaster), 불행, 비운(=misfortune)
파 **calámitous** 형 몹시 불행한, 비참한 **calámitously** 부 불행하게, 비참하게 **calámitousness** 명 불행, 재난
cal·ci·um [kǽlsiəm] 명 〖화학〗 칼슘 《기호 Ca》
***cal·cu·late** [kǽlkjəlèit] 자 타 계산〔산정〕하다, 기대를 걸다(=count on) [~ on], 계획하다(=plan); 〖미〗 ~이라고 생각하다(=guess)
(예) *calculate on* his coming 그가 오리라고 기대를 걸다 // The damage is *calculated at* 500,000 won. 손해는 50만 원으로 추산된다.
파 **cálculating** 형 계산하는, 타산적인 ***calculátion** 명 계산, 예상 **cálculative** 형 타산적인, 계획적인 **cálculator**

㊄ 계산자〔기〕

cal·cu·lus [kǽlkjələs] ㊄ ((*pl.* **-es, -li** [-lài])) 〖의학〗 결석(結石); 〖수학〗 계산법; 미적분학

***cal·en·dar** [kǽləndər]★ ㊄ 달력; 표, 목록, (행사) 예정표, 일람표(=list)

calf [kæf / kɑːf] ㊄ ((*pl.* **calves** [kævz / kɑːvz])) 송아지 (가죽); 장딴지

cal·i·ber, -bre [kǽləbər] ㊄ (총포 따위의) 구경, 탄경(彈徑); 재능, 기량, 역량

☆**call** [kɔːl] ㊂㊅ 부르다, 불러일으키다; 소집하다; 명명하다; 전화하다 ㊄ 부르는 소리; 방문(=visit); 소집; 요구, 필요; (전화 등으로) 불러냄

(예) make a *call on* a person 아무를 방문하다 // *call* attention to ~에 주의를 환기시키다 // a boy *called* Tom 톰이라고 하는 소년 // *call* a dog Pochi 개를 포치라 부르다 // within *call* 부르면 들리는 곳에 // *Call* me a taxi. ↔ *Call* a taxi *for* me. 택시를 불러 주시오.

㊈ **cálling** ㊄ 직업; 점호, 소집 **cáller** ㊄ 부르는 사람, 소집자, 방문자

call after ~을 따라 이름짓다

(예) He was *called* John *after* his father. 그의 이름은 아버지 이름을 따서 존이라고 했다.

call at (집)을 방문하다, ~에 기항(寄港)하다

(예) *call at* uncle's 삼촌댁을 방문하다

call back 도로 불러들이다; (실언 따위를) 취소하다

(예) He will not *call back* his words. 그는 자기 말을 취소하지 않을 것이다.

****call for*** (큰 소리로) ~을 구하다; 요구하다, 가지러〔데리러〕 가다; 필요로 하다(=want)

(예) *call for* help 도와 달라고 외치다 // I'll *call for* him at his house. 내가 그를 집까지 데리러 가겠다. // This problem *calls for* careful thought. 이 문제는 잘 생각할 필요가 있다.

call forth (용기·정력을) 불러일으키다, (결과를) 야기시키다

(예) He will *call forth* all his energy. 그는 전력을 기울일 것이다.

call in (의사·전문가를) 부르다; (사람을) 불러들이다, 초대하다; 회수하다

(예) *call in* a doctor 의사를 부르다

call off 불러서 가게 하다, (약속 따위를) 취소하다; (계획을) 중지하다, 중지시키다

(예) *call off* a game 경기를 중지시키다 // At some schools even classes are *called off*. 어떤 학교에서는 수업까지도 취소된다.

call on 〔***upon***〕★ (아무를) 방문하다; 요구하다

(예) *call on* a person for a speech 아무에게 연설해 줄 것을 요청하다 // I *called on* Mr. Smith at his office. 나는 스

미스씨를 사무실로 방문했다.

call out 도전하다; 소집하다, 소리지르다(=cry loudly)
(예) He was *called out* by his enemy. 그의 적이 그에게 도전했다.

call to ~을 소리쳐 부르다, ~에게 외치다
(예) She *called to* her father for help. 그 여자는 도와달라고 아버지를 불렀다.

◇***call ~ to mind*** 〔***memory, remembrance***〕 ~을 상기하다

◇***call up***★ 전화를 걸다; (기억 따위를) 상기시키다
(예) I will *call* you *up* (on the telephone) this evening. 오늘 저녁 너에게 전화하겠다. // His music *calls up* peacefulness in us. 그의 음악은 우리에게 평화로움을 느끼게 한다.

◇***what is called*** 소위, 이른바
(예) He is *what is called* a walking dictionary. 그는 말하자면 산 사전이다.

◇**cal·lig·ra·pher** [kəlígrəfər] 명 달필가, 서예가

◇**cal·lig·ra·phy** [kəlígrəfi] 명 달필; 서도(書道); 서예; 필적

*◇**calm** [kɑːm]★ 형 (날씨·파도 따위가) 평온한, 고요한(=quiet), 침착한 타 자 진정시키다〔하다〕 [~ down] 명 고요함(=stillness, peacefulness), 잔잔함
반 stórmy 폭풍의, rough 거친
(예) keep *calm* 평온을 유지하다 // After a storm comes a *calm.* 폭풍우 뒤에야 고요가 온다 《비 온 후에야 땅이 굳어진다》. // ◇The excited girl quickly *calmed down.* 그 흥분한 소녀는 곧 침착해졌다.
파 ◇**cálmly** 부 고요히, 침착하게 **cálmness** 명 평온, 고요

cal·o·rie, -ry [kǽləri] 명 칼로리, 열량

◇**cam·el** [kǽməl] 명 〖동물〗 낙타

◇**cam·er·a** [kǽmərə] 명 사진기, 카메라

◇**cam·ou·flage** [kǽməflɑ̀ːʒ] 명 위장; 카무플라주; 속임, 기만 타 위장하다(=disguise); 속이다(=deceive)

*◇**camp** [kæmp] 명 야영, 출정군 자 야영하다 [~ out]
파 ◇**cámper** 명 야영자, 캠프 생활자 **cámping** 명 야영, 천막 생활 ◇**cámpfire** 명 모닥불 ◇**cámpsite** 명 야영지

*◇**cam·paign** [kæmpéin] 명 (일련의) 군사 행동; (사회적·정치적) 운동, 캠페인, 〖미〗 선거 운동 자 종군〔출정〕하다; 운동하다, 선거 운동을 하다
(예) an election *campaign* 선거 운동 // community chest *campaign* 공공 모금 운동 // a *campaign* chairman 〔manager〕 선거 사무장 // a *campaign* speech 정견 발표
파 ◇**campáigner** 명 (사회·정치 등의) 운동가; 노병, 노련한 사람

*◇**cam·pus** [kǽmpəs] 명 〖미〗 교정, 학교 구내, 캠퍼스
(예) *campus* life 대학〔학원〕 생활 // *campus* activities 학생 활동 // a college *campus* 대학의 구내 // The professor lives on the *campus.* 그 교수는 학교 구내에서 살고 있다.

☆**can**[1] [kæn, kən] (NB 일반적으로 약음(弱音)을 사용한다) ㉠ ((***could*** [kud, kəd])) ① ((능력·가능)) ~할 수 있다(=be able to)
(예) I did what I *could*. 할 수 있는 데까지는 했다. // How long *can* you stay? 언제까지 있을 수 있는가?
어법 can에는 부정사·분사·동명사의 형식이 없으므로 be able to로 대용한다: He may *be able to* do it. (그는 그것을 할 수 있을지도 모른다)
② ((허가)) ~해도 좋다, ~하여라(=may)
(예) You *can* go. 가도 좋다, 가거라. // *Can* I have one of these cakes? 이 과자를 하나 먹어도 괜찮겠습니까? // You *can*not swim here. 여기서 수영을 해서는 안 된다.
어법 이 경우의 can은 모두 may로 바꿔 쓸 수 있다. 특히 미국 구어에서는 may not, mayn't보다 cannot, can't가 더 자주 쓰인다.
③ ((의문문에 써서)) 도대체 ~할〔일〕 리가 있을까
(예) *Can* it be true? 도대체 정말일 수 있을까? // What *can* that be? 도대체 그것은 무엇일까? // *Can* he have done so? 과연 그가 그런 짓을 했을까?
어법 could를 쓰면 의문·의외의 기분이 강조된다.
④ ((부정문에 써서)) ~할〔일〕 리가 없다
(예) He *cannot* be a driver. 그가 운전기사일 리가 없다. // He *cannot* have said so. 그가 그렇게 말했을 리가 없다. // This *can't* be true. 그것이 사실일 리가 없다.
어법 cannot *have been*이라고 완료형이 계속되면 「~했을 리가 없다」라고 과거에 관한 부정적인 추단을 나타낸다. 이 can 의 반의어는 must(~에 틀림없다).

can[2] [kæn] ㉢ 〖미〗 (통조림) 깡통(=〖영〗 tin) ㉣ 통조림으로 하다
파 **canned** [kænd] ㉥ 통조림한 (*canned* goods 통조림)

*◇**ca·nal** [kənǽl] ㉢ 운하, 도랑
파 **canalize** [kənǽlaiz / kǽnəlàiz] ㉣ 운하를 파다

*◇**ca·nar·y** [kənέəri] ㉢ 카나리아 ㉥ 카나리아빛의

◇**can·cel** [kǽnsəl] ㉤㉣ 취소하다, 말소하다, 무효로 하다
파 **cancellátion** ㉢ 취소, 해제

◇**can·cer** [kǽnsər] ㉢ 암(癌); 해악(害惡), (사회의) 적폐(積弊)

can·did [kǽndid] ㉥ 솔직한(=frank), 숨김 없는, 정직한(=honest); 공평한
파 **cándidly** ㉦ 공평하게 **cándo(u)r** ㉢ 솔직, 담백; 공평

◇**can·di·date** [kǽndədèit, -dədit / -dədit] ㉢ 지원자, 후보자
파 **cándidature, -dacy** ㉢ 입후보; 후보 자격

> ▶ **47. 접미어 ate**
> **ate**는 직무·직위·자격 또는 행동의 대상이 되는 사람·물건을 나타낸다.
> (예) candid*ate*, leg*ate* (로마 교황의 사절) 따위

◇**can·dle** [kǽndl] ㉢ 양초; 촉광(=candle power)

파 **cándlelight** 명 촛불 **cándlestick** 명 촛대

*__can·dy__ [kǽndi] 명 사탕, 캔디(=〖영〗 sweetmeat, sweets) 자타 설탕절임으로 하다, 설탕으로 조리다

어법 ·복수형 candies는 둘 이상의 종류를 나타낼 때 쓰고, 단지 수를 나타낼 때에는 several pieces of candy와 같이 말한다.

cane [kein] 명 지팡이, 매 타 매로 치다

can·ni·bal [kǽnibəl] 명 식인종 형 사람을 잡아먹는

(예) a *cannibal* race 식인종

파 **cánnibalism** 명 사람을 잡아먹는 풍습

◇**can·non** [kǽnən] 명 대포(=large gun)

(예) a *cannon* ball 포탄

☆**can·not** [kǽnɑt, kənɑ́t / kǽnɔt, kǽnət] can not의 연결형

어법 *cannot*는 can not라고 띄어 쓰기도 하나, 후자는 다소 문어적이고 강의적이다. 흔히 can't로 줄여 쓴다. *cf.* can

* ***cannot but*** *do* ~하지 않을 수 없다(=cannot help doing)

(예) I *cannot but* admire his talent. 그의 재능에는 감탄하지 않을 수 없다.

◇***cannot help but*** *do* ~하지 않을 수 없다

*◇***cannot help*** *doing*★ ~하지 않을 수 없다 (NB cannot but do 보다 구어적)

(예) I *cannot help* sympathiz*ing* with him. 나는 그를 동정하지 않을 수 없다. (↔I *cannot but* sympathize with him.)

어법 *cannot but*와 *cannot help*는 같은 뜻이다. 다만, cannot but 다음에는 동사 원형이 오고, help 다음에는 동명사가 온다. 이 때의 help는 refrain from의 뜻.

cannot ~ too … 아무리 …하여도 지나치게 ~하는 일은 없다

(예) We *cannot* be *too* careful in the choice of our friends. 친구의 선택에는 아무리 주의해도 지나치는 일이 없다.

* ***cannot ~ without …*** …안 하고선 ~못하다, ~하면 반드시 …하다

(예) We *cannot* hear the story *without* thinking of the sea. 우리는 그 이야기를 들을 때마다 반드시 바다를 생각한다.

NB not 대신에 *seldom* 및 *hardly*도 쓰인다.

*◇**ca·noe** [kənúː] 명 카누 《노로 젓는 폭이 좁은 가벼운 배》 자 카누를 젓다

can·o·py [kǽnəpi] 명 (용상·침대 따위를 덮는) 덮개

◇**can·vas** [kǽnvəs] 〈동음어 canvass〉 명 캔버스, 화포(畫布); 범포(帆布)(=sailcloth); 《집합적》 돛(=sails)

can·vass [kǽnvəs] 〈동음어 canvas〉 타자 검토하다; 유세(遊說)하다, 권유하며 다니다 명 선거 운동, 유세, 권유

파 **cánvasser** 명 운동〔권유〕원, 주문 받는 사람, 투표 검사관

can·yon [kǽnjən] 명 〖미〗 협곡(峽谷)

☆**cap** [kæp] 명 (테 없는) 모자 (*cf.* hat); (병 따위의) 마개; 뇌관; 정상(=top) 타 모자를 씌우다; (남을) 능가하다

(예) a *cap* gun (종이 뇌관을 쓰는) 장난감 권총 // a mushroom *cap* 버섯의 갓 // a bottle *cap* 병뚜껑 // unscrew the *cap* of a fountain pen 만년필 뚜껑을 돌려서 열다 // the *cap* of fools 바보 중의 바보

ca·pa·ble [kéipəbəl]★ 형 ~을 할 수 있는 [~ of], ~의 자격이 있는; 역량이 있는, 유능한(=able, competent)

파 **cápably** 부 솜씨 있게, 유능하게 **capabílity** 명 가능성, 능력

(be) capable of ~을 할 수 있는, ~을 감당할 수 있는

(예) I doubt if he *is capable of* running such a big company. 나는 그가 그처럼 큰 회사를 운영할 수 있는지 의심스럽다.

ca·pac·i·ty★ [kəpǽsəti] 명 용적, 수용력; 역량, 재능; 자격, 지위[~ of]

(예) in the *capacity* of ~의 자격으로

파 **capacious** [kəpéiʃəs] 형 용량이 큰, 널찍한; 너그러운

to capacity (수용력의) 최대한으로, 꽉 차게

(예) The hall is filled *to capacity*. 홀은 만원이다.

cape [keip] 명 갑(岬), 곶; (소매 없는) 짧은 외투

cap·i·tal [kǽpətl] 형 (가장) 중요한, 제1의(=chief, principal), 훌륭한(=excellent); 자본의 명 수도; 대문자; 자본

(예) *capital* and labor 노자(勞資) // What city is the *capital* of Korea? 한국의 수도는 어디냐?

파 **cápitalism** 명 자본주의 **cápitalist** 명 자본가 **capitalístic** 형 자본주의의, 자본가의 **capitalize** [kǽpətəlàiz] 타 자본화하다, 대문자로 쓰다

Cap·i·tol [kǽpətl] 명 〖미〗[the ~] 국회 의사당; [종종 c-] (미국의) 주의회 의사당

ca·pri·cious [kəpríʃəs] 형 (마음이) 변하기 쉬운, 변덕스러운; (사물이) 불안정한; 예상할 수 없는

파 **caprice** [kəpriːs] 명 변덕

cap·size [kǽpsàiz / kæpsáiz] 자 타 (배 따위를) 전복시키다, 전복하다

cap·sule [kǽpsəl / -sjuːl] 명 (약의) 캡슐; (로켓의) 캡슐

cap·tain [kǽptən] 명 장(=chief, leader), 선장; 육군 대위, 해군 대령; (야구 따위의 팀의) 주장

▶ 48. 접미어 ain
접미어 **ain**은 「사람」을 나타내는 접미어 **an**의 옛 형이다.
(예) capt*ain*, chapl*ain* 따위

cap·tion [kǽpʃən] 명 표제(=heading); 〖영화〗 자막

cap·ti·vate [kǽptəvèit] 타 매혹하다, 뇌쇄하다(=charm)

cap·tive [kǽptiv] 형 사로잡힌, 감금된 명 포로; (사랑·공포에) 사로잡힌 사람

원 capt(=caught)+ive(형용사 어미)

(예) take a person *captive* 아무를 포로로 하다

파 **cáptivating** 형 매혹적인 **cáptor** 명 잡힌 사람, 체포자, 다른 배를 나포하는 배 **captívity** 명 감금; 속박

cap·ture [kǽptʃər] 타 사로잡다, 체포하다(=take by

force); 점령〔공략〕하다; 획득하다, 손에 넣다 [명] 포획(물); 체포; 포로

◇**ca·put** [kǽpət, kéip-] [명] ⦅*pl.* ***capita***⦆〘라〙 머리(=head); 두상돌기(頭狀突起)

☆**car** [kɑːr] [명] 차, 전차(=tramcar), 자동차(=motorcar)

(예) get into a *car* 자동차를 타다

[어법] 통상 bus나 truck 따위의 자동차는 포함하지 않는다. 철도에서는 화차·객차의 구별 없이 미국에서는 *car*를 쓰나, 객차에는 *coach*를 쓰는 경우가 많다. 영국에서는 전망차·침대차·식당차에만 *car*를 쓰고 객차는 *carriage,* 화차는 *waggon*이라고 한다.

C

car·a·mel [kǽrəmèl, -məl] [명] 캐러멜

◇**car·a·van** [kǽrəvæ̀n] [명] (사막의) 대상(隊商), 포장마차

◇**car·bon** [kɑ́ːrbən] [명] 탄소 ⦅기호 C⦆; (복사의) 카본지(紙)

*◇**card** [kɑːrd] [명] 카드, 트럼프, 명함, 엽서; (경기의) 프로그램

car·di·gan [kɑ́ːrdigən] [명] 카디건 ⦅앞을 단추로 채우는 스웨터⦆

car·di·nal [kɑ́ːrdənl] [형] 기본적인(=fundamental); 심홍빛의(=deep rich red) [명] 심홍색; ⦅*pl.*⦆ 기수(基數); 추기경(樞機卿)

*◇**care** [kɛər] [명] 걱정(=anxiety, concern), 근심, ⦅종종 *pl.*⦆ 걱정거리; 조심 (=watchful attention), 주의; 돌봄, 관리(=charge), 보호 [자][타] 걱정하다, 관심을 갖다; 유의하다, 보살피다; 하고자 하다, 좋아하다(=like)

(예) domestic *cares* 가사(家事) // worldly *cares* 이 세상의 근심 걱정 // under a doctor's *care* 의사의 치료를 받고 // That shall be my *care.* 그것은 내가 인수하겠다. // I don't *care* what happens now. 지금 무엇이 일어나든 내 알 바가 아니다. // I *care* nothing for the matter. 그런 문제에는 관심이 없다.

[파] (⇨) **careful**, **careless**, **carelessness, carefree**, **care·worn** [kɛ́ərwɔ̀ːrn] [형] 근심 걱정에 시달린〔여윈〕 **cáre·taker** [명] 돌보는 사람

◇***care about*** ~을 걱정하다, ~에 관심을 가지다

(예) He does not *care about* trifles. 그는 사소한 일에 마음을 쓰지 않는다. // He doesn't *care about* money. 그는 돈에는 관심이 없다.

*◇***care for***★ ~을 돌보다(=look after); ⦅부정·의문⦆ 좋아하다, 원하다

(예) *care for* the sick 환자를 간호하다 // I don't *care for* a thing like that. 나는 그런 것을 좋아하지 않는다. // Would you *care for* some more coffee? 커피를 좀 더 드시겠습니까?

***care to** do* 원하다, 희망하다(=hope, desire)

(예) If you *care to* read it, I shall be glad to lend it to you. 만일 읽고 싶으시다면 기꺼이 빌려 드리겠습니다. // Would you *care to* go for a walk? 산책하실 마음은 없으

신지요?

take care 주의하다

(예) Until then, so long and *take care.* 다시 만날 때까지 안녕, 잘 가. // *Take care* not *to* break it. ↔ *Take care that* you don't break it. 그것을 망가뜨리지 않도록 주의하라.

take care of★ ~을 돌보다, ~을 소중히 하다

(예) *Take* good *care of* the house while I'm away. 내가 떠나고 없는 동안 집안을 잘 보살피시오.

어법 *take* no 〔little, good〕 *care of* 와 같이 형용사를 붙여서 쓸 때도 있다. 수동태에는 *be taken care of* 와 같이 되는 것에 주의.

with care 조심하여, 신중히

(예) (Handle) *with care.* 취급 주의 《화물 따위에 씀》.

ca·reer [kəríər]★ 명 경력, 생애; 이력; (군인·외교관 등의) 직업; 발전; 질주 자 질주하다(=run or move rapidly)

(예) A young man chooses a *career* by chance. 젊은 사람은 닥치는 대로 직업을 택한다.

care·free [kέərfrìː] 형 걱정 없는(=free from care), (무사) 태평한

care·ful [kέərfəl] 형 주의 깊은, 신중한, 조심성이 많은 (=heedful)

반 cáreless 부주의한

(예) Be *careful* (in) crossing the street. 길을 건널 때에는 주의해라. // Be *careful* not to break the glasses. ↔ Be *careful* (*that*) you don't break the glasses. 컵을 깨지 않게 주의해라. (NB that은 생략하는 것이 보통)

파 *cárefully 부 주의 깊게, 신중히; 검소하게

(***be***) ***careful about*** ~에 마음을 쓰는; ~을 걱정하는

(예) She *is* not *careful about* trifles. 그녀는 사소한 일에 신경을 쓰지 않는다.

(***be***) ***careful of*** ~을 소중히 하는; ~에 주의하는

(예) *Be careful of* your health. 건강에 주의해라.

> **▶ 49. 접미어 ful**
>
> ①「~이 많은; ~으로 가득한」이라든가 「~의 성질〔경향〕이 있는; ~하기 쉬운」의 뜻의 형용사를 만든다.
> (예) care*ful*, cheer*ful*, beau-ti*ful*, harm*ful*, forget*ful* 따위
>
> ②「~에 가득(찬 양)」의 뜻의 명사를 만든다.
> (예) cup*ful*, hand*ful* 따위

care·less [kέərlis] 형 부주의한, 무관심한 반 cáreful 주의 깊은

(예) a *careless* mistake 경솔한 실수 // She *was careless of* danger. 그 여자는 위험 같은 것은 개념치 않았다. // He *is careless about* his appearance. 그는 외모에 무관심하다. // How *careless* of you! 조심성이 그리도 없나! // It *was careless of* you *to* leave the door unlocked. 문을 잠그지 않고 둔 것은 너의 부주의이다.

파 cárelessly 부 부주의하게 *cárelessness 명 부주의

ca·ress [kərés] 타 애무하다, 품에 안다 명 애무, 포옹

◇**car·go** [ká:rgou] ⓜ ((*pl.* **-goes, -gos**)) 뱃짐, 화물
Car·ib·be·an [kæ̀rəbí:ən, kəríbiən] ⓗ 카리브해〔사람〕의
car·i·ca·ture [kǽrikətʃùər, -tʃər] ⓜ 만화, 풍자화(畫)
ⓟ **cáricaturist** ⓜ 풍자화가
car·nal [ká:rnl] ⓗ 육체의; 세속적인
car·na·tion [kɑ:rnéiʃən] ⓜ 카네이션; 살색
car·ni·val [ká:rnivəl] ⓜ 사육제(謝肉祭); 성대한 축제
ⓟ **carnivorous** [kɑ:rnívərəs] ⓗ 육식(성)의, 육식류의
◇**car·ol** [kǽrəl] ⓜ (축제 때에 부르는) 기쁨의 노래, 찬가 ⓙⓣ 기뻐서 노래하다
(예) a Christmas *carol* 크리스마스 축가
carp [kɑ:rp] ⓜ 잉어
(예) a silver *carp* 붕어
◇**car·pen·ter** [ká:rpəntər] ⓜ 목수 ⓙⓣ 목수일을 하다
ⓟ ◇**cárpentry** ⓜ 목수일; 목공품
◇**car·pet** [ká:rpit] ⓜ 양탄자 ⓣ 양탄자를 깔다
*◇**car·riage** [kǽridʒ] ⓜ 마차; 운반; [보통 the〔a〕~] 태도
◇**car·rot** [kǽrət] ⓜ 당근
☆**car·ry** [kǽri] ⓣⓙ 나르다; 지탱하다; (의안 따위를) 통과시키다; 휴대하다, (소리 따위가) 미치다
(예) *carry* an umbrella 우산을 가지고 가다 // *carry* weight〔importance〕 중요시되다 // He never *carries* much money with him. 그는 언제나 많은 돈을 휴대하지 않는다.
ⓟ **cárrying** ⓗ 운송의 ⓜ 운송 **cárrier** ⓜ 운송업자; 보균자(保菌者) **carrier pigeon** 전서구(傳書鳩)
carry away 가져가다; 황홀하게 하다, 도취시키다
(예) Music *carried* him *away*. 음악으로 그는 황홀해졌다.
carry back 되가져 가다; 회상시키다, 상기시키다
(예) That song *carried* me *back* to the old times. 그 노래를 들으니 옛날이 생각났다.
◇***carry off*** (상품·명예를) 획득하다, 빼앗아〔채어〕 가다 (병 따위가) 목숨을 빼앗다
(예) He *carried off* the first prize. 그는 일등상을 획득했다. // He was *carried off* by influenza. 그는 인플루엔자로 죽었다.
*◇***carry on*** 영위하다, 계속하다(=continue)
(예) *carry on* the tradition 전통을 계승하다 // He *carried on* business for many years. 그는 여러 해 동안 영업을 하였다. // You should *carry on with* your work. 너는 일을 (중단하지 말고) 계속해야 한다.
*◇***carry out***★ 실행하다, 성취하다, (의무 따위를) 다하다 (=accomplish, complete)
(예) These orders must be *carried out* at once. 이 명령은 곧 이행되어야 한다.
carry through 끝까지 견디어 내다; 이루다, 관철하다
(예) You must *carry* the plan *through*. 너는 그 계획을 끝까지 밀고 나가야 한다.

***carry ~ too far* 〔*to excess*〕** ~을 도를 지나치게 하다
(예) You are *carrying* the joke *too far.* 너의 농담은 지나치다.

cart [kɑːrt] ㉠ 짐수레, 짐마차 ㉣㉤ 짐수레로 나르다

car·ton [kɑ́ːrtən] ㉠ (두꺼운 종이로 만든) 상자; 판지, 마분지

car·toon [kɑːrtúːn] ㉠ (시사 풍자) 만화, 밑그림 ㉣㉤ 만화를 그리다, 만화화하다

cart·wheel [kɑ́ːrthwìːl] ㉠ (짐수레의) 차바퀴

carve [kɑːrv] ㉣㉤ 조각하다; (고기 따위를) 베다(=cut)
NB curve [kəːrv] 「곡선」과 혼동하지 말 것.
(예) *carve* marble *into* a statue ↔ *carve* a statue *from* 〔*out of*〕 marble 대리석으로 상을 조각하다
㉥ **cárven** ㉦ 조각한 **cárver** ㉠ 조각하는 사람 **cárving** ㉠ 조각(술), 조각품

*__case__ [keis] ㉠ 상자(=box); 경우; 사례(=example); 실정; 환자(=patient); 소송; 〖문법〗 격 ㉤ 상자〔갑〕에 넣다
(예) in this 〔that〕 *case* 이런〔그런〕 경우에는 // such being the *case* 사정이 그러하므로 // As is often the *case* with soldiers, I was a little too fond of liquor. 군인들은 그러기가 일쑤이지만 나도 다소 지나치게 술을 즐겼다.
㉥ **cásement** ㉠ 안팎으로 여닫는 창문

as the case may be (그 때의) 사정〔경우〕에 따라서
(예) *As the case may be,* books do one good or harm. 경우에 따라서 책은 이롭기도 하고 해롭기도 하다.

in any case 여하튼 간에, 어떻든(=anyway)
(예) Great men are few *in any case.* 위인이란 여하간 좀처럼 나지 않는다.
NB **in all cases** 는 「언제든지」, **in no case** 는 「결코 ~이 아니다」

*__*in case* (*of, that*)__* ~(의) 경우에는; ~의 경우에 대비하여
(예) *In case* it rains, the meeting will be postponed. 비가 올 경우에는 그 회합은 연기될 것이다. (↔If it rains, ~) // Take your umbrella *in case* it *should* rain. 비가 오면 안 되니까 우산을 가지고 가라.

in ninety-nine cases out of a hundred 백 중에서 구십 구까지
NB *in nine cases out of ten* 「십 중 팔구까지」

in no case 결코 ~은 아니다
(예) *In no case* should you do it again. 어떤 일이 있어도 두 번 다시 그런 일을 해서는 안 된다.

*__*in the case of*__ ~에 관해서는, ~의 경우는
(예) *in the case of* children under fifteen 15세 미만의 어린이의 경우는

cash [kæʃ] ㉠ 현금 ㉤ (수표를) 현금으로 바꾸다
(예) *cash* a check ↔ get a check *cashed* 수표를 현금으로 바꾸다, 수표로 은행에서 현금을 인출하다

파 **cashier** [kæʃíər] 명 출납계원 **cáshbook** 명 현금 출납장 **cash payment** 현금 지불 **cash register** 금전 등록기

cas·ket [kǽskət / kɑ́ːs-] 명 작은 상자; 〖미〗 관(棺)

◇**cas·sette** [kəsét, kæ-] 명 (보석 따위를 넣는) 작은 상자 (사진기의) 필름 통; 카세트(=tape cartridge) 《소형 녹음 테이프 통》

*◇**cast** [kæst / kɑːst] 타 자 《***cast***》 던지다(=throw); (배우 따위의) 배역을 정하다; 주조하다 명 던짐; (얼굴의) 생김새, 성격, 기질; 배역; 주조(물), 주형(鑄型)
(예) *cast* a vote 투표하다 // *cast* away 버리다 // a *cast* of mind 기질 // Snakes *cast* their skins. 뱀은 허물을 벗는다. // *cast* Tom *for* Hamlet ↔ *cast* Hamlet *to* Tom 톰을 햄릿으로 배역하다 // *cast* bronze *into* a statue ↔ *cast* a statue *in* bronze 청동으로 상을 주조하다
어법 주로 비유적인 뜻으로 쓰인다. 「던지다」에는 *throw*가 보통.

cast a glance 힐끗 보다

*◇**cas·tle** [kǽsl / kɑ́ːsl] 명 성(城), 저택
(예) *castle* in the air ↔ *castle* in Spain 공중 누각, 공상

*◇**cas·u·al** [kǽʒuəl] 형 우연한(=accidental), (깊이) 생각지 않은(=not planned); 평상복의; 임시의
반 expécted 기대된
(예) a *casual* meeting 우연한 만남 // in a *casual* manner 대수롭지 않은 태도로 // *casual* expenses 임시비
파 ◇**cásually** 부 우연히, 문득 *◇**cásualty** 명 재난, 상처 《*pl.*》 사상자, 손해

☆**cat** [kæt]* 명 고양이
파 ◇**cátty** 형 고양이 같은; 교활한(=cattish)

◇**cat·a·log(ue)** [kǽtəlɔ̀ːg, -lɑ̀g / -lɔ̀g] 명 목록, 카탈로그 타 목록에 올리다; 목록을 만들다

cat·a·lyst [kǽtəlist] 명 촉매, 접촉 반응제

cat·a·pult [kǽtəpʌ̀lt] 명 투석기; 캐터펄트, 비행기 사출기 타 자 캐터펄트로 쏘다, 발사하다, 발진시키다

cat·a·ract [kǽtərӕ̀kt] 명 큰 폭포(*cf.* waterfall); 폭우(暴雨) (=heavy rain), 급류(=torrent), 홍수(=deluge)
(예) It rained in *cataract* yesterday. 어제는 폭우가 쏟아졌다.

*◇**ca·tas·tro·phe** [kətǽstrəfi] 명 재앙, 큰 재해〔이변〕(=a great misfortune); (희곡·비극의) 대단원, 파국

☆**catch** [kætʃ] 타 자 《***caught***》 붙잡다, 쫓아가서 잡다(=overtake), (기차 시간에) 대다(=be in time for); (불이) 붙다; 주의를 끌다; 이해하다; (병에) 걸리다 명 포획, 어획; 포구(捕球)
반 miss 놓치다
(예) be *caught* in a shower 소나기를 만나다 // *catch* fire 불이 붙다 // I *caught* him (*in the act of*) steal*ing*. 그가 도둑질하고 있는 것을 붙잡았다. // I couldn't *catch* what you said. 네가 무엇을 말하는지 이해할 수 없었다. // ◇

caught him by the collar. 나는 그의 멱살을 잡았다. // This match will not *catch.* 이 성냥은 불이 켜지지 않는다.

파 **cátcher** 명 〖야구〗 포수(捕手) **cátching** 형 전염성의, (마음을) 빼앗는, 매력적인 **catch phrase** 표어

catch at (물건을) 잡으려고 하다; 덤벼들다
(예) A drowning man will *catch at* a straw. 〖속담〗 물에 빠진 사람은 지푸라기라도 붙잡는다.

catch on (***with***) (~에게) 인기를 얻다, 유행하다
(예) The suggestion did not *catch on with* the older members of the community. 그 제안은 그 마을의 노인들에게는 환영을 받지 못했다.

catch up with★ ~을 뒤쫓아 미치다, 따라붙다
(예) Helen had to work hard in order to *catch up with* the rest of the class. 헬렌은 반의 다른 학생들에 따라붙기 위해서 열심히 공부하지 않으면 안 되었다.

(***be***) ***caught up in*** ~에 휘말려〔휩쓸려〕 든
(예) Soon all of them *were caught up in* the drama. 곧 그들은 모두 그 드라마에 빠져들었다.

cat·e·go·ry [kǽtəgɔ̀ːri / -gə-] 명 범주(範疇), 부류, 종류

cat·er·pil·lar [kǽtərpìlər] 명 (나비·나방 따위의) 유충; 무한궤도(차); 캐터필러

ca·thar·sis [kəθɑ́ːrsis] 명 카타르시스《예술에 의한 정화작용》; 배변; 〖의학〗 정화법

ca·the·dral [kəθíːdrəl] 명 대성당, 큰 예배당, 본산

cath·ode [kǽθoud] 명 〖물리〗 (분해액의) 음극(陰極)
파 **cathode ray** 음극선 **cáthode-ray tube** 음극선관, 브라운관

Cath·o·lic [kǽθəlik] 형 카톨릭교의 명 카톨릭교도
NB 소문자로 시작될 때는 「일반적인」 「관대한」의 뜻이 된다.

cat·tle [kǽtl] 명 소, 가축 (=livestock)
(예) There are about 500 head of *cattle* on the ranch. 그 목장에는 소가 약 500마리 있다. // *Cattle* are grazing. 소가 풀을 먹고 있다.
어법 보통 oxen을 가리키며 복수 취급. 마리수는 30 *head* of cattle과 같이 센다.

cause [kɔːz]★ 명 원인, 이유(=reason), 동기; (주의·주장을 지닌) 운동, 목적, 대의(大義) 명분; 소송 (원인〔사건〕) 타 야기하다(=bring about), 원인이 되다; ~시키다
반 efféct 결과
(예) *cause* and effect 원인과 결과 // It *caused* me much worry. 나는 그것 때문에 몹시 걱정했다. // work for the *cause* of peace 평화 운동을 하다 // What *caused* his failure? ↔ What *caused* him *to* fail? 그는 왜 실패를 했는가?

파 **cáuseless** 형 우발적인, 까닭 없는 **causal** [kɔ́ːzəl] 형 원인의 **causálity** 명 인과 관계 **cáusative** 형 원인이 되는; 〖문법〗 사역적인

***in the cause of* ~** ~을 위해
(예) We are fighting *in the cause of* justice. 우리는 정의를 위하여 싸우고 있다.

cau·tion [kɔ́ːʃən] 명 조심(=carefulness); 경고(=warning) 타 경고하다(=warn against)
(예) with *caution* 주의해서(=cautiously) // take *caution* against ~에 대해서 주의하다 // by way of *caution* 주의해서, 만약에 대비하여
파 **cáutious** 형 조심스러운 **cáutiously** 부 조심스럽게 **cáutiousness** 명 조심성

cav·al·ry [kǽvəlri] 명 기병(대)
파 **cavalíer** 명 기사, 멋쟁이(남자)

*__cave__ [keiv] 명 동굴 자타 꺼지다, 함몰하다 [~ in]
파 **cavern** [kǽvərn] 명 (지하의) 동굴; 공동(空洞)

▶ **50.** 「동굴」의 유사어
cavern은 「넓은 동굴」을 뜻하고, **cave**는 「어둡고 깊은 굴」을 뜻한다.

__cease__ [siːs] 자타 끝나다(=come to an end), 중지하다(=stop) [~ from], 그만두다 명 중단, 중지
(예) *cease to* talk 〔talk*ing, from* talking〕 이야기를 중단하다 // without *cease* 끊임없이 // The rain has *ceased.* 비가 멎었다. 어법 문어적. 보통은 *stop*을 쓴다.
파 **céaseless** 형 끊임없는, 부단한 **céaselessly** 부 끊임없이 **céaselessness** 명 끊임없음 **cessation** [seséiʃən] 명 중지 정지

ce·dar [síːdər] 명 삼목, 삼목재

__ceil·ing__ [síːliŋ] 명 천장; (가격·임금의) 최고한도; 〖항공〗 상승 한도

cel·a·don [sélədàn / -dɔ̀n] 명 형 청자(青瓷)(색)(의)

cel·e·brate [séləbrèit] 자타 경축하다, (의식·축전을) 거행하다; 찬미하다
(예) *celebrate* Christmas 크리스마스를 경축하다 // *celebrate* (brave deeds of) heroes 영웅(의 용감한 행동)을 찬미하다
파 **célebrated** 형 유명한(=famous) **celébrity** 명 명성 명사(名士) **celebrátion** 명 축하; 찬양

in celebration of ~을 축하하여
(예) He sent me a fountain pen *in celebration of* my birthday. 내 생일 축하로 그는 만년필을 보내 왔다.

cel·er·y [séləri] 명 셀러리

ce·les·tial [siléstʃəl / -tiəl] 형 하늘의, 천국의(=heavenly) 거룩한(=holy)
반 éarthly, terréstrial 지상의, 속세의 inférnal 지옥의

*__cell__ [sel] 〈동음어 sell〉 명 작은 방, 독방, 암자; 세포; 전지(電池)

*__cel·lar__ [sélər] 〈동음어 seller〉 명 지하실, 움

cel·lo [tʃélou] 명 〖음악〗 첼로
파 **cellist** [tʃélist] 명 첼로 연주자

cel·lo·phane [séləfèin] 명 셀로판

cel·lu·loid [séljəlɔ̀id] [명] 셀룰로이드
Celt [selt / kelt] [명] 켈트 사람(=Kelt) 《아리안 인종의 한 분파》
ce·ment [simént]* [명] 시멘트, 양회, 접합제 [타] 시멘트로 붙이다; 접합하다; 결합하다; (우정 따위를) 굳게 하다
cem·e·ter·y [sémətèri / -tri] [명] 묘지, 공동 묘지
cen·sor [sénsər] [명] 검열관, 풍기 단속관 [타] ~을 검열하다; (출판물·영화 필름 따위의) 부당한 부분을 삭제하다
cen·sor·ship [sénsərʃip] [명] 검열; 검열관의 직(무)
cen·sure [sénʃər] [명] 비난(=blame); 혹평; 질책, 견책(=scolding) [타] 비난하다, 나무라다(=find fault with)
(예) *censure* a person *for* his negligence 아무의 태만을 비난하다
cen·sus [sénsəs] [명] 국세 조사, 인구 조사
cent [sent] 〈동음어 scent, sent〉 [명] 센트《미국 화폐의 단위, 1/100 달러의 동화》; 푼돈; 백 《단위로서의》
cen·te·nar·y [séntənèri, senténəri / sentí:nəri] [형] 백년(마다)의 [명] 백년 간, 백년제(祭)
cen·ten·ni·al [senténiəl] [형] 100년(마다)의; 100년제의; 100세의 [명] 100년제(祭), 100주년 기념일
cen·ter, -tre [séntər] [명] 중심, 한가운데, 중심지; (야구 따위의) 중견수 [타] [자] 중심으로 모으다, 집중하다(=concentrate), 한점에 모이다 [~ upon]

> ▶ **51.** 「중심」의 유사어
> **center**가 비교적 정확한 중심을 가리키는 데 대해서, **middle**은 보다 막연한 중심부를 가리킨다.

(예) *center* one's attention *on* ~에 주의를 집중하다 // a city with a park at its *center* 중심에 공원이 있는 도시
cen·ti·grade [séntigrèid] [형] 섭씨의 〖약어〗 *C.*
[원] centi(=100)+grade(=degree) (*cf.* Fahrenheit 화씨)
cen·ti·me·ter, -me·tre [séntimì:tər] [명] 센티미터
cen·ti·pede [séntəpì:d] [명] 〖동물〗 지네
cen·tral [séntrəl] [형] 중심의, 주요한
[파] **céntrally** [부] 중심으로, 중앙에 **céntralism** [명] 중앙 집권제〔주의〕 **céntralize** [타] 중심으로 모으다
cen·tu·ry [séntʃəri] [명] 1세기, 100년 〖약어〗 *cent.*
ce·ram·ic [sirǽmik] [형] 도기(陶器)의 [명] 도기
ce·re·al [síəriəl] [명][형] 곡물(의), 곡류(의)
cer·e·bral [sérəbrəl] [형] 대뇌(大腦)의
[파] **cérebrum** [명] 대뇌
cer·e·mo·ny [sérəmòuni / -məni] [명] 《종종 *pl.*》 의식, 식, 예식, 의례
(예) an opening *ceremony* 개회식 // without *ceremony* 격식을 차리지 않고, 허물없이
[파] **ceremónial** [형] 의식의, 격식을 갖춘 [명] 의식 **ceremónious** [형] 격식을 갖춘 **ceremóniously** [부] 격식을 갖추어
cer·tain [sə́:rtn]* [형] 확실한(=sure), 반드시 일어나는, 확신할 수 있는 [~ of], (기술 따위가) 정확한; 일정한; 어

떤(=one, some), 다소의
반 uncértain 확실치 않은, dóubtful 의심스러운
(예) *certain* evidence 확실한 증거, 확증 // a *certain* cure for the disease 그 병의 확실한 치료법 // a *certain* man 어떤 사람 // a *certain* Mr. Smith 스미스씨라고 하는 사람 // a *certain* extent 어느 정도까지 // a *certain* hesitation 다소의 망설임〔주저〕 // at a *certain* hour 어떤 일정 시각에 // I *am certain of* success. 나는 반드시 성공한다고 확신하고 있다. // He *is certain* (*that*) I love her. 그는 내가 그녀를 사랑하고 있다고 굳게 믿고 있다. // He *is certain to* come. 그는 반드시 온다. (↔ It is *certain* that he will come. ↔ He will *certainly* to come.)
파 ***cértainly** 부 확실히, 꼭(=surely) (어법 *certainly*는 「물론입니다」「좋습니다」라는 뜻으로 yes 대신 쓰이기도 한다)
cértainty 명 확실(성) (for a *certainty* 확실히) (⇨) **certitude**

for certain 확실히(=for sure)
(예) I don't know *for certain.* 확실한 것은 알지 못한다. // I know *for certain* that … 반드시 …일 것이다.

***make certain of* 〔*that*〕** ~을 확인하다; 반드시 ~하도록 하다
(예) *Make certain* (*of* it). (그것을) 확인토록 하여라. // *Make certain* (*that*) the safe is locked. 금고에는 반드시 자물쇠를 채우도록 하여라.

cer·tif·i·cate 명 [sərtífəkit] 증명서 타 [-kèit] ~에게 증명서를 주다

cer·ti·fy [sə́:rtəfài] 타 증명하다, 보증〔인증〕하다, 확인하다(=make certain)
(예) I hereby *certify that* …. ↔ This is to *certify that* …. …임에 틀림없음을 여기에 증명한다(공문서 형식). // The accounts were *certified* (*as*) correct. 그 회계는 정확하다고 인증되었다.
파 **certificátion** 명 증명, 검정, 보증

cer·ti·tude [sə́:rtətjù:d] 명 확실(성)(=certainty)

chaff [tʃæf / tʃɑ:f] 명 왕겨; 여물 《마소의 사료》; 폐물; 하찮은 것 타 (짚·여물 따위를) 썰다, 왕겨로 만들다

***chain** [tʃein] 명 사슬; 연속 (=a long line); 《보통 *pl.*》 구속(=bondage) 타 사슬로 매다, 속박하다

☆**chair** [tʃɛər] 명 의자; (대학의) 강좌; 의장(=chairman)

chair·man [tʃɛ́ərmən] 명 《*pl.* **-men**》 의장, 회장, 위원장

☆**chalk** [tʃɔ:k]* 명 분필 타 분필로 쓰다

***chal·lenge** [tʃǽlindʒ] 명 도전; (파수병의) 수하(誰何) 타 도전하다; 수하하다; 요구하다; 이의를 제기하다
(예) *challenge* a mountain 산에 도전하다 // He *challenged* me *to* run a race. 그는 나에게 경주하자고 도전했다. // *The school challenged* us *to* a game of football. 그 학교는 우리에게 축구 경기를 제의했다.
파 **chállenger** 명 도전자, 기피자 **challenge cup** 우승컵

challenge flag 우승기
cham·ber [tʃéimbər] ⓜ 방(=room); 회의소, 의회
㉻ **chámberlain** ⓜ 시종, 가령(家令) **chámbermaid** ⓜ 하녀, 시녀
cha·me·le·on [kəmíːliən] ⓜ 〖동물〗 카멜레온; 변덕쟁이; [the C-] 〖천문학〗 카멜레온자리
cham·pi·on [tʃǽmpiən] ⓜ 우승자(=winner); 선수, 전사(戰士); 옹호자 ⓗ 우승한; 일류의, 다시 없는 ⓣ 옹호하다(=advocate)
㉻ ◇**chámpionship** ⓜ 선수권
chance [tʃæns / tʃɑːns] ⓜ 우연(=accident); 운, 기회(=opportunity), 호기; 가능성, 가망(=possibility) ⓗ 우연의(=casual) ⓙⓣ 우연히 ~하다(=happen), 운에 맡기고 해 보다
(예) ◇take a *chance* 〔try one's *chance*〕 운에 맡기고 해 보다 // take no *chances* 요행수를 바라지 않다 // It *chanced* *that* I knew the name. ↔ I *chanced to* know the name. 나는 우연히 그 이름을 알았다. // There was little *chance* of winning. 이길 가망은 거의 없었다. // The *chances* are against us. 형세는 우리에게 불리하다.
***chance on* 〔*upon*〕** 우연히 만나다 〔발견하다〕
(예) I *chanced upon* the scene. 우연히 나는 그 광경을 보았다.
by chance 우연히, 어쩌다가(=by accident, accidentally)
(예) *by* any *chance* 만일에 // I met him *by chance* on the train. 나는 우연하게도 열차에서 그를 만났다.
stand no chance against ~에 대해 승산이 없다
(예) They would *stand no chance against* us. 그들은 우리와 싸워서 승산이 없을 것이다.
***the chances are* (*that*)** 아마 〔어쩌면〕 ~일 것이다
(예) *The chances are that* you will find him there. 아마 너는 그를 거기에서 보게 될 것이다.
chan·cel·lor [tʃǽnsələr / tʃɑ́ːn-] ⓜ (독일 따위의) 수상; (대학의) 학장
chan·de·lier [ʃæ̀ndəlíər] ⓜ 샹들리에, 꽃 전등
change [tʃeindʒ] ⓜ 변화, 교환; 거스름돈, 잔돈; 갈아 타기 ⓙⓣ 변화하다(=vary), 변경시키다(=alter), 교환하다, 돈을 바꾸다
(예) a *change* of air 전지(轉地) // take a walk *for a change* 기분 전환을 위해 산책하다 // *change for* London 런던 행으로 바꿔 타다 // *change* coats ↔ *change* one's coat 상의를 바꿔 입다 (NB one's 뒤에 오는 명사는 보통 단수형) // ◇Heat *changes* water *into* steam. 열은 물을 증기로 변화시킨다.
㉻ ◇**chángeable** ⓗ 변하기 쉬운 **chángeably** ⓑ 변하기 쉽게 **changeabílity** ⓜ 변하기 쉬운 성질 **chángeful** ⓗ 변화가 많은 **chángefully** ⓑ 변화가 많아서 **chángeless** ⓗ 변화없는 ◇**chángeover** ⓜ (정책 따위의) 변경; (내각 등의)

경질, 개조; (형세의) 역전

change for the better 좋아지다, 호전하다

반 change for the *worse* 나빠지다

change *one's* ***mind*** 생각〔방침〕을 바꾸다, 마음이 변하다, 고쳐 생각하다

*◇**chan·nel** [tʃǽnl] 명 해협 《strait 보다 큰 것》; 수로; 방면, 경로; [the C-] 영국 해협; (라디오·텔레비전의) 채널

chant [tʃænt / tʃɑːnt] 명 노래, 성가 자타 노래하다, 칭송하다

cha·os [kéiɑs / -ɔs] 명 혼돈, 무질서, 혼란 상태

반 cósmos 질서

파 ***chaotic** [keiɑ́tik / -ɔ́t-] 형 무질서한, 혼돈된

C

chap [tʃæp] 명 녀석, 놈

◇**chap·el** [tʃǽpəl] 명 예배당; 예배(=service)

chap·lain [tʃǽplin] 명 예배당 전속의 목사, 군목(軍牧), 종군 목사, 교회사(敎誨師)

*◇**chap·ter** [tʃǽptər] 명 (책·논문 따위의) 장(章); 분회(分會), 지사; (역사상의) 한 시기(=period)

*◇**char·ac·ter**★ [kǽriktər]★

명 인격, 성격, 특성; 문자; (등장) 인물; 명성

(예) a man of *character* 인격자 // get a good〔bad〕 *character* 좋은〔나쁜〕 평판을 얻다 // He is quite a *character.* 그는 아주 유별난 사람이다. // It will be a stain on his *character*. 그것은 그의 명성을 더럽히는 오점이 될 것이다.

> ▶ **52.** 「문자」의 유사어
> **character**는 보통 한자(漢字)와 같이 뜻을 가진 문자, **letter**는 음(音)만을 나타내며 뜻이 없는 문자이다.

파 *◇**cháracterize** 타 특징지우다 ◇**characterizátion** 명 성격 묘사

*◇**char·ac·ter·is·tic**★ [kæ̀riktərístik] 형 특유한, 특질적인, 독특한 명 특색, 특성, 특징

(예) the *characteristic* taste of honey 꿀 특유의 맛 // His main *characteristics* are intellectual clarity and courage. 그의 주요한 특징은 지적인 명석함과 용기이다.

파 **characterístically** 부 특징으로서, 특성을 나타내도록

(***be***) ***characteristic of*** ~의 특성을 나타내고 있는, ~에 특유한

(예) Understatement *is characteristic of* the English people. 삼가서 〔줄잡아〕 말하는 것은 영국인의 특성이다. // It *is characteristic of* Tom *to* do that. 그런 짓을 하다니 참말 톰답다.

char·coal [tʃɑ́ːrkòul] 명 목탄, 숯

(예) a *charcoal* burner 숯 굽는 사람 // *charcoal* drawing 목탄화(畫)

*◇**charge** [tʃɑːrdʒ] 명 책임; 고소, 비난; 대가(代價), 값; 명령(=command); 관리; 충전; 돌격 타자 채우다, 충전하다; 책임을 지우다〔맡기다〕; 대가를 청구하다, 값을 매기다;

발〔기소〕하다; 위탁하다; 돌격하다
반 dischárge 해고, 발사
(예) free of *charge* 무료로 // ◦I left the dog in Jerry's *charge.* 나는 그 개를 제리에게 맡겼다. // *charge* a gun *with* powder 총포에 탄약을 장전(裝塡)하다 // ◦They *charged* me five dollars *for* the book. 그 책 값으로 나에게 5 달러를 청구했다.
파 **chárgeable** 형 부과해야 할, 고발되어야 할 **chárger** 명 (장교용) 군마(軍馬); 돌격자; 충전기(充電器)

(be) charged with ~이 부과된; ~이란 죄로 고발된
(예) He *was charged with* an important duty. 그는 중대한 임무를 맡았다. // He *was charged with* murder. 그는 살인죄로 고발되었다.

***charge at* 〔*on*〕** ~을 향해 돌진하다
(예) We *charged at* the enemy. 우리는 적을 향해 돌진했다.

in charge of ~을 맡고〔관리하고〕 있는, ~에게 맡겨진
(예) He was *in charge of* the supplies for his regiment. 그는 연대의 보급 책임자였다.

on a* 〔*the*〕 *charge of ~의 죄로, 혐의로
(예) He was arrested *on a charge of* murder 〔*on* baseless *charges*〕. 그는 살인죄〔근거 없는 혐의〕로 체포되었다.

take charge of ~을 떠맡다, 담임하다, 감독하다
(예) My father *took charge of* one of her children. 아버지께서 그 여자의 애 하나를 떠맡았다.

char·i·ot [tʃǽriət] 명 (옛날의) 전차(戰車); 4륜 경마차

char·i·ty [tʃǽrəti] 명 자비(=kindness), 자선 (행위), (성경에서 말하는) 사랑(=Christian love); 자선 시설, 양육원; ⦅보통 *pl.*⦆ 자선〔구제〕 사업
(예) He devoted his entire fortune to *charities.* 그는 전재산을 자선 사업에 바쳤다.
파 ◦**cháritable** 형 자비로운; 자선의 **cháritably** 부 자비롭게; 관대하게

charm [tʃɑːrm] 명 매력(=attractiveness), 마력(=magic power), 주문(呪文) 타 자 매혹하다(=work magic on)
(예) I was *charmed with* 〔*by*〕 the music. 그 음악에 매혹되었다.
파 **chármed** 형 마법에 걸린 **chármer** 명 마술사, 뱀을 길들여 부리는 사람 ***chárming** 형 매력적인(=attractive, fascinating), 아름다운

chart [tʃɑːrt] 명 해도(海圖), 도표

char·ter [tʃɑ́ːrtər] 명 면허장; 헌장; (버스·선박 따위의) 대차〔전세, 용선〕 계약 타 특허〔면허〕를 내주다; 전세내다 (=hire)
(예) the *Charter* of the United Nations 유엔 헌장 // *charter* a ship 배를 전세내다
파 **chártered** 형 특허를 받은; 전세낸

chase [tʃeis] 타 뒤쫓다, 추적하다(=run after); 몰아내다 명 추적(=pursuit)

(예) *chase* the cat *out of* the garden 고양이를 정원에서 쫓아내다 // He *chased* fear *from* the mind. 그는 공포심을 떨쳐버렸다. // They *chased* me *away*. 그들이 나를 쫓았다.
파 **cháser** 명 추격하는 사람, 추격기

in chase of ~을 추적하여
(예) The hound was *in* full *chase of* the bear. 사냥개는 곰을 필사적으로 쫓고 있었다.

chasm [kǽzəm] 명 (땅·바위 따위의) 깊게 갈라진 틈; 깊은 구렁; (감정·의견 따위의) 큰 간격

chaste [tʃeist] 형 정숙한, 순결한 (=pure), 품위 있는
파 **chástely** 부 정숙하게, 순결하게 **chastity** [tʃǽstəti] 명 정조, 순결

◇**chat** [tʃæt] 명 잡담, 세상 이야기, 한담(=friendly talk) 자 잡담하다, 한담하다
(예) have a *chat* with ~와 잡담하다 // *chat* over tea 차를 마시면서 담소하다 // We were *chatting* about the accident. 우리들은 그 사건에 관해서 이야기하고 있었다.
파 **chátty** 형 수다스러운, 잡담의

*◇**chat·ter** [tʃǽtər] 자 재잘거리다, 수다떨다, (새가) 지저귀다 명 수다, 잡담
파 **chátterbox** 명 수다쟁이

◇**chauf·feur** [ʃóufəːr, ʃoufə́ːr] 명 (보통 자가용차의) 운전수

chau·vin·ism [ʃóuvənìzəm] 명 맹목적 애국심, 광신적 배타주의

***cheap** [tʃiːp] 형 (값이) 싼(=low-priced), 값 싼
반 dear, expénsive 비싼
NB buy something *cheap* (싸게 사다)와 같은 부사 용법도 있다
파 **chéaply** 부 싸게 **chéapness** 명 염가 **chéapen** 타 자 싸게 하다, 싸지다

*◇**cheat** [tʃiːt] 타 자 속이다(=deceive), 속여 빼앗다(=get money by trickery), 협잡〔부정〕을 하다 명 사기, 협잡꾼
(예) *cheat* in an examination 시험에서 부정 행위를 하다 // He *cheated* me *into* buying it. 그는 나를 속여서 그것을 사게 했다.
파 **chéater** 명 사기꾼

cheat ~ out of ~을 속여 …을 빼앗다
(예) He *cheated* me *out of* money. 그는 나를 속여 돈을 빼앗았다.
NB me와 money의 위치를 바꿔도 뜻은 같음.

*◇**check** [tʃek] 타 저지하다(=prevent), 억제하다(=hold back); 〖미〗 (소지품을) 물표를 받고 일시 맡기다; (대조) 검사하다, 체크〔조사〕하다 [~ up] 명 저지; 체크, 대조 자; 〖미〗 수표 (=〖영〗 cheque)
(예) get one's trunk *checked* 트렁크를 검사받다 // *check* a coat (극장 따위에서) 코트를 일시 맡기다
파 **chéckbook** 명 〖미〗 수표장 **chéckpoint** 명 검문소 ◇**chécker** 명 검사자; 현금 출납원

◇***check in*** (접수처에 기록하고) 호텔에 투숙하다

(예) You must *check in* when you arrive at a hotel. 호텔에 도착하면 숙박부에 기명하고 투숙해야 한다.
check into 〖미·구어〗 ~에 출근〔도착〕하다
check out (계산을 치르고) 호텔을 나오다
(예) We *checked out* of the hotel at 11 a.m. 오전 11시에 호텔을 나왔다.
check up (on) 대조하다; 자세히 조사하다
(예) *check up on* the prisoner's statements 죄수의 진술을 조사하다
check with ~와 의논〔타합〕하다, 맞춰보다
(예) Let me *check with* my notes. 메모해 둔 것과 맞춰보도록 해 주게.
check·ers [tʃékərz] [명] ((*pl.*)) 서양 장기 (=〖영〗 chequers)
cheek [tʃiːk] [명] 볼, 뺨; 철면피(=impudence)
(예) have the *cheek* to do 뻔뻔스럽게도 ~하다
[파] **chéeky** [형] 뻔뻔스러운, 철면피한 ◇**chéekbone** [명] 광대뼈
cheer [tʃiər] [명] 매우 좋은 기분; 격려; 환호, 갈채(=shout for joy) [타] [자] 기운을 북돋우다; 갈채하다(=praise loudly by shouting)
[반] gloom 우울
(예) I tried to *cheer* him (up). 나는 그에게 기운을 돋아주려고 애썼다. // The speaker was loudly *cheered*. 연설자는 큰 갈채를 받았다.
[파] **chéerer** [명] 갈채하는 사람, 응원자 **chéery** [형] 명랑한, 활발한 **chéerily** [부] 활발하게 **chéeriness** [명] 기분이 썩 좋음 **chéerless** [형] 우울한 ◇**chéerful** [형] 쾌활한, 활발한, 즐거운 ◇**chéerfully** [부] 기분 좋게 ◇**chéerfulness** [명] 유쾌함
cheer on ~을 성원하다, 소리 질러 격려하다; 부추기다
(예) *cheer* the players *on* 선수를 격려하다
cheer up ~을 격려하다; 기운이 나다
(예) He *cheered up* at the news. 그는 그 뉴스를 듣고 기운이 났다.
cheese [tʃiːz] [명] 치즈
[파] ◇**Chéeseburger** [명] 치즈와 햄버거를 넣은 샌드위치
chem·i·cal [kémikəl] [형] 화학의 [명] ((*pl.*)) 화학 제품 〔약품〕
[파] **chémically** [부] 화학적으로
chem·ist [kémist] [명] 화학자, 약제사
chem·is·try★ [kémistri]★ [명] 화학, 화학적 성능
cheque [tʃek] [명] 〖영〗 수표 (=〖미〗 check)
cher·ish [tʃériʃ] [타] 소중히 하다; 아끼고 사랑하다; (감정·희망 따위를 마음에) 품다
(예) He *cherished* the boy as his own. 그는 그 소년을 자기 자식과 같이 소중하게 길렀다. // He *cherished* the hope that his father might be alive. 그는 아버지가 생존하고 있을지도 모른다는 희망을 가지고 있었다.
cher·ry [tʃéri] [명] 버찌, 벚나무
chess [tʃes] [명] 서양장기
chest [tʃest] [명] 가슴(=breast); 상자(=box)
chest·nut [tʃésnʌ̀t] [명] 밤 [형] 밤색의

*chew [tʃuː] ㉮㉯ 씹다 ㉰ 씹음
(예) *chewing* gum 추잉검, 껌 // *chew* the cud (소 따위가) 반추하다; 숙고하다

chick [tʃik] ㉰ 새 새끼, 병아리(=chicken)

chick·en [tʃíkən] ㉰ 새 새끼, 병아리; 닭고기; 풋내기, 겁쟁이

▶ **53. 접미어 en**
「작은」의 뜻을 나타낸다.
(예) chick*en*, kitt*en*(새끼 고양이) 따위

*chief [tʃiːf] ㉱ 주요한(=principal), 최고위의 ㉰ 단체·부서 따위의) 장(長)(=head), 수령, 추장
(예) a commander in *chief* 총사령관 // the *chief* of the section 부서장 〔과장, 계장〕
㉲ *chíefly ㉳ 대개, 주로(=mainly)

▶ **54. 「주요한」의 유사어**
chief는 지위·권력·중요도가 가장 높고, 그 밑에 종속하는 것이다. **main**은 크기·세력·중요도가 다른 것보다 크다. **principal**은 중요도·세력 따위가 최고가 되는 것이다.

☆**child**★ [tʃaild] ㉰ ((*pl.* **children** [tʃíldrən])) 아이, 아동; 아이 같은 사람; 자식, 자손
(예) as a *child* 어릴 때(에) // an only *child* 외자식 // He has been delicate from a *child.* 그는 어릴 때부터 허약하였다. // He has three *children.* 그에겐 아이가 셋 있다.
어법 *child*는 it로 받을 때가 많다. a *child* actor (어린이 역)와 같은 형을 복수로 할 경우는 *child actors.* (*cf.* man, woman)
㉲ **chíldbirth** ㉰ 출산(율) **chíldish** ㉱ 어린애 같은, 유치한 **chíldishly** ㉳ 어린애답게 **chíldishness** ㉰ 어린애 같음 **chíldlike** ㉱ 어린이다운, 순진한 **chíldless** ㉱ 아이가 없는

childe [tʃaild] ㉰ 도련님, 귀공자
(예) *Childe* Harold's Pilgrimage 해럴드 공자의 순유(巡遊)((Byron 작의 장편시))

*child·hood [tʃáildhùd] ㉰ 어릴 때, 유년 시대
(예) in one's *childhood* 어릴 적에 // from *childhood* 어릴 때부터

chill [tʃil] ㉰ 찬 기운(=coldness), 오한; 냉담 ㉱ 싸늘한, 냉담한 ㉯㉮ 차게 하다, 오한이 나다
(예) be *chilled* to the bone 추위가 뼈속까지 스며들다
㉲ **chílly** ㉱ 냉랭한, 추운 **chílliness** ㉰ 냉기, 한기; 냉담

chime [tʃaim] ㉰ 한 쌍의 종(소리); 조화, 일치 ㉮㉯ 울리다; 일치하다

chime in 조화하다; 맞장구를 치다
(예) He will *chime in.* 그는 맞장구를 칠〔찬성할〕 것이다

*chim·ney [tʃímni] ㉰ 굴뚝

*chim·pan·zee [tʃìmpænzíː, -pən-] ㉰ 침팬지

*chin [tʃin] ㉰ 턱 (*cf.* jaw)

chi·na [tʃáinə] ㉰ 도자기(=porcelain), 사기 그릇

*Chi·na [tʃáinə] ㉰ 중국

(예) the Republic of *China* 중화 민국 // Red *China* 중공

***Chi·nese** [tʃàiníːz] 명 《단·복 동형》 중국인〔어〕 형 중국인〔어〕의

chip [tʃip] 명 (나무·돌의) 작은 조각 자 타 깎다, 자르다, 쪼개다; (사기 그릇 따위가) 이가 빠지다, 깨지다

chirp [tʃəːrp] 자 타 (새·벌레 따위가) 울다, (새들이) 지저귀다, 떠들썩하게 이야기하다 명 짹짹 《새·벌레의 우는 소리》

chis·el [tʃízl] 명 끌 타 끌로 깎다; 마무르다

chiv·al·ry [ʃívəlri] 명 기사도, 무사 기질, 의협심, 무용(武勇)

파 **chívalrous** 형 기사도적인; 기사도 시대의

chlo·rine [klɔ́ːriːn] 명 〖화학〗 염소 《기호 Cl》

***choc·o·late** [tʃɑ́kəlit, tʃɔ́ːkə- / tʃɔ́kə-] 명 초콜릿, 초콜릿 빛, 진한 갈색 형 초콜릿빛의

***choice**★ [tʃɔis] 명 선택(=act of choosing), 선택권, 선택품 형 정선한, 고급의 (NB 동사형은 choose)

(예) at one's *choice* 마음대로, 멋대로 // *choice* apples 상등품 사과

by choice 좋아서, 스스로 택하여

(예) I live here *by choice.* 나는 좋아서 이 곳에 살고 있다.

have no choice but to *do* ~할 수 밖에 없다

(예) She *had no choice but to* walk the three or four miles. 그녀는 3, 4마일 걸어서 가는 수 밖에 없었다. // I *have no choice but to* give up the plan. 그 계획을 포기할 수 밖에 없다.

make a choice 선택하다

(예) You've *made a* good *choice.* 좋은 사람〔것〕을 골랐다.

choir [kwaiər]★ 명 합창단(=chorus), 성가대

choke [tʃouk] 타 자 질식시키다(=suffocate); 《종종 chock up》 막히게 하다, 메우다(=fill up), 억누르다(=hold) 명 질식; 초크《엔진의 공기 흡입 조절 장치》

(예) I was *choked* with 〔by〕 smoke. 나는 연기 때문에 숨이 막혔다.

파 **chóky** 형 숨 막히는 듯한 **chóking** 형 숨이 막히는

chol·er·a [kɑ́lərə / kɔ́l-] 명 콜레라

choose**★ [tʃuːz] 타 자 《chose*** [tʃouz]; ***chosen*** [tʃóuzən]》 고르다(=select), 선택하다; 원하다, 바라다 [~ to do]

(예) She had to *choose* between them. 그녀는 둘 중에서 하나를 고르지 않으면 안 되었다. // if you *choose to* go 가고 싶으면 // *Choose* me a good one. ↔ *Choose* a good one *for* me. 나에게 좋은 것을 골라 다오. // They *chose* him *as* 〔*to be*〕 the captain. 그를 지도자로 뽑았다.

파 **chóoser** 명 선택자 **chóosy** 형 선택에 신중한, 까다로운 (⇨) **choice**

cannot choose but *do* ~하지 않을 수 없다, ~할 수 밖에 없다(=cannot help doing)

(예) I *cannot choose but* do so. 그렇게 할 수 밖에 없다.

◇**chop** [tʃɑp / tʃɔp] Ⓣ Ⓙ (도끼 따위로) 자르다(=cut), 잘게 썰다 [~ up]; 말참견하다 [~ in] Ⓜ 절단, 두껍게 썬〔자른〕 고깃점
파 ◇**chópstick** Ⓜ 《보통 *pl.*》 젓가락
chord [kɔːrd] 〈동음어 cord〉 Ⓜ (악기의) 현(=string), 줄; 화음; 심금(心琴)
(예) vocal *chord* 성대(聲帶) // touch the right *chord* 심금을 울리다
◇**chore** [tʃɔːr] Ⓜ 《*pl.*》 허드렛일, 잡일; 싫은 일
◇**cho·re·og·ra·pher** [kɔ̀ːriɑ́grəfər / kɔ̀riɔ́-] Ⓜ 안무가; 무용가〔교사〕
◇**cho·rus** [kɔ́ːrəs] Ⓜ 합창, 합창단〔곡〕; 이구동성(異口同聲)으로 말함 Ⓣ 합창하다
(예) in *chorus* 이구동성으로, 일제히
*◇**Christ** [kraist] Ⓜ 그리스도, [the C-] 구세주
chris·ten [krísən] Ⓣ 세례를 베풀다(=baptize), 명명하다
(예) The baby was *christened* John. 그 아기는 존이라고 이름지어졌다.
Chris·tian [krístʃən] Ⓗ 그리스도(교)의 Ⓜ 기독교인, 기독교의 신앙이 두터운 사람; 문명인
파 **Christianity** [krìstʃiǽnəti / -ti-] Ⓜ 기독교 (정신·신앙) **pre-Chrístian** Ⓗ 예수 이전의 (the *pre-Christian* era 서력 기원전)
*◇**Christ·mas** [krísməs] Ⓜ 크리스마스
chron·ic [krɑ́nik / krɔ́n-] Ⓗ 만성의; 상습적인(=habitual)
반 acúte 급성의
파 **chrónically** Ⓑ 만성적으로
chron·i·cle [krɑ́nikəl / krɔ́n-] Ⓜ 연대기(年代記), 기록 Ⓣ 연대기에 싣다, 기록하다(=record)
파 **chrónicler** Ⓜ 연대기 편찬자 **chronológical** Ⓗ 연대순의, 연대학적인 **chronólogy** Ⓜ 연대기, 연표(年表)
chry·san·the·mum [krisǽnθəməm] Ⓜ 국화
◇**chub·by** [tʃʌ́bi] Ⓗ 살이 찐, 똥똥한
◇**chuck·le** [tʃʌ́kl] Ⓜ 낄낄 웃음 Ⓙ 낄낄 웃다, 속으로 좋아하며 웃다 [~ at, over]
◇**chunk** [tʃʌŋk] Ⓜ (치즈·빵·고기 따위의) 큰 덩어리; 〖구어〗 땅딸막한 사람
(예) ◇a *chunk* of meat 고기 한 덩어리
***church** [tʃəːrtʃ]* Ⓜ 교회, 예배당, 예배(식)
(예) *church* music 교회 음악 // *church* time 예배 시간
어법 *go to church*는 「예배보러 가다」의 뜻. 이 때 관사는 붙이지 않는다. go into 〔enter〕 the *church* 「목사가 되다」
파 **chúrchgoer** Ⓜ 교회에 다니는 사람 **chúrchyard** Ⓜ 교회 구내, 묘지
◇**churn** [tʃəːrn] Ⓜ 교유기 《버터를 만드는 큰 통》; 동요(動搖) Ⓙ Ⓣ (교유기로) 휘젓다; 동요하다
ci·der [sáidər] Ⓜ 사과술, 사이다
*◇**ci·gar** [sigɑ́ːr] Ⓜ 여송연, 엽궐련, 시가

cig·a·ret(te) [sìgərét, sígərèt / sìgərét] [명] 궐련

> ▶ **55. 접미어 ette**
> **ette**는 「작은」을 뜻하는 명사를 만든다. (예) cigar*ette*, statu*ette*(작은 상) 따위

cin·e·ma [sínəmə] [명] 영화(=motion picture); 〖영〗 영화관
[원] cinemátograph 「영화」의 준말
[파] **cínematize** [타] 영화화하다 **cínemagoer** [명] 영화팬

ci·pher [sáifər] [명] 영(零)의 기호, 제로; 변변치 않은 사람〔물건〕; 암호 [타][자] 계산〔산정〕하다; 암호문으로 쓰다

cir·cle [sə́ːrkl] [명] 원; 집단, 사회, ~계(界) [타][자] 회전하다, 둘러싸다
(예) in a *circle* 원형을 이루어 // the upper *circles* 상류사회 // in business *circles* 실업계에서

cir·cuit [sə́ːrkit] [명] 순회, 주위; 〖전기〗 회로(回路)
[파] **circuitous** [sə(ː)rkjúː(ː)ətəs] [형] 도는 길의 **circúitously** [부] 멀리 돌아서

cir·cu·lar [sə́ːrkjələr] [형] 둥근, 원형의(=round); 순환하는, 일주(一周)하는 [명] 회람장, 안내장, 광고 삐라
[파] **círcularly** [부] 둥글게

cir·cu·late [sə́ːrkjəlèit] [자][타] 순환하다(=go round); 유포하다; (순차적으로) 돌리다, 회람시키다; 유통하다
(예) a *circulating* decimal 순환 소수 // a *circulating* library 순환 문고, 이동 도서관
[파] **circulátion** [명] 순환, 유통; 발행 부수

cir·cum·fer·ence [sərkʌ́mfərəns] [명] 주위; 원둘레

> ▶ **56. 접두어 circum, circu**
> **circum, circu**는 모두 「둘레의」 「둘러싸는」의 뜻이다. (예) *circum*stance, *circum*ference, *circu*it, *circu*late 따위

cir·cum·nav·i·ga·tion [sə̀rkəmnævəgéiʃən] [명] 세계 일주 항해

cir·cum·stance [sə́ːrkəmstæns, sə́ːkəmstəns]* [명] ⟪*pl.*⟫ 경우, (주위의) 사정, 환경
(예) in 〔under〕 such *circumstances* 이와 같은 사정 밑에서는 // under no *circumstances* 결코 ~아닌 // according to *circumstances* 사정에 따라서, 임기응변으로 // be in bad *circumstances* 매우 가난한 형편에 있다
[파] **circumstántial** [형] 우연의; 상세한; 정황에 따른

cir·cus [sə́ːrkəs] [명] 서커스, 곡마단; 원형의 광장

cit·a·del [sítədl] [명] 성채(城砦); 최후의〔안전한〕 피난처

cite [sait] ⟨동음어 sight, site⟩ [타] 인용하다, (증거로서) 열거하다; 표창하다; 〖법〗 소환하다
[파] **citátion** [명] 인용문; 소환; (군인의) 표창장

cit·i·zen [sítəzən] [명] 시민; 공민, 국민; 일반인
[파] ◇**cítizenship** [명] 시민권, 국적(=nationality) (acquire 〔lose〕 *citizenship* 시민권을 얻다〔잃다〕)

cit·y [síti] [명] 도시, 시(市); [the ~] ⟪집합적⟫ 전시민

civ·ic [sívik] [형] 시민의, 공민의
(예) *civic* duties 신민의 의무 // *civic* rights 공민으로서의 「권리

civ·il [sívəl] [형] 시민의, 공민의, 일반인의; 민사의, 국내

의; 문화의; 공손한, 예의바른(=polite)
반 uncívil 예의에 벗어난, 버릇 없는
(예) *civil* law 민법 // *civil* rights 공민〔시민〕권 // *civil* service 문관 근무 // a *civil* servant 문관, 공무원 // a *civil* war 국내 전쟁, 내란 // the *Civil* War 〖영〗 찰스 1세와 국회와의 싸움; 〖미〗 남북 전쟁
파 ◇civílity 명 공손; 예의바른 행동 ◇civílian 명 민간인

*◇**civ·i·li·za·tion** [sìvələzéiʃən / -vəlai-] 명 문명, 문화, 개화, 교화(敎化); 문화 생활
반 bárbarism 미개, 야만

*◇**civ·i·lize** [sívəlàiz] 타 문명화하다, 교화하다
파 **cívilized** 형 문명화한, 교양 있는 (⇨) **civilization**

clad [klæd] 동 〖옛말〗 clothe의 과거·과거분사 형 (~을) 입은, (~으로) 덮인 [~ in]; 장비한
(예) iron*clad* vessels 철갑선 // a snow-*clad* mauntain ↔ a mountain *clad in* snow 눈으로 덮인 산

*◇**claim** [kleim] 타 자 (권리·소유권을) 요구〔청구〕하다; 주장하다, 공언하다 명 요구(=demand); 주장; 청구권
반 discláim 포기하다
(예) a right to *claim* the share 배당을 요구할 권리 // He *claims to* be innocent. ↔ He *claims that* he is innocent. 그는 결백하다고 주장하고 있다.
파 **cláimable** 형 청구할 수 있는 **cláimant** 명 청구인; 주장자

lay claim to ~에 대한 권리〔소유권〕을 주장하다
(예) Why don't you *lay claim to* the land? 왜 그 토지 소유권을 주장하지 않습니까?

clam [klæm] 명 대합조개; 과묵한 사람

clam·ber [klǽmbər] 자 기어오르다 [~ up] 명 기어오르기

clam·o(u)r [klǽmər] 명 소란한 소리(=loud noise); (여론 따위의) 시끄러운 외침 자 타 떠들어대다

◇**clan** [klæn] 명 씨족(氏族); 당파; 가족

clang [klæŋ] 명 쨍그렁(울리는 소리) 자 타 (종 따위가) 쨍그렁 울리다〔울리게 하다〕

*◇**clap** [klæp] 자 타 탁 치다, 쾅 때리다 명 박수; 날개를 파닥거림

clar·i·ty [klǽrəti] 명 (사상·표현 따위의) 명쾌함; (공기·액체·소리 따위의) 투명함(=clearness)
파 **clárify** 타 자 (의미·생각 따위를) 분명하게 하다, 명확히 하다; (공기·액체를) 정화하다, 깨끗해지다, 맑아지다

clash [klæʃ] 자 타 충돌하다, 마주치다 명 (무기 따위의) 쨍그렁 (부딪치는 소리); 충돌; 불일치
(예) He *clashed* his sword down on the table. 그는 탁자 위에 칼을 쨍그렁 소리를 내며 내려 놓았다. // My opinions *clash with* his. 내 의견은 그의 의견과 맞지 않는다. // a *clash* of views 의견의 충돌

◇**clasp** [klæsp / klɑːsp] 자 타 꽉 쥐다(=hold tightly), 끌어안다, (죔쇠로) 꼭 죄다(=fix) 명 악수, 죔쇠; 포옹

☆**class** [klæs / klɑːs] ⓜ (사회)계급; 학급; 수업(시간); 항목, 종류 ⓣ 등급을 정하다, 분류하다(=classify)
(예) the lower 〔upper, middle〕 *classes* 하층〔상류, 중류〕 계급 // be in *class* 수업 중이다 // travel first-*class* 일등차로 여행하다 // ◇take a *class* in Korean history 한국사 수업을 받다
어법 미국의 대학에서는 어떤 학년의 학생 전체를 class라 한다. freshman 〔sophomore, junior, senior〕 class 1〔2, 3, 4〕 학년생
파 **clássless** ⓗ (사회가) 계급 차별이 없는 **clássmate** ⓜ 동급생 **clássroom** ⓜ 교실 **cláss-cónscious** ⓗ 계급 의식을 가진 ◇**clásswork** ⓜ 교실 학습

◇**clas·sic** [klǽsik] ⓗ 고전의; 일류의 ⓜ ((*pl.*)) 고전(古典)
파 ◇***clássical** ⓗ 고전의 **clássicism** ⓜ 고전주의

◇**clas·si·fy** [klǽsəfài] ⓣ 분류하다(=assort, systematize)
파 **classificátion** ⓜ 분류

◇**clat·ter** [klǽtər] ⓙⓣ 덜거덕거리다, 떠들썩하게 지껄이다 ⓜ 덜거덕 덜거덕 하는 소리
(예) *clatter* along 덜걱거리며 가다 // *clatter* down 와르르 떨어지다〔쓰러지다〕

clause [klɔːz] ⓜ 조항; 〖문법〗 절(節)
(예) a noun 〔an adjective, an adverb〕 *clause* 명사〔형용사, 부사〕절

◇**claw** [klɔː] ⓜ (고양이·매 따위의) 발톱, (게·새우의) 집게발; 갈고리 ⓙⓣ 할퀴어 뜯다(=tear with nails)
NB 사람의 손톱·발톱은 *nail*, 독수리 따위 맹금의 발톱은 *talon*, 소·말의 발굽은 *hoof* 라고 한다.

◇**clay** [klei] ⓜ 찰흙, 점토; (죽으면 흙이 되는) 육체

☆**clean** [kliːn] ⓗ 청결한, 깨끗한 ⓑ 깨끗이, 완전히 ⓣ 청결하게 하다
반 dírty 더러운
(예) keep one's clothes *clean* 의복을 깨끗이 해 두다 // ◇They are told to *clean up* their rooms. 그들은 자기방을 청소토록 명령받고 있다. // ◇They *cleaned out* the garbage. 그들은 쓰레기를 말끔히 쓸어냈다. // I *clean* forgot about it. 나는 그것에 대해 까맣게 잊고 있었다.
파 **cleáner** ⓜ 세탁 기술자, 청소부〔기〕 **cleanly** ⓗ [klénli] 깨끗한 ⓑ [klíːnli] 깨끗이, 결백하게 ◇***cleanse** [klenz]★ ⓣ 정결하게 하다 **cleanliness** [klénlinis] ⓜ 청결 **cléanness** ⓜ 청결; 결백 ◇**cléaning** ⓜ 청소 **cléan-sháven** ⓗ 수염을 말쑥하게 깎은 **cléanup** ⓜ (부패 따위의) 일소, 정화

***clear** [kliər] ⓗ 맑은; 투명한; 명백한, 터놓은 ⓙⓣ 제거하다, 명백하게 하다; 개간하다
(예) *clear* one's throat 헛기침을 하다 // ◇*clear* the path *of* snow 길에서 눈을 치우다 // It was *clear* to me that it was false. 내가 보기에 그것은 거짓임이 분명했다. // He made it *clear* that he would take our side. 그는 우리 편을 들겠다고 분명히 밝혔다.

파 **cléarance** 명 (재고 따위의) 정리; 통관 수속, 출항허가; (높이의) 여유 공간 **cléaring** 명 청소; 청산; 개간지 ***cléarly** 부 명백히 **cléarness** 명 명백함

◇***clear away*** 치우다; (안개 따위가) 걷히다
(예) *clear away* the plates 식사후 식탁의 식기들을 치우다

clear off 제거하다; (빚 따위를) 청산하다; (날씨가) 개다
(예) Let's *clear off* the table so we can use it to work on. 공부 하는데 쓸 수 있도록 식탁 위의 것을 치우자. // The fog has *cleared off*. 안개가 걷혔다.

◇***clear up*** (날씨가) 개다; 치우다, 해결하다
(예) The weather 〔It〕 has *cleared up*. 날씨가 개었다.

cleave [kliːv] 자 타 쪼개다(=divide), 길을 트다, 헤치고 나아가다; 고수〔집착〕하다[~ to]
NB 「쪼개다」의 뜻일 때에는 clove 나 cleft 《과거》 — cloven이나 cleft로, 「고수하다」의 뜻일 때에는 cleaved — cleaved 로 활용한다.
파 **cleft** 명 갈라진 틈 형 쪼개진

clem·ent [klémənt] 형 너그러운, 자비로운(=merciful), (기후가) 온화한(=mild)
파 **clémency** 명 인자함, 너그러움; (기후의) 온화함

◇**clench** [klentʃ] 타 자 (주먹·물건을) 꽉 쥐다, (이를) 악물다 명 이를 갊
(예) *clench* one's teeth 이를 악물다 // *clench* one's fist 주먹을 꽉 쥐다

cler·gy·man [kləːrdʒimən] 명 《*pl.* ***-men***》 목사, 성직자
파 **clérgy** 명 [the ~] 《집합적·복수취급》 성직자

*◇**clerk** [kləːrk / klɑːk] 명 서기; 사무원; 〖미〗 점원(=〖영〗 shop assistant)

* **clev·er** [klévər] 형 영리한(=intelligent, bright); 재주〔솜씨〕 있는(=skillful) [~ at]
반 stúpid 우둔한
(예) ◇He is *clever at* English. 그는 영어를 잘한다. // be *clever with* a handsaw 톱질을 잘한다 // a *clever* speech 훌륭한 연설 // Tom *was clever to* solve the difficult problem. ↔ *It was clever of* Tom *to* solve the difficult problem. 그 어려운 문제를 풀었다니 톰은 영리하구나.

> ▶ **57.** 「현명한」의 유사어
> **clever**는 재치가 있고 머리가 좋은 것. **ingenious**는 발견, 발명의 재간이 풍부한 것. **wise**는 깊은 경험, 지식에 의해서 사물을 바르게 처리하는 능력이 있는 것. **intelligent**는 이해력이 풍부한 것.

파 ◇**cléverly** 부 솜씨 있게, 영리하게 ◇**cléverness** 명 영리함

◇**click** [klik] 명 째깍〔딸깍〕 (하는 소리); 제동자(制動子) 자 타 째깍〔딸깍〕 소리나다〔내다〕
(예) *click* one's tongue 혀를 차다 // The door *clicked* shut. 문이 딸깍하고 닫혔다.

cli·ent [kláiənt] 명 소송 의뢰인, 단골 손님(=customer)

cliff [klif] ⓜ 낭떠러지, 벼랑, 절벽
*__cli·mate__ [kláimit] ⓜ (어떤 지방의) 기후, 풍토; 환경; (어떤 시대·사회 따위의) 풍조, 정신적 풍토, 분위기
(예) a dry 〔humid, mild〕 *climate* 건조한 〔습기 많은, 온화한〕 기후 // the *climate* of opinion 세론의 동향
파 **climatic** [klaimǽtik] ⓗ 기후의 **climátically** ⓑ 기후상으로
cli·max [kláimæks] ⓜ 절정(=the highest point), 클라이맥스 ⓙⓣ 클라이맥스〔절정〕에 달하다〔달하게 하다〕
☆**climb**★ [klaim] ⓣⓙ 기어오르다(=go up) ⓜ 기어오름, 등반, 등산
어법 *climb down*이라 하면 「기어내리다」 (*cf.* ascend)
파 ***climber** [kláimər] ⓜ 등산자 **clímbing** ⓜ 올라감, 등산 ⓗ 기어오르는, 상승하는
climb up 애써서 오르다, 기어오르다
*__cling__ [kliŋ] ⓙ 《***clung***》 달라붙다, 매달리다(=stick) [~ to], 고수하다 [~ to]
****cling to*** ~에 착 달라붙다, ~에 집착하다
(예) *cling to* one's faith 신념을 고수하다 // She *clung to* the hope that her son would succeed. 그 여자는 아들이 성공하리라는 희망을 버리지 않았다.
파 **clingy** [klíŋi] ⓗ 달라붙는, 밀착하는(=sticky)
clin·ic [klínik] ⓜ 진료소, 의원(醫院)
clip [klip] ⓣ (털·작은 가지 따위를) 가위질하다 (=cut), (양털·산울타리 따위를) 깎다 ⓜ 종이 끼우개, 클립
파 **clípper** ⓜ 깎는 사람; 《*pl.*》 이발 기계, 쾌속선, 쾌속 비행정(艇) **clípping** ⓜ 가위질; (신문·잡지의) 오려낸 기사 ⓗ 잘라내는
cloak [klouk] ⓜ (망또처럼 소매 없는) 외투; 가면 ⓙⓣ 외투를 입다〔입히다〕; 덮어 감추다
파 **clóakroom** ⓜ 휴대품 보관소
☆**clock** [klɑk / klɔk] ⓜ 괘종시계 (*cf.* watch)
파 **clóckmaker** ⓜ 시계 제조〔수리〕인 **clock tower** 시계탑 **clóckwise** ⓗ (시계 바늘처럼) 오른쪽으로 도는 **clóckwork** ⓜ 시계〔태엽〕 장치
clog [klɑg / klɔg] ⓜ 《통상 *pl.*》 나막신; 장애물 ⓣⓙ 방해하다, 틀어막히다
clois·ter [klɔ́istər] ⓜ [the ~] 수도원, 《통상 *pl.*》 회랑(回廊)
***close** ⓗ [klous] 닫힌(=shut); 가까운(=near); 밀접한, 친밀한(=intimate) ⓑ [klous] 조밀하게, 접근하여 ⓣⓙ [klouz] 닫다(=shut); (일·이야기를) 끝마치다(=end) ⓜ [klouz] 종결, 결말(=end); [klous] 구내(構內)
반 ópen 열린, 열다, begín 시작하다
(예) at the *close* of day 해질녘에 // come〔draw〕 to a *close* 끝장나다 // He came *close to* being run over. 그는 하마터면 차에 치일 뻔했다.
파 ☆**closely** [klóusli]★ ⓑ 가깝게, 밀접히, 꼭맞게, 세세하

게 **closeness** [klóusnis] ⓜ 접근, 밀집, **clósed** ⓗ 닫혀 있는 ◇**clóse-knit** ⓗ 긴밀하게 맺어진 **close-up** [klóusʌ̀p] ⓜ (영화의) 클로즈업, 대사(大寫)

◇***bring ~ to a close*** (일을) 끝나게 하다, 끝내다

close at hand 가까이에, 절박하여
(예) The post office is *close at hand.* 우체국은 아주 가깝다.

close by ~의 가까이에, ~의 바로 곁에
(예) She thought she heard a voice somewhere *close by.* 그녀는 어딘지 바로 곁에서 소리가 났다고 생각했다.

◇***close in*** 가두다, 에워싸다; 다가오다
(예) The enemy *closed* them *in.* 적이 그들을 포위했다.

C

***close in on* 〔*upon*〕** (적·어둠 따위가) ~에 다가오다
(예) Dusk *closed in upon* the mountains. 산줄기에 땅거미가 지기 시작하였다.

***close on* 〔*upon*〕** ~에 가까운; 거의(=nearly)
(예) It is *close on* ten o'clock. 거의 10시이다.

close up ~을 닫다, 밀집하다; 막히다; (상처가) 아물다
(예) *Close up,* please. 사이를 좁혀 주시오.

*◇(***be***) ***close to*** ~에 접근해 있는
(예) The school *is close to* the house. 학교는 집 근처에 있다.

◇**clos·et** [klásit / klɔ́z-] ⓜ 사실(私室); 반침; 변소

◇**clot** [klɑt / klɔt] ⓜ (엉긴) 덩어리 ⓐⓣ 응고하다〔시키다〕

* **cloth** [klɔːθ, klɑθ / klɔθ]* ⓜ 천, 헝겊, 직물, 클로드 《책의 헝겊 표지》
어법 복수형은 cloths [klɔðz, klɔθs]. 단순히 「천」의 뜻일 때는 복수형을 쓰지 않지만 천의 종류나 천으로 된 제품(테이블보 등)을 가리킬 때에는 복수형을 쓴다.

*◇**clothe** [klouð]* ⓣ 《***clothed, clad***》 옷을 입히다(=dress)
파 *◇**clóthing** ⓜ 《집합적으로》 의복, 옷

(***be***) ***clothed* 〔*clad*〕 *in*** ~을 입고 있는
(예) *be clad in* white 흰 옷을 입고 있다 // The trees *are clad in* fresh leaves. 나무는 새 잎으로 덮여 있다.

*◇**clothes** [klouz, klouðz] ⓜ 《*pl.*》 옷, 의복
어법 직접 수사(數詞)를 붙여 쓸 수 없음. two *suits* of clothes (옷 두 벌)

☆**cloud** [klaud] ⓜ 구름, 흐림, 암운; (벌레 따위의) 떼, 대군(大群) ⓣⓐ 흐리게 하다, 흐리다, 어두워지다
(예) a *cloud of* dust 구름 같이 이는 먼지 // His face was *clouded with* anxiety. 그의 얼굴은 불안으로 흐려 있었다.
파 ◇**clóudless** ⓗ 구름〔암영〕이 없는 ☆**clóudy** ⓗ 흐린, 흐린 날씨의; 흐릿한 **clóudily** ⓑ 흐려서, 몽롱하게 **clóudiness** ⓜ 흐린 날씨

◇**clout** [klaut] ⓜ 강타; (정치적인) 권력, 영향력

◇**clo·ver** [klóuvər] ⓜ 클로버

◇**clown** [klaun] ⓜ 어릿광대; 시골뜨기(=rustic), 야인(野人), 시골 무지렁이

*club [klʌb] ⓜ 클럽; 곤봉 ⓐⓣ 곤봉으로 때리다
cluck [klʌk] ⓐⓣ (암탉이) 꼬꼬 울다 ⓜ 꼬꼬 우는 소리
clue [kluː] ⓜ 실마리, 단서 NB clew 라고도 씀.
clump [klʌmp] ⓜ 숲, 덤불; 육중한 걸음걸이 ⓣⓐ 쿵쿵 걷다
clum·sy [klʌ́mzi] ⓗ 솜씨 없는, 서투른(=unskillful), 꼴사나운
(예) be *clumsy* at typewriting 타자가 서투르다
파 **clúmsily** ⓑ 솜씨 없이 **clúmsiness** ⓜ 서투름, 꼴불견
clus·ter [klʌ́stər] ⓜ 떼, 송이 ⓐⓣ 떼를 이루다
clutch [klʌtʃ] ⓐⓣ 움켜잡다 ⓜ 움켜잡음, 파악; 《보통 *pl.*》 (~의) 수중(手中), 지배력; (자동차의) 클러치, 전동 장치
clut·ter [klʌ́tər] ⓜ 혼잡, 혼란, 소란 ⓐⓣ 떠들다, 혼잡하게 하다 [~ up]
c/o, c.o. [kέərɔv] 〖약어〗 care of ~방(方), 전교(轉交)
(예) *c/o* Mr. Kim 김씨 방
coach [koutʃ] ⓜ (말 4 필이 끄는) 4 륜의 큰 마차, (국왕의) 공식용 마차; 객차; (운동의) 코치, 가정 교사 ⓣⓐ 코치하다, 지도하다
(예) I *coached* him for the examination. 나는 그의 시험 공부를 지도했다.
파 **cóachman** ⓜ 《*pl.* -men》 마부 **coach box** 마부석
*coal [koul] ⓜ 석탄
파 **coal mine** 탄광
coarse [kɔːrs] 〈동음어 course〉 ⓗ 거친, 조잡한, 품위 없는, 저속한, (직물의) 결이 거친(=rough)
반 fine 세련된, 고운
파 **cóarsen** ⓣⓐ 거칠게 하다〔되다〕, 상스럽게 하다 **cóarsely** ⓑ 조잡하게 **cóarseness** ⓜ (결의) 거칢; 조잡
coast [koust] ⓜ 해안(=seashore) ⓐ 해안을 따라 항해하다
파 **cóastal** ⓗ 연안의 ***cóastline** ⓜ 해안선
☆**coat** [kout]* ⓜ 웃옷, 코트 ⓣ 입히다; 칠하다, 씌우다
(예) Put on your *coat.* ↔ Put your *coat* on. 웃옷을 입어라. // This is iron *coated with* zinc. 이것은 아연을 입힌 철이다.
파 **cóating** ⓜ (페인트 따위의) 칠, 피복(被覆), (과자·요리 표면에) 입힌 것
coax [kouks] ⓐⓣ 살살 구슬리다, 달래다
(예) *coax* a child *to* take 〔*into* tak*ing*〕 his medicine 아이를 달래서 약을 먹이다 // She *coaxed* him *out of* his plan. 그 여자는 잘 구슬려서 그의 계획을 그만두게 했다.
cob·bler [kάblər / kɔ́blə] ⓜ 구두 수선공; 서투른 직공
co·bra [kóubrə] ⓜ 〖동물〗 코브라
cob·web [kάbwèb / kɔ́b-] ⓜ 거미집
파 **cóbwebbed** ⓗ 거미줄이 친인; 머리가 돈
cock [kɑk / kɔk] ⓜ 수탉, (새의) 수컷; (총의) 공이치기,

(수도 따위의) 고동, 마개 Ⓣ Ⓘ 위로 쳐들다, (귀를) 쫑긋 세우다 [~ up]; 뻐기다
반 hen 암탉, 새의 암컷
파 **cóck-a-doodle-dóo** 명 꼬끼오 《수탉의 울음소리》 꼬꼬 《닭의 아동어》 **cóckpit** 명 투계장, 싸움터; 조정〔조타〕실

cock·ney [kákni / kɔ́k-] 명 (순수한) 런던 토박이(=Londoner), 런던 사투리〔말씨〕 형 런던 토박이〔말씨〕의

◇**cock·tail** [káktèil / kɔ́k-] 명 칵테일《혼합주》

co·coa [kóukou] 명 코코아

co·co·nut, -coa- [kóukənʌ̀t] 명 야자수 열매

◇**code** [koud] 명 법전(法典), 관례; 암호 Ⓣ 법전으로 만들다; (통신을) 암호로 하다

co·dex [kóudeks] 명 《*pl.* ***-dices*** [-dəsìːz]》 (성서·고전의) 사본; 약전(藥典)

◇**cod·fish** [kádfìʃ / kɔ́d-] 명 〔동물〕 대구

co(-)ed [kóuèd] 명 〔미·구어〕 (남녀 공학 학교의) 여학생

co·ed·u·ca·tion [kòuedʒəkéiʃən] 명 남녀 공학
파 **coeducátional** 형 남녀 공학의

> ▶ 58. 접두어 co
> 명사·동사에 붙여서 「함께」의 뜻을 나타낸다. (예) *co*-education, *co*operate 따위

co·er·cive [kouə́ːrsiv] 형 강제적인, 고압적인

co·ex·ist [kòuigzíst] Ⓘ 공존하다, 양립하다[~ with]
파 **coexístence** 명 공존 (peaceful *coexistence* 평화 공존)

☆**cof·fee** [káfi, kɔ́ː- / kɔ́fi] 명 커피
(예) a *coffee* break 〔주로 미〕 (작업 중의) 휴게 시간 // a *coffee* shop 다방 // a *coffee* pot 커피 끓이는 다관(茶鑵)

*◇**cof·fin** [kɔ́fin] 명 관(棺) Ⓣ 관에 넣다

co·here [kouhíər] Ⓘ 딱 붙다, 밀착하다; 시종 일관하다
파 **cohérent** 형 밀착한, (이야기의) 조리가 선 **cohérence** 명 결합; (문체·논리 등의) 일관성

◇**coil** [kɔil] Ⓘ Ⓣ 사리를 틀다, 똘똘 감다 명 사리; 〔전기〕 코일
(예) He *coiled* a wire around a stick. 그는 막대기에 철사를 칭칭 감았다.

*◇**coin** [kɔin] 명 화폐 Ⓣ 화폐를 주조하다; (신어를) 만들다
파 **coinage** [kɔ́inidʒ] 명 화폐 주조, 신조어(新造語)

co·in·cide [kòuinsáid] Ⓘ 일치하다, 부합하다(=agree) [~ with]; 동시에 일어나다
(예) His views *coincide with* mine. 그의 견해는 내 견해와 일치한다.
파 **coíncident** 형 일치하는; 동시에 일어나는 **coincidéntal** 형 (우연히) 일치하는 **coincidéntally** 부 일치〔부합〕하여 ◇**coíncidence** 명 (우연의) 일치, 부합, 합치

◇**coke** [kouk] 명 코크스; 〔미·속어〕 코카콜라(=Coca-Cola)

co·la [kóulə] 명 콜라나무; 콜라 음료

☆**cold** [kould]★ 형 추운; 냉담한 명 추위; 감기
반 hot 더운 NB warm은 cool의 반대어.

(예) *cold* weather 추운 날씨 // a *cold* bath 냉수욕 // a *cold* drink 차가운 음료 // *cold* war 냉전 // a *cold* in the head 〔nose〕 코감기 // die of 〔from〕 *cold* 동사하다 // The *cold* was terrible. 추위는 극심했다.

파 ◇**cóldly** 부 쌀쌀하게, 차게 ◇**cóldness** 명 한기(寒氣); 냉담 ◇**cóld-blóoded** 형 냉혈의; 냉혹한 **cóld-héarted** 형 냉담한

catch (a) cold 감기 들다

col·lab·o·rate [kəlǽbərèit] 자 함께 일하다, 공동 연구하다, 합작하다, 협력하다 [~ with]

col·lapse [kəlǽps] 명 붕괴, 쇠퇴; 좌절 자 붕괴하다, 쇠약해지다

(예) His health *collapsed.* 그의 건강이 쇠약해졌다.

col·lar [kɑ́lə*r* / kɔ́lə] 명 칼라, 깃, (장식용) 목걸이

(예) take a person by the *collar* 아무의 멱살을 잡다

col·league [kɑ́liːg / kɔ́l-] 명 동료

▶ **59.** 신과 요일

요일 이름에는 신의 이름이 감춰져 있다. Tuesday는 군신(軍神) Tiu의 날, Wednesday는 지(知), 시(詩), 붓(筆)의 신 Wōden의 날, Friday는 Wōden의 아내 Frig의 날, Saturday는 농경의 신 Saturn의 날(Satan과 혼동하지 말 것)이다. 이 중 day의 앞에 s, es가 붙는 것이 3개 있으나, 이건 소유격 "s"의 조상이다. Sunday, Monday가 무슨 날인지는 새삼스럽게 말할 필요도 없다.

▶ **60.** 접두어 **col**

col은 「함께, 같이」의 뜻을 나타낸다.

(예) *col*lect, *col*laborate 따위

col·lect [kəlékt] 타 자 모으다(=bring together), 모이다, 수금하다; 마음을 가라앉히다 [~ oneself] 형 부 〖미〗 수취인 지급의〔으로〕 반 distríbute 분배하다

(예) *collect* stamps 우표를 수집하다 // *collect* one's courage 용기를 불러 일으키다 // send a telegram *collect* 수취인 지불로 전보를 치다

파 **colléted** 형 침착한; 모은 ***colléctive** 형 집합적인(a *collective* noun 집합 명사) **colléctively** 부 집합적으로 **colléctor** 명 수금원, 수집가 (⇨) **collection**

col·lec·tion [kəlékʃən] 명 수집; 수집품; 징수

(예) a large *collection* of books 다수의 장서(藏書) // make a *collection* of ~을 모으다

col·lege* [kɑ́lidʒ / kɔ́l-]* 명 (단과) 대학; 전문 학교

어법 종합 대학인 *university*에 대하여 단과 대학을 *college*라고 하는 경우가 많다. 또 Oxford, Cambridge 양 대학에서는 대학 구성의 단위가 되는 자치적이고 전통이 오랜 「학료(學寮)」를 말한다.

파 **collegian** [kəlíːdʒiən] 명 대학생 **collegiate** [kəlíːdʒiit, -dʒit] 형 대학의, 대학생용의

col·lide [kəláid] 자 충돌하다, 일치하지 않다 [~ with]

(예) The car *collided with* a truck. 그 차는 트럭과 충돌했다.

파 ◇**collision** [kəlíʒən] 명 충돌

col·lie [káli / kɔ́li] [명] 콜리 《원래 양 지키는 개》
col·lo·qui·al [kəlóukwiəl] [형] 구어(체)의
[파] **collóquially** [부] 구어로 **collóquialism** [명] 구어체
co·lon [kóulən] [명] 콜론(:) (*cf.* semicolon)
◇**colo·nel** [kə́ːrnl]★ [명] 육군 대령; 연대장
⁑**col·o·ny** [káləni / kɔ́l-] [명] 식민지, 거류지; 《집합적으로》 거류민
[파] ⁑**colónial** [형] 식민(지)의 **colónialism** [명] 식민지주의, 제국주의 **colónialist** [명] 식민주의자 **cólonist** [명] 이주민 **cólonize** [타] 식민하다 **colonizátion** [명] 식민지화
C
◇**co·los·sal** [kəlásəl / kəlɔ́səl] [형] 거대한(=huge, gigantic)
☆**col·o(u)r** [kʌ́lər]★ [명] 빛깔, 색(=tint), 채료; 안색; 《*pl.*》 군기(軍旗) [타] [자] 물들(이)다; 얼굴을 붉히다(=flush, blush)
(예) lose one's *color* 파랗게 질리다 // local *color* 지방색 // be yellow in *color* 빛은 노랗다 // What *color* is it? 그것은 무슨 색이냐?
[어법] 끝 예문에서는 Of what color로 하지 않아도 좋다. 또 What is its color? 라고 해도 된다.
[파] **cólo(u)red** [형] 착색한《미국에서는 「흑인의」 뜻으로 많이 쓰인다.》 ◇**cólo(u)rful** [형] 다채로운 ◇**cólo(u)rless** [형] 무색의, 단조로운 ◇**cólo(u)r-blind** [형] 색맹의
colt [koult] [명] 망아지; 신출내기, 초심자(*cf.* pony)
◇**col·umn** [káləm / kɔ́l-] [명] (신문의) 난(欄); 원주(圓柱), 기둥; 종대(縱隊)
⁑**comb** [koum]★ [명] 빗; 닭의 볏, 물마루 [타] 빗질하다; 철저히 수색하다
(예) He *combed* his thin hair straight back. 그는 성긴 머리칼을 뒤로 곧장 빗어 넘겼다. // She *combed* the files for the missing letter. 그녀는 없어진 편지를 찾느라고 서류철을 샅샅이 뒤졌다.
com·bat [자] [타] [kəmbǽt, kámbæt / kɔ́mbət, kəmbǽt] 격투하다, 싸우다 [명] [kámbæt, kʌ́m- / kɔ́mbət, kʌ́m-] 싸움(=fight), 투쟁(=struggle); 시합, 경기
[원] com(=with)+bat(=beat 때리다)
(예) *combat* crime 범죄 방지를 위해 노력하다 // *combat with* 〔*against*〕 the enemy 적과 싸우다
[파] **combatant** [kəmbǽtənt, kámbət / kɔ́mbətənt] [명] 전투원 [형] 싸우는 **combative** [kəmbǽtiv / kɔ́mbətiv-] [형] 싸움을 좋아하는, 호전적인 **cómbatively** [부] 싸움조로
⁑**com·bine** [kəmbáin] [타] [자] 결합하다(=join together), 연합하다, 화합하다
[원] com(=together)+bine(=bind 맺다)
[반] séparate 분리하다
(예) *combined* efforts 협력 // ◇He *combines* intelligence *with* vitality. 그는 총명과 활력을 겸비하고 있다.
[파] **combíned** [형] 결합한 ⁑**combinátion** [명] 결합, 짝맞추기
com·bus·tion [kəmbʌ́stʃən] [명] 연소(작용), 발화
(예) natural *combustion* 자연 발화 // an internal-*com*

bustion engine 내연 기관

come [kʌm] [자] ⟪***came; come***⟫ 오다; 일어나다(=happen), 유래하다(=be caused by); ~이 되다(=become), ~에 달하다(=amount to) [반] go 가다

(예) *come* up 다가오다 // *come* what may 무엇이 일어나든지 // in the years to *come* 금후 // Things come alive in the spring. 봄에는 만물이 소생한다. // The whole scene *come* back to me. 그 장면이 상기되었다.

[어법] ① *come*을 「가다」로 새겨야 할 경우가 있다 : ⟪집에 있는 상대자에게⟫ I'll *come* to your house.(댁으로 찾아 가겠습니다), ⟪호출된 사람이 말할 때⟫ I'm *coming*.(지금 갑니다), ⟪극장에 가기로 한 사람이 상대편에게⟫ Will you *come ?*(너도 가겠니?)——요컨대, 상대를 중심으로 자신이 상대쪽을 향하여 이동하는 것이 *come*, 자신을 중심으로 그 곳에서 떠나는 동작이 *go*이다. ② 다음의 차이에 주의 : Has he *come ?* (그는 지금 와 있느냐?), Has he been? (지금까지 줄곧 와 있었느냐?)

[파] **cómely** [형] 잘 생긴, 아름다운; 알맞은 **cómer** [명] 오는 사람 ***cóming** [형] 돌아오는, 다음의 (*coming* Sunday 돌아오는 일요일) [명] 도래 **cóme-and-gó** [명] 내왕, 오감 **cómeback** [명] 복귀, 말대답 (*cf.* come back) **cómedown** [명] 영락(零落), 퇴보; (지위 따위의) 실추

come about 생기다, 일어나다(=happen)

(예) How did the accident *come about ?* 그 사고는 어떻게 일어났는가?

come across ~을 우연히 찾아내다(=find by accident), (아무를) 뜻밖에 만나다(=meet with)

(예) Yesterday I *came across* her at the market. 어제 시장에서 우연히 그녀를 만났다. // He *came across* a rare book. 그는 우연히 진귀한 책을 찾아냈다.

come along (길을) 따라 오다〔가다〕, 함께 가다; 나타나다; 동의하다; 잘 진행되다; ⟪명령형⟫ 따라 와라; 자 빨리

come at ~에 이르다, ~을 얻다, ~을 파악하다

(예) *come at* true knowledge 진상을 알게 되다

come back 돌아오다; 〘구어〙 회복하다; 생각나다 [~ to]

(예) *come back* from abroad 귀국하다 // *come back* to power 다시 정권을 잡다 // *come back* to (one's) memory 기억이 되살아나다

come by ~을 (우연히) 손에 넣다, 획득하다(=obtain)

(예) *come by* money 돈이 손에 들어오다 // *come by* a very good car 아주 좋은 차를 손에 넣다

come down 내리다, 내려가다; 전해지다 [~ to]; 영락하다 [~ in]

(예) *come down* the hill 언덕을 내려가다 // The story has *come down to* us from the past. 그 이야기는 예로부터 전해 내려오고 있다.

come down with (병에) 걸리다

(예) He *came down with* influenza. 그는 독감에 걸렸다.

*◇**come from** ~에서 나오다, ~의 출신이다
(예) Where do you *come from*? 너는 어디 출신이냐? // War *comes from* ignorance. 전쟁은 무지에서 야기된다.
어법 「~의 출신」의 뜻으로는 현재형을 쓰는데 주의. (cf. come of, born of)

come home 귀가〔귀국〕하다

*◇**come in** 들어오다; 유행하게 되다, 사용되다
(예) The family has 500 dollars *coming in* monthly. 그 가족의 매월 수입은 500달러이다. // The style *came in* ten years ago. 그 스타일은 10년 전에 유행했다.

◇**come in handy** 〔**useful**〕 소용되다, 쓸모 있게 되다
(예) This knife may *come in handy*. 이 나이프는 소용 있을지도 모른다.

***come into** ~에 들어오다〔가다〕, (~상태가) 되다, ~을 물려 받다
(예) *come into* sight 시야에 들어오다 // *come into* use 쓰이게 되다 // *come into* power 권력을 잡다 // *come into* the world 태어나다 // He will *come into* a large sum of money. 그는 많은 돈을 물려 받을 것이다.

◇**come into being** 탄생하다

◇**come into** *one's* **mind** 〔**head**〕 생각이 떠오르다

◇**come near** (**to**) *do***ing** 거의 ~할 지경이다, 하마터면 ~할 뻔하다
(예) The child *came near* be*ing* drowned. 그 애는 하마터면 익사할 뻔했다.

◇**come of** ~의 태생이다, ~의 결과〔때문〕이다
(예) He *comes of* a good family. 그는 좋은 집안의 태생이다. // Your failure *comes of* drinking. 너의 실패는 술을 마신 때문이다.
어법 come from과 구별할 것. come of는 가문에 대해 쓴다.

◇**come off** (~에서) 떨어지다〔이탈하다〕, (단추 따위가) 떨어지다; (행사 따위가) 거행되다
(예) *come off* a horse 말에서 떨어지다 // When does the concert *come off*? 연주회는 언제 있습니까?

◇**come on** 〔**upon**〕 다가오다, 등장하다; 《명령》 자 오너라, 가자, 서둘러라, 자
(예) Just then a policeman *came on* and arrested the man. 바로 그 때 경관이 나타나서 그 사나이를 체포하였다. // *Come on*! Get up now. 자, 이제 일어나.

◇**come out** 나오다, 발매되다, 출판되다; (사실이) 판명되다
(예) The book will *come out* soon. 그 책은 곧 나올 것입니다. // How did the game *come out*? 시합의 결과는 어떻게 되었지?

◇**come over** 건너오다; 불쑥 방문하다
(예) Won't you *come over* to Korea? 한국에 건너오지 않겠느냐?
NB I'll *be over* tonight. 이면 「당신에게 가겠습니다.」의 뜻.

come round 돌아(서) 오다; 회복하다

(예) The baseball season is *coming round.* 야구 시즌이 다가온다.

come through 견디어 내다, 잘 해 내다, 성공하다
(예) *come through* with (one's) promise 약속을 지키다

come to* 결국 ~이 되다, ~의 액수에 달하다(=amount to); ~(의 상태)가 되다; 의식을 되찾다, 제정신이 들다; 《원형이 계속되어》 ~하게 되다
(예) How much does the account *come to?* 계산이 얼마가 됩니까? // How did you *come to* know that I am here? 내가 여기에 있다는 것을 어떻게 알게 되었는가? // When it *comes to* music, he knows everything. 음악이라면 그는 무엇이든지 다 안다.

come together 만나다, 모이다
(예) They *came* at last *together* and he took her in his arms. 마침내 그들은 만났는데, 그는 그 여자를 포옹했다.

come true 사실이 되다, (예언이) 들어맞다
(예) Your dream will *come true.* 네 꿈은 실현될 것이다.

come under ~의 부류에 들다, ~에 편입되다; (영향 따위를) 받다
(예) *come under* a person's notice 〔observation〕 아무에게 눈치채이다

come up 올라가다; 다가가다; (폭풍 따위가) 일어나다
(예) A stranger *came up* to me and extended his hand. 낯선 사람이 내게 다가와서 손을 내밀었다.

come up against (곤란·반대)에 직면하다
(예) *come up against* many difficulties 많은 곤란에 부딪치다

come upon ~을 우연히 만나다; 습격하다; 요구하다; 문득 생각이 떠오르다
(예) The enemy *came upon* us. 적은 우리를 습격했다.

come up to ~에 달하다, ~에 필적하다(=be equal to)
(예) No king's son could *come up to* him in learning. 어떤 왕자도 학문에 있어선 그를 따르지 못했다. // Your service does not *come up to* my expectations. 너의 일 솜씨는 나의 기대에 차지 않는다.

come up with ~을 따라 잡다; ~을 제안하다
(예) Tom *came* slowly *up with* us. 톰은 서서이 우리를 따라 붙었다. // She *came up with* a useful suggestion. 그 여자는 유용한 세인을 하였다.

com·e·dy [kámədi / kɔ́m-] ㉧ 희극
㉥ trágedy 비극
㉤ ◦**comedian** [kəmíːdiən] ㉧ 희극 배우 ◦**cómic** ㉨ 희극의, 우스꽝스러운(㉥ trágic 비극의) **cómical** ㉨ 익살맞은 **cómically** ㉤ 익살맞게, 우습게

com·et [kámət / kɔ́m-] ㉧ 혜성, 살별

com·fort [kʌ́mfərt]* ㉧ 위안, 안락(=ease) ㉰ 위안하다, 위로하다(=console) ㉥ discómfort 불쾌
(예) live in *comfort* 안락하게 지내다 // *comfort* the un-

lucky men 불행한 사람들을 위로하다
파 cómforter 명 위문자 cómfortless 형 위안이 없는, 쓸쓸한

***com·fort·a·ble** [kʌ́mfərtəbəl]★ 형 안락한, 기분 좋은
반 uncómfortable 편안하지 않은, 불유쾌한
(예) Make yourself *comfortable*. 편히 하십시오(=at home)
파 ***cómfortably** 부 편안하게

***com·ma** [kámə / kɔ́mə] 명 쉼표, 콤마(,)

***com·mand** [kəmǽnd / -mɑ́:nd] 타 자 명하다(=order), 지휘하다(=lead), 통솔하다(=control); (경치 따위를) 바라보다(=overlook) 명 명령(=order), 지휘, 통솔; 전망
원 com(=completely)+mand(=order) 반 obéy 복종하다
(예) *command* attention (사람의) 주의를 끌게 하다 / He *commanded* silence. 그는 정숙을 명했다. // He *commanded* them *to* do it at once. ↔ He *commanded* it *to* be done at once. ↔ He *commanded that* they (*should*) do it at once. 그는 그들에게 곧 그것을 하라고 명령했다. // The room *commands* a fine view. 이 방은 전망이 좋다.
파 **commánder** 명 지휘자 **commander in chief** (*pl.* commanders-) 총사령관 **commándant** 명 지휘관 **commánding** 형 지휘하는, 위풍당당한; 전망이 좋은

at one's command 마음대로 쓸 수 있는, 마음대로 되는
(예) He has little money *at* his *command*. 그는 자유로 쓸 수 있는 돈이 거의 없다.

have a command of ~을 마음대로 쓸 수 있다

take command of ~을 지휘하다, ~의 지휘관이 되다
(예) Admiral Yi was orderd to *take command of* the naval forces. 이 장군은 명을 받고 해군의 지휘관이 되었다.

com·mand·ment [kəmǽndmənt / -mɑ́:nd-] 명 계명, 계율(戒律)(=order)

com·mem·o·rate [kəmémərèit] 타 기념하다, 경축하다(=celebrate)
원 com(=together)+memor(=mindful)+ate(동사 어미)
파 **commémorable** 형 기념할 만한 **commémorative** 형 기념의, 기념하기 위한

com·mem·o·ra·tion [kəmèməréiʃən] 명 기념

in commemoration of ~을 기념하여
(예) *In commemoration of* this day, a solemn ceremony was performed. 이 날을 기념하여 엄숙한 식이 거행됐다

com·mence [kəméns] 타 자 시작하다(=start), 개시하다
어법 「~하기 시작하다」는 commence do*ing*이 commence *to do* 보다 더 바람직하다.
파 **comméncement** 명 개시; 〔미〕 졸업식

> ▶ **61.** 「시작하다」의 유사어
> **commence**는 형식에 치우친 말이고 **begin**은 일반적인 말이다. **start**는 begin과 같으나 어느 정도 돌연하게 시작하는 뜻이 내포되어 있다.

com·mend [kəménd] 타 추천하다, 칭찬하다(=praise); 맡기다 [~ to]

㊥ cénsure 비난하다
(예) *commend* a friend *to* the employer 친구를 고용주에게 추천하다 // He is highly *commended for* his honesty. 그는 정직하므로 크게 칭찬을 받고 있다.
㊥ **comméndable** ⓗ 추천할 수 있는, 훌륭한 **comméndably** ⓑ 훌륭하게 **commendátion** ⓜ 칭찬, 추천

com·ment [kámənt / kɔ́m-] ⓜ 주석(註釋), 논평 ⓙ 주석을 달다, 비평하다 [~ (up)on]
(예) *comment on* 〔make a *comment to*〕 the results 결과에 대하여 의견을 말하다〔논평하다〕
㊥ **cómmentary** ⓜ 논평, 주석 **commentator** [káməntèitər / kɔ́məntèitə] ⓜ 주석자, 뉴스 해설자

com·merce [kámə(ː)rs / kɔ́mə(ː)s]* ⓜ 상업, 무역(=trade)
㊀ com(=with)+merce(=goods 상품)

com·mer·cial [kəmə́ːrʃəl] ⓗ 상업의, 상거래의, 영리적인; 광고〔상업〕 방송의 ⓜ 광고 방송
㊥ **commércially** ⓑ 상업상 **commércialism** ⓜ 상업주의 **commércialize** ⓣ 상업화하다

com·mis·sion [kəmíʃən] ⓜ 위임, 위임장; 임명; 수수료 ⓣ 위임하다; 임명하다
㊥ **commíssioned** ⓗ 임명〔임관〕된 **commíssioner** ⓜ 위원 **commissary** [kámәsèri / kɔ́misəri] ⓜ 대표자; 〖미〗 (군대 따위의) 판매부, 매점

com·mit [kəmít] ⓣ 위탁하다 [~ to]; (죄·과오를) 범하다 (=do wrong); 저지르다
(예) *commit* an error 실수를 하다 // *commit* suicide 자살하다 // *commit* ~ *to* memory (~을) 암기하다
㊥ ◇**commítment** ⓜ 위탁; 공약; 범행; 구속 (영장)

commit oneself to ~에 몸을 맡기다, ~한다고 약속하다, 확실한 언질을 주다
(예) *commit* one*self to* the theory 그 이론을 신봉하다 // He *committed* him*self to* solving the problem. 그는 그 문제를 해결하기로 확약했다.

com·mit·tee* [kəmíti]* ⓜ 위원회
어법 집합 명사. 다음 용법에 주의: The committee *consists* of five members. (위원회는 다섯 사람으로 구성되어 있다). The committee *are* having *their* dinner. (위원들은 식사 중이다) 후자는 The members of the committee 의 뜻.
㊥ **commítteeman** ⓜ 《*pl.* -men》 위원

com·mod·i·ty [kəmádəti / -mɔ́-] ⓜ 상품, 물품, 일용품

com·mon [kámən / kɔ́m-]* ⓗ 공통의; 통상적인(=usual, ordinary), 일반의(=general) ⓜ 공유지, 공동 소유권
㊥ uncómmon, unúsual, rare 드문
(예) out of *common* 비범한; 이상한
㊥ *◇**cómmonly** ⓑ 일반적으로, 보통 **cómmonness** ⓜ 보통, 평범 **cómmoner** ⓜ 평민 **cómmons** ⓜ 《*pl.*》 평민, 서민 *◇**common sense** 상식(적 판단력), 양식(良識)

(***be***) ***common to*** ~에 공통한

(예) interests *common to* all 모든 사람에게 공통된 이해(利害)

◇ ***in common*** 공통하게, 공동으로
(예) The two stories have nothing *in common.* 그 두 이야기는 공통점이 없다. // The two have hobbies *in common.* 두 사람은 공통된 취미를 가지고 있다.

◇*__com·mon·place__ [kámənplèis / kɔ́m-] 형 평범한, 흔한(=ordinary) 명 평범한 일, 상투어(常套語)

***com·mon·wealth** [kámənwèlθ / kɔ́m-] 명 국가, 공화국, 공화 정체
(예) the British *Commonwealth* of Nations 영국 연방

C

com·mo·tion [kəmóuʃən] 명 동요, 소동, 폭동(=disturbance)

com·mu·nal [kəmjú:nl, kámjə- / kɔ́mjə-] 형 자치체의; 공공의; 사회 일반의

◇*__com·mu·ni·cate__ [kəmjú:nəkèit]* 타 자 통신〔교신〕하다(=convey news) [~ with]; 알리다, 전하다(=transmit), 통하다, 연락하다
(예) *communicate with* each other 서로 통신하다 // *communicate* a secret *to* him 비밀을 그에게 알리다 // My study *communicates with* the garden. 내 서재는 정원과 통한다.
파 **commúnicable** 형 전할 수 있는, 전염성의 **commúnicator** 명 전달자, 발신기 (⇨) **communication**

◇*__com·mu·ni·ca·tion__ [kəmjù:nəkéiʃən] 명 통신, 전달; 교통
(예) means of *communication* 교통기관 // be *in communication with* ~와 연락〔통신〕하고 있다
파 **commúnicative** 형 허물 없는, 터놓은, 수다스러운

com·mun·ion [kəmjú:njən] 명 친교; 영교(靈交); 성찬식

com·mu·nism [kámjənìzəm / kɔ́m-] 명 공산주의
파 ◇**cómmunist** 명 공산주의자 (the *Communist* Party 공산당)

◇*__com·mu·ni·ty__ [kəmjú:nəti]* 명 공동 생활체, (일반) 사회 공유(共有); 일치
(예) *community* chest 공동 모금(募金)

com·mute [kəmjú:t] 타 자 교환〔변환〕하다(=exchange), (지급 방법을) 바꾸다〔대체하다〕 [~ for]; 〖미〗 정기〔회수〕권으로 다니다
파 **commutation** [kàmjətéiʃən / kɔ̀m-] 명 정기권 통근; 교환 (a *commutation* ticket 정기 승차권) ◇**commúter** 명 〖미〗 (교외) 정기권 통근자〔이용자〕

com·pact 명 [kámpækt / kɔ́m-] 계약; (화장용) 콤팩트 형 [kəmpǽkt] 치밀한, 간결한 타 [kəmpǽkt] 빽빽이 채우다 간결하게 하다
원 com(=together)+pact(=fasten 단단히 고정시키다)

◇*__com·pan·ion__ [kəmpǽnjən]* 명 동무(=friend), 벗, 동행자, 상대 타 동반하다 (=take), 반려자가 되다
반 antágonist 적수(敵手)

파 **compánionable** 형 사귀기 좋은 ◇**compánionship** 명 교분(交分), 교제, 우정

com·pa·ny [kʌ́mpəni] 명 사귐; 동무, 벗(=companion), 손님; 일행; 회사 〖약어〗 *Co.*
(예) He is in bad *company.* ↔ He keeps bad company. 그는 나쁜 친구와 사귀고 있다. // have *company* 손님이 와 있다 // He is good 〔poor〕 *company.* 그는 사귀기 좋은〔나쁜〕 사람이다. // Among the *company* was an old man. 일행 중에는 노인 한 분이 있었다.

for company 교제상, 동무하기 위해서
(예) invite a person along *for company* 동무삼아 아무를 초청하다 // weep *for company* 덩달아 울다

in company 사람 틈에서, 사람 앞에서
(예) I don't like to be seen *in company.* 나는 사람들 앞에 나서기가 싫다.

in company with ~와 함께, ~와 더불어
(예) travel *in company with* him. 그와 함께 여행하다
NB in one's company, in the company of 따위도 같은 뜻이다: *In the company of* women, he is very bashful. 여자들과 같이 있으면 그는 몹시 수줍어한다.

keep company with ~와 교제하다; ~와 친하게 사귀다; ~와 동행〔동반〕하다
(예) I'll *keep company with* you as far as Seoul station. 서울역까지 너와 동행하겠다.

com·par·a·tive [kəmpǽrətiv] 형 비교의; 비교적인
(예) the *comparative* degree 〖문법〗 비교급
파 ***compáratively** 부 비교하여, 비교적(으로), 꽤

com·pare [kəmpέər] 타 자 비교하다 [~ with]; 필적하다 [~ with]; 비유하다 [~ to] 〖약어〗 *cp.* (*cf.* contrast)
어법 「필적하다」의 뜻으로는 보통 의문 또는 부정 구문: Art cannot *compare with* nature. (예술은 자연과 비교가 안 된다)
파 ***compárison** 명 비교, 대조, 유사; 〖문법〗 비교, 비교변화 (make *comparison* 비교하다) ***cómparable** 형 비교할 만한 **cómparably** 부 비교되리 만큼

compare ~ to ~을 …에 비유하다
(예) Life is often *compared to* a voyage. 인생은 흔히 항해에 비유된다.
어법 「비유하다」라는 뜻으로는 반드시 to를 사용하지만, compare ~ to가 「비교하다」의 뜻으로 쓰일 경우도 있다.

compare ~ with ~을 …와 비교하다
(예) I hate *comparing* myself *with* them. 나 자신을 그들과 비교하는 것은 싫다.

(as) compared with ~와 비교하면
(예) I have done very little *compared with* what I did last month. 지난 달 한 것과 비교하면 이 달은 거의 아무것도 하지 않았다.

by comparison 비교하면, 비교적

(예) This one is cheaper *by comparison*. 이것이 비교적 더 싸다.

◇***in* 〔*by*〕 *comparison with*** ~에 비하면
(예) Korea is a small country *in comparison with* the United States. 한국은 미국에 비하면 작은 나라이다.

◇**com·part·ment** [kəmpɑ́ːrtmənt] 명 구획, 구분; 칸막이(칸막이 한) 작은 방

◇**com·pass** [kʌ́mpəs] 명 범위(=extent), 둘레; 나침반; 《*pl.*》 컴퍼스 타 둘러싸다(=surround); 달성하다
(예) a voice of great *compass* 음역(音域)이 넓은 소리 // beyond the *compass* of imagination 상상도 미치지 못하는 범위에

com·pas·sion [kəmpǽʃən] 명 연민(=pity), 동정
원 com(=with)+passion(=feeling)
파 **compassionate** [kəmpǽʃənit] 형 동정심이 많은, 인정 있는 **compássionately** 부 불쌍히 여기어

com·pat·i·ble [kəmpǽtəbəl] 형 양립할 수 있는, 모순이 없는, 적합한 [~ with]
반 incompátible 양립할 수 없는
(예) Liberty is not *compatible with* monarchy. 자유는 군주 정부와 양립할 수 없다.
파 **compatibílity** 명 양립성, 적합, 모순이 없음

***com·pel** [kəmpél] 타 억지로 ~시키다(=force), 강요하다
(예) *compel* silence 침묵을 강요하다 // You cannot *compel* him *to* do so. 그에게 그렇게 하도록 강요할 수는 없다. // I was *compelled to* retire. 나는 할 수 없이 사직했다.
파 **compélling** 形 ~하지 않을 수 없게 만드는, 강제적인 (a *compelling* novel 매우 재미있는 소설) **compúlsion** 명 강제, 강요 (반 fréedom, líberty) **compúlsive** 형 강박 관념에 의한 (⇨) **compúlsory**

> ▶ **62.** 「강요하다」의 유사어 —
> **compel**은 「강제하다」의 뜻이고 force보다는 강하지 않다. **force**는 강제의 뜻이 대단히 강하다. **make**는 사람의 의지에 관계 없이 ~시킨다는 뜻이고, **cause**는 남이 ~하게 하다란 뜻으로 반드시 강제의 뜻은 아니다. **have**는 남이 ~하도록 주선한다는 뜻으로 부탁할 때에 많이 쓴다. **let**는 남의 의지에 따라서 ~시키다란 뜻이다.

***com·pen·sate** [kɑ́mpənsèit / kɔ́m-] 자 타 배상하다(=make up for), 보상하다, 갚다
(예) I will *compensate* you *for* your loss. 너의 손실은 보상하겠다. // Money cannot *compensate for* life. 생명은 돈으로 바꿀 수 없다.
파 **compensátion** 명 배상, 보수 **compénsatory** 형 배상의, 보상의; 보충의

*◇**com·pete*** [kəmpíːt] 자 경쟁하다(=contend), 겨루다 [~ with]; 《통상 부정문에서》 필적하다[~ with]
(예) *compete with* a person *for* a prize 아무와 상을 타

고 겨루다 // No goods can *compete with* this in quality. 품질면에서 이것에 필적할 물건은 없다.
㉺ ◇**competitor** [kəmpétətər] ㉥ 경쟁자 (⇨) **competition**

com·pe·tent [kάmpətənt / kɔ́m-] ㉹ 유능한, 능력 있는(=able), (능력이) 충분한
(예) the *competent* authorities 소관 관청 // be *competent for* the task 그 일을 할 능력이 있다.
㉺ ◇**cómpetently** ㉸ 유능하게, 충분히, 적당히 ◇**cómpetence** ㉥ 자산; 능력, 자격

com·pe·ti·tion [kὰmpətíʃən / kɔ̀m-] ㉥ 경쟁
(예) in *competition* with ~와 경쟁하여
㉺ *̊**compétitive** ㉹ 경쟁의 **compétitively** ㉸ 경쟁적으로 **compétitiveness** ㉥ 경쟁

com·pile [kəmpáil] ㉷ 편찬하다, 편집하다
(예) *compile* a dictionary 사전을 편집하다
㉺ **compíler** ㉥ 편찬자 **compilátion** ㉥ 편집, 편찬

com·pla·cent [kəmpléisənt] ㉹ 자기 만족의(=self-satisfied)
㉺ **complácence, -cency** ㉥ 자기 만족

com·plain [kəmpléin] ㉶ 불평하다(=grumble); (병고를) 호소하다 [~ of]; 고소하다 [~ to]
(예) *complain to* the police 경찰에 고발하다 // ◇I have nothing to *complain of.* 나에게는 아무런 불평도 없다. // He *complained* to her *about* high prices. 그는 물가가 높다고 그 여자에게 불평했다. // He *complained that* the room was stuffy. 그는 방의 통풍이 나쁘다고 불평했다.
㉺ *̊**compláint** ㉥ 불평 **compláinant** [-ənt] ㉥ 고소인

com·ple·ment ㉥ [kάmpləmənt / kɔ́m-] 〈동음어 compliment〉 보완하는 것, 보충, 〖문법〗 보어 ㉷ [kάmpləmènt / kɔ́m-] 보충〔보완〕하다
NB *compliment* 「아첨」과 혼동하지 말 것.
㉺ **complementáry** ㉹ 보충의, 보완하는

com·plete [kəmplí:t] ㉷ 완성하다(=finish) ㉹ 완전한(=perfect), 전부의(=whole)
㉻ incompléte 불완전한
(예) The task will be *completed* in a week. 그 일은 일주일이 지나야 끝날 것이다.
㉺ *̊**complétely** ㉸ 전적으로, 완전히 **compléteness** ㉥ 완전 ◇**complétion** ㉥ 완성, 성취

com·plex ㉹ [kάmpleks, kəmpléks / kɔ́mpleks] 복잡한(=complicated), 복합의 ㉥ [kάmpleks / kɔ́m-] 합성물(合成物); 〖심리〗 복합, 강박 관념
㉻ símple 단순한
(예) a *complex* sentence 〖문법〗 복문 // inferiority *complex* 열등감
㉺ *̊**compléxity** ㉥ 복잡

com·plex·ion [kəmplékʃən] ㉥ 안색, 외모(=appearance)

◇**com·pli·cate** [kámpləkèit / kɔ́m-] Ⓣ 복잡하게 하다, 뒤얽히게 하다
(예) be *complicated in* (사건 따위에) 말려들게 되다 / *complicate* matters 일을 복잡하게 만들다
파 ◇**cómplicated** Ⓗ 복잡한 **complicátion** Ⓜ 복잡, 분규

*◇**com·pli·ment** Ⓜ [kámpləmənt / kɔ́m-] 〈동음어 complement〉 《복수형으로》 인사(=greetings), 듣기 좋은 말, 아첨(=flattery), 빈 말, 찬사(=praise) Ⓙ Ⓣ [kámpləmènt / kɔ́m-] 듣기 좋은 말을 하다, 아첨의 말을 하다, 칭찬하다, 인사하다; (선물을) 증정하다
(예) pay a *compliment* to ~에게 찬사를 보내다 // the *compliments* of the season 계절의 축하 인사 // I *complimented* him *on* his success. 나는 그의 성공을 치하했다.
파 **compliméntary** Ⓗ 칭찬의, 인사의, 듣기 좋은 말을 잘하는, 축하의; 무료의(a *complimentary* ticket 초대권)

com·ply [kəmplái] Ⓙ 동의하다, 응낙하다(=agree), 따르다 [~ with]
반 refúse 거절하다
(예) They are not going to *comply with* your proposal. 그들은 너의 제안에 동의하지 않을 것이다. // I cannot *comply with* your request. 네 요청에는 응할 수 없다.
파 **complíant** Ⓗ 고분고분한 **complíance** Ⓜ 응낙, 순종

◇**com·po·nent** [kəmpóunənt] Ⓗ 구성하는, 성분의 Ⓜ 성분

*◇**com·pose** [kəmpóuz] Ⓣ Ⓙ 짜맞추다(=put together), 만들다(=make); 작곡하다; (마음을) 가라앉히다(=calm)
파 **compósed** Ⓗ 침착한 **composedly** [kəmpóuzidli] Ⓑ 태연하게 ◇**compóser** Ⓜ 작곡가; 조정자 **composite** [kəmpázit / kɔ́mpəzit] Ⓗ 혼성의, 합성의 Ⓜ 합성물 **compósitive** Ⓗ 합성의, 종합적인 *◇**composítion** Ⓜ 구성, 합성; 작문, 작곡 **compósure** Ⓜ 침착, 평정(=calmness)

◇(***be***) ***composed of*** ~으로 이루어진(=consist of)
(예) Water *is composed of* hydrogen and oxygen. 물은 수소와 산소로 이루어진다.

◇**com·pound** Ⓗ [kámpaund / kɔ́m-] 합성의, 복합의; 복식의 Ⓜ [kámpaund / kɔ́m-] 혼합물, 화합물; 〔문법〕 복합어 Ⓣ Ⓙ [kəmpáund] 혼합하다; 화해〔타협〕하다
원 com(=together)+pound(=put) 반 ánalyze 분해하다
(예) a *compound* of carbon with a metal 금속과 탄소의 화합물 // a *compound* sentence 〔문법〕 중문(重文) // *compound* with a person for a thing 어떤 일을 가지고 누구와 타협하다

*◇**com·pre·hend** [kàmprihénd / kɔ̀m-] Ⓣ (충분히) 이해하다(=understand), 알다(=know); 포함하다(=include)
(예) I cannot *comprehend* your meaning. 말하는 의미를 알 수 없다.
파 **comprehénsible** Ⓗ 이해할 수 있는 **comprehénsibly** Ⓑ 이해할 수 있게 **comprehensibílity** Ⓜ 이해할 수 있음 *◇**comprehénsion** Ⓜ 이해 **comprehénsive** Ⓗ 이해의, 포괄적인

적인 **comprehénsively** [부] 널리, 포괄적으로 **comprehénsiveness** [명] 포괄성, 이해력이 있음

com·press [타] [kəmprés] 압축하다(=press tightly), 단축〔요약〕하다 [명] [kámpres / kɔ́m-] 찜질용 헝겊, 습포, 압정포(壓定布)

> ▶ **63. 접두어 com—**
> 「함께, 같이」의 의미를 나타낸다.
> (예) *com*press, *com*bine

(예) *compress* the two weeks' work *into* one 두 주일의 일을 한 주일로 줄이다
[파] **compréssible** [형] 압축할 수 있는 **compréssion** [명] 압축, 단축 **compréssive** [형] 압축력이 있는 **compréssor** [명] (공기) 압축기, 압착 펌프

com·prise, -prize [kəmpráiz] [타] 포함하다(=contain); 함유하다; 구성하다(=constitute)
(예) The house *comprises* ten rooms. 그 집에는 방이 10개 있다.
[어법] *comprise*는 통상 수동태로는 쓰지 않음.

com·pro·mise [kámprəmàiz / kɔ́m-] [명] 타협 [타][자] 타협하다; (명성 따위를) 더럽히다, (신용 따위를) 손상시키다 [~ oneself]
[파] **cómpromising** [형] (말·행위가) 명예를 손상시키는, 신용을 떨어뜨리는

com·pul·so·ry [kəmpʌ́lsəri] [형] 의무적인, 강제적인; 필수의
(예) *compulsory* education 의무 교육 // *compulsory* (military) service 병역 의무, 징병 // *compulsory* subjects 〖영〗 필수 과목

com·pute [kəmpjúːt] [자][타] (컴퓨터로) 계산하다(=calculate), 측정〔산정〕하다
(예) *compute* the distance of the sun from the earth 지구에서 태양까지의 거리를 계산하다
[파] ◇**computation** [kàmpjətéiʃən / kɔ̀m-] [명] 계산; 산정액 ⁑**compúter** [명] 전자 계산기, 계산기 ◇**compúterize** [타] ~을 전자 계산기로 처리하다 ◇**compúter-run** [명] 컴퓨터 런, (프로그램의) 실행

com·rade [kámræd / kɔ́mrəd] [명] 동무(=friend), 동지, 전우(=comrade-in-arms)
[파] **cómradeship** [명] 우애(友愛), 동지애

con·cave [형] [kankéiv, kánkeiv / kɔ́nkeiv, kɔnkéiv] 오목한 [명] [kánkeiv / kɔ́nkeiv] 요면(凹面), 오목면
[반] cónvex 볼록면(의) [파] **concávity** [명] 오목함

con·ceal [kənsíːl] [타] 감추다(=hide), 숨기다
[원] con (=wholly)+ceal (=hide) [반] revéal 나타내다
(예) *conceal* oneself 숨다 // *Conceal* nothing *from* me. 나에게 숨김없이 말하라. // He *concealed* the fugitive. 그는 도망자를 숨겼다.
[파] **concéaled** [형] 숨겨진 **concéalment** [명] 은폐; 숨는 곳

con·cede [kənsíːd] [타] 양보하다; 주다; 인정하다
(예) The privilege has been *conceded to* him. 그 특권은

그에게 주어졌다. // I *concede that* he has the right. 그에게 그 권리가 있음을 인정합니다.
[파] **concéssion** [명] 양보; 허가 **concéssive** [형] 양보의 **concéssively** [부] 양보적으로

con·ceit [kənsíːt] [명] 자부심; 기상(奇想), 착상(着想)
[반] módesty 겸손
(예) He is so full of *conceit* that everybody dislikes him. 그는 너무나 자부심이 강해서 누구나 그를 싫어한다.
[파] **concéited** [형] 자부심이 강한 **concéitedly** [부] 거드럭거리며, 건방지게

C

con·ceive [kənsíːv] [타] [자] 상상하다(=imagine), 이해하다 [~ of]; (생각·원한 따위를) 품다; 임신하다
(예) *conceive* an idea 어떤 생각을 품다 // I *conceive* it (*to be*) true. ↔ I *conceive that* it is true. 그것은 사실이라고 생각한다. // It is difficult to *conceive of* the world as a big ball. 세계를 하나의 큰 공으로 생각하기는 어렵다.
[파] **concéivable** [형] 생각할 수 있는([반] inconcéivable) **concéivably** [부] 생각되는 바로는, 상상컨대 ***concéption** [명] 개념(=idea), 착상; 임신 **concéptional** [형] 개념(상)의 **concéptive** [형] 개념적인

***con·cen·trate** [kánsəntrèit / kɔ́n-]* [자] [타] 집중하다, 전념하다 [~ upon, on]
[원] con (=together) + center (중심) +ate (동사 어미)
[반] distráct (마음·주의)를 빗가게 하다, (정신을) 어수선하게 하다
[파] **cóncentrated** [형] 집중된 ***concentrátion** [명] 집중, 정신 통일 (*concentration* camp 집단 억류소, 포로 수용소)

****concentrate on* 〔*upon*〕** ~에 집중〔전념〕하다
(예) *concentrate* (one's) thoughts 〔energies〕 *on* ~에 생각〔정력〕을 집중하다 // *concentrate on* a problem 문제(의 해결)에 전념하다

con·cept [kánsept / kɔ́n-] [명] 개념(=notion, idea)
[파] **concéptual** [형] 개념상의

***con·cern** [kənsə́ːrn] [타] 관계하다, 걱정시키다 [명] 관계(=relation); 염려(=anxiety); 관심사, 관계하는 일, 용무, 상사, 회사(=business company)
[반] disregárd 등한시하다
(예) a matter of great *concern* 중대한 일 // have no *concern* with ~와는 관계 없다 // the authorities *concerned* 관계 당국 // That doesn't *concern* me. 그것은 나에게는 관계 없다. // He *is concerned for* his children. 그는 애들 일을 걱정하고 있다.
[파] **concérned** [형] 걱정스러운; 관계 있는 **concernedly** [kənsə́ːrnidli] [부] 걱정하여 **concérnment** [명] 관계, 용건, 사무

***(*be*) *concerned with* 〔*in*〕** ~에 관계가 있는
(예) I am not *concerned with* it. 나는 그것에 관계가 없다(그것은 나의 알 바 아니다). (↔It is no *concern* of mine.) //

They have been *concerned in* that affair. 그들은 그 사건에 관계하고 있었다.

concern oneself with ~에 관심을 가지다, ~을 걱정하다
(예) He does not *concern* him*self with* the matter. 그는 그 일에는 관심이 없다.
어법 *be concerned*에 with, in이 붙으면 「관계하다, 종사하다」, about, for, over 따위가 붙으면 「관심을 가지다, 염려하다」의 뜻이 된다.

con·cern·ing [kənsə́ːrniŋ] 전 ~에 관하여(=about)

con·cert 명 [kánsərt / kɔ́nsət] 연주〔음악〕회; 일치, 조화 타 [kənsə́ːrt] 협조하다
어법 개인 연주회는 *recital* 이라 한다.

con·cer·to [kəntʃέərtou] 명 《*pl.* ***-ti*** [-tiː], ***-s***》 협주곡, 콘체르토 《관현악 반주의 독주곡》

con·cil·i·ate [kənsílièit] 타 무마하다; 조정(調停)하다, 화해시키다(=reconcile)
반 álienate 멀리하다
(예) *conciliate* the child with a present 아이를 선물로 달래다
파 **conciliátion** 명 조정, 화해, 융화 **concíliator** 명 조정자 **concíliatory** 형 달래는 듯한, 융화적인

con·cise [kənsáis]* 형 (문체 따위가) 간결한, 간명한
반 diffúse 산만한 파 **concísely** 부 간결히, 간명하게

con·clude* [kənklúːd]* 타 자 결정하다(=decide), 결론을 내리다, 끝마치다(=bring to an end); 맺다, 체결하다
(예) *conclude to* do ~하기로 결정하다 // I *concluded* it *to be* the best. ↔ I *concluded that* it was the best. 나는 그것이 최선이라고 결론을 내렸다.
파 **conclúsive*** 형 결정적인, 명확〔단호〕한 **conclúsively** 부 결정적으로

to conclude 《통상 문두에서》 결론으로 말하면, 끝으로

con·clu·sion [kənklúːʒən] 명 결말, 종결(=end); 결론, (조약 등의) 체결
반 begínning 처음, prémise 전제(前提)
(예) in *conclusion* 끝으로, 결론적으로 말해서 // come to a *conclusion* 결말을 보다; 결론에 이르다

con·com·i·tant [kankámətənt / -kɔ́m-] 형 공존의, 부수의 명 부수물

con·cord [kánkɔːrd, káŋ- / kɔ́nkɔːd, kɔ́ŋ-] 명 (의견·이해 따위의) 일치, 조화, 화합, 협조
반 díscord 불일치

con·course [kánkɔːrs / kɔ́n-] 명 집합, 군중(=crowd); (정거장의) 중앙 홀; 중앙 광장

con·crete 형 [kánkriːt, kankríːt / kɔ́nkriːt] 구체적인, 유형(有形)의; 콘크리트제(製)의 명 콘크리트 타 자 [kankríːt, kən-] 구체화하다, (콘크리트로) 굳히다
반 ábstract 추상적인
파 **cóncretely** 부 구체적으로 **concrétion** 명 응결(凝結)

in the concrete 구체적으로
(예) To put it *in the concrete,* you must keep nothing from me. 구체적으로 말하면 너는 뭐든지 나한테 숨겨서는 안 된다.

con·cur [kənkə́ːr] ㉮ 일치하다(=agree), 동시에 일어나다(=happen together)
㉯ díffer 다르다
(예) *concur with* him in the opinion 그의 의견에 동의하다 // Careful planning and good luck *concurred* to give them the victory. 세심한 계획과 행운이 함께 해서 그들은 승리를 획득했다.
㉰ **concúrrence** ㉱ 일치, 병발(倂發) **concúrrent** ㉲ 동시 발생의, 수반하는; 의견이 같은, 일치하는

C

*◇**con·demn** [kəndém] ㉳ 책망하다, 비난하다(=blame); 유죄 판결을 내리다, (죄를) 선고하다(=declare punishment), 운명지우다(=doom)
(예) *condemn* a fault 과실을 책망〔질책〕하다 // *condemn* a person *to* death 아무에게 사형을 선고하다 // a life *condemned to* misery 불행한 운명을 지닌 일생 // I was *condemned for* my failure. 나는 실패에 대한 책망을 들었다.
㉰ **condémned** ㉲ 유죄 선고를 받은 **condemnátion** ㉱ 비난, 유죄 선고

◇**con·dense** [kəndéns] ㉳㉮ 응축(凝縮)〔농축〕시키다(=compress), 요약하다, 압축하다
㉯ expánd 확장하다, enlárge 확대하다
(예) *condense* gas *to* 〔*into*〕 liquid 기체를 압축하여 액체로 하다 // *condense* a paragraph *into* a single sentence 한 패러그래프를 한 문장으로 요약하다
㉰ **condénsed** ㉲ 응축한 **condénsable** ㉲ 응축할 수 있는 **condensátion** ㉱ 응축 **condénser** ㉱ 응결기(凝結器), 축전기

con·de·scend [kàndisénd / kɔ̀n-] ㉮ 자신을 낮추다, 겸손하게 굴다
㉴ con(=with)+descend (=stoop 몸을 낮추다)
(예) He *condescended to* do such a thing. 그는 그런 일까지도 해 주었다.

> ▶ **64. 접두어 con**
> 「함께, 같이」의 의미를 나타낸다. (**com**과 같지만, c, d, g, j, n, q, s, t, v의 앞에서는 **con**이 된다)
> (예) *con*descend, *con*sist 따위

㉰ **condescension** [kàndisénʃən / kɔ̀n-] ㉱ 겸손 **condescénding** ㉲ 겸손한 **condescéndingly** ㉵ 자신을 낮추어

*◇**con·di·tion** [kəndíʃən] ㉱ 조건; 상태(=state); 지위, 신분(=rank); 《*pl.*》 상황, 사정 ㉳ 조건을 붙이다, 결정하다(=fix)
(예) make a *condition* 조건을 붙이다 // things that *condition* happiness 행복의 조건을 이루는 것들 // ◇Everything was in good *condition* when I got there. 내가 거기에 도착했을 때 모든 것은 좋은 상태에 있었다.

파 **condítional** 형 조건(부)의 (*conditional* clause 〔문법〕 조건절) **condítionally** 부 조건부로 **condítioned** 형 조건부의; ~한 상태의

(be) in* 〔*out of*〕 *condition 건강한〔건강하지 않은〕; 좋은〔나쁜〕 상태인; 사용할 수 있는〔없는〕

on condition that ~이라는 조건부로, ~이라면(=if)
(예) I will consent to it *on condition that* you bear the expenses. 네가 그 비용을 부담한다면 동의하겠다. (↔~, if you bear the expenses.)

on no condition 무슨 일이 있더라도 ~하지 않다
(예) You should *on no condition* do it again. 어떤 일이 있더라도 두번 다시 그것을 해서는 안 된다.

con·done [kəndóun] 타 용서하다, 묵과하다

con·duct 명 [kándʌkt / kɔ́ndəkt]* (도덕상으로 본) 행위, 관리(=management) 타 자 [kəndʌ́kt]* 인도하다; 처신하다; (업무를) 행하다
(예) good *conduct* 선행 // the *conduct* of war 전쟁의 수행 // *conduct* a guest to his seat 손님을 자리에 안내하다 // *conduct oneself* well 잘 처신하다
파 ◇**condúctor** 명 안내자, 지휘자, 차장(*cf.* condúctress 여자 안내자, 여차장)
어법 전차·버스의 차장, 미국에서는 기차의 차장도 포함한다. 영국에서는 기차의 차장은 guard라고 한다.

cone [koun] 명 원추(圓錐)(형); 화구구(火口丘); 솔방울

con·fed·er·ate 형 [kənfédərit] 동맹〔연합〕한 명 [kənfédərit] 동맹국; 공모자 타 자 [kənfédərèit] 동맹〔연합〕시키다〔하다〕 [~ with]; 공모시키다〔하다〕

con·fer [kənfə́ːr] 타 자 수여하다(=give), 상담〔협의〕하다 [~ with]; 《명령법》 비교하라, 참조하라 〔약어〕 *cf.*
(예) A gift was *conferred on* 〔*upon*〕 him. 선물이 그에게 수여됐다. // He *conferred with* his lawyer. 그는 변호사와 상담했다.
파 **conférment** 명 수여, 증여

con·fer·ence [kánfərəns / kɔ́n-] 명 회의, 회견, 상담
(예) hold a press *conference* 기자 회견을 갖다

con·fess [kənfés] 타 자 자백하다, 자인〔인정〕하다(=recognize); (죄를) 참회하다, (신앙을) 고백하다
원 con(=wholly)+fess(=say)
반 concéal 숨기다, denу́ 부인하다
(예) to *confess* the truth 사실을 말하면 // He *confessed* his guilt. ↔ He *confessed* himself (*to be*) guilty. ↔ He *confessed that* he was guilty. 그는 죄가 있음을 고백했다.
어법 ① confess to *have* done so (그렇게 했노라고 자백하다)와 같이 to부정사를 계속시키는 것은 바람직하지 않다. confess to *having* done so 와 같이 한다. ② 「실은 ~이다」라는 가벼운 뜻으로 I *confess* that ~을 쓸 경우도 있다.
파 **confessedly** [kənfésidli] 부 명백히 **conféssion** 명 자백, 참회, 신앙 고백 **conféssional** 형 자백의 **conféssor**

㉮ 자백자, 참회자

◇**con·fide** [kənfáid] ㉰㉱ (비밀 따위를) 털어놓다; 신용하다, 위탁하다, 맡기다
반 concéal 숨기다
(예) *confide* a secret *to* ~에게 비밀을 털어놓다 // It is rare to find a friend *in* whom you can *confide.* 신뢰할 수 있는 친구를 찾는다는 것은 드문 일이다. // I will *confide* my whole property *to* his care. 나의 전 재산을 그의 손에 맡기겠다.

C

*◇**con·fi·dence*** [kánfidəns / kɔ́n-] ㉮ 신임(=trust), 신뢰; 자신, 확신; 비밀
반 distrúst 불신, noncónfidence 불신임, díffidence 자신 없음
(예) with *confidence* 자신을 가지고 // in *confidence* 은밀히 // put 〔have〕 *confidence* in ~을 신뢰하다 // The girl made a *confidence* to her mother. 그 소녀는 어머니에게 비밀을 이야기했다.

*◇**con·fi·dent** [kánfidənt- / kɔ́n-] ㉯ 자신있는, 확신하고 있는
(예) a *confident* manner 자신 있는 태도 // He *is confident that* he will win the race. ↔ He *is confident of* winning the race. 그는 경주에 이길 것으로 확신하고 있다.
파 ◇**cónfidently** ㉲ 확신을 가지고 **confidéntial** ㉯ 비밀의, 신임받는 (a *confidential* agent 밀사) **confidéntially** ㉲ 터놓고, 내밀히, 신임하여

*◇**con·fine** ㉰ [kənfáin] 가두다, 유폐하다(=shut, keep in), (범위를) 제한하다(=limit) ㉮ [kánfain / kɔ́n-] ((보통 *pl.*)) (장소의) 경계(선)(=border); (행동·사상의) 한계
(예) *confine* a prisoner *in* a cell 죄수를 독방에 감금하다. // He is *confined to* bed with illness. 그는 병으로 자리에 누워 있다. // ◇The industrial revolution has not been *confined* to Britain. 산업혁명은 영국에만 한정되지 않았다.
파 **confínement** ㉮ 유폐, 감금; 칩거(蟄居)

confine *one**self*** ***to*** ~에 들어박혀 있다, 국한하다
(예) I have *confined* my*self* to my study today. 오늘 나는 서재에 들어박혀 있었다.

*◇**con·firm** [kənfə́ːrm]* ㉰ 확인하다; 비준하다, 공고히 하다
(예) It still needs to be *confirmed.* 그것은 아직 확인할 필요가 있다. // The incident *confirmed* my decision. 이 사건이 내 결심을 굳혔다. // The experience *confirmed* him *in* his dislike of music. 그 경험 때문에 그는 점점 음악이 싫어졌다.
파 **confírmable** ㉯ 확인할 수 있는 **confirmátion** ㉮ 확정, 확인 **confírmative** ㉯ 확정적인 **confírmed** ㉯ 확인〔확정〕된; 공고한

con·fis·cate [kánfəskèit / kɔ́n-] ㉰ 몰수하다, 압수하다
(예) *confiscate* the liquor 술을 압수하다
파 **confiscátion** ㉮ 몰수, 압수(품)

con·fla·gra·tion [kànfləgréiʃən / kɔ̀n-] ㉮ 큰 화재, 큰 불

con·flict ⓜ [kάnflikt / kɔ́n-] 투쟁(=struggle); (감정·이해 따위의) 충돌 ⓙ [kənflíkt] 싸우다(=contend); 모순되다 [~ with], 충돌하다
원 con(=together)+flict(=strike 때리다)
(예) My interests *conflict with* yours. ↔ My interests are in *conflict* with yours. 나의 이해(利害)는 너의 이해와 상반된다.
파 **conflícting** ⓗ 서로 싸우는, 일치하지 않는
in conflict with ~와 충돌〔상충〕하여
(예) His opinion is *in conflict with* mine. 그의 의견은 나의 의견과는 상충된다.

con·form [kənfɔ́:rm] ⓣ ⓙ 일치시키다〔하다〕, 준거(準據)하다, (관습 따위에) 따르다
(예) *conform* oneself *to* the customs 관습에 따르다 // He makes his deeds *conform to* his words. 그는 언행을 일치시킨다.
파 **confórmable** ⓗ 일치한, 적합한 **confórmably** ⓑ 일치하여, 순응하여 **confórmity** ⓜ 일치, 조화

con·found [kənfáund] ⓣ 혼동하다(=confuse); 당황〔혼란, 어리둥절〕케 하다(=perplex, bewilder); 《가벼운 저주·욕설》 제기랄!
(예) *confound* the means *with* the end 수단을 목적과 혼동하다 // *Confound* it! 제기랄! // He was *confounded* at the news. 그는 그 소식을 듣고 당황했다.
파 **confóunded** ⓗ 어리둥절한, 지긋지긋한, 지독한 **confóundedly** ⓑ 지독하게

con·front [kənfrʌ́nt] ⓣ 직면하다, (서로) 마주 대하다(=face), 대항하다(=oppose)
(예) His house *confronts* mine. 그의 집은 우리 집과 마주보고 있다. // *confront* the accuser *with* the accused 원고와 피고를 대질시키다
파 **confrontátion, confróntment** ⓜ 대항, 대결
***(be) confronted with* 〔*by*〕** (위험·난관 따위)에 직면한(=be faced by)
(예) I *am confronted with* many difficulties. 나는 많은 곤란에 직면해 있다. (↔ Many difficulties *confront* me.)

Con·fu·cian [kənfjú:ʃən] ⓗ 공자의; 유교의 ⓜ 유생(儒生)

Con·fu·cius [kənfjú:ʃəs] ⓜ 공자

con·fuse [kənfjú:z] ⓣ 혼란시키다(=put into disorder), 어리둥절하게 하다(=disconcert), 혼동하다(=mix up)
원 con(=together)+fuse(=pour 퍼붓다)
반 compóse 진정시키다
(예) *confuse* two different things 두 개의 다른 사물을 혼동하다 // be 〔become, get〕 *confused* 당황하다 // *confuse* Australia *with* 〔*and*〕 Austria 오스트레일리아와 오스트리아를 혼동하다
파 **confúsed** ⓗ 당황〔혼란〕한 **confusedly** [kənfjú:zidli] ⓑ 어찌할 바를 몰라, 당황하여 **confúsing** ⓗ 혼란〔당황〕

케 하는 *confúsion 명 혼란(=disorder), 당황(=perplexity), 혼동 (반 órder 질서)

in confusion 당황하여, 혼란되어

(예) Everything was *in confusion.* 모든 것이 혼란되어 있었다.

con·fute [kənfjúːt] 타 설파하다, 논박하여 꼼짝 못하게 하다

파 **confutátion** 명 설파, 논박

con·ge·nial [kəndʒíːnjəl] 형 성미에 맞는 [~ to], 같은 성질〔취미〕의

반 uncongénial 성미에 맞지 않는, 마음에 들지 않는

(예) Summer is the time most *congenial to* my health. 여름은 내 건강에 가장 알맞은 때이다. // Poetry and music are fundamentally *congenial.* 시와 음악은 근본적으로 같은 성질의 것이다.

con·gest [kəndʒést] 타 혼잡하게 하다, 넘치게 하다; 충혈시키다

(예) a *congested* car 초만원인 차 // The street *is congested with* traffic. 그 거리는 교통이 매우 혼잡하다.

con·ges·tion [kəndʒéstʃən] 명 혼잡, 붐빔, 밀집

(예) *congestion* of traffic 교통의 혼잡

con·grat·u·late [kəngrǽtʃəlèit] 타 축하하다, 축사를 하다 [~ a person on, upon]

(예) I *congratulate* you *on* your success. 당신의 성공을 축하합니다.

파 **congratulátion** 명 축하; 《*pl.*》 축사 (*Congratulations on* your success! 성공을 축하합니다.) **congrátulatory** 형 축하의

con·gre·ga·tion [kàŋgrəgéiʃən / kɔ̀ŋ-] 명 모임, 회합; (교회의) 회중(會衆)

반 segregátion 분리

파 **congregate** 자 타 [káŋgrəgèit / kɔ́ŋ-] 모이다, 모으다 형 [-git] 집합한 **congregátional** 형 (교회의) 회중의

con·gress [káŋgris / kɔ́ŋgres] 명 회의(=meeting), 대회; [C-] 〖미〗 의회

원 con(=together)+gress(=go)

NB 「의회」의 뜻일 때는 대문자로 쓰며 무관사. the Senate(상원)와 the House of Representatives(하원)로 구성됨. (*cf.* Parliament, Diet)

파 **congréssional** 형 회의의; [C-] 〖미〗 의회의

con·gress·man [káŋgrismən / kɔ́ŋgres-] 명 《*pl.* ***-men*** [-mən]》 [종종 C-] 〖미〗 국회 의원 《특히 Senator에 대한 하원 의원》

con·jec·ture [kəndʒéktʃər] 명 타 자 추측(하다)

(예) form a mistaken *conjecture* 그릇된 추측을 하다 // I cannot *conjecture* what his plans are. 그의 계획이 무엇인지 추측할 수 없다.

con·ju·ga·tion [kàndʒəgéiʃən / kɔ̀n-] 명 〖문법〗 (동사의) 활용, 어형 변화; 결합

파 **conjugate** [kándʒəgèit / kɔ́n-] 타 동사를 활용하다

con·junc·tion [kəndʒʌ́ŋkʃən] 명 〔문법〕 접속사 〔약어〕 *conj.*

파 **conjúnctive** 형 연속의, 〔문법〕 접속의 **conjúnctional** 형 접속사의, 접속적인

con·jure 자 타 [kándʒər / kʌ́ndʒər] 환기하다 [~ up], 요술〔마술〕을 부리다; [kəndʒúər] 간청하다, 서원(誓願)하다, 기원하다

파 **conjurer, -or** [kándʒərər / kʌ́ndʒərər] 명 마술사 **conjurátion** 명 간청, 기원

*◇**con·nect** [kənékt] 타 자 잇다, 연결하다(=join together)

원 con(=together)+nect(=join)

반 disconnéct 떼다

(예) be well *connected* 문벌이 좋다, 좋은 친척을 가지고 있다 // ◇Please *connect* me *with* Boston. 보스턴으로 연결해 주시오《전화에서》. // ◇They *connected* the engine *with* 〔*to*〕 the train. 그들은 기관차를 열차에 연결했다. // This train *connects with* another at Taegu. 이 열차는 대구에서 다른 열차와 접속된다.

파 **connécted** 형 연결된 **connécting** 형 연결하는 **connéctive** 형 접속성의 명 연결물, 접속어 **connéctively** 부 접속적으로 (⇨) **connection**

*(**be**) ***connected with*** ~와 (친척) 관계가 있는

(예) He *is connected with* the Browns. 그는 브라운씨 집안과 친척 관계가 있다. // Agriculture *is* closely *connected* with stock farming. 농업은 목축업과 밀접한 관계가 있다.

*◇**con·nec·tion** [kənékʃən] 명 관계, 관련; 《보통 *pl.*》 친척, (사업상의) 연고자; 접속, 연결

NB 영국에서는 connexion 이라고도 쓴다.

(예) a *connection between* crime and poverty 범죄와 빈곤과의 관련 // a man with good *connections* 유력한 친척을 가지고 있는 사람 // I have no *connection with* the affair. 나는 그 사건과 관계가 없다. // ◇in *connection* with ~와 관련하여, ~에 관하여

*◇**con·quer** [káŋkər / kɔ́ŋkə]* 타 자 정복하다(=defeat), 극복하다(=overcome), 승리를 거두다(=win a victory over)

반 surrénder 항복하다

(예) *conquer* one's bad habits 악습을 극복하다 // *conquer* difficulties 곤란을 극복하다

파 **cónquerable** 형 정복할 수 있는 **cónqueror** 명 정복자

*◇**con·quest** [kánkwèst, káŋ- / kɔ́ŋ-] 명 정복, 획득; 정복하여 얻은 것

NB conquer 와 conquest 의 발음에 주의.

*◇**con·science** [kánʃəns / kɔ́n-] 명 양심, 도의심

파 ***consciéntious** 형 양심적인 **consciéntiously** 부 양심적으로

*◇**con·scious** [kánʃəs / kɔ́n-] 형 의식적인, 자각하고 있는, 알아채어(=aware, knowing)

반 uncónscious 모르는, 무의식적인

(예) Man is a *conscious* being. 사람은 의식이 있는 생물이다. // He remained *conscious* till the next morning. 그는 다음날 아침까지 의식이 있었다. // She *was conscious* (*of*) how sick he was. 그 여자는 그가 얼마나 아픈지 알고 있었다.

파 *cónsciously 부 의식하고

* (***be, become***) ***conscious of*** ~을 의식하는, ~을 알아채는

(예) I *was conscious of* being followed. 나는 미행당하고 있다는 것을 알았다(↔I *was conscious that* I was being followed.) // I *was* fully *conscious of* my plain looks. 내 얼굴이 잘나지 못한 것을 충분히 의식하고 있었다.

어법 ① *be*를 쓰면 보통 「알고 있다」는 상태. 「알게 되다」는 *become*을 쓴다. ② that 절이 따르면 of는 불필요.

C

*◇**con·scious·ness** [kɑ́nʃəsnis / kɔ́n-] 명 의식, 자각

(예) *Consciousness* returned to him. 그는 의식을 되찾았다.

con·script 형 [kɑ́nskript / kɔ́n-] 병적에 오른, 징집된 명 (지원병에 대하여) 징집병 타 [kənskrípt] 징집하다(=draft)

con·se·crate [kɑ́nsəkrèit / kɔ́n-] 타 봉헌(奉獻)하다; 바치다, 신성하게 하다

(예) a monument *consecrated to* the memory of the dead 죽은 사람을 기념하기 위해서 바쳐진 기념비 // *consecrate* one's life 〔energies〕 *to* some object 어느 목적에 일생〔정력〕을 바치다

파 **cónsecrated** 형 신에게 바친, 성화(聖化)된 **consecrá·tion** 명 봉헌

◇**con·sec·u·tive** [kənsékjətiv] 형 연속하는, 잇달은

(예) three *consecutive* days 연속 3일

파 **consecútion** 명 연속, 연락; 순서

con·sen·sus [kənsénsəs] 명 (의견·증언 따위의) 일치, 합의; 여론

*◇**con·sent** [kənsént] 자 승낙하다(=allow), 동의하다(=agree) 〔~ to〕 명 승낙, 동의

원 con(=with)+sent(=feel)

반 dissént 불찬성, 반대

(예) by common *consent* 만장 일치로 // *consent to* a proposal 제안에 동의하다

어법 「~하는 것에 동의하다〔승낙하다〕」는 to+원형, to+동명사의 어느 것도 좋다: consent *to* go 〔going〕 (가는 것을 승낙하다). 단, 다음의 어법에 주의: I can't consent to *your* going. (네가 가는 것에는 승낙할 수 없다.)

*◇**con·se·quence**★ [kɑ́nsikwèns / kɔ́nsikwəns]★ 명 결과(=result); 중요성(=importance)

원 con(=with)+sequ(=follow 잇달아 일어나다)+ence └(명사 어미)

반 cause 원인

(예) in *consequence* 그 결과 // a matter of *consequence* 중요한 일 // take the *consequences* (자기 행위의) 결과에

책임을 지다
[파] **cónsequent** [형] 결과로서 생기는; 당연한 ***cónsequently*** [부] 그 결과, 따라서 **consequéntial** [형] 젠체하는
in consequence of ~의 결과, ~때문에
(예) change one's opinions *in consequence of* argument 의논한 결과 의견을 바꾸다
con·serve [kənsə́ːrv] [타] 보존하다(=keep); (과일 따위를) 설탕 절임으로 하다
(예) *conserve* the existing institutions 현존하는 제도를 보존하다
[파] ◇**conservátion** [명] 보존 ***consérvative** [형] 보수적인 [명] 보수주의자 **consérvatism** [명] 보수주의 ◇**consérvatory** [명] 온실
con·sid·er [kənsídər] [타][자] 숙고하다(=think over carefully), 고려하다, 참작하다; 중히 여기다; ~이라고 생각하다, 간주하다
(예) *consider* writ*ing* to her 그녀에게 편지를 쓰려고 생각하다 // *consider* what to do 무엇을 할까를 생각하다 // I *consider* it (*to be*) suitable.↔I *consider that* it is suitable. 그게 적당하다고 생각한다. // He *considered* whether he should go out. 그는 외출할까 말까 생각했다.
[파] ◇**considerate** [kənsídərit] [형] 인정 있는, 잘 생각해 주는, 사려 깊은 (◇be *considerate* of others 남을 생각해 주다) **consídering** [접][전] ~을 생각하면, ~에 비해서 (⇨) **considerable, consideration**
***con·sid·er·a·ble** [kənsídərəbl] [형] 적지 않은, 꽤 많은, 상당한; 고려할 만한; 중요한
(예) a *considerable* amount 상당한 양
[어법] 영국에서는 추상 명사에 붙여 쓰이나, 미국에서는 물질 명사에도 붙여 쓴다.
[파] ***considerably** [부] 상당히, 꽤
***con·sid·er·a·tion** [kənsìdəréiʃən] [명] 고려, 숙려, 고찰, 사려(=thoughtfulness); 중요함(=importance); 참작, 배려 [~ for]
(예) The matter needs *consideration.* 이 문제는 숙고를 요한다. // He has no *consideration* for others. 그는 타인에 대한 배려가 없다.
in consideration of ~을 고려하여, ~ 때문에
(예) You should pardon him *in consideration of* his youth. 나이 어린 점을 고려해서 그를 용서해 주셔야 합니다.
take into consideration 고려에 넣다(=consider)
(예) This is not a heavy stone, its size being *taken into consideration.* 이 돌은 크기를 고려한다면 무겁지 않다.
***con·sist** [kənsíst] [자] ~으로 이루어지다 [~ of]; ~에 있다 [~ in]; 양립하다 [~ with]
[원] con(=together)+sist(=stand 서다)
consist in ~에 있다, ~에 존재하다 (*cf.* lie in)
(예) True eloquence does not *consist in* speech. 진정한

웅변이란 말솜씨에 있지 않다. // Happiness *consists in* contentment. 행복은 만족에 있다.

◇* ***consist of*** ~으로 이루어지다(=be made up of)

(예) Human life *consists of* a succession of small events 인생은 사소한 사건의 연속으로 이루어져 있다.

NB *consist in* 다음에는 추상 명사가, *consist of* 다음에는 보통 명사가 오는 것이 보통이다.

con·sist·ent [kənsístənt] ⓗ 시종 일관한, 일치한; 양립하는(=compatible)

반 inconsístent 일치하지 않는

(예) This is not *consistent* with what you said yesterday 이것은 네가 어제 말한 것과 일치하지 않는다.

파 ◇ **consístently** ⓑ 시종 일관하여 **consístence, -cy** ⓜ 일치, (언행·논리의) 일관성

◇ **con·sole** [kənsóul] ⓣ 위로하다(=solace)

반 afflíct 괴롭히다

(예) ◇ My father *consoled* him*self with* the good news. 아버지께서는 그 좋은 소식으로 위안을 삼으셨다.

파 **consolátion** ⓜ 위안 **consólatory** ⓗ 위로의

con·sol·i·date [kənsálədèit / -sɔ́lə-] ⓣⓙ 굳히다, 굳어지다, 강화하다; 결합〔합병〕하다

◇ **con·so·nant** [kánsənənt / kɔ́n-] ⓜ 자음 ⓗ 자음의; 일치〔조화〕하는 [~ with, to]

반 vowel [váuəl] 모음

(예) a rule *consonant to* reason 합리적인 규칙

con·spic·u·ous [kənspíkjuəs] ⓗ (유난히) 눈에 띄는(=very noticeable), 저명한(=prominent), 현저한(=remarkable)

반 obscúre 희미한

(예) a *conspicuous* place 눈에 띄는 장소 // a *conspicuous* man 이채를 띤 사람

파 **conspícuously** ⓑ 뚜렷하게 **conspícuousness** ⓜ 현저

con·spir·a·cy [kənspírəsi] ⓜ 음모(=secret plan), 공모

(예) take part in *conspiracy* 한패에 가담하다

파 **conspíre** ⓙ 음모를 꾸미다 **conspírator** ⓜ 음모자, 공모자

con·sta·ble [kánstəbl / kʌ́n-] ⓜ 보안관; 경찰관

◇* **con·stant** [kánstənt / kɔ́n-] 불변의(=remaining unchanged), 부단한, 확고한; 지조있는(=faithful) ⓜ 〖수학〗 상수(常數)

반 incónstant 변하기 쉬운, 절개 없는

> ▶ **65. 접미어 ancy**
> 동사 또는 **ant**로 끝나는 형용사로부터 「성질·상태」를 나타내는 명사를 만든다.
> (예) const*ancy*, eleg*ancy* 따위

(예) a *constant* anxiety 끊임없는 걱정 // *constant* friends 변치 않는 친구 // He is *constant* in friendship. 그는 우정을 굳게 지킨다.

파 ◇* **cónstantly** ⓑ 끊임없이 **cónstancy** ⓜ 불변, 성실, 확고

con·stel·la·tion [kɑ̀nstəléiʃən / kɔ̀n-] [명] 성좌, 별자리
con·ster·na·tion [kɑ̀nstərnéiʃən / kɔ̀nstə-] [명] 섬뜩 놀람, 소스라침, 경악
con·sti·tute [kɑ́nstətjù:t / kɔ́nstətjù:t]* [타] 구성하다(=compose); 설립하다(=set up); 임명하다(=appoint)
(예) The parts *constitute* the whole. 부분이 전체를 구성한다. // We *constituted* him our captain. 우리는 그를 주장으로 뽑았다.
[파] **constituency** [kənstítʃuənsi] [명] 선거민, 선거구 **constítuent** [형] 구성하는, 성분을 이루는; 선거권이 있는 [명] 성분; 설립자; 선거 유권자
con·sti·tu·tion [kɑ̀nstətjú:ʃən / kɔ̀nstitjú:-] [명] 구성; 체격, 체질; (제도 따위의) 제정; 헌법, 정체
(예) have a strong 〔weak〕 *constitution* 튼튼한〔약한〕 체격이다
[파] **constitútional** [형] 체질적인; 헌법의 [명] (건강을 위한) 산책 **constitútionally** [부] 선천〔체질〕적으로(=by constitution); 입헌적으로, 헌법상
con·strain [kənstréin] [타] 강제하다, 억지로 ~시키다(=compel); 억제〔속박〕하다
(예) He *constrained* me *to* go. 그는 나를 억지로 가게 했다. // I was *constrained to* ask for his help. 나는 부득이 그의 원조를 구했다.
[파] **constráint** [명] 강제, 속박; 압박감
con·struct [kənstrʌ́kt] [타] 건조(建造)하다(=build), 건설하다, 조립하다
[반] destróy 파괴하다
(예) *construct* a complete unit out of parts 부속품으로 완제품을 조립하다
[파] **constrúctor** [명] 건설자 **constrúctive** [형] 건설적인, 구조상의, 구성적인([반] destrúctive 파괴적인) ***constrúctively** [부] 건설적으로 (⇨) **construction**
con·struc·tion [kənstrʌ́kʃən] [명] 구조, 건축(물), 건조(물), 건설(공사); 구문(構文)
[반] destrúction 파괴
(예) *construction* work 건설 공사
[파] **constrúctional** [형] 구조상의, 건설상의
under* 〔*in course of*〕 *construction 공사중, 건설중
(예) We have a stadium *under construction.* 우리는 육상 경기장을 건설하는 중이다.
con·sul [kɑ́nsəl / kɔ́n-] [명] 영사(領事)
[파] **cónsular** [형] 영사의 **consulate** [kɑ́nsəlit / kɔ́nsjul-] [명] 영사관; 영사의 직 **consul general** 총영사
con·sult [kənsʌ́lt] [자][타] 상의하다, (전문가의) 조언을 구하다 [~ with]; (의사의) 진찰을 받다(=see); 조사하다, (참고서·사전을) 찾아보다
(예) *consult* a dictionary 사전을 찾아보다 // *consult* a doctor 의사의 진찰을 받다 // He *consulted with* his law-

yer *about* the matter. 그는 그 문제에 대해서 변호사와 상의했다.
파 **consúltant** 명 의논 상대, 고문, 전문의 **consultation** [kànsəltéiʃən / kɔ̀n-] 명 상담, 자문, 협의(회) **consúlting** 형 상의하는; 진찰의

*◇**con·sume** [kənsúːm / -sjúːm] 타 자 소모하다(=use up) 소비하다, 다 써 버리다, 소실하다(=destroy)
반 prodúce 산출하다
(예) be *consumed with* grief 슬픔으로 초췌해지다 // *consume* one's time in reading 독서로 시간을 소비하다 // The flames *consumed* the whole building. 화염으로 전건물이 소실되었다.
파 **consúming** 형 소모하는 **consúmer** 명 소비자 ◇**consúmption** 명 소비; 폐병 **consúmptive** 형 소모성의 명 폐병 환자

*◇**con·tact** 명 [kántækt / kɔ́n-] 접촉, 맞닿음, 교제; 연락 타 [kántækt, kəntǽkt] (아무와) 연락하다
원 con(=together)+tact(=touch)
반 isolátion 격리
(예) a point of *contact* 접촉점 // a disease communicated by *contact* 접촉 전염의 병 // a man of many *contacts* 교제가 넓은 사람

◇***in contact with*** ~와 접촉하여, ~와 사귀어
어법 *come* in contact with 「~와 만나다 〔교제하다〕」, keep in contact with 「~와 관계를 유지하다」, *bring* A into contact with B 「A를 B와 접촉시키다」와 같이 사용한다.

con·ta·gion [kəntéidʒən] 명 전염(병); 접촉 감염
파 **contágious** 형 전염병의, 전파되는

*◇**con·tain** [kəntéin] 타 포함하다, 함유하다(=include), 담다, 들게 하다(=hold)
(예) A pound *contains* 16 ounces. 1 파운드는 16 온스이다.
어법 특히 전체의 일부로서 포함되어 있다는 것을 가리킬 때에는 *include*를 쓴다: The atlas *contains* fifty maps, *including* three of Korea. (이 지도책은 한국 지도 3 장을 포함해서 50 장의 지도가 들어 있다)
파 ◇**contáiner** 명 용기(容器), 컨테이너

con·tam·i·nate [kəntǽmənèit] 타 더럽히다, 오염시키다, 악에 물들게 하다, 타락시키다
(예) Smog *contaminates* the air. 스모그가 대기를 오염시킨다.
파 **contaminátion** 명 오염, 오물; (원문·기록 등의) 혼합

* **con·tem·plate** [kántəmplèit / kɔ́ntəmplèit] 타 자 심사 숙고하다(=think about); 응시하다(=look at); ~하려고 생각하다(=intend)
(예) *contemplate* a problem 문제를 숙고하다 // He *contemplates* buy*ing* a small house in the suburbs. 그는 교외에 자그마한 집을 사려고 생각하고 있다.
파 *◇**contemplátion** 명 응시; 심사 숙고 **cóntemplative** 형

명상적인, 심사숙고하는

***con·tem·po·rar·y** [kəntémpərèri / -pərəri]* ⓗ 현대의, 같은 시대의 ⓜ 같은 시대의 사람〔것〕; 같은 시대 발행의 신문〔잡지〕 「미)

원 con(=together)+tempor(=time)+ary(명사·형용사 어

파 **contemporaneous** [kəntèmpəréiniəs] ⓗ 같은 시대의, 동시 존재〔발생〕의

con·tempt [kəntémpt] ⓜ 경멸, 모욕

원 con(=wholly)+tempt(=despise 멸시하다)

반 respéct 존경

(예) have a *contempt* for~을 경멸하다 // bring 〔fall〕 into *contempt* 창피를 주다〔당하다〕

파 **contémptible** ⓗ 비열한 **contemptuous** [kəntémptʃuəs] ⓗ 업신여기는, 거만한 **contémptuously** ⓑ 경멸하여, 건방지게

in contempt 경멸하여

(예) We call him a fool *in contempt.* 그를 경멸하여 바보라고 부른다.

con·tend [kənténd] ⓩⓣ 다투다(=struggle); 주장하다(=insist) [~ that] (NB *content*와 혼동하지 말 것.)

파 **conténtion** ⓜ 논쟁(점) **conténtious** ⓗ 논쟁적인

***contend with* 〔*against*〕** ~와 다투다, 싸우다

(예) *contend with* a person *for* a prize 아무와 상을 다투다 // *contend against* one's fate 자기 운명과 싸우다

con·tent [kántent / kɔ́n-] ⓜ 만족; ((*pl.*)) 내용, 목차; 용적(容積) ⓗ 만족한(=satisfied) ⓣ [kəntént] 만족시키다

원 con(=together)+tent(=hold) 반 discontént 불만

(예) to one's heart's *content* 마음껏, 충분히 // Are you *content with* your present salary? 당신은 현재의 봉급에 만족합니까?

어법 ① 「내용」의 뜻에서는 안에 들어 있는 구체적인 것을 가리킬 경우는 복수형. 연설 따위의 「내용」과 추상적인 뜻일 때는 단수형. ② 「만족」의 뜻에서는 *content*보다도 *contentment*가 보통. 형용사로서는 서술 용법뿐. 명사의 앞에서는 *contented*를 쓴다.

파 ***conténtment** ⓜ 만족 **conténted** ⓗ 만족하고 있는 **conténtedly** ⓑ 만족하여

content oneself with ~에 만족하다

(예) He *contents himself with* small success. 그는 작은 성공에 만족하고 있다.

con·test ⓩⓣ [kəntést] 경쟁하다, 논쟁하다 [~ with], 다투다 ⓜ [kántest / kɔ́n-] 투쟁(=struggle), 경쟁, 경기, 논쟁(=dispute)

(예) *contest* a prize 상을 타려고 경쟁하다 // *contest* the seat (선거에서) 의석을 다투다

파 **contéstant** ⓜ 경쟁자

con·text [kántekst / kɔ́n-] ⓜ (문장의) 전후 관계, 문맥

(예) I cannot say what the meaning of the word is apart

from its *context.* 문맥을 떠나서는 그 말의 의미가 무엇인지 말할 수 없다.

*◇**con·ti·nent** [kάntinənt / kɔ́n-] ⓜ 대륙, 육지; [the C-] 유럽 대륙; 북아메리카 대륙

㉺ ***continéntal** ⓗ 대륙적인 (㉮ ínsular 섬나라 근성의)

***con·tin·ue** [kəntínju:]* ⓣ ⓙ 계속하다(=keep on) ㉮ discontínue 중단하다, stop 그만두다

(예) *continue* speak*ing* 〔*to* speak〕 말을 계속하다 // *continue* silent 침묵을 지키다(=remain silent) // The rain *continued* for days. 비가 며칠동안 계속 내렸다. // A living language *continue*s *to* change. 살아 있는 언어는 변화를 계속한다.

> ▶ **66.** 「연결한」의 유사어 — **continual**은 짧은 시간적 간격을 두고 되풀이해서 일어난다는 뜻이고, **continuous**는 시간적·공간적으로 끊임없이 계속된다는 뜻이다.

㉺ **continúity** ⓜ 계속, 연속 ◇**continual** [kəntínjuəl] ⓗ 끊임없는, 부단히 되풀이되는 *◇**contínually** ⓑ 끊임없이 **contínuance** ⓜ 지속, 계속(기간) **continuátion** ⓜ 계속 *◇**continuous** [kəntínjuəs] ⓗ 연속의, 끊임없는 ***contínuously** ⓑ 연속적으로, 끊임없이

*◇**con·tract** ⓜ [kάntrækt / kɔ́n-] 계약(서), 약정, 청부 ⓣ ⓙ [kάntrækt / kəntrǽkt] 계약하다; 줄(이)다; (병에) 걸리다(=catch), (악습에) 물들다

(예) by 〔on〕 *contract* 청부로 // *contract to* have the construction finished by summer 여름까지는 공사를 끝내기로 계약을 하다 // Gases *contract* when cooled. 가스는 차게 하면 수축한다. // I *contracted for* a new car. 나는 새 차를 살 계약을 했다.

㉺ **contrácted** ⓗ 줄어든, 줄인; 옹졸한 ◇**contráction** ⓜ 수축 **contractor** [kάntræktə*r* / kəntrǽktə] ⓜ 계약인, 청부인

*◇**con·tra·dict** [kὰntrədíkt / kɔ̀n-] ⓣ 반박하다, 부인하다(=deny); 모순되다(=be contrary to), 상반되다

(예) *contradict* a statement 성명을 부인하다 // He *contradicted* me flatly. 그는 나에게 딱 잘라 반대했다. // No truth *contradicts* another truth. 진리는 딴 진리와 모순되지 않는다.

㉺ ◇**contradíctory** ⓗ 반대의, 모순의 ◇**contradíction** ⓜ 반박, 모순

*◇**con·tra·ry** [kάntrèri / kɔ́ntrəri] ⓗ 반대의(=opposite), 역(逆)의, 모순된(=inconsistent) ⓜ 반대, 모순 ⓑ 반대로

> ▶ **67.** 접두어 **contra** — 「역(逆)」「반대」「반항」 따위의 의미를 나타낸다. (예) *contra*dict

(예) hold a *contrary* opinion 반대 의견을 갖다 // He is neither tall nor the *contrary*. 그는 키가 크지도 않고 작지도 않다. // Cold is the *contrary* of hot. 추위는 더위의 반대이다

㉺ **cóntrarily** ⓑ 반대로, 이에 반해서

contrary to ~에 상반된〔반하여〕
(예) *Contrary to* my expectations, all went well. 의외로 다 잘 되어 갔다. // It is *contrary to* my wishes. 그것은 나의 의사와 상반된다.
on the contrary 이에 반하여, 오히려, ~은 커녕
(예) John is not stupid. *On the contrary,* he is very intelligent. 존은 어리석지 않다. 오히려 매우 영리하다.
to the contrary 그와 반대로〔반대 취지의〕
(예) I know nothing *to the contrary.* 그 반대의 것을 하나도 모른다《내가 아는 한은 그렇다》.
NB on the contrary 와 to the contrary 의 뜻 차이에 주의.

con·trast 명 [kántræ̀st / kɔ́ntrɑ̀ːst] 대조, 대비(對比) 타 자 [kəntrǽst / -trɑ́ːst] 대조하다, 대조를 이루다; 현저하게 다르다
(예) *Contrast* birds *with* 〔*and*〕 fishes. 새와 고기를 비교해 보라. // the striking *contrast* between the old and the new 신구의 현저한 대조
in contrast to 〔***with***〕 ~와 대비하여; ~와는 현저히 달라서
(예) *In contrast with* that problem, this one is easy. 그 문제에 비하면 이 문제는 쉽다.

▶ 68. 「비교하다」의 유사어
compare는 같은 점이나 다른 점을 발견하기 위해서 비교한다는 뜻이고, **contrast**는 현저하게 다른 점을 대조해서 보인다는 뜻이다. (한 쪽이 현저하게 뒤떨어질 경우에 쓰임)

con·trib·ute [kəntríbjuːt]* 타 자 공헌하다, 기여하다; 기부하다; (신문·잡지에) 기고(寄稿)하다 [~ to]
(예) *contribute* clothing *to* the relief of the poor 빈민 구제에 의류를 보내다 // Hard work *contributes to* success. 열심히 공부하는 것은 성공에 기여한다. // *contribute* articles *to* the magazine 잡지에 기고하다
파 ***contribútion** 명 기부, 기고, 공헌 **contríbutor** 명 기부자, 기고자 **contríbutory** 형 공헌하는, 보조의
make a contribution to 〔***toward***〕 ~에 기부〔공헌〕하다

con·tri·tion [kəntríʃən] 명 (죄를) 뉘우침, 회개

con·trive [kəntráiv] 타 자 연구해 내다(=invent), 고안하다(=devise), (일을) 꾸미다, 어떻게든 ~하다(=manage)
(예) *contrive to* save a few shillings weekly 매주 2, 3 실링을 저축할 계획을 세우다 // He *contrived to* arrive in time. 그는 간신히 시간에 댔다. // I can't *contrive* without it. 그것 없이는 해 나갈 수 없다.
파 **contrívance** 명 연구, 고안품, 장치 **contríver** 명 고안자

con·trol [kəntróul]* 타 억제하다; 관리〔지배〕하다 명 지배, 지배력, 억제(력), 관리
(예) birth *control* 산아 제한 // *control* oneself 자제하다 // They began to *take control of* the situation. 그들은 사태를 지배하기 시작했다. // He took *control* over the com-

pany. 그가 회사의 지배권을 갖게 되었다.
파 **contróllable** 형 지배〔억제〕할 수 있는 **contróller** 명 관리자, 감사역
◇(**be**) ***beyond*** (*one's*) ***control*** 제어하기 힘든, 힘에 부치는
(예) The fire *was beyond* our *control.* 그 화재는 우리 힘으로 진화하기 어려웠다.
(**be**) ***under control*** 지배〔관리〕하에 있는
(예) It *is under* the direct *control* of the Ministry of Education. 그것은 교육부 직접 관할 하에 있다.
◇***bring*** 〔***get, put***〕 ~ ***under control*** ~을 억제〔진압〕하다, 누르다
(예) We *brought* him *under* complete *control.* 우리는 그를 완전히 눌렀다. // The fire was *got* 〔*put*〕 *under control* 불이 진화되었다.
keep under control ~을 누르고 있다, 제어하다
(예) *keep* it *under control* with difficulty 겨우 그것을 억제하다

con·tro·ver·sy [kάntrəvə̀ːrsi / kɔ́ntrəvə̀ː-, kəntrɔ́və-] 명 논쟁(=quarreling), 논박전
파 **cóntrovert** 자 타 토론하다 ◇**controvérsial** 형 논쟁거리가 되는

con·vene [kənvíːn] 자 타 (회의를) 소집하다

*◇**con·ven·ience** [kənvíːnjəns] 명 편리, 편의(便宜), 알맞은 형편, 편리한 것
반 inconvénience 불편
(예) at one's *convenience* 편리한 때에, 형편이 닿는 대로 // for *convenience*(') sake 편의상 // provide every *convenience* possible for ~에게 모든 편의를 도모하다 // A new subway is under way *for the convenience of* commuters. 통근자의 편의를 위해 새 지하철이 건설중이다.

*◇**con·ven·ient** [kənvíːnjənt] 형 편리한, 형편에 알맞은
반 inconvénient 불편한
(예) a *convenient* monthly plan 편리한 월부제 // What time will be *convenient* for you? 몇 시가 좋으냐? (← What time will suit you?)
어법 when you are convenient는 불가. when it is convenient for you라고 한다.
파 **convéniently** 부 형편에 맞게, 편리하게

◇**con·vent** [kάnvənt / kɔ́nvənt] 명 수도원, 수녀원

*◇**con·ven·tion** [kənvénʃən] 명 관례; 회의, 집회; 약속
파 ***convéntional** 형 조약의, 인습적인 **convéntionally** 부 인습적으로 ◇**conventionality** [kənvènʃənǽləti] 명 관례 존중; 관습, 인습적 형식

*◇**con·ver·sa·tion*** [kὰnvərséiʃən / kɔ̀nvə-] 명 회화, 담화
(예) carry on a *conversation* with ~와 대화〔회담〕하다
파 **conversátional** 형 회화의, 이야기 잘 하는 ◇**conversátionalist** 명 이야기하기 좋아하는 사람

con·verse★ ㉮ [kənvə́ːrs] 담화하다, 서로 이야기하다 [~ with] ㉭ [kánvəːrs / kɔ́n-] 담화, 교제; 역(逆), 반대 ㉯ [kánvəːrs, kənvə́ːrs / kɔ́nvəːs] 역의, 반대의
(예) learn to *converse* in English 영어 회화를 배우다 // We *conversed* with him on 〔about〕 it. 우리는 그것에 관해서 그와 이야기했다. // *Converses* are not always true. 역은 반드시 사실은 아니다.
㉰ **conversely** [kənvə́ːrsli] ㉱ 거꾸로

con·vert ㉲ [kənvə́ːrt] 바꾸다(=change), 개종(改宗)시키다 ㉭ [kánvəːrt / kɔ́nvəːt] 개종자, 전향자
(예) Water can be *converted into* ice. 물은 얼음으로 변하게 할 수 있다. // ˳He was *converted* from a socialist *to* a liberalist. 그는 사회주의자에서 자유주의자로 전향하였다.
㉰ ˳**convérsion** ㉭ 전환, 개종 **convértible** ㉯ 변형할 수 있는

> ▶ **69.** 「개종자」의 유사어
> **convert**는 다른 종파에서 자기 종파로 개종하는 자이고, **pervert** [pə́ːrvə(ː)rt]는 자기 종파에서 다른 종파로 개종하는 자를 뜻한다.

con·vex [kanvéks, kánveks / kɔ́nveks] ㉯ 볼록한 면〔모양〕의 (*cf.* concave)

con·vey [kənvéi] ㉲ 나르다(=carry, transport), 전하다, 알리다
㉰ **convéyable** ㉯ 나를 수 있는 **conveyance** [kənvéiəns] ㉭ 운반, 탈것, 수송 기관 ˳**convéyor, -er** ㉭ 컨베이어, 전송기(傳送器)

con·vict [kənvíkt] ㉲ 유죄를 선고하다, 죄를 깨닫게 하다 ㉭ [kánvikt / kɔ́n-] 죄인, 죄수
㉳ acquít 방면(放免)하다
(예) a *convicted* prisoner 기결수 // He was *convicted of* murder. 그는 살인죄의 판결을 받았다. // I *convicted* him *of* his mistake. 나는 그에게 자기 잘못을 깨우쳐 주었다.

con·vic·tion [kənvíkʃən] ㉭ 확신(=firm belief); 유죄의 판결; 설득력

con·vince [kənvíns] ㉲ 확신시키다, 납득시키다
(예) I *convinced* him *that* I was innocent. ↔ I *convinced* him *of* my innocence. 나는 그에게 나의 무죄를 확신시켰다.
㉰ **convíncible** ㉯ 수긍할 수 있는 **convíncing** ㉯ 수긍시키는 **convíncingly** ㉱ 납득할 수 있게

(*be*) *convinced of* ~을 확신하는
(예) I *am convinced of* the fact. 나는 그 사실을 확신하고 있다. // I *am convinced of* his honesty. 나는 그의 정직을 믿고 있다. (↔ I am *convinced that* he is honest.)

con·voy ㉭ [kánvɔi / kɔ́n-] 호송(선) ㉲ [kənvɔ́i, kánvɔi / kɔ́nvɔi] 호송하다

cook [kuk] ㉲㉮ 요리하다, 취사(炊事)하다 ㉭ 요리인
(예) *cooked* fish 요리된 고기 // I'll cook you a good din-

ner. ↔ I'll cook a good dinner *for* you. 맛있는 식사를 만들어 주겠다. // These potatoes *cook* slowly. 이 감자는 좀처럼 삶아지지 않는다.
파 **cóoker** 명 요리용 풍로〔냄비〕 **cóokery** 명 요리(법) **cóoking** 형 요리용의 명 요리법(=the art of cooking) **cóokbook** 명 요리책

◇**cook·ie, cook·y** [kúki] 명 〖미〗 쿠키, 비스킷

☆**cool** [ku:l] 형 서늘한; 냉정한, 무정한 명 서늘한 기운〔장소〕 타 자 식히다(=make cool), 냉정〔침착〕해지다
반 warm 따뜻한
(예) He remained *cool* in the face of danger. 그는 위험에 직면해서도 침착했다. // Her affection for me *cooled down.* 나에 대한 그 여자의 애정은 식었다.
파 **cóolly** 부 싸늘하게, 냉정하게 **cóolness** 명 냉정, 침착 **cóoler** 명 냉각기 **cóol-héaded** 형 냉정한 **cooling-off period** 냉각 기간

◇**coop** [cu:p] 명 닭장 타 닭장에 넣다, 가두다 [~ up, in]

*◇**co(-)op·er·ate** [kouápərèit / -ɔ́p-] 자 협동〔협력〕하다 [~ with]
원 co(=together)+oper(=work)+ate(동사 어미)
(예) *cooperate with* friends in doing the work 친구들과 협력하여 일을 하다
파 *◇**co(-)operátion** 명 협동(in *co(-)operation* with ~와 협력하여) **co(-)óperative** 형 협동의 명 (생활) 협동 조합 **co(-)óperator** 명 협력자

▶ **70. 접두어 co**
「같이」「공동의」「함께」 따위의 뜻을 나타낸다. (예) *co*(-)education, *co*(-)operate 따위

co(-)or·di·nate 형 [kouɔ́:rdənit] 동위의, 동등의 명 동등한 것〔사람〕, 등위(等位) 타 [kouɔ́:rdənèit] 동등하게 하다, 조정하다
원 co(=together)+ordin(=order 순위)+ate(형용사·동사 어미)
반 subórdinate 하위의, 부수의
(예) a *co(-)ordinate* conjunction 〖문법〗 등위 접속사
파 **co(-)ordinátion** 명 동등(하게 함), 정합(整合), 조정(調整)

◇**cop** [kap / kɔp] 명 〖미·구어〗 순경; 〖속어〗 체포 타 〖속어〗 (범인을) 잡다; 훔치다

◇**cope** [koup] 자 (대등·유리하게) 맞서다, 대항하다 [~ with], 대처하다
(예) ◇*cope with* the situation 시국에 대처하다 // He *coped* with the difficulty. 그는 곤란을 잘 이겨냈다.

co·pi·ous [kóupiəs] 형 (매우) 많은, 풍부한(=plentiful)
반 few 소수의
(예) a man *copious* in information 지식이 풍부한 사람

◇**cop·per** [kápər / kɔ́pə] 명 동(銅), 동화(銅貨) 타 구리를 입히다

*◇**cop·y** [kápi / kɔ́pi] 명 사본(寫本)(=duplicate); (인쇄물의

부(部), 책(冊); 광고문, (인쇄용) 원고 [타][자] 베끼다, 모방하다(=imitate)
[반] oríginal 원본, 원문
(예) a *copy* of a picture 그림의 복사 // Make three *copies* of this. 이것을 3장 복사해라.

[어법] 동일 서적〔신문·잡지〕 몇 권은 *copy*를 써서 three *copies* of the dictionary(이 사전 3권)과 같이 말한다. three dictionaries 라 하면 다른 종류의 사전 3권.

[파] **cópybook** [명] 습자 교본 **cópyist** [명] 필생(筆生); 모방자 **cópyright** [명][형] 판권(의)

cor·al [kɔ́:rəl / kɔ́r-] [명] 산호(珊瑚) [형] 산호의

cord [kɔːrd] 〈동음어 chord〉 [명] 밧줄, 끈, 띠

cor·dial [kɔ́ːrdʒəl / kɔ́ːdiəl] [형] 충심으로부터의(=hearty), 진심의(=warm); 기운을 돋구는 [명] 흥분〔강심〕제
[파] **cordiálity** [명] 성실, 진심 **córdially** [부] 진심〔충심〕으로

core [kɔːr] 〈동음어 corps〉 [명] (문제의) 핵심, 골자; (과일의) 응어리

cork [kɔːrk] [명] 코르크 [타] 코르크 마개를 하다
[파] **corked** [형] 코르크 마개를 한 **córkscrew** [명] 코르크 마개뽑이

corn [kɔːrn] [명] 곡물; 〖영〗 밀, 보리; 〖미〗 옥수수; 〖스코틀랜드·아일랜드〗 귀리

[어법] 본시, 그 지방의 주요 곡물을 가리킴.

[파] **córnfield** [명] 〖영〗 보리 밭, 〖미〗 옥수수 밭 **córnflour** [명] 옥수수 가루 **córnstarch** [명] 콘스타치《옥수수 녹말 가루인데, 푸딩, 아이스크림 등의 재료 또는 세탁용 풀로 씀》

cor·ner [kɔ́ːrnər] [명] 모퉁이, 구석; 궁지; 매점(買占) [타][자] 궁지에 빠뜨리다, 구석에 몰아넣다.
(예) just around the *corner* 바로 모퉁이를 돌아서, 바로 가까이에 // in four *corners* of the earth 세계 방방곡곡에 // They finally *cornered* the thief. 그들은 드디어 도둑을 구석에 몰아넣었다.

[어법] 전치사에 주의 : stand *in* the corner of the room(방의 한 구석에 서다)—2변으로 둘러싸인 내부. a house *on* the corner(모퉁이에 있는 집)—모퉁이에 접촉된 위치. wait *at* the corner (모퉁이에서 기다리다)—단지 지점을 나타냄. 단, at와 on은 때때로 혼용된다.

[파] **córnerstone** [명] 초석, 귓돌(=quoin); 기초

cor·ol·lar·y [kɔ́:rəlèri, kɑ́r- / kərɔ́ləri] [명] 〖수학〗 계(系); 추론(推論); (당연히 따르는) 필연의 결과

co·ro·na [kəróunə] [명] 《*pl.* **-s, -nae** [-niː]》 〖천문〗 코로나, 광관(光冠); (해·달의 둘레의) 무리

cor·o·na·tion [kɔ̀(ː)rənéiʃən, kɑ̀r-] [명] 즉위(식), 대관식
[원] corona(=crown 관)+tion(명사 어미)

cor·po·ral [kɔ́ːrpərəl] [형] 신체상의(=bodily), 개인의(=personal) [명] (육군의) 하사(下士)

cor·po·ra·tion [kɔ̀ːrpəréiʃən] [명] 단체, 법인, 조합, 회사
[파] **córporate** [형] 단체의 **córporately** [부] 단체적으로

corps [kɔːr] 〈동음어 core〉 명 ((*pl.* **corps** [kɔːrz])) 군단
NB 단수·복수 동형. *corpse*와 발음이 다르므로 주의할 것.

corpse [kɔːrps] 명 시체(屍體)

*◇**cor·rect** [kərékt] 형 올바른(=right), 정당한, 정확한 타 고치다, 정정하다(=set right), 첨삭(添削)하다
반 incorréct 부정확한
(예) *correct* the errors 틀린 곳을 고치다 // You are *correct* in thinking so. 네가 그렇게 생각하는 것은 옳다.
파 *◇**corréctly** 부 올바르게 **corréctness** 명 정확성 ◇**corréction** 명 정정(訂正) **corréctive** 형 정정하는

cor·rel·a·tive [kərélətiv] 형 상관적인

*◇**cor·re·spond** [kɔ̀ːrəspánd / kɔ̀rəspɔ́nd] 자 ~에 상당하다 [~ to]; 편지를 주고받다 [~ with]; 부합하다, 일치하다(=agree)

> ▶ **71. 접두어 cor**
> 접두어 **com**과 같이 「함께」「다 같이」의 뜻을 나타낸다. 뒤에 계속되는 말이 r로 시작될 때는 **cor**를 쓴다.
> (예) *cor*respond

파 *◇**correspóndence** 명 상당, 통신(a *correspondence* course 통신교육 과정, a *correspondence* school 통신교육 학교) ◇**correspóndent** 명 통신원(a special *correspondent* 특파원) **correspónding** 형 해당〔부합〕하는 **correspóndingly** 부 부합하여, 적합하게

correspond to ~에 부합하다, ~에 해당하다
(예) What is worth having comes at the cost which *corresponds to* its worth. 가질 가치가 있는 것은 그 값에 해당하는 대가를 치르고서 얻게 되는 것이다.

◇***correspond with*** ~와 편지 왕래를 하다, ~에 일치〔부합〕하다
(예) They have *corresponded with* each other for several years. 그들은 수 년 동안 서로 서신 교환을 하고 있다. // His words *correspond with* his actions. 그의 언행은 일치한다(↔ His words and actions *correspond.*)

cor·ri·dor [kɔ́ːridər / kɔ́ridɔ̀ː] 명 복도, 낭하

◇**cor·ro·sion** [kəróuʒən] 명 부식 (작용); 침식

◇**cor·rupt** [kərʌ́pt] 형 썩은(=decayed), 타락한, 뇌물이 통하는 자 타 썩다, 타락시키다
(예) *corrupt* practices 증회(贈賄) 행위 // a *corrupt* press 악덕 신문 // *corrupt* English 전와(轉訛)된 틀린 영어 // *corrupt* a witness 증인을 매수하다
파 **corrúption** 명 부패, 타락 **corrúptible** 형 썩기 쉬운

cos·met·ic [kazmétik / kɔz-] 명 화장품 형 화장용〔미용〕의

◇**cos·mo·naut** [kázmənɔ̀ːt / kɔ́z-] 명 우주 비행사(=astronaut)

◇**cos·mo·pol·i·tan** [kàzməpálitən / kɔ̀zməpɔ́l-] 형 세계적인, 세계를 제 집으로 삼는 명 세계인, 세계주의자
파 **cosmopólitanism** 명 세계주의, 사해(四海) 동포주의

cos·mos [kázməs / kɔ́zmɔs] 명 우주; 〖식물〗 코스모스
파 ◇**cósmic** 형 우주의 (반 chaótic 혼돈된) **cósmically**

우주의 법칙에 따라서 **cosmic dust** 우주진(宇宙塵) **cosmic rays** 우주선(宇宙線)

Cos·sack [kásæk / kɔ́-] [명] 카자흐 기병, 카자흐 사람

cost [kɔːst / kɔst] [타] 《***cost***》 (비용이 얼마) 들다, 걸리다, 들게 하다 [명] 비용(=expense), 값(=price); 손실, 희생
(예) ◇at a low 〔high〕 *cost* 싼〔비싼〕 비용으로 // The book *cost* me 1,000 won. 그 책을 천 원에 샀다. (↔I paid 1,000 won for the book.) // Carelessness *cost* him his life. 부주의로 그는 생명을 잃었다. // We get news from radio *at no cost.* 우리는 라디오로 소식을 공짜로 듣는다.

[어법] ① 두번째 용례와 같이 「*cost*+간접 목적어+직접 목적어」의 형식, 이 경우 전치사를 써서 목적어의 어순을 바꿀 수 없으며, 피동형으로도 할 수 없다. ② 명사로서는 「지불할 액수」. *price*는 상품에 대한, *charge*는 노동에 대한 「청구액」. *cost* 를 price 대신으로 쓸 때도 있다.

[파] **cóstly** [형] 값 비싼 (*cf.* dear) **cóstliness** [명] 고가(高價), 사치

at a* 〔*the*〕 *cost of ～값〔비용〕으로, ～을 희생하여
(예) They set up a Village Hall *at a cost of* two million won. 그들은 2백만 원을 들여 마을 회관을 세웠다. // It is rather foolish to study *at the cost of* one's health. 건강을 희생하면서 공부하는 것은 어리석은 짓이다.

***at all costs* 〔*any cost*〕** 어떻게 해서라도, 꼭, 어떠한 희생을 치르더라도
(예) Obedience to duty, *at all costs* and risks, is the very essence of the highest form of civilized life. 만난을 무릅쓰고 또 어떠한 희생을 치르더라도 의무에 충실하는 것이 바로 고매한 문화 생활의 본질이다.

to* one*'s cost 피해를 입고, 쓰라린 경험을 통하여
(예) as I know it *to* my *cost* 나의 쓰라린 경험으로 아는 일이지만

cos·tume [kástjuːm / kɔ́stjuːm] [명] (특수한) 복장, (여성의) 의상

cot [kat / kɔt] [명] 〖미〗 간이 침대; 〖영〗 어린이용 흔들침대

cot·tage [kátidʒ / kɔ́t-] [명] 오두막집, 시골 집; 작은 주택
[파] **cóttager** [명] 시골에 사는 사람

cot·ton [kátn / kɔ́tn] [명] 솜, 목화; 무명실; 무명
(예) a *cotton* mill 방적(紡績) 공장 // *cotton* wool 원면, 목화 // the *Cotton* Belt (미국 남부의) 목화 산출 지대

couch [kautʃ] [명] 침대(=bed), 긴 의자(=sofa) [자][타] 눕다, 눕히다

cough [kɔːf / kɔf]* [명] 기침 [자][타] 기침을 하다

could [강음 kud; 약음 kəd] [조] can 의 과거

[어법] 가정의 뜻을 담아서 완곡·공손한 표현을 나타낸다. *Could* you show me the way to the station? (정거장으로 가는 길을 가르쳐 주지 않겠습니까?) I *could* have killed her. (그녀를 죽이고 싶을 정도였었다) I *could* not sew. (나는 도저히 재봉은 할 수 없다)

coun·cil [káunsəl] ⓜ 회의, 협의(회); 지방 의회

coun·sel [káunsəl] ⓜ 의논, 협의; 조언(=advice); 변호인 ⓣⓙ 조언하다(=advise), 상의하다
㉺ ◇**cóunsel(l)or** ⓜ 고문(顧問), 조언자, 〖미〗 변호사 ◇**cóunseling** ⓜ 상담; 조언

> ▶ **72. 접두어 coun**
> 「함께(with)」의 뜻을 나타낸다.
> (예) *coun*cil

***count** [kaunt] ⓙⓣ 세다, 계산하다; (~라고) 생각하다 간주하다; 의지하다 [~ on, upon]; 중요하다 ⓜ 계산, 총계 백작(伯爵) (*cf.* countess 백작 부인)
(예) take *count* of ~을 세다, ~을 중요시하다 // I *count* it an honor to serve you. 도울 수 있음을 영광으로 생각합니다. // It is quality and not quantity that *counts.* 중요한 것은 양이 아니라 질이다. // ◇He is *counted as* the best doctor in town. 그가 읍에서 제일 훌륭한 의사라고 여겨진다.
㉺ **cóuntable** ⓗ 셀 수 있는 *◇**cóuntless** ⓗ 수없이 많은 무수한 ◇**cóuntdown** ⓜ 초〔분〕읽기, 카운트 다운; 마지막 점검 **counting room** 〔**house**〕 회계실〔과〕 (⇨) **counter**

count for nothing 〔***little***〕 대수롭지 않다, 중요치 않다
(예) To him money *counts for nothing.* 그에게는 돈이 중요치 않다.

count on 〔***upon***〕 ~을 믿다, 기대하다(=expect)
(예) I'll *count on* your coming. 오시리라고 믿겠습니다. // Don't *count on* others for help. 남에게 도움을 기대하지 마라.

count out (물건을) 하나씩 천천히 세다; 제외하다; 졌다고 판정하다, (권투에서 10초를 세어) 녹아웃을 선언하다

***coun·te·nance** [káuntənəns] ⓜ 안색, 표정, 용모; 지지 장려 ⓣ ~에게 호의를 보이다; 장려하다
(예) a sad *countenance* 슬픈 표정 // change *countenance* 안색을 바꾸다 // His *countenance* fell. 그는 낙담한 기색을 띠었다.

*◇**coun·ter** [káuntər] ⓜ 계산기, 계산대 ⓗ 반대의, 역(逆)의(=opposite)
㉺ **counteráct** ⓣ ~에 반대로 작용하다, ~을 방해하다 **counteráction** ⓜ 반작용 **cóunterattack** ⓜ 역습, 반격 **counterclóckwise** ⓑ 왼쪽으로 돌게 **cóunterpart** ⓜ 짝의 한 쪽, 상대방〔물〕; 대조물, 닮은 것〔사람〕

> ▶ **73. 접두어 counter**
> 동사·명사·형용사·부사에 붙어서 「반대·적대·보복·대응·부(副)」 따위의 뜻을 나타낸다.
> (예) *counter*act, *counter*part 따위

coun·ter·feit [káuntərfit] ⓗ 모조(模造)의, 허위의 ⓜ 가짜, 위조품 ⓣ 모조하다(=imitate), 비슷하게 만들다
(예) a *counterfeit* note 위조 지폐 // a *counterfeit* signature 가짜 서명

☆**coun·try** [kʌ́ntri]* ⓜ 나라; [보통 the ~] 시골

(예) die for one's *country* 조국을 위하여 죽다 // life in the *country* 시골 생활

어법 「시골」이란 뜻에서는 the를 수반함. wooded country (산림 지방)와 같이 단순히 「지방」을 뜻할 때도 있다.

파 *cóuntryman 명 ⟪pl. -men⟫ 시골 사람, 동향인 *cóuntryside 명 시골, 지방 **country gentleman** 지방의 대지주; 시골 선비(=squire)

coun·ty [káunti] 명 〖영〗 주(州); 〖미〗 군(郡)

cou·ple [kʌ́pəl]* 명 한 쌍, 부부, 두 개〔사람〕 타 자 잇다, 연결하다; 결혼하다

a couple of 두 개의(=two); 〖미·구어〗 두서넛의(=a few)

어법 three *couple* of 와 같이, 수사 다음에는 복수형을 취하지 않는 경우도 있다.

cou·pon [kjúːpɑn / -pɔn] 명 쿠폰, 할인권, 경품권, (떼어 쓰는) 회수권

cour·age* [kə́ːridʒ / kʌ́r-]* 명 용기, 담력(=bravery) (*cf.* brave)

반 timídity, cówardice 겁, 소심

(예) lose *courage* 낙담하다 // take *courage* 용기를 내다

파 ***courageous*** [kəréidʒəs] 형 용감한 **courágeously** 부 용감하게

course* [kɔːrs]* ⟨동음어 coarse⟩ 명 진로, 침로(針路), (시간의) 경과; 과정; 방침, 방향(=direction) 타 자 쫓다(=pursue), 달음질치다

(예) a *course* of life 인생 행로 // a *course* of study 교과과정 // leave a thing to take its own *course* 일이 되어 가는 대로 내버려 두다

파 **cóurser** 명 사냥개

in due course 순조롭게 되면; 조만간; 이윽고

in (***the***) ***course of*** ~ 동안에(=during)

(예) *In the course of* his long life Dr. Schweitzer worked for Africans. 슈바이처 박사는 그의 긴 생애 동안 아프리카 사람들을 위해 일했다. // Our school is still *in course of* construction. 우리 학교는 아직 건축 중이다.

in (***the***) ***course of time*** 때가 경과함에 따라, 마침내, 불원간에

(예) The problem will solve itself *in course of time.* 때가 되면 그 문제는 저절로 해결될 것이다.

of course 물론, 당연히(=naturally)

(예) You don't like it, do you? — *Of course* not. 당신은 그것을 좋아하지 않지요? — 물론 좋아하지 않습니다.

court [kɔːrt] 명 궁정; 법정; 안마당(=yard) 타 구애하다, 비위를 맞추다; (칭찬 따위를) 받으려고 애쓰다

파 **courtier** [kɔ́ːrtiər, -tjər] 명 조신(朝臣), 추종자 **cóurtly** 형 (궁정인처럼) 우아한, 품격 있는 **cóurtship** 명 구혼, 구애(求愛) **cóurtyard** 명 안마당 **cóurt-mártial** 명 ⟪pl. courts-⟫ 군법 회의

cour·te·ous [kə́ːrtiəs] 형 예절 바른, 공손한(=polite)

파 **cóurteously** 부 예의 바르게 **cóurteousness** 명 예의 바름, 공손 ⁎**courtesy** [kə́ːrtisi] 명 예의, 공손(=politeness), 호의(by the *courtesy* (*of*) (~의) 호의로)

⁎**cous·in** [kʌ́zən]★ 명 사촌; 친척

*__cov·er__ [kʌ́vər] 타 덮다, 가리다, (어느 범위에) 걸치다 명 덮개, 표지, 뚜껑; 봉투(=envelope)

반 uncóver 뚜껑을 벗기다, expóse 드러내다

(예) read a book from *cover* to *cover* 책을 처음부터 끝까지 읽다 // The train *covers* the distance in two hours. 그 기차는 두 시간에 그 거리를 달린다. // His lecture *covered* the whole subject. 그의 강의는 그 제목 전체에 걸쳐 있었다.

파 **cóvered** 형 덮인 ◇**cóvering** 명 덮개

⁎(***be***) ***covered with*** ~으로 덮여 있는

(예) *be covered with* paint 온통 페인트를 뒤집어 쓰다 // The mountain *was covered with* snow. 산은 눈으로 덮여 있었다(↔ Snow covered the mountain.) // She *was covered with* shame. 그 여자는 무척 부끄러워했다.

cov·ert [kóuvərt / kʌ́-] 형 비밀의(=secret), 숨은(=hidden)

cov·et [kʌ́vət] 타 몹시 탐내다(=desire eagerly)

파 **covetous** [kʌ́vitəs] 형 몹시 탐내는 **cóvetously** 부 탐욕스럽게

cov·ey [kʌ́vi] 명 (메추라기 따위의) 한 떼(=brood), (사람의) 한 무리

⁑**cow** [kau]★ 명 암소, 젖소 타 으르다, 위협하다

반 bull 황소

파 ◇**cowboy** [káubɔ̀i] 명 목동, 카우보이

⁎**cow·ard** [káuərd] 명 겁쟁이 형 겁많은 (*cf.* timid)

반 brave 용감한

파 **cowardice** [káuərdis] 명 겁, 비겁 ◇**cówardly** 형 겁많은 부 비겁하게

▶ **74.** 접미어 **ice**
추상 명사를 만든다.
(예) coward*ice*

co-work·er [kóuwə̀ːrkər] 명 함께 일하는 사람, 협력자

cow·slip [káuslìp] 명 〖식물〗 앵초(櫻草)의 일종, 〖미〗 동이나물의 일종

co·zy [kóuzi] 형 포근한, 기분 좋은(=comfortable)

NB *cosey, cosy* 로 쓰기도 한다.

◇**crab** [kræb] 명 게; 야생의 능금(=crab apple)

⁎**crack** [kræk] 명 갈라진 금; 총소리; 결점 형 일류의 부 날카로운 소리를 내어 자타 금가다, 쪼개다, 부수다

파 **crácker** 명 파쇄기(破碎器); 〖미〗 비스킷(=〖영〗 biscuit) **cráckle** 명 바삭바삭〔딱딱〕하는 소리; (도자기의) 잔금 무늬 ◇**cráckling** 명 딱딱 소리를 냄

◇**cra·dle** [kréidl] 명 요람(搖籃); (학문 따위의) 발상지(發祥地); [the ~] 유년시대

(예) from the *cradle* to the grave 태어나서 죽을 때까지, 한평생

craft [kræft / krɑ:ft] 명 (특수한) 기술, 기능, 솜씨(=skill); 공예; 교활; 배, 선박, 비행기(=aircraft)
(예) arts and *crafts* 미술 공예
어법 단지 배 한 척을 나타내어 *a* little *craft*(작은 배)라고 할 때도 있으나, all kinds of *craft*(여러 종류의 선박)와 같은 집합적 용법이 보통
파 **cráfty** 형 교활한 ***cráftsman** 명 ((*pl.* -men)) 장인(匠人), 명공(名工) **cráftsmanship** 명 (직공의) 기능; 숙련

cram [kræm] 타 자 가득 채워 넣다, 꽉 차게 하다(=fill very full), 주입식 공부를 하다 명 주입식 공부
(예) He *crammed* all his clothes *into* his bag. ↔ He *crammed* his bag *with* all his clothes. 그는 옷을 모두 가방에 쑤셔 넣었다.

crane [krein] 명 두루미, 학(鶴); 기중기 자 타 목을 길게 빼다; 기중기로 나르다

crash [kræʃ] 명 쨍그렁, 와르르 ((요란한 소리)); 도산(倒産); 추락, 충돌 자 타 와르르 무너지다, 충돌하다(=collide); (비행기가) 추락하다 부 요란한 소리를 내며
(예) He was killed in a plane *crash*. 그는 비행기 추락 사고로 죽었다. // *crash* down 와르르 무너져 내리다 // ◦The car *crashed into* a tree. 차는 나무를 들이받았다.
파 **crásh-land** 자 타 불시착하다〔시키다〕

cra·ter [kréitər] 명 분화구(噴火口)
(예) a *crater* wall 〔lake〕 화구벽(火口壁)〔호(湖)〕

crave [kreiv] 타 자 간청하다, 열망〔갈망〕하다(=yearn for)
(예) *crave* fresh air 신선한 공기를 갈망하다 // A thirsty man *craves for* water. 목마른 사람이 물을 찾는다.
파 **cráving** 명 갈망, 열망

crawl [krɔ:l] 자 기다; 서행하다 명 포복, 서행; (수영의) 크롤

cray·on [kréiən, -ɑn] 명 크레용(으로 그린 그림) 타 크레용으로 그리다

cra·zy [kréizi] 형 미친(=mad); 열광적인 [~ about]
반 sane 본정신의
(예) He is *crazy about* baseball. 그는 야구광이다.
파 **craze** 타 미치게 하다 명 발광; 열광(=mania), 대유행 ◦**crázily** 부 미친 듯이; 열중하여 ◦**cráziness** 명 발광; 열광

creak [kri:k] 명 삐걱 소리 자 타 삐거삐걱하(게 하)다
파 ◦**creaky** 형 삐걱거리는

cream [kri:m] 명 크림, 유지(乳脂), 크림색
파 **créamy** 형 크림 같은, 크림색의

cre·ate★ [kriéit]★ 타 창조하다, 설립하다; (작위를) 수여하다
반 destróy 파괴하다
(예) *create* a work of art 예술 작품을 창작하다 // God *created* the world. 신이 세계를 창조하셨다. // He was *created* (a) baron. 그는 남작 작위를 받았다.
파 ***creátive** 형 창조력이 있는 **creátiveness** 명 창조적임 **creátor** 명 창조자, [the C-] 하느님

*cre·a·tion [kriéiʃən] ⓜ 창조(물), 천지 만물; 창작품, (지적) 산물; 창설
(예) the whole *creation* 천지 만물 // the *creations* of a poet 시인의 작품 // the *creation* of a new company 새 회사의 설립

crea·ture [kríːtʃər] ⓜ 창조물, 생물, 동물, 인간
NB creator(창조자)에 의해서 창조된 것의 뜻.
(예) a *creature* of the age 시대의 산물 // Poor *creature* ! 불쌍하게도.

cred·i·ble [krédəbəl] ⓗ 믿을 수 있는, 신용할 수 있는(=believable)
반 incrédible 믿을 수 없는

▶ **75.** 접미어 **ible**
「~할 수 있는」「~될 수 있는」의 뜻을 나타내는 형용사 어미. (able과 같음) (예) cred*ible*, vis*ible* 따위

*cred·it [krédit] ⓜ 신용, 명예; 신용 대부〔거래〕; 『부기』 대변(貸邊); 채권 ⓣ 신용하다(=trust); ~을 가지고 있다고 믿다 [~ with]
반 discrédit 불신(不信), débit 차변(借邊)
(예) give *credit* to the story 이야기를 믿다 // He is a *credit* to his family. 그는 그의 가문의 자랑〔명예〕이다. // *credit* a person *with* great ability 아무가 굉장한 능력을 가지고 있다고 믿다
파 **créditable** ⓗ 칭찬할 만한 **créditably** ⓑ 훌륭하게, 썩 잘 **créditor** ⓜ 채권자 **credéntials** ⓜ 《*pl.*》 신임장 (⇨) **credible**

to one's credit ~의 명예가 되도록
(예) Greatly *to* his *credit,* he passed the examination first on the list. 대단히 명예스럽게도 그는 첫째로 합격했다.

cred·u·lous [krédʒələs] ⓗ 경솔하게 믿는, 속기 쉬운
NB credible「믿을 수 있는」과 구별을 확실히 할 것.

◇**creed** [kriːd] ⓜ (종교상의) 신조, 주의

creek [kriːk] ⓜ (작은) 후미, 시내(=small stream), 수로(水路)

*creep [kriːp] ⓙ 《***crept***》 기다(=crawl), 살금살금 나아가다 ⓜ 포복, 서행(徐行); 《*pl.*》 전율
(예) A drowsy feeling *crept* over me. 졸음이 왔다. // Ghosts of old things *creep* into his consciousness. 옛 일의 환상이 그의 의식 속에 살그머니 들어온다.
파 **créeper** ⓜ 기는 것, 덩굴 식물 **créeping** ⓗ 기는 **créepy** ⓗ 기는; 소름이 끼치는

▶ **76.** 「기다」의 유사어
creep는 특히 느릿느릿한 움직임을 나타내고, **crawl**은 특히 납죽 엎드린 비굴함을 뜻한다.

◇**cres·cent** [krésənt] ⓜ 초승달 (모양의 것) ⓗ 초승달 (모양)의; 점차 커지는

crest [krest] ⓜ 닭의 볏; 문장(紋章)

cre·vasse [krivǽs] ⓜ 갈라진 틈, (빙하 따위의) 균열, 크레바스

crev·ice [krévis] ⓜ 갈라진 틈, 찢어진 틈

*crew [kruː] ⓜ 《총칭》 승무원; 《경멸적》 패거리; (공동의

작업을 하는) 일단의 사람들

어법 집합 명사. 구성원을 염두에 두면 복수 취급: *a* small *crew* (소수의 승무원) The *crew are* 30 in all. (승무원은 전부 30 명)

파 **créwcut** 명 (항공기 탑승원 등의) 상고머리; 짧게 깎은 머리

crib [krib] 명 구유; 어린이 침대; 주해서(註解書) 자타 주해서를 사용하다

crick·et [kríkit] 명 크리켓; 귀뚜라미 자 크리켓을 하다

파 **crícketer** 명 크리켓 경기자

crime [kraim] 명 죄, 범죄

어법 *crime* 법률상의 죄, *sin* 도덕상 또는 종교상의 죄, *vice* 악덕.

crim·i·nal [krímənl] 형 죄의, 형사상의 명 범인, 죄인

반 cívil 민사의

crim·son [krímzən] 명형 진홍색(의) 타자 진홍색으로 하다[되다]

crip·ple [krípl] 명 절름발이, 불구자 타 절름발이가 되게 하다

(예) a *crippled* soldier 상이 군인

파 **críppler** 명 불구자 **críppled** 형 불구(不具)의

cri·sis [kráisis] 명 ((*pl.* ***crises*** [kráisi:z])) 위기, 중대한 시국, 난국, 병의 고비

(예) pass the *crisis* 위기를 벗어나다

crisp [krisp] 형 (머리카락이) 곱슬곱슬한; (과자 따위가) 파삭파삭한, 부서지기 쉬운, (공기 따위가) 상쾌한 타 (머리카락 따위를) 곱슬곱슬하게 하다(=curl)

파 ◇**críspness** 명 아삭아삭함

criss·cross [krískrɔ̀(:)s] 명 십자형 형부 열십자의〔로〕, 교차하여 자타 교차하다; 열십자를 그리다

cri·te·ri·on [kraitíəriən] 명 ((*pl.* ***criteria*** [kraitíəriə])) (비판의) 표준, 기준

crit·ic [krítik] 명 비평가; 감정가(鑑定家)

파 ***crítical** 형 비평의, 잔소리가 많은; 위급한 **crítically** 부 비판적으로; 위태롭게 ***criticize, -cise**★ [krítəsàiz] 자타 비평하다, 비난하다

crit·i·cism★ [krítisìzəm] 명 비평, 평론, 비난

croak [krouk] 명 깍깍〔개골개골〕 우는 소리 자타 깍깍〔개골개골〕 울다; 불길한 예언을 하다

croc·o·dile [krɑ́kədàil / krɔ́k-] 명 (보통 아프리카산의) 악어(*cf.* alligator)

(예) *crocodile* tears 거짓 눈물

crook·ed [krúkid] 형 굽은, 비뚤어진(=not straight), 부정한(*cf.* crook) 명 사기꾼, 구부러진 것 타 굽히다

crop [krɑp / krɔp] 명 수확(=harvest), 농작물; (새의) 멀떠구니 타자 수확하다, 베어들이다; 재배하다, 발아(發芽)하다

(예) We had a good 〔bad〕 *crop* of wheat. 밀이 풍작〔흉작〕이었다. // *crop* a field *with* barley 밭에 보리를 재배하다

☆**cross** [krɔːs / krɔs] [명] 십자가, 십자꼴의 것; 수난(=passion), 고난; 잡종 [형] 가로의, 교차된, 반대의; 기분이 상한 [자] [타] 횡단하다, 교차하다, 선을 그어 지우다 [~ out, off] (생각이 마음에) 떠오르다
(예) look *cross* 기분이 상한 얼굴을 하다 // *cross* a river 강을 건너다 // *cross out* wrong words (선을 그어서) 틀린 말을 지우다 // The two roads *cross* each other. 그 두 길은 서로 교차한다. // An idea *crossed* my mind. 어떤 생각이 문득 마음에 떠 올랐다.
[파] **crossed** [형] 십자로 된, 방해된 **cróssing** [명] 횡단, 교차(점), 네거리(a railroad *crossing* 철도 건널목) **cróssly** [부] 심술궂게, 기분나쁘게 **cróssness** [명] 뾰로통함 ◇**cross-cultural** [형] 이(異)문화간의 **króss-exámine** [타] 반대 심문을 하다 **króss-examinátion** [명] 반대 심문 ◇**króss-légged** [형] 다리를 포갠; 책상다리를 한 ◇**króssroad**(s) [명] 네거리, 십자로 **krósswise** [부] 가로질러, 거꾸로 ◇**krósswórd** [명] 크로스워드 퍼즐, 십자말풀이

crouch [krautʃ] [자] 웅크리다(=bend down)

*◇**crow** [krou]* [명] 까마귀; 수탉의 울음 소리 [자] (수탉이) 울다; 함성을 지르다

*◇**crowd** [kraud] [명] 군중(=multitude), 많은 사람 [자] [타] 모이다, 붐비다, 몰려들다
(예) ◇in *crowds* 떼를 지어 // *crowd* into a hall 홀에 모여들다 // People *crowded* the theater. 사람들이 그 극장에 밀어닥쳤다.
[어법] 집합 명사. 구성원을 나타내는 경우는 복수 취급.
[파] **crówded*** [형] 혼잡한(a year *crowded* with events 다사다난했던 일년)

a crowd of 많은
(예) I saw *a crowd of* people in front of the building. 건물 앞에 많은 사람들이 보였다.

◇(***be***) ***crowded with*** ~으로 붐비는〔혼잡한〕
(예) a street *crowded with* people 사람으로 붐비는〔혼잡한〕 거리 // The hotels *are crowded with* tourists. 호텔에는 여행자들이 붐빈다.

◇**crown** [kraun] [명] 왕관, 왕위; 꼭대기(=top) [타] 왕위에 오르게 하다(=enthrone); ~의 꼭대기에 얹다 [~ with] 보답하다; 성취하다(=complete)
(예) be *crowned* king 왕위에 오르다 // Success *crowned* his efforts.↔His efforts were *crowned with* success. 그는 노력했기 때문에 성공의 영예를 지니게 됐다.

cru·ci·fix·ion [krùːsəfíkʃən] [명] (십자가에) 못박힘〔박음〕 [the C-] 십자가에 못박힌 예수(상); 시련, 고뇌

*◇**crude** [kruːd] [형] 천연 그대로의; 생으로의; 거친(=coarse)
[반] refíned 세련된, 품위 있는
(예) *crude* oil 원유 // *crude* material(s) 원료 // *crude* reality 있는 그대로의 현실
[파] **crúdely** [부] 거칠게 **crúdity** [명] 생짜임; 생경(生硬), 조

야(粗野); 거칠고 촌스런 행위〔말〕
◇**cru·el** [krúːəl] ⓗ 잔인한, 무정한(=pitiless)
　반 humáne 인정이 있는
　(예) a *cruel* punishment 참혹한 벌 // a *cruel* sight 무참한 광경 // He is *cruel* to animals. 그는 동물을 학대한다.
　파 **crúelly** ⓟ 지독하게, 잔인하게 *◇**cruelty** [krúːəlti] ⓜ 잔인(한 행위)
◇**cruise** [kruːz] ⓙ 순항(巡航)하다(=sail); (택시 등이 손님을 찾아) 돌아다니다 ⓜ 순항, 유람 항해
　파 **crúiser** ⓜ 순양함; 유항용(遊航用) 요트
crumb [krʌm] ⓜ 빵부스러기; 빵의 속(*cf.* crust) ⓣ (빵을) 부스러기로 만들다
crum·ble [krʌ́mbl] ⓙⓣ 부스러지다, 부스러뜨리다
　파 **crúmbly** ⓗ 부서지기 쉬운, 무른
◇**crum·ple** [krʌ́mpl] ⓙⓣ 구기다; 압도하다 ⓜ 구김살
◇**crunch** [krʌntʃ] ⓙⓣ 우두둑 깨물다; 우지끈 부수다 ⓜ 우두둑 부서지는 소리
cru·sade [kruːséid] ⓜ 십자군; 개혁 운동, 박멸 운동
　파 **crusáder** ⓜ 십자군 전사; 개혁(운동)가
*◇**crush** [krʌʃ] ⓣⓙ 눌러 부수다, 으깨다, 분쇄하다, 짓구기다 [~ up]; 압도하다(=overwhelm) ⓜ 으깸, 분쇄; 혼잡, (붐비는) 군중(=crowd)
　(예) *crush* stone *into* powder 돌을 부수어 가루로 만들다 // We *crushed up* sugar. 우리는 설탕을 빻았다. // Eggs *crush* easily. 달걀은 잘 깨진다.
　　어법 *crash* 와 구별할 것.
　파 **crúshing** ⓗ 압도적인 **crúsher** ⓜ 눌러 부수는 것〔사람〕, 쇄석기(碎石機)
◇**crust** [krʌst] ⓜ 껍질; 빵의 껍질(*cf.* crumb) ⓣⓙ 외피로 덮다
　파 **crústy** ⓗ 외각(外殼)〔껍질〕이 있는, (거죽이) 딱딱한; 심술궂은
◇**crutch** [krʌtʃ] ⓜ 목발; 버팀목 ⓙⓣ 목발로 버티다; 목다리로 짚고 걷다
*◇**cry** [krai] ⓙⓣ 소리지르다, 큰 소리로 울다 ⓜ 부르짖음, 울음 소리
　반 laugh 웃다
　(예) *cry* for joy 기뻐서 울다 // give a loud *cry* 큰 소리로 고함치다 // It is no use *crying over* spilt milk. 〖속담〗 엎지른 물은 다시 주워 담지 못한다. // He *cried that* he had found it. 그는 그것을 찾았다고 소리쳤다.
　파 **crýing** ⓗ 울부짖는, 우는; 긴급한
cry for ~을 울며 요구하다, ~을 갈망하다
　(예) *cry for* the moon 불가능한 것을 요구하다 // The

> ▶ **77.** 「울다」의 유사어
> **cry**는 일반적인 말로서 「큰 소리를 내어 운다」는 뜻이고, **weep**는 좀 시적인 말로서 「조용히 눈물을 흘리면서 비탄에 잠긴다」는 뜻이다. **sob**는 「소리를 죽여서 흐느낀다」는 뜻이다. 단, cry는 소리를 내지 않고 울 경우에 쓰일 때도 있다.

C

child *cried for* bread. 그 아이는 빵을 달라고 울었다.
cry out 큰 소리로 말하다, 외치다, 소리치다
(예) He *cried out* a good night. 그는 큰 소리로 밤 인사를 했다. // He *cried out* with pain. 그는 아파서 소리를 질렀다.

crys·tal [krístl] [명] 수정, 결정체 [형] 수정 같은, 투명한
[파] **crýstallize** [타][자] 결정(結晶)하다 **crystallizátion** [명] 결정(작용) **crýstal-cléar** [형] (수정같이) 맑은, 명료한

cub [kʌb] [명] (야수의) 새끼; 짐승(=whelp)

cube [kju:b] [명] 입방체, 3제곱 [타] 3제곱하다, 체적을 구하다
(예) The *cube* of 3 is 27. ↔3 *cubed* is 27. 3의 3제곱은 27.
[파] ◇**cúbic** [형] 입방체의, 입방의, 3차의

◇**cub·ist** [kjú:bist] [명][형] 입체파 화가〔조각가〕; 입체파의

◇**cuck·oo** [kúku:, kú:-] [명] 〖새〗 뻐꾸기

◇**cu·cum·ber** [kjú:kəmbər] [명] 오이
(예) as cool as a *cucumber* 태연 자약한, 아주 냉정한

cue [kju:] [명] 큐 《다음 배우 등장 또는 연기의 신호가 되는 대사의 마지막 말》; 실마리, 신호; (당구의) 큐

cuff [kʌf] [타][자] 손바닥으로 때리다 [명] (의복의) 커프스, 소맷부리

cul·mi·nate [kʌ́lmənèit] [자] 최고점〔절정〕에 달하다 [타] 완결시키다, ~의 최후를 장식하다
[파] **culminátion** [명] 최고점, 정상, 절정

cul·prit [kʌ́lprit] [명] 죄인, 범죄자; 형사 피고, 미결수

*◇**cul·ti·vate** [kʌ́ltəvèit] [타] 경작하다(=prepare land for crops), 농작물을 재배하다(=cause to grow); 기르다, 수양하다
(예) *cultivate* the soil 땅을 경작하다 // *cultivate* the mind 정신을 수양하다
[파] **cúltivated** [형] 경작된; 교양이 있는(=cultured) ***culti-vátion** [명] 경작, 수양 **cúltivator** [명] 경작자

*◇**cul·ture** [kʌ́ltʃər] [명] 문화; 경작, 재배; 교양, 수양
(예) a man of *culture* 교양인, 문화인 // the *culture* of typhoid germs 티푸스균의 배양 // oyster *culture* 굴의 양식
[파] **cúltured** [형] 교양이 있는; 재배된 *◇**cúltural** [형] 교양의, 문화의 **cúlturally** [부] 문화적으로

▶ **78.** 「문명·문화」의 유사어
culture는 어떤 민족의 신앙·전통·습관 따위의 일체의 생활 양식을 종합한 것으로 미개 민족에게도 culture는 있다. **civilization**은 야만을 벗어나서 고도의 예술·과학·종교·정치 따위가 발달한 상태를 뜻한다.

▶ **79.** 접미어 **ure**
추상 명사를 만드는 명사 어미.
(예) cult*ure*, expos*ure*(폭로) 따위

◇**cun·ning** [kʌ́niŋ] [명] 교활; 교묘함 [형] 교활한, 간사한; 교묘한(=clever)
[반] hónest 정직한
NB 우리가 흔히 쓰는 「커닝」은 *cheating* 이다.
[파] **cúnningly** [부] 교활하게

cup [kʌp] [명] 잔, 찻종, (받침 다리가 달린) 컵; 상배(賞杯)
(예) a *cup* of tea 한 잔의 차 // a *cup* and saucer 받침 접시가 딸린 컵
[NB] a cup and saucer는 *bread and butter*와 같이 단수 취급.
[파] **cúpful** [명] 한 잔 가득(한 양)

cup·board [kʌ́bərd] [명] 찬장

curb [kəːrb] [명] (말의) 재갈, 고삐; 구속 [타] 재갈을〔고삐를〕 달다; 구속하다

cure [kjuər] [명] 치유(治癒), 치료약, 치료(법)(=remedy) [타][자] 치료하다(=heal), 낫다
(예) A doctor *cures* a patient *of* a disease. 의사는 환자의 병을 고친다.
[파] ◦**cúrable** [형] 치료 가능한, 낫는

> ▶ **80.** 「치료하다」의 유사어
> **cure**는 병을 치료하다. **heal**은 상처를 치료하다. **remedy**는 **cure, heal**의 뜻에 첨가하여, 잘못된 상태를 바로잡는다는 뜻으로도 쓰인다.

cur·few [kə́ːrfjuː] [명] 만종(晩鐘); 야간 통행 금지 (시각)

cu·ri·os·i·ty⋆ [kjùəriɑ́səti / -ɔ́s-] [명] 호기심(=eager desire to know); 기묘함, 진기함, 진기한 물건
(예) out of *curiosity* 호기심에서 // with *curiosity* 호기심으로〔을 갖고〕

cu·ri·ous⋆ [kjúəriəs] [형] 이상스러운(=strange), 호기심이 강한(=eager for knowledge), 알고 싶어하는 [~ about]
[반] indífference 무관심
(예) *curious* eyes 호기심에 찬 눈 // I am *curious to* know. 나는 알고 싶다. // ◦He is *curious about* too many things. 그는 너무 많은 일에 호기심을 갖는다.
[파] **cúriously** [부] 호기심으로; 묘하게도

curl [kəːrl] [명] 고수머리, 컬 [타][자] (머리털을) 곱슬곱슬하게 하다
(예) Smoke *curled out of* the chimney. 연기가 굴뚝에서 소용돌이치며 올라갔다.
[파] ◦**cúrly** [형] 고수머리의, 곱슬털이 있는

curl up 웅츠리고 자다〔앉다〕

cur·rent [kə́ːrənt / kʌ́rənt] [형] 유행의, 통용되고 있는(=in general use); 현금(現今)의(=present) [명] 흐름, 조류, 전류, 사조
[원] curr(=run)+ent(명사·형용사 어미)
(예) the *current* year 금년 // the *current* of the world 세계의 조류
[파] **cúrrency** [명] 유통; 통화; 시세 **cúrrently** [부] 일반적으로, 널리; 현재

cur·ric·u·lum [kəríkjələm] [명] ((*pl.* ***curricula*** [kəríkjələ])) (교과의) 과목, 교과 과정(=course)
(예) *curriculum* vitae [váitiː] 이력서
[파] ◦**curricular** [형] 교육 과정의

cur·ry [kə́ːri / kʌ́ri] [명] 카레 가루, 카레 요리

*◇**curse** [kəːrs] 명 저주, 재앙; 욕설 타자 저주하다; 욕설을 하다(=swear)
반 bless 축복하다
(예) be *cursed* [kəːrst] *with* a bad temper 고약한 성미를 타고 나다
파 **cursed** [kə́ːrsid] 형 저주받은, 저주할, 가증한
cur·tail [kəːrtéil] 타 단축〔축소〕하다, 삭감하다
파 **curtáilment** 명 단축, 삭감
*◇**cur·tain*** [kə́ːrtən] 명 커튼, 장막, 막 타 막을 치다
(예) The *curtain* rises 〔falls〕. 막이 오른다〔내린다〕. // *curtain* off 막〔커튼〕으로 막다〔가르다〕

C

curt·s(e)y [kə́ːrtsi] 명 (서양 여자의) 인사《한 발을 뒤로 하고 무릎을 조금 구부리며 몸을 살짝 낮춤》
(예) make 〔drop〕 a *curtsy* (여자가) 인사를 하다
*◇**curve** [kəːrv] 명 곡선, 굽음 자타 구부러지다, 구부리다 (=bend)
파 **curved** 형 구부러진, 곡선 모양의(a *curved* line 곡선)
cush·ion [kúʃən] 명 방석, 쿠션, 베개
cus·to·dy [kʌ́stədi] 명 보관, 관리(=safekeeping), 보호; 구류, 감금(=imprisonment)
(예) The jewel is in the *custody* of his uncle. 그 보석을 그의 아저씨가 보관하고 있다. // He is in *custody* now. 그는 지금 경찰에 구류되어 있다.
*◇**cus·tom** [kʌ́stəm] 명 습관, 풍습, 관례; 단골, 애고(愛顧) (*cf.* customer); 《*pl.*》 관세; [the ~s] 세관
(예) social *customs* 사회적 관례 // It was his *custom* to rise early. 일찍 일어나는 것이 그의 습관이었다.

▶ **81.** 「손님」의 유사어
customer는 물건을 사는 손님. **client**는 본래, 변호사에게 상담하는 손님. **guest**는 초대된 손님이나 호텔의 손님. **passenger**는 탈것의 손님.

어법 *custom* 은 단체 또는 개인의 고정화된 풍속·습관. *habit* 은 개인의 버릇처럼 된 습관을 말한다.
파 ◇**cústomary** 형 통례적인 **cústomarily** 부 보통, 습관적으로 **customs duty** 관세 **custom(s) house** 〔**office**〕 세관 *◇**customer** [kʌ́stəmər] 명 손님, 고객, 단골
◇***make a custom of doing*** 항상 ~하기로 하고 있다
(예) I *make a custom of* get*ting* up early. 나는 항상 일찍 일어나기로 하고 있다. (↔I *make it a custom to* get up early.)
☆**cut** [kʌt] 타자 《***cut***》 자르다, 끊다, 깎다, (비용을) 줄이다; 결석하다 형 자른 명 자르는 법, 벤 상처, 베는 법, 베어낸 것; 커트, 삭감, 축소; 지름길; 무단 결석
반 uníte 하나로 합하다
(예) have one's hair *cut* 이발하다 // *cut* through the waves 파도를 헤치며 나아가다 // *cut* one's coat according to one's cloth 분에 맞는 생활을 하다 // *take* a short *cut* 지름길로 가다 // *Cut* me a slice of cake.↔*Cut* a slice of

bread *for* me. 나에게 빵 한 조각 잘라 다오. // This knife *cuts* well. 이 칼은 잘 든다. // ◇Don't *cut* the branches *off* in spring. 봄에는 가지를 치지 마라. // be *cut* out for ~에 안성맞춤〔적격〕이다

파 ◇**cútter** 명 자르는〔베는〕 사람; 재단사, 재단기; 〔미〕 연안 경비정 **cútting** 명 절단, 오려낸 것 형 잘 드는, 통렬한, 살을 에는 듯한 **cútler** 명 칼 장수 **cútlery** 명 (특히 가정용의) 칼붙이

cut a figure 사람의 눈을 끌다, 두각을 나타내다
(예) She *cut a* poor *figure* among her friends. 그녀는 친구들 사이에서 초라한 존재였다.

◇***cut down*** (나무를) 베어 넘기다; (비용을) 삭감하다; (값을) 깎다
(예) They had to *cut down* expenses. 그들은 경비를 삭감해야 했다.

cut in 끼어들다, 새치기하다, 말참견하다
(예) The driver *cut in*. 운전사는 차 사이로 끼어 들었다. // Don't *cut in* with your remarks. 말참견 마라.

*◇***cut off*** 베어내다; 중단하다; 차단하다
(예) *cut off* the supply of gas 가스의 공급을 중단하다 // ◇They lived on the island, *cut off* from the world. 그들은 세상과 차단된 섬에서 살았다.

cut out ~을 오려내다, 절개하다; ~을 재단하다
(예) *cut out* the shape of a doll 인형의 본을 잘라내다 // He *cut out* my trousers very well. 그는 내 바지를 아주 훌륭하게 재단했다.

cut short (남의 말 따위를) 가로막다; 짧게 하다
(예) He *cut short* my remarks. 그는 나의 말을 가로막았다. // to *cut* a long story *short* 간단히 말하면 // This medicine will *cut* your cold *short*. 이 약을 쓰면 너의 감기는 곧 나을 것이다.

cut up 난도질 하다; ~을 혹평하다
(예) My composition was *cut up* by the teacher. 나의 작문은 선생님으로부터 혹평을 받았다.

◇**cute** [kjuːt] 형 영리한; 귀여운(=pretty and attractive)

◇**cut·tle·fish** [kʌ́tlfiʃ] 명 〔동물〕 오징어

◇**cut·worm** [kʌ́twə̀ːrm] 명 뿌리를 잘라먹는 벌레

◇**cy·cle** [sáikəl] 명 순환; 자전거; 사이클《주파(周波) 단위》 자 순환하다; 자전거를 타다
(예) the *cycle* of the seasons 계절의 순환 // She *cycled* to town. 그 여자는 자전거를 타고 읍에 갔다

파 **cýclic** 형 순환하는, 주기적인 **cýcling** 명 자전거 타기, 사이클링 **cýclist** 명 자전거 타는 사람〔선수〕

◇**cyl·in·der** [sílindər] 명 원통(圓筒), 기통(氣筒), 실린더

◇**cym·bal** [símbəl] 명 《보통 *pl.*》 심벌즈 《타악기》

cyn·i·cal [sínikəl] 형 냉소적인, 비꼬는(*cf.* cynic 냉소가, 냉소적인)

cyn·i·cism [sínisìzəm] 명 냉소, 비꼬는 버릇; 비꼬는 말

*◇**dad** [dæd], **dad·dy** [dǽdi] 명 아빠(=father)
반 mom, mámmy 엄마
◇**daf·fo·dil** [dǽfədil] 명 〖식물〗 나팔수선화
◇**dag·ger** [dǽgər] 명 단검(短劍), 비수
dahl·ia [dǽljə, dáːl- / déi-] 명 〖식물〗 달리아
*◇**dai·ly** [déili] 형 매일의, 나날의, 일상의 부 매일 명 일간 신문(=daily newspaper)
원 <day 날
dain·ty [déinti] 명 맛있는 것 형 맛있는, 우아한
파 **dáintily** 부 우아하게, 맛있게
◇**dair·y** [dέəri] 명 착유장《젖 짜는 곳》, 낙농업(酪農業)
NB diary [dáiəri]「일기」와 혼동하지 말 것.
파 **dáirymaid** 명 우유 짜는 여자 **dáiryman** 명 《*pl.* -men》 우유 장수
dai·sy [déizi] 명 데이지 형 귀여운, 멋진
원 the day's eye 의 준말《아침에 피기 때문에 지은 말》
dale [deil] 명 〖시〗 계곡(=valley)
◇**dam** [dæm] 〈동음어 damn〉 명 둑, 댐 타 둑으로 막다
*◇**dam·age** [dǽmidʒ] 명 손해(=injury, harm); 《*pl.*》 〖법〗 손해 배상 타 손상시키다
반 repáir 수선, 수선하다
(예) ◇do *damage* to ~에 손해를 입히다

▶ **82.** 「손해」의 유사어
damage는 「물건」에 쓰고, **injure**는 「사람·동물」에 대하여 쓴다.

dame [deim] 명 주부, 귀부인
damn [dæm] 〈동음어 dam〉 타 자 저주하다(=curse), 혹평하다
반 bless 축복하다
(예) *Damn* it! 제기랄!
파 **damned** 형 저주할, 빌어먹을(NB 상스럽다 하여 가끔 d—d [diːd]로 쓰기도 함) 부 지독히 **dámnable** 형 저주할, 지겨운 **damnátion** 명 유죄; 비난
*◇**damp** [dæmp] 형 축축한(=slightly wet), 의기 소침한 타 축축하게 하다, 기를 꺾다 명 습기, 안개, 의기 소침(=dejection)
반 dry 건조, 마른, 말리다
파 **dámpen** 타 축축하게 하다 **dámper** 명 축축하게 하는 사람〔것〕, (우표 따위를) 축이는 것 ◇**dámpness** 명 습기
dam·sel [dǽmzəl] 명 〖고어·아어〗 소녀, 처녀(=maiden)
☆**dance** [dæns / dɑːns] 명 춤, 무용, 무도회(=ball) 자 타 춤추다; (나뭇잎 따위가) 흔들리다
(예) *dance* with joy 기뻐서 껑충껑충 뛰다 // *dance* to music 노래에 맞춰 춤추다
파 ◇**dáncer** 명 무용가 **dáncing** 명 무용(a *dancing* girl 무희, 댄서 a *dancing* room 무용실) ◇**dánce-musician** 명

춤곡 작곡가〔음악가〕

dan·de·li·on [dǽndəlàiən] [명] 민들레
[원] dan(=tooth)+de(=of)+lion

dan·dy [dǽndi] [명] 멋쟁이, 잘 차린 남자 [형] 멋 있는

Dane [dein] [명] 덴마크 사람
[파] **Dánish** [déiniʃ] [형] 덴마크(사람)의 [명] 덴마크 말 (⇨) **Denmark**

dan·ger [déindʒər] [명] 위험(=risk, peril), 장애
[반] sáfety 안전
(예) a *danger* to the community 사회에 위험한 것〔사람〕 // be out of *danger* 위험을 벗어나다 // She is in *danger.* 그녀는 위험 상태에 있다.
[파] (⇨) **dangerous**

(***be***) ***in danger of*** ~의 위험이 있는
(예) He *is in danger of* losing his life. 그는 생명을 잃을 우려가 있다.

dan·ger·ous [déindʒərəs] [형] 위험한, 위태로운(=risky)
[반] safe 안전한
[파] **dángerously** [부] 위험하게, 위태롭게 (be *dangerously* ill 위독하다) **dángerousness** [명] 위험

dan·gle [dǽŋgəl] [자][타] 달랑달랑 매달리다, 매달다

dare [dɛər]* [타] 《***dared, durst; dared***》 감히 ~하다, ~할 용기가 있다(=be brave enough to do)
[반] shrink 움츠리다
(예) ˳He did not *dare to* pull it. 그는 감히 그것을 당기지 못했다. // Does he *dare to* fight again? 그는 또 싸울 용기가 있는가? // How *dare* you say such a thing? 어찌 감히 그런 말을 하는가?

[어법] *dare*는 의문문·부정문에서 조동사로서도 쓰인다. 가령 He *does not dare to* do it. 라는 문장은 He *dare not* do it. 라고도 하며, 또 *Does* he *dare to* do it? 보다는 *Dare* he do it? 라고 말하는 경우가 많다.

[파] **dáring** [형] 대담한, 용감한 [명] 대담, 앞뒤를 안 가림

dark [dɑːrk] [형] 어두운, (눈·머리칼·살갗이) 검은; 음침한; 비밀의 [명] 어둠, 암흑
[반] light 밝은, bright 쾌활한
(예) in the *dark* 어두운 곳에서 // after *dark* 어두워진 뒤 // keep a thing in the *dark* 어떤 일을 숨겨 두다 // It's getting *dark.* 점점 어두워진다.
[파] **dárkly** [부] 어둡게, 희미하게 ˚̣**dárkness** [명] 암흑, 무지(無知) ˚̣**dárken** [타] 어둡게 하다 **dark horse** (경마에서) 실력이 알려져 있지 않은 말; 생각지도 않

> ▶ **83. 접미어 en**
> ① 명사·형용사 따위에서 동사를 만들 때에 쓰이는 동사 어미.
> (예) dark*en*, length*en*, weak*en*
> ② 물질 명사에 붙여서 「~의 성질을 가진」「~제의」의 뜻의 형용사를 만든다.
> (예) gold*en*, wood*en*
> ③ 명사에 붙여서 복수를 만든다.
> (예) childr*en*, ox*en*

던 유력한 경쟁자; 〔미〕 (특히 정당 대회에서) 뜻밖에 지명·추천된 사람

◇**dar·ling** [dάːrliŋ] ⓗ 귀여운(=dearly loved); 귀중한 ⓜ 귀여운 사람

darn [dɑːrn] ⓣ 꿰매다, (실로) 사뜨다

◇**dart** [dάːrt] ⓜ 던지는 창; 급격한 돌진(=dash) ⓙⓣ 돌진하다, (던진 창처럼) 날아가다; 던지다

(예) The savages *darted* spears at the lion. 야만인들은 사자에게 창을 던졌다.

*◇**dash** [dæʃ] ⓜ 돌진, 대시 ⓙⓣ 돌진하다, 던지다

(예) The boat was *dashed* to pieces on the rock. 보트는 바위에 부딪쳐 산산조각이 났다.

㊁ **dáshing** ⓗ 위세 당당한

***dash against* 〔*upon*〕** ~에 충돌하다

D

dash·board [dǽʃbɔ̀ːrd] ⓜ (조종석 앞의) 계기판; (마차·썰매 등의 앞에 단) 흙받기

*◇**da·ta**★ [déitə, dάːtə, dǽtə] ⓜ 《*pl.*》《단수형은 datum》 자료, 데이터, 논거(論據)

***date** [deit] ⓜ 날짜, 연대; 〔미〕 회합의 약속, 데이트 ⓣⓙ 날짜를 적다; (~에서) 비롯하다 [~ from]; 데이트의 약속을 하다

(예) have a *date* with ~와 만날 약속이 있다 // at an early *date* 머지 않아, 근간 // a letter *dated* May 5th, 5월 5일부의 편지

◇***date back to*** ~(시대)에 비롯되다, ~에 거슬러 올라가다

(예) The temple *dates back to* 1173. 그 절은 1173년에 지립되었다.

out of date 시대에 뒤떨어진, 구식의

up to date 현재까지의 ; 최신의, 현대적인(=modern)

㊉ out of date

da·tive [déitiv] 〔문법〕 ⓗ 여격의 ⓜ 여격 ; 여격어(語)

daub [dɔːb] ⓣⓙ 뒤바르다; 더럽히다; 서투른 그림을 그리다 ⓜ 바르기; 서투른 그림

(예) *daub* a wall *with* plaster ↔ *daub* plaster on a wall 벽에 회반죽을 바르다

☆**daugh·ter** [dɔ́ːtər]★ ⓜ 딸 (*cf.* son 아들)

㊁ **dáughterly** ⓗ 딸다운, 딸의 **dáughter-in-law** ⓜ 《*pl.* daughters-》 며느리, 의붓딸(=stepdaughter)

daunt [dɔːnt] ⓣ 으르다(=frighten), 기를 꺾다

㊉ stir 고무하다

㊁ **dáuntless** ⓗ 대담 무쌍한

*◇**dawn** [dɔːn]★ ⓜ 새벽(=daybreak); 단서(端緖)(=beginning) ⓙ 날이 새다 ; 나타나기 시작하다, (일이) 점점 분명해지다 [~ on, upon]

㊉ dusk 황혼

(예) at *dawn* 새벽에 // Morning 〔Day, It〕 *dawned.* 날이 밝았다. // ◇The truth began to *dawn on* me. 나는 진실을 알기 시작했다.

day [dei] ㊔ 낮; 날; 승리; 《종종 *pl.*》 시대, 활동 시대
반 night 밤
(예) this *day* week 내〔지난〕주의 오늘 // one of these *days* 근일 중에 // some *day* (미래의) 어느 날 // win 〔lose〕 the *day* 이기다〔지다〕 // these *days* 요즘은 // to this *day* 오늘에 이르기까지 // She has seen better *days.* 그녀에게도 전성 시대는 있었다. // He is fifty, if a *day.* 아무래도 그는 50살은 됐겠다.
파 (⇨) **daily.** ◦**dáybreak** ㊔ 새벽 ◦**dáy-care** ㊔ 데이케어(day care)《미취학 아동·고령자·신체 장애자 따위의 각 집단에 대하여, 전문적 훈련을 받은 직원이 가족 대신에 주간에만 돌봐 주는 일》에 의한 ◦**dáydream** ㊔ 공상 ◦**dáylight** ㊔ 주간(晝間), 일광, 새벽(*Daylight* Saving Time 〖미〗 하계 일광 절약 시간. D.S.T.로 약함) ◦**dáytime** ㊔ 낮 ◦**dáy-to-dáy** ㊔ 나날의; 하루살이의

day after day 매일; 오늘도 내일도

day and night 밤낮, 주야로

day by day 날마다

day in and day out 날이면 날마다, 언제나

all day 종일(=all day long)

by day 낮에는 반 by night

from day to day 나날이, 날이 갈수록

in 〔***on***〕 *one's* ***day*** 한창때에는
(예) She must have been a beauty *in* her *day.* 그 여자는 한창때에는 미인이었음에 틀림없다.

in those days 그 무렵은, 당시는

one day (과거의) 어느 날

the day after tomorrow 모레

the day before yesterday 그저께
어법 미국에서는 the 를 생략하는 경우가 있다.

daze [deiz] ㊔ (빛이) 눈부시게 하다, 얼떨떨하게 하다 ㊔ 현혹, 눈부신 빛

daz·zle [dǽzl] ㊔㊔ 눈부시게 하다, 눈부시다 ㊔ 현혹, 눈부신 빛

dead [ded] ㊔ 죽은(=lifeless), 감각이 없는; 생기가 없는; 완전한(=complete) ㊔ 완전히, 매우 ㊔ 가장 어두운 때
반 alíve 살아 있는
(예) be *dead* tired 녹초가 되다 // a *dead* end (길의) 막다름, 종점 // He has been *dead* for three years. 그가 죽은 지 3년이 된다. (↔He died three years ago. ↔ It is three years since he died.)
파 ◦**déaden** ㊔㊔ 둔화하다; 죽다 ◦**déadly** ㊔ 치명적인 ㊔ 치명적으로, 대단히 **déadlock** ㊔ 정돈, 막힘 **déadline** ㊔ (원고) 마감 시간, 최종 기한 ◦**dead air** 정체 공기; 침묵시간

deaf [def]* ㊔ 귀머거리의; 귀를 기울이지 않는 [~ to]
(예) He was *deaf to* all their cries and prayers. 그는 그들의 울음과 기도 소리에 귀도 기울이지 않았다.

파 ˳**déafen** 타 귀가 멀게 하다 **déafness** 명 귀머거리
deaf-mute [défmjùːt] 명 농아자

*˳**deal** [diːl] 자 타 《***dealt*** [delt]》 거래하다; 취급하다 [~ with]; (타격을) 가하다; 분배하다 명 분량; 거래; 분배
(예) a fair *deal* 공평한 취급 // *deal* him a blow ↔ *deal* a blow *at* him 그에게 일격을 가하다 // *deal* cards 트럼프의 패를 돌리다
파 ˳**déaler** 명 상인, ~상(商)

deal in ~을 팔다; ~에 종사하다
(예) We have the right to *deal in* politics. 우리는 정치에 관여할 권리가 있다.

deal out ~을 나누어 주다, 분배하다; (법률 따위)를 집행하다
(예) *deal out* alms to the poor 빈민에게 구호 물자를 분배하다 // *deal out* justice 공평한 재판을 하다

D

*˳***deal with**★ ~을 취급하다, ~와 거래〔교제〕하다
(예) He is hard to *deal with*. 그는 다루기 힘들다. // The question is not whether our society is imperfect, but how to *deal with* it. 문제는 우리들의 사회가 불완전한가 아닌가가 아니고, 그것에 어떻게 대처하느냐에 있다.

˳***a great* 〔*good*〕 *deal*** 많은〔상당한〕 양[~ of]; 대단〔상당〕히
(예) *A great deal of* rain has fallen. 아주 많은 비가 왔다. // I have traveled *a good deal* in Europe. 나는 유럽을 제법 많이 여행했다.

*˳**deal·ing** [díːliŋ] 명 (남에 대한) 처사; 분배, 거래; 교제 관계
(예) fair 〔plain〕 *dealing* 공평한 태도 // commercial *dealings* 상거래 // I have no *dealings* with him. 나는 그와 교분이 없다.

☆**dear** [diər] 〈동음어 deer〉 형 친애하는; 값비싼(=costly), 소중한(=important) 명 애인 부 비싸게 감 어머나!, 아이고!
반 cheap 값싼
(예) It was a *dear* price to pay for his mistake. 그는 자신의 실수 때문에 혼이 났다.
파 ˳**déarly** 부 값비싸게; 끔찍이 ˳**déarness** 명 고가(高價), 친애

▶ 84. 「값비싼」의 유사어— **costly**는 막대한 비용이 든다는 것으로 「사치」의 뜻을 포함한다. **expensive**는 물건의 값이나 사는 사람의 주머니 사정에서 보아 값이 비싼 것. **dear**는 expensive보다 강하고 「터무니없는」의 뜻을 내포한다.

dearth [dəːrθ] 명 부족, 결핍(=lack, scarcity)

*˳**death** [deθ] 명 죽음, 절멸, 사인, 사형
반 birth 출생, life 삶
(예) This may be the *death* of me. 이것 때문에 내가 죽을지도 모른다.
파 **déathless** 형 불사(不死)의, 불후의 **déathlike** 형 죽은 듯한 **déathly** 형 죽음 같은 부 죽은 듯이 **déathbed** 명

종(臨終) **death rate** 사망률

put ~ to death ~을 죽이다, 사형에 처하다

(예) The prisoners were all *put to death.* 죄수는 모두 사형당했다.

to death ~하여 죽다; 죽을 지경으로〔지독하게〕~하다

(예) be burnt 〔beaten, shot〕 *to death* 타〔맞아, 총에 맞아〕 죽다 // be tired *to death* 피곤해서 죽을 지경이다

de·base [dibéis] [타] (가치·품질 따위를) 떨어뜨리다(=make low), 천하게 만들다, 타락시키다

de·bate [dibéit] [타][자] 토론하다[~ on, upon, about] [명] 토론, 쟁론(*cf.* discuss)

[파] **debáter** [명] 논쟁자 **debátable** [형] 논쟁의 여지가 있는

debt [det]* [명] 빚, 부채, 채무; 의리, 혜택(惠澤)

(예) be in 〔out of〕 *debt* 빚이 있다〔없다〕 // a *debt* of gratitude 은혜

[파] **debtor** [détər] [명] 채무자 **debt collector** 빚받이꾼

run* 〔*get*〕 *into debt 빚지다, 빚을 얻다

de·but [deibjú: / déibju:] [명] 〖프〗 첫무대, 데뷔

[파] **débutante** [명] 사교계에 처음 나서는 아가씨

dec·ade [dékeid, dekéid] [명] 10년간

dec·a·dence [dékədəns, dikéidəns] [명] 쇠미; 타락; (문예상의) 데카당 운동

de·cay [dikéi] [자][타] 쇠퇴하다, 썩다(=rot) [명] 쇠퇴, 부패

▶ **85. 접두어 deca**
「10(ten)」을 뜻한다.
(예) *deca*de

[반] presérve 보존하다

de·cease [disí:s] [명] 사망(=death) [자] 사망하다(=die)

[NB] disease [dizí:z] 「병」과 발음 및 철자를 혼동하지 말 것.

[파] **decéased** [형] 고(故) (~), 죽은

de·ceive* [disí:v] [타] 속이다, 기만하다, 혹하게 하다

[원] de(=off)+ceive(=take)

(예) *deceive* one's parents 부모를 속이다 // She *deceived* him *into* buying it. 그 여자는 그를 속여 그것을 사게 했다.

[파] **decéivable** [형] 속이기 쉬운 **decéiver** [명] 사기꾼 ◇**decéit** [명] 사기, 기만(=deception), 허위 **decéitful** [형] 속이는, 현혹시키는, 현혹시키기 쉬운 **decéption** [명] 사기, 속임, 현혹시키는 것 **decéptive** [형] 현혹시키는, 사기의

De·cem·ber [disémbər] [명] 12월 〖약어〗 *Dec.*

de·cent [dí:sənt]* [형] 점잖은(=modest); 온당한(=proper)

[반] indécent 보기 흉한

(예) You need *decent* clothes when you go to church. 교회에 갈 때에는 점잖은 옷차림을 해야 한다.

[파] **décently** [부] 분에 맞게, 점잖게 ***décency** [명] 고상하고 점잖음, 적당함

de·cide* [disáid] [타][자] 결정하다(=determine) [~ on, upon, to do], 해결하다(=settle), 판결하다(*cf.* determine)

[원] de(=down)+cide(=cut)

[반] wáver (결심이) 흔들리다

(예) *decide* where *to* go 어디로 갈 것인가를 결정하다 // She has *decided to* become a teacher. 그녀는 선생이 되려고 결심했다. // He *decided that* his son (*should*) become a doctor. 그는 아들을 의사로 만들기로 정했다. // *decide for* 〔*against*〕 him 그에게 무죄〔유죄〕 판결을 내리다
㉶ **decíded** ⓗ 뚜렷한; 단호한 **decídedly** ⓑ 명확히, 단호히 ***decision** [disíʒən]* ⓜ 결정, 결심, 판결 **decisive** [disáisiv] ⓗ 결정적인 **decísively** ⓑ 결정적으로

***decide on* 〔*upon*〕** (어떤 행동을 취하기)로 결심하다 ~로 결정하다
(예) I have *decided on* 〔*upon*〕 starting next month. 나는 다음 달에 출발하기로 결정했다. // In the end she *decided on* a green hat. 마침내 그 여자는 녹색 모자로 정했다.

dec·i·mate [désəmèit] ⓣ 열 명에 한 명꼴로 죽이다〔벌하다〕; (유행병 따위가) 많은 사람들을 죽이다

deck [dek] ⓜ 갑판 ⓣ 장식하다 [~ with]
(예) a room *decked with* flowers 꽃으로 꾸민 방

de·claim [dikléim] ⓣⓙ 낭독하다, 연설하다; 비난하다 [~ against]
㉶ **declamátion** ⓜ 연설, 낭독(법)

***de·clare** [diklɛ́ər] ⓣⓙ 선언하다(=proclaim), 단언하다 (세관에) 신고하다
(예) *declare* war on 〔against〕 ~에 선전 포고를 하다 // *declare* him (*to be*) a liar. ↔ I *declare* (*that*) he is a liar. 그는 거짓말쟁이라고 단언한다.
㉶ **declaration** [dèkləréiʃən] ⓜ 선언 **declarative** [diklǽrətiv] ⓗ 선언하는; 서술의 (a *declarative* sentence 평서문)

de·cline [dikláin] ⓙⓣ 기울다, 쇠퇴하다, 타락하다, 거절하다(*cf.* refuse) ⓜ 경사, 쇠퇴, 타락, 하락
㉯ de(=down)+cline(=bend)
㉻ accépt 받아들이다
(예) *decline to* do so 그렇게 하는 것을 거절하다 // His strength slowly *declined.* 그의 체력은 점차 쇠퇴했다.
㉶ **declénsion** ⓜ 〖문법〗 격변화; 기울어짐

> ▶ **86.** 「거절하다」의 유사어— **decline**은 정중한 말로서, 「사절하다」라는 기분이 들어 있으며, 원조·초대 따위를 거절할 때에 쓴다. **refuse**는 강하게 요구를 거절하는 뜻이고, **reject**는 더욱 강하게 「딱 잘라 거절하다」의 기분이 들어 있는 말이다.

de·code [di:kóud] ⓣ 암호(code)를 풀다〔해독하다〕

dec·o·rate [dékərèit] ⓣ 장식하다, 훈장을 수여하다
(예) a street *decorated with* flags 국기로 장식된 거리
㉶ ***decorátion** ⓜ 장식, 훈장 **decorative** [dékərèitiv, -rə-/-rə-] ⓗ 장식적인 **décorativeness** ⓜ 장식적 **décorator** ⓜ 장식가

de·co·rum [dikɔ́:rəm] ⓜ 예의바름, 예절(=decency)
㉶ **decorous** [dékərəs, dikɔ́:rəs] ⓗ 예의바른, 단정한

de·crease ㉮㉯ [dikríːs] 감소하다, 감소시키다(=make less) ㉠ [díːkriːs] 감소
원 de(=down)+crease(=grow)
반 incréase 증가하다
(예) be on the *decrease* 줄어가다(=be decreasing) // The members *decreased* in number. 회원의 수가 줄었다.
파 **decréasingly** ㉲ 점점 감소하여

de·cree [dikríː] ㉠ 명령, 포고 ㉯ 포고하다, 판결하다, 명령하다

ded·i·cate [dédəkèit] ㉯ 봉납하다, 바치다, 헌납하다[~to]
(예) ◇He *dedicated* his life *to* the search for truth. 그는 진리 탐구에 일생을 바쳤다.
파 ◇**dedicátion** ㉠ 봉납, 제자(題字) **dédicator** ㉠ 헌납자

de·duce [didjúːs / -djúːs] ㉯ 연역(演繹)하다, 추론하다, 끌어내다
원 de(=from)+duce(=draw 끌다)
반 indúce 귀납(歸納)하다
(예) ◇One could *deduce* it *from* general principles. 일반 원리에서 그것을 추측할 수 있었다. // I *deduce from* the fact *that* he is a careless man. 그 사실로 보아 그는 부주의한 사람이라고 생각한다.
파 **dedúction** ㉠ 연역(법), 추정; 공제 **dedúctive** ㉡ 연역적인

de·duct [didʌ́kt] ㉯ 공제하다
(예) *deduct* 10 % *from* the salary 급료에서 1할을 공제하다

deed [diːd] ㉠ 행위, 실행; 공적(=exploit) ; 〖법률〗 증서
(예) a heroic *deed* 영웅적인 행동 // in *deed* as well as in name 명실 공히

deem [diːm] ㉮㉯ ~라고 생각하다, 간주하다(=regard)
(예) I *deem* it impossible. ↔ I *deem* (*that*) it is impossible. 나는 그것을 불가능하다고 생각한다.

deep [diːp] ㉡ 깊은, 심원한(=profound) ㉲ 깊이 ㉠ 깊은 곳; [the d-] 바다
반 shállow 얕은
(예) *deep* in the country 마을과 멀리 떨어져서 // *deep* in thought 깊이 생각하여 // The pond is three meters *deep*. 이 연못은 깊이가 3미터이다. (↔...in depth.)
파 **déepen** ㉮㉯ 깊어지다, 깊게 하다 ***déeply** ㉲ 깊게, 대단히 **déepness** ㉠ 깊이 (⇨) **depth**

deer [diər] 〈동음어 dear〉 ㉠ 《단수·복수 동형》 사슴

de·feat [difíːt] ㉠ 패배, 격파, (계획의) 좌절(=failure) ㉯ 패배시키다, 무효로 하다
반 víctory 승리
어법 명사인 경우 「격파」와 「패배」의 구별에 주의: He admitted his *defeat*.(패배를 인정했다) His *defeat* of the enemy saved us.(그가 적을 격파한 덕택에 우리는 살았다)

de·fect [díːfekt, difékt] ㉠ 결점, 단점, 약점, 결함
반 mérit 장점, perféction 완전

D

파 **deféction** 명 배반, 태만 ◇**deféctive** 형 결점이 있는, 불완전한

*◇**de·fend** [difénd] 타 방어하다, 보호하다 ; 변호하다
반 attáck 공격하다
(예) *defend* a castle *against* the enemy 성을 적으로부터 지키다 // *defend* a person *from* danger 아무를 위험으로부터 지키다
파 ◇**deféndant** 명 피고 형 방어의 **defénder** 명 방어자 ◇**defénse, -fence** 명 방어, 방비 ; 변호, 옹호 (반 attáck offénse 공격) **defénseless, -fénce-** 형 무방비의 **defénsive** 형 방어적인 명 수세(守勢)

de·fer [difə́:r] 타 자 연기하다(=postpone), 늦추다(=delay)
반 hásten 서두르다
(예) *defer* a payment on a loan 대부금의 지불을 늦추다
파 **deférment** 명 연기 **déference** 명 경의, 복종 **deferéntial** 형 경의를 표하는, 공경하는

◇**de·fi·cient** [difíʃənt] 형 (질·양 따위가) 모자라는, 불완전한
반 suffícient 충분한
(예) He is *deficient in* energy. 그는 정력이 부족하다.
파 **defíciently** 부 불충분하게 **defíciency** 명 부족 **déficit** 명 부족, 결손

*◇**de·fine★** [difáin] 타 정의를 내리다, 설명하다; 경계를 정하다
원 de(=down)+fine(=limit 제한하다)
(예) At one time it was common to *define* man *as* a thinking animal. 옛날에는 인간을 생각하는 동물이라고 규정지는 것이 보통이었다.

*◇**def·i·nite** [défənit] 형 명확한(=clear); 한정적인(=limiting)
반 indéfinite 부정의, vágue 애매한
(예) the *definite* article 〖문법〗 정관사 (the)
파 ◇**définitely** 부 명확하게, 분명하게

*◇**def·i·ni·tion★** [dèfəníʃən] 명 한정, 정의, 명확; 명확도
파 **defínitive** 형 한정하는, 명확한

de·fla·tion [difléiʃən] 명 통화 수축, 디플레이션
반 inflátion 통화 팽창, 인플레이션

de·for·est [di:fɔ́(:)rist] 타 산림을 벌채하다, 수목을 베내다

◇**de·form** [difɔ́:rm] 타 병신으로 만들다, 보기 흉하게 하다
원 de(=down)+form
파 **defórmed** 형 기형의 **defórmity** 명 기형

deft [deft] 형 능숙한(=skillful), 솜씨 좋은
파 ◇**déftly** 부 능숙하게 **déftness** 명 솜씨가 좋음, 능숙

▶ **87.** 대학 입시의 발음 문제
발음 문제로는 [ɔ:]와 [ou]의 구별, [ə], [æ], [ʌ], [ɔ]의 구별 따위 기본적인 것이 많이 출제된다. 철자법에서는 ea나 ow, o, ch 따위의 발음에 주의해야 한다. 또 tear와 같이 동사 [tɛər]와 명사 [tiər]가 서로 다르게 발음되는 것도 주의해야 한다.

de·fy [difái] ㉺ 도전하다(=challenge); 거부하다, 반대하다
(예) I *defy* you *to* do so. 할 테면 해 봐라. // If you *defy* the law you'll be sent to prison. 법을 어기면 감옥에 가게 된다.
㉸ **defíance** ㉮ 도전(=challenge), 반항, 무시 (㉯ obédience 복종) **defíant** ㉱ 도전하는, 도전적인, 반항적인
in defiance of ~에 반항하여, ~를 무시하여
(예) *in defiance of* etiquette 〔the law, storm〕 예의〔법률, 폭풍우〕를 무시하고 // He went his own way *in defiance of* public opinion. 그는 여론을 무시하고 제멋대로 했다.
de·gen·er·ate ㉶ [didʒénərèit] 퇴화하다, 타락하다 ㉱ [-ərit] 퇴화〔타락〕한 ㉮ [-ərit] 타락자; 변질자
㉯ evólve 진화하다
㉸ **degenerátion** ㉮ 퇴화, 퇴보, 타락
de·grade [digréid] ㉶㉺ 타락하다, 품위를 떨어뜨리다
㉻ de(=down)+grade(=rank 계급)
㉸ **degráded** ㉱ 타락한 ◦**degradátion** ㉮ 면직, 타락, 퇴화
de·gree [digríː] ㉮ 도(度), 정도; 지위; 급; 학위
(예) ◦to some *degree* 다소 // ◦to a certain *degree* 어느 정도까지는 // take a *degree* 학위를 얻다 // The thermometer stands at 20 *degrees.* 온도계는 20도를 가리키고 있다.
by degrees 점차, 차차로(=gradually)
(예) *by* slow *degrees* 서서히, 조금씩
to a degree 〖미〗 어느 정도는; 〖영〗 크게, 대단히, 몹시(=exceedingly)
(예) It is all right *to a degree.* 그것은 어느 정도는 좋다.
de·i·fy [díːəfài] ㉺ 신으로 모시다, 숭배하다
de·i·ty [díːəti] ㉮ 신(=god), 상제(上帝)
de·ject [didʒékt] ㉺ 기를 꺾다(=discourage), 낙담시키다
㉸ **dejécted** ㉱ 낙담한, 풀이 죽은(=discouraged)
de·lay [diléi] ㉺㉶ 늦추(어지)다, 더디게 하다, 더디어지다 ㉮ 연기, 지체
㉯ hásten 서두르다
(예) without *delay* 지체 없이 // The train was *delayed* two hours. 기차는 두 시간 연착했다. // This admits of no *delay.* 일각의 지체도 허용되지 않는다.
del·e·gate ㉺ [déləgèit] (대표로서) 파견하다 ; (권리 따위를) 위임하다 ㉮ [déləgit, -gèit] 대표자, 위원
㉸ **delegátion** ㉮ 파견 위원, 대표단
de·lib·er·ate ㉶㉺ [dilíbərèit] 숙고하다, 의논하다 [~ upon] ㉱ [-ərit] 사려 깊은, 신중한; 고의의
(예) *deliberate on* 〔*about, over*〕 the problem 문제를 숙고하다 // She is *deliberating* what to do 〔what should be done〕. 그 여자는 무엇을 해야 할지 고려중이다. // Be *deliberate* in your action. 행동은 신중히 하라.
㉸ ◦**delíberately** ㉷ 고의로(=on purpose), 신중하게

deliberátion 명 숙고, 신중 **deliberative** [dilíbərèitiv -ətiv] 형 숙고한; 심의의

*°**del·i·cate** [délikit]★ 형 미묘한, 정교한, 우아한(=beautiful); 허약한(=tender); 섬세한, 민감한
반 tough 강인한, 단단한
(예) a *delicate* sense 예민한 감각 // a *delicate* differenc 미묘한 차이 // be in *delicate* health 병약하다
파 **délicately** 부 우아하게, 정교하게, 가냘프게 ***délicacy** 명 섬세, 미묘, 정교, 우아, (섬세한) 마음씨; 허약; 맛있는 것, 진미

°**de·li·cious** [dilíʃəs]★ 형 맛있는, 진미의; 유쾌한
파 **delíciously** 부 맛있게; 즐겁게

*°**de·light** [diláit] 타 자 즐겁게 하다(=please), 기뻐하다 [~ in] 명 즐거움, 유쾌
반 sórrow 슬퍼하다, 비탄
(예) with *delight* 기꺼이 // to one's *delight* 기쁘게도 / He *was delighted to* hear the results 〔*at* the results, *wi*t the results〕. 그는 그 결과를 듣고 기뻤다. // He *i*s *delighted that* you are well again. 네가 완쾌되어 그는 기뻐하고 있다. // °He always *delights in* what I say. 그는 항상 내 말을 듣기 좋아한다.
파 **delíghted** 형 기뻐하는 °**delíghtedly** 부 기뻐하여 *°**delíghtful** 형 즐거운, 기쁜, 유쾌한
어법 「사람을 기쁘게 하는」의 뜻이니까 「나는 기쁘다」를 I'm delightful. 이라고 하지 않는다. I'm delighted.가 옳다.

(***be***) ***delighted with*** ~이 마음에 드는
(예) The old woman *was delighted with* this elegant speech. 노부인은 이 격조 높은 연설이 마음에 들었다.

take delight in ~을 기뻐하다, ~을 즐기다
(예) She *takes* much *delight in* her studies. 그녀는 공부하기를 무척 좋아한다.

de·lin·quent [dilíŋkwənt] 형 직무 태만의; 과거가 있는 〔미〕 체납의 명 불이행자; 비행자(非行者), 과실자; 〔미〕 체납자
(예) a juvenile *delinquent* 비행〔불량〕 소년

*°**de·liv·er** [dilívər] 타 구하다(=save); 배달하다, 전하다 진술하다; (타격 따위를) 가하다, (공 따위를) 던지다
원 de(=from)+liver(=free)
(예) *deliver* a speech 연설하다 // *deliver* a person *from* the enemy 아무를 적의 손에서 구해 내다 // *deliver* (*up*) a warship *to* the enemy 적에게 군함을 넘겨 주다
파 **delíverance**★ 명 구조, 석방 **delíverer** 명 구조자, 배달인 *°**delívery** 명 배달, 인도, 분만(分娩)

del·ta [déltə] 명 (강 어귀의) 삼각주(三角洲), 델타

de·lude [dilú:d] 타 속이다(=deceive), 어리둥절하게 하다
(예) Don't *delude* yourself with false hopes. 실현 못 할 것을 실현한다고 믿어서는 안 된다. // Her beauty *deluded* him *into* believ*ing* it. 그는 그 여자의 미모에 혹하여 그

을 믿고 말았다.
[파] ◇delusion [dilúːʒən] [명] 속임, 망상
del·uge [déljuːdʒ] [명] 큰 홍수(=great flood), 재앙 [타] 침수하다, 범람하다(=flood)
de luxe, de·luxe [dilúks, -lʌ́ks] [형] 〔프〕 호화로운, 사치스러운
delve [delv] [자] 탐구〔탐색〕하다 [~ into, among]
(예) ◇He *delved into* lots of old books for the facts. 그는 그 사실을 알아내기 위해 수많은 고서를 탐색했다.
de·mand [dimǽnd / -mɑ́ːnd] [타] 요구하다, 청구하다 [명] 요구, 수요
[반] supplý 공급하다, 공급
(예) ◇*demand for* books 책의 수요 // ◇*demand* an answer *of* 〔*from*〕 a person 아무에게 대답을 요구하다 // He *demanded* payment. ↔ He *demanded to* be paid. 그는 돈을 지불하라고 요구했다. // I *demanded* (*that*) he (*should*) leave the room. 나는 그에게 방에서 나가라고 요구했다. // Typists are in great *demand.* 타이피스트의 수요가 많다.
[어법] *demand*에 계속되는 that-clause에는 *should*나 또는 가정법 현재를 쓸 때가 많다.
(***be***) ***in demand*** 수요가 있는
(예) Nylon *is in* great *demand.* 나일론은 수요가 많다.
de·mean·o(u)r [dimíːnər] [명] 품행(=behavior), 태도
de·mer·it [diːmérit] [명] 잘못, 단점, 과실, 죄과
de·moc·ra·cy [dimɑ́krəsi / -mɔ́k-]* [명] 민주주의, 민주 정체, 민주국
[원] demo(s) (=people) + cracy (=rule)
[반] aristócracy 귀족 정체
dem·o·crat [déməkræ̀t]* [명] 민주주의자; [D-] 〔미〕 민주당원
dem·o·crat·ic [dèməkrǽtik]* [형] 민주 정체의
[파] **demócratize** [타] 민주화하다 **democratizátion** [명] 민주화
de·mon [díːmən] [명] 악마, 마귀(=devil, fiend)
dem·on·strate [démənstrèit]* [타] [자] 증명하다; 시위 운동을 하다
(예) We can *demonstrate that* water consists of hydrogen and oxygen. 우리는 물은 수소와 산소로 구성되었다는 것을 증명할 수 있다. // They *demonstrated against* the raising of fare. 그들은 운임 인상에 반대하여 데모를 했다.
[파] *◇**demonstrátion** [명] 증명, 표명; 시위 운동 **demonstrative** [dimɑ́nstrətiv / dimɔ́n-] [형] 증명하는, 나타내는 [~ of] **démonstrator** [명] 논증자
de·mor·al·ize [dimɔ́(ː)rəlàiz] [타] 타락〔혼란〕시키다
den [den] [명] (짐승·도둑들의) 소굴; (작은) 사실(私室)
Den·mark [dénmɑːrk] [명] 덴마크
de·nom·i·na·tion [dinɑ̀mənéiʃən / -nɔ̀m-] [명] 명명, 명칭, 종파(宗派); 화폐 호칭의 변경

de·note [dinóut] ㉮ 나타내다(=indicate), 표시하다
(예) The sign "÷" *denotes* division. 기호 ÷는 나눗셈 나타낸다. // A quick pulse often *denotes* (*that*) you have fever. 맥박이 빠른 것은 종종 열이 있다는 표시이다.

de·nounce [dináuns] ㉮ (공공연히) 비난하다(=speak against), 고발하다 ; (조약의) 해약을〔폐기를〕 통고하다
(예) He was *denounced as* a coward 〔*as* cowardly〕. 는 비겁자라고 사람들로부터 비난받았다. // *denounce* spy *to* the police 스파이를 경찰에 알리다
㉺ **denunciátion** ㉷ 비난, (조약의) 폐기 공고

◇**dense** [dens] ㉻ 짙은(=thick), 조밀(稠密)한, 빽빽한, 창한
㉯ rare 희박한
㉺ **dénsely** ㉴ 조밀하게 ◇**dénsity** ㉷ 밀도, 농도

◇**dent** [dent] ㉷ 움푹 팬 곳 ㉶㉮ 움푹 들어가(게 하)다

dent·al [déntl] ㉻ 이의, 치과의; 치음(齒音)의
㉺ ◇**déntist** 치과 의사 **déntistry** 치과 의술(업)

*◇**de·ny**★ [dinái] ㉮ 부정하다, 거절하다(=refuse)
㉯ admít 인정하다, accépt 받아들이다
(예) *deny* hav*ing* said so 그렇게 말한 적이 없다고 부 하다 // She can *deny* her son nothing. ↔... *deny* nothing her son. 그녀는 자기 아들이 해 달라는 것은 아무 것도 절하지 못한다. // She *denied* the story *to be* true. ↔ S *denied* (*that*) the story was true. 그 여자는 그 이야기 사실이 아니라고 했다. // I *denied* myself to all visitor 나는 면회자를 모두 거절했다.
어법 *deny*의 부정 또는 의문에 계속되는 *but that*는 하나 that와 같음: Who can deny *but that* it is true?(그것이 사 이라는 것을 누가 부정할 수 있으리오?)
㉺ ***deníal**★ ㉷ 부정, 거절 **deníable** ㉻ 부정할 수 있는

◇**de·ox·y·ri·bo·nu·cle·ic acid** [diɑ́ksəràibounjuːklíːikǽsi 디옥시리보핵산 〖약어〗 *DNA*

◇**de·part** [dipɑ́ːrt] ㉶ 출발하다(=start), 떠나다(=leave ~에서 벗어나다, 이탈하다 [~ from]
㉯ arríve 도착하다
(예) The train *departs* at 7 : 30 *for* London. 열차는 7 30분에 런던으로 떠난다. // *depart from* one's promise 속을 어기다
㉺ **depárted** ㉻ 과거의, 옛날의

◇**de·part·ment** [dipɑ́ːrtmənt] ㉷ 부, 부문, 성(省), 국
(예) a *department* store 백화점

*◇**de·par·ture**★ [dipɑ́ːrtʃər] ㉷ 출발; 이탈

*◇**de·pend** [dipénd] ㉶ ~에 의지하다, 의존하다 ; 신뢰하 ~나름이다, (~에) 달려 있다[~ upon]
(예) ◇He cannot be *depended upon*. 그는 믿을 수가 다. // ◇Whether we go or not *depends on* the weath 우리가 가고 못 가고는 날씨에 달려 있다. // *Depend up* it! 틀림없어!, 걱정 없어! // The country *depends up*

us *for* most of her silk. 그 나라는 대부분의 명주를 우리에게 의존한다. // I *depend on* you *to* do it. 나는 네가 그것을 해주리라고 믿는다. // You may *depend on* Tom 〔Tom's〕 be*ing* punctual. 톰은 시간을 지킬 것으로 믿어도 좋다.

파 ◇**depéndable** 형 신뢰할 수 있는; 믿음직한 ***depéndence** 명 종속, 의존, 신뢰, 의뢰 ◇**depéndency** 명 종속물, 속국(屬國) ***depéndent** 형 의지하고 있는, 의존하는; ~나름의 [~ on] 명 부양 가족; 식객(食客) (a *dependent* clause 〖문법〗 종속절)

(***be***) ***dependent on*** 〔***upon***〕* ~에 의한〔달린〕; ~에 의지하는 (예) Three children *were dependent on* him. 세 아이들은 그에 의지하고 있었다.

de·pict [dipíkt] 타 묘사하다, 서술하다(=describe)

de·plore [diplɔ́ːr] 타 슬퍼하다, 한탄〔애도〕하다(=be sorry)
반 rejóice 기뻐하다
파 **deplórable** 형 한탄스러운

de·pos·it [dipázit / -pɔ́z-] 명 예금, 보증〔공탁〕금, 맡긴 것; 침전물(沈澱物) 타 (돈·물건을) 맡기다, 두다; 침전시키다
원 de(=down)+posit(=put)
(예) a current 〔fixed〕 *deposit* 당좌〔정기〕 예금 // *deposit* money *in* a bank 은행에 예금하다 // *deposit* a thing *with* a person 물건을 아무에게 맡기다 // When the River Nile is in flood, it *deposits* a layer of mud on the fields. 나일 강이 홍수로 넘칠 때, 진흙의 층을 밭에 퇴적시킨다.
파 **depósitor** 명 예금자

de·pot [dépou] 명 저장소, 창고(=warehouse); 〖미〗 정거장

de·prave [dipréiv] 타 타락시키다, 악화시키다
원 de(=down)+prave(=wicked 나쁜)
반 impróve 개선하다
파 **deprávéd** 형 타락한, 사악한 **deprávity** 명 타락, 비행

de·pre·ci·ate [dipríːʃièit] 자 타 (가치가) 떨어지다, 떨어뜨리다(=lessen in value), 하락하다; 경시하다(=make light of)
반 rise 앙등하다
파 **depreciátion** 명 하락; 경시(輕視)

de·press [diprés] 타 억압하다, 내리누르다, (기능·활동 따위를) 약화시키다, 불경기로 만들다; 우울하게 하다
원 de(=down)+press(누르다) 반 élevate 고무하다
(예) *depress* the keys of a typewriter 타이프라이터의 키를 누르다 // The rainy season *depresses* me. 장마철이 되면 기분이 우울해진다. // As the trade is *depressed,* he has become bankrupt. 사업이 부진하여 그는 파산했다.
파 ***depréssed** 형 활기가 없는, 풀이 죽은; 억압된 **depréssing** 형 우울하게 하는, 침울한 ***depréssion** 명 의기소침, 저하; 불경기

de·prive [dipráiv] 타 빼앗다 [~ of], 박탈하다; 저지하다
반 endów 주다 파 **deprivátion** 명 박탈, 손해

*◇***deprive ~ of** ~에서 …을 빼앗다
(예) His failure almost *deprived* him *of* hope. 그의 실패는 그에게서 희망을 거의 앗아 갔다.
NB deprive *A* of *B*(A로부터 B를 빼앗다)의 A, B의 순서에 주의. (*cf.* rob, strip)
*◇**depth** [depθ] 명 깊이(=deepness); 깊은 곳, 깊음
원 <deep 깊은
(예) in the *depth* of winter 한겨울에 // The well is 30 feet in *depth*. 그 우물의 깊이는 30 피트이다. (↔ The well is 30 feet deep.)
dep·u·ty [dépjəti] 명 대리
de·rail [diréil] 자 타 탈선하다〔시키다〕
어법 보통 be 〔get〕 *derailed* 로 수동형을 쓴다.
파 **deráilment** 명 탈선
de·ride [diráid] 타 비웃다, 조소하다(=ridicule)
파 **derision** [diríʒən] 명 조소; 웃음거리
*◇**de·rive** [diráiv] 타 자 끌어내다, 유래하다, 추론하다 [~ from]
(예) ◇He *derived* much pleasure *from* books. 그는 독서로부터 많은 즐거움을 얻었다. (↔ Books gave him much pleasure.)
어법 보통 *derive from*이라고 전치사를 수반한 형식으로 쓰인다
파 **derivation** [dèrəvéiʃən] 명 유래, 유도 **derívative** 형 유래하는 명 파생물, 파생어
◇***derive from*** ~에서 (나)오다, 유래하다
(예) Happiness does not *derive from* any single source. 행복이란 결코 하나의 근원에서 나오는 것은 아니다. // a word *derived from* Greek 그리스어에서 온 말
*◇**de·scend** [disénd] 자 타 내리다, 내려가다, (조상으로부터) 전해 내려오다
원 de(=down)+scend(=climb)
반 ascénd 오르다
(예) *descend* the stairs 계단을 내려가다 // *descend from* the mountaintop 산꼭대기에서 내려오다 // be *descended from* an ancient family 오래된 가문의 출신이다 // He is well *descended*. 그는 혈통이 좋다. // The river *descends to* the sea. 강은 바다로 흘러 내려간다.
파 ◇**descéndant** 명 자손, 후예, 전래물(傳來物) **descénding** 형 내려가는, 하강의 *◇**descent** [disént] 명 하강, 내리받이, 혈통(반 ascént 상승)
*◇**de·scribe**★ [diskráib] 타 기술하다, (말로써) 묘사하다(=depict)
원 de(=down)+scribe(=write)
(예) *describe* the accident *to* the police 경찰에게 사고의 진상을 설명하다 // Can you *describe him?* 그가 어떤 사람인지 말할 수 있는가? // ◇Man has often been *described* as a tool-making animal. 인간은 도구를 사용하는 동물이라고 종종 묘사되어 왔다.

파 (⇨) **description**

de·scrip·tion [diskrípʃən] 명 기술, 묘사; 종류
원 <describe 묘사하다
(예) beyond *description* 형용할 수 없는 // motorcars of every *description* 모든 종류의 자동차
파 ◦**descríptive** 형 서술적인, 기술적인

defy (all) description 이루 다 말할 수 없다
(예) The beauty of the place *defied description.* 그 곳의 아름다움은 이루 형언할 수 없었다.

des·ert⋆ 〈동음어 dessert [dizə́ːrt]〉 명 [dézərt]⋆ 사막, 황무지; [dizə́rt] 《주로 *pl.*》 공적 형 [dézərt]⋆ 불모의, 사는 사람이 없는 타 자 [dizə́ːrt]⋆ 버리다(=abandon), 도망하다
NB *desert* [dizə́ːrt] 「공죄(功罪), 공훈(功勳)」은 deserve 의 명사형. 정식의 마지막에 먹는 과자나 과일은 *dessert* [dizə́ːrt]

▶ 88. 중요한 동음 이의어(Ⅰ)
대학 입시에 나오는 중요한 동음어에는 다음과 같은 것이 있다.
aloud-allowed, altar-alter, bear-bare, beat-beet, birth-berth, bow-bough, break-brake, blue-blew, dear-deer, desert-dessert 따위

(예) a *desert* island 무인도 // Courage *deserted* him. 그는 용기를 잃었다.
파 **desérted** 형 버림받은, 사람이 살지 않는, 무인의 **desértion** 명 유기, 황폐 **desérter** 명 도망자〔병〕, 유기자

de·serve [dizə́ːrv]⋆ 타 자 ~의 가치가 있다, (마땅히) ~을 받을 만하다
원 de(=well)+serve(섬기다)
(예) *deserve* praise ↔ ◦*deserve to* be praised 칭찬을 받을 만하다 // He *deserves of* praise. 그는 칭찬받을 만한 가치가 있다.
파 **desérvedly** 부 당연히 **desérving** 형 ~에 상당하는, 공적이 있는

de·sign⋆ [dizáin] 명 의장(意匠), 설계, 의도, 구상 타 자 기도하다(=intend), 입안하다, 계획하다(=plan)
원 de(=down)+sign(=mark)
(예) by *design* 고의로(=on purpose) // *design to* be a sailor 선원이 될 작정이다 // This toy is *designed for* girls. 이 장난감은 여자애들 것이다.
파 ◦**desígner** 명 의장(意匠) 설계가, 디자이너 **designedly** [dizáinidli] 부 일부러

des·ig·nate 타 [dézignèit] 지정하다, 지명하다(=name), 임명하다(=appoint) 형 [dézignit, -nèt] 지명을 받은
(예) The king *designated* him (*as*) the next premier. 왕은 그를 차기 수상으로 지명했다.
파 **designátion** 명 지정, 지명, 임명, 명칭

de·sire [dizáiər] 타 바라다, 요구하다 명 희망, 요구
(예) the *desire to* go 〔*for* going〕 가고 싶은 욕망 // *desire to* go 가고 싶어하다 // She *desired* us *to* wait. ↔ She

desired that we *should* wait. 그녀는 우리에게 기다리라고 했다.

어법 동명사를 사용할 수 없다. that-clause가 올 때는 보통 *should*를 쓴다.

파 *desírable* 형 바람직한 **desírably** 부 바람직하게 **desírous** 형 원하는, 바라는 [~ of, to do]

☆**desk** [desk] 명 책상 「보디

(예) sit at one's *desk* 책을 읽고〔글을 쓰고〕 있다, 사무를

des·o·late 형 [désəlit] 고독한, 쓸쓸한, 황량한(=dreary)

타 [désəlèit] 황폐케 하다, 쓸쓸하게 하다

원 de(=fully)+sol(=lone)+ate(형용사 어미)

파 **désolately** 부 쓸쓸하게 **desolátion** 명 황폐, 황량, 쓸쓸함

*◇**de·spair*** [dispέər] 자 절망하다, 단념하다(=lose hope) [~ of] 명 절망, 단념, 자포자기(가 되는 것)

반 hope 희망, 희망하다

(예) His life is *despaired of.* 그의 생명은 절망적이다.

파 **despáiring** 형 절망의(=hopeless), 자포자기의

in despair 절망하여, 자포자기하여

(예) They tried to die together *in despair.* 그들은 절망하여 같이 죽으려고 하였다.

*◇**des·per·ate** [déspərit] 형 절망적인(=hopeless); 필사적인, 자포자기의

반 hópeful 희망이 있는

(예) He got *desperate* at his repeated failures. 그는 반복되는 실패로 자포자기하게 되었다.

파 **desperátion** 명 필사적임, 자포자기 ◇**désperately** 부 절망적으로, 필사적으로

des·pi·ca·ble [dispíkəbəl, déspik-] 형 야비한, 비열한(=contemptible)

*◇**de·spise** [dispáiz] 타 경멸하다, 얕보다(=scorn)

반 respéct 존경하다

*◇**de·spite** [dispáit] 전 ~에도 불구하고(=in spite of) 명 악의, 원한

어법 despite, despite of, in despite of는 모두 *in spite of*와 같은 뜻.

de·spoil [dispɔ́il] 타 빼앗다, 약탈하다(=rob)

(예) *despoil* a person *of* his land 아무에게서 땅을 빼앗다

de·spond [dispánd / -spɔ́nd] 자 낙담하다, 실망하다

파 **despóndency** 명 낙담 **despóndent** 형 낙담한

des·pot·ic [dispátik / -pɔ́t-] 형 전제적인(=tyrannical)

반 democrátic 민주적인

파 **déspot** 명 전제 군주 **déspotism** 명 전제 정치〔주의〕

*◇**des·sert** [dizə́ːrt]* 〈동음어 desert〉 명 디저트

des·tine [déstin] 타 운명 짓다, 예정하다

(예) He *was destined to* fail 〔*to* failure〕. 그는 실패할 운명이었다. // He was *destined for* something great. 그는 큰 인물이 될 운명으로 태어났다.

파 *destinátion 명 목적지 예정 *déstiny 명 운명(=fate)

des·ti·tute [déstətjùːt / -tjùːt] 형 (~이) 결핍한, (~을) 갖지 않은, (~이) 없는 [~ of], 빈궁한, 가난한
(예) He is *destitute of* humor. 그는 유머가 없다.
파 **destitútion** 명 궁핍

de·stroy⋆ [distrɔ́i] 타 파괴하다, 죽이다; (희망·계획 따위를) 무너뜨리다
원 de(=down)+stroy(=build) 반 constrúct 건설하다
(예) *destroy* oneself 자살하다
파 **destróyer** 명 파괴자, 구축함 (⇨)**destruction**

de·struc·tion [distrʌ́kʃən] 명 파괴; 파멸(=ruin)
원 <destroy 파괴하다 반 constrúction 건설
(예) Gambling was his *destruction.* 그는 노름으로 신세를 망쳤다.
파 *destrúctive 형 파괴적인

de·tach [ditǽtʃ] 타 분리하다(=separate) [~ from]; 〖군사〗 (부대·군함을) 파견하다
원 de(=off)+tach(=touch) 반 attách 부착시키다
파 **detáchment** 명 분리, 분견(대)

de·tail [díːteil, ditéil] 명 상설(詳說), 세부(細部), 사소한 일 타 자 상세히 말하다; (특별 임무로) 파견하다
(예) a mere *detail* 사소한 일 // go into *details* 상세히 설명하다
파 ◦**detáiled** 형 상세한

in detail 상세히, 자세히
(예) He told the matter *in detail.* 그는 그 일을 자세히 이야기했다.

de·tain [ditéin] 타 붙들다, 구류하다; 기다리게 하다
(예) I have nothing to *detain* me. 아무런 지장이 없다.
파 **deténtion** 명 구류, 방해

de·tect [ditékt] 타 발견하다, 간파하다, 탐지하다
원 de(=off)+tect(=cover) 반 concéal 숨기다
(예) Such pretension is easily *detected.* 이러한 가장은 곧 탄로난다.
파 **detéction** 명 간파, 탄로 *detéctive 명 탐정, 형사 형 탐정의(a *detective* story 추리 소설)

de·tente [deitáːnt] 명 데탕트, (국제간의) 긴장 완화

de·ter [ditə́ːr] 타 ~을 단념시키다, 방해하다
(예) She *deterred* him *from* do*ing* so. 그녀는 그가 그렇게 하는 것을 만류했다.

de·te·ri·o·rate [ditíəriərèit] 타 (가치·품질 따위를) 나쁘게 하다, 저하시키다, (건강을) 해치다 자 나빠지다, 저하하다, 쇠퇴하다
파 **deteriorátion** 명 악화; 퇴보

de·ter·mine [ditə́ːrmin] 타 자 결정하다(=fix, decide); 결심하다; 〖법〗 판결하다, (효력 따위가) 종결하다
(예) I *determined to* start early. ↔ I *determined on* an early start. ↔ I *determined that* I would start early. 일찍 출발하기로 결심했다. // ◦She *was determined to* help her

husband. 그 여자는 남편을 돕기로 결심했다.
파 **detérminate** 형 확정한, 명확한, 단호한 *◇**determinátion** 명 결심

> **▶ 89.「결심하다」의 유사어**
> **decide**는 신속·명확하게 의지를 정하다. **determine**은 의지를 정한 뒤 목적을 굳게 추구하다. **resolve**는 신중하게 고려·선택한 후에 의지를 정하다. **make up one's mind**는 위의 모든 말에 대용된다.

◇**de·test** [ditést] 타 몹시 싫어하다(=dislike strongly), 혐오하다
반 love 사랑하다
(예) He *detests* liars. 그는 거짓말쟁이를 싫어한다. // *detest* eat*ing* alone. 나는 혼자 식사하는 것이 아주 싫다.
파 **detéstable** 형 아주 싫은 **detestátion** 명 혐오

de·throne [diθróun] 타 폐위시키다; 쫓아내다 [~ from]
파 **dethrónement** 명 폐위, 강제 퇴위

de·tract [ditrǽkt] 타 자 (가치·명성을) 떨어뜨리다, 손상시키다, 줄이다 [~ from]
반 add to 더하다

dev·as·tate [dévəstèit] 타 (국토·토지 따위를) 유린하다, 황폐시키다
(예) The whole city was *devastated* by storm. 온 시가 폭풍우로 황폐되었다.
파 **devastátion** 명 유린; 황폐

*◇**de·vel·op** [divéləp]* 자 타 발달하다, 발전시키다, 개발하다, 발육하다; (사진을) 현상하다; 전개하다
(예) *develop* one's body 신체를 발육시키다 // *develop* natural resources 천연 자원을 개발하다 // a newly *developing* country 새 개발 도상 국가 // Seeds *develop into* plants. 씨가 발육하여 식물이 된다.
어법 Plants *develop from* seeds. 라고도 한다.
파 **devéloper** 명 개발자; 현상액; 현상자 *◇**development** [divéləpmənt]* 명 발달, 발전, 발육, 개발; 현상(現像)

de·vi·ate [díːvièit] 자 (정도·규정 따위에서) 빗나가다, 벗어나다 [~ from], 일탈(逸脫)하다
원 de(=off)+via(=way 길)+te (동사 어미)
파 ◇**deviátion** 명 탈선, 일탈; 〖생물·통계〗 편차

> **▶ 90. 접두어 de**
> ①「분리(away, from)」를 뜻한다.
> (예) *de*viate
> ②「취소(reversal)」을 뜻한다.
> (예) *de*throne(폐위시키다)

*◇**de·vice** [diváis] 명 고안(=plan, scheme), 계획; 장치(=apparatus), 의장(意匠); 계책
NB 동사 devise와 발음·철자를 혼동하지 말 것.
(예) a safety *device* 안전 장치

◇**dev·il** [dévəl] 명 악마, 악마 같은 인간, 악당
반 God 신
(예) I had the *devil* of a time explaining that. 나는 그것을 변명하느라고 혼이 났다.
파 **dévilish** 형 악마 같은, 극악 무도한

*__de·vise__ [diváiz] [타] 고안하다, 계획하다, 발명하다(=invent)
(예) Man so *devises* his house that it may be cool in summer. 사람은 집을 여름에는 서늘하도록 고안한다.
[파] **devíser** [명] 고안자, 발명자 (⇨) **device**

de·void [divɔ́id] [형] ~이 없는 [~ of], 결여한
[원] de(=down)+void(=empty 공허)
(예) The speech was too short for eloquence and *devoid of* all charm of tone. 그 연설은 웅변으로서는 너무 짧았고, 음성에는 아무런 매력도 없었다.

*__de·vote__ [divóut] [타] 바치다, (심신(心身)을) 맡기다 [~ to]
(예) Nina *devoted* her whole life *to* ballet. ↔ ◦Nina's whole life *was devoted to* ballet. 니나는 전생애를 발레를 위해 바쳤다. // He *is devoted to* sport(s). 그는 스포츠에 열중하고 있다.
[파] **devóted** [형] 열심인, 헌신적인 ◦**devótedly** [부] 헌신적으로 **devotée** [명] 신자, 열성가 *__devótion__ [명] 헌신, 전념; 신앙심, 귀의(歸依)

◦***devote oneself to*** ~에 열중하다, ~에 전념하다, ~에 심신을 바치다
(예) He *devoted* him*self to* the study of science. 그는 과학 연구에 전념하였다.

> ▶ **91.** 신과 달의 이름
> 요일과 마찬가지로 달 이름에도 신이 숨겨져 있으므로 그것을 조사해 보자. January는 Janus의 달. Janus는 머리의 앞뒤에 얼굴을 갖고, 사물의 처음과 끝을 담당하는 신이었다. March는 군신 Mars의 달. martial이란 말도 여기에서 온 말. 또, Mars에는 화성의 뜻도 있다. May는 증식(增殖)의 신 Maia의 달로서 Maia를 다시 거슬러 올라가면 magnus(=great)라는 말에 도달한다. major란 말도 그 자손으로, May와는 친척 관계에 있다.

de·vour [diváuər] [타] 게걸스럽게 먹다; (불·바다가) 삼켜버리다; 멸망시키다(=destroy); 탐독하다; 뚫어지게 보다
[원] de(=down)+vour(=gulp 꿀꺽 마시다)
(예) The fire *devoured* the whole town. 불은 마을을 온통 삼켜 버렸다. // *devour* a book 책을 탐독하다
[파] **devouringly** [diváuəriŋli] [부] 게걸스럽게

de·vout [diváut] [형] 신앙심이 깊은(=pious); 열성적인(=earnest)
[파] **devóutly** [부] 경건하게

dew [djuː / djuː] 〈동음어 due〉 [명] 이슬, (눈물·땀 따위의) 방울
[파] **déwy** [형] 이슬에 젖은, 이슬 같은 **déwdrop** [명] 이슬 방울

dex·ter [dékstər] [형] 오른쪽의; 운이 좋은

dex·ter·ous [dékstərəs] [형] 교묘한(=skillful), 빈틈 없는
[반] clúmsy 서투른
[파] **dextérity** [명] 교묘함, 오른손잡이 **déxterously** [부] 교묘하게

di·a·be·tes [dàiəbíːtiz, -tiːs] [명] 당뇨병

◇**di·ag·nose** [dáiəgnòus / -nòuz] 타 자 진단하다; (정세 따위를) 분석하다
◇**di·ag·no·sis** [dàiəgnóusis] 명 《*pl.* **-ses** [-si:z]》 진단(법); 식별; 〖생물〗 특성
di·a·gram [dáiəgræ̀m] 명 도형, 도표, 도식, 작도
◇**di·al** [dáiəl] 명 해시계(=sundial); (시계·나침판 따위의) 지침반, (가스 계량기의) 눈금판, (자동식 전화·라디오의) 다이얼
◇**di·a·lect** [dáiəlèkt] 명 방언; (어떤 계급에 특유한) 관용어
파 ◇**dialéctic** 형 변증(법)적인; 방언의 명 변증법; 논리학
di·a·log(ue) [dáiəlɔ̀:g, -lɑ̀g / -lɔ̀g] 명 대화(=conversation)
원 dia(=through)+logue(=speak)
반 mónolog(ue) 독백(獨白)

D

***di·am·e·ter** [daiǽmətər]★ 명 직경, 배(倍) 《렌즈의 확대 단위》
원 dia(=across)+meter(=measure)
파 **diamétrical** 형 직경의 **diamétrically** 부 직경으로; 전적으로
◇**dia·mond** [dáiəmənd] 명 금강석, 다이아몬드; 유리 끊는 칼; 마름모; 〖야구〗 내야(內野)
☆**di·a·ry** [dáiəri] 명 일기(장)
(예) keep a *diary* 일기를 쓰다
NB dairy [dέəri]와 혼동하지 말 것.
◇**dic·tate** 타 자 [díkteit / diktéit] 받아쓰게 하다; 명령하다 명 [díkteit] 지시, 명령
원 dict(=say)+ate(동사 어미) 반 fóllow 따르다
(예) *dictate* a letter *to* a typist 타이피스트에게 편지를 받아쓰게 하다 // No one shall *dictate to* me. ↔ I will not be *dictated to.* 나는 남의 지시는 받지 않는다.
파 **dictátion** 명 받아쓰기, 지시 **dictator** [díktèitər / díktéitə] 명 독재자, 지령자 **dictatorship** [diktéitərʃìp] 명 독재, 독재자의 직〔임기〕
☆◇**dic·tion·ar·y** [díkʃənèri / -nəri] 명 사전, 사서
(예) a walking *dictionary* 산 사전, 박식한 사람 // consult a *dictionary* 사전을 (참고로) 보다 // Look it up in the *dictionary.* 그것을 사전에서 찾아 보아라
◇**did·dle** [dídl] 자 타 속이다; (시간을) 낭비하다
***die** [dai]★ 〈동음어 dye〉 자 죽다; 《진행형으로》 몹시 ~하고 싶어하다 명 《*pl.* **dice**》 《보통 *pl.*》 주사위
반 live 살다
(예) *die* young 젊어서 죽다 // *die* a glorious death 명예롭게 죽다. (어법 *death*는 동족 목적어)
파 **dice** [dais] 명 《*pl.*》 주사위 **díe-hard** 명 완강한 저항자 완고한 보수주의자 ◇**dýing** 형 죽어 가는 (⇨) **death, dead**
die away 사라지다(=disappear), 차츰 조용해지다
(예) The music softly *died away.* 음악은 서서히 잠잠해졌다.
◇***die from*** 〔***of***〕 ~으로 죽다

어법 *from*은 「부상·사고·부주의」 따위의 비교적 간접적인 원인에, *of*는 「병·배고픔·노쇠」 따위의 직접적인 원인에 사용하지만 엄밀한 구별은 아니다: *die from* a wound (상처로 인하여 죽다), *die of* lung cancer (폐암으로 죽다)

◇***die out*** 사멸하다; 소멸하다
(예) Many old customs are gradually *dying out.* 많은 낡은 관습이 차차로 소멸해 간다.

be dying for 〔***to*** *do*〕 ~을〔~하기를〕 간절히 바라다
(예) I'*m dying for* a cup of tea. 차 한 잔 간절한데. // He *is dying to* see his son again. 그는 아들을 다시 만나기를 고대하고 있다.

Die·sel motor [díːzəlmòutər] [또는 d-] 디젤 기관 《독일 사람 R. Diesel이 발명》

*◇**di·et** [dáiət] 명 일상의 음식물, 식사, 규정식(規定食); [통상 the D-] (덴마크·일본 등의) 국회, 의회(=the National Diet) (*cf.* parliament, congress) 타 자 규정식을 주다, 식사 요법을 실행하다

*◇**dif·fer*** [dífər] 자 다르다 [~ from], 의견을 달리하다
반 accórd 일치하다
(예) They *differ* in their methods. 그들은 방법이 다르다. // I *differ with* 〔*from*〕 him *on* the subject. 그 문제에 관해서는 나는 그와 의견을 달리한다.

*◇***differ from*** ~와 다르다
(예) French *differs from* English *in* many points. 프랑스어는 많은 점에서 영어와 다르다.

어법 ① A *differs from* B. A is *different from* B. (A는 B와 다르다), the *difference* of A *from* B (A와 B와의 차이), *difference between* the two(둘 사이의 차이) 등 전치사에 주의. ② 다음의 표현을 외어 둘 것: It makes no *difference* 〔a great *difference*〕 whether you go or not. (네가 가든지 또는 안 가든지 하는 것은 아무래도 좋다〔중대한 일이다〕)

*◇**dif·fer·ence*** [dífərəns]* 명 차이, 불화
(예) an individual *difference* 개인차 // There is a great *difference* between boys and girls. 남자애와 여자애는 큰 차이가 있다.

◇***make a difference*** 차이를 낳다
(예) One false step will *make a* great *difference.* 한 걸음 실수가 큰 차이를 낳는다. // Success or failure *makes* no 〔little〕 *difference* to us. 승패는 우리에게 아무〔거의〕 차이가 없다.

dif·fer·ent [dífərənt] 형 다른 [~ from]
(예) *different* people with the same name 동명이인(同名異人) // ◇My plan is *different from* this. 내 계획은 이것과 다르다.
파 ***dífferently** 부 다르게 ◇**differéntial** 형 차별적인, 구별하는 **differéntiate** 타 ~을 구별〔차별〕하다

***dif·fi·cult** [dífikəlt, -kʌ̀lt / -kəlt] 형 곤란한, 까다로운
반 éasy 쉬운

(예) It is *difficult* to understand this book. ↔ This book is *difficult to* understand. 이 책은 이해하기 곤란하다.

*dif·fi·cul·ty [dífikəlti, -kʌ̀l- / -kəl-] 곤란, 불화, 난국
반 ease 용이, 쉬움

have* 〔*have no*〕 *difficulty in ~이 곤란하다〔하지 않다〕
(예) He *has difficulty in* hearing. 그는 난청(難聽)이다.

dif·fi·dence [dífədəns] 명 자신이 없음, 수줍음(=shyness), 지나친 겸손(=reserve)
반 cónfidence 자신
파 **díffident** 형 자신 없는, 소심한, 사양하는

dif·fuse 타 자 [difjú:z] 흐트러뜨리다(=scatter widely), (학문을) 보급하다, (빛·열 따위를) 발산하다 형 [-fjú:s] (문체 등이) 산만한, 장황한
원 dif(=apart)+fuse(=pour 붓다) 반 concíse 간결한
파 **diffúsed** 형 흩어진 **diffúsion** 명 유포, 보급 **diffúsive** 형 널리 퍼지는, 장황한

dig [dig] 타 자 《***dug***》 (땅을) 파다; 찾다 [~ for]; 깊이 연구하다(=make research)
반 búry 묻다
(예) He *dug for* the truth hidden in the accident. 그는 그 사고에 숨겨진 진실을 파헤치려고 했다.
파 **dígger** 명 파는 사람〔도구〕, (특히 금광의) 광부

di·gest 타 자 [didʒést, dai-] 소화하다; 숙고하다(=think over); 요약하다 명 [dáidʒest] 적요(摘要), 다이제스트
(예) It is not what we eat but what we *digest,* that makes us strong. 우리들을 튼튼하게 하는 것은 우리들이 먹는 것이 아니라 소화하는 것이다.
파 **digestible** [didʒéstəbəl, dai-] 형 소화하기 쉬운 **digéstion** 명 소화, 숙고 **digéstive** 형 소화의 명 소화제

dig·it [dídʒit] 명 손〔발〕가락; 아라비아 숫자《0에서 9까지》
파 **dígital** 형 디지털형의, 숫자로 표시하는; 손가락의 (*digital* computer 계수형(計數型) 컴퓨터)

*dig·ni·ty [dígnəti] 명 위엄; 고위(高位), 높은 벼슬, 고관
(예) It is beneath my *dignity* to answer such a question. 그런 질문에 대답한다는 것은 체면 문제다.
파 **dignify** [dígnəfài] 타 위엄을 갖추다 **dígnified** 형 품위 있는 **dígnitary** 명 고위〔고관〕의 사람

dike [daik] 명 도랑, 둑, 제방, 둑길

di·lem·ma [dilémə] 명 진퇴 양난, 딜레마

dil·et·tan·te [dìlətǽnti, -tá:n- / -tǽnti] 명 《*pl.* ***-tes, dilettanti*** [-ti:]》 예술 애호가, 아마추어 예술가

dil·i·gent [dílədʒənt] 형 근면한(=industrious); (~에) 열심인; 공들인
반 lázy, ídle 태만한
파 **díligently** 부 부지런히, 근면하게 **díligence** 명 근면

▶ **92.** 「근면한」의 유사어
diligent는 현재의 일에 근면한 것, **industrious**는 습관적으로 근면함을 뜻한다.

D

dim [dim] [형] 어둑한, 흐린(=not bright), 몽롱한(=not clear) [타][자] 어슴푸레하게 하다(=obscure), 희미해지다
[반] bright 밝은
[파] ◇**dímly** [부] 희미하게, 어슴푸레하게
dime [daim] [명] 10센트 은화
di·men·sion [diménʃən] [명] 치수; 《*pl.*》 크기(=size); 〖수학〗 차원(次元)
di·min·ish [dimíniʃ] [타][자] 감소하다(=lessen), 줄이다, 작게 하다; 손상하다
[반] incréase 증가하다
[파] **diminútion** [명] 감소 **dimínutive** [형] 소형의; 감소하는 [명] 〖문법〗 지소사(指小辭)《예컨대 is*let*(작은 섬)의 *let*》
dim·ple [dímpl] [명] 보조개 [자][타] 보조개가 생기다, ~에 보조개를 짓다
din [din] [명] 소음, 떠들썩함 [타][자] 시끄러운 소리를 내다, 귀찮게 말하다
dine [dain] [자][타] 정찬을 먹다, 식사를 하다
[파] **díner** [명] 식사하는 사람; 식당차 **dining car** 식당차 ***dining room** 식당 **dining table** 식탁 **dine out** 외식하다
din·ner [dínər] [명] 정찬, 만찬; 향연
(예) at *dinner* 식사중에 // a *dinner* party 만〔오〕찬회 // We gave a *dinner* for him. 그를 위하여 만찬회를 열었다.
[어법] ① 하루중 주되는 식사를 *dinner* 라고 한다. ② 규칙적인 식사의 이름에는 관사를 붙이지 않는다: have *dinner*(식사를 하다). 식사의 성질을 말할 경우에는 관사를 붙인다: a good *dinner* (훌륭한 식사). 특정한 식사에는 물론 the를 붙인다: the *dinner* we had at the restaurant (그 음식점에서 먹은 식사). 또한 이와 같은 일은 breakfast, lunch, supper에 대해서도 같다.
di·no·saur [dáinəsɔ̀ːr] [명] 공룡(恐龍)
dint [dint] [명] (두들겨 또는 눌러서) 움푹 들어가게 한 곳, 움푹 팬 곳; 노력, 힘(=force)
by dint of ~의 힘으로, ~에 의하여(=by means of)
(예) He succeeded *by dint of* hard work. 그는 열심히 일했기 때문에 성공했다.
di·ox·ide [daiáksaid/-ɔ́k-] [명] 〖화학〗 이산화물(二酸化物)
dip [dip] [타][자] 담그다, 적시다, 잠깐 잠기다, 잠깐 내리다
(예) *dip* one's fingers *in* water 손가락을 물에 살짝 담그다 // The waterfowl *dips into* the sea. 물새가 바닷물 속에 살짝 잠긴다.
[파] ◇**dipper** [dípər] [명] 국자, 주걱
di·plo·ma [diplóumə] [명] 면허장, (대학의) 졸업 증서
dip·lo·mat [dípləmæ̀t]* [명] 외교관(=〖영〗 diplómatist)
[파] ***diplomacy** [diplóuməsi]* [명] 외교 (bipartisan *diplomacy* 초당파 외교) ***diplomatic** [dìpləmǽtik]* [형] 외교의 **diplomátically** [부] 외교상
dire [daiər] [형] 무서운(=dreadful), 비참한, 심한
di·rect [dirékt, dai-] [형] 직접의(=immediate); 명백한(=

clear); 똑바른(=straight) [부] 직접으로, 똑바로 [타][자] 지시하다, 명령하다; 돌리다, 향하게 하다 [~ to]; 지도하다
[반] indiréct 간접의
(예) *direct* the work 일을 지휘하다 // *direct* the party to start 일행에게 출발하라고 지시하다 // Please *direct* me to the station. 역으로 가는 길을 가르쳐 주시오.
[파] **directive** [diréktiv] [형] 지휘하는 [명] 지령 ***diréctly** [부] 직접, 곧 **diréctness** [명] 똑바름, 직접; 솔직 ***diréctor** [명] 지배인, 중역, (영화의) 감독, (연극의) 연출가 ◇**diréctory** [명] 주소 성명록, 인명록, 상공록(商工錄) 《a telephone *directory* 전화 번호부》
[어법] ① 「돌르지 않고 곧바로」의 뜻으로는 *direct, directly*의 어느 것이나 좋으나 후자는 문어적: Come *direct(ly)* to me (바로 나에게 오시오). 비유적인 뜻에서는 *directly*를 쓴다: be *directly* affected(직접 영향을 받다) ② *directly*에는 as soon as와 같은 뜻의 용법이 있으며, 접속사로 보아도 된다. I get up *directly* the bell rings.(벨이 울리면 곧 일어난다)

D

*◇**di·rec·tion** [dirékʃən, dai-] [명] 방향; 관리; 《종종 *pl.*》 지휘
(예) in the opposite *direction* 반대 방향으로 // He feels the need of *direction*. 그는 누군가 지도해 줄 사람이 필요하다고 느끼고 있다.
◇***in all directions*** 사방으로
(예) They fled *in all directions*. 그들은 사방으로 도망했다.
under the direction of ~의 지도〔지휘〕 아래
(예) He did the work *under the direction of* Mr. Smith. 그는 스미스씨의 지도 아래 그 일을 했다.
◇**dirt** [dəːrt] [명] 쓰레기, 먼지; 진흙; 오물
***dirt·y** [dɔ́ːrti] [형] 더러운(=unclean), 천한(=base), 비열한; 흙탕의 [타] 더럽히다(=soil), (인격·명성 등을) 손상시키다
[반] clean 깨끗한
(예) *dirty* clothes 더러운 옷 // a *dirty* road 흙탕길 // Don't *dirty* your new shirt. 새 셔츠를 더럽히지 마라.
[파] **dírtily** [부] 불결하게, 더럽게
◇**dis·a·ble** [diséibl] [타] 무능하게 하다, 불구로 만들다
[원] dis(=not)+able
(예) a *disabled* soldier 상이 군인 // His illness *disabled* him *from* do*ing* the work. 그는 병 때문에 그 일을 할 수 없게 되었다.
[파] **disabílity** [명] 무능력
*◇**dis·ad·van·tage** [dìsədvǽntidʒ / -váːn-]★ [명] 불리, 불편; 손해, 손실(=loss)
[원] dis(=not)+advantage [반] advántage 유리, 편리
(예) be at a *disadvantage* 불리한 입장에 있다 // It is sometimes a *disadvantage* to be small. 몸집이 작으면 불리할 때도 있다.
[파] **disadvantágeous** [형] 불리한, 불편한
*◇**dis·a·gree** [dìsəgríː] [자] 일치하지 않다; 의견이 다르다; (기

후·음식 등이) ~에 맞지 않다, 독이 되다 [~ with]
㉯ dis(=not)+agree ㉳ agrée 일치하다
(예) We *disagree on* 〔*about*〕 the origin of the word. 그 말의 어원에 관해서 우리는 의견이 일치하지 않는다. // Pork always *disagrees with* me. 돼지고기를 먹으면 반드시 체한다.
NB 뒤에 쓰는 전치사에 관해서는 agree 참조.
㉰ ***disagréeable** ㉮ 불쾌한 **disagréement** ㉱ 불일치, 불화

dis·ap·pear [disəpíər]★ ㉲ 보이지 않게 되다(=go out of sight), 사라지다, 없어지다
㉯ dis(=not)+appear ㉳ appéar 나타나다
어법 *disappear*는 일반적인 말. *vanish*는 「급히·종적도 없이」 따위의 기분이 들어 있음.
㉰ ◇**disappéarance** ㉱ 보이지 않게 됨, 사라짐, 소실

dis·ap·point [dìsəpɔ́int] ㉴ 실망시키다; (계획 따위를) 좌절시키다; 약속을 어기다, (기대에) 어긋나게 하다
㉳ encóurage 고무하다
(예) *be disappointed at* 〔*with, about*〕 the results 그 결과에 실망하다 // I *was disappointed in* 〔*with*〕 you. 나는 네게 실망했다. // I'*m disappointed that* you cannot come. 네가 올 수 없다니 유감이다.
㉰ **disappóinted** ㉮ 실망한 **disappóinting** ㉮ 실망시키는, 유감스러운 ***disappóintment** ㉱ 실망, 낙심(◇to one's *disappointment* 낙심 천만하게도)

dis·ap·prove [dìsəprú:v] ㉴㉲ ~을 안 된다고 하다, 찬성하지 않다, 비난하다
㉯ dis(=not)+approve ㉳ appróve 시인하다
(예) I *disapprove of* his conduct 〔his go*ing* alone〕. 나는 그의 행위〔그가 혼자 가는 것〕에 찬성할 수 없다. // The matter was *disapproved* by the authorities. 그 일은 당국에서 인가되지 않았다.
㉰ ◇**disappróval** ㉱ 불찬성, 비난 **disapprobátion** ㉱ 불찬성 **disappróvingly** ㉵ 비난하듯, 반대하여

dis·arm [disá:rm] ㉲㉴ 군비를 축소하다, 무장을 해제하다
㉯ dis(=not)+arm ㉳ arm 무장하다
㉰ **disármament** ㉱ 군비 축소, 무장 해제(a *disarmament* conference 군축 회의)

dis·as·ter★ [dizǽstər /-á:stə] ㉱ 재해, 재난, 불행
㉰ ***disástrous**★ ㉮ 불행한, 비참한, 재해의

> ▶ **93.** 「재해」의 유사어
> 「재해」의 뜻의 세기에 따라 **calamity, disaster, misfortune**의 순서로 된다.

dis·be·lief [dìsbəlí:f] ㉱ 믿지 않음, 불신, 의혹

dis·be·lieve [dìsbəlí:v] ㉴㉲ 믿지 않다, 의심하다

disc, disk [disk] ㉱ 원반(圓盤), (축음기의) 레코드

dis·card [diská:rd] ㉴ 내버리다(=throw away as useless), (쓸데없는 패를)버리다(=give up), 해고하다(=dismiss) ㉱ 버림받은 것〔사람〕
㉯ dis(=away)+card(카드)

D

◇**dis·cern** [disə́ːrn] ㉠ 감지하다, 식별하다, 인정하다
(예) *discern* the difference between two things 둘 사이의 차이를 분간하다 // *discern* good *from* evil 선과 악을 식별하다
㉮ **discérnible** ㉱ 분간할 수 있는 **discérning** ㉱ 통찰력이 있는, 명민한 **discérnment** ㉯ 식별, 명민, 통찰력

◇**dis·charge** ㉠ [distʃɑ́ːrdʒ] 발사하다(=shoot, fire off); (의무를) 이행하다(=carry out); 면제하다, 해고하다; 지불하다; 짐을 내리다(=unload) ㉯ [dístʃɑːrdʒ, distʃɑ́ːrdʒ] 짐을 부림, 양륙; 발사; 해제; 수행
㉯ dis(=away)+charge
㉰ charge 짐을 싣다
(예) *discharge* a servant 하인을 해고하다 // *discharge* one's duty 의무를 다하다 // *discharge* a ship *of* her cargo ↔ *discharge* a cargo *from* a ship 배에서 짐을 내리다

*◇**dis·ci·ple** [disáipl] ㉯ 제자, 문하생(=follower of a great teacher), (예수의) 사도
(예) the (Twelve) *Disciples* 그리스도의 12 사도

*◇**dis·ci·pline** [dísəplin]* ㉯ 훈련(=training), 풍기 ㉠ 훈련하다, 훈육하다(=train), 징계하다
(예) military *discipline* 군기(軍紀)
㉮ **dísciplinary** ㉱ 훈련의, 징계의 **disciplinárian** ㉯ 훈련주의자, 규율에 엄격한 사람

dis·claim [diskléim] ㉠㉡ (책임 따위를) 부인하다, 기권하다
㉰ claim 요구하다

◇**dis·close** [disklóuz] ㉠ 드러내다, 들추어내다(=reveal), 털어놓다
㉰ concéal 감추다
㉮ **disclósure** ㉯ 폭로, 발각

◇**dis·com·fort** [diskʌ́mfərt] ㉯ 불유쾌, 불쾌한 일, 불편, 불안(=uneasiness)
㉯ dis(=not)+comfort

dis·con·cert [dìskənsə́ːrt] ㉠ 당황케 하다, 쩔쩔매게 하다

dis·con·so·late [diskɑ́nsəlit / -kɔ́n-] ㉱ 마음 둘 곳 없는 (=forlorn), 쓸쓸한, 울적한
㉯ dis(=not)+console+ate(형용사 어미)

dis·con·tent [dìskəntént] ㉯ 불만, 불평 ㉱ 불만스러운 ㉠ 불만을 품게 하다(=dissatisfy)
㉯ dis(=not)+content ㉰ contént 만족, 만족시키다
(예) He *was discontented with* his position. 그는 그의 지위에 불만이었다.
㉮ **disconténted** ㉱ 불만의 **disconténtment** ㉯ 불평, 불만

◇**dis·con·tin·ue** [dìskəntínjuː] ㉠㉡ 중지하다, 중절하다, 그만두다
㉯ dis(=not)+continue
㉰ contínue 계속하다
㉮ **discontinúity** ㉯ 불연속(성), 중절 **discontínuance** **discontinuátion** ㉯ 중지, 중단

dis·cord ⓜ [dískɔːrd] 불화(不和), 불일치(=disagreement); 〖음악〗 불협화음 ⓐ [diskɔ́ːrd] 조화하지 않다, 다투다

> ▶ **94. 접두어 dis**
> 「분리」의 뜻을 나타낸다.
> (예) *dis*cord, *dis*solve(분해시키다)

㉯ dis(=apart)+cord(=heart 마음)
㉯ cóncord 일치, 화합(和合)
(예) Your answer is in *discord* with mine. 네 답은 나와 다르다. 「부조화, 모순
㉯ ◇**discórdantly** ⓑ 조화〔일치〕하지 않게 **discórdance** ⓜ

dis·co·theque [dískətèk, dìskəték] ⓜ 디스코테크

dis·count ⓜ [dískaunt] 할인, 참작 ⓣ [dískaunt, diskáunt] 할인하다, 에누리해서 듣다〔생각하다〕
(예) *discount* 10 per cent 1할 할인하다 // I *discount* a great deal of what I hear. 나는 남의 이야기를 상당히 에누리해서 듣는다.

dis·cour·age [diskə́ːridʒ / -kʌ́r-] ⓣ 기를 죽이다, 낙담시키다; 방해하다, 단념시키다
㉯ dis(=not)+courage ㉯ encóurage 격려하다
(예) The news *discouraged* us. 그 뉴스를 듣고 우리는 실망했다. // Don't be *discouraged.* 낙담하지 마라. // He *discouraged* his son *from* going alone. 그는 아들이 혼자 가는 것을 단념하게 했다.
㉯ **discóuraging** ⓗ 용기를 꺾는 **discóuragement** ⓜ 낙담, 실의(失意)

dis·course ⓜ [dískɔːrs] 담화(=speech) ⓐ [diskɔ́ːrs] 이야기하다(=speak), 강연하다 [~ on, upon]
(예) He *discoursed upon* the importance of this point. 그는 이 점에 대한 중요성을 논하였다.

dis·cour·te·sy [diskə́ːrtəsi] ⓜ 실례(=impoliteness), 무례(한 언행), 버릇없음
㉯ cóurtesy 예의
㉯ ◇**discóurteous** ⓗ 무례한, 버릇없는

dis·cov·er [diskʌ́vər] ⓣ 발견하다(=find out)
㉯ dis(=take off)+cover(뚜껑)
㉯ miss 보던 것을 놓치다
(예) *discover* an island 섬을 발견하다 // I *discovered* (*that*) she was a liar. ↔ I *discovered* her *to be* a liar. 나는 그 여자가 거짓말쟁이란 것을 알았다. // He *discovered* who did it. 그는 누가 그것을 했는지 알아냈다.
㉯ **discóverer** ⓜ 발견자

dis·cov·er·y [diskʌ́vəri] ⓜ 발견
(예) make a new *discovery* 새 발견을 하다 // the *discovery* that blood circulates in the body 혈액이 체내를 돈다는 사실의 발견

dis·creet [diskríːt] ⓗ 분별 있는(=prudent), 신중한(=careful)
㉯ indiscréet 분별 있는
㉯ **discréetly** ⓑ 신중히 ◇**discretion** [diskréʃən] ⓜ 사려,

D

분별; 수의(隨意)

dis·crim·i·nate [diskrímənèit] [자][타] 구별하다(=distin-guish), 차별 대우를 하다(=treat differently)
(예) *discriminate* between A and B, A와 B를 식별하다 // *discriminate* A from B, A를 B와 구별하다 // We shoul be careful not to *discriminate against* the poor or *in favo of* the rich. 우리는 가난한 사람은 냉대한다든지 부자는 대한다든지 하지 않도록 주의해야 한다.
[파] ◇**discriminátion** [명] 구별, 식별; 차별 대우 **discrímina-ting** [형] 식별력이 있는, 차별적인

dis·cus [dískəs] [명] ((*pl.* **-cuses, disci** [dískai])) (경기 의) 원반; 원반 던지기
[파] **díscus-throw(ing)** [명] 원반 던지기

*◇**dis·cuss**★ [diskʌ́s] [타] 논하다(=talk about), 음미하다
(예) I *discussed* the problem with him. 나는 그와 그 문제 에 관해서 논의했다. // We *discussed* what to buy 〔wha we should buy〕. 우리는 무엇을 살까 상의했다.
[어법] ① discuss *about* a question 처럼 전치사를 쓰는 것 불가. ② *discuss* 는 상호간에 문제를 규명하려고, 여러 가지 입장에서 토론하는 것. *argue* 는 자기 주장의 정당성을 증명 하려고 하는 기분으로서의 논의, *debate* 는 공식 석상에서의 철저한 논의. *dispute* 는 감정적 또는 열을 올려 논쟁하는 것
[파] *◇**discússion**★ [명] 논의, 심의(under *discussion* 심의중)

dis·dain [disdéin] [타] 경멸하다 [명] 모멸(侮蔑), 경멸
[반] respéct 존경, 존경하다
[파] **disdáinful** [형] 경멸적인 **disdáinfully** [부] 거만하게

*◇**dis·ease** [dizíːz]★ [명] 병, 질환
<u>NB</u> decease [disíːs] (사망)과 혼동하지 말 것.
[원] dis(=not)+ease(안온) [반] health 건강
[파] ◇**diséased** [형] 병에 걸린(*diseased* part 환부(患部))

dis·em·bark [dìsimbáːrk] [타][자] 양륙(揚陸)하다, 상륙시 키다〔하다〕

dis·en·gage [dìsingéidʒ] [타] 풀다, 놓아주다, 자유롭게 하 다, (의무·속박 등에서) 해방하다
[원] dis(=not)+engage(종사하다)
[파] **disengáged** [형] 한가한

dis·fig·ure [disfígjər / -fígə] [타] (용모와 자태·외관을) 손 상하다, 추하게 하다

◇**dis·grace** [disgréis] [명] 불명예, 창피(=loss of honor), 치 욕(=shame) [타] ~을 망신시키다(=dishonor)
[원] dis(=not)+grace(우아) [반] hónor 명예; 존경하다
(예) be a *disgrace* to ~의 망신이다 // I would rather di than *disgrace* myself. 치욕을 당하느니 차라리 죽겠다.
[파] ◇**disgráceful** [형] (행동 따위가) 수치스러운 **disgráce-fully** [부] 창피하게도

*◇**dis·guise** [disgáiz] [타] 변장하다, 가장하다; 감추다(= hide) [명] 변장, 가장, 가면; 기만, 겉치레
[반] expóse 드러내다

(예) *disguise* one's nationality 국적을 숨기다 // in *disguise* 변장하여 // ◇He *disguised* himself *as* a beggar. 그는 걸인으로 변장했다.

dis·gust [disgʌ́st] 타 불쾌하게 하다(=displease), 정떨어지게 하다 명 혐오(=strong dislike), 진절머리남
원 dis(=not)+gust(=taste 취미)
반 rélish 기호, 즐기다, 상미(賞味)하다
(예) in *disgust* 정떨어져 // I am *disgusted with* the man. 나는 그 남자에 넌더리가 난다.
파 **disgústful** 형 증오할 만한, 구역질나게 싫은 **disgústing** 형 구역질나도록 싫은 **disgústingly** 부 구역질이 나도록, 진절머리나게

dish [diʃ] 명 접시; (접시에 담은) 요리, 맛난 음식 타 접시에 담다
어법 ① *dish*는 「평평한 접시」보다도 움푹 들어간 것으로, 테이블의 중앙에 요리를 담아서 내놓을 때 쓴다. ② a delicious *dish*(맛있는 음식)와 같이 요리 그 자체를 가리킬 때도 있다.
파 **díshwasher** 명 접시 씻는 사람〔기계〕

dis·har·mo·ny [dishɑ́ːrməni] 명 부조화; 불협화음

dis·heart·en [dishɑ́ːrtn] 타 낙담시키다(=discourage), 기를 꺾다
원 dis(=away)+heart(마음)+en(동사 어미)
반 hêarten 기운나게 하다

dis·hon·est [disɑ́nist / -ɔ́nist] 형 정직하지 않은, 불성실한, 남을 속이는
원 dis(=not)+honest 반 hónest 정직한, 올바른
파 **dishónestly** 부 부정직하게 **dishónesty** 명 부정직

dis·hon·o(u)r [disɑ́nər / -ɔ́nə] 명 불명예, 망신(=disgrace), 치욕(=shame); (어음의) 부도(不渡) 타 망신시키다; (어음의) 지불을 거절하다
(예) a *dishonored* bill 부도 수표 // live in *dishonor* 욕된 생활을 하다 // He was a *dishonor* to the family. 그는 그 집안의 망신거리었다.
파 **dishóno(u)rable** 형 불명예스러운 ◇**dishóno(u)rably** 부 불명예스럽게

dis·il·lu·sion [dìsilúːʒən] 명 각성; 환멸 타 미몽(迷夢)을 깨우치다; 환멸을 느끼게 하다

dis·in·cline [dìsinkláin] 타 마음이 내키지 않게 하다, 싫증나게 하다
원 dis(=not)+incline(기울이다)
(예) *be disinclined to* do ~하고 싶지 않다

dis·in·te·gra·tion [disìntəgréiʃən] 명 붕괴, 분해, 분열; 풍화 작용

dis·in·ter·est·ed [disíntəristid] 형 사심(私心) 없는, 공평한(=impartial)
원 dis(=not)+interested(사욕이 있는)

dis·like [disláik] 타 싫어하다(=feel aversion to) 명 싫음

원 dis(=not)+like 반 like 좋아하다
(예) He *dislikes* going to school. 그는 학교에 가기를 싫어한다. // I have not a positive *dislike* of dogs. 나는 개를 아주 싫어하지는 않는다.
어법 동사인 경우 목적어로서는 부정사, 동명사 어느 쪽도 좋으나, 후자인 경우가 보통임.

▶ **95.** 「싫어하다」의 유사어
dislike는 「싫어하다」의 뜻으로 가장 뜻이 약하고, **hate, detest**의 차례로 강하게 된다. **be disgusted**는 싫어서 욕지기가 날 정도이다. **abhor**는 심한 공포 때문에 혐오하다란 뜻.

dis·lo·ca·tion [dìsloukéiʃən] 명 (뼈마디의) 퉁겨짐, 탈구(脫臼); 전위(轉位); 단층(斷層)
dis·loy·al [dislɔ́iəl] 형 불충(不忠)한, 불충실한(=unfaithful)
파 **dislóyally** 부 불충하게도 **dislóyalty** 명 불충; 불의
dis·mal [dízməl] 형 음침한, 우울한(=gloomy), 음산한
반 chéerful, jóvial 유쾌한
파 **dísmally** 부 외로이, 음산하게
◇**dis·may** [disméi] 명 경악, 공포(=fear); 당황 타 매우 놀라게 하다, 무섭게 하다
(예) ◇To his *dismay*, he found that his feet could not touch the bottom. 놀랍게도 그는 발이 밑바닥에 닿을 수 없다는 것을 알았다. // I *was dismayed at* the result. 나는 그 결과에 실망했다.
*◇**dis·miss** [dismís] 타 해고하다(=send away); 제거하다; 해산하다(=disband); (염두에서) 떠나게 하다
원 dis(=away)+miss(=send) 반 emplóy 고용하다
(예) The remembrances were easily *dismissed*. 그러한 기억은 곧 잊어버렸다.
파 ◇**dismíssal** 명 해고; (회합 등의) 해산; 추방
dis·mount [dismáunt] 타 자 말에서 내리다, 차에서 내리다(=alight, get off) [~ from]; (선반 따위에서) 내리다(=take off)
◇**dis·o·bey** [dìsəbéi] 타 자 순종치 않다, (명령·규칙을) 어기다
원 dis(=not)+obey 반 obéy 따르다
파 ***disobédience** 명 불순종 **disobédient** 형 순종치 않는
◇**dis·or·der** [disɔ́ːrdər] 명 난잡(=confusion), 혼란, (사회·정치상의) 불안, 무질서, 소동(=tumult) 타 혼란케 하다(=disturb)
원 dis(=not)+order(순서)
반 órder 질서, arránge 정리하다
(예) fall 〔throw〕 into *disorder* 혼란에 빠지다〔빠지게 하다〕 // The room was in wild *disorder*. 방은 난잡하게 어질러져 있었다.

▶ **96.** 접두어 **dis**
「부정·반대·분리·제거」 따위의 뜻을 나타낸다. (例) *dis*agree, *dis*honest, *dis*order, *dis*arm 따위

㉠ **disórderly** ⓗ 무질서한, 어수선한, 혼란한
dis·or·gan·ize [disɔ́ːrgənàiz] ⓣ 조직을 파괴하다; 질서를 문란케 하다, 혼란시키다
dis·o·ri·ent [disɔ́ːriənt] ⓣ 방향(감각)을 잃게 하다, 분별을 잃게 하다, 어리둥절하게 하다, 혼란시키다
㉠ **disorientátion** ⓜ 방향을 잃게 함, 혼란시킴
dis·own [disóun] ⓣ (소유·의무·관계 따위를) 부인하다(=disclaim)
dis·patch [dispǽtʃ] ⓜ 급파; 발신, 속달편 ⓣ 파견하다; 방송하다; 급히 해치우다(NB despatch라고도 씀.)
(예) with *dispatch* 지급으로 // *dispatch* rescue parties 구조대를 파견하다 // *dispatch* one's lunch 점심을 빨리 먹어치우다
dis·pel [dispél] ⓣ (걱정·근심 따위를) 쫓아 버리다(=drive away), 몰아내다, 흩어 버리다
dis·pense [dispéns] ⓣⓙ 나누어 주다(=give out), 분배하다(=distribute), 베풀다; 처분하다; 조제(調劑)하다
㉠ **dispénsable** ⓗ 분배할 수 있는, 없어도 좋은 **dispensátion** ⓜ 분배; 면제 **dispénser** ⓜ 분배자; 약제사 **dispénsary** ⓜ 약국, 진료소
dispense with ~을 폐지하다, ~없이 때우다, ~을 필요없게 만들다
(예) Machinery *dispenses with* much labor. 기계는 사람의 노동력을 많이 던다.
dis·perse [dispə́ːrs] ⓣⓙ 흩뜨리다, 흩어지다(=scatter), 퍼뜨리다(=spread about)
㉯ dis(=apart)+perse(=scatter)　　㉡ colléct 모으다
㉠ **dispérsal** ⓜ 산포(散布), 분산 **dispérsion** ⓜ 산란, 분산; 소개(疎開)
di·spir·it [dispírit] ⓣ 낙담시키다(=discourage)
dis·place [displéis] ⓣ ~을 바꾸어 놓다; ~을 해직하다
㉠ ◇**displácement** ⓜ 바꿔 놓음; 해직; 배수량
dis·play [displéi] ⓣ 보이다(=show), 자랑해 보이다, 나타내다, (상품 따위를) 진열〔전시〕하다(=exhibit) ⓜ 진열, 과시, 표시(=show)
㉡ concéal 숨기다
(예) make a *display* of one's knowledge 지식을 자랑하다 // They *displayed* no fear. 그들은 두려운 빛을 보이지 않았다.
on display 진열되어
(예) Various books were *on display*. 여러 가지 책이 진열되어 있었다.
dis·please [displíːz] ⓣ 불쾌하게 하다(=offend), 화나게 하다
㉯ dis(=not)+please　　㉡ please 기쁘게 하다
(예) He *was displeased with* me. 그는 나에게 화를 냈다. // He *was displeased at* your answer. 그는 네 대답이 마음에 안 들었다.

파 **displéasing** 형 불쾌한 **displeasure** [displéʒər] 명 불쾌, 불만

◇**dis·pose** [dispóuz] 타 자 배열하다(=arrange); 처분하다, ~의 결말을 짓다, 마음이 내키게 하다

파 ◇**dispósal** 명 처치, 처분(의 자유), 매각; 배열(◇at [in] a person's *disposal* 아무의 마음대로 쓸[처리할] 수 있는)

*__disposítion__ 명 기질, 배열, 처분

dispose of ~을 처분하다, ~을 해결하다; ~을 먹(어 치우)다

(예) He rapidly *disposed of* two glasses of wine. 그는 두 잔의 술을 재빠르게 마셔버렸다. // He *disposed of* his old house. 그는 헌 집을 처분했다[팔았다].

◇(***be***) ***disposed to*** ~할 뜻이 있는, 경향이 있는(=willing to)

(예) I *am* not *disposed to* talk. 말할 기분이 안 난다(← ~ *for* a talk.)

D

dis·prove [disprú:v] 타 ~의 반증을 들다

*◇**dis·pute** [dispjú:t] 타 자 논쟁하다, 다투다, 논의하다 명 [dispjú:t, díspju:t] 논쟁(*cf.* discuss)

(예) I *disputed with* him *about* it. 나는 그 일로 그와 다투었다. // They *disputed* how to get there [how they would get there]. 그들은 어떻게 거기에 도달할까 논의했다.

파 **disputable** [dispjú:təbəl, díspjə-] 형 논의의 여지가 있는, 의심스러운 **disputant** [dispjú:tənt, díspjə-] 명 논쟁하는 사람 형 논쟁의

◇**dis·qual·i·fy** [diskwáləfài / -kwɔ́l-] 타 ~의 자격을 박탈하다

dis·qui·et [diskwáiət] 타 불안케 하다(=make anxious) 조급하게 하다 명 불안(=uneasiness), 불온

반 relíeve 안심시키다

파 **disquíetude** 명 불안

◇**dis·re·gard** [dìsrigá:rd] 타 무시하다 명 무시, 무관심

원 dis(=not)+regard 반 regárd 주의하다

(예) have a *disregard* for ~에 무관심하다 // He went there *disregarding* my advice. 그는 내 충고를 무시하고 그 곳에 갔다.

◇**dis·re·spect·ful** [dìsrispéktfəl] 형 실례되는, 무례한

◇**dis·rupt** [disrʌ́pt] 타 자 (국가 따위를) 분열시키다; 째다, 부수다, 분쇄하다; 혼란케 하다

dis·sat·is·fy [dìssǽtisfài] 타 불만을 느끼게 하다

원 dis(=not)+satisfy 반 sátisfy 만족시키다

(예) She *is dissatisfied with* his character [*at* his retirement]. 그 여자는 그의 성격[은퇴]에 불만이다.

파 ◇**dissatisfáction** 명 불만

dis·sem·i·nate [disémənèit] 타 (씨를) 뿌리다, 널리 퍼뜨리다; 보급하다

파 ◇**disseminátion** 명 씨뿌리기, 살포; 보급

dis·sent [disént] 자 ~와 의견을 달리하다[~ from]

㉥ consént 동의하다
(예) pass without a *dissenting* voice 만장 일치로 통과하다 // They *dissented from* their neighbors on the point. 그들은 그 점에서 이웃 사람들과 의견을 달리했다.

dis·sim·i·lar [dissímələr] ㉻ ~와 닮지 않은 [~ to]

dis·si·pate [dísəpèit] ㉹㉴ (구름·안개를) 흩다(=scatter), (근심·걱정을) 사라지게 하다(=dispel); (자산·정력을) 낭비하다(=waste)
㉶ **dissipátion** ㉷ 분산; 낭비, 방탕

dis·solve [dizálv / -zɔ́lv] ㉴㉹ 용해〔분해〕하다〔시키다〕; 해산하다〔시키다〕; 소멸하다
㉸ dis(=away)+solve
(예) Smoke can be *dissolved into* several useful chemicals. 연기는 분해되어 여러 가지 유익한 화학 약품으로 된다. // Parliament has *dissolved.* 의회는 해산되었다.
㉶ **dissoluble** [disáljəbl / -sɔ́l-] ㉻ 분해할 수 있는, 녹일 수 있는 **dissólvent** ㉻ 용해력 있는 ㉷ 용해제 **dissolution** [dìsəlúːʃən] ㉷ 용해, 소멸; (의회 따위의) 해산

dis·suade [disweíd] ㉹ 마음을 돌리게 하다 [~ from]
㉥ persuáde 권하여 ~하도록 하다
(예) We should *dissuade* him *from* run*ning* such a risk. 그가 그와 같은 위험을 무릅쓰는 것을 단념케 해야 한다.
㉶ **dissuasion** [disweíʒən] ㉷ 하지 못하게 말림

dis·tance [dístəns] ㉷ 거리, 먼 곳, 간격; 소원(疎遠)
(예) walk the *distance* 그 거리(距離)를 걷다 // at a *distance* of 100 meters 100미터 떨어진 곳에 // a good *distance* off 꽤 떨어져서 // the *distance* between Seoul and Incheon 서울서 인천까지의 거리 // They live in walking 〔hailing〕 *distance* of each other. 그들은 서로 걸어서 갈 수 있는〔부르면 들리는〕 곳에 살고 있다. // from 〔to〕 a *distance* 먼 곳에서〔곳으로〕 // The swallow flew away into the *distance.* 제비는 멀리 날아가 버렸다.

at a distance 떨어져, 떨어진 곳에
(예) Oil paintings look better *at a distance.* 유화(油畫)는 떨어져서 보는 편이 좋다.

in the distance 아주 먼 곳에, 멀리
(예) The valley was seen *in the distance.* 멀리 계곡이 보였다.

dis·tant [dístənt] ㉻ 떨어진, 먼; 서름서름한; 혈연이 먼
㉸ di(=apart)+stant(=stand)
(예) a *distant* view 원경 // a *distant* relative 먼 친척 // The station is half a mile *distant* (away). 정거장은 반 마일 떨어진 곳에 있다.

dis·taste [distéist] ㉷ 싫음(=dislike) [~ for]
(예) He has a *distaste for* hard work. 그는 힘드는 일을 싫어한다.
㉶ **distásteful** ㉻ 싫은

dis·til(l) [distíl] ㉹㉴ 증류하다, 방울져 떨어지게 하다

(예) *distill* fresh water *from* sea water ↔ *distill* sea wate
into fresh water 바닷물을 증류해서 민물로 만들다 /
distill out 〔*off*〕 impurities 증류해서 불순물을 제거하다
파 ◇**distillátion** 명 증류(법); 증류물; 알짜, 정수 **distílle**
명 증류하는 사람, 증류기 **distíllery** 명 증류주 제조장

*◇**dis·tinct** [distíŋkt] 형 명료한, 선명한(=clear); 별개의(=
separate), 다른
반 indistínct 불명료한
(예) *distinct* pronunciation 똑똑한 발음 // two *distinc*
reports 별개의 두 보고 // Keep these two things *distinc*
이 둘을 혼동해서는 안 된다.
파 ◇**distínctly** 부 명백하게 **distínctness** 명 명백, 명
*◇**distínctive** 형 특수한 **distínctively** 부 명백하게

(*be*) *distinct from* ~와 다르다
(예) Mice *are distinct from* rats. 쥐와 새앙쥐는 다르다.

*◇**dis·tinc·tion*** [distíŋkʃən] 명 차별, 특징; 탁월, 저명
(예) a writer of *distinction* 저명한 작가 // withou
distinction 무차별하게, 차별 없이 // a style lacking *di*
tinction 평범한 문체

*◇**dis·tin·guish** [distíŋgwiʃ]
타 자 구별하다, 현저하게
하다, 두드러지게 하다
(예) a man *distinguished*
for courage 용감한 것으로
유명한 사람 // *distinguish*
colors 색을 식별하다

▶ **97.** 「구별하다」의 유사어-
distinguish는 「구별하다」란
뜻의 일반적인 말이다. **dis**
criminate는 미세한 차이를
구별하는 것을 강조한다.

파 **distínguishable** 형 구별할 수 있는 **distínguished** (
유명한

*◇***distinguish ~ from*** ~와 …를 구별하다, 분간하다
(예) The twins were so much alike that it was impossib
to *distinguish* one *from* the other. 그 쌍둥이는 너무나
아서 구별할 수 없었다.

distinguish between ~ and ~와 …를 구별하다(
distinguish ~ from)
(예) Death does not *distinguish between* the rich *and* t
poor. 죽음 〔사신(死神)〕은 부자와 빈자를 구별하지 않는다

◇***distinguish* one*self*** 유명해지다, 뛰어나다
(예) He *distinguished* him*self* in the battle. 그는 싸움
서 이름을 떨쳤다.

***dis·tort** [distɔ́ːrt] 타 비뚤어지게 하다, (사실 따위를)
곡하다
(예) *distorted* vision 난시(亂視) // *distort* the facts 사
을 왜곡하다
파 **distortion** [distɔ́ːrʃən] 명 비뚤어뜨림; (사실 따위의)

*◇**dis·tract** [distrǽkt] 타 (마음을) 딴 데로 돌리다(=tu
aside), 전환시키다(=divert); (마음을) 어지럽게 하다
미치게 하다(=make mad)
원 dis(=away)+tract(=draw)

반 compóse 진정시키다
(예) Reading *distracts* the mind *from* grief. 독서는 슬픔을 가시게 한다. // be *distracted by* 〔*with, at, over*〕 ~로 정신이 어지럽다
파 **distrácted** 형 정신이 착란된, 미친 **distráctedly** 부 미친 듯이, 정신이 착란되어 **distráction** 명 기분 전환(=recreation); (마음의) 혼란, 착란, 심란함

dis·tress [distrés] 명 고통, 비탄; 빈곤, 곤궁 타 괴롭히다(=worry), 한탄하게 하다, 불행케 하다; 피로하게 하다(=exhaust)
(예) a great *distress* to his father 그의 아버지의 크나큰 근심거리 // Famine caused great *distress* among the people. 기근이 국민들에게 심한 궁핍을 가져왔다. // She is in great *distress*. 그녀는 큰 비탄에 잠겨 있다. // Don't *distress* your*self*. 걱정하지 마시오. // It *distressed* me *to* hear it. ↔ I *was distressed to* hear it. 나는 그것을 듣고 마음이 아팠다.
파 **distréssful** 형 괴로운, 비참한, 불행한 **distréssing** 형 괴롭히는

dis·trib·ute [distríbju:t]* 타 분배하다(=deal out, scatter), 배급하다, 배포하다; 분포하다
원 dis(=apart)+tribute(=assign)
(예) *distribute* books *to* the students 학생들에게 책을 분배하다 // He *distributed* the apples *among* us. 그는 사과를 우리에게 나누어 주었다. // The plants are widely *distributed*. 이 식물은 널리 분포되어 있다.
파 **distribútion** 명 분배, 배급, 분류; 분포 상태 **distríbutive** 형 분배하는 **distríbutor** 명 분배자, 배달인

dis·trict [dístrikt]* 명 지구《시·구·군》, 지방(=region)
(예) the *District* of Columbia 컬럼비아 특별 행정구《Washington, D. C. 라고도 함》.

dis·trust [distrʌ́st] 명 불신(=lack of trust), 의심(=doubt) 타 믿지 않다(=disbelieve), 의심하다(=be suspicious of)
원 dis(=not)+trust
반 trust 믿다
파 **distrústful** 형 의심 많은(=suspicious); 의심하는, 믿지 않는 [~ of]

dis·turb [distə́:rb] 타 교란하다, 소란케 하다(=excite); 방해하다(=hinder)
(예) *disturb* a sleeping baby (소음 따위가) 잠자는 어린애를 깨우다 // I'm sorry to *disturb* you. 방해를 해서 미안합니다.
파 **distúrbed** 형 소란한, 불안한 ***distúrbance** 명 소동, 폭동; 당혹

dis·use 명 [disjú:s] 폐기, 쓰지 않음 타 [-jú:z] 쓰이지 않게 하다(=cease to use), 폐기하다
(예) rust from *disuse* 쓰지 않아서 녹슬다

파 **disúsed** 형 안 쓰(이)게 된

ditch [ditʃ] 명 도랑, 개천

dive [daiv] 자 다이빙하다(=plunge or jump head firs into water), 잠수하다; 급강하하다; 몰두하다 명 잠수; 급강하; 몰두
(예) *dive* in the water 잠수하다 // *dive into* economic 경제학에 몰두하다
파 **díver** 명 잠수부, 잠수함 **dive bomber** 급강하 폭격기 **díving** 명 잠수 형 잠수용[성]의

di·verge [divə́ːrdʒ, dai-] 자 분기(分岐)하다, 갈라지다(= branch off), (바른 길에서) 벗어나다(=turn off) [from], (의견이) 갈라지다
원 di(=apart)+verge(=tend 가다)
파 **divérgence** 명 분기, 차이 **divérgent** 형 갈라지는

D

di·vers [dáivərz] 형 수종(數種)의, 여러 가지의(=various)

di·verse [divə́ːrs, dai-] 형 다른(=different), 여러 가지의 (=varied)
파 **divérsity** 명 차이, 각종, 다양(多樣)

di·ver·si·fy [divə́ːrsəfài, dai-] 타 여러 가지로 하다, 변화를 주다, 다양화하다
파 **diversificátion** 명 여러 가지의 변화, 다종 다양

di·vert [divə́ːrt, dai-] 타 전환하다(=turn aside), 기분 전환하다(=distract), 위안하다(=amuse, entertain)
원 di(=apart)+vert(=turn 돌리다)
(예) It is no easy matter to *divert* his attention *from* work *to* something else. 그의 주의를 일에서 딴 데로 돌리게 하기는 쉬운 일이 아니다. // He *diverted* him*self* in music. 그는 기분 전환으로 음악을 들었다.
파 **divérting** 형 재미 있는, 기분 전환이 되는 **diversion** [divə́ːrʒən, dai- / -ʃən] 명 기분 전환, 오락; (주의의) 전환

***di·vide**★ [diváid] 타자 나누다, 분할하다(=separate into parts), 분리하다, 구분하다, 사이를 뜨게 하다; 〖수학〗 나누다
원 di(=apart)+vide(=separate)
반 uníte 결합하다
(예) *divide* A *from* B, A와 B를 나누다[구별하다] *divide* one's time *between* work and play 시간을 일과 노는 데에 할당하다 // *divide* a cake *into* three pieces 과자를 셋으로 나누다 // be *divided* in opinion 의견이 갈라지다 // 9 *divided* by 3 is 3. 9÷3=3. // *Divide* the money (*up*) *among* you. 그 돈을 너희끼리 나누어 가져라.
파 **dividend** [dívidènd] 명 배당금; 〖수학〗 피제수(被除數)

di·vine [diváin] 형 신의, 신성한(=holy), 숭엄한 타 예언하다(=foretell, predict), 점치다
원 div(=god)+ine(형용사 어미)
파 **divínely** 부 신과 같이, 절묘(絕妙)하게 **divínity** 명 신성(神性) **divinátion** 명 점, 예지(豫知)

di·vi·sion [divíʒən] [명] 분할, 경계, 반(班), 나눗셈; 사단(師團)
(예) the *division* of labor 분업
di·vorce [divɔ́ːrs] [명] 이혼; 분리 [타] 이혼하다
(예) She *divorced* her husband. 그 여자는 남편과 이혼했다. // be 〔get〕 *divorced* 이혼하다
di·vulge [divʌ́ldʒ, dai-] [타] (비밀 따위를) 누설하다, 폭로하다
diz·zy [dízi] [형] 현기증이 나는, 어질어질한
[파] **dízziness** [명] 현기증
do [duː, də] [동] 《***did*** **;** ***done,*** 3인칭 단수 현재 ***does***》
— [타] ① 하다(=act), 수행하다
(예) I have nothing to *do*. 아무 것도 할 일이 없다. // What can I *do* for you? 《상점에서 손님에게》 무엇을 드릴까요? // Something must be *done* about it. 그것을 어떻게 하지 않으면 안 되겠다.
② (아무에게) ~해 주다([NB] 이 용법은 이중 목적어를 취한다.)
(예) Will you *do* me a favor? 부탁이 있습니다만? // It will *do* you great honor 〔credit〕. 그것은 너에게 대단한 명예가 될 것이다.
③ ~을 구경하다(=visit, inspect) ([NB] 「동사+목적어」의 형으로)
(예) *do* the British Museum 대영 박물관을 참관하다 // *do* the sights of Seoul 서울 구경을 하다
④ 《보통 have done, be done 의 형식으로》 ~을 완성하다, 끝내다(=finish)
(예) I have *done* reading. 다 읽었다. // His work is *done*. 그의 일은 완료되었다.
⑤ (일·계산·문제 따위)를 처리〔정리〕하다; ~을 번역하다
(예) *do* one's correspondence 회답 편지를 쓰다 // *do* a sum 계산을 하다 // *do* Korean into English 국문을 영역하다
⑥ (아무의) 도움이 되다, ~에 알맞다
(예) That will *do* me very well. 그건 나에게 퍽 도움이 될 게다. // Will this *do* you? 이거면 쓸만하겠습니까?
⑦ (고기 따위를) 요리하다(=cook)
(예) I like my meat well *done*. 나는 잘 구워진 고기를 좋아한다.
— [자] ① 하다, 행하다
(예) *do* or die 죽을 때까지 하다 // *Do* as you like 〔please〕. 좋을 대로 하시오. // Let us be up and *doing*. 자아, 기운차게 합시다.
② 《have done 의 형식으로》 끝내다, 마치다 [~ with]
(예) Have *done*! 집어치워! // *I* have *done with* him. 그와는 손을 끊었다. // Lend me the book if you have *done with* it. 그 책을 다 보았으면 빌려 주시오.
③ 일이 되어 가다; 살아가다(=get along), 지내다
(예) How do you *do*? 처음 뵙겠습니다. // He is *doing*

D

very well in business. 그는 장사를 잘 해 가고 있다. // Mother and child are *doing* well. 모자가 다 건재하다.
④ (어떤 목적에) 적합하다, 도움되다
(예) If you are busy now, any time will *do*. 지금 바쁘면 아무 때라도 좋다. // It doesn't *do* to speak like that. 그런 말투는 좋지 않다. // Please make this *do*. 아쉬운 대로 이것으로 해 주시오. // That won't *do*. 그것으로는 안 되겠다.
— ㉠ ① 《의문문》(NB 「do+주어+원형 동사」의 형식으로 의문문을 만듦)
(예) *Do* you know him? 그를 알고 있습니까? // *Does* she love you? 그녀는 당신을 사랑하고 있습니까?
② 《부정문》 (NB 「do not+원형 동사」의 형식으로 동사의 부정형을 만듦)
(예) They *didn't* keep their promise. 그들은 약속을 지키지 않았다.
③ 《강조문》 정말, 확실히 (NB 「do+원형 동사」의 형식으로 긍정문에서 강조를 나타냄)
(예) *Do* [dú:] come. 꼭 오너라. // She *does* [dʌ́z] speak English. 그녀는 정말이지 영어를 할 줄 안다. // They *did* [díd] come. 그들은 정말로 왔다.
④ 《어순 도치》 (NB 「부사+do+주어+원형 동사」의 형식으로 강조·균형을 잡음)
(예) Nobly *did* he carry it out. 그는 정말로 훌륭하게 해 냈다. (↔ He carried it out nobly.) // Never *did* I see such a fool. 이런 바보는 본 일이 없다. (↔ I never saw such a fool.) // I didn't know who he was, nor *did* I want to. 그가 누구였는지 알지 못했고 또 알려고도 하지 않았다.
어법 조동사의 용법: 일반 동사를 동사로 하는 경우: (a) 《의문문》 *Do* you understand? (b) 《부정문》 I *do* not know. 줄인 말은 don't, doesn't, didn't. 부가의문의 형에도 주의: You know him, *don't* you? ↔ You don't know him, *do* you? (c) 《강조》 *Do* come and see me! (꼭 놀러 오시오) (d) 《어순 도치》 (보통) 부사를 앞에 내는 경우. 「부사+do+주어+원형 동사」의 형식을 취함: Little *did* I dream of it. (그런 일은 꿈에도 생각 못했다). 어순 도치가 필요한 것은 never, little, hardly, neither, nor 등의 부정 부사·접속사인 경우로서, 그 밖의 부사는 반드시 어순 도치를 일으키는 것은 아니다.
— 《대동사》 (NB 동사의 반복을 피하기 위하여 쓰임)
(예) *Do* you like apples?—Yes, I *do*. 사과를 좋아합니까?—예 좋아합니다.
어법 대동사로서 앞서 나온 동사의 대신으로 쓴다. Do you like it? Yes, I *do* (=like it). Who took that?—I *did* (=took it).

◇ ***do away with*** ~을 없애다; 폐지하다(=abolish, discard)
(예) We cannot *do away with* it. 우리들은 그걸 없애 「릴 수 없다

do by (아무)를 대우해 주다
(예) Do as you would be *done by*. 자기가 대우받고 싶은 것처럼 남을 대우해 주어라. // He complains that he has been hard *done by*. 심한 대우를 받았다고 불평이다.

do for ~을 대리하다, ~의 역할을 하다; ~을 그르게 하다〔결딴내다〕; ~을 돌보다
(예) It will *do for* something. 그것은 어떤 역할을 할 것이다. // I am *done for*. 이젠 글렀다.

do over ~을 개장(改裝)하다, ~을 다시 하다
(예) *do* it *over* with white paper 흰 종이로 다시 바르다

do well 잘하다, 성공하다, 번영하다; (일이) 잘 되어 가다
(예) He is *doing well* at the Bar. 그는 변호사업을 잘해 나가고 있다. // I'm glad your affairs are *doing well*. 네 일이 잘 되어 간다니 기쁘다.

do well to *do* 〔***in doing***〕 ~하는 것이 좋다
(예) You would *do well to* say nothing. 너는 아무 말도 않는 것이 좋다. // He *did well to* refuse. 그는 거절하기를 잘했다.

NB 이와 비슷한 do a person good는「아무의 도움이 되다」「소용이 되다」

do with* ~을 처분하다; ~을 참다; ~에 만족하다
(예) I can't *do with* him. 나는 그에게는 참을 수 없다. // Can you *do with* bread and milk for lunch? 점심 식사로 빵과 우유만으로 좋겠습니까?

NB have to do with는 「~와 관계 있다」의 뜻: I *have* nothing *to do with* him at present. 나는 지금 그와 아무런 관계가 없다.

do without* ~없이 지내다〔해 나가다〕 (*cf.* dispense)
(예) Man cannot *do without* water. 사람은 물 없이 살 수는 없다. (↔ Water is indispensable to man.) // I cannot *do without* an overcoat in this cold country. 이 추운 곳에서 외투 없이 지낼 수는 없다.

doc·ile [dάsəl / dóusail] ⓗ 온순한(=obedient), 가르치기 쉬운(=easily taught), 다루기 쉬운(=easily managed)
반 óbstinate 완고한
파 **docility** [dαsíləti / dousíləti] ⓜ 온순

dock [dαk / dɔk] ⓜ 독, 선창 ⓣⓙ 독에 넣다〔들어가다〕
파 **dockyard** ⓜ 조선소(造船所) **dry dock** 드라이독

doc·tor [dάktər / dɔ́ktə] ⓜ 박사; 의사 〖약어〗 *Dr.* ⓣ 치료하다
(예) Doctor of Philosophy 철학 박사 // see 〔consult〕 a *doctor* 의사에게 보이다, 진찰받다 // send for a *doctor* 의사를 부르러 보내다

▶ **98.** 「의사」의 유사어
doctor는 일반적으로 널리 쓰인다. 세분하면 physician(내과 의사), surgeon(외과 의사), dentist(치과 의사), psychiatrist [saikáiətrist] 정신과 의사) 따위가 있다.

▶ **99.** 접미어 **or**
동사에 붙어서「~하는 사람〔물건〕」을 뜻한다. (예) doc*tor*, ac*tor*(배우), eleva*tor*(엘리베이터) 따위

D

㉯ **dóctoral** ㊞ 박사(학위)의, 박사 학위를 가지고 있는
◇**doc·trine** [dáktrin / dɔ́k-] ㊔ 교의(教義), 주의, 교훈
◇**doc·u·ment** [dákjəmənt / dɔ́k-] ㊔ 서류, 문서, 증서
㉯ ◇**documentary** [dàkjəméntəri / dɔ̀k-] ㊞ 문서의, 증서의; 기록적인 ㊔ 기록 영화
dodge [dadʒ / dɔdʒ] ㊐㊋ 교묘하게 몸을 피하다, ~을 피하다 ㊔ 살짝 몸을 피하기; 속임수, 묘책
☆**dog** [dɔːg / dɔg] ㊔ 개; 놈(=fellow) ㊐ 미행하다; (재앙·불행 따위가) 어디까지나 따라다니다
(예) Let sleeping *dogs* lie. 〖속담〗 자는 개는 자도록 하여라《긁어 부스럼 만들지 마라》.
㉯ **dogged** [dɔ́(ː)gid] ㊞ 완고한, 끈덕진 **dóg-tired** ㊞ 피로해서 녹초가 된 **dog days** 삼복, 대서 **dog's life** 〖미〗 비참한 생활
dog·ma [dɔ́(ː)gmə] ㊔ 교의(教義), 신조; 독단(적인 의견)
㉯ **dogmátic** ㊞ 교의상의; 독단적인
do·ings [dúːiŋz] ㊔ 《*pl.*》 행실, 행동, 몸가짐; 소행
do-it-your·self [dùːitjərsélf] ㊔ (조립·수리 따위를) 손수함 ㊞ 손수 하는
☆**doll** [dal / dɔl] ㊔ 인형; 아름다우나 어리석은 여자
***dol·lar** [dálər / dɔ́lə] ㊔ 달러, 불(100 cents; 미국의 화폐 단위, 기호 $)
(예) a *dollar* area 달러 지역 // *dollar* diplomacy 달러 외교
◇**dol·phin** [dálfin / dɔ́l-] ㊔ 〖동물〗 돌고래
do·main [douméin, də-] ㊔ 영토; 영역, 분야(=field)
◇**dome** [doum] ㊔ 둥근 천장(=vault), 둥근 지붕
*◇**do·mes·tic** [dəméstik] ㊞ 가정의, 국내의, 국내에서 만든; 집에서 기른 〔길들인〕 (*cf.* wild) ㊔ 하인, 급사
㉯ domes(=home)+tic(형용사 어미)
㉤ fóreign 외국의
(예) *domestic* goods 국산품 // *domestic* and foreign news 내외 뉴스 // *domestic* animals 가축
㉯ **doméstịcate** ㊐ 길들이다 **domesticátion** ㊔ 길들임, 교화 **domestícity** ㊔ 가정 생활; 가정적임; 《*pl.*》 가사
dom·i·cile [dáməsàil / dɔ́m-] ㊔ 주소, 본적지, 원적지
***dom·i·nate** [dámənèit / dɔ́m-] ㊐㊋ 통치하다(=rule), 주권이 있다; 위에 우뚝 솟다(=rise above), 뚜렷이 두드러지다
(예) The Romans once *dominated* Europe. 로마는 한때 유럽을 지배했다.
㉯ **dóminance, -nancy** ㊔ 지배; 우월; 〖유전〗 우성
***dóminant** ㊞ 우세한, 통치하는 **dóminantly** ㊍ 우세하게, 현저히, 두드러지게 **dominátion** ㊔ 통치, 관할 **dóminator** ㊔ 통치자
***do·min·ion** [dəmínjən] ㊔ 주권, 통치권(=rule); 영토(=domain), [the D-] 〖영〗 자치령
(예) exercise *dominion* over ~을 지배하다
do·nate [dóuneit / dounéit] ㊐ 〖미〗 증여하다(=give); 기

부하다, 기증하다
(예) *donate* money to charity 돈을 자선 사업에 기부하다
[파] **donátion** [명] 기부, 기증; 기부금, 기증품
don·key [dáŋki / dɔ́ŋ-] [명] 당나귀; 바보(*cf.* ass)
doom [du:m] [명] 《주로 나쁜 뜻으로》 운명(=fate), 죽음(=death); 판결 [타] 운명 짓다(*cf.* 주로 수동태로 쓰임); 선고하다
(예) *be doomed to* failure 실패하게 되어 있다 // She *is doomed to* die. 그 여자는 죽을 운명이다. // *doom* a person *to* death 아무에게 사형 선고를 하다
[파] **doomed** [형] 운명지어진 **doomsday** [dú:mzdèi] [명] 최후의 심판일
door [dɔ:*r*] [명] 문, 도어, 출입구
(예) in 〔out of〕 *doors* 집 안〔밖〕에 // the house next *door* 이웃집 // at death's *door* 죽음의 문턱에, 빈사 상태에 // a *door* to success 성공으로의 길
[파] ◇**dóorbell** [명] (현관·문간의) 초인종 **dóorkeeper** [명] 문지기 **dóorknob** [명] 도어의 손잡이 **dóorplate** [명] 문패 ◇**dóorstep** [명] 현관의 계단 ***dóorway** [명] 문간, 현관 ◇**dóor-yard** [명] (현관의) 앞뜰
from door to door 집집마다, 가가 호호
(예) He went begging *from door to door.* 그는 가가 호호 구걸하며 돌아다녔다.
dor·mant [dɔ́:*r*mənt] [형] (동·식물이) 잠자고 있는(=sleeping), 겨울잠 자는, 동면하는, (활동을) 멈추고 있는(=not active)
[반] awáke 깨어 있는, áctive 활동적인
dor·mi·to·ry [dɔ́:*r*mətɔ̀:ri / dɔ́:mətəri] [명] 기숙사
dose [dous] [명] (약의) 1회 복용량; 형벌 [타] 투약하다; 혼합하다(=blend) [~ with]
dot [dɑt / dɔt] [명] 점; 〖음악〗 부점(符點) [타] 점재(點在)시키다; 점을 찍다
(예) a *dotted* line 점선 // *Dot* the i. i 자에 점을 찍어라.
on the dot 정각에, 제시간에
(예) He went to the station at five right *on the dot.* 그는 5시 정각에 역으로 갔다.
(*be*) *dotted with* ~가 점재해 있는
(예) a field *dotted with* sheep 양이 점점이 흩어져 있는 들판 // The sea *is dotted with* islands. 바다에는 섬이 점재해 있다.
dote [dout] [자] 노망〔망녕〕 들다; 사랑에 빠지다 [~ on, upon]
doth [dʌθ, 보통 dəθ] 〖옛말〗 do의 3인칭·단수·직설법·현재
dou·ble [dʌ́bl] [형] 2배의; 겹친(=folded), 이중의, 표리 있는 [부] 2배로, 이중으로 [명] 배(倍); 아주 비슷한 사람〔물건〕 [타][자] 2배로 하다〔되다〕; 겹치다

> ▶ **100.** 접미어 **ble**
> 「배」의 뜻을 나타낸다.
> (예) dou*ble*

(예) a *double* personality 이중 인격 // pay *double* the

price 가격의 곱절을 지불하다 // his *double* 그와 똑같이 생긴 사람 // *double* one's income 수입을 배로 늘리다

[어법] *double* the sum (2 배의 액수)와 같은 어법은 *double* of the sum 의 of 가 탈락된 것. *twice* 로 바꿔 쓸 수도 있다.

[파] **dóubly** ㊀ 2 배로, 표리 있게 **dóuble-bárrel(l)ed** ㊂ 총신이 둘 있는, 2 연발식의 **dóuble-édged** ㊂ 양 날의 **dóuble-héader** ㊐ 〔야구〕 더블헤더《동일한 두 팀이 같은 날 2회 연속해서 하는 시합》

*◇**doubt** [daut]★ ㊐ 의심, 의혹 ㊁㊅ 의심하다(*cf.* suspect) [반] trust 신뢰; 믿다

(예) I *doubt whether* 〔*if*〕 he is sane (*or* not). 그는 제 정신이 있는지 모르겠다. // I *doubt that* he is sane. 그는 제 정신이 아니라고 생각된다. (↔ I am not sure if he is sane.) // I do not *doubt* (*but*) *that* he is sane. 그는 틀림없이 제정신이라고 믿는다.

[어법] ① doubt에 *whether*를 계속시키는 것은, if 에 비해서 딱딱한 표현. *that-clause*를 계속시키면 「~이라고 생각지 않는다」라는 불신을 나타낸다. ② doubt의 부정 또는 의문의 문장에서는 *that, but that, but* 어느 것이나 좋으나 나중 두 개의 말이 흔히 쓰이는 평이한 말이다. ③ *suspect*와의 차이에 주의: I *doubt* he is a thief. 는 「그가 도둑놈이라니 믿어지지 않는다」(I don't think that...)라는 기분. doubt를 *suspect*로 바꿔 쓰면 「그는 도둑놈이라고 여겨진다」의 뜻.

[파] ***dóubtful***★ ㊂ 의심스러운 **dóubtfully** ㊀ 의심스럽게 **dóubtless** ㊀ 의심할 바 없이, 아마도

◇***in doubt*** 의심하고(=not certain), 망설이고

(예) I'm *in doubt* about what to do. 나는 무엇을 해야 할지 망설이고 있다.

*◇***no doubt*** 의심할 여지 없이, 확실히

(예) He will *no doubt* succeed. 그는 틀림없이 성공할 것이다.

◇**dough** [dou] ㊐ 밀가루 반죽, 굽지 않은 빵

[파] ◇**doughnut** [dóunʌ̀t] ㊐ 도넛

◇**dove** [dʌv] ㊐ 비둘기(=pigeon); 평화의 사자(使者)

☆**down** [daun] ㊀ ① 아래로, 밑으로, 내려가

(예) upside *down* 거꾸로 // come *down* 내려오다 // look *down* 내려다보다 // The sun went *down*. 해가 저물었다. // The rain came *down*. 비가 내렸다. // He is already *down* now. 그는 벌써 (이층의) 침실에서 내려와 있다. (NB 침실은 보통 2층에 있으므로 이와 같이 말함)

② (흐름 따위가) 아래쪽에, (근원에서) 말단으로, (중심부에서) 지방으로, (위쪽에서) 아래쪽으로

(예) flow *down* 흘러가다 // They have gone *down* to Mexico. 그들은 멕시코로 떠났다. // When did he come *down* from Seoul? 그는 언제 서울에서 내려왔나?

③ 쓰러져; (병으로) 누워, (건강이) 쇠약해져; (의기가) 소침하여

(예) *down* on the left side 왼쪽으로 기울어 // He is *down* with a headache. 그는 두통으로 몸져 누워 있다. // The boxer knocked him *down*. 권투 선수는 그를 때려 뉘었다.

④ (지위가) 내리어; (값·질·온도 따위가) 떨어져; (바람 따위가) 가라앉아
(예) come *down* in the world 영락하다 // Bread is *down*. 빵값이 떨어졌다. // The storm has gone *down* a little. 폭풍우가 좀 잔잔해졌다. // The temperature is *down*. 온도가 내려갔다.

⑤ (수·양이) 줄어져; (동작이) 다 되어
(예) boil *down* ~을 바짝 졸이다 // hunt *down* ~을 바짝 뒤쫓다 // wear *down* ~을 닳아 없애다, 닳아 떨어지게 하다 // The death rate is considerably *down*. 사망률은 훨씬 떨어졌다.

⑥ ~에 이르기까지 [~ to]
(예) from Shakespeare's time *down* to the present 셰익스피어 시대부터 오늘날까지 // from the king *down* to the shoeblack 위로는 왕으로부터 아래로는 구두닦기에 이르기까지 // from 100 *down* to 20, 100에서 20까지

⑦ 적어, 기록되어, 씌어져, 써
(예) Write *down* your name. 당신의 이름을 쓰시오. // Please take *down* this letter. 이 편지를 받아 쓰십시오.

— ㉝ ~의 아래에, ~을 내려가; ~을 따라
(예) The boy ran *down* the hill. 소년은 언덕을 뛰어 내려갔다. // The tears ran *down* her face. 눈물이 그녀의 볼에 흘러 내렸다. // He lives further *down* the river. 그는 강 좀 더 아래쪽에 살고 있다.

— ㉻ 아래쪽으로의, 밑으로의; (기차 따위가) 하행의; 낙담한, 풀죽은
(예) a *down* leap 뛰어내림 // a *down* slope 내리받이 비탈 // the *down* platform 하행선의 플랫폼 // on the *down* grade 내리받이 길에서(NB 비유적으로도 쓰임) // a *down* look 낙심한 표정

— ㉺ 쇠미(衰微); 언덕; 깃털

— ㉷ 타도하다, 굴복시키다
(예) *down* one's opponents 적을 타도하다 // *Down with* the dictator! 독재자를 타도하라!

[어법] 품사의 구별에 주의: ① 부사 come *down* from one's ancestors(선조로부터 전해 내려오다) ② 전치사 go *down* the river(강 아래로 가다) ③ 형용사 a *down* train(하행 열차) ④ 동사 *down* one's enemy(적을 넘어뜨리다) ⑤ 명사 the ups and *downs* of life(인생의 흥망)

[파] ◇**dównfall** ㉺ 전락, 멸망; (비 따위가) 많이 내림 **dównhill** ㉺ 내리받이 ㉻㉸ 내리막길의〔로〕 **dównpour** ㉺ 억수, 큰비, 폭우 **dównright** ㉻ 솔직한, 명백한 ㉸ 완전히, 전혀 **dównstáir** ㉻ 아래층의 ◇**dównstáirs** ㉻㉸ 아래층의〔으로〕 ㉺ 아래층(㉥ úpstáirs 이층의〔으로〕) **dówn-**

D

stréam [부] 하류에, 흐름을 따라 아래로 ◇dówntówn [명] 중심가, 상업 구역 ◇dównward [형][부] 아래쪽으로의〔으로 향하여〕 ◇dównwards [부] 아래쪽으로

◇**down·y** [dáuni] [형] 솜털의〔같은〕 (=fluffy), 폭신폭신한, 부드러운

doze [douz] [자][타] 꾸벅꾸벅 졸다, 선잠 자다 [명] 졸기, 선잠(=nap)

***doze off* 〔*over*〕** (꾸벅꾸벅) 졸다
(예) The child *dozed off* while I was reading to him. 내가 책을 읽어 주고 있는 동안 그 애는 꾸벅꾸벅 졸았다. // He *dozed over.* 그는 깜빡 졸았다.

*◇**doz·en** [dʌ́zən]* [명] 다스(12) 〖약어〗 *doz.*
[어법] ① 둘 이상의 수사나 several, many 따위가 붙을 경우에도 단수형 그대로 써도 좋다: six *dozen* eggs(6 다스의 달걀) 또는 six *dozen of* eggs와 같이 of를 써 넣을 때도 있다. ② *dozens* of eggs와 같이 쓸 때는 많은 달걀의 뜻으로 부정(不定) 다수를 나타낸다: *dozens of* people 많은 사람들

drab [dræb] [명][형] 충충한 황갈색(의); 단조(로운)

***draft, draught** [dræft / drɑːft] [명] 초고(草稿), 설계도, 도안 [~ for]; 분견대; 징병; 환어음, 수표; 통풍; 흡인(吸引), 한 모금(의 양) [타] 기초(起草)하다, 제도하다; 선발〔파견〕하다
[파] **dráfter** [명] 기안자 **dráftsman** [명] 《*pl.* -men》 제도사, 기안자 **draft hole** 통풍 구멍

◇**drag** [dræg] [타][자] 끌다, 질질 끌다, 질질 끌 듯이 움직이다 [명] 바퀴의 제동기
(예) *drag* along 느릿느릿 가다 // *drag* one's feet 발을 끌며 걷다 // A prisoner was *dragged* to his execution. 죄수는 형장으로 끌려 갔다. // He *dragged* him*self* to bed. 그는 몸을 질질 끌며 침대로 갔다.
[파] **drággle** [타] 질질 끌어 더럽히다

drag on 질질 오래 끌다
(예) The war *dragged on.* 전쟁은 질질 오래 끌었다.

drag·net [drǽgnèt] [명] 저인망(底引網), 트롤망

◇**drag·on** [drǽgən] [명] 용
[파] **drágonfly** [명] 〖곤충〗 잠자리

◇**drain** [drein] [타][자] 배수(排水)하다, 물이 빠다; 물을 빼어 말리다; 쭉 마셔 버리다; 빼앗다 [명] 도랑, 배수거(排水渠)
(예) *drain* the flooded areas ↔ *drain* water *from* the flooded areas 수해 지역의 물을 빼다 // The war *drained* the country *of* its resources. 그 전쟁은 나라의 자원을 고갈시켰다. // ◇The flood is *draining* (*away*). 홍수가 빠지고 있다.
[파] **dráinage** [명] 배수; 배수 장치, 배수로; (하천의) 배수 구역, 유역; 하수, 오수(汚水)

drake [dreik] [명] 수오리(=male duck) (*cf.* duck 암오리)

*◇**dra·ma** [drɑ́ːmə, drǽ- / drɑ́ː-] [명] 극(=play), 희곡, 각본
[어법] 개개의 작품을 말할 때는 관사나 단수, 복수 등, 보통

명사의 취급을 해도 좋으나, 시·소설 따위와 대조해서 예술의 일부분을 말할 때는 보통 *the* drama 의 형식을 취한다.

파 ***dramátic** 형 극적인, 희곡의 명 《*pl.*》 극, 연출법, 소인극(素人劇) **dramátically** 부 극적으로 ***drámatist** 명 극작가, 희곡 작가 **drámatize** 타 각색하다, 극적으로 표현하다 **dramatization** [dræ̀mətəzéiʃən / -taiz-] 명 각색(脚色), 희곡화

drape [dreip] 타 (천 따위로 주름을 잡아 예쁘게) 덮다, 걸치다 명 (주름이 잡혀진) 포장, 휘장
(예) *drape* a mantle (a)round the shoulders 어깨에 망토를 걸치다 // *drape* a window *with* a curtain 창에 커튼을 치다

drap·er [dréipər] 명 〖영〗 포목상
파 **drápery** 명 피륙, 포목류; (고운 주름이 있는) 휘장

dras·tic [drǽstik] 형 맹렬한(=rigorous, violent), 철저한
(예) *drastic* measures 단호한〔비상〕 수단
파 **drástically** 부 맹렬하게, 과감하게, 철저하게

☆**draw** [drɔː] 타 자 《***drew; drawn***》 당기다(=pull), (주의 따위를) 끌다; (숨 따위를) 들이쉬다; 빼다, (제비를) 뽑다, (문서를) 작성하다, 묘사하다; 접근하다 명 비김, 제비뽑기
(예) *draw* a conclusion 결론을 끌어 내다 // *draw* a deep breath 심호흡을 하다 // *draw* tears 눈물을 자아내다 // *draw* people's attention *to* the fact 그 사실에 사람들의 주의를 끌다 // *draw* some beer *from* a cask 통에서 맥주를 빼내다 // *draw* closer 더 접근하다
파 **drawer** [drɔ́ːər] 명 끄는 〔당기는〕 사람; [drɔːr] (당기는) 서랍; 《*pl.*》 [drɔːrz] 장롱; 속옷, 드로즈 **dráwing** 명 그림, 제도(*cf.* painting) **dráwback** 명 결점, 고장 **dráwbridge** 명 도개교(跳開橋) **drawingroom** [drɔ́ːiŋrù(ː)m] 명 응접실

draw back 물러서다; (막을) 열어 젖히다; ~을 되찾다
(예) He *drew back* from what he had promised. 그는 약속한 일에서 물러섰다.

draw in 줄이다, 짧아지다, 끌어들이다
(예) The gangsters *drew in* the boys. 갱들은 그 소년들을 끌어들였다.

draw on (장갑 따위를) 끼다; ~을 부르다, 꾀다; (근원을) ~에 의지하다; ~에 가까워지다(=draw near)
(예) *draw on* one's imagination 상상력에 의지하다 // Her kindness *drew* him *on.* 그녀의 상냥함이 그를 끌었다.

draw out ~을 끄집어〔뽑아〕내다; (그림을) 그리다; (이야기·낮이) 길어지다
(예) The days are *drawing out.* 낮이 길어진다. // I *drew* him *out* in the end. 마침내 그에게 말문을 열게 했다.

draw to a close 〔***an end***〕 종말에 가까워지다
(예) His school life *drew to a close.* 그의 학교 생활은 종말에 가까워졌다.

draw up (커튼을) 끌어 올리다; (차가) 멎다; (보고서를) 작성하다
(예) The carriage *drew up* at the castle entrance. 마차는 성 입구에서 멈추었다.

*__dread__ [dred] [타][자] 두려워하다(=fear greatly), 무서워하다, 걱정하다 [명] 공포, 두려움 [형] 무시무시한, 황공한
(예) He is in *dread* of his father. 그는 아버지를 두려워하고 있다. // He has a *dread* of thunder. 그는 천둥을 무서워한다. // A burnt child *dreads* the fire. 〖속담〗 불에 덴 아이는 불을 두려워한다《자라 보고 놀란 가슴 소댕 보고 놀란다》. // He *dreads* going 〔*to* go〕 to party. 그는 파티에 가기를 아주 싫어한다. // She *dreaded that* she might die. 그 여자는 죽지나 않을까 하고 두려워했다.
[파] **dréadful** [형] 무서운, 무시무시한 ◇**dréadfully** [부] 무시무시하게

D

*__dream__ [driːm] [명] 꿈, 공상, 환상; 희망 [자][타]《***dreamed, dreamt*** [dremt]》 꿈꾸다, 몽상하다; 꿈결같이 보내다[~away]; 《부정문에서》 (~을) 꿈에도 생각지 않다[~of]
[반] reálity 현실
(예) have a *dream* 꿈을 꾸다 // realize one's *dream* 꿈을 실현하다 // *dream* a happy *dream* 행복한 꿈을 꾸다 // ◇I never *dreamed of* his failure 〔*that* he would fail〕. 나는 그가 실패하리라고는 꿈에도 생각지 못했다. // Little did I *dream of* ever seeing this day! 오늘 같은 날을 맞이 하리라고는 꿈에도 생각지 못했다.
[어법] 마지막 예문에서의 *little*은 never의 뜻. 이런 경우는 도치가 많다.
[파] **dréamy** [형] 꿈 많은, 공상에 잠기는 **dréamily** [부] 꿈결같이 ◇**dréamer** [명] 몽상가 ◇**dréamlike** [형] 꿈 같은, 비현실적인 **dréamland** [명] 꿈나라

*◇***dream up*** (기발한 물건·계획 따위를) 퍼뜩 생각해 내다, 안출(案出)하다

◇**drear·y** [dríəri] [형] (경치 따위가) 쓸쓸한, 황량한; 음울한, 지겨운(=gloomy, dull)
[파] **dréarily** [부] 쓸쓸하게, 적막하게 **dréariness** [명] 쓸쓸함, 침울; 황량함

◇**drench** [drentʃ] [타] 흠뻑 적시다, 물 따위에 담그다
[반] dry 말리다

(***be***) ***drenched to the skin*** 흠뻑 젖은
(예) I *was drenched to the skin* with rain. 나는 비에 흠뻑 젖었다.
[NB] be soaked 〔wet〕 to the skin도 같은 뜻.

*__dress__ [dres] [명] 의복, 복장(=clothing), 정장(正裝) [타][자] 옷을 입다; 성장(盛裝)하다, 꾸미다; (머리·정원수 따위를) 곱게 다듬다; (음식을) 조리하다
(예) *dress* a child 아이에게 옷을 입히다 // *dress* oneself 옷을 입다; 정장을 하다 // ◇be *dressed in* white 흰 옷을 입고 있다 // He is finely 〔badly〕 *dressed*. 그는 훌륭한 〔나

쁜〕 복장을 하고 있다.

어법 일반적인 뜻으로 「의복」「복장」 및 「정장」을 뜻할 때는 항상 단수로서 무관사: He doesn't care much about *dress.* (그는 의복에 별로 관심이 없다.) a gentleman in full *dress* (정장한 신사)

파 **dréssy** 형 (복장이) 멋있는, 맵시 있는, 미끈〔화려〕한 **drésser** 명 (찬장과 서랍이 달린) 조리대; 거울 달린 화장대; 의상 담당자 ◇**dréssing** 명 옷치장, 화장; 소스 **dressing room** 화장실, 옷 갈아입는 방 **dréssmaker** 명 여자 양재사(*cf.* tailor)

dress up 성장하다, 차려 입다

(예) go out, fully *dressed up* 성장하고 외출하다

drift [drift] 자 타 표류하다, 떠다니다, 떠내려 보내다; 부지중에 ~에 빠지다 명 표류, 표류물; (사상 등의) 흐름

(예) He was *drifting* into the political current. 그는 정치의 소용돌이 속에 휩쓸려 들어갔다.

파 **dríftwood** 명 물에 뜬 나무, 유목(流木)

drill [dril] 타 자 훈련하다; 구멍을 뚫다 명 훈련, 연습; 구멍 뚫는 기구, 송곳

(예) *drill* the pupils in manners 학생들에게 예절을 가르치다 // a *drill* in Latin grammar 라틴어 문법의 연습 // be at *drill* 훈련중이다 // *drill* a hole 구멍을 뚫다

파 **drílling** 명 교련

drink [driŋk] 타 자 《***drank ; drunk*(*en*)**》 마시다, 건배하다 명 음료; 주류

(예) This is a good *drink.* 이것은 좋은 음료다. // Is this water good to *drink?* 이 물은 마셔도 좋습니까? // I *drink to* your success. 너의 성공을 위해 건배한다. // They *drank* good luck *to* the new couple. 그들은 신혼 부부의 행운을 위해 건배했다. // *drink* one*self* sleepy 술을 마셔서 졸음이 오다

파 ◇**drínkable** 형 마실 수 있는 **drínker** 명 술꾼 **drínking** 명 음주 **drúnkard** 명 술고래 **drinking water** 음료수

drink up ~을 쭉 마셔 버리다

(예) *drink up* a glass of wine 한 잔의 포도주를 쭉 마셔 버리다

drip [drip] 타 자 (물 따위가) 듣다, (뚝뚝) 떨어지다 명 뚝뚝 떨어지는 것

drive [draiv] 타 자 《***drove, driven*** [drívən]》 운전하다; 쫓다; 강요하다(=force), (가축을) 몰(아내)다, 마구 부리다; 때려 박다; (장사 따위를) 경영하다(=carry on) 명 차를 몰기, 드라이브; 운동

▶ **101.** 「운전하다」의 유사어

drive는 탈것을 운전하다, **ride**는 손님으로서 탈것에 탄다는 뜻이다. 또 동물의 등에 타지 않고, 부리는 것은 drive이고, 등에 타는 것은 ride(자전거일 때도 ride a bicycle이라 함)이다.

(예) Anxiety *drove* him mad. 그는 근심한 나머지 미쳤다. (↔He went mad with anxiety.) // Hunger *drove* him *to* steal 〔*into* steal*ing*〕. 그는 배가 고파서 도둑질을 했다. // All the enemy were *driven out of* the town. 적은 모두 시내에서 격퇴됐다. // It's five hours' *drive* from Seoul to Pusan. 서울에서 부산까지 자동차로 5시간 걸린다.

파 *dríver 명 운전수, 기관사, 마부 **dríveway** 명 차도 **dríve-in** 명 자동차에 탄 채로 구경할 수 있는 영화관〔식당〕, 드라이브인 ***dríving** 명 운전 형 추진의

drive at ~을 겨누다, 의도하다; ~을 겨누어 세차게 치다
(예) What are you *driving at ?* 네 의중은 뭐냐? // The golfer *drove at* the ball. 골퍼는 공을 세게 쳤다.

drive away 쫓아 버리다
(예) *drive away* flies 파리를 쫓아 버리다

driz·zle [drízl] 자 이슬비가 내리다 명 이슬비, 가랑비
파 **drízzly** 형 이슬비 내리는, 보슬비가 올 것 같은

drone [dróun] 자타 윙윙거리다; 게으름 피우다 명 (꿀벌의) 수펄; 게으름뱅이(=idler); 윙윙거리는 소리

droop [dru:p] 자타 아래로 처지다, 수그러지다; (화초 따위가) 시들다
(예) On hearing the news, our spirits *drooped*. 그 뉴스를 듣자 우리는 맥이 풀렸다.

drop** [drɑp / drɔp] 명 (물)방울, 소량(小量); 낙하, 강하, 떨어짐, 영락(零落); 〖야구〗 드롭 타자 《dropped, dropt***》 떨어지다, 떨어뜨리다, 방울방울 떨어지다; 그만두다; (바람이) 자다, 그치다
(예) a *drop* of water 물방울 // Please *drop* me a line. 몇 자 적어 소식 주게. // *drop* (him) a hint (그에게) 암시를 주다 // *drop* dead 푹 쓰러져 죽다, 급사하다
파 **dróplet** 명 작은 방울

drop by ~에 잠시 들르다
(예) He *dropped by* my office yesterday. 그는 어제 내 사무실에 잠시 들렀다.

drop in 잠깐 들르다
(예) *Drop in* at my house 〔on me〕 now, will you? 잠깐 나의 집에〔나에게〕 들르지 않겠습니까?

drop into ~의 관습에 빠지다; ~에 들르다, 기항하다
(예) *drop into* the habit of smoking 흡연의 습관에 빠지다

***drought** [draut]* 명 가뭄(=dry weather), 건조
NB draught [dræft]와 혼동하지 말 것.
반 wet 우천
파 **dróughty** 형 가문, 한발의, 목마른

***drown** [draun]* 자타 물에 빠뜨리다〔빠지다〕; 흠뻑 적시다, 물에 잠그다; (소리를) 안 들리게 하다
어법 이 말은 보통 타동사적으로 *be drowned* 「익사하다」 또는 *drown oneself* 「투신하다」로 사용한다.
(예) A *drowning* man will catch at a straw. 〖속담〗 물에 빠진 사람은 지푸라기라도 잡는다.

drow·sy [dráuzi] 형 졸리는(=sleepy), 나른한; 활기 없는
반 awáke 잠을 깬

[파] **drowse** [drauz] [자] (꾸벅꾸벅) 졸다(=doze) [명] 졸음, 겉잠 **drówsily** [부] 졸린 듯이 **drówsiness** [명] 졸음
drudg·er·y [drʌ́dʒəri] [명] 단조롭고 고된 일, 고역
drug [drʌg] [명] 약제, 약품 [타] 약을 먹이다
[어법] 약의 재료를 말하며, 몸에 좋은 것(medicine), 독이 되는 것(poison)을 포함.
[파] **druggist** [drʌ́gist] [명] 약장수, 약종상 ◇**drúgstore** [명] 약방(=〖영〗chemist's shop) ([NB] 미국에서는 약품뿐만 아니라 일용 잡화도 팔고 또 간단한 식사까지 할 수 있게 되어 있는 것이 많음.)
drum [drʌm] [명] 북; 고막 [타][자] 북을 치다
[파] ◇**drúmbeat** [명] 북소리; 요란한 주장 ◇**drúmmer** [명] 고수(鼓手)
dry [drai] [형] 마른; 가문; 젖이 안 나오는; 무미건조한(=not interesting) [타][자] 말리다, 마르다
[반] wet 젖은, 적시다
(예) *dry* one's hands on a towel 수건으로 손을 닦다
[파] **drýer** [명] 건조기〔제, 실〕 **drýing** [형] 건조한 **drýly, dríly** [부] 건조하여, 무미건조하게, 냉담하게 **drýness** [명] 건조, 무미, 냉담 ◇**drý-cléan** [타] 드라이클리닝하다 **dry goods** 〖미〗 의복류; 〖영〗 곡류, 잡화 따위 **dry ice** 드라이아이스
dry out 바싹 마르다〔말리다〕
(예) The wet clothes will soon *dry out.* 젖은 옷은 이내 바싹 마를 것이다.
dry up 완전히〔바싹〕 마르다〔말리다〕, 고갈하다〔시키다〕
(예) The lake *dried up.* 호수가 바싹 말라 버렸다.
du·al [djúːəl / djúːəl] 〈동음어 duel〉 [형] (생활·인격 따위가) 이중(성)의, 이중인(=double)
du·bi·ous [djúːbiəs / djúːbi-] [형] 의심스러운(=doubtful); 수상한, 의아스러운(=questionable); 분명치 않은(=uncertain)
(예) I feel *dubious of* his success. 그가 성공할지는 의심스럽다. // He felt *dubious* what to do. 그는 어찌해야 좋을지 몰랐다.
[파] ◇**dúbiously** [부] 의심스럽게
duc·at [dʌ́kət] [명] 금〔은〕화; 《*pl.*》 현찰; 표(票)
duck [dʌk] [명] 오리 [자][타] 물 속에 들어가다; 머리를 홱 숙이다, 몸을 홱 굽히다
[어법] *duck*는 「오리」에 대해서 일반적으로 쓰이지만, *drake* 「수오리」에 대해서 「암오리」를 가리킬 때가 있다.
due [djuː / djuː] 〈동음어 dew〉 [형] 정당한, 적당한; 만기의; 응당 지불되어야〔치러야〕 할; 도착하게 되어 있는 [부] 바로(=exactly)
[반] undúe 과도한
(예) The debt is *due* on April 15th. 빚은 4월 15일에 지불해야 한다. // The mail is *due* tomorrow. 우편은 내일 도착할 예정이다. // When is the train *due* in London? 열차는 언제 런던에 도착합니까?

D

파 (⇨) **duly**

◇(*be*) ***due to*** *do* ~할 예정인, ~하기로 되어 있는

(예) Franz *was due to* go to Vienna the next morning 프란츠는 그 다음날 아침 빈에 가기로 되어 있었다.

*◇***due to** ~에 의한, ~ 때문에(=because of)

(예) The accident was *due to* careless driving. 그 사고는 부주의한 운전 때문에 일어났다.

어법 서술적으로 쓰이며 그 외에서는 because of, owing to 를 쓰는 것이 옳은 것으로 되어 있다. *Due to* his intemperance he lost his health. (무절제 때문에 그는 건강을 해쳤다)에서 Due to 보다는 Owing to 로 쓰는 편이 더 좋다.

◇**du·el** [djú:əl / djú:əl] 〈동음어 dual〉 명 결투 자 결투하다

du·et [dju:ét / dju:-] 명 이중주〔창〕

duke [dju:k / dju:k] 명 공작(公爵) (*cf.* duchess 공작 부인)

파 **dukedom** [djú:kdəm / djú:k-] 명 공작 작위, 공국(公國)

D

*◇**dull** [dʌl] 형 우둔한(=slow in understanding), 무딘(=blunt); 활기 없는, 재미 없는(=uninteresting), 음울한 타 무디게 하다, 부진하게〔둔하게〕 하다, 흐리게 하다

반 sharp 날카로운

파 **dúllish** 형 좀 둔한, 좀 무딘 **dúl(l)ness** 명 무딤, 부진 **dúlly** 부 둔하게; 활발치 못하게 **dullard** [dʌ́lərd] 명 둔재

du·ly [djú:li / djú:-] 부 정당하게, 충분히; 예정대로; 때에 알맞게

*◇**dumb*** [dʌm] 형 벙어리의(=unable to speak, mute), 무언의 (*cf.* deaf); 〖미〗 어리석은(=stupid)

(예) be struck *dumb* with horror 공포로 말문이 막히다

파 **dúmbly** 부 묵묵히, 무언으로 **dúmbness** 명 벙어리, 무언 **dúmbbell** 명 아령(啞鈴) **dumbfound** [dʌmfáund] 타 아연케 하다

◇**dump** [dʌmp] 타 (쓰레기 따위를) 털썩 부리다 자 털썩 내려지다〔떨어지다〕 명 쓰레기 버리는 곳, 짐 부리는 곳 〖미〗 덤프차

파 ◇**dúmping** 명 내버림; 투매

dunce [dʌns] 명 둔재, 저능아(低能兒) (=slow learner)

dun·geon [dʌ́ndʒən] 명 토굴 감옥; 지하 감옥, 아성(牙城)

◇**du·pli·cate** 명 [djú:pləkit / djú:-] 사본(寫本), 복사(=copy) 타 [-kèit] ~을 복사하다, 중복시키다(=double)

du·ra·ble [djúərəbl / djúər-] 형 오래 견디는(=enduring)

파 **durabílity** 명 지속력 **dúrably** 부 영구적으로 **durátion** 명 기간, 계속 기간; 지속, 내구

☆**dur·ing** [djúəriŋ / djúər-] 전 ~의 동안에, ~하는 중

어법 *for*는 우리말의 「~ 사이」에 해당되고, *during*은 「~하는 중」에 해당된다. (*cf.* for)

▶ **102.** 「~의 사이」의 유사어 — **for**는 동작·상태의 구체적인 계속기간을 나타낸다. **during**은 「어떤 일이 계속되고 있는 동안에」, **through**는 「어떤 기간·일의 처음부터 끝까지」, **in**은 「어떤 일이 계속되고 있는 동안에(during), 어떤 시간이 경과하면」이란 뜻이다.

dusk [dʌsk] ⓜ 땅거미, 황혼(=twilight) ㉮㉯ 어두해지다, 어두하게 하다 ⓑ dawn 새벽
(예) at *dusk* 해질 무렵에
ⓟ **dúsky** ⓗ 어둑한; 거무스레한
dust [dʌst] ⓜ 먼지, 티끌, 흙; 시체 ㉯㉮ 먼지를 털다, 소제를 하다; 먼지투성이로 만들다
(예) *dust* a room 방의 먼지를 털다 // The *dust* was blown about by the wind. 먼지가 바람에 날렸다.
ⓟ **dúster** ⓜ 먼지떨이; 걸레; 살포기(撒布器); 먼지를 막는 겉옷 **dústy** ⓗ 먼지투성이의 **dust bin** 쓰레기통 **dústman** ⓜ 쓰레기 청소부(=〖미〗 ashman)
Dutch [dʌtʃ] ⓜ 네덜란드 사람, 네덜란드 말 ⓗ 네덜란드(사람·말)의, 네덜란드식의(*cf.* Holland)
어법 네덜란드 국민 전체는 the Dutch, 개인은 Dutchman.
ⓟ **Dútchman** ⓜ 《*pl.* -men》 네덜란드 사람 **Dutch account** 각자 부담 **Dutch treat** 비용을 각자가 부담하는 회식〔여행, 오락〕
go Dutch 각자 부담으로 하다
(예) Tom, let's *go Dutch* on this. 톰, 이것은 각자 부담으로 하자.
du·ty [djúːti / djúːti] ⓜ 의무, 직무, 본분; 조세
(예) a sense of *duty* 의무감 // do one's *duty* 의무를 다하다 // customs *duties* 관세 // It is your *duty* to obey him. 그를 따르는 것은 너의 의무이다.
ⓟ **dúty-frée** ㊀ 면세의, 관세가 부과되지 않은 **dútiful** ⓗ 의무를 다하는, 본분을 지키는
on 〔***off***〕 ***duty*** 근무중〔비번〕의, 당직의〔이 아닌〕
(예) Are you *on duty* tonight? 오늘 밤 당직입니까?
dwarf [dwɔːrf] ⓜ 작은 사람, 난쟁이 ⓗ 자그마한, 소형의 ㉯ 작게 하다〔만들다〕
ⓑ gíant 거인
ⓟ **dwárfish** ⓗ 왜소한, 오그라져서 작은
dwell [dwel] ㉮ 《***dwelled, dwelt***》 거주하다[~ at, in]
ⓟ **dwéller** ⓜ 거주자 **dwélling** ⓜ 주소, 주거, 집
dwell upon 〔***on***〕 ~에 대해서 상세히 말하다; 곰곰 생각하다
(예) *dwell on* the necessity of ~의 필요성을 역설하다 // The prime minister *dwelt upon* the state of India in his speech. 수상은 연설 가운데서 인도의 상태에 대하여 상세히 말하였다.
dwin·dle [dwíndl] ㉮ (점점) 작아지다(=diminish), (명성 따위가) 떨어지다(=decline)
dye [dai] 〈동음어 die〉 ㉯㉮ 물들이다, 물들다 ⓜ 물감, 빛깔, 색조(=hue)
(예) *dye* in red 〔blue〕 적〔청〕색으로 물들이다 // She *dyed* her blouse red. 그 여자는 블라우스를 빨갛게 물들였다.
ⓟ **dýeing** ⓜ 염색(법) **dýer** ⓜ 염색업자
NB dyeing「염색」과 dying(die의 현재 분사)을 혼동하지

D

말 것.

◦**dy·nam·ic** [dainǽmik] ⓗ 동적인, 역학의; 정력적인, 힘차
(=energetic)
반 státic 정적인
파 **dynámics** ⓜ 역학(力學); 《*pl.*》 동력

◦**dy·na·mite** [dáinəmàit] ⓜ 다이너마이트 ⓣ 다이너마이트로 폭파하다

dy·na·mo [dáinəmòu] ⓜ 다이너모, 발전기

◦**dy·nas·ty** [dáinəsti / dí-] ⓜ 왕조

☆**each** [iːtʃ] ⓗ 각각의, 각자의, 개개의
(예) *each* man's house 각자의 집 // on *each* side of the bank 둑의 양쪽에 // *Each* one of us should do his best 우리들은 각기 최선을 다하지 않으면 안 된다.
— ⓓ 각자, 제각기, 저마다
(예) *each* of us 우리 한 사람 한 사람(=we each) // *Each* must do his own duty. 각자는 자기의 임무를 다해야 한다. // *Each* of you has his right. 너희들은 각자 권리를 가지고 있다. // We *each* received one. 우리는 각자 하나씩 받았다. (↔ We received one *each*.)
— ⓑ 각기, 매사람, 한 개에 대해
(예) Give them two apples *each*. 그들에게 각각 사과를 두 개씩 주시오. // These books are 500 won *each*. 이 책은 한 권에 500 원 씩이다.

어법 ① 단수 취급. ② 일반적으로 he로 받으나, 여성만을 가리키는 것이 분명할 때는 she로 받는다. ③ They were given two *each*. (그들은 각기 두 개씩 받았다)와 같은 each는 부사, 또는 They와 동격의 대명사로도 생각된다. ④ *each*는 낱낱을, *every*는 each and all의 뜻으로서 낱낱에서 전체를 포함하는 말.

☆***each other*** 서로, 상호간에
(예) The two boys struck *each other* and one of them cried. 그 두 소년들은 서로 때리다가 그 중의 하나가 울었다. // Passengers sit facing *each other*. 승객은 서로 마주 앉는다.

어법 ① 보통 *each other*는 두 사람인 경우, *one another*는 세 사람 이상인 경우에 쓰는 것으로 구별하는 사람이 있으나, 실제로는 어느 것이나 구별없이 쓰인다. ② 대명사이므로 다음과 같은 잘못에 주의: They are kind *each other*. → They are kind *to each other*.라고 한다. ③ *Each other* loved.와 같이 주어로 쓰는 것은 좋지 못하다. *Each* loved *the other*. 또는 They loved *each other*.라고 한다.

each time 그때마다; 《종속절을 수반하여》 ~할 때마다
(예) I find something new in this book *each time* I read it

나는 이 책을 읽을 때마다 새로운 것을 발견한다.

ea·ger [íːgər] ⓗ 열심인, 열망하는(=wanting very much)
(예) He is *eager for* 〔*after*〕 success. 그는 성공을 갈망하고 있다. // He is very *eager* in his studies. 그는 아주 연구에 열심이다.
㉺ ***éagerly** ⓟ 열심히 **éagerness** ⓜ 열심, 열망(with *eagerness* 열심히)

(be) eager to *do* 간절히 ~하고 싶어하는
(예) She *is eager to* be alone. 그녀는 몹시 혼자 있고 싶어한다.

ea·gle [íːgəl] ⓜ 독수리; 독수리표의 기

ear [iər]* ⓜ 귀; 청각; 귀 모양의 물건; (보리 등의) 이삭
(예) give *ear* to ~에 귀를 기울이다 // have an *ear* for music 음악을 이해하다 // He is all *ears*. 그는 열심히 귀를 기울이고 있다.
㉺ **earache** [íərèik] ⓜ 귀앓이 **éarphones** ⓜ ⟪*pl.*⟫ 수화기, 이어폰 **éarring** ⓜ 귀고리 **éarshot** ⓜ (부르면) 들리는 거리

up to the ears (in) (~에) 깊이 빠져; 전혀(=entirely)
(예) He is *up to the ears in* love. 그는 사랑에 푹 빠져 있다. // He was unknown to the world *up to the ears*. 그는 세상에 전혀 알려지지 않았다.

earl [əːrl] ⓜ (영국의) 백작
　어법 영국 이외의 나라에서는 *count* 라고 한다. 여성은 *countess*.

ear·ly [ə́ːrli] ⓗ ⟪late 에 대해서⟫ 이른, 가까운 장래의; 아직 젊은, 초기의 ⓟ 일찌기, 초기에
㉯ late 늦은〔게〕
(예) *Early* to bed and *early* to rise makes you healthy. 일찍 자고 일찍 일어나는 것은 몸을 튼튼하게 한다. // *early* in April 4월 초에

> ▶ **103.** 「이른」의 유사어
> **early**는 「시기·시각 따위가 이른」, **fast**는 「속도·움직임 따위가 빠른」, **soon**은 「어떤 때나 사건으로부터 얼마 안 되는 가까운 장래에」, **shortly**는 soon과 거의 같지만, 약간 격식을 갖춘 말. (*cf.* quick, rapid)

earn [əːrn] ⟨동음어 urn⟩ ⓣ 일하여 벌다, (평판을) 얻다; 받을 만하다(=deserve)
㉯ spend 소비하다
(예) *earn* one's living 〔daily bread〕 생계비를 벌다 // *earn* 5,000 won a day 하루에 5,000원 벌다 // No bread is so sweet as that *earned* by one's own labor. 자기의 노동으로 얻은 빵보다 더 맛 좋은 것은 없다.
㉺ **éarnings** ⓜ ⟪*pl.*⟫ 소득, 임금

earn 〔***make***〕 ***one's living*** 생계를 세우다

earn one's way 자립해 나가다
(예) He *earned* his *way* by working in a factory. 그는 공장에서 일하여 자립해 나갔다.

ear·nest [ə́ːrnist]* ⓗ 열심인, 진지한(=serious) ⓜ 진지

E

함, 진심
반 ídle 게으른
어법 명사로서는 in earnest 의 구에서만 쓰인다.
파 ◇**éarnestly** 부 진지하게 **éarnestness** 명 진지함
in earnest 진지하게, 진심으로; 본격적으로
(예) It is raining *in earnest.* 비가 본격적으로 내린다.
☆**earth** [əːrθ]* 명 지구, 땅, 흙(=soil); 세계, 속세 타 ((보통 earth up)) 흙으로 덮다
반 héaven 하늘, 천국
어법 「지구」의 뜻으로는 the가 필요하며, 물질 그 자체로서의 「흙」은 셀 수 없는 명사로서 관사를 붙이지 않음. 단, 종류를 말할 경우에는 복수로도 된다: different *earths* (여러 가지 종류의 흙)
파 **éarthy** 형 흙의; 소박한 **éarthly** 형 지구의; 속세의; ((부정·의문문에서)) 도대체, 하등의(There is no *earthly* chance. 아무런 가망도 없다.) (반 héavenly 하늘의) **éarthen** 형 흙으로 만든 **earthenware** [ə́ːrθənwɛ̀ər] 명 질그릇, 도기 **earthworm** [ə́ːrθwə̀ːrm] 명 지렁이 ⁎**éarthquake** 명 지진 (feel an *earthquake* 지진을 느끼다)
on earth ((강의 용법)) ((의문문을 강조하여)) 도대체; ((최상급을 강조하여)) 세상에서; ((부정을 강조하여)) 조금도
(예) the greatest man *on earth* 이 세상에서 최대의 위인 // Why *on earth* did you do it? 도대체 왜 그런 짓을 했느냐? // Why *on earth* don't you complain to your landlord? 도대체 왜 너는 지주에게 하소연하지 않느냐?
⁎**ease** [iːz] 명 안락(=comfort), 안이(安易), 마음 편함; 쉬움 타 자 편하게 하다, 편해지다, (고통·압박·긴장 따위를) 제거하다, 덜다
반 care 근심, dífficulty 곤란
(예) a life of *ease* 안락한 생활 // *ease* the tension 긴장을 완화하다 // He *eased* me of my pain. 그는 나의 고통을 덜어주었다
파 (⇨) **easy**
at ease 마음 놓고, 편안히
(예) feel *at ease* 안심하다 // He was quite *at ease.* 그는 아주 편히 있었다.
with ease 쉽게, 용이하게(=easily)
반 with difficulty
ea·sel [íːzəl] 명 화가(畫架); 흑판을 거는 틀
☆**east** [iːst] 명 동쪽 형 동쪽의 부 동쪽에〔으로〕〘약어〙 *E.*
반 west 서쪽, 서쪽의〔에〕
(예) the Far 〔Middle, Near〕 *East* 극〔중, 근〕동 // the *East* 동양 // to 〔in, on〕 the *east* of ~의 동쪽으로〔동부로, 동쪽에 접하여〕
파 **éasterly** 형 동쪽의 부 동쪽으로 ⁎**éastern** 형 동쪽〔동양〕의 ◇**éastbound** 형 동쪽으로 향한 **éastward** 형 부 동쪽의〔으로〕 **éastwards** 부 동쪽으로
East·er [íːstər] 명 부활절 ((그리스도의 부활을 기념하는 날, 3월 21일 이후 최초의 보름달 다음의 일요일))

eas·y [í:zi] ⓗ 쉬운, 용이한; 안락한(=comfortable), 태평한, 마음 편한
반 hard, dífficult 곤란한, unéasy 불안한
(예) Take it *easy*! 〖미〗 여유 있게 해라!, 걱정하지 마라! // This tool *is easy to* handle. 이 도구는 다루기가 쉽다. // Bread *is easy of* digestion. 빵은 소화가 잘 된다.
파 ***éasily** ⓟ 손쉽게 **éasiness** ⓜ 용이함, 마음 편함 **easy chair** 안락 의자 **éasygóing** ⓗ 태만한, 안이한

eat [i:t] ⓙⓣ ⟪***ate, eaten***⟫ 먹다, 식사를 하다; 파먹어 들어가다, 부식(腐蝕)하다[~ away], 벌레먹다, 침식하다
(예) *eat* soup 수프를 마시다 // something good to *eat* 맛이 있는 음식물
파 **éatable** ⓗ 먹을 수 있는 ⓜ ⟪보통 *pl.*⟫ 식료품

eaves [i:vz] ⓜ ⟪*pl.*⟫ 처마, 챙
파 **éavesdrop** ⓙ (비밀 따위를) 엿듣다(=listen secretly) **éavesdropper** ⓜ 엿듣는 사람

ebb [eb] ⓜ 썰물(=ebb tide); 쇠퇴 ⓙ (조수가) 빠지다(=flow back); (원기 따위가) 쇠퇴하다(=decline)
반 flood 만조, flow (조수가) 밀려들다

ec·cen·tric [ikséntrik] ⓗ 정도를 벗어난, 별난(=peculiar) ⓜ 이상한 사람, 기인(奇人)
반 nórmal 표준의
파 **eccentrícity** ⓜ (옷차림·행동 따위의) 기괴함, 기행(奇行), 기이한 버릇

> ▶ **104. 접두어 ec**
> ex-와 마찬가지로 「밖에」 「저쪽으로」 「~에서」의 뜻을 나타낸다. (예) *ec*centric(「중심을 벗어난」의 뜻에서 「별난」으로 되었다).

ech·o [ékou] ⓜ 반향(反響), 메아리 ⓣⓙ 반향하다, 똑같이 흉내내다
(예) He is an *echo* of his master. 그는 주인과 같은 말을 한다. // The hills *echoed* (*back*) the scream. 그 비명은 산에 메아리쳤다.

ec·lec·tic [ekléktik] ⓗ 절충하는; (취미·의견 따위가) (폭) 넓은 ⓜ 절충주의자

e·clipse [iklíps] ⓜ 일〔월〕식(蝕), (세력·명예 등의) 실추
(예) a lunar 〔solar〕 *eclipse* 월〔일〕식

e·col·o·gy [ikáləd͡ʒi / -kɔ́l-] ⓜ (사회) 생태학
파 **ecological** [èkəlád͡ʒikəl / -lɔ́d͡ʒ-] ⓗ 생태학의〔적인〕 **ecólogist** ⓜ 생태학자

e·co·nom·ic [ì:kənámik, èkə- / -nɔ́m-]★ ⓗ 경제학(상)의
파 ***economics** [ì:kənámiks, èkə- / -nɔ́m-]★ ⓜ ⟪*pl.*⟫ ⟪단수 취급⟫ 경제학 ***económical** ⓗ 경제적인, 검약한 ***económically** ⓟ 경제적으로
NB *economic* 「경제(상)의」, *economical* 「경제적인; 절약하는(=thrifty)」의 뜻의 차이에 주의할 것.

e·con·o·mist [ikánəmist / -kɔ́n-]★ ⓜ 경제학자; 절약가

e·con·o·my [ikánəmi / -kɔ́n-] ⓜ 경제; 절약
원 eco(=house)+nomy(=manage) 반 lúxury 사치

파 **economizátion** 명 절약, 경제화(化) **ecónomize** 타 자 절약하다 [~ in, on]

ec·sta·sy [ékstəsi] 명 광희(狂喜)(=rapture), 황홀, 무아(無我)의 경지

파 **ecstátic** 형 황홀한, 꿈 같은

ed·dy [édi] 명 소용돌이, (바람·안개·연기 따위의) 회오리 자 타 소용돌이치(게 하)다

***edge** [edʒ] 명 (칼) 날, 날카로움(=sharpness); 변두리(=border) 타 자 날을 세우다, 테를 달다; 서서히 나아가다

(예) a book with gilt *edges* 금테 두른 책 // *edge* a skirt *with* lace 스커트 자락에 레이스를 두르다

on the edge of ~의 가장자리〔언저리〕에; 막 ~하려고 하는

(예) *on the edge of* bankruptcy 파산 직전에 // be *on the edge of* dying 죽어 가고 있다 // a house *on the edge of* the park 공원 가에 있는 집

ed·i·ble [édəbəl] 형 먹을 수 있는(=eatable) 명 《보통 *pl.*》 식용품

(예) *edible* fat 〔oil〕 식용유

ed·i·fice [édəfis] 명 건물(=building), 큰 건물

어법 특히 궁전·성당 따위와 같은 대건축물을 가리킨다

ed·i·fy [édəfài] 명 계발(啓發)하다, 교화하다(=enlighten)

ed·it [édit] 타 편집하다

(예) a book *edited* with notes (by Mr. A) 주석이 달린 (A씨 편집의) 책 // This is *edited* from the original text 이것은 원문에서 편집된 것입니다.

파 ***edítion** 명 판(版), 간행본 ***editor** [édətər] 명 편집인, 논설 위원 ***editórial** 명 사설(=leader) 형 편집의

***ed·u·cate** [édʒəkèit / édju-]★ 타 교육하다, 훈련하다, 길들이다(=train)

(예) *educate* oneself 독학하다 // He was *educated* in 〔on〕 music. 그는 음악 교육을 받았다. // *educate* a child *to* behave well 아이에게 예절을 가르치다

> ▶ **105. 접두어 e ; ef**
> ex-와 마찬가지로 **e-, ef-**는 「밖에」 「저쪽에」 「~에서」의 뜻을 나타낸다. (例) *e*ducate (e+ducate [=to bring]으로 「이끌어 내다」에서 「교육하다」로 되었다), *ef*fluent(유출하다) 따위

파 **éducated** 형 교육받은, 교양 있는 ***éducator**★ 명 교육가

***ed·u·ca·tion** [èdʒəkéiʃən / èdju-] 명 교육(=bringing-up), 도야(陶冶)

(예) Board of *Education* 교육 위원회 // Ministry of *Education* 교육부 // *education* through audio-visual aids 시각 교육

파 ***educátional** 형 교육상의

eel [iːl] 명 뱀장어

ef·face [iféis] 타 지우다(=rub off), 지워 없애다, 말살하다

(예) *efface* a word 한 낱말을 지우다
ef·fect★ [ifékt] 명 결과(=that produced by some cause); 영향, 효과(=result); 취지, 실시; 《*pl.*》 동산(動產) 타 (변화 따위를) 일으키다, (목적 따위를) 이루다, 성취하다
(예) come into *effect* 효력을 내다 // with *effect* 유효하게
파 *effective★ 형 효과적인, 유효한 *effectively 부 유효하게, 효과적으로 **efféctiveness** 명 효력, 효과적임, 유효(성) **efféctuate** 타 유효하게 하다 (⇨) **efficacy**
have an effect on ~에 영향을 미치다, ~에 효과가 있다
(예) The event *had a* profound *effect on* his attitude toward life. 그 사건은 그의 인생에 대한 태도에 깊은 영향을 미쳤다.
in effect 실제로는, 사실상(=in fact); 실시되어
put ~ into effect 실행하다, 실시하다
(예) The plans will soon be *put into effect.* 계획은 곧 실행될 것이다.
to the effect that ~이라는 뜻〔취지〕의
(예) I sent him a letter *to the effect that* I would soon visit him. 나는 그에게 곧 방문하겠다는 취지의 편지를 보냈다.
ef·fem·i·nate 형 [ifémənit] (남자의 행동 따위가) 여자 같은, 유약한(=womanish, soft) 타 자 [-nèit] 나약하게 하다, 나약해지다(=soften)
ef·fi·ca·cy [éfəkəsi] 명 효능, 효험(=effectiveness)
파 **efficacious** [èfəkéiʃəs] 형 효능이 있는, 잘 듣는
ef·fi·cient [ifíʃənt]★ 형 효력이 있는, 유능한; 능률적인
반 inefffícient 효력이 없는, 비능률적인
파 *effíciently 부 유효하게, 효과적으로 *effíciency 명 효력, 능률
ef·fort [éfərt]★ 명 노력(=endeavor), 노고(勞苦)
(예) with (an) *effort* 애써서, 노력하여 // in an *effort* to ~하려고 노력하여 // save much *effort* 많은 노력을 덜어주다
파 **éffortless** 형 힘들지 않는, 쉬운 **éffortlessly** 부 노력하지 않고, 안이하게
make an effort 노력하다, 고심하다(=make efforts)
(예) He *made an effort* to achieve his end. 그는 그의 목적을 달성하기 위해서 노력했다.
egg [eg] 명 알, 달걀 타 선동하다, 격려하다 [~ on]
파 **eggshell** 명 달걀 껍데기 형 깨지기 쉬운
e·go [í:gou, égou] 명 자기(=self), 자아
파 **égoism** 명 이기주의 **égoist** 명 이기주의자 **egoístic** 형 이기주의의 **égotism** 명 자만 **égotist** 명 이기주의자, 자기 본위의 사람
E·gypt [í:dʒipt] 명 이집트
파 ***Egyptian** [idʒípʃən] 형 이집트(사람)의 명 이집트 사람〔말〕
eh [ei, e / ei] 감 어!, 뭐!, 그렇지! 《놀람·의문 따위를 나타내거나 동의를 촉구할 때》

☆**eight** [eit] ⓗ 8의 ⓜ 8
파 ☆**eighth** [eitθ] ⓗ 제8의 ⓜ 제8, (월의) 8일 ☆**éightée**
ⓗ 18의 ⓜ 18 ***éightéenth** ⓗ 제18의 ⓜ 제18, (달의
18일 ☆**éighty** ⓗ 80의 ⓜ 80 **eightieth** [éitiiθ] ⓗ 제80
ⓜ 제 80

☆**ei·ther** [íːðər / áiðə] ⓗ ⓓ ① 《긍정문에서》 (둘 가운데)
느 하나의; 어느 한 쪽
(예) *Either* will do. 어느 쪽이라도 좋다. // You ma
go by *either* road. 어느 쪽의 길을 가도 좋다.
② 《부정을 수반하여》 어느 쪽의 ~도 …(아니다)
(예) I have not read *either* book. 어느 쪽의 책도 읽
않았다. (↔I have read neither book.) // I don't like *e
ther* of the boys. 그 어느 소년도 좋아하지 않는다. (←
like neither of the boys.) // I don't know *either* of ther
어느 쪽도 모른다. (↔I know neither of them.)
③ 《의문·조건문 중에서》 어느 한 쪽(의)
(예) Do you know *either* of the boys? ↔ Do you kno
either boy? 두 소년 중 어느 쪽을 알고 있는가?
④ 《단수 명사가 붙어서》 양쪽(의)
(예) There are shops on *either* side of the street. 거
의 양쪽에 가게가 있다.
어법 There are trees on *either* bank of the river. 와 같
「양쪽의」의 뜻에서는 both banks, each bank 쪽이 보통.
— ⓙ ~든가 또는 …든가(어느 하나다) [~ or]
(예) *Either* John *or* Mary knows. 존이나 메리 둘 중
하나가 알고 있다.
— ⓑ 《부정을 수반하여》 어느 쪽도 ~ 않다, ~도 또
… 않다
(예) I didn't go, and he didn't go, *either*. 나는 가지
았다. 그리고 그도 가지 않았다. // If you do not tell,
shall not *either*. 네가 이야기하지 않으면 나도 이야기
지 않겠다. (↔ If you do not tell, neither shall I.)
반 néither (~ nor) 어느 쪽도 ~ 아니다
어법 I know him, *too*. 에 대해서 「나도 역시 모른다」라고
정할 경우에는 I don't know him, *either*.

☆***either ~ or*** ~든가 또는 …든가 어느 쪽, ~도 …도
(예) You are *either* on your way to *or* from a music lesso
I imagine. 너는 음악 공부하러 가는 길이든가, 돌아오
길이겠지.
어법 ① *either ~ or* 는 둘 가운데 어느 한 쪽을 택할 경우
며, 이의 부정 형식은 neither ~ nor 이다. ② 주어로 쓰
경우, 동사는 가까운 주어에 일치한다. Either you or *I a*
wrong.(너든가 또는 내가 잘못이다) *Either* you are wro
or I am.이라고도 할 수 있다. 구어적이며 「수의 일치」에
한 실수를 막을 수 있다. ③ *either* A *or* B의 A와 B는 문
상 대등한 것이 원칙: *Either* come in *or* go out.(들어오든
나가든가 하여라)에서는 A, B 둘 다 동사.

e·jac·u·late [idʒǽkjulèit] ⓣ ⓙ 별안간 소리 지르다(=utt

suddenly)
파 **ejaculátion** 명 갑작스러운 부르짖음, 절규
e·ject [idʒékt] 타 쫓아내다, 추방하다(=expel), (증기·연기 따위를) 뿜어내다, 분출하다
파 **ejéction** 명 분출, 추방, 퇴거
e·lab·o·rate 형 [ilǽbərit]* 애써서 만든(=worked out with great care), 정교한, 정성을 다한 타 [ilǽbərèit]* 정성들여 만들다, 공들여 해내다
원 e(강의(強意))+labor(고심)+ate(형용사 어미)
반 rude 거친, 조잡한
파 **eláborately** 부 정성들여, 정교하게 **elaborátion** 명 공들임, 정교
e·lapse [ilǽps] 자 (시간이) 경과하다(=pass away)
원 e(=away)+lapse(=slide 미끄러지다)
(예) Some minutes *elapsed* before a reply was made. 몇 분이 지나서 대답이 있었다.
e·las·tic [ilǽstik] 형 탄성(彈性)의(=springy), 신축 자재의(=flexible); 융통성 있는 명 고무끈〔줄〕
반 rígid 굳은
파 ◇**elastícity** 명 탄력
e·late [iléit] 타 의기양양하게 하다, 기운을 돋우다(=encourage)
반 depréss 억압하다
(예) be *elated* at 〔by, with〕 ~로 의기양양해지다
파 **eláted** 형 의기양양한, 원기왕성한 **elátion** 명 득의만만, 의기양양
el·bow [élbou] 명 팔꿈치 타 팔꿈치로 밀고 나아가다〔떠밀다〕
(예) at one's *elbow* 팔 닿는 곳에, 가까이 // He *elbowed* his way through the crowd. 그는 많은 사람 사이를 팔꿈치로 떠밀고 나아갔다.
eld·er [éldər] 형 손위의(=older) 명 연장자, 선배
원 old의 옛 형태의 비교급
반 yóunger 연하(年下)의
어법 old의 비교급에는 older와 elder가 있는데, *elder*는 주로 형제 관계의 연상을 나타낼 경우나, *elder* statesman「원로(정치가)」와 같은 성구(成句)에만 쓰고 서술적(predicatively)으로는 쓰지 않는다. Do you have an *older* brother? 는 (화제에 올라 있는 형제보다도) 더 연상인 형제가 있느냐란 뜻.
파 ◇**élderly** 형 초로(初老)의, 중년을 지난
eld·est [éldist] 형 최연장의, 가장 나이 많은(=oldest)
e·lect [ilékt] 타 뽑다(=choose), 선거하다, 선택하다 형 뽑힌, 선발된(=chosen)
원 e(=out)+lect(=choose)
반 rejéct 각하하다, 배척하다
(예) He was *elected* president.↔They *elected* him president. 그는 대통령으로 당선되었다. // We *elected* him *as*

our representative. 우리는 그를 대표로 뽑았다. // H
elected to stay. 그는 머무르기로 했다.

어법 형용사에서는 명사의 다음에 붙여서 당선이 되었으나 아직 취임하지 않은 것을 나타냄.

파 ◇**eléctive** ⓗ 선거에 의한 **eléctor** ⓜ 선거인 ◇**eléctio**
ⓜ 선거(an *election* campaign 선거운동 a general *electio*
총선거) **electioneer** [ilèkʃəníər] ⓐ 선거 운동을 하다
eléctorate ⓜ 선거민, (한 선거구의) 유권자

*◇**e·lec·tric·i·ty** [ilèktrísəti, iːlek-]★ ⓜ 전기, 전기학
파 *◇**eléctric** ⓗ 전기의 ◇**eléctrical** ⓗ 전기에 관한; 전기
같은; 전기로 움직이는 **electric light** 전등 **electrícian** ⓜ
전기학자 **eléctrify** ⓣ 전기를 통하다, 대전(帶電)시키다
전화(電化)하다 ◇**eléctron** ⓜ 〔물리〕 전자(電子) ◇**elec-
trónic** ⓗ 전자의 ◇**electrónics** ⓜ 《*pl.*》 전자 공학

◇**elec·trode** [iléktroud] ⓜ 전극(電極)

◇**el·e·gant** [éligənt] ⓗ 우아(優雅)한(=graceful), 아치(雅致) 있는, 품위 있는
반 inélegant 우아하지 못한, coarse 조잡스러운
파 **élegantly** ⓑ 우아하게, 품위 있게 ◇**élegance** ⓜ 우아, 품위 있음

▶ **106.** 「우아한」의 유사어— **elegant**는 세련된 아름다움을 말할 때 쓰고, **graceful**은 모양·태도·동작 따위가 점잖고 아름다운 것을 말한다.

el·e·gy [élədʒi] ⓜ 비가, 애가(哀歌)

*◇**el·e·ment** [éləmənt] ⓜ 요소, 원소(=factor); 본래의 영역
(예) be in 〔out of〕 one's *element* 자신의 본령(本領)을 발
휘할 수 있〔없〕다
파 **eleméntal** ⓗ 원소의, 자연력의 **eleméntalism** ⓜ (근
본적인) 자연력 숭배; 〔미술〕 원소파(元素派)

*◇**el·e·men·ta·ry** [èləméntəri] ⓗ 초보의
(예) *elementary* particle 소립자 // *elementary* school 국민
학교

◇**el·e·phant** [éləfənt] ⓜ 코끼리

◇**el·e·vate** [éləvèit] ⓣ 올리다(=raise), 승진시키다(=pro-
mote), 향상시키다; 고무하다(=excite)
(예) *elevate* goods *to* the top floor 상품을 최상층까지 올
리다 // *elevate* one's voice 목청을 돋우다
파 **élevated** ⓗ 고상한 **elevátion** ⓜ 향상, 승진; 높임; 고
지; 고상함 *◇**elevator** [éləvèitər]★ ⓜ 〔미〕 승강기, 엘리베
이터(=〔영〕 lift)

☆**e·lev·en** [ilévən] ⓗ 11의 ⓜ 11
파 ☆**eléventh** ⓗ 제11의 ⓜ 제11, (달의) 11일; 11분의 1

◇**e·lim·i·nate** [ilímənèit] ⓣ 제거하다(=take out), 삭제하다
(예) *eliminate* unnecessary words *from* one's compositio
작문에서 불필요한 말을 제거하다
파 **eliminátion** ⓜ 제거, 배제(排除)

e·lite [ilíːt, eil-] ⓜ 《the를 붙여 집합적으로 쓰임》 엘리트
선발된 사람〔것〕; 정수, 정화

el·lipse [ilíps] ⓜ 〔수학〕 타원

elm [elm] ⓜ 느릅나무

el·o·quence [éləkwəns] ⓜ 웅변; 웅변법, 수사법(修辭法)
파 **elocútion** [èləkjúːʃən] ⓜ 웅변술; 발성법 **éloquent** ⓗ 웅변의

else [els] ⓑ 그 밖에; 《or else로서》 그렇지 않으면
(예) This is somebody *else's* book. 이것은 누군가 다른 사람의 책이다. // Who *else* went there? 그 밖에 누가 거기에 갔는가? // You must start at once, *or else* you will miss the bus. 곧 출발해야 한다. 그렇지 않으면 버스를 놓친다.
파 *élsewhere ⓑ 딴 곳으로, 어딘가 딴 곳에

e·lu·ci·date [ilúːsədèit] ⓣ (어떤 일·말 따위를) 밝히다, 명백히 하다, 설명하다(=explain)

e·lude [ilúːd] ⓣ (몸을 비켜) 피하다, (교묘히) 벗어나다, (남의 눈을) 피하다; (뜻을) 알 수 없다
파 **elúsion** ⓜ 도피, 핑계, 변명 **elusive** [ilúːsiv] ⓗ (교묘하게) 도피하는, 포착하기 어려운

e·man·ci·pate [imǽnsəpèit] ⓣ 해방하다(=set free), 석방하다

em·bank·ment [imbǽŋkmənt] ⓜ 제방(堤防), 둑

em·bark [embɑ́ːrk] ⓙⓣ 배를 타다(=go on board a ship); 출항(出航)하다 [~ for], 출발하다 [~ on], 배에 태우다〔싣다〕

***embark on* 〔*in*〕** 배를 타다; ~을 시작하다, 착수하다
(예) *embark on* a steamer 기선을 타다 // He *embarked in* the poultry business. 그는 양계업에 손을 댔다.

em·bar·rass [imbǽrəs] ⓣ 난처하게 하다, 쩔쩔매게 하다; 방해하다(=disturb)
(예) be *embarrassed* at ~에 당황하다 // feel *embarrassed* 당황하다
파 ◇**embárrassing** ⓗ 난처하게 하는, 귀찮은 ◇**embárrassment** ⓜ 당황; 방해; 재정 곤란

em·bas·sy [émbəsi] ⓜ 대사관, 사절 일행 (*cf.* ambassador)

em·bed [imbéd] ⓣ 묻다, (물건을) 끼워 넣다; (마음·기억 따위에) 깊이 새겨두다
(예) ◇impressions *embedded in* one's memory 기억에 깊이 새겨진 인상

em·bel·lish [imbéliʃ] ⓣ 장식하다(=decorate, ornament)
파 **embéllishment** ⓜ 장식

em·bez·zle [imbézl] ⓣ (위탁금 따위를) 횡령하다

em·blem [émbləm] ⓜ 상징(=symbol), 전형(=type)
(예) A crown is the *emblem* of a king. 왕관은 왕의 상징이다.

em·bod·y [imbɑ́di / -bɔ́d-] ⓣ 구현(具現)하다(=give form to), (사상을) 구체적으로 나타내다, 유형화(有形化)하다; 한 몸이 되게 하다
원 em(=in)+body

E

(예) *embody* ideals *in* action 이상을 행동으로 보이다

***em·brace** [imbréis] 타 포옹하다(=hold in the arms); 둘러싸다(=surround), 포함하다(=include) 명 포옹
원 em(=in)+brace(=arm 팔)
반 exclúde 내쫓다

em·broi·der [imbrɔ́idər] 타 수놓다; (이야기 따위를) 꾸미다
원 em(=in)+broid(=border 테를 두르다)+er(동사 어미)
(예) *embroider* one's initials *on* a scarf 스카프에 자기 이름의 머릿글자를 수놓다 // *embroider* a handkerchief *with* a pattern 손수건에 무늬를 수놓다
파 **embróidery** 명 자수(刺繡)

em·er·ald [émərəld] 명 에메랄드(색) 형 에메랄드(색)의

***e·merge** [imə́ːrdʒ] 자 나타나다(=appear), 벗어나다
(예) *emerge* from poverty 가난에서 헤어나다 // No new clue *emerged* from this fact. 이 사실로부터 아무 새로운 실마리가 나타나지 않았다.
파 **emérgent** 형 (불시에) 나타나는, 뜻밖에 일어나는 **emérgence** 명 출현 ***emérgency** 명 위급, 비상시, 사변

em·i·grant [émәgrәnt] 형 (다른 나라로) 이주하는, 이민의 명 (타국으로의) 이주민 (*cf.* immigrant)
원 e(=out)+migrant(=wander 방랑하다)
(예) *emigrant* laborers 이주 노동자
파 **émigrate** 자타 이주하다〔시키다〕 **emigrátion** 명 이주; 《집합적》 이민(단)

em·i·nent [émənənt] 형 저명한(=distinguished), 뛰어난
원 e(=out)+min(=project 돌출하다)+ent(형용사 어미)
(예) He is *eminent for* his learning. 그는 학문으로 알려져 있다.
파 **éminently** 부 뛰어나게 **éminence, -cy** 명 고지(高地), 저명, 탁월

e·mit [imít] 타 (빛·열·향기 따위를) 방사하다, (웅변 따위를) 토하다; (수표를) 발행하다(=issue)
(예) a volcano *emitting* masses of smoke and ashes 대량의 연기와 재를 방출하는 화산 // The sun *emits* light and heat. 태양은 빛과 열을 방사한다.

***e·mo·tion** [imóuʃən] 명 정서(情緖)(=deep feeling), 감동
원 e(=out)+motion
(예) with *emotion* 감동하여

***e·mo·tion·al** [imóuʃənəl] 형 정서적인, 감동하기 쉬운
파 **emótionally** 부 정서적으로

em·per·or [émpərər] 명 황제(=ruler of an empire) (*cf.* empress 황후)

***em·pha·sis** [émfəsis] 명 강조, 강세(強勢), 중점, 역설(力說) (=stress)
(예) He disliked the school's *emphasis on* classics. 그는 학교가 고전을 중시하는 것이 싫었다.
파 ***émphasize** 타 (말에) 힘을 주다, 역설〔강조〕하다

emphátic [imfǽtik] [형] 강조적인, 강세의 **emphátically** [부] 강조하여, 어세를 강하게 하여

place* 〔*put*, *lay*〕 *emphasis on ~을 역설〔강조〕하다

(예) They *placed* great *emphasis on* language. 그들은 어학에 크게 역점을 둔다.

em·phy·se·ma [èmfəsíːmə] [명] 〖의학〗 기종(氣腫), 《특히》 폐기종

em·pire [émpaiər]* [명] 제국(帝國)

em·ploy [implɔ́i] [타] 고용하다, 쓰다(=use) [명] 사용

[반] dismíss 해고하다

(예) employers and *employed* 고용주와 고용인 // A bulldozer was *employed for* leveling 〔*to* level〕 the land. 그 땅을 고르는 데 불도저가 사용되었다.

[파] *employee [implɔ̀iíː, implɔ́iiː, èmplɔiíː] [명] 고용인 ***emplóyer** [명] 고용주 ***emplóyment** [명] 고용, 일, 직업; (수단·도구의) 사용

▶ 107. 접미어 ee와 er

-ee는 「~하여지는 사람」의 뜻의 명사를 만든다. (*cf.* -er, -or) (예) employ*ee*, exami*nee* 따위

-er는 「사람」을 뜻한다.

(예) employ*er*, examin*er*, London*er*(런던에 사는 사람) 따위

em·press [émpris] [명] 황후, 왕비 (*cf.* emperor 황제)

emp·ty [émpti] [형] 빈(=containing nothing), 공허한, 헛된, 무의미한(=meaningless) [타][자] 비우다, 비다

▶ 108. 「비어 있는」의 유사어

empty는 속이 완전히 비어 있다는 뜻. empty room은 「가구가 없는 텅 비어 있는 방」을 뜻한다. **vacant**는 일반적으로 한때 비어 있으나 얼마 안 있어 채워진다는 것을 뜻한다. vacant room은 「빈 방」의 뜻.

[반] full 가득 찬, fill 채우다

(예) a word *empty of* meaning 무의미한 말 // *empty* a glass 잔을 비우다 // *empty* a drawer *of* its contents 서랍에서 안에 든 것을 모두 꺼내다

[파] **émptily** [부] 공허하게 ◇**émptiness** [명] 공허, 무의미 ◇**émpty-hánded** [형] 손에 아무 것도 갖지 않고, 빈손으로

em·u·late [émjəlèit] [타] 경쟁하다, 지지 않으려고 애쓰다

(예) *emulate* each other *in* scholarship 서로 학력을 경쟁하다

[파] **emulation** [èmjəléiʃən] [명] 경쟁(심), 대항

en·a·ble [inéibəl] [타] ~할 수 있게 하다, 가능하게 하다

[원] en(=make)+able

[반] disáble 무력하게 하다

(예) ◇Airplanes *enable* us *to* travel much faster. 비행기 때문에 우리는 훨씬 더 빨리 여행할 수 있다.

en·act [inǽkt] [타] (법률을) 제정하다(=decree); 상연(上演)하다; (연극에서) ~역을 맡아 하다

[원] en(=make)+act

[파] **enáctment** [명] 제정(制定)

e·nam·el [inǽməl] [명] 에나멜, 법랑질 [타] 에나멜을 입히다

E

en·camp [inkǽmp] (자)(타) 야영하다, 야영시키다 [~ in]

en·chant [intʃǽnt / -tʃáːnt] (타) 황홀하게 하다, 매우 기쁘게 하다(=delight greatly); 요술을 걸다, 호리다(=bewitch)
[반] disenchánt 미몽(迷夢)을 깨우다
(예) He *was enchanted with* 〔*by*〕 her smile. 그는 그 여자의 미소에 매료되었다.
[파] **enchánted** (형) 요술에 걸린; 황홀한 **enchántment** (명) 요술; 황홀, 매력

◇**en·cir·cle** [insə́ːrkl] (타) 둘러싸다(=surround)
[원] en(=make into)+circle(원)
(예) The crowd *encircled* us. 군중이 우리를 에워쌌다. // The lake *is encircled by* 〔*with*〕 trees. 그 호수는 나무로 둘러싸여 있다.

◇**en·close** [inklóuz] (타) (편지 따위에) 봉해 넣다, (울 따위로) 둘러싸다(=surround)
NB inclose 라고도 쓴다 [반] disclóse 열다
(예) I will *enclose* your letter along *with* mine. 너의 편지도 내 편지 속에 동봉(同封)한다. // The house *is enclosed with* a wall. 그 집은 담으로 둘러져 있다.
[파] **enclosure** [inklóuʒər] (명) 포위, 둘러쌈, 구내(構內), 동봉한 것

en·core [áŋkɔːr / ɔŋkɔ́ː] (명) 앙코르, 재청(再請)

*◇**en·coun·ter** [inkáuntər] (타)(자) (우연히) 만나다(=meet with), (위험·적 따위에) 부닥치다, 교전하다 (명) 조우(遭遇), 조우전(戰)

*◇**en·cour·age*** [inkə́ːridʒ / -kʌ́ridʒ] (타) 용기를 돋구다, 격려하다, 조장하다
[원] en(=in)+courage [반] discóurage 낙담시키다
(예) *encourage* him *to* work harder 그에게 권하여 보다 더 열심히 공부하게 하다 // He *encouraged* me *in* my studies. 그는 나에게 열심히 공부하라고 격려해 주었다.
[파] *◇**encóuragement** (명) 격려 **encóuraging** (형) 격려하는, 기운나게 하는

en·croach [inkróutʃ] (자) 침입하다, 침해하다 [~ on, upon]
[파] **encróachment** (명) 침입, 침해

*◇**en·cy·clo·pe·dia, en·cy·clo·pae·dia** [insàikləpíːdiə] (명) 백과 전서, 백과 사전
[원] en(=in)+cyclo(=circle)+paedia(=education)

***end** [end] (명) 끝, 말단; 목적(=purpose), 결말(=close), 최후, 죽음 (타)(자) 끝내다, 끝나다(=finish)
[반] begín 시작하다
(예) ◇at the *end* of this month 이 달 말에 // the *end* and means 목적과 수단 // make an *end* of ~을 끝내다, 마치다 // The chapter *ends* with a quotation. 그 장은 인용문으로 끝난다.
[파] *◇**éndless** (형) 한없는, 끝없는 **énding** (명) 결말, 종결; 어미(語尾)

◇***end for end*** (이쪽 끝이 저쪽으로 가게) 반대로, 거꾸로

(예) He turned the table *end for end.* 그는 테이블을 반대로 돌려 놓았다.

end in (결과 따위가) ~로 끝나다, 귀착하다
(예) *end in* a failure 실패로 끝나다

end up 결국에는 ~이 되다; 끝내다
(예) We should *end up* as unsympathetic personalities. 결국 우리는 매정한 인물이 될 것이다. // He *ended up* his speech with a quotation. 그는 인용을 하나 하고 연설을 마쳤다.

at the end 마지막에, 드디어(=at last)
(예) There was a great chorus *at the end.* 마지막에 대합창이 있었다.

bring ~ to an end ~을 끝내다, 마치다
(예) They *brought* the meeting *to an end* at last. 그들은 드디어 회합을 마쳤다.

come to an end (행위·사업 따위가) 끝나다
(예) At last the war *came to an end.* 마침내 전쟁이 끝났다.

in the end 마침내, 결국(=at last)
(예) They were all drowned *in the end.* 그들은 결국 모두 물에 빠져 죽었다.

no end 크게, 몹시(=greatly), 듬뿍
(예) He was *no end* disappointed. 그는 몹시 낙담했다.

on end 직립(直立)하여; 잇따라
(예) put a book *on end* 책을 세우다 // five days *on end* 5일간 계속하여

put an end to ~을 끝내다, 그만두다
(예) Atomic weapons *put an end to* World War II. 원자무기는 제 2차 세계 대전의 종막을 내리게 했다.

turn end over end 빙빙 돌다(=spin)
(예) The plane went down, *turning end over end.* 비행기는 빙빙 돌면서 내려갔다.

en·dan·ger [indéindʒər] ㊎ 위태롭게 하다

en·dear [indíər] ㊎ 사모하게 하다, 애정을 품게 하다, 사랑하게 하다(=make dear or beloved)
(예) His kindness of heart *endeared* him *to* all. ↔ He *endeared* him*self to* all by his kindness of heart. 그는 마음씨가 상냥하여서 모든 사람이 그를 따랐다.
㊋ **endéarment** ㊔ 애무; 사모

en·deav·o(u)r [indévər]* ㊔ 노력(=effort), 시도(=trial) ㊅ 노력하다(=try), (~하고자) 애쓰다 [~ to do]
(예) *endeavor after* more wealth 더 많은 부를 얻으려고 노력하다 // He *endeavored to* solve the problem. 그는 그 문제를 풀려고 애썼다.

en·dorse [indɔ́ːrs] ㊎ (수표·증권 따위에) 배서(背書)하다; 보증하다; 지지하다
NB indorse 라고도 쓴다.
㊋ **endórsement** ㊔ 보증, 배서

E

*◇**en·dow** [indáu]* ㊍ (천부의 재능·자질 등을) 부여하다, 주다 [~ with]; (장학금 따위를)기부하다
원 en(=on)+dow(=give)
파 ◇**endówment** 명 재산 부여, 천부의 재능
(***be***) ***endowed with*** ~을 부여받은, ~을 갖추고 있는
(예) We *are* all *endowed with* a conscience. 누구에게나 양심은 있다.

*◇**en·dure** [indjúər / -djúə] ㊍ ㉶ 견디다, 참다(=bear); 지속하다, 지탱하다(=last)
원 en(=make)+dure(=last)
(예) His fame will *endure* forever. 그의 명성은 길이 남을 것이다.
파 **endúrable** 형 참을 수 있는 *◇**endúrance** 명 인내력 **endúring** 형 영속적인

*◇**en·e·my** [énəmi] 명 적, 적군(=foe)
반 friend 자기 편

*◇**en·er·gy** [énərdʒi]* 명 정력(=power), 힘(=force), (개인의) 활동력, 에너지
파 *◇**energetic** [ènərdʒétik]* 형 정력적인, 원기 왕성한 **energétically** 부 정력적으로

en·fee·ble [infí:bl] ㊍ 약하게 하다(=weaken), 약화시키다

en·fold [infóuld] ㊍ 싸다, 안다 (NB infold 라고도 함.)

◇**en·force** [infɔ́:rs] ㊍ 실시하다, 시행하다; 억지로 시키다, 강요하다(=force, compel)
원 en(=make)+force
(예) The law was *enforced* to the letter. 그 법률은 엄밀히 시행되었다. // He *enforced* silence *on* the students. 그는 학생들에게 침묵케 했다.
파 **enfórcement** 명 실시, 시행; 강요

*◇**en·gage** [ingéidʒ] ㉶ ㊍ 약속하다(=promise); 《주로 수동태로》 종사시키다; 고용하다; 약혼하다; 시작하다; 교전하다; 책임을 지다
원 en(=in)+gage(=pledge 약속)
반 disengáge 해약(解約)하다
(예) *engage to* come again 다시 올 것을 약속하다 // I am *engaged* today. 오늘은 약속이 있다. // *engage* her *as* a typist 그 여자를 타이피스트로 고용하다 // ◇She *is engaged to* a bank clerk. 그녀는 은행원과 약혼중이다. // The seat is *engaged*. 그 자리는 예약이 되어 있다.
파 **engáged** 형 약혼한, 약속이 있는; 틈이 없는 ◇**engágement** 명 약속, 약혼(an *engagement* ring 약혼 반지), 용무(用務) **engáging** 형 애교 있는 **engágingly** 부 애교 있게

*◇(***be***) ***engaged in*** ~에 종사하는, ~에 착수하는
(예) He *is engaged in* foreign trade. 그는 외국무역에 종사하고 있다. // He *is engaged in* writing a new novel. 그는 새 소설을 쓰기 시작했다.

engage with ~에 관계하다; ~와 교전하다

(예) *engage* (*with*) the enemy 적과 교전하다

en·gen·der [indʒéndər] ㊀ 생기게 하다(=produce), 자아내다

*°**en·gine** [éndʒin] ㊔ 기관(機關), 기관차(=locomotive)

(예) an *engine* driver 기관수 // a steam *engine* 증기기관

*°**en·gi·neer** [èndʒiníər]* ㊔ 기사(技師), 공학자(工學者) ㊀ 공작하다

파 °**enginéering** ㊔ 공학, 토목

☆**Eng·land** [íŋglənd] ㊔ 잉글랜드; 영국

NB 영국(Great Britain)의 뜻일 경우와 그 한 지방일 경우를 구별하라.

☆**Eng·lish** [íŋgliʃ]* ㊕ 영국의, 영국 사람의, 영어의 ㊔ 영어; [the E-] 《총칭》 영국 사람

파 ***Énglishman** ㊔ 《*pl.* -men》 영국 사람《개인》 °**Éng-lishwoman** ㊔ 《*pl.* -women》 영국 여자

°**en·grave** [ingréiv] ㊀ 조각하다, 새기다(=carve); (마음에) 새겨 두다, 명심하다

(예) *engrave* a name *on* a watch↔*engrave* a watch *with* a name 시계에 이름을 새기다 // The sight is *engraved upon* my memory. 그 광경은 나의 기억에 깊이 새겨져 있다.

파 **engráver** ㊔ 조각가 **engráving** ㊔ 조각, 판화(版畫)

°**en·gross** [ingróus] ㊀ 열중케 하다(=fill one's mind), (이야기 따위를) 혼자 도맡아 하다, 매점(買占)하다; 큰 글자로 쓰다

°(***be***) ***engrossed in*** ~에 열중하는

(예) He *is* deeply *engrossed in* his occupation. 그는 일에 열중하고 있다.

en·hance [inhǽns / -há:ns] ㊀ (미(美)·가치 따위를) 높이다(=raise), 올리다 (=heighten)

반 spoil 손상시키다

en·joy [indʒɔ́i] ㊀ 즐기다, 향락하다, 향유(享有)하다, 누리다

원 en(=in)+joy(기쁨) 반 deplóre 슬퍼하다

(예) *enjoy* read*ing* 독서를 즐기다(어법 *enjoy* to read는 잘못) // *enjoy* good health 건강을 누리다

파 °**enjóyable** ㊕ 즐길 수 있는, 즐거운

enjoy** one**self* 유쾌히 지내다(=have a good time), 즐기다

(예) We *enjoyed* our*selves* very much at the picnic. 우리들은 피크닉에서 대단히 즐겁게 지냈다.

*°**en·joy·ment** [indʒɔ́imənt] ㊔ 즐거움, 유쾌, 환락

en·kin·dle [inkíndl] ㊀ (불을) 붙이다, (정열을) 타오르게 하다; (전쟁 따위를) 일으키다

*°**en·large** [inlá:rdʒ] ㊆ ㊀ 증대〔확대〕하다(=make larger), 넓히다; 자세히 설명하다 [~ on, upon]

원 en(=make)+large 반 dimínish 축소하다

(예) The great object of knowledge is to *enlarge* the soul. 지식의 큰 목적은 마음을 넓히는 데 있다. // He *enlarged*

upon the scheme. 그는 그 계획을 상세히 설명했다.
파 **enlárgement** 명 확장; 상설(詳說); 〖사진〗 확대

◇**en·light·en** [inláitn] 타 계발(啓發)하다, 가르치다(=instruct); (뜻을) 명료하게 하다
원 en(=in)+light(빛)+en(동사 어미)
(예) Will you be good enough to *enlighten* me *on* this subject? 이 제목에 관해서 가르쳐 주시겠습니까?
파 **enlíghtened** 형 계몽〔교화〕된, 문명의 **enlíghtening** 형 계발적인, 깨우치는 **enlíghtenment** 명 계몽, 교화, 문화

◇**en·list** [inlíst] 타 자 병적에 올리다(=join the army), 징병하다; 응모하다; 협력하다, 지지를 얻다
(예) *enlist in* the army 입대하다 // We will enlist him 〔his aid〕 *in* our movement. 우리 운동에 그의 원조를 얻을 것이다.
파 **enlístment** 명 병적 편입, 모병, 입영

en·liv·en [inláivn] 타 쾌활하게 하다(=make lively), 활기〔생기〕를 띠게 하다, 번창하게 하다

en·mi·ty [énməti] 명 적의(敵意), 증오(=hostility, hatred); 불화
원 enmi(=enemy)+ty(명사 어미)
반 fríendship 우정

en·nui [ɑːnwíː] 명 〖프〗 권태(倦怠)(=boredom), 지루함

*◇**e·nor·mous** [inɔ́ːrməs] 형 거대한, 막대한(=huge)
원 e(=out of)+norm(=rule)+ous(형용사 어미)
파 ***enórmously** 부 엄청나게, 막대하게

☆**e·nough** [inʌ́f]* 형 충분한(=sufficient), ~하기에 넉넉한 부 충분히, 아주 명 충분(한 수량·분량)
반 scárce 부족한
(예) *enough* and to spare 쓰고 남을 만큼 // Thank you, that's quite *enough.* 감사합니다. 그만하면 아주 충분합니다. // *Enough* is *enough.* 이만하면 충분하다.

*◇***enough to** *do** ~하기에 충분한, ~할 만큼
(예) He is rich *enough to* buy a big house. 그는 큰 집을 살 만큼 부자이다.

어법 ① 형용사로서는 명사의 앞 뒤 어느 쪽에든지 둔다: food *enough* for ten people, *enough* food for ten people. 부사로서는 형용사·부사의 뒤가 보통: He is tall *enough.* I don't know him well *enough.* ② enough는 보통 명사를 형용사화시킬 힘이 있기 때문에 명사에는 관사를 붙이지 않음: He is *fool* enough to do such a thing. (fool=foolish) ③ 다음의 전환 구문에 주의: He was *so* clever *that* he made it for himself.↔He was clever *enough to* make it for himself. He is *too* young *to* go to school.↔He is *not* old *enough to* go to school. He was kind *enough to* do that.↔He had the kindness to do that.

en·rage [inréidʒ] 타 격분하게 하다(=make very angry), 성나게 하다
원 en(=make)+rage

(예) be *enraged at* 〔*by, with*〕 ~에 몹시 성내다

en·rich* [inrítʃ] ㊍ 부유〔풍부〕하게 하다, 비옥하게 하다; (맛·빛깔 따위를) 진하게 하다
㉯ en(=make)+rich
(예) *Enrich* your mind with literature. 문학으로 마음을 풍부하게 하여라. // *enriched* food 강화 식품
㉺ **enríchment** ㊐ 부유, 비옥

en·rol(l) [inróul] ㊍ 명부에 올리다, 병적에 올리다(=enlist); 회원으로 등록하다, 입학을 허가하다

en·shrine [inʃráin] ㊍ (종묘·사당에) 모시다, 안치하다; 소중히 (간직)하다
(예) the love *enshrined* in my heart 내 마음속에 간직한 사랑

en·sign [énsain] ㊐ 기장(記章)(=badge), 휘장; 기(旗)(=flag), 국기; [énsn] 〖미〗 해군 소위

en·slave [insléiv] ㊍ 노예로 삼다, 사로잡다

en·sue [insúː / -sjuː] ㉳ 계속해서 일어나다, 결과로서 일어나다
㉯ en(=on)+sue(=follow)
(예) What will *ensue from* this? 이 뒤에 무슨 일이 일어날 것인가?

en·sure [inʃúər] ㊍ ~을 확실히 하다, 보증하다; ~을 안전하게 하다
(예) I cannot *ensure* his being here today.↔I cannot *ensure that* he will be here today. 그가 오늘 올 것이라는 것은 보증할 수 없다.

en·tail [intéil] ㊍ (필연적 결과로서) 일으키다; ~을 필요로 하다; (부동산의) 상속인을 한정하다 ㊐ 한사(限嗣) 상속; 필연적 결과

en·tan·gle [intǽŋgl] ㊍ 얽히게 하다, 난처하게 하다, 곤란에 빠뜨리다(=put a person into difficulties)
(예) My feet became *entangled in* the brambles. 내 다리에 들장미가 엉켰다. // Don't *entangle* your*self in* such a plot. 그런 음모에 말려들지 마라.
㉺ **entánglement** ㊐ 얽힘, 분규, 얽히게 하는 것

en·ter [éntər] ㊍㉳ 들어가다(=go into); 시작하다(=start) [~ into]; 가입하다(=join); 기입하다(=record)
㉤ leave 나가다
(예) He *entered* his son in college. 그는 아들을 대학에 넣었다.
㉺ ◇**éntrance** ㊐ 입구, 현관; 입장, 입학, 입회; (신생활 따위에) 들어감 (㉤ éxit) ◇**éntry** ㊐ 입장, 입학, 입회; 입구; 기입, 기재

NB 「어떤 장소에 들어가다」의 뜻에는 타동사이니까 *enter* a room 과 같이 하며 into 따위의 전치사를 쓰지 않는다. 전치사를 쓰는 것은 다른 추상적인 뜻일 경우이다.

enter into ~을 시작하다(=start); ~에 동정하다; ~에 참가하다

(예) *enter into* conversation 회화를 시작하다 // *enter into* details 자세하게 말하다

***enter on* 〔*upon*〕** ~에 들어가다, ~을 시작하다(=begin), ~에 착수하다

(예) He *entered on* a favorite topic. 그는 매우 좋아하는 화제로 들어갔다.

***en·ter·prise** [éntərpràiz]★ ⓜ 기업(=undertaking); 모험심, 진취의 기상

(예) a man of *enterprise* 진취성이 있는 사람

ⓟ **énterprising** ⓗ 기업심이 있는; 진취의 기상이 있는

> ▶ **109. 접두어 enter**
> 「사이에 (between, within)」의 뜻을 나타낸다.
> (예) *enter*prise (enter+prise [=to take]로서, 「인수하다」 「손대다」 따위의 뜻으로부터 「기업」의 뜻으로 되었다.)

***en·ter·tain** [èntərtéin]★ ⓣⓙ 즐겁게 하다(=amuse), 대접하다, 환대하다, (감정·생각 따위를) 마음에 품다(=harbor); (제안 따위를) 받아들이다

(예) *entertain* a friend to 〔at〕 tea 친구에게 차를 대접하다 // *entertain* a doubt 의심을 품다 // He was considerate enough to *entertain* my request. 그는 친절하게도 나의 요구를 들어 주었다.

ⓟ **entertáining** ⓗ 재미있는 ***entertáinment** ⓜ 대접, 환대

en·throne [inθróun] ⓣ 왕위에 앉히다; 즉위시키다; 받들다

***en·thu·si·asm** [inθjúːziæ̀zəm / -θjúː-]★ ⓜ 열광, 열중(=zeal), 감격

(예) with *enthusiasm* 열중하여, 열심히

ⓟ **enthúsiast** ⓜ 열렬한 사람, 열광자 ***enthusiastic** [inθjùːziǽstik / -θjùː-] ⓗ 열중하는 **enthusiástically** ⓑ 열심히, 열광적으로

***(be) enthusiastic about* 〔*for, over*〕** ~에 열중하는, 열심인

(예) She *is enthusiastic about* her studies. 그 여자는 연구에 열중하고 있다.

en·tice [intáis] ⓣ 꾀다(=lure, tempt), 유혹하다

(예) *entice* a girl away from home 소녀를 집에서 꾀어내다 // She *enticed* him *into* steal*ing* it. ↔ She *enticed* him *to* steal it. 그 여자는 그를 꾀어 그것을 훔치게 했다.

ⓟ **entícement** ⓜ 꾐, 유혹

***en·tire** [intáiər] ⓗ 전체의, 온(=whole); 완전한(=complete) ⓜ 전체, 완전

ⓑ pártial 일부분의

(예) an *entire* week 꼬박 1 주간 // *entire* ignorance 완전한 무지

ⓟ ***entírely** ⓑ 전적으로 **entírety** ⓜ 전체

***en·ti·tle** [intáitl] ⓣ 권리를〔자격을〕 주다, 명칭을 붙이다, (~의) 칭호를 주다

ⓦ en(=make)+title(칭호)

(예) a book *entitled* "Homecoming" 「귀향」이라는 제명(題名)의 책

(***be***) ***entitled to*** ~을 받을 자격이〔권리가〕 있는

(예) Every American *is entitled to* an education. 모든 미국인은 교육을 받을 권리가 있다. // He *is* not *entitled to* enter the room. 그는 그 방에 들어갈 권리가 없다.

en·ti·ty [éntəti] 명 실재〔존재〕(물)

(예) a legal *entity* 법인(法人)

en·trails [éntreilz, -trəlz / -treilz] 명 《*pl.*》 내장(內臟), 내부

en·treat [intríːt] 타 간청하다, 탄원하다(=pray, beg)

(예) He *entreated* me *for* mercy.↔He *entreated* me *to* show mercy. 그는 나에게 자비를 베풀라고 간청했다. // I *entreat* this favor *of* you. 제발 이 청을 들어주게.

파 **entréatingly** 부 애원하다시피 **entréaty** 명 간청(懇請)

en·trust [intrʌ́st] 타 위임하다, 위탁하다 [~ a thing to]

(예) I *entrusted* the matter *to* him. 나는 그에게 그 사건을 위임했다.

entrust ~ with ~을 맡기다, ~을 위탁하다

(예) I *entrusted* him *with* the task. 나는 그 일을 그에게 위임했다. (↔I *entrusted* the task *to* him.)

en·twine [intwáin] 타 얽히게 하다; (화환 따위를) 엮다

e·nu·mer·ate [injúːmərèit / -njúː-] 타 (수를) 세다(=count); 열거하다

파 **enumerátion** 명 계산, 열거 **enúmerative** 형 계수(計數)상의, 열거의〔하는〕

en·vel·op [invéləp] 타 싸다(=cover), 에워싸다(=surround)

원 en(=in)+velop(=wrap 싸다)

(예) *envelop* oneself *in* a blanket 몸을 모포로 감싸다 // Fire quickly *enveloped* the city. 불길은 삽시간에 번져 도시를 휩쌌다.

파 **envélopment** 명 싸기, 포위

▶ **110. 접두어 en**

① 명사·형용사에 붙여서 「~으로 하다」 「~으로 되다」란 뜻의 동사를 만든다.
(예) *en*courage, *en*rich 따위

② 명사에 붙여서 「~속에 넣다」란 뜻의 동사를 만든다.
(예) *en*case(그릇에 넣다)

③ 동사에 붙여서 「~ 속에」란 뜻의 동사를 만든다.
(예) *en*close, *en*velop 따위

en·ve·lope [énvəlòup] 명 봉투; (기구 등의) 기낭

NB envelop 의 철자·발음과 혼동하지 말 것.

en·vi·ron·ment [inváiərənmənt]* 명 (자연)환경; 주위(=surroundings)

파 **environ** [inváiərən] 타 에워싸다(=enclose) 명 《*pl.*》 교외 **environméntal** 형 주위의; 환경의

en·voy [énvɔi] 명 (외교) 사절; (전권) 공사; 외교관

(예) a peace *envoy* 평화 사절

en·vy [énvi] 명 시기, 선망, 부러움 타 부러워하다, 시기하다

E

(예) out of *envy* 부러운 나머지, 질투 끝에 // in *envy* of ~을 부러워하여 // I *envy* (you) your good looks. 너의 잘생긴 용모가 부럽다.

어법 위의 용례에서 you를 넣으면 두 개의 목적어를 취하는 것이 되나, Give me the book. ↔ Give the book to me. 와 같은 전환은 할 수 없다.

파 **envious** [énviəs] 형 질투심이 강한, 부러워하는 [~ of] **énviable** 형 부러운, 탐나는, 바람직한

ep·ic [épik] 명 서사시(敍事詩), 사시(史詩) 형 서사시적인

반 lyric 서정시(抒情詩), 서정시적인

e·pi·dem·ic [èpədémik] 명 유행병 형 유행성의

◇**ep·i·logue** [épəlɔ̀(:)g] 명 발문; 끝맺음말; 종막(終幕)

◇**ep·i·sode** [épəsòud]* 명 (소설·극 속의) 삽화(挿話), 에피소드

ep·i·taph [épətæ̀f / -tɑ̀:f] 명 비명(碑銘)

◇**ep·i·thet·ic** [èpəθétik] 형 형용어구의; 별명의

e·pit·o·me [ipítəmi] 명 대강의 줄거리, 개략(=condensed account), 대요, 개요

E

*◇**ep·och** [épək / í:pɔk] 명 신기원, 새 시대, (특히 중요한 사건이 있었던) 시대(=era, age)

(예) He made an *epoch* in English literature. 그는 영문학에 하나의 신기원을 이루었다.

파 ***epoch-making** [épəkmèikiŋ / í:pɔk-] 형 획기적인, 신기원을 이루는

eq·ua·ble [ékwəbəl, í:k-] 형 한결같은, 고른; 평온한

(예) an *equable* disposition 온화한 성질

파 **equability** [èkwəbíləti, ì:kwə-] 명 한결같음, 평형(平衡) 평온

*◇**e·qual*** [í:kwəl]* 형 같은, 동등한, 필적(匹敵)하는; (기분이) 평온한; (임무·일을) 감당할 수 있는(=capable) 명 대등한 것, 동배(同輩) 타 ~와 같다, ~에 필적하다(=match)

반 unéqual 같지 않은, 동등하지 않은

(예) He has no *equal* in strength. ↔ Nobody *equals* him in strength. 힘으로 그에게 필적하는 사람은 없다. // Two and three *equal*(s) five. 2 더하기 3은 5.

파 *◇**équally** 부 같게, 평등하게 *◇**equality*** [ikwɑ́ləti, i:kwɔ́l-] 명 평등, 평균 **équalize, -ise** 타 자 같게 하다, 동점이 되다 **equáte** 타 ~을 같은 것으로 생각하다 ◇**equá·tion** 명 〔수학〕 방정식(方程式)

◇***(be) equal to*** ~와 같은, ~에 비등한, ~을 감당할 수 있는

(예) He is not *equal to* the task. 그는 그 일을 감당할 수 없다. (↔ The task was beyond him.)

◇**e·qua·tor** [ikwéitər] 명 적도(赤道)

e·qui·lib·ri·um [ì:kwəlíbriəm] 명 균형, 평형 상태

e·qui·nox [í:kwənɑ̀ks / -nɔ̀ks] 명 주야 평분시(晝夜平分時), 춘〔추〕분

(예) the autumnal 〔vernal〕 *equinox* 추〔춘〕분

e·quip [ikwíp] [타] 갖추다, 준비하다(=supply); 장비하다, (배를) 의장(艤裝)하다; (교육·지식 따위를) 갖추게 하다, 가르쳐주다
(예) *equip* soldiers *with* weapons 병사들을 무장시키다 // *equip* a ship *for* a voyage 항해를 위해서 배에 장비를 갖추다
[파] **équipage** [명] 장비, 필요한 도구 한 벌, 필요품 일습; 마차와 말구종 일체 ***equípment** [명] 준비, 장비, 비품
(be) *equipped with* ~을 갖추고 있는, ~이 장비되어 있는
(예) They leave the school, *equipped with* good vacational training. 그들은 훌륭한 직업 교육을 받고 학교를 떠난다.
***equip oneself* (*for, with*)** 몸차림하다, 갖추다; 몸에 지니다
(예) *equip* one*self for* journey 여장을 갖추다 // The tourist *equipped* him*self with* good boots. 그 관광객은 좋은 구두를 신고 있었다.

e·quiv·a·lent [ikwívələnt] [형] ~와 같은(=equal in value), ~에 대응〔해당〕하는 [~ to] [명] 동등한 것, 해당어(該當語)

> ▶ **111. 접두어 equi**
> 「동등(same, equal)」의 뜻을 나타낸다.
> (예) *equi*valent

(예) ◦His remark is *equivalent to* an insult. 그의 말은 모욕이나 마찬가지다. // *Chuseog* is the Korean *equivalent of* the American Thanksgiving Day. 한국의 추석은 미국의 추수 감사절과 맞먹는다.
[파] **equívalence** [명] 등가(等價), 동격

e·ra [íərə] [명] 시대, 연대, 기원
[어법] 주요한 사건이나 두드러진 특징이 있는 「시대」를 말함.

e·rad·i·cate [irǽdəkèit] [타] 뿌리째 뽑다, 제거하다, 근절하다(=root up)

e·rase [iréis / iréiz] [타] (쓴 글자 따위를) 지워 없애다, 말살하다(=efface, rub out), 삭제하다(=cross out)
[파] ◦**eráser** [명] 칠판 지우개, 잉크 지우개, 고무 지우개

ere [εər] [전] [접] 〖옛말·시〗 ~하기 전에(=before), ~보다는 차라리

e·rect [irékt] [형] 똑바로 선(=upright), 똑바른 [부] 똑바로 서서 [타] 똑바로 세우다; 짓다(=build); 조립하다(=set up)
[반] destróy 파괴하다
(예) stand *erect* 똑바로 서다
[파] **eréction** [명] 직립(直立), 창립, 건립

e·ro·sion [iróuʒən] [명] 부식(腐蝕), 침해, 침식(浸蝕) 작용

e·rot·ic [irátik / irɔ́tik] [형] 성애의, 애욕의 [명] 연애시

err [əːr] [자] 틀리다, 잘못하다(=make mistake); 실수하다, 죄를 저지르다
(예) To *err* is human, to forgive divine. 잘못은 인지상사요, 용서는 신의 본성이다. // You *erred in* believ*ing* him. 네가 그를 믿은 것이 잘못이었다.

파 (⇨) **error**

er·rand [érənd] 명 심부름, 심부름의 용건
(예) a fool's 〔gawk's〕 *errand* 헛걸음, 헛수고

go on an errand 심부름가다

er·ror [érər] 명 잘못(=mistake), 과실, 과오, 착오
원 <err 잘못하다
(예) commit 〔make〕 an *error* 잘못을 저지르다
파 **erroneous** [iróuniəs] 형 틀린, 잘못된

(***be***) ***in error*** 잘못 생각하고 있는
(예) You *are in error* in thinking so. 그렇게 생각하는 것은 잘못이다.

er·u·dite [érədait / éru-] 형 학식이 있는, 박식한(=learned, scholarly)

e·rup·tion [irʌ́pʃən] 명 (화산의) 폭발(=breaking out), 분화(噴火); 분출물(噴出物)
파 **erúpt** 자 타 분출하다

es·ca·la·tor [éskəlèitər] 명 에스컬레이터, 자동 승강 계단
파 **éscalate** 타 자 ~을 단계적으로 확대하다 **escalátion** 명 점증(漸增), (특히 군사상의) 단계적 확대

***es·cape** [iskéip / es-] 자 타 도망하다(=get free), 벗어나다, (위험·죄 따위를) 면하다; (가스·액체 따위가) 새다 명 도망, 누출
(예) have a narrow *escape* 구사 일생으로 살아나다〔피난하다〕 // *escape* (the) prison 교도소행을 면하다 // This matter *escaped* my notice. 나는 이 일을 알아 채지 못했다. // Gas is *escaping* from the burner. 가스가 버너에서 새고 있다.
파 **escápement** 명 도피구(逃避口), 누출구(=outlet)

> ▶ **112. 접두어 es**
> ex-와 마찬가지로 「밖으로」 「저쪽으로」 「~에서」의 뜻을 나타낸다.
> (예) *es*cape

****escape from*** ~에서 도망하다〔달아나다〕
(예) *escape from* the prison 탈옥하다 // When Dora *escaped from* Paul, she felt happy. 도라가 폴에게서 도망하였을 때 그녀는 기뻐했다.

es·cort 타 [iskɔ́:rt] 호위(護衛)하다, (남자가 여자의) 동반자로서 가다 명 [éskərt / éskɔ:t] 호위, 호송
(예) He traveled with a large *escort*. 그는 많은 호위를 거느리고 여행했다. (NB 호위가 한 사람이거나 단체이거나 두루 씀) // I'll *escort* her *to* the table. 내가 그 여자를 식탁으로 안내하겠다.

***Es·ki·mo** [éskimòu] 명 《*pl.* **-mos, -mo**》 에스키모 사람〔말〕 형 에스키모 사람〔말〕의

es·pe·cial [ispéʃəl, es-] 형 특별한 (=special), 특수한(=particular)
반 géneral 일반적인, 보통의
어법 *special* 이 보다 구어적(口語的)임.
파 ***espécially** 부 특히

es·pi·o·nage [éspiənɑ̀:ʒ, éspiəniʒ] 명 간첩, 스파이; 탐

(=spying)
es·pouse [ispáuz] [타] 장가들다(=wed); 지지하다(=advocate)
Esq. 〖약어〗 《Esquire [iskwáiər]의 약어》 ~씨, ~ 귀하
[어법] 약간 격식을 차리는 경우, 특히 영국에서 남자에 대해 Mr. 와 같은 뜻으로 쓰이는 말이며, 성명 뒤에 콤마를 찍고 Esq. 라고 쓴다. 이 경우 Mr. 와 함께 써서는 안 된다.
es·say [명] [ései] 수필(隨筆), 논문; 시도(試圖)(=attempt) [~ at] [자][타] [eséi] 시도하다(=attempt), 시험하다(=test)
[파] **éssayist** [명] 수필가
es·sence [ésəns] [명] 본질, 정수(精髓), 진수; 정(精), 엑스
(예) the *essence* of happiness 행복의 본질
es·sen·tial [isénʃəl]* [형] 본질적인, 필수의, 긴요한(=vital) [명] 《보통 *pl.*》 필수 요소, 본질, 요건, 주요점
(예) *essentials* of grammar 문법 대요
[파] **essentiálity** [명] 본성, 본질; 요점 ***esséntially** [부] 실질상, 본질적으로
(*be*) *essential to* ~에 가장 필요한, 필수적인
(예) Exercise *is essential to* health. 운동은 건강에 절대 필요하다. // One thing *essential to* political liberty is freedom of the press. 정치적 자유를 유지하기 위해서 없어서는 아니될 것으로 신문 보도의 자유가 있다.
es·tab·lish [istǽbliʃ, es-] [타] 확립하다, 설립하다, 제정하다; 취임시키다
[반] demólish 파괴하다
(예) *establish* a firm 상사(商社)를 설립하다
[파] **estáblishment** [명] 확립, 설립; 시설
establish oneself as ~로서 입신(立身)하다
(예) He *established* him*self as* a lawyer. 그는 변호사가 되었다.
es·tate [istéit, es-] [명] 재산(=property); 신분, 지위(=rank)
(예) personal *estate* 동산(動產) // real *estate* 부동산
es·teem [istíːm, es-] [타] 존중하다(=set a high value on); (~으로) 여기다(=consider), 간주하다 [명] 존경(=respect), 경의
(예) *esteem* the theory useless 그 학설을 소용 없다고 생각하다 // I *esteem* it an honor to address you. 나는 여러분과 이야기하게 된 것을 영광으로 생각합니다. // Courage is *held in* great *esteem*. 용기는 크게 존중된다.
es·ti·mate [타] [éstəmèit]* 어림잡다, 평가하다 [명] [-mit]* 견적, 평가
(예) *estimate* one's losses *at* 100 dollars 손해를 100 달러로 어림잡다 // I *estimated* the room *to be* 10 feet long. ↔ I *estimated that* the room was 10 feet long. 나는 그 방의 길이를 10 피트로 보았다.
[파] **estimátion** [명] 견적, 견적액, 평가; 존경
es·trange [istréindʒ] [타] 이간하다, 사이를 나빠지게 하다

E

(예) His impolite behavior *estranged* him *from* his friend
그는 무례한 짓을 하여 친구들과 사이가 나빠졌다.
파 **estrángement** 명 소원(疏遠), 불화
(be) estranged from ~와 멀어진, 사이가 틀어진
(예) They are *estranged from* each other. 그들은 서로 멀어졌다.

*◇**etc** [etsétrə] 〖약어〗 ~ 따위, ~ 등 (〖라〗 et cetera 의 생략형)
어법 ① 보통 글 가운데서는 and so forth 로 읽는다. ② &c 라고도 쓴다. and 의 뜻을 포함하므로, and etc. 는 잘못

*◇**e·ter·nal** [itə́ːrnl] 형 영원한, 불후(不朽)의(=everlasting)
반 tránsient 일시의
파 **etérnally** 부 영원히 ◇**etérnity** 명 영원, 내세(來世)

e·ther [íːθər] 명 에테르; 영기(靈氣); 〖시〗 창공(蒼空)
파 **ethereal** [iθíəriəl] 형 에테르의; 천상(天上)의 **étheriz**
타 에테르로 마취시키다; 에테르화하다

◇**eth·ics** [éθiks] 명 《*pl.*》 윤리(학)
어법 단수 취급. 단, 「도덕 관념」「(특정 사회의) 도덕」따위의 뜻에서는 복수 취급.
파 **éthical** 형 윤리(학)의

◇**eth·nic** [éθnik] 형 인종〔민족〕의; 민족 특유의 명 소수민족의 일원

◇**et·i·quette** [étikət, -kèt / étikèt, ètikét] 명 예의 범절, 예식, 예법

et·y·mol·o·gy [ètəmɑ́lədʒi / -mɔ́l-] 명 어원(語源), 어원학

☆**Eu·rope**★ [júərəp] 명 유럽
파 ***European**★ [jùərəpí(ː)ən]★ 형 유럽(사람)의 명 유럽사람

e·vac·u·ate [ivǽkjuèit] 타 철퇴하다, 명도(明渡)하다, (시민 따위를) 소개(疏開)시키다 [~ from]
파 **evacuátion** 명 소개(疏開), 명도, 퇴거, 철수

e·vade [ivéid] 타 피하다(avoid), 도피하다(=escape), (교묘히) 발뺌하다, (의무를) 회피하다
파 **evasion** [ivéiʒən] 명 도피, 회피; 핑계 **evasive** [ivéisiv]
형 회피적인; 포착하기 어려운(=elusive)

◇**e·val·u·ate** [ivǽljuèit] 타 자 평가하다; ~의 값을 구하다
파 ◇**eváluative** 형 평가의 **evaluátion** 명 평가, 사정(=valuation)

◇**e·vap·o·rate** [ivǽpərèit] 자 타 증발하다, 소산(消散)하다
원 e (=out) + vapor (증기) + ate (동사 어미)
(예) Boiling water *evaporates* rapidly. 끓는 물은 급속히 증발한다.
파 **eváporated** 형 증발된 **evaporátion** 명 증발, 소산

eve [iːv] 명 (축제일의) 전야(前夜), 전날; (대사건 따위의) 직전
(예) Christmas *Eve* 크리스마스 전날 밤 // New Year's *Eve* 섣달 그믐날 // on the *eve* of death 죽기 직전에

Eve [iːv] 명 (아담의 아내인) 이브

e·ven [íːvən] ⓗ 평평한(=level), 한결같은, 동등한; 균등한; 짝수의
반 unéven 울퉁불퉁한, odd 홀수의
(예) an *even* surface 평평한 표면 // an *even* temper 온화한 기질 // an *even* bargain 득실 없는 거래 // *even* number 짝수, 우수
— ⓣ 평평하게 하다, 고르게 하다
(예) *even* up ~의 균형을 유지케 하다 // *even* up on ~에게 앙갚음하다
— ⓑ ~ 조차도, ~이라도, (역량이) 서로 비슷비슷하게
(예) *Even* now it is not too late. 지금이라도 늦지 않다.
어법 ① 「~조차」의 뜻에서는 부사이나, 명사·대명사·부사·동사 따위를 수식. 보통 수식받는 말의 앞에 오지만 그 다음이나 주어와 동사의 사이에 올 때도 있다. ② 비교급의 앞에 써서 강한 뜻을 나타낸다: You could do it *even* better, if you try. (하려고만 하면 그것을 한층 더 잘 할 수 있을 텐데)
파 **évenly** ⓑ 평평하게, 고르게

even as 마침〔바로〕 ~한 것 같이; 마침〔바로〕 ~할 때에
(예) It has turned out *even as* I expected. 바로 짐작한 대로였다.

***even if* 〔*though*〕** 비록 ~할지라도, ~라고 하더라도
(예) *Even if* I were in your place, I couldn't do such a thing. 내가 네 입장에 있더라도 그런 일은 할 수 없다.

even so 그렇다 하더라도
(예) It has many omissions ; *even so,* it is quite a useful reference book. 그것은 빠진 것이 많다. 그렇긴 하지만 아주 쓸모있는 참고서이다.

e·ve·ning [íːvniŋ] ⓜ 저녁, 밤, 해질녘
(예) in the *evening* 저녁에 // on Sunday *evening* 일요일 밤에

e·vent [ivént]* ⓜ 사건, 대사건(=important happening); 경기 종목; 결과(=result), 경과(=outcome)
(예) the *events* of the year 금년의 사건 // ◇in any *event* 하여간, 좌우간
파 **evéntful** ⓗ 사건이 많은 **evéntual** ⓗ 궁극의, 최후의(=final) *◇**evéntually** ⓑ 결국, 마침내(=finally)

> ▶ **113.** 「사건」의 유사어
> **event**는 중대한 사건, **incident**는 대사건에 부수해서 일어나는 작은 사건, 사고, 우발사건. **occurrence**는 극히 일반적인 성격을 띤 사건, **case**는 같은 종류의 견본이 될 만한 사건, 소송 사건.

at all events 어쨌든, 여하튼 간에

in the event of ~인 경우에는(=in case of)
(예) *In the event of* fire, push the red button. 불이 난 경우에는 빨간 단추를 누르시오.

e·ven·tu·al·i·ty [ivèntʃuǽləti] ⓜ 우발성; 예측 못할 사건, 만일의 경우

ev·er [évər] ⓑ ① 《의문문·조건문에 써서》 이제까지(에), 이전에, 언젠가

E

(예) Have you *ever* been to New York? 전에 뉴욕에 간 일이 있습니까? // If you should *ever* meet him, tell him to come to see me. 언젠가 그를 만나는 일이 있으면 놀러 오라고 전해 주십시오.
어법 「언젠가」「지금까지」의 뜻에서는, 의문문·부정문·조건절에 쓰이는 것이 보통: Have you *ever* been to Europe? (긍정 평서문의 I have *once* been there.와 비교) If you *ever* see him, tell him to come. (그를 만나게 되면 (나에게) 오라고 말해 달라) 부정문에서는 결국 never의 뜻: Nothing *ever* happens here. 긍정문에서도 비교를 나타낼 때에는 이 경우의 뜻인 *ever*를 쓴다: He is as great a poet as *ever* lived. This is the best book I have *ever* read.
② 《긍정문에 써서》 언제나, 늘(=always)
(예) *ever* after that 그 후 쭉 // *ever* since he was a baby 어릴적부터 쭉 // He is as diligent as *ever*. 그는 여전히 근면하다. // You will find me *ever* at your service. 언제나 당신을 도울 것입니다.
③ 《의문사와 함께 써서》 도대체(=in the world, on earth)
(예) What *ever* do you want with me? 도대체 나에게 무슨 용건이냐? // Why *ever* don't you work? 도대체 너는 왜 일을 하지 않는가?
어법 *if ever* (비록 있다손 치더라도)의 용법: He seldom, *if ever,* went to church. 그는 좀처럼 교회에 나가지 않았다
반 **néver** (=not ever) 일찌기 ~ 없다, 결코 ~하지 않다
파 **évergreen** 형 상록의 명 상록수 **everlásting** 형 영구한 **evermóre** 부 영구히

* ***ever since*** 이래(以來), 그 후 쭉
(예) They have been happy *ever since*. 그들은 그 후 내내 행복했다.

ever so 매우(=very), 아무리 ~라도(=however)
(예) Be the weather *ever so* bad, I must go and visit him. 날씨가 아무리 나쁘더라도 나는 그를 방문해야 한다.

for ever 영구히(=eternally)
(예) I would like to live with you *for ever*. 영원히 너와 함께 살고 싶다.

than ever 지금까지보다도
(예) He works harder *than ever*. 그는 여지껏보다도 더 열심히 일한다.

☆**eve·ry** [évri] 형 ① 모든, 누구나 다, 어느 것이나 다
어법 *every*~의 형태의 대명사는 단수 취급.
② ~마다, 매~
(예) *every* day 매일 // *every* morning 아침마다
어법 수사와 함께 쓰면 「~마다」: ◇*every* five days↔*every* fifth day (5일마다)
③ 《부정문에 써서 부분 부정을 나타내어》 모든 ~이 …라고〔하다고〕는 할 수 없다
(예) *Every* man cannot be a poet. 모든 사람이 다 시인이 된다고는 할 수 없다. // Not *every* man is qualified

누구나 다 자격이 있는 것은 아니다.
반 none 하나도 없는, 아무도 없는
파 ***éverybody** 대 누구나 다 ***éveryday** 형 날마다의, 매일의 (NB every day (매일)와 구별할 것) **éveryone** 대 (각자) 모두 **éverything** 대 만사, 가장 중요한 것 ***éverywhere** 부 도처에, 어디에나
어법 ① *everybody*와 *everyone*은 뜻이 같지만 전자가 보다 구어적. 동사는 단수로 받으며 대명사도 문법적으로는 he가 올바르나 they를 쓰는 경우도 많다. ② *everyone*은 every one이라고 띄어 쓰기도 한다. of가 따를 경우에는 꼭 띄어 쓰며, 사람 이외에 사물에도 쓴다. 「~ 중의 어느 하나도」의 뜻.

***every bit* 〔*inch*〕** 어느 모로나, 전혀
(예) He is *every bit* 〔*inch*〕 a gentleman. 그는 어느 모로나 신사다.

every now and then 가끔, 때때로(=from time to time)
(예) He comes to see me *every now and then.* 그는 가끔 나를 찾아온다.

every other day 하루 걸러, 격일로
(예) It rains almost *every other day.* 거의 격일로 비가 온다.

every time ~할 때마다(=whenever)
(예) *Every time* he comes, he brings something to our children. 그는 올 때마다 무엇인가를 우리 아이들에게 갖다 준다.

ev·i·dence [évədəns] 명 증거, 명료 타 증명하다
파 ***évident** 형 분명한, 명백한(=plain, clear) (반 dóubtful 의심스러운) **evidently** 부 명백히

e·vil [íːvəl]★ 형 《***worse; worst***》 나쁜(=bad), 사악한; 해로운(=harmful), 불길한, 징조가 나쁜 명 사악, 악행; 악질(惡疾); 재해
반 good 좋은
(예) good and *evil* 선악 // a social *evil* 사회악
파 **évildoer** 명 나쁜 짓을 하는 사람 **évilmínded** 형 사악한, 악의에 찬

e·voke [ivóuk] 타 불러내다, 환기(喚起)시키다(=bring out)

ev·o·lu·tion [èvəlúːʃən, ìːvə-] 명 진화(進化), 발전
원 e(=out)+volu(=roll 구르다)+tion(명사 어미)
반 devolútion 퇴화(退化)
(예) the theory of *evolution* 진화론
파 **evolútionary** 형 진화의, 진화론적인

e·volve [iválv / ivɔ́lv] 자 타 진화하다(=develop gradually), 발전하다

ewe [juː] 명 암양(羊)

ex·act [igzǽkt] 형 정확한(=accurate), 엄격한(=strict) 타 강청(强請)하다, 강요하다(=insist upon)
반 inexáct 부정확한
(예) an *exact* test 정밀한 검사 // the *exact* time 정확한 시

간 // He is very *exact* in his work. 그는 일에 아주 꼼꼼하
다. // I will *exact* payment of a debt from him. 나는 그로
부터 빚돈을 어떻게든 받아내겠다.
[파] *exáctly [부] 정확하게, 꼭 **exáctitude** [명] 정확 **exácting** [형] 가혹한, 힘이 드는

*◇**ex·ag·ger·ate** [igzǽdʒərèit] [타] 과장하다, 과대시(過大視)하다
(예) You cannot *exaggerate* its importance. 그 중요성은 아무리 강조해도 부족하다.
[파] **exaggerátion** [명] 과장, 과대시, 과장적 표현(It is no *exaggeration* to say that ~라고 말하여도 지나친 말은 아니다)

◇**ex·alt** [igzɔ́ːlt] [타] 높이다(=raise high), 승진시키다(=promote); 칭찬하다(=praise)
[원] ex(=out)+alt(=high)
[반] degráde 품위를 떨어뜨리다
(예) He *was exalted to* the position of President. 그는 대통령의 지위에 올랐다.
[파] **exálted** [형] 높은, 고상한 ◇**exaltátion** [명] 고양(高揚) 승진; 우쭐함, 의기 양양

E

*◇**ex·am·i·na·tion** [igzæ̀mənéiʃən] [명] 시험, 검사, 심문
(예) pass 〔fail〕 in *examination* 시험에 합격하다〔떨어지다〕 // take an *examination in* English 영어 시험을 치르다

*◇**ex·am·ine** [igzǽmin] [타] 시험하다(=test); 음미하다, 검토하다; 조사하다, 심문하다
(예) *examine* a witness 증인을 심문하다 // We were *examined in* English. 우리는 영어 시험을 치렀다. // I had my eyes *examined*. 나는 눈 검사를 받았다.
[파] **exám** [명] 〖구어〗 시험(=examination) **examinee** [igzæ̀məníː] [명] 수험자 **examiner** [igzǽminər] [명] 시험관

*◇**ex·am·ple** [igzǽmpəl / -záːm-] [명] 보기, 예, 실례; 견본, 모범(=model); 훈계(=warning), (처벌의) 본보기
(예) set an *example* 모범을 보이다 // take an *example* 실례를 들다 // Our teacher made an *example* of him. 선생님은 본보기로서 그를 처벌했다.
[파] **exemplar** [igzémplər] [명] 본보기, 모범 ◇**exemplary** [igzémpləri] [형] 모범적인 **exémplify** [타] 예증하다, 예시하다

*◇***for example*** 예를 들면(=for instance)
(예) Shakespeare wrote many poems. "Venus and Adonis", *for example*. 셰익스피어는 많은 시를 썼다. 예를 들면 「비너스와 아도니스」가 그것이다.

ex·as·per·ate [igzǽspərèit / -áːs-] [타] 분격케 하다, 노하게 하다(=irritate)
(예) I *was exasperated at* 〔*by*〕 his remark. 나는 그의 말에 격분했다.
[파] **exasperátion** [명] 격분, 격노

ex·ca·vate [ékskəvèit] [타] 파다(=dig), 발굴하다
[파] ◇**excavátion** [명] 발굴 **éxcavator** [명] 발굴자; 굴착기

ex·ceed [iksíːd] ㉻㉶ (정도·한도를) 넘다, 능가하다 [~ in]
㉯ ex(=out)+ceed(=go)
(예) *exceed* him *in* strength 힘에 있어서 그를 능가하다 // The driver was fined ₩6,000 for *exceeding* the speed limit. 제한 속도를 초과하여 그 운전 기사에게 6천원의 벌금이 과해졌다.
㉰ **excéeding** ㉱ 초과의, 굉장한 **excéedingly** ㉲ 굉장히, 몹시(⇨ **excess**)

ex·cel* [iksél] ㉶㉻ (남을) 능가하다(=be better than others) [~ in, at]
(예) He *excels at* 〔*in*〕 tennis. 그는 테니스에 뛰어나다. // He *excelled* us *in* knowledge. 그는 지식에 있어서 우리보다 낫다.
㉰ ***excellent*** [éksələnt] ㉱ 우수한, 뛰어난 **éxcellence, -cy** ㉳ 탁월, 장점, 미점(美點) **Éxcellency** ㉳ 각하(閣下)

ex·cept* [iksépt] ㉴ ~을 제외하고는(=excepting) ㉻ 제외하다(=leave out), 생략하다(=omit)
(예) every day *except* on Sunday 일요일을 빼고 매일 // I did everything *except* begging. 구걸 이외는 무엇이든 했다. // He always reads books *except* to sleep and eat. 그는 자고 먹을 때만 빼고 항상 독서를 한다.

except for ~을 제외하면, ~가 있을 뿐
(예) Your essay is good *except for* a few spelling mistakes. 네 논문은 몇 군데 철자가 잘못된 것을 제외하고는 훌륭하다. // The house is deserted *except for* the keeper. 문지기가 있을 뿐 그 집에는 아무도 없다.

except that ... ~라고 하는 것 외에는
(예) This is a very good book *except that* the price is a little too high. 값이 좀 비싼 점을 제외하면 이것은 아주 좋은 책이다.
　어법 except for 다음에는 명사나 동명사, except that 다음에는 절을 쓴다.

ex·cep·tion [iksépʃən] ㉳ 예외, 제외; 이의(異議)(=objection)
(예) There is no *exception* to the rule. 그 규칙에는 예외가 없다.
㉰ ***excéptional*** ㉱ 예외적인 **excéptionally** ㉲ 예외적으로

with the exception of ~을 제외하고는, ~이외에는
(예) I like all my subjects, *with the* only *exception of* Latin. 나는 모든 학과를 좋아한다. 다만 라틴어만은 예외이지만.

ex·cerpt [éksəːrpt] ㉳ (*pl.* **-s, -ta** [-tə]) 발췌 인용(구) ㉻ [iksə́ːrpt, ek-] 발췌하다, 인용하다(=quote) [~ from]

ex·cess [iksés] ㉳ 초과, 여분, 과도(=more than enough)
㉯ <exceed 초과하다
㉰ ***excéssive*** ㉱ 여분의, 과도한 **excéssively** ㉲ 과도하게

to excess 과도하게, 지나치게

(예) carry (a thing) *to excess* 극단적으로 하다, 지나치다
*◇**ex·change** [ikstʃéindʒ] [타] [자] 교환하다(=give and take
[명] 교환, 교체; 환(換), 환전(換錢), 거래소
[원] ex(=out)+change
(예) *exchanges* of views 의견 교환 // The students *ex-changed* greetings each other. 그 학생들은 서로 인사를 나누었다. // Please *exchange* seats *with* me. 나와 자리를 바꿔 주십시오.
in exchange (for) (~와) 교환으로, (~의) 대신으로
(예) I got a cow *in exchange for* the horse. 나는 말을 소와 교환했다.
exchange ~ for ~을 …와 교환하다
(예) *exchange* five apples *for* three oranges 사과 다섯 개를 오렌지 세 개와 교환하다
***ex·cite** [iksáit] [타] 흥분시키다(=cause a strong feeling) 자극하다(=stir up); (감정을) 일으키다(=arouse)
(예) *excite* curiosity 호기심을 일으키다 // He was greatly *excited.* 그는 대단히 흥분하였다. // Don't get *excited.* Don't *excite* yourself. 흥분하지 마라. // ◇It's nothing to *get excited about.* 그것은 전혀 흥분할 일이 아니다.
[파] **excítable** [형] 흥분하기 쉬운, 성 잘 내는 ◇**excitedly** [iksáitidli] [부] 흥분하여, 격분하여 ◇**excíting** [형] 자극하는 조마조마하게 하는, 흥분시키는
*◇**ex·cite·ment** [iksáitmənt]★ [명] 자극, 흥분
(예) ◇be flushed *with excitement* 흥분해서 얼굴이 상기되다
◇**ex·claim** [ikskléim] [타] [자] 외치다(=cry out), 소리치다
[원] ex(=out)+claim(외치다)
(예) He *exclaimed that* he was very happy. 그는 무척 행복하다고 말했다. (↔He said, "How happy I am!")
[어법] *cry*「큰 소리로 울부짖다」, *shout*「큰 소리로 외치다」, *scream*「째지는 소리를 내다」, *shriek*「고통 따위로 비명을 지르다, 히스테릭하게 외치다」
[파] **exclamátion** [명] 외침, 감탄; 〖문법〗 감탄사 **exclámatory** [형] 감탄의; 영탄조의(an *exclamatory* sentence 감탄문
*◇**ex·clude**★ [iksklúːd] [타] 배척하다, 제외하다; (가능성·의심 따위를) 전혀 허락치 않다, ~의 여지를 주지 않다
[원] ex(=out)+clude(=shut)
[반] inclúde 포함하다
(예) He was *excluded from* the game because of his bad leg. 그는 다리가 아파서 그 경기에서 제외되었다.
[파] ◇**exclusion** [iksklúːʒən] [명] 제외, 배척 ***exclusive**★ [iksklúːsiv] [형] 배타적인; 독점적인; 제외하는 [~ of] (↔inclúsive 포함하는) ◇**exclúsively** [부] 배타적으로; 오로지 **exclúsiveness** [명] 배타주의, 독점주의
◇**ex-con·vict** [ékskánvikt / -kɔ́n-] [명] 전과자
ex·cur·sion [ikskə́ːrʒən / -ʃən] [명] 소풍, 회유(回遊); 여행 단체
(예) go on an *excursion* 소풍 가다

ex·cuse ㊍ [ikskjúːz] 변명하다; 용서하다(=forgive), 면제하다 ㊎ [ikskjúːs] 변명, 구실(=apology)
(예) *Excuse* me. 용서하시오, 실례합니다. // I *excused* his com*ing* late. ↔ I *excused* him *for* be*ing* late. ↔ I *excused* his late arrival. 나는 그가 지각한 것을 용서했다. // Your failure admits of no *excuse*. 너의 실패는 변명의 여지가 없다.

▶ **114.** 「용서하다」의 유사어
excuse는 사소한 과실 따위를 너그러이 봐 주다. **pardon**은 중대한 죄 따위에 관용을 보여 벌을 면제하다. **forgive**는 해를 끼친 사람을 용서하고 그것을 앙심먹지 않고 잊어버린다는 뜻.

㊇ **excusable** [ikskjúːzəbəl] ㊋ 변명이 서는, 용서할 수 있는(an *excusable* mistake 변명이 서는 잘못)
excuse oneself 변명하다, 사과하다
(예) I'll *excuse* my*self* for my forgetfulness. 나의 건망증에 대해서 사과 드리겠습니다.
make an excuse for ~을 변명하다
(예) What *excuse* did she *make for* calling on you? 당신을 방문하는 데 그녀는 어떤 구실을 대었습니까?
ex·e·cute [éksikjùːt] ㊍ 실시하다(=carry out), 집행하다, 완수하다; 사형을 집행하다
㊇ **execútioner** ㊎ 집행자, 사형 집행인 **execútion** ㊎ 실시, 처형 ***executive** [igzékjətiv]* ㊋ 실행의, 행정적인 ㊎ 행정부, 집행부, 간부, 지배인 **executor** [igzékjətə*r*] ㊎ 지정 유언 집행인
ex·empt [igzém*p*t] ㊍ 면제하다 [~ from] ㊋ 면제된
(예) The injury *exempted* him *from* military service. 그 부상으로 그는 병역을 면제받았다. // persons *exempt from* taxes 세를 면제받은 사람들
㊇ **exémption** ㊎ 면제, 면역
ex·er·cise [éksə*r*sàiz]* ㊎ 운동; 연습, 훈련; 실행, 사용(=use); 교련(敎練) ㊍㊌ 연습하다; 활동시키다, 쓰다(=practise), 운동하다
(예) *exercise* in English 영어 연습 // take *exercise* 운동하다 // *exercise* an influence on ~에 영향을 미치다 // He *exercised* himself *in* dancing. 그는 댄스 연습을 했다.
ex·ert [igzə́ː*r*t] ㊍ 노력하다, 발휘하다, 쓰다(=use)
㊉ ex(=out)+sert(=put)
㊇ **exértion** ㊎ 노력, 분발
exert oneself 노력하다, 진력하다(=strive)
(예) He does not *exert* him*self* much. 그는 그다지 노력하지 않는다. // You ought to *exert* your*self* to achieve the goal. 그 목적을 성취하기 위해 분투해야 한다.
ex·hale [ekshéil, egzéil] ㊍㊌ 발산시키다〔하다〕, 내뿜다
㊈ inhále 흡입(吸入)하다
ex·haust* [igzɔ́ːst]* ㊍㊌ 다 써버리다(=use up); (사람을) 지쳐버리게 하다(=tire out); 유출(流出)하다 ㊎ 배출, 배기(排氣), 배기 장치

E

반 replénish 보충하다
(예) I am *exhausted with* toil. 나는 노동으로 아주 지쳐버렸다. // He *exhausted* himself (by) playing tennis. 그는 테니스를 해서 지쳐버렸다.
파 **exháusted** 형 소모된, 아주 지쳐버린 **exhaustion** [igzɔ́stʃən] 명 소모, 피로, 궁핍 **exháustive** 형 전부를 다하는, 남김없는, 철저한

***ex·hib·it** [igzíbit]* 타 보이다(=show); 전람〔전시〕하다 명 출품, 진열품
원 ex(=out)+hibit(=hold)
(예) The highest form of courage is not always *exhibited* on the battlefield. 최고의 용기는 반드시 싸움터에서만 발휘되는 것은 아니다.
파 ***exhibition** [èksəbíʃən] 명 박람회, 전람회(=〖미〗 exposition), 전시회; 공개
on exhibit(ion) 전시되어
(예) His paintings are *on exhibit*. 그의 그림은 전시중이다

ex·hort [igzɔ́ːrt] 타 타이르다, 권하다(=urge); 훈계하다
파 **exhortátion** 명 권고; 충고, 훈계

ex·ile [égzail, éks-] 명 유랑(流浪), 추방; 유랑자, 망명자(亡命者) 타 추방하다, 귀양 보내다
(예) He was *exiled from* his country. 그는 조국에서 추방당했다

ex·ist [igzíst] 자 존재하다(=be), 살아 있다(=live)

ex·ist·ence [igzístəns] 명 존재, 실재(實在); 생활(태도)
파 **exísting** 형 현존하는, 현재의
come into existence 생기다; 시행되다
(예) A new fashion has *come into existence*. 새 유행이 생겨났다.

ex·it [égzit, éksit] 명 출구(出口); 퇴장 자 퇴장하다
반 éntrance 입구, 입장(入場), énter 입장하다

> ▶ **115. 접두어 exo**
> 「바깥쪽」이란 뜻을 나타낸다.
> (예) *exo*tic

ex·ot·ic [igzátik / igzɔ́t-] 형 외국의, 이국적(異國的)인, 이국 정서의

***ex·pand** [ikspǽnd] 자 타 펴다, 넓히다(=spread out), 팽창하다, 팽창시키다, 확장하다(=make larger)
원 ex(=out)+pand(=spread) 반 contráct 줄다
(예) Water *expands* with heat. 물은 열로 팽창한다.
파 **expánse** 명 넓은 공간〔장소〕 **expánsible** 형 넓힐 수 있는, 팽창할 수 있는 ***expansion** [ikspǽnʃən] 명 확장, 팽창, 확대; 넓어짐 **expánsionism** 명 팽창론《통화 따위의 영토 확장 정책 **expánsive** 형 광대한; 팽창력이 있는

***ex·pect** [ikspékt] 타 기대하다(=look forward to); 〖구어〗(~라고) 생각하다
반 réalize 실현하다
(예) earlier than *expected* 생각한 것보다 일찍 // I *expect* him *to* come.↔I *expect that* he will come. 그가 오리라 생각

한다. // ◦A new edition *is expected to* come out next month. 신간이 내달에 나올 예정이다. // ◦Don't *expect* too much *of* 〔*from*〕 me. 나에게 너무 지나친 기대를 걸지 마시오.
파 ◦**expéctance, -cy** 명 기대, 가망 ◦**expéctant** 형 기다리는, 기대하는 [～ of] 명 기대하는 사람 *◦**expectátion** 명 기대, 가망 (*expectation* of life 예상 여명(餘命)) **expéctative** 형 대망의, 기대의

as might be* 〔*have been*〕 *expected 예기되는〔예상했던〕 바와 같이, 아니나 다를까

ex·pe·di·ent [ikspíːdiənt] 형 편의적인, 형편에 알맞은(=convenient), 적당한(=suitable), 득책(得策)의 명 편법, 수단, 방편, 방책
반 inexpédient 불편한, 부적당한

ex·pe·di·tion [èkspədíʃən] 명 탐험(대), 원정(遠征); 급속(急速)
파 **expedítionary** 형 원정의, 탐험의

ex·pel [ikspél] 타 내쫓다, 추방하다 [～ from]; (탄환을) 발사하다
원 ex(=out)+pel(=drive)

> ▶ **116.** 접두어 **ex**
> 「바깥으로」「저쪽으로」「～에서」의 뜻을 나타낸다. (철자법에 따라 e-, ef-로 되는 일이 있음). (예) *ex*pel, *ex*clude, *ex*port, *ex*pand 따위

ex·pense [ikspéns] 명 비용(=cost), 지출, 출비(出費); 손실
반 íncome 수입
(예) How much shall you need for traveling *expenses*? 여비는 얼마나 듭니까?
어법 「경비, ～비(費)」의 뜻에서는 복수형이 보통.
파 **expénd** 타 (시간·노력을) 들이다, 소비하다 *◦**expenditure** [ikspénditʃər] 명 비용, 소비

at the expense of ～의 비용으로, ～을 희생하여, ～에게 폐를 끼치고
(예) He accomplished the task *at the expense of* his health. 그는 건강을 희생하여 그 일을 성취했다.

ex·pen·sive [ikspénsiv] 형 비용이 드는, 값비싼
반 inexpénsive, cheap 값싼
파 ◦**expénsively** 부 비용을 들여서; 사치스럽게

ex·pe·ri·ence [ikspíəriəns] 명 경험, 견문, 실제상의 지식 타 경험하다(=undergo), ～에 부닥치다, 직면하다(=meet with)
반 inexpérience 무경험
(예) a man of *experience* 경험이 많은 사람 // have some *experience in* business 사업에 대한 경험이 다소 있다 // a warrior *experienced in* warfare 전쟁 경험이 많은 전사
파 **expérienced** 형 경험이 있는

by* 〔*from*〕 *experience 경험으로, 경험해서
(예) I know this *from experience.* 나는 이것을 경험으로 안다.

ex·per·i·ment 명 [ikspérəmənt] 실험(=trial) 자 [-mènt]

실험하다, 시험하다
(예) make an *experiment on* electricity 〔*in* physics〕 전기〔물리〕의 실험을 하다 // *experiment on* animals 동물실험을 하다
파 *__experiméntal__ 형 실험적인 **experiméntally** 부 실험적으로 **experimentátion** 명 실험, 시험; 실지 훈련 ◇**expérimenter** 명 실험자

*◇**ex·pert** 명 [ékspərt] 숙련가, 전문가, 명수(名手) 형 [ékspəːrt, ikspə́ːrt / ékspəːt] 숙달된, 노련한, 교묘한 [~ in]
(예) a linguistic *expert* ↔ an *expert on* 〔*in*〕 linguistics 언어학의 전문가

ex·pire [ikspáiər] 자 타 숨을 내쉬다; (기간이) 끝나다; 죽다(=die); (불 따위가) 꺼지다
원 ex(=out)+pire(=breathe)
반 inspíre 숨을 들이쉬다
파 **expiration** [èkspiréiʃən] 명 숨을 내쉼; 사망; (기간 따위의) 만기(滿期), 만료

*◇**ex·plain*** [ikspléin] 타 설명하다, 해명하다(=give a reason for)
반 obscúre 애매하게 하다
(예) *Explain* its meaning to me. ↔ *Explain* to me what it means. 그 뜻을 설명해 주시오. // He *explained that* the brakes had failed. 그는 브레이크가 듣지 않았다고 설명했다.
파 **explánatory** 형 설명의; 변명적

explain oneself (자기의 입장을) 변명하다; 마음을 털어놓다

*◇**ex·pla·na·tion*** [èksplənéiʃən] 명 설명, 해설

***ex·plic·it** [iksplísit] 형 명백한(=clear), 명확한
반 implícit 암시적인
파 **explícitly** 부 명백히 **explícitness** 명 명백

*◇**ex·plode*** [iksplóud] 자 타 폭발하다〔시키다〕, 파열하다〔시키다〕
파 ◇**explósive** 형 폭발성의 명 폭발성 물질, 폭약 *◇**explosion*** [iksplóuʒən] 명 폭발

ex·ploit 명 [éksplɔit] 공훈, 위업(偉業) 타 [iksplɔ́it] 개척하다; 성취하다; 이용하다, 착취하다
파 **exploitátion** 명 개발, 채굴; 착취

*◇**ex·plore** [iksplɔ́ːr] 타 탐험하다, 연구하다(=search into)
(예) *explore* an uninhabited island 무인도를 탐험하다
파 *◇**explorátion** 명 탐험, 조사 **explórative, -tory** 형 탐험(상)의, 답사의; 탐구의 *◇**explórer** 명 탐험가

*◇**ex·port** 타 [ikspɔ́ːrt] 수출하다 명 [ékspɔːrt] 수출(품)
원 ex(=out)+port(=carry) 반 impórt 수입(하다)
(예) *export* cotton goods *to* Asia 아시아로 면제품을 수출하다 // Silk is one of the chief *exports* of our country. 견주는 우리 나라의 주요한 수출품의 하나이다.
파 *__exportátion__ 명 수출(품) **expórter** 명 수출업자

ex·pose [ikspóuz] ㉠ (햇볕·비·바람 따위에) 쐬다(=uncover), 폭로하다(=disclose, reveal); 진열하다; 〖사진〗 (필름을) 노출(露出)하다
㉯ ex(=out)+pose(=place) ㉰ cóver 덮다
(예) She *exposed* her back *to* the sun. 그 여자는 등을 햇볕에 쬐었다. // *expose* oneself *to* danger 위험에 몸을 드러내다
㉱ **expósed** ㉲ 노출된, 비바람 맞는 ◇**exposure** [ikspóuʒər] ㉳ 바램, 쬠, 폭로; 〖사진〗 노출 ◇**exposítion** ㉳ 발표, 해설; 〖미〗 박람회
lie exposed to ~에 드러내 놓이다
(예) The hilltop *lay exposed to* cold winds. 산꼭대기는 찬 바람에 노출되어 있었다.
ex·press [iksprés] ㉠ 발표하다, (감정을) 나타내다(=say 〔show〕 clearly) ㉲ 명백한(=clear); 특별한, 지급의 ㉳ 급행 열차, 속달편, 급사(急使) ㉴ 특별히; 지급편으로; 급행으로
㉰ suppréss 은폐하다
(예) by *express* 급행으로, 속달로 // an *express* train 급행열차 // *express* oneself 자기의 의견을 말하다 // *express* oneself in English 생각을 영어로 말하다 // I cannot *express* how grateful I am to you. 무어라 감사해야 좋을지 모르겠습니다.
㉱ ⁑**expréssion** ㉳ 표현, 발표; 표정 **expréssive** ㉲ 표현이 풍부한, 적절한 **expréssively** ㉴ 표정이 풍부하게 **expréssly** ㉴ 명백하게; 일부러
beyond* 〔*past*〕 *expression 말로 표현할 수 없는
(예) His works were excellent *beyond expression*. 그의 작품은 우수하기 이를 데 없었다.
***find* 〔*seek*〕 *expression* (*in*)** (감정 따위가) (~에) 나타나다, 표현되다
(예) The writer's personality *finds expression in* his novels. 작가의 개성은 그의 소설에 나타난다.
give expression to ~을 표현하다
(예) She *gave expression to* her feelings. 그 여자는 자기 감정을 표현했다.
ex·qui·site [ékskwizit, ikskwízit] ㉲ 정교한, 절묘한(=very fine and beautiful); (감정 따위가) 예민한(=sharp)
㉱ **exquisitely** [ékskwizitli, ikskwízit-] ㉴ 정교하게; 통절히 **éxquisiteness** ㉳ 절묘, 섬세
ex·tend⋆ [iksténd] ㉠㉵ 뻗다, 늘이다, 미치다, ~에 이르다(=reach)
㉯ ex(=out)+tend(=stretch 펴다)
㉰ contráct 줄이다
(예) *extend* a business 사업을 확장하다 // *extend* a rope between two posts 두 기둥 사이에 밧줄을 건너 치다 // *extend* the road *to* the next village 도로를 이웃 마을까지 연장하다 // *extend* help *to* the poor 빈민에게 구원의 손길

E

을 뻗치다

㉯ ◇extension* ㊔ 확장, 연장, 증축 *extensive ㊔ 광대한, 대규모의 ◇extensively ㊕ 넓게, 대규모로 ◇extende ㊔ 제품에 첨가하는 경품; 증량제

*◇**ex·tent** [ikstént] ㊔ 넓이; 범위, 정도(=scope, range)
(예) a vast *extent* of land 광대한 토지 // This is th *extent* of my ability. 이것이 내 능력의 한도입니다.

*◇***to a certain 〔some〕 extent*** 어느 정도까지
(예) I agree with you *to a certain extent.* 어느 정도까지 나는 너와 동감이다.

ex·ten·u·ate [iksténjuèit] ㊎ 죄를 경감하다(=diminish)
㉯ **extenuation** ㊔ (죄의) 경감

ex·te·ri·or [ikstíəriə] ㊔ 외부의, 외면의(=outer) ㊔ 외부(=outside), 외관(=outward aspect)
㉰ intérior 내부, 내부의

ex·ter·mi·nate [ikstə́ːrminèit] ㊎ 절멸(絶滅)시키다, 근절하다(=destroy all)
㉯ **extermination** ㊔ 절멸, 근절

E

*◇**ex·ter·nal** [ikstə́ːrnl] ㊔ 외부의(=outside), 외관상의; 대외의 ㊔ 외부, 외관
㉰ intérnal 내부, 내부의
(예) the *external* world 외계(外界) // an *external* policy 대외 정책
㉯ **externally** ㊕ 외견상, 외면적으로

ex·tinct [ikstíŋkt] ㊔ (불이) 꺼진, 끊어진, 다한, 사멸한(=dead)
㉯ **extinction** ㊔ 소멸, 사멸, 멸망

ex·tin·guish [ikstíŋgwiʃ] ㊎ 끄다(=put out), 박멸하다
(예) *extinguish* a fire 〔a person's hope〕 불을 끄다〔희망을 잃게 하다〕
㉯ **extinguisher** ㊔ 끄는 사람〔물건〕; 소화기(消火器)

ex·tol (l) [ikstóul] ㊎ 격찬(激讚)하다(=praise highly) 칭찬하다

***ex·tra** [ékstrə] ㊔ 여분의(=additional), 특별의 ㊕ 여분으로, 특별히(=unusually) ㊔ 여분의 것(=somethin added), 호외, 할증금(割增金); 임시로 고용된 사람
(예) an *extra* train 임시 열차 // work *extra* 여분으로 일을 하다

◇**ex·tract** ㊎ [ikstrǽkt] 뽑아내다(=take out), 발췌하다 ㊔ [ékstrækt] 추출물(抽出物), 발췌
㉱ ex(=out)+tract(=draw 끌다)
(예) *extract* a tooth 이를 뽑아내다 // Oil is *extracted from* olives. 올리브 열매에서 기름을 짠다.
㉯ ◇**extraction** ㊔ 추출

◇**ex·tra·cur·ric·u·lar, -lum** [èkstrəkəríkjələr], [-ləm] ㊔ 과외(課外)의, 정규 과목 이외의; 평소의 직업〔생활〕과는 거리가 먼
(예) *extracurricular* activities (학생의) 과외 활동

ex·traor·di·nar·y [ikstrɔ́ːr-dənèri/-nəri] ⓗ 비상한, 비범한(=most unusual); 터무니 없는, 놀라운, 의외의; 임시의
원 extra(=out of)+ordinary
파 **extraórdinarily** 부 비정상으로, 엄청나게

> ▶ **117. 접두어 extra**
> 「여분의, 특별한(over, beyond)」의 뜻을 나타낸다.
> (예) *extra*ordinary, *extra*vagant 따위

ex·trav·a·gant [ikstrǽvəgənt] ⓗ 낭비벽이 있는; 터무니 없는
파 **extrávagance** 명 사치, 낭비, 방종(放縱)

ex·treme [ikstríːm]* ⓗ 극단의, 극도의; 과격한; 맨 끝의(=farthest) 명 극단, 최후의 수단; 《*pl.*》 곤경(困境)
반 móderate 적당한
어법 비교형 -tremer, -tremest 보다 more ~, most ~가 보통.
파 ***extrémely** 부 극단으로 **extremity** [ikstréməti] 명 극단; 곤경; 《*pl.*》 사지(四肢)

***go to extremes* 〔*an extreme*〕** 극단으로 흐르다

ex·tri·cate [ékstrəkèit] 타 (위험·곤경에서) 구해내다, 해방하다(=set free)
(예) He *extricated* himself *from* the difficulties. 그는 곤경에서 빠져나왔다.

ex·ult [igzʌ́lt] 자 무척 기뻐하다 [~ at, over, in]
파 **exultátion** 명 몹시 기뻐함 **exúltant** ⓗ 의기 양양한

eye [ai] 〈동음어 I, ay, aye〉 명 눈; 시력; 보는 눈 모습; 감식력; 주시 타 보다, 노려보다, 주시하다
(예) with one's *eyes* wide open 눈을 크게 뜨고 // catch a person's *eye* 아무의 눈에 띄다 // with the naked *eye* 육안으로 // The building has nothing in its design to hold the *eye* down. 그 건물은 디자인면에서 눈길을 끌 만한 것이 없다.
파 **eyeball** [áibɔ̀ːl] 명 눈알, 안구 **eyebrow** [áibràu] 명 눈썹 **éyeglass** 명 안경알; 《*pl.*》 안경 **eyelash** [áilæ̀ʃ] 명 속눈썹 **éyelid** 명 눈꺼풀 **éyesight** 명 시력; 시계(=eyeshot) **eyewitness** [áiwìtnis] 명 목격자; 실지 증인

have an eye for ~을 보는 눈이 있다, ~을 볼 줄 알다
(예) He *has an eye for* beauty. 그는 심미안이 있다.

have an eye to ~을 주목하다, ~에 주의를 기울이다

in the eye of ~의 견지에서 보면, ~의 보는 바로는
(예) *in the eye of* the law 법률상 견지에서 보면

keep an* 〔*one's*〕 *eye on ~을 감시하다, 주의하여 보다
(예) The elite members of the Navy *keep a* watchful *eye on* the sea lines. 해군의 정예병들이 수평선을 방심하지 않고 감시하고 있다.

keep one's eyes open 방심 않고 주의〔경계〕하다

set* 〔*lay*〕 (*one's*) *eyes on ~을 보다
(예) I have not *laid eyes on* him for a week. 나는 한 주일 동안 그를 보지 못했다.

E

◇***up to the eyes*** (***in***) (~에) 깊이 빠져; 전혀(=entirely
(예) He is *up to the eyes in* trouble. 그는 궁지에 깊이 빠
져 있다.

◇**fa·ble** [féibəl] ⓜ 우화(寓話), 전설; 꾸며낸 이야기
ⓟ **fábled** ⓗ 우화에 나오는, 전설적인 ◇**fabulou**
[fǽbjələs] ⓗ 전설적인, 황당 무계한, 터무니없는
fab·ric [fǽbrik] ⓜ 피륙; 건조물, 구조
(예) cotton 〔silk, woolen〕 *fabric* 면〔견, 모〕직물
☆**face** [feis] ⓜ 얼굴, 얼굴 표정(=expression); 표면(=surface); 뻔뻔스러움 ⓣⓐ ~에 면하다(=look towards), 대항하다, 직면하다
(예) lie on one's *face* 엎드리다 // make 〔pull〕 a *face* 〔faces〕 얼굴을 찌푸리다 // look a person in the *face* 아무의 얼굴을 정면으로 보다 // *face* a danger 위험에 맞서다 // The house *faces* the street. 그 집은 거리에 면해 있다.
ⓟ ◇**fácial** ⓗ 얼굴의

> **▶ 118. 달의 이름**
> 우리말식으로 달의 이름을 숫자로 나타내는 말이 영어에 없는 것은 아니다. September는 원래 7월의 뜻으로 septem은 라틴어로 seven을 뜻했다. October는 8월. octopus(낙지. octo=eight, pus=foot)로 알 수 있듯이 octo는 8. 또, November는 9월이었고 novem은 9이다. 10월이 December였다. decem은 10의 뜻이고, decimal(십진법의)에 남아 있다. 달의 이름이 어긋나게 된 것은 고대 로마에서는 1년이 10개월로 나뉘었던 까닭이다.

◇***face to face*** (***with***) (~와) 정면으로 마주 보는〔보고〕; (~에) 직면하여
(예) The two scientists came *face to face* in a TV interview. 두 과학자는 텔레비전 인터뷰에서 얼굴을 대하게 되었다. // She was sitting *face to face with* the boy. 그녀는 그 소년과 마주 보고 앉아 있었다.
in (***the***) ***face of*** ~에 직면하여; ~의 면전에서; ~에도 아랑곳없이
(예) He remained calm *in the face of* such a danger. 그는 그와 같은 위기에 직면해서도 태연하였다.
◇***lose*** (***one's***) ***face*** 체면을 잃다, 낯 깎이다
save (***one's***) ***face*** 체면을 세우다
to one's face 아무에게 정면으로; 뻔뻔스럽게도 (cf. behind one's back 아무가 없는 곳에서)
(예) I couldn't say it *to* his *face*. 얼굴을 맞대고는 그에게 그것을 말할 수 없었다.
fac·et [fǽsit] ⓜ (다면체, 특히 보석의) 작은 면, 깎은 면; (일의) 양상, 국면(=phase); 〖곤충〗 홑눈 ⓣ 《***facet***(***t***)***ed*** ; ***facet***(***t***)***ing***》 ~에 작은 면을 내다〔깎다〕

F

fa·cil·i·ty [fəsíləti] [명] 용이함(=easiness); 재주, 솜씨(=special skill); 《*pl.*》 편의(=convenience); 설비, 시설, 기관
(예) traffic *facilities* 교통 기관 // with *facility* 수월하게 // *facilities* for study 연구 시설
[파] **facílitate** [타] (손)쉽게 하다, 촉진하다
fac·sim·i·le [fæksíməli] [명] 복사; 팩시밀리; 전송 사진
fact [fækt]* [명] 사실, 진상, 실제
[반] fíction 꾸며낸 것, 허구(虛構)
(예) the *fact* that he has died 그가 죽었다는 사실 // The *fact* is (that) she planned it all by herself. 실은 그녀 혼자서 그것을 전부 계획했다.
[파] *fáctual [형] 사실의; 사실에 관한; 사실에 입각한
in fact 실제로, 실로(=in truth ; as a matter of fact), 요컨대
(예) It's very large indeed, *in fact* it's the largest I've ever seen. 그것은 참으로 크다. 사실 그것은 내가 이제까지 본 것 중에서 가장 크다.
fac·tion [fǽkʃən] [명] 도당(徒黨), (당내의) 당파, 파벌; 내분
[파] **fáctional** [형] 도당의, 당파적인 **fáctionalism** [명] 당파심, 파벌주의 **fáction-ridden** [형] 당파심으로 지배된
fac·tor [fǽktər] [명] 요소, 요인, 원동력
(예) Ability is one *factor* of success. 능력은 성공의 한 요소이다.
fac·to·ry [fǽktəri] [명] 공장(=workshop)
(예) a *factory* girl 여공 // a *factory* hand 직공
fac·ul·ty [fǽkəlti] [명] 재능(*cf.* ability), 기능, 기술, 수완; 《집합적》 교직원; 교수단(敎授團) (*cf.* 영국에서는 college staff), 학부
fad [fæd] [명] 일시적 유행; 변덕; 취미
fade [feid] [자] [타] (빛깔이) 바래다(=lose color), 시들다, 쇠퇴하다
(예) The hills *faded* from view. 작은 산들은 차차 보이지 않게 되었다.
fade away 사라지다; (색이) 바래다; 시들다
(예) Old soldiers never die ; they just *fade away*. 노병은 죽지 않고 사라질 뿐이다.
fag·(g)ot [fǽgət] [명] (장작 따위의) 단, 섶나뭇단
Fah·ren·heit [fǽrənhàit, fá:-] [형] 화씨의 〖약어〗 *F.*
fail [feil]* [자] [타] 실패하다 [~ in], ~을 하지 못하다 [~ to do], 모자라다; (건강·시력이) 쇠약해지다; 기대에 어긋나다, ~을 저버리다
[반] succéed 성공하다
(예) without *fail* 반드시 // I *fail to* see the difference. 나는 그 차이점을 모르겠다. // His courage *failed* him. 그는 용기가 꺾였다.
[파] **fáiling** [명] 실패, 결점 [전] ~이 없을 경우에는
fail in ~에 실패하다

(예) If I *fail in* that, I will probably never pay you at al
만일 그 일에 실패한다면 아마 당신에게 전혀 지불할 수
없게 될 것입니다.

fail of ~을 달성 못 하다, ~에 실패하다; ~이 없다
(예) The experiment *failed of* success. 그 실험은 실패로
끝났다.

****fail to*** *do* ~하지 못하다, ~을 게을리하다
(예) He *failed to* keep his promise. 그는 약속을 지키지
못했다.

****cannot* 〔*never*〕 *fail to*** *do* 반드시 ~하다
(예) He *never fails to* come on Sundays. 그는 일요일에
는 반드시 온다.

***fail·ure**★ [féiljər] ⓜ 실패; 결핍; 쇠약

***fain** [fein] 〈동음어 feign〉 ⓑ 《would와 함께》 기꺼이, 쾌히
(예) I *would fain* help you. 기꺼이 도와 드리고 싶습니다
(만).

***faint** [feint] ⓙ 기절하다; (빛깔이) 희미해지다 ⓜ 기절(氣絕) ⓗ 희미한, 어렴풋한(=dim), 약한(=weak), 기절할 것 같은
반 strong 강한
(예) feel *faint* 어지럽다 // a *faint* sound 약한 소리
파 **fáintly** ⓑ 힘없이, 희미하게 **fáintheart** ⓜ 겁쟁이
fáinthéarted ⓗ 용기 없는

***fair** [fεər] 〈동음어 fare〉 ⓗ 아름다운(=beautiful); 맑은(=clear); 공평한(=just); 상당한, 충분한; 금발의, 살갗이 흰 ⓑ 공명정대하게 ⓜ (정기적으로 열리는) 장; 〖미〗 박람회(=exhibition)
(예) *fair* treatment 공평한 대우 // *fair* weather 맑은 날씨 // play *fair* 정정 당당하게 하다 // a *fair* chance of success 충분히 성공할 가망 // *fair* day 장날
어법 ① 「아름다운」의 뜻으로는 여성에게 쓰이는 것이 보통 ② 부사로서는 위에 든 보기 이외에 소수의 동사와 함께 쓰일 뿐이고, 일반적으로는 *fairly* 가 보통이다.
파 ***fáirly** ⓑ 공명정대하게; 완전히; 상당히(=pretty) **fáirness** ⓜ 공평함; 아름다움 **fair play** 정정 당당한 경기 태도; 공정한 태도

fair·y [fέəri] ⓜ 요정(妖精) ⓗ 선녀의, 요정 같은
파 **fáiryland** ⓜ 선경(仙境), 요정〔동화〕의 나라 **fairy tale** 옛날 이야기, 동화

***faith** [feiθ] ⓜ 신용, 신념; 약속(의 이행), 성실; 신앙(=belief)
반 dóubt 의심
(예) have 〔lose〕 *faith* in ~을 믿다〔믿지 않다〕
파 **fáithful** ⓗ 충실한, 신앙심이 굳은 **fáithfully** ⓑ 충실히 **fáithless** ⓗ 신의 없는, 불성실한 **fáithfulness** ⓜ 충실; 신뢰성

fal·con [fǽlkən, fɔ́:l- / fɔ́:l-] ⓜ (매 사냥에 쓰이는) 매
파 **fálconer** ⓜ 매를 부리는〔길들이는〕 사람, 매부리

☆**fall** [fɔ:l] ⓙ 《***fell*** [fel]; ***fallen*** [fɔ́:lən]》 떨어지다, 내리다

타락하다; 함락하다; 쓰러지다; (값 따위가) 내리다; (상태로) 되다(=become) [명] 낙하; 멸망, 함락; 폭포; 〖미〗 가을 (=〖영〗 autumn)
[반] rise 상승하다
(예) *fall* from a tree 나무에서 떨어지다 // Prices have *fallen.* 물가가 내렸다. // *fall* asleep 〔silent〕 잠들다〔조용해지다〕 // the *fall* of Troy 트로이의 멸망
[파] ***fállen** [형] 떨어진; 함락된(*fallen* leaves 낙엽) **fálling** [명] 낙하, 하강; 함락 [형] 떨어지는

fall away 버리다(=desert); 여위다; 사라지다(=disappear); 줄다
(예) All his friends *fell away* from him. 그의 옛 친구들은 모두 그를 버렸다.

fall back 후퇴하다, 물러서다; 약속을 지키지 않다
(예) Our troops *fell back* before the fire of the enemy. 우리 군대는 적의 포화를 받고 후퇴했다.

fall back upon 〔***on***〕 ~에 의지하다(=have recourse to)
(예) If he loses one thing, he can *fall back upon* another. 그는 비록 하나를 잃는다 해도 다른 것에 의지할 수가 있다.

fall behind ~에 뒤지다, 뒤에 처지다; (일·지불이) 밀리다
(예) *fall behind* the times 시대에 뒤지다 // I *fall behind* him in intelligence. 나는 지능면에서 그에 뒤진다.

fall down 엎드리다, (땅에) 넘어지다, 떨어지다
(예) *fall down* a cliff 절벽에서 떨어지다 // The horse *fell down* on the ground. 말이 땅에 넘어졌다.

fall ill 〔***sick***〕 병이 들다(=be taken ill)

fall in (지붕 따위가) 내려앉다; (볼·눈 따위가) 쑥 꺼지다
(예) The walls, with one exception, had *fallen in.* 벽은 한군데만 남고 허물어져 있었다.

fall in with ~와 우연히 만나다(=come across), ~와 (의견이) 일치하다, 동조하다
(예) We *fell in with* a stranger. 우리들은 낯선 사람을 만났다.

fall into ~이 되다, ~에 빠지다; ~하기 시작하다
(예) Young men and women are apt to *fall into* temptations. 젊은 남녀들은 유혹에 빠지기 쉽다.

fall off ~에서 떨어지다; 감소하다; 쇠(衰)하다
(예) *fall off* a horse 낙마하다 // His supporters *fell off.* 그의 지지자가 줄었다.

fall on 〔***upon***〕 (축제일 등이) 바로 ~날이다; 덮치다; (~을) 하기 시작하다
(예) The holiday *falls on* Sunday. 그 축제일은 일요일이 된다.

fall on one's face 〔***knees***〕 엎드리다〔무릎을 꿇다〕
(예) Suddenly the boy *fell on* his *knees.* 갑자기 그 소년은 무릎을 꿇었다.

F

◇***fall short*** (***of***)★ (~에) 이르지〔미치지〕 못하다; 부족하다
(예) The arrow *fell short of* the mark. 화살은 과녁에 미치지 못했다.
fall to ~을 시작하다(=begin), 식사를〔공격을〕 시작하다
(예) All the family *fell to* crying at the news. 그 소식을 듣고 온 식구들이 울기 시작하였다. // They *fell to* with hearty appetite. 그들은 맛있게 먹기 시작하였다.
fall to the ground 땅에 넘어지다; (계획이) 실패하다
(예) The scheme *fell to the ground.* 그 계획은 실패했다.
fal·la·cy [fǽləsi] 명 잘못된 생각(=a false notion); 허위
fal·low [fǽlou] 명 놀리는 땅 타 농토를 묵히다 형 묵히고 있는《밭 따위》
*◇**false** [fɔ:ls] 형 거짓의(=untrue), 잘못된(=wrong); 성실치 않은(=unfaithful); 가짜의, 위조의
반 true 진실의
(예) a *false* friend 성실치 못한 친구 // a *false* eye 의안(義眼)
파 **fálsehood** 명 거짓말, 허위 **fálseness** 명 허위, 불성실 **fálsehéarted** 형 불성실한 **falsify** [fɔ́:lsəfài] 타 (사실을) 속이다; 위조하다 **fàlsificátion** 명 속임, 문서 위조
fal·ter [fɔ́:ltər] 자 타 비틀거리다; (말을) 더듬다, 더듬더듬 말하다[~ out]
(예) Never *falter in* doing good. 선을 행하는 데 주저하지 마라.
◇**fame** [feim] 명 명성(=good name); 세평(=reputation)
(예) a man of *fame* 이름 있는 사람 // win 〔gain〕 *fame* 명성을 얻다
파 **famed** 형 이름 있는, 유명한 (⇨) **famous**
come to fame 유명해지다
(예) He *came to fame* after the battle. 그는 그 싸움 뒤에 유명해졌다.
*◇**fa·mil·iar** [fəmíljər]★ 형 친한, 친밀한(=intimate); 잘 알고 있는 [~ with], 익숙한; 잘 알려진, 낯〔귀〕 익은(=well-known)
반 strange 낯선
파 ***familiarity** [fəmìliǽrəti]★ 명 친교(親交); 숙지(熟知) ◇**famíliarize** 타 친숙하게 하다, 익숙하게 하다, 통속화(通俗化)하다
*◇(***be***) ***familiar with***★ ~와 친밀한, ~에 정통해 있는
(예) I *am familiar with* the language. 나는 그 언어를 잘 알고 있다. // I *am familiar with* him. 나는 그와 친하다.
어법 ◇The language *is familiar to* me. 와 같이 「사물이 사람에게 알려져 있다」란 뜻으로는 to를 쓴다.
◇***familiarize*** *one**self*** ***with*** ~에 정통〔익숙〕하다
☆**fam·i·ly** [fǽməli] 명 가족, 일가(一家), 집안, 가문, 가계(家系); 〖동물〗 족(族), 〖식물〗 과(科)
(예) a *family* tree 계보, 족보 // a *family* name 성(=surname) (*cf.* Christian name 이름)

어법 ① 집합 명사니까, 하나의 통합된 단위로 생각하면 a family, three families 처럼 보통 명사와 같이 다룰 수 있다. ② 구성원 개인을 말할 때는 복수 취급한다: His family *are* all early risers. (그의 집안 식구는 모두 일찍 일어난다)

fam·ine [fǽmin] 명 기아, 굶주림(=starvation)
반 plénty 풍부
(예) die of *famine* 굶어 죽다
파 **fámish** 자타 굶주리(게 하)다; 아사시키다

fa·mous [féiməs] 형 유명한, 이름난〔있는〕(=well-known, noted) (*cf.* notorious 악명 높은)
원 <fame 명성
반 unknówn 알려져 있지 않은
(예) Korea is *famous for* its scenic beauty. 한국은 아름다운 경치로 유명하다.

> ▶ **119. 접미어 ous**
> 형용사의 어미로서「～이 많은」「～성(性)의」「～의 특징이 있는」의 뜻을 나타낸다.
> (예) fam*ous*, joy*ous*, nerv*ous*

fan [fæn] 명 부채; 애호가 타자 부채로 부치다, 선동하다
파 **fanatic** [fənǽtik] 형 열광적인 명 열광자, 광신자 **fanatical** [fənǽtikəl] 형 열광적인, 광신적인 **fanáticism** 명 열광

fan·cy [fǽnsi] 명 공상; 변덕, 일시적인 생각; 좋아함, 기호(=liking) 타 공상하다(=imagine), 생각하다 [～ that]; 좋아하다, 마음에 들다 형 의장(意匠)에 공들인, 장식적인
(예) take a *fancy* to ～이 좋아지다 // have a *fancy* for ～을 좋아하다 // I *fancy* so〔not〕. 그렇다고〔그렇지 않다고〕 생각한다. // That's only your *fancy*. 그런 생각이 들 뿐이겠지. // She *fancies* herself beautiful. ↔ She *fancies that* she is beautiful. 그녀는 미인이라고 자부하고 있다. // *I fancied* myself *to be*〔*as*〕a king. 나는 왕이 되었다고 상상해 보았다.
파 **fánciful** 형 공상에 잠기는

fan·fare [fǽnfɛ̀ər] 명 〖프〗 팡파르; 선전; 허세

fan·ta·sy [fǽntəsi, -zi] 명 공상, 환상; 〖음악〗 환상곡
파 **fantastic** [fæntǽstik] 형 공상적인; 변덕스러운; 터무니없는; 〖구어〗 굉장한, 멋진

far★ [fɑːr] 부형 《***farther, further*** ; ***farthest, furthest***》 《장소·시간》 멀리(에), 먼 (곳으로), 아득히〔한〕; 《정도》 훨씬, 매우
반 near 가까이, 가까운
(예) *far* into the night 밤 늦게까지

어법 ① *far*는 의문문·부정문에서 쓰일 때가 많고, 긍정 평서문에서는 a long〔short〕way (off) 따위의 표현으로 대용하는 경향이 있다. ② much와 같이 비교급·최상급을 강조하는 데 쓰인다: Gold is *far heavier* than silver. 금은 은보다 훨씬 더 무겁다. ③ 형용사로서는 the *far* north (극북), the *far* past (아득한 과거), 그 밖에 관용적 표현 이외에는 명사 앞에 쓰지 않는다.

파 **faraway** [fɑ́ːrəwèi] 형 먼 곳의, 아득한 옛날의

fár-óff ⓗ 먼(=distant), 멀리 떨어진 **fár-réaching** ⓗ 원대한, 멀리까지 미치는

far and away 훨씬, 단연

(예) Your idea is *far and away* the better. 네 아이디어가 훨씬 좋다.

far and wide 도처에, 널리, 두루

(예) He has traveled *far and wide.* 그는 여러 곳을 두루 여행했다.

*◇***far from*** (*doing*)* ~하기는커녕; 결코 ~ 아니다

(예) I am *far from* (be*ing*) happy. 나는 전혀 행복하지 않다. // *Far from* read*ing* the letter, he did not open it 그는 편지를 읽기는커녕 봉투도 뜯어보지 않았다.

◇***by far*** 훨씬, 단연, 아주

(예) This is *by far* (=far and away) the best of all. 이것은 모든 것 중에서 단연 낫다.

어법 *by far*는 주로 비교급·최상급을 강조한다.

farce [fɑːrs] ⓜ 소극(笑劇), 어릿광대극, 익살극(=ridiculous show)

*◇**fare** [fɛər] 〈동음어 fair〉 ⓜ (탈것의) 요금, 운임; 승객(=passenger); 음식물(=food) ⓙ 지내다, 살아가다, 여행하다; 음식을 먹다; (일이 잘 또는 신통찮게) 되어 가다[∼well, ill]

(예) tram *fare* 전차 요금 // It *fared well* 〔*ill*〕 with him 그는 일이 잘 되어〔안 되어〕 갔다.

◇**fare·well** [fɛ̀ərwél] ⓖ 안녕! (*cf.* good-by(e)) ⓜ 작별 ⓗ 작별의

(예) a *farewell* party 〔meeting〕 송별회 // bid 〔say〕 *farewell* to a person ↔ bid a person *farewell* 아무에게 작별의 인사를 하다

***farm** [fɑːrm] ⓜ 농장, 농지; (가축의) 사육장; 〖미〗 별장 ⓙⓣ 경작하다, 소작하다

(예) live on the *farm* 농장에서 살다

파 ◇**fármable** ⓗ 경작할 수 있는 **fárming** ⓗ 농업의 ⓜ 농작, 농경 ◇**fármhand** ⓜ 농장 노동자, 머슴 ◇**fármhouse** ⓜ 농가 ◇**fármland** ⓜ 경작지 **farmstead** [fɑ́ːrmstèd] ⓜ (안채·헛간 등 부속 건물 일체를 포함한) 농가 **fármyard** ⓜ 농가의 마당; 농장의 구내

***farm·er** [fɑ́ːrmər] ⓜ 농부, 농장 경영자

***far·ther** [fɑ́ːrðər] 〈동음어 father〉 ⓗⓑ 더 먼〔멀리〕, 더 앞의〔앞에〕, 저쪽의〔에〕

원 far의 비교급의 하나(*cf.* further)

(예) Nothing is *farther* from the truth than such an idea 그런 생각만큼 진실에서 먼 것은 없다. // I can't go any *farther.* 이 이상 더 갈 수 없다.

파 **fárthest** ⓗⓑ 《far 의 최상급》 가장 먼〔멀리〕

far·thing [fɑ́ːrðiŋ] ⓜ 영국의 동화(銅貨) 《1/4 penny》

NB 현재는 쓰이지 않는다.

*◇**fas·ci·nate** [fǽsənèit] ⓣ 황홀케 하다, 매혹〔매료〕시키다

(=charm)
(예) He *was fascinated by* 〔*with*〕 her beauty. 그는 그 여자의 아름다움에 매혹되었다.
파 ◇**fáscinating** 형 황홀케 하는, 매혹적인 **fascinátion** 명 매혹

fas·cism [fǽʃizəm] 명 [종종 F-] 파시즘, 독재적 국가 사회주의
파 **fáscist** 명 파시스트, 국수주의자

fash·ion [fǽʃən] 명 유행, 패션; 방식(=manner), 형(=shape) 타 모양짓다(=shape), 만들다(=make)
(예) the latest *fashion* 최신 유행 // I always do a thing in my own *fashion*. 나는 언제나 내 방식대로 한다.
파 *◇**fáshionable** 형 유행의, 유행을 따른 **fáshionably** 부 유행을 따라 **fashion show** 패션 쇼

after* 〔*in*〕 *a fashion 이럭저럭, 어느 정도
(예) He can speak English *after a fashion*. 그는 다소 영어를 할 줄 안다.

(*be*) *in* 〔*out of*〕 *fashion* 유행하고〔하지 않고〕
(예) The hat is now *in fashion*. 그 모자는 지금 유행되고 있다.

fast [fæst / fɑːst] 형 빠른; 고정〔고착〕된; (마음이) 변하지 않는, 충실한; (색이) 바래지 않는 부 빨리; 꽉, 단단히; 푹, 깊이 《자다》 명 단식 자 단식하다
반 slow 느린, loose 헐거운
(예) make a boat *fast* 보트를 매어놓다 // be *fast* asleep 깊이 잠들어 있다 // The clock is five minutes (too) *fast*. 그 시계는 5분 빨리 간다.
파 **fástness** 명 고정; (색의) 불변성; 신속; 요새 ◇**fást-fóod** 형 〖미〗 간이 음식 전문의, 즉석 요리의

fas·ten [fǽsn / fɑ́ːsn] 타 자 단단히 고정하다, 붙들어 매다 [~ to, on, upon]; (문짝 따위가) 닫히다
반 unfásten 풀다
(예) *Fasten* the mirror securely *to* the wall. 거울을 벽에 단단히 달아라.
파 **fástener** 명 죄는 사람〔물건〕, 잠그개, 죔쇠, 지퍼

fas·tid·i·ous [fæstídiəs, fəs-] 형 괴팍스러운, 까다로운(=hard to please); 민감한(=sensitive)

fat [fæt] 형 살찐, 뚱뚱한(=well-fed), (땅이) 비옥한(=rich, fertile) 명 지방(脂肪)
반 lean, thin 여윈, barren 불모의
(예) Laugh and grow *fat*. 〖속담〗 소문 만복래(笑門萬福來).
　어법 *fat*는 뒤룩뒤룩한 느낌, *stout*는 단단한 느낌의 「살찐」.
파 ◇**fátten** 자 타 살찌(우)다; 기름지게 하다 ◇**fátty** 형 지방질의; 기름진

fa·tal·ist [féitəlist] 명 운명〔숙명〕론자

fate [feit] 명 운명, 숙명, 파멸, 죽음(=death) 타 운명지우다

(예) It is his *fate* to be a failure. 실패자가 되는 것이 그의 운명이다. // The poet *was fated to* die young. ↔ *It was fated that* the poet *should* die young. 그 시인은 젊어서 죽을 운명이었다.

> ▶ **120.** 「운명」의 유사어 —
> **luck**는 우연한 운명《구어적인 말》. **fortune**은 우연을 지배하는 힘《luck보다 딱딱한 말》. **fate**는 불합리·비통·가혹한 운명. **destiny**는 움직일 수 없는 운명.

파 *__fatal__ [féitl]★ 형 생명에 관계되는, 치명적인, 숙명적인 (a *fatal* disease 불치의 병) **fátally** 부 숙명적으로; 불운하게; 치명적으로 **fatality** [feitǽləti, fə-] 명 숙명; 불행, (사고 등에 의한) 죽음 **fated** [féitid] 형 운명이 정해진, 운이 다한 **fáteful** 형 운명을 결정하는

☆**fa·ther** [fɑ́:ðər]★ 〈동음어 farther〉 명 아버지; 조상; 창시자, 원조; 신부
반 móther 어머니
파 **fátherhood** 명 부권(父權), 아버지임 **fátherless** 형 아버지가 없는 **fátherly** 형 아버지다운 **fáther-in-law** 명 《*pl.* fathers-》 시아버지, 장인(丈人) **fátherland** 명 조국 (*cf.* mother country 모국)

fath·om [fǽðəm] 명 길《6 피트; 주로 깊이를 재는 단위》 타 물의 깊이를 재다, 헤아리다
파 **fáthomless** 형 깊이를 헤아릴 수 없는(=bottomless), 불가해한

***fa·tigue** [fətí:g]★ 명 피로(=weariness); 노역(勞役) (=toil) 타 피로하게 하다(=exhaust)
(예) He slept off *fatigue*. 그는 잠을 자서 피로를 풀었다. // I am *fatigued* with 〔from〕 this work. 나는 이 일로 피곤하다.

fau·cet [fɔ́:sət] 명 (수도·통 등의) 주둥이, 꼭지

*__fault__ [fɔ:lt]★ 명 결점(=defect); 과실(=mistake), (과실의) 책임, 죄
반 mérit 장점(長點)
(예) It's no *fault* of mine. 내가 나쁜 것은 아니다. // I find no *fault* in him. 나는 그에게서 결점을 찾을 수 없다.
파 **fáultfinding** 형 헐뜯는, 흠잡는 명 헐뜯음, 흠잡기, 비난 **fáultless** 형 결점 없는, 흠잡을 데 없는 **fáulty** 형 과실 있는, 결점이 많은

(*be*) *at fault* 틀린, 잘못되어 있는
(예) Your memory *is at fault*. 너의 기억은 틀렸다.
(*be*) *in fault* 비난할 만한(=to blame), 잘못돼 있는
(예) He *is* very much *in fault*. 그는 아주 나쁘다.
to a fault 결점이라고 할 정도로, 대단히
(예) He is gentle *to a fault*. 그는 너무 지나치게 온순하다.

*__fa·vo(u)r__ [féivər] 명 호의(=liking), 친절한〔호의를 베푸는〕 행위; 부탁; 지지, 찬성; 편지(=letter) 타 찬성하다, 호의를 보이다; 돕다; 은혜를 베풀다[~ with]

(예) ◇with *favor* 호의를 가지고 // I have *a favor to ask* you, Dr. Smith. 스미스 박사님, 부탁이 있습니다. // *Favor* me *with* a letter. 편지해 주시기 바랍니다. // You dare to *ask* me *for a favor*? 뻔뻔스럽게도 나에게 부탁이 있다고?

파 ⁎**favo(u)rable** [féivərəbəl] 형 호의적인, 유리한, 유망한 **fávo(u)rably** 부 호의적으로, 유리하게, 순조롭게 ⁎**favo(u)rite** [féivərit] 형 몹시 좋아하는, 마음에 드는 명 마음에 드는 것〔사람〕, 좋아하는 물건

ask a favo(u)r of a person 아무에게 청을 하다, 부탁하다

(예) May I *ask a favor of* you? 부탁이 하나 있습니다만.

do a person a favo(u)r (아무)에게 은혜〔호의〕를 베풀다; (아무)의 부탁을 들어 주다

(예) Please *do* me *a favor.* 부탁합니다. // Will you *do* me a *favor*? 부탁이 있습니다만.

in favo(u)r of ~에 찬성하여(=for), ~에 유리하게

(예) I am *in favor of* the reform. 나는 그 개혁에 찬성한다. // Are you *in favor of* the plan or not? 당신은 그 안에 찬성입니까 반대입니까?

fear [fiər]⋆ 명 공포; 두려움, 무서움(=awe); <u>근심</u>, 불안 타 자 두려워하다, 걱정〔근심〕하다

(예) live *in fear* 공포속에서 살다 // He did not *fear* dy*ing* 〔*to* die〕. 그는 죽음을 두려워하지 않았다. // He *feared that* she would fail. ↔ He *feared lest* she (*should*) fail. 그 여자가 실패하지나 않을까 그는 걱정했다.

어법 「염려되다」의 뜻으로는 be afraid를 쓰는 수가 많다: I *fear* 〔*am afraid*〕 (that) I may be late. 늦지 않을까 염려된다.

파 ◇**féarful** 형 무서운, 걱정하는 ◇**féarfully** 부 무섭게 **féarfulness** 명 무서움 ◇**féarless** 형 두려움을 모르는 **féarlessly** 부 두려워하지 않고, 용감히

***for fear of* 〔*that ~ should*〕** ~을 두려워하여, ~하지 않을까 생각하여, ~하지 않도록

(예) I did not take a short cut *for fear that* I *should* get lost. ↔ I did not take a short cut *for fear of* getting lost. 길을 잘못들까 봐 염려가 되어 지름길로 가지 않았다. (↔I did not take a short cut *lest* I *should* get lost.)

(*be*) *in fear of* ~을 무서워하고 (있는)

(예) He *was in fear of* his mother. 그는 어머니를 무서워하고 있었다. // The thief passed the day *in fear of* discovery. 도둑은 발견될까 두려워하며 그 날을 지냈다.

feast [fiːst] 명 성찬, 잔치, 향연; 축제일 타 성찬을 대접하다, 잔치를 베풀다; (귀·눈을) 즐겁게 하다

(예) *feast* one's eyes *on* beautiful pictures 아름다운 그림을 보고 즐기다

feat [fiːt] 〈동음어 feet〉 명 위업(偉業), 공적; 훌륭한 재주, 묘기

*◇**feath·er** [féðər] [명] 깃털, 깃
(예) Fine *feathers* make fine birds. 〔속담〕 옷이 날개라. // Birds of a *feather* flock together. 〔속담〕 유유 상종(類類相從).
[파] **féathery** [형] 깃털 같은, 가벼운

*◇**fea·ture** [fíːtʃər] [명] 《보통 *pl.*》 용모; 특징, 특색; (라디오·TV 따위에서의) 인기 프로, (신문·잡지의) 특집(기사), 〔미〕 장편 영화 [타] ~의 특징을 이루다, 대서 특필하다
(예) a man of handsome *features* 멋진 용모의 사내 // Today's evening papers *feature* a story on the conflagration. 오늘 석간은 대화재를 특종 기사로 하고 있다.
[어법] 본래「눈·입·귀」따위 얼굴의 일부분을 말함.
[파] **féatureless** [형] 특색이 없는 **feature story** 〔미〕 특종 기사

☆**Feb·ru·ar·y** [fébruèri / -ruəri] [명] 2월 〔약어〕 *Feb.*

◇**fed·er·al** [fédərəl] [형] 연방(聯邦)의; [F-] (남북 전쟁 당시의) 북부 연방의(*cf.* Confederate 남부 연맹의)
(예) the *Federal* Government 연방 정부, 중앙 정부
[파] ◇**féderalist** [형][명] 연방주의자(의)

fed·er·ate [형] [fédərit] 연합의, 동맹의 [자][타] [-rèit] 연합하다, 동맹시키다, 연방화하다
[파] **federátion** [명] 연합, 연맹, 연방

◇**fee** [fiː] [명] 요금, 보수, 사례 [타] 요금을 치르다, 사례하다
(예) an entrance *fee* 입학금, 입회금, 입장료 // school *fee* 수업료

◇**fee·ble** [fíːbəl] [형] 약한(=weak), 연약한, 기력이 없는
[반] strong 강한
[파] **féebly** [부] 유약하게, 미약〔연약〕하게

*◇**feed**★ [fiːd] [타][자] 《***fed***》 먹을 것을 주다, 먹이다, 기르다, 양육하다; 공급하다(=supply) [명] 먹이, 사료; 음식
(예) *feed* a baby 아기에게 젖을 먹이다 // *feed* a stove 난로에 연료를 넣다
[파] ◇**féeder** [명] 사육자(飼育者); 먹는 사람, (유아용) 젖병

◇**(*be*) *fed into*** (원료·연료 등이 기계에) (흘러) 들어가다
(예) Extra gas *was fed into* the pipeline. 여분의 가스가 도관에 흘러 들어갔다.

(*be*) *fed up with* ~에 진저리〔넌더리〕 나는
(예) I *am fed up with* your complaining. 난 네 불평에 넌더리 난다.

feed on ~을 먹고 살다; ~로 기르다
(예) The frog *feeds on* insects. 개구리는 벌레를 먹고 산다. // *feed* a dog *on* meat ↔ *feed* meat *to* a dog 개에게 고기를 주다
[어법] *feed on* 은 주로 동물의 경우. 사람의 경우에는 *live on* 을 쓴다.

feel** [fiːl] [타][자] 《felt***》 느끼다, 의식하다; 만져 보다, 만지다(=touch), 손으로 더듬다(=grope); ~라고 생각하다(=think), 느낌이 들다 [명] 느낌, 감촉, 촉감

(예) *feel* good〔cold, hungry〕좋게〔춥게, 배고프게〕느끼다 // *feel* one's pulse 맥을 짚어보다 // I *felt* the floor shake〔shak*ing*〕. 나는 마루가 흔들리는〔흔들리고 있는〕것을 느꼈다. // I felt the plan (*to be*) unwise. ↔ I *felt that* the plan was unwise. 나는 그 계획이 현명한 것이 못 된다고 생각했다.

▶ **121.**「감정」의 유사어
feeling은 일반적인 말이다. **emotion**은 강한 feeling을 말한다. **passion**은 판단력을 지배할 만큼 압도적인 열정. **sentiment**는 감상, 소감, 감정을 말한다.

어법 ① 감각 동사의 하나. V+O+부정사의 형식에서는 원형 부정사를 씀. 단, 수동태에서는 to 부정사: Something was *felt to* crawl on my back. (무엇이 내 등에 기어가는 것을 느꼈다) ②「~라고 생각하다, ~라는 느낌이 들다」의 뜻에서는 능동태에서도 to 부정사를 쓴다: I *felt* it *to* be proper. (나는 그것이 적절하다고 생각했다)

파 **féeler** 명 촉각; (상대방의 의향을 떠보기 위한) 말, 행동
***féeling** 명 촉감, 감각; 《*pl.*》 감정 형 느끼는, 감동적인

feel at ease 안심하다
(예) He *felt at ease* about his health. 그는 건강에 자신을 갖고 있었다.

feel for ~에 동정하다, ~을 더듬어 구하다
(예) I *felt* in my pockets *for* the ticket. 나는 포켓에 손을 넣어 표를 찾았다.

feel free to do 마음대로〔자유롭게〕~하다
(예) *Feel free to* borrow my books. 마음대로 내 책을 빌려 봐라.

feel like doing★ ~하고 싶은 느낌이 들다
(예) I don't *feel like* stay*ing* indoors on such a beautiful day. 이렇게 좋은 날씨에 집에 있고 싶지는 않다.

feign [fein] 〈동음어 fain〉 타 자 ~인 체하다(=pretend), 속이다
(예) She *feigned* madness. ↔ She *feigned that* she was mad. ↔ She *feigned* herself (*to be*) mad. 그녀는 미친 체했다. // a *feigned* illness 꾀병

fel·low [félou] 명 동료, 동배(=companion), 동업자; 사나이, 녀석《주로 남자끼리 친한 사이에 쓰는 말》 형 동료의; 한 패의
(예) He's a fine *fellow*. 그는 좋은 녀석이다. // *fellows* in crime 공범자들 // one's *fellow* countryman 동국인

파 **féllowship** 명 우정(=friendship); 공동 **fellow creature** 동포 **féllowman** 명 동포

fe·male [fí:meil] 명 여성, 암컷 형 여성의, 암컷의; 연약한(=weak) (*cf.* male 남성; 남성의)

fem·i·nine [féminin] 형 여성의; 여성적인(=womanly), 연약한
반 másculine 남성의
파 **féminist** 명 여권주의자, 여성 해방론자

F

*fence [fens] 명 울타리(=hedge), 담; 검술(劍術) 자타 검술을 하다; 방어하다; 울타리를 치다
(예) a board *fence* 판자 울타리 // a stone *fence* 돌담장
파 **féncing** 명 검술; 울타리, 목책(木柵)
fend [fend] 타자 막아내다, 방어하다, 대비하다
파 **fénder** 명 방호물; 완충기; 흙받기
fer·ment [fə́ːrment] 명 효소(=enzyme); 발효; 큰 소동, 흥분 자타 [fə(ː)rmént] 발효하다〔시키다〕; 흥분하다, 흥분상태에 빠뜨리다
파 **fermentátion** 명 발효(작용); 소동, 흥분
fern [fəːrn] 명 〔식물〕 양치류(羊齒類)
fe·ro·cious [fəróuʃəs] 형 흉포한, 사나운(=fierce), 잔인한(=cruel)
반 géntle 순한
파 **ferocity** [fərɑ́səti / -rɔ́s-] 명 사나움, 흉포, 잔인성(=ferociousness)
fer·ry [féri] 명 나룻배, 나루터 타자 배로 건너 보내다〔건너다〕; 공수하다
파 **férryboat** 명 나룻배, 연락선
*fer·tile [fə́ːrtl / fə́ːtail] 형 비옥(肥沃)한, 기름진(=rich); 다산(多産)인(=productive); 풍부한
반 stérile, bárren 불모(不毛)의
파 **fertility** [fəːrtíləti] 명 비옥, 다산, 풍부 **fertilize** [fə́ːrtəlàiz] 타 기름지게 하다, 비료를 주다; 수정(受精)시키다 **fertilizátion** 명 비옥화(肥沃化); 수정 **fértilizer** 명 비료(=manure); 수정 매개물《벌 따위》
fer·vo(u)r [fə́ːrvər] 명 열심, 열정(=zeal, ardor)
파 **férvent** 형 뜨거운, 열렬한
fes·ti·val [féstivəl] 명 축제(祝祭), 축제일(=feast day) 형 축제(일)의, 명일의; 즐거운
파 **féstive** 형 축제의, 즐거운 **festívity** 명 환락(歡樂); 축제, 잔치
*fetch [fetʃ] 타 가서 가지고〔데리고〕 오다(*cf.* bring)
(예) *fetch* a sigh 한숨을 내쉬다 // *Fetch* me the book. = *Fetch* the book *to* me. 가서 책을 가지고 오너라.
fet·ter [fétər] 명 《보통 *pl.*》 속박, 족쇄 타 속박하다, 차꼬를 채우다
feud [fjuːd] 명 (씨족간 등의 여러 대에 걸친 유혈의) 불화, 숙원; 싸움, 분쟁
feu·dal [fjúːdl] 형 영지〔봉토〕의, 봉건적인, 봉건 제도〔시대〕의
파 **féudalism** 명 봉건 제도
*fe·ver [fíːvər] 명 열(熱), 열병; 열광, 흥분(=excitement)
(예) have a slight *fever* 미열이 있다 // She had two degrees of *fever.* 그 여자는 열이 정상보다 2도 높았다. (=Her body temperature was two degrees above normal.)
파 **féverish** 형 열이 있는; 열광한
*few [fjuː] 형 소수의, 약간의, 거의 없는 명 소수, 두셋

반 mány 많은, 다수
(예) ◇Very *few* were absent from school. 극소수만이 학교에 결석했다. // There were no *fewer* than six of them. 여섯 사람이나 있었다.
a few 소수의, 두셋의
(예) in *a few* days 2, 3 일 후면, 근일중에
어법 ① *few*는 수에, *little*은 양·정도에 쓰인다. ② *few*는 「거의 없다」로 부정의 뜻이 강하고, *a few*는 「조금 있다」로 긍정의 뜻: *A few* of them knew it. (그들 중에 그것을 알고 있는 사람이 두서너 명 있었다) *Few* of them knew it. (그들 중에 그것을 알고 있는 사람은 거의 없었다)
fi·an·cé [fìːɑːnséi / fiɑ́ːnsei] 명 〔프〕 약혼자 《남자》
파 ◇**fiancée** [fìːɑːnséi / fiɑ́ːnsei] 명 약혼자 《여자》
fi·ber, -bre [fáibər] 명 섬유, 조직; 성질, 소질
(예) chemical *fiber* 화학 섬유 // staple *fiber* 인조 섬유 // He is a man of coarse *fiber*. 그는 성질이 우락부락한 사람이다.
fick·le [fíkəl] 형 변하기 쉬운(=changeable), 경박한, 변덕스러운
(예) *fickle* weather 잘 변하는 날씨 // a *fickle* woman 변덕스러운 여자
fic·tion [fíkʃən] 명 소설(=novel); 꾸며낸〔조작한〕 이야기, 허구(虛構)
(예) Fact is stranger than *fiction*. 〔속담〕 사실은 소설보다 기이하다.
파 **fictítious** 형 소설적인, 허구의(=fictive) ◇**fíctional** 형 허구의, 꾸며낸, 소설적인; 공상적인
fid·dle [fídl] 명 〔구어〕 바이올린 자 만지작거리다[~ with]; (어린이 등이) 손장난하다
(예) ◇*fiddle with* a knife 칼을 만지작거리다
fi·del·i·ty [fidéləti, fai-] 명 충실, 정절; 원물(原物)과 똑같음, 박진성(迫眞性); (원음 재생에서의) 충실도(度)
(예) high *fidelity* (=hi-fi) 하이파이, 고충실도
fidg·et·y [fídʒəti] 형 안절부절 못 하는, 안달하는
field [fiːld] 명 들, 벌판, 밭; 싸움터(=battlefield); 방면, 분야(=scope)
(예) oil *fields* 유전 // in the *field* of medicine 의학 분야에서는 // fall in 〔on〕 the *field* 전사하다
파 **fíelder** 명 〔야구〕 외야수(外野手) **field gun** 야포(野砲) **field hospital** 야전 병원 **field marshal** 〔육군〕 원수
fiend [fiːnd] 명 악마(=devil), 마귀; ~광(狂), 중독자
파 **fíendish** 형 악마 같은, 잔인한
fierce [fiərs] 형 맹렬한(=wild), 지독한; 잔인한(=cruel)
반 géntle 상냥한
파 **fíercely** 부 맹렬히, 지독하게 **fíerceness** 명 맹렬, 지독함
fif·teen [fíftíːn] 명 15 형 15의
파 **fíftéenth** 명 형 제 15(의), 15분의 1(의); (달의) 15일

F

☆**fifth** ⓗ 제 5의, 5분의 1의 ⓜ 제 5; (달의) 5일; 5분의 1
☆**fifty** ⓜ 50 ⓗ 50의 **fiftieth** [fíftiiθ] ⓜⓗ 제 50(의), 50분의 1(의)
◇**fig** [fig] ⓜ 무화과; 복장, 몸차림
fight** [fait] ⓜ 전투(=combat), 격투(=struggle); 논쟁 투지 ⓣⓙ《fought***》전투하다, 싸우다, 격투하다
반 peace 평화, cómpromise 화해하다
(예) a *fight* against disease 투병 // *fight* the enemy ← *fight against* 〔*with*〕 the enemy 적과 싸우다 // *fight* a good *fight* 선전하다
파 **fíghting** ⓜ 싸움, 전투 ⓗ 전쟁의 ◇**fíghter** ⓜ 전투원 전투기 **fighting spirit** 투지
fight for ~을 위하여 싸우다; ~을 얻기 위해 싸우다
(예) They *fought for* independance. 그들은 독립을 찾기 위해 싸웠다.
◇***fight off*** (적·병 따위)를 퇴치하다, 격퇴하다
(예) He is healthy enough to *fight off* a cold. 그는 건강하여 감기는 이겨낼 수 있다.
*◇**fig·ure** [fígjər / fígər] ⓜ 모양, 모습, 풍채(=appearance) 형상(形狀); 초상(肖像)(=image), 인물; 숫자, 그림; 《*pl.* 산술 ⓣⓙ (마음에) 그리다, 상상하다; 숫자로 〔그림으로 나타내다; 계산하다, 합계하다[~ up]; (~라고) 판단하다 생각하다; 〖미〗 ~을 기대하다 [~ on]
(예) an important *figure* 주요 인물 // geometrical *figure* 기하도형 // cut a brilliant 〔poor〕 *figure* 두각을 나타내다 〔초라하게 보이다〕 // I *figure* him (*to be*) about fifty. 그는 50세쯤 되리라고 생각한다. // I *figure* (*that*) it will take a week. 1주일 걸리겠지.
파 **figurative** [fígjərətiv] ⓗ 비유적인 **fígured** ⓗ (장식 무늬가 있는; 도안〔숫자, 모형〕으로 나타낸
◇***figure out*** ~을 계산하여 합계를 내다, 총계 ~로 되다 〖주로 미〗 ~을 생각해 내다, ~을 이해〔해결〕하다
(예) Can you *figure out* this arithmetic problem? 이 계산 문제를 할 수 있습니까? // Just *figure* it *out* yourself 제발 스스로 생각하시오. // He tried to *figure out* what was behind the utterances. 그는 그 말 뒤에 숨은 뜻이 무엇인지 알아내려고 했다.
◇**fil·a·ment** [fíləmənt] ⓜ (한 가닥의) 섬유, 홑 섬유; 〖전기〗 필라멘트, 선조(線條)
◇**file** [fail] ⓜ (신문·서류 등의) 철, 파일; 문서를 철하는 기구; 종렬(縱列) (*cf.* rank 횡렬) ⓣ 서류를 철하다; 제출하다; 줄질하다 ⓙ 신청하다, 종렬로 나아가다
(예) *file* the cards in alphabetical order 카드를 알파벳순으로 철〔정리〕하다 // *file* an application for ~의 원서를 제출하다 // *file in* 〔*out*〕 줄지어 들어가다〔나가다〕
파 **fíling** ⓜ 서류 정리, 철하기; 줄질, 줄로 다듬기
fil·i·al [fíliəl] ⓗ 자식으로서의, 효성스러운
(예) *filial* piety 효행 // *filial* respect 어버이에 대한 존경

F

fill [fil] [타][자] 채우다[~ with], ~을 차지하다 [명] 충분함, 만복(滿腹)
[반] drain 비우다, 마셔버리다 [NB] 형용사는 full.
(예) ◦*fill* a glass (*with* water) 컵을 (물로) 채우다 // *fill* sand *into* a bucket 바께쓰에 모래를 가득 넣다 // ◦be *filled with* joy 기쁨으로 마음이 흡족하다 // *fill* a vacancy 공석을 채우다
fill out (가득) 부풀리다, (술 따위를) 가득 따르다; (여백 따위를) 채우다(=fill in)
fill up 〔***in***〕 채우다, 메우다, 가득 차다
(예) *fill up* a form 용지에 필요 사항을 전부 기입하다 // He left the date blank for me to *fill in.* 그는 날짜 기입난을 나에게 채우도록 남겨 놓았다. // The bed of the river *filled up with* stones. 강바닥에는 돌이 꽉 찼다.
film [film] [명] 필름, 영화; 얇은 막 [타][자] 얇은 껍질로 덮다; 촬영하다
(예) a *film* star 〔fan〕 영화 스타〔팬〕
fil·ter [fíltər] [명] 여과기, (사진기의) 필터 [자][타] 여과하다; 스며들다; 필터를 통과시키다
(예) *filter*-passing viruses 여과성 병원체 // *filter* water 물을 여과하다 // Water *filtered through* the sand. 물이 모래를 거쳐 여과되었다. // American influence soon began to *filter into* Korea. 미국의 영향이 곧 한국에 스며들기 시작했다.
filth [filθ] [명] 오물, 불결물; 추잡한 언동
[파] ◦**fílthy** [형] 더러운, 불결한(=dirty)
fin [fin] [명] 지느러미; 〖속어〗 손
fi·nal [fáinl] [형] 최후의(=last); 결정적인 [명] 《*pl.*》 결승전
[반] first 최초의
(예) the *final* decision 〔round〕 최종 결정〔회〕
[파] ***fínally** [부] 최후로, 마침내 **finálity** [명] 최후, 종국(終局) **finale** [finǽli / -ɑ́:li] [명] 〖이〗〖음악〗 종곡(終曲), 종막(終幕); 종국
fi·nance [finǽns, fáinæns] [명] 재정(학); 《*pl.*》 세입, 재원(財源) [타] 자금을 공급하다, 융자하다
[파] **fináncier** [fìnənsíər, fài- / fainǽnsiə, fi-] [명] 재정가(家) **the Ministry of Finance** 재무부
fi·nan·cial [finǽnʃəl, fai-] [형] 재정(상)의; 재계의
(예) be in *financial* difficulties 재정난에 빠져 있다
[파] ◦**fináncially** [부] 재정상으로
find [faind] [타][자] 《***found***》 발견하다(=discover), 찾아내다; ~라고 생각하다(=judge), 알다; 〖법률〗 평결〔판결〕하다(=decide) [명] 발견물, 우연히 발견한 물건
[반] lose 잃다
(예) Please *find* Tom his hat. ↔ Please *find* Tom's hat *for* him. 톰의 모자를 찾아 주시오. // I *found* him (*to be*) a sensibleman. ↔ I *found that* he was a sensible man. (말을 해보니) 그는 말귀를 알아듣는 사람이었다.

F

어법 다음 용법에 주의: Many kinds of fish are *found* in the lake. (이 호수에는 여러 종류의 물고기가 있다) I *found* it impossible (for my son) *to* do so. (나는 (아들이) 그렇게 하는 것은 불가능하다는 것을 알았다) He *found* it proper *that* they should start at once. (그들이 곧 출발하는 것이 좋다고 그는 생각했다)

파 ◇**fínder** 명 발견자; (사진기·망원경 따위의) 파인더

◇***find fault with**** ~을 비난하다, ~의 흠〔트집〕을 잡다
(예) She is always ready to *find fault with* other people. 그녀는 늘 남의 흠을 잡기만 한다.
NB We found no fault *in* him. (그에겐 결점이 없다)와 구별할 것.

find** *one*'**s way 길을 찾아가다, ~에 도달하다 [~ to]
(예) Can you *find* your *way* home? 집에 가는 길을 아십니까? // *find* one*'s way* through a forest 숲 속을 애써서 빠져 나가다

◇***find** *one*self* 자신의 현재 위치〔상태〕를 알다
(예) I *found* my*self* caught in a trap. 나는 알고 보니 함정에 빠져 있었다. // Soon I *found* my*self* in front of the station. 얼마 안 되어 나는 역전에 도착했다.

*◇***find out*** 발견하다(=discover); (문제를) 풀다; 이해하다
(예) We must *find out* what to do with it. 그것을 어떻게 할 것인가를 생각해 내지 않으면 안 된다.

F

☆**fine** [fain] 형 훌륭한(=nice), 멋진, 굉장한; (날씨가) 갠(=clear); 미세한(=very small), 섬세한; 순수한(=pure) 명 벌금, 과료 타 벌금을 과하다
반 úgly 보기 흉한, foul 날씨가 나쁜, coarse 조잡한, shábby 초라한
(예) a *fine* scholar 훌륭한 학자 // *fine* thread 가는 실
어법 one *fine* day (어느 날), one of these *fine* days (근간에) 따위의 성구에서, *fine*은 날씨에 관계 없는 일종의 허사.

▶ **122.** 「갠」의 유사어
fine은 일반적인 말, **clear**는 특히 구름이 없고 맑게 갠 상태이며, **fair**는 온화한 상태를 강조한다.

파 ◇**fínely** 부 훌륭하게; 곱게 **fíneness** 명 훌륭함; 미세; 순도 **finery** [fáinəri] 명 화려한 옷; 장신구

*◇**fin·ger** [fíŋgər] 명 손가락(*cf.* toe) 타 손가락을 대다, (악기를) 손가락으로 켜다
어법 집게손가락은 the index 〔pointing〕 finger, 가운뎃손가락은 the middle finger, 약손가락은 the ring finger, 새끼손가락은 the little finger 인데, 엄지손가락은 *thumb* 이라고 하며, fingers 중에 포함시키지 않을 때도 있다.
파 **fíngerprint** 명 지문

☆**fin·ish** [fíniʃ] 타 자 끝내다, 완료하다(=complete), 완성하다(=perfect) 명 완성, 끝손질, 종국
반 begín 시작하다
(예) give the *finishing* touches to ~에 끝손질을 하다 // *finish* (writ*ing*) a letter 편지를 다 쓰다 // The war hasn't

finished yet. 전쟁은 아직 끝나지 않았다.

어법 부정사를 목적어로 취하는 것은 잘못이며 동명사가 옳다.

파 ◇**fínisher** 명 완성자; 〖구어〗 결정적 타격

fi·nite [fáinait] 형 한정〔제한〕되어 있는(=bounded), 한도가 있는, 유한의

반 infinite [ínfənit] 무한한

(예) a *finite* verb 〖문법〗 정형동사

fir [fəːr] 〈동음어 fur〉 명 전나무

***fire** [faiər] 명 불, 화재; 포화(砲火); 열정 타 자 불을 붙이다, 불태우다; 발포〔발사〕하다(=shoot); (감정을) 자극하다(=stir up); 〖미〗 해고하다

(예) set *fire* to ～에 불을 붙이다 // be destroyed by *fire* 소실되다 // make a *fire* 불을 일으키다 // A big *fire* broke out last night. 간밤에 큰 불이 났다. // He *fired* (*off*) a shot *at* the man. 그는 그 남자를 겨냥해서 발포했다.

어법 「불」이나 「화재」의 뜻에서는 셀 수 있는 명사.

파 **fíery** 형 화재의, 불의, 불과 같은 **fíreless** 형 불이 없는 **fíring** 명 발포, 점화 **fire alarm** 화재 경보(기) **fírearm** 명 《보통 *pl.*》 총포, 화기 **fire bell** 화재 경종 **fire bomb** 소이탄 **fire engine** 소방차 ◇**fírefly** 명 개똥벌레 ◇**fíreman** 명 《*pl.* -men》 소방수 ***fíreplace** 명 난로, 벽로 **fírepower** 명 〖군사〗 화력 **fíreproof** 형 방화의, 내화성(耐火性)의 ◇**fíreside** 명 (방안의) 난롯가 ◇**fírewood** 명 장작, 땔나무 **fírework** 명 《보통 *pl.*》 꽃불

catch* 〔*take*〕 *fire 불이 붙다, 타기 시작하다

(예) Paper *catches fire* easily. 종이는 쉽게 불이 붙는다.

on fire 불타는(=burning); 흥분하여

(예) The house is *on fire.* 집은 불타고 있다.

***firm** [fəːrm] 형 견고한(=solid); 안정된(=steady); 단호한 부 굳게, 단단히 명 상사, 회사

반 weak 박약한, frágile 약질의

(예) a *firm* muscle 단단한 근육 // a *firm* resolution 확고한 결심 // I'm not *firm* enough with my children. 나는 아이들에게 무르다.

어법 부사로서는 stand *firm* (꿋꿋이 서다), hold *firm* (고수하다) 등 일부의 성구에만 쓰이며, 보통은 *firmly* 가 쓰인다.

파 ***fírmly** 부 굳게, 단단히, 단호하게 ◇**fírmness** 명 견고, 확고, 견실

fir·ma·ment [fə́ːrməmənt] 명 하늘(=sky), 창공

***first** [fə́ːrst] 형 최초의, 제 1의 부 최초로, 맨 먼저 명 제 1, (달의) 첫째날; 최초의 사람〔사물〕

반 last 최후의, 최후로

(예) ◇from the *first* 처음부터 // *First* come, *first* served. 〖속담〗 빠른 놈이 장땡《선착자 우선》 // I *first* met him ten years ago. 십 년 전에 처음으로 그를 만났다. // He was the *first* to come. 그가 맨 처음으로 왔다. // I'll write it (the) *first* thing in the morning. 아침에 제일 먼저 그것을

쓰겠다.

어법 ① 형용사·명사에서는 the를 수반한다. ② 논점 등을 열거할 때 first(첫째로), secondly(둘째로), thirdly(세째로)라고도 말하나 미국에서는 *firstly*도 쓰인다.

파 **first aid** 응급 치료 **fírst-áid** 형 응급의, 구급(용)의 **fírst-cláss** 형 일류의, 최상의 부 일등(객)으로 **fírst-hánd** 형부 직접의, 직접으로 **first lady** 〖미〗 대통령 부인 ◇**fírst-name** 타 ~을 세례명으로 부르다 형 세례명의 **fírst-ráte** 형 일류의 명 일류의 것 **fírst-run** 형 〖미〗 (영화·영화관이) 개봉 (흥행)의 **fírst-stáge** 명 첫단계

*◇***first of all*** 첫째로, 무엇보다 먼저

(예) I have *first of all* to resolve not to make the mistake again. 나는 무엇보다도 먼저 그 잘못을 다시 범하지 않도록 결심하여야 한다.

*◇***at first*** 최초에는, 처음에는

NB *for the first time*(처음으로)와 구별할 것.

(예) *At first* he wished to be a politician. 처음에 그는 정치가가 되려고 했다.

fis·cal [fískəl] 형 국고의; 재정상의, 회계의

(예) the *fiscal* year 회계 연도 // a *fiscal* stamp 수입 인지

☆**fish** [fiʃ] 명 물고기, 생선; (별난) 사람, 놈, 괴짜 타자 낚다, 고기잡이하다

(예) go *fishing* in the river 강에 낚시 하러 가다 // I saw some *fish* 〔*fishes*〕 in the pond. 못에는 물고기가 보였다.

어법 단수·복수가 같은 형이며, 복수형으로도 fish를 쓰나 fishes의 꼴도 있다. 특히 물고기의 종류를 말할 때는 fishes 「생선」을 뜻할 때는 fish를 쓴다.

파 **fishery** [fíʃəri] 명 어업 **físhing** 명 낚시질 **físhy** 형 물고기의, 물고기 같은 *◇**físherman** 명 《*pl.* -men》 어부 **físh-farming** 명 양어(법) ◇**físhing-line** 명 낚싯줄 **físhmonger** 명 생선 장수 **físhpond** 명 양어용 못

◇**fis·sion** [fíʃən] 명 분열, 핵분열

◇**fist** [fist] 명 주먹 타 주먹으로 치다

*◇**fit** [fit] 형 ~에 적합한(=suitable) [~ for], ~에 알맞은, 어울리는(=proper); ~의 자격이 있는(=qualified) 자타 ~에 적합하다, 어울리다; 설비하다, 준비하다 명 발작, 변덕; 적합

▶ **123.** 「~에 적합한」의 유사어
fit는 목적·요구 따위에 적합하다, 치수·모양 따위가 꼭 들어맞다(가장 넓은 뜻의 말)란 뜻이고 **suitable**은 어떤 특수한 목적·요구·지위 따위에 적합하다는 뜻이다(fit보다 강한 뜻).

반 unfítted 부적당한, unbecóming 어울리지 않는

(예) ◇water *fit to* drink 마시기에 적당한 물 // a *fit* place *for* the meeting 모임에 적합한 장소 // in a *fit* of anger 홧김에 // Do as you think *fit*. 네가 좋다고 생각되는 대로 해라. // The house is *fitted up with* gas. 이 집에는 가스 설비가 되어 있다. // ◇He is *fitted for* the post. 그는 그

자리에 적합하다.

㉮ **fítful** ⓗ 발작적인, 변덕스러운 **fítting** ⓗ 적당한, 꼭 맞는 **fítness** ⓜ 적합, 적절; 적당; 적합성

by fits (***and starts***) 발작적으로, 마음 내키는 대로

(예) He did everything *by fits and starts,* but stuck to nothing long. 그는 모든 일을 발작적으로 했으나 오래 계속하지를 못하였다.

☆**five** [faiv] ⓜ 다섯, 5 ⓗ 다섯의, 5의

㉮ ◇**fíve-sided** ⓗ 5면(체)의

☆**fix** [fiks] ㉵㉶ 고정시키다(=make firm), 장치하다(=set), 정착시키다; 정하다; 〖미〗 수리하다, 조정하다 ⓜ 곤경, 궁지(=dilemma)

(예) *fix* a poster *to* 〔*on*〕 the wall 포스터를 벽에 붙이다 // *fix in* one's mind 마음에 새기다 // *fix* the day of the meeting 회합의 날짜를 결정하다 // *fix* one's eyes *on* ~에 주목하다 // *fix* a radio 라디오를 수리하다 // Keep your right eye *fixed on* that black spot. 오른쪽 눈으로 저 검은 점을 응시하고 있어라.

㉮ ◇**fixed** [fikst] ⓗ 고정된, 확고한(*fixed* stars 항성(恒星)) **fixedly** [fíksidli] ⓑ 단호히

fix on 〔***upon***〕 ~로 결정하다, ~을 택하다

(예) *fix on* the day for a picnic 피크닉 갈 날을 정하다

flag [flæg] ⓜ 기(旗); 포석(鋪石); 창포 ㉵ 기를 세우다; 기로 장식하다; 기로 신호하다

㉮ **flágman** ⓜ 《*pl.*-men》 신호 기수(旗手); (철도의) 신호수, 건널목지기 ◇**flágship** ⓜ 기함(旗艦) **flágstaff** ⓜ 깃대

flake [fleik] ⓜ 얇은 조각 ㉵㉶ (눈·깃털 따위가) 펄펄 날리다〔내리다〕

(예) *flakes* of snow 눈송이

flame [fleim] ⓜ 불꽃; 열정(=passion) ㉶㉵ 타오르다, 격분시키다; 번쩍이다(=send out light)

(예) be in *flames* 불타고 있다 // a *flame* of roses 장미의 타는 듯한 붉은 색 // His cheeks *flamed* with excitement. 그는 흥분하여 볼이 새빨개졌다. // It *flamed up.* 그것은 확 타올랐다.

㉮ **fláming** ⓗ 타오르는, 열렬한 **flame projector** 〔**thrower**〕 화염 방사기

flank [flæŋk] ⓜ 옆구리; (건물·산 따위의) 측면 (*cf.* front 정면) ㉵㉶ ~의 측면에 서다〔있다〕; ~에 임하다, ~에 접하다[~ on]

flap [flæp] ㉵㉶ 찰싹 때리다, 손바닥으로 때리다; (기 따위가) 펄럭이다 ⓜ 손바닥으로 찰싹 때리기, (새의) 파닥거림; 처져서 나풀거리는 것

㉮ **flápper** ⓜ 소녀, 나이 어린 말괄량이; 파리채

flare [flɛər] ⓜ 너울거리는 불꽃, 확 타오름; (스커트의) 플레어 ㉶㉵ 훨훨 타오르다, 확 타오르게 하다; 번쩍이다

㉮ **fláring** ⓗ 너울너울 타오르는, 번쩍이는 **flare bomb** 조명탄(照明彈)

F

*flash** [flæʃ] 명 번쩍임; 일순간(=instant, moment); 〖영화〗 순간적인 장면; 간단한 뉴스 잡지; 〖신문〗 속보(速報) 타 자 번쩍이다, 획 지나가다, 번쩍 머리에 떠오르다, 속보하다
(예) a *flash* of inspiration 번뜩 떠오르는 영감 // *flash* across one's mind 마음에 번쩍 떠오르다 // She *flashed* a smile at him. 그녀는 그에게 살짝 미소를 보냈다.
파 **fláshy** 형 번쩍이는 **fláshback** 명 플래시백 《과거의 회상 장면으로의 전환》 **fláshlight** 명 섬광; 회중 전등
in a flash 눈 깜짝할 사이에, 순식간에
(예) He solved the question *in a flash.* 그는 순식간에 그 문제를 풀었다.

*flat** [flæt] 형 평평한(=level); 무미 건조한(=dull); 솔직한 명 평면, 플랫, 아파트 부 평평하게, 납작하게; 솔직하게
(예) a *flat* refusal 단호한 거절 // taste *flat* 맛이 가다 // The story fell *flat.* 그 이야기는 인기를 얻지 못했다.
어법 「플랫」은 영국의 공동 주택에서 한 가족이 생활할 수 있도록 설비된 주거. 이 집합체가 flats. 미국에서는 apartment house라 한다.
파 **flátten** [flǽtn] 타 자 평평하게 하다〔되다〕 **flátly** 부 평평하게; 드러내 놓고

*flat·ter** [flǽtər] 타 아첨하다; ~에게 발림말을 하다; (감각·느낌을) 즐겁게 하다
반 insúlt 모욕하다

▶ **124. 접미어 er**
-er은 동사 어미이다.
(예) flatt*er*

(예) *flatter* one's vanity 허영심을 만족시키다 // You *flatter* me. 너무 추어 올리시네요. // I *am* 〔*feel*〕 *flattered* by your invitation. 초대해 주시니 영광입니다.
파 **flátterer** 명 아첨꾼, 빌붙는 사람 **fláttering** 형 아부하는, 빌붙는 **fláttery** 명 아첨
flatter oneself 우쭐거리다, 자부(自負)하다
(예) I *flatter* my*self that* I have some sense. 분별은 있다고 자부합니다.

fla·vo(u)r [fléivər] 명 풍미(風味), (독특한) 맛(=taste), 향기(=fragrance); 아치(雅致), 풍취(風趣) 타 풍미를 더하다, 양념하다
(예) ice cream with a pineapple *flavor* 파인애플을 가미한 아이스크림 // a strong *flavor* of the Orient 강한 동양풍의 풍취 // This grape is lacking in *flavor.* 이 포도는 풍미가 부족하다. // *flavor* a soup *with* onions 스프를 양파로 맛을 내다
파 **flávo(u)ring** 명 양념, 풍미

flaw [flɔː] 명 결점, 결함(缺陷)(=imperfect part), 흠(=blemish)
(예) a *flaw* in a jewel 보석의 흠
파 **fláwless** 형 흠없는; 완전한 **fláwlessly** 부 흠없이

flax [flæks] 명 아마(亞麻); 아마 섬유〔천〕, 린네르

flea [fliː] 〈동음어 flee〉 명 벼룩

fleck [flek] 명 반점, 주근깨 타 반점을 찍다

flee [fliː] 〈동음어 flea〉 ㉶ ㉵ 《***fled***》 도망하다(=run away); 사라져 없어지다
(예) The smile *fled* from his face. 미소가 그의 얼굴에서 사라졌다.
[어법] 구어에서는 보통 현재형은 flee 대신에 *fly*를 쓴다.
fleece [fliːs] ㉱ (한 마리분의) 양털 ㉵ 양털을 깎다; (남의 금품을) 빼앗다(=rob) [~ of]
[파] **fléecy** ㉻ 양털로 (뒤)덮인; 양털 같은
fleet [fliːt] ㉱ 함대, (비행기·전차 따위의) 대(隊) ㉶ 쏜살같이 지나가다, 휙 지나가 버리다(=pass swiftly)
[어법] *fleet*는 「대함대」이며, 특수 임무를 띠고 편성된 「소함대」는 *squadron.*
[파] **fléeting** ㉻ 쏜살같이 지나가는; 덧없는
flesh [fleʃ] ㉱ 살; 육체(=human body); 인류; 육욕(肉慾)
[반] soul, spírit 정신
(예) *flesh* and blood 육체, 산 사람 // put on *flesh* 살찌다 // He is gaining 〔losing〕 *flesh.* 그는 살이 찌고〔빠지고〕 있다.
[어법] 식용의 「고기」는 flesh라 하지 않고 *meat*를 쓴다.
[파] **fléshless** ㉻ 여윈; 살이 없는 **fléshly** ㉻ 육체의; 인간〔세속〕적인 **fléshy** ㉻ 살〔육체〕의; 뚱뚱한
flex·i·ble [fléksəbəl] ㉻ 구부리기 쉬운; 적응성이 있는, 융통성 있는
(예) a man of *flexible* nature 융통성이 있는 사람 // Our plans are *flexible.* 우리의 계획은 융통성이 있다.
[파] **flexibílity** ㉱ 굴곡성(屈曲性), 유연성(柔軟性)
flick·er [flíkər] ㉶ 깜박이다, 명멸하다 ㉱ (빛의) 깜박임, 명멸
(예) The candle *flickered* in the breeze. 촛불이 미풍에 깜박거렸다.
fli·er, fly·er [fláiər] ㉱ 나는 것《새·곤충 따위》; 비행사, 비행기; 쾌속정; 급행 열차〔버스〕
flight [flait] ㉱ 날기, 비행; 비행기편; (때의 빠른) 경과; 도주(逃走); 한 줄의 계단
[원] <fly 날다
(예) *flight* capital 〖경제〗 도피 자본(=refugee capital) // a non-stop *flight* 무착륙 비행 // put to *flight* ~을 도주시키다 // a *flight* of stairs 한 줄의 층계
fling [fliŋ] ㉵ ㉶ 《***flung***》 내던지다, (시선 따위를) 던지다; 돌진하다(=rush); (몸 따위를) 갑자기 움직이다 [~ oneself]; 욕설을 퍼붓다 ㉱ 투척(投擲)(=throw); 도약; 욕설
(예) *fling* out of the house 집에서 뛰쳐 나가다 // *fling* one*self* into a chair 의자에 털썩 앉다 // The door was *flung* open. 문이 홱 열렸다.
flint [flint] ㉱ 부싯돌; 완고한 사람, 매우 냉혹한 사람
[파] **flínty** ㉻ 부싯돌 같은; 매우 단단한; 완고한
flip·per [flípər] ㉱ 물갈퀴

F

flirt [fləːrt] [자][타] (남녀가) 새롱〔시시덕〕거리다, 농탕치다 [~ with] [명] 바람둥이 여자〔남자〕

◇**flit** [flit] [자] 훨훨 날다; (생각 따위가) 문득 스치다; (시간이) 지나가다

*◇**float** [flout] [명] (낚시·어망 따위의) 찌; 부교(浮橋), 뗏목(=raft) [자][타] 뜨다, 띄우다, 표류하(게 하)다; 유포하다, 퍼뜨리다; 발행하다
[반] sink 가라앉다
(예) *float* a boat on the water 보트를 물 위에 띄우다 // A rumor is *floating* about. 소문이 떠돌고 있다.

▶ 125. 「떼」의 유사어
flock는 양·염소·새의 떼, **drove**는 소·양·돼지의 이동하는 떼, **flight**는 날고 있는 것의 떼, **herd**는 소·말 따위의 커다란 동물의 떼, **pack**는 사냥개·이리와 같은 공격·방어하기 위한 떼, **school**은 물고기·고래·돌고래 따위의 큰 떼, **shoal**은 물고기의 큰 떼, **swarm**은 곤충 따위의 떼, **crowd**는 인간의 떼.

[파] **floatátion, flotátion** [명] 뜸; (회사의) 설립; (공채의) 발행 **flóating** [형] 떠 있는, 부동하는 **flóatplane** [명] 수상 비행기

*◇**flock** [flɑk / flɔk] [명] (새·짐승 따위의) 떼; 군중(=crowd) (양 따위의) 털뭉치 [자] 떼짓다(=gather), 모이다
(예) ◇a *flock* of sea gulls 갈매기 떼 // People came in *flocks* to see the new building. 새로 지은 건물을 보려고 사람들이 떼를 지어 왔다.
[어법] 특히 양의 무리에 대해서 쓰일 때가 있다: *flocks* and herds (양떼와 소떼)

flog [flɑg, flɔːg / flɔg] [타] 채찍질하다(=whip, beat)

*◇**flood** [flʌd]★ [명] 홍수; 만조(滿潮) (=high tide); (물건의) 범람, 쇄도, 다량 [자][타] 범람하다, 쇄도하다
(예) a *flood* of tears 넘치는 눈물 // The river *flooded* the field. 강물이 들판에 범람했다. // Applicants *flooded* the office. 지원자들이 사무소에 쇄도했다.
[파] **flóod-control** [명] 홍수 조절, 치수(治水)

◇(***be***) ***flooded with*** ~이 범람하다, 쇄도하다
(예) The station *was flooded with* refugees. 역에는 피난민들이 몰려들었다.

☆**floor** [flɔːr] [명] 마루; 층(=story); 의원석, 발언권; 최저 가격〔임금〕, 밑바닥 [타] 바닥을〔마루를〕 깔다; 말 못하게 만들다
(예) *floor* a man with a question 질문으로 상대를 꼼소리 못하게 하다
[어법] ① 미국에서는 「1층」 *first* floor, 「2층」 *second* floor 따위로 부르지만 영국에서는 「1층」은 *ground* floor, 「2층」이 *first* floor로서 1층씩 내려 따진다. ② *floor*가 특정한 층을 말하는 데 대하여 *stor(e)y*는 「몇 층 집」과 같이 건물의 층수를 말한다

have 〔***get, obtain***〕 ***the floor*** 발언권을 얻다
(예) He first *had the floor.* 그가 맨 먼저 발언권을 얻었다.

flop [flɑp / flɔp] ㊌㊍ 쾅 넘어뜨리다〔넘어지다〕, 퍼덕거리다 ㊎ 털썩, 쾅
(예) The fish out of water were *flopping* about. 물 밖으로 나온 물고기가 퍼덕거리고 있었다.
flo·ral [flɔ́:rəl] ㊏ 꽃(무늬)의; 식물(상)의
flor·id [flɔ́(:)rid] ㊏ 화려한; 사치스러운, 현란한
flour [flauər]* 〈동음어 flower〉 ㊐ 가루, 분말, 밀가루 ㊌ 가루를 뿌리다
(예) grind wheat into *flour* 밀을 빻아서 가루를 내다
flour·ish [flə́:riʃ / flʌ́riʃ] ㊍㊌ 번창하다(=thrive), 무성하다; 화려한 말〔글〕을 쓰다 ㊐ 번창; 장식적인 글씨체
㉥ declíne 기울다
(예) The plant *flourishes* in a good soil. 비옥한 땅에서는 식물이 무성히 자란다. // His speech is full of *flourishes.* 그의 연설은 화려한 말로 가득 차 있다.
㉤ **flóurishing** ㊏ 무성한, 우거지는; 번영하는; 성대한
flow [flou]* ㊍ 흐르다, 넘쳐 흐르다(=overflow), 조수가 넘치다 ㊐ 유출(流出), 흐름; 밀물, 풍부
㉥ ebb 조수가 밀려 나가다
(예) *flow* into the sea 바다로 흘러 들어가다 // Wealth *flows* from industry. 근면에서 부(富)가 생긴다. // When the water reaches the surface of the rock, it *flows* out. 물은 바위 표면에 이르면 흘러 나온다.
flow·er [fláuər]* 〈동음어 flour〉 ㊐ 꽃; 정화(精華), 정수; 한창 때 ㊍㊌ 꽃이 피다, 번영하다(*cf.* blossom, bloom)
(예) artificial *flowers* 조화 // come into *flower* 꽃이 피다 // the *flower* of one's age 한창때
㉤ **flówery** ㊏ 꽃이 많은, 꽃 같은 **flower bed** 화단, 꽃밭 **florist** [flɔ́(:)rist] ㊐ 꽃장수
flu [flu:] ㊐ 인플루엔자, 유행성 감기(=influenza)
fluc·tu·ate [flʌ́ktʃuèit] ㊍ (시세·열 따위가) 변동하다, 오르내리다(=rise and fall), 파동하다
(예) Sugar *fluctuates* in price. 설탕 값이 변동한다. (↔ The price of sugar *fluctuates.*)
flu·ent* [flú:ənt] ㊏ 유창한, 거침 없는
(예) He is a *fluent* speaker of English. 그는 영어를 유창하게 하는 사람이다.
㉤ ◇**flúently** ㊎ 유창하게 **flúency** ㊐ 유창
fluff [flʌf] ㊐ 괴깔, 보풀; 솜털, 시소한 일; 실수 ㊌㊍ 보풀이 일다; 부풀(게 하)다
flu·id [flú:əd] ㊐ 유동체, 액체 ㊏ 유동성의; (의견 따위가) 변하기 쉬운
㉥ sólid 고체, 고체의
(예) *fluid* matter 유동물 // *fluid* opinions 변하기 쉬운 의견 // the *fluid* population 부동 인구
㉤ **fluídity** ㊐ 유동성
flunk [flʌŋk] ㊐ 실패, 낙제(점) ㊍㊌ 실패〔단념〕하다
flush [flʌʃ] ㊍㊌ (얼굴이) 붉어지다(=turn red); 의기양양

F

하게 하다; (물이) 왈칵 흐르다 ⓜ 홍조(紅潮); (물이) 왈칵 흐름, (감정의) 격발; 많음 ⓗ 넘치는, 많은 [~ of], 유복한
반 pale 창백해지다, 무색케 하다
(예) He was *flushed with* anger. 그는 발끈 화를 냈다. // The soldiers were *flushed* with the victory. 병사들은 승리로 의기가 양양하였다. // The boy *flushed* (*up*). 그 소년은 확 얼굴을 붉혔다.

flute [flu:t] ⓜ 피리, 플루트 ⓣⓙ 피리를 불다

flut·ter [flʌ́tər] ⓙⓣ (새가) 날개치다, (깃발 따위가) 펄럭이다, 가슴이 뛰다〔떨리다〕 ⓜ 날개치기, (날개의) 퍼덕거림, 소동(=stir)
(예) The bird *fluttered* its wings in the cage. 새가 새장에서 날개쳤다.
NB flatter [flǽtər] 「아첨하다」와 혼동하지 말 것.

☆**fly** [flai] ⓜ 파리; 비행; 〖야구〗 비구(飛球) ⓙⓣ《**flew**; **flown**》 날다; 도망치다(=run away); (바람에) 휘날리다; 확 움직이다
(예) Time *flies* like an arrow. 〖속담〗 세월은 화살과 같다. // *fly* a kite 연을 띄우다 // *fly* in an airplane 비행기에 타고 가다 // *fly to* New York 뉴욕에 비행기로 가다 // *fly into* a temper 발끈 성을 내다 // The door *flew* open 문이 확 열렸다.
파 **flýing** ⓜ 낢, 날리기, 비행 ⓗ 비행하는, 몹시 급한(: *flying* disk 〔saucer〕 비행 접시 a *flying* visit 급한 방문) (*cf.* flight)

foam [foum] ⓜ 거품 ⓙ 거품이 일다
(예) waves *foaming* along the beach 해안에 거품이 이는 파도 // a *foaming* glass of beer 거품 이는 한 잔의 맥주
어법 *bubble* 이 모인 것이 *foam*.
파 **fóamy** ⓗ 거품투성이의

***fo·cus** [fóukəs] ⓜ《*pl.* **focuses** [fóukəsiz], **foci** [fóusai]》 초점(焦點), 중심(=center) ⓣⓙ 집중하다(=concentrate), 초점에 모이다
(예) in 〔out of〕 *focus* 초점이 맞아 〔벗어나〕 // *focus* the camera *on* 카메라의 초점을 ~에 맞추다 // *focus* one's attention *on* ~에 주의를 집중하다
파 **fócal** ⓗ 초점의, 초점에 있는

foe [fou] ⓜ 〖시·아어〗 적(=enemy)
반 friend 벗, 자기 편

fog [fɔ(:)g, fɑg] ⓜ 안개(=thick mist) (*cf.* mist); 오리무중(五里霧中), 안갯속 ⓣⓙ 안개로 덮(이)다, 안개가 끼다
(예) The *fog* has cleared (off) 〔dispersed, lifted〕. 안개가 걷혔다.
파 **fóggy** ⓗ 안개가 자욱한

foil [fɔil] ⓜ (은·주석 따위의) 박(箔), 얇은 조각 ⓣ (계략 따위를) 좌절시키다, (허를) 찌르다
(예) His attempt to break away from home was *foiled* by

his sister. 그의 가출 계획은 누이 때문에 좌절되었다.

old [fould] 타 자 접어서 겹치다, (팔짱을) 끼다, 싸다(=envelop); (양을) 우리에 가두다 명 접음, 접은 자리, 주름; (특히 양의) 우리
반 unfóld 펴다
(예) with one's arms *folded* 팔짱을 끼고 // *fold* a letter 편지를 접다 // The town is *folded* in a dense fog. 그 도시는 짙은 안개에 싸여 있다.
어법 기수(基數) 또는 수를 나타내는 형용사에 덧붙여서 「~배」「~겹」의 뜻을 나타내는 형용사를 만든다: three-*fold* (3 배의, 3 중의) mani*fold*(다수의)
파 **fólder** 명 접는 사람〔것〕 **fólding** 명 접어짐, 주름 형 접는, 접어 겹친

old up 반듯이 접다
(예) The map *folds up* into a handy case. 지도를 반듯이 접어서 간이 케이스에 넣는다.

o·li·age [fóuliidʒ] 명 《집합적》 (무성한) 나뭇잎(=leaves)

olk [fouk]* 명 《보통 *pl.*》 사람들(=people); 《one's folks 로서》 가족, 일가
(예) poor *folks* 가난한 사람들 // the young *folks* (집안의) 어린애들
파 ◇**folklore** [fóuklɔ̀ːr] 명 민간 전승(民間傳承), 민속(학) **folk dance** 향토 무용 **folk song** 민요

ol·low [fálou / fɔ́l-] 타 자 ~에 잇따르다, 결과로서 일어나다; 따르다, 따라 가다〔오다〕; 신봉하다; 추구하다(=pursue); 본받다; 종사하다; 이해하다
반 lead 이끌다
(예) *follow* the plow 농업에 종사하다 // I do not quite *follow* you. 아무리 해도 당신이 하신 말씀을 잘 모르겠습니다. // If you are right, *it follows that* he is wrong. 네가 옳다면, 그가 틀린 것이 된다. // A nuclear war would not be *followed by* reconstruction. 핵 전쟁이 끝난 다음에는 재건이 뒤따르지 않을 것이다.
파 ◇**fóllower** 명 수행원, 부하, 제자 ◇**fóllowing** 형 다음의, 이하의 명 수행원, 종자(從者)

s follows 다음과 같이
(예) His words were *as follows.* 그가 한 말은 다음과 같았다. // They are *as follows.* 그것은 다음과 같다.
어법 주어의 단수·복수에 관계 없이 항상 이 형을 씀.

ol·ly [fáli / fɔ́li] 명 어리석은 짓, 어리석음(=foolishness)
반 wísdom 슬기, 현명

ond [fand / fɔnd] 형 좋아하는 [~ of], 다정한(=tender)
(예) a *fond* mother 다정한 어머니
파 **fóndness** 명 다정함, 귀여워함 **fóndly** 부 다정하게; 분별 없이 **fóndle** 타 귀여워하다

(***be***) ***fond of****** ~을 좋아하는
(예) I *am* very *fond of* dogs. 나는 개를 아주 좋아한다. (↔ I like dogs very much.)

F

☆**food** [fuːd]★ [명] 먹을 것, 음식, 식량; (정신적인) 양식(糧食)
(예) *food* and drink 음식물 // *food,* clothing, and shelte
의식주《어순에 주의》
[어법] 음식물의 종류 또는 특수한 가공 식품을 가리키는 이
에는 *a* food, food*s*의 형을 쓰지 않는다.
[파] **fóodstuff** [명] 식료품
*__fool__ [fuːl]★ [명] 바보; 어릿광대(=clown) [타][자] 놀리다,
이다
[반] sage 현인(賢人)
(예) be *fool* enough to do 어리석게도 ~하다 // He *foole*
her *into* believ*ing* it. 그는 그 여자를 속여서 그것을 믿
했다.
[어법] 이 경우는 관사가 없음. (*cf.* enough)
[파] ◇**fóolishness** [명] 어리석음 **foolery** [fúːləri] [명] 어리석
짓 **foolhardy** [fúːlhɑ̀ːrdi] [형] 무모한, 무작정한
make a fool of ~을 놀리다, 조롱하다
(예) Don't *make a fool of* yourself. (바보짓을 하여) 웃
거리가 되지 마라.
*◇__fool·ish__ [fúːliʃ] [형] 어리석은, 미련한
[파] ◇**fóolishly** [부] 어리석게
☆**foot** [fut]★ [명]《*pl.* ***feet***》 발, (테이블 따위의) 다리; 피
(=12 inches, 약 30 센티미터); [the ~] 하부, 기슭; 보
(=foot soldiers); 〖시〗 운각(韻脚) [타][자] 걷다(=walk)
[반] head 머리, horse 기병(騎兵)
(예) the *foot* of a mountain 산의 기슭
[어법] 복사뼈 아래 부분을 말함(*cf.* legs). 복수형은 feet이
「보병」의 뜻인 때는 변화하지 않음.
[파] ***fóotball** [명] 축구 **fóoting** [명] 발판; 입장 **fóotligh**
[명]《*pl.*》 각광 **fóotman** [명]《*pl.* -men》 마부, 보병 **fóo**
mark [명] 발자국, **fóotprint** [명] 발자취 **fóotnote** [명] 각
(脚註) [타] 각주를 달다 **fóotpath** [명] 보도(步道) **fóo**
race [명] 도보 경주 **foot soldier** 보병 *◇**fóotstep** [명] 걸음
이; 발소리; 발자국 **fóotstool** [명] 발판
* ***at the foot of*** ~의 기슭에, (페이지)의 하부에
(예) There live about six hundred people in the town
the foot of the mountain. 산 기슭 마을에는 600명 가량
사람들이 살고 있다.
◇***on foot*** 도보로, 걸어서
(예) go *on foot* 걸어서 가다
[어법] 「(탈것을 이용하지 않고) 걸어서」라는 기분으로 쓴다
보통 때는 단순히 walk.
on one's feet 일어서서; (병후) 기운이 나서; (경제상)
립하여 「다
(예) He was *on* his *feet* again. 그는 다시 건강을 회복
follow* 〔*tread, walk*〕 *in a person's footsteps 아
의 발자취를 따라가다; 아무의 예를 따르다, 아무의 뜻
잇다

(예) Soon others *followed in* their *footsteps.* 다른 사람들은 곧 그들의 발자취를 따라갔다.

set foot on ~을 밟다, ~에 가다, ~에 도착하다

(예) He will never *set foot on* American soil again. 그는 미국 땅을 다시는 밟지 못할 것이다.

stand on one's own feet 독립하다, 자립하다

for [fɔːr, fər] 〈동음어 four, fore〉 ㉶ ① 《이익·건강 따위》 ~을 위하여

(예) give a dinner *for* him 그를 위하여 만찬회를 열다 // good *for* the health 건강에 좋은

② ~을 구하여, ~을 얻으려고

(예) look *for* a house 집을 찾다 // The ship came into port *for* water. 배는 물을 구하려고 입항하였다.

③ 《대비(對比)》 ~ 치고는, ~에 비해서는

(예) He is tall *for* his age. 그는 나이에 비해 크다. // It's too warm *for* April. 사월 치고는 너무 따뜻하다.

④ 《시간·거리》 ~ 사이; ~ 동안

(예) World War I lasted (*for*) more than four years. 제 1 차 세계 대전은 4 년 이상이나 계속되었다.

어법 시간의 단위를 나타내는 낱말을 목적어로 하여 동작·상태의 계속된 기간을 나타냄. 따라서 She was thinking of her home *during* the lesson. 의 *during* 을 *for* 로 바꿀 수는 없다.

⑤ ~ 대신으로, ~와 교환으로

(예) I wrote a letter *for* him. 그 사람 대신으로 편지를 썼다. // His agent acted *for* him in the negotiations. 그의 대리인이 교섭에서 그를 대신해서 행동했다.

⑥ ~로서(=as)

(예) I know it *for* a fact. 그것을 사실로서 알고 있다.

⑦ 《원인·이유》 ~ 때문에, ~으로 인하여

(예) I am pressed *for* time today. 오늘은 바빠서 틈이 없다.

어법 원인·이유 등에 for를 쓰는 것은 be famous *for*, cry *for* joy 따위 한정된 연어(連語)를 형성하는 경우이니까 주의해서 기억할 것. 이를테면 He didn't go *for* illness. 는 틀리고 *because of* 라고 한다.

⑧ ~에 관해서(=as for)

(예) I do not mind a little inconvenience *for* myself. 나 자신으로서는 다소의 불편은 상관 없습니다.

⑨ ~을 향하여, ~행(行)의

(예) a train *for* Seoul 서울행의 열차 // a ship bound *for* Pusan 부산행의 배 // start 〔leave〕 *for* New York 뉴욕을 향하여 출발하다〔떠나다〕

어법 장소에 대해서 쓰면 「행선지」를 가리키며, to 는 도착지점을 나타내므로 start, depart, leave 따위에는 *for*를 쓴다.

⑩ ~에 찬성하여(*cf.* against)

(예) vote *for* a person 아무에게 찬성 투표하다 // Is he *for* or *against* our plan? 그는 우리 계획에 찬성이냐 반대냐?

F

⑪ 《for+목적격+부정사의 꼴로》 ~가 …하는 일, ~가 하도록
어법 to 부정사의 앞에 「for+(대)명사」 형식을 써서, 부정의 의미상의 주어를 나타낸다: It is time *for* us to go. (우들이 가야 할 시간이다)
— 접 그 이유는, ~이기 때문에 (*cf.* because)
(예) She must be very happy, *for* she is dancing. 춤 추고 있는 것을 보니 그녀는 무척 기쁜가 보다.
어법 접속사로서는 등위 접속사로 주절 뒤에 온다. 그 앞 콤마(comma)를 붙이나, 때로는 마침표로 끊으며, for 로을 시작할 때도 있다.
반 agáinst 반대하여

for all ~에도 불구하고(=in spite of)
(예) *For all* his wealth, he is not contented. 그는 돈 많은데도 만족하지 않는다. (↔ Though he has so muc wealth 〔is so wealthy〕, he is not contented.)
어법 *with all* 도 같은 뜻. *for all that* (그럼에도 불구하고 *for all I know* (아마) 따위의 구에도 주의.

for long 오래, 한참 동안(=for a long time)
(예) Are you going to stay there *for long*? 그 곳에서 랫동안 머무를 생각이십니까?

for my (own) part 나로서는, 나에게는
(예) I *for my part* am unable to see the point. 나로서 요점을 모르겠다.

for *one*'s age 나이에 비해서(는)
(예) She looks old *for* her *age*. 그 여자는 나이에 비해 어 보인다.

for *one*self 스스로, 혼자 힘으로(=without other's help
(예) He is old enough to live *for* him*self*. 그는 이제 독 해도 좋을 나이다.
어법 「자기를 위하여」의 뜻을 나타낼 때도 있으니 주의: Sl bought a new dress *for* her*self*. (그녀는 자기가 입을 새 을 샀다)

for·bear [fɔːrbέər] 자 타 《**-bore ; -borne**》 참고 견디 (=bear with), 삼가다(=keep oneself from doing), 억 하다
(예) *forbear from* ask*ing* questions 질문하는 것을 삼 다 // I cannot *forbear with* his insult. 그의 모욕을 참 수 없다.
파 **forbéarance** 명 인내; 관용 **forbéaring** 형 참을성 있

for·bid [fərbíd, fɔːr-] 타 《**-bad** [-bǽd], **-bade ; -bidden, -bid**》 금하다(=prohibit), 방해하다(=prevent)
반 allów 허락하다
(예) I *forbid* you the room. ↔ I *forbid* you *to* enter the room. ↔ I *forbid* you 〔your〕 enter*ing* the room. ↔ I *forb that* you (*should*) enter the room. 너의 입실을 금한다.
파 **forbídden** 형 금지된(the *forbidden* fruit 금단의 열 *forbidden* price 엄두도 못 낼 비싼 값) **forbídding** 형

시무시한, 소름이 끼치는

orce [fɔːrs] ⓜ 힘(=strength), 폭력; 병력(=power); 효력(=effect); 《*pl.*》 군대 ⓣ 강제로 ~시키다(=press) [~ to do], 강요하다; (웃음 소리 따위를) 억지로 내다
(예) the *force* of nature 자연의 힘 // the armed *forces* 군대 // come into *force* (법률 따위가) 발효하다 // *force* into a house 집에 억지로 들어가다 // ◇I *was forced to* do so 〔*into* do*ing* so〕. 나는 하는 수 없이 그렇게 했다. // ◇He *forced* him*self to* work hard. 그는 무리하게 열심히 일했다. // He *forced* his opinion *on* me. 그는 나에게 자기 의견을 고집했다.
㉰ **forced** [fɔːrst] ⓗ 억지의, 무리한, 강제적인 (*forced* laugh 억지 웃음 *forced* landing 불시착) **fórceful** ⓗ 힘찬, 강력한 ◇**fórcefully** ⓑ 힘있게 **fórcible** ⓗ 강제적인; 힘찬 ◇**fórcibly** ⓑ 강제적으로, 강력히

y force 힘으로, 강제적으로
(예) I obtained his consent *by force.* 나는 강제로 그의 동의를 얻었다.

n force 유효하여, 실시중(에)
(예) The law is no longer *in force.* 그 법은 이제 효력이 없다.

ord [fɔːrd] ⓜ 얕은 여울 ⓙⓣ (개울·여울목을) 걸어서 건너다

ore [fɔːr] 〈동음어 for, four〉 ⓗ 전방의, 앞의 ⓑ 앞에, 전방에; 선수(船首)에 ⓜ 전면; 선수
㉯ hind 후부의, 후부
㉰ **forearm** [fɔ́(ː)ràːrm] ⓜ 전박(前膊), 팔뚝 **forebóde** ⓣ 조짐을 보이다; 예시하다, 예감이 들다 **forebóding** ⓜ 예감, 조짐 ⓗ 불길한 ◇**fórefather** ⓜ 선조, 조상 **fórefinger** ⓜ 집게손가락 **fórefront** ⓜ 맨 앞, 최전선; (흥미·여론·활동 등의) 중심 ◇**fóreground** ⓜ 전경(前景) **foreknów** ⓣ 《-knew ; -known》 예지(豫知)하다 ◇**fóreman** ⓜ 《*pl.* -men》 직공장(職工長), 우두머리 **foremast** [fɔ́ːrmæ̀st / fɔ́ːmàːst] ⓜ 앞돛대 ◇**fóremost** ⓗ 첫째 가는, 맨 먼저의 ⓑ 맨 먼저 **fórenoon** ⓜ 오전 ◇**fórerunner** ⓜ 선구자 **fórethought** ⓜ 사전의 고려 **forewárn** ⓣ 미리 경고〔주의〕하다 **foreword** [fɔ́ːrwə̀ːrd] ⓜ 머리말, 서문(=preface)

ome to the fore 전면에 나타나다, 두각을 나타내다; 지도적 역할을 하다
(예) The study of the Korean classics has *come to the fore* these years. 근래 한국 고전에 대한 연구가 두드러졌다.

ore·cast [fɔ́ːrkæ̀st / -kàːst] ⓜ 예상, 예측, 예보 ⓣ 《***-cast, -casted***》 예상〔예보〕하다
(예) a weather *forecast* 일기 예보

ore·go [fɔːrgóu] ⓣⓙ 《***-went ; -gone***》 앞서다, 앞에 가다(=precede)
㉰ **foregóing** ⓗ 앞서 말한, 상기(上記)의; 앞의

◇**fore·head** [fɔ́(ː)rid, fɔ́ːrhèd] ⓜ 이마
*◇**for·eign** [fɔ́ːrin, fɑ́r- / fɔ́r-]* ⓗ 외국의, 외래의; 외국산의; 관계 없는, 이질의, 낯선
반 home 본국의
(예) a *foreign* language 외국어 // *foreign* news 해외 뉴스 // Lying is *foreign to* his nature. 거짓말하는 것은 그의 성미에 맞지 않는다.
파 *◇**foreigner** [fɔ́ːrinər, fɑ́r- / fɔ́rinə] ⓜ 외국인(*cf.* alien [éiliən])
◇**fore·see** [fɔːrsíː] ⓣ《*-saw ; -seen*》예견하다, 미리 알다
파 **foreséeable** ⓗ 예지〔예측〕할 수 있는
◇**fore·sight** [fɔ́ːrsàit] ⓜ 선견지명, 통찰; 조심
*◇**for·est** [fɔ́ːrist, fɑ́r- / fɔ́r-]
ⓜ 삼림, 산림
파 **fórester** ⓜ 산림 감독; 숲에 사는 사람; 숲에 사는 동물〔새·짐승 따위〕 **fórestry** ⓜ《집합적》 삼림; 임학(林學); 임업

> ▶**126.**「숲」의 유사어
> **forest**는 마을에서 떨어진 원시적인 대산림, **wood(s)**는 마을에 가깝고 forest보다 작으며 사람의 왕래도 있는 산림, **grove**는 사람의 손으로 가꾸어진 작은 숲.

fore·stall [fɔːrstɔ́ːl] ⓣ 앞지르다; 앞질러 방해하다; 매점(買占)하다
◇**fore·tell** [fɔːrtél] ⓣ《*-told*》예언하다(=prophesy); 예고〔예시〕하다; ~의 전조가 되다
◇**for·ev·er** [fərévər] ⓟ 영원히, 영구히(=everlastingly)
for·feit [fɔ́ːrfit] ⓜ (권리·명예 따위의) 상실; 벌금, 몰수품 ⓣ 상실하다(=lose), 몰수당하다 ⓗ 상실한, 몰수된
(예) *forfeit* one's property 재산을 몰수당하다 // He *forfeited* the chance of a prize by being idle. 그는 게을러서 상을 탈 기회를 잃었다.
파 **forfeiture** [fɔ́ːrfitʃər] ⓜ 상실, 몰수
forge [fɔːrdʒ] ⓣⓙ (쇠를) 불리다, 단련하다; 만들어내다(=invent); 위조하다 ⓜ 대장간; 용철로(熔鐵爐); 제철소
파 ◇**fórger** ⓜ 위조자 **fórgery** ⓜ 위조, 위작(僞作)
☆**for·get** [fərgét] ⓣⓙ《*-got ; -gotten, -got*》잊다, 소홀히 하다(=neglect), 망각하다
반 remémber 기억하다, recollect 상기하다
(예) *forget* a person's name 아무개의 이름을 잊다 // *forget* how to do it 하는 방법을 잊다 // I *forgot that* you were coming. 자네가 온다는 것을 잊어버렸네. // I shall never *forget* see*ing* you here. 나는 여기서 너를 만난 것을 잊지 못할 것이다. // I *forget* 〔have *forgotten*〕 your phone number. 나는 네 전화 번호를 잊었다.
어법 I have forgotten 보다 *I forget* 이 일반적이다. forget to do 는 「~하기를 잊다」의 뜻: I *forgot to* post the letter. (편지 부치는 것을 잊었다)
파 **forgétful** ⓗ 잘 잊는, 부주의한 **forgét-me-not** ⓜ 물망초
forget** one**self (일에) 몰두하다; 제 자신을〔분수를〕 잊다

(예) He *forgets* him*self* in his work. 그는 정신 없이 일하고 있다. // You are *forgetting* your*self* ! 분에 넘치는 일은 하지 마라 !

(f)or·give [fərgív] 타 《**-gave** ; **-given**》 용서하다(=pardon, excuse), 면제하다
원 for(=away)+give 반 púnish 벌주다
(예) His offenses were *forgiven* him. ↔ He was *forgiven* his offenses. 그의 죄는 용서되었다. // *Forgive* me *for* not com*ing*. 가지 못함을 용서하십시오. // *Forgive* (me) the debt. 빚을 면제해주시오.
파 **forgíveness** 명 용서; 너그러움 **forgíving** 형 인정 많은, 관대한

(f)ork [fɔːrk] 명 포크; 쇠스랑, 갈퀴 자 타 분기(分岐)하다, 두 갈래지게 하다; (쇠스랑·갈퀴 따위로) 긁어〔찍어〕 올리다, (흙을) 파 젖히다
파 **forked** 형 가랑이 진, 갈래진

(f)or·lorn [fərlɔ́ːrn] 형 고독한(=left alone), 외로운, 쓸쓸한, 버림받은(=abandoned, neglected)

(f)orm [fɔːrm] 명 형태, 꼴(=shape), 모양(=appearance), 형식, 양식(=style); 서식, (기입) 용지 타 자 형태를 이루다, 형성하다(=shape); 형성되다; 안출하다(=devise)
(예) in the *form* of ～의 형태로 // take the *form* of ～의 형태를 취하다 // good *form* 바른 예의 범절 // a *form* of democracy 민주주의의 한 형식 // *Form* good habits while young. 어릴 때 좋은 습관을 길러라. // He must *form* an opinion from the facts which he gathered. 그는 자기가 수집한 사실에 근거하여 판단을 내리지 않으면 안 된다.
파 **formátion** 명 형성, 조직 ***formal** [fɔ́ːrməl] 형 정식의, 형식(상)의, 형식적인; 형식에 치우친 **fórmative** 형 형성하는, 구성하는 **fórmless** 형 일정한 꼴이 없는 **fórmalism** 명 형식주의, 허례 ***formálity** 명 정식, 의례 **fórmally** 부 형식적으로; 정식으로

(f)or·mer [fɔ́ːrmər] 형 이전의(=earlier in time), 옛날의(=old); 전자의, 먼저의(=previous) 명 [the f-] 전자; 형성자(形成者)
반 présent 현재의, the látter 후자
(예) Of the two men, I prefer the latter to *the former*. 두 사람 중에서 나는 전자보다 후자가 좋다.
어법 「전자」의 뜻으로는 the former ～의 형태로 단수·복수 어느 쪽으로도 쓰인다. the latter 도 같음.
파 * **fórmerly** 부 옛날에, 이전에는

(f)or·mi·da·ble [fɔ́ːrmidəbəl] 형 무서운(=causing fear), 만만치 않은, 엄청난

(f)or·mu·la [fɔ́ːrmjələ] 명 《*pl.* **-las, -lae** [-lìː]》 (수학·화학 따위의) 공식, 정칙(定則); 처방; (인사 등의) 정해진 문구
파 **fórmulate** 타 공식화하다, 조직적으로〔명확히〕 말하다 **formulátion** 명 공식화

F

for·sake [fərséik] (타) 《***-sook ; -saken***》 (친구 등을) 저버리다(=leave, desert), (악습 따위를) 버리다(=give up)
(예) *forsake* bad habits 나쁜 습관을 버리다 // He pitilessly *forsook* his child. 그는 무정하게도 자기 자식을 버렸다.
[파] **forsáken** (형) 버림받은, 고독한

fort [fɔːrt] (명) 성채(城砦), 보루(堡壘), 요새, 포대(砲臺)
[파] **fortify** [fɔ́ːrtəfài] (타) 견고히 하다, 강화하다 **fortificátion** (명) 축성, 요새 **fortress** [fɔ́ːrtris] (명) 요새(要塞) (타) 〖시〗 요새로 방어하다

***forth** [fɔːrθ] (부) 앞으로(=forward); 밖으로; ~ 이후
[반] back 뒤에
(예) stretch *forth* one's hand 손을 뻗치다 // back and *forth* 앞뒤로, 여기저기로(=to and fro) // from this time *forth* 지금 이후
[파] **forthcóming** (형) 장차 오려고 〔나타나려고〕 하는 **fórthright** (형) 똑바른; 솔직한 (부) 똑바로; 즉시, 곧 **forthwith** [fɔ̀ːrθwíð, -wíθ] (부) 당장, 곧

for·ti·tude [fɔ́ːrtətjùːd / -tjùːd] (명) 인내(=endurance), 용기

fort·night [fɔ́ːrtnàit] (명) 2주일간
[파] **fórtnightly** (형) 2주일마다의 (부) 2주일마다 (명) 격주(隔週) 출판물

***for·tu·nate** [fɔ́ːrtʃənit] (형) 운이 좋은(=lucky), 행운의; 조짐이 좋은, 상서로운
[원] <fortune 운
[반] unfórtunate 불운한
[파] **fórtunately** (부) 운좋게, 다행히(=luckily)

> ▶ **127. 접미어 ate**
> ① 동사 어미로 「~으로 되다」 「~으로 하다」 「~으로 처리하다」 따위를 뜻한다.
> (예) captiv*ate*, evapor*ate*
> ② 명사에 붙여서 형용사를 만들어 「~의」 「~에 가득 찬」 따위의 뜻을 나타낸다.
> (예) fortun*ate*, passion*ate*

***for·tune**★ [fɔ́ːrtʃən] (명) 운; 행운(=good luck); 재산(=wealth)
[반] misfórtune 불행
(예) make a *fortune* 부자가 되다, 재산을 만들다 // have the *fortune* to 다행히도 ~하다 // *Fortune* smiles on the brave. 운명의 여신은 용감한 사람에게 미소를 보낸다. // *Fortune* waits on honest toil and earnest endeavor 정직하게 일하고 진지하게 노력하면 행운이 온다.
[파] **fórtuneteller** (명) 점쟁이 **fortune hunter** 재산을 노리는 구혼자

for·ty★ [fɔ́ːrti] (명) 40 (형) 40의
[파] **fortieth** [fɔ́ːrtiiθ] (명)(형) 제 40(의), 40분의 1(의)

fo·rum [fɔ́ːrəm] (명) 공회(公會)용의 광장; 재판소; (여론의) 비판, 심판; 공개 토론회
(예) a radio *forum* 라디오 토론회

> ▶ **128. 접미어 ward**
> 「~쪽으로」의 뜻을 나타낸다.
> (예) for*ward*, west*ward*, home*ward* 따위

***for·ward** [fɔ́ːrwərd] (부) 앞쪽에, 앞으로, 앞서서 (형) 전방(으로)의, 나아가는;

주제넘은 [타] 나아가게 하다, 촉진하다, 진척시키다; (편지 따위를) 전송〔발송〕하다, 보내다 [명] (축구 따위에서의) 전위, 포워드

[반] báckward 후방의

(예) bring *forward* an objection 이의를 제출하다 // *forward* a plan 계획을 추진하다

[파] ◇**fórward-looking** [형] 앞으로 향한, 적극적인

fos·sil [fásəl / fɔ́səl] [명] 화석 [형] 화석의; 시대에 뒤떨어진

fos·ter [fɔ́ːstər, fás- / fɔ́stə] [타] 기르다(=nurse), 소중히 하다(=cherish); 조장하다 [형] 친자식처럼 기른, 양육상의

(예) a *foster* brother 〔sister〕 젖형제〔자매〕 // a *foster* son 〔daughter〕 수양아들〔딸〕 // a *foster* father 〔mother〕 수양아버지〔어머니〕

foul [faul]★ 〈동음어 fowl〉 [형] 불결한(=dirty); 사악한, 추잡한(=vulgar); (날씨가) 나쁜; 반칙의 [명] 반칙; 〖야구〗 파울 [부] 부정하게(=unfairly) [타] [자] 더럽히다

[반] fair 고운, 훌륭한, (날씨가) 청명한

(예) *foul* smell 악취 // *foul* weather 사나운 날씨, 악천후 // play a *foul* game 반칙 게임을 하다

found [faund]★ [타] [자] 창설〔설립〕하다; 기초를 세우다, ~을 토대로 삼다; 주조(鑄造)하다

[NB] found —founded—founded로 활용한다. find의 과거 및 과거 분사와 혼동하지 말 것.

(예) His arguments are *founded on* facts. 그의 주장은 사실에 입각한 것이다.

[파] **fóunder** [명] 창립자, 발기인, 원조(元祖) (⇨) **foundation**

foun·da·tion [faundéiʃən] [명] 토대, 기초(=base); 창립(=establishment); 재단; 기금(=fund)

***lay* 〔*build up*〕 *the foundation for* 〔*of*〕** ~의 기초〔토대〕를 만들다

(예) He works hard to *lay the foundation for* future greatness. 그는 장래 영달의 기초를 마련하기 위해서 열심히 일한다.

foun·tain [fáuntən] [명] 샘(=spring of water), 분수; 수원(=source of stream)

[파] **fóuntainhead** [명] 원천(源泉), 수원(水源) **fountain pen** 만년필

four [fɔːr]★ 〈동음어 for, fore〉 [명] 4 [형] 4의

[파] ☆**fóurtéen** [명] [형] 14(의) **fóurtéenth** [명][형] 제 14(의), 14분의 1(의), (달의) 14일 ☆**fourth** [명][형] 제 4(의), 4분의 1(의), (달의) 4일 **fóurscóre** [형][명] 〖옛말〗=eighty ◇**fóurpenny** [형] 4펜스의 [명] 4펜스짜리

on all fours 네 발로 기어; ~와 꼭 일치하여 [~ with]

(예) run 〔go〕 *on all fours* 네 발로 기어 달아나다〔다니다〕 // This demand for money is *on all fours with* the owe we received last week. 이 청구액은 지난 주 받았던 것과 꼭 일치한다.

F

***fowl** [faul]* 〈동음어 foul〉 명 닭《보통 다 자란 cock, hen을 뜻함》; 《*pl.*》 가금(家禽), 〔총칭〕 조류; 닭고기, 새고기
fox [fɑks / fɔks] 명 여우, 여우 가죽; 교활한 사람(=sly crafty person)
파 **fóxy** 형 여우 같은, 교활한 **fox hunt(ing)** 여우 사냥
frac·tion [frǽkʃən] 명 분수(分數), 끝수; 아주 조금, 작은 조각(=particle)
(예) in a *fraction* of a second 곧, 즉시로
파 **fráctional** 형 분수의, 극히 작은
frac·ture [frǽktʃər] 명 부서짐; 골절 타 (뼈 따위를) 부러뜨리다, 금가게 하다
frag·ile [frǽdʒəl / -dʒail] 형 부서지기 쉬운, 깨지기 쉬운, (체질이) 연약한
***frag·ment** [frǽgmənt] 명 파편(=small part broken off) 단편(斷片); 미완성의 유고(遺稿), 단장(斷章)
파 **frágmentary** 형 단편적인(=fragmental)
fra·grance [fréigrəns] 명 향기, 방향(=pleasant smell)
파 **frágrant** 형 향기로운; 즐거운
frail [freil] 형 약한; (생명·행복 따위가) 덧없는
반 strong 튼튼한
파 **fráilty** 명 무름; 마음이 약함; 약점 **fráilly** 부 덧없이 약하게
frame [freim] 명 구조(=construction), (사람·동물의) 골격; (창 따위의) 틀; 기분(=mood) 타 자 형성하다, 짜맞추다(=shape), 구성하다(=compose); 안출하다(=devise) 테를 씌우다
(예) in a happy *frame* of mind 행복한 기분으로 // have a strong *frame* 건장한 체구를 지니다 // *frame* a plan 계획을 짜다 // *frame* a picture 그림을 사진틀에 넣다
파 **frámework** 명 뼈대(맞춤), 구성
franc [fræŋk] 명 프랑《화폐 단위》; 1프랑 화폐
***France** [fræns / frɑːns] 명 프랑스(*cf.* French)
***frank** [fræŋk] 형 솔직한(=candid), 정직한(=honest) 담백한, 공공연한
(예) To be *frank* with you, I felt no pity. 솔직히 말하면 가엾은 생각이 전혀 나지 않았다.
파 **fránkly** 부 솔직히(*frankly* speaking ↔ to speak *frankly* 솔직히 말하면) **fránkness** 명 솔직, 담백
fran·tic [frǽntik] 형 광란의, 열광한; 〔구어〕 심한
파 **fránticallу** 부 미친 듯이
fra·ter·nal [frətə́ːrnl] 형 형제의, 친한
파 **fratérnity** 명 형제의 사이〔정〕, 우애, 친목; 〔미〕 대학생의 클럽
fraud [frɔːd] 명 사기(=trick), 사기꾼
(예) get money by *fraud* 돈을 사취하다
freck·le [frékəl] 명 주근깨; 기미; 《*pl.*》 햇볕에 탄 얼굴 타 자 주근깨가 생기게 하다〔생기다〕
***free** [friː] 형 자유로운, 자유의; 무료의; (행동·태도가) 대

딱하지 않은, 거리낌 없는 ㊟ 자유롭게 하다, 해방하다 [~ from, of]
반 bound 속박된, precíse 규칙바른, 까다로운 búsy 바쁜
(예) set a slave *free* 노예를 해방시키다 // a *free* and easy talk 격의 없는 대화 // Are you *free* this afternoon? 오후에 여가가 있는가? // ◦*free* a country *from* oppression 나라를 압제에서 구하다
파 *fréedom 명 자유, 면제, 자유 행동, 스스럼〔허물〕없음 *fréely 부 자유로이 **frée-hánded** 형 아낌없이 쓰는, 활수한; 일손이 빈 **frée-héarted** 형 숨김없는, (마음이) 맺힌 데가 없는; 대범한 **fréeman** 명 《*pl.* -men》 자유인, 공민 **fréeway** 명 〖미〗 무료 고속 도로 **free will** 자유 의사

free from ~이 없는, ~을 벗어난
(예) I am *free from* work today. 오늘은 일이 없다. // The classrooms are *free from* outside sound. 교실은 외부의 소음이 들리지 않는다.

free of ~이 면제되어
(예) These goods are imported *free of* customs duties. 이 물품들은 관세 없이 수입된다.

***free to** do* 자유롭게 ~해도 좋은
(예) You are *free to* do so. 그렇게 하는 것은 당신의 자유입니다.

freeze [fri:z] 자 타 《***froze*** [frouz]; ***frozen*** [fróuzən]》 얼다, 얼음이 얼다, 추워지다; (자산을) 동결하다
반 melt 녹다
(예) He was *frozen* to death. 그는 얼어 죽었다. // It is *freezing* tonight. 오늘밤은 몹시 춥다.
파 ◦**fréezer** 명 냉동 장치, 냉장고(=refrigerator) **fréezing** 형 어는, 냉담한(*freezing* point 빙점(氷點)) 명 결빙(結氷) ***frózen** 형 동결한, 냉정한

freight [freit]* 명 화물 운송; 〖영〗 (특히) 수상 운송; 〖미〗 (특히 철도편의) 화물; 운임

French [frentʃ] 형 프랑스의, 프랑스 사람〔말〕의 명 프랑스 사람〔말〕
어법 프랑스 사람 전체를 가리킬 경우는 *the French,* 개인은 *Frenchman, Frenchwoman.*
파 ***Frénchman** 명 《*pl.* -men》 프랑스 사람 **Frénchwoman** 명 《*pl.* -women》 프랑스 여자

fren·zy [frénzi] 명 격앙, 광포 타 격분〔광란〕케 하다
(예) ◦in a *frenzy* of grief 〔hate, rage〕 슬픈〔미운, 격노한〕 나머지 욱하여〔이성을 잃고〕 // ◦in a *frenzy* of the moment 일시적으로 격분하여

fre·quent 형 [frí:kwənt]* 빈번한, 자주 일어나는; 상습적인 타 [frikwént]* 자주 가다〔오다〕, 늘 출입하다
반 infréquent, rare 드문
(예) Fires are *frequent* in Busan. 부산에는 화재가 자주 일어난다. // Tourists *frequent* the place. 관광객은 그곳을 자주 찾는다.

> ▶ 129. 접미어 ency
> 성질·상태를 나타내는 명사 어미.
> (예) consist*ency*, depend*ency*, frequ*ency* 따위

파 ◇**frequency** [fríːkwənsi] 명 빈발; 〖전기〗 주파수(*frequency* modulation 주파수 변조(방송); FM 방송) *◇**fré-quently** 부 종종, 흔히, 빈번히

*◇**fresh** [freʃ] 형 신선한, 상쾌한, 원기 왕성한; 갓 ~한 [from]; 〖미〗 건방진, 주제넘은(=forward)
반 old 낡은, stale 케케 묵은
(예) make a *fresh* start 새출발하다 // a young man *fresh from* school 학교를 갓나온 젊은이 // Give me some *fresh* water. 냉수 좀 주시오.
파 **fréshen** 타 자 새롭게 하다〔되다〕 **fréshly** 부 새로이 요즈음 ◇**fréshness** 명 새로움, 신선 *◇**fréshman** 명 《*pl.* -men》 신입생, (대학·고교의) 1년생 ◇**frésh-water** 형 민물의 《*cf.* salt-water 염수의》

fret [fret] 타 자 초조케 하다, 초조해지다[~ over, about, at, for], 성가시게 굴다 명 초조
(예) Don't *fret over* trifles. 사소한 일로 초조해 마라. Don't *fret* yourself about him. 그의 일로 애태우지 마라.
파 **frétful** 형 초조한

fri·ar [fráiər] 명 탁발승, 수도사

◇**fric·tion** [fríkʃən] 명 마찰(=rubbing), 알력, 불화
(예) political *friction* between the two countries 두 나라 사이의 정치적 알력
파 **frícative** 형 마찰로 생기는, 마찰음의

☆**Fri·day** [fráidi, -dei] 명 금요일 〖약어〗 *Fri.*

☆**friend**★ [frend] 명 친구, 동무, 벗, 자기 편, 도움이 되는 것〔동물〕
반 énemy, foe 적
(예) We are great *friends*. 우리는 아주 친한 사이이다.
어법 ① I am great *friends* with him.(나는 그와 아주 친한 사이이다)라고 하는 어법에서는, a friend라고 단수로 하지 않는다. ② 단지 「내 친구」라고 할 때에는 a friend of mine이라 한다. my friend는 특정한 친구를 가리킨다.

> ▶ 130. 접미어 ship
> ① 형용사에 붙여서 추상 명사를 만든다. (例) hard*ship*
> ② 명사에 붙여서 상태·신분·수완 따위를 나타낸다. (예) friend*ship*

> ▶ 131. 「친구」의 유사어
> **friend**는 친밀하고 애정을 느끼는 친구, **acquaintance**는 아는 사이, **companion**은 활동·운명 따위를 같이 하는 사람, **associate**는 공통의 사업·연구 따위로 연결된 동료.

파 ◇**fríendless** 형 벗이 없는 ◇**fríendliness** 명 우정, 친 *◇**fríendly** 형 친한, 우호적인, 자기 편의 *◇**fríendship** 명 우정; 교우(交友)

◇***make friends with*** ~와 친해지다
(예) He is a boy who can *make friends with* everybody. 그는 모든 사람과 친해질 수 있는 아이다.

frieze [friːz] ⓜ 띠 모양의 조각〔장식〕, 장식띠
fright [frait] ⓜ 놀람, 공포; 기이하게 생긴 사람〔사물〕
(예) He seemed to be in a great *fright.* 그는 매우 놀란 모양이었다.
㉤ *frighten ⓣ 깜짝 놀라게 하다 ◇**fríghtening** ⓗ 무서운, 굉장한 ◇**fríghtful** ⓗ 무서운, 놀라운; 불쾌한 **fríghtfully** ⓑ 무섭게; 매우, 대단히
***take fright* (*at*)** (~에) 겁이 나다, 놀라다
(예) His fowl *took fright at* the crowd. 그의 닭은 군중을 보고 놀랐다.
frig·id [frídʒid] ⓗ 몹시 추운; (성격 따위가) 차가운, 쌀쌀한, 매정한, 무뚝뚝한(=stiff)
(예) the *frigid* zone 한대(*cf.* the temperate zone 온대) // a frigid look 쌀쌀한 표정
fringe [frindʒ] ⓜ (술 따위의) 술 장식; 가장자리, 변두리(=border), 끝(=outside edge) ⓣ 테를 두르다; 술을 달다
frit·ter [frítər] ⓣ 조금씩 낭비〔허비〕하다
(예) *fritter away* one's money 짤끔짤끔 돈을 낭비하다
friv·o·lous [frívələs] ⓗ 경박한; 하찮은(=foolish)
㉤ **frivolity** [friváləti / -vɔ́l-] ⓜ 천박, 쓸데 없는 일
fro [frou] ⓑ 저쪽으로
NB to and fro「앞뒤로, 이리저리」로만 쓰임.
frock [frak / frɔk] ⓜ (상하가 붙은) 여성복, (여아용) 아동복, 프록코트
frog [frɔ(ː)g, frag] ⓜ 개구리
frol·ic [frálik / frɔ́l-] ⓙ 들떠서 떠들다, 야단 법석하다 ⓜ 들떠서 떠듦, 야단 법석
㉤ **frólicsome** ⓗ 들뜬 기분의, 신바람 난
from [fram, frʌm, frəm / frɔm, frəm]★ ⓙ ①《시간·순서에 관해서》~으로부터
(예) *from* beginning *to* end 처음부터 끝까지 // *from* morning till 〔to〕 night 아침부터 밤까지 // ◇*from* season *to* season 철마다
어법 ① from ~ to ... 의 형식에서는 위의 용례처럼 보통 관사를 생략한다. ②「~ 이래」의 뜻으로 쓰이는 것은 *from* a child, *from* one's childhood, *from* olden times 및 그와 유사한 구인 경우로서, 보통은 since 를 쓴다. begin 참조.
②《장소에 관해서》~에서, ~을 떠나서
(예) ◇*from* place to place 곳곳에, 여기저기 // *from* flower to flower 이 꽃에서 저 꽃으로 // start *from* London for Paris 런던을 출발하여 파리로 향하다
③《기원·출처·유래를 나타내어》~ 에서 나온(=out of)
(예) *from* a scientific point of view 과학적 견지에서 // a letter *from* my uncle 삼촌에게서 온 편지 // Where are you *from* ? 고향이 어디십니까?
④《원인·이유·원료를 나타내어》~으로, ~에서, ~ 때문에
(예) die *from* fatigue 피로로 죽다 // make wine *from*

F

grapes 포도로 포도주를 만들다
어법 원료를 나타낼 경우, 제품에서 그 원료를 알아 볼 수 있는 경우는 of, 그렇지 못한 경우는 from이 원칙: a box made *of* wood(나무로 만든 상자)

⑤《장소 또는 시간을 나타내는 부사(구) 앞에 붙여서 방향·위치를 나타냄》
(예) *from* behind 뒤에서부터 // *from* under the table 테이블 밑으로부터

⑥《비교·차이를 나타내어》 ~으로부터 구별하는
(예) You must know good *from* bad. 선악을 가릴줄 알아야 한다.
반 to ~까지

from hand to mouth 하루 벌어 하루 먹는
(예) He lives *from hand to mouth.* 그는 하루 벌어 하루 먹는 생활을 한다.

* ***from time to time*** 이따금, 때때로(=often)
(예) He left here five years ago, but I still see him *from time to time.* 그는 여기를 5년 전에 떠났으나 여전히 그를 이따금 만난다.

***front** [frʌnt]* 명 정면, 앞부분(=forward part); 전선(戰線) 형 정면의, 전방의 타자 ~에 면하다(=face), 맞서다
반 back, rear 배후의
파 **fróntage** 명 (건물의) 정면, 앞면, (건물의) 방향 **fróntal** 형 정면의 **fróntispiece** 명 (책의) 권두(卷頭) 그림, 속표지 **fróntline** 명 일선, 최전선 **the popular front** 인민 전선

be* 〔*come*〕 *to the front 전면에 나타나다; 눈에 띄기 시작하다; 현저해지다; 유명해지다
(예) His works have *come to the front.* 그의 작품이 유명해졌다.

☆***in front*** (***of***) (~의) 앞에, 정면에, ~의 표면에
(예) We stood on the steps *in front of* the house. 우리는 집 앞의 층계에 서 있었다.

☆**fron·tier*** [frʌntíər / frʌ́ntiə] 명 국경(지방), 변경; 미개척의 분야, 새로운 분야
파 **fróntiersman** 명《*pl.* -men》 국경 지방의 주민, 변경 개척자 **frontier spirit** 개척자 정신

◇**frost** [frɔːst / frɔst] 명 서리, 결빙, 한기 자타 서리가 내리다, 얼게 하다
(예) All the leaves *frosted* off. 모든 나뭇잎들이 서리로 떨어졌다.
파 **fróśted** 형 서리가 내린 **fróśty** 형 서리가 내리는; 혹한의; 냉담한 **fróśtbite** 명 동상

◇**frown** [fraun] 자 눈살을 찌푸리다, 얼굴을 찡그리다 명 찡그린 상
반 smile 미소하다
(예) He *frowned at* me. 그는 얼굴을 찡그리고 나를 보았다. // He *frowns upon* gambling. 그는 도박에는 반대다.

ru·gal [frú:gəl] ⓗ 검소한, 알뜰한
반 wásteful 낭비하는
파 **frugálity** ⓜ 검약, 절약, 검소

ruit [fru:t]* ⓜ 과일; 성과; 산물, 수익 ⓙ 열매를 맺다
(예) fresh fruit 신선한 과일 // the *fruits* of industry 근면의 성과 // bear *fruit* 열매를 맺다
어법 보통 물질 명사로 취급: I like *fruit.* (나는 과일을 좋아한다) 과일의 종류를 말할 때에는 a fruit, fruits 의 형을 씀: apples, oranges, and other *fruits* (사과, 오렌지, 그 밖의 과실)
파 ⁑**frúitful** ⓗ 다산(多産)의, 결실이 풍부한 **frúitfulness** ⓜ 다산, 유익 **frúitless** ⓗ 열매를 맺지 않는, 불모의; 헛된 **frúiterer** ⓜ 과일 장수 **fruítion** ⓜ (노력 따위의) 결실; (목적 따위의) 달성, 실현

rus·trate [frʌ́streit / frʌstréit] ⓣ (적의 계략·노력 따위를) 헛되게 하다, 실패하게 하다, 쳐부수다, 좌절시키다
(예) The rain *frustrated* his plan. ↔ The rain *frustrated* him *in* his plan. 비 때문에 그의 계획은 실패했다.
파 ◦**frustrátion** ⓜ 좌절, 욕구 불만

ry [frai] ⓣⓙ 기름에 튀기다, 프라이로 하다 ⓜ 튀김 요리, 프라이; (막 부화된) 유어(幼魚)
파 **frying pan** 프라이 팬 (Out of the *frying pan* into the fire. 〖속담〗 작은 난을 피하여 큰 난에 빠지다; 갈수록 태산이다)

ud·dle [fʌ́dl] ⓣ ~을 취하게 하다 ⓙ 대음(大飮)하다

u·el [fjú(:)əl] ⓜ 연료, 장작 ⓣⓙ 장작을 지피다, 연료를 공급하다

u·gi·tive [fjú:dʒətiv] ⓜ 도망자, 망명자 ⓗ 달아나는 (= escaping), 망명의, 방랑의; 덧없는

ul·fil(l) [fulfíl] ⓣ (의무·약속 따위를) 완수〔이행〕하다 (= complete); 채우다, 충족시키다
원 ful (= full) + fil (= fill)
(예) The prophecy was *fulfilled*. 그 예언은 실현되었다.
파 ◦**fulfíl(l)ment** ⓜ 이행, 달성

ull [ful] ⓗ 가득 찬 [~ of], 충분한, 전부의 (= whole) ⓜ 전부, 가득함; 절정 (= height) ⓑ 충분히, 완전히
NB 동사는 fill. 반 émpty 텅 빈
(예) a *full* hour 꼬박 한 시간 // a *full* house 만원 // ◦to the *full* 충분히, 마음껏 // He hit her *full* on the nose. 그는 그녀의 코를 정통으로 때렸다.
파 ⁑**fúlly** ⓑ 충분히, 완전히 **fúllness** ⓜ 충만, 풍부

be) full of ~으로 가득 찬
(예) He took a walk in the garden (which was) *full of* beautiful flowers. 그는 아름다운 꽃으로 가득 찬 정원을 거닐었다.
NB be full *of*, be filled *with* 의 전치사에 주의.

n full 생략하지 않고, 상세히; 모조리; 전액
(예) payment *in full* 전액 지불 // Write your name *in*

full. 이름을 생략하지 말고 써라.

full-time [fùltáim] ⓗ 전시간(제)의, 상근(常勤)의; 전임(專任)의
반 half-time 반일제의, part-time 정시제의
(예) a *full-time* teacher 전임 교사

fum·ble [fʌ́mbəl] ⓩⓣ 손으로 더듬(어 찾)다[~ for], 서투르게 만지작거리다 [~ with, at], 실수하다; 서투르게 다루다 ⓜ 〔야구〕 펌블
(예) He *fumbled* in the darkness *for* a key. 그는 어둠 속에서 열쇠를 더듬어 찾았다.

fume [fjuːm] ⓜ《주로 *pl.*》(자옥한) 연무(煙霧); 향기; 노기(怒氣) ⓩⓣ 연기를 내다; 향을 피우다; 노발대발하다

*__fun__ [fʌn] ⓜ 장난, 농담(=joke), 재미
(예) have *fun* 재미있게 놀다 // It's *fun* to ski. 스키를 타는 것은 재미있다. // He is great *fun*. 그는 매우 유쾌한 사람이다.
파 (⇨) **funny**

for fun 농담으로, 반 장난으로
(예) Try it just *for fun*. 장난삼아 그것을 해 보아라.

***make fun* (*of*)** (~을) 놀리다, 노리개로 삼다
(예) I used to *make fun of* him. 나는 곧잘 그를 놀리곤 했다.

F

*__func·tion__ [fʌ́ŋkʃən] ⓜ 기능, 역할, 직능(=office); 의식, 행사, 제전(=ceremony) ⓩ 작용〔작동〕하다(=work), 직책〔역할〕을 다하다
(예) This machine has stopped *functioning*. 이 기계는 작동을 멈췄다. // The noun *functions as* an adjective. 그 명사는 형용사 역할을 한다.
파 **fúnctional** ⓗ 기능(상)의, 작용의 **fúnctionary** ⓜ 직원, 공무원

fund [fʌnd] ⓜ 자금; 《*pl.*》 재원; [the funds] 공채
(예) a relief *fund* 구제 자금 // raise *funds* to build the statue 조상(彫像)을 세우기 위해 기금을 모으다

*__fun·da·men·tal__ [fʌ̀ndəméntl]★ ⓗ 기본의, 근본적인(=basic) ⓜ 기본; 기초
(예) the *fundamental* colors 원색 // the *fundamental* rules of grammar 문법의 기본적 법칙
파 **fundaméntally** ⓟ 기본적으로, 본질적으로

fu·ner·al [fjúːnərəl] ⓜ 장례식 ⓗ 장례식의
파 **funereal** [fjuːníəriəl] ⓗ 장례식의; 음울한 **funeral service** 장례식

fun·gus [fʌ́ŋgəs] ⓜ 균류(菌類); 버섯

fun·nel [fʌ́nl] ⓜ 깔때기; (기관차·기선 따위의) 굴뚝

*__fun·ny__ [fʌ́ni] ⓗ 재미있는, 우스운(=amusing)
원 <fun 장난
(예) What's *funny* about my face? 내 얼굴의 어디가 우스운가?
파 **funny paper** 만화 신문, 익살 기사란

fur [fəːr] 〈동음어 fir〉 [명] **모피**; 《*pl.*》 모피 옷
[파] **furrier** [fə́ːriər / fʌ́riə] [명] 모피상; 모피공 **furry** [fə́ːri] [형] 모피로 덮인, 모피 같은
***The fur flies* 〔*begins to fly*〕.** 큰 싸움〔소동〕이 된다.
fu·ri·ous [fjúəriəs]* [형] 격분한; 맹렬한(=violent)
[원] <fúry 격분
[반] mild, géntle 온화한
(예) a *furious* wind 사나운 바람
[파] ◇**fúriously** [부] 맹렬히
furl [fəːrl] [자][타] (기·돛 따위를) 말아〔감아〕 걷다, (우산 따위를) 접다
[반] unfúrl 펴다
fur·nace [fə́ːrnis] [명] (난방용의) 화로; 용광로
fur·nish [fə́ːrniʃ] [자][타] (가구·비품 따위를) 비치〔설치〕하다, 공급하다(=provide)
(예) *furnish* the boys *with* schoolbooks ↔ *furnish* schoolbooks *to* the boys 소년들에게 교과서를 주다 // a fine house *furnished* in exquisite taste 우아한 취미의 가구를 갖춘 아름다운 집
[파] **fúrnished** [형] 가구가 있는 ◇**fúrnishings** [명] 《*pl.*》 가구, 옷의 장식품
fur·ni·ture [fə́ːrnitʃər] [명] 《집합적》 가구, 비품
(예) They do not have much *furniture.* 그들은 가구를 많이 갖고 있지는 않다.
[어법] *a* furniture 또는 furniture*s* 라고 쓰지 않는다. a piece 〔an article〕 of furniture라고 한다. 또한 「많은」 「적은」은 much, little.
fur·row [fə́ːrou / fʌ́r-] [명] 보습 자리, 밭고랑; (얼굴의) 깊게 패인 주름살(=wrinkle) [타] (보습으로) 갈다; 밭고랑을 내다, 이랑을 짓다; 주름살을 짓다
fur·ther* [fə́ːrðər]* [부] 더욱이, 그 위에 또(=in addition); 보다 더 멀리 [형] 그 이상의; 보다 더 먼 [타] 조장하다, 촉진하다, 진전시키다
[원] far의 비교급의 하나(*cf.* farther)
(예) I will inquire into this question *further.* 이 문제를 더욱 자세히 조사해 보겠다.
[파] **fúrtherance** [명] 촉진, 조성 ***fúrthermore** [부] 더군다나, 그 위에, 다시금 **fúrthermost** [형] 가장 먼 (=furthest)

▶ **132.** 접미어 **most**
명사·형용사에 붙여서 「가장 ~」의 뜻을 나타낸다.
(예) further*most*, inner*most* 따위

fu·ry [fjúəri] [명] 격분(=great anger); (병·폭풍우·감정 따위의) 격렬, 맹렬, 광포(=violence)
(예) in a *fury* 격노하여
[파] (⇨) **furious**
fuse [fjuːz] [명] 퓨즈; 도화선, 신관(信管) [타][자] 녹이다, 융합하다
[파] **fúsion** [명] 융해, 융합

◇**fuss** [fʌs] [명] 야단법석(=ado, bustle), 공연한 소동; 안
(복달) [자][타] 공연히 떠들다 [~ about, over], 시끄럽게
다
(예) make a great *fuss over* nothing 아무 것도 아닌 일.
공연히 시끄럽게 굴다 // *fuss about* trifles 사소한 일로
들어 대다
[파] **fússy** [형] 떠들기 좋아하는 **fússily** [부] 공연히 법석대어
◇**fu·tile** [fjúːtl / -tail] [형] 소용 없는(=useless); 변변찮은
하찮은
(예) a *futile* attempt 무익한 시도
[파] **futility** [fjuːtíləti] [명] 무익; 무용지물, 경망한 언동
*◇**fu·ture** [fjúːtʃər] [형] 미래의, 장래의 [명] 미래, 장래, 앞날
[반] past 과거의, 과거
(예) have a bright *future* 밝은 미래가 있다 // in the ne
future 가까운 장래에
[파] **fúturism** [명] 미래파 **futurity** [fjuːtjúərəti / -tjúərəti]
미래(의 상태), 후세, 내세(來世)
* ***in* (*the*) *future*** 장래(에 있어서)
[어법] *in future* 는 「금후는」, *in the future* 는 「(어느 정도
어진) 장래에 있어서는」의 뜻이지만, 때때로 혼용된다.

G

gab·ar·dine [gǽbərdiːn] [명] 개버딘, 능직 방수 복지
gab·ble [gǽbl] [타][자] (알 수 없는 소리를) 빨리 지껄여
다 [명] 빨리 지껄여 알아듣기 어려운 말
◇**gadg·et** [gǽdʒit] [명] (자동차 따위의) 부속품; 작은 기구
도구
Gael [geil] [명] 게일인《스코틀랜드 고지의 주민》
gag [gæg] [명] 입마개, 재갈; (의회의) 언론 탄압; 〖연극〗
그《배우가 임기 응변으로 하는 익살스러운 말〔짓〕》 [자]
그를 하다
*◇**gain** [gein] [타][자] 얻다(=get by working), 쟁취하다(
win); ~에 도착하다(=get to); (시계가) 더 가다; 진보
다; 증가하다 [명] 《종종 *pl.*》 이익, 이득(=profit), 벌이;
가(=increase)
[반] lose 잃다, loss 손실
(예) *gain* one's goal 목적을 달성하다 // My watch *gai*
five seconds a day. 내 시계는 하루에 5초 더 간다. // N
gains without pains. 〖속담〗 수고가 없으면 소득도
다. // His speech *gained* him many adherents. 연설에
해서 그는 많은 지지자를 얻었다. // She *gained* (*in* weight
그 여자는 체중이 늘었다.
[파] **gáiner** [명] 획득자, 이득자 **gáinful** [형] 유리한 **gáinin**
[명] 《*pl.*》 수익(收益), 수입; 상금; 내기에서 딴 돈
***gain on* 〔*upon*〕** ~을 바싹 쫓아가다, ~을 침식하다

(예) The days are *gaining on* the nights. 낮이 길어지고 있다.

gait [geit] 〈동음어 gate〉 ㊔ 걸음걸이, 걷는 모양; 〖미〗 속도, 보조

gai·ter [géitər] ㊔ 각반

gale [geil] ㊔ 강풍(=strong wind)

반 breeze 미풍

gall [gɔːl] ㊔ 쓸개 즙; 원한; 오배자(五倍子) ㊉ 애태우다, 초조하게 하다(=irritate)

gal·lant ㊍ [gǽlənt] 용감한, 씩씩한(=brave); [gǽlənt, gəlǽnt] (여성에게) 정중한, 친절한; 연애의 ㊔ [gəlǽnt, gǽlənt] 멋쟁이(=man of fashion)

반 cóward(ly) 겁 많은

파 **gállantly** ㊌ 용감하게 **gállantry** ㊔ 용감, 정중

gal·ler·y [gǽləri] ㊔ 화랑; 방청석, (극장 맨 위층의) 보통 관람석《가장 값싼 자리》

gal·lon [gǽlən] ㊔ 갤런

NB 영국에서는 4.546 *l*, 미국은 3.785 *l*. 기름·곡물 따위를 재는 단위.

gal·lop [gǽləp] ㊔ (말의) 질주, 질구(疾驅) ㊋㊉ 달리다, 질주하다

gal·lows [gǽlouz] ㊔ 《*pl.*》 교수대(絞首臺), [the ~] 교수형

(예) come to the *gallows* 교수형이 되다

> ▶ **133.** 말의 달리기
> **gallop**은 말이 가장 빨리 달리는 것을 말하고, **canter**는 구보, **trot**는 빠른 걸음을 말한다.

gam·ble [gǽmbəl] ㊋ 도박하다; 투기하다 ㊔ 〖구어〗 도박

(예) *gamble on* horse races 경마에 돈을 걸다

파 **gámbler** ㊔ 노름꾼 **gámbling** ㊔ 도박, 내기

game [geim] ㊔ 놀이, 경기; 수렵물(狩獵物) ㊋㊉ 승부를 겨루다, 내기하다

반 work 노동, 일하다

(예) a *game* of ball 구기 // forbidden *game* 금렵조〔수〕(禁獵鳥〔獸〕)

어법 **sports** 중에서 두 패로 나뉘어 승패를 겨루는 것이 *game*이다.

파 **gámester** ㊔ 노름꾼

gan·der [gǽndər] ㊔ 거위·기러기류의 수컷; 바보, 얼간이

gang [gæŋ] ㊔ (주로 악인·죄수·노예 등의) 한 떼, (악한의) 일당, 갱단

파 **gangster** [gǽŋstər] ㊔ 갱의 한 사람, 악한

gaol [dʒeil] 〈동음어 jail〉 ㊔ 감옥 ㊉ 투옥하다(=〖미〗 jail)

gap [gæp] ㊔ 갈라진 틈; (의견 따위의) 차이; 협곡(峽谷)

(예) the generation *gap* 세대 차이

gape [geip] ㊋ 입을 크게 벌리다, 하품하다(=yawn); 갈라지다 ㊔ 하품; 갈라진 틈

ga·rage [gərɑ́ːdʒ / gǽrɑːʒ, -ridʒ] ㊔ (자동차의) 차고

gar·bage [gɑ́ːrbidʒ] ㊔ 부엌의 쓰레기, 폐물

*__gar·den__ [gɑ́ːrdn] [명] 정원, 채소밭, 과수원; 《주로 *pl.*》 공원 [자] 뜰을 만들다; 원예를 하다
[파] *__gárdener__ [명] 정원사 __gárdening__ [명] 원예 __garden party__ 원유회

▶ **134.** 「뜰」의 유사어
garden은 꽃이나 수목 등을 심은 뜰, **yard**는 담이나 건물로 둘러싸여, 보통 아스팔트로 포장된 곳을 말한다. 단, 미국에서는 조그마한 garden을 yard라고 한다.

__gar·land__ [gɑ́ːrlənd] [명] 화환(=wreath of leaves or flowers); (명예 따위의) 영관(榮冠) [타] 화관을 씌우다
◇__gar·lic__ [gɑ́ːrlik] [명] 마늘
◇__gar·ment__ [gɑ́ːrmənt] [명] 긴 의복〔웃옷〕; 《*pl.*》 의복
__gar·nish__ [gɑ́ːrniʃ] [타] 장식하다; (요리에) 고명을 얹다 [명] 장식, 장식물, 미사 여구
(예) a steak *garnished with* parsley 파슬리를 곁들인 스테이크
◇__gar·ret__ [gǽrət] [명] 다락방(=attic)
__gar·ri·son__ [gǽrisən] [명] 수비대, 주둔군; 요새(要塞), 주둔지 [타] ~에 수비대를 두다; (부대를) 주둔시키다
__gar·ter__ [gɑ́ːrtər] [명] 양말 대님; [the G-] 가터 훈장
*__gas__ [gæs] [명] 가스, 기체; 〖미〗 가솔린; 〖군사〗 독가스(=poison gas) [타][자] 가스로 중독시키다; 허튼 소리를 하다
(예) a *gas* lamp 가스 등 // a *gas* station 주유소 // Many people were *gassed* in the coal mine. 많은 사람들이 탄광에서 가스로 중독되었다.
[파] __gaseous__ [gǽsiəs] [형] 가스의; 공허한 ◇__gasoline, -lene__ [gæ̀səlíːn / gǽsəliːn] [명] 가솔린, 휘발유
◇__gasp__ [gæsp / gɑːsp] [자][타] 헐떡거리다, 헐떡거리며 말하다 [~ out]; 갈망하다(=desire) [~ for, after] [명] 헐떡거림
(예) The fish is *gasping for* air. 물고기는 숨을 쉬려고 헐떡거리고 있다. // They *gasp after* liberty. 그들은 자유를 열망하고 있다.
☆__gate__ [geit] 〈동음어 gait〉 [명] 문, 출입문, 관문
(예) the *gate* to success 성공에 이르는 문 // at the *gates* of death 빈사 상태에서, 죽음에 직면하여
[파] __gátepost__ [명] 문기둥 ◇__gáteway__ [명] 대문, 출입구
*◇__gath·er__ [gǽðər] [타][자] 그러모으다, 모이다(=bring 〔come〕 together), 수집하다(=collect), 따다(=pick); 추측하다
[반] scátter 흩뜨리다
(예) *gather* sticks 땔나무를 모으다 // *gather* flesh 살찌다 // *gather* around a fire 모닥불 주위에 모이다 // I *gather that* you don't like it. 그것이 싫은 모양이군요. // A rolling stone *gathers* no moss. 〖속담〗 구르는 돌에 이끼는 안 낀다《직업을 자주 바꾸면 이롭지 못하다》.
[파] ◇__gáthering__ [명] 집회; 수집
__GATT__ [gæt] 〖약어〗 General Agreement on Tariffs and Trade 관세 및 무역에 관한 일반 협정
__gaud·y__ [gɔ́ːdi] [형] 야한, 현란한(=showy)
◇__gauge, gage__ [geidʒ]★ [명] 계기(計器), 표준 치수; (철도의) 게이지, 궤간(軌間)

gauze [gɔːz] [명] 사(紗), 가제
gay [gei] [형] 쾌활한, 명랑한(=merry); 화려한(=showy)
[반] sad 슬픈, grave 침울한
[파] ◇**gáily, gáyly** [부] 쾌활하게 ◇**gáiety** [명] 명랑, 유쾌(=merriment); 화려, 화미(=showiness)
gaze [geiz] [자] 지켜보다, 응시하다 [~ on 〔upon〕, at, into] [명] 응시
(예) ◇*gaze at* the scenery 경치를 황홀히 바라보다 // *gaze into* the sky 하늘을 응시하다 // ◇Stop *gazing on* 〔*upon*〕 me. 나를 빤히 쳐다보지 마라.

▶ **135.** 「바라보다」의 유사어
gaze는 환희·놀람·흥미를 가지고 바라보는 것이고 **stare**는 호기심을 가지고 뻔뻔스럽게 빤히 바라보는 것이다.

ga·zette [gəzét] [명] 관보(官報), 신문지, ~ 신문
gear [giər] [명] 톱니바퀴, 전동(傳動) 장치, 도구, (기계의) 장치 [자][타] 톱니바퀴가 맞물리다, 기계가 걸리다; (계획 따위에) 맞게 하다, 조정하다
(예) a car with four *gears* 4단 변속의 자동차
in* 〔*out of*〕 *gear 톱니가 맞물려서〔벗어나서〕, 상태가 좋게〔나쁘게〕
(예) This watch got *out of gear.* 이 시계는 잘 안 간다.
***gear ~ to* 〔*for*〕** ~을 …에 맞게〔적합하게〕 하다
(예) a new bank *geared to* the nation's export drive 국가의 수출 운동에 맞추어 설립된 새 은행 // *gear* industrial production *for* the war 공업 생산을 전쟁 수행에 맞게 조정하다
gee [dʒiː] [감] 〖미·구어〗 아이고!; 깜짝이야!
geep [giːp] [명] 〖동물〗 기프《염소와 양의 교배종》
Gei·ger counter [gáigər kàuntər] 가이거 계수관(計數管)
gem [dʒem] [명] 보석(=precious stone); 보석 같은 것, 옥, 주옥 [타] 보석으로 장식하다
gen·der [dʒéndər] [명] 〖문법〗 성(性)
(예) masculine 〔feminine, neuter, common〕 *gender* 남〔여, 중, 통〕성
gene [dʒiːn] [명] 유전자, 겐
gen·er·al [dʒénərəl] [형] 일반적인, 개괄적인 [명] 육군 대장
[반] partícular 특수한, specífic 특정의
(예) the *general* opinion 여론 // a *general* election 총선거 // a *general* plan 대략적인 계획 // a *general* idea 개념 // It is practically the *general* law of nature. 그것은 사실상 자연의 일반 법칙이다.
[파] (⇨) **generally. generálity** [명] 통성(通性), 통칙, 보편성 **géneralize** [타] 일반화하다, 개설(概說)하다 ⁎**generalizátion** [명] 귀납적 결과, 종합, 총괄, 일반화, 보편화 **géneralship** [명] 대장의 직위〔통솔력〕 **generalissimo** [dʒènərəlísəmòu] [명] 《*pl.* -s》 〖이〗 대원수, 총통 **general of the army** 〖미〗 육군 원수
in general 일반적으로, 대체로(=generally)
(예) *In general,* children are fond of candy. 대체로 아이

G

들은 과자를 좋아한다. // We must know what we wan *in general.* 우리들은 일반적으로 무엇을 구하고 있는가를 알지 않으면 안 된다.

*◇**gen·er·al·ly** [dʒénərəli] 부 일반적으로, 대체로(=usually) (예) We *generally* dine at eight. 우리는 대개 8시에 저녁을 먹는다.

◇***generally speaking*** 대체로 말하자면
(예) *Generally speaking,* the Germans are taller than the French. 대체로 말하자면 독일 사람은 프랑스 사람보다 키가 크다.

***gen·er·ate** [dʒénərèit] 타 낳다, 발생시키다, 산출하다(=produce)
(예) Misery often *generates* crime. 빈곤은 종종 범죄를 일으킨다. 「발전기
파 **génerative** 형 생산〔발생〕하는, 생식의 ◇**génerator** 명

*◇**gen·er·a·tion** [dʒènəréiʃən] 명 일대(一代)《약 30 년》, 세대(世代), 동시대의 사람들; 발생
(예) the rising *generation* 청년층 // a *generation* ago 1세대 전에 // ◇from *generation* to *generation* ↔ ◇*generation* after *generation* 대대로 (계승하여) // the *generation* of bacteria 세균의 발생

*◇**gen·er·ous*** [dʒénərəs] 형 관대한, 활수한, 아낌없는(=giving freely); 풍부한(=plentiful), 비옥한(=producing much)
반 avarícious 욕심 많은, 탐욕적인, stíngy 인색한
(예) a *generous* nature 관대한 성질 // be *generous* with one's money 돈을 잘 쓰다
파 **génerously** 부 관대하게, 아낌없이 *◇**generósity*** 명 관대, 너그러움, 관용, 아낌없는 마음씨

◇**gen·e·sis** [dʒénəsəs] 명 발생; 기원(=origin); [the G-] 〖성경〗 창세기

◇**ge·net·ic** [dʒənétik] 형 발생〔유전, 기원〕의

ge·ni·al [dʒíːniəl] 형 온화한; 친절한(=kindly), 상냥한
(예) a *genial* climate 온화한 기후 // a *genial* smile 상냥한 미소
파 **geniality** [dʒìːniǽləti] 명 온화, 친절

gen·i·tive [dʒénətiv] 명 형 〖문법〗 소유격(의), 속격(의)

*◇**gen·ius** [dʒíːnjəs]* 명 천재; 정수(精髓), 정신(=spirit) 수호신
(예) a *genius* in mathematics 수학의 천재 // Edison had a *genius* for invention. 에디슨은 발명에 천부적인 재능을 갖고 있었다. // the English *genius* 영국 정신
어법 「수호신」을 뜻하는 genius(=genie)의 복수형은 *genii* [dʒíːniài]이며, 「천재」인 경우에는 *geniuses* [dʒíːnjəsiz]이다.

◇**gen·re** [ʒɑ́ːnrə] 명 〖프〗 유형, 양식, 장르

gen·teel [dʒentíːl] 형 고상한, 품위 있는(=refined), 예의 바른(=well-bred); 《반어적으로》 신사연하는, 점잖은 체하는
(예) do the *genteel* 젠체하다, 점잔빼다

*◇**gen·tle** [dʒéntl] 형 온화한(=mild); 상냥한(=kind), 침착

한, 점잖은; 가문이 좋은(=well-born)
반 hard 모진, íll-bréd 버릇 없이 자란
(예) be *gentle* with children 아이들에게 상냥하다 // a *gentle* slope 완만한 경사면〔비탈〕
파 ◦**géntleness** 명 온화함; 친절 ◦**géntly** 부 점잖게, 친절히, 상냥하게 **géntlefolks** 명 《복수 취급》 문벌이 좋은 사람들

gen·tle·man 명 [dʒéntlmən] 《*pl.* ***-men*** [-mən]》 신사
반 lády 숙녀
파 **géntlemanly** 형 신사적인, 점잖은

gen·try [dʒéntri] 명 신사 계급(의 사람들), 상류 사회

gen·u·ine [dʒénjuin]* 형 진짜의(=real, true); 순진한
반 false 허위의
(예) a *genuine* case of cholera 진성 콜레라
파 **génuinely** 부 진정으로, 성실하게

ge·nus [dʒíːnəs] 명 《*pl.* ***genera*** [dʒénərə], ~***es***》 종류; 〖생물〗 속《과와 종의 중간》

ge·og·ra·phy [dʒiάgrəfi / dʒiɔ́g-]* 명 지리학, 지형
원 geo(=earth)+graph(=write)+y(명사 어미)
파 **geógrapher** 명 지리학자 ◦**geographic, -cal** [dʒìəgrǽfik(əl)]* 형 지리학의 ◦**geográphically** 부 지리학상, 지리적으로

ge·ol·o·gy [dʒiάlədʒi / dʒiɔ́l-] 명 지질학
파 **geológical** 형 지질학의 ◦**geólogist** 명 지질학자

> ▶ **136. 접두어 geo**
> 「지구(의)」의 의미를 나타낸다.
> (예) *geo*graphy, *geo*logy(지질학) 따위

ge·om·e·try [dʒiάmətri / dʒiɔ́m-] 명 기하학
원 geo(=earth)+metry(=measure)
파 ◦**geométric(al)** 형 기하학적인

ge·o·phys·ics [dʒìːoufíziks] 명 지구 물리학

ge·o·po·lit·i·cal [dʒìːoupəlάtikəl] 형 지정학의

ge·ra·ni·um [dʒəréiniəm] 명 〖식물〗 제라늄, 양아욱

germ [dʒəːrm] 명 병균(病菌), 근원

Ger·man [dʒə́ːrmən] 형 독일의, 독일 사람의, 독일말의 명 독일 사람 (*pl.* -mans), 독일말
파 **Germánic** 형 독일(사람)의; 게르만〔튜튼〕 민족의; 게르만〔튜튼〕어의 명 게르만〔튜튼〕어 ***Gérmany** 명 독일

ger·mi·nate [dʒə́ːrmənèit] 자 타 싹트다(=sprout), 생기다(=produce)

ger·und [dʒérənd] 명 〖문법〗 동명사

ges·ture [dʒéstʃər] 명 몸짓, 손짓; (공허한) 선전 행위
(예) make〔give〕*gesture* of disappointment 실망의 몸짓을 하다
파 **gestículate** 자 타 몸짓으로 표시하다 **gesticulátion** 명 몸짓, 손짓

get [get] 《***got***; ***got***, 〖미〗 ***gotten***》 타 ① 얻다, 받다; ~을 사다; ~을 잡다

G

(예) *get* wealth 부(富)를 얻다 // How did you *get* th idea? 어떻게 해서 그런 생각을 가졌는가? // *Get* me watch. ↔ *Get* a watch *for* me. 시계를 사 주시오.

② ~하게 하다, ~시키다

(예) *Get* him to come here. 그를 이곳으로 오도록 하시오. // I will *get* her to prepare lunch. 그녀에게 점심 준비를 시키겠다.

어법 ①「get+목적어+to부정사」의 형태로서 「~시키다」「~하여 받다」의 뜻: I *got* him to paint the house. (그에게 집을 페인트칠하게 했다) ②「get+목적어+과거 분사」의 형태로「~시키다」「~하여지다」「해 버리다」의 뜻: He *got* th room swept. (그는 방을 청소시켰다) He *got* his purs stolen. (그는 지갑을 도난당했다) *Get* it done at once. (그것을 곧 해치워라) 이 용법은 have와 같음.

③ ~을 (…의 상태로) 하다

(예) *get* one's shoes wet 구두를 적시다 // *get* a pictur down 그림을 내리다 // *Get* the balls into the box. 공을 상자에 넣어라.

어법 「get+목적어+형용사〔현재 분사·부사〕」의 형태로「(어떤 상태로) 하다」의 뜻: *get* one's hands dirty (손을 더럽히다) *get* the machine going (기계를 움직이다) *get* a boy t bed (아이를 재우다)

④〖구어〗~을 가지고 있다

어법 구어에서는 *have got* 이 have와 같은 뜻일 때가 많다: *have got* some money. (돈을 조금 가지고 있다) We *hav got* to go. (우리는 가지 않으면 안 된다)

— 자 ① (어떤 상태·장소 따위에) 이르다 [~ to]

(예) *get* home 귀가하다 // She *got* here late tonight. 그녀는 오늘 밤 늦게 이 곳에 도착했다.

② ~이 되다, ~되다

(예) *get* angry 성나다 // *get* wet 젖다 // *get* worse 〔bet ter, colder〕 나빠〔좋아, 추워〕지다 // He will *get* wel soon. 그는 얼마 안 있어 나을 것이다.

어법 일반적으로 be 대신에 get을 쓰면「어떤 상태가 되다」의 뜻: *be* angry (화내고 있다)→*get* angry (화내다). 따라서 수동태 형식으로서 상태가 아니고 동작·변화를 나타내는 것을 명시하려고 할 경우에 get을 쓸 때가 있다: He *wa* married then. (그 때 그는 결혼해 있었다) He *got* marrie then. (그는 그 때 결혼했다)

③ ~하게 되다, ~하기 시작하다

(예) *get* talking 이야기하기 시작하다 // *get* to know him 그와 아는 사이가 되다 // She *got* to like him. 그녀는 그가 좋아졌다.

반 lose 잃다

get about 돌아다니다; 퍼지다; 일에 열중하다

(예) The rumor *got about* soon. 그 소문은 바로 퍼졌다. // *Get about* your business. 자기 일에 부지런하라.

*◇**get along*** 살아가다; (일 따위가) 진척되다; (아무와) 의

좋게 지내다 [~ with]
(예) How are you *getting along* these days? 요새 어떻게 지내십니까? // I am *getting along with* my studies nicely. 공부는 잘 진척되고 있습니다. // We are *getting along with* them very well. 우리는 그들과 의좋게 지내고 있다.

get at ~에 도달하다(=reach); 이해하다
(예) He could not *get at* the bottle on the top shelf. 그는 맨 위 선반에 있는 병에 손이 닿지 않았다. // I cannot *get at* his meaning. 나는 그가 뜻하는 바를 알지 못한다.

get away 달아나다, 떠나다
(예) He tried to *get away*, but couldn't. 그는 달아나려 했으나 할 수 없었다.

get away from ~에서 떠나다, ~을 그만두다
(예) Don't *get away from* your work. 일을 그만두지 마라.

get away with ~을 가지고 달아나다, (벌을 받지 않고) 해내다
(예) You cannot *get away with* your bad manners. 너의 나쁜 버릇은 무사히 넘길 수 없다.

get back 돌아오다, 돌아가다; 되찾다; 돌려 보내다; 복수하다
(예) He *got back* to his native place. 그는 고향으로 돌아왔다. // He *got* the money *back*. ↔ He *got back* the money. 그는 돈을 되찾았다. // She *got back* at them. 그녀는 그들에게 복수했다.

get better 좋아지다, 나아지다, 회복되다
(예) Are you *getting* any *better*? 좀 나아졌습니까?

get down ~에서 내리다; 삼키다
(예) John, *get down* off the desk. 존, 책상에서 내려와라. // The pill was small enough for the child to *get down*. 그 환약은 아이가 삼킬 정도로 작았다.

get down to ~에 착수하다
(예) We must *get down to* work again. 우리는 다시 일에 착수하지 않으면 안 된다.

get hold of ~을 잡다
(예) *get hold of* the rope 줄을 잡다

get in ~에 들어가다; (탈것에) 타다; 도착하다
(예) The door was locked and we couldn't *get in*. 문이 잠겨서 우리는 들어갈 수 없었다. // The train *got in* on time. 기차는 제 시간에 도착했다.

get in touch with ~와 연락하다
(예) You can *get in touch with* him at his home. 그의 집에서 그와 연락할 수 있다.

get into ~에 들어가다; ~에 타다; 몸에 걸치다
(예) *get into* business 실업계에 들어가다 // *get into* one's new dress 새 옷을 걸치다

get it 이해하다; 벌을 받다, 꾸지람 듣다
(예) Oh, I *got it*. I think I know how. 오오, 알았다. 어떻게 하는지 알겠어.

get lost 미아가 되다
◦***get off*** (전차 따위에서) 내리다; 출발하다; ～을 피하다, 가벼운 벌로 면하다
(예) *Get off* at the next stop. 다음 정류장에서 내리시오. // He *got off* before daybreak. 그는 날이 새기 전에 떠났다. // He *got off* with only a fine. 그는 벌금만으로 무사히 넘어갔다.
*◦***get on*** 진보하다; (탈것에) 타다; 출세하다; 입다
(예) If you do not study harder, you cannot *get on.* 좀 더 열심히 공부하지 않으면 너는 진보할 수 없다.
◦***get on with*** ～와 의좋게 지내다; ～을 진척시키다
(예) He *gets on* well *with* his students. 그는 학생들한테 인기가 있다.
get out 나가다, 달아나다
(예) The door was locked and I couldn't *get out.* 문이 잠겨 있어서 나올 수가 없었다.
◦***get out of*** ～에서 나오다(=come out of), ～에서 내리다(=get down from); ～에서 꺼내다, ～을 알아내다, ～으로부터 벗어나다
(예) *get out of* debt 빚을 갚아 버리다 // *get out of* a bad habit 나쁜 습관에서 벗어나다 // *Get out of* here! 나가라!
get out of the 〔*one's*〕 ***way*** 방해되지 않도록 하다, 비키다, 피하다
(예) The car in front refused to *get out of* our *way.* 앞차는 우리 길을 비켜 주지 않았다.
*◦***get over***★ (병에서) 회복하다; ～을 건너다; ～을 잊어버리다; (곤란을) 극복하다
(예) *get over* a difficulty 어려움을 극복하다 // He is *getting over* his illness. 그는 병이 나아가고 있다.
get the better of ～에 이기다
반 get the worst of ～에 지다
(예) I *got the better of* him in arithmetic. 나는 산수에서 그에게 이겼다.
◦***get through*** 끝내다; (시험 따위에) 합격하다; 통과시키다; 다 써버리다
(예) We are still confident of *getting through.* 우리는 아직도 해낼 것을 확신한다. // Tom failed in the exam but his brother *got through.* 톰은 시험에 실패했으나 형은 합격했다.
get through with★ ～을 끝내다; 완성하다
(예) I *got through with* my work. 나는 일을 끝냈다.
*◦***get to*** ～에 도착하다(=reach); ～하기 시작하다; ～이 되다; ～에 연락이 되다
(예) We *got to* Seoul. 우리들은 서울에 도착했다. // *get to* business 사업을 착수하다 // *Get to* work right away. 바로 일을 시작하여라.
get together 모이다; 모으다; 협력하다

G

(예) They *got together* on Sunday. 그들은 일요일에 만났다.
get under (화재 따위를) 끄다, 진압하다
(예) The fire was soon *got under*. 화재는 곧 진화되었다.
get up 일어나다
(예) *Get* the children *up*. 아이들을 깨우시오. // I *got up* at five. 나는 5시에 일어났다.
ghast·ly [gǽstli / gɑ́:st-] ⓗ 무서운, 무시무시한; 유령 같은
ghost [goust]* ⓜ 유령, 망령; 환상; 그림자
파 **ghóstly** ⓗ 유령의〔같은〕, 희미한 **ghost story** 괴담 **ghost writer** 대작 문인(代作文人)
gi·ant [dʒáiənt]* ⓜ 거인 ⓗ 거대한(=gigantic)
반 dwarf 난쟁이
파 ***gigantic** [dʒaigǽntik] ⓗ 거인 같은, 거대한
gid·dy [gídi] ⓗ 현기증이 나는, 어지러운(=dizzy)
gift* [gift] ⓜ 선물(=present); 증여, 천부의 재능(=natural ability) ⓣ (베풀어) 주다
(예) a *gift* for poetry 시재(詩才) // He is *gifted with* the power of speech. 그는 변설의 재능을 타고났다. // We are all *gifted with* conscience. 우리는 다 양심이 있다.
파 **gífted** ⓗ 천부의 재능이 있는, 타고난 재능이 있는
gig·gle [gígəl] ⓜ 낄낄 웃음 ⓙ 낄낄 웃다
gild [gild] ⓣ 《***gilded, gilt***》 금박을 입히다, 도금하다; 꾸미다
파 **gílding** ⓜ 도금술 **gilt** ⓗ 도금한 ⓜ 도금 **gílt-édged** ⓗ 금테의, 최고급의
gill ⓜ [gil] 《보통 *pl.*》 아가미; [dʒil] 질《액량(液量) 단위》
gin [dʒin] ⓜ 진《양주의 일종》
gin·ger [dʒíndʒə*r*] ⓜ 생강
(예) *ginger* ale 생강이 든 청량 음료
파 **gíngerbread** ⓜ 생강이 든 빵
gin·seng [dʒínseŋ] ⓜ 인삼
gip·sy, gyp·sy [dʒípsi] ⓜ 집시《유랑 민족의 이름》
gi·raffe [dʒirǽf / -rɑ́:f] ⓜ 지라프, 기린
gird [gə:*r*d] ⓣ ⓙ 《***girded, girt***》 두르다(=surround), 띠를 졸라 매다; (무엇을 하려고) 긴장하다
(예) The house is *girded* with fences. 그 집은 울타리가 둘려 있다. // *Gird* your*self for* a fight. 싸움에 대비하여 단단한 각오를 해라.
파 **gírdle** ⓜ 띠 ⓣ 띠를 매다, 두르다
girl [gə:*r*l] ⓜ 소녀; 〔구어〕 [one's ~] 애인
반 boy 소년
파 **gírlish** ⓗ 소녀다운, 소녀 같은 **gírlfriend** ⓜ 여자친구
give* [giv] ⓣ ⓙ 《***gave; given***》 주다; (모임을) 개최하다; 맡기다
반 take 가지다

▶ **137.** 「주다」의 유사어
give는 보편적인 말이다. **bestow**는 「거저 주다」의 뜻으로, 주는 쪽의 은혜를 풍기는 말. **confer**는 명예·은혜를 주다. **present**는 give보다 형식적인 말. **grant**는 요청받은 것을 주다란 뜻이다.

G

(예) *give* a party 파티를 열다 // *give* one's life *to* 〔*for*〕 a cause 주의(主義)에 일생을 바치다 // *give* a cry 비명을 지르다 // *give* (him) advice (그에게) 충고하다 // *give* him a cold glance 그에게 차가운 시선을 보내다 // I *gave* him some money.↔I *gave* some money *to* him. 그에게 돈을 조금 주었다. // He was *given* the prize.↔ The prize was *given* (*to*) him. 그는 상을 받았다.

파 **gíver** 명 증여자(贈與者) **give-and-take** [gívəntéik] 명 교환, 타협 형 주고받는, 호양적(互讓的)인

◇***give away*** 거저 주다; (비밀을) 누설하다

(예) books to be *given away* 무료로 배본하는 책 // The millionaire *gave away* all his money to the poor. 그 백만장자는 그의 모든 돈을 가난한 사람들에게 주었다. // He has *given away* the secret. 그가 비밀을 누설했다.

give forth (소리·냄새 따위를) 발하다, 내다; (소문 따위를) 퍼뜨리다

(예) *give forth* a sound 소리를 내다 // The fields *give forth* an odor of spring. 들은 봄 냄새를 풍긴다. // They *gave forth* the rumor. 그들은 소문을 퍼뜨렸다.

◇***give in*** 항복하다(=surrender, yield); 제출하다

(예) Eventually he had to *give in.* 결국 그는 손을 들어야만 했다. // *Give in* your papers, please. 답안을 내시오.

◇***give off*** (냄새 따위)를 내다, 발하다

(예) The gas *gives off* an unpleasant smell. 그 가스는 좋지 않은 냄새가 난다.

give *one**self*** ***over to*** ~에 열중하다

(예) She *gave* her*self over to* tears. 그녀는 넋을 잃고 울었다.

give *one**self*** (***up***) ***to*** ~에 전념하다(=devote oneself to)

(예) He *gave* him*self up to* self-culture. 그는 자기 수양에 전심했다.

◇***give out*** (힘이) 다하다, 다되다; 사라지다, 꺼지다; 분배하다; 발하다; 발표하다

(예) He swam until his strength *gave out.* 그는 기진맥진해질 때까지 헤엄쳤다. // The food *gave out.* 양식이 떨어졌다. // She is *giving out* presents to her guests. 그녀는 손님들에게 선물을 나누어 주고 있다.

give over 버리다, 그만두다, 단념하다, 양도하다

(예) The doctor *gave* him *over.* 의사는 그를 포기했다. // He *gave* all his property *over* to his nephew. 그는 조카에게 그의 모든 재산을 양도했다.

*◇***give up***★ 그만두다, 단념하다

(예) *give up* an attempt 시도(試圖)를 단념하다 // *give up* smoking 금연하다 // He *gave up* his life for the sake of the country. 그는 나라를 위해 목숨을 버렸다.

어법 *give over* 와 똑같은 뜻으로 쓰이는 경우도 있다.

give *a person* ***up for lost*** 〔***dead***〕 아무를 죽은 것으

로 치고 단념하다
(예) He *gave* him*self up for lost.* 그는 이제 틀렸다고 단념했다. // We *gave* the climber *up for lost.* 우리는 그 등산객이 죽었다고 단념했다.

gla·cier [gléiʃər / glǽ-] ⓜ 빙하
ⓟ **glácial** ⓗ 빙하의; 빙하 시대의

glad [glæd] ⓗ 기쁜, 기꺼이 [~ to do]
ⓑ sad 슬픈
(예) *glad* news 기쁜 소식 // He *was glad at* 〔*about*〕 the good news. 그는 그 좋은 소식을 듣고 기뻐했다. // I *am glad to* see you. 만나서 기쁩니다. // Mother *was glad that* I had passed the exam. ↔ Mother *was glad of* my having passed the exam. 어머니는 내가 시험에 합격한 것을 기뻐하셨다.
ⓟ **gládden** ⓣⓙ 기쁘게 하다, 기뻐하다 **gládly** ⓑ 기꺼이 **gládsome** ⓗ 기쁜, 반가운

(***be***) ***glad of*** ~하여 기쁜
(예) I *am glad of* your passing. 네가 합격하여 기쁘다. // I *am glad of* your company. 친구가 되어 주면 고맙겠습니다.

(***be***) ***glad to*** *do* 기꺼이 ~하는; ~해서 기쁜
(예) I'll *be glad to* do what I can. 할 수 있는 것은 기꺼이 하겠다.

glad·i·a·tor [glǽdièitər] ⓜ 검투사; 논쟁자
ⓟ ◇**gladiatórial** ⓗ 검투사〔논쟁자〕의

glam·o(u)r [glǽmər] ⓜ 마력, 마법, 신비한 매력

glance [glæns / glɑːns] ⓙⓣ 힐끗 보다, 얼른 보다 [~ at]; (말이) 빗나가다, (탄환 따위가) 스치다; (빛이) 번쩍이다 (=flash) ⓜ 힐끗 보기, 일견; 눈짓; 섬광
ⓑ stare 빤히 보다
(예) steal a *glance* at ~을 슬쩍 보다 // *glance over* 〔*through*〕 a letter 편지를 대충 훑어 보다 // ◇She *glanced* shyly *at* him. 그 여자는 수줍은 듯이 힐끗 그를 보았다. // The bullet *glanced off* the door. 탄환은 문을 스치고 지나갔다.

at a glance 일견하여, 얼른 보아서
(예) I could tell *at a glance.* 나는 한 눈에 알 수 있었다.

at (***the***) ***first glance*** 처음 보았을 때, 얼핏 보면
(예) *At first glance,* the problem seemed very difficult. 그 문제는 얼핏 보아 매우 어려운 것 같이 보였다.

take 〔***give***〕 ***a glance at*** ~을 힐끗 보다
(예) He *took a glance at* the picture. 그는 그 그림을 힐끗 보았다.

glare [glɛər] ⓙⓣ 반짝반짝 빛나다; 노려보다 ⓜ 눈부신 빛; 쏘아봄
(예) He *glared at* me with anger. 그는 화가 나서 나를 노려보았다.
ⓟ **gláring** ⓗ 눈부시게 빛나는

G

☆**glass**★ [glæs / glɑːs] ⓜ 유리; 잔; 거울; ((*pl.*)) 안경(=spectacles)

NB grass [græs / grɑːs]「풀」과 혼동하지 말 것.

어법 ① 물질로서의 유리는 물론 셀 수 없다. 컵, 거울 따위의 제품으로 쓰이는 경우는 셀 수 있다. ②「안경」의 갯수를 나타낼 경우 two *pairs* of glasses 라고 한다.

파 **glássful** ⓜ 한 잔 가득 ◇**glássware** ⓜ 유리 기구류 ◇**glássy** ⓗ 유리 모양의

glaze [gleiz] ⓣ 유리를 끼우다; (오지그릇 따위에) 잿물을 바르다, 윤을 내다 ⓜ 윤 내는 약, (오지 그릇의) 잿물

파 **glázier** ⓜ 유리 장수(*glazier's* diamond 유리칼)

◇**gleam** [gliːm] ⓜ 미광(微光)(=beam of light), 서광; (감정·기지 따위의) 번쩍임(=flash) ⓙ 희미하게 반짝이다

(예) a *gleam* of hope 일루의 희망

파 **gléamy** ⓗ 희미하게 반짝이는

glee [gliː] ⓜ 기쁨, 환희(=joy, delight, mirth); 〖음악〗 합창곡

반 grief 슬픔

(예) in high *glee* 대단히 기뻐서, 매우 들떠서

파 **gléeful** ⓗ 몹시 기뻐하는

◇**glide** [glaid] ⓙ 미끄러지다, 미끄러지듯 날아가다; (시간이) 어느새 지나가다 [~ along, away, by] ⓜ 미끄러짐

(예) The evening *glided away* swiftly. 저녁은 빨리 지나갔다.

파 ◇**glíder** ⓜ 활공기, 글라이더

◇**glim·mer** [glímər] ⓙ 희미하게 빛나다 ⓜ 희미한 빛

(예) a *glimmer* of hope 가냘픈 희망

*◇**glimpse** [glimps] ⓜ 흘끗 봄, 언뜻 봄 ⓣ 흘끗 보다(=glance)

(예) ◇catch 〔get〕 a *glimpse* of ~을 흘끗 보다

glint [glint] ⓙⓣ 반짝이(게 하)다; 번쩍번쩍 반사하다〔시키다〕 ⓜ 반짝임, 섬광(=flash)

glis·ten [glísən] ⓙ 반짝이다, 빛나다 ⓜ 반짝임, 섬광

(예) His eyes *glistened* with excitement. 그의 눈은 흥분으로 빛났다.

◇**glit·ter** [glítər] ⓙ 반짝이다(=shine)

(예) All is not gold that *glitters*. 〖속담〗 반짝거린다고 모두 황금은 아니다.

*◇**globe** [gloub]★ ⓜ 공, 구체; [the g-] 지구 ⓙⓣ 공 모양으로 되다〔하다〕

NB glove [glʌv]「장갑」, grove [grouv]「작은 숲」과 혼동하지 말 것.

파 ◇**glóbal** ⓗ 구형의; 세계적인, 지구상의 (*global* flight 세계 일주 여행)

gloom [gluːm] ⓜ 어둠(=darkness); 우울(=low spirits) ⓙⓣ 상을 찡그리다, 어두워지다, 어둡게 하다, 우울해지다〔하게 하다〕

NB groom [gru(ː)m]「신랑」과 혼동하지 말 것.

반 chéerfulness 명랑, 쾌활
(예) His death cast a *gloom* over us. 그의 죽음은 우리를 우울하게 했다.
파 ***glóomy** 형 어두운, 우울한

glo·ri·ous [glɔ́:riəs] 형 영광스러운; 빛나는, 웅장한(=magnificent); 훌륭한(=splendid)
원 <glory 영광 반 inglórious 이름 없는, 불명예스러운
(예) a *glorious* victory 빛나는 승리 // a *glorious* view 절경
파 **glóriously** 부 찬란하게, 훌륭히

glo·ry* [glɔ́:ri] 명 영예, 영광; 영화, 융성, 광휘 자 자랑하다, 기뻐하다, 환희를 느끼다
반 disgráce 수치, 치욕
(예) the *glory* of God 신의 영광 // *glory in* one's success 성공을 자랑하다
파 **glórify** 타 영광을 베풀다; 미화하다; 찬미하다 **glorificátion** 명 신의 영광을 기림; 찬미; 미화

gloss [glɑs, glɔ:s / glɔs] 명 광택(=brightness), 허식; 풀이, 주석 자 타 윤을 내다, 허식하다
파 **glóssary** 명 어휘; 소사전 **glóssy** 형 광택이 있는

glove [glʌv]* 명 장갑; 〔야구〕 글러브; 권투용 장갑
(예) a pair of *gloves* 장갑 한 켤레 // throw down 〔take up〕 the *glove* 도전하다〔에 응하다〕

glow [glou]* 자 (불꽃을 내지 않고) 달아서 빨갛게 타다, 열중하다; (얼굴이) 달아 오르다 명 백열, 홍조
(예) woods *glowing* with autumn tints 가을의 단풍으로 불타고 있는 것 같은 숲 // the evening *glow* 저녁놀
파 **glówworm** 명 개똥벌레의 유충 (*cf.* firefly)

***glow with anger* 〔*rage*〕** 노하여 빨갛게 달아오르다

glue [glu:] 명 아교, 풀 타 아교로 붙이다, 들러붙게 하다 (=stick together), 고착시키다
(예) The child is *glued to* the mother. 아이는 어머니 곁에 찰싹 달라붙어 있다.
파 **glúe-like** 형 아교〔풀〕 같은

G-man [dʒí:mæ̀n] 명 《*pl.* ***-men***》 〔미〕 Government man 의 약어. 연방 검찰국 소속의 형사

gnarl [nɑ:*r*l] 명 (나무의) 마디, 혹 타 자 비틀다; 마디를〔혹을〕 만들다; 으르렁거리다

gnash [næʃ] 타 자 (이를) 부드득 갈다, 이를 악물다

gnat [næt] 명 〔미〕 각다귀; 〔영〕 모기(=mosquito)

gnaw [nɔ:] 타 자 갉아먹다, (입으로) 물다 ⌊~ at⌋; 썩어 들어가다; 괴롭히다
(예) Rats *gnawed* a hole through the board. 쥐가 판자를 갉아 구멍을 뚫었다. // Anxiety is *gnawing* (*at*) his heart. 근심이 그의 마음을 괴롭히고 있다.

GNP 〔약어〕 Gross National Product 국민 총생산

go [gou] 자 《***went; gone***》 가다, 다니다; (기계 따위가) 움직이다; 경과하다, 지나다; ~이 되다; ~라고 적혀 있다 명 〔미〕 유행; 〔속어〕 상황; 한 번 해 봄(=a try); (술 따

위의) 한 잔

반 come 오다

(예) *go* by train 기차로 가다 // *go* to Pusan 부산에 가다 // *go* mad 미치다 // *go* shopp*ing* 쇼핑하러 가다 // *go* t war (with) (~와) 전쟁하다 // ◇*go* together 동행하다; 어울리다 // ◇The story *goes* like this. 이야기는 이러하다. // The letter *goes* that ~. 편지에는 ~이라고 적혀 있다. // *go* too far 지나치다, 극단에 흐르다 // It is a good hote *as* hotels *go*. 호텔로는 좋은 호텔이다. // So *goes* a poem by John Keats. 키츠의 한 시에는 이렇게 적혀 있다. // You'd better *go* (*and*) get a new battery. 새 전지를 가서 사 오는 게 좋다.

어법 ① 위에 적은 go mad와 같이 *become*의 뜻으로 되는 것은 한정된 표현인 경우이므로 하나하나를 외워 둘 것: go hungry 〔sour, bankrupt, blind〕 ② *be gone*은 일종의 완료형으로서 「지금은 이미 없다」는 상태에 중점이 있다: All hope *is gone*. (모든 희망은 사라졌다) ③ 위에 적은 go and ~는 and의 항을 참조.

파 **gó-gètter** 명 (사업 따위의) 수완가, 활동가

◇***go about*** 돌아다니다; 힘쓰다; (일에) 착수하다

(예) *Go about* your business! 네 일이나 해라!, 남의 일에 상관 마라!

◇***go abroad*** 외국에 가다

go after ~을 획득하려고 애쓰다; ~을 (찾아) 뒤쫓다; ~을 추구하다

(예) Hearing the report, they *went after* the enemy. 그 보고를 듣고 그들은 적을 뒤쫓았다.

go against ~에 반항〔반대〕하다; ~에 거스르다; (사업이) 부진하게 되다

(예) Telling a lie *goes against* my conscience. 거짓말을 하는 것은 내 양심에 거리낀다.

go along 앞으로 나아가다, (~을) 실행하다; 행동을 함께 하다 [~ with]

(예) You'll find it easier as you *go along*. 앞으로 나아감에 따라 수월해질 것이다. // I'll *go along with* you as far as the post office. 우체국까지 같이 가십시다.

****go away*** 떠나다, 가 버리다; 가지고 달아나다 [~ with]

(예) *go away* from home to get a change 기분 전환을 위해서 집을 떠나다

*◇***go back*** 돌아가다(=return); (~으로) 거슬러 올라가다 [~ to]

(예) She decided to *go back* to him. 그녀는 그에게 돌아가기로 결심했다.

◇***go back on*** (약속 따위를) 어기다; ~을 배반하다, 저버리다

(예) He *went back on* a promise. 그는 약속을 어겼다.

go beyond ~을 넘다, ~보다 낫다, ~을 능가하다(=exceed)

(예) Don't *go beyond* the speed limit. 속도 제한을 넘지 마라. // Being a man of action, he often *goes beyond* his orders. 그는 활동적인 사람이어서 가끔 명령받은 이상의 것을 한다.

go by (세월이) 지나가다; (시간이) 경과하다(=pass); ~에 따라서 행동하다

(예) in times *gone by* 지나간 옛날에 // Don't let this chance *go by.* 이 기회를 놓치지 마라. // That's a good rule to *go by.* 그것은 따르기 좋은 규칙이다.

go down 내려가다; 기록되다; 항복하다; (배가) 침몰하다

(예) *go down* in history 역사에 기록되다〔남다〕 // Prices *went down.* 물가가 떨어졌다.

go far 성공하다; 멀리까지 가다; 크게 효과가 있다

go for ~을 가지러〔부르러·구하러〕 가다, ~에 찬성하다, 지지하다; ~에 쓸모가 있다; ~에 팔리다

(예) *go for* a walk 산책 가다 // *go for* nothing 〔little〕 조금도〔거의〕 쓸모가 없다 // *go for* something 크게 쓸모가 있다

go forth 나가다; (명령 따위가) 떨어지다

(예) *go forth* from one's home 자택에서 나가다 // The decree has *gone forth.* 그 명령이 공포되었다.

go in for (시험을) 치르다, 참가하다; 좋아하다

(예) She *goes in for* sweets. 그녀는 단것을 좋아한다.

go into ~으로 들어가다; (출입구 따위가) ~으로 통하다; 참가하다; ~을 조사하다

(예) *go into* business 실업계에 들어가다 // *go into* a war 참전하다

go off (총·포탄이) 발사되다; 가 버리다; (빛이) 꺼지다

(예) The gun *went off* by accident. 총이 오발했다. // He *went off* an hour ago. 그는 1시간 전에 가 버렸다.

go on 계속되다〔하다〕, 진행하다, 계속해 나아가다

(예) This *went on* for years. 이것은 몇 년 계속되었다. // I *went on with* my reading. 나는 독서를 계속했다. // The prices *went on* rising. 물가는 계속 올랐다.

go on to *do* 계속하여 ~하다 《특히, 일단 그쳤다가 다시》; 다음에 ~하다

(예) I *went on to* read the book. 나는 계속해서 그 책을 읽었다.

go out* 외출하다; (대사·선교사로서) 출국하여 가다 [~ to]; (불이) 꺼지다

(예) He *goes out* a lot. 그는 잘 외출한다. // He *went out* to Australia. 그는 오스트레일리아에 대사로 부임했다. // The fire *went out.* 불이 꺼졌다.

go over ~을 넘어가다; ~을 정밀 조사하다; ~을 복습하다

(예) *go over* a mountain 산을 넘다 // Let us *go over* your answer again. 다시 네 답을 검토해 보자. // When you study at home, *go over* your class notes. 집에서 공부할 때 학습장을 복습해라.

◇***go round*** 돌다, 순력(巡歷)하다; 골고루 미치다
(예) The belt won't *go round* my waist. 그 혁대는 허리 둘레에 미치지 못한다. // I was afraid that the food would not *go round.* 음식이 고루 안 돌아갈까봐 근심했다.
◇***go so far as to*** *do* 극단적으로 ~하다, 심지어 ~하는 데까지 이르다
(예) He *went so far as to* call me a thief. 그는 나를 도둑놈이라고까지 극언했다.
*◇***go through*** 통과하다; (고난 따위를) 겪다, 경험하다(= undergo)
(예) This thought was *going through* our minds. 이런 생각이 우리 마음을 스치고 있었다. // The hardship he *went through* was great. 그가 겪은 고생은 대단했다.
go through with ~을 끝까지 하다; 완수하다
(예) He is determined to *go through with* the undertaking. 그는 맡은 일을 해 낼 결심이다.
go to ~으로 가다; 이르다; (수고·부담 따위를) 떠맡다
(예) *go to* college 대학에 가다 // *go to* the poll 투표하러 가다 // *go to* great pains 〔a lot of trouble〕 to do ~하려고 크게 애쓰다
*◇***go up*** 오르다; (가치 따위가) 더해지다
(예) *go up* a river 강을 올라가다 // *go up* in flames 타버리다 // The temperature *went up.* 온도가 올라갔다.
◇***go up to*** ~에 달하다, ~에 다가가다, ~에까지 가다
(예) The income *went up to* $5,000 a year. 수입은 1년에 5,000 달러에 달했다.
◇***go well*** 〔***wrong***〕 (***with***) 잘 되어 가다〔가지 않다〕
(예) Everything *went wrong with* the plan. 그 계획은 만사가 잘 되지 않았다.
◇***go with*** ~에 수반하다, ~와 조화하다
(예) Duty *goes with* right. 권리에는 의무가 수반한다. // Your tie *goes* well *with* your suit. 네 넥타이는 옷과 잘 어울린다.
◇***go without*** ~ 없이 지내다〔때우다〕
(예) He *went without* food for two days. 그는 이틀 동안 식사하지 않고 지냈다.
It goes without saying that ~은 물론이다, 말할 것도 없다
(예) *It goes without saying that* it was a success. 그것이 성공이었던 것은 말할 것도 없다.
*◇(***be***) ***going to*** *do* ~하려고 하고 있는; ~할 작정인
(예) It *is going to* rain. 비가 오려고 한다. // I *am going to* do so. 나는 그렇게 할 작정이다.
*◇**goal** [goul] [명] 결승점, 골, 목적(지)
(예) He was the first to cross the *goal.* 그가 1착으로 골에 들어왔다.
[파] **góalkeeper** [명] (축구·하키 따위의) 골키퍼
◇**goat** [gout] [명] 염소

gob·ble [gábəl / gɔ́bəl] ㊀㊁ 게걸스레 먹다 [~ up]; (수칠면조가) 골골 울다; 칠면조와 같은 소리로 말하다 ㊔ 칠면조의 울음 소리

gob·let [gáblit / gɔ́b-] ㊔ 받침 달린 잔《금속·유리제》

gob·lin [gáblin / gɔ́b-] ㊔ 악귀, 요귀

god [gad / gɔd] ㊔ 신, [G-] (그리스도교의) 하느님
반 dévil 악마
(예) the Almighty *God* 전능하신 하느님
어법 ① 감탄·저주·맹세 따위의 구(句)에 쓰인다: by *God* (맹세하여) *God* bless me! (어머나!, 저런!) ◇*God* bless you! (하느님의 가호가 있기를!, 어머나!, 저런!) ② *God* knows는 「(신(神)밖에) 아무도 모른다」의 뜻: *God* only *knows* where it is buried. (그것이 어디에 묻혀 있는지 아무도 모른다)
파 **gŏddess** ㊔ 여신 **gŏdfather** ㊔ (세례식 때의) 대부(代父) **gŏdless** ㊕ 신이 없는, 신앙이 없는 **gŏdlike** ㊕ 신 같은 **gŏdly** ㊕ 신성한, 경건한 **gŏdmother** ㊔ 대모(代母)

gog·gle [gágəl / gɔ́gəl] ㊁㊀ 눈을 부릅뜨다 ㊔ 《*pl.*》 방진용 보안경
파 ◇**gŏggler** ㊔ 눈을 휘둥그렇게 뜨고 보는 사람

gold [gould] ㊔ 황금; 금화, 부(富); 금빛 ㊕ 금의, 황금색의, 금으로 만든
파 *****gŏlden** ㊕ 금빛의; 황금 같은, 훌륭한 ◇**gŏldfish** ㊔ 금붕어 ◇**gŏldsmith** ㊔ 금 세공인 **gold dust** 사금 ◇**golden bell** 〖식물〗 개나리속의 일종 **gold leaf** 금박(金箔) **gold mine** 금광, 보고(寶庫)
어법 *gold*를 형용사로 쓸 때는 주로 「금의, 금으로 만든」이란 뜻이며 *golden*의 「금색의」「금 같은」과 구별할 것. a *gold* watch 「금시계」, *golden* hair 〔heart〕 「금발〔아름다운 마음〕」, the *golden* age 「황금시대」

golf [galf, gɔːlf / gɔlf] ㊔ 골프 ㊁ 골프를 치다
파 **gŏlfer** ㊔ 골프 치는 사람 **golf course** 〔**links**〕 골프장

gon·do·la [gándələ / gɔ́n-] ㊔ 곤돌라; (비행선의) 조선(吊船); 〖미〗 무개 화차

gong [gɔːŋ, gaŋ / gɔŋ] ㊔ 공, 징, 종

good* [gud] ㊕ 《***better; best***》 좋은, 착한, 훌륭한; 친절한(=kind); 정당한(=right); 상당한; 솜씨 좋은(=skillful) ㊔ 선(善), 상품(上品); 행복; 이익; 《*pl.*》 상품, 화물
빈 bad 나쁜, wrong 사악한, hármful 해로운, poor 서투른
(예) have a *good* time (of it) 즐겁게 보내다 // *good* old days 〔times〕 그리운 옛날 // ◇Smoking *is* not *good for* the health. 흡연은 건강에 좋지 않다 (NB good to the health라고는 하지 않는다). // hold *good* 효력이 있다 // ◇make *good* one's loss 손실을 보충하다 // be *good enough* to 친절하게도 ~하다 // a *good* distance 상당한 거리 // *It was good of* you *to* help me. 도와 주어서 고마웠다. // How *good of* you! 친절도 하셔라! // *It is no good* try*ing*. 애써 본들 소용없다. // *The good* die young. 선인

G

요절. // What *good* is it? ↔What is the *good* of it? 그것이 무슨 소용 있느냐?

파 ***góodness** 명 좋음, 착함, 덕행(德行), 친절, 우량(優良) **góod-húmo(u)red** 형 기분 좋은, 명랑한; 상냥한 **góod-lóoking** 형 잘 생긴, 핸섬한 **góod-nátured** 형 사람이 좋은, 호인인 **góod-témpered** 형 마음씨가 고운 **good will** 호의; 쾌락(快諾) **goods train** 화물 열차 **good-for-nothing** [gúdfərnʌ̀θiŋ] 형 쓸모 없는 명 쓸모 없는 사람

▶ **138. 접미어 ness**
형용사·분사 따위에 붙어서 상태·성질을 나타내는 추상 명사를 만든다. (例) good*ness*, great*ness*, dark*ness*

◇(***be***) ***good at*** 〔***in***〕 ~에 능숙한(=be a good hand at)
반 (be) poor at ~이 서투른
(예) She *is good at* cooking. 그 여자는 요리를 잘 한다.

****a good*** 〔***great***〕 ***deal*** 많이, 크게; 상당한〔대단한〕 양
(예) *a good deal* of money 상당히 많은 돈 // He is a *good deal* better. 그는 (건강이) 많이 나아졌다.

****a good*** 〔***great***〕 ***many*** 많은, 다수의
어법 a good 〔great〕 *many*는 수(數)를, a good 〔great〕 *deal*은 양(量)을 나타낸다.

◇***do ~ good*** 이롭다, 도움이 되다, 기쁘게 하다
반 do harm 해가 되다
(예) A rest will *do* you *good*. 휴식은 너에게 이롭다.

◇***for good*** (***and all***) 〖구어〗 영구히; 이것을 마지막으로
(예) I am going *for good* (*and all*). 영원히 돌아오지 않겠다

for the good of ~을 위하여
(예) *for the good of* my health 나의 건강을 위해서

My goodness 저런, 어렵쇼

☆**good-by(e)** [gu*d*bái] 감 안녕 명 작별 인사
(예) bid 〔wish〕 him *good-bye* 그에게 작별을 고하다 // I waved *good-bye* to them. 나는 손을 흔들어 그들에게 작별을 고했다. // He went out without saying *good-bye*. 그는 작별 인사도 하지 않고 나갔다.

*◇**goose**★ [gu:s] 명 《*pl.* ***geese***》 거위; 바보
파 **gooseberry** [gú:sbèri, gú:z- / gúzbəri] 명 〖식물〗 구즈베리(의 열매)

gore [gɔ:*r*] 타 (소·산돼지 따위가) 뿔〔엄니〕로 받다〔찌르다〕; 꿰뚫다

gorge [gɔ:*r*dʒ] 명 협곡; 목구멍 타 자 게걸스럽게 먹다

◇**gor·geous** [gɔ́:*r*dʒəs] 형 화려한(=splendid), 찬란한
(예) a *gorgeous* sunset 현란한 일몰
파 **górgeously** 부 화려하게 **górgeousness** 명 화려

gos·pel [gáspəl / gɔ́s-] 명 (그리스도가 가르친) 복음

*◇**gos·sip** [gásəp / gɔ́s-] 명 한담, 잡담, 세상 공론; 소문; 수다쟁이 자 잡담하다, 남의 소문을 떠벌리며 다니다

Goth·ic [gáθik / gɔ́θ-] 명 고트 말; 고딕식 형 고딕식의

◇**gourd** [gɔ:*r*d / guəd] 명 〖식물〗 호리병박; 조롱박

G

gov·ern [gʌ́vərn] ㊐㊍ 다스리다(=rule), 지배하다, 억제하다(=control, restrain); 결정하다
반 misgóvern 실정하다
(예) be *governed* by circumstances 환경의 지배를 받다 // *govern* a school 학교를 관리하다 // *govern* one's passion 감정을 억제하다 // *govern* oneself 자제(自制)하다

> ▶ **139.** 「다스리다」의 유사어
> **rule**은 절대 권력을 가지고 지배하다. **govern**은 통치받는 사람의 이익을 고려하여 정치하다. **reign**은 군림하다(따라서 영국왕은 reign하지만 govern은 하지 않음). **control**은 통어·억제하고 자유를 주지 않음을 강조하고, **command**는 부대 따위의 지휘·명령을 하는 데 쓰인다.

파 (⇨) **government. góvernable** ㊄ 다스릴 수 있는, 온순한 **góverness** ㊂ 여자 가정 교사 ◦**góvernor** ㊂ 지배자, 장관, 총독, 지사

gov·ern·ment [gʌ́vərnmənt]* ㊂ 정치, 지배; 정부
(예) a *government* official 관리, 공무원
파 **governméntal** ㊄ 정부의, 정치의

gown [gaun] ㊂ 긴 웃옷, 가운, 예복, 법복(法服), 승복(僧服) ㊐ ~에 가운을 입히다

grab [græb] ㊐㊍ 움켜잡다 ㊂ 움켜쥐기
(예) make a *grab* at ~을 잡아채다, 낚아채다

grace [greis] ㊂ 은혜, 호의; 우아, 기품(=elegance), 애고(愛顧)(=favor); 식전〔식후〕의 기도; [G-] 각하 《Your Grace, His Grace, Her Grace 따위로 씀》 ㊐ 우아하게 하다; ~에게 명예를〔영광을〕 주다
반 disgráce 치욕, 망신
(예) the *grace* of God 하느님의 은총 // dance with *grace* 우아하게 춤추다 // be in the good *graces* of ~의 마음에 들다 // with (a) good *grace* 쾌히, 자진하여 // say (a) *grace* 식전〔식후〕의 기도를 드리다
파 ◦**gráceful** ㊄ 우아한, 점잖은 **grácefully** ㊅ 우아하게, 정숙하게, 품위 있게 **gráceless** ㊄ 버릇없는

gra·cious [gréiʃəs] ㊄ 우아한, 정중한(=courteous); 자비심이 많은, 자애로운(=merciful)
(예) in a *gracious* manner 우아한 태도로
파 **gráciously** ㊅ 우아하게, 정중하게, 인자하게

grade [greid] ㊂ 등급, 계급, 학급(=form); 경사 ㊐ 등급으로 나누다
(예) a high *grade* of intelligence 고도의 지능 // I am in the tenth *grade*. 〘미〙 나는 10학년생입니다 《우리 나라의 고교 1학년생에 해당》.
파 **gráder** ㊂ ~학년생(a fifth *grader* 5학년생)

make the grade 표준에 달하다; 성공하다; (시험·검사에) 합격하다
(예) He should change his way of life if he is to *make the grade*. 성공하려면 그는 생활태도를 바꿔야 한다.

grad·u·al [grǽdʒuəl] ㊄ 점차적인, 점진적인

G

(예) the *gradual* increase of living cost 생활비의 점진적인 증가

파 ***grádually** 부 서서히, 점차로(=by degrees)

***grad·u·ate** 타자 [grǽdʒuèit] 졸업하다; 학위를 수여하다 명 [-dʒuət] 졸업생 형 [-dʒuət] 졸업생의

(예) a college *graduate* 대학 졸업생 // a *graduate* school 대학원

어법 「~을 졸업하다」는 graduate *at,* graduate *from*으로서, 전자는 영국식, 후자는 미국식의 어법이다. 또 *be graduated* 의 형식도 있으나 지금은 위에 말한 형식이 보통.

파 **graduátion** 명 졸업

grain [grein] 명 곡식; 낟알, 적은 분량; 기질 타 낟알로 만들다

(예) There is not a *grain* of truth in it. 그것에는 진실이라고는 조금도 없다.

파 **granary** [gréinəri / grǽnəri] 명 곡창(穀倉)

gram·mar [grǽmər] 명 문법, 문법책

(예) mistakes in *grammar* 문법상의 과오

파 ***grammátical** 형 문법(상)의 **grammátically** 부 문법상으로, 문법적으로 **grammarian** [grəmέəriən] 명 문법학자 **grammar school** 〖영〗 공립 중학교; 〖미〗 (초급) 중학교 과정

gram(me) [græm] 명 그램

gram·o·phone [grǽməfòun] 명 축음기(=phonograph)

grand [grænd] 형 웅대한, 화려한; 위대한, 고결한; 중요한

(예) live in *grand* style 호사스런 생활을 하다

파 **grándeur** 명 웅장, 위엄 ***grándchild** 명 《*pl.* -children》 손자, 손녀 **gránddaughter** 명 손녀(딸) ***grándfather** 명 조부(=grandpa) **grándly** 부 당당하게 ***grándmother** 명 조모(=grandma) **grándparent** 명 조부〔모〕 **grándson** 명 손자

gran·ite [grǽnit] 명 화강암, 쑥돌

***grant** [grænt / grɑːnt] 타 허락하다(=allow), 수여하다; ~이라고 인정하다, 가정하다 명 인가, 수여; 하사금, 보조금

반 refúse 거절하다

(예) *grant* (him) his wishes 그의 소원을 들어 주다 // *grant* his honesty. ↔ I *grant that* he is honest. 그가 정직하다는 것은 인정한다.

granting* 〔*granted*〕 *that 가령 ~이라 할지라도(=admitting that), 좋다고 인정할지라도

(예) *Granting that* it is true, it does not concern me. 설사 그것이 사실이라도 나와는 아무 상관도 없다.

take ~ for granted ~을 당연한 것으로 생각하다

(예) I *took* (it) *for granted* that he was an American. 그는 당연히 미국인일 것이라고 생각했다.

gran·u·late [grǽnjulèit] 타자 낟알로 만들다, 낟알로 되다(=form into grains); 겉을 깔깔하게 하다

grape [greip] 명 포도

(예) *grape* sugar 포도당

G

NB 포도나무는 vine [vain] 또는 grapevine. 포도원은 vineyard [vínjərd]

파 **grápefruit** 명 〖식물〗 그레이프프루트, 자몽

graph [græf / grɑːf] 명 그래프, 도식, 도표

파 **gráphic** 형 그려진, 그래프식의; 생생하게 표현된 **gráphically** 부 사실적으로; 도표로

grap·ple [grǽpəl] 타 자 꽉 붙잡다; 맞붙잡고 싸우다 [~ with]; (어떤 문제에) 몰두하다 명 맞붙잡고 싸우기, 드잡이, 격투

grasp [græsp / grɑːsp] 타 자 꽉 쥐다; 움켜잡다; 이해하다 (=understand) 명 꽉 잡음; 통제(統制); 이해(력)

반 lóosen, reléase 풀어 놓다

(예) I cannot *grasp* your meaning. 나는 네가 무슨 말을 하는지 알 수가 없다. // He *grasped* me by the arm. 그는 나의 팔을 붙잡았다.

파 **grásping** 형 욕심 많은

grass [græs / grɑːs] 명 풀, 목초; 목장(=meadow); 잔디

(예) Keep off the *grass*. 잔디밭에 들어가지 마시오.

어법 *grass*는 집합적으로 「풀」을 가리킨다. 한 잎의 풀은 a blade of grass.

파 **grásshopper** 명 메뚜기, 여치무리 **grássland** 명 목초지 **grássy** 형 풀이 무성한; 풀의, 풀과 같은

grate [greit] 〈동음어 great〉 타 자 갈다, 삐걱거리게 하다; ~에 창살을 끼우다 명 벽난로, (난로의) 쇠살대; (감옥 등의) 쇠창살; 창살문

grate·ful [gréitfəl] 형 감사하여 마지 않는, 고맙게 여기는

반 ungráteful 은혜를 모르는

(예) He *was grateful to* me *for* what I had done. 그는 내가 한 일에 대해서 나에게 감사했다.

파 **grátefully** 부 감사하여; 즐겁게

grat·i·fy [grǽtəfài] 타 만족시키다(=satisfy), 기쁘게 하다(=please)

(예) a *gratifying* result 만족한 결과 // I *am* much *gratified at* 〔*with*〕 the result. 나는 그 결과에 무척 기뻐하고 있다.

파 **gratificátion** 명 만족

grat·i·tude [grǽtətjùːd / -tjùːd] 명 감사, 사의(=thankfulness)

(예) He showed his *gratitude to* his teacher 〔*for* the presents〕. 그는 선생님에게〔선물에 대해〕 사의를 표했다.

express** one's **gratitude for ~에 사의를 표하다

(예) How can I *express* my *gratitude for* all your help? 여러 가지로 도와 주신 데 대하여 어떻게 사의를 표해야 할지 모르겠군요?

grave [greiv] 형 중대한(=serious), 장중한(=dignified, solemn); (문체·빛깔 따위가) 점잖은, 침착한 명 무덤(=tomb)

반 trívial 하찮은

G

(예) the *grave* problem of the day 오늘날의 중대 문제
파 **grávely** 부 진지하게, 엄숙하게, 중대하게 ⁑**grávity** 명 중력, 인력; 장중, 중대(a question of *gravity* 중대한 문제 ◦**grávestone** 명 비석, 묘석(=tombstone) **gráveyard** 명 묘지

grav·el [grǽvəl] 명 자갈 타 자갈을 깔다

grav·i·tate [grǽvətèit] 자 인력(引力)에 끌리다, 이끌리다 [~ to, toward]; 가라앉다(=sink)
파 ◦**gravitátion** 명 인력 작용, 중력 ◦**gravitátional** 형 중력〔인력〕의, 인력에 의한

⁑**gray, grey** [grei] 형 회색의, (머리카락 따위가) 흰; 흐리멍덩한 명 회색(의 의복) 자타 회색으로 하다〔이 되다〕 백발이 되게 하다〔되다〕
(예) She was dressed in *gray.* 그녀는 회색옷을 입고 있었다
파 **gráy-blue** 명 회청색(灰靑色) ***gráy-háired** 형 백발의 **gráy-héaded** 형 백발의, 늙은 **gráyhound** ⇨greyhound

◦**graze** [greiz] 자타 (가축이) 풀을 먹다; 가볍게 스치며 지나다 [~ against, along, by, past], (살갗을) 스쳐 벗기다 명 목축, 방목; 스쳐 지나가기, 찰상(擦傷)
(예) A bullet *grazed* his right arm. 탄환이 그의 오른팔을 스쳐 지나갔다.

◦**grease** 명 [gri:s] 유지, 기름 타 [gri:s, gri:z] 기름을 바르다
파 ◦**greasy** [grí:si, grí:zi] 형 기름이 묻은, 기름진

☆**great** [greit]* 〈동음어 grate〉 형 큰, 위대한 (*cf.* big); 많은 중대한, 강대한
반 small 작은, unimpórtant 대수롭지 않은
(예) *great* ignorance 무지막지함 // a *great* reader 굉장한 독서가 // Alexander the *Great* 알렉산더 대왕 // That's *great.* 그것은 참 좋다.
파 ⁑**gréatly** 부 크게, 훌륭하게 ⁑**gréatness** 명 위대, 거대 **gréat-héarted** 형 마음이 넓은 **the Great Lakes** (미국의) 오대호

***Greece** [gri:s] 명 그리스
파 **Grecian** [grí:ʃən] 형 그리스의 명 그리스 사람 ***Greek** 형 그리스(사람, 말)의 명 그리스 사람, 그리스 말(That's *Greek* to me. 무슨 소리인지 통 못 알아듣겠다.)

greed [gri:d] 명 탐욕, 지나친 욕심(=avarice)
파 ◦**gréedy** 형 탐욕스러운, 굶주린 **gréedily** 부 욕심부려 게걸스럽게, 욕심 많게도 ◦**gréediness** 명 욕심 많음, 열망

☆**green** [gri:n] 형 녹색의, 초록빛의; 익지 않은(=unripe) 팔팔한, 날것인 명 녹색; 채소(=vegetables); 녹지(綠地)
(예) *green* fruit 익지 않은 과일
파 **gréenish** 형 엷은 녹색의; 세상을 모르는 **gréenly** 부 녹색으로, 새로이 **gréenness** 명 녹색, 신선함 **gréengrocer** 명 청과상 **gréenhorn** 명 풋내기 ◦**gréenhouse** 명 온실 **green light** 파란 신호; 인가 **green tea** 녹차

⁑**greet** [gri:t] 타 인사하다(=salute), 맞이하다, 환영하다
파 ◦**gréeting** 명 인사, 《보통 *pl.*》 인사말

gre·nade [grinéid] ⓜ 수류탄; 소화탄(消火彈)
grief* [gri:f] ⓜ 슬픔(=sorrow), 비탄; 통탄할 일
반 joy 기쁨 NB 동사는 grieve.
(예) come to *grief* 재난을 만나다 // He was in deep *grief*. 그는 몹시 슬퍼하고 있었다.
파 **gríef-stricken** ⓗ 슬픔에 젖은, 비탄에 잠긴
grey·hound [gréihàund] ⓜ 그레이하운드 《몸이 길고 날쌘 사냥개》; 쾌속선
파 **Greyhound bus** 그레이하운드 버스 《미국의 최대 버스 회사》
grieve* [gri:v] ⓣⓙ 슬프게 하다, 슬퍼하다, 비탄하다 [~ for, about, at, over]
(예) *grieve for* the War dead 대전의 전사자들을 생각하여 슬퍼하다 // *grieve at* bad news 슬픈 소식에 비탄하다
파 ◇**gríevance** ⓜ 불평, 불평거리 ◇**gríevous** ⓗ 슬픈, 슬퍼해야 할
grill [gril] ⓜ 석쇠; 구운 고기; 그릴(=grillroom)
grim [grim] ⓗ 무서운(=terrible), 엄한(=stern), 잔인한 (=cruel)
반 mild, géntle 온화한
(예) a *grim* reality 엄연한 현실
파 **grímly** ⓑ 엄하게, 잔인하게, 무섭게
gri·mace [gríməs, griméis] ⓜ 찡그린 얼굴 ⓙ 얼굴을 찡그리다(=make grimaces)
grin [grin] ⓙ 이를 드러내고 웃다, 히죽 웃다 ⓜ 히죽히죽 「웃음
grind [graind] ⓣⓙ 《***ground*** [graund]》 빻다, 갈다; 악착같이 공부하다(=study very hard) ⓜ 빻기; 힘드는 일; 지독하게 파고드는 공부
(예) *grind* wheat *into* flour 밀가루를 빻다 // *grind* one's teeth (together) 이를 갈다 // This wheat *grinds* well. 이 밀은 잘 빻아진다.
파 **grínder** ⓜ 연마기, 빻는 사람; 어금니 ◇**gríndstone** ⓜ (회전) 숫돌
grip [grip] ⓣⓙ 꽉 쥐다(=hold firmly), 붙잡다 ⓜ 파악(력); 이해; 지배, 제어; 쥐는 법
(예) *grip* the audience 청중의 마음을 끌다 // I have a good *grip* on the situation. 나는 정세를 잘 파악하고 있다.
griz·zly [grízəli] ⓗ 회색의 ⓜ 〖동물〗 큰 회색 곰《북미산》
groan [groun] ⓜ 신음 소리 ⓙⓣ 신음하다, 괴로워하다; 신음하듯 말하다 [~ out]; 잔뜩 얹혀 있다 [~ with]
반 laugh 웃다
(예) give a *groan* 신음하다 // The table *groaned with* food. 그 식탁은 음식이 가득 놓여 있었다.
gro·cer [gróusər] ⓜ 식료 잡화상, 식료품 장수
파 ◇**grócery** ⓜ 식료 잡화; 《보통 *pl.*》 식료품(*grocery* store 식료품상)
groom [gru(:)m] ⓜ 마부; 신랑(*cf.* bridegroom)

G

groove [gru:v] 명 (나무·금속 따위에 판) 가늘고 긴 홈
관례(慣例)

◇**grope** [group] 자 타 손으로 더듬다, 손으로 더듬어 찾다
(=feel) [~ for, after], 암중 모색하다
(예) *grope* one's way 더듬어 가다 // *grope for* a switc
스위치를 더듬어 찾다

◇**gross** [grous] 형 큰; 거친, 야비한, 심한; 총계의(=total
명 그로스《12 다스》; 총계, 총괄
반 small 작은, décent 고상한, net 정미(正味)의
(예) *gross* weight (포장물을 합한) 총중량 (*cf.* net weigh
정량) // a *gross* mistake 큰 잘못 // the *gross* income 총수
입 // *gross* manners 거친 행동
파 **gróssly** 부 심하게

◇**gro·tesque** [groutésk] 형 괴상한, 기괴한(=strange) 명
(회화·조각·문학 따위의) 괴상한 것, 그로테스크 풍
(예) a *grotesque* appearance 괴상한 풍채

***ground** [graund] 명 토지(=land), 운동장(=playground)
근거(=base), 이유(=reason) 타 자 근거를 두다(=base)
좌초하다(=strand)
(예) fall to the *ground* 땅에 떨어지다; (계획이) 실패로 돌아
가다 // college *grounds* 대학 구내 // on religious *ground*
종교적 이유로 // He *grounded* his arguments *on* facts. 그
는 논의의 근거를 사실에 두었다.
NB grind의 과거, 과거 분사도 철자와 발음이 같으므로 주의
할 것.
파 **gróundless** 형 근거 없는 **gróundwork** 명 기초, 토대
ground crew(항공기의) 지상 정비원 **ground floor** 〖영〗
층(=〖미〗 first floor)

*◇***on the ground of* 〔*that*〕** ~이라는 이유로
(예) The teacher ordered me out of the room *on th*
ground that I was impolite. 무례하다는 이유로 선생님
방에서 나가라고 나에게 명령했다.

***group** [gru:p]* 명 집단, 무리 자 타 모이다, 모으다; 분류
하다
(예) in a *group* 한 무리가 되어
파 **gróup-mind** 명 집단〔군중〕 심리

◇**grove** [grouv] 명 작은 숲, 수풀 (*cf.* wood)
NB glove [glʌv] (장갑)와 혼동하지 말 것.

☆**grow*** [grou] 자 타 《***grew*** [gru:]; ***grown*** [groun]》 성장하
다, 발육하다(=become larger); (점점) ~으로 되다(=
become); 나다, 자라다, (크기·높이·길이 따위가) 불어나
다; 재배하다(=cultivate); 발달시키다(=develop), 기르다
(예) *grow* a beard 수염을 기르다 // ◇It *grew* darker an
darker. 점점 더 어두워졌다. // ◇She has *grown into*
fine girl. 그녀는 훌륭한 소녀로 성장했다. // You wi
grow to understand what I mean. 내가 뜻하는 것을 알게
될 것이다.
파 (⇨) **growth. grown** 형 성장한 ◇**grówn-up** 형 성장한

[명] 어른, 성인
***grow on* 〔*upon*〕** 점점 더해지다; 점점 마음에 들게 되다
(예) This picture will soon *grow upon* you. 너는 곧 이 그림을 좋아하게 될 것이다.
grow out of ~에서 생기다; (습관 따위)를 탈피하다(=grow from); (자라서) ~을 못 입게〔쓰게〕 되다
(예) Prejudices *grow out of* ignorance. 편견은 무지에서 생긴다. // A baby will soon *grow out of* its cradle. 어린 애는 곧 자라서 요람을 쓰지 못하게 될 것이다.
grow up 자라다, 성인이 되다; 성장〔발달〕해서 ~으로 되다 [~ to be]
(예) His son has *grown up*. 그의 아들은 성장했다. // ◦He *grew up* to be a fine youth. 그는 자라서 훌륭한 젊은이가 되었다.
growl [graul] [명] 으르렁거리는 소리 [타][자] 으르렁거리다, 으르렁거리며 말하다, 고함치다, 노해서 투덜거리다(=murmur, complain angrily) [~ out]
(예) The dog *growled at* me. 개는 나를 향해 으르렁거렸다. // He *growled* (*out*) his answer. 그는 노한 목소리로 대답했다.
growth [grouθ] [명] 성장, 발육; 발달(=development); 증가(=increase); 재배; 성장물; 종양(腫瘍)
[원] <grow 성장하다
grub [grʌb] [타][자] (나무 뿌리 따위를) 파다; 찾아내다, 열심히 찾다
(예) *grub* facts for speech 연설을 하기 위하여 사실을 찾아내다 // *grub up* the roots of a tree 나무 뿌리를 파내다
grudge [grʌdʒ] [명] 원한 [타] 아까워하다, ~하기를 싫어하다; 부러워하다, 시기하다, 질투하다
(예) I *grudge* his going. 그를 보내고 싶지 않다. // Don't *grudge* another his success. 남의 성공을 질투하지 마라.
[파] **grúdgingly** [부] 아까워하면서, 마지못해(=reluctantly)
gru·el [grú:əl] [명] (환자 등에게 주는) 묽은 죽, 오트밀; 〘속어〙 엄벌 [타] 〘속어〙 호되게 벌을 주다; 녹초가 되게 만들다; 죽이다
gruff [grʌf] [형] 거친(=rough); 퉁명스러운(=bluff), 무뚝뚝한, 성미가 까다로운(=cross)
grum·ble [grʌ́mbəl] [타][자] 불평하다(=complain), 투덜거리다(=murmur) [~ about, at, over]; 우르르 울리다 [명] 불평, 중얼거림
(예) *grumble at* the food 〔*over* the task〕 음식〔일〕에 대하여 불평하다
grunt [grʌnt] [자][타] 투덜투덜 불평하다 [명] 불평
guar·an·tee [gæ̀rəntí:]* [타] 보증하다, 떠맡다 [명] 보증인; 보증, 떠맡음, 담보
(예) This watch is *guaranteed* for one year. 이 시계는 1년간 보증합니다. // Can you *guarantee* me against loss? 나에게 손해가 가지 않을 것을 보증할 수 있습니까? // I

G

guarantee to pay his debts.↔I *guarantee that* his debts wil be paid. 나는 그의 빚 지불을 보증한다.

*◇**guard** [gɑːrd] [타] [자] 지키다(=protect), 방위하다(=defend), 조심하다 [명] 경계, 보호; 지키는 사람, 위병; 차장(=〘미〙 conductor)

[파] **gúarded** [형] 보호된 ◇**gúardian** [명] 보호자, 후견인 **gúardianship** [명] 후견(인의 구실), 수호, 보호

off* 〔*on*〕 *guard 비번〔당번〕으로

(예) The soldier is *on guard.* 병사는 경비중이다.

off* 〔*on*〕 *one's guard 방심하여〔경계하여〕

(예) He is *off* his *guard.* 그는 마음 놓고 있다.

gue(r)·ril·la [gərílə] [명] 게릴라병(兵), 게릴라전

guess [ges] [타] [자] 추측하다(=surmise), 어림짐작으로 맞히다; 〘미〙 생각하다(=think) [명] 추측

[반] prove 증명하다, know 알다

(예) *guess* a riddle 수수께끼를 알아맞히다 // *guess* the height at two meters 높이가 2 m 가량이라고 어림하다 // I *guess* he is coming. 나는 그가 오리라고 생각한다.

[파] **guésswork** [명] 어림짐작

*◇**guest*** [gest] 〈동음어 guessed〉 [명] 손님(=visitor), 숙박인

[반] host 주인

*◇**guide** [gaid] [명] 안내자, 가이드; 편람, 길잡이, 지침 [타] 안내하다(=lead), 지도하다

[반] misgúide 잘못 지도하다

(예) a *guide to* the British Museum 영국 박물관 안내 // a *guided* tour of a city 안내자가 따른 시내 관광

[파] *◇**guídance** [명] 안내, 지도 ◇**guídebook** [명] 여행 안내(서) ◇**guídeline** [명] 인도(引導) 밧줄; 지침 **guídepost** [명] 길의 표지 **guided missile** 유도탄

▶ **140.** 「안내하다」의 유사어— **guide**는 쭉 옆에 붙어서 안내하다(종종 직업으로서). **lead**는 앞에 서서, 또는 손을 잡고 안내하다. **conduct**는 의식적으로 다소 앞장 서서 함께 가며 길을 가르치다. **show**=guide, conduct(단, 의식적이 아님)이고, **direct**는 함께 가지 않고 길을 가르친다는 뜻을 나타낸다.

guild [gild] [명] (유럽 중세의) 장인(匠人) 조합; 동업 조합 길드

*◇**guilt** [gilt] [명] (법률적·도덕적·종교적으로) 죄를 범하고 있음, 죄, 유죄

(예) He confessed his *guilt.* 그는 그의 죄를 고백했다.

[파] **guíltless** [형] 죄 없는 (⇨) **guilty**

*◇**guilt·y** [gílti] [형] 유죄의; 죄를 느끼고 있는; 양심에 거리끼는 바가 있는

(예) *guilty* conscience 죄책감, 켕기는 양심 // be found *guilty* 유죄로 판결되다

◇***(be) guilty of*** ~의 죄가 있는, ~을 저지른 기억이 있는

(예) The man *is guilty of* murder. 그 사나이는 살인죄를 범하고 있다.

guin·ea [gíni] [명] 기니《영국의 옛 금화로 21실링에 해당》

guise [gaiz] ㉯ 가장, 변장; 외관
(예) in 〔under〕 the *guise* of ～을 가장하여
gui·tar [gitáːr] ㉯ 기타
gul·den [gúldən] ㉯ 길던《네덜란드의 화폐단위》; 길던 은화
gulf [gʌlf] ㉯ 만(灣); 심연(深淵) ㉰ 집어삼키다(=engulf)
어법 *gulf*는 *bay*보다도 큰 만을 말함: the *Bay* of Asan(아산만), the *Gulf* of Mexico(멕시코 만)
gull [gʌl] ㉯ 갈매기; 곧잘 속는 사람 ㉰ 속이다
gulp [gʌlp] ㉰㉱ 단숨에 꿀꺽 마시다, 꿀꺽꿀꺽 들이켜다 ㉯ 한 모금
(예) at a *gulp* 한 모금에 // *gulp* a glass of water 한 잔의 물을 꿀꺽 마시다 // *gulp* (*down*) tears 눈물을 삼키다
gum [gʌm] ㉯ 고무; 〖미〗 추잉검; 《보통 *pl.*》 고무 덧신, 잇몸
파 **gúmmy** ㉲ 고무질의, 점착성의
gun [gʌn] ㉯ 총(=rifle), 대포 ㉱ 총으로 쏘다
어법 일반적으로 *gun*은 산탄총(散彈銃), *rifle*은 선조총(旋條銃). 또, 일상 구어에서는 권총(pistol)도 gun이라고 부르기도 한다.
파 **gúnfire** ㉯ 포화, 발포, 포격 **gúnman** ㉯ 《*pl.* -men》 포수(砲手); 〖미〗 속사격의 명수; 권총 강도 **gúnner** ㉯ 포수 **gúnnery** ㉯ 《집합적으로》 포; 포술 **gúnpowder** ㉯ 화약 **gúnshot** ㉯ 사격
gur·gle [gə́ːrgəl] ㉱㉰ (물 따위가) 콸콸 흐르다, 콸콸 소리 내다〔나게 하다〕 ㉯ 콸콸하는 소리
gush [gʌʃ] ㉱㉰ 내뿜다, 솟아나다(=pour out), 폭발하다, 분출시키다 ㉯ 세차게 내뿜음, 분출
반 ooze [uːz] 스며 나오다
(예) Oil *gushed out.* 기름이 솟아 나왔다.
gust [gʌst] ㉯ 한바탕 갑자기 부는 바람(=sudden rush of wind), 질풍; 소나기; (감정의) 폭발
(예) Fanned by a *gust,* the flames spread quickly. 질풍이 불어닥쳐 불길은 빨리 퍼졌다.
파 **gústy** ㉲ 돌풍의; 폭풍우가 휘몰아치는; 돌발적인
gut·ter [gʌ́tər] ㉯ (처마의) 홈통; (길가의) 작은 도랑; 빈민굴(=slums) ㉰㉱ 홈통을 달다, 도랑을 내다, 작은 도랑이 생기다
(예) rise from the *gutter* 비천한 처지에서 출세하다
guy [gai] ㉯ 사나이, 녀석(=fellow)
(예) a queer 〔nice〕 *guy* 이상한〔좋은〕 녀석
gym [dʒim] ㉯ 〖구어〗 체육관, 도장; 체조
gym·na·si·um [dʒimnéiziəm] ㉯ 《*pl.* ***-siums, -sia*** [-ziə]》 실내 체조장, 체육관(=gym); (고대 그리스의) 연무장
gym·nast [dʒímnæst] ㉯ 체육 교사, 체육(전문)가
gym·nas·tic [dʒimnǽstik] ㉲ 체조의 ㉯ 《*pl.*》 체조
gyp·sy [dʒípsi] ㉯ 집시
gy·ro·scope [dʒáiərəskòup] ㉯ 자이로스코프, 회전의(回轉儀)

H

ha [hɑː] [감] 아유!, 어마! 《놀람·슬픔·기쁨·의심·주저·자랑 따위를 나타냄》

*◇**hab·it** [hǽbit] [명] 습관 (*cf.* custom); 습성, 성질, 체질
(예) form a good *habit* 좋은 습관을 붙이다 // out of *habit* 습관적으로 // *Habit* is (a) second nature. 〖속담〗 습관은 제 2 의 천성.

> ▶ **141.**「습관」의 유사어
> **habit**는 주로 개인의 습관, 종종 헤어날 수 없는 악습을 암시한다. **custom**은 주로 사회적 관습을 가리킨다.

[파] **hábitable** [형] 거주하기에 알맞은 ◇**habitátion** [명] 주소, 거주 **habitual★** [həbítʃuəl] [형] 습관적인, 여느 때와 같은 **habítually** [부] 습관적으로 **habítuate** [타] 익숙하게 하다

◇(**be**) ***in the habit of*** ~하는 버릇이 있는, 곧잘 ~하는
(예) He *is in the habit of* rising early. 그는 아침 일찍 일어나는 버릇이 있다.

fall into the habit of ~하는 버릇이 생기다
(예) I *fell into the habit of* having a glass of warm milk before going to bed. 나는 자기 전에 따뜻한 우유를 한 잔 마시는 버릇이 생겼다.

☆◇***had better*** *do*★ ~하는 편이 좋다〔낫다〕
(예) You *had better hold* your tongue. 입을 다물고 있는 편이 좋다. (↔It would be better for you to hold your tongue.)

[어법] ① 부정은 had better *not* do. ②「~하는 편이 좋았을 텐데」는 had better have done. ③ had best가 되면「가장 좋다」의 뜻으로 강조하는 뜻이 된다.

had it not been for ~이 없었더라면
(예) *Had it not been for* your advice, I should have grown desperate. 만약 너의 충고가 없었더라면 나는 자포자기하고 말았을 것이다.

[어법] 물론 *if it had not been for* 도 좋음. 가정법 과거완료인 것에 주의. 가정법 과거인 때는 *were it not for*.

had rather ~ than (…보다는) ~하는 편이 낫다, (…보다는) 차라리 ~하고 싶다
(예) I *had rather* be first here *than* second there. 거기서 둘째를 하기보다는 차라리 여기서 첫째를 하고 싶다.

[NB] would rather 〔sooner〕 ~ than이나 would as soon ~ as 도 같은 뜻으로 쓰인다.

hag·gard [hǽgərd] [형] 수척해진, 말라빠진

hail [heil] 〈동음어 hale〉 [명] 우박, 싸라기눈; 부르는 소리, 인사, 환영 [타][자] 우박이 내리다; 비오듯 퍼붓다; 인사하다, 환영하다, 큰 소리로 부르다; (~의) 출신이다 [~ from]
(예) a *hail* of bullets 빗발치듯 날아오는 탄환 // *Hail* the King! 국왕 만세! // What part of the country do yo

hail from ? 고향이 어디십니까?
파 **háilstone** 명 우박
hair [hɛər] 〈동음어 hare〉 명 털, 머리털
(예) wear one's *hair* long 머리를 길게 기르다 // do up one's *hair* 머리를 땋다 // The scene made my *hair* stand on end. 그 광경을 보고 나는 소름이 쭉 끼쳤다.
어법 단수로서 집합적으로 쓰이나, 털·머리카락의 수를 나타낼 경우에는 *a hair, hairs*형으로 쓴다.
파 **háirless** 형 머리털〔카락〕이 없는 **háirlike** 형 털 같은 **háiry** 형 털투성이의, 털 많은 **háirbreadth** 형 털끝 만큼의, 아슬아슬한 명 털끝만한 폭〔차이〕 ◇**háircut** 명 이발 **háirdresser** 명 이발〔미용〕사
hale [heil] 〈동음어 hail〉 형 늠름한, 건강한(=healthy)
반 síckly 병약한
half [hæf / hɑːf] 명 《*pl.* ***halves*** [hævz / hɑːvz]》 절반 형 절반의 부 절반으로
반 whole 전체(의)
(예) one's better *half* 아내 // *half* past two 두 시 반 // have *half* a mind to ~하고 싶은 생각도 있다 // a *half* holiday 반공일 // a *half* moon 반달
어법 ① 「*half* of +명사」의 of는 종종 생략되나, of 다음에 대명사가 올 경우는 생략되지 않는다: *half* (*of*) the apples (사과의 반쪽). *Half of* it is rotten.(그것의 반은 썩었다). ② 수량을 나타내는 말이 계속될 경우 a *half* mile은 딱딱한 어법이며 *half* a mile의 표현법이 보통이다. ③ 「*half of* +명사」가 주어일 경우, 동사의 수는 명사에 따라 결정된다: Half of the milk *is* yours. Half of the boys *were* asleep.
파 **halve** [hæv / hɑːv] 타 2등분하다; 반감하다 **hálf-báked** 형 설구워진, 미숙한, 불완전한 **hálf-bóiled** 형 설익은(a *half-boiled* egg 반숙한 달걀) ◇**hálf-héarted** 형 마음 내키지 않는 **hálf-héartedness** 명 마음 내키지 않음 **hálf-tímbered** 형 뼈대를 목조(木造)로 한 ◇**hálfwáy** 형 부 중도의〔에서〕 (◇meet a person *halfway* 서로 (걸어서) 다가가다, 아무와 타협하다) **hálfpenny** [héipəni] 명 반 페니
by halves 불완전하게, 어중간하게
(예) Don't do things *by halves.* 일을 중도에서 그만두지 마라.
hall [hɔːl]* 〈동음어 haul〉 명 회관, 공회당; 홀; 식당; (현관의) 넓은 홀, 복도
(예) a city *hall* 시청, 시의회 의사당
파 ◇**hállway** 名 복도; 현관, 입구 홀
hal·low [hǽlou] 타 신성하게 하다(=make holy, consecrate), 숭배하다
반 profáne 모독하다
ha·lo [héilou] 명 《*pl.* ~(***e***)***s***》 (해·달의) 무리; 후광 타 후광으로 두르다
halt [hɔːlt] 자 타 서다(=stop) 명 휴지, 정지; 주군(駐軍)
반 march 행군하다

H

(예) Suddenly they came to a *halt.* 갑자기 그들은 멈추어 섰다.

◇**ham** [hæm] 명 햄《돼지의 뒷다리 고기를 소금에 절여 훈제(燻製)한 것》

◇**ham·bur·ger** [hǽmbəːrgər] 명 햄버거

ham·let [hǽmlit] 명 (교회가 없는) 작은 마을(=small village), 한촌(寒村); [H-] Shakespeare 작(作)의 비극; 그 비극의 주인공

*◇**ham·mer** [hǽmər] 명 망치, 해머 타 자 망치로 두드리다 두드려 박다; 열심히 일하다 [~ away]

(예) *hammer* a nail in ↔ *hammer* in a nail 못을 두드려 박다

ham·mock [hǽmək] 명 해먹, 달아맨 그물 침대

ham·per [hǽmpər] 명 족쇄(足鎖), 속박 타 방해하다(=hinder), 제한〔구속〕하다

(예) He is *hampered* by poor health. 그는 건강이 좋지 못하여 활동에 어려움을 겪고 있다.

☆**hand** [hænd] 명 손; 일꾼; 솜씨, 필적; (시계의) 바늘; 《종종 *pl.*》 보호, 지배 타 넘겨주다, 수교(手交)하다

반 foot 발

(예) ◇*hand* out 분배하다 // made by *hand* 손으로 만든 // shake *hands* with ~와 악수하다 // off *hand* 준비 없이 즉시로 // on the right *hand* 오른편〔쪽〕으로 // be a good 〔poor〕 *hand* at cooking 요리 솜씨가 있다〔없다〕 // *hand* him a letter ↔ *hand* a letter *to* him 그에게 편지를 건네주다

파 ◇**hándy** 형 손에 알맞은, 간편한 **hándily** 부 솜씨 있게, 편리하게 ◇**hándful** 명 한 줌 **hándbag** 명 핸드백 ◇**hándball** 명 핸드볼 **hándbill** 명 삐라, (손으로 배부하는) 광고지 **hándbook** 명 안내서 **hándcart** 명 손수레 **hándcuff** 명《통상 *pl.*》 수갑 타 수갑을 채우다 ◇**hándicraft** 명 《*pl.*》 수공예 **hándmade** 형 손으로 만든 **hándsaw** 명 (손으로 켜는) 톱 **hánd-to-móuth** 형 그날 벌어 그날 먹는 ◇**hándshake** 명 악수 **hándwrite** 타 자 손으로 쓰다 ◇**hándwriting** 명 필적, 필치

◇***hand down*** ~을 넘겨주다; (관습 따위를) 후세에 전하다; (판결을) 언도하다

(예) a custom *handed down* to our own days 오늘날까지 전해온 관습

◇***hand in*** ~을 내놓다, ~을 제출하다

(예) *Hand in* your papers at once. 답안지를 곧 내십시오.

hand in hand 손에 손을 잡고, 제휴〔협력〕하여

(예) Poverty goes *hand in hand* with idleness. 빈곤과 태만은 서로 따라다닌다.

hand ~ on ~을 다음으로 돌리다

(예) *Hand* it *on* to each of your classmates when through. 다 읽으면 그것을 동급생 각자에게 돌려라.

◇***hand over*** ~을 넘겨주다; ~을 양도하다

(예) *hand over* the business to his son 사업을 그의 아들에게 넘겨주다
at hand 바로 곁에, 가까이에; 준비되어
(예) The examination is close *at hand.* 시험이 목전에 닥쳐왔다.
at first 〔second〕 hand 직접으로〔간접으로, 중고(中古)로〕
(예) hear the news *at first hand* 뉴스를 직접 듣다
by hand (기계가 아니라) 손으로; (자연의 힘이 아니라) 인공으로
(예) This rug was made *by hand.* 이 융단은 손으로 만들었다.
from hand to hand (사람의) 손에서 손으로, 갑에서 을로, 직접으로
(예) transmit it *from hand to hand* 그것을 손에서 손으로 넘기다
give a hand 손을 빌리다, 돕다
(예) Can you *give* me *a hand* with this desk? 이 책상 나르는 걸 도와 주겠느냐?
in hand 수중에 (있는), 당면한, (일 따위가) 진행 중(인), 착수하고 (있는); 통제〔관리〕하여
(예) the problem *in hand* 당면한 문제 // take the matter *in hand* 그 건의 검토를 시작하다
join hands 힘을 합치다, 제휴하다
(예) Let's *join hands* in the business. 그 사업에 힘을 합치자. // He will *join hands* with them before long. 그는 머지 않아 그들과 제휴할 것이다.
on hand 손가까이에(=near), 마침 갖고 있는
(예) have it *on hand* 그것을 마침 가지고 있다
on *one's* **hands** 아무의 책임〔부담〕으로; (수중에) 팔다 남아서
(예) He had the children *on* his *hands* for five years. 그는 그 아이들을 5년 동안 돌보아야 했다.
on the other hand 다른 한편으로는, 그 반면에 (*cf.* on the one hand 한편에서는)
(예) *On the one hand,* we have to preserve our culture and, *on the other hand,* learn many things from foreign cultures. 우리는 한편으로 우리 문화를 보존하고 다른 한편으로는, 외국 문화에서 많은 것을 배워야 한다.
put *one's* **hands to** ~에 착수하다; ~에 종사하다
hand·i·cap [hǽndikæ̀p] ⓜ 핸디캡, 불리한 조건 ⓣ 불리한 조건을 붙이다
(예) the (physically) *handicapped* 신체 장애자 // In future we'll not be *handicapped* by age. 장래에는 연령으로 불리하게 되는 일은 없을 것이다.
hand·ker·chief [hǽŋkərtʃif] ⓜ 《*pl.* **-chiefs**》 손수건; 목도리
han·dle [hǽndl] ⓜ 핸들, 손잡이 ⓣ 다루다

H

(예) The machine is hard to *handle.* 그 기계는 다루기가 힘들다.

파 ◇**hándler** 명 취급하는 사람; 〖권투〗 트레이너; 조련사

*◇**hand·some** [hǽnsəm] 형 잘 생긴, 풍채 좋은, 단정한; 진; 훌륭한; 활수한

어법 남자에 대하여 쓰이는 것이 보통(*cf.* beautiful)

파 **hándsomely** 부 멋지게, 너그러이

***hang** [hæŋ] 타 자 걸(리)다; 교살(絞殺)하다; 매달(리)다 머뭇거리다; ~에 달려 있다(=depend) [~ on] 명 걸림새

NB 「교살하다」의 경우는 hang, hanged, hanged로 활용하고 그 이외에는 hang, hung, hung으로 활용한다.

(예) *hang* a picture *on* the wall 벽에 그림을 걸다 // The wall was *hung with* paintings. 벽은 유화로 장식되어 있었다. // ◇*hang* one's head 머리를 숙이다 // *hang* oneself 목매어 죽다 // It *hangs on* your decision. 그것은 자네의 결심에 달려 있다.

파 **hánger** 명 거는〔매다는〕 물건〔사람〕, 옷걸이 **hánger-ón** 명 식객(食客) **hánging** 명 교수형, 교살 형 걸린, 매달린

◇***hang on to*** 꼭 붙잡고 늘어지다, 매달리다

(예) She *hung on to* his arm. 그 여자는 그의 팔에 매달렸다. // *Hang on to* your job to the end. 끝까지 네 일에 매달려라〔열중해라〕.

hang over (위험 따위가) ~에 다가오다; ~의 위로 내밀다; ~에 덮이다, ~을 덮다; 연기되다

(예) The cliff *hangs over* the road. 낭떠러지가 길 위로 쑥 내밀고 있다. // Fog *hangs over* the town. 안개가 읍의 상공을 덮고 있다.

hang up ~을 걸다, 매달다; ~을 연기하다; 전화를 끊다

(예) *hang up* a question 문제를 뒤로 돌리다 // He *hung up* before I finished. 말이 끝나기도 전에 그는 전화를 끊었다.

hang·ar [hǽŋər, hǽŋgər] 명 격납고, 차고(車庫)

hank·er [hǽŋkər] 자 ~을 갈망하다(=desire), ~을 열망하다 [~ after, for]

◇**hap·haz·ard** [hæphǽzərd] 명 우연(한 일) 형 부 우연의〔히〕; 되는대로(의)

***hap·pen** [hǽpən] 자 일어나다, 생기다(=take place, occur); 우연히 ~하다(=chance) [~ to do], ~운(運)을 만나다

(예) Accidents will *happen.* 사고는 일어나기 마련이다. // ◇I hope nothing has *happened to* him. 그에게 아무 일도 없었으면 좋겠다.

파 **háppening** 명 《종종 *pl.*》 사건; (우연히 일어난) 일

*◇***happen to do*** 우연히 ~하다

> ▶ **142.** 「일어나다」의 유사어
> **happen**은 일반적인 말이고, **occur**는 happen보다 형식적인 말로서, 사건과 때를 분명하게 말할 때에 흔히 쓰인다. **take place**는 예정된 일이나 불의의 일이 일어나다(일상적인 말) **break out**는 재해 따위가 갑자기 일어나다란 뜻이다.

(예) I *happened to* be out when he called. 나는 그가 전화했을 때 공교롭게도 외출중이었다.

as it happens 공교롭게, 때마침, 이따금
(예) *As it happens* I've left the book at home. 공교롭게 난 그 책을 집에 두고 왔다.

It* (*so*) *happens that 우연히 ~하다
(예) *It so happened that* one of them died.(↔One of them *happened to* die.) 우연히 그들 중 하나가 죽었다.

hap·py★ [hǽpi] [형] 행복한, 즐거운; 기쁜(=glad) [~ to], 행운의, 형편이 좋은; 멋진
[반] unhάppy 불행한
(예) a *happy* phrase 멋진 문구 // *Happy* are those who are contented. 만족하고 있는 사람들은 행복하다. // I was quite *happy with* the job. 나는 그 일이 꼭 마음에 들었다.
[파] ***hάppily**★ [부] 행복하게, 운좋게 ***hάppiness** [명] 행복, 만족

har·ass [həræ̃s, hǽrəs] [타] 괴롭히다(=trouble by repeated attacks), 애먹이다(=worry)

har·bo(u)r [hάːrbər] [명] 항구, 정박소 [타][자] 숨기다; (나쁜 마음 따위를) 품다; 정박하다(=anchor)

hard [haːrd]★ [형] 단단한; 어려운(=difficult); 심한; 무정한(=merciless) [부] 열심히; 격렬하게; 딱딱하게, 단단히, 간신히, 애써서; 바로 가까이에
[반] soft 부드러운, easy 쉬운
(예) *hard* wood 단단한 나무 // a language *hard* to learn 배우기 어려운 언어 // have a *hard* time 고생하다 // a *hard* worker 노력가 // ◦It is *hard* to climb the hill. 그 산은 오르기 힘들다.
[파] ◦**hάrdy** [형] 튼튼한 **hάrdihood** [명] 대담 **hάrdily** [부] 대담하게, 뻔뻔스럽게 **hάrden** [타][자] 단단하게 하다, 단단해지다 **hάrdness** [명] 견고 ***hάrdship** [명] 곤란 ◦**hάrd-bóiled** [형] (달걀 따위를) 단단히 삶은; 매정한 **hάrd-fóught** [형] 격전의 **hάrdhéarted** [형] 무정한 **hard labo(u)r** 중노동 ◦**hάrd-ware** [명] 철물 ◦**hάrdworking** [형] 부지런한, 근면한

(*be*) *hard on* 〔*upon*〕 ~에게 심하게〔모질게〕 구는; (사물이 사람)에게 견뎌내기 어려운
(예) Don't *be hard on* them. 그들에게 심하게 굴지 마라.

(*be*) *hard up* (*for*) (~에) 궁핍해 있는, 대단히 필요한
(예) He *is hard up for* money. 그는 돈에 쪼들리고 있다.

hard·ly [hάːrdli] [부] 거의 ~ 아니다〔안 하다〕(=barely, scarcely)
(예) ◦He *hardly* ever goes to bed before midnight. 그가 자정 전에 잠자리에 드는 일이란 좀처럼 없다.
[어법] 부사의 hard와 대조해 구별할 것: *Hardly* anybody believes it. (그것을 믿는 사람은 거의 없다)와 같이 hardly any를 쓸 곳에 미국에서는 almost no를 쓸 때가 많다: Almost nobody believes it.

***hardly ~ when* 〔*before*〕** ~하자마자(=as soon as)

(예) He had *hardly* started *when* the sky became overcas
그가 출발하자마자 하늘이 흐려졌다.

NB *scarcely* ~ *when* 〔*before*〕, *no sooner* ~ *than*도 같은 뜻.

*hare [hɛər] 〈동음어 hair〉 명 산토끼 (*cf.* rabbit 집토끼)
파 **hárelip** 명 언청이

hark [hɑːrk] 자 듣다(=listen), 귀를 기울이다 [~ to]
어법 주로 명령문에 쓴다

*harm [hɑːrm] 명 해(害), 손상(=damage), 해악(=wrong)
악의 타 해치다(=hurt), 상하게 하다
반 prófit 이익, good 선
(예) He meant you no *harm.* 그는 너에게 악의가 있었다
것은 아니다. // There is no *harm* in (his) going. (그가
가는 것도 나쁠 건 없다.
어법 *damage* 보다 보편적인 말.
파 ***hármful** 형 해로운 ***hármless** 형 해가 없는 **hárm-lessly** 부 아무 해를 주지 않고, 악의 없이

do harm 해치다, 해를 끼치다
반 do good 도움이 되다
(예) Too much exercise will *do* you *harm.* 지나친 운동
은 해롭다. // Kindness often *does* quite as much *harm* a
good. 친절은 좋은 일이기도 하지만 해를 끼치는 일도
종 있다.
NB *do harm to* ~ 의 형태도 있다.

har·mon·i·ca [hɑːrmánikə / hɑːmɔ́n-] 명 하모니카

*har·mo·ny [hɑ́ːrməni] 명 조화(=concord), 일치, 화합
〖음악〗 화성
반 disagréement 불일치
(예) *harmony* between labor and management 노사간의
협조
파 **harmonious** [hɑːrmóuniəs] 형 조화된, 화합된 **har-móniously** 부 조화되어 **hármonize** 타 자 조화〔일치〕시키
다, 화합하다

in harmony (with) (~와) 조화되어; 의좋게
(예) That is *in harmony with* tradition. 그것은 전통과
부합된다. // change *in harmony with* the years 시대의 추
이(推移)에 순응하다

har·ness [hɑ́ːrnis] 명 마구(馬具) 타 마구를 채우다; (바
람·물의 힘을) 동력으로 이용하다

harp [hɑːrp] 명 하프 《악기의 일종》 자 하프를 타다, 같은
말을 되풀이하다 [~ on, upon]
파 **hárpist** 명 하프 연주가

har·row [hǽrou] 명 써레 타 써레질하다

*harsh [hɑːrʃ] 형 거친(=rough), 가혹한, 귀에 거슬리는
반 smooth [smuːð] 반드러운
(예) a *harsh* climate 거친 날씨 // a *harsh* nature 매몰찬
성격 // *harsh* treatment 학대
파 **hárshly** 부 거칠게, 가혹하게 **hárshness** 명 거칢

*har·vest [hɑ́ːrvist] 명 수확(=crop), 수확기; 보수, 응보

(應報) ㉺㉶ 거두어 들이다
(예) a good 〔bad〕 *harvest* 풍〔흉〕작
㉩ **hárvester** ㉹ 수확하는 사람〔기계〕 **harvest moon** 중추의 보름달

haste [heist] ㉹ 급함(=hurry), 서두름, 허둥댐, 경솔 ㉶ 서두르다
(예) make *haste* 서두르다
㉩ ◦**hasty** [héisti] ㉸ 급히 서두르는, 성급한 **hástily** ㉻ 급히, 서둘러서 **hástiness** ㉹ 조급, 황급함; 경솔

in haste* 서둘러서(=in a hurry), 조급하게
(예) a book written *in haste* 서둘러 쓴 책

has·ten [héisn]* ㉺㉶ 서두르게 하다, 서두르다
(예) He *hastened to* answer the letter. 그는 서둘러 그 편지에 답을 썼다.

hat* [hæt] ㉹ (테 있는) 모자 (*cf.* cap)
㉩ **hátter** ㉹ 모자 제조인, 모자점

hatch [hætʃ] ㉹ (배의) 승강구; (알의) 부화(孵化) ㉶㉺ 부화하다; 고안하다(=contrive), 꾸미다(=plot)

hatch·et [hǽtʃit] ㉹ 자귀, 손도끼(=ax, axe), 도끼

hate [heit] ㉺ 미워하다(=dislike very strongly), 싫어하다 ㉹ 혐오, 증오
㉯ love 애정, 사랑하다 (*cf.* dislike)
(예) *hate* one's enemy 적을 미워하다 // I *hate* study*ing* 〔*to* study〕. 나는 공부하기를 싫어한다. // I *hate* troubl*ing* 〔*to* trouble〕 you. 너에게 폐를 끼치기 싫다.
㉩ **háteful** ㉸ 밉상스러운 ***hatred** [héitrid] ㉹ 증오(have a *hatred* for ～을 증오하다)

hath [hæθ, *h*əθ] 〖옛〗 have 의 3 인칭·단수·직설법·현재

haugh·ty [hɔ́ːti] ㉸ 거만한, 불손한(=arrogant)
㉩ **háughtily** ㉻ 거만하게

haul [hɔːl] 〈동음어 hall〉 ㉺㉶ (끈 따위를) 세게 끌어당기다 ㉹ 잡아당김, 한 그물에 잡힌 고기

haunt [hɔːnt] ㉺㉶ 자주 가다(=frequent); (유령 따위가) 자주 나타나다; (생각 따위가) 늘 따라다니다, 괴롭히다 ㉹ 자주 가〔나타나〕는 곳
(예) be *haunted* with an idea 어떤 생각에 사로잡혀 있다 // ◦He is *haunted* by death. 그는 항상 죽음을 생각하고 있다. // one's favorite *haunt* 좋아서 자주 드나드는 곳
㉩ **háunted** ㉸ 유령이 나오는 (a *haunted* house 유령이 나오는 집) **háunting** ㉸ 자주 마음속에 떠오르는, 잊혀지지 않는 ㉹ 자주 다니기; (유령 따위의) 출몰

have [hæv (강), həv, əv (약)] ㉺ 《***had***》 ① 가지고 있다 (=hold, possess), 갖다, 소유하다
(예) He *hasn't*(=has not) any money. 그는 조금도 돈을 가지고 있지 않다.
어법 ① *have*가 「갖다」「소유하다」의 뜻일 때의 의문문·부정문에서, 영국에서는 보통 조동사 *do*를 쓰지 않는다. 단, 미국에서는 일반 동사로 취급하여 do를 쓰는 것이 보통이다.

H

또한 이 뜻에서는 진행형을 쓰지 않는다. ② 구어에서 *have got*의 형식이 잘 쓰이나 have와 같은 뜻이다. ③ 단축형 I've, he's, I'd, haven't, hasn't, hadn't 따위에 주의.

② ~을 경험하다, (병을) 앓다, (모임을) 개최하다
(예) *have* a cold 감기에 걸리다 // *have* a meeting 모임을 개최하다

③ ~을 얻다(=get), ~을 받다; ~을 먹다, 마시다(=take); 목욕하다
(예) *have* a bath 목욕하다 // *have* a lesson 수업을 받다 // have a seat 자리에 앉다

④ ~을 …의 상태로 두다〔보존하다〕
(예) I can't *have* my son idle. 내 아들을 놀려 둘 수 없다.
어법 *have*+목적어+형용사〔현재 분사〕의 형식을 쓴다.

⑤ 《have+목적어+동사의 과거 분사》 ~시키다, ~하게 하다, 당하다
(예) *have* a new house built 집을 신축하다 // *have* one's hair cut 머리를 깎게 하다 // I *had* my money stolen. 나는 돈을 도난당했다.
어법 「have+목적어+과거 분사」의 형식에서 「~하게 하다, ~시키다」란 사역(使役)의 뜻일 때는 have에 강세가 오고, 「~당하다」「~을 해버리다, 마치다」란 수동이나 완료의 뜻일 때는 과거분사에 강세가 온다: I *hád* my house *pàinted* (나는 집에 페인트를 칠하게 했다) I *had* my house *páinted* (나는 집에 페인트를 칠했다) *have* one's purse *stólen* (지갑을 도난 당하다).

⑥ 《have+목적어+동사의 원형》 ~시키다, ~하게 하다, 당하다
(예) *Have* the maid sweep the room. 하녀에게 방을 청소시켜라.

⑦ 《have to+원형 부정사의 꼴로》 ~하지 않으면 안 되다
(예) I *have* to go. 이제 가지 않으면 안 된다.

— 조 ① 《현재 완료》 《have〔has〕+과거 분사의 꼴로》 ~하였다, ~해 버렸다
(예) I *have* just finished it. 나는 그것을 이제 막 끝냈다.

② 《과거 완료》 《had+과거 분사의 꼴로》
(예) When she awoke, the train *had* already started. 그녀가 눈을 떴을 때는 열차는 이미 떠나버렸었다.

③ 《미래 완료》 《will〔shall〕+have+과거 분사의 꼴로》
(예) The train will *have* arrived there by ten. 기차는 10시까지는 도착해 있을 것이다.

— 명 《보통 *pl.*》〖구어〗 부유한 나라, 유산자(有産者)

have a good* 〔*fine, high*〕 *time 즐겁게 지내다
(예) We *had a high time* at the party. 우리는 파티에서 즐겁게 지냈다.

have a hard* 〔*bad, difficult*〕 *time 어려운 일을 당하다, 괴로움에 부딪히다

(예) As it rained, we *had a hard time* (*of it*). 비가 와서 우리는 혼이 났다.

***have a mind to** do* ~하려고 하다, ~할 작정이다
(예) I *have a* good 〔great〕 *mind to* speak to him about it. 나는 그 일에 관해서 그와 무척 이야기하고 싶다.

have a share in ~을 분담하다, ~에 관여하다
(예) He *had a* large *share in* their success. 그는 그들의 성공에 크게 공헌했다.

have anything* 〔*something, nothing, much*〕 *to do with★ ~와 관계가 약간 있다 〔조금 있다, 없다, 크게 있다〕
(예) I *have* nothing *to do with* him. 그와는 아무 관계도 없다.

have been ~에 가 본 적이〔있었던 일이〕 있다 [~ to, in]
어법 ① 「~에 가〔있어〕 본 적이 있다」라고 경험을 나타낼 경우에 쓰인다: I *have been* in 〔to〕 Italy. (이탈리아에 있어 〔가〕 본 적이 있다) ② 「~에 가버렸다」, 「~에 가버려서 지금은 없다」라고 완료의 뜻을 나타낼 때는 have gone이 쓰인다: He *has gone* to Italy. 이탈리아에 가버렸다 (지금은 여기에 없다)

have done with ~을 끝마치다; ~와 관계를 끊다
(예) Let us *have done with* vain regrets. 쓸데없는 후회는 그만두자.

have got 〖구어〗 ~을 가지다(=have)
(예) *Have* you *got* a pen? (↔Do you have a pen?) 만년필이 있느냐?

***have got to** do* ~하지 않으면 안 되다(=have to *do*)

have on 입고〔쓰고, 신고〕 있다
(예) She *had on* a blue coat. 그 여자는 푸른 상의를 입고 있었다. // I *have* glasses *on*. 나는 안경을 쓰고 있다.

have** one**'s** 〔**own**〕 **way★ 자기 뜻〔마음〕대로 하다

***have only to** do* ~하기만 하면 되다
(예) You *have only to* touch one end of the wire. 철사의 한 쪽 끝을 건드리기만 하면 된다. (↔All you have to do is to touch ...)

***have to** do* ~하지 않으면 안 되다(=must, ought to)
(예) You *have to* go at once. 너는 곧 가지 않으면 안 된다.
어법 과거는 *had to*, 미래는 *will* 〔*shall*〕 *have to*로 된다. must를 참조. 부정·의문의 형은 have not to, Have you to ...? 및 don't have to, Do you have to...?의 두 가지가 있다. 전자는 일시적인 일에, 후자는 습관적인 일에 써서 구별하는 사람이 있으나 절대적인 것은 아니다.

ha·ven [héivən] 명 항구(=harbor), 피난처(=place of shelter)

hav·oc [hǽvək] 명 대파괴, 황폐(=ruin, destruction)
(예) play *havoc* with ~을 파괴하다, ~을 황폐하게 하다

Ha·wai·i [həwɑ́ːjiː / hɑːwáiiː] 명 하와이
파 **Hawáiian** 형 하와이의, 하와이 사람〔말〕의 명 하와이

H

사람〔말〕

hawk [hɔːk] [명] 매 [타][자] 매사냥을 하다; 소리치며 팔다
[파] **háwker** [명] 매를 부리는 사람; 행상인

◇**haw·thorn** [hɔ́ːθɔ̀ːrn] [명] 〖식물〗 산사나무

◇**hay** [hei] [명] 건초(乾草)
(예) Make *hay* while the sun shines. 〖속담〗 기회를 놓치지 마라.
[파] **háyfield** [명] 건초밭 **háyfork** [명] 건초용 쇠스랑 **háyloft** [명] 건초간《보통 헛간·마구간의 고미다락 따위》 ◇**háystack** [명] 건초 가리

◇**haz·ard** [hǽzərd] [명] 위험(=danger), 모험(=risk); 우연, 운(=chance) [타] 위험을 무릅쓰고 하다, 운에 맡기고 하다
[반] secúre 안전하게 하다
(예) at all *hazards* 모든 위험을 무릅쓰고, 꼭 // run the *hazard* 모험을 하다
[파] **hazardous** [hǽzərdəs] [형] 모험적인, 위험한

haze [heiz] [명] 아지랑이, 엷은 안개; 몽롱함, 흐리멍덩함 [자][타] 아지랑이가 끼다, 흐릿하게 되다〔하다〕

ha·zel [héizəl] [명] 개암나무; 담갈색, 밤색 [형] (특히 눈빛이) 담갈색의

H-bomb [éitʃbàm / -bɔ̀m] [명] 수소 폭탄(=hydrogen bomb)

> ▶ **143.** 「아지랑이·안개」의 유사어
> **mist**는 미세한 수증기로 이루어진 엷은 안개, **fog**는 mist의 짙은 것, **haze**는 연기·먼지 따위가 엷게 퍼진 안개나 연무, **smog**는 공장 지대나 대도시에 생기는 연기와 안개가 섞인 것.

☆**he** [hiː, hi, i] [대] 그는〔가〕
[어법] 목적격 him, 소유격 his, 소유 대명사 his, 재귀 대명사 himself.

☆**head** [hed] [명] 머리; 두뇌, 지력; 수령, <u>우두머리</u>(=chief); 수석; 정상, 꼭대기; 한 사람, 마리수 [자][타] 앞장서다(=act as leader), 이끌다, 인솔하다; <u>(~에 향하여) 나아가다</u> [~ for]
[반] tail 꼬리, foot 발
(예) have a clear 〔dull〕 *head* 머리가 좋다 〔나쁘다〕 // be at the *head* of the class 학급의 수석이다 // from *head* to foot 머리 끝부터 발끝까지 // have a cold in the *head* 코감기에 걸리다 // *head* a parade 행진의 선두에 서다 / ◇The ship was *headed for* England. 그 배는 영국으로 가고 있었다.
[어법] 가축의 마리수를 나타낼 때는 단수·복수 같음: five *head* of sheep (다섯 마리의 양)
[파] **héading** [명] 표제; 목 자르기 **héady** [형] 고집 센, 무모한 ⁎**headache**★ [hédèik] [명] 두통 ◇**héadless** [형] 머리〔지도자〕가 없는; 어리석은 **héadlight** [명] 헤드라이트 ◇**héadline** [명] 제목, (신문 기사 따위의) 표제 ◇**héadlong** [형][부] 거꾸로

> ▶ **144.** 접미어 **long**
> 「양식·모양(manner)」을 나타낸다. (예) head*long*

(의); 무모한〔하게〕 **héadman** 명 《*pl.* -men》 수령, 우두머리 **héadmáster** 명 교장 **head office** 본점, 본사 **héadstrong** 형 완고한 ◇**héadquarters** 명 《*pl.*》 본부, 사령부 ◇**héadwaiter** 명 급사장(長)

heal [hi:l] 〈동음어 heel〉 타 자 (상처나 병을) 낫게 하다, 고치다; 화해시키다 (*cf.* cure)
반 wound 상처를 입히다
(예) *heal* a person *of* his wound 아무의 상처를 고치다
파 **héaling** 형 낫게 하는 명 치료

health [helθ] 명 건강(상태)
(예) public health 공중 위생 // ◇be in good 〔bad, poor〕 *health* 건강하다 〔건강하지 않다〕 // Exercise is good for the *health.* 운동은 건강에 좋다. // the value of good *health* 건강의 값어치〔고마움〕
파 **héalthful** 형 건강에 좋은; 건강한(=healthy)

health·y [hélθi] 형 건강한
(예) *a healthy* climate 건강에 좋은 기후

heap [hi:p] 명 더미, 퇴적; 〖속어〗 무리, 다수, 다량 타 쌓아 올리다(=pile up)
(예) a *heap* of sand 모래 무더기 // *heaps* of times 몇 번이고, 자주 // *heap up* stones 돌을 쌓다

hear [hiər]* 〈동음어 here〉 타 자 《***heard*** [hə:rd]》 듣다, 소식을 듣다 [~ from, of], 들어 알다(=learn)
(예) *hear* footsteps 발소리를 듣다 // *hear* a bird *sing* 〔sing*ing*〕 새가 지저귀는 소리를 듣다 // I could not make myself *heard*. 내 생각을 알아듣게 말할 수 없었다. // ◇I've never *heard of* the girl since. 나는 그 후 그 소녀의 소식을 듣지 못했다. // I *hear* (*that*) he has gone abroad. 그가 해외에 간 것으로 알고 있다.
어법 ① 「귀에 들려오다」가 본 뜻. *listen to* 는 「귀를 기울이다」의 뜻. ② 위에 적은 둘째 번의 보기와 같이 능동태에서는 「hear+목적어+원형 부정사」의 형식을 취하나, 수동태에서는 to부정사를 쓴다: A bird was heard *to* sing. (*cf.* see, feel)
파 **héarer** 명 듣는 사람 **héaring** 명 청각, 청취 (a *hearing* aid 보청기) **héarsay** 명 소문

hear about ~에 관해서 자세히 듣다
hear from ~에게서 소식을 듣다 〔편지를 받다〕
(예) I haven't *heard from* him for a long time. 그에게서 오랫 동안 소식을 못 들었다.
NB hear of 와의 구별을 분명히 해둘 것.
hear of ~의 소식을 듣다, ~에 관하여 듣다
(예) I *hear* nothing *of* him lately. 요즘 그의 소식을 듣지 못했다. // I have *heard of* him, but I have never seen him. 나는 그의 소문은 들었지만 그를 만나 보지는 못했다.
in one's hearing ~을 듣고 있는 데서 〔들으라는 듯이〕
(예) He said so *in my hearing.* 그는 내가 듣는 데서 그렇게 말했다.

hear·ken [há:rkən] [자] 〔아어〕 귀를 기울이다, 경청하다 (=listen)

***heart** [hɑ:rt]* [명] 심장; 마음(=mind), 애정, 본심, 진심, 중심(=center); 원기(=spirit)
(예) lose one's *heart* 용기를 잃다 // the *heart* of the matter 사건의 핵심 // the great of heart 마음이 넓은 사람들
[파] **héarten** [타][자] 격려하다; 힘이 솟다 ◇**héartless** [형] 무자한 **héartache** [명] 마음 아픔, 상심 ◇**héartbreak** [명] 애끊는 마음 ◇**héartbreaking** [형] 애끊는(마음을 자아내는); 진력나는 ◇**héarty** [형] 진심에서 우러나오는, 충심으로부터의 ◇**héartily** [부] 충심으로 ◇**héartbroken** [형] 비탄에 잠긴 **heart disease** 심장병 **heart failure** 심장 마비 **héartfelt** [형] 진심에서 우러나온 **héartland** [명] (세계의) 핵심〔심장〕지역《군사적으로 견고하고 경제적으로 자립하고 있는 지역》 **héartstrings** [명] 《*pl.*》 심금(心琴), 깊은 애정〔정감〕 ◇**héartwarming** [형] 친절한, 기쁜

break** *a person's* ***heart 아무를 비탄에 빠뜨리다, 낙담시키다
(예) *His heart* was *broken* by disappointed love. 그는 실연으로 낙심하고 있었다.

◇***learn*** 〔***know***〕 ~ ***by heart*** 암기하다〔하고 있다〕
(예) I must learn this poem *by heart.* 나는 이 시를 외워야 한다.

take ~ to heart ~을 마음에 새기다, 명심하다; ~을 몹시 슬퍼하다, 괴로워하다
(예) *Take* this lesson *to heart.* 이 교훈을 명심해라. // I *take* his breach of faith *to heart.* 나는 그의 배신을 마음 아파한다.

◇***with all*** *one's* ***heart*** 진심으로
(예) I welcome your idea *with all* my *heart.* 나는 진심으로 네 생각을 환영한다.

***hearth** [hɑ:rθ] [명] 난로, 난롯가(=fireside)

*◇**heat** [hi:t] [명] 열, 더위(=hotness); 격렬 [타][자] 뜨겁게 하다
[반] cold 냉기 (*cf.* fever)
(예) the *heat* of an attack 공격의 격렬함 // *heat* (*up*) the soup 수프를 데우다
[파] ◇**héater** [명] 난방 장치, 히터

heath [hi:θ] [명] 〔식물〕 히스; (히스가 우거진) 황야

◇**hea·then** [hí:ðən] [형] 이교(도)의 [명] 《*pl.*》 이교도, 이방인

heave [hi:v] [타][자] 《***heaved, hove***》 (무거운 것을) 들어 올리다(=raise, lift); (한숨을) 쉬다; 높아지다 [명] 들어올림; 융기(隆起)
(예) He *heaved* a deep sigh of relief. 그는 후유하고 안도의 숨을 내쉬었다.

*◇**heav·en** [hévən] [명] 《종종 *pl.*》 하늘, 공중(=sky); 천국, 극락; [H-] 하느님(=God) [반] earth 땅, hell 지옥
(예) Good *Heavens !* 어머나!, 야단났다! // *Heaven* knows what has become of him. 그가 어찌 되었는지는 아

무도 모른다.
㉺ ◇**héavenly** ⓗ 하늘의; 거룩한, 하늘에서 온 (a *heavenly* body 천체)
heav·y [hévi] ⓗ 무거운; 답답한, 침울한; 심한, 격렬한
㉻ light 가벼운
(예) a *heavy* smoker 골초, 용고뚜리 // a *heavy* rain 큰비 // *a heavy* responsibility 중책
㉺ ◇**héavily** ⓟ 무겁게, 육중하게 **héaviness** ⓜ 무거움; 비애 **héavyweight** ⓜ 체중이 평균 이상인 사람; 헤비급 선수
He·brew [hí:bru:] ⓜ 히브리 사람〔말〕, 유태인 ⓗ 히브리 사람〔말〕의
hec·tare [héktɛər / -tɑ:] ⓜ 헥타르《면적 단위; 100아르》
hec·tic [héktik] ⓗ 홍조를 띤; 열이 있는; 흥분한 ⓜ 홍조; 소모열 (환자)
hedge [hedʒ] ⓜ 산울타리 ⓣ 울타리로 둘러싸다
heed [hi:d] ⓣⓙ 주의하다, 유의하다(=mind) ⓜ 주의, 유의
(예) ◇give 〔pay〕 *heed* to ~에 주의하다
㉺ **héedful** ⓗ 조심하는 **héedless** ⓗ 조심성 없는
take heed of 〔***to***〕 ~에 주의하다
(예) *Take heed of* such men! 그런 사람들에 대해서는 주의하라!
heel [hi:l] 〈동음어 heal〉 ⓜ 뒤꿈치 ⓣⓙ (구두 따위에) 뒤축을 대다; 바로 뒤를 따라가다
(예) One calamity follows on the *heels* of another. 엎친 데 덮치기, 설상가상.
take to** one's **heels 부리나케 달아나다, 줄행랑치다(=run away)
height* [hait]* ⓜ 높이, 고도, 키; 절정; 《*pl.*》 고지, 높은 지대
(예) I am five feet in *height.* 나의 신장은 5피트이다. (↔ I am five feet tall.)
㉺ **héighten** ⓣⓙ 높이다, 높게 하다, 늘이다
at the height of ~의 절정에서; ~가 최고조로, 한창 ~할 때에
(예) Admiral Yi was struck by a bullet *at the height of* the battle. 싸움이 절정에 이르렀을 때 이 순신 장군은 총탄에 맞았다.
heir [ɛər]* 〈동음어 air〉 ⓜ 상속인, 후계자, 계승자 (*cf.* heiress 여자 상속인)
㉺ **heiress** [ɛ́əris] ⓜ 여자 상속인 **héirless** ⓗ 상속인이 없는
hel·i·cop·ter [hélikɑ̀ptər / -kɔ̀ptə] ⓜ 헬리콥터
he·li·um [hí:liəm] ⓜ 〖화학〗 헬륨《기호 He》
hell [hel] ⓜ 지옥, 저승
㉻ héaven 극락
㉺ **hellish** [héliʃ] ⓗ 지옥 같은; 가증할
To hell with ~! ~을 타도하라, 집어 치워라
hel·lo [helóu, hə-] ⓖ 여보세요《전화에서나 부름말에서》 ⓣ

H

(여보세요 하고) 부르다
(예) Say *hello* to your mother. 〖미〗 어머님께 안부 부탁하네.

helm [helm] 명 (배의) 키, 조타기(操舵機) 타 《주로 비유적으로》 키를 잡다(=steer), 지도하다
(예) take the *helm* of state affairs 정권을 잡다
파 **hélmsman** 명 《*pl.* -men》 키잡이, 조타수

hel·met [hélmit] 명 투구, 헬멧

☆**help** [help] 타 자 돕다(=aid, assist), 거들어주다; 피하다 명 도움, 조력; 구제책
(예) A policeman *helped* the blind man across the street. 순경은 장님을 도와서 길을 건너게 했다. // He *helped* the lady upstairs. 그는 부인을 부축하여 이층으로 올라갔다. // *Help* me on with my overcoat. 오버 입는 것을 도와다오.
어법 ① 둘째번, 셋째번 용례와 같이 「도와 ~시키다」의 뜻으로 쓰일 때는 특히 부사에 주의할 것. ② *Help* me (to) find it. (그것을 찾는 것을 도와 주시오)와 같은 어법에서 to를 붙여 쓰지 않는 것이 미국식, 수동태에서는 to를 붙인다. ③ cannot *help* *do*ing (~하지 않을 수 없다). I can't *help* it. ((어찌) 할 수 없다)인 때의 *help*는 「금하다」「피하다」의 뜻. 이 뜻에서는 항상 can과 함께 쓰임.
파 ◇**hélper** 명 조력자, 조수 ◇**hélpful** 형 도움이 되는 *◇**hélpless** 형 어찌할 수 없는; 난감한 ◇**hélplessly** 부 어찌할 도리 없이 **hélplessness** 명 무력함 **hélpmate, hélpmeet** 명 협력자, 동료, 배우자

◇***help oneself to*** ~을 마음대로 들다〔먹다, 마시다〕; ~을 착복하다, 횡령하다
(예) Please *help* your*self to* the tea. 차를 마음대로 드십시오.

help ~ with*★* ~(일)을 거들다; ~에 …을 보급하다
(예) My father used to *help* me *with* my homework. 아버지는 늘 나의 숙제를 거들어 주셨다.

hem [hem] 명 (천·옷의) 가두리, 옷단, 가장자리 타 ~의 가장자리를 감치다, 둘러싸다 [~ in, around, about]

◇**hem·i·sphere** [hémәsfiәr] 명 (지구·천체의) 반구(半球)
(예) the Eastern *Hemisphere* 동반구 // the Western *Hemisphere* 서반구

▶ **145. 접두어 hemi**
「반(half)」을 뜻한다.
(예) *hemi*sphere

◇**hem·lock** [hémlɑk / -lɔk] 명 북미산 솔송나무; 독당근(에서 채취한 독약)《강한 진정제》

hen [hen] 명 암탉, 《일반적으로》 새의 암컷, 닭
반 cock, róoster 수탉

*◇**hence** [hens] 부 지금부터(=from now), ~ 후에; 그러므로(=therefore); 여기서부터(=from here)
반 thence 거기서부터
어법 「그러므로」의 뜻에서는 때때로 다음에 올 동사가 생략된다: *Hence* his anger. (그래서 그는 노했다) 〖문어〗

파 **hénceförth** 부 이제부터, 앞으로 **hénceförward** 부 이제부터

her·ald [hérəld] 명 전령관(傳令官), 전달자(=messenger); 선구(자) 타 미리 알리다, 전달하다
(예) a *herald* of spring 봄의 전조(前兆)

herb [həːrb / həːb] 명 풀, 약용〔식용·향료〕 식물
파 ◦**hérbal** 형 풀의

herd [həːrd] 명 (소·말 따위의) 떼; 군중, 대중 자 타 떼를 짓다 [~ together]; 모이다, 모으다
파 **hérdsman** 명 《*pl.* -men》 목자(牧者)

here [hiər] 〈동음어 hear〉 부 여기에, 여기서, 여기로; 이 세상에서 명 여기, 이 점(點)
반 there 저기에, 저리로
(예) near *here* 이 근처에 // Look *here!* 야!, 이것봐! 《주의를 환기시킬 때》 // *Here* we are at the hotel. 자, 호텔에 닿았다. // *Here* you are. 여기 있습니다《찾는 물건·희망하는 물건을 내놓을 때 하는 말》.
파 **hereabouts** [híərəbàuts] 부 이 근처에 **hereafter** [hìərǽftər / -áːftə] 부 이제부터; 내세에서 **herebý** 부 이에 의하여 **herein** [hìərín] 부 이 속에; 여기에 **here(up)ón** 부 여기에 있어서

here and there 여기저기에

he·red·i·ty [hirédəti] 명 유전 (형질)
파 **heréditary** 형 유전의, 세습의

her·e·sy [hérəsi] 명 이교(異敎), 이단(異端)
파 ◦**héretic** 명 이단자, 이교도 형 이교의(=heretical)

her·i·tage [hérətidʒ] 명 유산, 상속 재산, 부모에게서 물려받은 것(=inheritance)

her·mit [hə́ːrmit] 명 은둔자(隱遁者), 속세를 버린 사람
파 **hermitage** [hə́ːrmətidʒ] 명 은둔자의 암자, 외딴 집

he·ro [híərou, híːrou] 명 《*pl.* **-roes**》 영웅, 용사, (연극·소설 따위의) 주인공
(예) make a *hero* of a person 아무를 영웅으로 만들다

> ▶ **146.** 접미어 **ine**
> 「여성」의 뜻을 나타낸다.
> (예) hero*ine*

파 ◦**heroic** [hiróuik] 형 용감한 ***heroine** [hérouin]* 명 여걸, 여주인공, 열녀 ◦**héroism** 명 영웅적 행위〔정신〕 **hero worship** 영웅 숭배

her·on [hérən] 명 왜가리, 《일반적으로》 해오라기 무리

her·ring [hériŋ] 명 〘물고기〙 청어

hes·i·tate [hézətèit]* 자 주저하다, 망설이다 [~ about, at, in]; 꺼리다; 말을 더듬다
반 detérmine 결단하다
(예) *hesitate about* going 갈까 말까 망설이다 // *hesitate to* ask 묻기를 주저하다
파 **hésitatingly** 부 주저하여 **hesitátion, hésitancy** 명 주저 **hésitative, hésitant** 형 주저하는 ◦**hésitantly** 부 주저하면서

H

*__hew__ [hjuː] 〈동음어 hue〉 [타] [자] 《***hewed; hewn, hewed***》 (도끼 따위로) 찍다, 베다(=cut), 개척하다
[파] **hewer** [hjúːər] [명] 찍어 넘어 뜨리는 사람, 석탄을 캐는 사람

hey [hei] [감] 이봐!, 야아!, 어이! 《호칭·기쁨·놀람 따위를 나타냄》

hic·cup, hic·cough [híkʌp] [명] 딸꾹질 [자] [타] 딸꾹질하다 딸꾹질하면서 말하다

*__hide__ [haid] [타] [자] 《***hid; hidden, hid***》 숨기다, 감추다(=conceal), 숨다; (가죽을) 벗기다 [명] (짐승의) 가죽, 피혁 (인간의) 피부
[반] seek 찾다, revéal 나타내다
(예) *hide* a thing from view 물건을 보이지 않도록 감추다 // He *hid* him*self* under the table. 그는 테이블 밑에 숨었다.
[파] **hide-and-seek** [háidənsíːk] [명] 숨바꼭질

hid·e·ous [hídiəs] [형] 무서운(=horrible), 소름끼치는; 몹시 싫은(=detestable), 기분 나쁜(=very unpleasant)
[반] grácious 우아한
(예) It is *hideous* to look at. 보기에 소름끼친다.
[파] **hídeousness** [명] 무서움

hi·er·ar·chy [háiərɑ̀ːrki] [명] 교권 계급 제도; 《일반적으로》 계급〔직계〕 제도; 체계적 조직; 지배 단체

hi-fi [háifài, hàifái] [명] 하이파이(=high fidelity); 하이파이 장치《레코드 플레이어·스테레오 따위》 [형] 하이파이의

*__high__★ [hai] [형] 높은; 고급의(=superior); 고도의, 강렬한 [부] 높게; 과하게, 강하게, 현저하게; 사치스럽게 [명] 높은 곳, 하늘 위
[반] low 낮은
(예) *higher* education 고등 교육 // *high* and low 상하 귀천의 // on *high* 하늘에 // It is *high* time to go. 갈 시간이다. // How *high* is the tower? 그 탑의 높이는 얼마냐?

> ▶ **147.** 「높은」의 유사어
> **high**는 보통 사물에, **tall**은 사람 및 가늘고 긴 것에 관해서 쓰인다. **lofty**는 장엄한 느낌을 갖는 「높은」의 뜻이며, 「키가 큰」에는 high나 tall도 쓰인다.

[어법] 물리적인 뜻에서는 *high*, 비유적인 뜻에서는 *highly*를 쓴다: *high* up in the air (하늘 높이), *highly* educated man (고등 교육을 받은 사람)

[파] *__híghly__ [부] 높게, 몹시 **híghness** [명] 높은 자리, 높음 **híghbréd** [형] 상류 가정에서 자라난; 순종의 **hígh-hánded** [형] 고압적인, 횡포한 *__híghland__ [명] 고지; [the Highlands] (영국 스코틀랜드의) 고원 지방 **híghlight** [타] 〖미〗 눈에 띄게 하다 [명] 가장 흥미 있는 부분, 가장 중요한 부분 ([NB] high light 라고 띄어 쓰기도 함) **high living** 호화로운 생활 **hígh-pítched** [형] 음조가 높은; 몹시 긴장된 **hígh-ríse** [형] 고층의 [명] 고층 건물 *__high school__ 고등학교 **hígh-spírited** [형] 의기양양한 **hígh-téch** [명] [형] 하이테

크(의); 고도 기술(의) ***híghway** ⓜ 공로(公路), 대로, **híghwayman** ⓜ 《*pl.* -men》 노상 강도 (⇨) **height**

hike [haik] ⓐ ⓣ 도보 여행을 하다; 끌어 올리다 ⓜ 도보 여행; (급료 따위의) 인상(=increase)

(예) go *hiking* in the wood(s) 숲으로 하이킹을 가다 (NB to the wood(s)는 틀림) // go on 〔for, to〕 a *hike* 하이킹을 가다 (NB 〔미〕에서는 go hiking).

파 **híker** ⓜ 도보 여행자 **híking** ⓜ 도보 여행, 하이킹

hi·lar·i·ous [hilɛ́əriəs] ⓗ 들뜬, 명랑한, 들떠서 떠드는

파 **hiláriously** ⓑ 유쾌하게, 법석대며

hill [hil] ⓜ 작은 산, 언덕; 흙무더기(=mound)

반 dale 작은 골짜기

파 **híllman** ⓜ 고원 거주인 **hílly** ⓗ 작은 산〔언덕〕이 많은 **híllock** ⓜ 작은 언덕(=small hill) **◦híllside** ⓜ 산허리 **hílltop** ⓜ 언덕 꼭대기

hind [haind] ⓗ 뒤쪽의, 후방의(=rear) ⓜ 암사슴(=female deer)

반 fore 앞의

파 **híndmost, híndermost** ⓗ 맨 뒤의 (⇨) **hinder**

hin·der⋆ ⓣ ⓐ [híndər] 방해하다(=prevent), 저지하다, 방해가 되다 ⓗ [háindər] 뒤의, 후방의

hinder ~ from doing ~가 …하는 것을 방해하다

(예) A man can never be *hindered from thinking* whatever he chooses. 사람은 자기 나름대로 생각하는 바를 결코 방해 받을 수 없다.

파 **hindrance**⋆ [híndrəns] ⓜ 방해

Hin·du, Hin·doo [híndu:, hindú:] ⓜ 힌두 사람, 힌두교 신봉자 ⓗ 힌두 사람〔교〕의

파 **Hindustáni** ⓜ 힌두스탄 말 **Hínduism, -dooism** ⓜ 힌두교

hinge [hindʒ] ⓜ 돌쩌귀, 경첩; 요점, 중심〔점〕 ⓐ ⓣ (문 따위가) 돌쩌귀로〔경첩으로〕 움직이다, 경첩을 달다; ~ 여하에 달려 있다 [~ on, upon]

(예) Everything *hinges on* what he says. 모든 것은 그가 말하는 것에 달려 있다.

hint [hint] ⓜ 암시, 힌트 ⓣ ⓐ 암시하다, 넌지시 알리다

(예) He *hinted at* his resignation. ↔ He *hinted that* he might resign. 그는 사직할 뜻을 넌지시 알렸다.

hin·ter·land [híntərlæ̀nd] ⓜ (강가·해안 지대의) 배후 지역; 오지(奧地), 시골

hip [hip] ⓜ 엉덩이, 둔부(臀部)

hip·pie [hípi] ⓜ 히피족

hip·po·pot·a·mus [hìpəpátəməs / -pɔ́t-] ⓜ 《*pl.* ***-muses, -mi*** [-mài]》 하마(河馬)

hire [háiər] 〈동음어 higher〉 ⓜ 임대〔차〕료, 고용 ⓣ 고용하다, 임대〔차〕하다

(예) This car is for *hire.* 이 자동차는 임대합니다. // He *hired out* his car for $5 a day. 그는 하루 5달러로 차를

빌려 주었다.

파 **híreling** 명 고용된 사람

◇**hiss** [his] 자타 쉬이 소리를 내다 명 쉬이 하는 소리,
짖음

* **his·to·ry*** [hístəri] 명 역사, 변천, 연혁(沿革), 경력,
래; 역사학; 사극(史劇)

(예) *History* repeats itself. 역사는 반복한다.

파 *◇**histórian*** 명 역사가 *◇**histórric** 형 역사상의, 역사
인, 역사상 유명한 (*historic* scenes 사적(史蹟)) *◇**histórical** 형 역사의, 역사적인 **histórically** 부 역사상, 역사적으로

*◇**hit** [hit] 타자 《*hit*》 때리다, 치다(=strike), 명중하다, 부딪치다 명 타격(=blow), 충돌; 대성공

반 miss 빗맞히다

(예) *hit* him on the head 그의 머리를 때리다 // I *hit* him a blow. 그에게 일격을 가했다. // The typhoon *hit* Pusan. 태풍은 부산을 휩쓸었다. // A dashing car *hit against* pole. 질주하는 자동차가 기둥에 부딪쳤다

파 **a hit-and-run driver** 뺑소니차 운전사

▶ **148. 접미어 an**

① 「사람」을 의미한다.
(예) histori*an*, Mohammed*an*(모하멧교도)

② 「~에 속하다」「~의 성질을 갖다」라는 형용사를 만든다.
(예) Republic*an*(공화 정체의)

③ 「~에 살다」의 뜻을 나타내는 형용사를 만든다.
(예) Americ*an*

▶ **149. 「치다」의 유사어**

hit는 겨누어 일격(一擊)하다. **strike**는 갑자기, 또는 재빠르게 강타하다, **beat**는 재빠르게 계속해서 치다, **knock**는 주먹이나 단단한 것으로 친다는 뜻이다.

◇***hit on* 〔*upon*〕** ~을 생각해 내다, ~와 우연히 마주치다
(예) I have *hit upon* a new way of doing it. 나는 그것을 하는 새 방법이 문득 생각났다. // Yesterday I *hit upon* a beauty. 어제 한 미인을 우연히 만났다.

hitch [hitʃ] 타자 (갑자기) 홱 당기다〔움직이다〕; 걸리다

파 ◇**hítchhike** 명자 히치하이크(하다)

◇**hith·er** [híðər] 부 〖옛말〗 여기에 형 이쪽 편의

반 thíther 거기에

(예) ◇*hither* and thither 여기저기에

파 ***hitherto** [híðərtùː] 부 지금까지

◇**hive** [haiv] 명 꿀벌의 집〔통〕 (=beehive); (군중들이) 글와글 하는 장소 타자 꿀벌을 벌집에 넣다, 꿀을 벌집에 저장하다; 군거(群居)하다

hoard [hɔːrd] 타자 저장하다(=store); (가슴에) 간직하다 명 저장, 축적

hoarse [hɔːrs] 〈동음어 horse〉 형 (음성이) 쉰(=rough) 귀에 거슬리는

(예) He is *hoarse* from the bad cold. 그는 심한 감기로 목이 쉬었다.

* **hob·by** [hábi / hɔ́bi] 명 취미, 도락, 장기(長技); 기호(嗜

어법 자기가 하는 취미는 *hobby.* 이를테면 기타를 치는 것은 hobby 이지만 레코드를 듣는 것은 *pastime* 이다.

파 **hóbbyhorse** 명 (회전)목마(木馬)

hock·ey [hάki / hɔ́ki] 명 〔운동〕 하키

hoe [hou] 명 괭이 타자 괭이로 일구다

hog [hɑg, hɔːg / hɔg] 명 돼지(=pig); 돼지 같은〔천한〕 놈, 더러운 놈

hoist [hɔist] 타 (기·돛 따위를) 올리다, 들어 올리다(=lift up) 명 게양; 끌어 올리는 기계, 기중기(=crane)

(예) Flags are being *hoisted* over the buildings. 건물 옥상에 기가 게양되어 있다.

hold [hould] 타자 《***held***》 손에 들다(=keep in the hand), 쥐다; 지니다, 갖고 있다; (모임 따위를) 개최하다, 열다; 잡다(=grasp); (마음에) 품다, 생각하다; 억제하다(=control); 지속하다(=continue) 명 움켜 쥠, (인심 따위의) 장악; (휘어)잡을 곳, 발디딜 곳, 버팀; 감금

반 drop 떨어지다, loose 풀어 놓다

(예) *hold* an opinion 의견을 갖다 // *hold* an office 직(職)을 맡다, 재직하다 // *hold* a meeting 회의를 개최하다 // ◇We *hold* these truths *to be* self-evident.↔We *hold that* these truths are self-evident. 우리는 이 사실들을 자명(自明)한 것으로 생각한다.

파 ◇**hólder** 명 (토지·권리 따위의) 소유자; 칼자루 **hólding** 명 꼭 잡음, 보유물; (배구 따위의) 홀딩 **hóldback** 명 방해, 억제, 견제물

hold back 저지〔억제〕하다; 주저하다(=hesitate); 중지하다; (진상 따위를) 감추다

(예) He *held back.* 그는 주저하였다.

hold down (억)누르다, 압박하다; (지위를) 보존하다, 유지하다; (머리를) 숙이다

(예) *hold down* one's excitement 흥분을 억누르다 // John is *holding down* a hard job. 존은 어려운 직을 유지하고 있다.

hold good 유효하다, 적용되다; (~도 또한) 진리로 통하다(=hold true)

(예) The ticket *holds good* for three days. 그 표는 3일간 유효하다.

hold on 꽉 쥐다, 붙잡고 있다(=seize); 지속하다(=continue); 시댕〔유지〕하다

(예) He *held on* until there was no chance of winning. 그는 이길 가망이 없을 때까지 버텼다.

hold *one's* ***breath*** 숨을 죽이다

(예) We *held* our *breath* in excitement. 우리는 흥분한 나머지 숨을 죽였다.

hold *one's* ***peace*** 〔***tongue***〕 침묵을 지키다(=keep silent)

hold on to 〔***onto***〕 ~을 붙잡고 있다, ~에 의지하다

(예) *Hold on to* the handle when you ride a bicycle. 자

H

전거를 탈 때에는 핸들을 꽉 붙들어라.
hold out 지탱하다, 유지하다(=last); 제출하다
(예) How long can the enemy *hold out?* 적은 얼마 동안이나 지탱할 수 있을까? // They *held out* against hunger for a week. 그들은 일주일 동안 굶주림을 견디었다.
hold to ~을 고수하다, 고집하다(=stick to)
(예) *hold to* one's resolution 결심을 고집〔고수〕하다
hold up* 올리다(=raise); 강도질하다
(예) He *held up* his hand. 그들은 손을 들었다. // *hold up* a train 열차를 습격하다
◇***catch*** 〔***take, keep, seize, get***〕 ***hold of*** ~을 잡다, 붙들다; 파악하다; 손에 넣다
(예) He *caught* a good *hold of* the oar. 그는 노를 꽉 잡았다. // I *seized hold of* him by the wrist. 나는 그의 손목을 잡았다.

*◇**hole*** [houl]* 〈동음어 whole〉 명 구멍, (짐승의) 굴; 고난, 곤란(=difficulty), 곤경 자 타 구멍을 파다(=dig)
(예) like a rat in a *hole* 독안에 든 쥐처럼 // I'm *in a hole* 나는 곤경에 빠져 있다.

☆**hol·i·day*** [hάlədèi / hɔ́l-] 명 휴일, 명절, 축제일(=feast day); 《*pl.*》 휴가(=vacation) 형 즐거운, 나들이의; 휴일〔휴가〕의
원 holi(=holy 신성한)+day
(예) *holiday* clothes 나들이옷(=Sunday clothes) // take a (week's) *holiday*(일주일의) 휴가를 얻다
어법 「여름 방학」을 영국에서는 the summer holidays 라고 말하나, 미국에서는 흔히 the summer *vacation* 이라고 한다.
파 **hólidaymaker** 명 〖영〗 행락객, 휴일의 소풍객

Hol·land [hάlənd / hɔ́l-] 명 네덜란드
NB the Netherlands 라고도 한다. 형용사는 Dutch.

H

◇**hol·low** [hάlou / hɔ́l-] 명 우묵한 곳, 구덩이, 작은 골짜기 형 속이 빈; 움푹 들어간 타 움푹 들어가게 하다
(예) a *hollow* tree 속이 빈 나무 // *hollow* eyes 움푹 들어간 눈

hol·ly [hάli / hɔ́li] 명 〖식물〗 호랑가시나무(가지)

◇**ho·lo·gram** [hóuləgræ̀m, hά:-] 명 홀로그램《레이저 사진술에 의해 기록된 입체 사진》.

◇**ho·ly** [hóuli] 형 신성한(=sacred), 거룩한
(예) live a *holy* life 신성한〔신앙〕 생활을 보내다
파 **holiness** [hóulinis] 명 신성, 맑고 깨끗함

hom·age [hάmidʒ / hɔ́m-] 명 (옛날에) 신하가 되겠다고 맹세하는 의식, 신종지례(臣從之禮); 존경, 경의(=respect)
(예) *pay homage to* ~에 경의를 표하다

▶ **150. 접미어 age**
「집합·지위·상태·동작·요금」 따위를 나타내는 명사를 만든다.
(예) bagg*age*, bond*age*, hom*age*, pass*age*, post*age* 따위

☆**home** [houm] 명 가정; 본국, 고향(=native land); 〖야구

본루 ⓗ 가정의, 본국의 ⓑ 집으로, 본국으로; 통절히; 충분히
반 abróad 밖에, 해외로
(예) be away from *home* 출타중이다 // *home* life 가정 생활 // *home* markets 국내 시장 // one's *home* city 〔town〕 고향의 도시 // see a person *home* 아무개를 집까지 바래다주다 // drive a nail *home* 못을 (길이대로 다) 박아 넣다
파 ◦**hómely** ⓗ 수수한; 가정적인; 평범한; 흔한(=familiar) ◦**hómeland** ⓜ 고국, 모국(=native land) ◦**hómeless** ⓗ 집 없는 **hómelike** ⓗ 제집 같은, 마음 편한(=comfortable) **hómer** ⓜ 〖야구〗 홈런; 전서구(傳書鳩) **hómemáde** ⓗ 집에서 만든 **hómemaker** ⓜ 〖미〗 주부(=housewife) **hómemaking** ⓜⓗ 가사(의), 가정(家庭)(의) ◦**hómeroom** ⓜ 〖교육〗 홈룸 《생활 지도 교실〔시간〕》 ◦**hómesick** ⓗ 회향병(懷鄕病)의 **hómesickness** ⓜ 향수(鄕愁)(=nostalgia) ◦**hómetown** ⓜ 고향의 도시, 출생지; 살아서 정든 도시 **hómeward** ⓗ 귀로의 ⓑ=homewards **hómewards** ⓑ 집을 향하여, 본국을 향하여 **hómework** ⓜ 숙제 (=home task, assignment)

at home ★ 집에서, 국내에서; 마음 편하게, 편히; 정통하여
(예) both *at home* and abroad 국내외에서 // ◦feel *at home* 마음이 편하다 // Make yourself *at home.* 편히 하오. // He is *at home* in the subject. 그는 이 문제에 정통하다.
NB ① 이 구의 반대의 뜻은 abroad「밖에서」「외국에서」. ② *at-home*은 명사로서「가정적인 초대회」의 뜻.

go home 귀가하다, 귀국하다

hom·i·cide [hámәsàid / hɔ́-] ⓜ 살인(범); 살인행위

hom·o·nym [hámәnìm / hɔ́m-] ⓜ 동음 이의어

hon·est [ánist / ɔ́n-] ⓗ 정직한, 성실한(=sincere), 정당한
반 dishónest 정직하지 않은, 부정한
(예) *honest* milk 순수한 우유 // *honest* weight 과부족이 없는 무게 // He was quite *honest* in telling me the story. 그는 정직하게 그 이야기를 나에게 해 주었다.
파 ◦**hónestly** ⓑ 정직하게 ***hónesty*** ★ ⓜ 정직, 성실(=integrity)

> ▶ **151.** 접두어 **homo**
> 「같은, 동일(same, equal)」의 뜻을 나타낸다. (예) *homo*nym, *homo*gerous(같은 종류의, 같은 성질의) 따위

> ▶ **152.** 접미어 **ly**
> ① 형용사·명사에 붙여서 부사를 만든다. (예) honest*ly*, great*ly*
> ② 명사에 붙어서 형용사를 만든다. (예) ghost*ly*, month*ly*(매달의)

hon·ey [hʌ́ni] ⓜ 벌꿀, 단맛(=sweetness); 애인(=darling) ⓗ 벌꿀 같은, 달콤한 ⓣ 달게 하다
(예) (as) sweet as *honey* 꿀처럼 단
파 **hóneybee** ⓜ 꿀벌 **honeycomb** [hʌ́nikòum] ⓜ 꿀벌의

H

집 ◇**hóneymoon** [명] 신혼 여행, 밀월(密月) [자] 신혼 여을 하다 **hóneysuckle** [명] 인동덩굴속(屬)

honk [hɔːŋk, haŋk / hɔŋk] [명] 기러기의 울음 소리; (자동의) 경적 소리 [자] (기러기가) 울다; 경적을 울리다

*◇**hon·o(u)r** [ánər / ɔ́nə] [명] 명예(=glory), 자존심(=sel respect); 경의(=esteem); 고위(高位); 훈장; 《*pl.*》 우등 명예를 주다, 서작〔서훈〕하다; 존경하다(=respect)
[반] dishóno(u)r 불명예
(예) graduate with *honors* 우등으로 졸업하다 // I have t *honor* of informing 〔to inform〕 you that ... 삼가 ~을 씀 드립니다 // He is an *honor* to his family. 그는 집안 자랑거리이다. // Will you *honor* me *with* a visit? 방문 주시면 영광이겠습니다만?
[파] ◇**hóno(u)rable** [형] 명예 있는, 존경할 만한 **hóno(u)ably** [부] 훌륭하게, 올바르게 ◇**honorary** [ánərèri / ɔ́nərəri [형] 명예상의 (an *honorary* degree 명예 학위)

◇***in hono(u)r of*** ~을 축하〔기념〕하여, ~에게 경의를 하여
(예) A party was given *in honor of* Mr. Tracy 〔*in* M Tracy's *honor*〕. 트레이시씨를 축하하기 위해 〔주빈으로 시고〕 파티가 열렸다.

on 〔***upon***〕 *one**'s** **hono(u)r*** 명예를 걸고; 맹세코
(예) I certify *on* my *honor* that he is honest. 나는 명를 걸고 그가 결백함을 보증합니다.

show hono(u)r to ~에게 경의를 표하다, ~을 존경하
(예) One should *show honor to* one's parents. 부모를 경해야 한다.

◇**hood** [hud] [명] 두건; 포장, 차의 덮개; 전등의 갓 [타] 두으로 가리다, 가리어 숨기다(=hide)
[파] **hóoded** [형] 두건을 쓴, 포장을 친, 갓이 달린

◇**hoof** [huːf, huf] [명] 《*pl.* ***hoofs, hooves***》 발굽
(예) under the *hoof* of ~에 짓밟혀서

◇**hook** [huk] [명] 갈고리, 낚시바늘 [자][타] 구부러지다, 갈고로 걸다, 낚다
[파] **hooked** [형] 갈고리 모양의, 갈고리가 달린(a *hook* nose 매부리코)

hop [hap / hɔp] [자][타] 한쪽 발로 깡총 뛰다(=jump on o leg), 뛰어 넘다 [명] 한쪽 발로 뛰기, 깡총 뛰기, 도약(short jump); 〖식물〗 홉
(예) *hop,* step and jump 삼단뛰기

☆**hope** [houp] [명] 희망, 소망(=desire); 기대(=expectatio [타][자] 희망하다, 바라다(=wish)
(예) ◇in the *hope* of ~을 기대하여 // There is no *hope* his recovering. ↔ There is no *hope that* he will recov 그가 회복할 가망은 전혀 없다. // He is the *hope* of t family. 그는 집안의 기대를 짊어지고 있다. // *hope to* promoted 승진을 바라다 // I *hope that* he will come soc 그가 곧 오기를 바란다.

H

> ▶ **153. 접미어 less**
> 「~없는」「~할 수 없는」의 뜻을 나타내는 형용사 어미이다.
> (예) hope*less*, count*less* 따위

어법 ① 나중의 용례에서 바람직하지 못한 내용일 때는 be afraid나 fear를 쓴다: I'm *afraid* it will rain. (어쩐지 비가 올 것 같다) ② 응답할 경우 I *hope* so. (그렇기를 바랍니다) I *hope not.* (그렇지 않기를 바랍니다)라는 형식이 때때로 쓰인다.

파 **hópeful** 형 희망에 찬, 유망한 **hópefully** 부 희망을 걸고, 유망하게 ***hópeless** 형 희망 없는, 절망적인 **hópelessly** 부 희망 없이, 절망적으로

hope for ~을 기대하다
(예) Come, *hope for* the best. 자아, 최선을 기대하자. // We are *hoping for* better weather soon. 날씨가 곧 좋아지기를 바라고 있다.

horde [hɔːrd] 명 유목민〔유랑민〕의 무리; 대집단, 군중; (동물의) 이동군(群) 자 군집하다

ho·ri·zon [həráizən]★ 명 지평선, 수평선, 시야, 범위(=range)
(예) on the *horizon* 지평선상에 // Science gives us a new *horizon.* 과학은 새로운 시야를 우리에게 준다.
파 **horizontal** [hɔ̀ːrəzántəl, hàr- / hɔ̀rizɔ́n-] 형 지평선의, 수평의(=level) 명 지평선, 수평선 (반 vértical 수직의) **horizóntally** 부 수평으로

hor·mone [hɔ́ːrmoun] 명 호르몬

horn [hɔːrn] 명 뿔, 뿔나팔, 뿔 모양의 것, 경적
(예) take the bull by the *horns* 황소의 뿔을 잡다; 용감하게 난국에 대처하다 // show one's *horns* 뿔을 내밀다, 본성을 드러내다
파 **hórnless** 형 뿔 없는 **hórny** 형 뿔의, 뿔처럼 단단한

hor·ror★ [hɔ́ːrər, hár- / hɔ́rə] 명 공포(=great fear), 전율; 혐오(嫌惡)(=dislike)
(예) the *horrors* of war 전쟁의 참화 // He has a *horror* of snakes. 그는 뱀을 매우 싫어한다.
파 **horrify** [hɔ́ːrəfài, hár- / hɔ́r-] 타 소름이 끼치게 하다 ***hórrible**★ 형 끔찍한(=dreadful) **hórribly** 부 끔찍하게 **hórrid** 형 무시무시한, 지독한

in horror 놀라서, 기겁을 하여(=in terror)
(예) I fled *in horror.* 나는 놀라서 도망쳤다.

horse [hɔːrs] 〈동음어 hoarse〉 명 말; 기병(대) (*cf.* foot) 타 자 말에 타다
(예) put the cart before the *horse* 전후를 그르치다, 본말(本末)이 전도(轉倒)되다 // ride a *horse* 말을 타고 가다
어법 ① *horse*가 기병의 뜻일 때는 복수 변화를 하지 않는다: one hundred *horse* ② 말의 명칭에는 colt (수망아지), filly (암망아지), foal (어린 말), mare (암말), stallion (씨말), pony (작은 말), steed (군마) 등이 있다.
파 **hórseless** 형 말이 (필요) 없는 **hórseback** 명 말잔등 (on *horseback* 말을 타고) **hórsebreaker** 명 조마사(調馬

師) ◇hórse-dráwn ⓗ 말이 끄는 hórsefly ⓜ 말파리, ᄂ에 ◇hórsehair ⓜ 말총, 말갈기 ◇hórseman ⓜ《*p*-men》기수(騎手), 기병 ◇hórsemanship ⓜ 마술(馬術 hórsepower ⓜ 마력(馬力) ◇horse racing 경마 hórse shoe ⓜ 편자

hose [houz] ⓜ 호스; 《집합적》 긴 양말 ⓣ 호스로 물을 ᄇ리다; (자동차를) 물로 세차하다

hos·pi·ta·ble [háspitəbəl, haspítəbəl] ⓗ 대접이 극진한 후대하는(=generous)

원 hospit(=host)+able(형용사 어미)

(예) *hospitable* entertainment 후한 대접

파 **hóspitably** ⓑ 극진히 대접하여 **hospitálity** ⓜ 환대

***hos·pi·tal** [háspitl / hɔ́s-] ⓜ 병원

(예) be in *hospital* 입원중이다 // enter 〔leave〕 *hospita* 입〔퇴〕원하다

어법 위의 용례는 병원의 건물을 뜻하지 않고 「치료」의 뜻이기 때문에 관사를 붙이지 않는 것이 원칙이나 미국에서는 th를 붙여 쓸 때가 많다.

◇**host** [houst] ⓜ 주인(노릇), (여관 등의) 주인(=landlord (*cf.* hostess 여주인); (대회 따위의) 주최자; (많은 사람의 무리, 다수(=great crowd)

반 guest 손님

(예) act as *host* at a party 파티에서 주인역을 하다 / Seoul was *host* to the 24th Olympiad in 1988. 서울은 1988년에 제24회 올림픽 경기를 주최했다.

파 ◇**hóstess** ⓜ 여주인; 스튜어디스; 접대부

◇***a host of*** 많은

(예) He is sociable and has *a host of* friends. 그는 사고적이기 때문에 많은 친구가 있다.

H

◇**hos·tage** [hástidʒ / hɔ́s-] ⓜ 인질; 담보 ⓣ 볼모로 주다

hos·tel [hástl / hɔ́s-] ⓜ 합숙소, (기)숙사

*◇**hos·tile** [hástl / hɔ́stail] ⓗ 적의(敵意)있는(=unfriendly) 반대하는(=opposed); 적의, 적국의

반 fríendly 친애하는, fávo(u)rable 찬성하는

(예) a *hostile* nation 적성 국가 // *hostile* feelings 적의

파 *◇**hostility** [hastíləti / hɔs-] ⓜ 적의(=enmity), 적대 《*pl.*》 전쟁(상태)

hos·tler [háslər / ɔ́s-] ⓜ (여관의) 마부(=ostler)

☆**hot** [hat / hɔt] ⓗ 더운, 뜨거운; 강렬한; 열렬한(=ardent) 흥분한(=excited); (기질·정신 상태가) 격렬한; 새로운(= fresh) ⓑ 뜨겁게; 노하여; 심하게

반 cold 차가운, 냉담한

(예) *hot* news 최신 뉴스 // a *hot* temper 성 잘 내는 성미

파 **hótly** ⓑ 덥게, 뜨겁게; 격렬하게, 열을 띠고 **hótnes** ⓜ 더위, 뜨거움; 성급함 **hót-témpered** ⓗ 성급한 **hótbe** ⓜ 온상 **hot dog** ⓜ 〔미·구어〕 핫도그 **hóthouse** ⓜ 온실 도자기 건조실 **hot line** 긴급용 직통 전화 **hot war** 열전(熱戰) (*cf.* cold war 냉전) (⇨) **heat**

ho·tel [houtél] 명 호텔, 여관
hound [haund] 명 사냥개; 비열한 놈 타 사냥개로 사냥하다, 추적하다(=pursue), 부추기다
hour [auər] 〈동음어 our〉 명 (한) 시간; 시각; ~ 때, ~ 무렵; [the ~] 정시
(예) by the *hour* 시간제로, 한 시간에 얼마로 // for *hours* 몇 시간 동안 // half an *hour* 반 시간 // a quarter of an *hour* 15분 // keep early *hours* 일찍 자고 일찍 일어나다 // office *hours* 집무 시간 // The *hour* of danger has passed. 위험한 때는 지나갔다.
NB 세 시라든가 네 시라고 하는 「시(時)」의 뜻에 이 낱말을 오용하는 수가 많은데 「시」(=o'clock)와 「시간」(=hour)을 구별할 것.
파 **hóurly** 부 한 시간마다 형 매시간의 **hóurglass** 명 모래〔물〕시계
the small hours 밤 1시부터 4시경까지
(예) Once in *the small hours* of the night a stranger came to his house. 한 번은 밤 2, 3시경에 낯선 사람이 그의 집에 찾아왔다.
house 명 [haus]* 《*pl.* **houses** [háuziz]》 집; 가족; 의회 자 타 [hauz]* 살다, 숙박하다, 수용하다, 집으로 들이다
(예) a full *house* 만원(滿員) // the upper 〔lower〕 *house* 상〔하〕원 // play *house* 소꿉장난을 하다 // The whole *house* was down with influenza. 온 가족이 유행성 감기로 누워 있었다. // *house* a traveler 여행자를 숙박시키다
파 *__hóusehold__ 명 형 가족(의) (*household* goods 가정용품) **hóusekeeper** 명 주부, 가정부 **hóusekeeping** 명 가사, 가정(家政) **hóusemaid** 명 하녀 **house rent** 집세 **hóusetop** 명 지붕(꼭대기) ***hóusewife** 명 ① [háuswàif] 《*pl.* -wives [-wàivz]》 주부 ② [hʌ́zif] 《*pl.* -wives [hʌ́zivz]》 반짇고리 **hóusework** 명 가사(家事)
hov·er [hʌ́vər, hɑ́vər / hɔ́və] 자 배회하다(=linger) [~ around, about]; 하늘에 떠다니다(=fly about) [~ over, above] 명 배회, 방황, 주저; 하늘을 떠다님
how [hau] 부 ① 어떻게, 어떤 방법으로, 어떻게 해서
(예) *How* did you do it? 그것을 어떤 방법으로 했느냐? // *How* are you getting along? 어떻게 지내십니까? // *How* beautiful this flower is! 정말이지 아름다운 꽃이군요! // *How* do you like it? 어떻습니까? 마음에 드십니까? // *How did it happen?* 그건 어떻게 일어났지?
② 《형용사·부사를 수반하여》 얼마만큼, 얼마나
(예) *How* far is it from your house to the station? 집에서 역까지 얼마나 됩니까?
③ 왜(=why), 어찌하여, 어떤 이유로
(예) *How* is that he is absent? 그가 결석한 것은 무엇 때문인가? // *How* is that? 그건 어떤 이유인가? 그렇게 하면 어떨까?

H

④ 《to 부정사를 이끌어》 ~하는 방법 [~ to do]
(예) *how* to drive a car 차를 운전하는 법 // She knew *how* to swim. 그녀는 수영법을 알고 있었다.
⑤ 《접속사적으로 써서》 ~ 형편, ~ 사정
(예) He told me *how* he had once been a rich man. 그는 옛날은 부자였었다고 말했다. // He told me *how* he used to go to the town. 그는 나에게 전에는 곧잘 그 마을에 갔었다고 말했다.
어법 ① 의문문을 만든다: *How* long is that bridge? (저 다리의 길이는 얼마나 됩니까?) 《간접》 Tell me *how* long that bridge is. (어순에 주의) ② 감탄문을 만든다: *How* miserable we were! (우리는 어찌나 불행했었는지!) 《간접》 You cannot imagine *how* miserable we were. 이 how는 다음에 형용사·부사가 계속될 때 쓰인다. ③ how를 that로 바꿔도 뜻은 같으나 how로 쓰면 감정적 요소가 강하다. ④ 관계 부사로서: This is *how* I did it. (나는 이러한 방법으로 그것을 했다)—선행사 the way를 생략한 것으로 생각해도 좋으나 실제로는 the way how라는 형식은 피한다. ⑤ 양보 구문에서: Try *how* hard he will… ↔No matter *how* hard he may try… (아무리 그가 노력한다 해도) ⑥ 주의해야 할 표현: *How about* a cup of tea? (차 한 잔 어떻습니까?) *How is it* (*that*) you are late? (어떻게 해서 지각했습니까?) (← Why are you late?)

◇***How about ~ ?*** ~에 대해서 어찌 생각하느냐, ~하는 것이 어떻습니까
(예) *How about* going to the movies? 영화관에 가는 것이 어떻겠느냐?

****how to*** *do* ~하는 법, 방법
(예) I don't know *how* to read French. 나는 프랑스어 읽는 법을 모른다.

***how·ev·er** [hauévər] 부 아무리 ~해도 접 그러나, 그렇지만, 하지만(=still, nevertheless)
어법 「그러나」의 뜻으로는 but과 같은 뜻이지만, 뒤에 콤마(comma)를 치고, 글 가운데 또는 글 끝에 두는 일이 많다. 형식에 치우친 말.
(예) ◇*However* hard you may work, you will not succeed. 아무리 열심히 일할지라도 성공하지 못할 것이다.
파 **howsoever** [hàusouévər] 부접 아무리 ~이라도〔할지라도〕, 그렇지만

*◇**howl** [haul] 자타 (개·늑대 따위가) 짖다; 울부짖다; 윙윙 소리내다 명 짖는 소리, 아우성 소리
파 **hówler** 명 짖는 짐승, 울부짖는 사람; 큰 실패 **hówling** 형 울부짖는

hud·dle [hʌ́dl] 자타 몰려들다(=crowd), 밀치락달치락하다 [~ together]

hue [hjuː] 〈동음어 hew〉 명 색조(=color), 빛깔(=tint)

huff [hʌf] 타자 호통치다; 발끈 화내다 명 발끈 화냄

in a huff 성이 나서, 불끈하여

(예) She went out *in a huff.* 그 여자는 발끈해서 나갔다.

◦**hug** [hʌg] ㊉ 꼭 껴안다(=embrace); (편견을) 품다〔고집하다〕 ㊎ 꼭 껴안음

*****huge** [hjuːdʒ] ㊔ 거대한(=enormous), 막대한
반 tíny 작은

◦**hu·la** [húːlə] ㊎ (하와이의) 훌라댄스(곡)

hul·la·ba·loo [hʌ́ləbəlùː] ㊎ 큰 소란, 왁자지껄, 야단법석

◦**hul·lo(a)** [hʌlóu] ㊌ 어이!, 여보세요!, 아아!

◦**hum** [hʌm] ㊇㊉ (벌·팽이 따위가) 윙윙거리다; 콧노래를 하다 ㊎ 윙윙, 와글와글 ㊌ 흠!, 음!
파 **húmming** ㊔ 윙윙거리는; 콧노래를 하는 ㊎ 윙윙거리는 소리; 콧노래 ◦**húmmingbird** ㊎〖새〗벌새

*****hu·man** [hjúːmən] ㊔ 인간의; 인간다운 ㊎ 인간(=human being)
원 hum(=man)+an(형용사 어미)
(예) *human* relations 인간 관계
파 **húmanly** ㊏ 인간답게 ***humane** [hjuːméin]★ ㊔ 인도적인, 인정있는; 우아한, 고상한 **húmanize** ㊉ 인간답게 만들다 **húmanism** ㊎ 인문주의, 인도주의 ◦**húmanist** ㊎ 인문주의자, 인도주의자 ◦**humanitárian** ㊎ 인도주의자 ㊔ 인도주의의 ◦**húmankind** ㊎ 인류, 인간

****human being*** 인간

*****hu·man·i·ty** [hjuːmǽnəti] ㊎ 인간성, 인애(仁愛); 인류

*****hum·ble** [hʌ́mbəl] ㊔ 비천한(=lowly); 겸손한(=modest), 변변찮은 ㊉ 천하게 하다, 품위를 떨어뜨리다
반 nóble 고상한
(예) a man of *humble* origin 비천한 집안에 태어난 사람
파 **húmbleness** ㊎ 겸손; 비천 ◦**húmbly** ㊏ 겸손하게

◦**hu·mid** [hjúːmid] ㊔ 습기 있는, 눅눅한(=moist)
반 dry 마른
파 **humídity** ㊎ 습도, 습기

◦**hu·mil·i·ate** [hjuːmílièit] ㊉ 창피를 주다, 모욕하다(=disgrace)
반 hóno(u)r 명예를 주다
파 **humiliátion** ㊎ 굴욕, 창피를 줌 ◦**humílity** ㊎ 겸손, 비천함

*****hu·mo(u)r** [*h*júːmə*r* / hjúː-] ㊎ 유머, 익살, 해학(諧謔); 기질, 기분(=mood) ㊉ 비위를 맞추다, 달래다
(예) be in a good 〔bad〕 *humor* 기분이 좋다 〔나쁘다〕 // He has no sense of *humor.* 그는 유머를 이해할 줄 모른다.
파 ◦**húmo(u)rist** ㊎ 익살꾼, 유머 작가 **humo(u)rístic** ㊔ 익살맞은; 유머 작가풍의 ◦**húmo(u)rous** ㊔ 익살스러운, 우스꽝스러운

hump [hʌmp] ㊎ (등어리의) 군살, (낙타의) 혹

humph [hmh, hm] ㊌ 흥!《불만·의혹·혐오·모멸 따위를 나타냄》㊇ 흥 하다

hu·mus [*h*júːməs] ㊎ 부식토

hunch·back [hʌ́ntʃbæ̀k] ㊎ 곱사등(이)

H

☆**hun·dred** [hʌ́ndrəd] ㉠ 100 ㉡ 100의
어법 ① 수를 읽을 때는 hundred 의 다음에 and를 넣어서 말한다. ② 수사(數詞) 또는 수사에 상당하는 말을 수반할 때는 복수형 -s를 붙이지 않음: three 〔several〕 *hundred* people (3〔수〕백 인)
㉥ **húndredth** ㉠㉡ 제 100 번째(의), 100 분의 1(의)
* ***hundreds of*** 수백의, 많은
(예) We have *hundreds of* records in stock. 당점에는 음반 수백 매의 재고가 있습니다. // *hundreds of* thousands of 수십만의, 무수한 (*cf.* thousands of 수천의 millions of 수백만의, 무수한)
***hun·ger** [hʌ́ŋgər] ㉠ 공복, 굶주림, 기아(=famine); 갈망(=strong desire) ㉢㉣ 굶주리(게 하)다; 갈망〔열망〕하다 [~ for, after]
(예) *hunger* strike 단식 투쟁 // die of *hunger* 굶어 죽다 // *Hunger* is the best sauce. 〖속담〗 시장이 반찬, 기갈이 감식. // People *hunger for* peace. 사람들은 평화를 갈망한다.
***hun·gry** [hʌ́ŋgri] ㉡ 배고픈, 주린; 갈망하는 [~ for]
(예) He *is hungry for* knowledge. 그는 지식욕에 불타고 있다. // The child is *hungry* for a playmate. 그 아이는 놀이친구를 간절히 원하고 있다.
㉥ **húngrily** ㉤ 배고파서; 갈망하여
***hunt** [hʌnt] ㉣㉢ 사냥하다, 추구하다; 찾다(=search) [~ for, after] ㉠ 사냥; 탐구, 추적
(예) *hunt* big game 맹수 사냥을 하다 // *hunt* the truth 진상을 추구하다

어법 「사냥을 하다」의 뜻에서, 영국에서는 여우·토끼 따위 짐승 사냥에 대해 쓰며, 새 따위에는 *shoot*을 쓴다. 미국에서는 어느 경우에나 두루 사용한다.
㉥ ***húnter** ㉠ 물건을 찾아 다니는 사람, 사냥꾼; 사냥개 **húnting** ㉠ 사냥, 수렵; 탐구(a *hunting* cap 사냥 모자) **húntress** ㉠ 여자 사냥꾼 **húntsman** ㉠ 《*pl.* -men》 사냥꾼
hur·dle [hə́ːrdl] ㉠ 바자(울); 《*pl.*》 장애물 (경주)
hurl [həːrl] ㉢㉣ 집어 던지다; (욕설을) 퍼붓다
(예) The native *hurled* a spear *at* the lion. 원주민은 사자를 향해 창을 던졌다.
hur·rah [hurɔ́ː / hurɑ́ː], **hur·ray** [huréi] ㉦ 만세! ㉢ 만세를 부르다, 환성을 올리다(=cheer)
hur·ri·cane [hə́ːrikèin / hʌ́rikən] ㉠ 태풍, 허리케인, 대폭풍우(=violent storm)
NB 서태평양에서 일어나는 typhoon 에 대하여, 멕시코만 부근에서 발생하는 것을 말한다.
***hur·ry** [hə́ːri / hʌ́ri] ㉢㉣ 서두르다, 재촉하다; 서두르게 하다, 서둘러 ~하게 하다 ㉠ 서두름(=haste), 조급하게 굶, 열망
㉧ deláy 지체, 꾸물거리다
(예) *hurry* back 급히 되돌아오다 // *hurry* him *into* mar

riage 그를 서둘러서 결혼시키다 // There's no *hurry.* 서두를 필요는 없다.
파 **hurried** [hə́ːrid / hʌ́rid] 형 조급한 ◇**húrriedly** 부 아주 급하게

in a hurry★ 급히(=in haste), 허둥지둥
(예) We were *in a hurry* to leave there. 우리는 급히 그 곳을 떠나려고 서두르고 있었다. // Why are you *in* such *a hurry?* 왜 그리 서두르느냐?

hurt [həːrt]★ 타 자 《***hurt***》 상처내다; 감정을 해치다, 불쾌하게 하다; 아프다 명 상처; 고통, 상해
반 heal 낫게 하다, 고치다
(예) get *hurt* 상처를 입다 // feel *hurt* 불유쾌하게 생각하다 // *hurt* the feelings of others 남의 감정을 해치다 // He *hurt* himself in the accident. 그는 그 사고로 부상당했다.
파 **húrtful** 형 해로운 **húrtless** 형 해가 없는

hus·band [hʌ́zbənd] 명 남편 타 절약하다(=economize)
원 hus(=house)+band(=dweller) 반 wife 아내, 주부
파 **húsbandry** 명 경작, 농업; 절약 **húsbandman** 명 《*pl.* -men》 농부

hush [hʌʃ] 타 자 조용하게 하다(=make silent), 입다물다 명 침묵, 조용함(=stillness) 명 [hʌʃ, ʃː] 쉿!, 조용히!
(예) *hush* money 입막음 돈 // *hush* a baby to sleep 애를 달래어 재우다 // The roar of voices suddenly became *hushed* as death. 떠들썩한 소리들이 갑자기 죽은 듯이 조용해졌다.

husk [hʌsk] 명 껍질, 겉껍질 타 껍질을 벗기다
파 ◇**húsky** 형 (목소리가) 쉰, 쉰 목소리를 내는; 껍질과 같은; 몸이 건강한, 억센

hus·tle [hʌ́səl] 자 타 난폭하게 밀다; 기운차게 하다 명 서로 밂; 정력적인 활동
(예) He *hustled* through the crowd. 그는 군중을 헤치고 나아갔다.

hut [hʌt] 명 오두막, 오막살이집

hy·a·cinth [háiəsìnθ] 명 〖식물〗 히아신스

hy·brid [háibrid] 명 잡종; 혼열아; 혼성어 형 잡종의, 혼혈의; 혼성의
(예) a *hybrid* dog 잡종의 개, 똥개

hy·dro·e·lec·tric [háidrouiléktrik] 형 수력 전기의

hy·dro·gen [háidrədʒən] 명 수소
(예) a *hydrogen* bomb 수소 폭탄(=〖약어〗 H bomb)

hy·giene [háidʒiːn] 명 건강법, 위생(학)
파 **hygienic** [hàidʒiénik / -dʒíːn-] 형 위생적인, 위생학의 **hygíenics** 명 위생학

hymn [him] 〈동음어 him〉 명 찬송가(=song of praise) 타 자 찬송가를 부르다
파 **hymnal** [hímnəl] 명 형 찬송가집(의)

hy·phen [háifən] 명 하이픈 타 하이픈으로 연결하다

hyp·o·crite [hípəkrit] 명 위선자

(예) play the *hypocrite* 위선적인 태도를 취하다
파 **hypocrisy** [hipákrisi / -pɔ́k-] 명 위선 **hypocrítical** 형 위선의

◇**hy·poth·e·sis** [haipáθəsis / -pɔ́θ-] 명 《*pl.* ***-theses*** [-si:z]》 가설(假設), 가정(假定)
파 **hypothetical** [hàipəθétikəl] 형 가설의, 가설에 근거한

hys·te·ri·a [histíəriə, -tériə] 명 〔의학〕 히스테리
파 **hystéric** 명 〔의학〕 히스테리를 일으키기 쉬운 사람 형 히스테리의 **hystérical** 형 히스테리의, 발작적 흥분의

☆**I** [ai] 〈동음어 eye〉 대 나는, 내가
I am certain 반드시, 틀림없이(=I am sure)
(예) *I am certain* that I shall succeed. 성공을 확신하고 있다.
I am told ~라고 들었다(=I hear)
(예) *I am told* that you were ill. 몸이 불편하셨다고 들었습니다.
I dare say 아마 ~일 것이다
(예) *I dare say* she is innocent. 아마 그녀는 무죄일 것이다.

I.C.B.M. 〔약어〕 Intercontinental Ballistic Missile 대륙간 탄도탄

***ice** [ais] 명 얼음, 아이스크림(=ice cream); 《*pl.*》 얼음 과자 타 얼리다(=freeze), 얼음으로 덮다(=cover with ice), 얼음으로 차게 하다
파 ◇**icy** [áisi] 형 얼음이 많은, 얼음같이 찬 **ícily** 부 얼음같이 차게 **iced** 형 언 **íceberg** 명 빙산, 유빙(流氷) **íce-boat** 명 쇄빙선(碎氷船); 빙상 활주선(滑走船) **ícebox** 명 냉장고 ◇**ícecap** 명 만년설〔빙〕; 얼음 주머니 **ícefall** 명 동결된 폭포; 빙하의 붕락(崩落) **ícehouse** 명 얼음 창고, 저빙고 **ice cream** 아이스크림 **ice-free port** 부동항(不凍港) **ice skate** 《보통 *pl.*》 (빙상) 스케이트 구두〔날〕 **íce-skate** 자 스케이트를 타다

◇**i·ci·cle** [áisikəl] 명 고드름

***i·de·a** [aidíːə / -díə]★ 명 관념, 사상, 생각, 의도; 의견(=opinion); 착상, 연구, 상상력
(예) a bright *idea* 기발한 착상 // a general *idea* 개념 // ◇That's a good *idea.* 그거 좋은 생각이다.
give** a person **an idea of 아무에게 ~을 알게〔깨닫게〕 하다
(예) The movie will *give* you some *idea of* what the war was like. 그 영화를 보면 너는 전쟁이 어떠한 것이었는지 좀 알게 될 것이다.
◇***have an idea of*** ~을 알고 있다, ~의 관념을 갖고 있다
(예) Do you *have* any *idea* (*of*) what a teaching machine

is like? 티칭 머신이 어떤 것인지 좀 알고 있느냐? // You *have* no *idea* (*of*) how cold it is over there. 거기가 얼마나 추운지 너는 짐작도 못한다. (NB wh절·wh구가 of의 목적어일 때, 구어에서는 of를 흔히 생략한다.)

i·de·al [aidíːəl, -díəl]* ⓜ 이상 ⓗ 이상적인, 더할 나위 없는; 관념적인; 가공적인(=imaginary)
반 real 현실의
(예) an *ideal* day for sports 운동하기에는 더할 나위 없이 좋은 날
파 **idéalism** ⓜ 이상주의, 관념론 **idéalist** ⓜ 이상주의자 **idealístic** ⓗ 이상주의(자)의 **idéalize** ⓣⓙ 이상화(理想化)하다 **idealizátion** ⓜ 이상화 **idéally** ⓑ 이상적으로; 관념상으로

i·den·ti·cal [aidéntikəl] ⓗ 동일한(=same, exactly alike)
원 iden(=same)+tical(형용사 어미)
반 dífferent 다른
(예) This watch is *identical with* the one I lost. 이 시계는 내가 잃어버린 것과 꼭 같다.

i·den·ti·fy [aidéntəfài] ⓣ 동일시하다; 동일함을 증명하다; (정체·신원을) 확인하다; 참가〔제휴〕하다 [~ with]
(예) *identify* the body 시체의 신원을 확인하다 // He tried to *identify* the diamond *as* his own. 그는 그 다이아몬드가 자기 것이란 것을 증명하려고 했다.
어법 「참가하다」의 뜻으로는 identify oneself with 또는 수동으로 쓰인다.
파 **identification** [aidèntifəkéiʃən] ⓜ 동일시; 신분 증명 **idéntity** ⓜ 동일함, 본인임, 동일한 사물임; 신원, 정체 (*identity* card 신분 증명서)

identify ~ with ... ~을 …와 동일시하다
(예) *identify* religion *with* religious rites 종교를 종교적 의식과 동일시하다 // You *identify* yourself *with* one of the characters. 너는 자신을 등장 인물의 한 사람과 동일시해 버린다.

id·e·o·graph [ídiəgræ̀ːf / -grɑ̀ːf] ⓜ 표의(表意) 문자
파 **ideográphic** ⓗ 표의 문자의, 표의적인

id·e·ol·o·gy [àidiάlədʒi, ìdi- / -ɔ́lə-] ⓜ 관념학; 이데올로기, 관념 형태

id·i·om [ídiəm] ⓜ 관용어(법), 숙어, 성구
파 **idiomatic(al)** [ìdiəmǽtik(əl)] ⓗ 관용어법의, 관용적인 **idiomátically** ⓑ 관용적으로

id·i·ot [ídiət] ⓜ 백치, 바보(=fool)
파 **idiotic** [ìdiάtik / -ɔ́t-] ⓗ 백치의, 바보의

i·dle [áidl] 〈동음어 idol〉
ⓗ 게으른(=lazy); 한가한; 무익한(=worthless), 쓸모없는(=of no use), 근거 없는 ⓣⓙ 빈둥거리며 지내다

▶ **154.** 「게으른」의 유사어
idle은 굼뜨고 일을 하지 않다(반드시 나쁜 뜻만은 아님). **lazy**는 일을 싫어하여 오래가지 못하다(나쁜 뜻).

I

반 díligent 근면한, búsy 분주한, 열심히 일하는
(예) an *idle* talk 부질없는 이야기
파 *__ídleness__ 명 무위(無爲), 나태, 놀고 지냄 **ídler** 명 게으름뱅이 ◇**ídly** 부 하는 일 없이

◇***idle away*** 게으름 피우며 (시간을) 허송하다(=waste)
(예) He *idles* his time *away*. 그는 빈둥거리며 세월을 보내고 있다.

i·dol [áidl] 〈동음어 idle〉 명 우상, 숭배받는 사람〔사물〕
파 **ídolize** 타 자 우상시(視)하다, 숭배하다 **idólater** 명 우상 숭배자 **idolatry** [aidálətri / -dɔ́l-] 명 우상 숭배, 심취

i.e. [àiíː, ðǽtíz] 〖약어〗 라틴어 id est (즉)의 약어
NB 영어로는 보통 that is [ðæt íz]라고 읽는다.

☆**if** [if] 접 ① 《조건·가정》 만일 ~이라면(=in case that)
(예) *If* he has time, he will come. 시간이 있으면 그는 올 것이다.
어법 가정의 if에 이끌린 절(clause)은 부사절. 미래(완료) 대신에 현재(완료)를 씀: If it *rains,* I'll stay at home.
② 《양보》 비록 ~일지라도(=even if)
(예) *If* I die for it, I will do it. 비록 그것 때문에 죽는다고 해도 나는 그것을 하겠다.
어법 전후 관계로 보아 *even if*의 뜻으로 파악할 것: *If* I had much money, I would not give you any. (설사 돈이 많다 해도, 너에게는 주지 않겠다)
③ ~인지 어떤지(=whether)
(예) Do you know *if* he will come? 그가 올지 어떨지 아느냐?
어법 「~인지 어떤지」의 뜻의 if는 명사절을 이끈다. 이 뜻에서는 *whether*와 같은 뜻이나, 주로 목적절을 이끌며, 주어·보어의 절에서는 whether가 쓰인다. 또한 *if* ... *or not*의 형식은 올바른 표현이 아니다.
④ ~할 때에는 언제든지(=whenever)
(예) *If* I do not understand what he says, I always question him. 그가 말하는 것을 알지 못 할 때에, 나는 언제나 그에게 질문을 한다.
⑤ (그저) ~하기만 하면
(예) *If* he were here with us! 그가 우리들과 함께 있기만 하다면!
어법 ① *if necessary, if possible* 따위의 생략 표현에 주의. ② *If only I knew!* (알기만 한다면 좋은데)와 같이 귀결절을 생략한 형식으로 희망·놀람 등을 나타낼 때도 있다.
— 名 조건, 가정

◇***if any*** 〔***anything***〕 있다 하더라도, 어느 편인가 하면, 만약 있다면
(예) There are few, *if any*, mistakes. 있다 하더라도 잘못은 적다. // Correct errors, *if any*. 틀린 것이 있으면 고치시오.

◇***if ~ at all*** 〔***ever***〕 일단〔적어도〕 ~한다면
(예) *If* you do anything *at all,* you should do it thorough

ly. 기왕 할 바에야 철저히 해야 한다.

if it were not for 만약 ~이 없다면(=but for)

(예) *If it were not for* the sun, no living thing could exist. 만약 태양이 없다면 생물은 하나도 생존할 수 없을 것이다.

어법 *if it were not for*는 현재 사실의 반대를 나타내는데, 과거 사실의 반대는 if it had not been for 또는 had it not been for를 쓴다.

if not 비록 ~은 아닐지라도(=though not)

(예) He has spent more than half money, *if not* all. 그는 돈을 전부는 아닐지라도 반 이상을 써 버렸다.

if only (그저) ~하기만 하면《희망》

(예) *If only* she had been a little more generous! 그 여자가 조금만 더 너그러웠더라면!

if you please 부디(=please), 죄송하지만

ig·loo [íglu:] 명 이글루《에스키모인의 얼음집》

ig·no·ble [ignóubəl] 형 천한(=base), 비천한; 수치스러운

원 ig(=not)+noble 반 nóble 품위 있는

파 **ignóbly** 부 천하게

ig·no·min·y [ígnəmìni] 명 불명예, 치욕(=dishonor)

파 **ignomínious** 형 불명예스러운, 수치스러운(=shameful)

ig·no·rance [ígnərəns]* 명 무지(無知), 무식, 무학

ig·no·rant [ígnərənt]* 형 무식한; 무지한, 모르는[~ in, of, that]

원 i(=in=not)+gnor(=know)+ant(형용사 어미)

반 léarned 학식이 있는, knówing, awáre 알고 있는

어법 *ignorant* 다음에 phrase가 올 때는 *of*가 쓰이고, clause가 올 때는 *that*이 쓰인다: He was *ignorant of* its difficulty. ↔ He was *ignorant that* it was difficult. (그는 그것이 어렵다는 것을 몰랐다)

파 **ígnorantly** 부 무식하게; 모르고; 어리석게도

(be) ignorant of* ~을 모르는

(예) I *am ignorant of* what she intends to do. 그녀가 무엇을 하려고 하는지 모르겠다.

ig·nore [ignɔ́:r] 타 무시하다(=disregard)

ill [il] 형 《***worse*** ; ***worst***》 병든; 나쁜, 심술궂은 명 악(=evil); 《*pl.*》 불행(=misfortune) 부 나쁘게(=badly)

반 well 건강한, good 잘

(예) ◦fall 〔get, become, be taken〕 *ill* 병에 걸리다 // be *ill* in bed 병으로 누워 있다 // *ill* temper (기분이) 언짢음 // speak *ill* of others 남을 나쁘게 말하다, 남을 험담하다

어법 「병든」의 뜻일 때는 서술용으로만 쓴다. 영국에서는 be ill(앓다), be sick(욕지기나다)라고 구별하나 미국에서는 같은 뜻으로 쓴다.

파 *◦**íllness** 명 병, 불쾌 **íll-bréd** 형 버릇 없이 자란 **íll-condítioned** 형 나쁜 상태에 있는 **íll-dispósed** 형 악의가 있는 **íll-fáted** 형 불운한 **íll-fávo(u)red** 형 (용모가) 못생긴, 추한 **íll-húmo(u)red** 형 기분이 언짢은 **íll-**

mánnered 형 버릇 없는 **íll-nátured** 형 심술궂은 **íll-témpered** 형 심술궂은, 성미가 까다로운 **íll-tréat** 타 학대하다 **íll-úse** [-jú:z] 타 학대하다, 혹사하다; 남용하다

ill at ease (마음이) 편하지 않은, 불안한(=uneasy)
(예) The boy was *ill at ease* in the presence of headmaster. 그 소년은 교장 선생님 앞에서 불안했다.

il·le·gal [ilí:gəl] 형 불법의, 비합법적인
반 légal 합법적인

il·leg·i·ble [ilédʒəbəl] 형 읽기〔판독하기〕 어려운, 불명료한

il·lit·er·ate [ilítərət] 형 배우지 못한, 문맹의 명 문맹
반 líterate 읽고 쓸 줄 아는
파 **illíteracy** 명 무학, 문맹

◇**il·lu·mi·nate** [ilú:mənèit / iljú:-] 타 조명하다, 비추다; (문제점 등을) 해명하다; 계몽하다
파 **illuminátion** 명 조명, 일류미네이션; 계발(啓發)

il·lu·mine [iljú:min] 타 자 비추다, 밝게 하다, 밝아지다 (=light up); 계발하다
원 il(=upon)+lumine(=light)

*◇**il·lu·sion** [ilú:ʒən] 명 환영(幻影), 환상; 착각
파 **illúsory** 형 가공의, 환영의, 착각을 일으키게 하는

*◇**il·lus·trate** [íləstrèit, ilʌ́strèit] 타 (보기 따위를 들어서) 설명하다, 예증(例證)하다; (책에) 그림을〔삽화를〕 넣다
(예) *illustrate* a textbook 교과서에 삽화를 넣다 // *illustrate* a rule *with* examples 보기를 들어 원칙을 설명하다
파 **illustrátion** 명 예증, 실례; 도해(圖解), 삽화 **illustrative** [íləstrèitiv, ilʌ́s-] 형 예증이 되는 **illustrious** [ilʌ́striəs] 형 저명한 **illustrator** [íləstrèitər, ilʌ́s-] 명 설명하는 사람, 예증하는 사람, 도해자(圖解者)

ILO 〘약어〙 International Labor Organization 국제 노동 기구

*◇**im·age** [ímidʒ]★ 명 상(像); 꼭 닮은 사람〔물건〕(=a close likeness); 상징; 개념(=idea) 타 상을 그리다, 상상하다
(예) He is an *image* of his father. 그는 자기 아버지와 꼭 닮았다.
파 **imagery** [ímidʒəri] 명 상(像)을 그림, 상, 심상(心像); 비유적 표현

*◇**im·ag·ine**★ [imǽdʒin]★ 타 자 상상하다, 마음에 그리다; 생각하다(=think)
(예) *Imagine* yourself (*to be*) a teacher. ↔ *Imagine that* you are a teacher. 네가 선생이라고 생각해 보아라. // Can you *imagine* her rid*ing* a bicycle? 그 여자가 자전거를 타는 광경을 상상할 수 있느냐? // *Imagine* meeting you here! 여기서 너를 만나다니.
파 *◇**imáginable** 형 상상할 수 있는 **imáginary** 형 상상(상)의 *◇**imaginátion**★ 명 상상력, 상상 *◇**imáginative** 형 상상력이 풍부한

IMF 〘약어〙 International Monetary Fund 국제 통화 기금

im·i·tate [ímətèit]* ⓣ 흉내내다, 모방하다(=copy); 본받다(=follow the example of)
반 invént 고안하다
파 *imitátion 명 모방, 모조품, 흉내 형 모조의 ímitative 형 모방의 ímitator 명 모방자

im·ma·ture [ìmətjúər / -tjúə] 형 미숙한(=not mature)
반 matúre 성숙한
파 immatúrity 명 미숙, 미성숙

im·meas·ur·a·ble [iméʒərəbəl] 형 헤아릴〔측정할〕 수 없는, 무한한
반 méasurable 측정할 수 있는
파 imméasurably 부 무한히

im·me·di·ate [imíːdiət]* 형 직접의(=direct); 바로 옆의(=close); 즉시의; 아주 가까운(=very near)
원 im(=not)+medi(=middle)+ate(형용사 어미)
반 médiate 간접의, 중간의
(예) the *immediate* cause 직접 원인 // the *immediate* future 극히 가까운 장래
파 immédiacy 명 직접; 즉시, 긴급(성) *immédiately 부 즉시, 곧(=at once); 직접

im·me·mo·ri·al [ìmimɔ́ːriəl] 형 사람의 기억에 없는, 태고의, 아주 오래된
(예) from time *immemorial* 아득한 옛날부터(NB immemorial time 이라고는 하지 않는다.)

im·mense [iméns] 형 무한한, 광대한(=very large)
반 minúte 아주 작은
파 imménsely 부 무한히; 대단히 imménsity 명 무한

im·merse [imə́ːrs] ⓣ 잠그다(=put into a liquid), 가라앉히다(=sink); 열중시키다 (=engross) [~ in]; 빠져들게 하다

> ▶ 155. 접두어 im
> 「가운데·속(in, within)」을 나타낸다. (例) *im*merse

파 immersion [imə́ːrʒən / -mə́ːʃən] 명 (물에) 잠금, 〖종교〗 침례; 골몰, 몰두

im·mi·grate [íməgrèit] ⓙⓣ (타국으로부터) 이주하다〔시키다〕
원 im(=in)+migrate(옮겨가다)
어법 *immigrate*는 본국을 떠나 새로운 거주지로 이주해 오는 경우. 반대로, 자국에서 타국으로 이주하기 위해 떠나갈 때는 *emigrate*. 또한 migrate는 새나 물고기 따위가 이주할 경우에 많이 쓰인다.
파 *ímmigrant 명 이민, 이주자 형 (타국에서) 이주한 immigrátion 명 이주, 이민

im·mi·nent [ímənənt] 형 (위험 따위가) 임박한(=very near), 절박한(=impending)
파 ímminence, -cy 명 절박 ímminently 부 절박하게

im·mor·al [imɔ́(ː)rəl] 형 부도덕한, 행실 나쁜; 음란한
반 mɔ́ral 도덕(상)의

im·mor·tal* [imɔ́:rtl] ⓗ 죽지 않는(=everlasting); 불멸의, 불후(不朽)의(=famous forever) ⓜ 죽지 않는 사람, 명성이 영원히 남는 사람
원 im(=not)+mortal
반 mɔ́rtal 죽음을 면할 수 없는, 인간의
파 **immortálity** ⓜ 불멸, 불사 **immɔ́rtalize** ⓣ 불후하게 하다 **immɔ́rtally** ⓟ 영원히

*◇**im·pact** [ímpækt] ⓜ 충격, 충돌; 영향
(예) ◇The president's speech made a great *impact* on the audience. 대통령의 연설은 청중에게 큰 충격을 주었다.

im·pair [impέər] ⓣⓙ 해치다(=make 〔become〕 worse), 감하다(=reduce); 손상하다, 상처를 입히다(=injure)

im·part [impá:rt] ⓣ 나누어 주다(=give); 알리다(=tell)
(예) *impart* a secret (*to* one's wife) (아내에게) 비밀을 말하다

im·par·tial [impá:rʃəl] ⓗ 공평한(=fair), 정당한(=just)
원 im(=not)+partial(불공평한) 반 pártial 불공평한
파 **impartiality** [impὰ:rʃiǽləti] ⓜ 공평 ◇**impártially** ⓟ 공평하게

im·pas·sive [impǽsiv] ⓗ 무감각한, 태연한

◇**im·pa·tient** [impéiʃənt] ⓗ 성급한, 참을 수 없는; 몹시 ~하고 싶어 하는(=eager) [~ to do]
원 im(=not)+patient
반 pátient 인내심이 강한
(예) I'm *impatient to* see it. 그것을 보고 싶어 못 견디겠다. // The children became *impatient* as their mother was preparing the meal. 아이들은 어머니가 음식을 장만하는 동안 (먹고 싶어) 견디지 못했다.
파 ◇**impátience** ⓜ 참을성 없음, 갈망, 초조 **impátiently** ⓟ 안달복달하여, 마음졸이며

(**be**) ***impatient for*** ~을 안타깝게 바라는(=eager for)
(예) *be impatient for* the vacation 휴가를 안타깝게 기다리다

(**be**) ***impatient of*** ~을 못 견디는(=unbearable)
(예) He *was impatient of* the views which did not agree with his own. 그는 자기의 의견과 다른 의견에는 견딜 수 없었다.

◇**im·pel** [impél] ⓣ 재촉하다, 억지로 ~시키다(=force); 추진하다
(예) ◇I was *impelled to* go. 나는 가지 않을 수 없었다. // *impelling* force 추진력

im·pend [impénd] ⓙ 위에 걸리다(=overhang) [~ over], 절박하다, (위험 따위가) 닥쳐오다 [~ over]
(예) Danger *impended over* the country. 그 나라에 위험이 닥쳤다.
파 **impénding** ⓗ 박두한, 심히 위급한

im·per·a·tive [impérətiv] ⓗ 명령적인, 긴급한; 〔문법〕 명령법의 ⓜ 〔문법〕 명령법

I

m·per·cep·ti·ble [ìmpərséptəbəl] [형] 감지(感知)할 수 없는, 눈에 보이지 않는; 미세한(=subtle)
m·per·fect [impə́ːrfekt] [형] 불완전한 [명] 〖문법〗 미완료 시제
[원] im(=not)+perfect [반] pérfect 완전한
[파] ◇imperféction [명] 불완전; 결점, 약점 impérfectly [부] 불완전하게
m·pe·ri·al [impíəriəl] [형] 제국의, 황제의; 당당한
[원] imperi(=emperor)+al(형용사 어미)
[파] ◇impérialism [명] 제국주의 impérialist [명] 제국주의자
imperious [impíəriəs] [형] 당당한, 거만한
m·per·ish·a·ble [impériʃəbəl] [형] 불멸의, 불사의
m·per·son·al [impə́ːrsnəl] [형] 비개인적인, 인격을 갖지 않은; 〖문법〗 비인칭의
[원] im(=not)+personal [반] pérsonal 개인적인
[파] **impérsonally** [부] 비인격적으로, 비개인적으로
m·per·son·ate [impə́ːrsəneit] [타] 의인화(擬人化)하다, 인격화하다; ~의 역을 맡아 하다
m·per·ti·nent [impə́ːrtənənt] [형] 적절하지 않은; 무례한, 건방진
m·pet·u·ous [impétʃuəs] [형] 성급한(=rash), 충동적인, 열렬한(=ardent)
m·pe·tus [ímpətəs] [명] 원동력, 추진력(=driving force), 자극(=stimulus), 탄력; 운동량(=momentum)
m·ple·ment [명] [ímpləmənt] 기구(=instrument), 도구; 수단 [타] [-mènt] (약속·계획 따위를) 이행〔실행〕하다(=fulfill); (필요한 수단·권한을) 주다; (부족을) 채우다
[파] **implementátion** [명] 이행, 수행; 보충
m·pli·cate [ímpləkèit] [타] 관련시키다, 휩쓸려 들게 하다; 함축하다
(예) be *implicated in* a crime 범죄에 관련되다 // His confession is expected to *implicate* some high officials *in* the case. 그의 자백으로 여러 고관들이 그 사건에 관련되리라 여겨진다.
[파] ◇**implicátion** [명] 관련; 함축
m·plic·it [implísit] [형] 암시적인; 절대적인; 맹목적인
[반] explícit 명백한
[파] **implícitly** [부] 암암리에, 절대적으로
m·plorc [implɔ́ːr] [타] 탄원하다, 간청하다(=entreat)
(예) *implore* forgiveness 용서를 빌다 // I *implored* him *for* help. 나는 그에게 도움을 간청했다. // She *implore* him *to* go. 그 여자는 그에게 가라고 애원했다.
m·ply [impláı] [타] 의미하다(=mean); 암시하다(=hint), 함축하다, 넌지시 비추다 [~ that]
[원] im(=in)+ply(=fold 포함하다)
(예) Silence often *implies* consent. 침묵은 때때로 동의를 의미한다. // Her smile *implied that* she had forgiven me. 그 여자가 웃는 것을 보고 나를 용서했다는 것을 알았다.

파 **implicátion** 명 함축
im·po·lite [ìmpəláit] 형 무례한 반 políte
***im·port** 타 [impɔ́ːrt] 수입하다, 의미하다(=mean), ~
중요한 관계가 있다 명 [ímpɔːrt] 수입; 의미, 중요(성
《pl.》 수입품
원 im(=in)+port(=bring) 반 export 수출하다, 수출
(예) a matter of great *import* 아주 중요한 문제
Imports have exceeded exports. 수입이 수출을 초과했다.
파 **importátion** 명 수입(품) **impórter** 명 수입업자
***im·por·tance** [impɔ́ːrtəns] 명 중요(성), 중대함
give* 〔*attach*〕 *importance to ~을 중시하다
(예) You ought to *give importance to* minor details as wel
세세한 점도 중요하게 여겨야 한다.
of importance 중요한
(예) a matter *of* no *importance* 중요하지 않은 일 // Wh
he said today is *of* some *importance.* 오늘 그가 말한
은 좀 중요하다.
***im·por·tant** [impɔ́ːrtənt] 형 중요한, 중대한; (사람이)
월한, 유력한; 젠체하는
반 unimpórtant, trívial 중요하지 않은, 사소한
파 **impórtantly** 부 중요하게
***im·pose** [impóuz] 타 자 (부담 또는 불쾌한 의무 따위를
과하다(=lay), 강제하다 [~ on, upon]
(예) *impose* silence *on* a person 아무를 침묵시키다 //
must do the task that has been *imposed on* me. 내게
과된 일을 하지 않으면 안 된다.
파 **impósing** 형 당당한, 위엄이 있는 **imposítion** 명 부
사기 **impostor** [impástər / -pɔ́stə] 명 사기꾼 **impostu**
[impástʃər / -pɔ́stʃə] 명 사기
***im·pos·si·ble** [impásəbəl / -pɔ́s-] 형 불가능한(=that ca
not be done), 곤란한(=difficult); 있을 수 없는
원 im(=not)+póssible 반 póssible 가능한
(예) an *impossible* story 있을 수 없는 이야기 // It
impossible for me to do it in an hour. 그것을 한 시간
한다는 것은 나로서 불가능하다. (↔ I cannot do it in a
hour.)

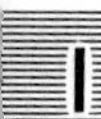

어법 사람을 주어로 하여 I am *impossible* to do ~는 불
(不可)하다. 이럴 때는 impossible 대신에 unable을 씀.
파 **impossibílity** 명 불가능
im·po·tent [ímpətənt] 형 무기력한(=powerless), 허약
(=weak)
파 **ímpotence, -cy** 명 무력, 허약
im·pov·er·ish [impávəriʃ / -pɔ́v-] 타 가난하게 하다(
make poor); 기운이 지치게 하다, 허약하게 하다(
weaken)
im·prac·ti·cal [impræ̃ktikəl] 형 〖미〗 실제적이 아닌(
unpractical); 실행할 수 없는(=impracticable)
반 práctical 실제적인, 실제의

im·preg·na·ble [imprégnəbəl] ⓗ 공략할 수 없는, 난공불락의; 흔들리지 않는, 확고한

im·press ⓣ [imprés] 인상을 주다, 도장을 누르다(=imprint) [~ upon]; 감동시키다 ⓜ [ímpres] 각인(刻印), 특징

원 im(=on)+press(누르다)

(예) be favorably *impressed* by ~에 호감을 갖다 // *impress upon* him the necessity 그 필요성을 그에게 명심시키다 // I *was impressed by* 〔*at, with*〕 his eloquence. 그의 웅변에 감명을 받았다.

파 ***impréssion*** ⓜ 인상, 느낌; 자극(make a deep *impression* on ~에 깊은 인상을 주다) **impréssionable** ⓗ 민감한 ◇**impréssionist** ⓜ 인상파 화가〔작가〕 ⓗ 인상파의 ***impréssive*** ⓗ 강한 인상을 주는, 인상적인 **impréssively** ⓑ 감명적으로, 인상적으로

im·print ⓣ [imprínt] 도장을 찍다, 명심시키다 ⓜ [ímprint] 날인, 흔적, 인상; 모습

(예) *imprint* a postmark *on* the letter ↔ *imprint* the letter *with* a postmark 편지에 소인을 찍다

im·pris·on [imprízən] ⓣ 투옥하다(=put into prison), 감금하다(=confine)

반 líberate 석방하다 파 **imprísonment** ⓜ 투옥, 구속

im·prob·a·ble [imprábəbəl / -prɔ́bə-] ⓗ 있을 법하지 않은, 참말 같지 않은

반 próbable 있음직한

im·prop·er [imprápər / -prɔ́pə] ⓗ 적당치 않은

반 proper 적당한 파 **impropríety** ⓜ 부적당

im·prove [imprúːv] ⓣⓙ 개선하다(=make better), 좋아지다, 향상되다, 늘다; 이용하다(=make good use of)

(예) His health has *improved*. ↔ He has *improved in* health. 그의 건강은 좋아졌다. // Things are *improving*. 정세가 호전되어 가고 있다.

파 **impróver** ⓜ 개량자(改良者)

im·prove·ment [imprúːvmənt] ⓜ 개선, 개량, 향상, 진보

im·pru·dent [imprúːdənt] ⓗ 경솔한, 무분별한(=indiscreet)

원 im(=not)+prudent(신중한) 반 prúdent 분별 있는

(예) It was *imprudent* of you to cross against the lights. 네가 교통신호를 무시하고 횡단한 것은 경솔했다.

파 **imprúdence** ⓜ 경솔, 소홀

im·pu·dent [ímpjudənt] ⓗ 뻔뻔스러운, 철면피의, 건방진(=saucy, insolent)

(예) It is *impudent* of him to say so. ↔ He is *impudent* to say so. 그가 그렇게 말하다니 뻔뻔스럽다.

파 **ímpudence** ⓜ 염치 없음, 무례; 건방짐

im·pulse [ímpʌls] ⓜ 충동; 추진력, 자극(=stimulus)

(예) on the *impulse* of the moment 그때의 충격으로

파 **impúlsion** ⓜ 충동, 자극 **impúlsive** ⓗ 충동적인

im·pure [impjúər] 형 불순(不純)한, 불결한(dirty)
원 im(=not)+pure 반 pure 순수한
파 **impúrity** 명 불순, 불결, 불순물

im·pute [impjú:t] 타 (죄·책임 따위를) ~의 탓으로 돌리다(=attribute), 씌우다
(예) He *imputed* his failure *to* poor health 〔*to* me〕. 그는 자기가 실패한 것은 건강이 나빴기 때문이라고 〔내 탓이라고〕 했다.
파 **imputátion** 명 비난, 오명; (죄·책임 따위의) 전가(轉嫁)

☆**in** [in] 전 ①《장소·위치·방향》 ~의 안에, ~에서(=inside of)
(예) live *in* America 미국에 살다 // He had a stick *in* his hand, and a pipe *in* his mouth. 그는 손에 단장을 쥐고, 입에 파이프를 물고 있었다.
어법 장소를 나타낼 경우 *at*는 점을, *in*은 「~의 내부에」를 뜻하기 때문에 일반적으로 넓은 장소에는 *in*을 쓰게 되는데 이것은 어디까지나 심리적인 것이다: arrive *at* Oxford(옥스퍼드에 도착하다). live *in* Oxford(옥스퍼드에 살다) (*cf.* at)
②《제한·관계·범위》 ~의 점에서, ~내(內)에
(예) *in* this respect 이 점에서는 // *in* all respects 모든 점에서 // *in* my opinion 내 의견으로는 // *in* his sight 그가 보이는 곳에서
③《복장》 ~을 입고〔걸치고〕, ~을 쓰고〔신고〕
(예) a woman *in* white 흰 옷을 입은 여자 // a man *in* sandals 샌들을 신은 남자
④《상태·환경》 ~하여, ~되어
(예) *in* good health 건강하여 // *in* good order 정돈되어
어법 *in*은 위치·상태를 나타내며, *into*는 어떤 위치·상태로의 이동하는 과정을 나타낸다. 단, 미국에서는 into 대신에 *in*을 쓰는 경우가 많다: go *in* the house
⑤《방법·형식》 ~로, ~하게
(예) write *in* a concise style 간결한 문체로 쓰다 // *in* this way 이와 같이 하여
⑥《재료·표현 양식》 ~로, ~로써
(예) write *in* ink 〔pencil〕 잉크〔연필〕로 쓰다 // *in* a word 한마디로 말하면
⑦《목적》 ~을 위하여, ~의 목적으로
(예) *in* a person's defense 아무를 변호하여 // shake hands *in* farewell 작별의 악수를 하다
⑧《시간》 ~ 동안에, ~에, ~ 지나면
(예) *in* the morning 아침에 // *in* his absence 그가 없는 동안에 // the hottest day *in* ten years 10 년만에 가장 더운 날 // be back *in* a few days 며칠이면 돌아오다
어법 ① 시간에 관해서 쓰일 때, *in*은 비교적 긴 기간에 쓰이고 *on*은 날 및 특정한 아침, 저녁 등에, 또한 *at*는 시간에 쓰인다: *in* January, *on* the morning of May 1, *at* six. ② this, that, last, next 따위가 붙을 때는 보통 전치사를 쓰지 않는

다: this evening (in the evening과 비교), last year(in 1990와 비교) ③ *in*은 때의 「경과」를, *within*은 「기간 내」를, *after*는 과거를 기점으로 한 「경과」를 나타냄이 보통: *in* a week(일 주일이 지나면), *within* a week(일 주일 이내로), *after* a week(일 주일 후에). 단, 이 구별은 엄밀한 것은 아니며 *in*이 *within*의 뜻을 나타낼 때도 있으며, *after*는 현재를 기점으로 하여 쓰일 때가 많다.

⑨《원인》~ 때문에
(예) cry out *in* alarm 놀라서 큰 소리를 지르다 // rejoice *in* recovery 회복을 기뻐하다

— ㊇ 안으로〔에〕, 속으로〔에〕
(예) He went *in*. 안으로 들어갔다. // Come *in*. 들어와라.
어법 품사의 구별에 주의: *in* the house(전치사), *go in*(부사), an *in*patient(입원 환자—형용사)
반 out 밖에, 밖으로, 집에 없어

in oneself 본질적으로, 그 자체
(예) Love is *in* it*self* egoistic. 사랑은 본질적으로 이기적인 것이다.

in·a·bil·i·ty [ìnəbíləti] ㊂ 할 수 없음, 무능
원 in(=not)+abil(=able)+ity(명사 어미)
반 abílity 능력

in·ac·ces·si·ble [ìnəksésəbəl] ㊌ 가까이하기 어려운; 도달하기 어려운
반 accéssible 가까이하기 쉬운

in·ac·cu·rate [inǽkjərit] ㊌ 부정확한; 틀림이 있는
반 áccurate 정확한

in·ac·tive [inǽktiv] ㊌ 활동하지 않는(=dull), 움직이지 않는(=motionless), 게으른(=idle); 한가한
원 in(=not)+active 반 áctive 활동적인
파 **inactívity** ㊂ 활동하지 않음 **ináction** ㊂ 무위, 게으름

> ▶ **156. 접두어 in**
> 「부정(否定)」을 뜻하는 접두어로서, 어근(語根)의 첫 글자와 동화(同化)하여, ig-, il-, im-, ir- 등으로 변하는 일이 있다. (예) *in*human(몰인정한), *il*legal(불법의), *im*moral(부도덕한), *ir*rational(불합리한) 등

in·ad·e·quate [inǽdəkwət] ㊌ 부적당한, 불충분한(=insufficient) [~ to, for]
원 in(=not)+adequate 반 ádequate 적당한
(예) My salary is *inadequate to* support a family. 내 급료는 한 가족을 부양하기에 충분치 않나.
파 **inadequacy** [inǽdəkwəsi] ㊂ 부적당

in·al·ien·a·ble [inéiliənəbəl] ㊌ (권리가) 양도할 수 없는; 옮겨질 수 없는

in·as·much [ìnəzmʌ́tʃ] ㊇ ~이〔하〕므로(=because) [~ as]
(예) *Inasmuch as* neither of them had money, they decided to go on foot. 둘이 모두 돈 한 푼 없었으므로 걸어가기로 했다.

in·at·ten·tion [ìnətén∫ən] ㊂ 부주의(=carelessness), 태만

in·au·gu·rate [inɔ́ːgjərèit] ㉤ 취임식을 행하다, 개시하다 (=begin)
㉺ ◇**inaugurátion** ㉺ 취임식, 낙성식, 발회식(發會式)

in-be·tween [ìnbitwíːn] ㉺ 중간물, 개재자 ㉻ 중간적인 개재하는
(예) *in-between* weather 춥지도 덥지도 않은 날씨

in·born [ìnbɔ́ːrn] ㉻ 타고난, 선천적인(=natural)

***in·ca·pa·ble** [inkéipəbəl] ㉻ ~할 능력이 없는 [~ of], 무능한
㉯ in(=not)+capable ㉷ cápable 할 수 있는, 유능한
(예) an *incapable* official 무능한 관리
㉺ **incapabílity** ㉺ 무능력, 무자격 **incapacity** [ìnkəpǽsəti] ㉺ 무능(=inability), ~을 감당할 수 없음

*(***be***) ***incapable of*** ~을 할 수가 없는
㉷ capable of ~을 할 수 있는
(예) She *is incapable of* (telling) a lie. 그녀는 거짓말을 할 수가 없는 성격이다. // *be incapable of* appreciating music 음악을 감상할 능력이 없다

in·cense [ínsens] ㉺ 향(香); 아첨 ㉤ 향을 피우다; [inséns] 성나게 하다
㉺ ◇**incéntive** ㉻ 자극적인 ㉺ 자극, 유인(誘因)

in·ces·sant [insésənt] ㉻ 끊임없는(=ceaseless), 그칠 새 없는
㉷ intermíttent 때때로 중단되는, 간헐적(間歇的)인
㉺ **incéssantly** ㉸ 간단 없이, 끊임 없이

*◇**inch** [intʃ] ㉺ 인치 《약 2.5 cm》; 근소한 거리, 조금
every inch 어디까지나; 철두철미, 모든 점에서
(예) He is a gentleman, *every inch* of him. 그는 완벽한 신사이다. // He is *every inch* a king. 그는 어느 모로 보나 왕이다.

*◇**in·ci·dent** [ínsədənt] ㉺ 생긴 일(=happening), 사건(=event) ㉻ 일어나기 쉬운(=apt to occur), 부수적으로 일어나는
어법 특히 부수적으로 일어나는 일을 가리키는 경우가 많다.
㉺ **incidéntal** ㉻ ~에 일어나기 쉬운[~ to]; 우발적인 **incidéntally** ㉸ 우연히

*◇**in·cline** ㉤ ㉥ [inkláin] 기울이다(=lean); (~할) 마음이 생기게 하다(=dispose), 경향이 있다(=tend) ㉺ [ínklain] 경사면, 물매(=slope)
㉯ in(=toward)+cline(=lean 기울다)
㉺ ◇**inclinátion** ㉺ 경사; 경향, 기질; 성향(=tendency), 취향(=liking) (◇have no *inclination* to do ~할 생각이 전혀 없다)

*◇(***be***) ***inclined to*** *do* ~하는 경향이 있는, ~하기 쉬운
(예) I *am inclined to* think that he is opposed to the plan. 나는 그가 그 계획에 반대하고 있다는 생각이 든다. // My mother *is inclined to* grow fat. 나의 어머니는 자꾸 뚱뚱해지시는 것 같다.

in·clude* [inklúːd] [타] 포함하다(=contain), 넣다
[원] in+clude(=close 싸다)
[반] exclúde 제외하다
(예) Does this price *include* the tax? ↔ Is the tax *included in* the price? 이 가격에는 세금도 포함되어 있느냐? // It is *included among* the number. 그건 수에 포함되어 있다.
[파] ◇**inclúsion** [명] 포함 **inclúsive** [형] 포함하여 [~ of], 모두 포함한

in·come [ínkʌ̀m] [명] 수입, 소득(=money coming in)
[반] óutgo, expénse 지출
(예) an *income* of 300 dollars a month 월 300 달러의 수입 // yearly *income* per household 가구당 연소득 // live within (beyond) one's *income* 수입 한도내의(초과의) 생활을 하다
[파] **íncoming** [명] 도래(到來); 《*pl.*》 수입, 소득 [형] 들어오는 **income tax** 소득세

▶ **157. 접두어 in**
「가운데·안(in, within)」을 나타낸다. (예) *in*come

▶ **158. 「수입」의 유사어**
income은 개인의 수입이고, 국가의 수입은 **revenue**이다.

in·com·pa·ra·ble [inkɑ́mpərəbəl / -kɔ́m-] [형] 비교할 수 없는 [~ with, to], 비길 바 없는(=matchless)
[반] cómparable 비교할 수 있는

in·com·pat·i·ble [ìnkəmpǽtəbəl] [형] 양립(兩立)할 수 없는; 모순된(=inconsistent)
[반] compátible 양립하는
[파] **incompatibílity** [명] 양립하지 않음, 부조화

(*be*) ***incompatible with*** ~와 양립할 수 없는; 모순되는, (성격이) 서로 맞지 않는
(예) Excessive drinking *is incompatible with* health. 과도한 음주는 건강에 좋지 않다.

in·com·pe·tent [inkɑ́mpətənt / -kɔ́m-] [형] 무능한(=incapable); 부적당한(=unfit)
[반] cómpetent 자격(능력) 있는
[파] ◇**incómpetence** [명] 무능력, 부적당

in·com·plete [ìnkəmplíːt] [형] 불완전한, 불충분한, 미완의
[반] compléte 완전한

in·com·pre·hen·si·ble [inkɑ̀mprihénsəbəl / -kɔ̀m-] [형] 이해할 수 없는, 불가해한
[반] comprehénsible 이해할 수 있는

in·con·sist·ent [ìnkənsístənt] [형] 모순되는(=incompatible), 일치하지 않는; 절조 없는, 변하기 쉬운
[반] consístent 일치하는
[파] **inconsístency** [명] 모순

in·con·ven·ience [ìnkənvíːnjəns] [명] 불편, 형편이 나쁨, 폐(=trouble) [타] 불편을 느끼게 하다; 폐를 끼치다
[반] convénience 편리, 편의
(예) be put to *inconvenience* ↔ be *inconvenienced* 불편을 느끼게 되다, 폐를 입다, 괴로움을 당하다

I

파 ◇**inconvenient** [ìnkənvíːnjənt] 형 불편한, 폐가 되는

in·cor·po·rate [inkɔ́ːrpərèit] 타 합병하다 (=merge), 편입하다; 회사로 하다; 구체화하다(=embody)

(예) *incorporate* the territory *into* Russia 그 영토를 러시아에 편입하다 // *incorporate* a firm *with* another 한 상사를 다른 상사와 합병하다

파 **incórporated** 형 합동한 **incorporátion** 명 통합, 결합; 법인, 회사

in·cor·rect [ìnkərékt] 형 옳지 않은, 부정확한

*◇**in·crease** 자 타 [inkríːs]* 증가하다, 늘리다 명 [ínkriːs] 증가, 증대

원 in(=on)+crease(=grow 성장하다)

반 decréase 감소하다

(예) *increase* speed 속도를 늘리다 // The number of students *increased.* ↔ Students *increased in* number. 학생 수가 불었다. // an *increase* of 20 %, 2 할의 증가

파 *◇**incréasingly** 부 더욱 더, 증가하여

(***be***) ***on the increase*** 증가〔증대〕하고 있는

The number of motorcars in our country *is on the increase* 우리 나라의 자동차 수는 증가하고 있다.

◇**in·cred·i·ble** [inkrédəbəl] 형 믿을 수 없는(=unbelievable); 터무니 없는

반 crédible 믿을 수 있는

파 **incrédibly** 부 믿어지지 않을 만큼

in·cred·u·lous [inkrédʒələs / -krédju-] 형 쉽사리 믿지 않는, 의심 많은(=doubting)

반 crédulous 쉽사리 믿는

in·cur [inkə́ːr] 타 초래하다, (손해 따위를) 입다(=bring upon oneself)

(예) *incur* hatred (남에게) 미움을 사다

◇**in·cur·a·ble** [inkjúərəbəl] 형 불치(不治)의, 고칠 수 없는 명 불치의 환자

반 cúrable 치료할 수 있는

◇**in·debt·ed** [indétid] 형 은혜를 입고 있는(=owing thanks or gratitude) [~ to], 신세를 지고 있는; 부채가 있는

원 in+debt(부채)+ed(형용사 어미)

(예) ◇I *am* greatly *indebted to* you *for* my success. 제가 성공한 것은 오직 당신 덕택입니다.

파 **indébtedness** 명 부채; 은혜를 입고 있음

in·de·cent [indíːsənt] 형 버릇 없는, 점잖지 못한(=impolite)

반 décent 예의바른 파 **indécency** 명 예절 없음

in·de·ci·sion [ìndisíʒən] 명 우유 부단

*◇**in·deed** [indíːd] 부 참으로, 과연(=to be sure)

어법 *indeed ~ but*로 되어 양보·승인을 나타내며, *it is true ~ but* …와 같은 뜻이다. 또 반의(反意)·경멸을 나타내는 감탄사로도 된다: *Indeed* he is old, *but* he is still strong. (과연 그는 나이는 먹었지만 아직도 건장하다)

in·def·i·nite [indéfənit] ㉠ 불명확한, 막연한, 일정하지 않은(=unlimited); 〖문법〗 부정(不定)의
반 définite 명확한
파 **indéfinitely** ㉯ 불명확하게, 무기한으로

in·dent [indént] ㉣ 톱니 모양의 자국을 내다; (계약서 따위를) 정부(正副) 2통을 쓰다 ㉢ 톱니 모양의 자국, 두 장 잇달린 계약서

in·de·pend·ence [ìndipéndəns] ㉢ 독립, 독립심
(예) *Independence* Day 〖미〗 독립 기념일 《7월 4일》

in·de·pend·ent [ìndipéndənt] ㉠ 독립의, ~에 의지하지 않는 [~ of] ㉢ 무소속인 사람〔의원〕
반 depéndent 종속의
원 in(=not)+depend(의지하다)+ent(형용사 어미)
파 **indepéndently** ㉯ 독립하여; ~에 관계 없이[~ of]

(*be*) *independent of* ~에서 독립한, ~에 관계 없는
(예) He *is independent of* his parents. 그는 자활(自活)하고 있다.

in·de·scrib·a·ble [ìndiskráibəbəl] ㉠ 이루 다 말할 수 없는 (=beyond description), 형언하기 어려운
(예) *indescribable* beauty 이루 다 형언할 수 없는 아름다움

in·dex [índeks] ㉢ 《*pl.* ***-dexes, -dices*** [-disìːz]》 색인; 지표; 집게손가락(=forefinger); 지수(指數) ㉣ 색인을 붙이다; 지시하다(=indicate)
어법 「색인」의 뜻일 때는 복수가 *indexes*, 「지수」의 뜻일 때는 *indices.*

In·di·a [índiə] ㉢ 인도(印度)
파 ***Índian** ㉠ 인도(사람)의; (아메리카) 인디언의 ㉢ 인도 사람; (아메리카) 인디언(the *Indian* Ocean 인도양, *Indian* summer (늦가을의) 봄날 같은 화창한 날씨) **Índo-** 「인도」라는 뜻의 접두어 **Índo-Chína** ㉢ 인도차이나

in·di·cate [índəkèit] ㉣ 지시하다(=point out), 나타내다, 보이다(=show), 암시하다(=hint)
파 ***indicátion** ㉢ 지시; 징조(徵兆) **indicative** [indíkətiv] ㉠ 표시하는; 〖문법〗 직설법의(*indicative* mood 직설법)

in·dif·fer·ent [indífərənt] ㉠ 무관심한(=not interested in, unconcerned), 개의치 않는 (=careless), 냉담한; 평범한
NB different의 반의어가 아님.
(예) an *indifferent* performance 평범한 연기 // He is *indifferent* about his appearance. 그는 자신의 외모에 무관심하다.
파 ***indífference** ㉢ 냉담, 무관심 **indífferently** ㉯ 무관심하게

(*be*) *indifferent to* ~에 무관심한, 냉담한
(예) He *was indifferent to* me. 그는 나에게 무관심했다.

in·di·ges·tion [ìndidʒéstʃən] ㉢ 소화가 안 됨, 소화 불량; 혼란
파 **indigéstible** ㉠ 소화가 안 되는

in·dig·na·tion [ìndignéiʃən] [명] (정당한) 분개(=righteou anger), 분노, 의분(義憤) ([NB] indignity 「모욕」과 혼동하지 말 것)
[파] **indignant** [indígnənt] [형] 분개한
in·dig·ni·ty [indígnəti] [명] 모욕; 냉대
in·di·go [índigòu] [명] 쪽 《물감》, 남색
in·di·rect [ìndirékt, -dai-] [형] 간접의, 부차적인; 우회적인 (=roundabout)
[반] diréct 직접의
(예) *indirect* narration 간접 화법 // an *indirect* object 간접 목적어
[파] **indiréctly** [부] 간접으로, 부차적으로
in·dis·creet [ìndiskrí:t] [형] 무분별한(=imprudent), 무모한, 경솔한
[반] discréet, prúdent 분별 있는
[파] **indiscretion** [ìndiskréʃən] [명] 무분별, 경솔
in·dis·crim·i·nate [ìndiskrímənit] [형] 무차별한, 닥치는 대로의, 마구잡이의
[파] **indiscríminately** [부] 무차별로, 닥치는 대로
*◇**in·dis·pen·sa·ble** [ìndispénsəbəl] [형] 없어서는 안 될, 필수의(=absolutely necessary); 피할 수 없는
[반] dispénsable 불필요한(*cf.* do without)
[파] **indispénsably** [부] 반드시, 꼭
◇ ***(be) indispensable to* 〔*for*〕** ~에 불가결한, ~에 없어서는 안 될
(예) Health *is indispensable to* us. 건강은 우리들에게 불가결한 것이다.
in·dis·put·a·ble [ìndispjú:təbəl] [형] 명백한(=evident), 논의의 여지가 없는(=unquestionable)
[반] dóubtful 의심스러운
*◇**in·di·vid·u·al** [ìndivídʒuəl]★ [명] 개인(=single person), 개체 [형] 단독의(=single), 개인적인; 독특한 (=peculiar)
[원] in (=not) + divid (나누다) +ual(형용사 어미)
[반] géneral 일반의
(예) the right of the *individual* 개인의 권리 // *individual* difference 〔variation〕 개인차(個人差)
[파] **indivídually** [부] 개별적으로, 개인적으로 **indivídualism** [명] 개인주의, 이기주의 **indivídualist** [명] 개인〔이기〕주의자 **indivídualize** [타] 낱낱으로 구별하다, 개성을 부여하다

> ▶ **159.** 영어 퀴즈
> 4개의 철자로 된 단어로서, 앞·뒤의 어느 쪽에서부터 쓰더라도, 또는 상하를 뒤집어 쓰더라도 같은 철자의 말은 무엇인가?
> (답 : NOON)

***in·di·vid·u·al·i·ty** [ìndivìdʒuǽləti] [명] 개성(個性)
Indo-Eur·o·pe·an [índo*u*jùərəpí:ən] [명][형] 인도 유럽어족(의)
in·do·lent [índələnt] [형] 나태한, 게으른(=lazy, idle)
[반] díligent 근면한 [파] **índolence** [명] 나태, 게으름

I

in·door [índɔ̀ːr] ⓗ 옥내의(=in the house), 실내의
반 óutdoor 옥외의
파 ◇**indóors** ⓑ 옥내에서, 실내에서

in·duce [indjúːs / -djúːs] ⓣ 권유(勸誘)하다, 설득하여 ~하게 하다(=persuade) [~ a person to], 유발하다(=bring about, cause)
(예) I must *induce* him *to* take necessary steps at once. 나는 그가 즉시 필요한 조처를 취하도록 권유해야 한다.
파 **indúcement** ⓜ 유인(誘因), 동기 **indúction** ⓜ 유도(誘導); 귀납(법) ◇**indúctive** ⓗ 유도하는, 귀납적인

in·dulge [indʌ́ldʒ] ⓙⓣ 빠지다, 탐닉(耽溺)하다(=give oneself up to) [~ in]; 제멋대로 하게 두다; 즐겁게 하다(=give pleasure to) [~ with]
(예) *indulge* pupils 학생들을 제멋대로 하게 두다 // He *indulges* his son too much. 그는 자식에 대해 너무 어한다. // Tom is *indulged with* pocket money. 톰은 용돈을 넉넉히 받고 있다.
파 ***indúlgence** ⓜ 탐닉; 응석을 받아줌; 관대 **indúlgent** ⓗ 어하는; 관대한

indulge** one**self in ~에 탐닉하다(=allow oneself to enjoy)
(예) He *indulges* him*self in* speculation. 그는 투기에 빠져 있다.

in·dus·tri·al* [indʌ́striəl]* ⓗ 산업의, 공업의
파 **industrializátion** ⓜ 산업화, 공업화 ◇**indústrialize** ⓣ 산업〔공업〕화하다 ◇**indústrialist** ⓜ 기업 경영자, 실업가, 생산업자
NB 「산업」이란 뜻의 형용사형은 industrial, 「근면」이란 뜻의 형용사형은 industrious.

in·dus·try [índəstri]* ⓜ 공업, 산업; 근면(=diligence), 노력
(예) the chief *industries* of a country 한 나라의 주요 산업 // manufacturing *industry* 제조 공업
파 *◇**industrious** [indʌ́striəs]* ⓗ 근면한

in·ed·i·ble [inédəbəl] ⓗ 식용에 적합치 않은, 먹을 수 없는

in·ef·fi·cient [ìnəfíʃənt] ⓗ 무능한, 쓸모 없는; 능률이 오르지 않는
반 effícient 능률적인, 효과적인

in·e·qual·i·ty [ìniːkwɑ́ləti / -kwɔ́l-] ⓜ 불평등(不平等), 부동(不同)
반 equálity 평등 (*cf.* inequity ⓜ 불공평, 불공정)

in·ert [inə́ːrt] ⓗ 생기가 없는(=lifeless), 활발하지 못한, 둔한

in·es·cap·a·ble [ìnəskéipəbəl] ⓗ 달아날 수 없는, 피할 수 없는
반 escápable 달아날 수 있는, 피할 수 있는

in·es·ti·ma·ble [inéstəməbəl] ⓗ 평가할 수 없는, 더없이

귀중한(=invaluable)
반 éstimable 어림할 수 있는

*◇**in·ev·i·ta·ble** [inévətəbəl] 형 피할 수 없는(=unavoidable), 필연의(=sure to happen)
반 avoídable 피할 수 있는
(예) an *inevitable* result 필연의 결과 // Accidents ar[e] *inevitable*. 사고는 피할 수 없는 것이다.
파 ***inévitably** 부 불가피하게

in·ex·haust·i·ble [ìnigzɔ́:stəbəl] 형 무진장(無盡藏)의

◇**in·ex·pen·sive** [ìnikspénsiv] 형 비용이 들지 않는, 값[싼] (=cheap)

◇**in·ex·pe·ri·ence** [ìnikspíəriəns] 명 무경험, 미숙련, 서[투]름
반 expérience 경험

in·ex·plic·a·ble [ìnikspliíkəbəl] 형 설명〔해석〕할 수 없는 불가해(不可解)한
반 éxplicable 설명할 수 있는
파 **inexplícably** 부 설명할 수 없을 정도로

*◇**in·fa·mous** [ínfəməs]* 형 불명예스러운(=disgraceful) 악명(惡名) 높은(=notorious); 파렴치한
반 hɔ́no(u)rable 명예로운
파 **ínfamy** 명 불명예, 악명; 비행(非行)

*◇**in·fan·cy*** [ínfənsi] 명 유년기(幼年期); 미성년; 요람기 초기
(예) in one's *infancy* 유년기에, 초기에
파 ◇**infantile** [ínfəntàil] 형 유아의, 유아 같은

*◇**in·fant*** [ínfənt] 명 유아 형 유아의, 초기의

◇**in·fan·try** [ínfəntri] 명 《집합적으로》 보병(步兵)

in·fect [infékt] 타 전염시키다; 감화하다(=influence)
(예) be *infected with* influenza 유행성 감기에 걸리다 / His cold *infected* her. 그의 감기가 그 여자에게 옮겨[졌]다. // His courage *infected* the followers. 그의 용기는 추[종]자들에게 감화를 주었다.
파 ◇**inféction** 명 전염; 나쁜 영향, 감화 **inféctious** 형 [전]염성의

◇**in·fer** [infə́:r] 타 추론(推論)하다, 결론을 끌어내다; ~의 의미를 포함하다
(예) Your silence *infers* consent. 자네가 잠자코 있는 [것]은 동의의 표시겠지. // (From his word) I *inferred tha[t]* he was drunk. (말투로) 그가 취했다는 것을 짐작했다. / The fact may be *inferred from* his words. 그 사실은 그의 말에서 추측할 수 있다.
파 ◇**ínference** 명 추론(推論); 함축(含蓄)

*◇**in·fe·ri·or** [infíəriər] 형 하위(下位)의(=lower), 보다 [열]등한 [~ to] 명 손아랫 사람, 열등한 사람
반 supérior 상위(上位)의, 뛰어난
(예) These goods are of *inferior* quality. 이 물건들은 [품]질이 떨어진다.

파 **inferiórity** 명 하위; 하급; 열등(*inferiority* complex 열등감)

(be) inferior to ~보다 열등한
(예) This coffee *is inferior to* that brand in flavor. 이 커피는 저 상표에 비해 풍미가 못하다.

in·fer·nal [infə́ːrnl] 형 지옥의, 극악한; 지독한

in·fi·nite [ínfənit]* 형 무한한(=without limits), 무수한(=immeasurable), 한량 없는; 〖문법〗 부정(不定)의 명 무한
반 finite [fáinait] 유한(有限)의
(예) Genius is an *infinite* capacity for taking pains. 천재란 무한히 노력할 수 있는 능력이다.
파 *ínfinitely 부 무한히 **infínitive** 형 부정사의 명 〖문법〗 부정사

in·firm [infə́ːrm] 형 허약한(=weak); 우유 부단한
반 firm 견고한
파 **infírmity** 명 병약; (정신적인) 결점

in·fir·ma·ry [infə́ːrməri] 명 병원; (학교·공장 따위의) 부속 진료소, 양호실

in·flame [infléim] 타 자 불을 붙이다(=set on fire), 불타오르다; 격분하(게 하)다, 성내다; 염증을 일으키다
원 in(=make)+flame(불꽃)
파 **inflammátion** 명 발화, 연소; 염증(炎症); 격노 **inflámmatory** 형 선동적인; 염증성(炎症性)의

in·flate [infléit] 타 부풀리다, 팽창시키다
파 ◇**inflátion** 명 팽창; 통화 팽창, 인플레

in·flect [inflékt] 타 (보통 안쪽으로) 구부리다, 굴절시키다; 〖문법〗 어형 변화시키다

in·flex·i·ble [infléksəbəl] 형 구부러지지 않는; 확고한, 흔들리지 않는(=firm), 불변의
원 in(=not)+flex(굽히다)+ible(=able)

in·flict [inflíkt] 타 (고통·타격을) 주다, 가하다(=impose)
(예) ◇*inflict* pain *on* a person 아무에게 고통을 주다
파 **inflíction** 명 (타격·고통을) 가함; 고통, 벌

in·flu·ence* [ínfluəns]* 명 영향(력), 작용; 유력자, 세력 타 영향을 미치다(=have an effect on), 감화하다
(예) under the *influence* of ~의 영향을 받아서 // through the *influence* of ~의 덕분으로 // a man of *influence* 유력자 // ◇have *influence* over 〔with〕 ~을 좌우하는 세력〔힘〕이 있다
파 *influéntial* 형 세력이 있는, 유력한; 영향을 미치는

have influence on 〔***upon, in***〕 ~에 영향을 미치다
(예) Do earthquakes *have* any *influence on* the weather? 지진은 기후에 영향을 주느냐?

in·flu·en·za [ìnfluénzə] 명 유행성 감기, 인플루엔자

in·flux [ínflʌ̀ks] 명 유입; 쇄도; 하구(河口)

in·form [infɔ́ːrm] 타 자 알리다(=tell), 통지〔통보〕하다(=notify); 불어 넣다, 고취하다(=inspire)
파 **infórmed** 형 지식이 있는 (an *informed* source 소식통)

infórmer ⓜ 통지자(通知者), 정보 제공자
inform** a person **of 아무에게 ~을 알리다〔가르치다〕
(예) I *informed* him *of* my success. ↔ I *informed* him *that* I had succeeded. 그에게 나의 성공을 알렸다.
*◇**in·for·mal** [infɔ́ːrməl] ⓗ 비공식의, 정식이 아닌, 약식의 격식 차리지 않는, 구어적인(=colloquial)
반 fórmal 정식의 「복
(예) an *informal* visit 비공식 방문 // an *informal* dress 평
파 ◇**informálity** ⓜ 비공식, 약식 **informally** 부 비공식으로, 약식으로
*◇**in·for·ma·tion** [ìnfərméiʃən] ⓜ 지식, 소식, 정보
◇**in·fra·red** [ìnfrəréd] ⓗ 적외선의, 적외선 이용의
파 **infrared rays** 적외선
in·fre·quent [infríːkwənt] ⓗ 드문, 희귀한(=rare)
반 fréquent 빈번한
◇**in·fu·ri·ate** [infjúərièit] 타 격분〔격노〕시키다
◇**in·gen·ious** [indʒíːnjəs] ⓗ 영리한(=clever), 발명의 재능이 있는(=inventive), 기지(機智)가 풍부한(=witty); 정교(精巧)한(=exquisite)
반 unskíl(l)ful 서투른
파 **ingéniously** 부 재간 있게 ◇**ingenúity** ⓜ 재간, 창의
in·gen·u·ous [indʒénjuəs] ⓗ 솔직한(=frank), 꾸밈없는, 담백한(=simple), 순진한
NB ingenious 「재간 있는」와 혼동하지 말 것.
◇**in·grat·i·tude** [ingrǽtətjùːd / -tjùːd] ⓜ 배은 망덕, 은혜를 모름
◇**in·gre·di·ent** [ingríːdiənt] ⓜ 성분, 요소, 원료; 요인
(예) the *ingredients* of ice cream 아이스크림의 원료 // the *ingredients* of political success 정치적 성공의 요인
***in·hab·it** [inhǽbit]★ 타 ~에 거주하다(=live in), 점(占)하다, ~에 존재하다
원 in+habit(=dwell) 반 desért 떠나다
(예) That house was once *inhabited* by a noble family. 저 집에는 한 때 귀족이 살았다.
파 **inhábited** ⓗ 사람이 살고 있는(an *inhabited* island 유인도)
*◇**in·hab·it·ant** [inhǽbitənt] ⓜ 주민; (한 지역의) 서식 동물
in·hale [inhéil] 타 빨아들이다(=draw in the breath)
반 exhále 내뿜다
in·her·ent [inhíərənt] ⓗ 본래부터 가지고 있는, 타고난(=inborn), 고유한
원 inher(=stick 달라붙다)+ent(형용사 어미)
(예) an *inherent* right 생득권(生得權) // Modesty is a virtue *inherent* in his nature. 겸양은 타고날 때부터 그가 지니고 있는 덕이다.
*◇**in·her·it** [inhérit] 타 자 상속(相續)하다(=succeed as heir), 유전하다

원 in(=on)+her(=heir 상속자)+it(동사 어미)
(예) *inherit* a title 작위를 계승하다 // an *inherited* quality 유전 형질 // Each generation *inherits* its social institutions and ways of life *from* the previous one. 각 세대는 그 사회 제도와 생활 방식을 전 세대로부터 이어받고 있다.
파 **inhéritor** 명 상속인(相續人)

in·her·it·ance* [inhéritəns] 명 상속(재산), 유전; 타고난 재능

> **▶ 160. 접미어 ance**
> 추상 명사를 만드는 어미.
> (예) inherit*ance*, endur*ance* 등

in·hib·it [inhíbit] 타 억제하다; 방해하다; (특정한 신호·조작을) 저지하다
파 **inhibítion** 명 억제; 억압 **inhíbitory** 형 억제〔억압〕하는

in·hos·pi·ta·ble [inhάspitəbəl / -hɔ́s-] 형 대접이 나쁜, 불친절한; 비바람을 피할 데가 없는, 황량한《황야 따위》
반 hɔ́spitable 대우가 좋은

in·hu·man [inhjúːmən] 형 인도에 어그러진, 무자비한

in·iq·ui·ty [iníkwəti] 명 부정, 사악(=wickedness), 불공평; 부정〔불법〕 행위

i·ni·tial [iníʃəl] 형 처음의(=first) 명 머릿글자
파 **inítially** 부 처음에, 시초에

i·ni·ti·ate [iníʃièit] 타 시작하다(=begin), 착수하다; 초보를 가르치다; 입회시키다(=admit into a society)
파 **initiátion** 명 창시; 초보 교수; 입회 **inítiator** 명 창시자; 전수자(傳授者)

i·ni·tia·tive [iníʃətiv] 명 솔선(率先), 이니시어티브(=the lead); 제일보(=first step); 독창심; 선의권(先議權) 형 처음의

in·ject [indʒékt] 타 주사하다, 주입하다; (의견 따위를) 삽입하다
파 **injéction** 명 주사, 주입

in·jure [índʒər]* 타 (감정·명예를) 해치다(=do harm to), 훼손하다(=impair); 상처를 입히다, 다치게 하다; 손해를 입히다
(예) be badly *injured* 크게 상처를 입다 // *injure* another's feelings 남의 감정을 해치다
파 ***injury** [índʒəri] 명 부상, 손해 **injurious** [indʒúəriəs] 형 해로운(be *injurious to* health 건강에 해롭다)

in·jus·tice [indʒʌ́stis] 명 부정, 불공평(=unfairness); 불공평한〔부당한〕 행위〔처리〕, 부정 행위
반 jústice 공평, 정의
(예) Don't do him *injustice.* 그에 대해 부당한 평가를 내려서는 안 된다.

ink [iŋk] 명 잉크 타 잉크로 쓰다〔더럽히다〕
(예) write in *ink* 잉크로 쓰다
NB write *with* pen and ink 의 전치사에 주의하라.
파 **ínky** 형 잉크의, 잉크로 더럽혀진 **ínkstand** 명 잉크스탠드 **ínkstone** 명 벼루

◇**in·land** ⓗ [ínlənd] 내륙(內陸)의(=interior), 국내의 ⓜ [ínlæ̀nd, -lənd] 내륙, 국내 ⓑ [ínlæ̀nd, -lənd] 내륙에, 국내에

in·lay [ínlèi] ⓣ 박아 넣다, 아로새기다; 상감(象嵌)하다 ⓜ 상감

in·let [ínlet] ⓜ 후미(=small arm of the sea), 입구

*◇**inn** [in] ⓜ 여인숙, 여관

(예) put up at an *inn* 여인숙에 묵다

파 ◇**innkeeper** ⓜ 여인숙 주인

▶ **161.** 「여관」의 유사어 **hotel**은 일반적인 말. **inn**은 hotel보다 작고, 가정적인 또는 예스러운 외관이라든가 설비를 한 것을 말한다.

***in·nate** [ìnéit] ⓗ 타고난, 천성의

***in·ner** [ínər] ⓗ 안의(=internal), 내면의, 친밀한; 숨겨진

반 óuter 바깥의

(예) the *inner* life 정신 생활

파 **innermost** ⓗ 가장 깊숙한 곳의

in·ning [íniŋ] ⓜ (야구 따위의) 회(回), 이닝

어법 단수·복수 양쪽 다 innings를 쓰는 것은 영국 용법. 미국에서는 복수에만 innings를 쓴다.

◇**in·no·cent** [ínəsənt] ⓗ 천진 난만한; 죄가 없는(=not guilty), 결백한 ⓜ 순진한 사람, 죄가 없는 사람; 바보

반 gúilty 죄 있는

(예) an *innocent* child 천진한 아이 // He is not so *innocent* as he looks. 그는 보기처럼 순진하지는 않다.

파 ◇**innocence** ⓜ 천진 난만, 결백, 무죄 **innocently** ⓑ 죄 없이, 천진 난만하게, 무해하게

(*be*) *innocent of* ~을 범하지 않은, ~이 없는

(예) He *is innocent of* the crime. 그는 그 죄를 범하지 않았다.

◇**in·no·vate** [ínəvèit] ⓙ 새롭게 하다, 쇄신하다, 혁신하다

(예) *innovate in* 〔*on, upon*〕 school customs 교풍을 쇄신하다

파 ◇**innovátion** ⓜ 혁신 **ínnovator** ⓜ 혁신자

◇**in·nu·mer·a·ble** [injú:mərəbəl] ⓗ 무수한(=countless)

원 in(=not)+numer(=count 세다)+able

파 **innúmerably** ⓑ 무수히

◇**in·put** [ínpùt] ⓜ 〖기계·전기·컴퓨터〗 입력; 〖경제〗 (자금의) 투입(량)

*◇**in·quire, en-** [inkwáiər] ⓣⓙ 묻다(=ask) [~ of, for, about]; 조사하다[~ into]; 안부를 묻다 [~ after]

원 in(=into)+quire(=seek 찾다)

반 ánswer 대답하다

(예) *inquire* the man's name 그 남자의 이름을 묻다 // I will *inquire* the reason *of* him. 그에게 그 이유를 물어보겠다.

파 ***inquiry, en-** [inkwáiəri] ⓜ 문의, 질문, 연구 **inquisitive** [inkwízətiv] ⓗ 호기심 많은(=curious), 캐묻기를 좋아하는

아하는 **inquisítion** [명] 조사, 심문

inquire after ~의 안부를〔건강을〕 묻다
(예) *inquire after* one's sick friend 앓고 있는 친구를 문병하다

inquire into ~을 자세히 조사하다, 심사하다
(예) The committee *inquired into* the cause of the accident. 위원회는 그 사고의 원인을 조사했다.

in·sane [inséin] [형] 미친(=mad), 제정신이 아닌
[반] sane 제정신의
[파] **insanity** [insǽnəti] [명] 광기(狂氣)

in·sa·tia·ble [inséiʃəbəl] [형] 물릴 줄 모르는, 탐욕스러운

in·scribe [inskráib] [타] (돌·종이 따위에) 적다(=write in〔on〕); 새기다, 조각하다 [~ with]; 명심하다
(예) *inscribe* one's name *on* a stone ↔ *inscribe* a stone *with* one's name 돌에 이름을 새기다
[파] ◇**inscríption** [명] 기입(記入), 명(銘), 비문(碑文)

in·sect [ínsekt] [명] 곤충(=small creature)
[파] ◇**inséctícide** [명] 살충제(殺蟲劑)

in·se·cure [ìnsikjúər] [형] 불안전한(=unsafe), 불안한
[반] secúre 안전한
[파] **insecúrity** [명] 불안전, 불안정

in·sen·si·ble [insénsəbəl] [형] 무감각한(=having no feelings), 인사 불성의; 무신경의; 느낄 수 없을 만큼(조금)의
[반] sénsible 느낄 수 있는
(예) be *insensible to*〔*of*〕shame 부끄러움을 모르다 // be *insensible to*〔*of*〕the beauties of art 예술의 미에 무감각하다
[파] **insénsibly** [부] 느낄 수 없을 만큼 조금 **insensibílity** [명] 무감각; 무신경 **insénsitive** [형] 무감각한, 감수성이 없는

in·sep·a·ra·ble [insépərəbəl] [형] 뗄 수 없는, 불가분(不可分)의
[반] séparable 분리할 수 있는

in·sert [타] [insə́ːrt] 삽입하다(=put into); (신문 따위에) 게재하다 [명] [ínsəːrt] 삽입물; 〖미〗 (신문 따위에) 끼워 넣은 광고
(예) *Insert* the missing word. 빠진 말을 보충하라. // *insert* a key *in*〔*into*〕a lock 열쇠를 자물쇠에 꽂다
[원] in(=into)+sert(=join)
[파] **insértion** [명] 삽입(물)

in·side [insáid, ìnsaid] [명] 안쪽, 내부 [부] 안쪽으로, 내부에 [형] [ínsaid, insáid] 안쪽의, 내부의(=interior) [전] ~ 안에
[반] óutsíde 외부, 외부의

inside out 뒤집어; 완전히, 모두
(예) turn a thing *inside out* 물건을 뒤집다 // know a thing *inside out* 일에 관해 샅샅이 알다

in·sight [ínsait] [명] 통찰력, 안식(眼識), 식견(識見)

in·sig·nif·i·cant [ìnsigníf əkənt] [형] 무의미한(=meaningless); 사소한(=trifling), 하찮은(=unimportant)
[반] signíficant 뜻있는, impórtant 중요한

파 **insignificance** 명 무의미 **insignificantly** 부 무의미하게

*◇**in·sist** [insíst] 타자 주장하다(=persist); 강조하다, 고집하다 [~ on, upon]
원 in(=on)+sist(=stand)
반 desíst 그만두다, 단념하다
(예) ◇*insist on* 〔*upon*〕 its truth ↔ *insist that* it is true 그것이 사실이라고 주장하다
어법 He insists on going. ↔ He insists that *he* will go.(그는 가겠다고 고집한다.) He insists on *my* going. ↔ He insists that *I* (should) go. (그는 내가 가야만 된다고 주장한다.)의 차이에 주의.
파 **insístence, -cy** 명 주장, 고집 **insístent** 형 주장하는 **insístently** 부 끈덕지게, 끝까지

in·so·lent [ínsələnt] 형 불손한, 건방진(=arrogant)
파 **ínsolence** 명 오만, 무례

◇**in·spect** [inspékt] 타 검사〔점검〕하다(=examine), 시찰하다; 검열하다, 감사하다
원 in(=into)+spect(=see)
파 **inspéction** 명 검사, 시찰 **inspéctor** 명 검사관, 장학관, 경감(警監)

*◇**in·spire*** [inspáiə*r*] 타 (사상·감정을) 불어 넣다; 영감(靈感)을 주다; 감격시키다, 격려하다(=encourage)
원 in(=into)+spire(=breathe 호흡하다)
반 expíre 내뿜다
(예) *inspire* confidence *in* the students ↔ *inspire* his students *with* confidence 학생에게 신뢰감을 갖게 하다 // Her success *inspired* her *to* work hard. 그 여자는 성공했기 때문에 더욱 분발해서 공부했다.
파 *◇**inspirátion*** 명 영감; 불어 넣음, 고취(鼓吹)

◇**in·stall** [instɔ́ːl] 타 취임시키다, 임명하다(=put into an office); 설치하다, 설비하다; 자리에 앉히다(=settle)
원 in(=on)+stall(=seat 자리)
(예) We had gas and water *installed* in the house. 우리는 그 집에 가스와 수도를 설치케 했다. // He *installed* himself in a big chair. 그는 큰 의자에 앉았다.
파 **installátion** 명 취임(식); 설치 **instál(l)ment** 명 분할불(分割拂) (monthly *installment* 월부, sell *on installment* 분할불로 팔다)

on the installment plan 분할불 판매법으로, 할부제로
(예) We bought a television set *on the installment plan*. 우리는 텔레비전 수상기를 할부제로 샀다.

*◇**in·stance** [ínstəns] 명 보기, 예(=example); 경우(=case)
*◇***for instance*** 예를 들면(=for example)

◇**in·stant** [ínstənt] 형 즉시의; 긴급한(=urgent); 이 달의 〖약어〗 *inst.* 명 즉시, 순간(=moment)
원 in(=on)+stant(=stand)
반 próximo 내달, último 지난 달

(예) an *instant* response 즉답 // on the *instant* 즉시, 즉각 // in an *instant* 순식간에 // for an *instant* 잠깐, 한순간 // at the *instant* of death 죽는 순간에 // the 15th *inst.* 이 달 15일 // Come here *this instant.* 지금 바로 이리 오너라.

어법 끝의 용례는 the, that를 수반하여 부사적으로 쓰인 것.

파 **ínstantly** 부 당장 **instantáneous** 형 즉시의, 즉석의 **instantáneously** 부 즉시

***the instant* (*that*)** 《접속사적으로 쓰여서》 ~하자마자 (=as soon as)

(예) *The instant* (*that*) he saw the policeman, he ran away. 경찰관을 보자마자 그는 도망쳤다.

in·stead [instéd] 부 그 대신에; ~하지 않고 [~ doing]

원 in(=at)+stead(=place)

***instead of*★** ~의 대신으로(=in place of)

(예) I gave him advice *instead of* money. 나는 그에게 돈 대신 충고를 해 주었다.

in·stinct★ 명 [ínstiŋkt] 본능; 천성 형 [instíŋkt] 활기가 넘치는; (생기 따위가) 가득 찬, 충만한 [~ with]

(예) by *instinct* 본능적으로 // an *instinct* for music 음악적 소질〔천분〕

어법 형용사로서는 명사의 앞에 쓰지 못함: a picture *instinct with* life(생기가 넘치는 그림)

파 ***instínctive★** 형 본능적인, 직감적인 ***instínctively** 부 본능적으로, 직감적으로

in·sti·tute [ínstətjùːt / -tjùːt]★ 타 설립하다(=set up), 조직하다(=organize); 시작하다; 임명하다 명 협회(=society), 학회, (전문 분야의) 연구소

in·sti·tu·tion [ìnstətjúːʃən / -tjúː-] 명 제도, 설립, 습관; 협회, 학회, 사회 시설 《병원·고아원 따위》

파 **institútional** 형 제도상의, 조직상의; 관습의

in·struct [instrʌ́kt] 타 가르치다, 교수하다(=teach), 지시하다(=direct), 통지하다(=inform)

(예) *instruct* a boy *in* English 소년에게 영어를 가르치다 // *instruct* a clerk *to* type a letter 비서에게 편지를 타이프하도록 지시하다

파 **instrúctive** 형 교훈적인, 유익한 ***instrúctor** 명 교사; 〖미〗 (대학의) 강사

(*be*) *instructed in* ~에 정통한 「에 정통하다.

(예) He *is instructed in* the subject. 그는 그 학과〔주제〕

in·struc·tion [instrʌ́kʃən] 명 교수, 지시, 교훈, 《*pl.*》 (기계 따위의) 사용 설명서

in·stru·ment[ínstrumənt]★ 명 기계(器械)(=tool); 수단(=means); 앞잡이

(예) musical *instruments* 악기 // He was the *instru-*

▶ **162.** 「도구」의 유사어
instrument 는 정밀함이나 정확함을 필요로 하는 기구·기계(器械). **tool** 은 극히 간단한 연장으로 손을 놀려서 사용하는 도구. **utensil** 은 가정용품.

I

ments of her death. 그녀는 그의 손에 죽었다.
파 **instruméntal** 형 수단이 되는, 도움이 되는

in·suf·fi·cient [ìnsəfíʃənt] 형 불충분한, 부적당한
반 suffícient 충분한
(예) an *insufficient* supply of fuel 연료의 공급 부족
파 **insuffíciently** 부 불충분하게

in·su·lar·i·ty [ìnsjəlǽrəti / -sju-] 명 섬나라 근성, 편협 섬(나라)임
파 **ínsular** 형 섬(나라)의, 섬나라 근성의, 편협한(=narrow-minded) **ínsulate** 타 (물체를) 절연체로 싸다 ~을 절연(絕緣)하다; 고립시키다(=isolate)

*◇**in·sult** 타 [insʌ́lt] 모욕하다, 창피를 주다 명 [ínsʌlt] 모욕, 욕(=abuse)
반 respéct 존경하다 파 **insúlting** 형 무례한

in·sure [inʃúər] 타 보험을 계약하다, 보험에 들다, (보험업자가) 보험을 인수하다; 확실하게 하다, 보증하다(=guarantee)
원 in(=make)+sure

▶ **163. 접두어 in**
명사·형용사에 붙어서 타동사를 만든다. (예) *in*sure(보험에 들다) (im-도 타동사를 만든다.)

(예) They *insured* their ship *against* damage. 그들은 난파(難波)에 대비하여 배를 보험에 들었다. // He has *insured* himself 〔his life〕 for $5000. 그는 5000달러의 생명보험에 들어 있다.
파 ◇**insurance** [inʃúərəns]* 명 보험, 보험액; 보증 **insúre**[d] 형 보험에 든 명 피보험자

◇**in·tact** [intǽkt] 형 본래대로의, 손대지 않은, 완전한

in·tan·gi·ble [intǽndʒəbəl] 형 만질 수 없는; 무형의 명 만질 수 없는 것; 무형의 것

in·te·gral [íntəgrəl] 형 완전한(=entire); 〖수학〗 정수의 명 전체; 〖수학〗 적분

*◇**in·teg·ri·ty** [intégrəti] 명 성실(=sincerity), 고결(高潔), 완전(성)

*◇**in·tel·lect** [íntəlèkt]* 명 지력(知力), 지성(知性), 이지(理知); 지식인
(예) a man of *intellect* 지성적인 사람
어법 「지식인」의 뜻에서는 집합적인 용법도 있다: the *intellect* of today(현대의 지식인들)

*◇**in·tel·lec·tu·al** [ìntəléktʃuəl]* 형 지적인, 지력의 명 식자(識者), 지식인
파 ◇**intelléctually** 부 지적으로

*◇**in·tel·li·gence** [intélədʒəns]* 명 지력, 지성, 지능, 이해력, 총명(=sagacity); 보도, 정보(=information)
파 ***intélligible** 형 이해할 수 있는, 알기 쉬운

*◇**in·tel·li·gent** [intélədʒənt] 형 지적인, 이성적인, 총명한
파 ***intélligently** 부 총명하게, 이해력이 뛰어나서 **intelligentsia** [intèlidʒéntsiə] 명 지식 계급

*◇**in·tend** [inténd] 타 ~할 작정이다[~ to do], 기도하다, 꾀

하다(=have the purpose of); 의미하다(=mean)
(예) What do you *intend* do*ing* 〔*to* do〕 today? 오늘 무엇을 할 작정이냐? // He *intends* his son *to* be a doctor. 그는 자기 아들을 의사로 만들 작정이다. // We *intend that* the work (shall) be done at once. 우리는 그 일을 곧 할〔시킬〕 작정이다. // The author *intends* this book *for* children. ↔ ◇This book *is intended for* children. 저자는 이 책을 아동용으로 썼다.

어법 과거형에 완료 부정사가 뒤따르면, 그 의도가 실현되지 못했음을 뜻한다: I intended *to have done* it. ↔ I thought I would do it, but I could not.

파 **inténded** 형 기도된, 고의의 (⇨)**intention**

in·tense [inténs] 형 강렬한; 열렬한(=fervent); 긴장한
파 ***inténsely** 부 격렬하게, 열심히 **inténseness** 명 강렬함, 열심임 **intensify** [inténsəfài] 타 자 강렬하게 하다 ◇**inténsive** 형 강렬한, 철저한 **inténsity** 명 강렬, 맹렬; 강도(强度), 효력

in·ten·sion [inténʃən] 명 세기, 강도; (마음의) 긴장

in·tent [intént] 명 의향; 의미 형 열심인, 전념하고 있는
파 ◇**intently** 부 열심히, 오로지

***(be) intent on* 〔*upon*〕** ~에 열심인, ~에 여념이 없는
(예) He *is intent on* his studies. 그는 학문에 여념이 없다.

in·ten·tion [inténʃən] 명 의사, 의향; 의미, 개념
(예) by *intention* 고의로 // with good *intentions* 선의로 // I have no *intention* of doing so 〔to do so〕. 나는 그렇게 할 생각이 없다.
파 ◇**inténtional** 형 고의의 **inténtionally** 부 고의로

have the best* (*of*) *intentions 선의를 가지다
(예) Everyone *had the best of intentions* but no one seemed to know just what they were. 모두 선의를 가지고는 있었으나, 바로 그것이 무엇인지는 아무도 모르는 것 같았다.

with the intention of* do*ing ~할 의도로〔생각으로〕
(예) I went there *with the intention of* see*ing* him. 나는 그를 만날 생각으로 거기에 갔다.

in·ter·ac·tion [ìntərǽkʃən] 명 상호 작용〔영향〕

in·ter·cept [intərsépt] 타 (사람·물건을) 도중에서 빼앗다, 가로채다; 가로막다(=obstruct)

in·ter·change [ìntə:rtʃéindʒ] 타 자 교환하다, 교체시키다〔하다〕 명 교환, 교체

in·ter·course [íntə:rkɔ̀:rs] 명 교제; 교통; 통상
반 separátion 격리(隔離)

in·ter·de·pend·ent [ìntə:rdipéndənt] 형 서로 의존하는
파 **interdepéndence** 명 상호 의존

> ▶ **164. 접두어 inter**
> 「중간」「상호」 등의 의미를 나타낸다.
> (예) *inter*course, *inter*national 등

in·ter·est [íntərist] 명 흥미, 관심(=eager attention); 이

I

익, 이해 관계; 이자 ㉰ 흥미를 일으키게 하다, 관여시키다 [~ in]
반 indifference 무관심
(예) ◦of *interest* 흥미가 있는; 중요한 // with *interest* 흥미를 갖고 // The subject *interests* me very much. 그 과목은 무척 흥미가 있다. // common *interests* 공통의 이해 // He lent me the money at 5 per cent *interest.* 그는 나에게 5부 이자로 돈을 빌려 주었다.
파 ***interested** ㉱ 흥미를 가진; 이기적인 (⇨)**interesting**
☆(**be**) ***interested in***⋆ ~에 흥미가 있는
(예) I *am* much *interested in* mathematics. 나는 수학에 흥미가 많다.
in the interests of ~을 위하여
(예) He traveled in Europe *in the interests of* a business firm. 그는 상사(商社)를 위하여 유럽을 여행했다.
take* 〔*have*〕 *an interest in ~에 흥미를 가지다
(예) *take a* fresh *interest in* life 인생에 새로운 흥취를 느끼다 // They *took a* great *interest in* what we were doing. 그들은 우리가 하고 있는 일에 큰 관심을 가졌다.
☆**in·ter·est·ing** [íntrəstiŋ, -tərèstiŋ] ㉱ 흥미 있는, 재미 있는
*°**in·ter·fere** [ìntərfíər] ㉮ 간섭하다(=meddle) [~ in]; 방해하다 [~ with]; 조정하다(=mediate)
(예) I will call on you if nothing *interferes.* 아무 일이 없으면 너를 방문하겠다. // Don't *interfere in* my affairs. 내 일에 간섭하지 마라.
파 *°**interference** [ìntərfíərəns] ㉴ 간섭; 방해, 고장
◦***interfere with*** ~을 방해하다, ~와 충돌하다
(예) He always *interferes with* my work. 그는 언제나 나의 일에 방해가 된다.
◦**in·ter·fer·on** [ìntərfíərɑn / -rɔn] ㉴ 〘생화학〙 인터페론 《바이러스 증식 억제 물질》
*°**in·te·ri·or** [intíəriər] ㉱ 안의(=inside); 내륙의(=inland) ㉴ 내부, 내측; 오지(奧地)
반 extérior 외부의, 외부
in·ter·jec·tion [ìntərdʒékʃən] ㉴ 감탄(=exclamation) 〘문법〙 감탄사《Oh! Alas! Ah! 따위 감탄을 나타내는 말》
in·ter·lude [íntərlù:d] ㉴ 막간(幕間); 〘음악〙 간주곡
in·ter·me·di·ate [ìntərmí:diit] ㉱ 중간의 ㉴ 중간물, 매개물
◦**in·ter·min·gle** [ìntərmíŋgəl] ㉮㉰ 혼합하다(=mingle) 섞이다, 섞다
in·tern [íntə:rn] ㉴ 인턴, 수련의
***in·ter·nal** [intə́:rnl] ㉱ 내부의, 국내의(=domestic)
반 extérnal 외부의
(예) *internal* peace 마음의 평화 // *internal* wars 내란
파 ◦**intérnally** ㉸ 내부에; 영적(靈的)으로, 심적으로
◦**in·ter·na·tion·al** [ìntərnǽʃənəl] ㉱ 국제적인, 만국의

[원] inter (=between) + nation + al (형용사 어미)
[파] **internátionalize** [타] 국제화하다, 국제 관리로 하다 **internátionally** [부] 국제적으로, 국제간에 **internátionalism** [명] 국제주의

in·ter·plan·e·tar·y [ìntərplǽnətèri / -təri] [형] 혹성간(惑星間)의, 천체간(天體間)의, 태양계내의
(예) *interplanetary* travel 우주여행(宇宙旅行)

in·ter·pose [ìntərpóuz] [타] [자] 삽입하다; (이의를) 제기하다; 사이에 들다(=come between), 중재(仲裁)하다; 말참견하다
[파] **interposítion** [명] 개재(介在), 삽입(물)

in·ter·pret [intə́ːrprit]* [타] [자] 해석하다, 해명〔설명〕하다; 통역하다; 연출하다
(예) I *interpret* this *as* a joke. 나는 이것을 농담으로 여긴다.
[파] ***interpretátion** [명] 해석, 설명; 통역

in·ter·pret·er [intə́ːrpritər]* [명] 통역(자), 해석자

in·ter·ro·gate [intérəgèit] [타] 질문하다, 심문하다
[파] **interrógative** [형] 의문의(an *interrogative* adverb 의문부사) **interrogátion** [명] 질문, 심문

in·ter·rupt [ìntərʌ́pt] [타] 방해하다, 가로막다, 저지하다; 중단하다(=stop)
[원] inter (=between) + rupt (=break)
(예) May I *interrupt* you a while? 이야기하시는데 잠깐 실례해도 괜찮겠습니까?
[파] **interrúption** [명] 방해, 중단

in·ter·sec·tion [ìntərsékʃən] [명] 횡단, 교차; 교차로〔점〕

in·ter·val [íntərvəl]* [명] 간격, 틈, 막간(幕間)

at intervals 시차(時差)를〔간격을〕 두고; 여기 저기에(=here and there); 때때로, 이따금 (=from time to time)
(예) *at intervals* of six feet 〔an hour〕 6 피트〔한 시간〕 간격으로 // These villages are situated *at intervals* along the river. 이 마을들은 강을 따라 여기 저기에 위치하고 있다.
NB 위의 구는 at short intervals, at frequent intervals 「이따금」 따위의 형태로도 쓰인다.

in·ter·vene [ìntərvíːn] [자] 사이에 들다〔끼다〕, 개재(介在)하다; 조정(調停)하다, 간섭하다
(예) Many years *intervened*. 그간에 여러 해가 지났다. // A week *intervenes between* Christmas and the New Year. 크리스마스와 새해 사이에는 1주일이 있다. // *intervene in* a dispute 분쟁을 조정하다
[파] **intervention** [ìntərvénʃən] [명] 간섭

in·ter·view [íntərvjùː] [명] 면접, 회견, 인터뷰, 회의; 방문 [타] 면접하다, 회견하다
(예) a job *interview* 구직자와의 면담 // have an *interview* with ~와 회견하다 // I *interviewed* him at his home. 그의 집에서 그를 면회했다.
[파] **ínterviewer** [명] 회견자, 방문자

*◇**in·ti·mate*** ⓗ [íntəmit] 친밀한, 친한(=close); 일신상의 (=private); 내심의 ⓜ [-mit] 친우 ⓣ [-mèit] 넌지시 비추다〔알리다〕, 암시하다(=hint, imply, suggest)
(예) be 〔become〕 *intimate* with ~와 친하다〔친하게 되다〕 // She *intimated that* she was not telling the truth. 그 여자는 사실을 말하고 있지 않다는 것을 암시했다.
파 *◇**íntimacy*** ⓜ 친밀, 친교 *◇**intimately** [íntəmitli]* ⓟ 친밀하게 **intimátion** ⓜ 암시, 통지

☆**into** [íntu:, íntu, íntə] ⓙ ①《운동·주의 따위의 방향을 나타내어》 안〔속〕에, 안〔속〕으로
(예) come *into* the room 방으로 들어가다 // far *into* the night 밤이 깊도록 // get *into* difficulties 곤란에 빠지다
② ~으로 (되다)
(예) make grape *into* wine 포도로 포도주를 만들다 // Steam changes back *into* water when cooled. 수증기는 차지면 물로 되돌아간다.
반 from, out of ~으로부터(밖으로)
어법 *in*은 정지의 상태, *into*는 *in*이라는 상태로 되기까지의 이동 과정을 나타낸다. *in* 참조.

***in·tol·er·a·ble** [intálərəbəl / -tɔ́l-] ⓗ 견딜〔참을〕 수 없는
반 tólerable, béarable 견딜 수 있는
파 **intólerably** ⓟ 견딜 수 없을 정도로 ◇**intólerance** ⓜ 불관용(不寬容), 편협(偏狹)

***in·to·na·tion** [ìntənéiʃən, -tou-] ⓜ (말 소리의) 억양(抑揚), 어조
파 **intóne** ⓣⓙ 억양을 붙여서 말하다, (기도문 따위를) 영창(詠唱)하다

in·tox·i·cate [intáksəkèit / -tɔ́k-] ⓣ 취하게 하다(=make drunk); 도취시키다
(예) He was *intoxicated.* 그는 취해 있었다. // be *intoxicated* with 〔by〕 success 성공에 도취되어 있다
파 **intóxicating** ⓗ 취하게 하는 **intoxicátion** ⓜ 명정(酩酊); 황홀

in·tran·si·tive [intrǽnsətiv] ⓗ 〖문법〗 자동의
반 tránsitive 타동의
(예) an *intransitive* verb 자동사

◇**in·tri·cate** [íntrikit] ⓗ 뒤얽힌(=entangled), 복잡한
반 símple 단순한
파 ◇**íntricacy** ⓜ 복잡, 착잡(錯雜)

◇**in·trigue** [íntri:g, intrí:g] ⓜ 음모, 밀통(密通) ⓙⓣ 음모를 꾸미다, 밀통하다 [~ with]; 흥미를 자아내다
(예) He *intrigued with* our enemy against us. 그는 우리의 적과 손을 잡고 우리에 대한 음모를 꾸몄다. // an *intriguing* piece of news 대단히 흥미를 자아내는 뉴스

in·trin·sic [intrínsik, -zik] ⓗ 본질적인, 고유의, 본래의 (=essential)
파 **intrínsically** ⓟ 본질적으로, 본래

in·tro·duce [ìntrədjúːs / -djúːs] ㉠ 소개하다; 안내하다 (=lead in); (새로운 사물을) 도입(導入)하다, 퍼뜨리다; 끌어들이다(=lead)

> ▶ **165. 접두어 intro**
> 「안에」「속에」의 뜻을 나타낸다.
> (예) *intro*duce, *intro*spective (내성적인) 등

원 intro(=within)+duce(=lead 인도하다)
반 remóve 옮기다, 제거하다
(예) *introduce* new ideas 새로운 사상을 전하다 // She *introduced* him *to* her friends. 그녀는 그를 자기의 친구들에게 소개했다. // Tobacco was *introduced* into Europe from America. 담배는 아메리카에서 유럽으로 전해졌다.
파 ***introdúction** 명 도입, 소개; 유도(誘導); 서문, 초보 **introdúctive, -tory** 형 소개의; 머리말의, 서문의

introduce ~ into … ~을 …으로 끌어들이다
(예) The teacher *introduced* the new pupils *into* their classroom. 선생은 신입생들을 교실로 안내했다. // *introduce* a key *into* a lock 열쇠를 자물쇠에 끼우다 // *introduce* a figure *into* a design 어떤 형체를 도안에 (짜)넣다

in·trude [intrúːd] 자타 침입하다, 밀고 들어가다, 방해하다; 억지로 밀어 넣다
(예) I hope I am not *intruding*. 방해가 되지는 않겠지요. // Don't *intrude* your opinions *on* others. 남에게 자기 의견을 고집해서는 안 된다.
파 **intrúder** 명 침입자, 훼방꾼 **intrúsion** 명 침입, 방해, 주제넘게 나섬 **intrúsive** 형 주제넘은, 침입하는

in·tu·i·tion [ìntjuíʃən / -tju-] 명 직각(直覺), 직감(直感)
파 ◇**intúitive** 형 직감〔직관〕적인

in·vade [invéid] 타 쳐들어가다, 내습하다(=attack), 침해하다(=violate)
(예) *invade* the rights of others 남의 권리를 침해하다 // The enemy *invaded* the country. 적군이 그 나라를 침입했다.
파 ◇**inváder** 명 침입자, 침략자 ***invásion** 명 침입, 침해

in·va·lid 형 [ínvəlid / -lìːd] 병약한(=feeble); [invǽlid] 무효의(=of no force), 쓸모 없는(=useless), 가치 없는(=worthless) 명 [ínvəlid] 병약자, 병자 타자 [ínvəlid / ínvəlìːd] 병약하게 하다〔되다〕
파 **invalidate** [invǽlədèit] 타 (~을) 무효로 하다 **invalidity** [ìnvəlídəti] 명 무효

in·val·u·a·ble [invǽljuəbəl] 형 극히 귀중한(=priceless), 값을 헤아릴 수 없는
원 in(=not)+valu(=estimate 어림하다)+able(형용사 어미)
반 válueless 무가치한
파 **inváluably** 부 매우 귀중하게, 값을 알 수 없을 정도로

in·var·i·a·ble [invέəriəbəl] 형 변치 않는, 일정한
반 váriable 변화하는
파 ***inváriably** 부 변함없이, 늘

I

in·vent [invént] ㊀ 발명하다, 고안하다(=think out); 날조하다(=make up a false story)
(예) *invent* a machine 기계를 발명하다 // *invent* an excuse 구실을 꾸며내다
NB discover(발견하다)와 구별할 것.
파 **invéntive** ㊂ 발명의, (발명의) 재능이 있는, 재간 있는 **invéntor** ㊁ 발명가(發明家)

in·ven·tion [invénʃən] ㊁ 발명(품)

in·ven·to·ry [ínvəntɔ̀ːri / -tri] ㊁ 상품〔재산〕목록, 재고품 목록 ㊀ 목록을 작성하다, 재고품을 조사하다

in·vert [invə́ːrt] ㊀ 전도(轉倒)하다, 뒤집다(=turn upside down)
파 **invérsion** ㊁ 전도

in·vest [invést] ㊀ 투자하다[~ in]; (옷을) 입히다; 서위(敍位)〔서임(敍任)〕하다; (지위·권력 따위를) 주다[~ with]; 포위하다
원 in(=on)+vest(=clothes)
반 divést 박탈하다, 벗기다
(예) *invest* (one's money) *in* an enterprise 기업에 투자하다 // He was *invested with* full authority. 그는 전권을 부여받았다.
파 **invéstment** ㊁ 투자; 포위 **invéstor** ㊁ 투자가

in·ves·ti·gate [invéstəgèit] ㊀ 연구하다, 조사하다
파 **investigátion** ㊁ 연구, 조사 **invéstigator** ㊁ 연구가, 조사자

in·vid·i·ous [invídiəs] ㊂ 비위에 거슬리는, 불쾌한; 불공평한, 남의 시기를 살 만한

in·vig·or·ate [invígərèit] ㊀ 원기를〔힘을〕 돋우다(=give vigor to)

in·vin·ci·ble [invínsəbəl] ㊂ 정복할 수 없는(=unconquerable), 무적(無敵)의, 불패(不敗)의
원 in(=not)+vinc(=conquer 정복하다)+ible(=able)
파 **invincibílity** ㊁ 무적(無敵), 불패

in·vis·i·ble [invízəbəl] ㊂ 눈에 보이지 않는(*cf.* audible「들리는」, inaudible「들리지 않는」) ㊁ [the I-] 눈에 보이지 않는 세계, 영계
반 vísible 눈에 보이는
(예) The star is *invisible to* the naked eye. 그 별은 육안으로는 보이지 않는다.
파 **invísibly** ㊄ 눈에 보이지 않게

in·vite [inváit] ㊀ 초대하다; 유혹하다, 권유하다; 초래하다
(예) *invite* attack 공격을 초래하다 // The young couple had themselves been *invited to* a party for that same afternoon. 그 젊은 부부는 같은 날 오후 파티에 초대 받았다. // I *invite* you *to* make a speech. 연설을 부탁합니다.
파 **invitátion** ㊁ 초대, 안내(장); 유혹(a letter of *invitation* 초대장) **inviting** ㊂ 초대하는; 마음을 끄는

in·voke [invóuk] ㊀ (신에게 도움·가호 따위를) 기원하다

빌다; 간원하다

in·vol·un·tar·y [inválənteri / -vɔ́ləntəri] ㊊ 무의식중의(=unintentional), 자동적인, 무심결의, 본의 아닌
반 vɔ́luntary 자발적인
(예) *involuntary* muscle 불수의근(不隨意筋)
파 **invɔ́luntarily** ㊋ 저도 모르게, 무의식중에, 자동적으로; 본의 아니게

in·volve [inválv / -vɔ́lv] ㊌ 포함하다(=include), 동반하다; 휘말려들게 하다 [~ in], 관련시키다, 연좌(連坐)시키다(=implicate); 의미하다(=imply)
원 in+volve(=roll 회전하다)
(예) ◇be *involved in* a crime 범죄에 관계되다 // Every argument *involves* some assumptions. 논거(論據)에는 모두 얼마간의 가정이 내포되어 있다.
파 **invɔ́lvement** ㊍ 연루(連累), 휘말려듦; 곤란

be* 〔*get*〕 *involved with ~에 휘말려들다, 관계하다
(예) He *is involved with* the thief. 그는 도둑과 관련되어 있다.

in·ward [ínwərd] ㊊ 내부의(=inner), 심적인(=mental) ㊋ 내부로, 마음속으로 ㊍ 내부
원 in+ward(~의 방향으로) 반 óutward 밖으로
(예) *Inward* he felt very uneasy. 그는 마음속으로는 매우 불안함을 느꼈다.
파 **ínwards** ㊋ 안으로, 내부로 ◇**ínwardly** ㊋ 안쪽으로, 마음속으로

IOC 〘약어〙 International Olympic Committee 국제 올림픽 위원회

io·dine [áiədàin / -dìːn] ㊍ 〘화학〙 요오드, 옥소《기호 I》

IOU [àioujúː] ㊍ 차용 증서(=I owe you)
NB 실제로는 IOU £5(5 파운드 차용)라고 쓴다.

Ire·land [áiərlənd] ㊍ 아일랜드, 에이레(=Eire)
NB 형용사는 Irish.

i·ris [áiəris] ㊍ 《*pl.* ***irises, irides*** [írədiːz, áiə-]》 붓꽃속의 식물; 그 꽃

I·rish [áiəriʃ] ㊊ 아일랜드의 ㊍ 아일랜드 사람〔말〕
파 **Írishman** ㊍ 《*pl.* -men》 아일랜드 사람

irk·some [ə́ːrksəm] ㊊ 지루한, 귀찮은

i·ron [áiərn] ㊍ 쇠, 철, 쇠로 만든 기구; 다리미; 《*pl.*》 차꼬, 수갑 ㊊ 쇠의; (쇠처럼) 단단한(=strong); 확고한(=firm); 굽히지 않는
(예) Strike while the *iron* is hot. 쇠는 뜨거울 때 두들겨라. // an *iron* will 철석 같은 의지
어법 물질로서의 「철」은 셀 수 없으나 철제품인 경우는 셀 수 있다.
파 **íroning** ㊍ 다리미질 ◇**íronclad** ㊊ 철판을 입힌〔댄〕, 장갑의 **the Iron Curtain** 철의 장막《1946년

▶ **166. 접미어 monger**
「~상인」 「~상점」의 뜻을 나타낸다. (예) iron*monger*, fish*monger*(생선 가게) 등

I

처칠 영국 수상이 처음으로 이 말을 썼음》 **iron lung** 철의 폐(肺) 《소아마비 환자 등에 쓰는 철제 호흡 보조 기구》 **íron-masked** ⓗ 철가면을 쓴 **ironmonger** [áiərnmʌ̀ŋgər] ⓜ 철물상(인) **íronwork** ⓜ 철제품 **íronworks** ⓜ 《보통 복수 취급인데 때로는 단수 취급》 철공장, 제철소

i·ro·ny [áiərəni] ⓜ 반어(反語); 빈정댐, 풍자
(예) the *irony* of fate 운명의 장난
파 **irónic(al)** ⓗ 반어적인, 빈정대는 **íronist** ⓜ 빈정대는 사람

ir·ra·di·ate [iréidièit] ⓣ 비추다, 밝히다 ⓙ 빛나다, 번쩍이다

***ir·ra·tion·al** [iræ̃ʃənəl] ⓗ 이성이 없는, 불합리한
반 rátional 이성적인

***ir·reg·u·lar**★ [irégjələr]★ ⓗ 불규칙한, 변칙의, 이상한(=abnormal); 고르지 못한, 균형이 잡히지 않은(=unsymmetrical)
원 ir(=not)+regular
반 régular 규칙적인
(예) at *irregular* intervals 불규칙한 간격을 두고 // an *irregular* life 불규칙한〔절제 없는〕 생활
파 **irregulárity** ⓜ 불규칙, 고르지 못함 **irrégularly** ⓟ 불규칙하게, 이상하게

ir·rep·a·ra·ble [irépərəbəl] ⓗ 수선〔치료〕할 수 없는, 돌이킬 수 없는

ir·re·sist·i·ble [ìrizístəbəl] ⓗ 저항할 수 없는, 억제할 수 없는
반 resístible 저항할 수 있는

ir·res·o·lute [irézəlùːt] ⓗ 결단력이 없는(=hesitating), 우유부단(優柔不斷)한
반 résolute 단호한
파 **irresolútion** ⓜ 우유부단

ir·re·spec·tive [ìrispéktiv] ⓗ 관계 없는, 고려하지 않는
irrespective of ~에 관계 없이, ~을 고려하지 않고
(예) *irrespective of* social status 사회적 신분에 관계 없이

ir·re·spon·si·ble [ìrispánsəbəl / -pɔ́n-] ⓗ 책임을 지지 않는, 무책임한

ir·ri·gate [írəgèit] ⓣ (토지에) 물을 대다, 관개(灌漑)하다
파 ***irrigation** [ìrəgéiʃən] ⓜ 관개

***ir·ri·tate**★ [írətèit] ⓣ 화나게 하다(=provoke), 안달나게 하다; 자극하다
반 appéase 달래다, 진정〔완화〕시키다
파 **irritátion** ⓜ 안달, 초조; 노여움 **írritable** ⓗ 성마른 **irritabílity** ⓜ 성마름

Is·lam·ic [islǽmik, iz-] ⓗ 이슬람교의; 회교의; 회교도의

***is·land** [áilənd]★ ⓜ 섬, 섬 비슷한 것
NB Ireland [áiərlənd]★ 「아일랜드」와 혼동하지 말 것.

isle [ail] ⓜ 〖시〗 섬(=island)
파 **islet** [áilit] ⓜ 작은 섬

i·so·late [áisəlèit] ㉺ 격리시키다, 분리시키다(=detach, separate), 고립시키다, 격리시키다; 절연(絶緣)하다(=insulate)
(예) The island *is isolated from* civilization. 그 섬은 문명으로부터 고립되어 있다.
㉶ *isolátion ㉹ 격리, 분리, 고립, 절연

Is·ra·el [ízriəl / -reiəl] ㉹ 이스라엘 민족, 유태 민족; 이스라엘 공화국
㉶ **Israelite** [ízriəlàit], **Isráeli** [izréili] ㉹ 이스라엘 사람 ㉻ 이스라엘의

is·sue [íʃuː] ㉹ 유출(流出), 출구(出口); 결말, 결과(=result); 문제; 자손; 발행, 발행물, (발행된 제 몇) 호(號), (제 몇) 판(版), 발행 부수 ㉺㉸ 발행하다, 공포하다; 유출하다, 나오다; ~의 결과가 되다, 생기다
(예) a recent *issue* 최근 호 // political *issues* 정치 문제 // the point at *issue* 문제점 // the *issue* of a war 전쟁의 결과 // *issue in* a failure 실패로 끝나다 // *issue* orders 명령을 발하다 // water *issuing from* the fountain 분수에서 분출되는 물
㉶ **issuance** [íʃu(ː)əns] ㉹ 발행, 발급, 배급

it [it] ㉹ ①《주어로서》 그것이, 그것은
(예) What is this?—*It* is a bird. 이것은 무엇입니까? —그것은 새입니다.
②《목적어로서, 앞에서 나온 말을 가리킴》 그것을, 그(것)에게
(예) Mother took the baby and gave *it* suck. 엄마는 아기를 안고 젖을 물렸다. // He took the book and gave *it* to me. 그는 책을 집어 (그것을) 나에게 주었다.
어법 ① 앞서 나온 말을 가리키는 이외에 서술의 내용도 가리킨다: His affection for her has cooled, but she hasn't noticed *it* yet. (그녀에 대한 그의 애정은 식어버렸지만, 그녀는 아직 그것을 알아채지 못했다)
② ***it***와 ***one***: it는 특정한 것을, one은 막연한 것을 받는다: I lost my watch, but found *it* later. I have lost my watch, so I must buy *one*.
③《심중에 있거나 문제되어 있는 사람·사물·행위 등을 가리킴. 우리말로 옮기지 않음》
(예) run for *it* 도망가다 // Go and see who *it* is. 누구인가 가 보고 오라. // Who is *it*?—*It*'s me. 누구입니까?—나입니다.
④《날씨·시간·거리 등을 나타내는 비인칭 동사의 주어로 사용. 우리말로 옮기지 않음》
(예) *It* snows. 눈이 온다. // *It*'s getting dark. 어두워진다. // *It* is 8 miles to Inchon. 인천까지는 8마일입니다. // *It* is Sunday today. 오늘은 일요일입니다.
⑤《형식 주어·형식 목적어로서 뒤에 오는 사실상의 주어 또는 목적어를 대표함》 (NB 가주어·가목적어라고도 한다.)
(예) *It* is not easy *to master English*. 영어를 마스터하

기란 쉽지 않다. // I found *it* impossible *to do it.* 내가
해 보니 그것은 불가능한 일이었다.

⑥ 《It is 〔was〕 ~ that 〔who, whom, which〕 ~의 형식으로 문장의 주어·목적어·부사어구를 강조》
(예) *It is* you *that* are responsible. 책임이 있는 것은 당신이오. // *It was* in this year *that* the war broke out. 전쟁이 일어난 것은 이 해였다. // *It was* he *that* was to blame. 나쁜 것은 그였다.

어법 형식 주어로 사용된 It is 〔was〕 ... that 절의 경우와 구별할 것: *It* is right *that* you should refuse.(네가 거절하는 것은 당연하다) 강조 구문의 경우에는 It is 〔was〕 및 that을 제외한 나머지 부분만으로도 문장이 성립되나, 형식 주어의 경우에는 성립되지 않는다.

NB 소유격의 its와 it is의 단축형 it's를 혼동하지 말 것.

파 **its** 대 그것의《it의 소유격》 ***itsélf** 대 그 자신《it의 강의적(強意的) 용법 또는 재귀적(再歸的) 용법》

it is no use doing ~하여도 소용 없다
(예) *It is no use* try*ing* to persuade him. 그를 설득하려고 해도 소용없다. // *It is no use* cry*ing* over spilt milk. 〖속담〗 (한 번) 엎지른 물(은 다시 주워 담지 못한다); 엎어진 그릇

i·tal·ic [itǽlik] 형 이탤릭체의
파 **itálics** 명 이탤릭체 문자(*cf.* roman)

***It·a·ly** [ítəli] 명 이탈리아
파 ***Itálian** 형 이탈리아의, 이탈리아 사람〔말〕의 명 이탈리아 사람〔말〕

◇**itch** [itʃ] 명 가려움; 갈망, 열망 자 가렵다, 근질근질하다; ~하고 싶어서 좀이 쑤시다 [~ to do, for]

*◇**i·tem** [áitəm, -tem] 명 조목; 종목, 항목; 기사
파 **itemize** [áitəmàiz] 타 조목별로 쓰다

◇**i·vo·ry** [áivəri] 명 상아(象牙), 《*pl.*》 상아로 만든 물건; 상아빛 형 상아의, 상아처럼 흰
(예) an *ivory* tower 상아탑(象牙塔)

◇**i·vy** [áivi] 명 담쟁이덩굴 타 담쟁이덩굴로 덮다

J

jab [dʒæb] 명 갑자기 찌르기〔때리기〕 타 찌르다, (권투에서) 잽을 넣다, 재빨리 쥐어박다

***jack** [dʒæk] 명 《일반적으로》 남자; 선원(船員), 수병; (국적을 나타내는) 선수기(船首旗)
(예) Union *Jack* 영국 국기 // *Jack* of all trades 무엇이나 다 하는 사람

NB 대문자로 쓸 때는 인명으로 John의 속칭.

◇**jack·et** [dʒǽkit] 명 재킷, 짧은 웃옷; 덮개, (책의) 커버(=covering); 외피(外被) 타 재킷을 입히다

jack·knife [dʒǽknàif] 명 《*pl.* ***-knives***》 잭나이프; 〖수

새우형 다이빙
ack·rab·bit [dʒǽkræ̀bit] ⓜ 〖동물〗 (북미산의) 산토끼
ail [dʒeil] ⓜ 〖미〗 교도소(=prison)
NB 영국에서는 gaol [dʒeil]이라고 쓴다.
ⓟ **jáiler, -or** ⓜ 간수 **jáilbird** ⓜ 죄수, 전과자
am [dʒæm] ⓜ 잼; 혼잡; (기계의 회전 부분의) 고장 ⓣⓐ (꽉) 쑤셔 넣다(=press); 움직이지 않게 되다
be*) *jammed with ~으로 꽉 찬, 혼잡한, 붐비는
(예) The roads *were jammed with* cars. 거리는 자동차로 메워져 있었다.
an·i·tor [dʒǽnətər] ⓜ 수위, 문지기(=doorkeeper); (빌딩 따위의) 관리인
an·u·ar·y [dʒǽnjuèri / -əri] ⓜ 1월 〖약어〗 *Jan.*
a·pan [dʒəpǽn] ⓜ 일본; [j-] 옻칠; 칠기(漆器) ⓣ [j-] 옻칠을 하다
ap·a·nese [dʒæ̀pəníːz] ⓗ 일본의, 일본 사람〔말〕의 ⓜ 《단수·복수 동형》 일본인; 《관사 없이》 일본어
어법 일본인 전체는 *the Japanese,* 개인은 *a Japanese.*
ar [dʒɑːr] ⓜ 단지; 삐걱거리는 소리, 싸움(=quarrel) ⓐⓣ 삐걱거리다, 진동시키다; 일치하지 않다 [~ with]
(예) a *jar* of water 한 단지의 물 // The door *jarred* open. 문은 삐걱거리며 열렸다.
aun·ty [dʒɔ́ːnti] ⓗ 명랑한, (마음이) 경쾌한(=easy and sprightly); 의기 양양한; 활기 있는(=lively)
ave·lin [dʒǽvəlin] ⓜ 던지는 창 ⓣ 창으로 찌르다
aw [dʒɔː] ⓜ 턱 (*cf.* chin)
azz [dʒæz] ⓜ 재즈 음악 ⓗ 재즈의 ⓐ 재즈 음악을 연주하다
ⓟ **jázzband** ⓜ 재즈 악단
eal·ous [dʒéləs] ⓗ 질투가 많은, 시새우는 [~ of]; 조심스러운
ⓟ **jealousy** [dʒéləsi] ⓜ 질투, 시샘
ean [dʒiːn] ⓜ 진《올이 가는 능직 무명천》; 《*pl.*》 진 바지
eep [dʒiːp] ⓜ 지프
eer [dʒiər] ⓜ 조소, 비웃음 ⓐ 조소하다, 비웃다 [~ at]
el·ly [dʒéli] ⓜ 젤리《과일·육류의 즙을 끓여서 굳힌 것》
ⓟ **jéllyfish** ⓜ 해파리
eop·ar·dy [dʒépərdi] ⓜ 위험, 위난(危難)(=peril, danger)
erk [dʒəːrk] ⓣⓐ 홱 잡아당기다 ⓜ 홱 잡아당김; 근육의 경련
(예) stop with a *jerk* 갑자기 서다, 급정거하다 // *jerk* a door open 문을 홱 잡아당겨 열다
ⓟ **jérky** ⓗ 갑자기 움직이는, 경련적인
est [dʒest] ⓜ 농(담)(=fun), 익살(=joke) ⓐ 농(담)하다
ⓑ éarnest 진정, 진지
ⓟ **jéster** ⓜ 농(담)을 하는 사람; 어릿광대
n jest 농(담)으로
(예) speak half *in jest* 반 농담으로 이야기하다 // Many a true word is spoken *in jest.* 농담으로 말한 것 속에는 진

담이 많다.

Je·sus [dʒíːzəs] ㉠ 예수(=Jesus Christ)

◇**jet** [dʒet] ㉠㉥ 분출하다(=shoot), 내뿜다 ㉠ 분출; 제트(엔진); 순흑색 ㉡ 새까만; 〖미〗 분사(噴射) 추진식의
(예) a *jet* bomber 제트 폭격기 // a *jet* fighter 제트 전기 // a *jet* flier 〔pilot〕 제트기 조종사 // Smoke *jetted* o 연기가 뿜어 나왔다.

Jew [dʒuː] ㉠ 유태인
㉮ **Jéwish** ㉡ 유태인의, 유태인 같은

jew·el [dʒúːəl] ㉠ 보석 ㉥ 보석으로 장식하다
㉮ **jeweller** [dʒúːələr] ㉠ 보석상 ◇**jewel(le)ry** [dʒúːəlri] ㉠ 보석류 《목걸이·반지 따위의 총칭》

Jim·son·weed [dʒímsənwiːd] ㉠ [또는 j-] 흰독말풀 《유독 식물》

> ▶ **167. 접미어 ry**
> ① 집단을 나타낸다. (예) jewe*ry*
> ② 상태를 나타낸다. (예) slav*ry* (노예 상태)
> ③ 직업·행위를 나타낸다. (예) dentist*ry*(치과 의술 치과업)

◇**jin·gle** [dʒíŋgəl] ㉠ 딸랑딸랑《방울 따위의 소리》 ㉠㉥ 랑딸랑 울리다

◇**jin·go** [dʒíŋgou] ㉠ 《*pl.* **-es**》 주전론자, 대외 강경론자; 목적 애국자(=chauvinist)
㉮ **jíngoism** ㉠ 강경 외교 정책, 주전론 **jíngoist** ㉠ 맹적 애국주의자, 강경 외교론자 **jingoístic** ㉡ 주전론(자)

*◇**job** [dʒɑb / dʒɔb] ㉠ 일(=work), 삯일 ㉠㉥ 품팔이일하다, 세로 빌리다; (말·마차 따위를) 삯으로 빌려주다
(예) be out of a *job* 실직중에 있다 // find a *job* 일자리 찾다 // I had a hard *job* to get it done. 그것을 하는 데 들었다. 「쓰

◇(***be***) ***on the job*** 일하는 중인; 활발히 활동하는, 일에
(예) She *is on the job* with her homework. 그 여자는 제를 열심히 하는 중이다.

do a good job 일을 잘 하다; 유익한 일을 하다
(예) He *did a good job* of painting the wall. 그는 벽 페인트를 잘 칠했다.

J

◇**jock·ey** [dʒɑ́ki / dʒɔ́ki] ㉠ 경마의 기수 ㉥ (말에) 기수서 타다; 〖구어〗 운전〔조종〕하다; 속이다

joc·und [dʒɑ́kənd / dʒɔ́k-] ㉡ 유쾌한, 즐거운(=merry)
㉮ **jocúndity** ㉠ 쾌활, 유쾌

◇**jog** [dʒɑg / dʒɔg] ㉠ 터벅터벅 걷다, 그럭저럭 (일이) 진되다 [~ along, on] ㉥ 살짝 밀다〔찌르다〕; (기억을) 불일으키다(=remind); (말 따위를) 나아가게 하다
㉮ ◇**jógging** ㉠ 조깅, (천천히) 달리기

***join** [dʒɔin] ㉥㉠ 결합하다, 합하다(=fix together); 합하다, 입회하다 ㉠ 결합
㉯ part 분리하다
(예) *join* one thing *to* another 하나의 사물을 다른 것 결합시키다 // *join* two towns by a railway 두 도시를

도로 연결하다 // Come and *join* us. 우리와 함께 합시다.
[파] **jóiner** [명] 접합물; 소목(장이)
join hands with ~와 손을 잡다, ~와 제휴하다
join in ~에 가담하다, 한패가 되다
(예) Many people *joined in* these celebrations. 많은 사람들이 이들 축전에 참가했다.
joint [dʒɔint] [명] 이음새, 관절 [형] 합동의, 공동의 [타] 접합하다
[반] séparate 갈라진, 분리하다
[파] **jóintly** [부] 공동〔합동〕으로 **joint stock** 공동 자본
joke [dʒouk] [명] 농담(=jest), 익살, 장난 [자][타] 농담을 하다
(예) *joking* aside ↔ apart from *joking* 농담은 그만두고 // My uncle is always full of *jokes.* 나의 아저씨는 언제나 농담만 하신다.
[파] **jóker** [명] 농담을 하는 사람, 어릿광대; (트럼프의) 조커
play a joke on ~을 놀리다, 조롱하다
(예) He liked to *play jokes on* his friends. 그는 친구들을 놀리기 좋아했다.

▶ **168.** 「농담」의 유사어
joke는 사람의 웃음을 자아내는 행동이나 말로서 가장 널리 사용되는 말. **fun**은 행해서 유쾌한 일. **jest**는 joke보다 형식적인 말로서 빈정거림이나 조소를 포함한다. **humor**는 익살맞은 일, 어리석은 일을 재미있게 나타내는 것. 듣는 사람이 공감의 미소를 짓는 따위의 감정적인 요소를 중시한다. **wit**는 모순을 예리하게 파헤쳐서 임기응변으로 표현하는 것으로 지적인 요소를 중시한다.

jol·ly [dʒáli / dʒɔ́li] [형] 명랑한(=merry) [부] 매우, 대단히(=very)
(예) What *jolly* chaps they are! 정말이지 명랑한 사람들이군!
jolt [dʒoult] [자][타] 덜걱덜걱 흔들(리)다, (마차 따위가) 덜커덕거리다 [명] 동요, 심하게 위아래로 흔들림
jos·tle [dʒásl / dʒɔ́sl] [타][자] (팔꿈치로) 밀다, 밀어제치다 [~ away]; 부딪치다; 다투다 [명] 밀치기, 혼잡; 부딪침
(예) The crowd *jostled* into the theater. 군중이 극장으로 밀치며 들어갔다. // The bus *jostled* to a stop. 버스가 (덜커덩) 급정거했다.
jour·nal [dʒə́ːrnl] [명] 일간 신문; 정기 간행물, 잡지(=magazine); 일지, 일기(=diary)
[원] journ(=daily)+al(명사 어미)
[파] **jóurnalism** [명] 신문·잡지업, 저널리즘 ***jóurnalist** [명] 신문·잡지 기자 **journalístic** [형] 신문·잡지(업)의; 신문·잡지 기자의
jour·ney★ [dʒə́ːrni] [명] 여행(=travel); 여정 [자] 여행하다
(예) on a 〔one's〕 *journey* 여행중에 // go on 〔make, take〕 a *journey* 여행을 가다〔하다〕 // It is a day's

▶ **169.** 「여행」의 유사어
journey는 꽤 긴 육상 여행. **trip**은 짧은 여행. **tour**는 주로 관광 여행. **travel**은 멀리 떨어져 있는 미지의 지방으로 가는 여행. **voyage**는 배 또는 우주 여행.

J

journey from here. 여기서부터는 하루의 여정이다.
jo·vi·al [dʒóuviəl] [형] 쾌활한, 유쾌한, 즐거운, 명랑한
[반] glóomy 침울한
[파] **joviálity** [명] 쾌활, 명랑; 《*pl.*》 명랑한 행동〔말〕
*__joy__ [dʒɔi] [명] 기쁨(=great pleasure), 즐거움
[반] sórrow, grief 슬픔
(예) ◇to one's *joy* 기쁘게도
[파] ◇**jóyful** [형] 기쁜(듯한), 즐거운 ◇**jóyfully** [부] 기뻐서 즐겁게 **joyous** [dʒɔ́iəs] [형] 즐거운, 기쁜, 즐거움〔기쁨〕이 찬 ◇**jóyously** [부] 즐겁게, 기뻐서
*__judge__ [dʒʌdʒ] [명] 재판관, 판사; 심사원 [타][자] 판가름하다, 판결을 내리다, 감정하다, 판단하다
(예) *Judging from* his face, you might fancy him olde[r] 그의 얼굴을 보고 판단한다면, 그의 나이가 좀더 많다[고] 생각될지도 모른다. // *judge* others by appearance 남[을] 그 외양을 보고 판단하다 // I *judged* the rumor *to be* tru[e] ↔ I *judged* (*that*) the rumor was true. 나는 그 소문이 [사]실이라고 판단했다. // The court *judged* him guilty. 법[정]은 그에게 유죄판결을 내렸다. // He is a good *judge* [of] wine. 그는 포도주 감정에 익숙하다
*__judg(e)·ment__ [dʒʌ́dʒmənt] [명] 재판, 판단, 의견, 결론
(예) the *Judgment* Day 최후의 심판날 「단이 적절[한]
ju·di·cious [dʒuːdíʃəs] [형] 분별 있는, 현명한(=wise), [판]
jug [dʒʌg] [명] 주전자, 항아리(=pot for liquids), 조끼
◇**juice** [dʒuːs] [명] (동·식물체의) 즙, 액
[파] ◇**júicy** [형] 즙〔수분〕이 많은 **júiciness** [명] 즙이 많음
☆**Ju·ly** [dʒulái] [명] 7월 〔약어〕 *Jul.* 「하다〔되다〕
jum·ble [dʒʌ́mbəl] [명] 난잡, 뒤범벅 [타][자] 뒤범벅이 되[게]
jum·bo [dʒʌ́mbou] [명] 코끼리; 크고 볼품 없는 사람〔물건〕 [형] 엄청나게 큰, 특대의
*__jump__ [dʒʌmp] [명] 도약(=leap, bound); 급등 [자][타] 뛰다, 뛰어넘다, 도약하다; 급등하다
(예) at a *jump* 일약 // *jump* to one's feet 벌떡 일어서다 // He *jumped up* with joy. 그는 기뻐서 껑충껑충 뛰었다.
[파] **júmper** [명] 뛰는 사람; 잠바《웃옷의 일종》
jump at ~에 달려들다, ~에 쾌히 응하다
(예) *jump at* a chance 호기에 달려들다, 호기를 놓치[지] 않다 // *jump at* 〔*to*〕 a conclusion 속단하다
◇**junc·tion** [dʒʌ́ŋ*k*ʃən] [명] 접합(점); 연락역(連絡驛)
[파] **júncture** [명] 이음매; 접합(점), 연락; 중대 시기, 위기
☆**June** [dʒuːn] [명] 6월 〔약어〕 *Jun.*
◇**jun·gle** [dʒʌ́ŋgəl] [명] 정글, 밀림
*__jun·ior__ [dʒúːnjə*r*]* [명] 연소자, 후배; 〔미〕 3학년생 [형] [연]소한, 손아래의(=younger); 후진의, 하급의; 자식의 〔[약]어〕 *Jr., Jun.*
[원] jun(=young)+ior(비교급 어미)
[반] sénior 선배, 손위의
(예) John Smith *Jr.* 아들 존 스미스 // I am your *junio[r]*

by two years. ↔ I am two years your *junior.* 나는 너보다 2년 나이가 적다. (↔ You are two years older than I.) // He is *junior to* me. 그는 나의 후배이다.

어법 미국의 4년제 대학 또는 고등 학교에서는 학년에 따라 freshman (1학년생), sophomore (2학년생), *junior* (3학년생), senior (4학년생). *junior*는 3년제에서는 2학년생, 2년제에서는 1학년생을 가리킨다.

junk [dʒʌŋk] 명 (중국의) 정크선; 잡동사니

Ju·pi·ter [dʒúːpətər] 명 주피터; 〖천문〗 목성

ju·ry [dʒúəri] 명 배심, 배심원(전원)

파 **júryman** 명 《*pl.* -men》 배심원

just* [dʒʌst, dʒəst] 형 올바른(=right), 정의의, 공평한; 당연한 부 꼭; 겨우, 간신히; 방금; 다만(=only)

반 unjúst 부정한, 불공평한

(예) a *just* decision 공정한 결정 // That's *just* it. 바로 그렇다. // I was *just* in time for school. 수업 시간에 간신히 닿았다. // *Just* come here. 좀 와 주시오. // I don't know *just* how he did it. 그가 그것을 어떻게 했는지 정확히 모른다. // They served the new king *just* as they served their father. 그들은 마치 아버지를 섬기듯이 새 왕을 섬겼다.

파 **jústly** 부 올바르게, 공평하게 (⇨) **justice, justify**

just as (***much***) ~ ***as*** …와 꼭 마찬가지로 ~

(예) Reading a good novel is *just as* entertaining *as* seeing a movie. 좋은 소설을 읽는 것은 영화 구경과 마찬가지로 즐겁다.

just now 바로 지금; 《과거형과 함께》 방금, 이제 금방

(예) I saw him *just now.* 그를 방금 만났다.

어법 just now는 a moment ago의 뜻으로 과거와 함께 쓰는 것이 보통. 현재완료형에는 just나 now 중 하나만을 쓸 것.

jus·tice [dʒʌ́stis] 명 정의(=rightness), 공정; 정당〔타당〕성; 사법(관), 재판(관), 판사; [J-] 정의의 여신

do justice to ~; do ~ justice ~을 정당하게 다루다〔평하다〕; (음식)을 잔뜩 먹다

(예) To *do* him *justice,* his intentions were good. 공평히 말하면 그의 의도는 좋았다. // It is impossible to *do justice to* the subject in a short article. 짧은 논문으로는 그 문제를 정당하게 다룰 수가 없다. // We have *done* ample *justice to* the dinner. 우리는 식사를 배불리 했다.

in justice (***to***) (~을) 공평히 말해서〔취급해서〕

(예) I must say, *in justice* (*to* him), that he is sincere. 공평히 말하면, 그는 진중하다고 말하지 않으면 안 된다.

jus·ti·fy [dʒʌ́stəfài] 타 자 옳다고 주장하다, 정당화하다; 충분한 근거를 제시하다

반 condémn 비난하다

(예) *justify* oneself 변명하다 // I think I am *justified* in saying so. 그렇게 말해도 좋다고 생각한다.

파 ◇**jústifiable** 형 이치에 닿는, 지당한 ◇**justificátion** 명 정당화; 사리에 맞는 변명

jut [dʒʌt] [자] 돌출하다, 튀어나오다(=project, protrude) [~ forth, out, up] [명] 돌출(부)
Jute [dʒuːt] [명] 주트 사람; [the Jutes] 주트족(族)
ju·ve·nile [dʒúːvənàil, -nəl] [형] 나이 어린, 연소(年少)한 (=young), 소년 소녀를 위한
(예) *juvenile* delinquency (18세 미만의) 소년 비행〔범죄〕 // *juvenile* literature 아동 문학

ka·lei·do·scope [kəláidəskòup] [명] 만화경(萬華鏡)
kan·ga·roo [kæ̀ŋgərúː] [명] 캥거루
*◇**keen** [kiːn] [형] 날카로운, 예리한(=sharp); 예민한, 명민한 (=piercing); 열심인, 열망하는(=eager) [~ on, about]
[반] dull 둔한
(예) a *keen* edge 예리한 날 // He is *keen to* go abroad 그는 외국에 가고 싶어하고 있다.
[파] **kéenly** [부] 예리하게, 열심히 **kéenness** [명] 예민; 열심
(*be*) *keen on* ~을 열망하는, 좋아하는
(예) He's not very *keen on* tennis. 그는 그다지 테니스를 좋아하지 않는다. // He *is keen on* your daughter's marrying his son. 그는 당신의 딸이 자기 아들과 결혼할 것을 열망하고 있습니다.
☆**keep** [kiːp] [타][자] 《***kept***》 지니다(=hold); 지키다(=observe); ~을 돌보다(=care for); 보호하다; 부양하다; 저지하다; 경영하다; 계속하다; 계속해서 ~하다 [~ doing] 기입하다
[반] reléase 풀어 놓다, neglect 소홀히 하다
[어법] ① 완전 타동사로서: *keep* chickens (병아리를 기르다) *keep* a diary (일기를 쓰다) ② 불완전 타동사로서: 목적 보어에 형용사·분사: *keep* a fact secret (사실을 비밀로 덮어 두다) I'm sorry to have *kept* you wait*ing*. (기다리게 해서 죄송합니다) *Keep* the money hidden. (그 돈을 숨겨 두어라) *Keep* yourself in good health. (건강에 주의하시오) ③ 불완전 자동사로서: *keep* silent (줄곧 말이 없다) *keep* writing (계속해서 쓰다) ④ 완전 자동사로서: Food *keeps* long in winter. (겨울에는 음식이 변하지 않고 오래 간다)
[파] ◇**kéeper** [명] 지키는 사람, 파수꾼, 관리인, 소유자 **kéeping** [명] 관리; 부양
keep a watch on 〔***upon***〕 ~의 파수를 보다, 감시하다
keep abreast with 〔***of***〕 ~와 병행하여 나아가다, (시대 조류 따위에) 뒤떨어지지 않도록 하다(=keep up with)
(예) You must *keep abreast with* the times. 시대에 뒤떨어져서는 안 된다.
keep 〔***stand***〕 ***aloof from*** ~로부터 떨어져 있다, ~에 「초연해 있다
keep at ~에게 귀찮게 졸라대다〔불평하다〕; 계속해서 하

다; 한결같이 노력하다
(예) *keep at* a person with questions 아무에게 계속해서 질문하다 // You will never master English unless you *keep at* it. 꾸준히 노력하지 않으면 영어를 결코 정복하지 못할 것이다. // *Keep at* it. 꾸준히 노력하라, 포기하지 마라.

keep away (***from***) ～을 멀리하다, ～에 가까이 하지 않다
(예) *Keep away from* such company. 그러한 패거리들과는 사귀지 마라. // Danger! *Keep away.* 위험! 접근 마시오. // *Keep* the child *away from* the fire. 애를 불 가까이 가지 못하게 해라.

keep back 억제하다(=restrain), 억누르다, 만류하다
(예) I will *keep back* nothing from you. 너에게 아무 것도 숨기지 않겠다.

keep down 억누르다, 진정하다
(예) I could not *keep* my anger *down.* 나는 분노를 억제할 수 없었다.

keep ～ from ～이 …하는 것을 금하다; ～을 …로부터 보호하다(=prevent ～ from)
(예) ◦I couldn't *keep* myself *from* say*ing* what I thought. 나는 내가 마음 먹었던 것을 말하지 않을 수 없었다.
NB keep from은 「～에서 멀리하다, 가까이하지 않다」의 뜻: *keep from* danger (위험을 멀리하다)

keep in mind 마음에 새기다, 기억하다

keep in touch 〔***contact***〕 ***with*** ～와 접촉〔연락〕을 유지하다
(예) We have to *keep* more *in touch with* world developments. 우리는 좀더 세계 정세를 알지 않으면 안 된다.

keep off 막다, 가까이 못 오게 하다, 가까이하지 않다
(예) *keep off* the enemy 적을 가까이 못 오게 하다 // *Keep* your hands *off* the articles. 물품에 손대지 마시오.

keep on* 계속하다; (몸에) 걸친〔입은, 쓴, 신은〕채로 있다
(예) *keep on* read*ing* 읽기를 계속하다 // *Keep* your shoes *on.* 신을 신은 채로 좋습니다.

keep *one*'***s promise*** 〔***word***〕 약속을 지키다

keep *one****self*** 자활하다, (어떤 상태로) 그대로 있다
(예) I cannot *keep* my*self* yet, but am dependent on my parents. 나는 아직 자활하지 못하고 부모에게 의지하고 있다. // He *kept* him*self* in the seat. 그는 의자에 가만히 앉아 있었다.

keep out ～을 내쫓다, 안에 들이지 않다
(예) *keep* a cat *out* 고양이를 내쫓다 // Shut the windows and *keep out* the cold. 창문을 닫고 방을 차게 하지 마라.

keep ～ out of ～을 안에 들이지 않다
(예) Shall I *keep* him *out of* school? 그에게 학교를 쉬게 할까요?

keep quiet 〔***silent***〕 조용히 하다, 침묵을 굳게 지키다

keep to ～을 굳게 지키다, ～을 고집하다
(예) *keep to* one's word 약속을 지키다 // *Keep to* the left. 좌측 통행.

K

keep ~ to oneself ~을 자기 혼자 간직하다
(예) He *keeps* the secret *to* him*self*. 그는 비밀을 누구에게도 말하지 않는다.
keep under ~을 억누르다, 무리하게 억제하다
(예) *keep* the fire *under* 불을 끄다 // That boy needs *keeping under*. 저 아이는 억누를 필요가 있다.
◇***keep up*** 버티다, 유지하다(=maintain); 계속하다
(예) The enemy *kept up* their attack for three days. 적은 3일간 공격을 계속했다. // The rain *kept up* all day. 비가 하루 종일 내렸다.
◇***keep up with*** ~에 낙오하지 않다, 뒤떨어지지 않도록 하다
(예) He did his best to *keep up with* the time in which he lived. 그는 자신이 살고 있는 시대에 뒤지지 않도록 최선을 다했다.

ken·nel [kénl] ⓜ 개집

◇**ker·nel** [kə́ːrnl] ⓜ (과실의) 인(仁); (곡식의) 낟알; 요점, 핵심

ker·o·sene, -sine [kérəsìːn, kèrəsíːn] ⓜ 등불용 석유,

◇**ket·tle** [kétl] ⓜ 물 끓이는 그릇, 주전자, 솥, 냄비

◇**key** [kiː]* 〈동음어 quay〉
ⓜ 열쇠, (문제 해결의) 실마리(=clue); 해답집; (풍금·피아노의) 건(鍵) ⓣ 열쇠로 잠그다; 음조를 맞추다; 고무하다 [~ up] ⓗ 〔미〕 중요한(=important)

> ▶ **170.** 「열쇠」의 유사어
> **key**는 열쇠 구멍에 끼우는 「키」, **lock**는 열쇠 구멍이 있는 자물쇠를 말한다.

(예) the *key to* success 성공의 열쇠 // Knowledge is a treasure, but practice is the main *key to* it. 지식이 보배이기는 하지만, 그것을 얻는 주요 열쇠는 실천이다.
㊇ ◇**kéyboard** ⓜ 건반《피아노·타자기 따위의》 **kéyhole** ⓜ 열쇠 구멍 **key industry** 기간 산업 **kéynote** ⓜ 주음; 주안(主眼); (정책 따위의) 기조 **key point** 착안점 **kéystone** ⓜ (아치의 꼭대기에 있는) 홍예머리; 요지; 근본 원리

◇**kick** [kik] ⓣⓙ 차다; 반항하다 ⓜ 차기, 반발

◇**kid** [kid] ⓜ 새끼 염소(=young goat); 아이 ⓙⓣ 놀리다
(예) No *kidding!* 설마; 농담 마라.
㊇ **kidnap** [kídnæ̀p] ⓣ (아이를) 유괴하다, 채 가다, 꾀어내다 **kídnap(p)ing** ㊔ 유괴

kid·ney [kídni] ⓜ 신장(腎臟); 기질; 종류(=sort, class)

◇**kill** [kil] ⓣⓙ 죽이다; 진정시키다(=quiet), 말살하다
㉤ save, spare 목숨을 구하다〔살려주다〕
(예) *kill* oneself 자살하다 // *kill* two birds with one stone 일석 이조
어법 ① 「사고」「전쟁」 따위로 「죽다」는 *be killed*를 쓴다: He *was killed* in a car accident. (그는 자동차 사고로 죽었다) ② *kill*은 가장 일반적인 낱말로, 사

> ▶ **171.** 「죽이다」의 유사어
> **kill**은 일반적인 말. **execute**는 판결에 의해 사형을 집행하다. **murder**는 사람을 불법적으로 살의를 갖고 죽이다. **slay**는 영국에서는 시적인 말이나, 미국에서는 kill과 같이 쓰인다.

K

람 이외에도 쓰인다. *murder*는 잔인한 방법으로 사람을 죽이는 것.

파 **kíller** 명 살인자

kill time 심심풀이를 하다, 시간을 보내다
(예) a means of *killing time* 시간을 보내는 방법

ki·lo [kí:lou] 명 킬로《kilogram, kilometer, kiloliter 따위의 간약형》

ki·lo·gram(me) [kíləgræ̀m] 명 킬로그램

ki·lo·me·ter, -me·tre [kíləmì:tər] 명 킬로미터

kilt [kilt] 명 킬트《스코틀랜드 고지 지방에서 입는 남자의 짧은 스커트》 타 (자락을) 걷어 올리다; ~에 세로 주름을 잡다

> ▶ **172. 접두어 kilo**
> 「1000(thousand)」의 의미를 나타낸다. (예) *kilo*meter

kin [kin] 명 **혈족**(=relations by blood), 가문(=family); 《집합적》 친척(=relatives) 형 혈족의
(예) be (of) *kin* to ~의 친척이다; ~와 동류이다
어법 형용사로서는 서술 용법뿐임, 직접 명사의 앞에서는 쓰이지 않는다.

파 **kínship** 명 친척 관계 **kínsman** [kínzmən] 명 《*pl.* -men》 (남자) 친척

kind★ [kaind] 형 친절한, 유순한 명 종류; 성질
반 crúel 잔인한, hard 무정한, 가혹한
(예) Be *kind to* animals. 동물에 따뜻하게 대하시오. // It's *kind of* you *to* say so. 그렇게 말씀하여 주시니 감사합니다. // He *was kind enough to* take me there. 그는 친절하게도 나를 그곳으로 데려다 주었다. (↔He had the kindness to take me there.) // This is a different *kind* of book. 이것은 다른 종류의 책이다.
어법 「종류」를 뜻할 때는 다음과 같은 점에 주의할 것. ① *kind* of 다음에 오는 명사에는 관사를 붙이지 않는 것이 보통: a *kind* of pen (일종의 펜) ② 한 종류일 때는, 다음에 오는 명사가 복수라도 *this* kind of books라고 하는 것이 옳다. 단, 실제로는 *these* kind of books와 같이 말할 때가 많다. books of this *kind*라고 하는 수도 있다. 호응하는 동사는 단수, 복수 어느 것으로도 쓰이나, 복수형이 보다 더 보통임. ③ 두 종류 이상인 때는 these *kinds* of books로, 명사는 복수로 하는 것이 보통.

파 ***kíndly** 형 친절한, 동정심이 있는; 온화한 부 친절하게, 상냥하게; 부디, 쾌히 ***kíndliness** 명 온정; 친절한 행위 ***kíndness** 명 친절, 애정; 친절한 행위

kind of 〖미구어〗 약간, 그저, 어느 정도
(예) *kind of* good 비교적 좋은 // I *kind of* expected it. 조금은 예기하고 있었다. // He is *kind of* cross this morning. 오늘 아침은 찌무룩하다.

****a kind of*** 일종의 ~; 마치 ~ 같은 것; 하찮은
(예) He is *a kind of* stockbroker. 그는 주식 중개인 같은 일을 하고 있다; 기껏해야 하찮은 주식 중개인이다. // *a*

kind of essay 일종의 수필

◇**kin·der·gar·ten** [kíndərgɑ̀ːrtn] 명 〖독〗 유치원

◇**kin·dle** [kíndl] 타 자 태우다(=set on fire), 점화하다(=light); 고무하다(=inspire); 빛내다

kin·dred [kíndrid] 명 혈연, 일가, 친척; 유사(=likeness) 형 같은 혈연의, 동종의

(예) *kindred* languages 같은 계통의 여러 언어들

***king** [kiŋ] 명 왕, 국왕 (*cf.* queen 여왕); (광산왕, 석유왕 따위의) 왕

(예) *King* George V [kiŋ dʒɔːrdʒ ðə fifθ] 조지 5세 // the *king* of beasts 백수의 왕 // Long live the *King*! 국왕 만세!

파 **kíngly** 형 왕의; 당당한 ☆**kingdom** [kíŋdəm] 명 왕국, ~계(界) (the *kingdom* of heaven 천국, 신의 나라)

▶ **173.** 「왕」의 유사어

king은 왕국(kingdom)의 세습적인 왕. **emperor**는 제국(empire)의 왕, 즉 황제. 옛날 서구에서는 황제는 로마 황제뿐이며 나머지는 전부 king이라 하여 로마 황제 밑에 있는 것으로 생각했었다.

kins·folk [kínzfòuk] 명 《*pl.*》 친척, 일가

◇**kin·ship** [kínʃip] 명 혈연 관계; 유사(類似)

◇**kiss** [kis] 명 입맞춤, 키스 타 입맞추다, 접촉하다

(예) *kiss* a baby on the cheek 어린애 볼에 입맞추다 // *kiss* the children good-bye 아이들에게 작별 키스를 하다

kit [kit] 명 연장통〔주머니〕; 도구 한 벌

☆**kitch·en** [kítʃən] 명 부엌, 취사장

파 **kitchen garden** 채소밭 **kitchenét(te)** 명 간이 부엌, 작은 주방

◇**kite** [kait] 명 연(鳶); 솔개; 사기꾼(=impostor)

◇**kit·ten** [kítn] 명 새끼 고양이; 말괄량이 자 (고양이가) 새끼를 낳다

kit·ty [kíti] 명 〖어린이말〗 새끼 고양이(=kitten)

knack [næk] 명 숙련된 기술, 교묘한 솜씨〔기교〕

◇**knap·sack** [nǽpsæ̀k] 명 배낭

knave [neiv] 명 악한(=rascal), 부랑배

파 **knávery** 명 못된 짓〔일〕; 사기 **knávish** 형 깡패 같은, 부정한

knead [niːd] 〈동음어 need〉 타 (가루 또는 흙을) 반죽하다, 개다; 빚어 만들다

☆**knee** [niː] 명 무릎, 무릎마디

(예) be 〔fall〕 on one's *knees* 무릎을 꿇고 있다〔꿇다〕

파 **knée-deep** 형 무릎까지 빠지는 (⇨) **kneel**

bring** a person **to his knees 아무를 굴복〔복종〕시키다

(예) He tried to *bring* his wife *to* her *knees*, which he found impossible. 그는 아내를 무릎 꿇게 하려고 했으나 불가능하다는 것을 알았다.

on* 〔*upon*〕 *the* 〔*one's*〕 *knees 무릎을 꿇고, 저자세로; 크게 실패하여

(예) I begged her forgiveness *on* my *knees*. 나는 무릎을

K

꿇고 그 여자의 용서를 빌었다.
kneel [niːl] ㉮ 《***knelt, kneeled***》 무릎 꿇다; 굴복하다
(예) *kneel* down in prayer 무릎을 꿇고 기도하다
knell [nel] ㉮ (장례식의) 종소리, 흉조 ㉮㉯ 장례식의 종이 울리다〔종을 울리다〕
knick·er·bock·ers [níkərbὰkərs / níkəbɔ̀kəs] ㉮ 《*pl.*》 (무릎 아래서 졸라매는 느슨한) 짧은 양복바지
knife [naif] ㉮ 《*pl.* ***knives***》 나이프, 작은 칼 ㉯ 작은 칼로 베다
knight [nait] 〈동음어 night〉 ㉮ 기사, 나이트 작위, 훈작사(勳爵士)《Sir의 칭호가 허용됨》〔약어〕 *Knt., Kt.* ㉯ 나이트 작위를 주다
㉰ **knightly** ㉱ 기사의, 의협적인 **knighthood** ㉮ 나이트 작위
knit [nit] ㉯㉮ 《***knitted, knit***》 뜨다; (눈살을) 찌푸리다; 접합하다(=joint)
(예) *knit* a sweater *out of* wool ↔ *knit* wool *into* a sweater 털실로 스웨터를 뜨다
㉰ **knitting** ㉮ 뜨개질; 접합 (a *knitting* machine 편물 기계)
knob [nαb / nɔb] ㉮ 혹, (문 따위의) 손잡이
knock [nαk / nɔk] ㉯㉮ 때리다, 치다(=strike with the fist); 충돌하다 ㉮ 문을 두드리는 일, 노크; 구타(=blow)
(예) *knock at* 〔*on*〕 the door 문을 노크하다〔두드리다〕 // He *knocked* his head *against* the door. 그는 문에 머리를 부딪쳤다. // You *knocked* him senseless. 너는 그를 때려 기절시켰다. // *Knock* it up! 그만 집어치워라!
㉰ **knóckdown** ㉮ 때려 눕힘 ㉱ 때려 눕히는; 접을 수 있는 **knócker** ㉮ 때리는 사람, 방문시에 문 두드리는 금속제 기구 **knóckout** ㉮〔권투〕 녹아웃 〔약어〕 *K.O.*
knock down 때려 눕히다; 낙찰시키다
(예) The boxer *knocked* his opponent *down.* 그 권투 선수는 상대를 때려 눕혔다. // The books were *knocked down* to his bid of five francs. 그 책들은 그가 매긴 5프랑에 낙찰되었다.
knock out 때려 눕히다(=knock down); 항복시키다; 녹아웃시키다, 급히 해치우다
(예) The pitcher was *knocked out* in the first inning. 그 투수는 1회전에서 녹아웃되었다.
knoll [noul] ㉮ 작은 산, 야산; 종소리 ㉯㉮ 〔영·옛〕 (종을) 치다; (종이) 울리다
knot [nαt / nɔt] 〈동음어 not〉 ㉮ 매듭(=tie); 노트(해리) 《약 1,850 미터》; 혹 ㉯㉮ (끈 따위를) 매다, 얽히다
㉰ **knótty** ㉱ 혹이 많은; 분규의, 엉클어진
know★ [nou]★ 〈동음어 no〉 ㉯㉮ 《***knew; known***》 알다(=understand); 인정하다(=recognize); 정통하다, ～와 아는 사이다(=be acquainted with)
(예) *know* by name 〔sight〕 이름〔얼굴〕은 알고 있다 // I don't *know* how to pronounce it. 그것을 어떻게 발음하는

지 모른다. // I *know* (*that*) he is rich. ↔ I *know* him *to be* rich. 나는 그가 부자란 것을 알고 있다. // Do you *know* when he will set out? 그가 언제 출발하는지를 아느냐? // How should I *know*? 내가 어떻게 안단 말이냐?

어법 ① 보통 진행형을 쓰지 않는다. ② He is known *to* everybody. (↔Everybody *knows* him.)와 같이 수동태에서도 by가 아니라 to를 쓴다. A man is known *by* the company he keeps. (사람은 그가 사귀는 친구를 보아 알 수 있다)인 경우의 by는 판단의 근거를 나타내며 know는 judge의 뜻. ③「*know*+목적어+부정사」의 형식에서는 to부정사, 원형부정사 어느 것이라도 쓰일 수 있으나, be인 경우는 반드시 to를 붙인다. 또한 피동인 경우도 to부정사이다: I have never *known* him *fail*. (그가 실패한 것은 이제까지 보지 못했다. ↔He has never been known *to* fail.) We *know* the author *to* be him. (저자가 그라는 것을 알고 있다) ④ There is no *knowing* ~. ↔ It is impossible to *know* ~. She has gone no one *knows* where. (그녀는 아무도 모르는 어디론가로 가버렸다) 따위의 표현에 주의.

파 **knówing** ⓗ 영리한; 고의의 **knówingly** ⓟ 아는 듯이, 빈틈 없이 **know-it-all** ⓜ 아는 체하는 사람 **known** ⓗ 알려진, 알고 있는 **knów-how** ⓜ 〖구어〗 실제적인 지식, 기술, 비결; 능력 (⇨) **knowledge**

◇*know about* ~에 대해서 알고 있다

(예) I *knew about* that last week. 지난 주 그 일을 알았다.

know better* 좀더 분별이 있다, (~할 만큼) 어리석지는 않다

(예) I *know better than* to go alone. 혼자 갈 만큼 바보는 아니다.

know ~ from ~와 …을 분간하다, 구별하다(=distinguish)

(예) They are twins and it's difficult to *know* one *from* the other. 그들은 쌍둥이어서 분간하기가 어렵다.

know of ~의 일을 알고 있다

(예) Do you *know of* his departure? 너는 그의 출발을 알고 있느냐?

어법 *know* the man(그 남자를 알고 있다), know *of* the man(그런 남자가 있는 것을 알고 있다), know *about* the man(그 남자에 대해 어떤 것을 알고 있다)의 구별에 주의.

◇(***be***) ***known as*** 〔***for***〕 ~로서〔로〕 알려져 있다

(예) He *is known as* a successful lawyer 〔*for* his good humor〕. 그는 성공한 변호사로서〔성격이 쾌활한 것으로〕 알려져 있다.

*(***be***) ***known to*** ~에 알려져 있는

(예) The fact *is known to* everybody. 모두가 그 사실을 알고 있다.

*◇**knowl·edge*** [nálidʒ / nɔ́l-]* ⓜ 지식(=information), 이해, 학문, 학식; 숙지

반 ígnorance 무지

(예) have no 〔a good〕 *knowledge* of ～을 모르다〔잘 알고 있다〕

knuck·le [nʌ́kl] ⓜ 손가락 관절〔마디〕 ⓣⓙ 주먹으로 치다

ko·a·la [kouɑ́:lə] ⓜ 〖동물〗 코알라(=koala bear)《새끼를 업고 다니는 오스트레일리아산 곰》

Ko·re·a★ [kəríːə / kəríə] ⓜ 한국《공식 명칭은 the Republic of Korea ; 생략 ROK》

ⓟ ☆**Koréan** ⓜⓗ 한국의, 한국 사람〔말〕(의)

Krem·lin [krémlin] ⓜ (모스크바의) 크렘린 궁전; 소련 정부

lab [læb] ⓜ 〖구어〗 연구〔실험〕실(=laboratory)

la·bel [léibəl]★ ⓜ 라벨, 레테르, 딱지 ⓣ 딱지〔레테르〕를 붙이다

***lab·o·ra·to·ry** [lǽbərətɔ̀:ri / ləbɔ́rətəri] ⓜ 실험실(=place in which scientific experiments are made), 시험장, 연구소; (화학 약품 따위의) 제조소

la·bo(u)r [léibər] ⓜ 노동, 근로, 일(=task); 《집합적》 근로자; 고된 일(=toil); 진통(陣痛) ⓙ 일하다, 공부하다; 애쓰다, 노력하다

ⓑ rest 휴식, 휴식하다, cápital 자본, 자본가들

(예) hard *labor* 중노동 // *labor on* a new house 새 집을 짓기 위해 일하다 // *labor for* peace 평화를 위해 힘쓰다 // *labor under* a mistake 오해하고 있다

ⓟ ***labo(u)rer** [léibərər] ⓜ 노동자 ***laborious** [ləbɔ́:riəs]★ ⓗ 힘이 드는; 일 잘 하는; (문장 따위의) 고심한, 힘들여 쓴 **labo(u)r union** 노동 조합 **Labo(u)r Day** 〖미〗 노동절 《9월의 제 1 월요일로 유럽의 May Day에 해당》

lab·y·rinth [lǽbərìnθ] ⓜ 미궁, 미로(迷路)

lace [leis] ⓜ 레이스, 여러 가닥으로 꼰 끈, 장식 끈 ⓣⓙ 레이스로 장식하다, 끈으로 묶다

ⓟ **laced** ⓗ (구두 따위가) 끈으로 매는; 레이스로 장식한

lack [læk] ⓜ 부족, 결여, 결핍(=want) ⓣⓙ ～이 없다, 부족하다

(예) for *lack* of water 물의 부족 때문에 // He *lacks* imagination. 그는 상상력이 부족하다.

(be) lacking in ～이 결핍한, 부족한

(예) If you do not smile, you are judged *lacking in* a pleasing personality. 네가 웃지 않는다면 쾌활한 성격이 결여된 것으로 여겨질 거야.

lac·quer [lǽkər] ⓜ 래커, 옻; 칠기 ⓣ ～에 래커를〔옻을〕 칠하다

lad [læd] ⓜ 젊은이, 청년(=youth)(*cf.* lass 아가씨), 소년(=boy); 머슴

*lad·der [lǽdər] 명 사닥다리; (출세의) 길, 수단
(예) the social *ladder* 사회 계층

lade [leid] 〈동음어 laid〉 타 《**laded; laden, laded**》 쌓다 (=load); 무거운 짐을 지우다; (물 따위를) 퍼내다
(예) *lade* hay on a cart 건초를 짐마차에 싣다 // *lade* a ship *with* coal 배에 석탄을 싣다
파 **láden** 형 짐을 실은 **láding** 명 적재, 적하(積荷)
(**be**) ***laden with*** ~을 쌓아올린, ~을 실은
(예) trees heavily *laden with* apples 사과가 주렁주렁 많이 달린 나무들

☆**la·dy** [léidi] 명 귀부인(=woman of good class); 숙녀, 마님, ~부인, 여자분
반 géntleman 신사
파 **ládylike** 형 귀부인다운, 정숙한 **ládybird, ládybug** 명 무당벌레 **lady's maid** 시녀

lag [læg] 자 꾸물거리다, 늦어지다 명 늦어짐, 지연
(예) After five hours of walking, he began to *lag* behind us 다섯 시간 걸은 후에 그는 우리들 뒤로 처졌다.

☆**lake** [leik] 명 호수, (공원 따위의) 못
어법 관사 용법에 주의. the *Lake* of Michigan, *Lake* Michigan(미시건호)

la·ma [lɑ́:mə] 명 라마승
(예) Grand 〔Dalai [dɑ́:lai / dǽlai]〕 *Lama* 달라이 라마 《티베트의 라마교 교주》

lamb [læm] 명 새끼 양, 온순한 사람; 새끼 양의 고기

*lame [leim] 형 절름발이의; 불완전한(=imperfect); 앞뒤가 맞지 않는 타 자 절름발이〔불구〕로 만들다, 다리를 절다(=limp)
파 **lámeness** 명 절름발이, 불구

la·ment [ləmént] 타 자 슬퍼하다(=mourn), 애도하다 명 비탄, 비가(=elegy)
반 rejóice 기뻐하다
(예) *lament* one's fate 불운을 한탄하다 // *lament for* a person's death 아무의 죽음을 애도하다 // She *lamented that* she had been unfortunate. 그 여자는 자기는 불행했다고 한탄했다. // the late *lamented* 고인(故人)
파 **lámentable** 형 슬픈, 통탄할 **lamentátion** 명 비탄

*lamp [læmp] 명 램프, 등불, 등(燈)
파 **lámppost** 명 가로등 기둥

lance [læns / lɑ:ns] 명 창 타 창으로 찌르다
파 **láncer** 명 창기병(槍騎兵)

*land [lænd] 명 육지, 토지(=soil); 나라(=state), 향토; 지방(=district) 자 타 상륙하다, 착륙하다, 하차하다; 도착하다, 양륙〔육태질〕하다

반 sea 바다, wáter 물, air 하늘
(예) travel by *land* 육로로 여행하다 // one's native *land* 고국 // *land at* Inch'ŏn 인천에 상륙하다
파 **lánded** 형 토지를 소유하는 **lánding** 명 상륙, 양륙;

착륙(◦make a *landing* 상륙〔착륙〕하다 soft *landing* 연착륙) **lándholder** 명 지주 ◦**lándlord** 명 (여관 등의) 주인, 집주인; 지주 (*cf.* landlady 안주인, 여주인) ◦**lándmark** 명 경계 표시; 획기적인 일, 현저한 사실(史實) ◦**lándowner** 명 지주 **lándslide** 명 (산)사태; (선거의) 압도적 승리 **lándward(s)** 부형 육지쪽으로(의) ◦**land mine** 지뢰

land·scape [lǽn*d*skèip] 명 경치, 조망(眺望)

lane [lein] 〈동음어 lain〉 명 (양쪽에 둑이나 담 따위가 있는) 좁은 길(=narrow road), 골목길

lan·guage [lǽŋgwidʒ]★ 명 언어; 국어; 어법, 말씨
(예) a spoken 〔written〕 *language* 구〔문〕어 // a foreign *language* 외국어

NB 「영어」는 English 지만 *the* English *language*라고 하면 관사가 필요하다.

lan·guid [lǽŋgwid] 형 나른한, 노곤한(=weary); 활기가 없는
(예) a *languid* market 활기를 띠지 않은 시장

lan·guish [lǽŋgwiʃ] 자 기운이 없어지다(=become weak), 시들다(=dry up and fade); 번민하다, 쇠약해지다
파 **lánguishing** 형 쇠약해가는, 시들어가는

lank [læŋk] 형 여윈, 홀쭉한
파 ◦**lánky** 형 (손발·사람이) 홀쭉한, 호리호리한

lan·tern [lǽntə*r*n] 명 등롱, 랜턴

lap [læp] 명 무릎; (경주로의) 한 바퀴, (수영 풀의) 한 왕복; 핥는 일 타자 핥다; 싸다(=wrap), 감다; (파도 따위가) 철썩철썩 밀려오다; 덮치다

어법 앉을 때 넓적 다리의 윗부분을 나타내는 말. 관절 부분은 knee.

(예) ◦make a *lap* of the stadium 경기장(트랙)을 한 바퀴 돌다 // She *lapped* the baby *in* her shawl. 그 여자는 숄로 아이를 감쌌다. // He *lapped* the coat *around* himself. 그는 코트로 몸을 감쌌다.

lapse [læps] 자 (죄악 따위에) 빠지다, 타락하다; 시간이 지나다(=pass) 명 경과, 추이; 타락, 쇠퇴(=decline); 과실(=error)
(예) a *lapse* of time 시간의 경과 // a *lapse from* virtue 타락 // He *lapsed* back *into* bad habits. 그는 또 다시 나쁜 습관에 빠졌다.

lard [lɑː*r*d] 명 라드 《돼지 기름》

large [lɑː*r*dʒ] 형 커다란 (*cf.* big); 넓은(=spacious); 다량의, 다수의; 관대한(=liberal)

NB 우리말로는 대소(大小)의 관념에 의거해서 생각할 수 없는 것을 영어에서 large, small로 말하는 경우가 있으니 특히 주의할 것: *large* views (넓은 견식) a *large* population (많은 인구)

반 small 작은, 적은
파 ***lárgely** 부 주로; 대규모로 **lárgeness** 명 크기, 광대함, 대량 ◦**lárge-scale** 형 대규모의, 대대적인

L

◇***at large*** 일반적으로(=in general); 상세하게; (범인이) 잡히지 않고, 도망중의
(예) the world *at large* 일반 세상 // He went into th question *at large.* 그는 그 문제를 상세히 조사했다. / The culprit is still *at large.* 범인은 아직 체포되지 않았다
◇**lark** [lɑːrk] 명 종다리(=skylark); 〖구어〗 농담, 장난
◇**la·ser** [léizər] 명 레이저《빛의 증폭 장치》
(예) *laser* beams 레이저 광선
lash [læʃ] 타 자 (채찍으로) 때리다(=thrash), 부딪치다 밧줄로 묶다; 비난하다 명 채찍; 채찍질의 한 대; 《통상 *pl.* 속눈썹(=eyelash)
lass [læs] 명 소녀, 아가씨(=girl, maid) (*cf.* lad 소년)
☆◇**last** [læst / lɑːst] 형 《late의 최상급의 하나 ⇨ latest》 [th ~] 최후의, 최하위의; 바로 앞의, 지난 ~의, 최근의; ~할 것 같지 않은 부 최후에; 요전에 명 최후; 임종, 죽음(= death) 자 지속하다, 계속하다(=continue), 버티다
반 first 최초의
(예) the *last* three 최후의 3개 // see the *last* of ~을 마지막으로 보다 // It's ages since I saw you *last.* 너를 본 지가 참 오래 됐구나. // This coat has *lasted* me five years. 이 웃옷은 5년간이나 입었다. // He was the *last* to come.← He came *last.* 그가 최후로 왔다. // The snow *lasted* fo two days. 눈은 이틀 동안 계속해서 내렸다.

어법 ① last는 시간·순서 어느 경우에나 쓰이나 latest는 시간에만 쓰인다. 원칙적으로는 last는 연속한 것의 「최후의」라 뜻. latest는 연속한 것이 미완인 경우로 「최근〔신〕의」란 뜻 his *last* poem 그의 최후의 시《그가 마지막으로 쓴 시》 his *latest* poem 그의 최근의 시《그가 최근에 쓴 시》 ② *last* night〔week〕 (지난 밤〔주〕), *last* Sunday (지난 일요일에 (= on Sunday *last*), *last* year (작년)와 같이 전치사·관사가 필요하지 않은 구를 주의하여 기억할 것. last morning 〔afternoon〕은 안 되고 last 대신에 yesterday를 쓴다.

파 ◇**lástly** 부 최후로, 마침내 **lásting** 형 오래 견디는, 영속하는, 영구의
*◇***at last*** 마침내, 드디어(=finally, at length)
(예) The wood was wrapped in darkness *at last.* 숲은 마침내 어둠에 싸이고 말았다.
(***the***) ***last*** ~ ***to*** *do* 〔***that***〕 가장 ~할 것 같지 않은 (사람 따위)
(예) He is *the last* man *to* tell a lie. 그는 결코 거짓말을 할 사람이 아니다. // He was *the last* person *that* I expected to see. 그를 만나리라고는 꿈에도 생각지 못했다.
to the last drop 〔***cent, man,*** etc.〕 최후의 한 방울 〔센트, 한 사람 따위〕까지
(예) He drank the soup *to the last drop.* 그는 국을 한 방울도 남기지 않고 마셔버렸다. // They fought *to the last man.* 그들은 최후의 한 사람까지 싸웠다.
◇**latch** [lætʃ] 명 걸쇠, 빗장 타 자 (문·창문 따위에) 걸쇠를

걸다, 빗장을 끼우다

late [leit] [형] 《*later, latter ; latest, last*》 늦은, 늦어진(=after the appointed time); 최근의(=recent), 고인이 된, 앞서의 [부] 늦어서, (밤) 늦도록

[반] éarly 이른

(예) be *late* for school 학교에 지각하다 // sit up (till) *late* 늦도록 자지 않고 있다 // the *late* Mr. Smith 고(故) 스미스 씨 // Better *late* than never. 〖속담〗 늦더라도 안 하느니보다 낫다.

[파] **látely** [부] 요즈음, 최근에 ([어법] 부정·의문에서 쓰이는 것이 보통) **láteness** [명] 늦음, 더딤, 지각

as late as 바로 ~인 최근

(예) I saw him *as late as* last March. 나는 바로 지난 3월에 그를 만났다.

of late 요사이(=lately)

(예) I have been very busy *of late*. 나는 요즘 매우 바빴다.

la·tent [léitənt] [형] 숨어 있는, 잠재하고 있는

(예) the *latent* period (병의) 잠복기 // his *latent* ability 그의 발휘되지 않는 잠재능력

lat·er [léitər] [형] 《late의 비교급의 하나 ⇨ latter》 보다 늦은, 보다 근자의, 그 후의 [부] 후에, 나중에

(예) in *later* life 만년(晩年)에 // two years *later* 2년 후에 // See you *later*. 나중에 (다시) 뵙겠습니다.

later on 그 후; 후에, 나중에

(예) She lived through those emotions which she was to portray *later on*. 그녀는 나중에 (무대에서) 공연하게 될 그러한 희로애락의 감정들을 골고루 체험했다.

lat·est [léitist] [형] 《late의 최상급의 하나 ⇨ last》 가장 늦은; 최근의, 최신의 [부] 가장 늦게

Lat·in [lǽtin] [형] 라틴(말·사람·계)의 [명] 라틴말〔사람〕

lat·i·tude [lǽtətjùːd / -tjùːd] [명] 위도(緯度), 범위; 《*pl.*》 지대(地帶)

[반] lóngitude 경도(經度)

lat·ter [lǽtər] [형] 《late의 비교급의 하나 ⇨ later》 뒤의, 후자의; 끝의 [명] [the ~] 후자

[반] the former 전자(의)

(예) the *latter* half 후반

[어법] the former (전자)...the *latter* (후자)와 같이 상관시켜서 쓰는 경우가 많다. 이 경우, 수는 이들이 가리키는 말의 수에 따라 결정된다 : I compared the foreign articles with their domestic counterparts, and found the latter *were* better than the former. (외국 상품과 국산품을 비교해 보고 후자가 전자보다 우수함을 알았다)

[파] **látterly** [부] 근래에, 만년에

lat·tice [lǽtis] [명] 창살, 격자(格子), 격자창(格子窓)

laud [lɔːd] [타] 기리다, 찬미하다

laugh [læf / lɑːf]★ [자][타] 웃다; 웃으며 ~시키다 [명] 웃음

[반] cry 울다

L

(예) *laugh* a hearty *laugh* 마음으로부터 웃다 // He *laughed* himself hoarse. 그는 너무 웃어 목이 쉬었다.
㊂ **láughable** ⓗ 우스운 **láughing** ⓗ 우스운, 웃고 있는 ⓜ 웃음(=laughter)

◇***laugh at*** ~을 (보고·듣고) 웃다; ~을 비웃다
(예) He *laughed at* my joke 〔the cartoon〕. 그는 나의 농담을 듣고〔풍자 만화를 보고〕 웃었다. // He *laughed at* me. 그는 나를 비웃었다. // His view is not to be *laughed at*. 그의 견해는 웃어 넘길 수 없다. // *laugh at* difficulties 난국(難局)을 무시하다

◇***laugh away*** (슬픔·걱정 따위를) 웃어 풀어〔떨쳐〕 버리다; 일소(一笑)에 부치다
(예) He *laughed* his fear *away*. 그는 웃음으로 두려움을 떨쳐버렸다.

*◇**laugh·ter** [lǽftər / lá:ftə]* ⓜ 웃음, 웃음소리

***launch** [lɔ:ntʃ] ⓣⓙ 진수하다, 발사하다; 착수하다, (사업 따위를) 일으키다; ~하기 시작하다 ⓜ 진수(대); 발진, 발사; 론치, 기정(汽艇), 소증기선

*◇**laun·dry** [lɔ́:ndri] ⓜ 세탁소
㊂ **láunder** ⓣⓙ 세탁하다, 빨 수 있다, 빨래가 잘 되다 **láundress** ⓜ 세탁부

lau·rel [lɔ́(:)rəl] ⓜ 월계수; 영예, 월계관
㊂ **láurel(l)ed** ⓗ 월계관을 쓴, 영예를 얻은

◇**la·va** [lá:və] ⓜ 용암(熔岩)

lav·a·to·ry [lǽvətɔ̀:ri / -təri] ⓜ 세면장, 화장실, 변소

lav·en·der [lǽvəndər] ⓜ 〔식물〕 라벤더《향기가 있는 차조기과(科)의 식물》; 라벤더의 말린 꽃〔줄기〕

◇**lav·ish** [lǽviʃ] ⓣ 아낌 없이 주다(=give freely) [~ upon, on]; 낭비하다(=spend freely) ⓗ 아낌 없는, 손이 큰, 대범한(=generous); 낭비하는; 풍부한
(예) *lavish* money *on* the poor 가난한 사람에게 돈을 아낌 없이 주다

*◇**law*** [lɔ:]* ⓜ 법률; 법, 법규; 법칙; 소송; 법학
(예) international *law* 국제법 // the *law* of nature 자연 법칙; 자연법(=natural law)
㊂ ◇**láwful** ⓗ 합법의(=legal); 적자의 ◇**láwgiver** ⓜ 입법자, 법률 제정자 **láwless** ⓗ 불법의, 법률에 따르지 않는 ◇**láwmaker** ⓜ 입법자, (국회)의원 **lawsuit** [lɔ́:sù:t / -sjù:t] ⓜ 소송 **láw-abíding** ⓗ 법률을 지키는

*◇**lawn** [lɔ:n] ⓜ 잔디
(예) a *lawn* mower 풀 깎는 기계 // *lawn* tennis 정구

*◇**law·yer*** [lɔ́:jər] ⓜ 법률가, 변호사

lax [læks] ⓗ 헐렁한(=loose), 단정치 못한(=careless)
㊉ tight 단단한
(예) He is *lax* in morals. 그는 품행이 단정치 못하다.
㊂ **láxative** ⓜ 설사약

*◇**lay*** [lei] 〈동음어 lei〉 ⓣⓙ 《***laid***》 눕히다(=cause to lie), 놓다(=put); 쌓다; (계획 따위를) 세우다; (알을) 낳

다(=produce eggs); (내기 따위를) 걸다 ⓗ (성직자에 대하여) 속인의; (전문가에 대하여) 풋내기〔생무지〕의, 문외한의
ⓑ raise 일으키다

(예) *lay* stress *on* ～을 강조하다 // *lay* a country waste 나라를 황폐시키다 // He *laid* his head *on* his pillow. 그는 베개를 베고 누웠다.

NB lie 「눕다」의 과거형 lay와 혼동하지 말 것.

ⓟ (⇨) **layer. láyman** ⓜ《*pl.* -men》 (성직자가 아닌) 속인(俗人), 아마추어

layout [léiàut] ⓜ (정원 따위의) 설계, 배치; (편집상의) 배열

lay aside 옆에 두다; 중지하다; 저금하다; 보존하다
(예) He *laid aside* 500 won everyday. 그는 매일 500원씩 저금했다.

▶ **174.** 동의어구와 반의어구
영어 실력을 붙이는 데에는 동의어구와 반의어구를 정리해서 기억해 두는 일이 대단히 중요하다. 바꿔 쓰기라든지, 빈 칸 채우기, 선택 문제 등에 쓰이는 일이 많다.
(예) take place=happen, get over=recover, take pride in=pride oneself on=be proud of 따위

lay by 저축하다(=lay aside), 옆에 두다

lay down 내려놓다, 눕혀놓다; 버리다; 안을 세우다(=plan); 규정하다
(예) It was the duty of grammarians to *lay down* rules for the correct use of the language. 언어의 올바른 사용을 위한 규칙을 만드는 것이 문법학자들의 임무였다.

lay on 가하다; 칠하다; (가스·전기 등을) 끌다; 부과하다
(예) *lay on* a tax 세금을 부과하다

lay out (돈을) 쓰다(=spend); 투자하다(=invest); 설계하다, (편집에서) 배열하다
(예) *lay out* one's money carefully 주의 깊게 돈을 쓰다

lay up 저축하다(=store, deposit); (병이 아무를) 몸져눕게 하다; (병 따위로) 몸져눕다
(예) Ants *lay up* food in summer against winter. 개미는 겨울에 대비하여 여름 동안에 먹을 것을 저축한다. // I was *laid up* with a cold. 나는 감기로 누워 있었다.

lay·er [léiə*r*] ⓜ 쌓는 사람, 돈을 거는 사람; 알 낳는 닭; 층, 겹, 칠하기

la·zy [léizi] ⓗ 게으른(=idle), 활기 없는, 굼뜬 (*cf.* idle)
ⓑ díligent 근면한
ⓟ ◇**láziness** ⓜ 게으름, 태만

lb. [paund]《*pl.* ***lbs.*** [paundz]》〖약어〗 libra(=pound) 파운드

NB *lb.*는 중량 단위인 pound의 약어이고, 통화(通貨) 단위의 pound는 £.

lead [liːd]* ⓣ ⓙ《***led***》 인도하다(=guide, direct), 인솔하다; 지내다; 통하다 ⓜ 선도(先導), 지휘; (경기 따위에서) 앞섬; [led]* 납
ⓑ fóllow 따라가다
(예) ◇*lead* a happy life 행복하게 살다 // ◇What *led* you

to believe it? 어떻게 해서 그것을 믿게 되었지? // ◇Th door *leads into* the garden. 그 문은 정원으로 통한다.

파 *̊**léading** 형 주요한(a *leading* article 사설, 논설) (지도 *̊**leader** [líːdər] 명 리더, 지도자, 선도자, 주장(chief); 〖영〗 (신문의) 사설(=editorial) ◇**léadership** (지도자의 임무, 지도력〔권〕

lead astray 미혹시키다, 잘못하게 하다; 타락시키다

lead the way 앞에 서서 가다〔안내하다〕; 솔선하다

(예) The hostess *leads the way* to the table. 여급이 식 으로 안내한다.

*̊***lead to*** ~에 통하다, ~에 계속하다, ~에 귀착하다

(예) This way *leads to* the station. 이 길은 정거장으 통한다. // An apparently small event may *lead to* a grea result. 보기에는 작은 사건이 엄청난 결과를 가져 올지 모른다.

leaf [liːf] 명 《*pl.* **leaves**》 잎; (책의) 한 장 자 잎이 나다

파 **léafy** 형 잎이 많은 **léafless** 형 잎이 없는 **leaf blac** 잎사귀 **leaf bud** 잎눈 **léaflet** 명 작은 잎; 리플릿, 삐라

◇**league** [liːg]* 명 연맹, 동맹(=alliance); 리그《거리의 위, 약 3마일》 타 자 연맹하다, 연합하다

(예) a *league* match 리그전 (*cf.* tournament)

◇**leak** [liːk] 명 새는 구멍, 구멍 자 타 새다, 새게 하다, (따위가) 새어 나오다, 스며 나오다(=ooze), (비밀 따 가) 누설되다 [~ out]

파 **léakage** 명 누출, 누설 **léaky** 형 새기 쉬운

*̊**lean** [liːn] 자 타 《*leant* [lent], *leaned*》 기대다; 기울어 다(=bend toward); ~에 치우치다 명 경사 형 여윈(thin), 빈약한; 불모의(=barren), 메마른

반 fat 살찐, 지방이 많은

(예) *lean against* the wall 벽에 기대다 // *lean* crops 흉

lean on 〔***upon***〕 ~에 기대다, 의지하다

(예) *lean on* one's elbow 팔꿈치에 기대다 // Don't *lea* too much *on* others. 너무 남에게 의지하지 마라.

*̊**leap** [liːp] 자 타 《*leapt* [liːpt, lept], *leaped*》 뛰다(jump), 뛰어 넘다; (시세 따위가) 갑자기 오르다, 껑충 다 명 도약

(예) a *leap* year 윤년(閏年) // by *leaps* and bounds 급 도로

☆**learn** [ləːrn]* 타 자 《*learned, learnt*》 배우다, 알다, 듣다(=hear); 기억하다; ~하게 되다

반 teach 가르치다

> ▶ **175.** 「배우다」의 유사어 **study**는 「연구하다, 공부하 다」의 뜻. **learn**은 study의 뜻에 「외우다」의 의미가 더하여 「습득하다」라는 뜻.

(예) *learn to* swim 헤엄을 칠 수 있게 되다 // I ha much to *learn* yet. 저는 아직 배울 것이 많습니다. // H will *learn that* crime doesn't pay. 그는 범죄가 이득이 지 않는다는 것을 알게 될 것이다. // I *learned of* t accident today. 오늘 그 사고에 대해 알았다.

L

㊂ **learned** [lə́ːrnid] ㉿ 학문이 있는 **léarner** ⓜ 배우는 사람, 초학자 ***léarning** ⓜ 학문, 박식; 학습

learn* 〔*know*〕 *by heart 암기하다(=memorize)

(예) *learn* a poem *by heart* 시를 외다

lease [liːs] ⓜ 차지(借地)〔차가(借家)〕 계약, 임대차 계약, 차지〔차가〕권 ㉺ 토지를〔가옥을〕 임대차하다

(예) take ~ on〔by〕 *lease* ~을 임차하다

㊂ **léasable** ㉿ (땅이) 임대〔임차〕할 수 있는

least [liːst]* 〘little의 최상급〙 ㉿ 최소의(=smallest) ㊇ 가장 적게 ⓜ 최소, 최소량

㊤ most 가장 많은

least of all 가장 ~이 아니다, 특히 ~ 않다

(예) A defeated general should not talk of battles—*least of all* his own. 패전한 장군은 전쟁에 관한 이야기를 할 것이 아니다—하물며 자신의 패배에 관하여서랴. // He liked it *least of all.* 그는 그것을 가장 싫어했다.

at* (*the*) *least 적어도

(예) *at least* a month 적어도 일 개월 // You'll need ten thousand won *at least.* 너는 적어도 만 원은 필요할 거야.

not in the least* 조금도 ~하지 않다(=not at all)

(예) I do*n't* remember it *in the least.* 나는 전연 그것을 기억하지 못한다.

leath·er [léðər] ⓜ 무두질한 가죽, 가죽 ㉺ 가죽을 씌우다

㊂ **léathery** ㉿ 가죽 같은

leave* [liːv] ㉺ ㉹ 《*left*》 (장소를) 떠나다(=go away); 남기다; ~하게 두다(=allow); 맡기다(=trust a person to) ⓜ 작별; 허가; 휴가, 말미

㊤ remáin 남다

(예) on *leave* 휴가로 // ◇*leave* Korea *for* America 한국을 떠나 미국으로 가다 // *leave* school 학교를 중퇴〔졸업〕하다 // We have five minutes *left.* 5분 남았다. // *Leave* the matter *to* me. 그 일은 나에게 일임해라. // I *left* my umbrella in the bus. 버스에 우산을 두고 내렸다. // He was absent without *leave.* 그는 무단 결근 했다.

어법 다음 구문에 특히 주의: ① *leave*+목적어+보어(형용사·분사·구·명사) 「~을 …의 상태로 내버려 두다」: *leave* the door open (문을 열어 두다) *leave* it unsaid (말하지 않은 채 두다) *leave* things lying about in disorder (물건〔일〕들을 어지른 채 놓아 두다) Malaria has *left* him a wreck. (그는 학질에 걸려 몸이 형편 없이 되어 버렸나) ② *leave*+목적어+*to* 부정사 「(맡겨서) ~하게 하다」: *leave* him *to* make a decision (그에게 결정하도록 일임하다)

㊂ **léavings** ⓜ 《*pl.*》 남은 것, 쓰레기 **léave-taking** ⓜ 작별, 고별(=farewell)

leave behind ~을 두고 가다〔오다〕, 둔 채 잊다

(예) I *left* my bag *behind* on the bench. 나는 벤치에 가방을 두고 왔다. // He has *left* his beloved home *behind* him. 그는 정든 집을 뒤로 하고 떠났다.

◇***leave off*** 그만두다, 멎다(=stop); 벗다
(예) I *left off* my writing. 나는 쓰기를 그만두었다. // Has the rain *left off* yet? 비는 벌써 그쳤는가? // We *leave off* our winter underwear when the warm weather comes. 날씨가 따뜻해지면 겨울 내의를 벗는다.

◇***leave out*** 빼다; 생략하다
(예) He *left out* a word. 그는 한 마디 빠뜨렸다.

◇***leave over*** 남기다; 미루다, 연기하다
(예) There was some food *left over*. 남은 음식이 좀 있었다.

***leave to one*self** 방임하다, 홀로 버려 두다
(예) *Left to himself*, he studied mathematics all day long. 그는 혼자서 하루 종일 수학을 공부했다.

◇***leave ~ with** a person* ~을 아무에게 맡기다〔부탁하다〕
(예) The man *left* a message *with* me. 그 사람은 나에게 전하는 말을 부탁했다.

◇***take one's leave of*** ~에게 작별을 고하다
(예) She *took* her *leave of* me at the door and took a cab 그녀는 문간에서 나에게 작별 인사를 하고 택시에 올랐다.

◇***what is left of*** ~의 나머지
(예) The plane had to dump on the sea *whatever was left of* the fuel. 그 비행기는 남은 연료를 몽땅 바다에 버리지 않으면 안 되었다.

leav·en [lévən] [명] 효모, 누룩 [타] 발효시키다; 영향을 주다

*◇**lec·ture** [léktʃər] [명] 강의, 강연(=speech); 설교, 훈계 [자] [타] 강의하다, 강연하다 [~ on, about]; 훈계하다, 설교하다 (=instruct)
(예) a *lecture* hall 강당(講堂) a *lecture on* Korean history 한국사에 관한 강의 // He *lectured* Tom severely. 그는 톰에게 호된 훈계를 했다.
[파] **lecturer** [léktʃərər] [명] 강사

ledge [ledʒ] [명] 바위가 선반처럼 나와 있는 곳, 암초(=ridge of rock); 광맥(=mineral vein)

leek [li:k] [명] 〖식물〗 부추

☆**left** [left] [형] 왼쪽의 [부] 왼쪽으로 [명] 왼쪽
NB 동사 leave의 과거 및 과거 분사도 철자와 발음이 같음.
[반] right 오른쪽, 오른쪽의
[파] **left field** 〖야구〗 좌익 **léft-hánd** [형] 왼손의, 왼쪽의 ◇**léft-hánded** [형] 왼손잡이의; 서투른; 의심스러운 **léft hándedness** [명] 왼손잡이임; 애매함 **left wing** 좌파, 〖경기〗 좌익

*__leg__ [leg] [명] (사람·동물·책상 따위의) 다리

▶ **176.** 「발」의 유사어
leg는 다리 전체를 말한다. **foot**는 발목(ankle) 아래 부분을 말한다.

leg·a·cy [légəsi] [명] 유산, 유증(재산)

*◇**le·gal** [lí:gəl] [형] 법률의, 합법의(=lawful), 정당한
[원] leg(=law)+al(형용사 어미)
[반] illégal 불법의
(예) What is *legal* age for obtaining a driver's license

운전 면허를 취득하기 위한 법정 연령은 몇 살이냐?
[파] **légally** [부] 법률〔합법〕적으로 **legálity** [명] 합법 **légalize** [타] 합법화하다, 인가하다

leg·end [lédʒənd] [명] 전설, 신화, (서적·도표 따위의) 범례(凡例); 설명
[파] ◦**légendary** [형] 전설의, 전설적인 [명] 전설집

le·gion [líːdʒən] [명] 군대(=army), (고대 로마의) 군단; 다수; [the L-] 재향 군인회
[파] **légionary** [형] 군단의, 다수의

leg·is·la·tion [lèdʒəsléiʃən] [명] 입법, 법률, 법제
[원] legis(=law)+lat(=bring)+ion(명사 어미)
[파] **législate** [자] 법률을 제정하다 ◦**législature** [명] 입법부 ◦**législative** [형] 입법의 **législator** [명] 입법자

le·git·i·mate [lidʒítəmit] [형] 합법의(=lawful), 정당한; 정통의 [타] [-mèit] 합법화하다
[파] **legítimacy** [명] 합법(성), 정당; 정통(성)

lei [lei 〈동음어 lay〉, léiː] [명] 〖미〗 레이《하와이의 나뭇잎이나 꽃으로 만든 화환》

lei·sure★ [líːʒər, léʒər / léʒə]★ [명] 틈, 여가; 한가한 때 [형] 한가한(=unemployed); 짬이 많은
[반] búsiness 일
[파] **léisurely** [형] 유연한, 여유 있는 [부] 유유히

at leisure 한가하여(=free), 천천히
(예) Are you *at leisure* to go out? 외출할 틈이 있느냐?

lem·on [lémən] [명] 레몬; 레몬 색, 담황색
[파] **lemonade** [lèmənéid] [명] 레몬수, 레모네이드, 라무네

lend [lend] [타] 《***lent***》 빌리다(=loan), 대부〔대출〕하다; 주다, 제공하다
[반] bórrow 빌다
(예) *lend* one's ears *to* ~에 귀를 기울이다 // *lend* a hand in ~을 도와 주다 // *Lend* me a knife. ↔*Lend* a knife *to* me. 칼을 빌려 주시오.
[파] **lender** [léndər] [명] 빌려 주는 사람

length★ [leŋkθ] [명] 길이; 세로; 기한; 거리
[원] long의 명사형
[반] breadth 폭(幅)
(예) It is ten feet in *length*. 길이가 10피트이다. (↔It is ten feet long).

> ▶ **177.** 접미어 **th**
> 형용사·동사로부터 추상 명사를 만든다. (예) leng*th*, tru*th* 등

[파] ◦**léngthy** [형] 긴 **léngthen** [타][자] 길게 하다, 길어지다 **léngthwise** [부] 길게, 세로로

at length 드디어(=at last); 자세히, 충분히; 기다랗게
(예) *At length* the tall steeple of St. Mary's church came into view. 마침내 성 메리 교회의 높은 뾰족탑이 보였다.

at some length 상당히 자세하게〔길게〕
(예) The matter is scarcely important enough to discuss *at any length*. 그 문제는 자세히 논의해야 할 만큼 그렇게 중요하지는 않다.

◇**lens** [lenz] 명 《*pl.* **lenses** [lénziz]》 렌즈, (눈의) 수정체
Lent [lent] 명 사순절(四旬節); 《*pl.*》 〖영〗 Cambridge 대학 춘계 경조(競漕) 대회
***leop·ard** [lépərd]★ 명 표범(=panther)
◇**lep·er** [lépər] 명 나병환자, 문둥이
*◇**less** [les] 《little의 비교급》 형 ~보다 적은, 보다 작은, 못한 부 보다 적게, ~만 못하여 명 보다 적은 수량〔액〕 전 ~을 감한, ~만큼 모자라는
반 more ~보다 많이
어법 ① less는 「양」「크기」에 관해서 쓰는 것이 원칙이나 때로는 「수」에 관해서도 fewer와 같은 뜻으로 쓰일 때도 있다: *less* money (보다 적은 돈) *less* than twenty people (20명 이하의 사람) ② less는 열등 비교에 쓰이지만, 이 경우 형용사는 원형임에 주의: He is *less* clever than his brother (그는 그의 형만큼 영리하지 못하다)
◇***no less than*** ~와 마찬가지인, (수·양이) 꼭 ~만큼이나
(예) It is *no less than* a fraud. 그것은 사기 행위나 다름 없다. // He has *no less than* 10 children. 그는 어린애가 10명이나 있다.
*◇**less·en** [lésən] 〈동음어 lesson〉 타 자 감하다, 적어지다
(예) The difficulty can be *lessened* only as we help each other. 이 난관은 우리가 서로 협조할 때 비로소 덜해질 수 있다.
☆**les·son** [lésən] 〈동음어 lessen〉 명 학과; ~과(課); 수업; 교훈, 훈계
(예) give〔teach〕 a *lesson* (in ~) (~을) 가르치다 // He is taking *lessons* in German from my brother. 그는 내 형에게서 독일어를 배우고 있다.
*◇**lest** [lest] 접 ~하지 않도록, ~하지나 않을까 하여
◇***lest ~ should***★ ~하지 않도록
(예) Work hard *lest* you *should* fail in the entrance examination. 입학 시험에 낙제하지 않도록 열심히 공부하여라. (↔ ~ so as not to fail … ↔ ~ so that you may not fail…)
NB unless처럼 not의 뜻을 가지고 있으므로 lest ~ should not로 하지 말 것. be afraid, fear에 계속될 수도 있음.
☆**let** [let] 타 《***let***》 ~시키다 (=allow to); 빌리다(=lend) (눈물을) 흘리다, 새(나)게 하다
(예) a house to *let* 셋집 // *let* blood 피를 흘리다
어법 ① *make*는 상대방의 의사에 관계 없이 「~시키다」의 뜻인 데 대해서 *let*은 「~하는 것을 허락하다」의 뜻. 사역 동사이므로 let+목적어+원형 부정사의 형식을 취한다: *Let* me go. (나를 가게 해 주시오) ② *Let* us, *Let's*는 「~하자」의 뜻으로 [lets]라고 읽는다. [létəs]라고 읽으면 「우리로 하여금 ~하게 해 다오」의 뜻: *Let's* start at once. (곧 떠납시다) 부정은 *Let's* not. 또는 Don't *let's.* ③ Let's로 시작되는 글의 부가 의문문에는 shall we?를 붙인다: *Let's* go out for a walk, *shall we?* (산책 좀 할까요?) ④ 명령문의 수동태는 「Let+

목적어+be+과거 분사」의 형식이 쓰인다: Do it in this way. →*Let* it be done in this way. (그것을 이런 식으로 하시오) ⑤ let+목적어+부사(구)의 형태로도 쓰인다: *Let* him in. (그를 맞아들여라) 이 경우 목적어 다음에 come 또는 go를 보충해서 생각하면 된다.

let alone ~은 말할 것도 없고; 내버려 두다
(예) I don't speak French, *let alone* Russian. 러시아어는 말할 것도 없고 프랑스어도 말할 줄 모른다. // *Let* me *alone.* 내버려 두셔요.

let go (*one's* ***hold***) ***of*** (잡고 있는 것)을 놓다
(예) *Let go of* my hand. 내 손을 놔라.

let in 들이다
(예) Windows *let in* light and air. 창은 빛과 공기를 들여보낸다. // Please *let* me *in* the house. 제발 집 안으로 들여보내 주시오.

let on 폭로하다; (비밀 따위를) 누설하다; 체하다
(예) I didn't *let on* I was disappointed. 나는 실망한 눈치를 보이지 않았다. // He *let on* (*that*) he was sick. 그는 아픈 체했다.

let out 내보내다; 누설하다; 늘리다; 빌리다, 임대하다
(예) He *let* the water *out of* the bath. 그는 탕에서 물을 뺐다.

let up 그치다(=cease); 〖미〗 그만두다
(예) The wind *let up,* but the snow still fell. 바람은 그쳤지만 눈은 여전히 내렸다. // Will the rain never *let up*? 비는 전혀 안 멈출 것인가?

let us say 예를 들면(=for instance); 글쎄

let·ter [létər] 명 편지; 문자, 활자; 증서; 《*pl.*》 문학(=literature), 학문 타 ~에 글씨를 쓰다
(예) write a *letter* to ~에 편지를 쓰다(=write to)
파 **letter paper** 편지지 **man of letters** 문학가, 문인

let·tuce [létis] 명 상추, 양상추

let·up [létʌ̀p] 명 정지, 휴지
(예) without *letup* 쉬지 않고

lev·el [lévəl] 형 평평한(=flat); ~와 동등한, 한 모양의(=uniform) 명 수평, 평지; 수준, 레벨 타자 평평하게 하다, 한결같이 하다; 겨누다 [~ at]
반 unéven 평평하지 않은, hílly 기복이 많은
(예) above sea *level* 해발 // be on a *level* with ~와 같은 수준에 있다 // *level* a gun *at* ~에 총을 겨누다

level off 평평하게 하다〔되다〕; 안정시키다〔되다〕
(예) The population seems to *level off* at 3,000,000. 인구가 3백만선으로 안정되는 것 같다.

level up 〔***down***〕 표준을 올리다〔내리다〕

le·ver [lévər, lí:vər / lí:və] 명 지레, 레버 자타 지레로 움직이다

li·a·ble [láiəbəl] 형 ~하기 쉬운(=apt) [~ to], ~에 걸리기 쉬운; ~할 것을 면할 수 없는; (~에 대하여) 책임이

〔의무가〕 있는
파 **liability** 명 ~의 경향이 있음; 책임, 의무; 《*pl.*》 빚
(***be***) ***liable to*** *do* ~하기 쉬운
(예) We *are* all *liable to* make mistakes. 우리 모두 과오를 범하기 쉽다. (↔We *are* all *liable to* errors.)

li·ar [láiər] 〈동음어 lyre〉 명 거짓말쟁이, 허풍쟁이
원 <lie 거짓말하다
NB -ar의 철자에 주의.

***lib·er·al** [líbərəl] 형 후한(=generous); 풍부한; 자유주의의; 편견에 사로잡히지 않는 명 [보통 L-] 자유당원
(예) be *liberal with* one's money 금전에 인색하지 않다 // *liberal* education 일반교육
파 **líberalism** 명 자유주의 **liberálity** 명 활수(滑手), 관대함, 베푸는 것 **líberally** 부 관대하게, 너그럽게 **líberate** 타 해방하다(=free) **liberátion** 명 해방, 유리(遊離) **líberator** 명 해방자

***lib·er·ty** [líbərti] 명 자유(=freedom), 방면; 멋대로 함, 방자
반 slávery 속박, 노예의 신분
(예) He took the *liberty to* do so 〔of do*ing* so〕. 그는 무례하게도 그렇게 하였다.
at liberty 한가해서, 자유로워, 마음대로 ~해도 좋은
(예) I feel *at liberty* to put forward a few ideas and suggestions. 나는 자유로이 몇 가지의 의견이나 제안을 내놓을 수 있을 것 같다.

> ▶ **178.** 「자유」의 유사어
> **freedom**은 자기가 하고 싶은 대로 할 수 있는 것으로, 가장 넓은 의미로 절대적인 자유(freedom of speech). **liberty**는 freedom과 같은 뜻으로 쓰이는 일도 많지만 해방된 자유, 잠재적인 속박이 있는 상대적인 자유를 의미한다.

☆**li·brar·y** [láibrèri / -brəri] 명 도서관; 서재; 장서
파 **librarian** [laibrέəriən] 명 도서관 직원, 사서(司書)

***li·cence** [láisəns] 명 면허, 허가; 방종 타 면허를 주다
NB license 라고도 쓴다. 동사의 경우에는 license 라고 쓰는 것이 보통이다.

li·cen·tious [laisénʃəs] 형 방종한; 방탕한; 음탕한

lick [lik] 타 핥다; 패배시키다, 이기다 명 핥기, 한 번 핥기
(예) The cat *licked* the plate clean. 고양이는 접시를 깨끗이 핥았다.

lid [lid] 명 뚜껑(=cover); 눈꺼풀(=eyelid)

☆**lie**★ [lai] 자 가로 눕다, 눕다; 있다, 존재하다 [~ in]; 위치하다; 거짓말하다, 속이다 명 거짓말; 상태, 형세; 위치
NB lie「눕다」는 **lie, lay, lain**으로 활용되며 lie「거짓말하다」는 **lie, lied, lied**로 활용된다. -ing형은 어느 것이나 lying. lay「눕히다」, laid, laid의 활용과 혼동하지 말 것.
반 truth 진실, rise 일어나다
(예) *lie* down on the grass 풀 위에 눕다 // The book *lay* open on the table. 책이 테이블 위에 펴져 있었다. // Ireland *lies* to the west of England. 아일랜드는 영국의

쪽에 있다. // tell a *lie* 거짓말을 하다 // give the *lie* to ~을 거짓말했다고 나무라다
[파] (⇨) **liar**

lie down on the job 〖구어〗 일을 태만히 하다
(예) Don't *lie down on the job* in any case. 어떤 경우에도 일을 태만히 하지 마라.

lie in ~에 있다(=consist in)
(예) Success *lies in* constant labor. 성공은 꾸준히 노력하는 데 있다.

lie in *a person*'***s way*** 아무의 앞 길에 놓여 있다
(예) A good opportunity *lies in* your *way.* 좋은 기회가 너의 앞 길에 놓여 있다.

lie on *one*'***s back*** 반듯이 눕다

lie with (책임 따위가) ~에 있다; ~의 의무〔권한〕이다
(예) The fault *lies with* the teacher. 과실은 선생님한테 있다. // It *lies with* you to decide. 네가 결정할 일이다.

lieu·ten·ant [luːténənt / lefténənt] [명] 육군 중위, 해군 대위; 부관

life* [laif] [명] 《*pl.* ***lives***》 생명(=power of living), 수명; 《집합적》 생물(=living things); 일생, 인생; 전기(=biography); 생활; 활기
[원] <live 살다 [반] death 죽음
(예) the *lives* of great men 위인의 전기 // Many *lives* were lost in the accident. 그 사고로 많은 생명을 잃었다. // She was all *life.* 그녀는 아주 발랄했다.
[파] ◇**lífeless** [형] 생명이 없는, 활기가 없는 **lífelike** [형] 살아 있는 것 같은 ◇**lífelong** [형] 생애의 **lífeboat** [명] 구명정(艇) **lífe-poténtial** [명] 평균 여명(餘命) ◇**lífe-saver** [명] 인명 구조자; 생명의 은인 ◇**lífe-style** [명] 사는 방식, 생활 양식 *◇**lífetime** [명] 일생 **lífe-work** [명] 일생의 사업

all *one*'***s life*** (***through***) 한평생
(예) I've studied *all* my *life.* 나는 여태까지 쭉 공부해 왔다.

come 〔***bring***〕 (***back***) ***to life*** 소생하다〔시키다〕
(예) Everyone thought he was drowned, but he *came to life.* 모두 그는 익사했다고 생각했으나 소생했다.

for life 종신(終身)(의)
(예) a pension *for life* 종신 연금 // six senators appointed *for life* 종신 이사로 선출된 6 사람들 // imprisonment *for life* 무기 징역

for *one*'***s life*** 필사적으로
(예) I ran *for* my *life.* 나는 필사적으로 도망쳤다.

for the life of me 《보통 1인칭 주어의 부정문에서》 아무래도
(예) I can't understand it *for the life of* me. 아무래도 난 모르겠다.

live 〔***lead***〕 ***a life*** 생활을 하다
(예) He *lived a* very happy *life.* 그는 매우 행복한 생애를

보냈다.

[NB] 이와 같이 형용사를 붙여서 사용함. 이 밖에 dream a dream, laugh a hearty laugh 와 같이 Cognate Object (동족 목적어)를 수반하는 형식을 참조하라.

◇***take one's own life*** 자살하다
(예) He *took* his *own life* in the woods. 그는 숲 속에서 자살했다.

take the life of ~을 죽이다
(예) You have no right to *take the life of* another. 너는 남을 죽일 권리는 없다.

*◇**lift** [lift] [타][자] 들어올리다(=raise up), 높이다; (구름·안개 따위가) 걷히다 [명] 들어올림; 〔영〕 승강기, 리프트, 엘리베이터(=〔미〕 elevator)
(예) *lift* (*up*) a table 테이블을 들어 올리다 // *lift up* one's eyes 쳐다보다

◇***lift off*** (헬리콥터·로켓 따위가) 이륙하다

☆**light** [lait] [명] 빛, 등불, 광명 [형] 밝은, 빛나는; 연한; 가벼운, 쉬운; 쾌활한 [타][자] 《***lighted, lit***》 불을 붙이다, 비추다; 우연히 만나다, 우연히 발견하다 [~ on] [부] 가볍게; 수월하게
[반] dárkness 암흑, dark 어두운, héavy 무거운
(예) *light* and shade 명암 // come 〔bring〕 to *light* 나타나다〔내다〕, 드러나다〔내다〕 // an electric *light* 전등 // throw *light* on a problem 문제에 빛을 던지다, 문제의 설명에 도움이 되다 // They view things *in this light.* 그들은 사물을 이런 관점에서 본다. // *light* a lamp 램프를 켜다 // a *light* rain 조금 내리는 비 // *light* reading 오락적인 읽을거리

[어법] lighted는 형용사적 과거 분사로서, lit는 과거로서 쓰는 경우가 많으나 절대적인 구별은 아니다.

[파] **líghter** [명] 불 붙이는 사람; 라이터; 거룻배 *◇**líghtly** [부] 가볍게, 손쉽게 **lighten** [타][자] 밝게 하다, 비추다, 빛나다; 기쁘게 하다; 가볍게 하다 **líghtness** [명] 밝음; 가벼움, 기민 **líght-fíngered** [형] 솜씨 좋은 **líght-héarted** [형] 마음 편한 ***líghthouse** [명] 등대

in a good 〔***bad***〕 ***light*** 잘 보이는〔보이지 않는〕 곳에; 유리〔불리〕한 견지에서
(예) Hang the picture *in a good light.* 그림을 잘 보이는 곳에 걸어라. // see things *in a good light* 사물을 좋게 보다

in the light of ~에 비추어, ~을 생각하면, ~(관점)에서 보면; ~의 모습으로, ~로서
(예) They are valuable *in the light of* culture. 문화면에서 보면 그것들은 가치가 있다. // Don't view his conduct *in the light of* a crime. 그의 행위를 범죄로 보지 마라.

light up 밝게 하다, 빛나다; 명랑해지다
(예) A large chandelies *lighted up* the room. 큰 샹들리에가 방을 밝게 했다. // Her face *lit up* with pleasure. 그

여자의 얼굴은 명랑해졌다.

light·ning [láitniŋ] ⓜ 번개, 전광 ⓗ 급속한 (*cf.* thunder 우레)
(예) at a *lightning* speed 번개 같은 속도로 // a *lightning* rod 피뢰침 // like *lightning* 번개같이, 전광 석화처럼

like [laik] ⓗ 비슷한, 같은 종류의 ⓙ ~와 같이, ~처럼 ⓑ ~같이; 아마 ⓣⓩ 좋아하다, 바라다 ⓜ《보통 *pl.*》 좋아함, 기호; 닮은 것〔사람〕
반 hate 싫어하다, unlíke 닮지 않은
(예) as *like* as two peas 꼭 닮은 // They are *like* each other. 두 사람은 매우 닮았다. // *Like* father, *like* son. 〖속담〗 그 아비에 그 자식《부전자전》. // It looks *like* rain. 비가 올 것 같다.

어법 ① 형용사인 경우, 비교는 more, most를 붙이는 것이 보통. 목적어를 취하는 경우에는 전치사로 간주할 수 있다. ② 동사인 경우 다음 점에 주의. (a) I *like* to read. I *like* read*ing*. 은 같은 뜻이나 「~을 좋아하다」라는 일반적인 뜻으로는 -ing 형이 관용적이며, to 부정사인 경우에는 「~하고 싶다」의 뜻으로 될 때가 있다. 「~하고 싶다」의 뜻으로는 should〔would〕 *like* to로 쓸 때가 많다. (b) like+목적어+부정사 「~에게 …을 하여 주기 바라다」: I (should) *like* you to come. (당신이 와 주시면 좋겠습니다.) (c) like+목적어+형용사·과거 분사 따위가 「~이 …임을 좋아하다」: I *like* my tea hot. (차는 뜨거운 것을 좋아한다) He doesn't *like* it told. (그는 그것이 말하여지는 것을 좋아하지 않는다) (d) I *like* it very *much.* 라고 말하나 비교급·최상급에는 better, best가 보통: I like this *better* than that. (e) 진행형은 보통 쓰지 않는다.

파 (⇨) **likely, alike.** ◇**líkeness** ⓜ 유사, 모습, 닮은 사람〔물건〕 **líken** ⓣ ~에 비유하다(=compare) **líking** ⓜ 기호, 취미 ◇**líkewise** ⓑ 마찬가지로 ⓙ 또 **líke-mínded** ⓗ 한 마음의, 동지의; 같은 취미를 가진

and the like ~ 따위, 등등, 기타(=and so forth)
(예) He studies music, painting, *and the like.* 그는 음악, 회화 따위를 연구한다.

have a liking for* ~을 좋아하다
(예) He *has a* great *liking for* travel. 그는 여행을 매우 좋아한다.

nothing like ~을 따를 것은 없다, ~만한 것은 없다; 조금도 ~같지 않다
(예) It was *nothing like* what we expected. 그것은 조금도 우리가 기대했던 것 같지 않았다.

like·ly [láikli] ⓗ 있음직한, 정말 같은(=probable), ~할 것 같은 [~ to do]; 가망 있는 ⓑ 대개, 아마
반 unlíkely 있을 것 같지 않은
(예) the most *likely* spot for a confrontation 대결이 가장 있음직한 장소 // a *likely* young man 전도 유망한 젊은이 // *It is likely that* during this time men discovered how

to make fire. 아마 이 기간에 인류는 불 만드는 방법을 발견했을 것이다.

파 ◇**líkelihood** 명 있음직한 일; 가능함 (There is no *likelihood* of his coming. 그가 올 가망은 없다.)

◇***(be) likely to do*** ★ ~할 것 같은

(예) Winter *is likely to* be cold this year. 금년 겨울은 추울 것 같다.

◇***in all likelihood*** 아마, 십중팔구

(예) *In all likelihood* we shall be away for a week. 아마 우리는 1주일간 집을 비우게 될 겁니다.

◇**li·lac** [láilək] 명 라일락 형 연보라색의

*◇**lil·y** [líli] 명 나리, 백합꽃 형 나리꽃 같이 흰, 순결한; 창백한(=pale)

***limb** [lim] 명 (동물·사람의) 수족; 날개, 가지(=branch)

◇**lime** [laim] 명 석회; 새 잡는 끈끈이; 라임과(果); 보리수

파 **límelight** 명 석회광(石灰光); 눈길을 끄는 입장 **límestone** 명 석회석 **límy** 형 석회질의, 끈적끈적한

*◇**lim·it** [límit] 명 제한(=bound); 《*pl.*》 범위(=extent) 타 한정하다(=restrict), 제한하다

(예) *limit* expenditures 지출을 제한하다 // *Limit* your answer *to* 25 words. 25단어 이내로 답하여라.

파 ***limitátion** 명 제한; 한계 *◇**límited** 형 유한의 〖약어〗 *Ltd.* **límitless** 형 무한의

lim·ou·sine [límәzìːn] 명 리무진《대형 자동차》; (공항과 시내 사이의 여객 송영용) 소형 버스

◇**limp** [limp] 명 발을 절기 자 절뚝거리다 형 나긋나긋한

***line** [lain] 명 선; 줄, 열(列), 행; 경계; 선로; 계통; 방면 직업; 좋아하는 것 자타 나란히 서다, 선을 긋다, 일렬로 세우다; (의복 따위에) 안을 대다

(예) read between the *lines* 언외(言外)의 뜻을 알아 내다 // an air*line* 항공로 // I'm in the grocery *line*. 나는 식료품상을 하고 있다. // ◇The avenue is *lined with* rows of tall trees. 그 가로에는 큰 나무들이 줄지어 서 있다. // Cars *lined* (*up*) the street.↔Cars were *lined* (*up*) along the street. 길에는 차가 열을 지어 있었다.

파 **liner** [láinәr] 명 정기선, 정기 항공기 **líning** 명 안, 안감 **líne-up** 명 라인업, 정렬; 진용(陣容)

all along the line 전선(戰線)의 도처에; 모든 점에서 전면적으로

(예) He was successful *all along the line*. 그는 전면적으로 성공했다.

drop 〔***send***〕 ***a line*** 〔***a few lines***〕 몇 줄 써 보내다

(예) *Drop* me *a line* to that effect. 그런 취지로 몇 줄 써 보내시오.

stand in line 줄을 서다, 열을 짓다

(예) They *stand in line* for the plays. 그들은 연극을 보려고 줄지어 있다.

lin·e·al [líniәl] 형 직계의, 정통의

L

(예) a *lineal* descendant 직계의 자손
㉺ **lineage** [líniidʒ] ㉮ 가계(家系), 혈통
lin·en [línən] ㉮ 린네르, 아마포 ㉻ 아마의
lin·ger [líŋgər] ㉶㉵ (우물쭈물) 오래 머무르다(=stay a long time), 어정버정 보내다[~ away], (병이) 오래 끌다
(예) We *lingered away* the whole summer at the beach. 우리는 한 여름을 해안에서 그럭저럭 지냈다.
lin·guist [líŋgwist] ㉮ (언)어학자
lin·guis·tic, -ti·cal [liŋgwístik], [-əl] ㉻ 언어(학)의, 어학(상)의; 언어 연구의
㉺ **linguístics** ㉮ 《*pl.*》《단수 취급》 어학, 언어학
link [liŋk] ㉮ 연쇄(連鎖), 고리; 연결, 관계 ㉵㉶ 연결하다, 맺다(=connect)
(예) Let's *link* this rope *with* another. 이 밧줄을 다른 것에 연결하자.
㉺ **links** ㉮ 《*pl.*》 골프장 (*cf.* rink 스케이트장)
lin·net [línət] ㉮ 〘새〙 홍방울새
li·no·type [láinətàip] ㉮ 자동 주조 식자기, 라이노타이프 ㉶㉵ 라이노타이프로 치다
li·on [láiən] ㉮ 사자; 용맹스러운 사람, 인기 있는〔유명한〕 사람 (*cf.* lioness 암사자)
㉺ **líon-tamer** ㉮ 사자 부리는 사람
lip [lip] ㉮ 입술; 입 ㉻ 말뿐인
liq·uid [líkwid] ㉮ 액체 ㉻ 액체의; 유동하는
㉤ sólid 고체, 고체의
㉺ **líquidate** ㉵㉶ 청산하다; 말살하다
liq·uor [líkər] ㉮ 알코올 음료, 주류; 용액
list [list] ㉮ 표(=table), 명부(=roll), 일람표, 목록 ㉵㉶ (표에) 기입하다, 기재하다; 병적에 올리다
(예) make a *list* of ~을 표로 작성하다
lis·ten [lísn] ㉶㉵ 듣다, 귀를 기울이다; 따르다 [~ to]
㉤ disobéy 따르지 않다
어법 ① to를 수반한다: *Listen to* me. (나의 말을 잘 들어라) *listen for*는 「(~을 예기하고) 귀를 기울이다」의 뜻. ② They *listen to* him singing a song. (그들은 그가 노래하는 것을 듣는다)의 구문에 주의할 것.

> ▶ **179.** 「듣다」의 유사어
> **listen (to)**은 두루 주의해서 「귀를 기울여 듣다」, **hear**는 「귀에 들려오는」 것을 의미한다.

㉺ ⁑**lístener** ㉮ 경청자, (라디오) 청취사
list·less [lístlis] ㉻ ~할 마음이 없는; 께느른한
㉺ ◦**lístlessly** ㉯ 께느른하게
li·ter, -tre [lí:tər] ㉮ 리터《1000 cc.》
lit·er·al [lítərəl] ㉻ 문자 그대로의; 문자상의; 정확한
(예) *literal* translation 직역
㉺ ⁑**líterally** ㉯ 문자 그대로, 축어적(逐語的)으로; 전혀
lit·er·ar·y [lítərèri / lítərə-] ㉻ 문학의, 문예의, 학문의; 문어(文語)의

L

반 collóquial 구어의
(예) *literary* works 〔writings〕 문학 작품 // *literary* property 저작권 // a *literary* style 문어체
파 **líterarily** 부 문학상으로, 학문상

lit·er·ate [lítərit] 형 읽고 쓸 수 있는, 학식이 있는
반 illíterate 문맹의, 무식한
파 **líteracy** 명 읽고 쓸 수 있는 능력

***lit·er·a·ture** [lítərətʃər, -tʃùər]* 명 문학, 문예, 저술(업)
(예) English *literature* 영문학
어법 용례와 같이 관사를 쓰지 않음.

lit·ter [lítər] 명 잡동사니, 쓰레기; 난잡; (개 따위의) 한배 새끼; (짐승의) 깔짚, 깃; 들것 타 자 흩뜨리다; 새끼를 낳다

☆**lit·tle** [lítl] 형 《***less, lesser; least***》 ① 작은, 적은(=not much)
(예) a *little* town 작은 마을 // a *little* woman 몸집이 작은 여자
② 하찮은, 변변치 않은
(예) a *little* thing 하찮은 일 // a *little* man with a *little* mind 소견이 좁은 남자 // his *little* ways 그의 유치한 수법〔방식〕
③ 나이 어린(=young)
(예) a *little* girl 소녀 // the *little* Joneses 존즈 집안의 아이들
— 부 ① 조금(은) 있다
(예) It is a *little* cold. 조금 춥다. // He came home a *little* after six. 그는 여섯 시 조금 지나서 귀가했다.
② 거의 ~하지 않다
(예) He is *little* known around here. 이 근처에서 그는 거의 알려져 있지 않다. // He slept *little* that night. 그날 밤 그는 거의 자지 못했다.
— 명 조금, 소량(*cf.* few)
(예) He knows a *little* of everything. 그는 무엇이나 조금씩 알고 있다. // *Little* is known of her past. 그녀의 과거에 대하여 거의 알려져 있지 않다.
반 much, a lot of 많이

little better than ~나 마찬가지의, ~나 별다름 없는
(예) He is *little better than* a beggar. 그는 거지나 다름없다.

little by little 조금씩(=bit by bit), 서서히(=slowly)
(예) Learn *little by little* every day. 매일 조금씩 배우라. // She seemed, *little by little,* to grow calmer. 그녀는 점차로 침착해지는 것 같았다.

little less than ~와 거의 같은 정도의
(예) He has *little less than* a million won. 그는 100 만원 정도의 돈을 가지고 있다.

little more than ~에 불과할 정도의, ~나 마찬가지의
(예) Korea was *little more than* a small farming country

then. 당시 한국은 작은 농업국에 불과했다.

a little 조금, 조금은 (있다)

(예) I have a *little* money. 돈을 조금 갖고 있다. // He is *a little* better this morning. 그는 오늘 아침은 몸이 좀 나아졌다.

[어법] ① 셀 수 있는 명사에 붙여 쓸 경우 「작은」의 뜻이지만, 단지 크기만을 문제로 하는 small에 대해서 「작고 귀엽다」라는 뜻이 있다. small은 large의 반대이며, little은 great의 반대이다: a *little* boy (귀여운 소년) a *small* boy (조그마한 소년) ② 셀 수 없는 명사에 붙일 경우, a little은 「조금은 있다」라고 긍정적, little은 「조금밖에 없다」라고 부정적. a few, few와 비교할 것: I have *a little* money. (돈이 조금은 있다) I have *little* money. (돈이 거의 없다) I know *little* about it. (그것에 관해서는 거의 모른다) I know *a little* about it. (그것에 대해서 조금은 알고 있다)

not a little 적지 않게, 많이; 극도로

(예) He was *not a little* surprised. 그는 적지 않게 놀랐다. // I lost *not a little* over cards. 나는 카드놀이로 큰 돈을 잃었다.

live★ [자][타] [liv] 살다(=have life), 생활하다, 거주하다(=dwell) [형] [laiv] 살아 있는(=living), 활기 있는; 당면한, 목하의

[반] die 죽다, dead 죽은

(예) *live* in comfort 편히 지내다 // He *lived* to be 85. 그는 85세까지 살았다. // *live* within one's means 수입〔분수〕에 알맞게 살다 // I have no house to *live* in. 나는 거주할 집이 없다. // *live* a happy life ↔ *live* happily 행복하게 살다

[어법] 형용사로서는 제한적인 용법뿐임. 서술 용법에는 alive를 쓴다.

[파] **livelong** [lívlɔ̀ːŋ] [형] 〘시〙 긴, ~ 내내, 온~ ***lively** [láivli]★ [형] 생기에 넘친, 팔팔한(=vigorous); 쾌활한; 선명한(=vivid) [부] 기운차게 **liven** [láivən] [타][자] 쾌활하게 하다〔되다〕 ***líving** [형] 생명이 있는; 현대의; 생활의 [명] 생계(=livelihood), 생존 **living room** 〘미〙 거실(=〘영〙 sitting room) **lívestock** [명] 가축 (⇨) **alive, life**

live on 〔***upon***〕 ~을 먹고 살다, 생활하다

(예) *live on* rice 쌀을 먹고 살다 // *live on* a small income 적은 수입으로 생활하다

[NB] 동물인 경우에는 feed on을 쓴다.

live out (점원 따위가) 통근하다; (~에서) 살아 남다, (~보다) 오래 살다; (어떠한 생활을) 보내다

(예) We could *live out* the great war. 우리는 대전에서 살아 남을 수 있었다. // I try to *live out* my life following the Bible. 나는 성서에 따라 생활하려고 노력한다.

live through ~을 타개하다, 목숨을 부지하다

(예) The patient will not *live through* the night. 그 환자는 밤을 넘기지 못할 것이다. // He *lived through* a plane crash in an African jungle. 그는 아프리카 밀림에서 비행기 추락 사고를 겪고 살아 남았다.

◇ ***live up to*** ~에 부끄럽지 않은 생활을 하다; ~에 따라 행동하다

(예) *live up to* the reputation 명성에 부끄럽지 않게 처신하다 // *live up to* one's income 수입에 상당한 생활을 하다 // He *lives up to* his principle. 그는 훌륭히 자기 주의를 지키고 있다.

get* 〔*earn, make*〕 *a* 〔*one's*〕 *living 생계를 세우다

(예) He *got a living* by giving music lessons. 그는 음악을 가르쳐 생계를 세웠다.

live·li·hood [láivlihùd] 명 생계, 살림(=living)

liv·er [lívər] 명 간장(肝臟)(*cf.* kidney 신장); 적갈색; 생활자, 거주자

liv·er·y [lívəri] 명 제복, 정복, (특수한) 옷차림; 마차나 말을 빌려 주는 업〔집〕

◇ **liz·ard** [lízərd] 명 도마뱀

lo [lou] 감 보라!, 자!

*◇ **load** [loud] 명 짐, (정신적) 부담; 노고(勞苦)(=care) 타 자 (차·배 따위에) 짐을 싣다, 지우다; 괴롭히다; 장전하다 반 unlóad 짐을 부리다

(예) We *loaded* a cart *with* goods. 우리는 마차에 짐을 실었다.

파 **lóaded** 형 짐을 실은, 탄환을 잰 **lóading** 명 짐싣기

loads of 많은 《수·양》

(예) He has *loads of* money. 그는 돈이 많다. // He had *loads of* letters. 그는 많은 편지를 받았다.

◇ **loaf** [louf] 명 《*pl.* ***loaves***》 (빵의) 한 덩이 [~ of bread] 자 타 빈둥빈둥 놀고 지내다 [~ away]

(예) You are just *loafing* your time *away*. 너는 단지 빈둥빈둥 시간만 보내고 있다.

파 ◇ **lóafer** 명 빈들거리는 사람, 게으름뱅이

*◇ **loan** [loun] 〈동음어 lone〉 명 대부(금), 공채, 차관 타 자 〖미〗 빌려 주다(=lend)

loath [louθ] 형 싫어하여 [~ to do, ~ that]

어법 보어로만 쓰인다.

(예) He is *loath* to go there. 그는 거기 가기를 싫어한다.

파 **loathe** [louð] 타 몹시 싫어하다 **loathsome** [lóuðsəm] 형 싫은, 진저리나는(=odious)

lob·by [lábi / lɔ́bi] 명 로비, 대합실, 복도

lob·ster [lábstər / lɔ́bstə] 명 (큰) 새우

*◇ **local** [lóukəl] 형 지방의; 국부의; 공간의 명 지방 주민

(예) a *local* name 지명 // *a local* paper 지방 신문 // *local* government 지방 자치(제)

파 **lócally** 부 지방적으로, 국부적으로 **lócalism** 명 지방적임, 지방색; 지방 사투리 **lócalize** 타 한 지방에 국한하다, 지방화하다 ***locálity** 명 장소, 위치, 소재지, 산지 **local color** 지방색 **local train** (역마다 정차하는) 완행 열차

lo·cate [lóukeit, loukéit / loukéit] 타 자 거주시키다〔하다〕, (관청 따위를) 설치하다; ~의 위치를 …에 정하다, (주소·원인 따위를) 알아내다
(예) *locate* the enemy 적의 소재를 알아내다 // ◦The park is *located* in the north of the city. 그 공원은 시의 북쪽에 있다. (=be situated)
파 ◦**location** [loukéiʃən] 명 설치; 위치; 야외 촬영(장), 로케이션

lock [lɑk / lɔk] 명 자물쇠 타 자 자물쇠를 채우다(=fasten a door), 자물쇠가 잠겨지다; 감금하다(=confine); (기계를) 움직이지 않게 하다
반 únlock 자물쇠를 열다
(예) *lock* a door 문에 자물쇠를 채우다 // *lock* a thief *in* a room 도둑을 방에 가두다
파 ◦**locker** [lákər / lɔ́kə] 명 자물쇠 달린 찬장〔궤〕, 로커
lóckout 명 (공장 등의) 폐쇄 타 (공장 따위를) 폐쇄하다
lócksmith 명 자물쇠 제조공〔장수〕

lock up 자물쇠를 채우다; ~을 감금하다
(예) Why were you *locked up* in the room? 왜 너는 방에 갇혔지?

lock·et [lákit / lɔ́kit] 명 로킷《유물 (遺物)·기념품 따위를 넣어 목걸이 등에 다는 금·은으로 만든 작은 곽》

lo·co·mo·tive [lòukəmóutiv / lóukəmòu-] 명 기관차(=locomotive engine) 형 운동하는, 이동하는
파 **locomótion** 명 운동, 이동; 교통 기관

lo·cust [lóukəst] 명 메뚜기; 〖미〗 매미(=cicada)

lodge [lɑdʒ / lɔdʒ] 자 타 묵다, 맡기다(=deposit); 제출하다; (총알이) 박히다 명 오두막집(=hut); (대학 따위의) 수위실
(예) *lodge at* a hotel 〔*with* the Smith's〕 호텔〔스미스씨 댁〕에 묵다

> ▶ **180.** 「하숙」의 유사어
> **lodging house**는 영국에서는 식사 없이 잠만 자는 간이 하숙(집). **boarding house**는 식사를 제공하는 하숙(집). **pension**은 주로 프랑스, 벨기에 등지의 하숙(집).

파 **lódger** 명 숙박인, 하숙인, 세 든 사람 **lódging** 명 숙박; 하숙; 주소; 《*pl.*》 셋방 **lodging house** 하숙집

loft·y [lɔ́(:)fti] 형 몹시 높은(=very high); 고상한(=noble), 고결한, 거만한(=arrogant)
반 lówly 낮은, 야비한
(예) in a *lofty* manner 거만한 태도로
파 **lóftily** 부 높게; 고상하게 **lóftiness** 명 고상; 거만

log [lɔ:g, lɑg / lɔg] 명 통나무; 항해 일지, (배의 속도를 재는) 측정기(測程器); 멍텅구리 타 통나무로 자르다; 항해 일지에 기입하다
(예) sleep like a *log* 세상 모르고 자다

log·ic [ládʒik / lɔ́dʒ-] 명 논리학, 논리; 추리력(推理力); 당연한 귀추, (추이의) 필연성
파 *◦**lógical** 형 논리학의, 이론상의 **logician** [loudʒíʃən] 명

논리학자

loin [lɔin] 명 《pl.》 허리; 허리고기

loi·ter [lɔ́itər] 타 자 빈둥거리다, 우물쭈물 지체하다(=linger); 빈둥거리며 보내다 [~ away]

파 **lóiterer** 명 빈둥빈둥 노는 자

◇**lone** [loun] 〈동음어 loan〉 형 고독한(=solitary), 쓸쓸한(=lonely); 독신의; 호젓한

어법 한정 용법으로만 씀.

*◇**lone·ly** [lóunli] 형 고독한, 쓸쓸한; 인적이 드문, 외진

(예) a *lonely* place 쓸쓸한 곳 // feel *lonely* 외롭다

파 ◇**lóneliness** 명 고독, 고립, 쓸쓸함, 적막

◇**lone·some** [lóunsəm] 형 〖아어〗 쓸쓸한(=lonely)

☆**long**★ [lɔːŋ / lɔŋ] 형 긴, (거리가) 먼; 오랜 부 오랫동안 자 동경하다(=yearn), 열망하다, 간절히 바라다(=feel great desire) [~ for, to do]

NB 명사는 length, 동사는 lengthen

반 short 짧은

(예) be three inches *long* 길이가 3인치이다 // ◇So *long* 안녕《헤어질 때의 인사》 // How *long* did it take you to complete it? 그것을 완성하는 데 시간이 얼마나 걸렸느냐? // It was not *long* before he came. 그는 얼마 안 있어서 왔다. // I won't be *long*. 곧 돌아오겠습니다. // How I *longed to* see my parents! 부모님을 얼마나 만나 뵙고 싶었는지! // We are *longing for* the vacation. 우리는 휴가를 고대하고 있다.

파 *◇**lónging** 명 간절한 희망, 동경 형 열망하는 **lóng-awáited** 형 대망의 **lóng-chérished** 형 마음 속에 오래 간직한, 숙원의 **lóng-dístance** 형 먼 곳의, 장거리의 **lóng-ránge** 형 장거리에 달하는; 원대한 **lóng-síghted** 형 선견지명이 있는 ◇**lóng-térm** 형 장기의 **lóngtime** 형 오랜, 오랫 동안의

long ago 옛날에, 훨씬 이전에

(예) I said, "I saw this man *long ago*." 이 남자를 옛날에 보았다고 말했다.

◇***long for*** ~을 간절히 바라다(=yearn)

(예) How I *long for* a sight of my native land! 내 고국을 한 번 보고 싶은 마음 간절하구나! // He *longs for* fame. 그는 명성을 간절히 바라고 있다.

◇***before long*** 오래지 않아, 곧, 이내

(예) He will come here *before long*. 그는 곧 여기에 올 것이다.

not long ago 요전에, 얼마 전에

(예) It happened *not long ago*. 그것은 최근에 발생했다.

lon·gev·i·ty [lɑndʒévəti / lɔn-] 명 장수(=long life); 수명

lon·gi·tude [lɑ́ndʒətjùːd / lɔ́ndʒətjùːd] 명 경도(經度), 경선

반 látitude 위도(緯度)

☆**look** [luk] 자 타 보다 [~ at]; 응시하다(=stare), ~에 면하다(=face) [~ on, upon, to]; 주의하다; ~으로 보이다

(=seem, appear); ～인 듯한 표정이다 ⓜ《종종 *pl.*》 안색; 외관; 봄; 눈(표정) (예) judge a person by his *looks* 아무를 외관으로 판단하다 // *Look* here! 여봐!, 이것 봐요! // *Look* before you leap. 〔속담〕 실행하기 전에 잘 생각하여라. // He *looks* happy. 그는 행복해 보인다. // You *look* as if you had seen a ghost. 너는 마치 유령이라도 본 듯한 얼굴이구나. // The house *looks* upon the street. 그 집은 길가에 면해 있다.

> ▶ **181.** 「보다」의 유사어
> **look**는 보려고 해서 시선을 그쪽으로 향해서 보다. **see**는 보이다. **view**는 보고 조사하다. **watch**는 특히 가만히 지켜보다, 주시하다, 망보다.

어법 ① look at+목적어+원형 부정사의 구문도 있다: *Look at* him do it. (그가 그것을 하는 것을 보아라) ② 「보다」의 뜻으로는 look ~ in the face 따위의 한정된 경우에만 타동사로 쓰이며, 보통은 전치사를 붙인다.

파 **looker-ón** ⓜ《*pl.* lookers-on》 구경꾼, 방관자(=spectator) **lóokout** ⓜ 망보기, 경계, 감시(=watch); 조망(=view) **lóoking-glass** ⓜ 거울, 체경

look about 둘러보다, 둘러보며 찾다
(예) I went out to *look about* me. 근처를 둘러보려고 나갔다.

look after* ～을 돌보다(=take care of); 찾다, 구하다
(예) He *looks after* his little sister. 그는 어린 여동생을 돌본다.

NB 「～을 배웅하다」라는 글자 그대로의 뜻도 있음에 주의.

look around 둘러보다
(예) *look around* for help 도움을 찾다 // The boy *looked around* him. 그 소년은 자기 주위를 둘러보았다.

look at ～을 보다
(예) *Look at* the picture. 그림을 보아라.

look back (***at, on, to***) 돌아다보다(=turn about); 회고하다
(예) *look back upon* the past 과거를 돌이켜 보다

look down on 〔***upon***〕* 깔보다, 경멸하다
(예) They always *looked down upon* us. 그들은 언제나 우리를 경멸했다.

look for* 찾다(=search for); 기대하다(=expect)
(예) What are you *looking for?* 무엇을 찾고 있는지요?

look forward to doing* ～을 기대하다, 손꼽아 기다리다(=expect with pleasure)
(예) They *looked forward to* see*ing* the sights of Seoul. 그들은 서울 관광을 고대했다.

look** a person **in the face (아무의 눈·얼굴을) 정면으로 보다, ～에 직면하다
(예) She *looked* me full *in the face.* 그녀는 정면으로 내 얼굴을 쏘아 보았다.

look in 들여다보다; 잠깐 들르다
(예) The children *looked in* at the window. 아이들이 창

에서 들여다보았다.

◇ ***look into*** 조사하다(=examine); 들여다보다(=peep into)
(예) *look into* a mirror 거울을 들여다보다 // I'll *look into* the matter. 그 일을 조사하겠다.

*◇ ***look like**** ~같이 보이다, ~을 닮았다; ~할 것 같다
(예) What does it *look like?* 그것은 어떤 모양을 한 것인가? // Tom *looks like* winning the game. 톰은 경기에 이길 것 같다.

*◇ ***look on*** 〔***upon***〕 ~을 바라보다(=view), 생각하다(=think) [~ as]; 방관하다
(예) *look on* the bright side of things 사물의 밝은 면을 보다

[어법] 단지 「~에 시선을 돌리다」의 뜻인 *look at* 에 대해서 「빤히 보다」「어떤 기분을 품고 보다」의 뜻으로 쓰인다. 또한 *look at* 이 「한 점을 보다」에 대해서 「막연히 전망하다」의 뜻으로도 쓰인다.

*◇ ***look on*** 〔***upon***〕 ***~ as*** ~을 …로 간주하다
(예) Do you *look on* him *as* a patriot? 당신은 그를 애국자라고 생각합니까?

*◇ ***look out*** 밖을 보다; 주의하다(=be careful)
(예) "*Look out!*" he cried. 「주의 해!」라고 그는 소리쳤다

[어법] look out of ~는 「~에서 밖을 내다보다」의 뜻: *look out of* the window (창에서 밖을 내다보다) 단, of를 생략하는 수도 있다.

◇ ***look out for*** ~을 찾다; ~에 주의하다
(예) If you go to that place, *look out for* trouble. 그 곳에 가면 재난을 만나지 않도록 주의해라.

look over* ~너머로 보다; 대강 훑어보다
(예) *look over* one's spectacles 안경 너머로 보다 // *look over* examination papers 답안지를 훑어보다

look through ~을 통하여 보다〔보이다〕; 훑어보다, ~을 조사하다
(예) *look through* a microscope 현미경으로 보다 // His greed *looks through* his eyes. 그의 탐욕이 눈에 나타나 있다. // *look through* a book 책을 통독하다

◇ ***look to*** ~에 의지하다(=rely on); ~을 돌보다
(예) *look to* him for help 그의 원조를 바라다 // *look to* him to give orders 그가 명령하기를 기대하다

*◇ ***look up**** 조사하다; 올려다보다
(예) *look up* a word in a dictionary 사전에서 단어를 찾아보다

◇ ***look up to*** ~을 존경하다(=respect), ~을 쳐다보다
(예) The children always *looked up to* him. 아이들은 언제나 그를 존경하였다.

give *a person* ***a look*** 아무를 (~한 눈〔표정〕으로) 보다
(예) He *gave* us *a* cold *look*. 그는 우리를 차가운 눈으로 보았다.

◇ ***have*** 〔***take***〕 ***a look at*** ~을 한번〔잠깐〕 보다

L

(예) He picked up the newspaper and *took a* (quick) *look at* the headlines. 그는 신문을 집어 제목을 (급히) 훑어보았다.

steal a look at ~을 몰래 훔쳐보다
(예) I *stole a look at* them. 나는 그들을 슬쩍 보았다.

loom [lu:m] ㊔ 베틀 ㉶ 어렴풋이 보이다
(예) The ship *loomed* out of the fog. 배가 안개 속에서 어렴풋이 보였다.

loop [lu:p] ㊔ (실·끈 따위로 만든) 고리, 동그라미; (비행기의) 공중제비 ㊊㉶ 동그라미를 만들다, 고리가 되다

loose [lu:s]* ㊗ 헐렁한(=free), 느슨한, 단정치 못한(=uncontrolled), 풀린 ㊊㉶ 놓아 주다, 풀다, (총을) 쏘다
NB [lu:z] 라고 발음하지 말 것. (⇨ lose)
반 tight 단단히 맨, bind 묶다
(예) Let the dog *loose.* 개를 풀어 주어라.
파 **lóosely** ㊇ 느슨하게, 단정치 못하게 **lóoseness** ㊔ 느슨함, 산만; 단정치 못함 ◇**loosen** [lú:sən] ㊊㉶ 늦추다, 풀다(=untie), 놓아주다; 관대하게 하다 (반 tíghten 죄다)

break loose 탈출하다, 속박을 떨쳐 버리다
(예) The tiger has *broken loose.* 그 호랑이가 탈출했다.

turn loose 놓아주다, 자유롭게 해주다
(예) Someone *turned* the lion *loose* from its cage. 누군가 그 사자를 우리에서 놓아주었다.

lop·sid·ed [lápsáidid / lɔ́p-] ㊗ 한 쪽으로 기울어진, 균형이 안 잡힌

lord [lɔ:rd] ㊔ 군주(=ruler), 주인(=master); 귀족, 경(卿); [the L-] 하느님(=God), [our L-] 그리스도, 구세주(=Savior) ㉶㊊ 뽐내다, 주인 행세하다, 원님 모시듯 하다
(예) the House of *Lords* 〖영〗 상원(上院)
파 **lórdly** ㊗ 뽐내는, 위엄 있는 **lórdship** ㊔ 귀족; 각하; 주권

lord it over 뽐내다, ~에 군림하다
(예) Soragsan *lords it over* the surrounding mountains. 설악산은 주위의 산에 군림한다.

lore [lɔ:r] ㊔ (전승적·일화적) 지식, 민간 전승; 학문(=learning)
(예) the *lore* of herbs 약초에 관한 지식

lor·ry [lɔ́(:)ri] ㊔ 〖영〗 화물 자동차

lose* [lu:z]* ㊊㉶ 《***lost***》 잃다(=fail to keep); (길을) 잃다, (경기에) 지다; 손해보다; 실패하다; (기차 따위를) 놓치다(=miss)
반 gain 얻다, win 이기다
(예) *lose* one's way 길을 잃다 // There is no time to *lose.* 한 시각이라도 지체할 수 없다. // My watch *loses* three seconds a day. 내 시계는 하루에 3초 늦다. // We *lost* a match *to* them. 우리는 그들에게 경기에 졌다. // As you watch the play unfold, you *lose* yourself. 연극이 진행되고

있는 것을 보는 동안에 완전히 도취하게 된다.
파 **lóser** 명 패배자, 실패자, 손실자 (a bad *loser* 지고도 울해 하는 사람) (⇨) **loss, lost**

lose no time in (*doing*) 때를 놓치지 않고 ~하다
(예) He *lost no time in* searching the house. 그는 즉로 가택 수색을 했다.

lose one's temper 화를 내다, 울화통을 터뜨리다(become angry)

lose oneself in ~에 열중하다, 빠지다
(예) He *lost* him*self in* melancholy thought. 그는 침울 생각에 빠졌다.

lose the day 싸움에 지다(=lose a battle)
반 win 〔carry〕 the day 싸움에 이기다

*◇**loss*** [lɔːs / lɔs] 명 잃음, 분실, 손실, 손해; 사망; 실패
원 <lose 잃다
반 gain 이득
(예) His death is a great *loss*. 그의 죽음은 큰 손실이다.

at a loss 어쩔 줄을 모르고, 어리벙벙하여(=puzzled)
(예) be *at a loss* for an answer 대답이 막히다 // I am *a loss* how to act. 어쩌면 좋을지 모르겠다. (↔ I dor know how to act.)

***lost** [lɔːst / lɔst] 형 《lose의 과거 분사》 잃어버린, 행방 명의(=missing); 진, 패배한; 죽은; 길을 잃은; 정신이 린, 몰두한
(예) be *lost* in thought 깊은 생각에 잠기다 // be *lost* sight 〔view〕 보이지 않게 되다 // ◇get *lost* 길을 잃다

***lot** [lɑt / lɔt] 명 (뽑는) 제비, 운명(=destiny); [a ~; ~ 많음(=plenty); (한 구획의) 토지
(예) ◇a parking *lot* 주차장 // Thanks a *lot*. 대단히 감 합니다.
파 ◇**lóttery** 명 복권; 추첨, 제비뽑기

☆◇***a lot of*** 많은(=a large amount 〔number〕 of)
(예) He always eats *a lot of* food. 그는 언제나 많은 식을 먹는다.
어법 *lots of* 라고도 한다. 수·양에 모두 쓰임. many, muc 참조.

lo·tion [lóuʃən] 명 로션, 화장수; 세제(洗劑)

◇**lo·tus** [lóutəs] 명 〖식물〗 연(蓮)

*◇**loud** [laud]* 형 목소리가 큰, 시끄러운(=noisy); (빛깔 위가) 야한 부 소리 높이, 큰 소리로 반 low 낮은
파 **lóudly** 부 큰 소리로 ◇**lóud-speaker** 명 확성기

◇**lounge** [laundʒ] 명 어슬렁어슬렁 거닒(=stroll); (호텔 위의) 휴게실, 오락실; 긴 의자 자 거닐다 [~ about], 가하게 지내다

louse [laus] 명 《*pl.* ***lice***》 이; (새·물고기·식물 따위의) 생충 타 이를 제거하다

☆**love** [lʌv] 명 사랑(=strong affection), 몹시 좋아함, 모; 사랑하는 것(=darling), 애인《주로 여자》 타 자 사랑

L

다; 몹시 좋아하다
반 hate 증오, 미워하다 dislíke 싫어함
(예) *love* for children 아이들에 대한 사랑 // *love* of one's country 나라를 사랑하는 마음, 조국애 // ◇be in *love* with ~에게 반하고 있다, ~을 사랑하다 // I should *love to* hear about it. 그것에 대해서 꼭 듣고 싶다. // He *loves* spend*ing* his vacation in the moutains. 그는 산에서 휴가를 지내기 좋아한다.
파 ◇**lovable** [lʌ́vəbəl] 형 사랑스러운 **lóveless** 형 사랑이 없는 ◇**lóver** 명 애인, 연인 (어법 단수형으로는 남자에게만 씀) **lóving** 형 사랑하는 **lóvingly** 부 애정을 기울여, 정답게 **love affair** 연애 사건, 정사 **love song** 연가 **love story** 연애 소설 *****lovely** [lʌ́vli] 형 아름다운, 사랑스러운; 멋진(=delightful) **lóveliness** 명 아름다움, 사랑스러움; 멋짐

***fall in love* (*with*)** (~을) 사랑하다, (~에게) 반하다
(예) He *fell* wildly 〔madly〕 *in love with* her. 그는 몹시 그녀를 사랑했다.

***fall out of love* (*with*)** (애인 따위가) 싫어지다, (~와의) 사랑이 식다
(예) He *fell out of love with* the girl at the age of eighteen. 그가 18살 때에 그 소녀와의 사랑이 식었다.

for the love of ~을 위하여, ~ 때문에
(예) He went fishing *for the love of* his children. 그는 아이들 때문에 낚시하러 갔다.

***for the love of God* 〔*Heaven, Christ, mercy*〕** 제발(바라건대)

low [lou]* 형 낮은; 싼(=cheap); 야비한(=vulgar); 약한(=feeble) 부 낮게, 낮은 목소리로(=softly); 싸게(=cheaply), 천하게 자타 소가 음매 울다(=moo) 명 소의 울음 소리(=lowing)
반 high 높은, 고상한 refíned 세련된
파 (⇨) **lower. lówly** 형 신분이 낮은, 천한 부 천하게 **lówliness** 명 겸손, 비천 **lówbrow** 명 지성이나 교양이 낮은 사람(*cf.* highbrow 지식인, 인텔리) **lówland** 명 《보통 *pl.*》 저지(低地); [the Lowlands] (스코틀랜드 남동부의) 저지 지방 형 저지의

low·er [lóuər] 타자 낮추다, 낮아지다, 하락하다 형 보다 낮은, 저급한, 열등한
반 héighten 높이다, hígher 보다 높은

loy·al [lɔ́iəl] 형 충성스러운, 성실한(=faithful) 명 충신, 애국자
반 dislóyal 충성되지 못한
(예) They are truly *loyal to* their country. 그들은 나라에 대해서 참으로 충성스럽다.

▶ **182.** 「충실한」의 유사어
faithful은 책임·의무 따위에 충실한, **loyal**은 faithful의 의미에 더하여 사람·제도·주의를 지키고 그를 위하여 싸우는 것을 뜻한다.

NB royal「왕의」와 혼동하지 말 것.

파 *lóyalty 명 충성, 충실 **lóyalist** 명 충성스러운 사람

lu·cid·i·ty [luːsídəti] 명 밝음; 명백; 투명

***luck** [lʌk] 명 운, 행운(=fortune)
(예) as *luck* would have it 운 좋게; 운 나쁘게 // I ha the good *luck* to find him at home. 다행히도 그는 집 있었다.
파 **lúckless** 형 불운의, 불행한 ***lucky** [lʌ́ki] 형 행운의(fortunate), 운좋은 (반 unlúcky 불운한) **lúckily** 부 좋게, 다행히도

by (good) luck 다행히도
(예) *By good luck* I found him at home. 다행히도 그 집에 있었다.

lu·di·crous [lúːdəkrəs] 형 익살맞은(=comical); 터무 없는(=absurd)
NB ridículous「우스꽝스러운」과 혼동하지 말 것.

lug·gage [lʌ́gidʒ] 명 〖영〗 수화물(=〖미〗 baggage)
(예) a *luggage* office 수화물 취급소
어법 집합적으로 쓰임: a piece of *luggage*, much *luggage*라 함.

lull [lʌl] 타 자 달래다(=soothe), 잔잔해지다; (의심·고 을) 가라앉히다(=make less severe); 잠재우다 명 잠잠 (병·고통의) 소강(小康); (대화 따위의) 잠깐 뜸함
반 ágitate 동요시키다
파 **lullaby** [lʌ́ləbài] 명 자장가 타 자장가를 불러 재우다

lum·ber [lʌ́mbər] 명 재목(=timber); 잡동사니 타 자 우다, 방해하다; 쿵쿵 걷다(=move heavily)
어법「재목」의 뜻으로는 미국어이며, 영국서는 timber. 물 명사이다.

lu·mi·nous [lúːmənəs] 형 빛나는(=bright), 밝은; 명료한
반 dark 어두운
(예) The hands of my watch are *luminous*, so I can see t time in the dark. 나의 시계 바늘은 야광이어서 어둠 속 서 시간을 볼 수 있다.

lump [lʌmp] 명 덩어리(=shapeless mass), 혹; 얼간이 한 덩어리로 만들다 [~ together], 일괄하다
(예) a *lump* of sugar 각설탕 한 개

***lu·nar** [lúːnər] 형 달의 (*cf.* solar 태양의)

lu·na·tic [lúːnətik]* 형 정신 이상의, 미친(=mad) 명 신병자, 미치광이
(예) a *lunatic* asylum 정신 병원

☆**lunch** [lʌntʃ] 명 점심, 도시락, 〖미〗 가벼운 식사 자 타 심을 먹다, ~에게 점심을 내다
(예) a *lunch* counter 〖미〗 간이 식당 // have 〔take〕 *lun* 점심을 먹다

lunch·eon [lʌ́ntʃən] 명 오찬; 점심
어법 lunch 와 같은 뜻으로도 사용되나 특히 공식 오찬에 이 쓰임.

lung [lʌŋ] [명] 폐, 허파
(예) the *lungs* 양쪽 폐 // inflammation of the *lungs* 폐렴
lurch [ləːrtʃ] [명] (배·차 등이) 갑자기 기울어짐; 비틀거림; 궁지 [자] 갑자기 기울어지다; 비틀거리다
leave** a person* ***in the lurch 아무를 궁지에 버려두다
lure [luər, ljuər] [명] 매력(=charm); 미끼; 유혹물 [자][타] 꾀어내다, 유혹하다(=attract)
(예) Her singing *lured* him *into* the garden. 그 여자의 노래 소리에 끌려 그는 정원으로 들어갔다. // The kidnapper *lured* the child away *from* the kindergarten. 유괴자가 유치원으로부터 그 아이를 꾀어냈다.
lurk [ləːrk] [자] 숨어 있다(=lie hidden), 잠적하다
(예) A tiger was *lurking* in the jungle outside the village. 호랑이가 마을 밖의 밀림 속에 숨어 있었다.
lust [lʌst] [명] 욕망(=intense desire), 육욕 [자] 갈망하다 [~ after, for]; 색정을 일으키다
[파] **lústful** [형] 음탕한, 호색의
lus·ter, -tre [lʌ́stər] [명] 광택(=gloss); 영예(=glory); (질그릇 따위의 광을 내는) 유약 [타] 광택을 내다
(예) His deeds shed *luster* on his family. 그의 행위는 그의 가문을 빛냈다.
[파] **lustrous** [lʌ́strəs] [형] 광택이 있는
lust·y [lʌ́sti] [형] 건장한(=strong), 원기 왕성한(=lively)
Lu·ther·an [lúːθərən] [형] 루터(Martin Luther)의; 루터 교회의 [명] 루터 교회의 신자
lux·u·ry★ [lʌ́kʃəri] [명] 사치; 쾌락; 사치품
[반] ecónomy 절약, discómfort 불쾌
(예) live in *luxury* 호화롭게〔사치스럽게〕 살다 // necessaries and *luxuries* 필수품과 사치품
[파] **luxuriance** [lʌgʒúəriəns / lʌgzjúəri-] [명] 무성; 화려 **luxúriant** [형] 다산(多產)의; 울창한; 화려한 **luxuriate** [lʌgʒúərièit / lʌgzjúəri-] [자] 사치스럽게 지내다, ~에 탐닉하다; 무성하다 ***luxurious**★ [lʌgʒúəriəs / lʌgzjúə-]★ [형] 사치스러운, 화려한 **luxúriously** [부] 사치스럽게, 화려하게
lynch [lintʃ] [명] 사형(私刑) [타] 사형에 처하다
lyre [laiər] 〈동음어 liar〉 [명] 수금(竪琴)《고대에 사용된 7현 악기》
lyr·ic [lírik] [명] 서정시 [형] 서정시적인, 수금(竪琴)의
[반] épic 서사시(敍事詩)(적인)
[파] **lýrical** [형] 서정시조의

M

ma'am [mæm, məm] [명] 마님, 아주머니
ma·chine [məʃíːn]★ [명] 기계; 기관(=organization)
[어법] *machine*은 개개의 기계를 말하고 *machinery*는 기계류

를 집합적으로 나타내는 말로서 셀 수 없는 명사. much machinery 라고도 함.

파 ◇machínist 명 기계공 **machine gun** 기관총 **machíne gun** 타 기관총으로 쏘다〔소사(掃射)하다〕 (⇨) **mechanical, mechanism**

*◇**ma·chin·er·y** [məʃíːnəri]★ 명 기계류, 기계 장치

◇**mack·er·el** [mǽkərel] 명 《*pl.* ~(*s*)》 고등어《북대서양산》

*◇**mad** [mæd] 형 미친(=insane); 열광적인, 열중한; 〔미〕 화난(=angry)

반 sane 제 정신의

(예) ◇He nearly went *mad* with vexation. 그는 분해서 거의 미칠 지경이었다. // He is *mad about* baseball. 그는 야구에 열중해 있다. // She was *mad with* 〔*at*〕 me. 그 여자는 내게 몹시 화를 냈다.

파 ◇**mádly** 부 미친 듯이 ◇**mádness** 명 광기(狂氣) **mádden** 타 자 발광시키다〔하다〕 **mádman** 명 《*pl.* -men》 광인, 미치광이

mad·am [mǽdəm] 명 부인, 아씨《부인에 대한 정중한 호칭》

반 sir 손위의 남자에 대한 호칭

Ma·don·na [mədάnə / -dɔ́n-] 명 성모 마리아

maes·tro [máistrou / máistrou, mɑːés-] 명 《*pl.* **~s, -tri** [-triː]》 대음악가, 대작곡가, 명지휘자; 예술의 거장

*◇**mag·a·zine** [mæ̀gəzíːn, mǽgəzìːn] 명 잡지, 정기 간행물; 화약고, 병기고

*◇**mag·ic** [mǽdʒik] 명 마법; 요술; 마력 형 마법의, 기묘한

(예) use *magic* 요술을 부리다 // the *magic* of words 언어의 마술

어법 형용사로서 *magic* 은 제한적 용법으로 쓰이나 *magical* 은 제한적·서술적 두 가지로 다 쓰인다.

파 **mágical** 형 마법의, 요술 같은 **mágically** 부 마술적으로

like* 〔*as if by*〕 *magic 이상하게도, 불가사의하게

(예) He has recovered *like magic* from his illness. 그는 신기하게도 병이 나았다.

◇**ma·gi·cian** [mədʒíʃən]★ 명 마법사, 마술사, 요술쟁이

mag·is·trate [mǽdʒistrèit, -trit] 명 행정 장관, 치안 판사

파 **mágistracy** 명 행정 장관직〔임기, 관할 구역〕, 지방 기관

mag·na·nim·i·ty [mæ̀gnənímәti] 명 아량, 관대

파 **magnanimous** [mægnǽnəməs] 형 관대한

mag·ne·si·um [mægníːziəm] 명 〔화학〕 마그네슘

◇**mag·net** [mǽgnit] 명 자석, 지남철; 남의 마음을 끄는 사람〔물건〕

(예) a *magnet* for tourists 관광객을 끄는 것

파 ◇**magnétic** 형 자석의, 자기의; 매력 있는(=attractive) **mágnetism** 명 자기(磁氣); 매력; 최면술

*◇**mag·nif·i·cent** [mægnífəsənt]★ 형 장려(壯麗)한(=grand

splendid), 당당한; 〔구어〕 굉장한, 멋진
(예) a *magnificent* spectacle 장관(壯觀)
파 ◇**magníficence** 명 장려, 장대 **magníficently** 부 훌륭하게, 멋지게; 당당하게

M

mag·ni·fy [mǽgnəfài] 타 (렌즈 따위로) 확대하다; 과장하다(=exaggerate)
반 dimínish 축소하다
(예) a *magnifying* glass 확대경, 돋보기 // This microscope *magnifies* objects five hundred times. 이 현미경은 물체를 500배로 확대한다.
파 **magnificátion** 명 확대, 과장; 〔광학〕 배율(倍率)

mag·ni·tude [mǽgnətjùːd / -tjùːd] 명 크기; 중요함, 위대함

> ▶ **183.** 접미어 **tude**
> 추상 명사를 만드는 명사 어미. (예) magni*tude*

mag·pie [mǽgpài] 명 까치; 수다쟁이

ma·hog·a·ny [məhágəni / -hɔ́g-] 명 마호가니 (재목), 마호가니색

maid [meid] 〈동음어 made〉 명 소녀(=girl), 미혼 여성, 처녀(=virgin); 여자 하인
파 **máidservant** 명 하녀 **old maid** 노처녀

maid·en [méidn] 명 소녀, 처녀 형 소녀의, 처녀의; 처음의

mail [meil] 〈동음어 male〉 명 우편(물); 쇠미늘 갑옷 타 우송하다
(예) by *mail* 우편으로 // a lot of *mail* 많은 우편물
어법 ① 「우편」은 영국에서는 post를 쓰며, mail은 주로 외국 우편을 말함. ② 「우편물」의 뜻으로서는 집합 명사.
파 ***máilbox** 명 〔미〕 우체통, 포스트(=〔영〕 letter 〔pillar〕 box) ◇**máilman** 명 《*pl.* -men》 우편물 집배원(=〔영〕 postman) **mailing rates** 우편 요금(=postal fees) **air mail** 항공 우편(Via *Air Mail* 항공편으로 《봉함 엽서에 씀》)

> ▶ **184.** 중요한 동음 이의어(2)
> mail-male, main-mane, meet-meat, pear-pair, plain-plane, red-read(p.p.), peace-piece, right-write-rite, scene-seen, sew-so, sight-site, sell-cell, pain-pane, soul-sole, source-sauce, stair-stare, straight-strait, sum-some, weak-week, weigh-way, weight-wait, wear-ware, waste-waist, won-one, wood-would 따위

maim [meim] 타 병신으로 만들다(=cripple), 못쓰게 하다

main [mein] 〈동음어 mane〉 형 주요한, 중요한(=chief); 유력한(=leading) 명 힘; (수도·가스 따위의) 본관(本管); 〔시〕 대양(大洋)
어법 형용사로서는 제한 용법뿐임.
(예) a *main* street 큰 거리, 대로(大路) // for the *main* part 대부분은; 대체로
파 ***máinly** 부 주로, 오로지; 대개 ◇**máinland** 명 본토,

M

대륙 **máinmast** [명] 큰 돛대

in the main 대개는(=on the whole, mainly), 주로

(예) Many of these rules were inaccurate, but, *in the main,* they were fairly satisfactory. 이들 규칙 중에 많은 것이 부정확하였으나, 대체로 그들은 꽤 만족스러웠다.

with might and main 전력을 다하여

(예) He pulled the rope *with might and main.* 그는 전력을 다하여 줄을 끌어 당겼다.

*◇**main·tain*** [meintéin, mən-]* [타] 유지하다(=keep); 부양하다(=support); 주장하다(=hold, assert)

[원] main(=hand)+tain(=hold)

[반] abándon 포기하다, 단념하다

(예) *maintain* an opinion 의견을 주장하다 // *maintain* world peace 세계 평화를 유지하다 // *maintain* oneself 자활하다 // *maintain that* there is no life on Mars 화성에는 생물이 없다고 주장하다

[파] ◇**maintenance*** [méintənəns] [명] 유지; 지지; 부양

maize [meiz] 〈동음어 maze〉 [명] 옥수수(의 열매)(=Indian corn)

◇**maj·es·ty** [mǽdʒəsti] [명] 존엄, 위엄; [M-] 폐하

[어법] ① 경칭으로 쓰일 때의 동사는 3인칭. ② 약어 H.I.M은 His 〔Her〕 Imperial Majesty「황제〔황후〕 폐하」. 직접 부를 때에는 Your Majesty

[파] **majéstic** [형] 위엄이 있는 ◇**majéstically** [부] 위엄 있게, 장엄하게

*◇**ma·jor** [méidʒər] [형] 주요한, 큰 편의, 다수의, 연장(年長)의 [명] 육군 소령; 성년자 [자] 〔미〕 전공하다(=specialize) [~ in]

[반] mínor 작은 편의, 미성년의

(예) *major* industries 주요 산업

◇***major in*** ~을 전공하다

(예) He is *majoring in* history. 그는 역사를 전공하고 있다.

ma·jor·i·ty [mədʒɔ́:rəti / -dʒɔ́r-] [명] 대다수, 과반수(=greater number); (득표 따위의) 차; 성년(=full age)

[원] maj(=great)+or(비교급 어미)+ity(명사 어미)

[반] minórity 소수, 미성년

(예) the *majority* of people 대다수의 사람들([어법] the *majority* of ~에 호응하는 동사는 보통 복수) // by a large *majority* 큰 차이로

☆**make** [meik] [타][자] 《***made***》 만들다; 얻다(=gain); ~으로 하다, ~이 되다(=prove), ~하려고 하다 [명] 만듦새, 구조; 체격, 형(型)

(예) *make* tea 차를 끓이다 // *make* a noise 떠들어대다 // *make* a mistake 잘못을 저지르다

[어법] ① make+목적어+원형 부정사 「~에게 …시키다」 사역 동사의 대표. 수동에는 to 부정사를 쓴다: What *made* her do so? (그녀는 왜 그렇게 했습니까?) ◇He was *mad to* go. (그를 가게 했다) (*cf.* let) ② make+목적어+보어「~을 …으로 하다」 행위 동사의 대표: *make* oneself at home (편케 하다) *make* her happy(그녀를 행복하게 하다) ③ make+간접 목적어+직접 목적어 「~에게 …을 만들어 주다」 직접 목적어를 앞에 내면 make ~ for…가 된다: *make* oneself a new dress(자신이 입을 옷을 맞추다) *make* a doll *for* the baby(어린이에게 인형을 만들어 주다) ④ make가 become에 가까운 의미: He will *make* a fine doctor. (그는 훌륭한 의사가 될 것이다) 또한 She will *make* him a good wife. (그녀는 그의 좋은 아내가 될 것이다)와 같은 구문도 있다. 이 때의 make는 타동사로 보는 것이 일반적이나 자동사로 보는 견해도 있다. ⑤ *make* clear(분명히 하다), *make* merry(쾌활하게 되다) 따위처럼 일반적 의미의 목적어 oneself, it 따위를 생략하여 만들어진 형태도 있다. 특히 다음의 표현에 주의: He *made* as though to strike me. (그는 나를 때리는 시늉을 했다)

파 ◦**máker** 명 만드는 사람; [M-] 조물주 ◦**máke-believe** 명 가장, 거짓 형 거짓의, 가장의 **máke-up** 명 (배우의) 얼굴 분장; 조직; 화장 **mákeshift** 명형 임시 방편(의), 임시 변통(의)

nake away with ~을 가져가 버리다, ~을 없애다(=get rid of), 멸망시키다(=destroy), 죽이다(=kill)
(예) *make away with* public money 공금을 갖고 도망가다 // That's *making away with* yourself. 그런 짓을 하는 것은 자살 행위다.

nake both ends meet 장부를 맞추다, 수지를 맞추다
(예) I cannot *make both ends meet* on my salary. 봉급만으로 살 수 없다.

nake for ~을 이롭게 하다, ~의 이익이 되다(=be favorable to); ~을 향하여 나아가다(=go towards)
(예) *make* much *for* world peace 세계 평화에 크게 기여하다 // We *made for* home together. 우리는 함께 집으로 향했다.

nake good 보충하다, 보상하다, 성취하다, 해내다
(예) *make good* the loss 손해를 메우다

nake ~ into ~을 …으로 하다
(예) We *make* milk *into* cheese. 우유로 치즈를 만든다. (↔ Cheese is *made from* milk.)

nake it 시간에 (알맞게) 내다; 잘 처리하다; 《명령문으로》 ~으로 해 둬라
(예) My family just *made it* in time. 내 가족은 가까스로 시간에 댔다. // *Make it* tomorrow. 내일 일로 해 둬라.

nake it a rule to do 언제나 ~하기로 하고 있다
(예) I *make it a rule to* take a walk every morning. 나는 매일 아침 산책하기로 하고 있다.

nake light* 〔*little*〕 *of ~을 소홀히 하다, 업신여기다(=disregard)

nake much of ~을 존중하다, ~을 추어올리다

make nothing of ~을 문제시하지 않다; ~을 조금도 이해 못 하다
(예) The manager *made nothing of* my abilities in this field. 지배인은 이 분야에 있어서의 나의 재능을 대수롭지 않게 여겼다.

*◇ ***make ~ of*** 〔***from, out of***〕 …으로 ~을 만들다
어법 of 는 제조 후에도 재료가 분명한 경우에, from 은 재료가 변화하는 경우: a desk *made of* wood. 또한 *make* an example *of* (~을 모범으로 삼다)나 I'll *make* a man *of* you (너를 사내다운 남자로 만들겠다) 따위의 표현에 주의.

make off with ~을 가지고 달아나다(=run away with)
(예) The cashier *made off with* all the money in the safe. 회계원은 금고의 돈을 전부 갖고 도망쳤다. // Someone has *made off with* my umbrella. 누군가가 나의 우산을 가지고 갔다.

make** one**'s way 나아가다(=go forward); 성공하다
(예) He *made* his *way* down the corridor. 그는 복도를 내려갔다.

*◇ ***make out***★ 이해하다, 발견하다(=find); 작성하다, 증명하다; ~인 체하다
(예) *make out* what it means 그 뜻을 이해하다 // *make out* a check 수표를 떼다 // How did you *make out* in your French examination? 프랑스어 시험은 어찌 되었느냐? // He *made out* as though he had not seen me. 그는 나를 보고 못 본 체했다.

make over 양도〔이관〕하다
(예) He has *made over* all his property *to* his son. 그는 전 재산을 아들에게 물려 줬다.

make sure (***of***) (~을) 확인〔다짐〕하다
(예) I think the train starts at 8 : 00 p.m., but you'd better *make sure*. 그 기차는 오후 8시에 출발할 것으로 생각하는데 확인하는 것이 좋을 것이다.

◇ ***make the best of*** ~을 될 수 있는 대로 잘 하다; 될 수 있는 대로 이용하다
(예) *make the best of* a bad job 나쁜 일을 될 수 있는 대로 잘 처리하다

make the most of ~을 될 수 있는 대로 이용하다
(예) *Make the most of* your opportunities. 기회를 될 수 있는 대로 이용하시오.
NB make the best of 의 제 2 의 뜻과 같다.

*◇ ***make up*** (***of***)★ (~으로) 만들다, 구성하다, 작성하다; 날조하다; 분장하다
(예) The committee is *made up of* six members. 위원회는 6인으로 구성되어 있다. // All these will *make up* a long list. 이것들 전부 실으면 긴 목록이 될 것이다. // I was *made up* like an old lady. 나는 노파로 분장해 있었다.

make up for★ ~의 보상을 하다(=compensate for)

(예) He must *make up for* the loss. 그가 그 손실을 보상해야 한다. // *make up for* lost time 뒤진 시간을 만회하다

make up** one's **mind★ 결심하다(=decide)

(예) He *made up* his *mind* to go to England. 그는 영국에 가기로 결심했다.

make use of ~을 이용하다(=utilize)

(예) Try to *make* good *use of* your time. 시간을 잘 이용하도록 하여라.

mal·a·dy [mǽlədi] [명] 질병, 병폐(=disease) (*cf.* remedy 의료)

(예) social *maladies* 사회의 병폐

ma·lar·i·a [məlɛ́əriə] [명] 말라리아(열)

Ma·lay [məléi] [명] 말레이 사람〔말〕 [형] 말레이 사람〔말〕의

male [meil] 〈동음어 mail〉 [명] 남자, 수컷 [형] 남성의, 수컷의 (*cf.* female 여자(의), 암컷(의))

mal·ice [mǽlis] [명] 악의(=ill will), 원한(=spite)
[반] chárity 자비, love 사랑
[파] ◇**malicious** [məlíʃəs] [형] 악의 있는(=spiteful), 심술궂은 ([반] hármless 악의가 없는) **malíciously** [부] 심술궂게

ma·lig·nant [məlígnənt] [형] 악의의, 악성의

ma·ma, mam·ma [mɑ́ːmə / məmɑ́ː] [명] 엄마
[반] pápa 아빠
[파] **mammy** [mǽmi] [명] 엄마(*cf.* daddy [dǽdi] 아빠)

mam·mal [mǽməl] [명] 포유 동물

mam·mon [mǽmən] [명] (악덕으로서의) 부(富); [M-] 부(富)의 신(神), 재물

mam·moth [mǽməθ] [명] 매머드 《홍적기(洪積期)의 동물》 [형] 거대한(=huge, gigantic)

(예) a *mammoth* enterprise 거대한 기업

man [mæn] [명] 《*pl.* **men**》 사람(=human being); 남자(*cf.* woman 여자); 어른; 남편; 하인; 병졸; 부하 [타] (배에) 사람을 태우다, 인원을 배치하다

(예) *man* and wife 부부 // officers and *men* 장교와 사병 // to a *man* 한 사람도 빠짐 없이

[어법] 다음에 주의: ① 무관사 단수형의 의미 (a) woman에 대비(對比)하여 총칭적으로 「남자」: Woman is not the slave of *man*. (여자는 남자의 노예가 아니다) (b) 신·동물에 대하여 총칭적으로 「인간」: *Man* is mortal. (인간은 죽어야 할 운명을 가지고 있다) 이런 뜻으로 때때로 a man을 사용할 수도 있다. ② 부정 대명사적으로 「누구나」 (one): You can't hate a *man* you know. (알고 있는 사람은 미워할 수 없다)

[파] ◇**manned** [형] 사람을 태운, 유인(有人)의(a *manned* spaceship 유인 우주선)
(⇨) **mankind. mánful** [형] 늠름한, 남자다운 **mánlike** [형] 남자다운, 남성적인 ◇**mánhood** [명] 성년, 남성 **mánly**

▶ **185.** 접미어 **like**
명사에 붙여서 「~와 같은」의 뜻을 나타낸다. (예) man*like*, god*like*(신과 같은) 따위

Ⓗ 남자다운, 씩씩한, 남자 같은(반 wómanly 여자다운
mánliness Ⓜ 남성다움 ◇**mán-eater** Ⓜ 식인종; 백상아
***mán-made** Ⓗ 인조의, 인공의, 합성의 **mán-of-wár**
《*pl.* men-》 군함 **mánpower** Ⓜ 인력(人力), 노동력, 인
자원 ◇**mánservant** Ⓜ 《*pl.* menservants》 하인

*◇**man·age** [mǽnidʒ]★ Ⓣⓘ 관리하다(=direct, control),
루다(=handle); 이럭저럭 ~하다[~ to do]
(예) *manage* a firm 상점을 경영하다 // *manage* a spirite
horse 몰기 힘든 말을 다루다 // *manage* without help 원
없이 해나가다
파 **mánageable** Ⓗ 다루기 쉬운 *◇**mánagement**★ Ⓜ 경영
관리, 조종, 취급 **mánaging** Ⓗ 지배하는, 경영을 잘 하

*◇***manage to do*** 어떻게든 해서 ~하다
(예) We *managed to* get there in time. 그럭저럭 시간
대어 그곳에 닿았다.

*◇**man·ag·er** [mǽnidʒər]★ Ⓜ 지배인; 경영자; 감독
파 **managérial** Ⓗ 관리인의; 취급의, 관리의, 경영의

Man·chu·ri·a [mæntʃúəriə] Ⓜ 만주(滿洲)

man·da·rin [mǽndərin] Ⓜ (중국 청 나라의) 관리; [M-
(중국의) 관화(官話); 북경 관화《표준 중국어》

man·do·lin [mæ̀ndəlín] Ⓜ 만돌린

mane [mein] 〈동음어 main〉 Ⓜ (말·사자 따위의) 갈기

ma·neu·ver, ma·noeu·vre [mənú:vər] Ⓜ 《*pl.*》 (군대
군함 따위의) 연습; 운동; 조종, 책략 ⓘⓉ 연습하다; 조
하다

man·ga·nese [mǽŋgənì:z, -nì:s / mæ̀ŋgəní:z] Ⓜ 〔화학〕
간《기호 Mn》

man·ger [méindʒər] Ⓜ 여물통, 구유

◇**man·i·fest** [mǽnəfèst] Ⓣ 명시하다; 출현하다 [~ onesel
Ⓗ 명백한(=evident) Ⓜ 적하(積荷) 목록
파 ***manifestátion** Ⓜ 발표 **maniféstο** Ⓜ 《*pl.* -toes, -tos》
명서

man·i·fold [mǽnəfòuld] Ⓗ 다수의, 다방면의

man·i·kin [mǽnikin] Ⓜ 모델 인형, 마네킹
NB mannequin으로도 씀.

ma·nip·u·late [mənípjəlèit] Ⓣⓘ (손으로) 다루다, 조
〔조작〕하다

*◇**man·kind** Ⓜ [mæ̀nkáind] 인류, 사람; [mǽnkàind] 남성
남자
NB 뜻에 따라 악센트가 다른 점에 주의. 보통 단수 취급
it 로 받음.

*◇**man·ner** [mǽnər] Ⓜ 방법, 수법, 태도(=behavior
《*pl.*》 예절, 예의(=etiquette), 풍습, 습관, 양식(=way)
(예) in this *manner* 이러한 방식으로 // It is bad *ma*
ners to ~하는 것은 무례한 짓이다. // *manners* and cu
toms 풍속과 습관
파 **mánnerless** Ⓗ 버릇 없는 **mánnerly** Ⓗ 예의 바른
예의 바르게

in a manner 말하자면, 어떤 의미에서는(=in a sense)
(예) *In a manner* you are right, but there is more to the matter than that. 어떤 의미에서는 네가 옳지만 그것이 전부는 아니다.

man·ner·ism [mǽnərìzəm] [명] 매너리즘

man·sion [mǽnʃən] [명] 큰 저택; 《*pl.*》〖영〗 아파트

man·tel·piece [mǽntlpìːs] [명] 벽 난로의 장식 구조

man·tle [mǽntl] [명] 망토(=cloak); 덮개(=covering) [타] 싸다, 덮다(=cover), 숨기다(=conceal)

man·u·al [mǽnjuəl] [형] 손의, 손으로 하는 [명] 소책자, 편람, 입문서
[원] manu(=hand)+al(명사·형용사 어미)
(예) *manual* work 〔labor〕 수공업, 육체 노동
[파] **mánually** [부] 손으로

man·u·fac·ture [mæ̀njəfǽktʃər] [명] (대량의) 제조, 제조공업; 제품 [타] 제조하다; (말을) 날조하다(=fabricate)
[원] manu(hand)+fact(=make)+ure(명사 어미)
(예) iron *manufacture* 철공업 // a Korean *manufacture* 한국 제품
[파] **manufáctory** [명] 제작소, 공장 **manufáctural** [형] 제조(업)의 ◦**manufácturer** [명] 제조업자, 공장주 **manufácturing** [형] 제조의

ma·nure [mənjúər / -njúə] [명] 비료 [타] 비료를 주다

man·u·script [mǽnjəskrìpt]* [명] 원고; 사본
[원] manu(=hand)+script(=write)
[NB] 생략하여 MS. 《*pl.* MSS.》로 많이 씀.

man·y [méni] [형] 《***more*** ; ***most***》 많은, 다수의(=numerous)
(예) *many* boys 많은 소년들 // ◦He has as *many* as 500 books. 그는 500권이나 책을 가지고 있다. // How *many* papers do you subscribe to? 몇 종류의 신문을 구독하느냐?
[어법] ① *many*는 수의 많음을 말하고, 양의 많음에는 *much*를 쓴다. ② *many*에 대하는 「적은」은 few, *much*에 대하는 말은 little이다. ③ 구어에서는 의문·부정문과 how, too, so, as의 다음에 쓰이며, 기타의 경우에는 a lot of를 쓰는 수가 많다. 이 점은 much도 같다.
— [명] 다수
[반] few 적은
(예) *Many* believe in superstition. 많은 사람이 미신을 믿고 있다. // *Many* of them are rotten. 그 중에는 썩은 것이 많이 있다.
[파] **mány-síded** [형] 다변의, 다방면의; 다재 다능한

many a 많은
(예) *Many a* student is absent today. 오늘은 많은 학생이 결석했다.
[어법] many a는 many의 문어체. 단수 명사를 동반하며 동사도 단수형에 일치한다.

a great* 〔*good*〕 *many 대단히〔상당히〕 많은
(예) *A great many* (people) stayed away. 아주 많은 사람이 결석했다.

like so many 같은 수의 ~같이, 마치 ~처럼
(예) All stood staring at me *like so many* wolves. 마치 이리 떼처럼 모두가 나를 노려보고 서 있었다.

☆**map** [mæp] ⓜ 지도 (*cf.* atlas 지도책) ⓣ 지도를 그리다, 계획을 세우다 [~ out]
(예) *map out* a city plan 도시 계획을 세우다

▶ **186.** 「지도」의 유사어
map는 1장의 지도, **atlas**는 map를 모아 놓은 것, **chart**는 해도·백지도·백지도에 지형 이외의 특수한 정보를 써 넣은 것.

*◇**ma·ple** [méipəl] ⓜ 단풍(나무)

mar [mɑːr] ⓣ 상하게 하다, 망쳐 놓다(=injure)
(예) *mar* the beauty of the streets 거리의 미관을 망쳐 놓다

Mar·a·thon [mǽrəθɑ̀n / -θən] ⓜ Athens의 북동부에 있는 그리스의 옛 싸움터; [m-] (약 42.195km의) 장거리 경주

◇**mar·ble** [mɑ́ːrbəl] ⓜ 대리석; 《*pl.*》 (공기놀이의) 공기 돌
NB marvel 「놀라움, 경이」와 혼동하지 말 것.

***march** [mɑːrtʃ] ⓜ 행진, 행군; 진전(=advance); 행진곡 ⓙⓣ 행진하다; 데려가다
(예) *march* past 분열 행진하다 // the *march* of time 시간의 경과

☆**March** [mɑːrtʃ] ⓜ 3월 〖약어〗 *Mar.*

mare [mεər] 〈동음어 mayor〉 ⓜ 암말(=female horse)
(예) Money makes the *mare* (to) go. 〖속담〗 돈이면 못 할 것이 없다.

mar·ga·rin(e) [mɑ́ːrdʒərìn / mɑ̀ːdʒəríːn] ⓜ 마가린

mar·gin [mɑ́ːrdʒin] ⓜ 가장자리, 끝(=border, edge); (페이지의) 여백, 난외; 차액금, 이문, 마진 ⓣ 가장자리를 붙이다
(예) be on the *margin* of bare subsistence 간신히 목구멍에 풀칠을 하고 있다
파 **márginal** ⓗ 가장자리의, 난외〔여백〕의; 경계의; 겨우 수지가 맞는

◇**ma·rine** [məríːn] ⓗ 바다의, 선박의, 바다에서 나는 ⓜ 선박; 해병
원 mar(=sea)+ine(명사·형용사 어미)
파 **mariner** [mǽrinər] ⓜ 선원, 수부 **maritime** [mǽrətàim] ⓗ 바다의, 해운의 (*maritime* industry 해운업)

*◇**mark** [mɑːrk] ⓜ 표적; 목표; 표준; 점, 득점; 자국; 특징 ⓙⓣ 표적을 하다, 표시하다; 주목〔주의〕하다, 정하다, 눈에 띄게 하다
(예) miss the *mark* 빗맞다, 예상대로 안 되다 // full *marks* 만점 // *Mark* my words. 내 말을 주의해서 들어라.

。His manner is *marked* by quietness. 그의 태도의 특징은 침착한 것이다.

파 **marked** 형 표적 있는, 낙인 찍힌; 유명한 **márking** 명 표, 점; 무늬 **markedly** [máːrkidli] 부 현저하게 **márker** 명 표를 하는 사람〔도구〕; 채점자

mark off ~을 구별하다, 구획하다

(예) *mark off* the tennis court 정구장을 구획하다

☆***hit* 〔*miss*〕 *the mark*** 적중하다〔빗나가다〕; (소기의) 목적을 달성하다〔하지 못하다〕

(예) Many preachers *miss the mark* because they do not know men. 인간을 알지 못해서 소기의 목적을 달하지 못하는 설교자가 많다.

M

***mar·ket** [máːrkit] 명 시장; 판로; 매매, 거래; 시세 타 자 시장에 내놓다, 시장에서 매매하다

(예) *market* price 시가, 시장 가격 // be in 〔on〕 the *market* 팔 것으로 나와 있다 // The South-East Asia is a good *market* for Korean products. 동남 아시아는 한국 제품의 좋은 시장이다.

파 。**márketable** 형 잘 팔리는, 시장성이 높은, 시장의 《가격》 。**márketing** 명 매매, 마케팅, 시장에서의 매매

mar·ma·lade [máːrməlèid] 명 마멀레이드《오렌지 또는 레몬 따위로 만든 잼》

mar·quis [máːrkwis, maːrkíː] 명 후작(侯爵)

***mar·riage** [mǽridʒ] 명 결혼, 결혼식(=wedding); 밀접한 결합

원 <márry 결혼하다

반 divórce, divórcement 이혼

파 **márriageable** 형 결혼할 수 있는; 혼기에 달한

mar·row [mǽrou] 명 골수; 골자(=essential part)

***mar·ry** [mǽri] 타 자 결혼하다(=wed), 결혼시키다

(예) *marry* one's daughter *to* a merchant 딸을 상인과 결혼시키다 // 。She *married* 〔was *married to*〕 a lawyer. 그녀는 변호사와 결혼했다.

파 **márried** 형 기혼의 (⇨) **marriage**

Mars [maːrz] 명 화성; (로마의) 군신(軍神)

marsh [maːrʃ] 명 늪(=swamp), 습지

파 。**márshland** 명 습지 지대, 소택지

mar·shal [máːrʃəl] 〈동음어 martial〉 명 (육군) 원수(元帥); 〖미〗 (연방 재판소의) 집행관(*cf.* sheriff) 자 타 정렬하다, 정렬시키다, 정리하다

반 fleet admiral (해군) 원수

(예) field *marshal* 육군 원수 // provost *marshal* 헌병 사령관

marsh·mal·low [máːrʃmèlou, -mæ̀lou] 명 〖식물〗 양아욱; 마시맬로《연한 과자》

mar·tial [máːrʃəl] 〈동음어 marshal〉 형 전쟁의; 군인다운, 용감한(=brave)

(예) *martial* law 군법, 계엄령

mar·tyr [mɑ́ːrtər] [명] 순교자; (병 따위에) 항상 시달리는 사람 [타] (주의·신앙의 탓으로) 죽이다, 고문하다(=torture)
[파] **mártyrdom** [명] 순교

*◇**mar·vel** [mɑ́ːrvəl] [명] 경탄할 만한 일, 경이(=wonder) [자] 경탄하다, 놀라다(=be astonished)
(예) *marvel* of science 과학의 경이 // *marvel at* her beauty 그녀의 아름다움에 놀라다
[파] *◇**marvel(l)ous** [mɑ́ːrvləs] [형] 놀라운(=wonderful), 기묘한 **márvel(l)ously** [부] 놀랍게도, 이상하게도

◇**mas·cot** [mǽskət] [명] 수호신, 마스코트

◇**mas·cu·line** [mǽskjəlin / mɑ́ːs-] [형] 남자의; 남성적인; 〖문법〗 남성의
[반] féminine 여자의, 여자 같은

◇**mash** [mæʃ] [명] 짓이긴 것, 갈아서 빻은 것; (밀기울 따위를) 더운 물에 갠 가축의 사료 [타][자] 짓찧다

◇**mask** [mæsk / mɑːsk] [명] 가면, 복면 [타][자] 가면을 쓰다 감추다
[반] expóse 노출하다, 드러내다
(예) under the *mask* of ~의 가면을 쓰고, ~을 핑계로
[파] **masked** [형] 탈을 쓴, 가면의

ma·son [méisən] [명] 석공, 벽돌공
[파] **másonry** [명] 석공술

mas·quer·ade [mæ̀skəréid] [명] 가장 무도회, 가면(=mask) [자] 가장하다(=disguise) [~ as]

*◇**mass** [mæs] [명] 덩어리(=lump); [the masses] 대중; 집단 태반, 다수, 다량; 미사, 의식(儀式); 〖물리〗 질량 [타][자] 한 덩어리가 되다, 한 덩어리로 만들다, 모으다, 모이다(=assemble)
[반] bit 소량, indivídual 개인
(예) ◇a *mass* of water 일대의 물 // the *mass* of the English people 영국민의 태반 // in a *mass* 한 덩어리가 되어 // *mass* media 대중 매개체 《신문·잡지 따위》
[파] **mass communication** 대량 전달, 매스 커뮤니케이션 ***mássive** [형] 큼직한, 묵직한 **mássively** [부] 묵직하게 **máss·prodúce** [타][자] 〖미·속〗 대량 생산하다 ***massproduction** 대량 생산

◇**mas·sa·cre** [mǽsəkər] [명] 학살 [타] 학살하다

mas·sage [məsɑ́ːʒ / mǽsɑːʒ] [명] 마사지, 안마 [타] 안마하다
(예) *massage* a person on the shoulders 아무의 어깨를 안마하다

mast [mæst / mɑːst] [명] 돛대, 마스트

*◇**mas·ter** [mǽstər / mɑ́ːstə] [명] 주인(*cf.* mistress 여주인) 지배권을 쥔 사람《군주·고용주·선장·교장·선생·명수·대가 따위》; [M-] 석사(*cf.* bachelor) [타] 정통하다, 습득하다, 정복하다, 이겨내다(=overcome)
[반] sérvant 사환, 하인, púpil 학생
(예) be *master* of one's circumstances 환경을 이겨내다 // *master* a foreign language 외국어에 숙달하다
[파] ***mástery** [명] 지배권, 정통 ◇**másterly** [형] 대가의, 훌륭

한 *masterpiece [명] 걸작 **master of ceremonies** 사회자; 의전 장관

mat [mæt] [명] 돗자리, 거적, 깔개 [타] 거적을 깔다

match [mætʃ] [명] 성냥; 적수(=rival); 시합(=game); 결혼(=marriage) [타][자] ~에 필적하다(=be equal to); 결혼시키다; 경쟁시키다(=oppose); 조화하다
(예) strike a *match* 성냥을 긋다 // No one can *match* him. 아무도 그를 당하지 못한다. // *match* one's tie *to* one's coat 넥타이를 코트와 조화시키다 // This necktie *matches* your coat. 이 넥타이는 너의 웃옷에 잘 맞는다. // This color *matches with* that. 이 색은 저 색과 어울린다.
[파] **mátchless** [형] 비길 데 없는

(*be*) *no match for* ~의 상대가 안 되는, ~의 적수가 못 되는
(예) You *are no match for* me. 너는 나의 상대가 못 된다.

mate [meit] [명] 동료(=companion); 배우자의 한 쪽《남편 또는 아내》[자][타] 한 패가 되다, 짝지어 주다, 짝 짓다(=marry)

ma·te·ri·al [mətíəriəl]* [형] 물질적인, 물질의; 육체적인; 중요한(=important) [명] 재료, 원료, 제재(題材); 옷감
[원] mater(=matter)+ial(명사·형용사 어미)
[반] spíritual 정신의
(예) *material* civilization 물질 문명 // a *material* difference 중대한 상위 // raw *material* 원료
[파] **matérially** [부] 실질적으로, 현저하게 **matérialism** [명] 유물론, 실리주의 **matérialist** [명] 유물론자 **materialístic** [형] 유물론의, 유물주의적인 **máterialize** [타][자] 구체화하다, 실현하다

ma·ter·nal [mətə́ːrnl] [형] 어머니의, 모계의; 자애로운
[원] mater(=mother)+n+al(형용사 어미)
[반] patérnal 아버지의, 부계(父系)의
(예) *maternal* love 모성애
[파] **matérnity** [명] 어머니임, 모성

math·e·mat·ics [mæθəmǽtiks]* [명] 수학
[어법] *mathematics*는 economics, politics, ethics와 같이 지금은 보통 단수로 쓰인다.
[파] **mathemátical** [형] 수학(상)의 **mathemátically** [부] 수학적으로, 정확하게 ***mathematician** [mæ̀θəmətíʃən]* [명] 수학자

> ▶ 187. 「수학」의 유사어
> **arithmetic**은 산술. **algebra**는 대수. **geometry**는 기하. **trigonometry**는 삼각법. **analysis**는 해석. **calculus**는 미적분.

> ▶ 188. 접미어 ics
> 「학술(science, art)」의 뜻을 나타내는 명사 어미. (예) mathemat*ics*, phys*ics* 따위

mat·i·née, mat·i·nee [mæ̀tinéi / mǽtinèi] [명] 〖프〗 주간 흥행, 마티네

ma·tron [méitrən] [명] (기혼) 부인; 간호부장, 요모(寮母), 보모

mat·ter* [mǽtər] [명] 물질; 일, 문제; 재료, 요소; 고장, 곤란 [자] 중대하다; 관계가 있다

반 spírit 정신, éssence 본질
(예) to make *matters* worse 더욱 곤란한 것은 // a *matte* of time 시간 문제 // political *matters* 정치 문제 // Some thing is the *matter* with me. 골치 아픈 일이 좀 있다.
어법 ① 맨 나중의 용례는 Nothing is the *matter* ... ; Ther is something the *matter* ...; What is the *matter* ...? 등으 도 활용된다. 이 the matter는 wrong과 거의 같다: Nothin is the *matter* with it. (그것은 아무 문제도 없다) ② n matter+의문사의 형으로 양보를 나타낸다. 보통, 동사 may가 따른다: ◇*No matter* what may(=Whatever may happen, I will attain my ends. (어떤 일이 일어난다 해도 나 의 목적을 달성하겠다) ③「중대하다」의 의미로는 의문문·부 정문·조건문에 쓰이는 수가 많다: It doesn't *matter* who i elected. (누가 당선되든 문제가 아니다)
파 **mátter-of-fáct** 형 사실의, 실제적인 **printed matte** 인쇄물

a matter of ~의 범위; 몇~; 약, 대충
(예) He will arrive in *a matter of* minutes. 그는 몇 분 있으면 도착할 것이다.

◇***as a matter of fact*** 실제로, 실은
(예) *As a matter of fact,* you are quite right. 실은 네 말 대로다.

in the matter of ~에 관해서는
(예) He has not too good a reputation *in the matter o* honesty. 정직에 관해서는 그는 그다지 평판이 좋지 않다.

◇***no matter how*** 〔***when, where, which, who, what***〕 ~ (***may***)★ 비록 어떻게〔언제, 어디에서, 어느 것이, 누 가, 무엇이〕 ~한다 해도
(예) It is not true, *no matter who may* say so. 비록 누가 그렇게 말한다 해도 그것은 진실이 아니다.

◇***What's the matter with ~?*** ~은 어찌된 일인가?
(예) *What's the matter with* your car? 당신 차가 어찌 되었소?

mat·tress [mǽtris] 명 (침대용) 요, 매트리스

*◇**ma·ture** [mət*j*úər, -tʃúər] 형 성숙한(=ripe), 완성한; (어 음 따위가) 만기의(=due) 타 자 성숙하다, 완성하다; 만기가 되다
반 immatúre 미숙한, 미완성의
파 ◇**matúrity** 명 성숙, 완성; 만기

max·im [mǽksim] 명 격언, 금언(=proverb); 좌우명
원 max(=great)+im(최상급 어미) 반 sóphism 궤변
파 **máximal** 형 최대한의, 최고의

*◇**max·i·mum** [mǽksəməm] 명 《*pl.* ***-mums, -ma*** [-mə]》 최대한, 최고점, 극대(極大) 형 최대(한)의
반 mínimum 최소한(의)

☆**may**★ [mei] 조 《***might***》 ① 《추측》 ~일지도 모르다
(예) It *may* be true. 그것은 정말일지도 모른다.
어법 ①「추측」의 부정은 may not: He *may not* come. (그는 오지 않을는지 모른다) ②「~했었을는지 모르다」처럼 과

거에 관한 추측을 나타내는 데는 may have+과거 분사의 형을 사용한다: She *may have known* it then. (그녀는 그때 그것을 알았을는지 모른다)

② 《허가》 ~해도 좋다
(예) *May* I go now?—Yes, you *may*. 지금 가도 좋습니까?—(가도) 좋아.
어법 「허가」의 부정은 may not, must not의 둘이 있으나, must not는 금지의 뜻으로 강조적.

③ 《용인》 ~라고 해도 좋다
(예) You *may* call him a good scholar, but you cannot call him a kind teacher. 그를 훌륭한 학자라고 할 수 있어도 친절한 교사라고는 할 수 없다. // It *may* safely be said that ~. ~라고 말해도 무방하다.
어법 「용인」「가능」의 부정은 cannot.

④ 《가능》 ~할 수 있다
(예) Work hard while you *may*. 할 수 있을 때 열심히 공부하시오.

⑤ 《의뢰》 ~해 주시오
(예) You *may* read, John. 존, 읽으십시오.

⑥ 《목적을 나타내는 부사절 속에서》 ~하기 위해, ~할 수 있도록
(예) Work hard so 〔in order〕 that you *may* succeed. 성공할 수 있도록 열심히 일하시오. // A bridge has been built so 〔in order〕 that everyone *may* cross the river. 모든 사람이 그 강을 건널 수 있도록 다리가 놓여졌다.
어법 (so, in order) that ~ may …의 형으로 사용.

⑦ 《양보》 비록 ~하더라도
(예) Whoever 〔No matter who〕 *may* say so, it is not true. 비록 누가 그렇게 말하든간에, 그것은 사실이 아니다. // However 〔No matter how〕 long it *may* take, you are to complete it. 아무리 오래 걸린다 하더라도, 네가 그것을 완성하지 않으면 안 된다.

⑧ 《기원》 원컨대 ~하기를
(예) *May* you succeed! 성공을 빕니다! // *May* he live long! 그가 장수하기를 빕니다! // I hope you *may* become my pen pal. 나의 펜팔이 되어 주길 바랍니다.
어법 May+주어+동사의 형으로 감탄부를 붙이는 것이 보통.

⑨ 《불확실한 기분을 나타냄》 도대체 (무엇〔누구〕)일까
(예) ◇I wonder who he *may* be. 도대체 누구일까. //

▶ 189. 미국의 주명(1)

주명으로 보더라도 미국은 확실히 다민족 국가인데, 영국, 스페인, 프랑스, 인디언계로 가지각색이다. 스페인계로서는 우선 snowcovered의 뜻인 Nevada가 있다. 이것은 탐험가가 산을 보고 낸 소리이다. Montana, Florida는 어형으로 보아 mountainous, flowering의 뜻. Colorado는 red로 빨간 돌이 있는 강(콜로라도 강)에 붙인 이름에서 기원. 이렇게 보면 자연에 관련된 이름이 많으며, 스페인계의 특징이라고 말할 수 있다.

Who *may* you be? 누구시더라? // I hope it *may* clear up. 날씨가 개이면 좋겠다.
어법 주로 의문문, 희망·가능을 나타내는 명사절에서 쓰인다.

◇***may as well*** ~ (***as***) (…할 바에는) ~하는 편이 낫다 (=had better)
(예) You *may as well* take the tube. 지하철을 타는 편이 낫다.

*◇***may*** 〔***might***〕 ***well*** ~하는 것도 마땅하다〔당연하다〕(=have good reason to)
(예) You *may well* say so. 그렇게 말하는 것도 당연하다.

☆**May** [mei] 명 5월; 청춘; 〖식물〗 산사나무(의 꽃)
파 **May Day** 메이데이, 5월제《5월 1일》 **máyflower** 명 〖영〗 산사나무(=hawthorn); [the M-] 메이플라워호(號)《1620년, 영국의 청교도들이 미국으로 타고 간 배》

***may·be** [méibi] 부 아마(=perhaps), 어쩌면

◇**may·or** [méiər, mεər] 〈동음어 mare〉 명 시장(市長)

maze [meiz] 명 미로(迷路) 타 당황케 하다
(예) a *maze* of alleys 거미줄 같이 얽힌 길

mead [miːd] 명 〖시〗 초원(=meadow)

◇**mead·ow** [médou] 명 목초지(=grassy field), 초원; 풀이 나 있는 강변의 낮은 지대

> **190.** 「목초지」의 유사어
> **meadow**는 목초의 재배만을 하는 토지. **pasture**는 가축을 방목하는 목장.

◇**mea·ger, -gre** [míːgər] 형 여윈, 메마른(=lean); 빈약한(=poor), 결핍한
반 plump 살찐, plèntiful 풍부한
(예) a *meager* face 여윈 얼굴 // a *meager* income 얼마 되지 않는 수입

*◇**meal** [miːl] 명 식사; (옥수수 따위의) 거친 가루
(예) have 〔take, eat〕 a *meal* 식사하다 // eat between *meals* 간식하다
파 **méaltime** 명 식사 시간 **meal ticket** 식권

*◇**mean** [miːn] 타 자 《***meant***》 ~을 의미하다(=signify), ~할 작정이다(=intend) 형 천한(=humble), 비열한, 인색한, 보잘것 없는; 한가운데의, 중치의 명 중간; 《*pl.*》 수단, 자력(資力)
반 proud 자랑할 만한, génerous 관대한, extréme 극단의
(예) be *mean* over money matters 금전상의 일에 인색하다 // I *mean* what I say. 진심으로 말한 것이야. // I don't *mean that* he is a liar. 그가 거짓말쟁이란 말은 아니다. // What do you *mean* by this word? 이 말은 어떤 뜻입니까? // I *meant* it for a joke. 농담으로 한 것이었는데. // a man of *means* 자산가(資産家) // ◇If you *mean to* arrive there in time, start right now. 늦지 않게 거기 도착하려거든 지금 바로 출발해라.
어법 ① meant to have+과거 분사는 「~하려고 했었는데 하지 못했다」의 뜻: *meant to have told* it to you (너에게 말하

려고 했었는데) ② 「수단」을 의미하는 means는 단수·복수 어떤 것이나 쓴다: a *means* to an end (목적에 대하는 수단) these *means*(이러한 수단) ③ 「자력(資力)」의 의미로는 복수 취급.

[파] **méanly** [부] 비열하게 ◦**méanness** [명] 비열 (⇨) **meaning**

by all means 반드시, 꼭; 《대답》 부디(=certainly)
(예) Arrest him *by all means.* 꼭 그를 체포하라.

by any means 《부정문에서》 아무리 해도(=in any way), 도무지
(예) He is not *by any means* villain. 그는 결코 악인이 아니다.

****by means of*** ~에 의하여(=through), ~을 써서
(예) carry water *by means of* a pipe 파이프로 물을 보내다 // We express our thoughts *by means of* words. 사상을 말로 표현한다.

****by no means*** 결코 ~이 아니다〔하지 않다〕(=not at all); 《대답》 천만에(=certainly not)
(예) Father was *by no means* happy with his behavior. 아버지는 자기 처신에 결코 만족하지 않았다. // He is *by no means* wanting in courage. 그는 결코 용기가 부족한 것은 아니다. (↔ He is far from wanting in courage.)
[NB] by all means 와 비교 대조하라.

me·an·der [miǽndər] [명] 《보통 *pl.*》 (강의) 구불구불함; 꼬부랑 길; 정처 없이 거닒 [자] (강 따위가) 굽이쳐 흐르다; 정처 없이 걷다
[파] **meándering** [형] 구불구불한, 정처 없이 거니는

***mean·ing** [mí:niŋ] [명] 의미, 취지 [형] 의미심장한(=significant), ~ 뜻이 있는(=intending)
[파] ◦**méaningful** [형] 의미심장한 ***méaningless** [형] 무의미한(=senseless) **méaningly** [부] 뜻 있는 듯이(=expressively)

mean·time [mí:ntaim] [명] 중간 시간, 사이, 동안 [부] 그 동안에; 한편에서는

in the meantime 그 사이에, 이럭저럭 하는 동안에; (한편) 이야기는 바뀌어
(예) *In the meantime* the King pursued the enemy's army. 그러는 동안 왕은 적군을 추적하였다.

mean·while [mí:n*h*wàil] [부] 그 동안에; 한편에서는 [명] 그 동안, 그 사이

mea·sles [mí:zlz] [명] 홍역; 홍역의 꽃

meas·ure* [méʒər]* [명] 측정, 재는 도구《자·되·저울·줄자 따위》; 치수; 평가; 수단, 조치; 박자 [자][타] 측정하다; 평가하다, 비교하다; (높이·길이·무게가) ~이다
(예) *measure* for *measure* 꼭 같은 수단에 의한 보복 // ◦take necessary *measures* 필요한 조치를 취하다 // We *measure* our neighbors by our own *measure.* 우리는 자신의 척도로 남을 평가한다.

M

파 méasured 형 규칙적인, 박자가 고른; 신중한 méasurer 명 측량하는 사람 méasureless 형 무한한 *méasurement 명 측량, 치수 méasurable 형 측정할 수 있는
beyond measure 엄청나게, 잴 수 없을 정도로
(예) Her joy was *beyond measure.* 그녀의 기쁨은 대단했다.
in a large* 〔*great*〕 *measure 대단히, 대부분
in a* 〔*some*〕 *measure 어느 정도
(예) Goodness *in some measure* implies wisdom. 선은 어느 정도 현명함을 뜻한다.

☆**meat**★ [mi:t]★ 〈동음어 meet〉 명 (식용의) 짐승 고기

Mec·ca [mékə] 명 메카 《마호메트가 태어난 아라비아의 도시》; [종종 m-] 동경(憧憬)의 땅; 발상지

*****me·chan·ic** [mikǽnik] 명 기계공, 직공; 《*pl.*》 《보통 단수 취급》 기계학, 역학(力學); 《복수 취급》 (예술 작품 따위의) 제작 기술
파 *mechánical 형 기계의, 기계적인 mechánically 부 기계적으로

*****mech·a·nism** [mékənizəm]★ 명 기계(류); 기계 장치; 기구(機構); 과정
파 méchanize 타 기계화하다

*****med·al** [médl] 〈동음어 meddle〉 명 메달, 상패, 훈장, 기장
NB metal 「금속」과 혼동하지 말 것.

med·dle [médl] 〈동음어 medal〉 자 간섭하다(=interfere), 쓸데 없는 참견을 하다 [~ in, with]
(예) Don't *meddle in* my affairs. 내 일에 간섭하지 마라.
파 méddler 명 간섭자 méddlesome 형 참견이 심한, 간섭하기 좋아하는

me·di·ate [mí:dièit] 자 타 중재하다, 조정하다; 매개하다
(예) *mediate* a dispute 분쟁을 조정하다
파 mediátion 명 중재, 조정

*****med·i·cal** [médikəl] 형 의학의, 의술의; 내과의
원 <medicine 약
반 súrgical 외과의
(예) a *medical* examination 건강 진단, 신체 검사 // *medical* practice 의사의 개업
파 médically 부 의학상으로; 약에 의하여

*****med·i·cine** [médəsən] 명 약; 의학(술); 내과 (치료)
(예) take *medicine* 약을 먹다 // a *medicine* for colds 감기약 // He is studying *medicine.* 그는 의학 공부를 하고 있다.
파 medicinal [medísənl] 형 의약의

***med·i·e·val, med·i·ae·val** [mèdií:vəl, mì:-] 형 중세의

me·di·o·cre [mì:dióukər] 형 평범한, 보통의(=common)

*****med·i·tate** [médətèit] 자 타 명상하다, 숙고하다, 묵상하다; 꾀하다
(예) *meditate on* the meaning of life 인생의 의미에 관해서 명상하다

파 *__meditátion__ 명 명상, 숙고 __méditative__ 형 묵상적인 __méditator__ 명 묵상하는 사람, 명상가

Med·i·ter·ra·ne·an [mèditəréiniən]* 명 지중해 형 지중해의

(예) the *Mediterranean* (Sea) 지중해

me·di·um [míːdiəm] 명 《*pl.* **-ums, *media*** [míːdiə]》 매개, 수단(=means); 중간물; 무당, 영매(靈媒) 형 중치의(=middle), 보통의

반 extréme 극단의

(예) Letters are *medium* of communication. 편지는 통신의 수단이다.

med·ley [médli] 명 잡다한 혼합(물)(=mixture) 형 잡동사니의, 혼합의

meek [miːk] 형 유순한(=mild), 온순한

(예) (as) *meek* as lamb 양처럼 순한

파 **méekly** 부 얌전하게, 유순하게 **méekness** 명 온순

meet* [miːt] 〈동음어 meat〉 타 자 《***met***》 만나다, 마중하다; 대항〔대전〕하다, 부딪치다; 봉착하다; 지불하다; (요구·기대 따위에) 응하다(=satisfy) 명 (경기 따위의) 모임

반 part 헤어지다

(예) *meet* misfortunes with courage 용기를 가지고 불행에 대처하다 // He *met* me at the station. 그는 나를 역까지 마중나왔다. // *meet* demands 수요를 충족하다

파 *__méeting__ 명 회합, 집회, 회전(會戰)

meet with ~와 마주치다, 우연히 만나다, ~을 우연히 경험하다

(예) I *met with* him at the party. 나는 우연히 그를 파티에서 만났다. // *meet with* an accident 사고를 당하다 // The plan *met with* approval. 그 계획은 찬성을 얻었다.

mel·an·chol·y [mélənkɑ̀li / -kəli]* 명 우울, 우울증 형 우울한(=gloomy), 쓸쓸한

파 **melanchólia** 명 우울증 **melanchólic** 형 우울한 명 우울증 환자

mel·low [mélou] 형 (과일이) 익어서 연한, 원숙한; 감미로운 타 자 익히다(=make ripe), 원숙하다

(예) *mellow* wine 감미로운 포도주 // a *mellow* character 원만한 성격

파 **méllowly** 부 달게 익어 **méllowness** 명 성숙, 원숙

mel·o·dy [mélədi] 명 멜로디, 선율, 곡조, 가락; 아름다운 곡조

파 **melodious** [məlóudiəs] 형 곡조가 아름다운, 음악적인

mel·on [mélən] 명 멜론, 참외

melt [melt] 타 자 《***melted*** **;** ***melted, molten***》 녹이다, 녹다, 부드럽게〔연하게〕 하다(=soften); 없어지다 [~ away]

(예) a *melting* pot 도가니 // a *melting* point 융해점(融解點)

mem·ber [mémbər] 명 일원《회원·의원·사원 따위》

파 **mémbership** 명 회원〔사원〕임; 《집합적으로》 회원

◇**me·men·to** [məméntou] 명 《*pl.* ~(*e*)*s*》 기념물, 추억거리, 추억

◇**mem·oir** [mémwɑːr] 명 언행록; 《*pl.*》 회고록

mem·o·ran·dum [mèmərǽndəm] 명 《*pl.* **-dums, -da**》 각서, 비망록, 메모 〖약어〗 *memo*

*◇**mem·o·ry*** [méməri] 명 기억, 기억력; 추억, 기념
(예) commit to *memory* 암기하다 // have a good *memory* 기억력이 좋다
파 ***mémorable** 형 기억할 만한, 잊을 수 없는 *◇**mémorize** 타 기억하다, 암기하다(=learn by heart) ◇**memórial** 형 기념의 명 기념물, 기념비

◇***in memory of*** ~의 기념으로, ~을 위하여
(예) A monument was erected *in memory of* the event. 그 일을 기념하기 위하여 비석이 세워졌다.

to the memory of ~의 영전에 바치어
(예) The library was dedicated *to the memory of* John F. Kennedy. 그 도서관은 존 F. 케네디의 영전에 바쳐졌다.

men·ace [ménəs] 명 협박; 위협(=threat), 위험 타자 위협하다, 협박하다(=threaten)
(예) a grave *menace* to world peace 세계 평화에 대한 일대 위협 // *menace* the national existence 국가의 존재를 위협하다

◇**mend** [mend] 타자 수선하다(=repair), 개선하다(=reform), 고치다, 나아지다(=improve) 명 개선, 호전

▶ **191.** 「수선하다」의 유사어— **mend**는 비교적 간단한 것에 쓰인다. **repair**는 복잡·대규모의 것에 쓰인다. **patch**는 헝겊 조각으로 구멍 따위를 막는데 쓰인다.

반 break 깨뜨리다
(예) *mend* a fault 결점을 고치다 // The patient is *mending.* 그 환자는 (병이) 나아가고 있다.

me·ni·al [míːniəl] 형 천한, 비천한 명 머슴, 하인, 하녀

*◇**men·tal*** [méntl] 형 정신의; 두뇌의, 지적인
원 ment(=mind)+al(형용사 어미)
반 phýsical 육체의, 물질적인
(예) a *mental* blow 정신적 타격 // a *mental* disease 정신병 // make a *mental* note of ~을 기억해 두다
파 ◇**méntally** 부 정신적으로 **mentálity** 명 정신 작용, 지성 **mental arithmetic** 암산 **mental test** 지능 검사, 멘탈테스트

*◇**men·tion** [ménʃən] 타 말하다, ~에 대해서 말하다(=speak of); 초들어 말하다, 언급하다 명 진술, 언급(=reference)
(예) Don't *mention* it. 천만에 말씀입니다. // He *mentioned* (to me) *that* he had been to London. 그는 런던에 다녀왔다고 (나에게) 말했다. // make *mention* of ~을 들어 말하다
파 **abóve-méntioned** 형 상기의, 상술한

◇***not to mention*** ~은 말할 것도 없고, ~은 물론

(예) He knows French, *not to mention* English. 그는 영어는 물론 프랑스어도 안다.

men·tor [méntɔːr] 명 훌륭한 지도자

men·u [ménjuː] 명 〖프〗 식단표(食單表), 메뉴(=bill of fare)

mer·can·tile [mə́ːrkəntìːl, -tàil] 형 상인의, 상업의(=commercial)

mer·chan·dise [mə́ːrtʃəndàiz] 명 《집합적》 상품(=goods)

mer·chant [mə́ːrtʃənt] 명 상인; 〖영〗 도매 상인, 〖미〗 소매 상인 형 상인의, 상업의(=commercial)

> ▶ **192. 접미어 ant**
> ① 「사람」을 의미하는 명사 어미.
> (예) merch*ant*, serv*ant* 따위
> ② 형용사 어미.
> (예) malign*ant* (악의가 있는)

원 merch(=trade)+ant(종사하는 사람)

파 **mérchantman** 명 《*pl.* -men》 상선 **merchant prince** 거상(巨商)

mer·cu·ry [mə́ːrkjəri] 명 수은(=quicksilver), 온도계; [M-] 수성(水星); 머큐리신(神) 《웅변가·장인(匠人)·상인 따위의 수호신》

mer·cy [mə́ːrsi] 명 자비, 연민(=pity); 자유; 행운

반 crúelty 잔인

(예) without *mercy* 무자비하게, 사정 없이 // have *mercy* on ~을 측은히 여기다

파 ◇**mérciful** 형 자비로운, 인정 많은 **mérciless** 형 무자비한, 냉혹한

at the mercy of ~의 처분에 달려(=in the power of)

(예) The more things a man is interested in, the more opportunities of happiness he has, and the less he is *at the mercy of* fate. 사람은 흥미를 가진 것이 많으면 많을수록, 그 만큼 행복하게 될 기회가 많으며, 운명에 내맡겨지는 일이 그 만큼 적어진다.

mere [miər]* 형 ~에 불과한, 단순한, 순전한(=pure)

(예) It is a *mere* coincidence. 그것은 단순한 우연의 일치에 불과하다.

mere·ly [míərli] 부 단지(=only), 오직, 아주

NB not only ~ but 의 only 대신에 merely를 쓰는 수도 있다.

merely* 〔*simply*〕 *because 단지 ~라는 이유로

(예) Many people are poor *simply because* they are indolent. 단지 게으름 탓으로 가난한 사람이 많다.

not merely ~ but ~뿐 아니라 …도 또

me·rid·i·an [mərídiən] 명 자오선; (생애 따위의) 전성기 형 자오선의, 정오의; 절정의(=culminating)

mer·it [mérət] 명 장점, 가치(=worth); 공적; 《보통 *pl.*》 공과(功過)

반 demérit, fault 단점

(예) Everybody has his *merits* and demerits. 모든 사람은

장점과 단점을 가지고 있다.
파 **meritorious** [mèrətɔ́:riəs] 형 공(功)이 있는, 훌륭한

mer·maid [mə́:rmèid] 명 인어의 암컷; 여자 수영 선수
반 mérman 인어의 수컷; 남자 수영 선수

mer·ry [méri] 형 쾌활한(=gay), 즐거운(=joyous)
반 sad 음울한, 슬픈
파 **mérrily** 부 즐겁게 **mérriment** 명 재미 있는 일, 환 **mérry-go-round** 명 회전 목마 **mérrymaking** 명 환락 잔치

mesh [meʃ] 명 그물코; 《pl.》 그물(=net), 망사, 올가미(= snare) 자 타 그물코에 걸리다〔걸다〕

◇**mess** [mes] 명 혼란, 뒤죽박죽(=confusion); 식사 타 (난잡하게 하다, 실수를 하다; 회식하다
(예) be in a *mess* 혼란에 빠져 있다 // ◇make a *mess* (~을 엉망으로 만들다

*◇**mes·sage** [mésidʒ] 명 소식, 전갈, 통신; 사명
(예) do 〔go on〕 a *message* 심부름 가다

*◇**mes·sen·ger** [mésəndʒər] 명 사자(使者), (전보 따위의 배달부; 선구(先驅)(=herald), 전조(前兆)

*◇**met·al** [métl] 명 금속
파 **metállic** 형 금속의

◇**met·a·phor** [métəfɔ̀:r, -fər] 명 은유(隱喩), 비유(比喩)(c simile)
파 **metaphórical** 형 은유의

◇**met·a·phys·i·cal** [mètəfízikəl] 형 형이상학의, 순수철학 의; 극히 추상적인

◇**me·te·or** [mí:tiər] 명 유성, 운성(隕星), 별똥별
파 ◇**méteorite** 명 운석

◇**me·ter, me·tre** [mí:tər] 명 미터; 계량기; 운율(법)
파 **metric** [métrik] 형 미터의 (a *metric* system 미터법)

*◇**meth·od** [méθəd] 명 방법, 순서(=order), 방식
(예) think with *method* 조리 있게 생각하다
어법 way에 비해 method는 특히 조직적인 방법을 말한다.
파 **methodical** [meθádikəl / -θɔ́d-] 형 질서 정연한, 계통이 선, 조직적인 **methódically** 부 조직적으로(=systematically)

Meth·od·ist [méθədist] 명 감리교 신자; [m-] 형식 존중가 형 감리교도〔교파〕의

*◇**me·trop·o·lis** [mətrápəlis / -trɔ́p-]★ 명 수도(=chief city) 중심지
원 metro(=mother)+polis(=city)
파 ◇**metropólitan** 형 수도의 명 수도에 사는 사람

met·tle·some [métlsəm] 형 기운찬, 원기〔혈기〕 왕성한(= mettled)

mew [mju:] 명 야옹《고양이의 울음 소리》 자 (고양이가 야옹하고 울다

Mex·i·co [méksikòu] 명 멕시코
파 **Méxican** 명 멕시코 사람 형 멕시코(사람)의

mi·crobe [máikroub] ㉮ 미생물, 세균(=germ)
mi·cro·bi·ol·o·gy [màikroubaiάlədʒi / -ɔ́l-] ㉮ 미생물학, 세균학(=bacteriology)
㉯ ◇**microbiológic(al)** ㉰ 미생물학의
mi·cro·film [máikrəfìlm] ㉮ 마이크로필름, (인쇄물 따위의) 축소 복사용 필름
mi·cro·phone [máikrəfòun] ㉮ 확성기, 마이크로폰 〖약어〗 *mike*
mi·cro·scope [máikrəskòup] ㉮ 현미경
㉱ micro(=small)+scope(=see)
㉯ **microscópic** ㉰ 현미경의
mid [mid] ㉰ 중앙의, 중간의
㉯ **míd-afternoon** ㉮ 오후의 중간《서너시경》 ◇**mídday** ㉮ ㉰ 정오(의), 한낮(의)
mid·air [mìdέər] ㉮ 공중, 상공
(예) *midair* refueling 공중 급유 // The planes collided in *midair.* 비행기가 공중에서 충돌했다.
mid·dle [mídl] ㉰ 한가운데의, 중 정도의 ㉮ 한가운데, 중앙부
㉲ end, edge 끝, extréme 극단의(*cf.* center)
㉯ ***middle age** 중년, 장년, 초로(初老)《45~65세경까지》 ◇**míddle-áged** ㉰ 중년의 **middle class** 중산 계급 **míddle-cláss** ㉰ 중산 계급의 **Middle Ages** 중세기 **Middle East** 중동
in the middle of ~의 한가운데에, ~의 중앙에, ~하는 도중에
(예) *in the middle of* May 5월 중순에 // Take a sheet of paper and draw a black spot *in the middle of* it. 종이 한 장을 집어서 그 가운데에 흑점을 찍어라.
midg·et [mídʒit] ㉮ 난쟁이, 꼬마; 소형의 물건
mid·night [mídnàit] ㉮ 한밤중, 자정 ㉰ 한밤중의
(예) at *midnight* 한밤중에
midst [midst, mitst] ㉮ 한복판 ㉳ 한복판에
in the midst of ~하는 도중에, ~의 한가운데에
(예) *In the midst of* these mountains was a valley. 이들 산 한복판에 계곡이 있었다.
mid·sum·mer [mídsʌ̀mər] ㉮ 한여름 ㉰ 한여름의
mid·way [mídwèi / mìdwéi] ㉴ 중도에 ㉰ 중도의 ㉮ 중도
mid·wife [mídwàif] ㉮ 《*pl.* ***-wives***》 산파, 조산부
might [mait] ㉮ 힘《완력·세력·권력·위력 따위》, 능력(=ability)
(예) put all one's *might* 전력을 다하다 // *Might* is right. 〖속담〗 힘이 정의이다.
— ㉵ may의 과거(*cf.* may) ① 《시제의 일치로 may가 might로 되는 경우, 의미는 불변》
(예) I was afraid he *might* have failed. 그가 실패하지나 않았는지 걱정했다.
② 《특수 용법으로》 a) 《비난》

M

(예) You *might* at least say "Good-bye". 안녕이라는 말 정도는 해도 좋을 텐데. // You *might* have know that. 그런 일은 알고 있어야 했다.

b) 《의뢰》

(예) You *might* come again later. 후에 다시 와 주시지 않을는지요. // You *might* post this letter for me. 이 편지를 우체통에 넣어 주시지 않을는지요.

c) 《가능》

(예) He *might* have come here. 그는 어쩌면 이곳에 왔을지도 모른다.

d) 《허가》

(예) *Might* I ask you a question? 질문해도 좋습니까?

어법 may 대신에 might를 쓰면 정중하고 완곡한 표현.

파 ***míghty** 형 강대한, 힘센(=strong); 〖구어〗 굉장한(=very great) **míghtily** 부 강대하게, 대단히 **míghtiness** 명 강대함

might as well ~ (as) (…할 바에야) ~하는 편이 낫다

(예) We *might as well* begin at once. 곧 시작하는 게 좋겠다. // You *might as well* advise me to give up my fortune *as* my opinion. 네가 나의 의견을 포기하라고 충고할 바에야 나의 재산을 포기하라고 하는 편이 낫다.

어법 may as well ~ (as)의 완곡한 표현.

with all one's might 전력을 다하여, 힘껏(=with 〔by〕 might and main)

mi·grate [máigreit / maigréit] 자 이주하다, (새 따위가) 사는 곳을 옮기다

파 **mígrant** 형 이주하는, 이주성의 명 이주자; 철새 **mi·grátion** 명 이주 **mígratory** 형 이주하는(a *migratory* bird 철새)

***mild** [maild] 형 온화한, 상냥한(=gentle), 따스한(=temperate), 알맞은(=moderate)

반 wild 거친

(예) a *mild* climate 온화한 기후 // be *mild* in disposition 성질이 온화하다

파 **míldly** 부 온화하게 **míldness** 명 온화

mil·dew [míldjùː / -djùː] 명 곰팡이 자타 곰팡이가 슬다 〔슬게 하다〕

☆**mile** [mail] 명 마일《약 1,609 미터》

파 **mílestone** 명 이정표; 획기적 사건

mil·i·tar·y [mílətèri / -təri] 형 육군의, 군대의, 군사(용)의 명 [the m-] 《총칭적으로》 군대(=the army), (특히 육군의) 군인

원 milit(=soldier)+ary(형용사 어미)

반 nával 해군의, cívil 민간의

(예) the *military* police 헌병대 // *military* service 병역

파 **mílitarily** 부 군사적으로 **mílitarism** 명 군국주의 **mílitarist** 명 군국주의자 **militarístic** 형 군국주의의 **mílitant** 형 호전적인 **mílitarize** 타 군국화하다

mi·li·tia [milíʃə] [명] 민병; 의용군

milk [milk] [명] 젖, 우유 [타][자] 젖을 짜다, 젖이 나다
(예) a land of *milk* and honey 풍족하고 즐거운 나라
[파] ◦**mílky** [형] 젖과 같은, 젖 빛깔의; 온화한, 연약한 **mílkmaid** [명] 젖 짜는 여자 **mílkman** [명] ⟪*pl.* -men⟫ 우유 배달부 **milk shake** 밀크 셰이크 **mílk-white** [형] 우유 빛깔의, 유백색의

mill [mil] [명] 물방앗간; 제분소, 공장 [타][자] 방아로 찧다, 가루로 하다
(예) a cotton *mill* 방적 공장
[파] **míller** [명] 물방아집; 제분업자 **mílling** [명] 제분, 맷돌로 갈기 **míllpond** [명] 물방아용 저수지 **míllstone** [명] 맷돌 **mill wheel** 물레방아(의 바퀴)

mil·len·ni·um [miléniəm] [명] ⟪*pl.* **~s, -nia** [-niə]⟫ 천년간; 천년 왕국(기), 이상적 시대

mil·lion [míljən] [명] 백만, 다수, 무수 [형] 백만의, 무수히 많은, 수없는
[어법] three *million* people 에서처럼 명사가 따르면 -s를 붙이지 않으나 기타의 경우는 붙는 것이 보통: three *millions* of people. hundred, thousand 참조.
[파] ◦**millionaire** [mìljənέər] [명] 백만장자

> ▶ **193.** 접미어 **aire, ar, eer**
> 「사람」을 나타내는 명사 어미.
> (예) million*aire*, schol*ar* (학자), engin*eer* (기사) 따위

millions of 몇 백만의
(예) *millions of* people 무수한 사람들

mim·ic [mímik] [타] 흉내내다(=imitate) [형] 모방의, 모의의 [명] 모방자
(예) When I entered the classroom, he was mimicking my voice on the platform. 내가 교실에 들어갔을 때 그는 교단에서 나의 목소리를 흉내내고 있었다.
[파] **mímicry** [명] 흉내, 모방(=imitation)

min·a·ret [mínərèt] [명] (회교 사원의) 뾰족탑, 첨탑

mince [mins] [타] 잘게 썰다; 조심스럽게 말하다(=speak in polite terms) [명] 잘게 다진 고기

mind* [maind] [명] 마음(=soul); 생각(=thought), 의향(=intent) [타][자] 주의하다(=heed); 돌보아주다(=take care of); 싫어하다[~ doing]
[반] bódy 육체
(예) have a good *mind* to 썩 ~하고 싶다 // be out of one's *mind* with grief 슬픔으로 제정신이 아니다 // call to *mind* 상기하다 // She would not leave my *mind.* 그 여자 생각이 내 마음에서 떠나지 않았다. // Read this letter *with* the above discussions *in mind.* 위에서 논한 것을 명심하고 이 편지를 읽어라. // Would you *mind* open*ing* the window?—Certainly. 창을 열어 주시지 않겠습니까—예, 열어 드리지요. // Do you *mind* my smok*ing*?—No, I don't. 담배를 피워도 괜찮겠습니까—예, 좋습니다. //

Never *mind* what he says. 그가 하는 말에 개의치 라. // We must *keep in mind* that he has had no previo experience of this kind of work. 그는 이런 유(類)의 일 는 전에 경험이 없다는 것을 유의하지 않으면 안 된다.

어법 ① 사고·감정·의지 등의 넓은 의미의 「마음」. ② 「염 하다」의 의미에서는 흔히 의문·부정문에 쓰인다. ③ Wou 〔Do〕 you mind doing?에 대한 「예, 그러지요」「예, 좋습 다」라는 허용의 대답은 No, not at all. Certainly not. No wouldn't mind. No, I don't. 처럼 부정으로 대답하지만, 실 는 Yes, certainly. Sure(ly).라고 할 때도 많다.

파 **míndful** 형 주의 깊은 **míndless** 형 부주의한 **mi reading** 독심술(讀心術)

come into one's mind 마음에 떠오르다, 생각나다

(예) The same idea *came* often *into* my *mind*. 가끔 은 생각이 떠올랐다.

◇***have ~ in mind*** ~을 고려〔의도〕하고 있다; ~을 명심 다, 유의하다

◇***keep*** 〔***bear***〕 ***~ in mind*** ~을 명심하다, 유의하다

(예) *Keep* this *in mind*. 이것을 명심해라.

◇***lose one's mind*** 발광하다

Mind you! 알겠지, 잘 들어 둬

(예) But I have no objection, *mind you!* 그러나 난 이 가 전혀 없어, 알겠지.

Never mind! 걱정 마라, 네 알 바 아니다

☆**mine** [main] 대 내 것 명 광산; 지뢰, 기뢰 타자 채굴 다, 지뢰〔기뢰〕를 부설하다

파 ◇**míner** 광부 ◇**míning** 명 채광(採鑛) 형 광업의 **mi sweeper** 소해정(掃海艇)

*◇**min·er·al** [mínərəl] 명 광물, 광석 형 광물(성)의

(예) *mineral* water 광천; 〖영〗 탄산수, 청량 음료수(〖미〗 soft drink)

◇**min·gle** [míŋgəl] 타자 혼합하다, 섞다(=mix, blend), 치다(=unite); 참가하다(=participate) 〔~ with〕

(예) *mingled* sensation 착잡한 감정 // *mingle* truth *u* falsehood 진실과 거짓말을 섞다

min·i·a·ture [míniətʃuər, mínətʃər] 명 작은 화상(畫像 작은 모형, 축도 형 소형의

(예) society in *miniature* 사회의 축도

◇**min·i·mal** [mínəməl] 형 최소(한도)의, 극미한; 미니멀 트의

*◇**min·i·mum** [mínəməm] 명 《*pl.* **-mums, -ma**》 최소 한 최소량 형 최소 한도의(=smallest possible), 최저의 〖 어〗 *min.*

원 mini(=small)+mum(최상급 어미)

반 máximum 최대(의)

(예) ◇keep one's expenditure to a 〔the〕 *minimum* 출 를 최저한으로 억제하다

파 ◇**mínimize** 타 가장 작게 하다; 과소 평가하다

min·is·ter [mínistər] ⓜ 장관, 목사, 공사, 대리 〖약어〗 *Min.* ⓣⓙ 주다, 공급하다(=afford), 봉사하다(=serve), 공헌하다 [~ to]
(예) the Prime *Minister* 국무 총리, 총리 대신
어법 「목사」의 뜻일 때는 영국에서는 국교회 이외의 목사를 말함.
파 **ministerial** [mìnəstíəriəl] ⓗ 장관의; 목사의 **ministrátion** ⓜ 봉사, 구조(=aid), 사제(司祭) (⇨) **ministry**
minister to ~의 도움이 되다, ~에 기여하다
(예) *minister to* others 남에게 봉사하다 // *minister to* the want of a sick man 환자를 돌보다
min·is·try [mínistri] ⓜ 부(部), 내각; 목사의 직, 장관직
(예) the *Ministry* of Foreign Affairs 외무부
mink [miŋk] ⓜ 《*pl.* **~s, ~**》 밍크《족제비류》, 그 모피; 매력적인 여자
mi·nor [máinər] 〈동음어 miner〉 ⓗ 작은 편의(=smaller), 소수의(=lesser), 열등한, 2류의 ⓜ 미성년자
반 májor 큰 편의
(예) *minor* poets 이류 시인 // the *minor* league 소(小) 리그
mi·nor·i·ty★ [minɔ́:rəti, mainάr- / mainɔ́r-] ⓜ 소수, 소수측, 열세; 미성년
반 majórity 다수
min·strel [mínstrəl] ⓜ 음유 시인(吟遊詩人)
mint [mint] ⓜ 조폐 공사, 조폐국; 〖식물〗 박하 ⓣ (화폐를) 주조하다(=coin); (신어를) 만들어내다
mi·nus [máinəs] ⓗ 마이너스의, 빼기의 ⓙ ~을 빼어 ⓜ 뺄셈표《—》
반 plus 플러스(의)
(예) 3 *minus* 1 is 2. 3−1=2.
min·ute ⓜ [mínit]★ 분(分); 순간(=moment); 《*pl.*》 의사록 ⓗ [mainjú:t, mi- / -njú:t]★ 미세한, 잔; 상세한(=detailed)
(예) ◦in a *minute* 금시, 곧 // Wait a *minute*. 잠깐만 기다려라.
to the minute 1분도 틀리지 않고, 정각에
(예) The train left at five o'clock *to the minute*. 열차는 5시 정각에 떠났다.
mir·a·cle [mírəkəl]★ ⓜ 기적(=supernatural event)
(예) work 〔do, perform〕 *miracles* 기적을 행하다
파 ◦**miráculous** ⓗ 기적적인 **miráculously** ⓑ 기적적으로 **miráculousness** ⓜ 기적적임, 초자연적임
mi·rage [mirά:ʒ] ⓜ 신기루, 아지랑이, 망상; 덧없는 희망
mire [maiər] ⓜ 진흙(=mud), 진창
mir·ror [mírər] ⓜ 거울(=looking glass); 모범(=pattern) ⓣ 거울에 비추다, 반영하다(=reflect)
(예) Language is the *mirror* of society. 언어는 사회의 거울이다.

mirth [məːrθ] [명] 유쾌(=joy and laughter), 환락
[파] **mírthful** [형] 흥겨운, 유쾌한 **mírthless** [형] 음울한

mis·be·hav·io(u)r [mìsbihéivjər] [명] 나쁜 행실, 부정 행

mis·cel·la·ne·ous [mìsəléiniəs] [형] 여러 가지의(=var-ious), 잡종의
(예) *miscellaneous* business 잡무 // *miscellaneous* ex-penses 잡비
[파] **miscéllany** [명] 잡동사니

mis·chance [mistʃǽns / -tʃáːns]★ [명] 불운, 불행, 사고,
난(=accident)
[원] mis(=ill)+chance

*__mis·chief__★ [místʃif]★ [명] 손해(=damage), 위해, 피해,
(害)(=harm); (특히 아이들의) 장난
[원] mis(=ill)+chief(=end 결과)
(예) do a person *mischief* 아무에게 해를 끼치다
[파] *◇**mischievous** [místʃivəs]★ [형] 해로운, 장난이 심한

mis·con·ceive [mìskənsíːv] [타] [자] 오해하다, 오인하다,
못 생각하다[~ of]
[파] **misconcéption** [명] 오해, 잘못된 생각

◇**mis·deed** [misdíːd] [명] 악행, 비행, 범죄

mis·di·rect [misdirékt] [타] (길 따위를) 잘못 가리키다
그릇되게 지도하다(=direct wrongly)

◇**mi·ser** [máizər] [명] 수전노, 구두쇠
[파] **míserly** [형] 인색한, 욕심 많은(=avaricious)

*◇**mis·er·a·ble** [mízərəbəl] [형] 불쌍한, 비참한(=wretched)
초라한, 가련한
[파] **míserably** [부] 불쌍하게, 비참하게

*◇**mis·er·y** [mízəri] [명] 비참, 곤궁, 불행(=distress)
(예) the *miseries* of human life 인생의 고난

*◇**mis·for·tune**★ [misfɔ́ːrtʃən] [명] 불운(=bad luck), 역경
재난
[원] mis(=ill)+fortune [반] fórtune 행운
(예) He had the *misfortune* to break his leg. 불행히도
는 다리가 부러졌다.
NB 「불운한」은 misfortunate가 아니고 unfortunate이다.

mis·gov·ern [misgʌ́vərn] [타] 통치〔지배〕를 잘못하다
[파] **misgóvernment** [명] 실정, 악정

◇**mis·han·dle** [mishǽndl] [타] 거칠게 다루다, 학대하다;
못 조처하다

◇**mis·lay** [mìsléi] 《*-laid* [-léid]》 [타] 잘못 두다〔놓다〕;
고 잊다; (시야에서) 놓치다, 잃다

mis·lead [mìslíːd] 《*-led* [-léd]》 [타] 그르치다, 미혹시키다(=lead astray), 오해케 하다
[원] miss (=ill)+lead (이끌다)
(예) The title of the book is apt to *mislead* people.

> ▶ **194. 접두어 mis**
> 동사 또는 명사에 붙여
> 「그릇된」「나쁜」「불리한」
> 위의 의미를 나타낸다.
> (예) *mis*lead, *mis*take 따위

책의 제목은 자칫 사람들의 오해를 사기 쉽다.
파 ◇**misléading** 형 그르치기 쉬운, 현혹시키는
mis·pro·nounce [mìsprənáuns] 타 자 잘못 발음하다
miss [mis] 타 자 놓치다, 잃다; 빠뜨리다(=leave out); ~이 없어서 서운해하다; ~이 없는 것을 깨닫다 명 실책, 실패, 빗맞힘
반 find 찾다
(예) *miss* a train 기차를 놓치다 // *miss* an accident 사고를 면하다 // We all *miss* you. 당신이 없어서 모두 서운하게 생각하고 있습니다.
파 ◇**míssing** 형 보이지 않는, 분실한
Miss [mis] 명 ~양《소녀·미혼 여성에게 대한 경칭》
mis·sile [mísəl / mísail] 명 비행 무기, 비행체; 미사일
(예) a guided *missile* 유도탄 // an Intercontinental Ballistic *Missile* 대륙간 탄도탄《ICBM으로 약함》
mis·sion [míʃən] 명 사명; 사절(의 일행), 전도(傳道)
원 miss(=send)+ion(명사 어미)
(예) a *mission* school 미션 스쿨 // be sent on a *mission* 어떤 임무를 띠고 파견되다
파 ◇**míssionary** 명 선교사 형 전도의
mis·spell [mìsspél] 타 ~의 철자를 잘못 쓰다
mis·step [mìsstép] 명 실족(失足); 과실, 실수 자 잘못〔헛〕 디디다; 잘못을 저지르다
mist [mist] 명 안개 타 자 흐리게 하다, 안개가 끼다
(예) be enveloped in *mist* 안개에 싸여 있다
파 **místy** 형 안개가 자욱한; 흐릿한 **místily** 부 흐릿하게
mis·take [mistéik] 타 자 《***-took ; -taken***》 틀리다, 오해하다, 잘못 알다(=misunderstand) 명 잘못, 과실, 오해
원 mis(=ill)+take
(예) *mistake* the road 길을 잘못 들다 // There is no *mistaking.* 틀릴 리가 없다.
파 **mistáken** 형 틀린, 오해의 **mistákenly** 부 틀려, 실수로, 오해하여
by mistake 잘못하여, 실수로; 무심코
make a mistake 실수하다, ~을 틀리다
(예) Tom *made a mistake* in calculation. 톰은 계산을 틀렸다. // Don't be afraid of *making mistakes.* 틀리는 것을 두려워 마라.
mistake ~ for ~을 …으로 잘못 알다, 헛보다
(예) He is so tall that he is often *mistaken for* a foreigner. 그는 키가 몹시 커서 가끔 외국인으로 오인받는다.
mis·treat [mistríːt] 타 학대〔혹사〕하다(=maltreat)
mis·tress [místris] 명 주부(主婦), 안주인; 여선생; 〖시〗 애인 (*cf.* master 가장(家長), 바깥 주인, 남선생)
NB Mrs. [mísiz]는 Mistress의 약어이다
mis·trust [mistrʌ́st] 명 불신, 의혹 타 자 신용하지 않다, 의심하다
mis·un·der·stand [mìsʌndərstǽnd] 타 《***-stood***》 오해하

다(=mistake)
반 understánd 이해하다
파 *misunderstánding 명 오해
◇**mis·use** 명 [misjúːs] 오용, 남용; 학대, 혹사 타 [misjúːz] 오용하다, 남용하다; 혹사하다(=ill-treat)
mit·i·gate [mítəgèit] 타 완화하다, 누그러지게 하다, 덜다, 경감하다
반 ággravate 더 한층 나쁘게 하다
파 **mitigátion** 명 완화, 경감
mitt [mit] 명 〖야구〗 미트
파 ◇**mítten** 명 벙어리장갑《엄지손가락만 갈라진 것》
*◇**mix** [miks] 타 자 섞다(=mingle together), 혼합하다
(예) ◇*mix* water *with* wine 포도주에 물을 섞다 // Oil and water will not *mix*. ↔ Oil will not *mix with* water. 기름과 물은 섞이지 않는다.
파 **mixed** 형 혼합된 ◇**míxture** 명 혼합, 혼합물 **míxer** 명 믹서; 혼합하는 사람(a good *mixer* 남과 잘 어울리는 사람)
mix up 잘 섞다
◇***get mixed up*** 뒤섞이다, 혼란되다
(예) We might *get mixed up* that way. 그런 식으로 하면 우리는 혼란을 가져올지도 모른다.
◇**moan** [moun] 자 타 신음하다; 〖시〗 슬퍼하다(=lament) 명 신음소리; 〖시〗 비탄
moat [mout] 명 호(壕), 해자(垓字) 타 호를 파서 두르다
◇**mob** [mɑb / mɔb] 명 군중, 민중; 폭도 타 떼를 지어 습격하다
mo·bile [móubəl, -biːl / -bail] 형 움직이기 쉬운 (=movable); 마음이 변하기 쉬운(=fickle)
반 immóbile 움직이지 않는
(예) a *mobile* library 이동 도서관
파 ***mobílity** 명 가동성; 변덕 **móbilize** 타 동원하다 **mobilizátion** 명 동원
mock [mɑk / mɔk] 타 자 비웃다, 속이다(=cheat), 흉내내다(=imitate); (희망 따위를) 무효로 만들다 명 조롱, 우롱; 흉내 형 모의(模擬)의(=sham)
반 respéct 존경하다
(예) a *mock* trial 모의 재판 // He was *mocked at* by them. 그는 그들에게 비웃음을 당했다.
파 **móckery** 명 우롱, 조롱, 놀림감 **móckingbird** 명 앵무새
***mode** [moud] 명 방법(=method), 관습(=custom), 양식(=manner); 유행(=fashion)
(예) a *mode* of life 생활 양식
*◇**mod·el** [mɑ́dl / mɔ́dl] 명 모형, 모델; 모범, 전형(=pattern) 형 모범의 타 자 본받다, 본떠서 만들다 [~ after on, upon]
(예) This car is the 1980 *model*. 이 차는 1980년 형이다. // *model* a dog in clay 찰흙으로 개를 만들다 // Susan

modeled herself *after* her teacher. 수잔은 무엇이든 선생님을 본받았다.

파 ◇**módel(l)er** 명 모형〔소상〕 제작자

***mod·er·ate** [mádərit / mɔ́d-] 형 알맞은, 중용의, 온건한 (=not extreme) 명 온건주의자 타 자 [mádərèit / mɔ́d-] 알맞게 하다, 완화하〔되〕다

반 immóderate 과도한

(예) *moderate* exercise 알맞은 운동 // His temper *moderated* with age. 그의 급한 성미도 나이가 들어감에 따라 완화되었다.

파 **móderately** 부 알맞게 **móderator** 명 조절하는 사람〔물건〕 **moderátion** 명 알맞음, 적당; 경감(輕減)

***mod·ern**★ [mádərn / mɔ́dən]★ 형 현대의, 현대적인(=up-to-date) 명 현대인

반 áncient 고대의

(예) *modern* times 현대 // *modern* conveniences 문명의 이기

파 **módernism** 명 현대식, 현대어 **módernist** 명 현대주의자 **módernize** 타 현대화하다 ◇**modernizátion** 명 현대화

***mod·est** [mádist / mɔ́d-] 형 겸손한(=humble), 삼가는; 수줍은(=shy), 과도하지 않은

반 immódest 불손한

(예) He always remained *modest* and retiring. 그는 언제나 겸손하고 사양심이 많았다.

파 ◇**módestly** 부 겸손하게 **módesty** 명 겸손, 겸양, 정절

***mod·i·fy** [mádəfài / mɔ́də-] 타 변경하다, 수정하다; 〖문법〗 수식하다

(예) Sometimes opinions firmly held for years are *modified*. 여러 해 동안 고수되어 온 의견이 가끔 변경된다.

파 **modificátion** 명 수정, 수식 **módifier** 명 〖문법〗 수식어

mod·u·late [mádʒəlèit / mɔ́-] 타 조절하다(=regulate, adjust)

파 **modulátion** 명 조절, 음의 고저

mod·ule [mádʒuːl / mɔ́djuːl] 명 (도량(度量)의) 단위, 기준치수; ~선(船)《우주선의 구성 단위》

(예) the lunar *module* 달 착륙선

moist [mɔist] 형 축축한(=slightly wet), 습기 찬, 눈물젖은

반 dry 마른

(예) eyes *moist* with tears 눈물이 글썽한 눈

파 **moisten** [mɔ́isn] 타 축이다 ◇**moisture** [mɔ́istʃər] 명 습기, 물기 **móistness** 명 물기〔습기〕가 있음

mole [moul] 명 두더지; 사마귀

mol·e·cule [málikjùːl / mɔ́l-] 명 〖물리·화학〗 분자

파 **molécular** 형 분자의

mo·lest [məlést] 타 방해하다, 괴롭히다(=trouble, annoy),

소란케 하다(=disturb)
(예) Do not *molest* the animals at the zoo. 동물원의 동물을 괴롭히지 마라.

M

mom [mɑm / mɔm] 명 〖구어〗 엄마(=mamma)

*◇**mo·ment** [móumənt]* 명 순간(=very short time); 중대, 중요(=importance); (어떤 특정한) 때, 시기, 기회, 경우(=occasion), 위기(=crisis); 요소(=element)
(예) every *moment* 시시각각 // at any *moment* (언제) 어느때고, 언제라도, 당장 // from that *moment* on 그때부터
파 **mómentary** 형 순간의 **mómentarily** 부 잠시 ◇**moméntous** 형 중대한 **moméntously** 부 중대하게
at the moment 마침 그때, 바로 지금
(예) the fashionable word *at the moment* 바로 지금 유행되고 있는 말
****for a moment*** 잠깐〔잠시〕 동안
(예) He thought *for a moment.* 그는 잠깐 동안 생각했다.
◇***for the moment*** 당분간은, 우선, 당장은
in a moment 곧, 당장, 즉시(=in an instant)
(예) The ghost disappeared *in a moment.* 유령은 곧 사라졌다.
of moment 중요한(=important)
(예) I hold that the matter is *of* great *moment.* 나는 그 일이 대단히 중요하다고 생각한다.
the moment (***that***) ~하자마자 곧(=as soon as)
(예) *The moment* (*that*) he saw me, he ran away. 그는 나를 보자마자 도망갔다.

◇**mo·men·tum** [mouméntəm] 명 《*pl.* **~s, -ta** [-tə]》 〖물리〗 운동량; 타성; 여세

*◇**mon·arch** [mɑ́nərk / mɔ́nək]* 명 군주(=king, ruler)
반 súbject 백성, 국민
(예) an absolute *monarch* 전제 군주
파 **monarchic(al)** [mənɑ́ːrkik(əl)] 형 군주의, 군주다운 **monarchism** [mɑ́nərkìzəm / mɔ́nəkìzəm] 명 군주 정치 **monarchist** [mɑ́nərkist / mɔ́nəkist] 명 군주주의자 **monarchy** [mɑ́nərki / mɔ́nəki] 명 군주국

☆**Mon·day** [mʌ́ndi, -dei] 명 월요일 〖약어〗 *Mon.*
원 Mon(=moon)+day

☆**mon·ey** [mʌ́ni] 명 돈, 금전; 재산, 부(=wealth)
(예) make *money* 돈을 벌다 // paper *money* 지폐 // Time is *money.* 〖속담〗 시간은 돈이다.
어법 셀 수 없는 명사임에 주의.
파 **mónetary** 형 금전의 **móneybag** 명 돈 주머니 **moneybox** 돈궤 **móneychanger** 명 환금업자 **móneylender** 명 대금업자 **móney-making** 형 이문이 나는, 돈벌이를 잘 하는 명 돈벌이 **money order** 환(換)

◇**mon·grel** [mʌ́ŋgrəl, mɑ́ŋ-] 명 (동식물의) 잡종; 튀기 형 잡종의

mon·i·tor [mάnətər / mɔ́n-] [명] 반장; 충고자; 모니터
monk [mʌŋk] [명] 승려; 수사(修士) (*cf.* nun)
*__mon·key__ [mʌ́ŋki] [명] 원숭이 (*cf.* ape)
[파] **monkeyish** [mʌ́ŋkiʃ] [형] 원숭이 같은, 장난꾸러기의
mon·o·log(ue) [mάnəlɔ̀:g, -lὰg / mɔ́nəlɔ̀g] [명] 독백, 혼잣말
mo·nop·o·ly [mənάpəli / -nɔ́p-] [명] 전매(권), 독점, 전매품
[원] mono (=single) +pol (=sell) +y (명사 어미)
[파] ◇**monopolize** [mənάpəlàiz / -nɔ́p-] [타] 독점하다, 전매(專賣)하다
mon·o·rail [mάnərèil / mɔ́n-] [명] 단궤 철도
⁑**mo·not·o·nous** [mənάtənəs / -nɔ́t-]* [형] 단조로운, 지루한
[원] mono (=single) +ton (=tone 음률) +ous (형용사 어미)

> ▶ **195. 접두어 mono**
> 「단일 (one)」의 의미를 나타낸다.
> (예) *mono*poly, *mono*tonous 따위

[파] ⁑**monótony** [명] 단조로움, 지루함 (=monotone) **monotone** [mάnətòun / mɔ́n-] [명] 단조 [자][타] 단조롭게 읽다 〔이야기하다〕
mon·soon [mansú:n / mɔn-] [명] 철바람; (계절풍이 부는) 계절, 우기
*__mon·ster__ [mάnstər / mɔ́nstə] [명] 괴물, 거인 [형] 굉장히 큰
[파] **mónstrous** [형] 기괴한, 거대한, 엄청난 **mónstrously** [부] 기괴하게; 굉장히 **monstrósity** [명] 기괴함
mon·tage [mantά:ʒ / mɔn-] [명] 합성 사진, 몽타주
__month__ [mʌnθ] [명] 달, 월, 1개월
(예) this 〔next, last〕 *month* 이〔내, 전〕달 // the *month* after next 내훗달 // the *month* before last 전전달, 지지난달
[파] **mónthly** [형] 매월의 [부] 한 달에 한 번씩 [명] 월간 잡지 (a *monthly* report 월보)
⁑**mon·u·ment** [mάnjəmənt / mɔ́n-]* [명] 기념비, 묘비; 불멸의 저작; 금자탑
[원] monu (=remind) +ment (명사 어미)
[파] ◇**monuméntal** [형] 기념(비)의, 불멸의
moo [mu:] [자] (소 따위가) 음매하고 울다 [명] 소 울음소리
⁑**mood** [mu:d] [명] 기분 (=state of mind or feeling), 심정; 〖문법〗 법
(예) be in the *mood* 〔no *mood*〕 to read 독서할 마음이 있다〔없다〕 // indicative 〔imperative, subjunctive〕 *mood* 직설〔명령, 가정〕법
[파] ◇**móody** [형] 우울한, 기분이 나쁜 (=ill-tempered) **móodily** [부] 우울하게 **móodiness** [명] 우울함, 불쾌
*__moon__ [mu:n] [명] (하늘의) 달 (*cf.* sun 태양, star 별)
(예) a new 〔half, full〕 *moon* 초승〔반, 보름〕달 // a man-made *moon* 인공 위성
[파] **móony** [형] 달의, 달 같은, 꿈결 같은 **móonbeam** [명] 달

빛 ◇**móonlight** [명] 달빛 [형] 달빛의, 달밤의 ◇**móonlit** [형] 달밝은, 달밤의 **móonshine** [명] 달빛; 허식, 공상 **móonshiny** [형] 달에 비친; 공상적인 ◇**móonshot** [명] 달 로켓 발사 **móonstruck** [형] 미친

M

◇**moor** [muər] [명] 황야(=waste land) [타][자] (배를) 계류하다

mop [mɑp / mɔp] [명] (긴 자루가 달린) 걸레

◇**mope** [moup] [자][타] 침울해 하다, 우울하게 지내다 [명] 침울한 사람; [the ~s] 우울

*◇**mor·al** [mɔ́ːrəl, mɑ́r- / mɔ́r-] [형] 도덕의, 도덕적인(=virtuous), 품행이 바른; 정신상의 [명] 교훈, 우의(寓意); 《*pl.*》 수신(修身); 윤리(학); 품행

[반] immóral 도덕에 어긋난

(예) *moral* courage 정신적 용기 // *Moral* Rearmament 도덕 재무장 // *moral* sense 도덕심

[NB] morale [mərǽl / mɔrɑ́ːl] 「풍기, 사기」와 혼동하지 말 것.

[파] ***mórally** [부] 도덕적으로, 도덕상 **móralist** [명] 도덕가 **moralístic** [형] 도덕주의적인 ***morálity** [명] 선악의 규범, 덕성; 교훈 **móralize** [타] 교화하다, 설법하다, 도덕을 가르치다

◇**mo·rale** [mərǽl / mɔrɑ́ːl] [명] (군대의) 사기, 풍기

mor·bid [mɔ́ːrbid] [형] (정신·사상 따위가) 병적인, 불건전한

[파] **mórbidly** [부] 병적으로 **morbídity, mórbidness** [명] 병적임, 불건전

☆**more**★ [mɔːr] 《many, much의 비교급》 [형] 더 많은, 보다 다수〔다량〕의 [부] 더욱, 한층 더 [명] 더 많은 수〔양〕

[반] less 더욱 적은, 더욱 적게

[어법] ① 3음절 이상 및 일부의 2음절로 된 형용사·부사의 비교급을 만든다. 1음절에도 like, just, real, right, wrong 등에는 more를 붙여 비교급을 만드는 것이 보통. ② 보통 -er를 붙여 비교급을 만드는 형용사에도, 같은 사물의 2개의 성질을 비교하는 경우는 more에 의한다: The remark is *more* witty than just. (그 말은 재치가 풍부하기는 하나 정확하지는 않다)

* ***more and more*** 더욱 더, 점점 더(*cf.* the more ~ the more)

(예) He became *more and more* convinced that the man was hidden behind the tree. 그는 그 남자가 나무 뒤에 숨어 있다는 것을 점점 더 확신하게 되었다.

◇***more often* 〔*times*〕 *than not*** 반 이상; 꼭은 아니나 대개

*◇***more or less*** 다소(간), 어느 정도, 얼마간

(예) A man is *more or less* what he looks. 사람됨은 대체로 외모에 비치는 바와 같다. // It's an hour's journey, *more or less.* 약 한 시간 걸리는 여행이다.

*◇***more than*** ~이상으로; 더할 나위 없이

(예) He is *more than* pleased with the result. 그는 그 결

과에 무척 만족하고 있다. // A book which is worth reading at all is likely to be read *more than* once. 조금이라도 읽을 가치가 있는 책이라면 몇 번이고 읽게 될 것이다.

NB more ~ than 과는 달리 취급하고 있으니 주의할 필요가 있다.

M

more ~ than* …이라기 보다는 오히려 ~이다
(예) He was *more* of an engineer *than* a soldier. 그는 군인이라기보다 오히려 기사였다.

more than ever 더욱 더, 점점

no more ~ than …이 아닌 것은 ~이 아닌 것과 같다 (=not ~ any more than)
(예) I am *no more* mad *than* you (are). 너와 마찬가지로 나도 미치지 않았다.

not ~ any more 다시는 ~하지 않다; 이미 ~ 아니다
(예) I can*not* walk *any more*. 이 이상 걸을 수 없다.

no* 〔*nothing*〕 *more than 겨우 ~에 지나지 않다
(예) He is *no* 〔*nothing*〕 *more than* a puppet. 그는 꼭두각시에 지나지 않는다.

the more ~, the more … ~하면 할수록 더욱더 …하다
(예) *The more* I know him, *the more* I like him. 그를 알면 알수록 더욱 좋아진다.

what is more 그 위에, 더욱이, 게다가
(예) He is rich, and *what is more,* he is kind. 그는 부자인데 게다가 친절하다.

more·o·ver [mɔːróuvər] 부 게다가 또, 뿐만 아니라(=besides)

morn [mɔːrn] 〈동음어 mourn〉 명 〖시〗 아침(=morning), 새벽(=dawn)
반 eve 저녁(=evening)

morn·ing [mɔ́ːrniŋ] 〈동음어 mourning〉 명 아침, 오전; 초기
반 afternóon 오후, évening 저녁
(예) yesterday 〔tomorrow〕 *morning* 어제〔내일〕 아침 // on the *morning* of May 1, 5월 1일 아침 // from *morning* till night 아침부터 밤까지
파 ◦**mórning-glory** 명 〖식물〗 나팔꽃

mor·row [mɔ́ːrou, már- / mɔ́r-] 명 〖아어·시〗 이튿날(=next day), (사건의) 직후
반 eve 축제일의 전날 밤

mor·sel [mɔ́ːrsəl] 명 (음식의) 한 입; 한 조각; 소량 타 세분하다; 분배하다

mor·tal* [mɔ́ːrtl] 형 죽을 운명의; 치명적인(=fatal); 인간의(=human) 명 죽을 운명의 것, 인간
원 mort(=death)+al(형용사 어미)
반 immórtal 불사(不死)의
(예) a *mortal* wound 치명상 // *mortal* power 인간의 힘
파 ◦**mortálity** 명 죽을 운명; 사망률; 인간(infant *mortality* 아동 사망률) **mórtally** 부 치명적으로; 〖구어〗 대단히

mor·tar [mɔ́ːrtər] ⓜ 모르타르, 회반죽《석회·모래·물의 혼합물》; 절구; 박격포 ⓣ 모르타르로 접합하다
mort·gage [mɔ́ːrgidʒ] ⓜ 저당, 담보 ⓣ 저당에 넣다
mor·ti·fy [mɔ́ːrtəfài] ⓣⓙ 분하게 여기도록 하다, 모욕하다(=humiliate), 약올리다; (정욕 따위를) 억제하다
ⓟ **mórtifying** ⓗ 분하기 짝이 없는 **mortificátion** ⓜ 분함; 고행
◇**mo·sa·ic** [mouzéiik, məzéiik] ⓜ 모자이크 ⓗ 모자이크의
mosque [mɑsk / mɔsk] ⓜ (회교의) 사원
*◇**mos·qui·to** [məskíːtou] ⓜ 《*pl.* **-toes, -tos**》 모기
(예) a *mosquito* boat 쾌속 어뢰정 // a *mosquito* net 모기장
*◇**moss** [mɔːs / mɔs] ⓜ 이끼
(예) A rolling stone gathers no *moss.* 〖속담〗 구르는 돌에는 이끼가 끼지 않는다.
ⓟ **mόssy** ⓗ 이끼가 낀 **mόss-grown** ⓗ 이끼가 낀
☆**most★** [moust]★ 《many, much의 최상급》 ⓗ 가장 많은, 대개의 ⓑ 가장, 무척 ⓜ 가장 많은 수〔양〕, 대부분
반 least 가장 적은〔적게〕
ⓟ *◇**mostly** [móustli] ⓑ 대개 (=for the most part)
*◇***most of*** ~의 대부분(=majority of), 대개의
(예) *Most of* them were Americans. 그들의 대부분은 미국인이었다. // *Most of* her money was lost. 그녀의 돈은 거의 다 없어졌다.
most of all 그 중에서도, 특히(=above all)
(예) They laughed, himself *most of all.* 모두 웃었지만 그 중에서도 그 자신이 특히 많이 웃었다.
at (the) most 많아야, 고작해야, 기껏(=at the maximum)
(예) I can pay you five dollars *at most.* 많아야 5 달러밖엔 낼 수 없다.
NB at best 「잘해야, 기껏해야」와 비교하라.
◇***make the most of*** ~을 최대한 이용하다; ~을 가장 소중히 하다
(예) He *made the most of* his opportunity. 그는 기회를 최대한 활용했다.
mote [mout] ⓜ 티, 티끌 (=tiny particle of dust)
mo·tel [moutél] ⓜ 모텔 《자동차 여행자의 숙박소》
원 mo(torists') + (ho)tel
◇**moth** [mɔːθ / mɔθ] ⓜ 나방
☆**moth·er** [mʌ́ðər] ⓜ 어머니 ⓗ 어머니의 ⓣ (어머니로서) 양육하다
반 fáther 아버지
(예) Necessity is the *mother* of invention. 〖속담〗 필요는

▶ **196.** 파생어의 의미의 차이—같은 말에서 나온 파생어라도 의미가 다른 것이 있으니 주의해야 한다.
continue ⟨ continuous(연속적) / continual (단속적)
industry ⟨ industrious(근면한) / industrial (공업의)
succeed in (성공하다) —successful—success
succeed to (뒤를 잇다) —successive—succession

발명의 어머니.

파 **mótherhood** 명 어머니임, 어머니로서의 임무, 모권(母權) **mother-in-law** [mʌ́ðərinlɔ̀ː] 명 《*pl.* mothers-in-law》 장모, 시어머니 **mótherless** 형 어머니가 없는 **mótherly** 형 어머니다운 **mother country** 모국 **Mother's Day** 〖미〗 어머니날 《5월의 둘째 일요일》 **mother tongue** 모국어

mo·tion [móuʃən] 명 운동(=act of moving); 동작, 몸짓(=gesture); 동의(動議) 타 자 몸짓으로 알리다

반 rest 휴식

(예) adopt 〔reject〕 a *motion* 동의를 가결〔부결〕하다 // He *motioned* me to a seat. 그는 나에게 앉으라고 몸짓을 했다. // He *motioned* me (*to* go) away. 그는 나에게 가버리라고 몸짓을 했다.

파 **mótionless** 형 움직이지 않는, 정지하고 있는

in motion 움직이어, 운전중의; 흥분하여, 동요하여

(예) The ship was *in motion.* 배는 진행하고 있었다. // They were *in* great *motion.* 그들은 크게 흥분되어 있었다.

set* 〔*put*〕 ~ *in motion ~을 움직이다, 운전시키다

(예) The wind *puts* the mill *in motion.* 바람이 풍차를 돌린다.

mo·tive [móutiv] 명 동기; 모티브 타 동기가 되다

(예) the *motive* for which they act 그들의 행동의 동기

파 **motivate** [móutəvèit] 타 동기를 주다 **motivátion** 명 자극, 유도; 〖심리〗 동기 부여

mo·tor [móutə*r*] 명 발동기, 모터; 자동차; 원동력 형 모터로 달리는 타 자 자동차로 나르다, 드라이브하다

파 **mótorboat** 명 모터보트 **mótorbus** 명 버스 **mótorcar** 명 자동차 **mótorcycle** 명 오토바이 **mótorist** 명 자동차 운전사 **mótorman** 명 《*pl.* -men》 〖미〗 (전차의) 운전수 **mótorize** 타 ~에 동력 설비를 하다; (군대 따위를) 기동화하다

mot·to [mátou / mɔ́t-] 명 《*pl.* ***-toes, -tos***》 표어, 구호; 주의, 처세훈

mo(u)ld [mould] 명 형(型), (꼴을 떠내는) 틀; 성질; 재료; 토양; 곰팡이 타 틀에 넣어 만들다, 주조하다

(예) a man of gentle *mold* 점잖은 성격의 사람 // *mold* busts in 〔out of〕 clay ↔ *mold* clay *into* busts 점토로 흉상을 만들다

파 **mó(u)lder** 자 썩다, 붕괴하다 **mó(u)lding** 명 주조; 소상(塑像) **mó(u)ldy** 형 곰팡이가 난, 진부한

mound [máund] 명 작은 언덕(=small hill), 흙무더기; 〖야구〗 투수판 타 둑을 쌓다, 흙무더기를 만들다

mount [maunt] 명 (산 이름에 붙여서) ~산 〖약어〗 *Mt.* 타 자 오르다, 말을 타다; ~에 이르다; 올라가다(*cf.* ascend)

반 dismóunt 말에서 내리다

(예) *mount* the throne 왕위에 오르다 // Prices are *mounting.* 물가가 오르고 있다.

파 **móunted** 형 말에 탄, 기마의 **móunting** 명 설치; 말타기, 기마

☆**moun·tain**★ [máuntən] 명 산; 《*pl.*》 산맥; 다량

어법 영국에서는 약 700 m 이상을 mountain이라 하고, 산맥의 이름은 the Rocky Mountains와 같이 the를 붙이는 것이 보통.

파 **mountain climbing, mountainéering** 명 등산 **mountaineer** [màuntəníər] 명 등산가, 산악 지대의 사람 자 등산하다 *⁎***mountainous**★ [máuntənəs] 형 산지의, 산과 같은 **mountain range, mountain chain** 산맥 ◇**móuntainside** 명 산허리 ◇**móuntaintop** 명형 산꼭대기(의)

◇***a mountain of*** 많은, 다량〔다수〕의

(예) *a mountain of* rubbish 쓰레기 더미 // *a mountain of* flesh 거한(巨漢)

◇**mourn** [mɔːrn] 〈동음어 morn〉 타자 슬퍼하다, 한탄하다(=lament), (죽은 사람을) 애도하다(=grieve), 상복을 입다

(예) She *mourned* (*over, for*) her misfortune. 그 여자는 자기의 불행을 한탄했다.

파 ◇**móurner** 명 애도하는 사람, 조문객 **móurnful** 형 슬퍼 보이는, 슬픔에 잠긴 **móurnfully** 부 슬피 **móurning** 〈동음어 morning〉 명 애도, 상복(喪服) 형 상(喪)의, 상복의

*◇**mouse**★ [maus] 명 《*pl.* ***mice***》 생쥐(*cf.* rat) 자 [mauz] (고양이 따위가) 쥐를 잡다

(예) a house 〔field〕 *mouse* 집〔들〕쥐

파 **móusetrap** 명 쥐덫

***m(o)us·tache** [məstǽʃ / məstáːʃ] 명 콧수염(*cf.* whiskers 구레나룻, beard 턱수염)

☆**mouth** 명 [mauθ]★ (인간·동물 따위의) 입; 강어귀 타자 [mauð]★ 점잖빼며 말하다; 입에 넣다, 입을 움직이다

(예) by word of *mouth* 구두(口頭)로

NB 복수형 mouths는 [mauðz]로 발음한다.

파 **móuthful** 명 한 입 가득(한 분량), 소량 **móuthpiece** 명 (물건의) 주둥이, 물부리; 대변자

with one mouth 이구 동성으로

***move** [muːv] 타자 움직이다; 감동시키다, ~할 마음이 나도록 하다(=induce) [~ to]; 제의하다(=propose); 이사하다(=change one's abode) 명 움직임, 이전(移轉), 동의(動議)

반 stop 정지시키다, 멈추다

(예) The earth *moves* round the sun. 지구는 태양 둘레를 돈다. // I *moved* him *to* anger. 나는 그를 화나게 했다. // I felt *moved to* go for a drive. 나는 드라이브하러 가고 싶은 생각이 들었다. // *move* the adjournment of the meeting ↔ *move that* the meeting (should) be adjourned 휴회의 동의를 내다 // Even a short-distance *move* may imply a complete change in environment for the child. 가까운

거리에 이사해도 아이에게는 환경이 완전히 바뀔 수 있을 것이다.

파 ◇**móvable** 형 움직일 수 있는 명 동산(動產)(반 immóvable 움직일 수 없는, 부동산) **móver** 명 움직이는 사람〔물건〕; 제안자; 〖미〗 이삿짐 운송업자 ◇**móving** 형 움직이는, 감동적인 **móvingly** 부 감동적으로 **moving picture** 영화

move off 떠나다; 〖속어〗 죽다
(예) Seeing us, the boy *moved off* quickly. 우리를 보고 그 소년은 급히 가 버렸다. // The electrons *move off* as electrical current. 전자는 전류로서 이동한다.

on the move 항상 움직이고 있는, 활동하고 있는; 이동중의; (일이) 진행중(인)

move·ment [múːvmənt] 명 운동, 동작, 행동, 이동, 운전; 《*pl.*》 태도; (파도 따위의) 동요, 진동

mov·ie [múːvi] 명 〖구어〗 《보통 *pl.*》 영화(＝motion picture); 영화관
(예) a *movie* house 영화관 // go to the *movies* 영화 보러 가다

mow [mou] 타 《***mowed ; mown, mowed***》 (풀 따위를) 베다(＝cut grass), 베어 내다; (군대 따위를 포화로) 쓰러뜨리다
파 **mówer** 명 풀〔곡식〕을 베는 사람〔기계〕

M.P., MP 〖약어〗 Military Police 헌병; 〖영〗 Member of Parliament 국회 의원; Metropolitan Police 수도 경찰

mph, m.p.h. 〖약어〗 miles per hour 시속 ～ 마일

Mr., Mr [místər] 명 ～씨, ～군 《남자에 대한 경칭》
원 mister의 생략형　반 Mrs. ～ 부인, Miss ～양
어법 인명 외에 *Mr.* President(대통령 각하)처럼 관직에도 붙인다. 피리어드는 붙이지 않아도 된다. 복수형은 Messrs. [mésərz]로 「～ 회사 귀중」의 뜻.

Mrs., Mrs [mísiz, -sis] 명 ～부인, 마님《기혼 여성에 대한 존칭》
원 mistress의 생략형　반 Mr. ～씨
어법 ① 복수형은 Mmes [meidɑ́ːm]. Mrs. Smith, Mrs. John Smith 와 같이 남편의 성〔이름〕에 붙여 쓴다. ② Mrs. Katherine Smith와 같이 부인의 이름을 넣는 것은 영국에서는 미망인의 경우에 한하지만 미국에서는 보통으로 쓰인다.

Mt. [maunt] 〖약어〗 Mount ; Mountain

much [mʌtʃ] 형 《***more ; most***》 많은, 다량의
(예) How *much* is it? 값은 얼마입니까? // *Much* time was wasted. 많은 시간이 낭비되었다.
어법 many는 「수」에, much는 「양·정도」에 쓰인다. (*cf.* many)

— 명 다량
(예) *Much* of it is true. 그것의 대부분은 사실이다. // *Much* has happened while I have been away. 나의 부재중에 많은 일이 일어났다. // He has seen *much* of the

world. 그는 세상 일을 많이 알고 있다. // Do you se *much* of him? 그를 자주 만납니까?

— ㊁ ① 대단히; 대개

(예) I am *much* pleased to hear that. 그것을 들으니 ㄷ 단히 기쁘다. // I like it very *much*. 그것을 몹시 좋아ㅎ 다. // She talks too *much*. 그녀는 너무 말이 많다. Thank you very *much*. 대단히 고맙다. // You are *muc* too young. 넌 아직 너무나 어리다.

② 《형용사의 비교급·최상급에 수반하여》 훨씬

(예) You can swim *much* better than I. 너는 나보다 ㅎ 엄이 훨씬 능하다. // I'd *much* rather hear it from you 너한테서 듣는 것이 훨씬 낫다.

어법 ① 형용사·부사의 원급을 수식하는 데는 very를 사용ㅎ 나, 비교급·최상급을 수식하는 데는 much를 쓴다. 원급이ㄹ 도 afraid, aware, alike, too 따위는 much로 수식. 또 lik different 따위는 very, much가 모두 쓰이나, 부정에는 muc 가 많이 쓰인다. ② 동사는 much로 수식하는 것이 당연하ㄴ very much로도 하는 수가 많다. ③ 현재 분사는 very, 과ㄱ 분사는 much로 수식하는 것이 원칙. 단, 과거 분사가 형- 사적 성격을 강하게 지니고 있는 경우는 very. 따라서 a *ver celebrated* actor(아주 유명한 배우)와 같이 한정적으로 쓰ㅇ 는 경우는 물론이고 I'm *very pleased* to see you.(너를 만ㄴ 니 매우 기쁘다)와 같이 서술적 용법의 경우도 있다. tire pleased에는 특히 very가 많이 쓰이고 delighted, emba rassed, excited, frightened, surprised, worried 등은 very much가 다 쓰인다.

반 líttle 적은

◇ ***much less*** 더군다나〔하물며〕 ~은 아니다(=still less)

(예) He cannot speak English, *much less* French. 그ㄴ 영어를 하지 못한다. 더군다나 프랑스어는 못 한다.

much more 더욱 더, 하물며, 말할 것도 없이(=sti more)

(예) If you must work so hard, how *much more* must I 너로서도 그렇게 공부해야 할진대 하물며 나야 말할 것ㅇ 있겠느냐?

어법 ① *much less*는 부정문에, *much more*는 긍정문에 쓰ㅇ 다. ② 형용사의 수식구로 쓰일 때에는 단순히 강조를 나ㅌ 낸다: *much more* beautiful 「월등하게 아름다운」

much the same 거의 같은

(예) Our situations are *much the same*. 우리 처지는 거ㅇ 같다.

(***be***) ***too much for*** ~에게 힘겨운〔벅찬〕

(예) The boy *is too much for* me. 그 소년은 내 힘에 ㅂ 차다.

muck [mʌk] ㊅ 퇴비, 오물, 쓰레기 ㊉ ~을 더럽히다(= soil)

◇ **mud** [mʌd] ㊅ 진흙; 보잘것 없는 것

파 ◇ **múddy** ㊊ 진흙투성이의; 흐린 ㊉ 흙투성이가 되게 ㅎ

다; 흐리게 하다 **múddily** [부] 진흙투성이로, 엉망진창으로 **múdguard** [명] (자동차 따위의) 흙받기

mud·dle [mʌ́dl] [타] 혼란시키다, 뒤죽박죽되게 하다(=confuse); 못쓰게 만들다 [명] 혼란, 뒤범벅(=mess); 당황
[파] **múddle-headed** [형] 머리가 혼란된(=confused); 얼빠진

muf·fle [mʌ́fl] [타] 덮어〔둘러〕싸다[~ up], (천 따위로 싸서) 소리를 죽이다
[파] **múffler** [명] 목도리(=scarf); 소음(消音)장치

mug [mʌg] [명] (자루가 달린) 큰 컵

mug·gy [mʌ́gi] [형] 《**-gier** ; **-giest**》 무더운, 후텁지근한

mul·ber·ry [mʌ́lbèri / -bəri] [명] 뽕나무; 오디

mule [mjuːl] [명] 〖동물〗 노새; 고집쟁이

mul·ti·mil·lion [mʌ̀ltimíljən] [명] 수백만; 다수, 무수

mul·ti·ply [mʌ́ltəplài] [타][자] 증가하다(=increase), 늘리다, 증식(增殖)하다; 〖수학〗 곱하다
[원] multi(=many)+ply(=fold)
[반] divíde 나누다
(예) *multiply* 2 by 3, 2에 3을 곱하다 // 5 *multiplied* by 3 is 15. 5 곱하기 3은 15이다.
[파] **multiplicátion** [명] 증식; 곱셈 **múltiple** [형] 복합의, 다수의 [명] 배수(倍數) **multiplícity** [명] 다수, 다양(성), 중복

mul·ti·tude [mʌ́ltətjùːd / -tjùːd] [명] 다수(=large number), 군중(=great crowd)
[원] multi(=many)+tude(=state 상태)
[파] **multitúdinous** [형] 다수의, 광대한, 거대한《바다 등》

▶ **197. 접두어 multi**
「다수(many)」의 의미를 나타낸다.
(예) *multi*tude, *multi*colored 따위

a multitude* 〔*multitudes*〕 *of 많은, 수많은(=a great number of)
(예) *a multitude of* admirers 수많은 찬미자들 // *multitudes of* laws and regulations 갖가지 법률과 규칙

mum·ble [mʌ́mbəl] [타][자] (입 속에서) 우물거리다, 중얼거리다(=mutter) [명] 입속말, 중얼거림

mum·my [mʌ́mi] [명] 미라; 엄마

munch [mʌntʃ] [자][타] 와작와작 씹(어먹)다

mu·nic·i·pal [mjunísəpəl] [형] 시(市)의, 시영의; 내정의

mu·ni·tion [mjuníʃən] [명] 《보통 *pl.*》 탄약, 군수품; 자금 [타] 군수품을 공급하다

mu·ral [mjúərəl] [형] 벽의〔같은〕; 험한 [명] 벽화, 벽 장식

mur·der [mə́ːrdər] [명] 살인, 살해; 모살(謀殺) [타] 죽이다
(예) an attempted *murder* 살인 미수 // *Murder* will out. 〖속담〗 소금 먹은 놈이 물켠다《나쁜 일은 반드시 탄로난다》.
[파] ◇**múrderer** [명] 살인자 **múrderess** [명] 사람 죽인 여자 **múrderous** [형] 살인의, 잔인한; 살인적인 **múrderously** [부] 잔인하게; 흉악하게

mur·mur [mə́ːrmər] [명] 중얼거림; 불평; 살랑거리는 소리,

졸졸소리 [타][자] 중얼거리다, 투덜거리다(=grumble)
(예) a *murmuring* stream 졸졸 흐르는 시내

M

◇**mus·cle** [mʌ́sl]★ [명] 근육; 완력
[파] **muscular** [mʌ́skjulər] [형] 근육의, 근력이 강한

◇**muse** [mju:z] [자] 생각에 잠기다(=meditate) [~ on, upon], 곰곰이 생각하다 [~ on]; 감개 깊게 말하다

Muse [mju:z] [명] (그리스 신화의) 뮤즈 여신; [the m-] 시상(詩想)

***mu·se·um** [mju:zí:əm / -zíəm] [명] 박물관, 미술관(=the museum of art), 진열소

◇**mush·room** [mʌ́ʃrum, -ru:m] [명] 버섯 [형] 버섯 꼴의; 생장〔성장〕이 빠른 [자] 갑자기 성장〔발전〕하다

☆**mu·sic** [mjú:zik] [명] 음악, 악곡, 악보; 아름다운 소리
(예) vocal 〔instrumental〕 *music* 성〔기〕악
[어법] 셀 수 없는 명사인 점에 주의. 「한 곡」은 a piece of music.
[파] ◇***músical** [형] 음악의, 가락이 멋진 **músically** [부] 음악적으로, 가락이 맞게 ◇***musician** [mju:zíʃən]★ [명] 음악가
music hall 음악당; 연예관 **music school** 음악 학교 **music stand** 악보대

mus·ket [mʌ́skit] [명] (구식) 보병총

muss [mʌs] [타] 〔구어〕 엉망으로 만들다; 짓구겨 놓다 [명] 엉망; 법석, 싸움

☆**must** [mʌst (강), məst (약)] [조] ①《의무·필요·명령》 ~하지 않으면 안 되다
(예) You *must* know better. 더 분별을 할 줄 알아야 한다. // You *must* pay the money, but you need not do so at once. 너는 그 돈을 지불하지 않으면 안 되나 지금 곧 지불할 필요는 없다. // You *must* do it at once. 그것을 즉시 하여라.
[어법] 「~하지 않으면 안 되다」의 부정은 need not 「~할 필요가 없다」
②《당연한 추정·필연성》 ~임에 틀림없다
(예) It *must* be true. 사실임에 틀림없다. // You *must* have caught the ball if you had run. 만일 뛰었다면 공을 잡았을 텐데.
[어법] ① 「~임에 틀림없다」의 부정은 cannot 「~일 리가 없다」 ② 「~임에 틀림없다」의 must에 have+과거 분사의 형을 계속시키면 「~이었음에 틀림없다」라는 뜻으로 과거에 대한 추정을 나타내게 된다: He *must be* a teacher. (그는 선생임에 틀림없다) ◇He *must have been* a teacher. (그는 선생이었음에 틀림없다)
③《주장》 반드시 ~해야만 하다, ~않고서는 직성이 안 풀리다
(예) He *must* always do everything by himself. 그는 언제나 무엇이든 자기가 해야만 한다.
④《뜻하지 않은 언짢은 일》 공교롭게도 ~하다
(예) Just when I was dropping off, a door *must* bang

막 잠들려고 할 때에 공교롭게도 문이 탕 하고 닫혔다.
어법 ① must는 주문의 동사가 과거로 되어 있는 글의 종속절에 쓰일 경우에는 과거로서 사용된다: I thought I *must* try. (하지 않으면 안 되겠다고 생각했다) ② 기타의 과거에는 had to, 미래에는 will 〔shall〕 have to, 완료형에는 have had to 등을 쓴다.

M

— 명 필요한 것
(예) This book is a *must* for all students. 이 책은 모든 학생에게 필수적인 것이다.
— 형 필요한
(예) a *must* book 필요한 책

mus·tard [mʌ́stərd] 명 〔식물〕 겨자

mus·ter [mʌ́stər] 타 자 소집하다(=gather), 모으다, 모이다; 분발시키다(=summon) 명 소집, 점호; 집합

mus·ty [mʌ́sti] 형 곰팡이 핀, 곰팡내 나는; 케케 묵은

mute [mjuːt] 형 벙어리의(=dumb), 무언의, 말없는(=silent) 명 벙어리, 말을 하지 않는 사람
반 loud 큰 목소리의, deaf 귀머거리의
파 **mútely** 부 무언으로 **múteness** 명 벙어리, 무언

mu·ti·late [mjúːtəlèit] 타 (손·발을) 절단하다; 훼손하다
파 **mutilátion** 명 (수족 따위의) 절단, 불구화

mu·ti·ny [mjúːtəni] 명 폭동, 반란(=rebellion) 자 폭동을 일으키다
파 **mutinous** [mjúːtənəs] 형 반항적인, 반란의

mut·ter [mʌ́tər] 타 자 속삭이다, 중얼거리다 명 속삭임, 중얼거림(=murmur), 불평

mut·ton [mʌ́tn] 명 양고기

mu·tu·al [mjúːtʃuəl] 형 서로의, 상호간의, 공통의(=common)
(예) *mutual* understanding 상호 이해
파 **mutuálity** 명 상호 관계 ***mútually** 부 서로 ◇**mútual-áid** 명 상호 부조〔협력〕

muz·zle [mʌ́zəl] 명 (동물의) 주둥아리, 부리; 재갈; 총부리 타 재갈을 물리다; 침묵시키다, 말을 못하게 하다

myr·i·ad [míriəd] 명 1만 형 무수한(=numberless)
a myriad of 무수한
(예) *a myriad of* stars 무수한 별들

mys·ter·y [místəri] 명 신비, 비밀, 불가사의; 비전, 비법
파 ***mysterious** [mistíəriəs] 형 신비적인, 불가사의의 **mystériously** 부 신비적으로, 불가사의하게 **mystery story** 추리 소설 **mystic** [místik] 형 비전의, 비결의; 신비적인(=mystical) 명 신비론자, 신비가 **mýstical** 형 신비(주의)의 **mýstify** 타 신비화하다, 속이다, 어리둥절하게 하다(=puzzle) **mystificátion** 명 신비화, 속임수 **mýsticism** 명 신비주의

myth [miθ] 명 신화; 꾸민 이야기
파 ◇**mythólogy** 명 신화학, 신화(집) **mythológical** 형 신화의 **mýthical** 형 신화 같은; 가공의

N

◇**nag** [næg] ㉶㉻ 성가시게 잔소리하다; 잔소리하여 괴롭히다 ㉮ (승마용의) 작은 말; 늙은 말
(예) *nag* (*at*) a person 아무에게 잔소리하다 // *nag* a person *into* doing 아무에게 잔소리하여 ~하게 하다

*◇**nail** [neil] ㉮ 손〔발〕톱 (*cf.* claw); 못 ㉻ 못을 치다, 못으로 박다 [~ on 〔to〕], 못질하다
(예) *nail down* the windows 창문을 못으로 고정하다 // *nail* a lid *on* a box 상자에 뚜껑을 못으로 박다 // *nail* a sign *to* the door 문에 게시물을 못질하다 // Curiosity *nailed* her *to* the spot. 호기심은 그녀를 그 장소에서 떠나지 못하게 했다.

*◇**na·ked** [néikid]* ㉷ 나체의, 벌거벗은(=bare), 덮개가 없는(=not covered); 있는 그대로의(=plain)
반 clothed 옷을 입은
(예) *naked* feet 맨발 // the *naked* truth 적나라한 사실 // the *naked* realities 있는 그대로의 현실
파 **nákedness** ㉮ 벌거숭이, 나체

☆**name** [neim] ㉮ 이름, 명성; 《*pl.*》 욕 ㉻ 이름 짓다, 부르다; 지명하다
어법 예를 들면, John Stuart Mill에서 John은 Christian 또는 given name이며, Stuart는 middle name, Mill은 family name 또는 surname이다. 미국에서는 순서에 따라 first name, middle name, last name이라고도 한다.
(예) call him *names* 그의 욕을 하다 // in *name* 명의상, 이름만의 // They *named* him Tom. ↔ He was *named* Tom. 그는 톰이라 명명되었다. // *name* him *for* the directorship 그를 장관으로 지명하다 // What *name*, please? ↔ What *name* shall I say? 누구시라고 할까요.
파 ◇**námeless** ㉷ 이름 없는; 이루 말할 수 없는 ◇**námely** ㉸ 말하자면, 즉, 환언하면 ◇**námesake** ㉮ 동명인(人) **name plate** 명찰, 문패

◇***name after*** 〔***for***〕 ~의 이름을 따서 명명하다
(예) The child was *named after* his grandfather. 그 아이는 할아버지의 이름을 따서 작명되었다.

by name 이름으로, 이름은
(예) He is Ben *by name.* 그의 이름은 벤이다. // I know him *by name* (but not by sight). (얼굴은 모르나) 그의 이름은 알고 있다.

◇***by the name of*** ~이라는 이름의〔으로〕
(예) a boy *by the name of* Nick 닉이라는 이름의 소년 // go *by the name of* Brown 브라운이라는 이름으로 통하다 // the fortunate islands now known *by the name of* the Canaries 현재 카나리아 군도(群島)라고 불리우는

행운의 섬들
NB by name 과 by the name of 를 혼동하지 말 것.
make a name for** one**self 유명해지다
(예) He *made a name for* him*self* writing children's books. 그는 아동물을 써서 유명해졌다.
under the name of ~의 명칭아래, ~이라는 이름으로
(예) He fled *under the name of* Abe. 그는 에이브라는 이름으로 도망했다.

nap [næp] ㊔ 낮잠, 선잠(=short sleep) ㊆ 낮잠 자다, 조리치다, 졸다
(예) There are guests who take themselves on their bed in muddy boots to have a *nap* after lunch. 점심 후에 낮잠 자기 위하여 진흙투성이의 장화를 신은 채 침대에서 자는 손님들이 있다.
take a nap 낮잠을 자다, 조리치다

nap·kin [nǽpkin] ㊔ 냅킨(=table napkin)

nar·cis·sus [nɑːrsísəs] ㊔ 《*pl.* ***-es, narcissi***》 수선화

nar·cot·ic [nɑːrkátik / -kɔ́t-] ㊙ 마취성의 ㊔ 마취제; 진정제; 마취약 중독 환자

nar·ra·tion [næréiʃən / nə-] ㊔ 이야기, 담화; 〔문법〕 화법
파 **narrate** [nǽreit, næréit] ㊆㊌ 이야기하다, 말하다 ◇**narrative** [nǽrətiv] ㊔ 이야기 ㊙ 이야기체의 ◇**nárrator** ㊔ 말〔이야기〕하는 사람

nar·row [nǽrou] ㊙ 좁은, 가는; 편협한, 인색한; 정밀한, 면밀한(=minute); 가까스로의; 곤궁한 ㊔ 《*pl.*》 좁은 것〔곳〕, 해협; 골짜기 ㊌㊆ 좁게 하다, 좁아지다, (~을) 제한하다
반 broad, wide 넓은
(예) a *narrow* mind 좁은 도량 // have a *narrow* escape 구사일생으로 빠져 나오다 // in *narrow* circumstances 궁핍하여 // *narrow* the argument 의론의 범위를 좁히다
어법 narrow 는 폭이 좁거나 가늘다는 뜻으로 쓴다. 방·토지 따위의 면적이 좁다는 뜻일 때는 small 을 써야 한다: a small room (좁은 방)
파 **nárrowly** ㊏ 좁게, 정밀하게, 주의 깊게; 가까스로(=barely) **nárrowness** ㊔ 협소, 인색; 궁핍 **nárrow-mínded** ㊙ 편협한

nas·ty [nǽsti / nɑ́ːs-] ㊙ 더러운(=dirty), 불결한, 추잡한; 위험한(=dangerous); 심술궂은(=malicious)

na·tion [néiʃən] ㊔ 국민, 국가, 민족(=race)
(예) the Korean *nation* 한국 국민 // a peace-loving *nation* 평화 애호국(민)
파 ◇**nátionwide** ㊙ 전국적인

na·tion·al [nǽʃənəl] ㊙ 국민의, 국가의, 그 나라 특유의; 국립의 ㊔ 《*pl.*》 동포, 교포
(예) a *national* anthem 〔flag〕 국가〔기〕 // a *national* park 국립 공원
파 *◇**nátionalism** ㊔ 애국심, 민족〔국가〕주의 **nátionalist**

[명] 민족〔국가〕주의자 **nationalístic** [형] 민족〔국가〕주의(자)의 ◦**nationality** [næ̀ʃənǽləti] [명] 국민성; 국적 **nátionalize** [타] 국유화하다, 국가적으로 만들다 **nationalizátion** [명] 국유, 국유화

*****na·tive** [néitiv] [형] 타고난(=inborn), 태어난, 토인의, 토착의; 자연 그대로의, 소박한 [명] 토착민, ~ 태생의 사람
[반] fóreign 외래(外來)의
(예) one's *native* place 고향 // a *native* speaker of English 영어를 국어로 하는 사람 // *native* beauty 타고난 아름다움
[파] **nativity** [nətívəti] [명] 탄생(=birth) ◦**nátive-bórn** [형] 그 토지〔나라〕 태생의, 본토박이의

NATO [néitou] 〖약어〗 North Atlantic Treaty Organization 북대서양 조약 기구

*****nat·u·ral** [nǽtʃərəl] [형] 자연의, 천연의; 타고난; 당연한; 평상시대로의, 꾸미지 않은
[원] <nature 자연
[반] artifícial 인공의
(예) *natural* resources 천연 자원 // a *natural* gift 천부의 재능 // a *natural* result 당연한 결과 // It is *natural for* them *to* think so. ↔ It is *natural that* they (should) think so. 그들이 그렇게 생각하는 것은 당연하다. // Flying comes *natural* to birds. 나르는 것은 새들에게 타고난 것이다.
[파] **náturalism** [명] 자연주의 **náturalist** [명] 박물학자; 자연주의자 **naturalístic** [형] 자연(주의)적인; 박물학(자)의 **náturalize** [타][자] 귀화시키다, 귀화하다 **naturalizátion** [명] 귀화 ***náturally** [부] 자연히, 나면서부터(=by nature); 당연히 ◦**náturalness** [명] 자연; 당연

> ▶ **198.** 「타고난」의 유사어
> **natural**는 본질적 성질로서 가지고 있는. **born**은 날 때부터 어느 성질을 가지고 있는.

> ▶ **199.** 접미어 **al**
> ① 명사에 붙여서 「~와 같은」의 의미의 형용사를 만든다.
> (예) music*al*, natur*al*
> ② 동사에 붙여서 동작을 나타내는 명사를 만든다.
> (예) arriv*al*(도착), surviv*al*(생존)

*****na·ture** [néitʃər] [명] 자연; 성질, 종류; 생리적 요구
(예) the laws of *nature* 자연의 법칙 // the *nature* of iron 철의 성질 // ease *nature* 용변하다 // It is not in his *nature* to do such a thing. 그는 그런 짓은 못 한다.

◦***by nature*** 나면서부터, 본래(=naturally)
(예) The Koreans are diligent *by nature.* 한국인은 본래 근면하다.

◦***in nature*** 사실상
(예) It had no effect *in nature.* 그것은 사실상 효과가 없었다.

naught [nɔːt] [명] 제로, 영(=cipher); 무(無)

◦**naugh·ty** [nɔ́ːti] [형] 행실이 나쁜, 막된, 버릇없는

nau·se·a [nɔ́ːziə, -ʃə / -siə] [명] 메스꺼움; 뱃멀미; 혐오

◦**nav·i·gate** [nǽvəgèit] [자][타] 항행〔비행〕하다, 항해하다(=voyage); 조종하다(=steer); 진행시키다

㉻ **navigable** [nǽvəgəbəl] ⓗ 항행할 수 있는 **návigator** ⓜ 항해자 ◦**navigátion**★ ⓜ 항행, 항해, 항공, 항해〔항공〕술 ◦**navigátional** ⓗ 항해의; 항공의; 항행의

na·vy [néivi] ⓜ [종종 N-] 해군, 《총칭적》 해군 군인
㉰ ármy 육군, air force 공군
㉻ ◦**nával** ⓗ 해군의 (a *naval* academy 해군 사관 학교) **návalism** ⓜ 해군주의 **navy blue** 감색《영국 해군 군복의 색》 **the Navy Department** 〖미〗 해군성 《영국에서는 Admiralty》

nay [nei] ⓑ 〖옛말〗 아니(=no); 글쎄, 그래(=well), ~이라기 보다 오히려 ⓜ 부정(=denial), 거부(=refusal)
㉰ yea [jei] 그래, 찬성

Na·zi [ná:tsi] ⓜⓗ 나치(의), 나치당(의); 나치주의 신봉자(의)

near [niər] ⓑ 가까이 ⓙ ~근처에(=close to) ⓗ 가까운, 촌수가 가까운, 친근한; 가까스로의 ⓣⓙ 접근하다
㉰ far 먼, 멀리
(예) ◦draw *near* (때가) 다가오다 // in the *near* future 가까운 장래에 // She came *near* being run over. 그 여자는 하마터면 차에 칠 뻔했다. // The ship *neared* land. 배는 육지에 접근했다.
㉻ *****néarly** ⓑ 거의(=almost), 약, 하마터면; 밀접하게 **néarness** ⓜ 가까움, 친밀 ◦**néarby** ⓗⓑ 근처〔부근〕의〔에〕 ◦**néar-síghted** ⓗ 근시의 **Near East** 근동

near at hand 바로 가까이, 손 닿는 데에(=close at hand); 가까운 장래에
(예) The sea was *near at hand.* 바다는 바로 근처에 있었다.
NB at hand로 near at hand의 뜻을 나타낼 수 있다. (*cf.* at hand)

neat [ni:t] ⓗ 단정한(=tidy), 말쑥한(=trim); 솜씨 좋은, 멋진(=skillful)
㉰ untídy 지저분한, dírty 더러운
㉻ **néatly** ⓑ 단정하게 **néatness** ⓜ 정연함; 청초(淸楚)함

nec·es·sar·y★ [nésəsèri / nésəsəri]★ ⓗ 필요한(=required); 필연적인(=inevitable), 피할 수 없는 ⓜ 필수품
㉰ unnécessary, néedless 불필요한
(예) a *necessary* result 필연적인 결과 // Exercise is *necessary* to health. 운동은 건강에 필요하다. // It is *necessary for* you *to* study harder. ↔ It is *necessary that* you (should) study harder. 너는 더욱 열심히 공부할 필요가 있다. // daily *necessaries* 일용품 // Take this money, if *necessary*. 필요하면, 이 돈을 가져 가거라.
㉻ *****nécessarily** ⓑ 반드시, 하는 수 없이, 필연적으로 (◦not *necessarily* 반드시 ~은 아니다) **necessitate** [nisésətèit] ⓣ 필요로 하다

ne·ces·si·ty [nisésəti]★ ⓜ 필요(=need); 필연; 필요물; 곤궁, 궁핍

(예) from 〔out of〕 *necessity* 필요해서〔에서〕 // There is no *necessity of* 〔*for*〕 hurry*ing*. ↔ There is no *necessity to* hurry. 서두를 필요는 없다.

of necessity 필요하여; 필연적으로, 하는 수 없이

(예) It must *of necessity* be postponed. 그것은 필연적으로〔어쩔 수 없이〕 연기되지 않으면 안 된다.

N

***neck** [nek] ⓜ 목

㉴ **neckerchief** [nékərtʃìːf] ⓜ 목도리 ◇**necklace** [nékləs] ⓜ 목걸이 ***nécktie** ⓜ 넥타이

◇**nec·tar** [néktər] ⓜ 〖그리스 신화〗 신주(神酒), 감미로운 음료, 과즙

☆**need** [niːd] 〈동음어 knead〉 ⓜ **소용**, **필요**(=necessity); 빈곤(=poverty), 결핍 ㉰ **필요로 하다**(=require); ~하지 않으면 안 되다, ~할 필요가 있다

(예) if *need* be (만일) 필요하다면 // *need* money 돈을 필요로 하다 // Your hair *needs* cutting. 너는 머리를 깎아야 되겠다. // There's no *need of* 〔*for*〕 explanation. ↔ There's no *need to* explain. 설명할 필요는 없다. // There's no *need for* you *to* come. 자네가 올 필요는 없다. (↔You *need* not come.)

어법 ① 조동사로 쓰이는 need에는 과거·현재분사·과거분사·부정사 따위 형이 없으며, 3인칭 단수현재인 경우도 어형 변화가 없다. 단, 본동사인 경우는 활용형을 가진다: His house *needs* repairing. (그의 집은 수리를 요한다 — 본동사). He *need* not answer. 《조동사》↔He doesn't *need* to answer. 《본동사》 (그는 대답할 필요가 없다) ② *need not* 은 「~할 필요가 없다」로 must 의 부정에 해당한다: You *need not* do so (그렇게 할 필요가 없다) (↔ It is needless for you to do so 또는, You don't have to do so.) ③ 단지 「~하지 않으면 안 되는가」라고 묻는 Must I …?에 대하여, Need I …? 는 「(~을 할 필요가 없다고 생각하는데) ~하지 않으면 아니 되는가」의 기분. ④ need not have+과거 분사형은 「~하지 않아도 되는데 …했다」의 뜻. 다음 두 예문을 비교하라: He *need not have* come.(그는 오지 않아도 되었는데). He *did not need to* come. (그는 올 필요가 없었다)

㉴ ◇**néedful** ⓗ 필요한 ◇**néedless** ⓗ 필요없는 **needs** [niːdz] ⓑ 어떻게든지, 꼭, 반드시 (어법 must *needs* 또는 *needs* must의 형식으로만 쓰인다) **néedy** ⓗ 가난한(=poor)

◇**(*be*) *in need* (*of*)** 필요한, (~을) 필요로 하는; 다급한 때의

(예) A friend *in need* is a friend indeed. 〖속담〗 어려운 때의 친구가 참다운 친구다. // This house is quite old and *is in need of* repairs. 이 집은 아주 낡아서 수리를 요한다.

◇***needless to say*** 말할 필요도 없이

(예) *Needless to say*, I was the leader. 말할 필요도 없이 내가 지도자였다.

◇**nee·dle** [níːdl] ⓜ 바늘, 자침(磁針); 침엽 (*cf.* blade) ㉰

[자] 바늘로 깁다(=sew); 누비고 나아가다
[파] **néedlewoman** [명] 《*pl.* -women》 침모, 삯바느질하는 여자 **néedlework** [명] 바느질 **needle case** 바늘 쌈
ne'er [nεər] [부] 〔시〕 결코 ~ 않다(=never)
ne·gate [nigéit] [타] 부정〔부인〕하다(=deny); 취소하다, 무효로 하다
[파] **negátion** [명] 부정, 부인, 거절
neg·a·tive [négətiv] [형] 부정적인; 소극적인; 음(陰)의 [명] 부정, 부정어, 부정문; 〔사진〕 음화, 네가 필름
[반] affírmative 긍정의, pósitive 적극적인, 확실한; 양(陽)의; 양화
(예) He answered in the *negative.* 그는 「아니」라고 답했다.
[파] **négatively** [부] 부정하여, 소극적으로 **négativism** [명] 소극주의
ne·glect [niglékt] [타] 소홀히 하다, 무시하다(=disregard) [명] 태만, 무시
[반] respéct 고려(하다), endéavo(u)r 노력하다
(예) *neglect* one's work 공부를 게을리하다 // *neglect* to wind 〔winding〕 up a watch 시계 태엽 감는 것을 잊다 // *neglect* of duty 직무 태만 // He *neglected to* answer my letters. ↔ He *neglected* answer*ing* my letters. 그는 내 편지에 답장을 하지 않았다.
[파] **negléctful** [형] 태만〔소홀〕한, 부주의한(=careless) **negligence** [néglidʒəns] [명] 태만, 소홀, 단정치 못함 **négligent** [형] 태만한, 부주의한 **négligible** [형] 무시해도 좋은
ne·go·ti·ate [nigóuʃièit] [타][자] 교섭하다, 협상〔협의〕하다 [~ with], 협정하다; (곤란 따위를) 극복하다; 돈으로 바꾸다
(예) We *negotiated with* the landlord *about* the rent. 집세에 관해 집주인과 협상했다.
[파] **negotiátion** [명] 교섭, 담판, 협상 **negótiator** [명] 담판자, 협상자 **negótiable** [형] 유통되는; 협상할 수 있는
Ne·gro, ne- [ní:grou] [명] 흑인(*cf.* Negress 흑인 여자) [형] 흑인의, 검은
neigh [nei] [자] (말이) 울다 [명] (말의) 울음
neigh·bo(u)r [néibər]* [명] 이웃 사람, 동포, 이웃나라 [타][사] 이웃하다, 인접하다
[파] ***néighbo(u)rhood** [명] 근처, 지방, 이웃, 부근 (in the *neighborhood* of ~의 근처에, 약) **néighbo(u)ring** [형] 인접하고 있는, 근처의 **néighbo(u)rly** [형] 친하기 쉬운
nei·ther [ní:ðər / náiðə] [부]

▶ **200.** 접미어 **hood**

① 명사·형용사에 붙여서 「지위」 「성격」 「성질」 따위의 의미를 나타낸다.
(예) child*hood*(어린 시절), false*hood* (허위) 따위
② 「연(聯)」 「단(團)」 「사회」 따위 집합적인 의미를 나타낸다.
(예) neighbor*hood*, priest*hood*(성직) 따위

《부정의 문·절 뒤에서》 ~도 또한 …도 아니다〔않다〕
(예) If you do not swim, *neither* shall I. 네가 수영을 안 한다면 나도 안 한다. // I am not rich, *neither* do I wish to be. 나는 부자도 아니고 또 부자되기를 원치도 않는다. // Aren't you going? *Neither* am I. 너는 가지 않느냐? 나도 가지 않는다.
어법 neither ~가 선행되는 부정의 절〔문〕을 받을 때, 그 어순은 「neither+be·have·조동사+주어」, 또는 「neither+do+주어+동사」의 형이 된다: If you do not go, *neither* shall I. (네가 가지 않으면 나도 가지 않는다) I don't smoke, *neither* do I drink. (나는 담배도 안피우고 술도 안 마신다.)

— 접 《nor를 수반하여》 ~도 아니고 (또) …도 아니다
(예) I know *neither* English *nor* French. 영어도 불어도 모른다. (↔I do*n't* know *either* English *or* French.) *Neither* he *nor* I am right. ↔ *Neither* he is right *nor* am I. 그나 나나 둘 다 옳지 않다.
어법 ① neither 와 nor 뒤에는 문법적으로 같은 성분, 즉 대등한 것이 온다: He excels *neither* at games *nor* at lessons. 그는 경기에도 학과에도 뛰어나지 못하다. ② neither ~ nor 에 이어지는 동사는 가까운 주어에 일치한다(Neither he nor *you are* …). ③ 전체 부정인 neither ~ nor에 상대되는 어구에는 either ~ or 《긍정》, not both 《부분 부정》 따위가 있다

— 형 (둘 중에서) 어느 쪽의 …도 ~ 아닌
(예) I'll take *neither* side. 나는 어느 쪽에도 편들지 않겠다. // *Neither* story is interesting. 어느 쪽의 이야기도 재미 없다. // They bought *neither* house. 그들은 (둘 중의) 어느 쪽의 집도 다 사지 않았다. (↔They did*n't* buy *either* house.)
NB 구어에서는 neither 대신으로 not either 를 많이 쓴다.

— 대 (둘 중의) 어느 쪽도 ~아니다
(예) I know *neither* of them. 나는 그들 중의 아무도 모른다. // I made two propositions, and *neither* was accepted. 두 개의 제안을 내놓았으나 어느 것도 수락되지 않았다
어법 단수 취급: *Neither* of them is alive. (그들 중의 어느 쪽도 살아 있지 않다. ↔ Both of them are dead.)

***neither ~ nor★** (⇨) neither 접

ne·on [níːɑn / -ən] 명 네온
(예) a *neon* sign 네온 사인

***neph·ew** [néfjuː / név-] 명 조카 《남자》, 생질
반 niece 조카딸

nerve [nəːrv] 명 신경; 기력(=vigor), 《종종 *pl.*》 담력, 배짱, 용기(=courage); 냉정; 《*pl.*》 신경 과민, 우울 타 ~을 주다, 용기를 북돋우다
(예) have the *nerve* to ~할 용기가 있다 // be all *nerves* 신경 과민이다 // have *nerves* of iron ↔ have iron *nerves* 대단한 배짱이 있다 // He lost his *nerve*. 그는 기가 죽었다.
파 **nérveless** 형 무기력한 **nerve center** 신경 중추 (ㄷ

nervous
get on** a person**'s nerves 아무의 신경을 건드리다, 아무를 짜증나게 하다
(예) His rude manners *got on* her *nerves.* 그의 교양없는 태도는 그녀의 신경을 건드렸다(↔ She got irritated by his rude manners.)
nerv·ous [nə́ːrvəs] ⓗ 신경의; 신경질인, 안절부절 못하는(=uneasy)
(예) a *nervous* disease 신경병 // get *nervous* 초조해 하다
파 ◇**nérvously** ⓑ 신경질적으로, 두려워서 ◇**nérvousness** ⓜ 신경질, 신경 과민
nest [nest] ⓜ 새둥주리, 새집; 보금자리 ⓙⓣ (새가) 집을〔둥주리를〕 만들다, 보금자리에 들(게 하)다
파 **nestle** [nésl] ⓙⓣ 편안하게 자리잡다, 편안하게 쉬다; 깃들게 하다, 숨겨 주다 **néstling** ⓜ 갓깬 새새끼
net [net] ⓜ 그물, (정구의) 네트; 함정(=snare) ⓗ 순(純), 순이익의 ⓣ 그물로 잡다, 그물을 치다; 순이익을 올리다
(예) *net* price 정가(定價) // *net* profit 순이익 // *net* a bed 침대에 모기장을 치다
파 **nétting** ⓜ 그물뜨기〔세공〕 ◇**nétwork** ⓜ 그물 모양의 조직; 방송망; 그물(세공)
neth·er [néðər] ⓗ 아래의, 아래에 있는(=lower, under)
Neth·er·lands [néðərləndz], **the** ⓜ 《*pl.*》《단수 취급》 네덜란드(=Holland)
neu·ro·sis [njuəróusis] ⓜ 《*pl.* **-ses** [-siːz]》 신경증, 노이로제
「성(명사)
neu·ter [njúːtər / njúːtə] ⓗ 중성의, 중립의 ⓜ 〖문법〗 중
neu·tral [njútrəl / njúː-] ⓗ 중립의, 불편 부당의(=impartial); 어느 쪽에도 속하지 않는; 중성의 ⓜ 중립자, 중립국
파 **néutralism** ⓜ 중립주의 **neutrálity** ⓜ 중립 **néutralize** ⓣ 중립화하다 **neutralizátion** ⓜ 중립화; 중립 상태
neu·tron [njúːtrɑn / njúːtrɔn] ⓜ 〖물리〗 뉴트론, 중성자
nev·er [névər] ⓑ 결코 ~않다〔아니다〕; 한 번도 ~한 적이 없다
(예) I have *never* been abroad. 한 번도 외국에 간 적이 없다. // *Never* have I seen such a monster. 그런 괴물은 본 일이 없다. // *Never* say die. 용기를 잃지 마라 《약한 소리 하지 마라》. // *Never* tell me. 〖구어〗 농담이시겠지. // *Never* mind ! 염려 마라.

어법 never는 통상 일반동사의 앞, be동사·조동사의 뒤에 놓인다. 두번째의 용례와 같이 강조하기 위하여 never가 앞으로 나오면 어순이 보통 전도된다.

파 **néver-énding** ⓗ 끝없는, 영원한 **néver-fáiling** ⓗ 무진장한 ◇**névermóre** ⓑ 두 번 다시 ~않다 ***nevertheless** [nèvərðəlés] ⓙ ⓑ 그럼에도 불구하고(=none the less)
never ~ but (that) ~하면 반드시 …하다
(예) It *never* rains *but* it pours. 비만 오면 언제나 억수로

퍼붓는다.

☆**new**★ [njuː / njuː] 〈동음어 knew〉 ⓗ 새로운, 개정된 ⓑ 새로이

반 old 오래된, 낡은, 헌

(예) That's *new* to me. 금시 초문이다. // What's *new* ? 〔구어〕 뭐 새로운 것 없나; 요즘 어떠신가 《인사말》. // His broken leg is now as *new*. 골절된 다리가 완쾌되어 새 다리나 같다.

파 **néwly** ⓑ 새로이; 최근에 ◇**néwlywed** ⓜ 〔구어〕 갓 결혼한 사람; 《*pl.*》 신혼 부부 **néw-blówn** ⓗ 갓 피어난 《꽃》 ◇**néwbórn** ⓗ 갓난 ◇**néwcomer** ⓜ 새로 온 사람 **néwfángled** ⓗ 신식의 **néw-fáshioned** ⓗ 새 유행의 **new look** 〔미〕 최신 유행의 복장, 최신형 **néw-mówn** ⓗ (목초 따위를) 갓 벤 **New Year's Day** 정월 초하루, 설날

***news** [njuːz / njuːz] ⓜ 《단수 취급》 뉴스, 보도, 기사; 색다른 일, 진기한 소문

(예) good 〔bad〕 *news* 좋은〔나쁜〕 소식 // a *news* agency 통신사 // a *news* conference(=press conference) 〔미〕 기자 회견 // No *news* is good *news*. 〔속담〕 무소식이 희소식.

어법 셀 수 없는〔불가산〕 명사이기 때문에 a piece of news, several items of news 처럼 하여 수의 개념을 나타낸다.

파 ◇**néwsboy** ⓜ 신문팔이 소년 **néwscast** ⓜ 뉴스 방송 ⓐ 《*-cast*》 뉴스를 방송하다 ◇**néwscaster** ⓜ 뉴스 방송〔해설〕자 **néwsprint** ⓜ 신문 인쇄 용지 **néwsreel** ⓜ 뉴스 영화 **néwsstand** ⓜ 〔미〕 신문 판매점(=〔영〕 news stall)

◇**news·a·gent** [njúːzèidʒənt / njúːz-] ⓜ 〔영〕 신문〔잡지〕 판매업자(=〔미〕 newsdealer)

☆**news·pa·per** [njúːzpèipər / njúːs-] ⓜ 신문(지)

파 ◇**néwspaperman** ⓜ 《*pl.* -men》 신문 기자, 신문인

news·y, -ie [njúːzi / njúːzi] ⓗ 뉴스가 많은; 화제가 풍부한; 수다스러운(=gossipy) ⓜ 신문팔이(=newsboy)

☆**next** [nekst] ⓗ 《시간적으로》 다음의, 오는, 이번의; [the ~] 그 다음의; [the ~] 옆의, 가장 가까운 ⓑ 다음에, 가장 가깝게 ⓙ ~의 다음〔옆〕에 ⓜ 다음 사람〔물건〕

(예) the *next* best thing 차선의 것; 차선책 // The book will be out *next* year. 그 책은 내년에 나온다. // Come *next* Friday. 다음 금요일에 오너라(↔Come *on* Friday *next*.) // for *the next* three days 앞으로의 〔그 다음의〕 3일간 // *the next* room 옆의 방 // I don't know what to do *next*. 다음에 무얼 하여야 할지 모르겠다.

어법 ① *next* week 〔month, year〕「내주〔월, 년〕」 따위는 관사를 쓰지 않으나, 과거를 기점으로 하여 「그 다음의 ~」의 뜻일 때는 the를 붙인다. ② 부사구에서는 전치사를 앞에 두지 않는다. *next* Friday, *on* Friday *next* (이번 금요일에)에서 전치사의 유무에 주의. *on* next Friday 라고는 하지 않는다.

파 **next-door** [nékstdɔ̀ːr] ⓗ 이웃의 ⓑ 옆 집에

ext to* ~에 가장 가깝게, ~에 다음 가는; 《부정어의 앞에 쓰이어》 거의 ~와 같은

(예) ◦the store *next to* the corner 모퉁이에서 두번째의 상점 // ◦the largest city *next to* London 런던 다음가는 대도시 // We know *next to* nothing about it. 우리는 그것에 대하여 거의 아무 것도 모른다. // It is *next to* impossible. 그것은 거의 불가능하다.

the*) *next time 다음에 ~할 때

(예) Bring your sister *next time* you come. ↔ *The next time* you come, bring your sister with you. 다음에 올 때에는 누이동생을 데리고 오너라.

ib·ble [níbəl] [자] [타] 조금씩 갉아 먹다[~ at] [명] 갉아 먹음

ice [nais] [형] 깨끗한, 훌륭한, 마음에 드는(=pleasant); 미묘한(=delicate); 즐거운(=delightful); 몹시 가리는, 까다로운[~ in]

[반] coarse 거친, ńasty 불쾌한, indífferent 냉담한

(예) a *nice* problem 미묘한 문제 // a *nice* judgment 예리한 판단력 // He is *nice in* his dress. 그는 복장에 까다롭다. // *Nice* to meet you. 처음 뵙겠습니다. // It's *nice* see-*ing* 〔*to* see〕 you again. 다시 뵙게 되어 기쁩니다.

[어법] nice (and)+형용사·부사의 형으로 강의를 나타내는 수가 있다: a *nice* long story (꽤 긴 이야기) // *nice and* warm (매우 덥다(=very warm)) // ◦It is *nice and* cool in the woods. (숲 속은 매우 시원하다.)

[파] **nícely** [부] 잘, 깨끗하게, 멋지게; 까다롭게 **níceness** [명] 좋음, 멋짐, 깨끗함; 까다로움 **nicety** [náisəti] [명] 빈틈없음, 정밀 (to a *nicety* 아주 빈틈없이, 정확하게) **níce-lóoking** [형] 귀엽게 생긴

ick [nik] [명] 새김눈(=notch) [타] [자] 새김눈을 내다

ick·el [níkəl] [명] 니켈; 〔미〕 (5센트짜리) 백통화 [타] 니켈 도금을 하다

ick·name [níknèim] [명] 별명, 애칭 [타] 별명을 붙이다

(예) He was *nicknamed* "Shorty." 그는 「꼬마」라는 별명이 붙었다.

iece [ni:s] [명] 조카딸 (*cf.* nephew 조카, 생질)

ight [nait] 〈동음어 knight〉 [명] 밤, 저녁; 어둠, 야음

[반] day 낮, 일광

(예) by *night* 밤중에는 ([반] by day 낮에는) // on the first *night* of May 5월 1일 밤에 // all *night* 반새도록 // ◦far into the *night* 밤 늦도록

NB 특정한 날의 밤을 뜻할 경우는 전치사 on을 쓴다: on Friday *night*↔on the *night* of Friday 금요일 밤. 「오늘 밤」은 this night 대신 tonight을 쓴다. 또 yesterday evening—last night, tomorrow evening—tomorrow night에도 주의.

[파] **níghtly** [형] 밤의, 밤마다의, 밤에 나오는 [부] 밤에, 밤마다 **níghtbird** [명] 밤새; 밤에 일하는 사람 **night clothes, níghtdress, níghtgown** [명] (주로 여자·아이의) 잠옷 **night duty** 야근 ◦**níghtfall** [명] 해질 무렵 **níghtlong** [형]

철야의 **night school** 야간 학교 **níghtshirt** ⓜ (남자의) 긴 잠옷 ◇**níghttime** ⓜ 야간 **night watch** 야경

* ***at night*** 밤에
반 in the daytime 주간에
(예) sit up till late *at night* 밤 늦도록 안 자다

by night 밤에는
(예) sleep by day and travel *by night* 낮에는 잠자고 밤에는 여행하다

◇***night after* 〔*by*〕 *night*** 매일밤, 밤마다
(예) The strange star was seen *night after night.* 그 이상한 별은 매일밤 눈에 띄었다.

◇**night·in·gale** [náitiŋgèil] ⓜ 〖새〗 나이팅게일 《밤에 우는 새》; 목소리가 고운 가수

* **night·mare** [náitmὲər] ⓜ 악몽, 가위눌림; 공포감
(예) have (a) *nightmare* 가위 눌리다

> **▶ 201. England와 영국**
> 한국에서 England라 하면 「영국」으로 생각되나, 영국은 정식으로는 the United Kingdom of Great Britain and Northern Ireland (보통은 the United Kingdom, 약칭 U.K.)라고 하며, England는 그 일부이다. Great Britain의 북부가 Scotland, 서부가 Wales 남부가 England로 History of England라고 할 때는 England의 역사를 말하며, Scotland Wales의 역사는 포함되지 않는 것이 보통이다. 또 Scotland, Wales에서는 국기를 게양할 때 유니언 잭(Union Jack)의 기(旗) 이외에 Scotland Wales의 기도 동시에 게양한다.

ni·hil·ism [náiəlìzəm] ⓜ 니힐리즘, 허무주의

◇**nim·ble** [nímbəl] ⓗ 민첩한(=agile), 눈치가 빠른
파 **nímbly** 부 재빠르게

☆**nine** [nain] ⓜ 9, 9 개; 야구 팀 ⓗ 9의, 9 개의
파 **ninth** [nainθ] ⓗ 제 9 의, 9 분의 1의 ⓜ 제 9, 9 분의 1, (달의) 9 일 **nineteen** [nàintíːn] ⓗ 19의 ⓜ 19 ***ninetéenth** ⓗ 제 19의, 19분의 1 ⓜ 제 19, 19 분의 1, (달의) 19 일 **ninety** [náinti] ⓗ 90의 ⓜ 90, 90 개 **ninetieth** [náintiiθ] ⓗ 제 90의, 90 분의 1의 ⓜ 제 90, 90 분의 1 **nínefold** ⓗ 9 배의 부 9 배로 **nínepins** ⓜ 구주희(九柱戲) 《병 모양으로 된 아홉 개의 나무 토막을 세워 놓고 공을 굴려 넘어뜨리는 놀이》

nine times out of ten 십중 팔구, 대개

nip [nip] 타 자 (꼬)집다(=pinch); 물다, (가위로) 잘라내다; 상하게 하다, 이울게 하다, 발육을 해치다 ⓜ (꼬)집음, 물음, 전단(剪斷); 살을 에는 듯한 추위, 혹한; 소량의 술, (독한 술의) 한 모금 [~ of]
파 **nípper** ⓜ (꼬)집는〔따는〕 사람; 《*pl.*》 집게 **nípping** ⓗ 통렬한, 살을 에는 듯한

◇**ni·tro·gen** [náitrədʒən] ⓜ 질소

☆**no** [nou] 〈동음어 know〉 ⓗ 무(無)의, 하나도〔조금도〕 없는
(예) It is *no* joke. 그건 농담이 아니다 《진담이다》. // I am *no* match for her. 그녀에겐 당할 수가 없다. // He left his son *no* small fortune. 아들에게 막대한 재산을 남겼다.

어법 ① no ~ =not a ~ : There is *no* chair in the room. ② no ~ =not any : I have *no* brothers. Pay *no* attention to it. ③ 다음 상이점에 주의: He is *not* a scholar. (그는 학자가 아니다) He is *no* scholar. (그는 결코 학자가 아니다)—강의적

— 부 ① 《or의 다음에 쓰이어》 ~이 아니다(=not)
(예) True or *no,* it makes no difference. 사실이든 아니든 차이가 없다.

② 《비교급 앞에 쓰이어》 조금도 ~ 않다(=not any)
(예) We could walk *no* farther. 우리는 더 이상 걸을 수가 없었다.

③ 《부정의 답》 아니, 아니요
(예) Will you go?—*No,* I won't. 너 가겠느냐?—아니, 가지 않겠다.
어법 응답에서 물음의 형식이 어떠하든 그 답이 부정이면 No, ~, 긍정이면 Yes, ~로 하여야 한다. 우리말의 「아니요」「예」와 반드시 일치하지는 않는다: Didn't you go there? No, I didn't. (예, 가지 않았습니다) 다음과 같이 생략 되어 있는 경우에는 생략에 주의를 요한다. Aren't you going to the station? No, I'm going to the park. No, I'm not. 로 생략하면 그 뜻이 분명해지지 않는다.

— 명 부정, 거절
(예) Two *noes* make a yes. 이중 부정은 긍정이다.
반 yes 예, 승인

no better than ~이나 마찬가지(=as bad as)
(예) He is *no better than* a beggar. 그는 거지나 다를 바 없다.

no ~ but (that) ~하면 반드시 …하다(=never ~ but), ~하지 않는 것은 없다
(예) There is *no* man *but* wants to be rich.↔There is *no* man *that* does not want to be rich. 부자가 되고 싶지 않은 사람은 없다.

no fewer than ~이나 《수가 많음을 나타냄》
(예) There were *no fewer than* fifty present. 50명이나 출석했다.

no less than ~만큼이나; ~에 지나지 않는(=nothing but)
NB no less ~ than, not less than, no more than과 비교하라.
(예) He has *no less than* ten dollars. 그는 10달러나 가지고 있다. // His sickness is *no less than* want of sleep. 그의 병은 수면 부족에 지나지 않는다.

no less ~ than ~에 못지 않게
(예) Physical exercise is *no less* necessary *than* study. 운동은 학문에 못지 않게 필요하다.

no little 적지 않은, 실로 많은《양·정도를 나타냄》
(예) He took *no little* pains over it. 그는 그 일에 많은 애를 썼다.

no longer 이미 ~ 아니다(=no more)
(예) John could wait *no longer.* 존은 더 이상 기다릴 수

없었다. (↔...not wait any longer.)
no more 더 이상〔이미〕 ~ 아니다; 〖속어〗 죽어서
(예) I can walk *no more.* 나는 더 이상 걸을 수 없다. (↔I cannot walk any more.) // Father is *no more.* 아버지는 돌아가셨다.
no more than 겨우 ~뿐(=only), 다만 ~에 불과한
(예) He stayed there *no more than* two days and left. 그는 거기에 2일간만 머물고 떠났다. // He is *no more than* a mere acquaintance. 저분과는 그저 알고 지내는 사이에 불과합니다. (*cf.* not more ~ than)
****no more ~ than*** ~이 아님은 마치 …이 아님과 같다
(*cf.* not less ~ than, not any more ~ than)
(예) A man has *no more* right to speak evil *than* to perform it. 사람이 험담할 권리가 없는 것은 나쁜 짓을 할 권리가 없는 것과 같다.
*◇***no sooner ~ than*** ~하자마자(=as soon as)
(예) *No sooner* had he seen me *than* he ran away. 그는 나를 보자마자 달아나 버렸다. (↔As soon as he saw me he ran away.)
NB 과거 완료형과 어순 전도에 주의.
No. [nʌ́mbər] (〖라〗 *numero* (=number)의 약어) 제 ~ 번, 제 ~ 호
Noah [nóuə] ⓜ 노아 《대홍수 때 하느님의 계시로 일족과 동물을 데리고 방주(方舟)에 타고 수난을 피한 사람》
(예) *Noah's* Ark 노아의 방주
Nobel prizes [nóubel práiziz] 노벨상 《스웨덴의 화학자 Alfred Bernhard Nobel (1833~96)의 유언에 의하여 세계의 학술·평화에 공헌한 사람들에게 수여되는 상》
*◇**no·ble*** [nóubəl] ⓗ 고귀한, 귀족의; 고결한, 고상한; 당당한
반 húmble, low 천한
파 **nóbleness** ⓜ 고결 *◇**nóbleman** ⓜ 《*pl.* -men》 귀족 **nobility** [noubíləti] ⓜ 고결함, 고귀한 태생; 귀족(사회) **nóble-mínded** ⓗ 마음이 고상한 **nóbly** ⓑ 고결하게, 훌륭하게, 귀족의 지위에
***no·bod·y** [nóubàdi, -bədi / -bɔ̀di] ⓓ 아무도 ~ 아니다〔않다〕 ⓜ 보잘 것 없는 사람
(예) *Nobody* knows it. 아무도 그것을 알지 못한다. // He is a mere *nobody.* 그는 정말 시시한 사람이다. // somebodies and *nobodies* 유명무명의 사람들
어법 ① *no one* 과 의미는 같지만, 보다 구어적임. ② 단수로 취급하나 때때로 복수의 대명사로 받는 수가 있다.
noc·turne [náktəːrn / nɔ́k-] ⓜ 야곡(夜曲), 야상곡《몽환적(夢幻的)인 기악곡》; 야경화(夜景畫)
파 **noctúrnal** ⓗ 밤의, 야간의; 야곡의; (동물이) 야행성의
◇**nod** [nad / nɔd] ⓙⓣ 끄덕이다, 머리를 숙이다; 꾸벅거리다, 꾸벅꾸벅 졸다 ⓜ 끄덕임, 졸음
NB 머리를 옆으로 흔드는 것은 shake 라고 한다.
(예) He *nodded* in agreement. 머리를 끄덕이며 동의

표했다. // Even Homer sometimes *nods.* 〔속담〕 원숭이도 나무에서 떨어질 때가 있다 《대시인 Homer도 졸면서 쓴 것 같은 평범한 시가 있다는 뜻》.

nod·ule [nádʒu:l / nɔ́dju:l] [명] 작은 혹, 작은 마디

noise [nɔiz] [명] 소리(=sound), 시끄러운 소리, 소음; 소란
[반] stíllness 정적
[파] *****nóisy** [형] 시끄러운, 떠들썩한 **nóisily** [부] 떠들썩하게 **nóisiness** [명] 시끄러움, 떠들썩함 **nóiseless** [형] 조용한 ◇**nóiselessly** [부] 조용히

make a noise 떠들다, 시끄럽게 굴다
(예) It *made a* (great) *noise* like a train. 기차와 같은 (큰) 소리를 냈다.

nom·i·nal [námənl / nɔ́m-] [형] 명의상의, 명목적인; 〔문법〕 명사의
[원] nomin(=name)+al(형용사 어미)
[반] véritable 실제상의
(예) *nominal* wages 명목 임금 ([반] real wages 실질 임금)
[파] **nóminalism** [명] 명목론 **nóminalist** [명] 유명론자(唯名論者), 명목론자

nom·i·nate [náməneìt / nɔ́m-] [타] 지명하다(=name), 임명하다(=appoint); (후보자로서) 추천하다
[파] **nominátion** [명] 지명, 임명 **nóminator** [명] 지명〔임명〕자 **nominee** [nàməní: / nɔ̀m-] [명] 피(被)지명자, 후보자

***nominate a person* for 〔to〕** 아무를 (어떤 지위)에 임명〔추천〕하다
(예) He was *nominated for* the position of president. 그는 대통령 후보로 지명받았다.

nom·i·na·tive [námənətiv / nɔ́m-] [형] 〔문법〕 주격(主格)의 [명] 주격(어)

none [nʌn] 〈동음어 nun〉 [대] 아무도〔아무 것도〕 ~ 않다 [부] 조금도〔결코〕 ~ 않다 《the +비교급, too, so를 수반한다》
(예) It's *none* of your business. 네가 알 바 아니다. // He is *none the happier* for his wealth. 그는 돈은 있어도 조금도 행복하지가 않다. // The price is *none too* high. 그 가격은 결코 비싸지 않다.

[어법] ① none of ~의 구나, 앞에서 나온 명사를 받는 경우는 사람·물건 어느 것에도 사용되나, none이 단독으로 쓰일 경우는 주로 사람을 나타낸다. ② *none* of 뒤의 명사에는 반드시 the, this, my, your 따위가 붙는다. 또 none of 뒤의 명사가 복수형인 경우는 셋 이상을 가리킨다. 둘인 경우는 neither를 쓴다. ③ 단수·복수 어느 것으로도 쓰이나, 대개 사람을 나타내는 경우는 복수가 많다. 특히 「어느 한 사람도 ~ 아니다」의 뜻으로 단수임을 명확히 하고자 할 경우는 no one을 쓴다. *none* of the money와 같이 양에 관해 말하는 경우에도 물론 단수. ④ 부사적 용법 가운데 none the+비교급의 형에 쓰이는 경우, the는 「그만큼」의 뜻으로 부사. none the less 항 참조.

none other than 다름아닌〔바로 그〕 ~

(예) He was *none other than* Albert Einstein. 그는 다름
아닌 앨버트 아인슈타인이었다.

none the less 그래도, 그럼에도 불구하고(=neverthe-
less)

(예) He has faults, but I love him *none the less.*↔I love
him *none the less* for his faults. 그에게는 결점이 있지만
그래도 나는 그를 좋아한다.

none·the·less [nʌ̀nðəlés] [부] 그럼에도 불구하고, 그렇지
만, 그래도

non·ex·ist·ence [nɑ̀nigzístəns / nɔ̀n-] [명] 존재〔실재〕치 않
음〔않는 것〕, 무(無)

[파] **nonexístent** [형] 존재〔실재〕치 않는, 가공의

non·fic·tion [nɑ̀nfíkʃən / nɔ̀n-] [명] 논픽션《역사·전기 따위
소설·이야기 이외의 산문 문학》

non·sci·en·tist [nɑnsáiən-tist / nɔn-] [명] 자연과학 분야 이외의 연구자

***non·sense** [nánsens / nɔ́n-səns] [명] 무의미, 어처구니없는 일, 넌센스 [감] 터무니없는!

▶ **202. 접두어 non**

형용사·명사의 앞에 붙여서 「무」「불(不)」「비(非)」 따위 부정적 의미를 나타낸다.
(예) *non*sense, *non*profes-sional (비직업적인) 따위

[원] non(=not)+sense(=meaning)

(예) talk *nonsense* 허튼 소리를 하다 // Stop your *non-
sense!* 허튼 짓 그만둬라.

[파] **nonsénsical** [형] 당치 않은, 터무니없는

non·stop [nɑ̀nstáp / nɔ̀nstɔ́p] [형] [부] 도중에서 멎지 않는〔않
고〕, 중단 없는〔없이〕, 직행의〔으로〕 [명] 직행 열차〔비행
기, 버스〕; 직행편(便)

(예) a *nonstop* flight from Seoul to Los Angeles 서울·로
스앤젤레스간의 직행 비행편

non·ver·bal [nɑ̀nvə́ːrbəl / nɔ̀n-] [형] 말이 안 되는, 말을 쓰
지 않는, 말이 서투른

(예) *nonverbal* communication 비언어적 커뮤니케이션

***non·vi·o·lence** [nɑ̀nváiələns / nɔ̀n-] [명] 비폭력

[파] **nonvíolent** [형] 비폭력(주의)의

nook [nuk] [명] 외딴 곳, 구석(=corner); 아늑한 피난처,
숨은 장소

☆**noon** [nuːn] [명] 정오, 한낮(=midday) (*cf.* afternoon)

(예) at *noon* 정오에 // at high *noon* 딱 정오에, 한낮에 //
before 〔after〕 *noon* 오전〔오후〕에

[파] **nóonday, nóontide, nóontime** [명] 정오, 한낮

nor [nɔːr, nər] [접] 《neither 또는 not와 상관적으로 쓰여》
～도 또한 … 아니다〔않다〕 (=and not) (*cf.* neither)

(예) The army had *neither* arms *nor* provisions. 군대는
무기도 식량도 없었다. // I said I had *not* seen it, *nor*
had I. 나는 그것을 본 적이 없다고 말했는데 또 사실상 그
것을 본 적도 없었던 것이다. // *Not* a man *nor* a child
was to be seen.↔*Not* a man was to be seen, *nor* was

child. 어른이나 아이나 단 한 사람도 보이지 않았다.
[어법] 제 2 의 예 nor 는 neither 로 하여도 같다.

norm [nɔːrm] [명] 기준; 규범; 기준 노동량, 책임 생산량

nor·mal* [nɔ́ːrməl] [형] 보통의(=usual); 정상의, 정규의(=regular), 표준의; 평균의(=average) [명] 상태(常態), 표준, 평균; 수직선
[원] norm(=rule)+al(형용사 어미)
[반] abnórmal 이상이 있는
[파] **nórmalcy** [명] 정상 상태 **normálity** [명] 정상(상태), 표준적임 **nórmalize** [타] 정상화하다 ***nórmally** [부] 정상적으로

[N]

north [nɔːrθ] [명] 북쪽, 북극 [부] 북쪽으로 [형] 북쪽의(=northern), 북극의; 북쪽에서 오는, 북향의 〖약어〗 *N.*
[반] south 남쪽
NB 쓰이는 전치사에 대해서는 east 참조
(예) the *North* Pole 북극 // the *North* Sea 북해
[파] **northéast** [명] 북동 [형] 북동의, 북동을 향한, 북동에서 오는 [부] 북동으로 **northéaster** [명] 북동풍 **northéastern** [형] 북동의, 북동 지방의 **northerly** [nɔ́ːrðərli] [형] 북쪽으로의 [부] 북쪽으로 ***northern** [nɔ́ːrðərn] [형] 북쪽의 **nórtherner** [명] 북국〔부〕 사람 **northward** [nɔ́ːrθwərd] [형] 북쪽을 향한 [부] 북쪽으로 [명] 북쪽 **nórthwards** [부] 북쪽으로 **northwést** [명] 북서 [형] 북서(로부터)의 **northwéstern** [형] 북서(로부터)의, 북서 지방의

Nor·way [nɔ́ːrwei] [명] 노르웨이《수도는 Oslo》
[파] **Norwégian** [명] 노르웨이 사람〔말〕 [형] 노르웨이의, 노르웨이 사람〔말〕의

nose [nouz] [명] 코; 후각(嗅覺) [타] [자] 냄새맡다
(예) blow one's *nose* 코를 풀다 // have a good *nose* 냄새를 잘 맡다
[파] **nasal** [néizəl] [형] 코의, 콧소리의; 비음(鼻音)의

under one's (very) nose 코앞에, 바로 눈앞에, (아무의) 면전에서
(예) The cat ate it up *under* my *nose.* 고양이가 바로 내 눈앞에서 그것을 먹어치웠다.

nos·tal·gia [nɑstǽldʒə / nɔs-] [명] 향수(鄕愁), 회향병; 회고의 정, 사모[~ for]

nos·tril [nɑ́strəl / nɔ́s-] [명] 콧구멍

not [nɑt, nt / nɔt]* 〈동음어 knot〉 [부] ~ 아니다〔않다〕
(예) Do *not* move. 움직이지 마라. // I am *not* an American. 나는 미국 사람이 아니다.
[어법] ① 부정문에서의 not 의 위치 (a) be·have·조동사의 다음. 단, have에 관해서는 그 항을 참조. (b) 일반 동사의 경우는 do not+원형 동사. (c) 의문문에서는 주어의 다음에 오나, 구어에서는 동사·조동사와 결합된 생략형이 주어의 앞에 온다: Is it not. ..?—Isn't it. ..? ; Do you not. ..?—Don't you. ..? 또한 생략형은 다음과 같다. isn't, aren't, wasn't, weren't, haven't, hasn't, hadn't, don't [dount], didn't, shan't

[ʃænt] (=shall not), shouldn't, won't [wount] (=will not) wouldn't, can't [kænt, kɑːnt], couldn't, mayn't, mustn' [mʌ́snt], oughtn't, needn't, daren't, usedn't [juːsnt] ② 낱말 구·절의 부정에는 그 앞에 온다. 따라서 동명사·분사·부정ㅅ 의 부정도 그 앞에 not 가 온다: *not* today but tomorrow (오 늘이 아니라 내일) I told him *not* to go. (그에게 가지 말리 고 했다) the weather *not* being fine (날씨가 좋지 않으므로)

N

not a bit 조금도 ~ 아니다〔않다〕 (=not in the least)

(예) I am *not a bit* tired. 조금도 피곤하지 않다.

not a few 적지 않은, 꽤 많은 수의

(예) There are *not a few* visitors. 방문객이 적지 않았다.

not a little 대단히(=much), 적지 않게

(예) He was *not a little* ashamed of having made such a mistake. 그는 그런 실패를 한 데 대해 몹시 부끄러워했 다.

NB *not a bit* 와 형은 비슷하나 의미는 다르다. 또한 *not a few* 는 *not a little* 과 뜻은 같으나 전자는 복수의 보통 명ㅅ 와 함께 쓰인다.

not all 《부분 부정》 모두가 다 ~은 아니다

(예) *All* of them are *not* rich. 그들 전부가 부자는 아니 다.

****not always*** 《부분 부정》 반드시 ~은 아니다(=not necessarily)

(예) Things are *not always* what they seem to be. 사물은 겉보기와 반드시 같지는 않다.

not ~ any more 〔***longer***〕 더 이상 ~ 아니다(=no more 〔longer〕)

(예) I can *not* walk *any more.* 나는 더 이상 걸을 수 없다.

not ~ any more than …이 아닌 것과 같이 ~이 아니 다(=no more ~ than)

(예) We can *not* live without air *any more than* fish can without water. 물고기가 물 없이 살 수 없는 것처럼 우리 는 공기 없이 살 수 없다.

not ~ because …라고 해서 ~은 아니다

(예) I do *not* respect a man *because* he is rich. 나는 어떤 사람이 부자라고 해서 존경하지는 않는다.

****not because ~ but because*** ~ 때문이 아니라 … 때문 에

(예) She refused him *not because* he was poor *but because* he was lazy. 그녀가 그를 거절한 것은 그가 가난하기 때문 이 아니라 게으르기 때문이었다.

*◇***not ~ but*** ~이 아니고 …이다

(예) That is *not* my house, *but* my uncle's. 저것은 우리 집이 아니라 나의 아저씨의 집이다. // The bridge is *not* made of wood *but* of stone. 그 다리는 목조가 아니라 석 조(교량)이다.

not less ~ than ~보다 더할지언정〔나으면 나았지〕 못하 지는 않은

(예) This book is *not less* amusing *than* that one. 이 책은 저 책보다 더 재미있으면 있었지 못하지는 않다.

어법 수사(數詞) 따위와 함께 쓰이는 *no less than ~, not less than ~*의 용법과 혼동하지 않도록 주의할 것: *No less than* 200 persons attended the meeting. (출석자는 200명이나 되었다) (=as many as) *Not less than* 200 persons attended the meeting. (출석자는 200명은 되었다) (=as many as, more than; at least). 또, 이와 마찬가지로 *no more than* ~은 「불과 ~만」(=only)이며, *not more than* ~ 은 「많아야 ~」 (=at most)란 뜻을 나타낸다.

not more ~ than …만큼 ~하지 않다(=not so ~ as)
(예) I am *not more* diligent *than* he is. 나는 그 사람만큼 부지런하지 못하다.

not only 〔***simply, merely, alone***〕 ~ ***but*** (***also***) ~뿐만 아니라 …도 또한
(예) We must know *not only* the goal *but also* the road to it. 우리는 목표뿐만 아니라 거기에 이르는 길도 또한 알아야 한다. // ◦She *not only* speaks English *but* French as well. 그녀는 영어뿐 아니라 프랑스말도 할 줄 안다.

어법 not only A but B가 주어로 되는 경우, 동사는 B에 일치한다. B as well as A도 거의 같은 뜻. A와 B는 대조되는 어구가 아니면 안 된다. 다시 말해서 위의 용례를 We must *not only* know the goal *but also* the road to it.로 하면, know the goal과 the road to it가 대조되는 것이 되어 안 된다. not merely ~ but 도 같은 뜻.

not so much as ~조차 아니다〔아니하다〕
(예) I had *not so much as* heard of it. 그것을 들은 일조차 없었다.

not so much ~ as*★* ~보다는 오히려 …
(예) He is *not so much* a scholar *as* a writer. 그는 학자라기보다는 저술가이다.

not to mention ~은 말할 것도 없고(=not to speak of)
(예) He speaks German, *not to mention* English. 그는 영어는 말할 것도 없고 독일어까지도 한다.

not to speak of ~은 말할 것도 없고
(예) He knows French and German, *not to speak of* English. 그는 영어는 말할 것도 없고 프랑스어와 독일어도 안다.

not yet 아직 ~ 아니다
(예) He is *not yet* come. 그는 아직 오지 않았다.

notch [nɑtʃ / nɔtʃ] ㉢ 새김눈; 단계; 협곡 ㉤ 금을 새기다

note [nout] ㉢ 각서; 주석; 메모, 기록; 지폐 (=bill); 주의(=notice); 짧은 편지; 음표, 악보; (새의) 울음 소리; 저명 ㉤ 적어두다; 주의하다, 주석을 달다(=annotate)
(예) make a *note* on a piece of paper 종이에 메모하다 // a man of *note* 저명 인사 // worthy of *note* 주목할 만한
파 ◦**nótable** ㉦ 현저한, 저명한 ㉢ 명사(名士) **nótably** ㉥ 현저하게, 특별히 **notátion** ㉢ 기호법, 표기법 **nóted** ㉦

유명한, 저명한[~ for] **nóteless** ⓗ 눈에 띄지 않는 ◇**nóteworthy** ⓗ 주목할 만한 ☆**nótebook** ⓜ 공책, 필기장 **note paper** 편지지 ◇**nóte-taking** ⓜ 적어둠, 필기

***take* 〔*make*〕 *a note* 〔*notes*〕 (*of*, *on*)** (~을) 필기〔메모〕하다

(예) As he reads the mail, he *takes notes.* 그는 우편물을 읽을 때 메모를 한다. // I *made notes on* the lecture. 나는 그 강의를 필기했다.

◇***take note of*** ~에 주의하다

(예) *Take note of* the warning. 그 경고에 주의하여라. // No one *took note* of me. 아무도 나에게 주의하지 않았다.

***noth·ing** [nʌ́θiŋ] ⓓ 아무 것도 ~ 아니다(=not anything) ⓜ 무(無); 하찮은 사람〔사물〕; 제로, 영 ⓑ 조금도〔결코〕 ~ 않다(=not at all)

(예) I have *nothing* to do. 아무 것도 할 것이 없다. // ◇come to *nothing* 수포로 돌아가다 // make 〔think〕 *nothing* of ~을 경시하다, 우습게 여기다 // I see *nothing* of him lately. 최근 그를 통 못 만나고 있다. // *Nothing* comes from *nothing*. 〖속담〗 무(無)에서 유(有)는 나오지 않는다《씨를 뿌려야 싹이 난다》. // The picture looks *nothing* like him. 그 사진은 그를 조금도 닮지 않았다.

어법 형용사는 nothing 뒤에 옴. 「하찮은 사람·물건」의 뜻으로는 때때로 관사를 붙이거나, 복수형으로 쓰인다: *a* mere *nothing* (하찮은 사람)

*◇***nothing but*** ~ 외에는 아무 것도 아니다, 단지 ~뿐, ~에 불과한(=only)

(예) He is *nothing but* a child. 그는 단지 어린애에 불과하다. // He has eaten *nothing but* fruit for two days. 그는 이틀 동안 과일밖에 안 먹었다.

NB *anything but* 「결코 ~ 아니다」와 혼동하지 말 것

◇***nothing more ~ than*** …만큼 ~한 것은 없다(=nothing so ~ as)

(예) *Nothing* is *more* clearly seen by little men *than* the littleness of great men. 소인의 눈에는 위인의 단점만 잘 보이는 법이다.

NB nothing more than 「~와 아주 같은; ~에 불과한」과 혼동하지 말 것.

nothing of 조금도 ~ 아니다

(예) He is *nothing of* an artist. 그는 예술가다운 데가 조금도 없다.

(*be*) *nothing to* ~에게는 아무 것도 아닌, ~와는 비교가 안 되는《아무 것도 아니라는 뜻》

(예) My losses are *nothing to* him. 나의 손해 따위는 그에겐 아무 것도 아니다 // My losses are *nothing to* theirs. 나의 손해는 그들의 손해와 비교하면 아무 것도 아니다.

for nothing 무익하게; 무료로; 이유 없이

(예) I got the ticket *for nothing.* 나는 무료로 그 표를 받았다.

no·tice [nóutis] ㉢ 주의(=attention), 주목(=observation); 인지(認知); 통지, 통고(=information); 예고(=warning); 고시 ㉤ 알아채다, 주목하다; 알리다

▶ 203. 「알아채다」의 유사어
notice 주의에 이끌려 알아채다. **observe** 알아챈 것에 주의하다〔관찰하다〕. **take care** 조심하다.

반 overlóok 빠뜨리고 보지 못하다

(예) worthy of *notice* 주목할 만한 // at a moment's *notice* 단번에 // I *noticed* her hesitate. ↔She was *noticed* to hesitate. 그녀가 망설이고 있음을 알아챘다. // I *noticed that* it had begun to rain. 비가 오기 시작한 것을 알았다.

파 **noticeable** [nóutisəbəl] ㉣ 눈에 띄는, 두드러진, 현저한 **nóticeably** ㉥ 현저히 **nótify** ㉤ 통지〔통고〕하다, 알리다(=inform); 게시하다 **notificátion** ㉢ 통지, 통고 **notice board** 게시판, 고시판

at* 〔*on*〕 *short notice 충분한 예고 없이; 급히, 곧

(예) We have to leave for America *at short notice.* 우리는 급히 미국으로 떠나야 한다.

come to the notice of ~에 알려지다

(예) The fact *came to the notice of* the world. 그 사실은 세상에 알려졌다. // It has *come to my notice* that he has nothing to eat. 나는 그가 먹을 것이 아무 것도 없다는 것을 알게 되었다.

take notice* 〔*note*〕 *of 《종종 부정문에서》 ~에 주의〔유의〕하다, 주목하다; 호의적으로 대하다

(예) I warned him, but he *took* little *notice of* it. 그에게 경고했으나 그는 별로 유의하지 않았다.

***no·tion** [nóuʃən] ㉢ 개념(=idea); 의향(意向); 견해(=opinion)

(예) I have a *notion* to go abroad. 외국에 갈 생각이 있다.

파 **nótional** ㉣ 관념적인, 공상적인(=imaginary)

no·to·ri·ous [noutɔ́ːriəs] ㉣ 소문 난, 아주 평판이 나쁜, 악명이 높은 (*cf.* famous 유명한)

(예) a *notorious* rascal 소문난 악당

파 **notoriety** [nòutəráiəti] ㉢ (나쁜) 평판

not·with·stand·ing [nɑ̀twiθstǽndiŋ / nɔ̀t-] ㉦ ~에도 불구하고(=in spite of) ㉥ 그런데도 불구하고, 그래도 역시(=nevertheless)

nought [nɔːt] ㉢ 영(零), 제로, 전무(全無); 하찮은 사람〔물건〕

noun [naun] ㉢ 〖문법〗 명사 〖약어〗 *n.*

(예) a proper *noun* 고유명사 // a *noun* clause 명사절

***nour·ish** [nə́ːriʃ / nʌ́r-] ㉤ 기르다(=feed), 자양분을 주다; 마음에 품다

원 nour(=feed)+ish(=make)

(예) *nourish* a hope 희망을 품다 // *nourish* the arts 미술을 발달시키다

파 **nóurishing** ㉣ 자양분이 많은 ***nóurishment** ㉢ 자양물, 음식물, 영양; 육성

*◇**nov·el** [nάvəl / nɔ́v-] 명 소설 형 새로운, 신기한(=strange)
 파 *◇**nóvelist** 명 소설가 **nóvelty** 명 신기한 사물, 진기함
 novelette [nὰvəlét / nɔ̀v-] 명 단편 소설, 소품(小品)
☆**No·vem·ber** [nouvémbər] 명 11월 〖약어〗 *Nov.*
◇**nov·ice** [nάvis / nɔ́v-] 명 신참자, 풋내기; 수련 수사〔수녀〕
☆**now** [nau] 부 지금, 이제; 이 때; 그런데 접 ~한 이상 명 지금, 현재
 반 then 그 때
 (예) till *now* 지금까지 // just *now* 이제 막, 방금
 by now 지금쯤은 이미
 (예) They will have arrived *by now.* 지금쯤은 이미 그들이 도착해 있을 게다.
◇***from now on*** 지금부터, 금후
 (예) *From now on* he will work in another office. 이제부터 그는 다른 사무실에서 일한다.
◇(***every***) ***now and then*** 때때로(=now and again)
 (예) These gypsies *now and then* foretold strange things 이 집시들은 때때로 이상한 일을 예언했다.
 now (***that***) ~이니까, ~인 이상은(=since)
 (예) *Now* (*that*) you mention it, I do remember. 네가 그 얘기를 하니 생각이 난다.
***now·a·days** [náuədèiz] 부 오늘날에는, 요즈음, 현금에는
 반 formerly 이전에는
***no·where** [nóu*h*wὲər] 부 아무 데도 ~ 없다
 반 sómewhere 어딘가에
 (예) I went *nowhere* yesterday. 난 어제 아무 데도 안 갔다.
◇***from*** 〔***out of***〕 ***nowhere*** 어디선지 모르게, 불시에
 (예) He came *from nowhere.* 그는 어디선지 모르게 왔다.
  NB 여기서 nowhere 는 명사적 용법.
◇**noz·zle** [nάzəl / nɔ́zəl] 명 (끝이 가늘게 된) 대통〔파이프·호스〕 주둥이, 노즐
 nu·ance [n*j*ú:ɑ:ns / njú:ɑ:ns] 명 〖프〗 뉘앙스, 미묘한 차이
◇**nu·cle·us** [n*j*ú:kliəs / njú:-] 명 《*pl.* ***-uses, nuclei*** [n*j*ú:kliài]》 핵; 원자핵
 파 *◇**núclear** 형 핵의, 원자핵의 (*nuclear* weapons 핵무기)
 nude [n*j*u:d / nju:d] 명 나체화〔상〕, 나체 상태 형 나체의 있는 그대로의
***nui·sance** [n*j*ú:səns / njú:-] 명 방해물, 성가신 것, 두통거리, 폐스러운 행위
 (예) What a *nuisance!* 귀찮군 그래. // make a *nuisance* of oneself 남에게 폐를 끼치다 // Commit no *nuisance* 〖게시〗 소변 금지, 쓰레기 버리지 마시오.
*◇**numb** [nʌm] 형 마비된; 감각이 없는 타 마비시키다, 감각을 잃게 하다
*◇**num·ber** [nʌ́mbər] 명 수, 숫자; 총수(=total); 번호, (잡지 따위의) ~호; 〖문법〗 수 타 세다(=count), 헤아리다, 번호 붙이다; 총계 ~이 되다
 (예) odd 〔even〕 *number* 홀〔짝〕수 // His days 〔years〕

are *numbered.* 그의 여생은 얼마 남지 않았다. // The *number* of books has increased.↔Books have increased in *number.* 책의 총수가 늘었다.

NB 약어인 No.는 라틴어인 numero(=number)의 생략.

파 **númberless** 형 무수한(=innumerable) **numeral** [njú:mərəl / njú:-] 형 수(數)의 명 숫자, 〖문법〗 수사(數詞) **numérically** 부 수로, 수적으로

N

a good 〔great, large〕 number of 상당히〔대단히〕 많은

(예) *A good number of* people came to the wedding. 꽤 많은 사람들이 결혼식에 왔다.

a number of 다수의(=many); 얼마간의(=some)

(예) *A number of* students attended the meeting. 많은 학생들이 그 모임에 참가했다.

어법 복수 취급. the number of는 「~의 수」란 뜻으로 단수 취급.

in large 〔small〕 numbers 다수〔소수〕로

(예) It became possible to make automobiles *in large* 〔*great*〕 *numbers.* 자동차의 대량 생산이 가능하게 되었다.

in numbers (잡지 등을) 분책하여; 몇 번에 나누어서

(예) The novel came out *in numbers.* 그 소설은 몇 번으로 나뉘어서 출간됐다.

***nu·mer·ous** [njú:mərəs / njú:-] 형 수많은, 다수의 (=very many)

원 numer(=number)+ous(=full)

파 **numérical** 형 수의, 수적인, 숫자상의 **numérically** 부 수로, 수적으로

nun [nʌn] 〈동음어 none〉 명 수녀, 여승

파 **núnnery** 명 수녀원, 여승방

nup·tial [nʌ́pʃəl] 형 결혼(식)의 명 《*pl.*》 결혼식, 혼례

***nurse** [nə́:rs] 명 유모, 간호사 타자 기르다, 젖 먹이다; 간호하다

파 ***nursery** [nə́:rsəri] 명 어린이 방, 육아실; 양성소 (a *nursery* tale 동화, a *nursery* rhyme 〔song〕 동요, 자장가) **núrs(e)ling** 명 유아, 젖먹이; 묘목(苗木) **núrsemaid** 명 어린애 보는 하녀(=nursery maid)

nut [nʌt] 명 견과(堅果), 호두 자 나무 열매를 줍다

파 **nútshell** 명 견과(堅果)의 껍질 (in a *nutshell* 한마디로 간결하게)

a hard nut to crack 난문제, 어려운 문제〔것〕

(예) It was *a hard nut to crack* for many. 그것은 많은 사람에게 어려운 문제였다.

nu·tri·tion [nju:tríʃən / nju:-] 명 영양, 음식물(=food)

파 **nutritious** [nju:tríʃəs / nju:-] 형 자양분 있는, 영양이 되는 **nútrient** 형 영양이 되는 **nútritive** 형 영양에 관한, 자양분 있는 **nútriment** 명 영양물; 영양소 **nutrítional** 형 영양의, 자양의

ny·lon [náilɑn / -lɔn] 명 나일론; 《*pl.*》 나일론 양말

nymph [nimf] [명] 요정, 님프; 미소녀; 처녀(=maiden)

O

O [ou] [감] 오오!, 아아!, 아이고!, 어머나!

◇**oak** [ouk] [명] 〖식물〗 참나무, 떡갈나무

[파] **oaken** [óukən] [형] 참나무〔떡갈나무〕의

◇**oar** [ɔːr] 〈동음어 or, ore〉 [명] (보트의) 노 [타][자] 노 젓다

[파] **oarsman** [ɔ́ːrzmən] [명] 《*pl.* -men》 노 젓는 사람

◇**o·a·sis** [ouéisis] [명] 《*pl.* ***oases***》 오아시스《사막 가운데의 녹지(綠地)》

NB 복수형 oases [ouéisiːz]의 발음에 주의(*cf.* basis—bases, crisis—crises)

oat [out] [명] 귀리

[파] **óatmeal** [명] 오트밀

◇**oath** [ouθ] [명] 《*pl.* ***oaths*** [ouðz]》 맹세, 서약; 저주, 욕설

(예) make 〔swear〕 an *oath* 맹세하다 / keep 〔break〕 an *oath* 맹세를 지키다〔깨다〕

on one's oath 맹세코

(예) *On* my *oath,* I have nothing whatever to do with it. 나는 맹세코 그것과는 아무 관계가 없다.

◇***take* 〔*make*〕 (*an, one's*) *oath*** 맹세하다, 선서하다

(예) Washington *took* his *oath* of office as President. 워싱턴은 대통령 취임 선서를 했다.

*◇**o·be·di·ence** [oubíːdiəns, əbíː-] [명] 복종, 순종, 준수

[원] <obey 복종하다

[반] disobédience 불순종(不順從)

[파] ***obédient** [형] 순종하는, 고분고분한 ◇**obédiently** [부] 고분고분하게, 순종하여

in obedience to ~에 순종하여, ~에 따라

(예) act *in obedience to* the orders 명령에 따라 행동하다

*◇**o·bey**★ [oubéi, əbéi] [타][자] 복종하다, 따르다, 순종하다

[반] disobéy 복종하지 않다, resíst 저항하다

[파] (⇨) **obedience**

*◇**ob·ject** [명] [ɑ́bdʒikt / ɔ́b-]★ 사물; 목적(물); 〖문법〗 목적어 [타][자] [əbdʒékt]★ 반대하다; 이의를 내세우다 [~ to] 〖약어〗 *obj.*

[반] súbject 주체, 주어, consént 동의하다

(예) an *object* of admiration 칭찬의 대상 // ◇He *objected to* a man with so little knowledge of Engligh being sent to the United States. 그는 영어를 거의 모르는 사람이 미국에 파견되는 데 대하여 반대하였다. // They *objected that* the plan was impracticable. 그 계획은 실행 불가능하다는 반대가 있었다.

[파] ***objéction** [명] 반대, 이의; 난점 **objéctionable** [형] 반대할 만한, 이의가 있는; 못마땅한, 싫은 ***objéctive** [형] 객관

적인 ⓜ 목적, 목표(an *objective* case 〖문법〗 목적격)
objéctively ⓟ 객관적으로

*__o·blige__ [əbláidʒ] ⓣ 별〔어쩔〕 수 없이 ~하게 하다; 의무를 지우다, 속박하다; 《수동형으로》 고맙게 여기다; (아무에게) ~을 하여 주다
반 reléase 면제하다
(예) She *obliged* us *with* a song. 그녀는 우리들에게 노래를 불러 주었다. // Will you *oblige* us *by* play*ing* the piano? 우리를 위해 피아노를 쳐 주시지 않겠습니까?
파 **oblíging** ⓗ 친절한 *__obligátion__ ⓜ 의무, 책임; 채무; 은의(恩義)

*(**be**) ***obliged to*** *do* ~하지 않을 수 없는
(예) I *was obliged to* leave early to catch the first train. 나는 첫 차에 대기 위해 일찍 떠나지 않을 수 없었다.

*(**be**) ***obliged to ~ for*** …에 대해서 ~에게 감사하는
(예) I *am obliged to* you *for* helping me. 당신이 도와 주시니 고맙소.

(**be**) ***under an obligation to*** *do* ~할 의무가 있는
(예) I *am under an obligation to* pay for it. 나는 그것을 갚을 의무가 있다.

ob·lit·er·ate [əblítərèit] ⓣ (글 따위를) 지우다, 말살하다; 망각하다; (우표에) 소인을 찍다
NB efface보다 더 강의적임.

ob·liv·i·on [əblíviən] ⓜ 망각; 잘 잊혀짐
파 **oblívious** ⓗ 잊기 쉬운 (=forgetful)

*__ob·scure__ [əbskjúər] ⓗ 애매한, 희미한(=vague), 어슴푸레한(=dim); 무명의 ⓣ 어둡게 하다, 애매 모호하게 하다
반 clear, óbvious 명백한
(예) an *obscure* explanation 분명치 않은〔애매한〕 설명
파 **obscúrity** ⓜ 불명료; 세상에 알려져 있지 않음, 무명(無名)

> **▶ 204. Union Jack의 유래**
> 영국의 국기 Union Jack은 England의 St. George, Scotland의 St. Andrew, Ireland의 St. Patrick라는 각기 수호신(守護神)을 나타내는 세 개의 십자(十字)를 합친 것이다.

ob·serv·ance [əbzə́ːrvəns] ⓜ 준수, 지킴; 의식; 습관; 관례
(예) In strict *observance* of the customs of the country, he gave a low bow. 그는 나라의 풍습을 엄격히 지켜 깊이 몸을 굽혀 절했다.
파 **obsérvant** ⓗ 주의 깊은; 준수하는

*__ob·ser·va·tion__ [ɑ̀bzərvéiʃən / ɔ̀bzəv-] ⓜ 관찰, 관찰력; 주목; 관측; 의견
(예) make an *observation* about the picture 그 그림에 관하여 소견을 말하다
파 ◦**obsérvatory** ⓜ 관측소, 천문대, 관상대, 전망대

*__ob·serve__ [əbzə́ːrv] ⓙⓣ 관찰하다; 알아채다(=notice); (법률·축제일 따위를) 지키다(=keep); 말하다, 진술하다(=remark)

(예) *observe* the stars 별을 관측하다 // He *observed* that the method would work. 그는 그 방법이 성공할 것이라고 말했다.

NB 「지키다」라는 뜻의 명사형은 observance이고, 그 외는 observation.

파 *obsérver 명 관찰자; 준수자; 입회인; 업저버 **obsérving** 형 관찰력이 예민한; 주의 깊은

ob·sess [əbsés] 자 타 (귀신·망상 따위가) ~에 붙다, 괴롭히다; (늘) 괴로워하다, 고민하다

(예) She was *obsessed by* 〔*with*〕 jealousy. 질투심에 사로잡혔다.

파 **obséssion** 명 (귀신이) 붙음, (공포·망상 따위에) 사로잡힘; 강박관념, 망상

O

ob·so·lete [ábsəliːt / ɔ́b-] 형 쓸모없이〔못쓰게〕 된; 진부한, 구식의 〖약어〗 *obs.* 명 폐인, 폐물

***ob·sta·cle** [ábstəkəl / ɔ́b-] 명 장애(물)(=hindrance), 지장

(예) an *obstacle* to progress 진보의 장애

ob·sti·nate [ábstənit / ɔ́b-] 형 완고한(=stubborn), 고집 센; (병이) 잘 낫지 않는, 난치의

반 dócile 온순한

파 **óbstinacy** 명 완고, 외고집

ob·struct [əbstrʌ́kt] 타 자 방해하다(=check), 가로막다

파 **obstrúction** 명 방해(물), 장애(물) **obstrúctive** 형 방해가 되는 명 장애

***ob·tain** [əbtéin]* 타 자 얻다(=get, gain), 획득하다; (습관 따위가) 행해지다(=prevail); 일반적으로 인정되다

반 lose 잃다

(예) This masterpiece *obtained* him worldwide fame. ↔ This masterpiece *obtained* worldwide fame *for* him. 이 걸작으로 그는 세계적인 명성을 얻었다.

파 **obtáinable** 형 얻을 수 있는, 획득할 수 있는

***ob·vi·ous** [ábviəs / ɔ́b-] 형 명백한(=clearly seen); 빤한

NB apparent, evident 보다 더 강의적임.

반 obscúre 애매한

(예) an *obvious* flattery 속이 들여다보이는 아첨 // The malicious meaning was *obvious*. 악의가 있다는 것은 명백하였다. // It is *obvious* that he killed her. 그가 그녀를 죽인 것은 명백하다.

파 ***óbviously*** 부 명백하게, 명확하게

***oc·ca·sion** [əkéiʒən] 명 경우(=case), 기회(=opportunity); 이유(=cause) 타 일으키다(=cause), 발생시키다, 야기시키다

(예) on this *occasion* 이 기회에 // on one *occasion* 한때 // on all *occasions* 모든 경우에 // on the *occasion* of ~에 즈음하여, ~때에 // have no *occasion* to ~할 이유〔필요〕가 없다 // take *occasion* to do 호기(好機)를 잡아 ~하다 // rise to the *occasion* 난국〔위기〕에 대처하다 // be

equal to the *occasion* 일을 당하여 흔들리지 않다
[파] ***occásional** [형] 때때로의 ***occásionally** [부] 이따금, 가끔
on occasion(s) 때때로, 이따금(=now and then)
(예) I meet him *on occasion* at the club. 그와는 이따금 클럽에서 만난다.
Oc·ci·den·tal [àksidéntl / ɔ̀k-] [형] 서양의(=of the West)
[NB] 명사는 Occident. 또 「동양」은 Orient이며 그 형용사는 Oriental.
oc·cu·pa·tion* [àkjəpéiʃən / ɔ̀k-] [명] 일, 직업; 점유, 점령
(예) lose one's *occupation* 실직하다
oc·cu·py* [ákjəpài / ɔ́k-] [타] 차지하다, 점유하다, 점령하다; 《재귀형 또는 수동형으로》 종사하고 있다, ~하느라 바쁘다(=be engaged); (공간·시간)을 채우다, 요하다
(예) *occupy* a position 지위를 차지하다
***(be) occupied* 〔*occupy oneself*〕 *in* 〔*with*〕** ~에 종사하고 있는, ~으로 바쁜
(예) He is now *occupied* 〔now *occupies* him*self*〕 in writing. 그는 지금 저술에 종사하고 있다.
[파] **óccupant** [명] (토지, 가옥의) 사용자, 점유자 **occupátional** [형] 직업의(an *occupational* disease 직업병)
oc·cur* [əkə́ːr]* [자] (사건 따위가) 일어나다(=happen); 생각이 떠오르다
(예) It *occurred to* me that ~. ~라는 생각이 머리에 떠올랐다. // A bright idea *occurred to* me. 명안이 떠올랐다.
oc·cur·rence* [əkə́ːrəns / əkʌ́r-]* [명] (일의) 발생, 일어남, 사건, 사고
(예) an unfortunate *occurrence* 불행한 사고
o·cean [óuʃən]* [명] 대양; 《*pl.*》 많음 [~ of]
[파] **oceanography** [òuʃənágrəfi / -nɔ́g-] [명] 해양학
o'clock [əklák / -lɔ́k] [명] ~시(時)
[원] of the clock 「시계로」의 약어
[어법] 생략해도 좋다. 「~시 …분」이라고 말할 때는 쓰지 않는다: five minutes past ten.
oc·tag·o·nal [aktǽgənl / ɔk-] [형] 8변〔각〕형의
Oc·to·ber [aktóubər / ɔktóubə] [명] 10월 〖약어〗 *Oct.*
odd [ad / ɔd] [형] 기묘한(=strange); 차고 남은, 외짝의; 홀수〔기수〕의; 여분의, 임시의 [명] 《*pl.*》 차이, 불평등; 승산(勝算); 불화
[반] éven 고른; 짝수의
(예) an *odd* shoe 한 짝의 구두 // twenty *odd* years 20여 년 // an *odd* month 큰 달 // The *odds* are in our favor. 승산은 우리에게 있다.
[파] **óddly** [부] 묘하게; 나머지가 되어(*oddly* enough 괴상하게도) **óddity** [명] 기묘; 기벽 **ódd-looking** [형] 좀 이상 야릇한, 기묘한
odds and ends 나머지, 지스러기, 잡동사니

ode [oud] ⓜ (특정한 사물·사람에게 바치는) 송시, 송가
o·di·ous [óudiəs] ⓗ 싫은(=offensive, disagreeable), ㅁ
운(=hateful); 추악한 ㊂ **ódium** ⓜ 증오
◇**o·do(u)r** [óudər] ⓜ 향기, 냄새(=smell)
NB order [ɔ́ːrdər]와 발음을 혼동하지 않도록 할 것. *smel*
*scent*와 같이 좋은 냄새에도 쓰고 나쁜 냄새에도 쓴다.
(예) disagreeable *odors* 싫은〔나쁜〕 냄새
㊂ **odorous** [óudərəs] ⓗ 향기로운 ◇**ódorless** ⓗ 무취의
o'er [ouər] ⓑⓙ 〖시〗 =over
☆**of** [əv, ɑv / ɔv] ⓙ ① 《소속》 ~의
(예) a friend *of* mine 나의 친구 // the Tower of Lon-
don 런던 탑
어법 ① of 뒤의 명사가 사람이나 동물인 경우는 소유격으로
바꿀 수 있다: a son *of* the president ↔ the president's so
(사장의 아들). 단, 소유의 의미가 강할 때에는 「of+명사」가
될 수 없다: the child's cap (그 아이의 모자) ② of 뒤의 명
사가 무생물인 경우에도, 특히 신문 등에서는 소유격을 쓰는
경우가 있다: New York's traffic(뉴욕의 교통)
② 《동격》 ~라고 하는
(예) the city *of* Seoul 서울시 // the name *of* Tom 톰
이라는 이름 // an angel *of* a woman 천사 같은 여자
③ 《관계》 ~에 관하여
(예) a story *of* adventures 모험담 // be quick *of* eye
눈이 빠르다
④ 《재료》 ~로 (만든)
(예) a wall *of* brick 벽돌 담 // made *of* iron 철제의
⑤ 《목적》 ~을
(예) the education *of* children 아동 교육 // mother's
love *of* children 아이들에 대한 어머니의 사랑
어법 특히 다음의 관계에 주의; ① 주격 관계: the love *of*
mother(모성애)—어머니가 사랑한다 ② 목적 관계: a reade
of books (독서가)—책을 읽다
⑥ 《제거》 ~에서 (떨어져)
(예) within 5 minutes' walk *of* ~에서 걸어서 5분이 걸
리는 곳에 // cure a person *of* a disease 아무의 병을 치
료하다 // deprive〔rid, rob〕 a person *of* a thing 아무에
게서 무엇을 빼앗다 // 50 miles north *of* London 런던
북방 50마일
어법 ① 거리를 나타내어 from의 뜻: within ten minutes'
walk *of* the church(교회에서 걸어서 10분 이내의 곳에) ②
be independent *of*(~로부터 독립하여 있다) 특히 다음과 같
은 표현에 주의: rob, deprive, relieve ~ of: ask, demand
require ~ of 등.
⑦ 《원인》 ~로 (죽다)
(예) die *of* heart failure 심장 마비로 죽다 // What did
he die *of*? 그는 무슨 병으로 죽었는가?
⑧ 《부분》 ~ 중에서
(예) the West End *of* London 런던의 서구(西區) // th

most dangerous *of* enemies 적 중에서 가장 위험한 적 // the brave *of* the brave 용사 중의 용사

⑨《기원》~로 (태어나다), ~에게 (묻다)

(예) He is a man *of* good family. 그는 양가 출신이다. // I asked a favor *of* him. 나는 그에게 부탁을 하나 했다.

⑩《부사구를 만들어》

(예) He comes *of* a Sunday. 그는 흔히 일요일에 온다. // *of* necessity 필연적으로 // *of* late years 근년

⑪《「of+명사」가 형용사구를 만들어》~의

(예) a boy *of* six 6세의 소년 // a matter *of* importance 중요한 일 // a man *of* genius 천재적인 사람 // a man *of* his word 약속을 지키는 사람

어법 ①「형용사+of」로 동사적 의미를 나타내는 연어(連語): forgetful *of* (~을 잊고), conscious *of* (~을 의식하고) ②「of+명사」는 같은 의미의 형용사로 바꿀 수 있다: a man *of* importance ↔ an important man 중요 인물

of all 허구 많은 중에서(=among all), 하필이면, 그것도

(예) He did it and that on Christmas *of all* days. 그는 그 짓을 했다, 하필이면 크리스마스 날에. // Why London *of all* places? 많은 곳 중에서 왜 하필이면 런던인가?

of** one**self 저절로, 자연히

(예) He awoke *of* him*self*. 그는 저절로 잠이 깼다. // The fact that English is one's native tongue does not *of itself* qualify one to teach it to others. 영어가 모국어라는 사실이 영어를 남에게 가르치는 자격이 저절로 되는 것은 아니다.

NB by oneself, for oneself와 비교할 것. 또 **of** one**'s own accord**는 voluntarily로 「(강제가 아니라) 자진해서」라는 뜻.

off [ɔ:f / ɔf] 부 ①《이탈》떨어져, 멀리

(예) come *off* 떨어져 나가다, 벗겨지다 // take 〔put〕 *off* ~을 벗다 // Keep *off*! 가까이 오지 마라! // She was standing with her hat *off*. 그녀는 모자를 벗고 서 있었다.

어법 Take your shoes *off*. ↔ Take *off* your shoes. (신을 벗으시오)

NB 대명사의 경우에는 반드시 Take them *off*. 의 어순

②《완료》~해 버려

(예) drink *off* ~을 마셔 버리다 // Clear *off* that table. 식탁을 깨끗이 치우시오.

③《출발》떠나서

(예) I must be *off* to the office early in the morning. 나는 아침 일찍 회사에 나가야 한다.

④《중단, 중절》멎어, 멈추어

(예) The gas has been *off* for two hours. 가스 공급이 두 시간 동안이나 끊어져 있다. // In case of rain, the trip will be *off*. 비가 오는 경우에는 여행을 중지한다.

— 전 ① ~에서 떨어져

(예) *off* duty 비번(으로) // The train ran *off* the rails 열차가 탈선했다. // Take the dishes *off* the table. 테이블에서 접시를 갖다 치우시오.

② 난바다에

(예) The ship was *off* the island. 배는 섬에서 난바다 쪽에 나가 있었다.

— ⓗ 먼, 저쪽의; 쉬는

어법 품사의 구별에 주의: The cover has come *off* my book (내 책의 표지가 벗겨져 버렸다)에서는, 전치사로 book가 목적어. my book가 없으면 부사. an *off* street(골목길)에서는 street를 수식하는 형용사

반 on 위에

파 **óff-duty** ⓗ 비번의, 휴식의 **off-hand** [ɔ́(ː)fhǽnd] ⓗ 즉석의 ⓑ 즉석에서 **offing** [ɔ́(ː)fiŋ] ⓜ 난바다 **óff-day** ⓜ 비번의 날, 휴일 **Off Limits** 〖미〗 출입 금지(구역) **óff-season** ⓜ 철이 지난 때, 계절 외 **ˌóffshoot** ⓜ 분지(分枝), 가지; 지류; 분파, 방계자손 **ˌóffshóre** ⓗⓑ 앞바다의〔로〕 **óffstage** ⓜⓗ 무대 뒤(의) ⓑ 무대 뒤에서; 사생활에서는

off and on 단속적으로, 불규칙하게(=on and off)

(예) It has been raining *off and on.* 비가 왔다 안 왔다 한다.

a 〔*one's*〕 ***day*** 〔***week, year,*** etc.〕 ***off*** 1일 〔1주일, 1년〕의 휴가

(예) We have *a day off* on a national holiday. 우리는 국경일에 하루를 쉰다.

***of·fend** [əfénd] ⓣⓙ 화나게 하다, 감정을 해치다; 범하다, 어기다

반 please 기쁘게 하다

(예) *offend* the ear 〔eye〕 귀〔눈〕에 거슬리다 // His misbehavior *offended* her. ↔ He *offended* her *by* 〔*with*〕 his misbehavior. ↔ She was *offended by* 〔*at, with*〕 his misbehavior. 그녀는 그의 무례한 행실에 화를 냈다.

파 **offénder** ⓜ 범죄자; 위반자

of·fense, of·fence [əféns] ⓜ 죄, 범죄; 무례(=insult), 모욕, 노염(=anger); 공격(=attack)

반 defénse, defénce 방어

(예) take *offense* 성내다 // give 〔cause〕 *offense* to a person 아무를 화나게 하다

어법 법률상, 도덕상 또는 경중을 묻지 않는 넓은 의미에서의 「죄」

파 **offénsive** ⓗ 불쾌한(=disagreeable), 싫은; 공격적인 ⓜ 공격, 공세(반 inoffénsive 불쾌하지 않은, defénsive 방어)

***of·fer** [ɔ́ːfər, ɑ́f-/ɔ́fə]* ⓣⓙ 제공하다, 내(놓)다, 신청하다; 제의하다(=propose), 바치다; 일어나다 ⓜ 제언, 신청, 제공, 제의

반 accépt 받아들이다, refúse 거절하다

(예) He *offered* me some money. ↔ He *offered* to give me

some money. 그는 나에게 돈을 좀 주겠다고 제안했다. // A good chance *offered* itself. 좋은 기회가 왔다. // make an *offer* 신청하다 // *offer* one's hand (악수를 위해) 손을 내밀다; (남자가 여자에게) 결혼을 신청하다

파 **óffering** 명 신청, 공물, 헌납물, 헌금

of·fice [ɔ́:fis, ɑ́f- / ɔ́f-] 명 사무소, 회사, 관청, 직무(=duty), 지위; 사무실; 《보통 *pl.*》 알선; 호의

(예) take 〔leave〕 *office* 취〔퇴〕임하다 // by the good *offices* of ~의 알선으로 // do 〔perform〕 the *office* of ~의 역할을 다하다

파 (⇨) **official.** ***ófficer** 명 관리; 장교 **offícious** 형 부질없이 참견하는 **office boy** 급사 **office hours** 집무 시간 **office worker** 사무원

of·fi·cial [əfíʃəl]* 명 관공리, 공무원; 역원 형 공적인, 공무상의, 직무상의; 공식의, 관청의

반 unoffícial 비공식의, prívate 사적인, 개인의

(예) *official* documents 공문서 // *official* duties 공무 // an *official* gazette 관보(官報) // an *official* report 공보(公報) // an *official* announcement 공표 // an *official* residence 관저(官邸)

파 **offícially** 부 공식적으로, 직무상으로

off·spring [ɔ́(:)fspriŋ] 명 자손; 소산(所産), 결과(=result)

oft [ɔ(:)ft] 부 〖옛말·시〗 종종(=often)

of·ten [ɔ́:fən / ɔ́fən] 부 종종(=many times), 자주, 가끔

반 séldom 좀처럼 ~ 않다

(예) People *often* ask those questions. 사람들은 종종 그런 질문들을 한다. // I have *often* been told that. 나는 자주 그런 말을 들었다.

> 어법 often은 일반적으로 동사의 앞에 놓이지만, be 동사·조동사와 함께 쓰일 경우는 그 뒤에 놓는다. 단, 강조의 경우는 문두나, be 동사·조동사 앞에 놓기도 한다: *Often* he did not come.(그는 자주 오지는 않았다)

more often than not 가끔, 빈번히(=as often as not)

(예) *More often than not,* we lay awake all night. 가끔 우리는 뜬눈으로 밤을 새웠다.

oh [ou] 감 오오!, 아이고!, 어머나! 《감탄·놀라움·공포·간망(懇望) 따위를 나타냄》

oil [ɔil] 명 기름, 석유; 《보통 *pl.*》 유화(油畫) 물감 타 자 기름을 바르다, 기름을 치다

파 **óily** 형 기름의, 기름 같은; 구변이 좋은 **óilcloth** 명 유포(油布) **óilpaper** 명 유지(油紙) **oil colour** 유화 그림 물감; 유화 **oil field** 유전(油田) **oil painting** 유화

oint·ment [ɔ́intmənt] 명 연고(軟膏), 고약

OK, O.K., okay [òukéi] 〖미〗 형 부 좋아(=all right) 명 승인 타 승인하다

(예) Everything is *OK.* 만사 오케이다. // He *OK'd* my plan. 그는 내 계획을 승인했다.

☆**old** [ould] 형 《***older, elder ; oldest, eldest***》 나이 먹은 늙은; ~살〔세〕의; 옛날의, 낡은 명 《전치사 뒤에서》 옛날
반 young 젊은, new 새로운
(예) *old* age 노년 // the *old* 노인들 // get 〔grow〕 *old* 나이를 먹다 // a girl ten years *old* 10살의 소녀 // ◇from of *old* 옛날부터 // knights of *old* 옛날의 기사 // as of *old* 옛날처럼
어법 older, oldest는 「나이의 많고 적음」 또는 「신구(新舊)」를, elder, eldest는 「한 집에서의 나이 순서」를 나타내는 것이 보통이다. (*cf.* elder)
파 **ólden** 형 옛날의 ◇**óld-fáshioned** 형 구식의, 고풍의

*◇**ol·ive** [áliv / ɔ́l-]★ 명 〔식물〕 올리브(나무)

◇**O·lym·pic** [oulímpik, əlím-] 형 올림픽의 명 《*pl.*》 올림픽 대회
파 ◇**Olýmpiad, the Olympic Games** 명 올림픽 경기 대회

o·men [óumən] 명 전조, 징조, 조짐
파 **ominous** [ámінəs / ɔ́m-] 형 불길한, 험악한; 전조의

*◇**o·mit** [oumít] 타 생략하다, 게을리하다, 빠뜨리다, 간과하다
(예) *omit* locking 〔to lock〕 the door 문 잠그는 것을 잊어버리다
파 **omíssion** 명 생략, 탈락, 태만

◇**om·ni·bus** [ámnibʌ̀s / ɔ́m-]
명 합승 마차 〔자동차〕, 버스(=bus); 대선집(大選集), 작품집

om·nip·o·tent [amnípətənt / ɔm-] 형 전능의, 무엇이든 할 수 있는

> ▶ **205. 접두어 omni**
> 「전(全)」「총(總)」의 의미를 나타낸다.
> (예) *omni*bus, *omni*potent(전능의) 따위

☆**on** [an, ɔ(ː)n] 전 ① 《위치》 ~의 위〔표면〕에; (강)가에
(예) the lamp *on* the table 테이블 위에 있는 램프 // a picture *on* the wall 벽에 걸려 있는 그림 // a house on the river 강가의 집
어법 *on*은 「접촉한 위에」란 뜻이고, 「떨어져 위에」는 *above*.
② 《방향》 ~을 향하여
(예) a joke *on* me 나에 대한 농담 // march *on* the capital 수도를 향해 행진하다 // face *on* sea 바다에 면하다 // have pity *on* ~을 불쌍히 여기다
③ 《기초·이유》 ~에 의거하여
(예) be based *on* ~에 기초를 두고 있다 // *on* the ground that ~라는 이유로 // live *on* rice 쌀을 주식으로 하다
④ 《착용》 몸에 지니고〔걸치고〕
(예) have a hat *on* one's head 모자를 쓰고 있다
⑤ 《제목》 ~에 관하여
(예) a book *on* war 전쟁에 관한 책 // a lecture on Shakespeare 셰익스피어에 관한 강의 // I congratulate you *on* your success. 성공을 축하합니다.
⑥ 《날·때·동시》 ~에, ~와 동시에

(예) *on* Monday (과거 또는 미래의 어느) 월요일에 // *on* Sundays 일요일마다 // *on* Sunday next [last] 다음 [지난] 일요일에 // *on* and after the tenth of May 5월 10일 이후에 // *On* hearing this, I changed my plans. 이것을 듣고 바로 계획을 바꿨다.

어법 단, *on* the morning [afternoon, evening, night] of July 7 (7월 7일 아침[오후, 저녁, 밤]에) 에 주의.)

⑦《상태·종사》 ~의 상태로, ~에 종사하여

(예) *on* fire 연소중 // *on* the move 진행중 // *on* business 용무로 // *on* duty 근무중

— 부 ① 위에

(예) get *on* a bus 버스에 승차하다 // put a tablecloth *on* (테이블에) 책상보를 씌우다 // cling *on* to a chair 의자에 올라 앉다

② 앞으로, 나아가서, 계속하여

(예) further *on* 더 앞으로 // later *on* 나중에 // come *on* 오다 // He went *on* talking. 그는 이야기를 계속하였다. // Go *on* with your story. 이야기를 계속해 주시오. // Again the whistle sounded. The game was *on.* 다시 호루라기 소리가 났다. 경기가 계속되었다.

③ 몸에 지니고[걸치고]

(예) have a coat *on* 상의를 입고 있다 // have nothing *on* 아무 것도 입고 있지 않다

반 benéath ~ 아래에, off 떨어져

from ~ on ~ 이후[이래]

(예) *From* that day *on* he ate nothing. 그날 이후부터 그는 아무 것도 먹지 않았다. // *From* now *on* I will let you play. 이제부터는 너를 놀도록 하겠다.

on all sides 주위에, 사면팔방으로, 여기저기

(예) look *on all sides* 사방을 보다

on and on 계속해서, 쉬지 않고

(예) We walked *on and on.* 우리는 계속 걸었다.

once [wʌns] 부 한 번(*cf.* twice); 일찍이(=formerly), 한 때; 일단 명 한 번 접 일단 ~하면

(예) ◇*once* every week 일 주일에 한 번(↔once a week) // for this *once* 이번만큼은 // *Once* he has made up his mind, he never hesitates. 그는 일단 결심하면 절대로 주저하지 않는다.

once and again (한 번뿐만 아니고) 여러 번(=repeatedly)

(예) I have told you *once and again* that you must not smoke in this room. 이 방에서 담배를 피워서는 안 된다고 여러번 말했을 텐데.

once (and) for all 단 한 번만, 이번뿐, 단연

(예) I shall explain it fully *once for all.* 단 한 번만 충분히 설명하겠다.

once in a while 이따금, 때때로; 드물게

(예) She makes a mistake *once in a while.* 그녀는 이따

금 잘못을 저지른다.

* ***once more* 〔*again*〕** 한 번 더〔다시〕, 다시 한 번
(예) Pronounce it *once more* 〔*again*〕. 다시 한 번 더 발음해 보아라.

once upon a time 옛날 옛적에(=long ago) 《옛날 이야기의 첫 머리말》
(예) *Once upon a time* there was a beautiful princess. 옛날에 예쁜 공주가 있었다.

☆◇ ***at once*** 곧, 즉시(=immediately)
(예) *At once* the ghostly King of Terrors stood before him. 곧 그의 앞에는 유령과 같은 사신(死神)이 서 있었다. // Do it *at once*. 즉시 하라. 「한

O

at once ~ and 동시에, ~하기도 하고 동시에 …하기도
(예) She is *at once* stern *and* tender. 그녀는 엄한 동시에 상냥하다.

◇ ***for once*** (특별히) 한 번만, 이 번 한 번만
(예) *for once* in one's life 일생에 단 한 번만

on·com·ing [ɑ́nkʌ̀miŋ, ɔ́:n- / ɔ́n-] ⓗ 다가오는(=approaching) ⓜ 접근(=approach)

☆ **one** [wʌn]* ⓜ ① 1, 하나, 한 개〔사람〕
(예) Book 〔Chapter〕 *One* 제 1 권〔장〕 // *One* of the boys lost his watch. 소년들 중 한 사람이 시계를 잃었다.
② 한 시〔살〕
(예) at *one* 한 시에 // at *one* and twenty 스물 한 살 때에
— ⓗ 하나의, 어떤
(예) *one* apple 한 개의 사과 // *one* and the same thing 똑같은 물건 // *one* day afternoon 〔evening〕 어떤 날 오후〔저녁〕
[어법] ① the나 소유격이 붙으면 「유일의」의 뜻: the *one* thing I want to say (내가 말하고자 하는 유일한 것). ② 「~라고 하는 사람」의 뜻으로는 *one* Mr. Smith 보다 *a* Mr. Smith 라고 하는 것이 보통.
— ⓓ 《일반적으로》 사람; 하나, 한 개〔사람〕
(예) *One* has to do one's best. 사람은 최선을 다해야 한다.
[어법] ① 일반적으로 「사람은」이란 뜻으로 one이 주어로 쓰인 경우는, 흔히 one, one's, oneself 따위로 받는다: *One* must do *one's* duty.(사람은 자신의 의무를 다하지 않으면 안 된다) 단, 실제로는 he, his, himself 등으로 받는 수도 많다. 마찬가지로 일반적인 사람을 나타내는 데 we, you도 쓰이고 있으나 *we*는 자신을 포함하는 기분을, *you*는 부르는 기분을 내포한다. ② 앞서 나온 명사를 받는 경우. (a) 특정되지 않은 단수 명사의 대신으로 쓴다. 관사를 붙이지 않음: Do you have a watch? Yes, I have *one*(=*a* watch). 특정한 것에는 one을 쓰지 않고, it, him 등을 쓴다: I lost my watch, and couldn't find *it*(=*the* watch). 추상 명사·물질 명사에는 쓰

이지 않고, it, this, that 등으로 한다: This wine is better than *that.* (b) 수식어〔구〕를 수반하는 경우는 관사도 쓰고 복수형 ones도 쓴다: I don't like this hat. Show me *a* better *one.* 추상 명사·물질 명사의 경우는 one을 쓰지 않고 형용사만의 꼴로 한다: Red wine sells better than *white.* 다음에 *of* ~를 수반하는 경우는 the *one(s)*라 하지 않고 that〔those〕을 쓰는 것이 보통: His position is different from *that* of the others. ③ 주의해야 할 관용구: for *one* thing(하나는), at *one*(일치하여), for *one*(나로서는), *one* of these days(근간, 일간)

[파] ***oneséIf** [대] 자신 **óneness** [명] 단일, 통일성 ◇**óne-éyed** [형] 애꾸의; 시야가 좁은; 불공평한 **óne-síded** [형] 일방적인

O

one after another 하나씩, 차례로, 계속적으로
(예) Numberless little wooden houses caught fire *one after another.* 무수한 작은 목조 집들이 차례차례로 불이 붙었다. // They threw *one* small coin *after another.* 그들은 작은 동전을 연달아 하나씩 던졌다.

one after the other 번갈아(=by turns), 차례차례로
(예) They kept watch *one after the other.* 그들은 번갈아 망을 보았다.
[NB] *one after another*는 셋 이상의 경우이고 *one after the other*는 둘의 경우에 쓴다.

one another 서로(*cf.* each other)
(예) They helped *one another.* 그들은 서로 도왔다.

one by one 하나씩, 차례로
(예) They arrived *one by one.* 그들은 (차례로) 한 사람씩 도착했다.

one ~ the other 둘 중 하나는 ~ 또 하나는…
(예) They have two daughters : *one* is a singer, *the other* an actress. 그들은 두 딸이 있다. 하나는 가수이고 또 하나는 여배우이다.
[NB] *one ~ the other* 는 특정한 것이 아니라 양자 중 임의(任意)의 하나가 one이고 나머지 하나가 the other.

one thing ~ another 갑과 을은 다르다
(예) To know is *one thing* ; to teach is *another.* 안다는 것과 가르친다는 것은 별개의 문제이다.

the one ~ the other 전자 ~ 후자(=the former ~ the latter)
(예) Virtue and vice are before you ; *the one* leads to happiness, *the other* to misery. 여러분의 앞실에는 미덕과 죄악이 있다. 전자는 행복으로 인도하고 후자는 불행으로 이끈다《미덕을 쌓으면 행복해지고 죄악에 빠지면 불행해진다》.

on·ion [ʌ́njən] [명] 양파

on·look·er [ɔ́ːnlùkər, ɑ́n-/ɔ́n-] [명] 구경꾼, 방관자(=bystander)

on·ly [óunli]★ [형] 유일한, 단지 ~만의 [부] 단지(=merely), 오직, 겨우 ~만 [접] 다만, ~이기는〔하기는〕 하나

(예) I want to go, *only* I am too busy. 가고 싶기는 하지만 너무 바쁘다.

어법 어·구·절을 수식할 경우는 그 앞·뒤에, 문장 전체를 수식할 경우에는 동사의 앞에 두는 것이 일반 원칙이지만 그 위치는 비교적 자유롭기 때문에 주의해서 뜻을 파악할 필요가 있다: *Only* he read the letter yesterday. 는 주어 he를 강조해서 「그만이」, He *only* read 는 read를 강조해서 「읽기만」, He read *only* the letter 는 the letter를 강조해서 「그 편지만」, He read the letter *only* yesterday. yesterday를 강조해서 「마침내 어제」.

◇***only to do***★ 단지 ~하기 위하여; 단지 ~한 결과가 되다
(예) He tried *only to* fail again. 그는 재차 해 보았으나 실패했을 뿐이었다. // I tried to persuade him *only to* offend him. 그를 설득하려고 했으나 결과는 그를 화나게 했을 뿐이었다. (↔ I tried to persuade him, but offended him after all.)

◇***only too*** 대단히(=exceedingly); 유감스럽지만
(예) *only too* glad 정말 기쁜 // It is *only too* true. 유감스럽지만 정말 사실이다.

◇**on·to** [ántu, ɔ́:ntə / ɔ́ntu] 전 〖미〗 ~의 위에
어법 〖영〗에서는 보통 on to로 띄어 씀

◇**on·ward** [ánwərd, ɔ́(:)n-] 형 전방으로의, 전진적〔향상적〕인 부 앞으로
파 **ónwards** 부 앞으로, 전방으로, 나아가서

☆**o·pen** [óupən] 타 자 열다, 개시하다, 개척하다 형 열려 있는, 공개의, 비어 있는 명 [the ~] 빈 터, 옥외
반 shut, close 닫다
(예) *open* the door to ~에 문호를 개방하다 // keep the windows *open* 창을 열어 놓다 // an *open* manner 솔직한 태도 // *open* air 옥외, 야외 // a door that *opens into* a garden 정원으로 통하는 문 // He *opened* the door for her. ↔ He *opened* her the door. 그는 그녀에게 문을 열어 주었다.
파 **ópenly** 부 공공연히; 솔직하게 **ópenness** 명 개방 **ópener** 명 여는 것〔사람〕; 마개 뽑이, 깡통 따개 ***ópening** 명 개시; 틈, 구멍 형 개시의, 개회의 **ópen-áir** 형 옥외의 **ópen-éyed** 형 눈이 동그래진, 놀란 **ópen-hánded** 형 아끼지 않는 **ópen-héarted** 형 솔직한 **ópen-mínded** 형 허심탄회한 ◇**ópen-móuthed** 형 입을 벌린; 시끄러운; (병 따위가) 아가리가 넓은

****open to*** ~에게 열려 있는, ~의 여지가 있는
(예) There are three courses *open to* us. 우리들이 취할 수 있는 길은 세 가지가 있다.

open up 열다; 시작하다; 나타나다
(예) He *opened up* a new business. 그는 새 사업을 시작했다.

*◇**op·er·a** [ápərə / ɔ́p-] 명 가극, 오페라
파 **operétta** 명 희(喜)가극, 경가극, 오페레타 **oper**

glasses 오페라 글라스《관극용 작은 쌍안경》 **opera hat** 오페라 모자 **opera house** 가극장;〖미〗극장

*°**op·er·ate** [ápərèit / ɔ́p-] ㉷ ㉸ (기계 따위가) 움직이다(=work), 작용하다[~ on, upon]; 수술을 하다; (약이) 듣다; (기계 따위를) 조작·운전하다; 경영하다

㉯ oper(=work)+ate(동사 어미)

(예) *operate on* a patient 환자를 수술하다 // The heart *operates* even during sleep. 심장은 수면중에도 움직인다.

> ▶ **206.** 미국의 주명 (2)
> 영국계의 주명에서는 왕족의 이름이 많아 Charles I의 왕비인 Maria의 이름을 딴 Maryland, George II에 관련시켜 지은 Georgia, 그리고 Virgin Queen이라고 불리운 Elizabeth I의 Virginia 따위. 또, 후에 남북으로 갈라진 Carolina는 Charles의 라틴어 이름이며, Duke of York (후의 James II)는 New York에 이름을 남기고 있다. New Hampshire, New Jersey 등은 영국의 지명에 new를 붙여서 된 가장 단순한 것이다.

㉰ *°**operation*** [àpəréiʃən / ɔ̀p-] ㉴ 움직임, 작업, 작용, 운전; 수술;《보통 *pl.*》 작전(military *operations* 군사 작전) **operative** [ápərèitiv, ápərə- / ɔ́p-] ㉵ 작용하는; 효력 있는 *°**óperator** ㉴ (기계의) 조작자, 교환수; 수술자; 중매상인

°**o·pin·ion*** [əpínjən] ㉴ 의견, 견해(=view);《*pl.*》 소신(所信)

(예) public *opinion* 여론 // I am of (the) *opinion* that it is true. ↔ It is my *opinion* that it is true. 내가 생각하기에 그것은 사실이다.

㉰ **opínionated** ㉵ 자기 주장을 고집하는; 고집이 센

in the opinion of ~의 의견으로는

(예) *In the opinion of* the doctor the invalid will recover. 의사의 의견으로는 그 환자는 완쾌되리라고 한다. // *In my opinion* you are wrong. 내 생각에는 네가 틀렸다.

o·pi·um [óupiəm] ㉴ 아편

op·po·nent [əpóunənt]* ㉴ 적수(=adversary) ㉵ 적대하는

op·por·tu·ni·ty [àpərtjú:nəti / ɔ̀pətjú:-]* ㉴ 기회, 호기(=good chance); 행운; 가망

(예) take 〔miss, find〕 an *opportunity* 기회를 잡다 〔놓치다, 발견하나〕

㉰ °**opportune** [àpərtjú:n / ɔ́pətjù:n] ㉵ 때에 알맞은; 형편 좋은 **opportunist** [àpərtjú:nist / ɔ́pətjù:-] ㉴ 기회주의자

have an 〔***the***〕 ***opportunity of*** 〔***for***〕 ***doing*** 〔***to** do*〕 ~하는 기회를 갖다

(예) I *had an opportunity to* discuss 〔*for* discuss*ing*〕 the matter with my teacher. 나는 그 문제를 선생님과 의논할 기회가 있었다.

op·pose [əpóuz] ㉸ 반대하다, 방해하다(=hinder)

㉯ op(=against)+pose(=put)

반 agrée 동의하다
파 **oppósed** 형 반대의 *◇**opposítion** 명 반대, 대립; 야당
(be) opposed to ~에 반대〔대립〕되는
(예) They *are opposed to* your proposal. 그들은 네 제의에 반대한다.
in opposition to ~에 반대〔반항〕해서
*◇**op·po·site** [ápəzit / ɔ́p-] 형 정반대의, 맞은편의 명 반대(의 것), 반의어 부전 ~의 맞은편에, 반대의 위치에
◇**op·press** [əprés] 타 압박하다; 우울〔답답〕하게 하다
원 op(=against)+press(누르다)
(예) be〔feel〕 *oppressed with*〔*by*〕 the heat 더위로 인하여 기분이 울적해지다
파 ◇**oppréssion** 명 압박, 압제 ***oppréssive** 형 압제적인, 답답한 ◇**oppréssor** 명 압제자
◇**op·tic** [áptik / ɔ́p-] 형 시력의, 시각의, 광학(상)의(=optical)
파 **optician** [ɑptíʃən / ɔp-] 명 안경상(商), 광학 기계상
op·ti·mism [áptəmìzəm / ɔ́p-] 명 낙천주의, 낙관
반 péssimism 비관주의
파 ◇**óptimist** 명 낙천가 **optimístic** 형 낙관적인, 낙천적인 ◇**optimization** [àptəməzéiʃən / ɔ̀ptəmai-] 명 낙관적인 사실; 가장 효과적인 상태
◇**op·tion** [ápʃən / ɔ́p-] 명 선택권, 선택할 수 있는 것; 옵션
(예) have an *option on* a building 건물의 선택 매매권이 있다 // I have no *option* in the matter. 그 일에 나는 선택의 자유가 없다.
☆**or** [ɔːr, ər] 접 ① 또는, 혹은
(예) black *or* white 흑 또는 백 // two *or* three days ago 2, 3일 전
어법 A or B의 형이 주어가 되는 경우, 동사는 가까운 쪽의 주어에 일치한다: You *or* he *is* to go. (너든지 그든지 어느 쪽이 가지 않으면 안 된다)
② 즉, 바꿔 말하면
(예) a Negro *or* a black man 니그로, 즉 흑인
어법 ① 명령을 나타내는 절에 계속되는 or (else)는 「그렇지 않으면」의 뜻: Work harder, *or* (*else*) you'll fail. (더 열심히 일해라, 그렇지 않으면 실패할 것이다) (↔If you don't work harder, you'll fail.) ② 기타 whether, either, and 등을 참조할 것. ③ not, no, never 따위 부정어와 함께 쓰여 「~도 (또한) …도 아니다」의 뜻이 된다: He *never* smokes *or* drinks. (그는 술도 담배도 하지 않는다)
or else 그렇지 않으면 《어법 ① 참조》
◇***or so*** ~쯤, ~정도, ~내외
(예) He will stay a week *or so*. 그는 1주일쯤 머무를 것이다. // It costs 1,000 won *or so*. 그것은 천 원이나 또는 그 정도 한다.
or·a·cle [ɔ́(ː)rəkəl] 명 신탁(神託), 현인(賢人)
파 **oracular** [ɔːrǽkjələr, ɑr- / ɔrǽkjulə] 형 신탁의; 애매

한; 명령적인

o·ral [ɔ́:rəl] ⓗ 구두(口頭)의 (=spoken); 〖해부〗 입의
반 wrítten 필기의 파 **órally** ⓟ 구두로

or·ange [ɔ́:rindʒ, ár- / ɔ́r-] ⓜ 오렌지, 감귤; 오렌지색 ⓗ 오렌지의, 오렌지색의

o·rang·u·tan, -ou·tang [ouræ̃ŋətæ̀n / ɔ:rəŋu:tǽn], [-tæ̀ŋ] ⓜ 〖동물〗 오랑우탄, 성성이

o·ra·tion [ɔ:réiʃən] ⓜ 연설, 식사(式辭)

or·a·tor [ɔ́(:)rətər] ⓜ 연설자, 변사, 웅변가
파 **óratory** ⓜ 웅변, 수사(修辭) **oratórical** ⓗ 연설의, 웅변의(an *oratorical* contest 웅변 대회)

orb [ɔ:rb] ⓜ 구(球), 지구, 천체

or·bit [ɔ́:rbit] ⓜ 궤도; 눈구멍, 안와(眼窩) ⓙⓣ 궤도를 돌다
(예) The satellite *orbits about* the earth. 위성은 지구 주위의 궤도를 돈다.
파 ◇**órbital** ⓗ 궤도의; (도로가) 도시 교외를 환상으로 통하는

or·chard [ɔ́:rtʃərd]* ⓜ 과수원

or·ches·tra [ɔ́:rkistrə]* ⓜ 관현악단, 오케스트라
파 **orchéstral** ⓗ 관현악의

or·chid [ɔ́:rkid] ⓜ 난초(의 꽃); 연자주색 ⓗ 연자주색의
(예) a wild *orchid* 야생란

or·dain [ɔ:rdéin] ⓣ 명하다, 정하다, 운명지우다; 임명하다

or·deal [ɔ:rdí:l] ⓜ 호된 시련, 고된 체험

or·der [ɔ́:rdər] ⓜ 순서(=sequence); 질서, 정돈; 《보통 *pl.*》 명령; 주문; 환(換); 훈위, 훈장; 《*pl.*》 성직(聖職) ⓣ 명령하다(=command); 주문하다; 정돈하다(=arrange)
(예) in alphabetical *order* 알파벳 순서대로 // peace and *order* 평화와 질서 // take *orders* from a person ↔ take a person's *order* 아무의 지시를 받다 // The book is on *order.* 그 책은 지금 주문 중이다. // He gave *orders* for the work to be done at once. ↔ He gave *orders* that the work should be done at once. 그는 그 일을 즉시 해야 한다고 명령했다. // made to *order* 주문하여 만든
어법 명령의 뜻인 직접 화법을 간접 화법으로 바꿀 경우에 쓴다: He said to the soldiers, "March on!" ↔ He *ordered* the soldiers to march on.
파 **órderly** ⓗ 질서 정연한 **order book** 주문철 **order form** 주문용지

call to order 개회를 선언하다
(예) The meeting was *called to order* by the chairman. 의장에 의해서 개회가 선언되었다.

come to order 개회하다
(예) The meeting will now *come to order.* 이제 회를 열겠습니다.

in* (*good*) *order 정돈되어; 순조롭게; 건강하여

O

반 out of order (문란하여)
(예) He left everything *in order.* 그는 모든 것을 정돈해 놓았다. // The machine is now *in good* working *order.* 기계는 지금 작업하기에 좋은 상태이다. // Your passport is *in order.* 당신의 여권은 결함이 없습니다.

in order that ~하기 위하여, ~할 목적으로(=so that)
(예) He worked hard *in order that* he might get the prize 그 상을 타기 위하여 그는 열심히 공부했다.
NB in order는 생략하여도 좋다. 동사에 may를 붙이는 것이 보통.

O

◇ ***in order to*** ~하기 위하여(=so as to, with the aim to)
(예) All are requested to do their utmost *in order to* achieve the ends. 그 목적을 달성하기 위하여 모두가 다 전력을 기울여야 한다.
NB *in order to*나 *in order that* 둘 다 똑같은 의미지만 전자에는 부정사(infinitive)가 붙고, 후자에는 절(clause)이 붙는다는 데 주의.

◇ ***out of order*** 문란하여, 고장나서, 어긋나서
(예) Bell (is) *out of order.* Please knock. 초인종 고장. 노크하시오.

put* 〔*set*〕 ~ *in order ~을 정리〔정돈〕하다
(예) You must *put* 〔*set*〕 things *in order.* 물건을 정돈해 두어야 한다.

or·di·nal [ɔ́:rdənl] 형 순서를 나타내는, 서수의 명 서수 (=ordinal number)
반 cárdinal 기수(基數)

or·di·nance [ɔ́:rdinəns] 명 법령; 〖종교〗 의식(儀式)
NB **ordnance** [ɔ́:rdnəns] 명 「병기·군수품」과 혼동하지 말 것.

*◇**or·di·nar·y**★ [ɔ́:rdənèri / ɔ́:dənəri]★ 형 보통의(=usual); 평범한 명 보통의 일, 예사; 정식(定食)
반 extraórdinary 비상한
(예) an *ordinary* dress 평복 // out of the *ordinary* 보통이 아닌, 예외적인
파 ***órdinarily** 부 통상시(는), 보통

◇**ore** [ɔ:r] 명 원광(原鑛), 광석

*◇**or·gan** [ɔ́:rgən] 명 기관(器官); 기관(機關) (지(紙)); 오르간
(예) the digestive *organ* 소화기관
파 ◇**organic** [ɔ:rgǽnik] 형 유기체의, 유기적인 ***órganism**★ 명 유기체, 생물; 조직 **órganist** 명 오르간 연주자 *◇**órganize** 타 조직하다 *◇**organizátion** 명 조직, 단체, 기구(機構) **órganizer** 명 조직자, 창립자

◇**or·gy, or·gie** [ɔ́:rdʒi] 명 《보통 *pl.*》 진탕 마시고 떠들기, 법석대기; 주신제(酒神祭); 지나친 열중
(예) an *orgy* of work 기를 쓰고 일하기

◇**o·ri·ent**★ [ɔ́:riənt] 명 [the O-] 동양 형 동양의 자 타 [-ènt]★ 동쪽으로 향하다〔향하게 하다〕; 올바른 위치〔방향〕에 놓다

반 (the) Óccident 서양
파 ◇oriéntal 형 동양의 명 동양 사람 **orientátion** 명 방위 측정〔결정〕, 지도, 적응

or·i·gin [ɔ́:ridʒin]★ 명 기원, 발단; 태생(=birth)
원 ori(=arise)+gin(명사 어미) 반 resúlt 결과
(예) the *Origin* of Species「종의 기원」《다윈의 저서》// by *origin* 태생은, 가문은
파 ◇***oríginate** 자 타 고안〔창시〕하다, 시작하다, 일어나다 **oríginator** 명 창시자, 발기인

o·rig·i·nal [ərídʒinl]★ 형 최초의, 원래의; 독창적인 명 원문, 원물(原物)
파 ◇***oríginally** 부 처음은, 원래는 ◇***originality** [ərìdʒinǽləti]★ 명 독창(성), 신기(新奇)성

o·ri·ole [ɔ́:riòul] 명 〖새〗 꾀꼬리의 일종, 〖미〗 찌르레기과의 작은 새

or·na·ment 명 [ɔ́:*r*nəmənt] 장식(물)(=decoration) 타 [-mènt] 장식하다(=decorate)
파 ◇**ornaméntal** 형 장식의 **ornamentátion** 명 장식(품)

or·nate [ɔ:*r*néit] 형 잘 꾸민〔장식한〕; (문체가) 화려한

or·phan [ɔ́:*r*fən] 명 고아 형 고아의 타 고아로 만들다
파 ◇**órphanage** 명 고아임; 《집합적》 고아; 고아원

or·tho·dox [ɔ́:*r*θədɑ̀ks / ɔ́:θədɔ̀ks] 형 정통의, 정교(正教)를 받드는; 전통적인, 인습적인, 본식의(=regular, established)
파 **órthodoxy** 명 정통파, 정교, 정설, 정통파의 교의〔신앙〕

os·trich [ɔ́:stritʃ, ɑ́s- / ɔ́s-] 명 〖새〗 타조(駝鳥)

oth·er [ʌ́ðə*r*] 형 ① 다른, 딴
(예) I have *other* things to worry about. 나는 다른 일들을 근심하고 있다. // ◇I have *no other* friend *but* you. 나에겐 너 말고는 다른 친구가 없다.
어법 ① 셀 수 있는 명사의 단수에는 another를 쓴다: I want to see *another* boy. (또 다른 한 소년) ② the other(+단수 명사)의 형으로 두 개 가운데 「나머지 다른 하나」: ... the other boy (두 사람 가운데 나머지 소년) ③ the others, the other+복수 명사의 형으로, 세 개 이상의 것 가운데 일부를 취하고 「나머지(전부)」: ... *the other* boys(나머지 소년 전부)
② 《the ~》 저편의, 반대의; 이전의(=former)
(예) the *other* side of the street 도로의 저편 // I want the *other* thing. 나는 그 반대의 것을 원한다. // men of *other* days 이전 시대의 사람들
— 대 다른〔딴〕 것〔사람〕
(예) ◇from one end of the ground to *the other* 운동장의 한 쪽 끝에서 그 반대 쪽 끝까지 // I'll take the big suitcase if you'll carry the *others.* 만약 네가 다른 것들을 전부 운반한다면 나는 이 큰 슈트케이스를 가지고 가겠다. // Do good to *others.* 남들에게 선을 행하라.

O

어법 ① 흔히 복수형으로 쓰인다. 단수형인 경우는 통상 any some, no 따위를 수반하든가, another를 쓴다: There is no other.(달리 아무 것도 없다) This hat doesn't suit me. Do you have *any other*(*s*)? 이 모자는 내게 어울리지 않아요. 딴 것은 없나요? ② some 따위와 함께 상관적으로 쓰이기도 한다: Some believed him, *others* not. (그를 믿는 사람도 있고 그렇지 않은 사람도 있다)

— 부 그렇지 않고, 달리 [~ than]

(예) I could not do *other* than leave her. 나는 그녀를 버릴 수 밖에 없었다.

O

* ***other than*** ~와 다른

(예) This is quite *other than* what I think. 이것은 내가 생각하고 있는 것과는 전연 다르다.

* ***in other words*** 바꿔 말하면

no 〔***none***〕 ***other than*** 다름 아닌 바로 ~인, ~에 불과한

(예) The man was *none other than* my husband. 그 사람은 다름 아닌 바로 내 남편이었다.

the other day 일전에, 요전에, 며칠 전에

◇* **oth·er·wise** [ʌ́ðərwàiz] 부 다른 방법으로; 그렇지 않으면

(예) I worked hard; *otherwise* I should have starved. 나는 힘껏 일 했다. 그렇지 않았더라면 굶어 죽었을 것이다. (↔ ~; if had not worked hard, I should have starved.)

> ▶ **207. 접미어 wise**
> 「방향」「위치」「양상」을 나타내는 부사를 만든다.
> (예) other*wise*, like*wise*(똑같이) 등

◇ **ouch** [autʃ] 감 아야, 아이쿠

◇* **ought** [ɔːt]★ 〈동음어 aught〉 조 《의무·당연》 ~해야 하다, ~하는 것이 당연하다[~ to do]; 《추측》 반드시 ~임에 틀림없다

NB 「의무」의 뜻으로는 should보다 강하고, 「필요」의 뜻으로는 should, must보다 약하다.

(예) ◇You *ought* to start at once. 즉시 출발해야 한다.

어법 ① 항상 to 부정사를 수반한다. ought to have+과거 분사의 형은 「마땅히 ~했어야 했을 텐데 (~하지 않았다)」의 뜻: ◇I *ought to* 〔*should*〕 *have told* him earlier. (그에게 더 일찍 말해 주었어야 했을 텐데) ② 부정형은 ought not to ~ 또는 oughtn't to ~.

◇* **ounce** [auns] 명 온스 《보통 28.3495 그램》〘약어〙 *oz.*

◇ **oust** [aust] 타 내쫓다; 빼앗다, 탈취하다

☆ **out** [aut] 부 ① 밖으로, 밖에

(예) He is *out.* 그는 외출중이다. // They are *out* in the garden. 그들은 뜰에 나가 있다.

② 꺼져; 없어져서; 품절되어; 만기가 되어

(예) before the week is *out* 금주 중에 // blow *out* the light 등불을 불어 끄다 // cross *out* a word 한 자 삭제하다

③ (본래의 상태에서) 벗어나; 조화가 안 되어; 사이가 틀어져
(예) My hand is *out.* 손이 듣지 않는다. // I am *out* with John. 나는 존과 사이가 틀어져 있다.
④ 열리어; (비밀이) 드러나; (꽃이) 피어
(예) The secret is *out.* 그 비밀이 탄로됐다. // Flowers will soon be *out.* 꽃은 곧 필 것이다.
⑤ 끝까지; 철저하게; 완전히
(예) speak *out* 까놓고 말하다 // be tired *out* 기진해 있다 // hear a person *out* 아무의 이야기를 끝까지 듣다
— ㉧ ~에서, ~으로부터(=out of)
(예) *out* the window 창에서 // from *out* the sea 바다에서
— ㉤ 외부, 바깥쪽
— ㉥ 밖의; 유별난
(예) an *out* match 원정 경기 // the *out* side 수비측 // the *out* size 특대
반 in 안에〔으로〕
어법 out-는 접두사로서 ① 「밖으로」 「밖의」 (*out*side; *out*let) ② 동사에 붙여서 「~보다 낫다」 「~을 능가하다」 (*out*live 「~보다 오래 살다」; *out*shine 「무색하게 하다」)의 뜻을 나타낸다.

파 **óutbreak** ㉤ 발발(勃發) **óutburst** ㉤ 파열 ◦**outcast** [áutkæst / -kɑ̀ːst] ㉥ 추방된 ㉤ 추방당한 사람, 부랑자 ◦**óutcome** ㉤ 결과 **óutcry** ㉤ 부르짖음, 외침 ◦**outdáted** ㉥ 시대에 뒤진, 구식의 **outdístance** ㉣ 훨씬 앞지르다〔능가하다〕 **outdó** ㉣ 《*-did; -done*》 능가하다 ◦**óutdoor** ㉥ 옥외의, 야외의 ◦**outdoors** [àutdɔ́ːrz] ㉦ 옥외에서〔로〕 ◦**óuter** ㉥ 밖의, 바깥 쪽의(반 inner 안의) **óutermost** ㉥ 제일 밖에 있는, 가장 먼 **óutfield** ㉤ 〔야구〕 외야(外野) ◦**óutfit** ㉤ 채비, 도구; 소양 **óutgo** ㉤ 지출 ㉣ 《*-went; -gone*》 능가하다 **óutgoing** ㉤ 출발; 《*pl.*》 출비(出費) ◦**outgrów** ㉣ 《*-grew; -grown*》 ~보다 커지다 ◦**óutgrowth** ㉤ 자연적인 발전〔산물〕, 결과; 생성물; 성장, 싹틈 **outing** ㉤ 소풍, 산책 ◦**óutlaw** ㉤ 무법자; 상습범 ㉣ ~로부터 법의 보호를 빼앗다, 무법자로 선언하다 *◦**óutlet** ㉤ 출구 *◦**óutline** ㉤ 개관(概觀), 윤곽 ㉣ 개설하다, 윤곽을 그리다 **outlíve** ㉣ ~보다 오래 살다, ~보다 오래 계속하다 *◦**óutlook** ㉤ 전망, 조망 ◦**outnúmber** ㉣ 수적으로 우세하다 **óut-of-dáte** ㉥ 시대에 뒤떨어진, 구식인(반 úp-to-dáte 최신의) **óut-of-dóor** ㉥ 옥외의, 야외의 **óut-of-dóors** ㉦ 옥외에 ㉤ 옥외, 야외 **óut-of-the-wáy** ㉥ 외딴; 보통 아닌, 괴상한 **óutpatient** ㉤ 외래 환자 **óutput** ㉤ 생산고, (전기의) 출력 **outrage** [áutrèidʒ] ㉤ 폭행, 모욕 ㉣ 폭행하다, 모욕을 가하다, 화나게 하다 **outrágeous** ㉥ 난폭한, 무도한 **outright** ㉦ [áutráit] 철저하게, 충분히, 당장 ㉥ [áutràit] 솔직한 **outrún** ㉣ 《*-ran; -run*》 ~보다 빨리 달리다, 달리어 앞지르다 **óutset**

[명] 최초, 모두(冒頭) **outshíne** [타] 《-*shone*》 ~보다 강하게 빛나다; ~보다 낫다(=surpass), ~을 무색케 하다 *ﾟ**óutside** [명] 외부, 바깥쪽 [전] ~의 바깥쪽에 [부] 옥외로 [형] 외부의 ◇**outsíder** [명] 국외자, 문외한 ◇**óutskirts** [명] 《*pl.*》 교외 **out-spóken** [형] 솔직한 ◇**outstánding** [형] 현저한 **outstrétch** [타] 뻗치다 ◇**óutward** [형] 외부로의; 외면적인, 피상적인 [명] 외관 **óutwards** [부] 밖으로; 외관상으로 ◇**óutwardly** [부] 외면상으로, 외관상으로 **outwéigh** [타] ~보다 중요하다〔무겁다〕

> ▶ **208. 접두어 out**
> 「밖의」「밖에」「…이상으로 ~하다」 등의 뜻을 나타냄.
> (예) *out*run, *out*stretch, *out*do 등

O

☆◇***out of*** ~에서 (밖으로); ~의 범위 밖에; ~을 잃고; ~에서 (만든); 때문에
(예) go *out of* the room 방에서 나가다 // *out of* control 통제할 수 없는 // *out of* necessity 필요해서 // five *out of* ten 열 중 다섯 // We are *out of* coffee. 커피가 떨어졌다.
[어법] 미어에서는 look *out* the window (창문 밖을 보다)와 같이 of를 생략하는 수가 있다.

out of it 따돌림당해; (사건에) 관여하지 않고
(예) She felt *out of it* as she saw the others going out together. 그녀는 다른 사람들이 함께 외출하는 것을 보고 자기가 따돌림을 당하고 있다고 생각했다.

Out with it ! (생각하고 있는 것을) 말해 보아라 !

o·val [óuvəl] [형] 달걀 모양의, 타원형의

***ov·en** [ʌ́vn]★ [명] 솥, 가마; 화덕, 오븐

☆**o·ver** [óuvər]★ [부] ① 위쪽에, 바로〔머리〕 위에
(예) The eaves hang *over*. 처마가 위로 튀어 나와 있다.
② 전면에, 온통
(예) Cover it *over* with cloth. 천으로 그것을 덮어라.
③ ~의 위를 넘어, ~ 건너의, ~ 저편에
(예) Come *over* and see me next week. 내주 찾아 주게. // Our friends were *over* yesterday. 우리 친구들이 어제 와 있었다.
④ 위에서 아래로, 거꾸로
(예) fall *over* 넘어지다 // turn *over* in bed 자다가 몸을 뒤치다 // turn a page *over* 페이지를 넘기다
⑤ 끝나고
(예) We play tennis after school is *over*. 방과 후 우리들은 테니스를 친다. // The storm will soon be *over*. 폭풍우는 곧 끝날 것이다.
⑥ 되풀이하여
(예) read *over* 다시 읽다 // Count them *over*. 또 한 번 세어 봐라. // Go back and do it *over*. 처음부터 다시 해라.
⑦ 《형용사·부사에 붙여서》 과도하게
(예) He is *over* fed. 그는 음식을 너무 많이 먹는다. //

am *over* tired. 나는 과로해 있다.

— [전] ① ~의 위에〔로〕

(예) a bridge *over* the river 강 위에 걸쳐 있는 다리 // The roof *over* our heads was very high. 우리 머리 위의 지붕은 대단히 높았다.

[어법] 떨어진 위치, 접촉한 위치에 두루 쓰이나, 접촉된 경우는 「덮여서」의 뜻: *over* our heads (머리 위에), put one's hands *over* one's face (얼굴을 손으로 가리다)

② ~을 넘어, ~ 저편에

(예) a village *over* the mountain 산 너머의 부락

[어법] 「~을 넘어서」로 과정을 나타내는 때도 있고, 「~을 넘어 저편에」로 정지한 위치를 나타낼 때도 있다: go *over* a river(강을 건너다), lands *over* the sea (바다 저편의 나라들)

③ 온통

(예) He spread a blanket *over* the bed. 그는 모포를 침대 위에 폈다. // Snow covered *over* the playground. 눈은 운동장을 온통 덮었다. // all *over* the world ↔ all the world *over* 세계 도처에

④ ~을 하면서; ~ 동안

(예) sleep *over* one's work 일하면서 앉아서 졸다 // Can you stay *over* the weekend? 금주 동안 체재할 수 있습니까? // talk *over* tea 차를 마시면서 이야기하다

⑤ ~을 능가하여, ~ 이상

(예) There were *over* a hundred people. 백 명 이상의 사람들이 있었다. // We have our boss *over* us. 우리들의 위에는 상사가 있다.

⑥ ~에 관하여

(예) talk *over* the matter 그 문제에 관해 이야기하다 // It is no use crying *over* spilt milk 〖속담〗 엎지른 물은 다시 주워 담지 못한다.

[파] ◇**óverall** [형] 전부의 **óverboard** [부] 배 밖으로 ◇**overbóok** [타] (비행기·호텔 등의) 예약을 너무 많이 받다 **overbúrden** [타] ~에 과중한 짐을 지우다 ◇**óvercast** [타][자] 《*-cast*》 흐리(게 하)다 [형] 흐린 **overcáutious** [형] 지나치게 조심하는 **overcharge** [자][타] [òuvərtʃáːrdʒ] 에누리하다 [명] [óuvərtʃàːrdʒ] 에누리 **overéat** [타][자] 과식하다 ***óvercoat** [명] 외투 **overclóud** [타] 흐리게 하다 **overdress** [타][자] [òuvərdrés] 옷치장을 지나치게 하다 [명] [óuvərdrès] (얇은) 웃옷 **overéstimate** [타] 과대 평가하다 ◇**overfísh** [자][타] (어장에서) 물고기를 남획하다 **overgrów** [타][자] 《*-grew*; *-grown*》 만연하다, 너무 커지다 **overháng** [자][타] 《*-hung*》 ~ 위에 걸치다〔쑥 내밀다〕 ◇**óverhead** [형] 머리 위의, 고가(高架)의 [부] 위쪽에 **overjóy** [타] 몹시 기쁘게 하다 ◇**overléarn** [타] 숙달 후에도 계속 공부〔연습〕하다 **óverly** [부] 〖미〗 몹시, 지나치게 ◇**overnight** [형] [óuvərnàit] 밤새는 [부] [óuvərnáit] 밤새껏 ◇**óverpass** [명] 육교, 고가도 **overpopulátion** [명] 인구 과잉 **overpówer** [타] ~에 이기다

◇**overpráise** 타 지나치게 칭찬하다 명 과찬 **overprodúction** 명 생산 과잉 **overráte** 타 과대 평가하다 **overrún** 타 《*-ran* ; *-run*》 범람〔만연〕하다 ◇**overséa(s)** 부 해외로 형 해외의 **oversée** 타 감독하다; 내려다 보다; 못 보다 **oversénsitive** 형 신경 과민인 **overshádow** 타 그늘지게 하다 **óvershoe** 명 《보통 *pl.*》 오버슈즈, 방한〔방습〕용 덧신 ◇**oversléep** 자 타 《*-slept*》 너무 자다 **overspréad** 자 타 《*-spread*》 전면에 펴다〔퍼지다〕, 만연하다 ◇**overtíre** 자 타 과로하다〔시키다〕 ◇**overturn** 자 타 [òuvərtə́:rn] 전복하다〔시키다〕 명 [óuvərtə̀:rn] 전복 **overuse** 타 [òuvərjú:z] 과도히 쓰다, 남용하다 명 [óuvərjù:s] 남용; 혹사 ◇**óverview** 명 개관, 개략 **overweight** 명 [óuvərwèit] 초과 중량, 과중 형 [òuvərwéit] 중량이 초과된, 너무 무거운 타 [òuvərwéit] 너무 많이 싣다

over again 되풀이하여, 다시 한 번(=once more)
(예) Read it *over again.* 다시 한 번 읽으시오.

◇***over and over*** (***again***) 몇 번이고, 되풀이하여(=repeatedly)
(예) I've told you *over and over* (*again*) to close the door. 문을 닫으라고 몇 번이고 말했어.

◇***over there*** 저기에, 저쪽에
(예) Do you see the church *over there?* 저쪽에 있는 교회가 보이지?

⁑**o·ver·come** [òuvərkʌ́m] 타 《***-came*** ; ***-come***》 이겨내다, 지게 하다(=defeat), 압도하다
(예) be *overcome with* 〔*by*〕 grief 비탄에 잠기다

◇**o·ver·crowd** [òuvərkráud] 타 혼잡케 하다

⁑**o·ver·flow** 타 자 [òuvərflóu] 《***-flowed*** ; ***-flown***》 넘쳐 흐르다, 충만하다 명 [óuvərflòu] 범람, 과잉(=excess); 홍수
파 **overflówing** 형 넘쳐 흐르는, 넘칠 정도의

◇**o·ver·hear** [òuvərhíər] 자 타 《***-heard***》 무심코 듣다; 몰래 듣다, 엿듣다
NB overhear는 우연히 듣게 됨을, eavesdrop는 의도적으로 엿듣는 것을 뜻함.

◇**o·ver·land** [óuvərlæ̀nd] 형 육로〔육상〕의 부 육로로 명 멀리 외떨어진 지역 자 타 가축떼를 몰면서 육로를 가다

⁑**o·ver·look** [òuvərlúk] 타 간과하다(=fail to see); 못 본 체하다; 너그럽게 봐주다(=excuse); 내려다보다

o·ver·reach [òuvərrí:tʃ] 타 자 ~ 이상으로 퍼지다〔미치다〕, 지나쳐 가다; (팔·몸을) 너무 뻗다; 속이다; 무리를 하다

◇**o·ver·take** [òuvərtéik] 타 자 《***-took*** ; ***-taken***》 뒤따라 미치다; 만회하다; 엄습하다, 갑자기 덮쳐오다
(예) be *overtaken* by a storm 갑자기 폭풍을 만나다

◇**o·ver·throw** [òuvərθróu] 타 《***-threw*** ; ***-thrown***》 뒤집어엎다(=upset), 거꾸러뜨리다, 타도하다(=defeat) 명 [óuvərθròu] 《흔히 the ~》 전복, 타도, 멸망
(예) the *overthrow* of government 정부의 타도

o·ver·tone 명 [óuvərtòun] 〖음악〗 상음(上音), 배음(倍音), 《*pl.*》 (말 따위의) 함축, 연상(聯想) 타 [òuvərtóun]

〔사진〕 너무 진하게 인화하다; 〔음악〕 딴 음을 압도하다
o·ver·whelm [òuvərhwélm] [타] 압도하다(=overcome completely), 눌러 찌그러뜨리다; ~의 기분을 꺾다
(예) He was really *overwhelmed* by the sad news. 그는 그 슬픈 소식을 듣고 정말 어쩔 줄 몰랐다.
[파] **overwhélming** [형] 압도적인, 저항할 수 없는
o·ver·work [òuvərwə́:rk] [타][자] 《***-worked ; -wrought***》 지나치게 일시키다〔일하다〕 [명] [óuvərwə̀:rk] 과로
(예) Don't *overwork* yourself. 지나치게 공부하지 마라.
owe [ou]* [타][자] 힘입다, 은혜를 입고 있다, 빚이〔의무가〕 있다(=be indebted)
(예) *owe* him 1,000 won ↔ *owe* 1,000 won *to* him 그에게 천 원을 빚지다 // I *owe* a letter *to* a friend. 친구에게 편지를 한 통 보내야 한다.
NB awe [ɔ:] 「두려움」과 혼동치 말 것.
owe ~ to ~은 …의 덕택이다, …의 은혜를 입고 있다
(예) I *owe* my success *to* you. 나의 성공은 당신의 덕택입니다. // I *owe* what I am *to* my mother. 내가 이와 같이 된 것은 어머니의 덕택이다.
owing to ~때문에, ~으로 말미암아(=because of)
(예) His success is *owing to* luck. 그의 성공은 요행에 의한 것이다. // The train was delayed *owing to* the accident. 그 사고 때문에 기차는 연착했다.
owl [aul]* [명] 올빼미, 부엉이; 밤샘하는 사람; 밤에 다니는 사람
[파] **ówlet** [명] 올빼미〔부엉이〕 새끼; 작은 올빼미
own [oun] [형] 자기(자신)의, 독자적인; 자기 것《명사가 생략된 경우》 [타][자] 소유하다(=possess); 인정하다, 자백하다
(예) my *own* house 내 자신의 집 // come into one's *own* 당연한 명성을 얻다; 진가를 인정받다
[파] ***ówner*** [명] 소유자 **ównership** [명] 소유(권)
of one's own 자기 소유〔자신〕의
(예) Everyone has troubles *of* his *own*. 누구나 자기 자신의 문제를 갖고 있다.
of one's (own) ~ 〔***doing***〕 자신이 ~한
(예) This is a dress *of* her *own* design 〔mak*ing*〕. 이것은 그 여자가 손수 디자인한〔만든〕 옷이다.
on one's own 자신이, 자기 힘으로; 자기 돈〔책임·생각〕으로
(예) I did the work *on* my *own*. 내 자신이 그 일을 했다. // I've been living *on* my *own* since April. 나는 4월부터 독립하여 생활하고 있다.
ox* [ɑks / ɔks] [명] 《*pl.* ***oxen*** [ɑ́ksən / ɔ́ksən]》 황소
[반] cow 암소

> ▶ **209.** 「소」의 유사어
> **ox**는 노역·식용으로 거세한 황소. **steer**는 식용으로 거세한 수송아지. **bull**은 거세하지 않은 황소. **bullock**는 거세한 황소. **cow**는 암소. **calf**는 한 살 미만의 송아지. **cattle**는 집합적으로 사용되는 말.

㉣ **óxcart** ㉠ 우차(牛車) **óxherd** ㉠ 황소 치는 사람

◇**ox·y·gen** [ɑ́ksidʒən / ɔ́ks-] ㉠ 산소

㉣ **oxidize** [ɑ́ksədàiz / ɔ́ks-] ㉭㉩ 산화하다 **oxidation** [ɑ̀ksədéiʃən] ㉠ 산화 **óxygenate** ㉩ 산소로 처리하다, 산소와 화합시키다, 산화하다 **oxygénic** ㉡ 산소의; 산소를 포함하는〔발생하는〕

***oys·ter** [ɔ́istər] ㉠ 〘조개〙 굴

P

*◇**pace** [peis] ㉠ 걸음, 한 걸음 《약 3피트》; 보조, 걷는 속도

(예) at a *pace* of two miles an hour 시속 2마일로

keep pace with ~와 보조를 맞추다

(예) The supply can hardly *keep pace with* the demand. 공급이 수요를 거의 따라갈 수 없다.

*◇**pa·cif·ic** [pəsífik] ㉡ 평화로운, 평온한; [P-] 태평양의 ㉠ [the P-] 태평양(=the Pacific Ocean)

㉤ paci(=peace)+fic(형용사 어미)

(예) a *pacific* nation 평화를 애호하는 국민

㉣ **pácifism** ㉠ 평화주의 **pácifist** ㉠ 평화론자 **pácify** ㉩ 평온케 하다, 달래다 **pacificátion** ㉠ 강화 (조약)

◇**pack** [pæk] ㉠ 꾸러미, 포장한 짐(=burden); 한 떼, 한 벌(=set); 다수(=lot) ㉩㉭ (짐을) 꾸리다, 묶다, 포장하다; (사람을) 빽빽이 채우다(=crowd)

㉥ unpáck 꾸러미를 풀다

(예) a *pack* of cards 트럼프 한 벌 // ◇*pack up* 짐을 싸다; 일을 그만두다; (엔진 등이) 멎다 // The room was *packed with* people. ↔ People *packed* the room. 방은 사람들로 꽉 차 있었다.

㉣ **pácker** ㉠ 짐을 꾸리는 사람 **pácking** ㉠ 짐 꾸리기; 포장 재료 (*packing* paper 포장지) (⇨) **package, packet**

◇**pack·age** [pǽkidʒ] ㉠ 짐, 꾸러미(=parcel), 포장

㉣ **package deal** 일괄 거래〔계약〕, 일괄 제공 상품 **package(d) tour** 패키지 투어 《여행사 주관의 단체 여행》

▶ **210.** 「꾸러미」의 유사어 — **packet**는 정연하게 포장된 담배갑 같은 꾸러미. **package**는 상당히 크고 무거운 것. 행상인의 짐 따위는 **pack. bundle**은 되는 대로 싼 꾸러미.

◇**pack·et** [pǽkit] ㉠ 소포(=small package), 꾸러미, 한 묶음; 우편선

(예) a *packet* boat 우편선 // a *packet* of cigarettes 담배 한 갑

◇**pad** [pæd] ㉠ 덧대는 것, 베갯속; 다발; 한 장씩 떼어 쓰는 종이(철), 용전(用箋) ㉩ 속을 넣다, ~에 덧대다〔메우다〕

◇**pad·dle** [pǽdl] ㉠ 노 ㉭㉩ 노를 젓다

pad·dy [pǽdi] ㉠ 쌀(=rice), 벼; 논(=paddy field)

pa·el·la [pɑːélə, -éiljə] [명] 파엘랴 《쌀·고기·어패류·야채 등에 사프란향을 가미한 스페인 요리》
pa·gan [péigən] [명] 이교도 [형] 이교도의, 우상 숭배의
page [peidʒ] [명] 페이지, 쪽, 면; 기록; (호텔 따위의) 보이, 사환
(예) at line 25 on *page* 5 ↔ in the 25th line of *page* 5, 5 페이지의 25행째에 // Open your books at *page* 10. 책의 10 페이지를 펴라.
[어법] page 10은 [péidʒtèn]으로 발음하며 p. 10으로 생략해서 쓴다. pp. 10-15는 pages ten to fifteen으로 읽는다.
pag·eant [pǽdʒənt] [명] 야외극; 화려한 행렬; 미관
[파] **págeantry** [명] 장관(壯觀); 허식
pa·go·da [pəgóudə] [명] (동양식의) 탑, 파고다
pail [peil] 〈동음어 pale〉 [명] 물통, 한 통(의 양)
[파] **páilful** [명] 한 통에 가득(한 양)
pain [pein] 〈동음어 pane〉 [명] 아픔(=ache), 고통, 괴로움, 근심; 《*pl.*》 수고(=effort) [타] 고통을 주다(=hurt); 근심시키다
[반] ease [iːz] 편안
(예) a *pain* in the head 두통 // *pains* in the back 등의 통증 // He spared no *pains*. 그는 수고를 아끼지 않았다.
[파] ***páinful** [형] 아픈; 고통스러운, 쓰라린 **páinfully** [부] 아프게; 애써 **páinless** [형] 아프지 않은, 무통의; 힘안드는 **páinlessly** [부] 고통 없이 **páin-killer** [명] 〖구어〗 진통제 **painstaking** [péinztèikiŋ] [형] 수고를 아끼지 않는, 애쓰는, 근면한, 힘드는, 고심한 [명] 수고, 고심, 정성
paint [peint] [타] [자] 그리다(=portray), 채색하다(=color); 페인트를 칠하다, (연지 따위를) 바르다 [명] 그림물감; 도료; 입술 연지
(예) *paint* a house green 집을 녹색으로 칠하다 // *paint* heavily 짙게 화장하다 // *paint* in oils 유화를 그리다 // Wet 〔Fresh〕 *Paint*. 〖게시〗 칠 주의.
[파] **páinted** [형] 그려진, 채색된 ***páinter** [명] 화가, 칠장이 ***páinting** [명] 그림, 유화; 그림물감; 도료; 페인트칠
pair [pɛər]* 〈동음어 pear, pare〉 [명] 한 쌍, 한 짝, (바지 따위의) 한 벌; 부부(=couple); (한 쌍으로 된 것의) 한쪽 [자] [타] 한쌍이 되다〔되게 하다〕, 짝 짓다
a pair of 한 쌍의, 한 벌〔켤레〕의
(예) *A pair of* new shoes costs £5. ↔ *A* new *pair of* shoes costs £5. 새 신발 한 켤레에 5파운드 나간다. // *a pair of* scissors 가위 한 자루 // *a pair of* spectacles 안경 하나
[어법] 숫자의 다음에는 복수에도 -s를 붙이지 않을 때가 있다: three *pair(s)* of trousers (바지 3벌)
in a pair 〔***pairs***〕 둘이 한 쌍이 되어
(예) The company then went off *in pairs*. 그래서 일행은 두 사람씩 떠났다.
pa·ja·mas [pədʒɑ́ːməz, -dʒǽməz] [명] 《*pl.*》 파자마

NB 영국에서는 주로 **pyjamas** 라고 철자한다.

◦**pal** [pæl] [명] 친구(=friend)
(예) a pen *pal* 편지 친구, 펜팔

*◦**pa·lace** [pǽlis] [명] 궁전, 궁궐; 큰 저택
(예) the Imperial *Palace* 궁궐
[파] **palatial** [pəléiʃəl] [형] 궁전의, 궁전과 같은

pal·ate [pǽlit] [명] 〖해부〗 구개(口蓋), 입천장; 미각
[파] **pálatable** [형] 맛좋은

*◦**pale** [peil]〈동음어 pail〉[형] 창백한(=wan), (빛깔이) 엷은
[자][타] 창백해지다, (빛깔이) 엷어지다 [명] 울타리, 경계
(예) look *pale* 안색이 나쁘다 // go 〔turn〕 *pale* 창백해지다 // a *pale* moon 어스름 달

pal·ette [pǽlit] [명] 팔레트, 조색판(調色板)

◦**pal·let** [pǽlit] [명] 짚으로 만든 요, 초라한 침상

P

*◦**palm** [pɑːm] [명] 손바닥; 종려(의 잎) [타] 손바닥으로 쓰다듬다, (손 안에) 감추다; 속이다
(예) with folded *palms* 합장(合掌)하여 // read his *palm* 그의 수상(手相)을 보다
[파] **pálmy** [형] 야자의; 야자가 무성한; 번영하는 **pálmist** [명] 손금쟁이

pal·pa·ble [pǽlpəbəl] [형] 손으로 만져 볼 수 있는, 매우 뚜렷한

*◦**pam·phlet** [pǽmflit] [명] 팸플릿, 소책자, 소(小)논문

◦**pan** [pæn] [명] (납작한) 냄비; [P-] (그리스 신화의) 판 신(神), 목양신(牧羊神); 〖접두어〗 [pan-] 전(全)·범(汎)의 뜻

◦**pan·cake** [pǽnkèik] [명] 팬케이크 《밀가루에 우유·달걀을 섞어 프라이팬에 얇게 구운 것》

pane [pein] 〈동음어 pain〉[명] (한 장의) 창유리

pan·el [pǽnl] [명] 판벽널, 패널, 화판(畫板); (토론회 따위에 지명된 사람들의) 일단(一團), 위원단
(예) a *panel* discussion (토론자와 논제가 정해져 있는) 토론회

◦**pang** [pæŋ] [명] 심한 고통, 비통, (양심의) 가책

◦**pan·ic** [pǽnik] [명] 공황; 공포, 당황 [형] 공황의
(예) ◦They were in a *panic* when a fire started in the building. 건물에 화재가 났을 때 그들은 공포에 사로 잡혀 있었다.

pan·ni·kin [pǽnikin] [명] 작은 접시〔냄비〕; (금속제의) 작은 잔(에 가득한 양)

pan·o·ra·ma [pæ̀nərǽmə / -rɑ́ːmə] [명] 파노라마, 회전그림, 전경(全景)
[파] **panoramic** [pæ̀nərǽmik] [형] 파노라마의〔같은〕, 전경이 보이는

> ▶ **211.** 접두어 **pan**
> 「전(全)~」「범(汎)~」의 뜻을 나타낸다.
> (예) *pan*orama, *Pan*-American(범미의) 등

pan·sy [pǽnzi] [명] 〖식물〗 팬지

*◦**pant** [pænt] [자][타] 헐떡거리다; 갈망하다 [~ for]; 심하게 고동치다 [명] 헐떡임, 동계(動悸); 《*pl.*》 바지, 팬티

Pan·ta·lo·ne [pæ̀ːntəlóuni] 명 (옛 이탈리아 희극의) 늙은 이 역; 늙은 어릿 광대

pan·ta·loon [pæ̀ntəlúːn] 명 [P-]=Pantalone; 《pl.》 바지 (pants)

pan·ther [pǽnθər] 명 〖동물〗 표범

pan·to·mime [pǽntəmàim] 명 무언극, 몸짓 자타 무언극을 하다

pan·try [pǽntri] 명 식료품실, 식기실

pa·pa [páːpə / pəpáː] 명 아빠(=daddy)
반 máma 엄마

pa·pa·ya [pəpáiə] 명 파파이아 나무(의 열매)

pa·per [péipər] 명 종이; 신문(지) (=newspaper); 논문(=essay); 답안, 증서, 지폐, 어음; 《pl.》 서류 형 종이의, 지상의, 이론상의 타 종이로 싸다, 종이를 바르다
(예) a daily *paper* 일간지 // question *papers* 문제 용지 // wrapping *paper* 포장지
어법 물질로서의 「종이」는 셀 수 없는 명사: a sheet of *paper* (한 장의 종이) a piece of *paper*(한 조각의 종이) 등과 같이 말한다. 그 이외의 경우는 셀 수 있는 명사임.
파 **páperback** 명 종이 표지 책 **páperboy** 명 신문 파는 아이 **páperweight** 명 문진(文鎭) **paper mill** 제지 공장 **paper knife** 종이 베는 칼 **paper money** 지폐 **paper tiger** 종이 호랑이; 허장 성세

pa·py·rus [pəpáiərəs] 명 〖식물〗 파피루스; 파피루스 종이; 《pl.》 파피루스 사본, 고문서(古文書)

par·a·chute [pǽrəʃùːt] 명 낙하산, 파라슈트

pa·rade [pəréid] 명 행렬(=marching), 열병식(閱兵式); 과시(=display) 타자 줄지어 돌아다니다, 열병하다; 과시하다
(예) a *parade* ground 연병장 // march in *parade* 퍼레이드 행진하다

on parade (배우 등이) 총출연하여, 행렬을 지어

par·a·dise [pǽrədàis] 명 천국(=heaven), 극락, 낙원
반 hell 지옥

par·a·dox [pǽrədàks / -dɔ̀ks] 명 역설, 모순되는 논설
원 para(이상, 부정)+dox(=opinion 의견)
파 ◦**paradoxical** [pæ̀rədáksikəl / -dɔ́ks-] 형 역설적인, 모순되는

par·af·fin(e) [pǽrəfin] 명 파라핀 타 파라핀을 바르다

par·a·gon [pǽrəgàn / -gən] 명 보범, 전형 타 〖시어〗 비교하다 [~ with], 필적하다

par·a·graph [pǽrəgræ̀f / -gràːf] 명 절(節), 단락; 단평(短評) 타 (문장을) 절로 나누다
(예) an editorial *paragraph* 사설(社說)

par·al·lel [pǽrəlèl] 형 평행의, 유사한 명 평행선, 상사(相似) 타 평행하다, 비교하다[~ with], 필적하다
(예) There is no *parallel* to it. 그것에 필적할 만한 것은 하나도 없다. // His new idea has no *parallel*. ↔ His new

P

idea is without (a) *parallel.* 그의 새로운 생각은 유례(類例)가 없는 것이다.

◦**Par·a·lym·pics** [pæ̀rəlímpiks] 명 《*pl.*》 파랄림픽, 국제 신체 장애자 올림픽 대회

◦**pa·ra·lyze, -lyse** [pǽrəlàiz] 타 마비시키다, 무력하게 하다
파 ◦**paralysis** [pərǽləsis] 명 중풍, 마비 **paralytic** [pæ̀rəlítik] 형 무능력한, 마비성의 명 중풍 환자

par·a·mount [pǽrəmàunt] 형 지상(至上)의, 최고의(=supreme)

par·a·phrase [pǽrəfrèiz] 명 패러프레이즈, 쉽게 바꿔 말하기 타 쉬운 말로 바꿔 설명하다, 다른 말로 해석하다

par·a·site [pǽrəsàit] 명 기생충, 기생(식)물; 기식자, 식객

◦**par·a·sol** [pǽrəsɔ̀ːl, -sɑ̀l / pǽrəsɔ̀l] 명 파라솔, 양산(=sunshade)
원 para(=protection against)+sol(=the sun)

par·cel [páːrsl] 명 소포; 토지의 1구획 타 구분하다; 소포로 하다
(예) (by) *parcel* post 소포 우편(으로)

parch [pɑːrtʃ] 타 자 볶다, 굽다(=roast); 바싹 말리다(=scorch)

parch·ment [páːrtʃmənt] 명 양피지; (옛날의) 졸업 증서

par·don [páːrdn] 타 용서하다(=forgive), 관대히 봐주다 명 용서
반 púnish 벌주다
(예) ◦*Pardon* me *for* being late. 늦은 것을 용서해 주십시오. // I beg your *pardon,* but which way is the Myongdong? 실례입니다만 명동은 어느 쪽으로 가면 됩니까?
어법 I beg your pardon.은 (↘)의 어조로 이야기하면 「미안합니다」, (↗)의 어조로 이야기하면 「다시 한번 말씀해 주시오」, (↗)이면 모르는 사람에게 말을 걸 경우의 「실례입니다만」의 뜻.
파 **párdonable** 형 용서할 수 있는

***par·ent** [pɛ́ərənt] 명 어버이(아버지 또는 어머니), 조상 《*pl.*》 양친, 부모; 근원, 원인
(예) Industry is the *parent* of success. 〖격언〗 근면은 성공의 근원.
파 **párentage** 명 친자 관계; 출생(=birth) **paréntal** 형 어버이의 **párenthood, -ship** 명 어버이임 **Párent-Téacher Association** 사친회 〖약어〗 *P.T.A.*

pa·ren·the·sis [pərénθəsis] 명 《*pl.* ***-theses*** [-θəsìːz]》 삽입구; 《*pl.*》 둥근 괄호(*cf.* brackets 모난 괄호)
(예) in *parenthesis* 괄호 안에 넣어서, 덧붙여 말하면

***Par·is** [pǽris] 명 파리; 파리스 《그리스 신화에 나오는, 트로이의 왕자》
파 ***Parisian** [pəríʒən, -ríziən] 명 파리 사람 형 파리(사람)의, 파리식의

***par·ish** [pǽriʃ] 명 교구(敎區), 본당

[파] **paríshioner** [명] 교구민

park [pɑːrk] [명] 공원; 운동장, 경기장; (자동차 따위의) 주차장(=parking lot) [타] (자동차를) 주차하다
(예) No *parking* here. 〔게시〕 주차 금지
[어법] 고유 명사의 경우 관사를 붙이지 않는 것이 보통: Pagoda *Park*(파고다 공원)

par·ley [páːrli] [명] 담판, 교섭 [자][타] 담판하다 [~ with]; 이야기하다

par·lia·ment [páːrləmənt] [명] (영국 따위의) 의회, 국회
(예) a Member of *Parliament* (하원) 의원 〔약어〕 *M.P.* // the Houses of *Parliament* (영국의) 국회 의사당

▶ **212.** 「국회」의 유사어
Parliament는 구(舊)영국계의 나라들의 국회. **Congress**는 미국 등의 공화국의 국회. **Diet**는 중구(中歐)의 구신성(舊神聖) 로마 제국령이었던 나라들의 국회.

[파] **parliaméntary** [형] 의회의; 의회(제도)를 가지는

par·lo(u)r [páːrlər] [명] 거실(=sitting room), 응접실
[파] **párlo(u)rmaid** [명] 손님 시중을 드는 하녀, 잔심부름하는 계집아이

pa·ro·chi·al [pəróukiəl] [형] 교구(parish)의; 지방적인; (감정·흥미 등이) 편협한
(예) a *parochial* board 교구위원, 빈민 구제 위원

pa·role [pəróul] [명] 가석방, 집행 유예; 맹세, 서약

par·rot [pǽrət] [명] 〔새〕 앵무새 [자][타] 앵무새처럼 되뇌(게 하)다

par·ry [pǽri] [타] (공격·질문을) 받아넘기다, (슬쩍) 피하다; 회피하다(=ward off) [명] 받아넘김, 슬쩍 피함(=evasion)

par·si·mo·ny [páːrsəmòuni / -məni] [명] 인색, 극도의 절약
[반] generósity 관용
[파] **parsimónious** [형] 인색한, 지나치게 알뜰한

par·son [páːrsən] [명] 교구의 목사(*cf.* rector, vicar)
[NB] person [pəːrsən]과 혼동하지 말 것.
[파] **pársonage** [명] 교구 목사관(館)

part [pɑːrt] [명] 부분; ~분의 1; 몫(=share); 역할(=role); 쪽, 편; 《*pl.*》 기계의 부속품; 지방; 《*pl.*》 재능 [부] 일부분은, 얼마큼 [타][자] 나누다(=separate); 헤어지다 [~ from, with], 갈라지다, 떨어져 나가다
[반] whole 전체
(예) a man of good *parts* 재능이 풍부한 사람 // do one's *part* 자기 본분을 다하다 // ◦play a *part* 역(할)을 하다
[어법] ① a part of ~의 형에서 a를 종종 생략. 또 이 형태가 주어로 쓰일 때, 동사의 수는 of의 다음에 오는 말에 따라 결정된다: Only (a) *part* of them *were* rescued. (그들 가운데 일부만이 구조되었다) ② the greater 〔better〕 part는 「대부분」, a great 〔large〕 part는 「많은 부분」이며, 전자는 「과반」을 가리킨다.

P

파 (⇨) **partly. partial** [pɑ́ːrʃəl] 형 부분적인; 불공평한 특히 좋아하는 **partiality** [pɑ̀ːrʃiǽləti] 명 불공평, 편파, 국부성 **párting** 명 헤어짐, 분기(점) 형 떠나가는, 작별의(◇'Good night' is said only on *parting*. '안녕히 주무세요'라는 인사말은 헤어질 때만 쓰인다) ◇**pártially** 부 부분적으로; 불공평하게 ◇**párt-tíme** 형 부 정시제(定時制)의, 비상근(非常勤)의; 비상근으로

◇***part with*** ~을 버리다(=give up), 손떼다, 양도하다
(예) I would have *parted with* this if I had been able to buy a new one. 만약 새 것을 살 수 있었다면 나는 이것을 버렸을 것이다.

NB **part from** 은 「(사람과) 헤어지다」

for** one's **part ~로서는
(예) *For* my *part* I prefer to stay at home. 나로서는 집에 있는 것이 더 좋다.

P

*◇***for the most part*** 대개, 대부분은(=in the main), 대체로
(예) They were *for the most part* Americans. 그들은 대부분 미국인이었다.

*◇***in part*** 어느 정도, 일부분은(=partly)
(예) His success is *in part* owing to luck. 그의 성공은 어느 정도까지는 행운의 덕택이다.

◇***on the part of*** ~편에서는, ~쪽에서는(=on one's part)
(예) The agreement has been kept *on the part of* me, but not on the other. 내쪽에선 계약을 지켜 왔으나 저편에선 그렇지 않았다.

◇***take part in*** ~에 참여하다
(예) I was asked to *take part in* the discussion. 나는 그 토론에 참여해 달라는 요청을 받았다.

par·take [pɑːrtéik] 자 타 《***-took ; -taken***》 ~에 관여하다, (식사에) 한몫 끼다; ~의 기미가〔특성이〕 있다 [~ of]
(예) A child *partakes of* the natures of both parents. 아이는 부모의 성질을 다소간 닮는 법이다.

*◇**par·tic·i·pate**★ [pɑːrtísəpèit, pər-]★ 자 타 참가하다(=take part) [~ in, with]; ~의 기미가 있다 [~ of]
원 parti(=part)+cipate(=take)
(예) ◇They *participated with* the family *in* their suffering. 그들은 그 가족과 고통을 같이 했다.
파 ◇**partícipant** 형 관여〔관계〕하는 명 참가자 ◇**participátion** 명 관여; 참가; 몫

par·ti·ci·ple [pɑ́ːrtisìpəl] 명 〘문법〙 분사
파 **participíal** 형 분사의

◇**par·ti·cle** [pɑ́ːrtikəl] 명 미립자(微粒子); 극소; 미소(微小), 근소

> ▶ 213. 접미어 **cle**
> 「소(小)」의 뜻을 나타낸다.
> (예) parti*cle*

*◇**par·tic·u·lar** [pərtíkjələr]★ 형 특수한(=specific), 특이한, 현저한; 개개의, 상세한; 까다로운 명 사항, 항목, 세조(個條); 특색, 명물; 《*pl.*》 상세(詳細)

반 géneral 일반적인
(예) its *particular* advantages 그 특유의 이점 // his *particular* interests 그 사람 개인의 이해(利害) // of no *particular* importance 각별히 중요하지 않은 // be *particular about* one's dress 의복에 까다롭다 // go into *particulars* 세부에까지 미치다

어법 this, that에 붙여 쓰이면 「(같은 것이 다른 곳에도 있는데) 특히 이〔저〕것의」란 뜻: on that *particular* day (그 날에 한하여)

파 ***partícularly*** 부 특히; 상세히 **partícularize** 타 상술하다 **particulárity** 명 상세, 특질; 《*pl.*》 특수한 사정

in particular 특히, 각별히
(예) He told me about one instance *in particular.* 그는 특히 한 예를 나에게 말해 주었다. // This is true of young people in general, and students *in particular.* 이것은 전체 젊은이들에게, 특히 학생에게 말할 수 있는 것이다.

par·ti·san, -zan [pá:rtizən / pà:tizǽn] 명 일당, 도당; 유격병; 빨치산

par·ti·tion [pa:rtíʃən] 명 구획, 분할 타 칸을 막다, 분할하다

part·ly* [pá:rtli] 부 부분적으로, 얼마간, 어느 정도는

partly ~, partly ~ 한편으로는 ~ 또 한편으로는 ~
(예) *partly* for ornament and *partly* for coolness 한편으로는 장식 때문에 또 한편으로는 선선하기 때문에

part·ner [pá:rtnər] 명 협동자, 공동 출자자; 파트너, 짝패(=companion), 상대, 조합원, 사원; 배우자 타 협력하다, 짝을 짓다

파 **pártnership** 명 공동, 협력, 조합, 합명 회사

par·ty [pá:rti] 명 모임, 파티; 당(파), 패; (계약·소송 따위의)한쪽 편, 당사자 형 정당의, 당파의; 파티용의
(예) give a tea *party* 다과회를 열다 // a *party* of tourists 여행단 // a *rescue* party 구조대 // the Communist *Party* 공산당 // be a *party* to a plot 음모에 가담하다 // the *parties* concerned 당사자들

pass [pæs / pa:s] 자 타 지나가다, 급제하다; 지나다, 경과하다; 죽다; 통용하다, 살아가다, 가결하다, (판결을) 내리다; 공을 던져주다; 배설하다 명 통행; 산길, 재; 합격; 입장권
반 fail 낙제하다
(예) *pass* out of sight 보이지 않게 되다 // *pass* an examination 시험에 합격하다 // come to a nice *pass* 난처하게 되다 // No *passing* (permitted). 《게시》 추월 금지. // *pass* sentence *on* him 그에게 형의 선고를 내리다

파 **passable** [pǽsəbəl / pá:s-] 형 지나갈 수 있는; 괜찮은 **pássably** 부 상당히, 꽤 ***pássage*** 명 통행, 통로, 통행권; 항해; 낭하; 1절(節) **pássageway** 명 통로; 낭하, 복도 **passer** [pǽsər / pá:sə] 명 통행인; 시험 합격자 **pásser-bý** 명 《*pl.* passers-》 통행인 **passport** [pǽspɔ̀:rt / pá:spɔ̀:t] 명 여권; 통행 허가증 **pássword** 명 암호

◇***pass away*** 경과하다; 소멸하다, 죽다(=die)
(예) *pass away* one's time 시간을 보내다 // The custom is beginning to *pass away.* 풍습은 쇠퇴하기 시작하고 있다.

◇***pass by*** 통과하다, 묵과하다, 경과하다
(예) *pass by* the house 그 집의 곁을 지나가다 // *pass by* the remark in silence 그 말을 묵과하다

pass down 전하다, 전래되다
(예) Their art has been *passed down* for many centuries. 그들의 예술은 여러 세기 동안 전래된 것이다.

pass for ~으로 통하다(=be taken for), ~으로 간주되다
(예) He *passes for* a great scholar. 그는 위대한 학자로 통한다.

◇***pass on*** 지나가다, 나아가다; (시간이) 경과하다; 죽다; 다음으로 돌리다
(예) Let us *pass on to* other items. 다른 항목으로 넘어가자.

pass over ~을 넘다, 간과하다, 못 본 체하다(=overlook)
(예) *pass over* details 상세한 점을 간과하다

pass through ~을 통과하다; 경험하다(=experience)
(예) British universities have *passed through* three stages. 영국의 대학은 세 단계를 거쳐 왔다.

come to pass 일어나다(=take place)

*◇**pas·sen·ger** [pǽsəndʒər] 명 승객, 여객; 통행인
(예) a *passenger* boat 객선 // a *passenger* train 여객 열차

*◇**pas·sion** [pǽʃən] 명 정열, 열심(=zeal), 격노(=fury); 연정, 연애(=love)
(예) a *passion for* fame 명예욕 // have a *passion for* ~을 매우 좋아하다 // fly 〔get〕 into a *passion* 벌컥 성내다
파 *◇**passionate** [pǽʃənit] 형 열렬한; 성급한, 다정 다감한 **pássionately** 부 정열적으로; 열렬히

* **pas·sive** [pǽsiv] 형 수동의; 소극적인, 활동적이 아닌; 〔문법〕 수동태의 명 〔문법〕 수동태
반 áctive 능동적인
파 **pássively** 부 피동적으로; 〔문법〕 수동태로 **passívity** 명 수동성, 소극, 무저항, 비활동

☆ **past** [pæst / pɑːst]★ 〈동음어 passed〉 명 과거; 경력 형 과거의, 지나간, 옛날의 전 ~을 지나서, ~ 이상, ~이 미치지않는(=beyond) 부 곁을 지나서
반 fúture 미래(의), présent 현재(의)
(예) for the *past* three years 지난 3년 동안 // in the *past* 과거에 // a woman with a *past* 의심스런 과거를 가진 여자 // It is *past* two. 2시 지났다. // be *past* belief 믿을 수 없다

paste [peist] 명 풀 타 풀로 붙이다
파 **pásteboard** 명 판지, 마분지

◇**pas·teur·ize** [pǽstʃəràiz, -stə-] 자 타 (우유 따위에) 저온

살균법을 행하다; 파스퇴르 접종법을 행하다
(예) *pasteurized* milk 저온 살균 우유
파 ◦ **pasteurizátion** 명 저온 살균(법)

pas·time [pǽstàim / pɑ́:s-] 명 위안, 기분 전환, 오락

pas·tor [pǽstər / pɑ́:stə] 명 목사(=minister); 정신적〔종교적〕 지도자

◦**pas·to·ral** [pǽstərəl / pɑ́:s-] 형 전원(田園)의, 목가적인, 시골의; 목사의 명 목가(牧歌), 전원시
(예) a *pastoral* life 전원 생활

pas·try [péistri] 명 (사과·고기 따위를 넣은) 밀가루 반죽으로 만든 과자

◦**pas·ture** [pǽstʃər / pɑ́:stʃə] 명 목장, 방목(장), 목초(지) (*cf.* meadow) 타 자 방목하다; 목초를 뜯어 먹다

***pat** [pæt] 타 자 가볍게 두드리다; (머리 따위를) 쓰다듬다 명 가볍게 두드리기〔두드리는 소리〕 형 꼭 맞는(=fit), 적절한 부 꼭맞게
(예) *pat* a friend on the back 친구의 등을 가볍게 두드리다

***patch** [pætʃ] 명 (덧대는) 헝겊; 반점; 고약; 조그마한 땅, 장소 타 헝겊을 덧대다
(예) ◦ a *patch* of brown on the skin 피부에 있는 갈색 반점 // *Patch up* this coat. 이 저고리에 헝겊을 대어서 기워 다오. // Snow appeared *in patches* on the ground. 눈이 땅에 점점이 보였다.
파 **pátchwork** 명 여러 헝겊을 잇댄 세공, 끌어 모은 것

***pa·tent** [pǽtənt, péit-] 명 전매 특허(권·품) 타 특허를 받다〔얻다〕 형 전매 특허의; 명백한
파 **patentée** 명 (전매) 특허권 소유자

***pa·ter·nal** [pətə́:rnəl] 형 아버지의, 아버지다운, 부계(父系)의
반 matérnal 어머니의, 모계의
파 **patérnity** 명 부성(父性), 부계(父系); 기원(起源)

path** [pæθ / pɑ:θ]* 명 《*pl.* ***paths [pæθs, pæðz / pɑ:ðz]》 작은 길, 보도(=footpath); (인생의) 행로, 진로
(예) the *path* of the moon 달의 궤도
파 **páthway** 명 작은 길

pa·thet·ic [pəθétik] 형 가련한, 애처로운(=pitiful)
파 **pathétically** 부 가련하게도, 애처로울 정도로

pa·thos [péiθɑs / -θɔs] 명 가엾음, 비애(悲哀)
(예) He felt a stab of *pathos.* 그는 가슴을 찌르는 듯한 비애를 느꼈다.

***pa·tience** [péiʃəns]* 명 인내, 참을성
반 impátience 성급함
NB patience는 초조해 하지 않고 냉정하게 참고 견디는 수동적인 면을, endurance는 단순히 계속적인 노력을 수반하는 인내를, perseverence는 어떤 일을 달성하는 과정에서의 적극적인 불굴의 노력이라는 뜻을 각각 함유하고 있다.
(예) with *patience* 끈기 있게 // have no *patience* with ~을 참을 수 없다

P

*pa·tient [péiʃənt] ⓗ 참을성 있는 ⓜ 환자
(예) She *was patient with* the children for a day or two. 하루 이틀 동안 그녀는 참을성 있게 애들에게 잔소리를 하지 않았다.
㉣ pátiently ⓟ 참을성 있게, 끈기 있게
(be) patient of ~에 견딜 수 있는; ~의 여지가 있는
(예) *be patient of* hunger 〔hardships, suffering〕 배고픔〔곤란, 고통〕에 견딜 수 있다 // This statement *is patient of* criticism. 이 성명에는 비판의 여지가 있다.
pa·tri·ot·ic [pèitriάtik / pætriɔ́tik] ⓗ 애국의, 애국심이 강한, 애국적인
㉠ tráitorous 매국(賣國)의
㉣ **patriot** [péitriət] ⓜ 애국자, 지사(志士) **patriotism** [péitriətìzəm / pǽt-] ⓜ 애국심
pa·trol [pətróul] ⓜ 순찰, 패트롤 ⓙⓣ 순찰하다
pa·tron [péitrən] ⓜ 후원자, 보호자, 고객, 수호신
㉣ **patronage** [péitrənidʒ / pǽt-] ⓜ 애고(愛顧), 보호, 후원 **pátronize** ⓣ 보호하다, 후원하다, 단골로 다니다
pat·ter [pǽtər] ⓙⓣ 또닥또닥 떨어지다〔소리 내다〕; 빨리 지껄이다 ⓜ 또닥또닥하는 소리; 빨리 지껄임
pat·tern [pǽtərn] ⓜ 모범(=example), 형(型), 모형(=model); 무늬(=design) ⓙⓣ ~을 본받다, 본뜨다, 모범으로 삼다; 무늬를 넣다
***pattern ~ after* 〔*on, upon*〕** …을 모방하여 ~을 만들다
(예) It was *patterned after* that model. 그것은 저 모형을 본떠 만들었다.
on the pattern of ~을 본떠서, 모방하여
(예) Every American adult is arranging his life *on the pattern of* the schoolboy. 미국 성인은 모두 학생들이 하는 식으로 생활하고 있다.
pause [pɔːz] ⓜ 멈춤, 단락, 중지 ⓙ 멈추다, 쉬다(=rest), 머뭇거리다(=linger)
㉠ procéed 계속 나아가다
pave [peiv] ⓣ (길을) 포장하다; 《비유적으로》 길을 트다
㉣ **pávement** ⓜ 포장, 포도(*cf.* sidewalk)
***pave the way for* 〔*to*〕** ~의 길을 닦다, ~의 준비를 하다, ~을 촉진하다
(예) Korea's economic success will *pave the way for* the peaceful unification. 한국의 경제적 성공은 평화 통일을 촉진할 것이다.
pa·vil·ion [pəvíljən] ⓜ 대형 텐트; 분관, (가설) 전시관
paw [pɔː] ⓜ (개·고양이의) 발, 손 ⓣⓙ 앞발로 긁다〔치다〕, 거칠게〔서투르게〕 만지작거리다
pawn [pɔːn] ⓜ 전당, 저당물(=pledge); 인질; (장기의) 졸; 앞잡이 ⓣ 전당 잡히다
㉣ **páwnshop** ⓜ 전당포
*pay [pei] ⓣⓙ《*paid*》 치르다, 지불하다, (빚을) 갚다, 보복하다(=reward, avenge), 보상하다(=compensate)

수지가 맞다 ⓜ 지불, 급료, 보상
반 owe 빚지다
(예) *pay* one's debts 빚을 갚다 // *pay* a servant 사환에게 돈을 치르다 // *pay* him money ↔ *pay* money *to* him 그에게 돈을 치르다 // I'll *pay* you a visit tomorrow. ↔ I'll *pay* a visit *to* you tomorrow. 내일 찾아 뵙겠습니다. // It *pays* to be honest. 정직하면 이롭다. // be in the *pay* of ~에서 급료를 받고 있다
파 **páyable** ⓗ 지불해야 할 **páyday** ⓜ 지불일, 봉급날 **payée** ⓜ 영수인 **páyer** ⓜ 지불인 **páymaster** ⓜ 회계원, 재정관 ***páyment** ⓜ 지불, 납입, 보상 **páyroll** ⓜ 〖미〗 급료 지불 명부

pay back (빚 따위를) 갚다; 보복하다
(예) I'll *pay* you *back* (the money) on payday. (그 돈은) 봉급날 갚겠다.

pay dear(ly) for ~에 대단한 희생을 치르다, 혼나다
(예) You shall *pay dearly for* your idleness. 게으름피우면 혼내주겠다.

pay for ~의 대가를 치르다, ~에게 보답하다; ~의 보답〔보복〕을 받다
(예) *pay for* one's account 셈을 치르다 // He'll *pay for* this foolish behavior. 그는 이 어리석은 행동에 대한 벌을 받게 될 것이다.

pay off (빚 따위를) 갚다, 급료를 치르고 해고하다; 성과가 있다, 잘 되어 가다
(예) They *paid* me *off* without previous notice. 그들은 사전 예고 없이 나에게 급료를 치르고 해고했다. // His plan didn't *pay off*. 그의 계획은 별 성과가 없었다.

pay one's (own) way 빚 안 지고 살다〔해나가다〕; 수지를 맞추다
(예) He *pays* his *own way* as he goes. 그는 빚 안 지고 해나가고 있다. // His uncle *paid John's way* through college. 존이 대학을 졸업할 때까지 아저씨가 학비를 댔다.

pay out (돈을) 지불하다, 내주다; (아무에게) 화풀이하다, 보복하다, 혼쭐내다

pea [piː] ⓜ 완두
파 **péanut** ⓜ 땅콩, 낙화생

(as) like as two peas 흡사한, 꼭 닮은
(예) The sisters resemble each other *as like as two peas*. 저 자매는 쌍둥이 같다.

peace [piːs] 〈동음어 piece〉 ⓜ 평화, 평안, 치안; 강화, 화해
반 war 전쟁
(예) world *peace* ↔ the *peace* of the world 세계 평화 // *peace* of mind 마음의 평정 // a *peace* of 50 years 50년간의 평화 // He lives *at peace with* his neighbors. 그는 이웃 사람들과 사이좋게 지내고 있다.
파 **péaceable** ⓗ 평화로운 ***péaceful*** ⓗ 평화로운

◇**péacefully** 부 평화적으로, 평온히 ◇**péacefulness** 명 평화로움, 평온함 **péacemaker** 명 조정〔중재〕자 ◇**péacetime** 명 평시 형 평시의 **peace treaty** 강화 조약
in peace 평화롭게, 평안하게, 안심하여
(예) May he sleep *in peace !* 평안히 잠드소서 !
make peace with ~와 화해하다(=compromise)
◇**peach** [piːtʃ] 명 복숭아
pea·cock [píːkɑ̀k / -kɔ̀k] 명 공작(의 수컷)
반 péahen 공작의 암컷
NB 암컷·수컷을 총칭하는 말은 péafowl.
◇**peak** [piːk] 명 산꼭대기, 봉우리(=pointed top); 첨단; 최고점, 절정(=summit) 자 우뚝 솟다, 정점에 달하다
반 foot 기슭
(예) Avoid *peak* hours of traffic. 교통이 가장 혼잡한 시간을 피하라.
파 **peaked** 형 뾰족한
peal [piːl] 〈동음어 peel〉 명 (종·천둥 따위의) 우렁찬 소리(=loud sound), 울림 자 타 (종 따위를) 울리다, 우렁차게 울리다; 떨치다; (소문 따위를) 퍼뜨리다
pea·nut [píːnʌ̀t] 명 땅콩, 낙화생
*◇**pear** [pɛər]★ 〈동음어 pair〉 명 배, 배나무

▶ **214. 재미있는 Idiom**

영어에는 그대로 해석하여서는 뜻이 통하지 않는 Idiom이 퍽 많다. 예를 들면 set the Thames on fire는 「불 위에 템스 강을 놓는다」가 아니고 「세상을 놀라게 할 만한 큰 일을 하다」의 뜻이다. 이 외에도 다음과 같은 것들이 있다.
before you can say Jack Robinson (즉시로)
take the bull by the horns (대담하게 일에 대처하다)
miss the bus (기회를 놓치다)
cakes and ale (인생의 쾌락 —Shakespeare의 "Twelfth Night"에서)
lead a dog's life (비참한 생활을 하다)
a white elephant ((비싸거나 돌보기에) 귀찮은 것〔존재〕)

*◇**pearl** [pəːrl]★ 명 진주; 귀중한 물건 자 타 진주로 꾸미다, 진주를 캐다 형 진주의, 진주 같은
파 **péarly** 형 진주 같은, 진주로 꾸민 **pearl fishery** 진주 채취업
*◇**peas·ant** [pézənt]★ 명 소작농, 영세 농민, 시골뜨기 형 소작농의, 세련되지 않은(=rude)
어법 일반적으로 *farmer* 보다 하급의 농부를 말한다.
파 **péasantry** 명 《총칭》 농민, 소작농, 소작인 계급
◇**peat** [piːt] 명 토탄(土炭)
*◇**peb·ble** [pébəl] 명 (둥근) 자갈
파 **pébbly** 형 자갈이 많은
◇**pe·can** [pikǽn, -kɑ́ːn] 명 피칸 《미국 중·남부 지방의 호두나무의 일종》
◇**peck** [pek] 타 자 부리로 쪼다 명 부리로 쪼기
*◇**pe·cu·liar** [pikjúːljər] 형 독특한, 특유한, 특별한 (=special); 이상한(=strange)
반 géneral 일반적인

(예) Knowledge is *peculiar* to mankind. 지식은 인간에게 특유한 것이다. // an expression *peculiar* to Canadians 캐나다인 특유의 표현 // receive *peculiar* attention 특별한 주의를 받다 // a *peculiar* woman 매우 이상한 여인
파 ***peculiarity** [pikjù:liǽrəti] 명 특색, 버릇 ***pecúliarly** 부 특히, 괴이하게

ped·al [pédl] 명 페달 자타 페달을 밟다, 페달을 밟으며 달리다

ped·dle [pédl] 자타 행상을 하다, 도부치다
파 **péddler, pédlar, pédler** 명 행상인, 도붓 장수

ped·es·tal [pédəstl] 명 (흉상 따위의) 주춧대, 대좌(臺座); 기초, 근저 타 대에 올려놓다; 받치다, 괴다

pe·des·tri·an [pədéstriən] 명 보행자(=walker), 통행인 형 도보의; 평범한, 산문적인, 단조로운(=dull)
원 pedestr(=on foot)+ian(명사·형용사 어미)

peel [pi:l] 〈동음어 peal〉 타자 껍질을 벗기다, 껍질이 벗겨지다 명 (과실의) 껍질
(예) *peel* a pear 배의 껍질을 벗기다 // keep *one's* eyes *peeled* 한눈 팔지 않고 지켜보다

peep [pi:p] 자 엿보다, 들여다보다; (점차로 모르는 사이에) 나타나다(=emerge); (새·쥐가) 삐악삐악〔짹짹〕 울다 명 엿봄, 엿보는 틈; 삐악삐악〔짹짹〕 우는 소리
파 **péeper** 명 엿보는 사람; 삐악삐악 우는 새

peer [piə*r*]* 〈동음어 pier〉 명 동료(=equal); 귀족(=nobleman) (*cf.* peeress 귀족의 부인); 상원 의원 타자 응시하다, 자세히 들여다보다
(예) without a *peer* 비길 데 없는, 무쌍의
파 **péerage** 명 귀족 계급 **péerless** 형 비길 데 없는

pee·vish [pí:viʃ] 형 성마른, 까다로운(=cross)

peg [peg] 명 나무못 타 나무못을 박다
(예) a square *peg* in a round hole 부적임자, 맡겨진 직무에 어울리지 않는 자

pel·i·can [pélikən] 명 〖새〗 펠리컨

pel·la·gra [pəléigrə, -lǽg-] 명 펠라그라, 옥수수홍반(紅斑)《피부병》

pem·(m)i·can [pémikən] 명 페미컨《말린 쇠고기에 지방·과일을 섞어 굳힌 휴대 식품》; 요지, 요강(=digest)

pen [pen] 명 펜; 필적; 작가; 문필; (가축의) 우리 타 《***penned***》 쓰다(=write), 저술하다; 《***penned ; pent***》 우리에 넣다
(예) write with a *pen* 펜으로 쓰다 // The *pen* is mightier than the sword. 글은 무력보다 강하다.
NB 「펜촉」은 *nib* 이고 「펜대」는 *penholder*. pen 은 이 두 개가 갖추어진 것.
파 **pénman** 명 《*pl.* -men》 필자, 문학자 **pénmanship** 명 서법, 서도 **pénholder** 명 펜대 **pénknife** 명 《*pl.* -knives》 주머니칼 **pen name** 필명

PEN Club 펜클럽 International Association of Poets,

Playwrights, Editors, Essayists and Novelists 《문학에 의한 세계 사상의 교환을 목적으로 하는 협회, 본부는 런던에 있다》

pe·nal [píːnl] ㊕ 형벌의; 형법〔형사〕상의; 형을 받을 만한

◇**pen·al·ty** [pénəlti] ㊔ 형벌(=punishment), 벌금(=fine), 벌칙

반 reward 보수(*cf.* crime)

(예) on〔under〕 *penalty* of (위반하면) ~라는 벌을 받는 조건으로 // a *penalty* clause (계약서의) 위약〔벌칙〕 조항

☆**pen·cil** [pénsəl] ㊔ 연필 ㊉ 연필로 쓰다

(예) write with a *pencil* ↔ write in *pencil* 연필로 쓰다

파 **pencil case** 필통 **pencil sharpener** 연필 깎이

pend·ing [péndiŋ] ㊕ 미결의, 미처리의 (=not yet settled) ㊅ ~ 중, ~의 사이(=during); ~(할 때)까지(=until)

(예) a *pending* question 현안, 미해결의 문제 // patent *pending* 신안 특허 출원 중 // *pending* investigation 조사 중에 // *pending* his return 그가 돌아올 때까지

◇**pen·du·lum** [péndʒələm / -dju-] ㊔ (시계 따위의) 추

파 **péndulous** ㊕ 흔들흔들 매달린, 흔들리는

pen·e·trate [pénətrèit] ㊉㊈ 꿰뚫다, 관통하다(=pierce), 통찰하다(=discern), 《수동》 몸에 스며들다

(예) *penetrate* a plot 음모를 간파하다 // be *penetrated* with new ideas 새로운 사상에 젖어 있다

파 **pénetrating** ㊕ 통찰력이 있는, 날카로운(=sharp), 관통하는 ***penetrátion** ㊔ 관통(력), 통찰(력), 침투(작전) **pénetrative** ㊕ 침투하는, 통찰력이 있는

pen·guin [péngwin, péŋ-] ㊔ 〖새〗 펭귄

pen·i·cil·lin [pènəsílin] ㊔ 페니실린

◇**pen·in·su·la** [pinínsələ / -sju-] ㊔ 반도

어법 ~Peninsula 의 형을 취하는 고유 명사는 보통 the 를 붙인다: the Malay *Peninsula,* the Korean *Peninsula*

파 **penínsular** ㊕ 반도(모양)의 ㊔ 반도의 주민

pen·nant [pénənt] ㊔ 페넌트, 길고 좁은 삼각기; 우승기

*◇**pen·ny** [péni] ㊔ 1페니 《1971년 2월 이후는 1파운드(pound)의 100분의 1에 해당하며 약호 d.(<denarius)를 써서 표시함》

(예) Take care of the *pence* and the pounds will take care of themselves. 〖속담〗 사소한 일에 주의하면 큰 일은 저절로 성취된다.

어법 ① 복수는 금액의 경우 pence, 개수의 경우 pennies. ② twopence [tʌ́pəns], threepence [θrépəns]의 발음에 주의. fourpence ~ elevenpence와 twentypence는 한 단어로 철자하며, [-pəns]로 발음한다. 기타는 두 단어로 나누어 철자하고 [pens]로 발음한다.

파 **pénniless** ㊕ 무일푼의 **pénny-wise** ㊕ 한 푼을 아끼는 **pennyworth** [péniwə̀ːrθ] ㊔ 1페니어치, 소액

◇**pen·sion** [pénʃən] ㊔ 연금, 은급(恩給) ㊉ 연금을 주다

(예) He retired on a *pension.* 그는 연금을 받고 퇴직했다

파 **pénsioner** 명 연금을 받는 사람
pen·sive [pénsiv] 형 생각에 잠긴, 구슬픈
peo·ple* [píːpl]* 명 (세상) 사람들; [the ~] 국민, 인민; 민족; [one's ~] 가족 타 ~에 사람을 살게 하다, 식민하다
(예) *People* 〔They〕 say that ~. 세상에서는 ~이라고들 말하고 있다(↔It is said that ~.) // the voice of the *people* 국민의 소리 // the *peoples* of Asia 아시아의 여러 민족 // How are your *people*? 가족분들은 안녕하십니까? // a thickly *peopled* district 인구 조밀한 지방
어법 「국민」의 뜻으로는 a people, peoples 와 같이 단수·복수 어느 것이나 가능하나 「사람들」의 뜻으로는 항상 복수로 취급된다.
pep·per [pépər] 명 고추, 후추 타 (후추를) 뿌리다; (조소 따위를) 퍼붓다
(예) a face *peppered with* freckles 주근깨 투성이의 얼굴 // He was *peppered with* questions. 질문 세례를 받다.
파 **péppery** 형 후추 같은, 매운, 화를 잘 내는 **pépper-mint** 명 박하 **pépperbox, pepper pot** 명 후추통〔병〕
per [pər, pəːr] 전 ~마다(=for each); ~으로, ~에 따라서
(예) The admission fee is 500 won *per* person. 입장료는 1인당 500원입니다. // *per* post〔rail〕 우편으로〔철도로〕
파 ◇**per capita** 《per caput (=head)의 잘못》 머릿수로 나눠서, 각 사람에 대하여(income *per capita* 1인당 소득)
as per ~에 따라서(=according to); ~와 같이
per·ceive* [pərsíːv] 타 지각(知覺)하다, 감지하다, 이해하다(=understand)
원 per(완전히)+ceive(=take)
(예) I *perceived* you *come*. ↔ I *perceived* your *coming*. 나는 네가 오는 것을 감지했다. // Seeing him, I *perceived* him (*to be*) an honest man. ↔ Seeing him, I *perceived that* he was an honest man. 그를 만나 보고 나는 그가 정직하다는 것을 알았다.
파 ***perception*** 명 지각, 인지, 이해력 **percéptible** 형 지각할 수 있는, 감지할 수 있는, 눈에 띄는 **percéptive*** 형 지각의, 지각이 예민한, 현명한
per cent, per·cent [pərsént] 명 퍼센트(%)
per·cent·age [pərséntidʒ]* 명 100분율, 비율; 수수료
perch [pəːrtʃ] 명 횃대, 높은 지위, 안전한 자리 자 타 (새 따위가) 횃대에 앉다, (사람이 높은 곳에) 앉다; 앉히다
per·fect* [pə́ːrfikt] 형 완전한, 순전한 명 〖문법〗 완료 시제(完了時制) 타 [pərfékt] 완성하다, 수행하다
반 deféctive, impérfect 불완전한
(예) a *perfect* gentleman 더할 나위 없는 신사 // *perfect* in the use of arms 무기 사용에 완전 숙달한 // a *perfect* stranger 전혀 낯선 사람 // a man *perfect for* the job 그 일에 가장 알맞은 사람 // He *perfected* himself in English by living in America. 그는 미국에 거주함으로써 영어에 숙달했다.

P

어법 *complete*는 10개 있는 것이 10개 다 갖추어져서 「완전한」의 뜻이며, *perfect*는 하나의 사물이 「더할 나위 없이 완전한」 것임을 말한다.

파 ***perféction** 명 완전, 완성(to *perfection* 완전히); 《*pl.*》 재예(才藝), 미점 ***pérfectly** 부 완전히, 더할 나위 없이 **pérfectness** 명 완전

***per·form** [pərfɔ́ːrm] 타 자 수행하다(=accomplish), 실행하다(=do), 이행하다; 연기〔연주〕하다(=play)

원 per(완전히)+form(=do)

반 neglect 게을리하다

(예) He *performed* his part perfectly in last night's play. 그는 어제밤의 연극에서 자기 역을 더할 나위 없이 잘 했다.

파 **perfórmer** 명 실행자, 연주자

***per·form·ance** [pərfɔ́ːrməns] 명 실행, 이행; 행위; 연기, 연주, 상연

(예) give a *performance* of Hamlet 햄릿을 상연하다

per·fume 명 [pə́ːrfjuːm] 방향(芳香), 향수, 향료 타 [pə(ː)fjúːm] 향수를 뿌리다

반 stench 악취

파 **perfúmery** 명 향수류; 향수 제조소

☆**per·haps** [pərhǽps] 부 아마, 어쩌면(=maybe)

반 cértainly 확실히 (*cf.* probable)

NB 미국 구어에서는 maybe를 더 흔히 쓴다. 가능성 즉 어날 확률은 50% 이하라는 느낌으로 쓴다. may와 함께 쓰이면 그 확률은 더욱 낮아진다.

***per·il** [pérəl] 명 위험(=danger), 모험; 위험물 타 위태롭게 하다

반 sáfety 안전

파 **périlous** 형 위험한(⇨)**imperil**

at the peril of ~을 무릅쓰고, 감히

(예) make the attempt *at the peril of* one's life 목숨을 걸고 시도해 보다

pe·ri·od [píəriəd] 명 기간, 시대; 수업시간; 마침표, 종지부, 피리어드

> ▶ **215. 접두어 peri**
> 「주위에〔의〕」「가까운」의 뜻을 나타낸다.
> (예) *peri*od, *peri*scope(잠망경)

(예) for a *period* of fifty years 50년간 // put a *period* to ~에 종지부를 찍다, ~을 끝마치다

파 **periodic** [pìəriádik / -ɔ́d-] 형 주기적인, 정기의 **periódical** 형 정기(간행)의, 주기적인 명 정기 간행물(NB 일반적으로 일간 신문에는 쓰지 않는다) **periódically** 부 정기적으로, 주기적으로

***per·ish** [périʃ] 자 타 멸망하다, 멸망시키다, 죽다, 썩다

파 **périshable** 형 썩기 쉬운 명 《*pl.*》 부패하기 쉬운 물건〔음식〕

***per·ma·nent** [pə́ːrmənənt] 형 영구적인, 불변의, 영속하는

반 témporary 일시적인, tránsient 일시적인, 무상한

파 **pérmanently** 부 영구히 **pérmanence, -cy** 명 영구 불변, 영속적 지위

__per·mit__ 타 자 [pə*r*mít] 허가하다(*cf.* allow); ~시키다(=suffer) 명 [pə́:*r*mit] 허가(증), 면허(장)

반 prohíbit 금하다

(예) *Permit* me *to* pass. 통과시켜 주십시오. // *Permit* me *to* use your library. 당신의 장서를 쓰도록 허락해 주십시오. // Smoking is not *permitted* here. ↔ We do not *permit* smoking here. 여기서는 끽연이 허락되어 있지 않다. // weather *permitting* 날씨가 괜찮으면

어법 *permit of*의 형은 사물이 주어일 경우에 한한다: The situation *permits of* no delay.(사태는 지체를 허락지 않는다) admit of 참조.

파 **permíssion** 명 허가, 허용(without *permission* 허가 없이) **permíssible** 형 허가할 수 있는 **permíssive** 형 허가하는, 허락된, 임의의; 자유방임의

with your permission 당신 허락을〔양해를〕 얻어

(예) I should prefer—*with your permission*—to do that myself. 당신 허락을 얻어 나 자신이 그것을 하고 싶습니다.

per·pen·dic·u·lar [pə̀:*r*pəndíkjələ*r*] 형 수직의; 깎아 세운 듯한, 직립의 명 수직선, 가파른 경사면

per·pet·u·al [pə*r*pétʃuəl] 형 영구적인(=eternal), 끊임 없는(=constant)

반 mómentary 일시의

파 **perpétually** 부 영구히 **perpétuate** 타 영속시키다 **perpetuátion** 명 영속 **perpetúity** 명 영속, 종신 연금

per·plex [pə*r*pléks] 타 난처하게 하다, 얼떨떨하게 하다(=puzzle), 혼란에 빠뜨리다

파 **perpléxed** 형 난처한; 착잡한(a *perplexed* man 난처한 입장에 있는 사람) **perpléxity** 명 당황, 난처함(in *perplexity* 당황하여)

(***be***) ***perplexed about*** 〔***at***〕 ~에 고민하는, ~에 당혹하는

(예) He *was* much *perplexed at* the unexpected answer. 그는 의외의 대답에 매우 당황하였다.

per·se·cute [pə́:*r*sikjù:t] 타 박해하다, 괴롭히다

반 suppórt 옹호하다

파 **persecútion** 명 박해 **pérsecutor** 명 박해자

per·se·vere [pə̀:*r*səvíə*r*] 자 참아내다, 견디다, 꾸준히 힘쓰다

파 **perseverance** 명 인내, 참을성

Per·sia [pə́:*r*ʒə / -ʃə] 명 페르시아

Per·sian [pə́:*r*ʒən / -ʃən] 형 페르시아의, 페르시아 사람〔말〕의 명 페르시아 사람〔말〕

NB 오늘날 공칭으로는 **Iran** [irǽn](형용사는 **Iranian** [iréiniən]을 쓴다

per·sim·mon [pə*r*símən] 명 감(나무)

P

*◦**per·sist** [pəːrsíst] ㉶ 고집하다(=maintain), 주장하다, 지속하다(=last)
반 desíst 단념하다
파 **persístence, -cy** 명 고집, 인내력 **persístent*** 형 끊임없는, 지속하는, 끈질긴 **persístently** 부 끊임 없이, 지속적으로, 끈질기게
persist in 주장하다(=insist on), 고집하다
(예) He *persisted in* his belief. 그는 자기 소신을 밀고 나아갔다. // Don't *persist in* asking silly questions. 어리석은 질문을 계속하지 마라.
***per·son** [pə́ːrsən] 명 사람; 풍채; 인격; 신체(=body); 인칭
(예) an important *person* 중요 인물 // have a fine *person* 용모가 단정하다 // offenses against the *person* 폭행죄 // an unlawful search of the *person* 소지품의 불법 검사
파 (⇨)**personal.** **pérsonage** 명 사람; (특히) 귀인(貴人), 명사(名士) **pérsonable** 형 풍채가 좋은 **pérsonate** 타 ~역으로 출연하다 **personátion** 명 분장(扮裝); (신분의) 사칭 **persónify** 타 인격화하다, 의인화(擬人化)하다 **personificátion** 명 인격화, 화신, 의인법 ◦**personnél** 명 직원, 사원
*◦***in person*** 몸소, 친히(=personally); 그 사람 자신은, 진짜는
(예) You had better go and speak to him *in person.* 네가 가서 직접 그에게 말하는 것이 좋겠다. // She looks better *in person* than on the screen. 그 여자는 영화에서보다는 실물이 더 곱다.
on** one'**s person 몸에 지니고, 휴대하고
(예) He never carries arms *on* his *person.* 그는 절대로 무기를 가지고 다니지 않는다.
*◦**per·son·al** [pə́ːrsənəl] 형 개인의(=individual), 일신상의(=private), 본인의; 신체의
(예) *personal* affairs 사사(私事) // *personal* appearance 풍채, 인품 // for *personal* reasons 일신상의 이유로
파 ◦**pérsonally** 부 몸소, 친히, 개인적으로(는)
◦**per·son·al·i·ty** [pə̀ːrsənǽləti] 명 개성, 인격, 성격; 개인; 유명인, (예능계의) 스타; 《*pl.*》 인신공격
(예) a man with little *personality* 개성이 빈약한 사람 // refrain from *personalities* 인신공격을 피하다
per·spec·tive [pərspéktiv] 형 원근법의 명 원근(화)법, 원경; 전도, 가망; 대국적 견지〔시각〕
per·spi·ra·tion [pə̀ːrspəréiʃən] 명 발한(發汗)(=sweating); 땀
파 ◦**perspire** [pərspáiər] 자 타 땀을 흘리다
*◦**per·suade*** [pərswéid]* 타 설득하여 ~시키다, 설득하다, 납득시키다(=convince)
반 dissuáde 단념시키다
(예) *persuade* him *to* come 〔*into* coming〕 그를 설득시켜 오게 하다 // I *persuaded* him that the statement was true.

나는 그 성명이 진실이라는 것을 그에게 납득시켰다. // I *persuaded* her *that* he was innocent. ↔ I *persuaded* her *of* his innocence. 나는 그녀에게 설명을 하여 그의 무죄를 믿게 하였다. // I am *persuaded of* his innocence. 나는 그의 무죄를 확신하고 있다.

파 **persuáder** 명 설득자 ◇**persuasion** [pərswéiʒən] 명 설득, 확신 **persuásive** 형 말 잘하는, 설득력이 있는

***persuade oneself of*〔*that*〕** ~을 믿다

(예) I could not *persuade* my*self of* its truth. 나는 그것이 사실이라고는 믿을 수가 없었다.

어법 of의 다음에는 명사 또는 명사구, that의 다음에는 절이 온다. 또, 「믿고 있다」의 뜻에는 be persuaded를 쓴다.

per·tain [pərtéin] 자 속하다, 부속하다(=belong) [~ to], 관계하다 [~ to]; 알맞다, 어울리다 [~ to]

(예) the house and the land *pertaining to* it 그 집과 그것에 부속되는 토지 // the enthusiasm that *pertains to* the young 젊은이들에게 어울리는 열성

파 **pértinent** 형 적절한, 요령 있는, 관한, 속하는 [~ to]

Pe·ru [pərúː] 명 페루 《수도 Lima》

pe·ruse [pərúːz] 타 정독〔숙독〕하다(=read carefully), 자세히 살피다

파 **perusal** [pərúːzəl] 명 숙독, 정독, 정사(精查)

per·vade [pərvéid] 타 전면에 퍼지다(=spread), 속속들이 스며들다; (생각·감정이) 충만하다

(예) The odor of chrysanthemums *pervaded* the air of the room. 국화 향기가 방 안에 가득 풍기고 있었다.

파 **pervásion** 명 퍼짐, 충만 **pervásive** 형 전면에 퍼지는, 널리 미치는

per·verse [pərvə́ːrs] 형 괴팍한, 완고한(=stubborn), 성미가 비꼬인, 심술궂은; 사악한

파 **pervérsity** 명 외고집, 완고 **pervért** 타 자 곡해하다, 악용하다; 나쁜 길에 빠뜨리다, 타락시키다

pes·si·mist [pésəmist] 명 염세가, 비관론자

반 óptimist 낙천가

파 ◇**péssimism** 명 염세주의 ◇**pessimístic** 형 염세〔비관〕적인 **pessimístically** 부 비관적으로

pest [pest] 명 해독; 골치덩어리; 《드물게》 흑사병, 나쁜 돌림병

pes·ti·cide [péstəsàid] 명 살충제

pes·ti·lence [péstələns] 명 페스트, 악역(惡疫); 해독, 적

파 **péstilent** 형 전염하는, 치명적인; 해로운; 성가신; 귀찮은

pet [pet] 명 애완 동물, 귀염둥이, 총아 형 귀여워하는, 좋아서 기르는 타 귀여워하다(=fondle)

(예) make a *pet* of ~을 특별히 귀여워하다

pet·al [pétl] 명 꽃잎(=flower leaf)

NB pedal [pédl] 자전거 따위의 「페달」과 혼동하지 말 것.

pe·ti·tion [pətíʃən] 명 청원(서), 탄원(서) 타 자 청원하다

반 commánd 명령

(예) We *petitioned* the mayor *to* build a new bridge. ↔ We *petitioned* the mayor *that* a new bridge should be buil 우리는 시장에게 새 교량을 설치해 달라고 진정하였다.
파 **petítioner** 명 청원자
◇**pet·rol** [pétrəl] 명 〖영〗 가솔린(=〖미〗 gasoline), 경유 석유
(예) a *petrol* engine 가솔린 기관
◇**pe·tro·le·um** [pətróuliəm] 명 석유
pet·ti·coat [pétikòut] 명 (여성의) 속치마
pet·ty [péti] 형 작은(=minor); 사소한, 하찮은, 시시한 (=trifling), 소규모의
반 great 큰
(예) Many quarrels have a *petty* beginning. 싸움은 시시한 것으로 시작되는 일이 많다.
파 **péttiness** 명 작음, 편협함; 비열
◇**pe·tu·nia** [pətjú:njə / -tjú:-] 명 피튜니아 《가지과의 식물》 암자색
phan·ta·sy [fǽntəsi, -zi] 명 공상, 환상(=fantasy)
phan·tom [fǽntəm] 명 유령(=ghost), 허깨비(=apparition); 환영(=illusion) 형 환영의; 유령의; 유령 같은
phar·ma·col·o·gy [fà:rməkálədʒi / -kɔ́l-] 명 약리학, 약(물)학
phar·ma·cy [fá:rməsi] 명 약학; 약국(=dispensary)
phase [feiz] 명 국면, 형세, 단계, 양상(=aspect)
◇**pheas·ant** [fézənt] 명 《*pl.* ***-ants, -ant***》 꿩
*◇**phe·nom·e·non**★ [finámənàn, -nən / -nɔ́mənən] 명 《*pl.* ***-mena*** [-mənə]》 현상, 이상한 사물, 경이(驚異)
파 **phenómenal** 형 현상의, 지각(知覺)할 수 있는; 놀랄 만한, 경이적인
◇**phi·lan·thro·pist** [filǽnθrəpist] 명 박애가〔주의자〕, 자선가
Phil·ip·pine [fíləpì:n] 형 필리핀(사람)의
NB 「필리핀 군도(群島)」는 the Philippines(=the Philippine Islands)
*◇**phi·los·o·pher** [fəlásəfər / -lɔ́səfə] 명 철학자
*◇**phi·los·o·phy**★ [filásəfi / -lɔ́s-]★ 명 철학, 철리; 인생철학, 인생관; 오도(悟道), 달관(達觀), 냉정
원 philo(=love)+sophy(=wisdom)
파 *◇**philosóphic, -ical** 형 철학적인, 철학상의 **philósophize** 자 타 철학적으로 생각하다
phoe·nix [fí:niks] 명 [종종 P-] (이집트 신화의) 불사조
phone [foun] 명 〖구어〗 전화(기) 자 타 전화를 걸다
원 <telephone의 단축어
(예) hang up the *phone* 전화를 끊다 // speak on 〔over〕 the *phone* 전화로 이야기하다 // I will *phone* you tomorrow. 내일 너에게 전화하겠다.
◇**pho·net·ic** [fənétik, fou-] 형 음성(상)의, 음성을 표시하는
(예) the International *Phonetic* Alphabet 국제 음표 문자

파 **phonétics** 명 음성학, 발음학

***pho·no·graph** [fóunəgræ̀f / -grɑ̀:f] 명 축음기

NB 미국에서는 보통으로 쓰나, 영국에서는 구식의 것을 말하고, 현재의 원반식의 것은 gramophone 이라고 한다.

phos·pho·rus [fásfərəs / fɔ́s-] 명 인(燐)

파 **phosphóric** 형 인의 **phosphoréscence** 명 인광(燐光); 청광(靑光)

pho·to [fóutou] 명 〔구어〕 사진 자 타 사진을 찍다

***pho·to·graph** [fóutəgræ̀f / -grɑ̀:f]★ 명 사진 타 자 촬영하다, 사진에 찍히다

원 photo (=light) + graph (=picture)

(예) take a *photograph* of ~의 사진을 찍다 // have one's *photograph* taken (남을 시켜) 자기의 사진을 찍다

파 ***photographer** [fətágrəfər / -tɔ́grəfə]★ 명 사진사 ***photógraphy**★ 명 사진술 **photográphic, -ical** 형 사진의, 사진 같은

pho·to·syn·the·sis [fòutəsínθəsis] 명 광합성

***phrase** [freiz] 명 구; 숙어 타 말로 표현하다

(예) an adjective *phrase* 형용사구 // a set *phrase* 상투적인 문구, 진부한 문구

파 **phraseology** [frèiziálədʒi / -ɔ́l-] 명 말씨 **phrase book** 숙어집

***phys·i·cal** [fízikəl] 형 물질계의 (=material); 육체의 (=bodily); 자연(과학)의; 유형(有形)의; 물리학상의

반 spíritual 정신의, chémical 화학상의

(예) *physical* science 자연 과학 // *physical* education 〔training〕 체육 // *physical* strength 체력 // the *physical* world 물질계 // *physical* checkup 건강 진단

파 ***phýsically** 부 물리적으로, 물질적으로; 신체상 **physique** [fizí:k] 명 체격

***phy·si·cian** [fizíʃən] 명 내과의, 의사 (=doctor)

NB 「물리학자」는 physicist. 넓은 의미의 「의학」의 의미로 doctor와 같은 뜻으로 쓸 수도 있다. 엄밀히는 surgeon(외과의)에 대해 「내과의」란 뜻.

***phys·ics** [fíziks] 명 《단수 취급》 물리학

NB physic [fízik]는 명 「약, 하제(下劑), 의술(醫術)」의 뜻.

파 ***physicist** [fízəsist] 명 물리학자

phys·i·ol·o·gy [fìziálədʒi / -ɔ́l-] 명 생리학

☆**pi·an·o** [piǽnou] 명 피아노

(예) play (on) the *piano* 피아노를 치다

파 **pianist** [piǽnist, pí:ənist] 명 피아니스트

***pick** [pik] 타 자 찌르다, 따다, 쪼다 [~ at]; 고르다 [~ out], 줍다 [~ up] 명 [the ~] 최상의 것; 선택(권); 수확물

(예) *pick* flowers 꽃을 따다 // *pick* one's words 말을 조심해서 하다 // *pick* a hole 구멍을 뚫다 // the *pick* of the bunch 많은 중에서 최량의 것〔사람〕

파 **pícking** 명 (곡괭이 따위로) 팜, 채취(採取) ***píckpocket** 명 소매치기

◇***pick out*** 고르다; 파내다; (뜻을) 알다, 이해하다
(예) He tried on several suits and finally *picked out* a blue one. 그는 몇 개의 옷을 입어 보고 마지막으로 푸른 것을 골랐다. // *pick out* the meaning of a passage 문장의 뜻을 이해하다
*◇***pick up***★ 줍다; (사람을) 찾아내다; 붙잡다; 알게 되다; (속력 따위를) 빠르게 하다; 차에 태우다
(예) Children *pick up* language at their mother's knee. 아이들은 어머니 무릎에서 말을 배운다. // Our car *picked up* speed. 우리 차는 속력을 냈다. // The bus stopped to *pick up* passengers. 버스가 정차하여 손님을 태웠다.
◇**pick·le** [píkəl] [명] 절이는 국물《소금물·초 따위》; 《*pl.*》 절인 것《오이지 따위》; 곤경, 난처한 처지 [타] 《초·소금물에》 절이다〔담그다〕
***pic·nic** [píknik] [명] 피크닉, 소풍 [자] 소풍가다
[NB] picnicked, picnicking 의 형에 주의.
(예) go on a *picnic* 소풍가다
[파] **pícnicker** [명] 소풍객 **pícnicky** [형] 피크닉의, 흥겨운
☆**pic·ture**★ [píktʃər] [명] 그림, 사진, 영상; 아름다운 경치, 꼭 닮은 것(=image); 《*pl.*》 영화; [the ~] 전체의 상황, 사정; (TV의) 화면 [타] 그리다, 묘사하다; 상상하다(=imagine)

> ▶ **216.** 접미어 **esque**
> 「~양식의」「~의 특질이 있는」「~와 같은」의 뜻을 나타낸다.
> (예) Roman*esque* (로마네스크 양식의), pictur*esque* 등

(예) ◇take a *picture* of Tom ↔ take Tom's *picture* 톰의 사진을 찍다 // get a *picture* taken of ~의 사진을 찍게 하다 // He looks the *picture* of health. 그는 건강 그 자체로 보인다《그는 건강의 화신이다》. // go to the *pictures* 영화를 보러 가다 // a 19-inch *picture* 19인치 TV 화면
[파] *◇**picturesque**★ [pìktʃərésk]★ [형] 그림 같은, 아름다운; 생생한 **pictorial** [piktɔ́:riəl] [형] 그림을 넣은, 그림으로 나타낸 [명] 그림 잡지〔신문〕 **picture book** 그림책 **picture gallery** 미술관, 화랑 **picture (post) card** 그림 엽서
picture to *one**self*** 상상하다, 머리 속에 그리다
(예) We can scarcely *picture to* our*selves* a time in which printing was unknown. 우리는 인쇄술이 없었던 시대를 거의 상상할 수 없다.
◇**pie** [pai] [명] 파이《고기·과일 등을 가루 반죽에 싸서 구운 것》
***piece** [pi:s]★ 〈동음어 peace〉 [명] 한 조각(=bit), 한 개, 일편 [타] 잇다, 이어서 ~을 만들다
(예) *piece* the story together 이야기를 앞뒤가 통하도록 이어 맞추다
[어법] 셀 수 없는 명사에 붙여 a *piece* of, *pieces* of의 형으로 많이 쓰인다. advice, news, chalk, furniture, music 등 참조.
[파] **píecemeal** [부] 조금씩, 조각조각으로 [형] 조각조각의, 단편적인 **píecework** [명] 삯일
☆◇***a piece of*** 한 개의

(예) *a piece of* chalk 백묵 한 개 // *a piece of* furniture 가구 한 점

go to pieces 산산조각이 나다, 엉망이 되다

(예) The ship *went to pieces* on the reef. 그 배는 암초에 걸려 산산조각이 났다.

to* 〔*in, into*〕 *pieces 산산이, 조각조각, 갈기갈기

(예) tear *to pieces* 갈기갈기 찢다 // be broken *to pieces* 산산이 부서지다

***pier** [piər] 〈동음어 peer〉 [명] 선창, 부두, 방파제

pierce [piərs] [타] [자] 꿰뚫다 (=penetrate), 관통하다, 간파하다

[NB] piece [pi:s], peace [pi:s]와 혼동하지 말 것.

[파] **píercing** [형] 꿰뚫는, 날카로운, 몸에 사무치는

pi·e·ty [páiəti] [명] 경건, 신앙심; 충성; 효심

pig [pig] [명] 돼지(=swine), 돼지 새끼, 돼지고기; 욕심꾸러기

pi·geon [pídʒən] [명] 비둘기

[파] **pígeonhole** [명] 비둘기집의 드나드는 구멍; (서류 정리용 선반 등의) 작은 칸 [타] 분류〔정리〕하다; 미루어 두다 **pigeon breast** 새가슴 **homing** 〔**carrier**〕 **pigeon** 전서구(傳書鳩)

> **▶ 217. 영어의 Simile**
>
> Simile(직유)라 하는 것은 as ~ as를 사용하여 두 개의 것의 유사점을 직접 비교하는 표현법이나, 여기에도 여러 가지 재미있는 것이 있다.
>
> as drunk as a lord (곤드레 만드레 취하여) / as poor as a church mouse (몹시 가난한)/ as light as a feather (몹시 가벼운)/as heavy as lead (몹시 무거운)/as mad as a March hare (아주 미친 것 같은, 광포한)/as brave as a lion (대단히 용감한)/as sober as a judge (대단히 근엄〔진지〕한)

pig·ment [pígmənt] [명] 그림물감, 안료; 색소

pike [paik] [명] 창(槍), 창끝; 가시; 바늘; 유료 도로

pile [pail] [명] 퇴적(堆積)(=heap); ~의 더미, 대량(大量); 큰 돈, 재산; 말뚝 [타] [자] 쌓아 올리다; 말뚝을 박다; 쌓이다

(예) a *pile* of books 산더미 같은 책 // make *a pile* 큰 돈을 벌다

pile up 쌓아 올리다; (돈·눈 따위가) 쌓이다

(예) His debts began to *pile up*. 그의 빚이 늘기 시작했다.

pil·grim [pílgrəm] [명] 순례자, 길손 [형] 순례의 [자] 순례하다

[파] **pílgrimage** [명] 순례 여행, 성지 순례

pill [pil] [명] 알약; 경구 피임약 [타] 알약을 먹이다, 알약으로 만들다

[NB] 알약에 대하여, 가루약은 *powder* medicine, 물약은 *liquid* medicine.

pil·lage [pílidʒ] [명] 약탈(품) [타] 약탈하다

pil·lar [pílər] [명] 기둥, 주석(柱石) [타] 기둥으로 받치다

[파] **pillar box** 우체통(=〚미〛mailbox)

pil·low [pílou] [명] 베개 [타] 얹다(=rest), ~을 베개로 삼다

[파] **píllowcase, píllowslip** [명] 베갯잇, 베개 커버

***pi·lot** [páilət] [명] 수로(水路) 안내인, (비행기·비행선의) 조

종사; 지도자 [타] 뱃길을 안내하다, 인도하다
[파] **pilot boat** 수로 안내선
◇**pin** [pin] [명] 핀, 못바늘 [타] 핀으로 꽂다
(예) You might have heard a *pin* drop. ↔ A *pin* might have been heard to drop. 바늘이 떨어지는 소리도 들릴 정도로 조용했다.
pin·cers [pínsərz] [명] 《*pl.*》 못뽑이, 족집게, 뻰찌
(예) a pair of *pincers* 뻰찌 하나
pinch [pintʃ] [타][자] 꼬집다, 괴롭히다, (신발 따위가) 죄다 [명] 꼬집기; 압박, 궁경(窮境) (=straits); 소량(小量) (=bit)
(예) be *pinched* for money 돈이 없어 곤란받다
*◇**pine** [pain] [명] 솔, 소나무; 〔구어〕 파인애플 [타] 애타게 사모하다; 갈망하다(=yearn)
[파] **píneapple** [명] 파인애플 **pine cone** 솔방울 **pine needle** 솔잎 **pine tree** 소나무
ping-pong [píŋpàŋ, -pɔ̀(:)ŋ] [명] 탁구, 핑퐁
◇**pink** [piŋk] [명] 분홍빛; 석죽(石竹) [형] 분홍빛의, 핑크색의
[파] **pínkish** [형] 연분홍빛의
pin·na·cle [pínəkəl] [명] 작은 뾰족탑; (산의) 꼭대기; 절정, 정점(=top)
pint [paint] [명] 파인트 《액체량의 단위. 2분의 1 quart》
*◇**pi·o·neer** [pàiəníər] [명] 개척자, 선구자; 공병(工兵) [타][자] 개척하다; 주창(主唱)하다, 솔선하다
pi·ous [páiəs] [형] 경건한, 신앙이 두터운(=devout)
[반] impious [ímpiəs] 신앙심이 없는
[파] **píously** [부] 경건하게
◇**pipe** [paip] [명] 관(管); 담뱃대, (담배) 한 대, 파이프, 통, 피리 [자][타] 피리를 불다, 빽빽 지저귀다, 파이프를 달다, 피리를〔호각을〕 불어서 모으다
(예) a water *pipe* 수도관 // have a *pipe* (담배) 한 대 피우다
[파] ◇**píper** [명] 피리 부는 사람 **píping** [형] 피리부는, 평화의 ◇**pipe line** 파이프선, 송유관; (정보 따위의) 루트, 경로
pipe up 취주〔노래〕하기 시작하다; (새된 소리로) 말하다
(예) Fellows, *pipe up* your fiddles. 여러분, 바이올린을 켜기 시작하시오. // "You're not the only one who had trouble," Ellen *piped up*. "고생한 건 너만이 아니야"라고 엘렌이 새된 소리로 말했다.
◇**pi·rate** [páiərət] [명] 해적(선); 저작권 침해자 [타][자] 해적질하다; 해적 출판하다
(예) a *pirated* edition 해적판
[파] **píracy** [명] 해적 행위; 저작권 침해, 표절 **pirátical** [형] 해적의; 표절의
pis·tol [pístl] [명] 피스톨, 권총(*cf.* revolver)
pis·ton [pístən] [명] 피스톤
◇**pit** [pit] [명] 구렁, 굴; (극장의) 최하등석, 참호 [타] 움푹 들어가게 하다
[파] **pítfall** [명] 함정; 뜻하지 않은 위험
◇**pitch** [pitʃ] [타][자] 던지다(=throw); (천막 등을) 치다, 주

거를 정하다; 조절하다; (배가) 앞으로 흔들리다 [명] 투구(投球); 음조(音調); (배가) 앞으로 흔들림; 피치
[반] catch 붙잡다, roll 좌우로 흔들리다
(예) *pitch* a tent 천막을 치다 // *pitch* in 부지런히 시작하다 // *pitch* out one's son into life 자식을 세상에 내보내다
[파] **pítcher** [명] 〖야구〗 투수; 물주전자(=〖영〗 jug)

pith [piθ] [명] (식물의) 심; 정수, 핵심, 요점(=essence); 원기, 활력

pit·tance [pítəns] [명] 약간의 수당〔수입〕, 약간, 소량; (수도원 등에의) 기부

***pit·y** [píti] [명] 연민, 유감 [타] [자] 불쌍히 여기다
[반] crúelty 학대
(예) She married him out of *pity.* 그 여자는 동정심에서 그와 결혼했다. // It is a *pity* to lose such a chance. 그런 기회를 놓치다니 유감이다. // ◇It is a *pity* that he should have failed. 그가 실패한 것은 유감이다.
[파] **piteous** [pítiəs] [형] 애처로운, 측은한 **pítiable** [형] 비참한 ◇**pítiful** [형] 인정 있는; 가엾은, 애처로운 **pítifully** [부] 인정 많게; 가엾게 **pítiless** [형] 무정한, 무자비한

have* 〔*take*〕 *pity on ~을 불쌍히 여기다(=feel pity for)
(예) *Have pity on* the poor old man. 그 가난한 노인을 불쌍히 여겨라.

piv·ot [pívət] [명] 축(軸), 중심점 [자] 축을 중심으로 돌다
[파] **pívotal** [형] 추축(樞軸)을 이루는, 핵심적인

piz·za [píːtsə] [명] 〖이〗 피자

plac·ard [plǽkɑːrd] [명] 플래카드, 삐라, 포스터, 방문(榜文)

***place** [pleis] [명] 장소; 위치, 지위(=position) [타] 두다, 놓다(=put), 배치하다
(예) ◇Put it in its *place.* 제 자리에 두어라. // ◇if I were in your *place* 내가 자네의 입장이라면 // leave one's *place* 퇴직하다, 사임하다 // ◇Put yourself in his *place* if you can. 가능하다면 그의 입장에 너 자신을 두도록 하여라. // *place* him in a job 그에게 일거리를 맡기다 // *place* her as a typist 그녀를 타자수로 채용하다 // *place* confidence *in* a leader 지도자를 신뢰하다 // *place one's* money *in* bonds 채권에 돈을 투자하다

(*be*) *no place for* ~가 있을〔올〕 곳이 아닌; ~의 여지가 없는
(예) This *is no place for* a young man. 이 곳은 젊은이가 올 곳이 못 된다.

from place to place 여기저기
(예) They roam *from place to place* in search of grass for the cattle. 그들은 가축의 목초지를 찾아 여기저기로 유랑한다.

give place to ~에게 자리를 내주다, ~에게 양보하다
(예) The old *give place to* the new. 낡은 것은 새 것에 자리를 내준다. // Wonder *gave place to* admiration. 경이가 감탄으로 바뀌었다.

P

*◇***in place of*** ~의 대신으로(=in one's place)
(예) I will teach *in place of* the principal. 내가 교장 선생님 대신으로 가르치겠다.
in* 〔*into*〕 *place 제〔적당한〕 자리에; 적소에; 적절한
(예) I like to put everything *into place.* 나는 모든 것을 제자리에 두기를 좋아한다. // put books *in place* 책을 가지런히 정돈하다
in places 곳곳에, 군데군데
(예) I found the book absorbing *in places.* 그 책은 군데군데 재미있었다.
*◇***in the first* 〔*second*〕 *place*** 첫째〔둘째〕로
(예) I can't go with you. *In the first place,* I feel sick. *In the second place,* I have an examination tomorrow. 난 너와 갈 수 없어. 첫째로 난 아프고, 둘째로 내일 시험이 있어.
◇***out of place*** 부적당한 (자리에)
(예) The chairs are *out of place.* 의자가 잘못 놓여 있다.
◇***take* one*'s place*** 착석하다, ~에 대신하다
(예) The child *took* her *place* by the side of her father. 그 아이는 아버지의 옆에 앉았다. // Who will *take* our teacher*'s place* during his absence? 선생님이 안 계신 동안 누가 그를 대신합니까?
*◇***take place*** 일어나다(=happen)
(예) His death *took place* on the 19th. 그는 19일에 사망하였다. // Do you know when the event *took place?* 그 사건이 언제 일어났는지 아느냐?
take the place of ~을 대신하다
(예) Nothing can ever *take the place of* the newspaper. 아무 것도 신문을 대신할 수는 없다.

plac·id [plǽsid] [형] 평온한(=calm), 고요한, 침착한
[파] **placídity** [명] 평온, 평정

*◇**plague** [pleig] [명] 무서운 돌림병, 페스트; 재난 [타] 역병에 걸리게 하다, 성가시게 굴다

*◇**plain** [plein] 〈동음어 plane〉 [형] 명백한(=clear); 평이한(=easy); 검소한(=simple), 수수한, 무늬 없는; 솔직한, 평평한, (얼굴이) 예쁘지 않은 [부] 분명하게 [명] 평원, 평야
(예) a *plain* fact 명백한 사실 // in *plain* English 평이한 영어로 // to be *plain* with you 솔직하게 말하면
[파] *◇**pláinly** [부] 분명히, 소박하게 **pláinness** [명] 명백; (얼굴이) 예쁘지 않음; 검소, 솔직 **pláin-spóken** [형] 솔직한

plait [pleit / plæt] 〈동음어 plate [pleit]〉 [명] (천의) 주름(=pleat), 엮은 끈 [타] 주름잡다, 엮다

***plan** [plæn] [명] 계획, 설계도 [타][자] 계획하다, 설계하다
(예) a floor *plan* 평면도 // *plans* for a new building 새 빌딩의 설계도 // go according to *plan* (행사 따위가) 예정대로 순조롭게 나아가다 // *plan* ahead 미리 계획을 세우다 // I'm *planning* to go abroad. 외국에 갈 작정이다.
[파] ◇**plánner** [명] 계획자 (a city *planner* 도시 계획자)
plan on* do*ing ~할 계획이다; ~할 것을 기대하다

(예) I am *planning on* spend*ing* the holidays in the country. 나는 휴가를 시골에서 보낼 계획이다.

make a plan* [*plans*] *for ~의 계획을 세우다
(예) *make a plan for* the holidays 휴가 계획을 세우다

plane [plein] 〈동음어 plain〉 ㉮ 평면; 대패; 비행기 ㉱ 평평한, 평면 위에 있는 ㉲㉳ 평평하게 하다, 대패질하다; 비행기로 날다

plan·et [plǽnit] ㉮ 행성, 혹성(*cf.* star)
㉴ **plánetary** ㉱ 행성의 **planetárium** ㉮ 《*pl.* -iums, -ia》 천상의(天象儀), 혹성의(儀)

plank [plæŋk] ㉮ 두꺼운 판자

plank·ton [plǽŋktən] ㉮ 플랑크톤, 부유 생물

plant [plænt / plɑːnt] ㉮ 식물, 초목; 장치(=apparatus), 공장(=mill) ㉲ (초목을) 심다, (씨를) 뿌리다(=sow); 놓다, 앉히다
㉵ fell 베어 넘어뜨리다
㉴ **plánter** ㉮ 재배자 ◦**plantátion** ㉮ 큰 농장, 식림지(植林地), 재배장 **plánt-eating** ㉱ 식물을 먹는, 초식의

plas·ter [plǽstər / plɑ́ːstə] ㉮ 석회 반죽, 석고(石膏), 고약 ㉲ 석회〔벽토〕를 바르다, 고약을 붙이다
(예) a sticking *plaster* 반창고 // The wall was *plastered with* posters. 벽에는 온통 벽보가 붙어 있었다.

plas·tic [plǽstik] ㉱ 부드럽고 연한; 소조(塑造)할 수 있는 ㉮ 플라스틱, 합성 수지 제품
㉴ **plastícity** ㉮ 가소성(可塑性); 유연성(柔軟性), 적응성

plate [pleit] 〈동음어 plait〉
㉮ (금속·유리의) 판; 접시; 식기류; 표찰; 〖야구〗 투수판 ㉲ (금·은 따위를) 입히다, 도금하다
(예) an iron *plate* 철판 // a *plated* spoon 은 도금한 숟가락

> ▶ 218. 「접시」의 유사어
> **dish**는 요리를 수북하게 담는, 보통 타원형의 약간 움푹한 접시. **plate**은 요리를 갈라 담는 납작한 접시. **saucer**는 (찻잔 따위의) 받침 접시.

pla·teau [plætóu / plǽtou] ㉮ 고원, 대지(臺地)(=tableland)

plat·form [plǽtfɔːrm] ㉮ 단(壇), 플랫폼(*cf.* 〖미〗 track); (정당의) 정강(政綱)(=main principles)

plat·i·num [plǽtənəm] ㉮ 백금, 플래티나

plau·si·ble [plɔ́ːzəbəl] ㉱ 그럴듯한, 정말 같은
㉴ **plausibílity** ㉮ 그럴듯함, 정말 같음

play [plei] ㉲㉳ 놀다; 연주하다; ~역을 하다(=act) ㉮ 놀이, 연극, 승부, 경기(*cf.* game); 활동
㉵ work 일(하다)
(예) *play* house 소꿉놀이하다 // *play* fair 공명정대하게 처신하다 // A smile *played* on her lips. 미소가 그녀의 입가에 떠 올랐다. // *play* with matches 성냥을 가지고 놀다 // go to a *play* 연극을 보러 가다 // come into *play* 활동을 시작하다

파 *pláyer 명 배우, 연주자; 경기자 ◦pláyful 형 놀기〔장난〕 좋아하는, 익살스러운 pláyground 명 운동장 playing card 트럼프 pláymate 명 놀이 동무 pláything 명 장난감, 노리개 ◦pláytime 명 노는〔흥행〕 시간 ◦pláywright 명 극작가(=dramatist)

▶ 219. 접미어 wright
「공인(工人)」「장인(匠人)」 등의 의미를 나타낸다.
(예) play*wright*, ship*wright* (배 목수) 등

***play a* 〔*the*〕 *part* (*of*)** (~의) 역할〔구실〕을 하다
(예) Books *play the part of* friends. 책은 친구의 구실을 한다. // Salt *plays an* important *part* in the function of the body. 소금은 신체 기능에서 중요한 역할을 한다.

play at ~을 하고 놀다, ~ 놀이를 하다
(예) Let's *play at* war. 전쟁 놀이를 하자.

◦***play into a person's hands*** 아무의 이익이 되는 행동을 하다, 아무의 계략에 빠지다

play with ~을 가지고 놀다, ~을 만지작거리다
(예) Why aren't you *playing with* your new toy car? 새 장난감 자동차를 가지고 놀지 않느냐? // Don't *play with* a girl's affections. 처녀의 애정을 놀림감으로 해서는 안 된다. // *play with* a knife 나이프를 만지작거리다

at play 놀고 있는
(예) He was *at play* while the rest were at work. 그는 다른 사람들이 일하는 동안 놀고 있었다.

◦***be played out*** 기진맥진하다; 다 써버리다

◦**pla·za** [plɑ́ːzə, plǽzə] 명 (도시·읍의) 광장, (특히 스페인 도시의) 네거리; 시장

◦**plea** [pliː] 명 구실(=excuse); 탄원(=entreaty)

◦**plead** [pliːd] 자 타 탄원하다(=entreat), 변호하다 〔~ for〕
(예) *plead* a person's case 아무의 사건을 변호하다 // ◦He *pleaded with* his master *for* mercy. 그는 주인에게 자비를 탄원하였다.
파 pléading 명 변론 형 탄원하는 pléader 명 변호인, 탄원자

*◦**pleas·ant** [plézənt]★ 형 기분 좋은(=comfortable), 즐거운, 쾌활한
반 unpléasant 불유쾌한
파 **pléasantly** 부 유쾌하게, 즐겁게 **pléasantness** 명 유쾌함 **pléasantry** 명 익살, 농담

☆**please**★ [pliːz]★ 타 자 기쁘게 하다, 마음에 들다; 부디
반 offénd 감정을 상하게 하다
(예) I shall be *pleased* to help you. 기꺼이 너를 도와주겠다. // Do as you *please*. 좋을 대로 하라.
파 ◦**pleased** 형 기뻐하는, 만족한 **pléasing** 형 즐거운, 쾌한

(*be*) *pleased with* 〔*at*〕 ~가 마음에 드는, ~에 만족하는, ~을 기뻐하는
(예) I *am* particularly *pleased with* the eagerness a

seriousness of women students. 나는 여학생의 열심과 진지함에 특히 만족한다.

plea·sure★ [pléʒər]★ ㊔ 즐거움, 쾌락; 자유
[반] pain 고통
(예) take *pleasure* in ～을 즐기다 // at one's *pleasure* 마음대로, 하고 싶은 대로 // May I have the *pleasure of* seeing you? 찾아가 뵈어도 좋겠습니까? // The *pleasure* is mine. ↔ My pleasure. ↔ That is my *pleasure.* 천만에 말씀을《감사 따위에 대한 대답》.
[파] **pléasurable** ㊔ 유쾌한 **pleasure boat** 유람선 **pleasure ground** 유원지 **pleasure trip** 유람 여행

for pleasure 재미로
(예) He read the book *for pleasure.* 그는 재미로 그 책을 읽었다.

with pleasure 기꺼이, 쾌히(=pleasantly)
(예) I'll do so *with pleasure.* 기꺼이 그렇게 하겠습니다. // Will you come with me? — *With pleasure.* 같이 가 주시겠습니까? — 기꺼이 가지요.

pledge [pledʒ] ㊔ 맹세, 서약(=solemn promise); 보증; 저당〔담보〕물; 건배, 축배 ㊔ 맹세하다; 보증하다; 전당 잡히다(=pawn)
[반] redéem 저당물을 도로 찾다
(예) take a *pledge* 맹세하다 // put a diamond in *pledge* 다이아몬드를 저당 잡히다 // I will *pledge* my word to it. 그것은 내가 보증한다.

plen·ty [plénti] ㊔ 많음, 풍부(=abundance)
[반] scárcity 부족
(예) in *plenty* 풍부하게 // I've had *plenty,* thank you. 많이 먹었습니다, 고맙습니다.
[파] **pléntiful** ㊔ 많은, 풍부한 **plenteous** [pléntiəs] ㊔ 〔시〕 많은, 풍부한

plenty of 많은
(예) He has *plenty of* money. 그는 돈이 많다. // There is *plenty of* time. 시간이 충분히 있다.
[어법] ① a plenty of 로 관사를 붙이는 것은 미국어. ② 평서문·긍정문에 쓰는 것이 보통이며 부정문에는 many, much, 의문문에는 enough 를 쓴다. ③ 수는 of 다음에 오는 명사로서 결정한다: *plenty of* money—단수, *plenty of* books—복수

plight [plait] ㊔ (나쁜)상태(=condition), 곤경; 서약
(예) What a *plight* to be in! 이거 큰 곤경에 빠졌구나!

plod [plɑd / plɔd] ㊔㊔ 터벅터벅 걷다(=trudge) [～ on, along]; 꾸준히 일하다〔공부하다〕 [～ at, away] ㊔ 터벅터벅 걸음

plot [plɑt / plɔt] ㊔ 음모(=conspiracy), 계획, 구상; 작은 지면; (소설 따위의) 줄거리 ㊔㊔ (계획·음모를) 꾸미다(=scheme), 꾀하다
(예) form a *plot against* 〔to overthrow〕 the government 정부를 넘어뜨리려는 음모를 꾸미다

*◇**plow, plough** [plau]* 명 쟁기; 경작 자타 (밭을) 갈다
애써 나아가다 [~ through]
파 **plówboy, plóughboy** 명 쟁기를 단 소를〔말을〕 끄는
년; 시골 젊은이〔노동자, 농부〕 **plówman, plóughman**
《*pl.* -men》 농부 **plówshare, plóughshare** 명 보습
pluck [plʌk] 자타 (꽃·과일·깃털 따위를) 따다; 잡아
다, (용기를) 불러 일으키다[~ up]; 빼앗다 명 홱 잡아
김; 용기
반 plant 심다 파 **plúcky** 형 용기 있는
plug [plʌg] 명 마개; 〖전기〗 플러그 타 마개를 하다, 틀어
막다
plum [plʌm] 〈동음어 plumb〉 명 서양오얏, 건포도(=
raisin)
plumb [plʌm] 〈동음어 plum〉 명 추, 측연(測鉛); 수직
수직의
파 **plúmber** 명 배관공 **plúmbing** 명 배관 공사
◇**plume** [plu:m] 명 깃털(=feather), 모자의 깃털 장식
깃털로 장식하다; 자만하다(=pride) [~ oneself of]
파 **plúmage** 명 깃털
◇**plump** [plʌmp] 타자 살찌게 하다, 살찌다; 쿵 떨어지
형 뚱뚱한; 노골적인 부 쿵, 갑자기
반 lean 여윈
(예) a baby with *plump* cheeks 볼이 포동포동한 아기
plun·der [plʌ́ndər] 타자 약탈하다 명 약탈품
(예) *plunder* a person *of* money 아무에게서 돈을 빼앗다
파 **plúnderer** 명 약탈자
◇**plunge** [plʌndʒ] 타자 뛰어들다, 찌르다; 가라앉히다(=
sink), 다이빙하다(=dive) 명 뛰어들어감, 찌르기; 다이빙
(예) *plunge into* the water 물에 뛰어들다 // *plunge*
country *into* war 나라를 전쟁으로 몰아넣다
파 **plúnger** 명 뛰어드는 사람, 돌입자
◇**plur·al** [plúərəl] 형 복수의 명 〖문법〗 복수(형) 〖약어〗 *p*
반 síngular 단수의, 단수
파 **plurálity** 명 복수; 다수(=majority)
plus [plʌs] 형 〖수학〗 더하기의; 플러스의(=added to),
수의 전 ~을 더하여 명 〖수학〗 플러스, 플러스 부호(+)
정수(正數)
반 mínus 마이너스의, ~을 빼어서
(예) 5 plus 5 equals 10. 5+5=10.
plush [plʌʃ] 명 플러시천; 《*pl.*》 플러시천으로 만든 바지《
부용》
plu·toc·ra·cy [plu:tákrəsi / -tɔ́k-] 명 금권 정치; 재벌
ply [plai] 타자 (연장 따위를) 부지런히 놀리다, 열심히
하다; (배·차가) 정기적으로 왕복하다(=go regularly)
주름(=fold), (밧줄의) 가닥
(예) *ply* him *with* questions 그에게 질문을 퍼붓다 //
single *ply* 한 가닥《밧줄 따위의》
p.m. [pi:ém] 〖약어〗 오후 (〖라〗 *post meridiem*의 약어)

반 a.m.(<*ante meridiem*) 오전

pneu·mo·nia [nju(:)móunjə, -niə / njuːm-] 명 폐렴

pock·et [pákit / pɔ́k-] 명 호주머니, 지갑; 용돈 타 호주머니에 넣다 형 포켓형의, 소형의

> **▶ 220. 접미어 et**
> 「작다」라는 뜻을 나타낸다.
> (예) pock*et*, sonn*et*(단시) 등

(예) pick a *pocket* 소매치기하다

파 **pócketful** 명 호주머니 가득한 분량, 〖구어〗 큰 재산 **pócketbook** 명 지갑, 수첩 **pocket money** 용돈

pod [pɑd / pɔd] 명 (완두콩 따위의) 꼬투리; 누에고치; (메뚜기의) 알주머니

po·di·um [póudiəm] 명 《*pl.* **~s, -dia**》 맨 밑바닥의 토대석; 연단; (오케스트라의) 지휘대

po·em [póuəm] 명 시, 운문(韻文)

반 prose 산문

어법 poetry가 집합적으로 「시가(詩歌)」를 의미하는 데 대해 poem은 「한 편의 시」를 말한다. a lyric poem은 「서정시」.

po·et [póuit] 명 시인(*cf.* poetess 여류 시인)

> **▶ 221. 접미어 ess**
> 여성 명사를 만든다.
> (예) poet*ess*, actr*ess* (여배우), steward*ess* 등

파 ***poétic** 형 시의, 시적인, 시인의 **poétical** 형 시의, 운문(韻文)의

po·et·ry [póuətri] 명 시가(詩歌); 작시(법)

poi [pɔi, poui] 명 (하와이의) 토란 요리

poign·ant [pɔ́inənt, -njənt] 형 신랄한, 격렬한(=severe); 날카로운(=keen); (맛·냄새 따위가) 콕 찌르는, 얼얼한

파 **póignancy** 명 신랄, 통렬

point [pɔint] 명 점; 첨단(尖端); 요점; 목표, 효과 타 자 지시하다(=indicate) [~ out]; 뾰족하게 하다(=sharpen); 점을 찍다

(예) two *point* one 2.1 // a weak 〔strong〕 *point* 약점〔장점〕 // a *point* of view 관점, 견해 // in *point* of ~의 점에서는 // come to the *point* 요점에 이르다 // There is no *point* 〔not much *point*〕 in giving him advice. 그에게 충고해도 아무 소용없다.

파 **póinted** 형 뾰족한, 신랄한, 명백한 **póinter** 명 지시자, 지시물, 포인터 《개의 일종》 **póintless** 형 끝이 뭉뚝한; 요령 부득의, 한 점도 얻지 못한 **póintblánk** 형 직사(直射)의, 노골적인

point out ~을 지시하다; ~에 눈을〔주의를〕 돌리다, ~을 지적하다

(예) It was *pointed out* to me by my father. 그것은 아버지에 의해 내게 지적되었다. // *point out* a mistake 잘못을 지적하다 // He *pointed out* that it was not true. 그는 그것이 사실이 아니었다고 지적했다.

from ~ point of view ~의 견지〔관점〕에서 보면

(예) *from* an educational *point of view* 교육적 견지에서 보면

◇***make a point of** *doing* 〔***it a point to** do*〕 ~하는 것을 중요시하다; 반드시 ~하다, ~하는 것이 보통이다
(예) He *makes a point of getting* up early. 그는 항상 일찍 일어난다〔일찍 일어나는 것을 중시한다〕.

◇***on the point of*** 바야흐로 ~하려고 하여(=on the verge of)
(예) The train was *on the point of* starting. 기차는 막 떠나려 했다.

to the point 〔***purpose***〕 적절한, 요령을 갖춘, 핵심을 찌르는(*cf.* beside the point 핵심을 벗어난)
(예) What he says is *to the point*. 그의 말은 핵심을 찌르고 있다. // Her answer is not *to the point*. 그녀의 답변은 요점을 벗어나 있다.

P

◇**poise** [pɔiz] [자][타] 균형이 잡히다(=be balanced), 균형을 유지하다, 공중에 뜨다(=hover) [명] 균형, 평형

*◇**poi·son** [pɔ́izən] [명] 독(약) [타] 독살하다, 독약을 넣다
[파] **póisoner** [명] 독살자 ◇**póisonous** [형] 독 있는, 해로운(=venomous) **poison gas** 독가스

poke [pouk] [타] 찌르다(=thrust), 쑤시다; (불을) 쑤셔 일으키다

Po·land [póulənd] [명] 폴란드
[파] **Polish** [póuliʃ] [형] 폴란드말〔인〕의 [명] 폴란드말

◇**po·lar·ize** [póuləràiz] [자][타] ~에 극성(極性)을 주다, 분극화시키다; (빛이) 편광하다; (성질·언동 따위를) 대립〔분열〕시키다

◇**pole** [poul] 〈동음어 poll〉 [명] 막대기, 장대; 극, 자극; [P-] 폴란드 사람(=native of Poland)
[어법] 폴란드인 전체를 말할 때에는 the Poles이고, a Pole은 폴란드인 한 사람을 말한다.
[파] ◇**pólar** [형] (남·북)극의(the *Polar* Seas 남〔북〕극해) **pólestar** [명] 북극성(=polar star) **pole jump, pole vault** 장대높이 뛰기 (⇨) **Polish**

*◇**po·lice** [pəlíːs]★ [명] 경찰; [the ~] 《집합적으로》 경관 [타] 경찰을 두다, 경비하다
[NB] 경관 개인은 policeman.
[파] **polícewoman** [명] 《*pl.* -women》 여순경 **police box** 파출소 **police state** 경찰 국가 **police station** 경찰서 **police officer** 경찰관

***po·lice·man** [pəlíːsmən] [명] 《*pl.* **-men**》 순경, 경찰관

*◇**pol·i·cy** [pάləsi / pɔ́l-] [명] 정책, 방침; 보험 증권

***pol·ish** [pάliʃ / pɔ́l-] [타] 닦다; 다듬다 [~ up] [명] 윤, 광택
(예) *polished* manners 세련된 몸가짐

*◇**po·lite** [pəláit] [형] 공손한, 품위 있는(=refined); 교양 있는, 예의 바른
[반] impolíte 교양 없는, rude 거친
(예) *polite* society 상류 사회 // be *polite* to others 다른 사람에게 공손히 대하다
[파] *◇**polítely** [부] 공손히 ***políteness** [명] 정중, 우아

pol·i·tic [pálətik / pɔ́l-] [형] 정치의, 정책의; 지각 있는
(예) the body *politic* 국가 // a *politic* answer 사려깊은 대답 // a *politic* move 적절한 조치
[파] **polítically** [부] 정치상 *◇**politician** [pàlətíʃən / pɔ̀lə-]* [명] 정치가, 정객(*cf.* statesman) *◇**pólitics** [명] 《*pl.*》《단수 취급》 정치(학), 정책 (⇨) **policy**

*◇**po·lit·i·cal** [pəlítikəl] [형] 정치상의, 정치적인

◇**poll** [poul] 〈동음어 pole〉 [타] 투표하다(=vote) [명] 투표, 선거장, 득표수
(예) a *poll* tax 인두세(人頭稅)

◇**pol·lack** [pálək / pɔ́l-] [명] 《*pl.* **~s, ~**》 대구류 《북대서양산》

◇**pol·len** [pálən / pɔ́l-] [명] 화분(花粉), 꽃가루

◇**pol·li·nate** [pálənèit / pɔ́l-] [타] ~에 수분(授粉)하다

◇**pol·lute** [pəlú:t] [타] ~을 더럽히다, ~을 오염시키다
[파] ◇**pollútant** [명] 오염 물질 **pollúter** [명] 오염자, 오염원(源) ◇**pollútion** [명] 불결, 오염; 공해(公害) (air *pollution* 공기 오염 // water 〔river〕 *pollution* 하천 오염)

pomp [pɑmp / pɔmp] [명] 화려(=splendor), 장관(壯觀)
[반] simplícity 소박(素朴)
[파] **pómpous** [형] 점잔빼는, 호화로운 **pompósity** [명] 점잔뺌

◇**pond** [pɑnd / pɔnd] [명] 못, 연못

◇**pon·der** [pɑ́ndər / pɔ́ndə] [타][자] 숙고하다, 곰곰히 생각하다(=meditate) [~ on]

pon·der·ous [pɑ́ndərəs / pɔ́n-] [형] 묵직한, 무게 있는; (문체 등이) 지루하고 답답한

◇**po·ny** [póuni] [명] 조랑말(*cf.* colt)

pooh [pu:] [감] 쳇!, 흥!, 피! 《경멸을 나타냄》

pool [pu:l] [명] (수영용) 풀, 물웅덩이; 공동 관리, 기업 연합; 합동 자금 [타] 공동으로 하다, 공동 출자하다
(예) a *pool* of water 물웅덩이 // a motor *pool* (배차 센터의) 주차장 // buy a car by the *pool* 공동 출자로 차를 사다
[어법] 수영 풀은 swimming pool이라고 하는 경우가 많다.

poor★ [puər] [형] 가난한, 가엾은; 빈약한; 열등한, 졸렬한
[반] rich 부유한, good 능란한
(예) the *poor* 가난한 사람들 // a *poor* crop 흉작 // a *poor* picture 서투른 그림 // my *poor* mother 가엾은 어머니 // be in *poor* health ↔ be *poor* in health 건강이 좋지 못하다
[파] ◇**póorly** [부] 빈약하게, 불충분하게; 서투르게 [형] 건강이 좋지 못한 **póorhouse** [명] 빈민 구호소, 구빈원(救貧院)

(***be***) ***poor at*** ~이 서투른
(예) He *is poor at* swimming. 그는 수영이 서투르다.

◇**pop** [pɑp / pɔp] [자][타] 펑하고 소리나다, 탁 튀다, 터지다; 갑자기 움직이다; 발포하다(=fire); 갑자기 말을 꺼내다 [명] 펑〔팡〕하는 소리, 발포(發泡) (음료수) [부] 펑하고, 돌연히 (=unexpectedly)

◇**pop·corn** [pɑ́pkɔ̀:rn / pɔ́p-] [명] 팝콘, 튀김 옥수수(=

popped corn)

◇**Pope, pope** [poup], **the** [명] 로마 교황

◇**pop·lar** [páplər / pɔ́plə] [명] 〔식물〕 포플러

pop·py [pápi / pɔ́pi] [명] 〔식물〕 양귀비; 진홍빛(=scarlet)

*◇**pop·u·lar**★ [pápjələr / pɔ́pjulə] [형] 인기 있는, 평판 좋은, 유행의; 민중의, 대중적인

[원] popul(=people)+ar(형용사 어미)

[반] unpópular 인기 없는

(예) a *popular* novel 통속 소설 // the *popular* voice 대중의 소리 // ◇be *popular* with 〔among〕 pupils 학생들에게 인기가 있다

[파] **pópularly** [부] 일반적으로, 통속적으로 **pópularize** [타] 일반화하다, 통속화하다 **popularizátion** [명] 통속화, 보급(普及) **pópulate** [타] 거주하다, 식민하다 **pópulace** [명] 대중, 민중, 서민

*◇**pop·u·lar·i·ty**★ [pàpjəlǽrəti / pɔ̀p-]★ [명] 인기, 인망, 평판; 통속; 유행

(예) enjoy general *popularity* 인기가 있다, 평판이 좋다 // win 〔lose〕 *popularity* 인기를 얻다〔잃다〕

*◇**pop·u·la·tion** [pàpjəléiʃən / pɔ̀p-] [명] 인구; (일정 지역의) 전체 주민

(예) This town has a *population* of 100,000. ↔ The *population* of this town is 100,000. 이 도시는 인구 10만이다.

[어법] 「많은」「적은」은 large, small이라고 하며, many, few라고는 하지 않는다. 또 「인구가 얼마인가」는 What is the population of ~?

[파] **pópulate** [타][자] ~에 사람을 거주케 하다 **pópulous** [형] 인구가 많은

porce·lain [pɔ́ːrsəlin] [명] 사기 그릇, 자기(磁器) [형] 사기 그릇의

◇**porch** [pɔːrtʃ] [명] 현관; 〔미〕 베란다

pore [pɔːr] 〈동음어 pour〉 [자] ~을 열심히 읽다, (연구에) 몰두하다 (=be absorbed); 숙고하다, 빤히 바라보다[~ over] [명] 털구멍; 기공, 세공(細孔)

(예) *pore over* a book 독서에 몰두하다

◇**pork** [pɔːrk] [명] 돼지 고기

[파] **pórker** [명] 식용 돼지

po·rous [pɔ́ːrəs] [형] 구멍이 많은, 다공성의; 침투성의

◇**por·ridge** [pɔ́ːridʒ / pɔ́r-] [명] 죽

*◇**port** [pɔːrt] [명] 항구(=harbor); 좌현(左舷); (군함의) 포문(砲門); 포트와인 《붉은 포도주》; 태도(=bearing)

(예) enter 〔make〕 (a) *port* 입항하다 // leave (a) *port* 출항하다 // a *port* of entry 통관항(通關港)

◇**port·a·ble** [pɔ́ːrtəbəl] [형] 손으로 운반할 수 있는, 휴대용의 [명] 휴대용 기구, 포터블 《라디오·타이프라이터 따위》

por·tal [pɔ́ːrtl] [명] 현관, 입구

◇**por·ter** [pɔ́ːrtər] [명] 문지기(=gatekeeper), 현관지기(=doorkeeper); 짐꾼(=carrier), 수화물 운반인(=redcap)

por·tion [pɔ́ːrʃən] ⓜ 일부분; 몫(=share); 지참금 ⓣ 분할하다(=divide), 분배하다(=distribute)

por·trait [pɔ́ːrtrit, -treit] ⓜ 초상(화); 사진, 흡사한 것(=image); (말에 의한) 묘사
(예) a *portrait* of his character 그의 성격의 묘사

por·tray [pɔːrtréi] ⓣ 그리다(=describe), 묘사하다(=depict); ~의 초상을 그리다
파 **portráyal** ⓜ 묘사; 초상

Por·tu·gal [pɔ́ːrtʃəgəl] ⓜ 포르투갈
파 **Portuguese** [pɔ̀ːrtʃəgíːz] ⓗ 포르투갈 사람〔말〕의 ⓜ 포르투갈 사람〔말〕

pose [pouz]* ⓜ 자세(=attitude), 포즈; 심적 태도 ⓐⓣ 자세를 취하다〔취하게 하다〕, ~인 체하다; (문제를) 내다, 출제하다
(예) *pose* for a picture 사진을 찍기 위하여 포즈를 취하다

po·si·tion [pəzíʃən] ⓜ 위치, 신분, 입장, 직(職); 형세
원 posit(=place)+ion(명사 어미)
(예) a social *position* 사회적 지위 // What is your *position* regarding this problem? 이 문제에 대한 자네의 태도는 어떤가?

pos·i·tive [pázətiv / pɔ́z-] ⓗ 명확한(=definite), 단호한; 적극적인; 양(陽)의, 정(正)의 ⓜ〖문법〗원급(原級);〖사진〗양화(陽畫)
반 négative 소극적인, 음(陰)의, 부(負)의
(예) a *positive* fact 명확한 사실 // I *am positive* (*that*) it was Tom. 분명히 그것은 톰이었다.
파 ◦**pósitively** ⓑ 적극적으로, 확실히 **pósitiveness, positívity** ⓜ 적극성, 확실성; 명백

pos·sess [pəzés]* ⓣ 소유하다(=own); (귀신 따위가) 붙다, (마음을) 사로잡다
(예) *possess* genius 재능을 갖고 있다
파 (⇨) **posséssion. possessed** [pəzést] ⓗ (악마 등에) 홀린 **posséssive** ⓗ 소유의, 소유욕이 강한 ⓜ〖문법〗소유격 **posséssor** ⓜ 소유주

(be) possessed of ~을 가지고 있는(=own, have)
(예) He *is possessed of* considerable means. 그는 상당한 재산을 가지고 있다.

***(be) possessed by* 〔*with*〕** ~에 사로잡혀〔홀려〕 있는
(예) He *is possessed with* a strange idea. 그는 묘한 생각에 사로잡혀 있다.

pos·ses·sion [pəzéʃən] ⓜ 소유(물), 점유; 영지(領地); 《*pl.*》 재산
(예) He came into *possession* of the house. ↔ The house came into his *possession*. 그는 그 집을 손에 넣었다.

(be) in (the) possession of ~을 소유하고, ~을 점유하고
(예) I was not *in possession of* the key. 나는 열쇠를 가지고 있지 않았다.

take possession of ~을 점유하다, ~을 점령하다

(예) A passion for reading books had *taken possession of* me. 나는 책을 읽고 싶은 심정에 불타 있었다. // A man has set foot on new territory without *taking possession of* it in the name of a single nation. 나라의 이름으로 영유하는 일 없이 새 영토에 한 사람이 처음으로 발을 디디었다.

*◇**pos·si·bil·i·ty**★ [pàsəbíləti / pɔ̀s-] [명] 가능성; 《*pl.*》 가망
(예) a man of great *possibilities* 장래성이 큰 남자

◇**pos·si·ble**★ [pásəbəl / pɔ́s-] [형] 가능한, 할 수 있는; 있음직한(*cf.* probable)
[반] impóssible 불가능한
(예) if *possible* 가능하다면 // Come *as* early *as possible* 가능한 한 일찍 오너라. // It is *possible* that she will come 그녀는 올지도 모른다.
[어법] ① 「~할 수 있는」의 의미에서 사람을 주어로 사용할 수는 없다: He is *possible* to do it. (틀림) → can do it. He is able to do it. (옳음) ② 최상급의 형용사, every, all 등을 강조하기 위해 사용할 경우는 「가능한 한의」란 뜻이 된다: at the earliest *possible* moment(가능한 한 빠른 시기에) every *possible* means ↔ every means *possible* (가능한 모든 수단)
[파] *◇**póssibly** [부] 아마; 어떻게든지 해서; 아무리 해도, 도저히

*◇**post** [poust]★ [명] 기둥; 우편(물)(=〖미〗mail); 지위, 직(=office) [타] 우송하다; 투함하다; 게시하다; 배치하다; ~에게 알리다(=inform) [~ up]
(예) by *post* 우편으로 // by return of *post* 편지 받는 대로 곧 // *post* a letter 편지를 부치다 // Keep me *posted* (*up*) about what is going on. 일어나는 일을 계속 내게 알려다오. // *Post* no bills. 〖게시〗 광고물 붙이지 마시오.
[파] ◇**postage** [póustidʒ] [명] 우편 요금(a *postage* stamp 우표) ***póstal** [형] 우편의 (a *postal* card 우편 엽서 〖미〗 관제 엽서) **póstbox** [명] 우체통(=〖미〗mailbox) **póstcard** [명] 우편 엽서 **póst frée** [형] 우편 요금 면제의 ◇**póstman** [명] 《*pl.* -men》 우편 집배원 **póstmark** [명] 소인 [타] 소인을 찍다 **póstmaster** [명] 우체국장 **post office** 우체국 **póstpáid** [형] 우편료 선불의

> ▶ **222. 접미어 man**
> 「사람」의 뜻을 나타낸다.
> (예) post*man*, fisher*man* 등

post·er [póustər] [명] 포스터, 벽보 [타] 벽보를 붙이다

pos·te·ri·or [pastíəriər / pɔs-] [형] 뒤의, 후의, 후천적인 └[명] 후부
[반] antérior 앞의, 선천적인
[파] **posterity** [pastérəti / pɔs-] [명] 자손(=descendants) 후세

◇**post·grad·u·ate** [póustgrǽdʒuit] [형] 대학 졸업 후의, 대학원의 [명] 대학원 학생, 대학원 과정
(예) the *postgraduate* research institute 대학원

post·pone [poustpóun] [타] 연기하다(=put off)
[반] advánce 앞당기다
[파] **postpónement** [명] 연기

> ▶ **223. 접두어 post**
> 「뒤」「이후」의 뜻을 나타냄.
> (예) *post*pone, *post*script 등

post·script [póus*t*skrìpt] 명 추신(追伸) 〔약어〕 *P.S.* ; 후기
pos·ture [pástʃə*r* / pɔ́stʃə] 명 자세(=attitude); 상태(=condition)
(예) take the *posture* of defense 방어 자세를 취하다
post·war* [pòustwɔ́ː*r*] 형 전후(戰後)의
반 prewár 전전(戰前)의
pot [pɑt / pɔt] 명 단지, 화분, 오목한 냄비 타 화분에 심다
po·ta·ble [póutəbəl] 형 마실 수 있는, 마시기에 알맞은 명 《*pl.*》 음료
(예) *potable* water 음료수
po·ta·to [pətéitou] 명 《*pl.* **-es**》 감자
(예) sweet 〔Spanish〕 *potato* 고구마
po·tent [póutənt] 형 강력한, 강한(=powerful)
반 ímpotent 무력한
파 **pótence, -cy** 명 능력, 권세; 힘
po·ten·tial [pəténʃəl] 형 (앞으로) 가능한(=possible), 잠재적인 명 가능(성), 잠재(능력)
(예) a *potential* genius 천재의 소질을 가진 사람
파 ***potentiality** [pətènʃiǽləti] 명 가능성, 잠재력〔성〕
poténtially 부 가능〔잠재〕적으로, 아마
pot·ter [pátə*r* / pɔ́tə] 명 도공(陶工)
파 **póttery** 명 도기 제품, 도기 제조(소·법)
pouch [pautʃ] 명 작은 주머니; 〔미〕 우편 행낭 타 주머니에 넣다; (입을) 오므리다
poul·try [póultri] 명 《집합적으로》 가금(家禽) 《닭·칠면조·거위·오리 따위》 (*cf.* game)
pound [paund]* 명 파운드 《약 454 그램》; 파운드 《영국의 화폐 단위, 1971년 2월 15일 이후 100펜스》 타 자 세게 치다, 연거푸 때리다, 연타하다, 찧다, 바스러뜨리다
(예) be sold by the *pound* 1파운드에 얼마로 팔리다 // Fifty *pounds* is a large sum. 50파운드는 거액이다. (NB 이 경우 50파운드는 「금액」의 기분으로 단수 취급) // She *pounded* away and was finally gone. 그 여자는 마침내 쿵쿵거리며 멀리 사라져 버렸다.
어법 무게 단위일 때는 1b., 화폐 단위일 때는 £의 약자를 쓴다. 다음에 shilling을 나타내는 숫자가 오면 복수라도 -s를 안 붙이는 수가 많다(five *pound* ten 5파운드 10실링)
파 **póund-fóolish** 형 한푼을 아끼고 천금을 잃는(*cf.* penny-wise)
pour [pɔː*r*]* 〈동음어 pore〉 타 자 붓다, 따르다, 쏟다(=flow), 유출하다; 억수같이 퍼붓다; 쉴새 없이 지껄여대다 명 유출, 억수
(예) *pour* water into a glass 글라스에 물을 따르다 // The river *pours* into the Pacific. 이 강은 태평양으로 흘러들어간다. // a *pouring* rain 억수같이 내리는 비 // He *poured* me a cup of coffee. ↔ He *poured* a cup of coffee *for* me. 그는 나에게 커피를 한 잔 따라 주었다.
pov·er·ty [pávə*r*ti / pɔ́vəti] 명 빈곤, 결핍(=scarcity); 빈

약, 부족[~of]; 불모
[원] <poor
[반] wealth 부(富), 부귀, abúndance 풍부
(예) live in *poverty* 가난한 생활을 하다 // fall into *pover-ty* 가난해지다 // (a) *poverty* of ideas 사상의 빈곤
[파] **póverty-stricken** [형] 몹시 가난한, 가난에 시달린

pow·der [páudər] [명] 가루, 분; 가루약, 화약 [타][자] 가루가 되게 하다; 분을 바르다
(예) the smell of *powder* 전쟁의 경험
[파] **pówdery** [형] 가루(모양)의 **powder box** 화장통, 분갑 **powder magazine** 화약고 **powder puff** 분첩

pow·er [páuər] [명] 힘, 능력(=ability), 재능; 권력, 동력, 병력; 강국; 유력자, 권위(=authority)
(예) the Great *Powers* 열강(列强) // The faith that words have magic *power* comes from ignorance about the symbolic nature of language. 말이 이상한 힘을 가지고 있다는 신념은 언어가 갖는 상징적 성질에 대한 무지에서 오는 것이다. // *power* politics 힘의 정책
[파] **pówerful** [형] 강력한, 세력 있는 **pówerfully** [부] 강력하게 **pówerless** [형] 무력한 **pówerhouse, power plant, power station** 발전소

come into power 세력을 얻다, 권력〔정권〕을 잡다
(예) In free elections, the people choose a government to *come into power.* 자유 선거에서는 국민이 정권을 잡을 정부를 선출한다.

in one's power 힘이 미치는, (자기) 지배하에(=in one's control)
(예) It is not *in* your *power* to do so. 그것은 네 힘으로는 할 수 없다.

in* 〔*out of*〕 *power 정권을 쥐어〔잃어〕
(예) The party is at present *in power.* 그 정당이 현재 정권을 잡고 있다. // The party went *out of power.* 그 정당은 정권을 잃었다.

win* 〔*have*〕 *power over ~을 지배하다
(예) They *won power over* most of Asia Minor. 그들은 소아시아 대부분을 지배하였다.

prac·ti·cal [prǽktikəl] [형] 실제적인, 실용적인, 쓸모있는, 실질상의
(예) *practical* English 실용 영어 // put to *practical* use 실용화하다
[파] **practicálity** [명] 실제적임, 실용성; 실용주의 **prácti-cally** [부] 실제로, 실질상; 거의(=almost)

prac·tice [prǽktis] [명] 연습; 실시, 실행; 습관, 관례; (의사·변호사의) 업무 [타][자] 연습〔실행〕하다; 개업하다; 습관적으로 ~하다
(예) put into *practice* 실시하다 // *practice* medicine 병원을 경영하다, 의사(醫師)가 개업하다
[NB] 미국에서는 명사·동사 다 같이 practice를 사용하나,

국에서는 명사는 practice, 동사는 practise로 흔히 쓴다.
[파] (⇨)**practical. práctïced** [형] 숙달한 **práctïcable** [형] 실행할 수 있는; 사용할 수 있는
in practice 실제로; 개업 중의
(예) Will the plan be any good *in practice ?* 실제로 그 계획은 좀 유효합니까? // The doctor is *in practice* now. 그 의사는 현재 개업 중이다.
put in* 〔*into*〕 *practice 실행에 옮기다
(예) *put* one's ideas *into practice* 아무의 생각을 실행에 옮기다
prac·ti·tion·er [præktíʃənər] [명] 개업의(開業醫); 변호사
(예) a law 〔medical〕 *practitioner* 개업 변호사〔의사〕
prag·mat·ic [prægmǽtik] [형] 실용주의의, 실제적인; 독단적인
[파] **prágmatism** [명] 실용〔실제〕주의; 프래그머티즘
prai·rie [prέəri] [명] 대초원(大草原)
praise [preiz] [명] 칭찬 [타] 칭찬하다; 찬미하다
[반] blame 비난하다
(예) beyond all *praise* 이루 다 칭찬할 수 없을 만큼 // in *praise* of ～을 칭찬하여 // *praise* a boy *for* his diligence 소년의 근면을 칭찬하다
[파] **práiseworthy** [형] 칭찬할 만한
prank [præŋk] [명] 농담, 장난 [타][자] 단장하다, 모양 내다
pray [prei] 〈동음어 prey〉 [자][타] 빌다, 간절히 원하다; 바라건대, 제발
(예) *pray to* God *for* help 신에게 도움을 기원하다
[파] ◦**prayer** [명] [préiər] 기도하는 사람; [prεər] 기도 (a *prayer* book 기도서)
pray for ～을 기원하다, 희구하다
(예) The farmers are *praying for* rain. 농부들은 비가 오기를 빌고 있다.
preach [pri:tʃ] [타][자] 설교하다, 전도하다; 설유(說諭)하다
[파] **preácher** [명] 설교자, 전도자
pre·cau·tion [prikɔ́:ʃən] [명] 경계, 예방 수단; 조심
[원] pre(=beforehand)+caution (조심)
(예) *Precautions* must be taken against fires as it is windy. 바람이 세니까 불조심을 하지 않으면 안 된다.
[파] **precáutionary** [형] 예방의 **precáutious** [형] 조심스러운
pre·cede [prisí:d] [타][자] ～에 앞서다, 선행하다 (=go before), 능가하다; (서문 등을) 앞에 싣다[～ with, by]

> ▶ 224. 접두어 pre
> 시간적·시각적으로 「앞에」의 뜻을 나타낸다. (例) *pre*cede, *pre*historic 따위

[원] pre(=before)+cede(=go)　[반] fóllow 따르다
(예) the calm that *precedes* a storm 태풍 전의 고요함 // Each time he received an answer, it was *preceded by* the dream of a beautiful girl. 그가 답장을 받을 때마다 그에 앞서 아름다운 소녀의 꿈을 꾸었다.

[P]

파 **precéding** 형 선행하는, 앞에 말한, 이전의

prec·e·dent 명 [présədənt] 선례, 종래의 관례; 판례 형 [prisíːdənt] 이전의(=preceding)

파 **precedence, -cy** [présədəns], [-i] 명 선행, 우선권; (의식 등에서의) 석차

◇**pre·cept** [príːsept] 명 교훈(=rule of behavior), 격언

파 **precéptor** 명 훈계자, 교사

pre-Chris·tian [prìːkrístʃən] 형 예수〔기독교〕 이전의

pre·cinct [príːsiŋkt] 명 경내(境內), 구내; 구(區), (경찰의) 관할구; 《*pl.*》 주변, 교외

*◇**pre·cious** [préʃəs] 형 귀중한(=valuable), 소중한, 귀여운

원 preci(=price)+ous(=full)

반 wórthless 무가치한

(예) *precious* stones 〔metals〕 보석〔귀금속〕 // Nothing is so *precious* as time. 시간보다 귀중한 것은 없다.

prec·i·pice [présəpis]★ 명 낭떠러지(=steep cliff), 절벽 위기

파 (⇨) **precipitate**

pre·cip·i·tate 타 자 [prisípətèit] 재촉하다, 촉진시키다; 거꾸로 떨어뜨리다, 곤두박이다; (어떤 상태에) 갑자기 빠뜨리다 명 [-tit] 침전물 형 [-tit] 경솔한, 급히 서두르는

파 **precípitant** 형 거꾸로의(=headlong); 조급한, 갑작스러운 **precipitátion** 명 급락; 돌진, 크게 서두름; 강우〔설〕(량); 침전 **precípitous** 형 깎아 세운 듯한, 험준한(=steep)

*◇**pre·cise** [prisáis] 형 정확한(=exact), 정밀한

반 vague 모호한

(예) a *precise* definition 명확한 정의 // We get the *precise* time from the radio. 라디오에서 정확한 시간을 알린다.

파 *◇**precísely** 부 정확하게, 정밀하게 ◇**precision** [prisíʒən] 명 정확, 정밀

pre·de·ces·sor [prédəsèsər, prèdəsésər / príːdəsèsə] 명 전임자, 선배; 선조

반 succéssor 후임자

pred·i·cate 명 형 [prédəkit] 〖문법〗 술부(述部)(의), 술어(의) (*cf.* subject) 타 [prédəkèit] 단정하다

*◇**pre·dict** [pridíkt] 타 자 예언하다(=foretell)

원 pre(=beforehand)+dict(=say)

파 **predíctable** 형 예언할 수 있는 **predíctor** 명 예언자 ◇**predíction** 명 예언, 예보

pre·dom·i·nate [pridámənèit / -dɔ́m-] 자 우세하다

파 **predóminance** 명 우세 **predóminant** 형 우세한, 탁월한 **predóminantly** 부 우세하게

pre·em·i·nence [priːémənəns] 명 걸출(傑出), 탁월

파 **preéminent** 형 걸출한 **preéminently** 부 뛰어나게

pref·ace [préfis]★ 명 머리말(=foreword) 타 앞에 두다

어법 preface는 본문과는 다른 「머리말」, introduction은 본문 중의 「서론」, foreword는 간단한 「서문」

pre·fec·ture [príːfektʃər / -tjuə]* 명 현(縣)
파 **preféctural** 형 현의(a *prefectural* school 현립 학교)

pre·fer* [prifə́ːr]* 타 오히려 ~을 더 좋아하다(=like better), ~을 좋다고 생각하다; 제출하다
(예) Which do you *prefer* ? 어느 쪽을 좋아하느냐? // I *prefer* going 〔to go〕 by train. 나는 열차로 가는 것을 더 좋아한다.
파 ***préferable*** 형 더 마음에 드는 ◇**préferably** 부 즐겨, 오히려 **preférment** 명 승진(昇進) **preférred** 형 우선적인 ***preference** [préfərəns]* 명 더 좋아함; 선택, 우선(권) (I have a *preference* for vegetables. 나는 야채를 더 좋아한다.) **preferéntial** 형 우선적인, 차별제의, 특혜의

prefer ~ to* ~을 더 좋아하다, ~을 기뻐하다; ~을 택하다
(예) He *prefers* summer *to* autumn. 그는 가을보다 여름을 더 좋아한다. // I *prefer* reading *to* talking. ↔ ◇I *prefer to* read *rather than* talk. 나는 말하기보다는 책 읽기를 더 좋아한다. (*cf.* I like reading better than talking.) // I *prefer that* nobody should go. 나로선 아무도 가지 않는 것이 좋겠다.
어법 prefer ~ to와 거의 같은 뜻으로, prefer to *do* rather than (to) *do*의 형식도 흔히 쓰인다: ◇He *preferred* to die *rather than* do it.(그는 그것을 하기보다는 차라리 죽는 편이 낫다고 말했다.)

pre·fix 명 [príːfiks] 〖문법〗 접두사 타 [priːfíks] 앞에 덧붙이다
반 súffix 접미사

preg·nant [prégnənt] 형 임신한; 의미 심장한
(예) an event *pregnant* with grave consequences 중대한 결과를 배태하고 있는 사건
파 **prégnancy** 명 임신; 함축, 의미 심장

pre·his·tor·ic [prìːhistɔ́ːrik, -tár- / -tɔ́r-] 형 유사 이전의

pre·his·to·ry [priːhístəri] 명 (고고학·인류학상의) 선사학(先史學); 선사 시대사; [the ~] (사건 따위의) 경위, 배경

prej·u·dice [prédʒədis]* 명 편견(=bias), 선입 관념 타 편견을 품게 하다, 반감을 사게 하다[~ against]
원 pre(=before)+judice(=judge)
(예) have a *prejudice* 〔be *prejudiced*〕 against 〔in favor of〕 ~을 괘히 싫어하다〔~의 편을 들다〕 // His affected way of speaking *prejudiced* me against him. 그의 건방신 발두가 마음에 들지 않았다.
파 **prejudicial** [prèdʒədíʃəl] 형 불리한

pre·lim·i·na·ry [prilímənèri / -nəri] 형 예비적인(=preparing for), 임시의 명 예비 시험; 《주로 *pl.*》 준비, 예비 행위

prel·ude [prélјuːd / préljuːd] 명 서막; 〖음악〗 서곡 타 자 서막이 되다

pre·ma·ture [prìːmətјúər, -tʃúər / prémətʃə] 형 조숙한,

너무 이른, 때 아닌(=untimely); 시기 상조의
원 pre(=before)+mature(성숙한)
(예) a *premature* birth [death] 조산(早產)[요절]

pre·mier [prí:miər, primíər / prémjə] 명 국무총리, 수상(=prime minister) 형 최고위의, 가장 중요한; 제일의
파 **prémiership** 명 수상의 직[임기]

prem·ise 명 [préməs] 전제(前提); 《*pl.*》 (토지·건물을 포함한) 가옥 자 타 [préməs, primáiz] 전제로 하다

pre·mi·um [prí:miəm] 명 보수; 상금; 할당금, 프리미엄 보험료

pre·oc·cu·py [pri:ákjəpài / pri:ɔ́k-] 타 마음을 빼앗다(=engross); 편견에 사로잡히다; 먼저 차지하다
파 **preoccupátion** 명 선입 관념, 선취득(先取得)

◇***pre·pare** [pripɛ́ər] 타 자 마련하다, 준비하다; 각오하다
(예) *prepare* oneself for a match 시합의 준비[각오]를 하다 // Mother *prepared* us lunch. ↔ Mother *prepared* lunch *for* us. 어머니께서 우리들 점심을 만들어 주셨다.
파 ◇**preparátion** 명 준비, 마련, 예습; 각오; 조제(◇be *in preparation for* the examination 시험 준비가 되어 있다) **prepáratory** 형 준비의, 예비의 **preparedness** [pripɛ́ərdnis] 명 준비(완료 상태); 각오

◇(*be*) ***prepared for*** [*to do*] ~의 [~을 할] 준비[각오]가 되어 있는
(예) I *am prepared for* the worst. 나는 최악의 경우를 각오하고 있다. // I'*m prepared to* admit my fault. 내 잘못은 깨끗이 인정한다.

pre·pon·der·ance [pripándərəns / -pɔ́n-] 명 (무게·힘에 있어서의) 우위 [~ of]; 우세, 우월

prep·o·si·tion [prèpəzíʃən] 명 〖문법〗 전치사
파 **prepositional** 형 전치사의

pre·rog·a·tive [prirágətiv / -rɔ́g-] 명 대권(大權), 특권 형 특권을 가진

◇**pre·scribe** [priskráib] 타 자 (법률로서) 규정하다; 〖의학〗 처방하다, 지시하다
원 pre(=before)+scribe(=write)
(예) *prescribe* the use of special forms 특별한 서식을 쓰도록 규정하다 // *prescribe for* malaria 말라리아의 약을 처방하다
파 **prescription** [priskrípʃən] 명 규정; 처방

◇***pres·ence** [prézəns] 명 존재; 출석, 면전(面前); 풍채
반 ábsence 부재, 결석
파 (⇨)**present, presently**

in the presence of ~의 면전에서 (=in one's presence) ~에 직면하여(=in (the) face of ~)
반 in the absence of ~이 없는 데서
(예) He was insulted *in the presence of* a large company. 그는 많은 사람들 앞에서 모욕을 당했다.

◇☆**pres·ent** 타 [prizént]* 증정하다, 주다; 소개하다, 내놓다

㊇ [prézənt]* 출석하고 있는, 있는, 존재하는; 현재의, 오늘의, 당면한 ㊄ [prézənt]* 현재; 선물, 예물
반 ábsent 결석한
(예) ◦ *present* him *with* a book ↔ *present* a book *to* him 그에게 책을 선사하다 // up to the *present* 현재에 이르기까지
어법 「출석하고 있는」의 뜻으로 명사·대명사를 수식할 경우에는 뒤에 온다: the people *present*(출석한 사람들)
파 **preséntable** ㊇ 남 앞에 내놓을 만한; 보기 흉하지 않은 **presentátion** ㊄ 증정; 소개, 표시; 상연 ***présently** ㊚ 이내, 곧(=soon); 〖미〗 현재
present oneself 출두하다, 나타나다(=appear)
(예) He *presented* him*self* at the party. 그는 그 모임에 출석했다.
at present 현재에 있어서는(=in the present time), 목하
(예) *At present*, no one is so foolish as to believe in ghost. 오늘날 유령이 있다고 믿을 만큼 어리석은 자는 한 사람도 없다.
for the present 현재로서는, 당분간 (=for the time being)
(예) This sum will do *for the present*. 이만큼 있으면 당분간 지낼 수 있다.
pre·serve [prizə́ːrv] ㊐ 보존하다, 유지하다(=retain); 절여 두다 ㊄ 《보통 *pl.*》 설탕절임, 저장물
(예) *preserve* health 건강을 유지하다
파 **presérver** ㊄ 보호자, 유지자; 구조자 ◦**preservation** [prèzərvéiʃən] ㊄ 보존, 저장 ◦**presérvative** ㊇ 보존력이 있는 ㊄ 예방법, 예방약 ◦**preservátionist** ㊄ (야생 동식물·역사적 문화재 따위의) 보호주의자
preserve ~ from ~을 …에서 보호하다, ~하지 않게 하다
(예) The dog *preserved* him *from* danger. 개는 그를 위험에서 구했다.
pre·side [prizáid] ㊅ 사회하다, 주재하다 [~ over, at]
원 pre(=over)+side(=sit)
(예) He *presided at* 〔*over*〕 the meeting. ↔ The meeting was *presided over* by him. 그는 그 모임의 사회를 보았다. // The manager *presides over* the business of a firm. 지배인은 회사의 업무를 통괄한다.
파 (⇨) **president**
pres·i·dent [prézədənt] ㊄ 대통령, 사장, 총상, 학장, 총재
파 ◦**présidency** ㊄ 대통령〔사장·총장 따위〕의 직〔임기〕 **presidéntial** ㊇ 대통령〔사장·총장〕의
press [pres] ㊐㊅ 누르다, 압박하다; 주장하다(=insist)
㊄ 압박; 인쇄, 신문; 압착기; 인쇄기
(예) *press* the point 그 점을 강조하다 // *press* for an answer 대답을 강요하다 // be *pressed* for money 돈에 쪼들리다 // freedom of the *press* 출판의 자유
파 **préssing** ㊇ 긴급의 ㊄ (억)누름 **press clipping, press**

cutting 신문에서 오려낸 것 **press conference** 기자 회견 **préssman** ⓜ《*pl.* -men》 인쇄공; 신문 기자 *****préssure** ⓜ 압력, 압박, 강제(a *pressure* group (정치적인) 압력 단체)

*****pres·tige** [prestíːʒ] ⓜ 위력, 위신(=credit); [형용사적으로] 세평이 좋은, 높이 평가되는
(예) a *prestige* school 명문교
파 **prestígious** 형 이름이 난, 세상에 알려진

***pre·sume** [prizúːm / -zjúːm] 타 자 상상하다, 생각하다(=suppose); 감히 ~하다[~ to do]; (남의 약점 따위를) 이용하다 [~ on, upon]
(예) We *presumed* his innocence. ↔ We *presumed* him (*to be*) innocent. ↔ We *presumed that* he was innocent. 우리는 그가 무죄라고 생각했다.
파 ***presúmable** 형 가정[추정]할 수 있는 ***presúmably** 부 아마도 **presúming** 형 주제넘은, 건방진 **presumption** [prizʌ́mpʃən] ⓜ 가정, 추정; 주제넘음, 외람; 가망, 가능성(=probability) **presúmptive** 형 가정[추정]의 **presumptuous** [prizʌ́mptʃuəs] 형 주제넘은, 건방진

*****pre·tend** [priténd] 타 자 ~인 체하다, 가장하다(=feign), 속이다; 요구하다
(예) He *pretended* ignorance. ↔ He *pretended to be* ignorant. ↔ He *pretended that* he was ignorant. 그는 모르는 체 했다. // He *pretended* not to hear me. 그는 내 말이 들리지 않는 체 했다.
파 **pretense, -ce** [priténs] ⓜ 구실; 겉치레, 거짓 **preténsion** ⓜ 주장; (가장된) 외양 **preténtious** 형 자만하는 **preténding** 형 거짓의 **preténder** ⓜ 요구자; ~인 체 하는 사람

pretend to do (~하는) 체하다, 뻔뻔스럽게 [주제넘게] ~하다
(예) I do not *pretend to* be a poet. 나는 주제넘게 시인인 체하지는 않는다.

on*[*under*] *the pretense of ~을 가장하여, ~을 구실 삼아, ~을 빙자하여
(예) He cheated me *under the pretense of* friendship. 그는 우정을 빙자하여 나를 속였다.

pre·text [príːtekst] ⓜ 구실, 변명(=excuse)
(예) as a *pretext* for one's absence 결석의 구실로서

☆**pret·ty** [príti]* 형 예쁜, 귀여운(*cf.* beautiful); 훌륭한(=fine); (수량·범위 등이) 꽤 많은[큰], 상당한 ⓜ 예쁜[귀여운] 애 부 꽤(=fairly), 상당히
반 úgly 못생긴
(예) He loves ball games *pretty* much. 그는 구기를 꽤 좋아한다.
파 **préttily** 부 곱게, 얌전하게 **préttiness** ⓜ 고움, 귀여움

*****pre·vail** [privéil] 자 이기다, 우세하다; 유행하다, 보급되다; 설득하다, 권하여 ~하게 하다(=induce) [~on, upon]
(예) Truth will *prevail.* 진리는 늘 이긴다. // Idealism

prevailed in those days. 당시는 이상주의가 성행했다. // I could not *prevail upon* her to accept my money. 나는 그녀가 돈을 받도록 설득할 수가 없었다.

파 **preváiling** 형 널리 행하여지는, 우세한 **prévalent** 형 유행하는, 널리 행하여지는 **prévalence** 명 우세, 탁월; 유행

***prevail against* 〔*over*〕** ~을 이겨내다, ~보다 우세하다
(예) We have *prevailed over* our enemies. 우리는 적을 이겨냈다. // None can *prevail against* us. 아무도 우리를 이겨낼 수는 없다.

pre·vent [privént] 타 방해하다(=hinder), ~못하게 하다(=keep)[~ from]; 예방하다, 보호하다[~ from]
(예) *prevent* war 전쟁을 막다
파 **prevéntable, prevéntible** 형 예방할 수 있는 **prevéntion** 명 예방, 방지; 방해 **prevéntive** 형 예방적인 명 예방법〔수단·약〕 **prevéntively** 부 예방적으로

prevent ~ from* 방해하여 ~못하게 하다
(예) Heavy snow *prevented* us *from* starting. ↔ Heavy snow *prevented* our 〔us〕 starting. ↔ We could not start because of heavy snow. 폭설 때문에 우리는 출발하지 못했다.

pre·view [príːvjùː] 명 예비 검사; 시사(試寫), 영화〔텔레비전〕의 예고(편)

pre·vi·ous [príːviəs]* 형 이전의(=prior), 먼저의 부 이전에[~ to]
반 fóllowing 다음의
(예) a *previous* engagement 선약(先約) // I'll have the house cleaned *previous to* your arrival. 당신이 도착하시기 전에 집을 청소시키겠습니다. // He said that he had arrived on the *previous* day. 그는 어제 도착했다고 말했다. (↔ He said, "I arrived yesterday.")
파 ***préviously** 부 이전에, 미리

pre·war* [príːwɔ́ːr] 형 전전(戰前)의
반 póstwár 전후의

prey [prei] 〈동음어 pray〉 명 먹이, 희생 [~ to] 자 《prey on〔upon〕으로》 잡아먹다; 괴롭히다(=afflict)
(예) a beast of *prey* 맹수 // fall *prey* to ~의 밥〔희생〕이 되다 // Eagles *prey* on small birds. 독수리는 작은 새를 잡아먹는다.

price [prais] 명 가격; 희생, 대상 타 값을 매기다
(예) win fame at the *price* of one's health 건강을 희생해 가며 명성을 얻다
어법 「물가」의 뜻으로는 prices. 「비싼」「헐한」은 high, low.

> **▶ 225. 「가격」의 유사어**
> **price**는 상품에 매겨진 금액으로 명시한 가격. **fare**는 전차·배·버스 등의 운임. **fee**는 입장료·수입료 등을 나타냄.

파 **príceless** 형 아주 귀중한(=invaluable) **price index** 물가 지수 **price list** 정가표 **fixed price** 정가

at any price 값이 얼마든; 무슨 대가를〔희생을〕 치르더

라도(=at any cost)
(예) I wouldn't sell it *at any price.* 나는 그것을 절대로 팔지 않겠다.

prick [prik] ㊌㊍ 콕콕 찌르다, 따끔따끔 아프다; 괴롭히다(=hurt); 귀를 쫑긋 세우다 ㊔ 찌르는 것, 가시; (양심의) 가책

prick·le [príkəl] ㊔ 가시; 찌르는 듯한 아픔 ㊌㊍ 따끔따끔 아프다; 찌르다
㊁ **príckly** ㊕ 가시투성이의, 쑤시듯 아픈

◇*__pride__ [praid] ㊔ 자랑, 자부(=self-conceit); 전성(全盛)(=prime) ㊌ 자랑하다(=be proud of), 자만하다
㊦ mődesty 겸손, 정숙, 품위
(예) ◇*pride* oneself on ~을 자랑하다 // ◇He has *pride* in his ability. 그는 능력을 자만하고 있다.
㊁ (⇨) **proud**

◇***take (a) pride in*** ~을 자랑하다
(예) He *takes* great *pride in* his garden. 그는 자기 정원을 아주 자랑스럽게 생각한다.

◇*__priest__ [príːst] ㊔ 승려(=monk)(*cf.* nun 여승, 수녀), 목사(=minister)
㊁ **príesthood** ㊔ 성직, 《집합적》 승려 **príestly** ㊕ 성직자다운

prim [prim] ㊕ 꼼꼼한, 딱딱한; 깔끔한

◇**pri·ma** [príːmə] ㊕ 제 1 의, 주된
㊁ ◇**prima ballerina** 〖이〗 프리마 발레리나 《발레단 최고위 여성 댄서》 **prima donna** [prì(ː)mədɑ́nə / -dɔ́nə] 프리마 돈나《가극의 주역 여배우·인기 가수》

◇*__pri·ma·ry__ [práimèri, -məri] ㊕ 본래의; 최초의, 주된(=principal); 초보의(=elementary)(*cf.* secondary) ㊔ 첫째가는 것
(예) a *primary* school 국민 학교 // the *primary* accent 제1악센트 // a matter of *primary* importance 가장 중요한 일
㊁ ◇**primarily** [praimérəli / práimərəli] ㊇ 첫째로, 주로, 근본적으로

◇**pri·ma·tes** [praiméitiːz] ㊔ 《*pl.*》〖동물〗 영장류(靈長類)

◇**prime** [praim] ㊕ 제일의, 주요한(=chief); 본래의(=original); 최상의 ㊔ 최초; 청춘(=youth), 전성기(*cf.* wane 쇠미); 〖수학〗 소수(素數)
(예) *prime* of life 한창 혈기 왕성한 때, 청춘 // *prime* minister 국무 총리, 수상(=premier)
㊁ **prímacy** ㊔ 수위(首位), 탁월 **prímal** ㊕ 제일의, 주요한, 근본의 **primer** [prímə*r* / práimə] ㊔ 입문(서) **primeval, primaeval** [praimíːvəl] ㊕ 원시 시대의(⇨ **primary**)

◇*__prim·i·tive__ [prímətiv] ㊕ 원시의(=primeval), 태고의; 미개한, 유치한 ㊔ 원시인(=prehistoric man); 원어(原語)
(예) *primitive* colors 원색

prim·rose [prímròuz] ㊔ 앵초(櫻草)

prince [prins] ⓜ 왕자 (*cf.* princess 공주, 왕녀); 공작(公爵); (봉건시대의) 제후(諸侯)
(예) the Crown *Prince* 황태자
NB 「공작」의 뜻으로는 영국 이외에서 사용하고, 영국의 공작은 duke라 함.
㊄ **príncely** ⓗ 왕후(王侯)로서의; 당당한
prin·cess [prínsəs, -ses / prinsés, prínses] ⓜ 왕녀, 공주, 왕비; 공작 부인(=duchess)
prin·ci·pal [prínsəpəl] ⓗ 주요한(=chief), 제일의 ⓜ 우두머리(=chief), 장(長), 장관, 교장(=president); 원금(元金), 기본 재산
㊄ **príncipally** ⓑ 주로, 대체로 **principálity** ⓜ 왕국, 왕정(王政)
prin·ci·ple [prínsəpəl] ⓜ 원리, 주의; 《종종 *pl.*》 절조(節操), 도의
(예) the *principles* of economics 경제학 원리
in principle 원칙적으로
(예) I agree with you *in principle.* 원칙적으로 너와 같은 의견이다.
on principle 주의〔원칙〕에 따라
(예) I don't carry an umbrella *on principle.* 나는 우산을 가지고 다니지 않는 주의이다.
print [print] ⓣ 인쇄하다, 무늬를 넣다; 〖사진〗 인화하다 ⓜ 인쇄(물), 판화(版畫); 자국(=mark)
(예) in 〔out of〕 *print* 출판되어 〔절판되어〕 // Th scene was clearly *printed* on his mind. 그 장면은 그의 마음에 뚜렷이 새겨져 있었다.
㊄ **prínter** ⓜ 인쇄업자, 인쇄기 **prínting** ⓜ 인쇄(술·업); 인화; (1회의) 인쇄부수, 판(版), 쇄(刷)
pri·or [práiər] ⓗ 앞의, 이전의(=former); 보다 중요한
(예) a *prior* engagement 선약(先約)
㊄ **priority** [praiɑ́rəti / -ɔ́rə-] ⓜ 우선(권), 상석(上席)
prior to ~ 앞의〔에〕, ~ 전의〔에〕
(예) That happened *prior to* my arrival. 그것은 나의 도착 전에 일어났다.
prism [prízəm] ⓜ 삼릉경(三稜鏡), 프리즘
㊄ **prismátic** ⓗ 프리즘의, 무지개 빛의; 빛깔이 찬란한
pris·on [prízən] ⓜ 교도소(=jail); 감금
(예) put in *prison* 투옥하다 // break (out of) *prison* 탈옥하다
㊄ ***prísoner** ⓜ 포로, 죄수
pri·vate [práivit]★ ⓗ 개인의(=personal), 사유의, 사설의, 비밀의(=secret) ⓜ 병사, 병졸
㊍ públic 공공의
(예) *private* life 사생활 // a *private* railway 사설 철도
㊄ **prívately** ⓑ 개인적으로; 비밀히 ***prívacy**★ ⓜ 은퇴, 비밀; 사생활
in private 내밀히, 몰래; 사생활에 있어서

(예) I wish to speak to you *in private.* 내밀히 말씀드리고 싶은데요.

*◇**priv·i·lege** [prívəlidʒ] 명 특권, 특전(=special favor or right) 타 특전〔특권〕을 주다, 면제하다(=exempt)

파 **prívileged** 형 특권 있는 (the *privileged* classes 특권 계급)

priv·y [prívi] 형 내밀히 관여하는 명 변소

*◇**prize** [praiz] 명 상(품), 현상; 포획물 타 소중히 하다, 고맙게 여기다 형 입상(入賞)한, 상을 받을 만한

(예) a *prize* essay 현상 논문 // a *prize* winner(소설·논문 따위의) 수상자 // *prize* honor above life 생명보다 명예를 존중하다

파 **prízewinning** 형 입상한, 수상한

pro [prou] 명 〖구어〗 프로, 전문가, 직업 선수 《professional의 준말》; 찬성

NB 접두어로서 「앞」「친(親)」「부(副)」의 뜻을 나타냄.

P

***prob·a·ble** [prábəbl / prɔ́b-]

형 있을 법한(=likely to be), 있음직한

반 impróbable 있음직하지 않은

(예) the *probable* cost of the new house 그 집의 예상되는 신축비 // It is *probable* that war will break out. 아마 전쟁이 일어날 것이다.

▶ **226.** 「있음직한」의 유사어— **possible**은 「그러한 일도 있을 수 있는」의 뜻. **probable**은 「그렇게 될 가능성이 많은」의 뜻. **likely**는 그 중간으로, most, very, not 등으로 수식되는 것이 보통. **perhaps**는 넓은 의미의 일반적인 말.

파 ◇**probabílity** 명 있음직함, 일어남직함; 〖수학〗 확률 (The *probability* of his mak*ing* a trip is very small. ↔ The *probability* that he will make a trip is very small. 그가 여행한다는 일은 아마 없을 것이다.)

in all probability 아마도, 십중팔구는(=most probably)

(예) *In all probability* you will find him at the theater. 극장에 가시면 아마도 그 사람이 있을 것입니다.

*◇**prob·a·bly** [prábəbli / prɔ́b-]★ 부 아마, 필시

(예) *Probably* you are right. 아마 자네 말이 옳겠지.

◇**probe** [proub] 타 자 탐침(探針)으로 찾다; 정사(精査)하다, 음미하다 명 탐침; 조사

(예) *probe* into human nature 인간성을 깊이 연구하다

***prob·lem** [prábləm / prɔ́b-] 명 문제(=question), 난문제(難問題), 귀찮은 일〔사정, 사람〕

(예) solve the labor *problem* 노동 문제를 해결하다 // a geometrical *problem* 기하 문제 // a *problem* child 문제아 // That child is a *problem.* 저 애는 귀찮은 애다.

파 **problemátic, -cal** 형 의문의, 문제의

*◇**pro·ceed**★ 자 [prəsíːd] 나아가다(=go forward), 가다[~ to]; 진전하다; 계속하다(=continue)[~ with]; (일을) 시작하다; ~에서 발생하다[~ from]; 수속하다 명 [próusiːd

《*pl.*》 수입액, 매상고
반 recéde 후퇴하다
(예) *proceed* to eat 먹기 시작하다 // ◇*proceed with* the work 일을 계속하다 // The quarrel *proceeded from* misunderstanding. 그 싸움은 오해에서 일어났다.
파 ◇**procédure** 명 절차, 조치; 진행(follow the regular *procedure* 정규의 수속을 밟다) ◇**procéeding** 명 진행; 《*pl.*》 의사록

▶ **227. 접두어 pro**
① 「~의 대신으로」 「부(副)」의 의미를 나타낸다.
(예) *pro*noun
② 「앞으로」의 뜻을 나타낸다.
(예) *pro*ceed, *pro*gress 등
③ 「공적으로」의 의미를 나타낸다. (예) *pro*claim

proc·ess [prάses / próus-] 명 경과(=course), 공정 과정; 방법(=method), 처리 타 기소하다; (재료·식품 따위를) 가공 처리하다; (컴퓨터로 정보를) 처리하다
(예) the *process* of water becoming ice 물이 얼음이 되는 과정 // the *process* of bleaching 표백법
파 ◇**procéssion** 명 행렬, 행진 자 행렬을 지어 나아가다 ◇**prócessor** 명 (농산물의) 가공업자; 〖컴퓨터〗 (중앙)처리장치, 프로세서

in process of ~의 진행 중에, 한창 ~하는 중에
(예) *in process of* time 시간이 지남에 따라 // The house was *in process of* construction. 그 집은 건축 중이었다.

pro·claim [proukléim / prə-] 타 선언하다(=declare officially), 발표하다, 공포하다(=make public)
(예) *proclaim* war against ~에 대해서 선전 포고를 하다 // They *proclaimed* the Crown Prince (*to be*) the new king. ↔ They *proclaimed that* the Crown Prince was the new King. 그들은 황태자를 새로운 국왕으로 포고했다.
파 **proclamátion** 명 선언, 공포, 발표

pro·cure [proukjúər / prəkjúə] 타 얻다, 획득하다(=obtain), 조달하다; 초래하다
(예) He *procured* me a rare book. ↔ He *procured* a rare book *for* me. 그는 나에게 진귀한 책을 구해 주었다.
파 ◇**procúrement** 명 획득, 조달 **procurátion** 명 획득, 대리권(代理權)

prod·i·gal [prάdigəl / prɔ́d-] 형 낭비하는(=wasteful), 방탕한(=dissipated) 명 낭비자(=spendthrift), 방탕자
반 frúgal 검소한
파 **prodigálity** 명 방탕; 풍부

(***be***) ***prodigal of*** 아낌없이 주는
(예) He *is prodigal of* expenditure. 그는 돈을 헤프게 쓴다.

prod·i·gy [prάdidʒi / prɔ́d-] 명 경이(驚異); 천재(=genius)
파 **prodigious** [prədídʒəs] 형 놀라운, 경이적인; 거대한

pro·duce 타 자 [prədjúːs / -djúːs] 산출하다, 생산하다(=yield); 만들어 내다; 제시하다, (끄집어) 내놓다; 상연하다
명 [prάdjuːs / prɔ́djuːs] 생산품, 작품, 생산액
반 consúme 소비하다
(예) *produce* great poets 위대한 시인을 낳다 // *produce*

one's ticket 표를 내보이다 // *produce* good results 좋은 결과를 초래하다

파 ◇**prodúcer** 명 생산자; 〖영화〗 제작자, 프로듀서 (⇨ **product, production**

*◇**prod·uct** [prάdəkt / prɔ́d-] 명 제품, 생산물; 성과, 소산

(예) farm *products* 농산물 // Crime is sometimes a *product* of poverty. 때때로 범죄는 빈곤의 소산이다.

어법 produce는 집합적인 생산물, 특히 농산물을 말한다. product는 개개의 제품·생산물을 가리키며 보통 복수형으로 쓰인다.

*◇**pro·duc·tion** [prədʌ́kʃən] 명 생산, 제작, 연출; 제공

파 ◇**productive** [prədʌ́ktiv] 형 생산적인; 다산(多産)의, 풍부한 ◇**productívity** 명 생산력, 생산성, 다산

P

pro·fane [prəféin] 형 모독적인 타 모독하다, 신성을 더럽히다

pro·fess [prəfés] 타 자 공언하다(=say openly), 고백하다 ~이라고 칭하다; 신봉하다

원 pro(=forth)+fess(=speak) 반 supprêss 숨기다

(예) *profess* ignorance 모른다고 확실히 말하다 // *profes* to be a gentleman 신사라고 자칭하다

파 **proféssed** 형 공공연한 **professedly** [prəfésidli] 부 공공연히, 표면상

*◇**pro·fes·sion** [prəféʃən] 명 (지적·전문적인) 직업, 전문; 공언, 고백

by profession 직업은

(예) He is a carpenter *by profession*. 그의 직업은 목수이「다.

*◇**pro·fes·sion·al** [prəféʃənəl] 형 전문적인, (지적) 직업의, 프로의 명 지적 직업인, 전문가, 프로(선수)

반 ámateur 아마추어

(예) *professional* education (전문적) 직업 교육

파 **proféssionally** 부 직업적으로, 전문적으로

*◇**pro·fes·sor*** [prəfésər] 명 교수 〖약어〗 *prof.*

파 **proféssorship** 명 교수의 직〔지위〕 **professórial** 형 교수의, 학자인 체하는; 학자적인

prof·fer [prάfər / prɔ́fə] 타 제언하다(=offer), 제공하다 명 제언, 제공

원 pro(=forth)+ffer(=bring) NB 보통 offer를 씀.

◇**pro·fi·cien·cy** [prəfíʃənsi] 명 숙달, 능숙, 기량(=skill) [~ in]

원 pro(=forward)+fic(=make)+iency(=state)

반 defíciency 결함

(예) get 〔gain〕 *proficiency* in English 영어에 숙달하다

파 ◇**profícient** 형 숙달한 명 명인(名人)

pro·file [próufail] 명 옆 모습, 프로필, 윤곽

*◇**prof·it** [prάfit / prɔ́f-] 명 이익(=gain); 이득, 덕 자 타 이익을 보다, ~에게 덕〔도움〕이 되다 반 déficit 결손

(예) at a good *profit* 충분히 이익을 보고 // make a *profit* on ~으로 이득을 보다 // I *profited* by your criticism. 당

신의 비평이 참고가 되었습니다.
파 *prófitable 형 유리한 prófitably 부 유익〔유리〕하게 profitéer 명 폭리 상인 자 폭리를 취하다 prófitless 형 이익이 없는, 무익한

pro·found [prəfáund] 형 심원한(=deep); 조예가 깊은(=very learned); (인정 따위가) 몹시 깊은; 난해한
반 shállow 얕은, 천박한
파 **profundity** [prəfʌ́ndəti] 명 심오(深奧) (NB 철자·발음에 주의) ◦**profóundly** 부 심히, 대단히

pro·fuse [prəfjúːs] 형 통이 큰(=poured out freely), 아낌없이 쓰는(=lavish); 풍부한(=abundant)
파 **profusion** [prəfjúːʒən] 명 풍부; 통이 큼, 낭비(Wheat grows in *profusion*. 밀이 풍요하게 자란다.)

pro·gram(me) [próugræm] 명 **프로그램**, 방송〔상영〕 순서; 예정표, 계획, 강령 타 예정〔계획〕을 세우다, 프로그램을 편성하다
원 pro(=beforehand)+gram(=write)
(예) radio *programs* 방송 프로그램 // What's the *program* for today? 오늘 예정은 무엇인가?
파 ◦**prógram(m)er** 명 (영화·라디오 따위의) 프로그램 작성자; 〖컴퓨터〗 프로그래머

P

pro·gress 명 [prágres / próu-] 진행; 진보, 발달; 경과 자 [prəgrés] 진행〔전진〕하다(=advance); 진보하다(=improve); 발달하다
원 pro(=forward)+gress(=walk)
반 régress 퇴보
(예) ◦in *progress* 진행 중에 // cultural *progress* 문화의 진보 // The patient has *progressed* favorably. 환자는 점점 좋아지고 있다.
파 **progréssion** 명 진행; 〖수학〗 급수 ***progréssive** 형 진보적인; 〖문법〗 진행형의 명 진보주의자(반 consérvative 보수적인)

make progress 진보하다, 진척하다; 전진하다
(예) Korea has *made* rapid *progress* in the field of heavy industry. 한국은 중공업 분야에서 급격한 성장을 이룩했다.

pro·hib·it [prouhíbit, prə-] 타 금지하다(=forbid), 방해하다(=hinder)
원 pro(=before)+hibit(=have) 반 permít 허락하다
어법 「금지하다」의 의미에서는 법률 따위에 의한 공식적인 금지를 의미한다.
파 **prohibítion** 명 금지, 금지령 **prohíbitive** 형 금지된

prohibit ~ from doing ~에게 …하는 것을 금하다
(예) *prohibit* him *from* coming ↔ *prohibit* his coming 그를 오지 못하게 하다

pro·ject 타 자 [prədʒékt] 계획하다; 내던지다(=throw); 돌출하다(=protrude), 투영하다, 영사하다 명 [prádʒekt / prɔ́dʒ-] 계획(=plan), 설계(=design)
원 pro(=forward)+ject(=cast)

파 **projéction** 명 돌기; 계획; 투사, 영사 ◇**projéctor** 명 계획자; 영사기 **projéctile** 형 발사하는 명 발사(=missile)

pro·log(ue) [próulɔ̀ːg, -lɑ̀g / -lɔ̀g] 명 서언(=preface), 머리말(=introduction), 서곡 타 서언을 말하다
원 pro(=before)+logue(=speech)
반 épilog(ue) 맺음말

◇**pro·long** [prəlɔ́ːŋ / -lɔ́ŋ] 타 연장하다(=lengthen, make longer)
반 curtáil, shórten 단축하다
파 **prolongátion** 명 연장, 연기

prom·e·nade [prɑ̀mənéid / prɔ̀mənɑ́ːd] 명 산책하는 곳; 산책(=quiet walk) 자 타 산책하다, 거닐다
(예) a *promenade* deck 산책하는 갑판 // a *promenade* concert 산책이나 댄스를 하면서 듣는 음악회

prom·i·nence [prɑ́mənəns / prɔ́m-] 명 저명, 걸출(=distinction); 돌출
원 pro(=forward)+min(=project)+ence(명사 어미)
(예) a man of *prominence* 명사
파 *◇**próminent** 형 걸출한, 유명한; 돌기한(a *prominent* politician 유명한 정치가) **próminently** 부 현저하게

*◇**prom·ise** [prɑ́mis / prɔ́mis] 명 약속; 가망 자 타 약속하다; 가망이 있다, ~할 듯하다
원 pro(=forward)+mise(=send)
(예) make a *promise* 약속하다 // ◇break one's *promise* 약속을 어기다 // ◇You must make good your *promise* to me. 너는 나에 대한 너의 약속을 잘 지켜야 한다. // There is no *promise* of success. 성공할 가망은 없다. // She *promised to* come. ↔ She *promised that* she would come. 그녀는 꼭 오겠다고 약속했다. // He *promised* me *to* be on time. ↔ He *promised* me *that* he would be on time. 그는 반드시 시간을 정확히 지키겠다고 나에게 약속했다.
파 **prómising** 형 장래가 촉망되는(=hopeful) **prómissory** 형 약속의

prom·on·to·ry [prɑ́məntɔ̀ːri / prɔ́məntəri] 명 곶; 융기, 돌기

*◇**pro·mote*** [prəmóut] 타 촉진하다(=help forward), 증진하다; 조장하다(=further); (사업을) 일으키다; 승진〔승급〕시키다
원 pro(=forward)+mote(=move)
반 degráde 지위를 낮추다
(예) be *promoted* general 〔to be general, to the rank of general〕 장군으로 승진하다
파 **promóter** 명 조장자(助長者), 발기인 ◇**promótion** 명 승진; 진급; 조장(助長), 주창(主唱), 발기 **promótive** 형 증진하는; 장려하는

give* 〔*get*〕 *a promotion 승진시키다〔하다〕
(예) The king, acknowledging his achievements, *gave* him *a promotion*. 왕은 그의 공적을 인정하여 승진시켰다.

*◇**prompt** [prɑmpt / prɔmpt] 형 신속한(=quick), 즉시의(=immediate) 타 자극하다(=incite); 조언하다 부 〖구어〗 정확히(=sharp)

반 slack 완만한, hínder 방해하다
(예) a *prompt* reply 즉답 // at 6 o'clock *prompt* ↔ *prompt* at 6 o'clock 정각 6시에
파 **prómpter** 명 (배우의) 후견인; 격려자 ***prómptly** 부 즉시, 신속하게 **prómptitude, prómptness** 명 신속, 즉결

prone [proun] 형 ~하기 쉬운(=apt, liable) [~ to]; 엎드린
(예) Men are by nature *prone to* ease. 사람은 원래 천성이 안락을 찾기 쉬운 것이다.

prong [prɔːŋ / prɔŋ] 명 뾰족한 것〔끝〕, 갈퀴; (포크 따위의) 갈래 타 찌르다

pro·noun [próunàun] 명 〖문법〗 대명사 〖약어〗 *pron.*
원 pro(=by way of ~의 대신에)+noun
파 **pronominal** [prounámin∂l / prənɔ́m-] 형 대명사의

pro·nounce [prənáuns] 자 타 발음하다 (=articulate); 선언하다; (전문가로서) 의견을 말하다, 단언하다(=declare)
원 pro(=forth)+nounce(=tell)
(예) How do you *pronounce* the word? 그 단어는 어떻게 발음하지? // *pronounce* sentence on ~에 선고를 내리다 // The doctor *pronounced* the patient (*to be*) dead. ↔ The doctor *pronounced that* the patient *was* dead. 의사는 그 환자가 죽었다고 선언하였다.
파 **pronounced** [prənáunst] 형 현저한, 명백〔분명〕한 **pronóuncement** 명 선언, 발표 (⇨) **pronunciation**

pro·nun·ci·a·tion* [prənʌ̀nsiéiʃən] 명 발음, 발음법
NB 동사 pronounce와 철자·발음을 혼동하지 않도록 주의.

proof [pruːf] 명 증거(=evidence), 증명; 시험; 교정쇄(校正刷) 형 ~에 견디는; 교정의 타 견딜 수 있게 하다, (천 따위를) 방수 가공하다; 교정 보다
원 <prove 증명하다
(예) as *proof* of one's gratitude 감사하다는 표시로 // stand a severe *proof* 혹독한 시험에 견디다 // be *proof* against temptation 유혹에 휘말리지 않다 // The *proof* of the pudding is in the eating. 〖속담〗 푸딩이 좋고 나쁨은 먹어 보면 안다《백문이 불여 일견》.
어법 water*proof* (방수의), fire*proof* (방화의), sound*proof* (방음의) 따위의 합성어를 만든다.
파 **próofread** 자 타 교정(校正)보다 **próofreader** 명 교정자(校正者) **proof sheet** 교정쇄

prop [prɑp / prɔp] 명 지주(支柱), 지지자(=supporter) 타 버티다, 지지하다 (=support) [~ up]
(예) *prop* (*up*) a wall by a stake 담을 버팀목으로 버티다

▶ **228.** 미어와 영어 (1)
영국과 미국에서 단어가 다른 것이 있다.

(미)	(영)
apartment	flat
baggage	luggage
bar	pub
candy	sweet
conductor	guard
cracker	biscuit
elevator	lift
fall	autumn
gasoline	petrol

P

prop·a·gate [prάpəgèit / prɔ́p-] ㊇㊈ 선전하다, 보급시키다(=spread); 붇다, 많아지다(=increase), 번식하다
반 concéal 감추다, erádicate 근절하다
파 *propagánda ⓜ 선전, 프로파간다 **propagándist** ⓜ 전도자; 선전자 **propagátion** ⓜ 선전, 보급; 번식

pro·pel [prəpél] ㊇ 추진하다, 전진시키다(=push forward); 몰아대다
파 **propéller** ⓜ 프로펠러, 추진기

***prop·er** [prάpər / prɔ́pə] ⓗ 적당한(=right and fitting); 고유의 [~ to]; 옳은(=correct), 예의바른(=polite)
반 impróper 부적당한
(예) at a *proper* time 적절한 시기에 // It is not *proper* that you should do so. 그렇게 행동하는 것은 좋지 못하다. // customs *proper* to the Korean 한국인 고유의 풍습
어법 England *proper* (영국 본토), literature *proper* (순문학) 따위와 같이 「순수한, 엄밀한 의미에서의」란 뜻일 때는 명사 뒤에 둔다.
파 ***próperly** ⓑ 알맞게; 똑바로; 엄밀히(*properly* speaking ↔ to speak *properly* 엄밀히〔정확히〕 말하면) **propriety** ⓜ 적당(=fitness), 적절; 적정; 예의바름, 예절; 《*pl.*》 예의 범절

***prop·er·ty** [prάpərti / prɔ́pəti] ⓜ 재산(=that which one owns), 소유권, 소유물; 특성; 《*pl.*》 소품(小品)
(예) a man of *property* 재산가 // the *properties* of copper 구리의 특성

proph·e·cy [prάfəsi / prɔ́f-] ⓜ 예언(=prediction), 예언서
NB 동사 prophesy와 발음·철자가 다름에 주의할 것.
파 **prophesy** [prάfəsài / prɔ́f-] ㊇㊈ 예언하다

proph·et [prάfit / prɔ́f-] ⓜ 예언자, 대변자, 예보자
파 **prophetic, -ical** [prəfétik, -ikəl] ⓗ 예언의, 예언자의 (be *prophetic* of ~을 예언하다)

***pro·por·tion** [prəpɔ́ːrʃən] ⓜ 비율, 율(=ratio); 부분(=part); 조화, 균형; 《*pl.*》 크기, 치수 ㊇ 균형잡히게 하다; 배당하다(=apportion)
(예) direct 〔inverse〕 *proportion* 정〔반〕비례 // in 〔out of〕 *proportion* 균형이 잡힌〔잡히지 않은〕
파 **propórtional** ⓗ 비례하는, 비례의 ⓜ 비례수 **proportionate** ⓗ [prəpɔ́ːrʃənit] 비례하는 ㊇ [-nèit] 비례시키다 **propórtionately** ⓑ 비례하여

in proportion as ~에 비례하여, ~에 따라서(=according as)
(예) Man becomes greater *in proportion as* he learns to know himself. 인간은 자기 자신을 알게 됨에 따라서 위대하게 된다.

***in proportion to* 〔*with*〕** ~에 비례하여, ~함에 따라
(예) The camel possesses strength *in proportion to* its size. 낙타는 클수록 힘이 세다.
NB *in proportion as*와 *in proportion to*는 같은 뜻이나 전치

는 접속사의 역할을 하는 데 대하여, 후자는 전치사이다. 따라서 전자는 clause를, 후자는 noun (phrase)을 이끈다.

pro·pose [prəpóuz] [타] [자] 제안하다(=offer), 제출〔제의〕하다; 계획하다; 청혼하다
(예) *propose* a motion 동의를 제출하다 // *propose* to help 도와주겠다고 제의하다 // Our deligation *proposed* that the Korean question (should) be placed on the agenda. 우리 대표단은 한국 문제가 의제로 채택될 것을 제안했다.
[파] *°**propósal** [명] 제안, 신청; 제의, 계획 ***propositíon** [명] 제의, 계획; 주장, 명제 **propóser** [명] 제의자, 신청인

pro·pri·e·tor [prəpráiətər] [명] 소유주(=owner), 지주(*cf.* proprietress 여자 지주)
[파] **propríetorship** [명] 소유권

prose [prouz] [명] 산문(체); 평범, 단조
[반] póetry 시, verse 운문
[파] **prosaic, -cal** [prouzéiik], [-kəl] [형] 산문의; 무미 건조한 **prósy** [형] 무취미한, 평범한 **prose poem** 산문시 **prose writer** 산문 작가

pros·e·cute [prásəkjùːt / prɔ́s-] [타] [자] 수행하다, 속행하다(=pursue); 상업을 영위하다(=carry on), 실행하다; 기소하다
(예) *prosecute* an inquiry 조사를 수행하다 // We *prosecuted* him *for* murder. 우리는 그를 살인혐의로 기소했다.
[파] **prosecútion** [명] 수행; 기소; 검찰 당국 **prósecutor** [명] 수행자, 기소자; 검찰관

pros·pect [práspekt / prɔ́s-] [명] 기대(=expectation); 전망(=view) [자] [타] 가망이 있다; 답사(踏査)하다
[원] pro(=forward)+spect(=look)
(예) be in *prospect* 예기〔예상〕되고 있다 // have the *prospect* of ~의 가망이 있다 // There is no *prospect* of success. 성공할 가망이 없다. // A fine *prospect* spread below us. 훌륭한 조망이 우리들 아래에 펼쳐졌다.
[파] **prospéctive** [형] 미래의

pros·per* [práspər / prɔ́spə] [자] [타] 번영하다(=get on well), 번창하다(=flourish), 성공하다(=be successful)
(예) a *prospering* breeze 순풍(順風)

pros·per·i·ty [prɑspérəti / prɔs-] [명] 번영; 호경기

pros·per·ous* [práspərəs / prɔ́s-] [형] 번창〔번영〕하는; 순조로운

pros·ti·tute [prástətjùːt / prɔ́stətjùːt] [명] 창녀(=harlot) [타] 매음시키다, 몸을 팔다; (돈에 명예 따위)를 팔다
[파] **prostitútion** [명] 매춘(賣春); 오욕(汚辱)

pros·trate [형] [prástreit / prɔ́streit] 엎어진, 엎드린(=lying stretched out); 패배한 [타] [prástreit / prɔstréit] 엎드리게 하다, 굴복시키다
[파] **prostrátion** [명] 엎드림, 굴복, 엎드려 절함

pro·tect [prətékt] [타] 보호하다(=guard), 막다(=defend)
[반] expóse 드러내다, desért 저버리다

[파] ◇**protéction** (명) 보호 **protéctive** (형) 방어의, 보호하는 (*protective* color 보호색) ◇**protéctor** (명) 보호자, 보호물 〖야구〗 가슴받이 **protectorate** [prətéktərit] (명) 보호국〔령〕

***protect ~ against* 〔*from*〕** 막다, …하지 않도록 ~을 보호하다

(예) *protect* oneself *from* 〔*against*〕 danger 위험에서 몸을 지키다

[어법] *protect against*는 주로 무형물에, *protect from*은 유형물에 대해서 쓴다.

◇**pro·tein** [próuti:n] (명) 단백질

*◇**pro·test** (자)(타) [prətést] 항의하다(=object) [~ against] 단언하다, 주장하다(=assert) (명) [próutest] 항의, 불복 항고

[원] pro(=forth)+test(=witness)

(예) a *protest* movement 항의 운동 // Nature *protests* against monotony. 자연은 단조로움을 거부한다. // make a *protest* against ~에 항의하다

[파] **protestátion** (명) 항의; (~의) 주장

Prot·es·tant [prátəstənt / prɔ́t-] (명) 신교도 (형) 신교(도)의

[반] Cátholic 카톨릭 교도(의)

[파] **Prótestantism** (명) 신교

pro·to·type [próutətàip] (명) 원형; 표준, 모범

pro·tract [proutrǽkt / prə-] (타) 길게 〔오래〕 끌다(=prolong, lengthen), 연장하다(=extend)

[반] shórten 짧게 하다

(예) I *protracted* my visit as long as possible. 나는 될 수 있는 대로 방문을 오래 끌었다. // *protracted* negotiation 오래 끌고 있는 교섭

pro·trude [proutrú:d / prə-] (자)(타) 튀어 나오다, 돌출하다 (=project)

***proud** [praud] (형) 자랑스러운, 자랑으로 아는 [~ of]; 교만한, 뽐내는(=haughty); 당당한(=grand)

[원] <pride 자랑

[반] húmble 겸손한, ashámed 부끄러워하는

(예) We *are proud to* have you here. 당신을 이곳에 모시게 됨을 영광으로 생각합니다. // He *is* too *proud to* ask for money. 그는 자존심이 있어 돈을 구걸하지 않는다.

[파] ◇**próudly** (부) 자랑스럽게

*◇(***be***) ***proud of*** ~을 자랑하는〔뽐내는〕

(예) She *is* very *proud of* her beauty. 그녀는 자기의 미모를 크게 뽐낸다. (↔ She takes (a) great pride in her beauty. ↔ She prides herself on her beauty.) // He *is proud of* his father being a doctor. ↔ ◇He *is proud that* his father is a doctor. 그는 부친이 의사임을 자랑으로 여기고 있다.

*◇**prove**★ [pru:v]★ (타)(자) 《***proved; proved,*** 〖미〗 ***proven***》 증명하다(=demonstrate); ~임을 알다, ~이 되다(=turn out)

(예) The book *proved* a little difficult for me. 그 책은

나에게는 조금 어려웠다. (↔ I found the book a little difficult.) // He *proved* it (*to be*) true. ↔ He *proved that* it was true. 그는 그것이 진실임을 증명했다. // He *proved* himself (to be) an able man. 그는 자신이 유능한 인물임을 나타냈다. // The result *proved* (to be) successful. 그 결과는 성공적인 것으로 판명되었다.

㉺ **próvable** ⓗ 입증할 수 있는

prov·erb [prάvəːrb / prɔ́vəːb] ⓜ 속담; 이야깃거리

(예) as the *proverb* goes 속담에 있듯이

㉺ **provérbial** ⓗ 속담의; 잘 알려진, 유명한 **provérbially** ⓑ 속담대로, 널리 (알려져서)

pro·vide [prəváid] ⓣⓙ 공급하다(=supply) [~ with]; 준비하다(=prepare) [~ for], 대비하다 [~ against]; (법률·조약 따위가) 규정하다

㉻ pro(=before)+vide(=see)

(예) Cows *provide* milk. 젖소는 우유를 공급한다. // The contract *provides that* the house (should) be completed by the end of May. 계약서에는 그 집을 5월 말까지 완성하도록 규정하고 있다.

㉺ (⇨) **provided, providence.** ◇**provision** [prəvíʒən] ⓜ 준비 [~ for, against], 설비; 규정; 《*pl.*》 식량 ⓣ 필요품〔양식〕을 공급하다 **provísional** ⓗ 일시의, 가(假)~, 임시의

provide against (위험 따위에) 대비하다

(예) We must *provide against* a rainy day. 우리는 곤란한 때에 대비해야 한다.

provide for*** (노후 따위)에 대하여 준비하다〔대비하다〕(=prepare); 부양하다

(예) *provide for* old age 노년에 대비하다 // We must *provide for* the future. 우리는 장래에 대비치 않으면 안 된다. // *provide for* one's family 가족을 부양하다 // *provide* food and clothes *for* poor children 가난한 아이들에게 음식과 옷을 제공하다

provide with ~을 공급〔설비〕하다, 수여하다(=supply)

(예) You must *provide* yourself *with* food for your journey. 너는 여행하려면 식량을 마련하여야 한다. // The house is *provided with* a bath. 그 집에는 욕탕 설비가 되어 있다.

NB provide for와 provide with의 차이에 유의할 것.

pro·vid·ed [prəváidid], ***pro·vid·ing** [prəváidiŋ] ⓙ ~라는 조건으로(=on condition), 만일 ~이면(=if) [~ that]

▶ **229.** 미국의 주명 (3)

인디언어를 그대로 채용한 주 이름은 많으며, 여기에 열거할 수 없으나 Ohio를 예로 들어 보자. 이것은 이로쿼이족(Iroquois 族)의 말로 「위대한 것」의 뜻이나, 최초에 Ohio강의 이름으로 사용된 것. 색다른 것으로는, 에스키모에서 온 Alaska가 있다. 이것은 「위대한 토지」라는 의미. 마지막으로 순수히 미국에서 생겨난 주 이름으로서 Washington을 들 수 있다. William Penn의 이름을 딴 Pennsylvania도 이 부류에 속한다.

P

(예) *Provided* (that) it is true, you may go. 만약 사실이라면, 가도 좋다. // Any dress will do *provided* it is black. 검기만 하다면 어떤 옷이라도 좋다.

prov·i·dence [právidəns] 명 섭리, 신의(神意); [P-] 하느님; 선견(지명), 조심
파 **provident** [právidənt / próv-] 형 선견지명이 있는, 조심성 있는 **providéntial** 형 신의에 의한

◇**prov·ince** [právins / próv-] 명 주(州), 영토; [the -ces] 시골, 지방
파 **províncial** 형 지방의, 주의; 시골티 나는 명 지방민 **províncialism** 명 시골〔지방〕티, (지방) 사투리

pro·voke [prəvóuk] 타 화나게 하다(=make angry); 도발하다, 부추기다
반 appéase, soothe 진정시키다
파 **provocátion** 명 노하게 함, 도발 ◇**provocative** [prəvákətiv / -vók-] 형 성나게 하는, 도발적인 명 화나게 하는 것, 자극물 **provóking** 형 자극하는, 귀찮은

prowl [praul] 자 타 배회하다(=wander), 헤매다

prox·i·mate [práksəmit / prók-] 형 (시간·장소 따위가) 가장 가까운; 근사한

pru·dent [prú:dənt] 형 신중한(=discreet); 분별 있는(=wise and careful); 조심성 있는
반 imprúdent 경솔한
(예) a *prudent* answer 신중한 대답
파 **prúdence** 명 사려, 분별, 신중 **prudéntial** 형 조심성 있는; 분별 있는

prud·er·y [prú:dəri] 명 얌전한〔숙녀인〕 체함; 《*pl.*》 얌전빼는 말〔행동〕

◇**pry** [prai] 자 엿보다, 살피다; 꼬치꼬치 캐다 [~ into]

◇**psalm** [sa:m] 명 찬송가(=hymn); 《*pl.*》 [P-] 시편

pseu·do·nym [sú:dənim / sjú:də-] 명 가명, 익명, 아호, 필명(=pen name)

psy·chic [sáikik] 형 마음의, 영혼의 명 무당, 영매(靈媒)

*◇**psy·chol·o·gy** [saikálədʒi / -kól-] 명 심리학
원 psycho(=soul)+logy(=study)
파 ***psychológic(al)** 형 심리(학)적인 ***psychólogist** 명 심리학자

P.T.A. 〖약어〗 Parent-Teacher Association(사친회)

*◇**pub·lic** [pʌ́blik] 형 공공의, 공적인, 공중의; 널리 알려진 명 공중, 사회
반 prívate, pérsonal 개인의
(예) *public* safety 치안, 공공 안녕 // make one's view *public* 견해를 발표하다 // a *public* servant 공무원
어법 명사로서 성구(成句) 이외에는 the를 붙여 쓰는 것이 보통이며, 구성원에 중점을 둘 때는 복수, 전체를 나타낼 때는 단수 취급: The public *are* not admitted.(일반인 입장 불허) The public *is* the best judge.(세상은 최상의 심판자)
파 (⇨) **publication, publish** ◇**publícity** 명 공표(公表),

주지(周知), 선전 **públicist** [명] 정치 평론가 **públicly** [부] 공공연하게 **públic-héarted, públic-mínded, públic-spírited** [형] 공공심이 있는 **public opinion** 여론 **public relations** 섭외; 공보 〔약어〕 *P.R.* ***public school** 〔영〕 대학 예비 사립 중·고등 학교; 공립 국민〔중〕학교

in public 공공연하게, 여러 사람 앞에서(=publicly, openly)

[반] in private 내밀히, 남 몰래

(예) He doesn't like to speak *in public.* 그는 여러 사람 앞에서 말하기를 좋아하지 않는다.

pub·lish [pʌ́bliʃ] [타] 발표하다, 공표하다; 출판하다, 발행하다

[파] ***publicátion** [명] 출판(물), 발행; 발표 ◦**públisher** [명] 발표자, 출판업자, 발행자

pud·ding [púdiŋ] [명] 푸딩《디저트용 과자 이름》

pud·dle [pʌ́dl] [명] 웅덩이; 진흙 [타][자] 흙을 이기다, 진흙을 바르다, 흙탕물로 더럽히다; (흙탕물·웅덩이를) 휘젓다

puff [pʌf] [명] 훅 불기, 훅 부는 소리; 분첩; 과장된 칭찬 [자][타] 훅 불다; 부풀어 오르다; 헐떡이다(=pant)

[파] **púffy** [형] 부풀어 오른; 훅 부는; 헐떡이는, 과장된

pull [pul]* [타][자] 끌다, 잡아당기다(=draw); 뽑다; (노를) 젓다(=row) [명] 끌기; 한 번 젓기; (잡아당기는) 손잡이(=handle)

[반] push 밀다, 밂

(예) ◦*pull* at a rope 밧줄을 잡아 당기다 // I *pulled* his sleeve. ↔ I *pulled* him by the sleeve. 나는 (그의 주의를 끌기 위해) 그의 소매를 잡아당겼다. // ◦The train *pulled into* the platform. 열차는 플랫폼에 들어왔다.

pull back 물러가다, 후퇴하다

(예) The enemy had to *pull back.* 적은 후퇴하지 않을 수 없었다.

pull in (목 따위를) 움츠리다; 절약하다; (기차 따위가) 도착하다, 들어오다

(예) The train *pulled in* on time. 열차가 정각에 도착했다.

pull off (잡아당겨) ~을 벗다, 벗기다; 〔속어〕 (어려운 일 따위를) 잘 해내다

(예) *pull off* one's boots 장화를 벗다 // *pull* the scheme *off* 계획을 성사시키다

pull on (옷·장갑·양말 따위를) 잡아당겨 입다〔끼다, 신다〕

(예) *Pull* your gloves *on* quickly. 빨리 장갑을 끼어라.

pull out 뽑다, 빼내다; 끌어내다; (기차 따위가) 역을 발차하다

(예) He *pulled out* a blade of grass from the lawn. 그는 잔디에서 풀잎 하나를 뽑았다.

Pull·man [púlmən] [명] 〔철도〕 풀먼식 차《침대 따위의 설비를 갖춘 특별차》

pull·o·ver [púlòuvər] [명][형] 풀오버(식의)《머리로부터 입는 스웨터 따위》

pulp [pʌlp] ⓜ 펄프; 과육(果肉)
pul·pit [púlpit] ⓜ 설교단; [the p-] 목사; 설교, 종교계
◇**pulse** [pʌls] ⓜ 맥박, 고동; 펄스 ⓙⓣ 맥이 뛰다, 고동하다(=throb)
[파] **pulsate** [pʌ́lseit / pʌlséit] ⓙ 고동하다 **pulsátion** ⓜ 계(動悸), 고동
*◇**pump** [pʌmp] ⓜ 펌프; 가벼운 무도화(舞蹈靴) ⓣ 펌프로 푸다
NB pomp「화려」와 혼동하지 말 것.
◇**pump·kin** [pʌ́mpkin] ⓜ 호박
◇**punch** [pʌntʃ] ⓣ 구멍을 뚫다, (표 따위를) 가위로 찍다 주먹으로 치다(=hit) ⓜ 구멍 뚫는 기구; 펀치《알코올 은 음료》
◇**punc·tu·al** [pʌ́ŋktʃuəl] ⓗ 시간을 엄수하는, 시간을 어기지 않는
[반] unpúnctual 시간을 지키지 않는
[파] ◇**púnctually** ⓑ 시간대로, 정각에 ◇**punctuálity** ⓜ 시간 엄수
punc·tu·ate [pʌ́ŋktʃuèit] ⓣⓙ 구두점을 찍다
[파] ***punctuátion** ⓜ 구두법, 구두점
punc·ture [pʌ́ŋktʃər] ⓜ 찌른 구멍; 빵꾸 ⓣⓙ 찌르다(=prick); 빵꾸나다
*◇**pun·ish** [pʌ́niʃ] ⓣ 벌하다, 응징하다; 혼내주다

▶ **230.** 접미어 **ish** — 동사를 만든다. (예) pun*ish*

[반] rewárd 보답하다
(예) *punish* a boy for his mischief 소년의 장난을 벌하다 // Murder is *punished* by death. 살인은 사형의 벌을 받는다.
[파] **púnishable** ⓗ 벌 주어야 할 *◇**púnishment** ⓜ 벌, 처벌, 형벌 **punitive** [pjú:nətiv] ⓗ 형벌의
pu·pa [pjú:pə] ⓜ《*pl.* **-pas, -pae** [-pi:]》번데기
☆**pu·pil** [pjú:pəl] ⓜ 학생, 제자; 눈동자, 동공(=apple of the eye)
[반] máster 선생, 주인
[어법] 주로 중학생 이하를 말한다. (*cf.* student)
pup·pet [pʌ́pit] ⓜ 꼭두각시; 앞잡이, 괴뢰
◇**pup·py** [pʌ́pi] ⓜ 강아지(=young dog, pup)
*◇**pur·chase** [pə́:rtʃəs]* ⓣ 사다(=buy); (노력하여) 얻다(=acquire at cost) ⓜ 구입, 구매, 사들인 물건; 획득
[반] sell 팔다
(예) *purchasing* power 구매력
[파] **púrchaser** ⓜ 사는 사람, 구입자(=buyer)
*◇**pure** [pjuər] ⓗ 순수한; 순결한, 결백한
[반] impúre 불순한, wícked 사악한
(예) *pure* and simple 순전한, 섞인 것이 없는, 티없는
[파] ***púrely** ⓑ 순수하게 **púreness** ⓜ 순수, 청순 ◇**puri**fy [pjúərəfai] ⓣ 깨끗하게 하다, 정화하다, 정제하다 ◇**pu**rificátion ⓜ 정화, 정제; 정죄(淨罪)의 의식 **púrity** ⓜ

수, 청정, 순결, 결백, 순정

purge [pəːrdʒ] ㉮ (심신을) 깨끗하게 하다, 정화하다(=cleanse); 숙청하다, 추방하다 ㉯ 정화; 숙청, 추방
㉰ **purgée** ㉯ 추방당한 사람

Pu·ri·tan [pjúəritən] ㉯ 청교도; [p-] (종교·도덕적으로) 엄격한 사람 ㉱ 청교도의〔같은〕; 엄격한
㉰ **puritanic(al)** [pjùəritǽnik(əl)] ㉱ 청교도적인, 금욕적인 **Púritanism** ㉯ 청교도(주의); [P-] 엄정(嚴正)주의

pur·ple [pə́ːrpəl] ㉱ 자줏빛의; 제왕의, 고귀한 ㉯ 자줏빛 ㉲㉮ 자줏빛이 되다, 자줏빛으로 하다
㉰ **púrplish** ㉱ 자줏빛 나는

pur·port ㉯ [pə́ːrpɔːrt / pə́ːpət] 의미(=meaning), 취지; 목적 ㉮ [pərpɔ́ːrt] 의미하다, 뜻하다(=mean)

pur·pose [pə́ːrpəs] ㉯ 목적(=aim); 의지(=intent); 효과(=effect), 요령 ㉮ ~하려고 생각하다(=intend)
(예) for this 〔that〕 *purpose* 이〔그〕 목적으로
㉰ **púrposeful** ㉱ 목적이 있는, 중대한 **púrposeless** ㉱ 목적이 없는, 무의미한 ***púrposely** ㉳ 고의로

for the purpose of ~의 목적으로, ~을 위하여(=with a view to)
(예) He bought the land *for the purpose of* building his store on it. 그는 점포를 질 목적으로 그 땅을 샀다. (*cf.* for the sake of)

on purpose 고의로, 일부러(=intentionally, purposely)
(예) He did it *on purpose.* 그는 고의로 그것을 했다. // He says such things *on purpose* to annoy me. 그는 나를 괴롭히려고 일부러 그런 말을 한다.

serve* 〔*answer*〕 *one's purpose 목적에 합치하다, 소용에 닿다
(예) He is a man who does not *serve* my *purpose.* 그는 나에게는 소용없는 사람이다.

to no* 〔*little*〕 *purpose 전연〔거의〕 효과 없이, 헛되이
(예) You must not risk your life *to no purpose.* 전혀 헛되이 목숨을 걸어서는 안 된다.

NB *to the purpose* 는 「목적에 알맞게」「유효하게」의 뜻.

purr [pəːr] ㉲㉮ (고양이 따위가) 그르렁거리다; 목을 울려 알리다 ㉯ 그르렁거리는 소리

purse [pəːrs] ㉯ 지갑; 돈(=money); 기부금 ㉮㉲ (입 따위를) 오므리다
(예) He *pursed* up his lips. 그는 입을 오므렸다.
㉰ **púrser** ㉯ (배·비행기 따위의) 사무장

pur·sue [pərsúː / -sjúː] ㉮㉲ 추적하다(=chase), 추구하다; 수행하다(=prosecute); 종사하다; 속행하다; 따르다(=follow)
㉴ pur(=forth)+sue(=follow)
(예) *pursue* one's object 목적을 추구하다 // *pursue* one's studies 연구에 종사하다
㉰ **pursúance** ㉯ 추구, 종사 **pursúer** ㉯ 추구자, 종사자

(⇨) **pursuit**

*◇**pur·suit** [pərsúːt / pəsjúːt] ⓜ 추적; 수행; 종사; 직업; 연구
(예) the *pursuit* of happiness 행복의 추구

in pursuit of ~을 추적하여, ~을 추구하여
(예) We spent the whole day *in pursuit of* game. 우리는 사냥감을 찾아 온종일을 보냈다.

***push** [puʃ] ㉕㉗ 밀다(=press forward), 밀고 나아가다(=impel); 무리한 것을 요구하다, 강요하다 ⓜ 밂, 밀기, 압력; 진취적 기상
㉥ pull 잡아당기다
(예) ◇*push* the door open 문을 밀어서 열다 // at one *push* 한 번 밀어서 // Don't *push* him *for* payment. ↔ Don't *push* him *to* pay. 그에게 지불을 강요하지 마라.
㉤ ◇**púsher** ⓜ 미는 사람〔물건〕 ◇**púshcart** ⓜ 〖미〗 (행인·장보기용) 미는 손수레; 〖영〗 유모차 **push button** (초인종 따위의) 누름단추(*push-button* war 버튼 전쟁)

◇***push forward*** 추진하다; 전진하다; ~에 사람의 주의를 끌다
(예) The work will be *pushed forward* with the utmost despatch. 그 일은 대지급으로 추진하겠다. // His book *pushed* the idea *forward*. 그의 책으로 그 사상이 사람들의 주목을 끌었다.

puss [pus] ⓜ 〖애칭〗 고양이(=cat); 〖구어〗 소녀

puss·y [púsi] ⓜ 〖어린이말〗 고양이

☆**put** [put] ㉕㉗ 《***put***》 두다(=place); ~시키다(=cause); 말로 나타내다(=express); 맡기다(=entrust); 평가하다(=rate); 나아가다(=proceed); 던지다(=throw)
(예) *put* to death 죽이다 // *put* a room in order 방을 정돈하다 // ◇*put* Korean *into* English 한국말을 영어로 번역하다 // *put* him to shame 그를 창피하게 하다 // *put* trust in ~을 믿다 // ◇*put* it in another way 달리 말하면 // ◇*put* the child *into* his uncle's hands 아이를 삼촌 손에 맡기다 // We *put* through the project. 우리는 그 계획을 완성했다.

put aside 〔***away***〕 제쳐놓다, 치우다
(예) If you want the article, I will *put* it *aside* for you. 이 물건이 필요하시다면 따로 놓아 두겠습니다. // Children should be taught to *put away* their things. 아이들은 자기 물건을 치우도록 교육을 받아야 한다.

put by 떼어〔남겨〕 두다; 저축하다
(예) *put by* money for a rainy day 만일의 경우에 대비하여 돈을 저축하다

◇***put down*** 내려놓다; 진압하다; (가격 따위를) 떨어뜨리다; (지위·권력을) 빼앗다; (…의 원인을) ~에 돌리다; 적(어 두)다
(예) *put down* a rebellion 반란을 진압하다 // *put* it *down* to his nervousness 그것을 그의 신경질 탓으로 돌리다 // *put down* one's expenditure 경비를 절약하다 // He *p*

down everything she said. 그는 그녀가 말한 것을 모두 적었다.

put forth 제의하다; 싹트다; (힘·수완을) 발휘하다
(예) About June this plant *puts forth* fresh leaves. 6월 경에 이 나무는 새 잎이 나온다.

put forward ~을 눈에 띄게 하다, ~을 제안〔제창〕하다, 말하다, (시곗바늘 따위를) 나아가게 하다; 추천〔천거〕하다
(예) *put forward* an amendment 수정안을 제출하다 // *put* oneself *forward* (as a candidate) 입후보하다

put off* 연기하다(=postpone); 출발하다(=depart); 벗다; 떼어버리다(=take off); 방해하다
(예) Never *put off* till tomorrow what you can do today. 오늘 할 수 있는 일은 내일로 미루지 마라. // Don't *put off* do*ing* your assignment. 숙제하는 것을 미루지 마라.

P

put on* (몸에) 걸치다, 입다; (속도·체중 따위를) 늘리다; ~을 가장하다, ~인 체하다(=assume)
(예) *put on* speed 속도를 늘리다 // *put on* an air of dignity 짐짓 존엄한 체하다
[어법] put on의 반대 어구는 take off이다. put on은 동작을 나타내지만, 「입고 있다」는 have on, wear이다.

put out* 내다, 발표하다; (불을) 끄다(=extinguish); 출항하다
(예) They *put out* the fire with the help of their neighbors. 그들은 이웃 사람들의 도움으로 불을 껐다.

put to use 사용하다, 이용하다(=make use of)
(예) *Put* it *to* the best *use*. 그것을 최대로 잘 이용하여라.

put together ~을 조립하다, 편찬하다; 합계하다
(예) He is worth you and me *put together*. 그는 너와 나를 합친 만큼의 값어치가 있다.

put up ~을 올리다, (텐트를) 치다, 설치하다; (자금을) 마련하다; 팔려고 내놓다
(예) The capital was *put up* by the Bank of Korea. 그 자금은 한국 은행이 마련했다. // He *put up* all his pictures for sale. 그는 자기 그림을 팔려고 다 내놓았다. // Let's *put up* the tents at once. 즉시 텐트를 칩시다.

put up at ~에 숙박하다
(예) He *put up at* an inn for the night. 그날 밤 여인숙에 묵었다.

put up with* ~을 참다, 견디다(=endure)
(예) I cannot *put up with* this toothache any longer. 이 치통에 더 이상 견딜 수가 없다.

puz·zle [pʌ́zl] ㊔ 난문제(=hard question); 수수께끼(=riddle); 당황 ㊍㊋ 당황시키다(=perplex); 풀다(=solve) [~ out]
(예) I am *puzzled* as to what to do. 나는 어찌할 바를 모른다. // The problem *puzzled* me. ↔ I was *puzzled* by the problem. 그 문제에는 두 손 들었다.

파 **púzzlement** 명 당황 ◇**púzzled** 형 당황한, 어찌할 바 모르는 ◇**púzzling** 형 당황하게 하는, 영문 모를
pyg·my [pígmi] 명 난쟁이; [P-] 아프리카의 왜소한 흑(족) 형 난쟁이의, 키가 아주 작은
◇**pyr·a·mid** [pírəmìd] 명 피라미드; 금자탑
파 **pyramidal** [pirǽmədl] 형 각뿔〔각추〕꼴의, 피라미드 양의

quack [kwæk] 명 꽥꽥 《오리가 우는 소리》; 돌팔이 의 자 꽥꽥 울다; 엉터리 치료를 하다
quad·ran·gle [kwɑ́dræ̀ŋgəl / kwɔ́d-] 명 4 각형, 사변형
quad·ru·ple [kwɑdrú:pl / kwɔ́drupl] 형 4 배의, 네 겹으 4부〔사람으〕로 된 명 4 배(수), 4 배의 양 타 자 4 배로 다〔되다〕
quail [kweil] 명 〖새〗 메추라기
◇**quaint** [kweint] 형 기묘한, 별스러운(=queer, odd)
quake [kweik] 자 진동하다(=shake), 흔들리다 명 흔들림, 진동, 떨림; 지진(=earthquake)
(예) The earth *quaked.* 지면이 흔들렸다. // *quake* wi fear 무서워서 떨다
Quak·er [kwéikər] 명 퀘이커 교도, 프렌드 회원
*◇**qual·i·fy*** [kwɑ́ləfài / kwɔ́l-] 타 자 자격을 주다; ~으로 주하다; 제한하다; 〖문법〗 수식하다(=modify)
반 disquálify ~의 자격을 빼앗다
(예) a *qualifying* examination 자격〔검정〕 시험 // He *qualified to* teach 〔*for* teaching〕 French. ↔ He is *qualifie as* 〔*to be*〕 a teacher of French. 그는 프랑스어를 가르 자격이 있다.
파 *◇**qualification** [kwɑ̀ləfəkéiʃən / kwɔ̀l-] 명 자격(증명서) 면허(장); 제한, 수정 **quálified** 형 자격이 있는, 조건부 (⇨) **quality**
*◇**qual·i·ty** [kwɑ́ləti / kwɔ́l-]* 명 질, 특성, 품질, 양질(良質)
반 quántity 수량
(예) goods of *quality* ↔ *quality* goods 양질의 물건
파 **quálitative** 형 성질상의
*◇**quan·ti·ty** [kwɑ́ntəti / kwɔ́n-] 명 양(=amount), 액; 《*pl* 다수, 다량
(예) a large 〔small〕 *quantity* of water 다량〔소량〕의 물 an unknown *quantity* 미지수
파 **quántitative** 형 분량상의
◇***in quantities*** 〔***quantity***〕 많이, 다량으로
(예) He buys things *in quantities.* 그는 물건을 많이 산다
*◇**quar·rel** [kwɔ́:rəl, kwɑ́r- / kwɔ́r-] 명 말다툼; 싸움; 불

(=disagreement) [자] 《**-reled, -relled**》 말다툼하다, 다투다; 불평하다, 나무라다[~ with]
[반] ámity 친목
(예) He always *quarreled with* her about trifles. 그는 항상 사소한 일로 그 여자와 다투었다. // A bad workman *quarrels with* his tools. 〔속담〕 서투른 무당이 장구 탓한다.
[파] **quárrelsome** [형] 말다툼 잘 하는, 성 잘 내는; 시비조의
quar·ry [kwɔ́:ri, kwɑ́ri / kwɔ́ri] [명] 채석장; 사냥감 [타] 돌을 떠내다
quart [kwɔ:rt] [명] 쿼트 《액체량의 단위; 4분의 1 갤런, 약 1.14 리터》
quar·ter [kwɔ́:rtər] [명] 4분의 1; 방위, ~가(街); 지역; 《*pl.*》 숙소 (*cf.* half 반, 30 분) [타] 4(등)분하다; 숙영시키다
(예) a *quarter* to one 1 시 15 분 전 // from every *quarter* 사방에서
[파] **quárterly** [부][형] 연 4 회로〔의〕 [명] 연 4 회 간행물, 계간잡지
quartz [kwɔ:rts] [명] 〔광물〕 석영
qua·ver [kwéivər] [자][타] 진동하다, 떨리게 하다 [명] 떨리는 소리
quay [ki:] 〈동음어 key〉 [명] 선창, 부두, 방파제
queen [kwi:n] [명] 여왕, 왕비(*cf.* king 왕) [자][타] 여왕처럼 행동하다
[반] king 왕
[파] **quéenly, quéenlike** [형] 여왕의, 여왕 같은 **queen bee** 여왕벌
queer [kwiər] [형] 묘한(=odd); 의심스러운(=doubtful)
[파] **quéerness** [명] 기묘함 **quéer-lóoking** [형] 이상하게 보이는
quench [kwentʃ] [타] (갈증을) 없애다; (불을) 끄다
que·ry [kwíəri] [명] 질문(=question) [타] 질문하다
quest [kwest] [명] 탐색(=search), 추구 [자][타] 탐구하다(=search) [~ for]
in quest of ~을 찾아서
(예) He went off *in quest of* food. 그는 음식을 찾아 나섰다.
ques·tion* [kwéstʃən]* [명] 질문, 문제(=problem) [타][자] 질문하다(=inquire); ~에 의심을 품다(=doubt); 연구하다
(예) I asked him a *question*. ↔ I asked a *question of* him. ↔ I put a *question* to him. 나는 그에게 질문했다.
[파] ◇**quéstionable** [형] 의심스러운 **question mark** 물음표, 의문부(疑問符)
beyond (all) question 의심할 것도 없이, 물론
(예) *Beyond all question* you are right. 물론 네가 옳다.
in question 문제의, 당해(當該)의
(예) the person *in question* 당사자

Q

out of question 틀림없는, 확실한(=without doubt)
(예) Her success is *out of question.* 그녀의 성공은 틀림없다.
out of the question 문제가 안 되는, 논외의, 전연 불가능한(=quite impossible)
(예) Clearly their victory is *out of the question.* 명백하게 그들의 우승은 전연 불가능하다.
NB out of question 과의 구별을 확실히 해 둘 것.
◇***without question*** 의심할 것도 없이, 물론
(예) *Without question,* he is the best player in our team 틀림없이 그는 우리 팀에서 가장 훌륭한 선수이다.
queue [kjuː] 〈동음어 cue〉 명 변발(辮髮), 땋아 늘인 머리 (차례를 기다리는 차·사람의) 줄, 행렬 자 줄을 짓다 [~ up]
(예) stand in a *queue* 긴 행렬〔줄〕을 짓다 // *queue up* for a bus 버스를 타기 위해 줄을 짓다
*__quick__ [kwik] 형 빠른(=rapid), 기민한(=clever); 성급한 부 빨리
반 slow 느린, 느리게
(예) *quick* as thought 〔a flash, lightning〕 번개처럼 빨리 // Be *quick!* 빨리 해! // ◇He is *quick* to understand. 그는 이해가 빠르다.
어법 속도만이 아니고 동작도 민활한 것. 부사로서는 동사의 앞에 놓지 않는다.
파 **quícken** 타 자 속력을 더하다, 서둘게 하다(=hurry) 활기 띠게 하다; 되살아나(게 하)다, 소생하다, 빨라지다 (반 slácken 늦추다, slow down 속력을 떨구다; 속력이 떨어지다) *__quíckly__ 부 빨리 **quíck-éared** 형 귀가 밝은 빨리 알아듣는 **quíck-éyed, quíck-síghted** 형 눈이 빠른, 눈치가 빠른 **quíck-silver** 명 수은(=mercury) **quíck-témpered** 형 성급한 **quíck-wítted** 형 재치가 있는, 머리 회전이 빠른
(*be*) *quick at* ~이 빠른, ~을 잘 하는
(예) He *is quick at* figures. 그는 셈이 빠르다.
to the quick 통절히, 골수에 사무치게, 뼈저리게; 참으로, 순수하게
(예) My words touched him *to the quick.* 나의 이야기는 그의 급소를 찔렀다.
*__qui·et__ [kwáiət] 형 고요한(=still), 얌전한(=gentle); 평온한(=peaceful) 명 고요, 평정(平靜), 정적(靜寂) 타 자 조용하게 하다(=calm), 달래다(=soothe); 가라앉다
반 disquíet 불안(하게 하다)
파 *__quíetly__ 부 조용히 ◇**quíetness, quíetude** 명 정적, 고요
◇**quilt** [kwilt] 명 누비이불, 침대에 덮어 두는 천 타 (속을 넣어) 누비다
◇**quit** [kwit] 타 《***quitted, quit***》 떠나다(=leave), 포기하다; 그만두다(=stop) 형 용서되어; 면제되어 [~ of]

어법 형용사로는 명사 앞에 쓰이지 않는다.

quite [kwait] ㊫ 아주(=completely), 충분히; 거의(=almost); 확실히, 꽤

(예) ◦He's *quite* an artist. 그는 꽤 알려진 예술가〔화가〕이다. // ◦She is *quite* a woman. 그녀는 이제 제법 숙녀티가 난다.

어법 not *quite* right(아주 옳지는 않다)와 같이 부정어를 수반하면 부분 부정.

***quite a few* 〔*little*〕** 〖미〗 상당수〔량〕의

(예) He knows *quite a little* about it. 그는 그 일에 대해 어지간히 알고 있다.

quiv·er [kwívər] ㉶㉣ 떨다, 떨게 하다(=shake), 흔들리다 ㊔ 진동; 전율

quiz [kwiz] ㊔ 《*pl.* ***quizzes***》 간단한 시험(=question), 질문; 퀴즈

quote [kwout] ㉣㉶ 인용하다(=cite), 예시하다

파 ***quotation** [kwoutéiʃən] ㊔ 인용(문, 구); 시세, 시가

(예) *quotation* marks 인용부, 따옴표(" ", ' ')

R

rab·bit [rǽbit] ㊔ (집)토끼

반 hare 산토끼

(예) run like a *rabbit* 혼비백산하여 달아나다

ra·bies [réibiːz] ㊔ 〖의학〗 광견병, 공수병

race [reis] ㊔ 경주, 경마; 경쟁(=contest); 민족(=tribe), 인종; 급류(急流) ㉶㉣ 경주하다, 경쟁하다(=compete)

(예) run a *race* 경주하다 // the white *race* 백인종 // the *race* problem 인종 문제 // the human *race* 인류 // a man of noble *race* 고귀한 집안의 사람

파 ***racial** [réiʃəl] ㊗ 인종(상)의 **rácially** ㊫ 인종상 **rácial-ism** ㊔ 인종주의 ◦**rácism** ㊔ 민족〔인종〕 차별주의; 인종적 편견 **rácer** ㊔ 경주자; 경마말 **rácing** ㊔ 질주(疾走) 경기 ㊗ 경주용의 **rácecourse** ㊔ 경주로 **race horse** 경주말(=racer)

rack [ræk] ㊔ 그물 시렁, 선반; 고문(대) ㉣ 고문하다, 고통을 주다(=torture); (소작인을) 착취하다; (머리 따위를) 짜내다; 선반에 얹다

(예) *rack* one's brains 머리를 짜내다

rack·et [rǽkit] ㊔ 라켓(NB racquet 라고도 쓴다); 소동, 법석(=noisy talk and play) ㉶ 법석을 떨다

파 **racketéer** ㊔ 〖미〗 공갈자, 협박자, 부정한 돈벌이를 하는 사람

ra·dar [réidaːr] ㊔ 레이더, 전파 탐지기

원 *ra*dio *d*etecting *a*nd *r*anging

ra·di·ant [réidiənt] ㊗ 빛나는(=bright), (눈·안색이) 빛

나는, 밝은; (두뇌가) 명석한; 방사하는
파 **rádiance, -cy** 명 광휘
◇**ra·di·ate** [réidièit] 타 자 (빛·열 따위를) 방사하다, 방출하다(=emit), 발산하다(=send forth)
파 **rádiator** 명 복사체, 방열체, 라디에이터, (자동차의) 냉각 장치 ◇**radiátion** 명 복사(輻射), 방사; 빛남(*radiation* injury 방사능 상해)
***rad·i·cal** [rǽdikəl] 형 근본적인(=fundamental); 급진적인(=extreme) 명 [R-] 급진당원
반 pártial 부분적인, superfícial 표면적인, consérvative 보수적인 「히
파 **rádicalism** 명 급진주의 **rádically** 부 근본적으로, 철저
*ra·di·o** [réidiou] 명 《*pl.* ***-os***》 라디오, 무선 전화〔전신〕(=wireless) 자 타 (무선) 방송을 하다, 무전을 치다
(예) by *radio* 무선으로 // listen to the *radio* 라디오를 듣다 // *radio* control 무선 조종
NB 영국에서는 「라디오」를 wireless 라고 할 때가 많다.
파 **radioáctive** 형 방사성의, 방사능이 있는 **radioactívity** 명 방사능 **rádiogram** 명 무선 전보 **radiográmophone** 명 라디오 겸용 전축 **radioísotope** 명 방사성 동위 원소
hear ~ on 〔over〕 the radio ~을 라디오로 듣다
(예) I *heard* the news *over* 〔*on*〕 *the radio.* 그 소식을 라디오로 들었다.
◇**rad·ish** [rǽdiʃ] 명 무
◇**ra·di·um** [réidiəm] 명 〖화학〗 라듐
ra·di·us [réidiəs] 명 《*pl.* ***-dii*** [-diài], ***-diuses***》 〖수학〗 반지름, 반경; 복사선; 범위
(예) within a *radius* of two miles of ~에서 반경 2마일 이내에
◇**raft** [ræft / rɑːft] 명 뗏목, 유목(流木) 타 자 뗏목으로 짜다, 뗏목으로 건너다
***rag** [ræg] 명 넝마, 누더기
(예) a man in *rags* 누더기를 입은 사나이
파 ◇**ragged** [rǽgid] 형 누더기를 입은; 울퉁불퉁한
rágman 명 《*pl.* -men》 넝마쟁이〔주이〕

> ▶ **231. 접미어 ed**
> 명사에 붙여 「~를 가진」 「~의 특징이 있는」의 뜻의 형용사를 만든다. (예) ragg*ed*, quick-witt*ed*(기지에 찬) 등.

*◇**rage** [reidʒ] 명 격노(=violent anger, fury); 열광(=great enthusiasm); 대유행 자 타 미친 듯이 날뛰다; 화나게 하다
반 calm 고요함
(예) fly into a *rage* 버럭 화를 내다 // ◇in a *rage* 불끈 노하여 // It is quite 〔all〕 the *rage.* 그것은 대유행이다.
파 **ráging** 형 미친 듯이 날뛰는
◇**raid** [reid] 명 (불의의) 습격(=sudden attack), (경찰관들의) 급습 자 타 습격하다 [~ into], 침입하다(=invade)
파 **ráider** 명 급습자, 침입〔침략〕자
*◇**rail** [reil] 명 레일; 난간; 철도 타 자 레일을 깔다; 울타리를 두르다; 욕하다[~ at]

[파] ◇ **ráiling** [명] 난간; 욕지거리
*◇**rail·road** [réilròud] [명] 〔미〕 철도 [타][자] 철도를 놓다, 열차로 여행하다 [형] 철도의
*◇**rail·way** [réilwèi] [명] 〔영〕 철도; 〔미〕 시가(市街) 궤도 [타][자] 철도를 놓다, 기차 여행을 하다 [형] 철도의
rai·ment [réimənt] [명] 의류, 의복
☆**rain** [rein] 〈동음어 reign, rein〉 [명] 비; [the rains] 우기(=rainy season) [자][타] 비가 내리다, 빗발치듯 퍼붓다
(예) walk in the *rain* 빗속을 걷다 // a heavy *rain* 큰비 // *rain* cloud 비구름 // *rain* water 빗물 // be caught in the *rain* 비를 만나다 // Do you have much *rain* in England? 영국에는 비가 많이 옵니까?
[파] ◇ **ráiny** [형] 비가 많은, 비가 내리는 (*rainy* season 우기, 장마철) ◇ **ráinbow** [명] 무지개 **ráincap** [명] 우천용 모자 **ráincoat** [명] 비옷 ◇ **ráindrop** [명] 빗방울 ◇ **ráinfall** [명] 강우, 강우량 **ráinproof, ráintight** [형] 방수(防水)의 ◇ **ráin-storm** [명] 폭풍우
rain cats and dogs 비가 억수로 쏟아지다
(예) It is *raining cats and dogs.* 비가 억수로 쏟아지고 있다.
◇ ***rain or shine*** 청우(晴雨)에 관계 없이
(예) Come *rain or shine.* 비가 오든 안 오든, 무슨 일이 있어도 오시오. // I'll be there, *rain or shine.* 어떤 일이 있어도 거기에 가겠다.
*◇**raise** [reiz]* [타] 올리다(=lift up), 일으키다; 승진시키다; 세우다; 모집하다, 조달하다; (힘을) 북돋우다, 성나게 하다; 기르다
[반] lówer 내리다
(예) *raise* a laugh 웃기다 // *raise* money 돈을 조달하다 // *raise* cattle 소를 키우다 // *raise* a question 질문하다 // *raise* him *to* the peerage 그를 귀족으로 만들다 // She *raised* him *from* his knees. 그녀는 무릎 꿇고 있는 그를 일으켜 세웠다. // *raise* one's voice *against* ～에 대하여 항의하다
[어법] ① 자동사는 rise《비슷한 예(例) [자] lie—[타] lay》 ② *raise*는 넓은 뜻의 일반적인 말로서 비유적으로 씀. *lift* 는 주로 무거운 것을 들어 올리기. *elevate* 는 정신적으로 높이는 뜻으로 많이 쓰인다.
[파] **raised** [형] 한층 높게 한; 양각(陽刻)의 **ráiser** [명] 사육자
rai·sin [réizn] [명] 건포도(=dried grape)
rake [reik] [명] 갈퀴; 고무래 [자][타] 갈퀴로 긁다, 긁어 모으다
◇**ral·ly** [rǽli] [자][타] 다시 모으다; 회복하다; (테니스 따위에서) 계속적으로 서로 맹타를 가하다 [명] 재거(再擧), 집합, 대회(=meeting)
◇**ram** [ræm] [명] 숫양(=male sheep) (*cf.* ewe 암양)
◇**ram·ble** [rǽmbl] [자] 어슬렁어슬렁〔한가롭게〕 거닐다; 두서없이〔만연히〕 이야기하다, 붓가는 대로 쓰다 [명] 소요, 산책
(예) We *rambled* here and there through the woods. 우리는 숲사이를 이리저리 거닐었다.

R

파 **rámbler** 명 소요〔산책〕하는 사람; 농담하는 사람 **rámbling** 형 어슬렁어슬렁 거니는(=strolling); 산만한

ram·part [rǽmpɑːrt] 명 누벽(壘壁), 성벽; 수비(자), 방어(물) 타 누벽〔성벽〕을 두르다; 방어하다

◇**ranch** [ræntʃ / rɑːntʃ] 명 〖미〗 농장, 목장(=pasture)

파 **rǽncher** 명 목장 감독; 농장 주인

ran·co(u)r [rǽŋkər] 명 원한, 적의(敵意), 증오

ran·dom [rǽndəm] 형 닥치는 대로의, 되는 대로의

at random 닥치는 대로, 되는 대로

(예) He spoke *at random*. 그는 멋대로 지껄였다.

*◇**range** [reindʒ] 명 범위(=extent); 산맥(=chain of mountains); 사정(射程), 사격장 자타 ~에 걸치다〔미치다〕 [~ over, ~ from... to]; 걸어다니다; 가지런히 하다(=arrange); 평행하다; 조준하다

(예) a *range* of mountains ↔ a mountain *range* 산맥 // a *range* of buildings 한 줄로 늘어선 건물 // ◇a speaker who *ranges over* a wide variety of subjects 갖가지 광범위한 화제에 걸쳐 이야기하는 연사 // at long 〔short〕 *range* 원〔근〕거리에서 // ◇The boundary *ranges from* northwest *to* southwest. 경계는 북서쪽에서 남서쪽으로 나 있다.

파 ◇**ránger** 명 돌아다니는 사람, 산림관(山林官); 《*pl.*》 유격대원

within* 〔*out of*〕 *one's range ~의 손이 미치는〔미치지 않는〕; ~의 범위 안〔밖〕에

(예) *within* your *range* of vision 너의 시력이 미치는 범위 안에 // The price is not *within* my *range*. 그 값은 내 능력 밖이다.

*◇**rank** [ræŋk] 명 열(=row), 횡렬; 지위(=station), 계급, 높은 지위; 《*pl.*》 병졸 자타 나란히 세우다, 정렬시키다, 자리잡다 형 무성한; 악취가 나는; 하등의

반 file 종렬

(예) a man of high *rank* 고위층의 사람 // rise from the *ranks* 병졸에서 승진하여 장교가 되다; 낮은 신분에서 출세하다 // *rank* second 2위를 차지하다

파 ◇**ránking** 명 등급 매기기; 서열 형 상급의, 간부의, 일류의

rank and file 병졸, 보통 사람, 하층민

ran·som [rǽnsəm] 명 속전(贖錢), 배상금; 속죄; 해방 타 배상하다, 속전을 ~로부터 받다; 속죄하다

(예) a King's *ransom* 굉장히 많은 돈

◇**rap** [ræp] 자타 똑똑 두드리다 명 똑똑 두드림, (문·책상 따위를) 세게 두드리는 소리

(예) *rap* on the door 문을 똑똑 두드리다

*◇**rap·id** [rǽpid] 형 빠른(=quick, swift); 급한; 가파른(=steep) 명 《보통 *pl.*》 급류(急流)

반 slow, tárdy 느린

파 *◇**rápidly** 부 신속하게 **rapídity** 명 신속 **rapid-fire gun**

속사포

rapt [ræpt] ㊀ 넋을 잃은, 황홀한; 몰두하고 있는(=absorbed) [~ in]; 열중하여 정신이 없는

rap·ture [rǽptʃər] ㊁《종종 *pl.*》 광희(狂喜), 환희(=ecstasy) ㊂ 미칠 듯이 기쁘게 하다
(예) fall into *raptures* over ~에 넋을 잃다 // be in *raptures* 미칠듯이 기뻐하다
㊄ **rápturous** ㊀ 미칠 듯이 기뻐하는, 기뻐 날뛰는

***rare** [rɛər] ㊀ 드문(=scarce), 진귀한; 희박한(=thin)
㊅ órdinary 보통의, dense 농후한, 짙은
(예) on *rare* occasions 간혹 // a *rare* beauty 보기 드문 미인 // It is of *rare* occurrence. 그것은 좀처럼 없는 일이다.
㊄ (⇨) **rarely. rarity** [rɛ́əriti] ㊁ 진품, 진기한 물건

***rare·ly** [rɛ́ərli] ㊆ 드물게, 좀처럼 ~ 안 하는(=seldom)
㊅ óften 자주
(예) It *rarely* rains in this district. 이 지방에는 거의 비가 내리지 않는다.

ras·cal [rǽskəl / rɑ́ːs-] ㊁ 불량배, 악한(=bad man)
㊄ **ráscally** ㊀ 악당의, 무뢰한의 **rascálity** ㊁ 나쁜 짓, 악당 근성

rash [ræʃ] ㊀ 성급한, 경솔한(=hasty) ㊁ 발진(發疹)
(예) It was *rash* of him to promise it. 그가 약속을 한 것은 경솔한 짓이었다.

rasp·ber·ry [rǽzbèri / rɑ́ːzbəri] ㊁〖식물〗나무딸기

***rat** [ræt] ㊁ 쥐, 시궁쥐(*cf.* mouse 생쥐)
㊄ **ráttrap** ㊁ 쥐덫; 난국

> **▶ 232. 「쥐」의 유사어**
> **rat**는 **mouse**(새앙쥐)보다 크며, 시궁쥐·집쥐의 종류. 영국에서는 집에 있는 쥐는 mouse이고 고양이가 잡으며, rat는 테리어(terrier)로 하여금 잡게 한다.

***rate** [reit] ㊁ 비율, 율(=ratio); 속도; 등급(=grade); 요금(=charge); 《*pl.*》〖영〗지방세 ㊂㊇ 어림잡다, 평가하다(=estimate), 일정한 값을 매기다; 과세하다
(예) at a rapid 〔great〕 *rate* 빠른 속도로 // exchange *rate* ↔ *rate* of exchange 환율 // the birth 〔death〕 *rate* 출생〔사망〕률 // This novel is *rated* among the best. 이 소설은 가장 좋은 소설의 하나로 평가된다.

****at any rate*** 좌우간, 하여튼(=at all events)
(예) I will come *at any rate*. 무슨 일이 있어도 오겠다.

at the* 〔*a*〕 *rate of ~의 율로, ~의 속력으로
(예) *at the rate of* nineteen miles a second 초속 19마일의 속도로 // The river is washing away the soil *at the rate of* one inch a year. 강물에 땅이 매년 1인치씩 쓸려 내려가고 있다.

***rath·er** [rǽðər / rɑ́ːðə] ㊆ 오히려, 차라리, 어느 정도(=not very); 〖구어〗물론(=certainly); 상당히
(예) He is *rather* an old man. ↔ He is a *rather* old man.

그는 꽤 나이가 든 노인이다. // I would *rather* stay. 난 오히려 집에 있겠다. // I would *rather* not go. 난 차라리 가고 싶지 않다.

어법 관사의 위치는 *a* rather old man 이 미국식, rather *an* old man 은 영국식 영어에 많음.

*◇**would 〔had〕 rather ~ than** …하느니 차라리 ~하는 편이 좋다

(예) I *would rather* die *than* disgrace myself. 치욕을 당하느니 차라리 죽어버리겠다. (↔I prefer death to disgrace.)

어법 I would rather you *went.* (네가 가 주었으면 하는데)와 같이 S+V의 형식이 계속된 경우는 가정법의 형식으로 됨에 주의.

rat·i·fy [rǽtəfài] 타 비준하다(=sanction); 확증하다(=confirm)

파 **ratificátion** 명 비준, 재가(裁可)

ra·tio [réiʃou / réiʃiou] 명 비(=proportion), 비율(=rate)

ra·tion [rǽʃən] 명 배급(량); 할당(량); 《*pl.*》 양식(=provisions) 타 (배급 제도로) 할당하다

*◇**ra·tion·al** [rǽʃənəl] 형 이성적인, 합리적인(=reasonable)

반 irrátional, unréasonable 불합리한

파 **rátionalism** 명 합리주의 **rátionalize** 타 자 합리화하다 **rátionally** 부 합리적으로, 이성적으로

*◇**rat·tle** [rǽtl] 자 타 왈강달강〔덜걱덜걱〕 소리나다, 입싸게 지껄이다 명 왈강달강, 재잘거림, 수다스러움

파 **ráttling** 형 왈강달강 소리나는 **ráttlebrain** 명 덜렁대는 수다쟁이 ◇**ráttlesnake** 명 방울뱀

rav·age [rǽvidʒ] 명 황폐(=ruin) 자 타 황폐해지다, 황폐케 하다

(예) a face *ravaged* by grief 슬픔으로 초췌해진 얼굴

◇**rave** [reiv] 타 자 정신 없이 지껄이다, 헛소리를 하다, 소리지르다, 기뻐 날뛰다, 사납게 날뛰다(=rage) 명 (바람·파도 따위의) 노호(怒號), 광란

◇**ra·ven** [réivn] 명 갈가마귀 형 새까만

rav·en·ous [rǽvənəs] 형 게걸스럽게 먹는, 탐욕스러운(=greedy)

ra·vine [rəvíːn] 명 산협(山峽), 협곡

rav·ish [rǽviʃ] 타 황홀케 하다(=enrapture); 강탈해 가다(=carry away by force), 폭행하다

파 **rávishing** 형 황홀케 하는, 매혹적인 **rávishment** 명 황홀하게 함; 강탈

*◇**raw** [rɔː]★ 형 생〔날〕것의(=uncooked), 원료 그대로의; 미숙한; 살갗이 벗어진; 〖구어〗 거친; 쌀쌀하게〔으스스〕 추운 명 생것, 날것; 살갗이 벗어진 곳, 아픈 곳

반 ripe 익은

(예) eat fish *raw* 고기를 날것으로 먹다 // *raw* material 원료 // *raw* weather 으스스 추운 날씨 // life in the *raw* 현실의 인생 // touch him on the *raw* 그의 약점〔아픈 곳〕

을 찌르다
파 **ráwboned** 형 뼈가 앙상한, 말라빠진
◇**ray** [rei] 명 광선, 방사선 자 타 방사하다(=radiate), 발하다; 광선을 비추다
(예) a *ray* of hope 한 가닥의 희망
ray·on [réiɑn / -ɔn] 명 레용, 인조견사
***ra·zor** [réizər] 명 면도칼
파 **razoredge** [réizərèdʒ] 명 면도날; 위기 ◇**rázor-sharp** 형 매우 날카로운; 매우 엄격한
☆**reach** [riːtʃ] 타 자 당도하다, 도착하다(=get to) (*cf.* arrive); 미치다, 달하다; 뻗다(=stretch out); 얻고자 애쓰다 명 뻗침, 뻗음; 미치는 범위〔능력〕
(예) as far as the eye can *reach* 눈이 미치는 한 // His hand *reached out* and held me. 그의 손이 뻗어나와 나를 잡았다. // *Reach* me that book.↔*Reach* that book *for* me. 저 책을 집어 주시오. // I can *reach* him by phone. 그에게 전화로 연락할 수 있다. // He *reached after* fame. 그는 명성을 얻으려고 애썼다.
어법 「도착하다」의 뜻에서는 타동사이니까 *reach* Seoul처럼 전치사 없이 쓰인다. 이 점이 *arrive in* 〔*at*〕 나 *get to* 등과는 다르다. 셋째번의 용례처럼 이중 목적어를 취할 때가 있다.
reach for ~을 잡으려고 손〔발〕을 뻗치다
(예) *reach for* a flower 꽃을 따려고 손을 뻗치다 // The man *reached for* his gun. 그 남자는 자기 총을 잡으려고 손을 뻗었다.
◇***within*** 〔***beyond, out of***〕 (***the***) ***reach of*** ~의 손〔힘〕이 미치는 〔미치지 않는〕 곳에
(예) Put the matches *out of* (*the*) *reach of* children. ↔ Put the matches *out of* children's *reach*. 성냥을 아이들 손이 닿지 않는 곳에 두어라.
***re·act** 자 [riǽkt] 반동하다(=act in return), 반응을 나타내다; 반작용하다 (NB re-act [ríːǽkt]는 재연하다)
파 (⇨) **reaction. reáctive** 형 반응의, 반동적인
***re·ac·tion** [riǽkʃən] 명 반동, 반작용; 반발; 〖화학〗 반응; 영향
파 **reáctionary** 형 반동의 명 반동주의자
☆**read** [riːd] 〈동음어 reed〉 자 타 《***read*** [red]》 읽다, 독서하다, 소리내어 읽다; 판단하다; ~이라고 써 있다
(예) *read* to oneself 소리내지 않고 읽다 // *read of* an accident 사고의 기사를 읽다 // *Read* me the passage. 그 귀절을 읽어 주시오. // I like to be *read* to. 남이 나에게 책을 읽어 주는 것을 좋아한다. // It *reads* as follows. 그 내용은 다음과 같다.
파 **réadable** 형 읽어서 재미나는, 읽기 쉬운 ***réader** 명 독자, 독서가; 교정원(=proofreader); 독본 ***réading** 명 독서, 읽을거리, 읽는 법 (a *reading* book 독본 a *reading* desk 독서대 a *reading* room 열람실; 교정실)
read between the lines 글〔말〕 속에 담긴 숨은 뜻을

R

읽다

read over ~을 대충 (다) 읽다

(예) I *read* the passage *over*. 나는 그 구절을 훑어보았다.

read·y [rédi] ⓗ 준비가 된(=prepared); 각오가 되어 있는, 기꺼이 ~하는 [~ to], 곧 ~하는 [~ to]; 신속한(=prompt), 알맞은 ⓣ 준비하다(=make ready)

반 unprepáred 준비 없는, tárdy 더딘

(예) a *ready* answer 즉답 // get the dinner *ready* 저녁 준비를 하다

파 ***readily** [rédili] ⓟ 쉽게; 기꺼이, 자진하여 ***readiness** [rédinis] ⓜ 준비; 신속, 자진해서 함 **réady-máde** ⓗ 기성(旣成)의, 미리 준비한 (a *ready-made* suit 기성복) **ready money** 맞돈, 현금(pay *ready money* 현금으로 지불하다) **réadymoney** ⓗ 현금의, 맞돈의 **réady-wítted** ⓗ 재치가 넘치는

(***be***) ***ready for*** ~의 준비〔각오〕가 되어 있는

(예) I *am ready for* death. 죽을 각오가 되어 있다.

*(***be***) ***ready to*** 막 ~하려고 하는(=be about to); 기꺼이〔자진해서〕 ~하는(=be willing to); ~할 준비가 되어 있는

(예) We *were ready to* take the ship for Panama. 우리는 파나마행 배에 탈 준비가 되어 있었다. // I *am* perfectly *ready to* agree with you. 나는 전적으로 너의 의견에 찬동한다.

get 〔***make***〕 ***ready for*** ~의 준비를 하다; ~의 각오를 하다

(예) *get ready for* dinner 저녁을 준비하다 // She *made* a room *ready for* guests. 그녀는 손님 맞을 방을 준비했다.

***re·al**★ [ríːəl, ríəl] ⓗ 실제의(=actual), 현실의, 진실의(=true); 부동산의 ⓜ [the r-] 실재물

반 idéal 관념적인, 이상의, pérsonal 동산의

파 **réalism** ⓜ 실재론, 현실주의, 사실주의 **réalist** ⓜ 실재론자, 사실주의자, 현실주의자 ***realístic** ⓗ 사실주의의, 현실주의의 (⇨) **reality, realize. real estate** 부동산

***re·al·i·ty**★ [riǽləti]★ ⓜ 현실, 실재, 진실(성); (묘사의) 박진성(迫眞性)

in reality 실제는, 실은(=in fact)

(예) free *in reality* as well as in name 명실 공히 자유스러운

***re·al·ize** [ríːəlàiz]★ ⓣ 실현하다; 깨닫다, 체득하다

(예) *realize* one's dream 꿈을 실현하다 // *realize* how difficult it is 그것이 얼마나 어려운 일인가를 깨닫다

파 ***realizátion** ⓜ 실현, 현실화; 인식, 터득

▶ **233. 접미어 ize, ise**

동사 어미로서 「~화하다」 「~로 하다」「~로 되다」의 뜻을 나타낸다.

(예) real*ize*, American*ize* (미국화하다) 등

그러나 영국에서는 ise도 사용되는 일이 있다.

(예) civil*ize*—civil*ise*

re-al·lo·ca·tion [riːæ̀ləkéiʃən] ⓜ 재할당, 재배정
really★ [rí(ː)əli] ⓑ 실제로, 실로
realm★ [relm] ⓜ 영지(領地); 왕국(=kingdom); 계(界); 부문
(예) the *realm* of nature 〔letters, commerce〕 자연〔문학, 상업〕계
reap [riːp]★ ⓙ ⓣ 베어〔거두어〕들이다, 수확하다; (결과를) 거두다
반 sow (씨를) 뿌리다
파 **réaper** ⓜ 베어〔거둬〕들이는 사람; (자동) 수확기
rear [riər]★ ⓣ 기르다(=bring up), 사육하다(=breed); 재배하다(=cultivate); 세우다, 올리다(=raise) ⓗ 배후의(=back), 후미(後尾)의 ⓜ 후위; 후방, 후부
반 destróy 죽이다, front 전방
(예) *rear* crops 농작물을 재배하다 // a *rear* guard 후위 // in 〔at〕 the *rear* of ～의 뒤에(서) // *rear* one's head 머리를 곧바로 세우다
파 **réarward** ⓗ 후방에의 ⓜ 후방 ⓑ 후방에 **réarwards** ⓑ 후방으로
re·arm [riːáːrm] ⓣ ⓙ 재무장시키다〔하다〕
파 **reármament** ⓜ 재무장, 재군비
re·ar·range [rìːəréindʒ] ⓣ 재정리하다, 배열을 바꾸다
rea·son★ [ríːzn] ⓜ 이유(=cause); 이성(理性), 도리 ⓣ ⓙ 추론하다, 논하다(=discuss), 설득하다
반 pássion 감정
(예) ◦for this *reason* 이러한 이유로 // ◦for some *reason* 무언가의 이유로, 무슨 이유인지 // lose one's *reason* 이성을 잃다 // listen to *reason* 사리에 따르다 // There is every 〔good〕 *reason* to believe that ～라고 믿을 만한 충분한 이유가 있다 // ◦You have no *reason for* that. 네가 그런 것을 할 이유는 조금도 없다. // He had *reason* enough *for* all this strange behavior. 그는 이 모든 이상한 행동을 취할 만한 이유가 있었다. // He *reasoned with* her very gently *on* 〔*about*〕 the matter. 그는 그 일에 관하여 매우 부드럽게 그녀를 설득했다. // I *reasoned* him *out of* his plan. 나는 그를 여러 모로 설득하여 그의 계획을 포기시켰다.
어법 관계 부사 why의 선행사로 될 경우에는 생략되는 때가 많다: Tell me (*the reason*) *why* you were absent. (결석한 이유를 말해라)
파 (⇨) **reasonable.** ◦**réasoning** ⓜ 추론, 이론; 논법; 증명 ⓗ 추리의(*reasoning* power 추리력)
reason out 논리적으로 생각해 내다
(예) At last he *reasoned out* the answer to the question. 마침내 질문에 대한 대답을 생각해 냈다.
by reason of ～의 이유로, ～ 때문에(=because of)
(예) The scheme failed *by reason of* bad organization. 그 계획은 조직이 나빴기 때문에 실패했다.

R

It stands to reason that ~은 사리에 맞다, 당연하다
(예) *It stands to reason that* we cannot live without air. 공기가 없으면 우리가 살 수 없다는 것은 당연한 일이다.

*◇**rea·son·a·ble*** [rí:zənəbl] ⓗ 분별 있는(=sensible), 조리 있는; 알맞은(=moderate), (값이) 헐한, 싼
반 unréasonable 사리에 맞지 않는
파 **réasonably** ⓟ 정당하게; 알맞게, 꽤

re·as·sure [rì:əʃúər] ⓣ 재보증하다, 안심시키다

re·bate [rí:beit] ⓣ ~을 할인하다 ⓜ 할인; 환불

*◇**reb·el** ⓜ [rébl] 모반자(謀反者) ⓣ [ribél] 모반하다(=revolt)
파 ***rebellion** [ribéljən] ⓜ 모반, 반란(=revolt) **rebellious** [ribéljəs] ⓗ 반역하는, 반항적인; 완고한

◇**re·birth** [ri:bə́:rθ] ⓜ 재생, 갱생, 신생; 부활

re·buff [ribʌ́f] ⓜ 거절; 저지 ⓣ 거절하다; 저지하다

re·build [rì:bíld] ⓣⓙ 재건하다, 개축하다

re·buke [ribjú:k] ⓜ 힐책, 꾸짖음(=reproval) ⓣ 꾸짖다(=reprove), 견책하다, 징계하다, 비난하다
반 praise 칭찬, 칭찬하다
(예) Many a child is *rebuked* for slowness. 많은 아이들이 행동이 느린 탓으로 꾸지람을 듣는다.

◇**re·bur·y** [rì:béri] ⓣ 재매장하다, 개장(改葬)하다

***re·call** [rikɔ́:l] ⓣ 상기하다(=recollect), 상기시키다; 되부르다, 취소하다 (*cf.* remember) ⓜ 되부름, 소환; 회상; 철회(=cancellation); 〖미〗 리콜《일반 투표에 의한 공직자의 해임》
(예) a letter of *recall* 소환장 // beyond 〔past〕 *recall* 되돌릴 수 없을 정도로 // Her smile *recalled* an old scene to his mind. 그녀의 미소로 그는 옛날의 어떤 장면을 생각해 냈다.

recall to mind 생각〔기억〕해 내다(=recall to memory)
(예) Whenever I look at that picture, I *recall to mind* its owner. 저 그림을 볼 적마다 난 그 그림의 주인이 생각난다.

◇**re·cap·ture** [ri:kǽptʃər] ⓣ 탈환하다, 되찾다 ⓜ 탈환, 되찾음, 회복; 되찾은 물건〔사람〕

◇**re·cede** [risí:d] ⓙⓣ 물러가다, 후퇴하다, 퇴각하다(=go back), 손을 떼다; (영토 따위를) 반환하다(=return)
원 re(=back)+cede(=go) 반 advánce 전진하다
파 **recéssion** ⓜ 후퇴, 퇴거; (점령지의) 반환

> **▶ 234. 접두어 re**
> ① 「상호(相互), 반(反), 비(祕); 거(去), 하(下); 부(否), 불(不)」 등의 뜻을 나타낸다.
> (예) *re*act (반응하다), *re*sign (사직하다), *re*cede (물러나다), *re*sist (저항하다) 등
> ② 자유로이 동사 또는 그 파생어에 붙여서 「다시, 새로, 다시 하다」 등의 뜻을 나타낸다.
> (예) *re*build(재건하다), *re*-issue (재발행하다) 등

R

re·ceipt* [risíːt]* ⓜ 수취(受取), 수령; 영수(증); 《*pl.*》 영수액; (요리의) 조리법
(예) be in *receipt* of ~을 받다 // on (the) *receipt* of ~을 받는 즉시

re·ceive* [risíːv]* ⓙⓣ 받다(=accept); 맞이하다; 시인하다; 수신하다
반 give 주다, repél 쫓아 버리다 (*cf.* accept)
(예) She *received* an offer but did not accept it. 그는 제의를 받았지만 거기에 응하지 않았다.
파 **recéiver** ⓜ 수취인; 수화기 ***reception** [risépʃən] ⓜ 접대, 환영(회); 입회(허가); 수령; 수신 **recéptive** ⓗ 감수성이 예민한 (⇨) **receipt**

re·cent [ríːsənt] ⓗ 최근의, 근래의(=late), 새로운
반 áncient, old 옛날의
(예) in *recent* years 근년 // *recent* news 최근의 뉴스
파 ***récently** ⓑ 최근(=lately)
어법 현재 완료와 함께 쓰는 일이 많으나, 과거에도 쓰임: I saw him quite *recently*. (아주 최근에 그를 만났다.)

re·cep·ta·cle [riséptəkəl] ⓜ 그릇, 저장소; 〖전기〗 콘센트; 소켓

re·cess [ríːses, risés] ⓜ (학교 따위의) 휴게 시간, (의회 따위의) 휴회; 《*pl.*》 깊숙한 곳
(예) The National Assembly is now in *recess*. 국회는 지금 휴회중이다.

re·ci·pe [résəpi] ⓜ (의약의) 처방; 비결

re·cip·i·ent [risípiənt] ⓗ 받는; 감수성이 있는 ⓜ 수납자, 수취인

re·cip·ro·cal [risíprəkəl] ⓗ 상호(간)의(=mutual), 호혜의; 상반되는
파 **recíprocally** ⓑ 서로서로

re·cite [risáit] ⓙⓣ 외다; 낭독하다; 말하다(=narrate)
(예) *recite* the names of all the countries in Asia 아시아의 모든 국명을 열거하다
파 **recítal** ⓜ 암송, 서술; 독창회, 독주회, 리사이틀 **recitation** [rèsətéiʃən] ⓜ 암송 **recitative** [rèsətətíːv] ⓜ 〖음악〗 서창(敍唱) **recíter** ⓜ 암송자

reck·less [réklis] ⓗ 분별 없는(=careless, rash), 무모한; (위험 따위에) 개의치 않는
반 cáutious 조심성 있는
(예) be *reckless of* danger 위험에 개의치 않다
파 **récklessly** ⓑ 무모하게

reck·on [rékən] ⓙⓣ 계산하다(=count), 가산하다; 생각하다(=suppose); ~로 간주하다; 기대하다 [~ on, upon]
(예) *I reckon* he will come.↔He will come, *I reckon*. 아마 그는 올 것이다. // They *reckoned* him *as* 〔*to be*〕 their leader. 그들은 그를 지도자로 생각했다. // Don't *reckon upon* his coming. 그가 오리라고는 기대 마라.
파 **réckoning** ⓜ 계산, 견적

R

re·claim [rikléim] ㊣ 되찾다(=bring back); 개간하다 (마음을) 돌이키다 ⓜ 교화(敎化), 개심

파 **reclamation** [rèkləméiʃən] ⓜ 교정; (동물의) 길듦; 교화; 개간

re·cline [rikláin] ㉠㊣ 기대다(=lean against), 기대게 하다, 눕다(=lie down); 의지하다(=rely)

*̥**rec·og·nize** [rékəgnàiz]* ㊣ 인정하다(=know again), 인식하다; 알아보다(=identify)

(예) *recognize* one's old friend 옛 벗을 알아보다 // *recognize* a person *to be* honest ↔ *recognize that* a person is honest 아무가 정직하다는 것을 인정하다 // He could not *recognize* the portrait of his old friend. 그는 옛 친구의 초상화를 알아보지 못했다.

파 **récognizable** ⓗ 인식할 수 있는 **recógnizance** ⓜ 승인, 서약 *̥**recogníton** ⓜ 인식, 승인; 앎, 인지(beyond 〔out of〕 *recognition* 옛 모습을 찾아 볼 수 없을 정도로)

in recognition of ~을 인정하여, ~의 공에 의하여

(예) *in recognition of* his services to the shipwrecked crew 난파선의 선원에 대한 그의 봉사를 인정하여

re·coil [rikɔ́il] ㉠ 되튀다; 뒤로 물러나다(=draw back) 퇴각하다; 움찔하다 ⓜ 되튀기, 뒷걸음질; 싫증

R

***rec·ol·lect** [rèkəlékt] ㊣㉠ 생각해 내다(=remember), 회상하다

반 forgét 잊다

NB 하이픈을 넣은 re-collect [rìːkəlékt] ㊣ 「다시 모으다」와 구별할 것.

파 *̥**recolléction** ⓜ 회상, 상기; 기억력; 《*pl.*》 추억

*̥**rec·om·mend** [rèkəménd] ㊣ 추천하다; 권고하다(=advise); 맡기다; (행위·성질 따위가) 호감을 사게 하다

(예) I *recommended* him this dictionary. ↔ I *recommended* this dictionary *to* him. 그에게 이 사전을 추천하였다. // His honesty *recommends* him. 그는 정직하므로 사람들에게 호감을 산다. // I *recommend that* you (*should*) avoid him. ↔ I *recommend* you *to* avoid him. 그에게는 접근하지 않는 것이 좋겠다.

파 **recomméndable** ⓗ 추천할 수 있는, 권할 만한 ̥**recommendátion** ⓜ 추천 (He wrote in *recommendation* of her.↔He wrote a letter of *recommendation* for her. 그는 그녀의 추천장을 썼다.)

rec·om·pense [rékəmpèns] ⓜ 보수, 보답; 보상 ㊣ 보답하다(=reward); 보상하다(=compensate)

(예) He *recompensed* me *for* my loss. ↔ He *recompensed* my loss *to* me. 그는 나의 손실을 보상하여 주었다.

***rec·on·cile** [rékənsàil]* ㊣ 화해시키다, 조정하다(=make friends again); 조화시키다; 단념케 하다

(예) I was *reconciled with* him. 나는 그와 화해하였다.

파 **reconciliation** [rèkənsiliéiʃən] ⓜ 화해; 단념; 조화, 일치

re·con·si·der [rìːkənsídər] ㉶ ㉸ 다시 생각하다, 재고하다; 재심하다

re·con·struct [rìːkənstrʌ́kt] ㉸ 재건하다, 개조하다(=rebuild), 부흥하다

㉷ ◇**reconstrúction** ㉭ 재건, 부흥, 개조

rec·ord ㉭ [rékərd / -kɔːd]* 기록; (축음기의) 레코드; 경력 ㉻ 기록적인 ㉸ [rikɔ́ːrd]* 기록하다; 녹음하다

(예) set a new *record* 신기록을 세우다 // break the *record* 기록을 깨뜨리다 // a *record* price 기록적인 가격 // establish the world *record* 세계 기록을 이룩하다

㉷ ◇**recórder** ㉭ 기록자, 녹음기 (a tape *recorder* 테이프리코더) **record breaker** 기록을 깬 사람 **récord-breaking** ㉻ 기록을 깨뜨리는 **record holder** 기록 보유자

on record 기록되어; 등록되어, 널리 알려진

(예) the greatest earthquake *on record* 미증유의 대지진

re·count [rikáunt] ㉸ 상설(詳說)하다, 자세히 말하다

NB re-count [rìːkáunt]는 「다시 세다」의 뜻임.

re·course [ríːkɔːrs / rikɔ́ːs] ㉭ 의지(依支), 사용(=resort) [~ to]

(예) He does not hesitate to *have recourse to* violence. 그는 망설임 없이 태연하게 폭력을 쓴다.

re·cov·er [rikʌ́vər] ㉸ ㉶ 되찾다(=get back again); 회복하다 [~ from, of]; 보상하다; 재생하다

㉹ lose 잃다, relápse 재발하다

(예) *recover* one's health 건강을 회복하다

NB ① recover a disease와 같은 잘못이 없도록 주의할 것. ② re-cover [rìːkʌ́vər]는 「다시 덮다」의 뜻.

㉷ **recóverable** ㉻ 회복할〔되찾을〕 수 있는 *◇**recóvery*** ㉭ 회복, 복구

recover from 〔***of***〕* ~에서 회복하다

(예) Some patients *recover from* an operation quickly. 수술 후의 회복이 빠른 환자도 있다.

rec·re·ate [rékrièit] ㉸ ㉶ 휴양시키다〔하다〕, 기분 전환시키다〔하다〕

NB re-create [rìːkriéit]는 「개조하다」의 뜻. re-creation [rìːkriéiʃən]은 「개조, 재건」의 뜻.

㉷ *◇**recreátion** [rèkriéiʃən] ㉭ 레크리에이션, 휴양, 오락 ◇**recreátional** ㉻ 레크리에이션의, 휴양의

re·cruit [rikrúːt] ㉸ ㉶ 신병을 모집하다, 보충하다; 기운을 북돋우다〔회복시키다〕, 건강을 회복하나 ㉭ 신병, 신입생

rec·tan·gle [réktæ̀ŋgəl] ㉭ 직사각형, 장방형(長方形)

㉷ **rectángular** ㉻ 직사각형의, 장방형의, 직각의

rec·ti·tude [réktətjùːd / -tjùːd] ㉭ 공정, 정직, 정의

rec·tor [réktər] ㉭ (10분의 1세(稅) 수입의) 교구 목사(*cf.* vicar); 학장

㉷ ◇**réctory** ㉭ 교구 목사의 주택〔수입〕

re·cur [rikə́ːr] ㉶ 재발하다(=come up again); (본제(本題) 따위에) 되돌아가서 말하다 [~ to]; 마음에 다시 떠오

르다, 회상되다(=return to mind)
원 re(=again)+cur(=run)
(예) *recur* to the former subject 원문제로 되돌아오다
파 **recurrence** [rikə́:rəns / -kʌ́rəns] 명 재발, 반복 **recúr-rent** 형 재발하는, 자주 일어나는

re·cy·cle [ri:sáikəl] 타 자 다시 순환시키다, 재생 이용하다 초읽기를 재개하다

red [red] 〈동음어 read (*p., pp.*)〉 형 빨간; 공산주의의 명 빨강; 공산주의자, [the R-] 적군(赤軍); 적자(赤字) (=deficit)
(예) be *red with* anger 노해서 빨개지다 // the *Red* Cross Society 적십자사 // *Red* China 중공 // the *Red* Army (소련의) 적군(赤軍)
파 **rédden** 타 자 붉히다, 붉어지다 **réddish** 형 불그스레한 **rédbreast** 명 〔새〕 울새(=robin) **rédcap** 명 〔미〕 정거장 구내 짐꾼(=〔영〕 station porter) **réd-haired** 형 머리칼이 빨간 **réd-hót** 형 빨갛게 달은 **red tape** 복잡한 관청의 수속, 관료적 형식주의

▶ **235. 접미어 ish**
「~의」「~와 같은」「~티가 나는」의 뜻을 나타내는 말을 만든다.
(예) redd*ish*, child*ish* 등

re·deem [ridí:m] 타 되사다; 속죄하다(=deliver from sin) (노력하여) 회복하다; (결점 등을) 보완하다
파 **redéemable** 형 되살 수 있는, 구제할 수 있는 **redéemer** 명 되사는 사람; [the R-] 구세주 그리스도 **redémption** 명 도로 사들임, (속전을 주고) 석방시킴; 속죄 **redémptive** 형 되사는, 속죄의

re·dress [ridrés] 타 (부정 따위를) 고치다, 시정하다, 제거하다; 보상하다 명 교정, 구제(책)
(예) *redress* social evils 사회악을 제거하다

***re·duce** [ridjú:s / -djú:-] 타 (어떤 상태로) 빠뜨리다; 감하다(=make less), (지위·계급을) 깎아내리다; 굴복시키다 (=subdue)
반 incréase 증가시키다
(예) *reduce* the number 수를 감하다 // a map on a *reduced* scale 축척한 지도 // *reduce* a rock to powder 바위를 부수어 가루로 만들다
파 **redúcible** 형 줄일 수 있는 **reduction** [ridʌ́kʃən] 명 감소, 축소; 할인; 〔화〕 환원(법) **redúctive** 형 감소하는, 환원〔복원〕하는

reduce to ~되게 하다, ~로 되돌아가게 하다, ~에 빠뜨리다
(예) be *reduced to* ashes (타서) 재로 되다 // *reduce* the boys *to* silence 소년들을 조용히 하게 하다 // They were *reduced to* poverty. 그들은 빈곤에 빠졌다.

re·dun·dant [ridʌ́ndənt] 형 여분의, 과다한(=superfluous, excessive); 많은, 풍부한(=copious)

reed [ri:d] 〈동음어 read〉 명 갈대, 갈대밭

㊔ **réedy** ⓗ 갈대가 많은, 갈대 모양의

reef [ri:f] ⓜ 암초, 모래톱; 광맥

reel [ri:l] ⓜ 얼레, (영화 필름의) 릴, 감는 틀; 비틀걸음; 경쾌한 춤 ⓣⓙ 얼레에 감다; 비틀거리다(=stagger); 릴 춤을 추다

re·es·tab·lish [rì:istǽbliʃ] ⓣ 부흥하다(=restore), 재건하다(=rebuild), 복직하다; 《보통 수동태》 회복하다

re·ex·am·ine [rì:igzǽmin] ⓣ 재시험〔재검토〕하다; 재심문하다

re·fer★ [rifə́:r]★ ⓙⓣ ~에 언급하다; 조회하다, 참조하다, 참고로 하다; ~에 돌리다, ~에 부탁하다; ~에 귀착시키다 [~ to]

㊔ (⇨) **reference. referee** [rèfəríː] ⓜ (축구·권투 따위의) 심판원(=umpire) ⓣⓙ 중재하다, 심판하다

refer to ~에 언급하다, ~을 가리켜 말하다; ~을 참조하다; ~에 돌리다

(예) *refer to* the Bible 성서를 참조하다 // For further particulars I *refer* you *to* my manager. 더 상세한 것은 지배인에게 물어 보시오. // *refer* one's success *to* good luck 자기의 성공을 행운의 덕으로 돌리다 // The regulations *refer* only *to* students. 그 규정은 학생에게만 적용된다. // We *refer to* him *as* "captain." 우리는 그를 '대장'이라 부른다.

ref·er·ence★ [réfərəns]★ ⓜ 참고, 조회, 대조; 언급; 증명서, 신원 보증인; 참고문

(예) a *reference* book 참고서 // make *reference* to a dictionary 사전을 참조하다 // Who are your *references*? 당신의 신원 보증인은 누구입니까? // The route is best seen *by reference to* this map. 이 지도를 보면 그 경로를 가장 잘 알 수 있다.

with* 〔*without*〕 *reference to ~에 관하여〔관계 없이〕

ref·er·en·dum [rèfəréndəm] ⓜ 《*pl.* ***-dums, -da***》 국민 투표

re·fill [rì:fíl] ⓙⓣ 다시 채우다, (재)충전하다 ⓜ 보충물

re·fine [rifáin] ⓣⓙ 세련되(게 하)다, 품위 있게 하다〔되다〕, 순수하게 되다; 정제하다(=make pure)

(예) *refine* sugar 설탕을 정제하다 // He tried to *refine* his manners. 그는 자기의 태도를 품위 있게 하려고 노력하였다.

㊔ **refíned** ⓗ 세련된, 기품이 있는; 정제된 **refínement** ⓜ 세련, 기품; 정제 **refínery** ⓜ 정련소(精鍊所)

re·flect [riflékt] ⓙⓣ 반사하다; 반영〔반성〕하다; 영향을 미치다

(예) His act *reflected* honor 〔dishonor〕 *upon* him. 그의 행위는 그에게 명예〔불명예〕를 가져 왔다.

㊔ (⇨) **reflection. refléctive** ⓗ 생각에 잠긴; 반사하는 **refléctor** ⓜ 반사물, 반사경 **reflex** [rí:fleks] ⓗ 반사적인 ⓜ 반사 작용 **refléxive** ⓗ 〔문법〕 재귀의 (*reflexive* use 재

귀적 용법)
reflect on ~을 숙고하다(=contemplate); 영향을 미치다; 회고하다
(예) without *reflecting on* the consequences 결과도 생각「하지 않고
*◇**re·flec·tion** [riflékʃən] 명 반사(광·열), 반사 작용; 반영; 반성, 숙고(=consideration); 《pl.》 의견; 불명예(=discredit)
(예) on 〔without〕 *reflection* 잘 생각해 보고〔하지도 않고〕
re·for·est·a·tion [riːfɔːristéiʃən, -fàr-/-fɔ̀r-] 명 재식림, 재조림
*◇**re·form** [rifɔ́ːrm] 타 자 개량〔개혁〕하다; 개심하다 명 개량(=improvement); 개심(改心)
(예) *reform* the system of education 교육 제도를 개혁하다
NB re-form [riːfɔ́ːrm]은 「다시 만들다, 재편성하다」의 뜻. re-formation [rèːfɔméiʃən]은 「제조, 개조」의 뜻.
파 ◇**reformation** [rèfərméiʃən] 명 개혁; 개심, [the R-] 종교 개혁 **refórmative** 형 개량의; 교정(矯正)의, 개혁의 ◇**refórmer** 명 개혁자, [종종 R-] 종교 개혁자 **refórmatory** 형 혁신적인, 감화의 명 소년원
◇**re·frac·tion** [rifrǽkʃən] 명 굴절(작용); 눈의 굴절력 (측정)
re·frain [rifréin] 자 삼가다(=abstain) [~ from]; 누르다 명 (노래의) 후렴, 반복구(反復句)
반 indúlge 하고 싶은 대로 하다
refrain from ~을 그만두다, ~을 삼가다〔참다〕
(예) *refrain from* tears 〔laughing〕 눈물〔웃음〕을 참다 // Kindly *refrain from* smoking. 아무쪼록 흡연을 삼가주십시오.
◇**re·fresh** [rifréʃ] 타 새로 기운을 돋우다, 상쾌하게 하다(=make fresh); 새롭게 하다(=renew, freshen up)
(예) *refresh* one's memory 기억을 새롭게 하다 // *refresh* oneself *with* ~으로 기운을 되찾다
반 exháust, wéary 피곤하게 하다
파 **refréshing** 형 상쾌하게 하는, 산뜻한 **refréshment** 명 피로〔원기〕 회복, 《종종 pl.》 음식물, 다과 (*refreshment* stand 간이 음식점)
◇**re·frig·er·a·tion** [rifrìdʒəréiʃən] 명 냉장, 냉동; 냉각
*◇**re·frig·er·a·tor** [rifrídʒərèitər]* 명 냉장고
*◇**ref·uge** [réfjuːdʒ] 명 피난(처)(=shelter), 대피소
파 ◇**refugee** [rèfjudʒíː] 명 피난자, 망명자
take refuge at 〔***in***〕 ~로 피난하다
(예) He *took refuge in* Switzerland. 그는 스위스로 피난했다.
◇**re·fund** [riːfʌ́nd] 명 반환(물), 상환(금) 자 타 반환하다, 상환하다
*◇**re·fuse** 자 타 [rifjúːz] 거절하다, 거부하다 명 [réfjuːs] 쓰레기(=rubbish), 폐물

▶ **236.** 「거절하다」의 유사어
refuse는 받아들일(accept) 의사가 없음을 분명히 표명하다. **decline**은 조용히, 또 정중하게 거절하다. **reject**는 세차게 refuse하다.

[형] [réfjuːs] 쓸모가 없는(=useless)
[반] grant 허용하다, óffer 제공하다
(예) *refuse* an offer 제의를 거절하다 // *refuse* to listen 들으려 하지 않다 // She *refused* me my request. 그녀는 나의 요청을 들어주지 않았다. // She didn't *refuse* her son anything. ↔ She *refused* her son nothing. 그녀는 자식에게는 무엇이나 거절을 못했다.
[파] ◇**refusal** [rifjúːzəl] [명] 거절

re·fute [rifjúːt] [타] 논박하다, 반박하다(=disprove)
[파] **refutation** [rèfjutéiʃən] [명] 논박, 반증

re·gain [rigéin] [타] 되찾다, 회복하다; 복귀하다
(예) *regain* health 건강을 회복하다 // Lost wealth can be *regained* by industry and economy. 잃어버린 재산은 근면과 절약으로 되찾을 수도 있다.

re·gal [ríːgəl] [형] 왕의(=royal), 왕다운; 당당한
[원] reg(=king)+al(=of)
<u>NB</u> legal [líːgəl] 「법률의」와 혼동하지 말 것. 「연
(예) the *regal* power 왕권 // a *regal* banquet 호화로운 주
[파] **regálity** [명] 왕위; 《*pl.*》 왕권

re·gard [rigáːrd] [타] (~으로) 간주하다, 생각하다(=consider)[~ as]; 존중하다(=respect); 주의하다(=heed); 응시하다; 관계하다(=concern) [명] 주의, 고려; 경의; 관계; 《*pl.*》 안부
[반] disregárd 무시하다
(예) *regard* him with hatred 그를 증오의 눈으로 보다 // in this *regard* 이 점에 관하여 // She did not *regard* her parents' wishes. 그 여자는 부모의 소원을 저버렸다.
[어법] ① 「보다」의 뜻에서는 어떤 감정·태도를 가지고 주시한다는 것. 따라서 부사(구)를 수반할 때가 많다. ② 「존중하다」의 뜻은 부정문에서 쓰일 때가 많다: do not *regard* the laws (법률을 존중하지 않다)
[파] **regárdful** [형] 주의 깊은 **regárding** [전] ~에 관하여 ◇**regárdless** [형] 무관심한, ~을 돌보지 않는, ~에 개의치 않는[~ of]

regard ~ as ~을 …으로 간주하다(=look upon ~ as), …이라고 생각하다
(예) They *regarded* him *as* a hero. ↔ He was *regarded as* a hero. 사람들은 그를 영웅이라고 생각했다. // Scientist *regard* the discovery *as* important. 과학자들은 그 발견을 중시한다.
[어법] regard A as B의 B는 명사·형용사의 어느 것도 가능: *regard* him *as* a great scholar (그를 위대한 학자라고 생각하다) *regard* the situation *as* serious (사태가 중대하다고 생각하다) 이 경우 as를 생략하거나, to be serious와 같이 쓰는 것은 틀린 것으로 된다.

give one's (best) regards (to) (~에게) 안부를 전하다
(예) Please *give* my *best regards to* your parents. 네 부모님께 안부 전해라.

R

in 〔*with*〕 ***regard to*** ~에 대하여, ~에 관하여(=re garding) (*cf.* without regard to ~에 상관 없이, ~을 시하고)
(예) researches *with regard to* the solution of the proble 그 문제 해결에 관한 조사

regardless of ~에 관계 없이, ~에도 불구하고
(예) *regardless of* age or sex 나이나 성별에 관계 없이 I made up my mind to get it *regardless of* cost. 나는 에 관계 없이 사기로 결심했다.

re·gat·ta [rigǽtə] ⓜ (보트·요트의) 경조(競漕), 보트레이

re·gime, ré·gime [reiʒíːm] ⓜ 제도(=system), 정체(政體
(예) under the old *regime* 구정체 하에서

re·gi·ment [rédʒimənt] ⓜ 연대; 《종종 *pl.*》 큰 무리 ⓣ 대로 편성하다, 조직화하다(=systematize)
㉺ **regiméntal** ⓗ 연대(소속)의 ⓜ 《*pl.*》 군복 **regimenta tion** ⓜ 연대 편성

***re·gion** [ríːdʒən] ⓜ 지방, 지대(=area); 영역; (신체의 국부
㉺ **régional** ⓗ 지방의; 국부의

reg·is·ter [rédʒistər] ⓣ 등록하다(=record); 등기하다; 리키다(=indicate) ⓜ 등록기, 등록(부)
(예) *register* a birth 출생 신고를 하다 // have a lett *registered* 편지를 등기로 부치다 // *register at* a hotel 텔에 숙박하다 // The thermometer *registers* fifty degree 온도계가 50도를 가리키고 있다.
㉺ **registrar** [rédʒəstrɑ̀ːr, rèdʒəstrɑ́ːr] ⓜ 기록원, 호적 원 **registrátion** ⓜ 등록 **régistry** ⓜ 기록, 등록, 등록소

***re·gret** [rigrét]* ⓣ 후회하다, 유감으로 생각하다 ⓜ 유감 후회
㉯ contént 만족, 만족시키다
(예) I *regret* hav*ing* been idle. ↔ I *regret to* have been idl ↔I *regret that* I have been idle. 태만했던 것을 뉘우치 있다. // I *regret* my inability to be present. ↔ I *regr* be*ing* unable to be present. 출석하지 못한 것을 유감으 생각하다. // To my *regret*, I am unable to help you. 유 스럽게도 도와드릴 수 없습니다.
㉺ **regrétful** ⓗ 뉘우치는, 애석한 **regrétfully** ⓑ 유감 럽게 ***regréttable** ⓗ 유감스러운

re·group [riːgrúːp] ⓣⓙ 재(再)분류하다, 다시 무리를 다, 재편제하다

***reg·u·lar** [régjələr] ⓗ 규칙적인(=according to rule); 식의, 정규의; 정시의 ⓜ 《*pl.*》 정규병
㉯ irrégular 불규칙한
(예) a *regular* customer 단골 손님 // a *regular* fellow 은 녀석 // keep *regular* hours 규칙 바른 생활을 하다
㉺ ***régularly** ⓑ 규칙 바르게, 정기적으로 **regulari** [règjulǽrəti] ⓜ 규칙 바름, 질서 **régularize** ⓣ 질서 있 하다

reg·u·late [régjəlèit] Ⓔ 규정하다, 단속〔규제〕하다; 조정하다

파 **régulator** 명 단속자; 조정기; 원칙 **régulative** 형 단속하는, 규정하는 ***regulátion** 명 단속, 규율, 규칙 「홍

re·ha·bil·i·ta·tion [rìːhəbilətéiʃən] 명 사회 복귀; 복직; 부

re·hearse [rihə́ːrs] 타 자 (예행) 연습을 하다, 시연하다; 자세히 이야기하다; 복창하다

파 **rehearsal** [rihə́ːrsəl] 명 (극·음악의) 예행 연습, 리허설

reign★ [rein]★ 〈동음어 rain, rein〉 명 통치(=sway), 성대(聖代) 자 통치하다, 군림하다

(예) in the *reign* of Queen Elizabeth 엘리자베스 여왕의 치세에

rein [rein] 〈동음어 rain, reign〉 명 고삐 타 고삐를 달다, 제어하다

re·in·car·na·tion [rìːinkɑːrnéiʃən] 명 다시 육체를 부여함; 화신, 환생

rein·deer [réindìər] 명 《단수·복수 동형》〔동물〕 순록

re·in·force [rìːinfɔ́ːrs] 타 보강하다, 증원하다

(예) *reinforce* a party 당을 강화하다

파 **reinfórcement** 명 증강; 증원(군), 보급(품)

re·in·ter [rìːintə́ːr] 타 고쳐 묻다, 개장(改葬)하다

re·ject [ridʒékt] 타 거절하다, 거부하다 (*cf.* refuse); 각하하다, 버리다(=throw away)

반 accépt 받아들이다

파 **rejéction** 명 거절, 부결, 각하, 배척

re·joice [ridʒɔ́is] 자 타 기뻐하다, 기쁘게 하다(=delight); 축하하다

반 grieve 슬퍼하다, 슬프게 하다 「하다

(예) be *rejoiced* at the sight 〔to see it〕 그것을 보고 기뻐

파 **rejóicing** 명 기쁨, 환희; 《*pl.*》 환락, 축하

rejoice in ~을 누리고 있다, 부여받고 있다

(예) *rejoice in* good health 건강을 누리고 있다

re·join [riːdʒɔ́in] 타 자 재접합하다; ~에 복귀하다; 재회하다

re·lapse [rilǽps] 자 뒤로 되돌아가다, 타락하다; 재발하다 명 거슬러 되돌아감, 타락; 재발

re·late [riléit] 타 자 이야기하다, 말하다(=narrate); 관계시키다(=connect) 〔~ to, with〕

(예) *relate* the results *to* 〔*with*〕 a wrong cause 결과를 당치도 않는 원인과 결부시키다

파 **reláted** 형 관계가 있는, 이야기한 (*related* languages 동족어) (⇨) **relation, relative**

be*) *related to ~와 관계가 있는, ~와 친척인

(예) They *were* closely *related to* the tribes. 그들은 그 부족과 밀접한 관계에 있었다. // He *is related to* my father. 그는 우리 아버지와 친척이다.

re·la·tion [riléiʃən] 명 관계; 친척(=relative); 진술; 《종종 *pl.*》 이해 관계; 국제 관계

R

(예) have no *relation* to ~와 무관하다 // diplomatic *relations* between the two countries 두 나라간의 외교 관계

in 〔*with*〕 *relation to* ~에 관하여, ~에 관련하여(=in respect to)

> **▶ 237. 접미어 ion**
> 형용사·동사에서 명사를 만드는 어미. 「동작·상태·물건」을 나타낸다.
> (예) relat*ion*, fict*ion*(창작), quest*ion* 등

NB with reference to, with regard to와 같은 뜻임.

(예) think of the future *in relation to* the present 현재와 관련하여 미래를 생각하다 // Further study of personality and emotions *in relation to* driving probably would contribute much to the understanding and prevention of accidents. 운전과 관련하여 인격이나 정서를 더 연구하면 아마도 사고의 이해와 방지에 크게 이바지할 것이다.

re·la·tion·ship [riléiʃənʃìp] 명 친족 관계; 관계 [~ with, to]

rel·a·tive [rélətiv]* 명 친척; 〖문법〗 관계사 형 상대적인, 비례하는; 관계가 있는 [~ to]

반 ábsolute 절대적인

(예) the *relative* merits of automobiles and airplanes 자동차와 비행기의 우열 // Supply is *relative to* demand. 공급은 수요에 비례한다.

파 **relatively** [rélətivli]* 부 비교적으로, 상대적으로 **relatívity** 명 관계가 있음, 상대성(이론), 상호 부조

re·lax [rilǽks] 타 자 늦추다(=loosen), 마음을 풀다

반 tíghten 조이다

(예) *relax* one's grip on the rope 로프를 움켜 잡은 손을 늦추다

파 **relaxátion** 명 이완, 긴장을 풂, 휴양

re·lay [ríːlei] 명 교대자, 갈아 타는 말; 릴레이 자 타 교대하다; 〖무전〗 중계하다; (프로를) 중계 방송하다

NB re-lay [rìːléi]는 「다시 놓다」의 뜻.

re-learn [rìːlə́ːrn] 타 자 다시 배우다

re·lease [rilíːs] 타 (의무·속박 등에서) 해방하다(=set free), 면제하다; (영화를) 개봉하다 명 방면, 해방(=emancipation)

반 bind 속박하다

(예) *release* a person from his duty 아무의 의무를 면제하여 주다

re·lent [rilént] 자 (마음이) 누그러지다, 측은하게 생각하다; (바람 등이) 약해지다

파 **reléntless** 형 냉혹한, 무정한(=cruel)

rel·e·vant [réləvənt] 형 (당면한 문제에) 관련된; 적절한, 의미 있는

re·li·a·ble [riláiəbəl] 형 의지가 되는, 믿음직한; 확실한

re·li·ance [riláiəns] 명 믿음, 의지, 신뢰

rel·ic [rélik] 명 《보통 *pl.*》 유물(=remnant); 기념품(

souvenir); 《*pl.*》 시체, 유골

re·lieve★ [rilíːv] [타] 경감하다, 제거하다 [~ of, from]; 구제〔구원〕하다; 돋보이게 하다
[반] oppréss 압박하다
(예) *relieve* the pain 고통을 덜다 // *relieve* one*self* 대변〔소변〕을 보다 // *relieve* one's feeling 울분을 풀다 // a mountain *relieved against* the blue sky 창공에 우뚝 솟은 산 // *relieve* a person *of* a headache 아무의 두통을 낫게 하다 // He was *relieved of* all responsibilities. 그는 모든 책임을 면했다. // I'll *relieve* the operator for lunch. 나는 교환원과 교체하여 점심을 먹도록 해 주겠다.
[어법] They *relieved* him of his post.↔He was *relieved* of his post. (그는 직위가 해제되었다)의 전환에 주의. rob, deprive 등 참조.
[파] ***relief**★ [rilíːf] [명] 구제, 고통의 제거, 위안, 안심; 돋을새김(세공) (in *relief* 돋을새김으로, 눈에 띄게)

re·li·gion [rilídʒən] [명] 종교, 종파; 신조
(예) believe in *religion* 종교를 믿다
[파] (⇨) **religious**

re·li·gious [rilídʒəs] [형] 종교의, 신앙의; 경건한
[파] **relígiously** [부] 경건하게

re·lin·quish [rilíŋkwiʃ] [타] 포기하다(=abandon), 그만두다, 단념하다
[파] **relínquishment** [명] 포기

rel·ish [réliʃ] [타] 상미하다, 맛있게 먹다; 즐기다(=enjoy) [명] 맛(=taste), 풍미; 감상; 기호(=liking)
[반] loathe 몹시 싫어하다
(예) with *relish* 맛있게, 흥미를 갖고서

re·load [riːlóud] [자][타] (~에) 짐을 되싣다; (~에) 다시 탄약을 재다

re·luc·tant [rilʌ́ktənt] [형] 마음내키지 않는, 꺼리는(=unwilling), 마지못해 하는
[파] **relúctantly** [부] 마지못해, 싫어하면서 **relúctance, -cy** [명] 싫어함, 마지못해 함

re·ly★ [rilái] [자] 의지하다, 신뢰하다 [~ on, upon]
(예) ◦He cannot be *relied upon.* 그는 신뢰할 수 없다. // ◦*Rely on* me to keep my promise. 약속을 지킬 터이니 걱정하지 마라.
[어법] that 절을 계속하는 경우에는 it를 선행시킴이 보통: You may *rely* upon *it that* he will come. (그는 꼭 옵니다.)
[파] ***relíable** [형] 신뢰할 수 있는, 확실한 **relíably** [부] 믿음직스럽게 **reliabílity** [명] 확실성, 신빙성 **relíance** [명] 신뢰; 의지 **relíant** [형] 신뢰하고 있는, 의지하고 있는 [~ on]

re·main [riméin] [자] 남다; (변함 없이) ~대로이다(=continue to be) [명] 《*pl.*》 잔존물, 잔존〔생존〕자; 유적, 유해
[반] pérish 멸망하다
(예) *remain* motionless 〔silent〕 움직이지 않고〔조용히〕 있다 // The problem *remains* to be solved. 그 문제는 이

제부터 해결하지 않으면 안 된다. // The memory *remain*
with us. 그 기억은 우리 머리 속에 남아 있다.
파 **remáinder** 명 나머지, 잔류자; 《*pl.*》 유적

***re·mark** [rimɑ́ːrk] 타 자 진술하다, 말하다(=say), 평하다(=make comments); 주목하다(=notice), 알아차리다 명 발언(=short statement), 비평, 의견, 말, 기사; 주의 주목
(예) I *remarked* that it had got colder. 나는 더 추워졌음을 알아차렸다. // worthy of *remark* 주목할 만한

***make a remark* (*on*)** (~에 관하여) 한 마디 하다
(예) He *made a* good *remark on* her habits. 그는 그 여자의 품행을 칭찬했다.

***re·mark·a·ble** [rimɑ́ːrkəbəl] 형 현저한, 주목할 만한
파 **remárkably** 부 현저하게, 뚜렷하게

rem·e·dy [rémədi] 명 요법(=cure), 약; 구제책 [~ for] 타 고치다, 교정하다(=relieve); 치료하다(=cure)
파 **remédial** 형 치료상의, 구제의

***re·mem·ber★** [rimémbər] 타 자 생각해 내다(=recall, recollect); 기억〔생각〕하고 있다(=have in mind)
반 forgét 잊어버리다
(예) *Remember* me *to* your family. 댁의 가족에게 안부를 전하시오. // I *remember* giv*ing* him the key. ↔ I *remember that* I gave him the key. 나는 그에게 열쇠를 준 것을 기억하고 있다. // I *remember* what happened in the room. 나는 방에서 일어난 일을 기억하고 있다.
어법 ① *remember*는 「생각하고 있다」 또는 힘쓰지 않고도 「기억이 되살아나다」의 뜻. *recollect, recall*은 저절로는 생각나지 않는 것으로서 노력하여 「기억을 되살리다」란 뜻을 나타냄. 따라서 I *don't* remember, I *can't* recollect가 보통. ② remember에 동명사가 따를 경우에는 I remember having seen him.과 같이 완료형으로 하지 않고 단지 seeing him이라고 하는 것이 보통. ③ remember to의 형식은 「잊지 않고 ~하다」의 뜻. remember do*ing*과 구별할 것: *Remember to* post this letter. (잊지 말고 이 편지를 부쳐 주시오)
파 ***remembrance★** [rimémbrəns] 명 기억, 기념(물)

***re·mind** [rimáind] 타 생각나게 하다 [~ of], 깨우치다
(예) That *reminds* me. 그것으로 생각이 난다. // I was *reminded of* my promise. 나는 약속이 생각 났다. // *Remind* him *to* come home early. ↔ *Remind* him *that* he must come home early. (그가 잊고 있으면) 빨리 집에 오도록 그에게 일러다오.
어법 It reminds me (of, that), I am reminded (of, that)의 구문에 주의하라.
파 **remínder** 명 생각나게 하는 사람〔물건〕 **remíndful** 형 생각나게 하는 [~ of]

******remind a person of*★** 아무에게 ~을 생각나게 하다〔연상시키다〕
(예) The picture always *reminds* me *of* the happy days

spent with Mother. 이 사진을 보면 항상 어머니와 함께 지내던 행복한 때가 생각난다.

rem·i·nis·cence [rèmənísns] ⓜ 회상(=remembrance), 추억(=memory); 《*pl.*》 회고담〔록〕
파 ◇**reminíscent** ⓗ 추억〔회고〕의; 추억에 잠기는(◇be *reminiscent* of ~을 생각나게 하다, ~을 닮은 점이 있다)

re·mit [rimít] ⓣⓙ 송금하다(=send); 용서하다(=pardon); 경감하다(=abate), 늦추다
(예) *remit* him the money 그에게 송금하다
파 **remíttance** ⓜ 송금

rem·nant [rémnənt] ⓜ 나머지(=remainder), 생존자, 잔존자; 옛모습, 자취
(예) the *remnants of* the dinner 식사 후 남은 음식 // a *remnant* of former beauty 옛 미모의 자취

re·mon·strate [rimánstreit / rémən-] ⓙⓣ 충고하다, 간언하다; 항의하다(=protest) [~ against]
파 **remónstrance** ⓜ 충고, 항의

re·morse [rimɔ́:rs] ⓜ 후회(=repentance), 양심의 가책
(예) without *remorse* 가차 없이, 사정 없이
파 **remórseful** ⓗ 전의 잘못을 뉘우치는, 후회하는 **remórseless** ⓗ 무자비한

re·mote [rimóut] ⓗ 먼, 먼 곳의(=distant, far), 멀리 떨어진, 먼 옛날의
반 near 가까운
(예) topics *remote from* the subject 본제와는 관계가 먼 화제
파 **remótely** ⓑ 멀리 (떨어져서)

re·move [rimú:v] ⓣⓙ 옮기다, 치우다; 이사하다(=move)
반 repláce 되돌리다
(예) ◇*remove* a name *from* a list 명부에서 이름을 빼다 // ◇*remove* one's head *from* the window 창문에서 머리를 들이키다
파 **remóved** ⓗ 떨어진, 무관계한; 제거된 (◇a cousin many times *removed* 먼 형제뻘 되는 사람 ◇**remóval** ⓜ 이전; 면직, 제거 **remóvable** ⓗ 옮길 수 있는, 제거할 수 있는

ren·ais·sance [rènəsá:ns, rénəsà:ns / rənéisəns] ⓜ [R-] 문예부흥; 신생, 부활

re·name [ri:néim] ⓣ 새로 이름을 붙이다, 개명하다

rend [rend] ⓣⓙ 《***rent***》 찢다, 찢어지다(=tear)
반 mend 수선하다, join 합하다

ren·der [réndər] ⓣ ~이 되게 하다(=make); 주다(=give), 제출하다, 표현하다, 연출하다, 연주하다; 번역하다; 돌려주다, 갚다
(예) The heat *renders* me helpless. 더위에 지쳐 버렸다. // *render* help 도와 주다 // *render* English into Korean 영어를 한글로 번역하다 // *render* him a service ↔ *render* a service *to* him 그에게 봉사하다 // *render* good *for* evil

R

악을 선으로 갚다 // *render* a bill 청구서를 내다
[파] **réndering** [명] 번역; 연주; 표현, 묘사
ren·dez·vous [rɑ́:ndəvù:, -dei- / rɔ́n-] [명] 《*pl.* **rendezvous** [-vù:z]》 회합, 집결; (우주선의) 궤도 회합, 랑데부 [자][타] 집합하다, 집합시키다
re·new [rinjú: / rinjú:] [타][자] 새롭게 하다, 새로워지다, 회복시키다(=recover); 다시 시작하다, 되풀이하다(=repeat), (~을) 보충하다
[파] **renéwal** [명] 갱신, 부활
re·nounce [rináuns] [타][자] 버리다(=abandon), 부인하다(=disclaim) [명]〖트럼프〗패를 버림
re·nown [rináun] [명] 명성(=fame), 유명
[파] **renówned** [형] 유명한(=famed)
rent [rent] [명] 집세, 방세, 땅세; 갈라진 틈(=gap) [타][자] 임대〔임차〕하다(=let for rent), 세놓다
(예) a house for *rent* 〖미〗셋집(=〖영〗a house to let) // *rent* a farm to the man 그 남자에게 농지를 빌려 주다
[어법] ① rent a farm *from* the man이라고 하면「그 사람에게서 논을 빌리다」로 되는 것처럼, rent에는「빌리다」「빌려 주다」의 두 개의 뜻이 있으나, 영국에서는 후자의 뜻으로 쓰일 때가 많다. ② rent는 토지·건물의 대차에 관해서 쓰이는 것이 보통이나 미국에서는 보다 작은 사물(자동차 따위)에도 쓰인다.
[파] **rént-frée** [형] 사용료를 물지 않는 [부] 사용료 없이
re·or·der [ri:ɔ́:rdər] [타] 다시 질서를 잡다; 추가 주문하다
re·or·gan·ize [ri:ɔ́:rgənàiz] [타][자] 재편성하다, 개조하다
[반] disórganize 와해시키다
[파] **reorganizátion** [명] 재편성, 개조
re·pair [ripέər] [타][자] 수선하다(=mend), 회복하다(=restore); 가다(=go) (*cf.* mend) [명] 수선, 회복
[반] break 깨뜨리다, impáir 손상시키다
(예) beyond *repair* 수선할 수 없는 // *repair* a loss 손실을 회복하다 // Your car is in bad *repair.* ↔ Your car is out of *repair.* 네 차는 손질이 안 되어 있다.
[파] **repairable** [ripέərəbəl] [형] 배상할 수 있는; 수선할 수 있는 **reparátion** [명] 배상, 보상(=compensation) **reparative** [ripǽrətiv] [형] 배상의; 수선의
re·past [ripǽst / ripɑ́:st] [명] 식사(=meal), 음식물
re·pat·ri·ate [ri:péitrièit / -pǽt-] [타] 본국으로 송환시키다, 복원(復員)시키다
[파] **repatriátion** [명] 송환; 귀국, 복원
re·pay [ripéi] [타][자] 《**-paid**》 (금전을) 되치르다(=pay back), 갚다
[파] **repáyable** [형] 되치를 수 있는 **repáyment** [명] 상환(금)
re·peat★ [ripí:t] [타][자] 되풀이하다; 암송하다 [명] 되풀이
(예) Don't *repeat* it to anybody. 그것을 아무에게도 말하지 마라. // History *repeats* itself. 역사는 반복한다.
[파] **repéated** [형] 되풀이된 **repéatedly** [부] 되풀이하여

repéater ⓜ 되풀이하는 사람〔것〕; 암송자; 연발총; 재수생
*̊**repetítion*** ⓜ 되풀이, 재설(再說); 암송; 복사(=copy)
repetítious ⓗ 되풀이가 많은, 중언부언하는
re·pel [ripél] ⓣⓙ 격퇴하다(=drive back), 되돌려 주다; 반발하다; 반감을 주다
반 attráct 끌어당기다, submít 굴복하다
파 **repéllent** ⓗ (물 따위를) 튀기는; 불쾌감을 주는, 싫은 (=disgusting)
re·pent [ripént] ⓣⓙ 후회하다, 뉘우치다(=regret)
(예) ◇*repent* (*of*) one's folly 바보짓을 후회하다
어법 ① repent는 regret(후회하다)할 뿐만 아니라 「고치다」의 뜻을 내포함. ② 동명사가 따를 때는 단순형·완료형의 양쪽이 쓰인다: repent *seeing* 〔*having seen*〕 it (그것을 본 것을 후회하다)
파 **repéntance** ⓜ 후회 **repéntant** ⓗ 후회하는
rep·er·to·ry [répərtɔ̀ːri / -təri] ⓜ 창고; 보고(寶庫); 상연〔연주〕 종목
원 repeat 되풀이하다
re·place [ripléis] ⓣ ~에 대신하다; 제자리에 두다; 되돌려 주다
반 remóve 제거하다
파 **repláceable** ⓗ 바꾸어 놓을 수 있는 **replácement** ⓜ 바꿔놓음
replace ~ by 〔***with***〕 ~을 …로 바꾸다〔교체하다〕
(예) He *replaced* a worn tire *by* 〔*with*〕 a new one. 그는 낡은 타이어를 새것으로 갈았다.
re·plant [riːplǽnt, -plɑ́ːnt] ⓣ 〖식물〗 다시 심다, 이식하다; (절단된 손가락 따위를) 다시 결합시키다; (피부 따위를) 이식하다
rep·li·ca [réplikə] ⓜ 〖미〗 (원작자의 손으로 된 예술품의) 복제; 모사, 복사
re·ply [riplái] ⓙⓣ 대답하다(=answer) ⓜ 대답, 회답
반 quéstion 질문, 질문하다, ask 묻다
(예) in *reply* to ~에 답하여 // make a *reply* 대답하다
어법 *answer*와 거의 같지만, *reply*는 다소 형식에 치우친 말로서 특히 상세한 대답을 나타낼 때 쓰인다.
re·port [ripɔ́ːrt] ⓙⓣ 보도하다, (다른 사람의 말을) 전하다(=tell about); 신고하다 ⓜ 보고; 보도, 기사; 평판
(예) *report* at the office 사무소에 출두하다 // a *report* card 성적표 // newspaper *reports* 신문 기사 // be of good *report* 평판이 좋다

▶ 238. keep in mind
표제는 「기억하여 두다」라는 뜻의 idiom이나, mind는 마음이 아니고 memory(기억)의 뜻. 또, have a mind to (~할 생각이 있다)의 mind는 intention (의도)의 뜻. mind의 이러한 뜻은 이전 영어에서는 보통이었으나, 현대는 idiom 안에서만 남아 있다.

R

어법 It is *reported* that they have attained the summit. ↔ They are *reported* to have attained the summit. ↔ They have *reportedly* attained the summit. (그들은 산꼭대기에 올라가는 데에 성공하였다고 보도되었다) 따위의 표현에 주의.

파 *repórter 명 통신 기자, 보고자

re·pose [ripóuz] 자 타 휴식하다(=rest), 쉬게 하다, 자다(=sleep); 의지하다 명 휴식; 수면; 평온, 안정(=calm)

파 **repóseful** 형 평온한

rep·re·hend [rèprihénd] 타 꾸짖다(=blame), 나무라다, 비난하다(=rebuke)

파 **reprehénsible** 형 비난받아야 할 **reprehénsion** 명 꾸지람, 비난

*◇**rep·re·sent** [rèprizént] 타 나타내다, 대표하다; 설명하다, 묘사하다(=describe), 상징하다(=symbolize); 연출하다

(예) The dove *represents* peace. 비둘기는 평화를 상징한다. // He *represented* the war *as* already lost. ↔ He *represented that* the war *was* already lost. 그는 마치 전쟁은 이미 패배한 것처럼 말했다.

파 ◇**representátion** 명 대표; 표현, 상연; 대의원단 *◇**representative*** [rèprizéntətiv] 명 대표자, 대리인; 대의원 견본 (House of *Representatives* 하원) 형 대표하는, 전형적인

(***be***) ***representative of*** ~을 상징하는, 나타내는, 대표하는

(예) Piwon *is representative of* Yi Dynasty gardens. 비원은 이조 정원을 대표한다.

re·press [riprés] 타 억누르다, 억제하다(=restrain), 진압하다(=suppress)

반 incíte 선동하다

파 **représsible** 형 억제〔제압〕할 수 있는 **représsion** 명 억제, 제지 **représsive** 형 억압적인

◇**re·proach** [ripróutʃ] 타 비난하다, 나무라다(=blame), 꾸짖다(=scold) 명 비난, 질책

NB reproach는 개인적인 감정에서, reprimand는 공식적으로 비난·질책한다는 뜻.

(예) *reproach* one*self with* ~을 자책하다 // He *reproached* the clerk *with* carelessness. ↔ He *reproached* the clerk *for* be*ing* careless. 그는 점원의 부주의를 나무랐다.

파 **repróachful** 형 나무라는 듯한 **repróachfully** 부 나무라는 듯이

rep·ro·bate [réprəbèit] 타 비난하다(=censure) 명 [the ~] 신의 버림을 받은 사람; 타락한 사람 형 신의 버림을 받은 타락한

파 **reprobátion** 명 비난

◇**re·pro·duce** [rìːprədjúːs / -djúːs] 자 타 재생하다, 복사하다(=copy); 번식하다(=generate), 생식하다

파 **reproduction** [rìːprədʌ́kʃən] 명 재생, 재현; 복사, 복제 번식, 생식(작용) **reprodúctive** 형 생식의, 재생의

re·prove [riprú:v] [타] 비난하다(=censure), 나무라다, 꾸짖다(=scold)
[파] **reproof** [riprú:f] [명] 비난, 질책, 책망 **repróval** [명] 비난, 질책 **repróvingly** [부] 비난하여

◇**rep·tile** [réptəl / -tail] [명] 파충류; 비열한 사람 [형] 비열한

◇**re·pub·lic** [ripʌ́blik] [명] 공화국, 공화 정체
[반] mónarchy 군주 정체
[파] **repúblican** [형] 공화주의의; [R-] 〖미〗 공화당의 [명] [R-] 〖미〗 공화당원 **repúblicanism** [명] 공화주의, 공화 정체

◇**re·pulse** [ripʌ́ls] [타] 격퇴하다(=drive back), 물리치다(=repel) [명] 격퇴, 거절(=refusal)
[파] **repúlsion** [명] 혐오, 거절 ◇**repúlsive** [형] 물리치는, 싫은

*◇**rep·u·ta·tion** [rèpjətéiʃən] [명] 평판; 명성(=fame)
(예) a man of good 〔bad〕 *reputation* 평판이 좋은〔나쁜〕 사람 // He has a *reputation* for idleness 〔of being idle〕. 그는 게으르다는 평판이 있다.

re·pute [ripjú:t] [명] 평판; 명성(=fame) [타] 《통상 수동태로》 ~라고 평하다
(예) be in high 〔of good〕 *repute* 평판〔신용〕이 좋다 // by *repute* 소문으로 // be *reputed as* 〔to be〕 ~라고 평하다〔여기다〕
[파] (⇨) **reputation. repúted** [형] ~라는 평을 받고 있는; 유명한 **repútedly** [부] 소문으로는 ◇**reputable** [répjətəbəl] [형] 평판이 좋은

*◇**re·quest** [rikwést] [타] 간청하다(=beg for), 부탁하다(=ask); 의뢰하다, 신청하다 [명] 간청, 요구
[반] grant 주다, 허락하다, 승낙
(예) Your presence is *requested.* 출석해 주십시오. // He *requested* me *to* go with him. ↔ He *requested that* I (*should*) go with him. 그는 나와 동행하기를 바랐다. // on *request* 청구〔신청〕하는 대로 // at a person's *request* 아무의 요구에 따라 // by *request* 요구에 응해서, 요청에 의해
[어법] ① 위의 두 번째 예문에서 should를 쓰지 않는 것은 미국의 용법에 많음. ② *request*는 ask와 같은 뜻이지만, 정중하게 격식을 갖추어 부탁하는 것.

*◇**re·quire** [rikwáiə*r*] [타] [자] 필요로 하다(=need); 요구하다(=demand)
[반] refúse 거절하다
(예) ◇All students *are required to* pass the examination. 모든 학생은 그 시험에 합격하여야 한다. // Music is an art that *requires of* the performer a knowledge of sharps and flats. 음악이라는 것은 연주자에게 샤프나 플랫의 지식을 요구한다. // The court *required* my appearance. ↔ The court *required* (*of*) me to appear. ↔ The court *required that* I (*should*) appear. 법원은 나에게 출두하라고 명하였다.
[어법] should의 유무에 관해서는 request 참조. The matter

R

requires looking into. (이 문제는 조사가 필요하다) being looked라고 하지 않음. need, want, deserve 따위를 참조할 것.

파 ◇* **requírement** 명 요구(물); 필요(조건), 자격 **requisite** [rékwizit] 형 필요한(=necessary) 명 필수품, 요소, 요건 **requisition** [rèkwizíʃən] 명 강요; 명령, 징발; 수요 타 징발하다

re·read [riːríːd] 타 다시 읽다, 재독하다

◇**res·cue** [réskjuː] 타 구해 내다(=save from danger), 구조하다(=deliver) 명 구원(=deliverance), 구출

반 cápture 나포하다

(예) *rescue* a boy *from* drowning 물에 빠진 소년을 구해 내다

파 **réscuer** 명 구조자

◇* **re·search** [risə́ːrtʃ, ríːsəːrtʃ] 명 연구, 조사(=investigation) 자 연구에 종사하다, 조사하다 [~ into]

(예) make *researches* on ~에 대하여 연구하다 // *research into* a matter thoroughly 문제를 철저하게 조사하다

파 ◇**reséarcher** 명 연구자, 조사원

◇* **re·sem·ble** [rizémbəl] 타 ~을 닮다, ~와 비슷하다(=be like)

(예) He *resembles* his father. 그는 자기 아버지를 닮았다.

NB resemble to ~와 같이 전치사를 쓰면 안 된다.

파 ◇**resémblance** 명 유사, 닮은 얼굴 (◇bear *resemblance* to ~을 닮다)

◇* **re·sent** [rizént] 타 분개하다(=feel angry at); 원망하다

반 submít 감수하다

어법 *resent* his being absent (그가 결석한 것을 분개하다)와 같이 동명사를 취한다.

파 **reséntful** 형 분개한, 골을 잘 내는 ◇**reséntment** 명 분개, 원한

◇* **re·serve** [rizə́ːrv] 타 보존하다(=keep), 저장하다; (좌석을) 예약하다; 보류하다(=retain) 명 보존(물); 예비, 적립금; 조건; 삼감, 자제; 예비군 형 예비의, 준비의

(예) Several ringside seats were *reserved* for us. 우리들을 위해 링 옆 좌석이 몇 개 예약되어 있었다. // a little money in *reserve* 예비해 둔 약간의 돈

파 ◇**resérved** 형 삼가는, 보류한, 예약한 **reservedly** [rizə́ːrvidli] 부 사양〔겸손〕하여 **resérvist** 명 예비병 ◇**reservoir** [rézəːrvwɑ̀ːr] 명 저장소, 저수지, 가스 통 ◇**reservátion** 명 예약; 보류; 삼감

***without reserve* 〔*reservation*〕** 거리낌 없이, 무조건으로

(예) He accepted my offer *without* reservation. 그는 내 제의를 쾌히 받아들였다.

◇**re·shape** [riːʃéip] 자 타 고쳐 만들다; 새〔딴〕 모양으로 하다; 새 방면을 개척하다

* **re·side** [rizáid] 자 살다(=live) [~ at, in]; 존재하다

[파] **residence** [rézədəns] [명] 주택, 저택; 거주, 주재(기간) ◇**résident** [명] 거주자, 주재자 [형] 거주하는, 주재의 **residéntial** [형] 주거의 (*residential* quarters 주택지)

res·i·due [rézədjùː / -djùː] [명] 나머지; 잔여, 잉여(=remainder)

> ▶ **239.** 「집」의 유사어
> **home**은 가족의 결합, 가정적 분위기를 의미한다. 미국에서는 건물 그 자체를 의미하는 경우도 많다. **house**는 주거의 건물. **residence**는 법률 용어로서 대소에 관계 없이 「주택」을 의미하나, 일반적으로 큰 저택을 일컫는다.

[파] **resídual** [형] 나머지의 [명] 잔여 **resíduary** [형] 나머지의, 찌꺼기의

*◇**re·sign** [rizáin] [타][자] 단념하다, (권리·재산 따위를) 포기하다; 사직하다(=give up an office)
(예) *resign* in a body 총사직하다
[어법] 「사직하다」는 resign from one's office, resign one's office 어느 것이나 무방함. 전자는 미국식 용법.
[파] **resígned** [형] 단념한; 퇴직한 **resignedly** [rizáinidli] [부] 단념하여 ◇**resignation** [rèzignéiʃən] [명] 사직; 포기, 단념

resign** one**self to ~에 몸을 내맡기다; ~을 감수하다, ~을 단념하다
(예) *resign* one*self to* insult 모욕을 감수하다 // When you take a long trip, you have to *resign* your*self to* occasional discomfort. 오랜 여행을 할 때에는 이따금 불쾌한 것도 감수하지 않으면 안 된다. // He *resigned* him*self to* his fate. 운명에 몸을 맡겼다.

*◇**re·sist** [rizíst] [타][자] 저항하다, 반항하다(=stand against); 참다, 견디어 내다; 이겨 내다 [반] submít 복종하다
(예) *resist* temptation 유혹에 지지 않다 // I cannot *resist* strawberries and cream. 나는 크림을 바른 딸기라면 사족을 못 쓴다.
[어법] ① 「참다」의 뜻으로는 보통 부정문에서 쓰인다. ② 목적어로서는 부정사를 쓰지 않고 동명사를 취한다: He can never *resist* mak*ing* a joke. (그는 농담을 하지 않고는 못 견디는 사람이다)
[파] ◇**resístant** [형] 저항하는(◇be highly *resistant* to ~에 대해 높은 내성이 있다, ◇become *resistant* to ~에 내성을 갖게 되다)

*◇**re·sist·ance*** [rizístəns] [명] 저항, 레지스탕스

res·o·lute [rézəlùːt] [형] 결심이 굳은, 단호한
[파] ◇**résolutely** [부] 단호히, 결연히

*◇**re·solve** [rizálv / -zɔ́lv] [타][자] 결심하다(=decide) [~ on]; 분해하다 [~ into] [명] 결심; 분해(分解)
[반] blend 혼합하다
(예) He *resolved to* take part in the contest. ↔ He *resolved that* he would take part ... ↔ He *resolved on* taking part... 그는 콘테스트에 참가하기로 결심했다. // I have *resolved on* an enterprise which has no precedent. 나는 이제껏 전

례가 없는 사업을 하기로 결심했다. // Water may *be resolved into* oxygen and hydrogen. 물은 산소와 수소로 분해된다.

어법 ①「결심하고 있다」의 뜻으로는 be resolved의 형식을 쓴다. ② make a resolve, make a resolution은 다「결심하다」의 뜻으로 쓰임.

파 **resólved** 형 단호한(=resolute) **resólvent** 형 분해하는 명 분해물 **resoluble** [rizáljubəl / -zɔ́l-], **resólvable** 형 분해할 수 있는 **resolútion** 명 결심, 결의(=determination); 결의(안); 해결, 해답

*__re·sort__ [rizɔ́:rt] 명 놀이터, 유흥지, 사람이 잘 가는 곳; 의지가 되는 사람〔물건〕, 수단(=means) 자 자주 가다(=frequent); ~에 의지하다, (수단에) 호소하다

(예) a summer *resort* 피서지 // in the last *resort* 최후 수단으로, 결국

resort to (수단)에 호소하다; ~에 자주 가다

(예) *resort to* violence 폭력에 호소하다 // They *resorted to* drastic measure. 그들은 강경 수단에 호소했다. // He *resorts to* the restaurant. 그는 자주 그 식당에 간다.

◇**re·sound** [rizáund] 타 자 반향하다(=echo), 울려 퍼지다

*◇**re·source** [rísɔ:rs, risɔ́:rs / rizɔ́:s] 명 《보통 *pl.*》 자원; 자산, 재원; 수단(=means); 지략(智略); 오락

(예) America is rich in mineral *resources.* 미국은 광물 자원이 풍부하다. // a man full of *resource* 지략이 뛰어난 사람 // He was at the end of his *resources.* 그는 속수무책이었다.

파 **resóurceful** 형 자산〔자원〕이 있는; 지략이 있는 **resóurceless** 형 수완이 없는; 자력〔자원〕이 없는

*◇**re·spect** [rispékt] 타 존경하다(=honor), 존중하다 명 존경, 존중(=esteem); 점(=point, regard); 관계 반 dishóno(u)r, ínsult 모욕(侮辱)

(예) with (great) *respect* (대단히) 존경하여 // in every *respect* 모든 점에서

> ▶ **240.**「존경하다」의 유사어
> **respect**는 일반적인 말이다. **esteem**은 애정을 갖고 경복하다, 높이 평가하다. **honor**는 사람의 명예를 인정하여 경의를 표하다. **adore**는 신처럼 숭앙하다.

파 **respécting** 전 ~에 관하여 ◇**respéctable** 형 존경할 만한, 훌륭한(=decent); 모양새 좋은; 상당한 **respéctably** 부 훌륭하게; 상당히 **respectabílity** 명 훌륭함; 체면; 《*pl.*》 명사들 **respéctful** 형 정중한(=polite), 예의 바른 ◇**respéctfully** 부 공손히(Yours *respectfully* 경백) ◇**respéctive** 형 각각의, 각기의 **respéctively** 부 각각, 따로따로

have respect for ~을 존경하다

(예) We Koreans *have respect for* our elders. 우리 한국 사람들은 웃어른을 공경한다.

have respect to ~와 관계가 있다

(예) It *has respect to* this event. 그것은 이 사건과 관계가

있다.

in respect of ~에 관하여(=with respect to)

(예) I have nothing to say *in respect of* the point at issue. 이 쟁점에 관해서는 아무 것도 할 말이 없다.

in all* 〔*many*〕 *respects 모든〔많은〕 점에서

(예) This is inferior to the other *in all respects.* 이것은 다른 것에 비하여 어느 모로 보나 못하다.

in no respect 어느 점에서도 ~ 않다, 결코 ~ 않다

(예) *In no respect* do we differ from each other. 우리들 사이에는 어떠한 상위점도 없다.

◇***in this respect*** 이 점에서(=in this regard)

(예) People are often very thoughtless *in this respect.* 사람들은 흔히 이 점에 있어 생각이 없다.

◇***pay* 〔*show*〕 *one's respects to*** ~에게 경의를 표하다

(예) On New Year's Day we visit our elders to *pay* our *respects* (*to* them). 우리는 설날에 웃어른을 찾아가 경의를 표한다.

with respect to ~에 관하여, ~에 대하여

(예) *with respect to* the matter 그 일에 관해서

NB with reference 〔regard〕 to와 거의 같은 뜻.

without respect to ~을 무시하고, ~을 고려하지 않고

(예) He did so *without respect to* the results. 그는 결과는 생각하지 않고 그렇게 했다.

re·spire [rispáiər] ㉰㉴ 호흡하다

㉶ **respirátion** ㉮ 호흡(작용) **respiratory** [résp∂r∂tɔ̀:ri / rispáiərətəri] ㉻ 호흡(작용)의 (*respiratory* organs 호흡 기관)

res·pite [réspit / -pait] ㉮ 휴식, 일시적 중단(=short pause in work); 연기

*◇**re·spond*** [rispάnd / -pɔ́nd] ㉴ 응답하다, 응하다 [~ to]

㉶ **respóndent** ㉻ 응답하는, 감응하는, 일치하는 ㉮ 답변자 (⇨) **response, responsible**

◇***respond to*** ~에 (대)답하다; (자극 따위)에 반응을 나타내다, 감응하다

(예) He does not *respond to* kindness. 친절히 해도 반응이 없다. // She *responded to* a speech of welcome. 그녀는 환영사에 답했다.

*◇**re·sponse** [rispάns / -pɔ́ns] ㉮ 응답, 반응(=reaction); 반향; 감응

(예) The use of steel frame for construction was a direct *response to* this demand. 건설 공사에 철골을 사용한 것은 이러한 요청에 직접 부응하는 것이었다.

㉶ ◇**respónsive** ㉻ 응답하는, 감응하기 쉬운

in response to ~에 응하여, ~에 답하여

(예) I act *in response to* the call of duty. 나는 의무가 명하는 데 따라 행동한다.

*◇**re·spon·si·bil·i·ty** [rispὰnsəbíləti / -pɔ̀n-] ㉮ 책임, 의무

*◇**re·spon·si·ble** [rispάnsəbəl / -pɔ́n-] ㉻ 책임을 져야 할,

책임 있는 [~ to (사람), ~ for (사물)]; 믿을 수 있는(=reliable)

반 irrespónsible 무책임한

(예) choose a *responsible* person 신뢰할 수 있는 사람을 고르다 // I will not be *responsible to* you *for* what happens. 무슨 일이 일어나도 자네에 대하여 책임은 지지 않겠네.

◇*(***be***) ***responsible for*** ~에 대하여 책임이 있는

(예) Soldiers *are responsible for* the defense of their country. 군인은 자신의 나라를 방위할 책임이 있다. // Bad luck *is responsible for* his failure. 불운 때문에 그는 실패하였다.

***rest** [rest] 〈동음어 wrest〉 명 휴식, 안정; 나머지, 남은 것〔사람〕 자 타 쉬다(=stop work), 휴식하다, 휴양하다, 정지하다; 놓다; 기대다(=lean); ~대로 있다

반 work 일하다, contínue 계속하다

(예) a *rest* room 휴게실, 세면소 // at *rest* 휴식하고, 평온히 // ◇take a *rest* 휴식하다 // *rest* assured 안심하고 있다

어법 「나머지」의 뜻일 때는 꼭 정관사를 붙인다: I was ill in bed for the *rest* of the month. (나는 그 달 말까지 병상에 누워 있었다)

파 ◇**réstful** 형 편안한, 평온한 ◇***réstless** 형 마음이 뒤숭숭한, 불안한, 잠을 이루지 못하는, 쉴사이 없는 **réstlessly** 부 침착하지 못하게, 들떠서 **réstlessness** 명 불안, 침착하지 못함

◇***rest on*** 〔***upon***〕 ~에 의존하다(=depend on), ~에 의거하다

(예) The influence of your speaking will *rest* ultimately *on* the integrity of your character. 연설의 힘은 결국은 인격의 고결함에 달려 있다.

rest with ~에 달려 있다, ~에 의거하다

(예) The sovereignty *rests with* the people. 주권은 국민에게 있다.

at rest 휴식하여, 정지하여, 영면하여, 해결하여

(예) Children are never really *at rest.* 아이들은 결코 가만있지 못한다.

◇**res·tau·rant** [réstərənt / -tərɔ̃ːŋ] 명 요리점, 식당, 레스토랑

NB 이 말은 본래 프랑스 말이며 [rɛstɔrɑ̃]이라고 발음한다.

rest·ing [réstiŋ] 형 휴지〔휴식〕하고 있는, 『식물』 휴면중인

파 **resting place** 휴식처; 계단의 층계참(=landing)

res·ti·tu·tion [rèstitjúːʃən / -tjúː-] 명 배상; 반환

(예) make *restitution* of stolen jewels 훔친 보석을 소유주에게 반환하다

◇***re·store** [ristɔ́ːr] 타 회복시키다, 복구하다; 되돌리다

(예) *restore* a lost child to its mother 미아를 애 엄마에게 돌려 보내다 // He *restored* health. ↔ He *was restored to* health. 그는 건강을 회복했다. // A long rest *restored* him

to health. ↔ A long rest *restored* his health. 오랫동안 휴식을 취했기 때문에 그는 건강을 회복했다.
파 **restórer** 명 원상 복귀시키는 사람〔것〕 ◦**restorátion** 명 회복, 수복, 복원; 왕정(王政) 복고 **restórative** 형 회복시키는 명 의식 회복약

re·strain [ristréin] 타 억제하다(=hold back), 금지하다
(예) *restrain* oneself 자제하다 // *restrain* a child from doing mischief 어린애에게 장난을 하지 못하게 하다
파 ***restráint** 명 억제(력), 구속; 자제(自制), 삼감

re·strict [ristríkt] 타 제한하다, 속박하다(=confine)
파 ◦**restríction** 명 제한, 속박, 구속; 삼감 **restríctive** 형 제한적인, 한정하는

▶ **241.** 접미어 **ive**
「~의 경향이 있는」「~의 성질을 가진」의 뜻을 나타냄.
(예) restrict*ive*, act*ive*(활동적인), negat*ive*(소극적인) 등

re·sult [rizʌ́lt] 명 결과(=effect); 성적 자 (결과로서) 일어나다, 기인하다; 끝나다 [~ in]
(예) meet with good *results* 좋은 결과를 얻다; 좋은 성적을 올리다
파 **resúltant** 형 결과로서 생기는 명 결과

result from ~에서 생기다, ~에 기인하다(=come from)
(예) Sickness often *results from* eating too much. 병은 가끔 과식한 데서 생긴다.

result in ~으로 끝나다(=end in), ~으로 귀착하다, ~의 결과를 가져오다(=come out)
(예) My efforts *resulted in* nothing. 내 노력은 허사로 끝났다.
NB result from과 result in은 대조적으로 기억해 두는 것이 좋다

as a result of ~의 결과로서
(예) Several people were killed *as a result of* storm. 몇몇 사람이 폭풍우로 죽었다.

re·sume [rizú:m / -zjú:m] 타 자 다시 시작하다(=begin again), (이야기를) 계속하다(=continue); 다시 잡다, 도로 찾다
(예) That work has not yet been *resumed*. 그 일은 아직 다시 시작되지 않았다.
파 **resúmption** 명 재개시; 속행; 회수

ré·su·mé [rèzuméi / rézjumèi] 명 〖프〗 적요, 요약; 《주로 미국에서》 이력서

res·ur·rec·tion [rèzərékʃən] 명 재생, 부흥; [the R-] (그리스도의) 부활; 소생

re·tail 타 자 [rí:tèil, ritéil] 소매하다; (소문 따위를) 퍼뜨리다 명 [rí:tèil] 소매 형 [rí:tèil] 소매의 부 [rí:tèil] 소매로
반 whólesale 도매
(예) a *retail* price 소매가격 // a *retail* shop 소매점
파 **retailer** [rítèilər] 명 소매인; (소문을) 퍼뜨리는 사람

R

*◇**re·tain** [ritéin] ㉠ 보류하다(=keep), 보유〔유지〕하다(=preserve); 기억하다; 고용해 두다(=engage)
(예) *retained* object 〖문법〗 보류 목적어
㉺ **retáiner** ㉳ 시종(侍從); 보유자

re·take [rì:téik] ㉠ 《*-took; -taken*》 다시 잡다; 되찾다; 회복〔탈환〕하다; (사진을) 다시 찍다

re·tal·i·ate [ritǽlièit] ㉠㉶ 보복하다; 앙갚음하다, 응수하다
㉺ **retaliátion** ㉳ 보복, 앙갚음

re·tard [ritá:rd] ㉠ 방해하다, 지체시키다(=delay)
㉺ **retardátion** ㉳ 지연

◇**re·tell** [rì:tél] ㉠ 《*-told*》 다시〔고쳐〕 이야기하다, 되풀이하다

*◇**re·tire** [ritáiər] ㉶ 물러가다(=go back), 퇴거하다(=withdraw); 은퇴하다; 잠자리에 들다(=go to bed)
(예) *retire into* the country 시골로 은퇴하다 // *retire from* the position 퇴직하다
㉺ ◇**retíred** ㉱ 은퇴한; 외딴 ◇**retírement** ㉳ 퇴거, 은퇴, 은둔 **retíring** ㉱ 교제를 싫어하는, 수줍은; 퇴직의 (*retiring* allowance 퇴직 수당)

re·tort [ritɔ́:rt] ㉶㉠ 말대꾸하다, (모욕·비난 따위를) 되받아 넘기다 ㉳ 말대꾸; (토론 따위에서) 역습, 반박(=refutation); 〖화학〗 레토르트, 증류기

◇**re·train** [ri:tréin] ㉶㉠ 재교육〔재훈련〕하다〔받다〕

◇**re·treat** [ritrí:t] ㉠ 퇴각; 은둔처 ㉶ 물러가다, 퇴각하다(=withdraw from a battle); 은둔하다
㉻ advánce 전진하다
(예) beat a (hasty) *retreat* 사업을 그만두다, 계획을 포기하다; 서둘러 도망가다

◇**re·trieve** [ritrí:v] ㉠ 되찾다(=get back), 회복하다(=recover), 갱생하다; 벌충하다
(예) *retrieve* a loss 손실을 회복하다 // *retrieve* a person *from* misfortune 아무를 불행에서 구하다
㉺ **retríeval** ㉳ 회복, 되찾음

ret·ro·spect [rétrəspèkt] ㉠㉶ 회고하다 ㉳ 회상
㉺ **retrospéction** ㉳ 회상 **retrospéctive** ㉱ 회고적인

> ▶ **242.** 접두어 **retro**
> 「후방에」「거꾸로」「거슬러」의 뜻을 나타낸다.
> (예) *retro*spect

***re·turn** [ritə́:rn] ㉶㉠ 돌아오다〔가다〕(=go back, come back); 돌려주다, 보답하다(=repay), 답신하다(=answer); 선출하다 ㉳ 복귀, 보답, 보고; 《종종 *pl.*》 수익; 보고서
㉻ depárt 출발하다
(예) *return* home 귀가〔귀국〕하다 // *return* a blow 되받아치다 // by *return* of post 지급 회신으로 // on one's *return* from abroad 외국에서 돌아오자(즉시) // ◇*return* other's kindness *with* gratitude 남의 친절에 대하여 감사의 마음으로 보답하다

파 ◇**retúrnable** 형 돌려 줄 수 있는, 돌려 주어야 할, 반환해야 할 **return card** 왕복 엽서 **return ticket** 왕복표 (=〖미〗 round-trip ticket)

by return (***of mail***) 회편으로, 받는 즉시로, 지급으로
(예) Please send your reply *by return.* 지급으로 귀하의 답을 보내주시오.

in return (***for***) (~의) 보답으로, 답례로, 그 대신
(예) This is a small present *in return for* your favor. 이것은 당신의 호의에 대한 보답으로 드리는 작은 선물입니다. // Give a child a pen, and he always hands you something *in return.* 아이에게 펜을 하나 주십시오. 그러면 답례로 그 아이는 언제나 무엇인가 줄 것입니다.

re·u·ni·fy [riːjúːnəfai] 타 다시 통일시키다
파 ◇**reunificátion** 명 재통일, 재통합

re·u·nion [riːjúːnjən] 명 재결합; 재합동; 재회, 친목회

re·unite [rìːjuːnáit] 자 타 재결합하다〔시키다〕, 화해하다〔시키다〕

re·use [riːjúːz] 타 다시 이용하다, 재생하다

re·veal [rivíːl] 타 나타내다(=disclose), 보이다(=show), 알리다; 누설하다
파 ◇**revelátion** 명 (신의) 계시, 묵시; 발각, 의외의 사실; [the R-] (신약 성서의) 요한 계시록

rev·el [révl] 자 주연을 베풀다(=feast merrily), 마시고 흥청거리다 명 《종종 *pl.*》 흥청망청 떠들기, 술잔치
파 **rével(l)er** 명 술잔치하는 사람; 주정꾼 **révelry** 명 술마시고 흥청거리기, 환락

re·venge [rivéndʒ] 타 자 복수하다, 원수를 갚다(*cf.* avenge) 명 복수, 원한; (경기 따위의) 설욕의 기회
(예) *revenge* one's father's murder 죽은 아버지의 원수를 갚다 // ◇*revenge* oneself 〔be *revenged*〕 *on* one's enemy 원수에게 복수하다 // take 〔have, get〕 *revenge* on ~의 원수를 갚다〔원한을 풀다〕
파 **revéngeful** 형 복수심에 불타는

rev·e·nue [révənjùː / -njùː] 명 세입, 수입(=income)
반 expénditure 세출, 지출

re·vere [rivíər] 타 존경하다(=feel great respect for)
파 **réverent** 형 경건한

rev·er·end [révərənd] 형 존경할 만한, 거룩한; [the R-] ~ 목사님《목사의 경칭. 인명 앞에 the Rev.라고 약기함》
파 **réverence** 명 존경, 숭배, 경외 타 존경하다 **reveréntial** 형 존경을 표시하는, 경건한

rev·er·ie [révəri] 명 환상, 공상

re·verse [rivə́ːrs] 타 자 거꾸로 하다(=turn the other way); 전환하다 명 역(逆), 이면; 전도(顚倒), 실패 형 역의, 거꾸로의
원 re(=back)+verse(=turn)
(예) *reverse* the order 순서를 거꾸로 하다 // *reverse* a car 차를 후진시키다 // *reverse* a policy 정책을 전환하다

R

파 **revérsal** 명 전도, 취소 **revérsely** 부 거꾸로 **revérsible** 형 거꾸로 할 수 있는

re·vert [rivə́:rt] 자 돌아다보다, 회상하다; 되돌아가다(=return)

파 **revérsion** 명 되돌아가기; 전도; 격세(隔世) 유전

*◇**re·view** [rivjúː] 타 자 복습하다, 회고하다; 검열하다; 평론하다 명 복습, 회고; 검열, 평론

(예) *review* one's lessons 학과의 복습을 하다 // *review* the day's happenings 그 날에 일어난 일을 회상하다 // a book *review* 서평

파 **revíewer** 명 비평가, 검열자 **military review** 열병식

re·vile [riváil] 타 자 욕하다, 욕설하다(=abuse)

◇**re·vise** [riváiz] 타 교정(校正)하다, 수정하다; 개정(改訂)하다

원 re(=again)+vise(=see)

(예) a *revised* edition 개정판 // *revise* one's opinion 의견을 바꾸다

파 **revision** [rivíʒən] 명 개정, 교열, 교정물

re·vis·it [rìːvízit] 타 다시 방문하다 명 재방문

◇**re·vive** [riváiv] 자 타 되살아나다, 부활하다, 소생시키다 기운나다; 부흥시키다(=restore); 회상하다

(예) *revive* a memory 기억을 새롭게 하다 // I felt my courage *revive* in me. 나는 용기가 다시 소생하는 것을 느꼈다.

파 **revíval** 명 부활, 재생; 신앙 부흥

re·voke [rivóuk] 타 자 취소하다, 해제하다

반 decíde 결정하다

파 **revocable** [révəkəbəl] 형 취소할 수 있는 (반 irrévocable 취소할 수 없는) **revocátion** 명 취소

*◇**re·volt** [rivóult] 자 타 반역하다(=rebel); 불쾌감을 느끼게 하다; 구역질나다[~ at, against] 명 모반(=rebellion), 반역; 혐오

반 obéy, submít 복종하다

(예) People *revolted* against the government. 국민은 정부에 반기를 들었다.

어법 *revolt*는 복종을 거부하는 것. *rebellion*은 공공연하게 무기를 들고 반란하는 것.

파 **revólted** 형 반역한 **revólting** 형 반역하는, 싫은

*◇**rev·o·lu·tion*** [rèvəlúːʃən] 명 혁명, 변혁; 회전, (천체의) 운행

원 <revolve 회전하다

(예) the Industrial *Revolution* 산업 혁명 // the great French *Revolution* 프랑스 대혁명 // the *revolution* of the earth around the sun 태양 주위를 도는 지구의 회전《공전》

파 ***revolútionary*** 형 혁명의, 혁명적인; 회전의 명 혁명당원 **revolútionist** 명 혁명가 **revolútionize** 타 혁명을 일으키다, 혁명을 고취하다

◇**re·volve** [rivɑ́lv / -vɔ́lv] 자 타 회전하다(=turn round and

round), 운행시키다; 숙고하다(=meditate) [~ on]
(예) The earth *revolves* round the sun. 지구는 태양의 둘레를 돈다.
㉺ **revólver** ㉤ (회전식) 연발 권총

re·ward [riwɔ́ːrd] ㉤ 보수, 상 ㉣㉢ 보답하다, 상을 주다
㉥ púnish 벌하다
(예) He was promoted *in reward for* his services. 그는 공적에 대한 보답으로 승진됐다. // She *rewarded* my efforts. ↔ She *rewarded* me for my efforts. 그녀는 내 노력에 보답해 주었다. // His efforts were *rewarded* with success. 그의 노력은 성공으로 보상되었다.

re·write [rìːráit] ㉣ 《**-*wrote* ; -*written***》 다시 쓰다, 고쳐 쓰다

Rex [reks] ㉤ 《*pl.* ***Reges*** [ríːdʒiːz]》〔라〕 국왕

rhet·o·ric [rétərik] ㉤ 수사학(修辭學), 웅변술; 미사 여구(美辭麗句), 화려한 문체
㉺ **rhetórical** ㉦ 수사(학)의(*rhetorical* question 수사 의문) **rhetorícian** ㉤ 수사학자, 웅변가

rheu·ma·tism [rúːmətìzəm] ㉤ 류머티즘
㉺ **rheumátic** ㉦ 류머티즘의 ㉤ 류머티즘 환자

rho·do·den·dron [ròudədéndrən] ㉤ 석남과의 식물

rhyme, rime [raim] ㉤ (시의) 운; 시 ㉢㉣ 시를 짓다; 운이 맞다, 압운(押韻)하다

rhythm [ríðəm] ㉤ 리듬, 율동
(예) the *rhythm* of the season 계절의 규칙 바른 주기
㉺ **rhýthmic, -ical** ㉦ 율동적인, 가락이 맞는 ◦**rhýthmically** ㉮ 율동적으로

rib [rib] ㉤ 갈빗대, 늑골; (양산의) 살

rib·bon [ríbən] ㉤ 리본, 끈 ㉦ 리본의 ㉣㉢ 리본을 달다, 리본 모양으로 되다
(예) be torn to *ribbons* 갈기갈기 찢어지다

rice [rais] ㉤ 쌀, 밥; 벼(=rice-plant)
(예) *rice* crop 미작(米作) // *rice* field 논 // polished *rice* 백미 // curry and *rice* 카레라이스 // live on *rice* 쌀을 주식으로 하다

rich* [ritʃ] ㉦ 부유한(=wealthy); 풍부한(=abundant) [~ in]; 짙은 ㉤ 《*pl.*》 부(富)(=wealth), 재산; 풍부
㉥ poor 가난한
(예) *rich* food 맛좋은 음식 // *rich* coloring 짙은 색깔 // *rich* land 비옥한 땅 // *rich* jewels 고가의 보석 // a *rich* diet 영양이 있는 식사 // a *rich* voice 낭랑한 목소리 // a cake *rich* with sugar 설탕이 많이 들어간 케이크 // The *rich* are not always happy. 부자라고 해서 반드시 행복한 것은 아니다.
㉺ **ríchly** ㉮ 풍부하게, 찬란하게 ◦**ríchness** ㉤ 부유; 풍부; 비옥 (⇨) **enrich**

***(be) rich in* 〔*with*〕** ~이 풍부한, ~이 많은
(예) The river used to *be rich in* fish. 그 강에는 고기가

한때 많았었다. // The castle *is rich with* incidents of interest. 그 성에는 흥미 있는 사건이 많다.

*◇**rid** [rid] [타] 《***rid, ridded***》 제거하다, 없애다(=free) [~ of]; 치우다; 구축(驅逐)하다, 쫓아 버리다
(예) ◇*rid* the mind *of* doubt 마음의 의심을 풀다 // ◇You must *rid* yourself *of* that bad habit. 너는 그 나쁜 버릇을 버려야 해.

*◇***get* 〔*be*〕 *rid of*** ★ ~을 면하다〔벗어나다〕; ~을 제거하다〔없애다〕; ~을 치우다; ~을 처치해 버리다
(예) They put all their might to *get rid of* poverty. 그들은 가난을 없애기 위해 전력을 다했다. // *get rid of* one's cough 기침을 멈추다

◇**rid·dle** [rídl] [명] 수수께끼(=puzzle); 난문(難問) [자] [타] 수수께끼를 내다, 수수께끼를 풀다(=solve)

ride [raid] [자] [타] 《***rode; ridden***》 타다, 타고 가다; (천체가 공중에) 걸리다 [명] 탐, 승마, 승차
(예) *ride* in a train 〔on a bicycle〕 기차〔자전거〕를 타다 // It's (a) five minutes' *ride* in a bus. 버스로 5분 걸린다. // The moon was *riding* high. 달이 높이 떠 있었다.
[어법] 자동차〔마차〕를 자기가 운전해 가는 것이 *drive*이고, *ride*는 승합 마차·버스·전차 따위를 타고 가는 일.
[파] ◇**rider** [명] 타는 사람 **ríding** [명] 승마 [형] 승마(용)의 **ríding-breeches** [명] 승마 바지

◇**ridge** [ridʒ] [명] 산마루(=long narrow hill-top); 이랑; 용마루 [타] [자] ~에 용마루를 올리다; ~두둑〔이랑〕을 만들다

◇**rid·i·cule** [rídikju:l] [명] 비웃음, 조소 [타] 비웃다(=laugh at), 조롱하다(=make fun of)
(예) pour *ridicule* on him ↔ hold him up to *ridicule* 그를 비웃다〔조롱하다〕
[파] ***ridiculous** [ridíkjələs] [형] 우스운

ri·fle [ráifl] [명] 소총, 라이플총, 강선총 [타] 약탈〔강탈〕하다
[파] **rífleman** [명] 《*pl.* -men》 저격병 **rifle ground** 〔**range**〕 소총 사격장

rift [rift] [자] [타] 찢다 [명] 째진 틈, 갈라진 틈(=crack)

rig [rig] [타] 장비〔의장〕하다, 채비를 하다; 몸차림하다[~ out, up]
(예) *be rigged out* as a clown 어릿광대로 옷을 차려입다

right [rait]★ 〈동음어 rite, write〉 [형] 올바른(=just); 진실한(=true); 오른쪽의 [부] 바르게, 곧게; 〖미·구어〗 바로(=just) [명] 올바름; 권리; 오른쪽 [타] 바로잡다, ~의 위치를 바르게 하다
[반] wrong 바르지〔옳지〕 않은, 틀린, left 왼쪽, 왼쪽의
(예) ◇in one's own *right* 본래, 당연히; 타고난 권리로 // Do what you think is *right*. 옳다고 생각하는 일을 하십시오. // Might is *right*. 힘은 정의이다. // You have no *right* to come in. 너에겐 들어올 권리가 없다. // You are *right to* say so.↔*It is right of* you *to* say so. 네가 그렇게 말하는 것은 옳다. // A week's rest *put* him *right*. 1주

일간 정양하고 그는 완쾌했다. // go *right* on 똑바로 나아가다 // jump *right* over a person's head 바로 아무의 머리 위를 뛰어 넘다 // *right* a wrong 잘못을 바로잡다

어법 ① 부사의 *right*(바르게, 정확히)는 동사의 뒤에 사용하며, rightly는 앞에 사용하는 경향이 있음: act *right* (바르게 행동하다), I cannot *rightly* say. (정확히는 말할 수 없다) ② right는 강의어(强意語)로서 사용함은 미국에 많은 용법. 특히 다음 구(句)에 주의: *right* away (즉시), *right* now (방금), *right* here (바로 여기), *right* along (끊임없이, 줄곧)

파 ◇**righteous** [ráitʃəs] 형 정의의, 공정한(=just), 정당한 (반 unjúst 부정의) **ríghteousness** 명 정의, 공정 ◇**ríghtful** 형 적법의, 올바른 **ríghtfully** 부 합법적으로 ***ríghtly** 부 바르게 **ríghtness** 명 공정 **ríghtist** 형 명 우익의, 우익의 사람 **right-hand** 형 오른쪽의, 우측의 **ríght(-)of(-)wáy** 명 (우선) 통행권 **ríght-mínded** 형 정직한 **right wing** 우파

◇***right away*** 〖미·구어〗 곧(=at once)
(예) He said that he would be back *right away*. 그는 곧 돌아오겠다고 말했다.

◇***right or wrong*** 좋건 나쁘건, 옳든 그르든, 불가불
(예) I intend to do it, *right or wrong*. 좋건 나쁘건 그것을 할 생각이다.

(be) in the right 올바른, 사리에 맞는, 옳은
(예) I will not apologize because I *am in the right*. 내가 옳으므로 사과는 하지 않겠다.

어법 반의구(反意句)는 ***(be) in the wrong***「그릇된」이다. 단순히 right, wrong이라고 하여도 큰 차는 없다.

the right man in the right place 적재적소, 적임자
(예) He is *the right man in the right place*. 그는 적임자이다.

(the) right side up 겉〔정면〕을 위로 하고
(예) Get all the glasses *right side up*. 잔을 모두 똑바로 놓아라.

rig·id [rídʒid] 형 굳은, 단단한(=stiff); 엄격한, 완고한
반 yíelding 휘어지기 쉬운
파 **rígidly** 부 단단히; 엄격히 **rigídity** 명 단단함, 강직

rig·o(u)r [rígər] 명 엄함, 가혹, 엄격(=strictness)
파 **rígorous** 형 엄격한, 가혹한

rim [rim] 명 가장자리(=edge) 타 에 가장자리〔테〕를 달다

ring [riŋ] 〈동음어 wring〉 명 원, 고리; [the r-] 권투장; 동맹; 울림, 울리는 소리 타 자 《***rang; rung***》 울리다, 울려 퍼지다; 둘러싸다(=encircle)
(예) *ring* the bell 초인종을 울리다 // *ring* a bell 공감을 일으키다, 생각나게 하다 // His voice still *rings* in my ears. 그의 목소리는 아직도 내 귀에 남아 있다. // ◇*ring in* the new year and *ring out* the old (종을 울려서) 새해를 맞고 묵은 해를 보내다 // What he says *rings* true.

R

그가 말하는 것은 진실처럼 들린다.

파 **ringed** 형 고리 모양의 **ríngleader** 명 주모자, 장본인

rink [riŋk] 명 스케이트장

NB ring「권투장」, links「골프장」와 혼동하지 말 것.

ri·ot [ráiət] 명 폭동; 소동; 방탕 자 타 폭동을 일으키다; 떠들다; (시간·돈 등을) 낭비하다

반 peace 평화

(예) student *riots* 학생 폭동 // start 〔raise, get up〕 a *riot* 폭동을 일으키다

파 **ríoter** 명 폭동자 **ríotous** 형 폭동의, 방탕의

rip [rip] 타 자 찢다(=tear), 쪼개지다 명 찢음, (길게) 찢어진 곳

rip up 쭉 찢다; (비밀을) 파헤치다, 폭로하다

(예) *rip up* a handkerchief 손수건을 쭉 찢다

ripe [raip] 형 익은(=mature), 원숙한

반 raw 미숙한

(예) a man of *ripe* experience 경험이 풍부한 사람 // The time was *ripe for* revolution. 혁명의 시기가 무르익었다.

파 **rípeness** 명 성숙 **rípen** 자 타 익다, 익히다

rip·ple [rípl] 명 잔물결(=small wave), 파문 자 타 잔물결이 일다

파 **rípplet** 명 잔물결

rise [raiz] 자 《***rose; risen*** [rízn]》 오르다; 기상하다, 일어나다, 일어서다; 승진하다 [~ from] (*cf.* ascend) 명 상승, 발흥; 기원

반 fall 내리다, 떨어지다

(예) *rise* to one's feet 일어서다 // *rise* to fame 명성을 얻다 // *rise up* into the air 곧장 하늘로 올라가다

NB rise에 대한 타동사는 raise「일으키다」

파 **ríser** 명 기상자(起床者) **rísing** 형 떠오르는, 왕성한, 신진의 (the *rising* sun 떠오르는 태양, the *rising* generation 청년) 명 상승, 밀물, 융성, 모반

give rise to ~을 생기게 하다, ~을 일으키다

(예) *give rise to* many rumors 소문을 퍼뜨리다 // *give rise to* deltas 삼각주가 생기게 하다

***risk** [risk] 명 위험(=danger) 타 위험에 내맡기다, 위험을 무릅쓰고 ~하다

반 sáfety 안전

(예) at *risk* (사람·사업 따위가) 위험에 처해 // at one's own *risk* 자기의 책임하에

파 **rísky** 형 위험한, 모험적인

at all risks 어떤 위험을 무릅쓰고라도(=at all costs)

at the risk of ~을 걸고, ~을 무릅쓰고(=at risk to)

(예) Each day they went after food *at the risk of* their lives. 매일 그들은 목숨을 걸고 식량을 구하러 갔다.

run the risk of ~의 위험을 무릅쓰다

(예) He has *run the risk of* being captured. 그는 생포될 위험을 무릅썼다.

rite [rait] 〈동음어 right, write〉 명 의식(=ceremony); 관

습
(예) burial 〔funeral〕 *rites* 장례식
rit·u·al [rítjuəl] ⓗ (종교적) 의식의; 관습의 ⓜ 의식
ri·val [ráivəl] ⓜ 경쟁자(=competitor); 필적하는 사람(=equal) ⓗ 경쟁자의, 서로 싸우는 ⓣ 서로 겨루다, 경쟁하다
(예) without a *rival* 겨룰 자〔비길 데〕 없는, 무적(無敵)인 // ◦be *rival for* ~에서 서로 적수〔경쟁 상대〕이다
파 ◦**rívalry** ⓜ 적대, 경쟁, 대항, 맞겨룸
riv·er [rívər] ⓜ 강; 다량의 흐름
어법 강 이름은 the River (또는 river) Thames가 영국식, the Hudson River는 미국식.
파 **ríverbed** ⓜ 하상(河床) **ríverhead** ⓜ 수원 ◦**ríverside** ⓜ 강변
riv·et [rívit] ⓜ 리벳, 대갈못 ⓣ 대갈못을 박다, 단단히 고정시키다
riv·u·let [rívjələt] ⓜ 개울, 시내(=brook)
road [roud]* 〈동음어 rode〉
ⓜ 길; 수단, 방법(=way)
(예) a high *road* 간선 도로 // *road* junctions (도로의) 교차점 // get out of a person's *road* 아무에게 방해가 되지 않도록 비키다

> ▶ **243.** 「길」의 유사어
> **street**는 도시 내의 가로(街路). **road**는 도시 사이를 잇는 도로를 일컫는다. 따라서 반드시 좁은 것은 아니다. **lane**은 작은 길, 좁은 길.

파 **road show** 〖미〗 (영화·연극의) 특별 흥행, 로드쇼 ◦**róad-side** ⓜ 길가 ⓗ 길가의 ◦**róadway** ⓜ 차도; (철도의) 선로; 〖미〗 도로 (*cf.* sidewalk)
on the* (*high*) *road to ~의 도중〔도상〕에 있는
(예) He is well *on the road to* recovery. 그는 한창 회복 도상에 있다. // He is *on the road to* ruin. 그는 파멸의 길을 걷고 있다.
roam [roum] ⓙⓣ 거닐다, 배회하다(=wander)
(예) *roam* about 〔over〕 the forest 숲속을 배회하다
roar [rɔːr] ⓙⓣ (맹수가) 울다, 포효하다; 울려 퍼지다; 고함치다(=bawl) ⓜ 우는 소리; 고함 소리(=loud deep cry), 울려 퍼짐
(예) *roar* with laughter 큰 소리로 웃다 // a *roar* of anger 노호
파 **róaring** ⓗ 포효〔노호〕하는 ⓜ 울려 퍼짐
roast [roust] ⓣ (고기를) 굽다, 익히다 ⓜ 불고기, 굽기 ⓗ 구운
파 **róaster** ⓜ 굽는 기구, 굽는 사람; 불고기
rob [rɑb / rɔb] ⓣ 강탈하다(=steal), 빼앗다 [~ of]
파 ◦***róbber** ⓜ 강도 **róbbery** ⓜ 강탈, 약탈
rob ~ of * ~에게서 …을 빼앗다
(예) He *robbed* me *of* my purse. 그는 내 지갑을 빼앗았다.
NB *rob* a person *of* a thing 어순에 주의. 수동태는 I *was*

robbed of my watch by him.

◇**robe** [roub] [명] 길고 헐거운 겉옷; 《*pl.*》 예복, 법복 [타][자]
예복을 입다

rob·in [rɑ́bin / rɔ́b-] [명] 〔새〕 울새, 〔미〕 개똥지빠귀의 일

◇**ro·bot** [róubɑt / róubɔt] [명] 인조 인간, 로봇 └종

ro·bust [róubʌst, rəbʌ́st] [형] 강건한, 튼튼한(=strong and
[반] délicate 허약한 └healthy)

***rock** [rɑk / rɔk] [명] 바위; 〔미〕 (조약)돌; 흔듦, 동요 [타][자]
흔들다, 동요하다
(예) *rock* oneself 몸을 흔들다 // Scotch on the *rocks* 스카
치 온 더 록스《몇 개의 얼음덩이 위에 위스키를 부은 음료
[파] ◇**rócky** [형] 바위의, 바위와 같은, 바위가 많은 **rocking
chair** 흔들의자

*◇**rock·et** [rɑ́kit / rɔ́k-] [명] 로켓; 봉화, 화전(火箭)

◇**rod** [rɑd / rɔd] [명] 막대기, 작은 가지; 회초리
(예) Spare the *rod* and spoil the child. 〔속담〕 매를 아끼
면 아이를 버린다《귀한 자식 매로 키워라》.

ro·de·o [roudéiou, róudiòu] [명] 〔미〕 (카우보이의) 공개 말
타기 대회; (낙인을 찍기 위해) 목우(牧牛)를 한데 모으기

rogue [roug] [명] 악당, 악한(=rascal); 《해학적으로》 장난
꾸러기
[파] ◇**róugish** [형] 악한의; 장난하는

ROK [rɑk / rɔk] 〔약어〕 the Republic of Korea 대한민국

*◇**role, rôle** [roul] 〈동음어 roll〉 [명] (배우의) 역할(=part)
구실, 임무
(예) ◇Printing *plays a* major *role in* modern civilization
인쇄는 현대 문명에서 중요한 구실을 한다.

*◇**roll** [roul] 〈동음어 role〉 [자][타] 굴리다, 회전하다; (배가) 좌
우로 흔들리다; (천둥이) 우르르 울리다; (땅이) 울퉁불퉁
하다 [명] 회전; 좌우로 흔들림; 두루마리; 명부; 롤빵(c
pitch 앞뒤로 흔들리다)
(예) *roll* in bed 자다가 몸을 뒤치다 // Time *rolls* on. 세
월은 흘러 간다. // the *roll* of hills 산의 기복 // call
roll 점호하다
[파] ◇**róller** [명] 롤러, 땅 고르는 기계; 굴리는 사람〔물건
róller-skate [자] 롤러스케이트를 타다 **roll call** 출석을 부
름, 점호 **rólling** [형] 굴러가는; 기복이 있는 [명] 회전; (배
따위의) 좌우로 흔들림 「사

***Ro·man** [róumən] [형] 로마의, 로마 사람의 [명] (고대) 로마
(예) *Roman* Catholic 로마 카톨릭교의, 천주교의; 카톨릭
교도 // a *Roman* nose 매부리코
[파] **Romanésque** [형] 로망스 말의, 로마네스크 양식의
Rómanize [타][자] 로마화하다 **Romanizátion** [명] 로마화, 로
마자로 쓰기

◇**ro·mance** [roumǽns, róumæns] [명] 로맨스(=love story)
전기적(傳奇的) 소설 [형] [R-] 로망스 말의

*◇**ro·man·tic** [roumǽntik] [형] 낭만적인, 낭만주의의; 공상적
인, 가공의 [명] 낭만주의자

파 **románticism** 명 낭만주의 **románticist** 명 낭만주의자
Rome [roum] 명 로마; 로마 제국; 로마 카톨릭 교회
(예) *Rome* was not built in a day. 〖속담〗 로마는 하루 아침에 이루어진 것이 아니다《큰 일은 일조일석에는 되지 않는다》. // Do in *Rome* as the Romans do. 〖속담〗 입향순속(入鄕循俗).
파 (⇨) **Roman**
romp [rɑmp / rɔmp] 자 떠들썩하게 뛰놀다, 장난치며 놀다 「명 말괄량이
roof [ru(:)f] 명 《*pl.* ***roofs***》 지붕; 《비유적》 집; 정상, 꼭대기 타 지붕을 이다
반 floor 마루
파 **róofing** 명 지붕 이는 재료 **róofless** 형 지붕〔집〕 없는
room [ru(:)m] 명 방(=chamber); 장소(=space); 여지(餘地) 자 타 유숙하다, 방을 차지하다, (손님을) 숙박시키다
(예) *Rooms* for Rent 〖미〗 셋방 있음(=〖영〗 *Rooms* to let) // take *rooms* 방을 빌리다 // a *rooming* house 〖미〗 하숙집; 간이 호텔 // There's no *room* for improvement. 개선의 여지가 없다.
어법 「방」의 뜻에서는 셀 수 있는 명사이나, 그 이외는 셀 「수 없는 명사임.
파 **róomy** 형 널찍한 **róominess** 명 널찍함 ◇**roommate** [rú(:)mmèit] 명 (기숙사·하숙 따위의) 동숙인, 동거인
make room for ~을 위하여 자리를 양보하다
(예) Would you kindly *make room for* my friend here? 여기 내 친구를 위해 자리를 비워 주지 않겠어요?
roost·er [rú:stə*r*] 명 〖미〗 수탉(=cock)
root [ru:t] 〈동음어 route〉 명 뿌리; 기원, 근원; 토대; 〖문법〗 어근 자 타 뿌리 박다; 확립하다; 근절하다 [~ out, up]
반 branch 가지
(예) get to the *root* of the matter 사건의 근본을 조사하다 // *root out* social evils 사회의 악을 근절하다
파 **róoted** 형 뿌리 박은, 정착한, 뿌리 깊은 **róoter** 명 뿌리째 뽑는 사람 **róotless** 형 뿌리 없는
(***be***) ***rooted in*** ~에 원인이 있는, ~에서 유래한; (습관 등이) ~에 뿌리박혀 있는
(예) War *is rooted in* economic causes. 전쟁은 경제적인 원인에서 일어난다. // Good manners *are rooted in* him. 그는 예의범절이 몸에 배어 있다.
rope [roup] 명 줄, 새끼, 밧줄, 로프 자 매다, 묶다
(예) be at the end of one's *rope* 진퇴유곡에 빠져 있다 // know the *ropes* 시정에 밝다 // on the *ropes* 〖권투〗 다운 직전의
파 **rope ladder** 줄 사닥다리 **rópeway** 명 삭도(索道), 공중 케이블
rose [rouz]* 명 장미, 장미빛 형 장미빛의
NB rise의 과거형 rose와 구별할 것.
(예) a bed of *roses* 안락한 처지, 걱정 없는 환경 // Every *rose* has its thorn. ↔ No *rose* without a thorn. 〖속담〗 가시 없는 장미는 없다《세상에 완전한 행복이란 없다》.

R

파 **rosy** [róuzi] 형 장미빛의, 불그레한, 홍안의; 유망한 **rósily** 부 장미빛으로, 유망하게 **rósiness** 명 장미빛 **roseate** [róuziət] 형 장미빛의 **rósebud** 명 장미꽃 봉오리; 미소녀 **róse-colo(u)red** 형 장미빛의; 즐거운 **rosétte** 명 장미꽃 장식; 장미 매듭

ros·trum [rástrəm / rɔ́s-] 명 《**-*tra*** [-trə]》 연단; 연설; 《집합적》 연설자; 〖동물〗 부리 모양의 돌기

◇**rot** [rat / rɔt] 자 타 썩다(=decay) 명 부패; 잠꼬대 같은 소리 「부패, 타락

파 ◇**rotten** [rátn / rɔ́tn] 형 썩은, 타락한 **róttenness** 명

ro·ta·ry [róutəri] 형 회전하는(=turning round) 명 윤전기(輪轉機); 로터리《환상 교차로》(=〖영〗 roundabout)

(예) the *Rotary* Club 로터리 클럽 《사회 봉사 단체의 일종》 // *rotary* motion 회전 운동

◇**ro·tate** [róuteit / routéit] 자 타 회전하다, 회전시키다(=revolve); 교대하다, 교대시키다

파 **rotátion** 명 회전, 자전(自轉); 교대

rou·ble [rú:bəl] 명 루블《소련의 화폐 단위; 기호 R, r.》

◇**rouge** [ru:ʒ] 명 연지, 입술연지

*◇**rough*** [rʌf] 형 거친(=not smooth); 울퉁불퉁한(=uneven); 난폭한(=rude); 대강의; 사나운, (날씨가) 험악한(=stormy) 부 거칠게, 사납게 명 개략(槪略); 거친 것; 울퉁불퉁한 지면 타 거칠게 하다; 대충 만들다

반 smooth 매끈매끈한, mild 온화한

(예) *rough* weather 험한 날씨 // *rough* manners 버릇없는 태도 // a *rough* estimate 어림짐작, 개산(槪算)

파 *◇**róughly** 부 거칠게, 대충(*roughly* speaking 대충 말하면) **róughen** 타 자 거칠게〔껄껄하게, 울퉁불퉁하게〕 하다〔되다〕 **róugh-héw** 타 《*-hewed; -hewn, -hewed*》 대충 깎다; 건목치다 **róugh-héwn** 형 대충 깎은; 교양 없는, 투박한; 미완성의 「을 보다

take the rough and (***the***) ***smooth*** 인생의 쓴맛 단맛

round [raund] 형 둥근, 원형의, 한 바퀴 도는, 일주하는; 충분한; 노골적인 명 둥근 것, 원; 공; 순찰; 한 바퀴; (승부의) 한 판 부 돌아서, 사방으로, 둘러싸고 전 ~의 주위에, ~의 사방으로; ~부근에(*cf.* around) 자 타 둥글게 하다〔되다〕, 우회하다; 완성하다

반 square 네모의, acróss 횡단하여

(예) a *round* trip 〖미〗 왕복 여행, 〖영〗 순회 여행 // the *round* of the seasons 계절의 순환 // all the year *round* 일 년 내내 // show a person *round* a town 아무에게 읍 일대를 구경시키다 // The pond is sixty meters *round.* 그 못은 둘

▶ **244.** 미어와 영어 (2)

(미)	(영)
kerosene	paraffin
lumber	timber
mail	post
movies	pictures
period	full stop
railroad	railway
sick	ill
sidewalk	pavement
truck	lorry

레가 60 미터이다.
(NB round 는 이 뜻에서는 in circumference 라고 해도 된다. *cf.* across, high, deep)
파 **róundly** 부 완전히; 노골적으로; 엄하게 **róundish** 형 둥그스름한 **róundabout** 형 에움길의, 완곡한 명 회전 목마(木馬), 에움길; 〔영〕 로터리(=rotary) **róund-tríp** 형 왕복(여행)의; 주유(周遊)의 **róund-shóuldered** 형 등이 구부러진 **róundup** 명 (가축을) 몰아 모으기; 〔미·구어〕 몰아냄, 검거; (뉴스의) 총괄적 보고

make a round of visits 여기저기 방문하다, 순회 방문하다
(예) I had *a round of visits* to *make*. 나는 여기저기 방문해야 했다.

make 〔***go***〕 *one's* ***rounds*** (***of***) (~을) 순회하다
(예) The policeman *makes* his *rounds* every two hours. 그 경찰관은 두 시간마다 순찰을 한다.

rouse [rauz] 타 자 깨우다(=waken), 자극하다(=excite); 잠을 깨다, 분기하다
(예) The news *roused* him *to* action. 그 뉴스를 듣고 그는 분기하여 행동을 개시했다. // *rouse* the masses 대중을 선동하다
파 **róusing** 형 분기시키는, 격려하는; 활발한 (a *rousing* speech 사람을 분기시키는 연설)

rout [raut] 명 패주(敗走)(=defeat) 타 패주시키다(=scatter)

route [ruːt, raut]* 〈동음어 root〉 명 길(=road); 노정(=journey); 항로(=line) 타 발송하다(=send)
(예) en *route* (=on the way) 도중에 // an air *route* 항공로 // by devious *routes* 멀리 돌아서 // give the *route* 출발 명령을 내리다

rou·tine [ruːtíːn]* 명 일상적인 일, 일과; 관례 형 틀에 박힌(=unvarying); 일상의(=everyday)
(예) a matter of *routine* 일상적인 일 // break the *routine* 상례를 깨다 // go through an official *routine* 관청의 정해진 수속을 밟다 // *routine* duties 일상적인 임무
파 **routínize** 타 관례화하다, 판에 박힌 일을 하도록 길들이다

rove [rouv] 자 타 배회하다(=wander about), 헤매다(=roam), 돌아다니다 명 헤맴, 방황
파 **róver** 명 유랑자; 해적(선)

row [rou] 명 줄, 열(=line, rank); 노젓기; [rau] 〔구어〕 소동(=disturbance), 싸움 타 자 [rou] (배를) 젓다; [rau] 소동을 일으키다
NB raw [rɔː], law [lɔː], low [lou] 따위와 혼동하지 말 것.
(예) in a *row* 일렬로 // make a *row* 소동을 일으키다 // go for a *row* 배를 저으러〔보트 타러〕 가다
파 **rówer** 명 노젓는 사람, 노잡이 **rówboat** 명 노젓는 배

roy·al [rɔ́iəl] 형 왕의(=of a king); 당당한, 위엄 있는(=

R

majestic), 훌륭한(=splendid); 왕립의, 왕 직속의
NB loyal [lɔ́iəl] 「충성스러운」과 혼동하지 말 것.
(예) the *royal* family 왕가 // the *royal* pair 국왕과 비 // have a *royal* time 굉장히 즐거운 시간을 보내다
파 **róyalist** 명 군주(제) 지지자, 왕당파의 사람 **róyall** 부 왕으로서; 당당히 ◇**róyalty** 명 왕위, 왕권; 장엄; 특허 사용료, 인세(印稅)

a royal road to ~에의 왕도, ~에의 지름길
(예) There is no *royal road to* learning. 〖속담〗 배움에는 지름길이 없다.

*◇**rub** [rʌb] 타 자 마찰하다; 문지르다 명 마찰, 장애
(예) *rub* away 비벼 없애다 // the *rubs* and worries of life 인생의 고초 // He *rubbed* himself dry. 그는 몸의 습기를 깨끗이 닦아냈다.

rub out 문질러 지우다; (담배불 따위를) 비벼 끄다; 완전히 파괴하다; 〖미 속어〗 (아무를) 죽이다, 없애다
(예) He *rubbed out* pencil marks. 그는 연필 자국을 (문질러) 지워 버렸다.

rub·ber [rʌ́bər] 명 고무, 지우개; 《*pl.*》 고무신; 안마사; 장애 형 고무(제)의 타 (천 따위에) 고무를 입히다

◇**rub·bish** [rʌ́biʃ] 명 쓰레기(=waste, refuse), 잡동사니

◇**rub·ble** [rʌ́bəl] 명 잡석, 깨진 기와〔벽돌〕 조각

◇**ru·by** [rú:bi] 명 루비, 홍옥(紅玉) 형 루비빛〔진홍색〕의

◇**ruck·sack** [rʌ́ksæ̀k, rúk-] 명 륙색, 배낭

◇**rud·der** [rʌ́dər] 명 (배·비행기의) 키

rud·dy [rʌ́di] 형 혈색이 좋은, 불그레한(=rosy), 홍안의

*◇**rude** [ru:d] 형 버릇 없는(=impolite); 교양 없는(=without culture), 거친(=crude), 야만적인(=primitive)
반 cívil 정중한
(예) a *rude* servant 예의를 모르는 하인 // *rude* fare 조찬, 변변치 못한 음식 // *rude* times 미개 시대 // *rude* cotton 원면(原綿)
파 **rúdely** 부 거칠게, 버릇 없이 ◇**rúdeness** 명 조잡, 난폭

ru·di·ment [rú:dəmənt] 명 《주로 *pl.*》 기본; 초보; 퇴화 기관(退化器官)
파 **rudiméntary** 형 초보의, 기본의; 미발달의

◇**rue** [ru:] 자 타 후회하다(=regret)
파 **rúeful** 형 후회하는, 슬픈 듯한

ruf·fi·an [rʌ́fiən] 명 악한, 폭한 형 악당의

ruf·fle [rʌ́fl] 타 자 (머리털 따위를) 흐트러뜨리다; (수면에) 물결을 일으키다

◇**rug** [rʌg] 명 양탄자, 무릎 덮개 담요
파 ***rugged** [rʌ́gid] 형 우툴두툴한(=rough); 험한(=steep); 거친(=roughly broken); 세련되지 않은(=unrefined); 단단한(=sturdy) (반 smooth 평탄한)

rug·by [rʌ́gbi] 명 럭비(=rugby football)

*◇**ru·in** [rú:in] 명 파멸(=destruction); 영락; 《*pl.*》 폐허, 유적 타 자 파멸시키다(=destroy), 버려놓다; 영락케 하다

반 restóre 부흥시키다
(예) go 〔bring〕 to *ruin* 파멸하다〔시키다〕 // the *ruins* of Rome 로마의 유적 // Drink was his *ruin*. 그는 술로 망쳤다. // *ruin* one's health 건강을 망치다 // He was *ruined* by speculation. 그는 투기로 파산하였다.
파 **rúined** 형 황폐한, 몰락한 **rúinous** 형 파괴적인(=destructive); 폐허의
in ruins 폐허로 되어
(예) All the royal palaces were *in ruins*. 모든 왕궁은 폐허화되어 있었다.

***rule** [ruːl] 명 규칙, 습관; 지배(=control); 명령(=instruction); 자 타 자 지배하다, 규정하다; 판결하다
(예) break 〔observe〕 the *rule* 규칙을 깨뜨리다〔지키다〕 // a country under foreign *rule* 외국의 지배하에 있는 나라 // Failure is the *rule*. 실패하는 것이 보통이다. // My *rule* is to get up at six every morning. ↔ It is my *rule* ~. 아침마다 6시에 일어나는 것이 나의 습관이다.
파 **rúler** 명 지배자, 통치자; 자 **rúling** 형 지배하는 명 판결; 괘선을 그음
rule out 〔***off***〕 ~을 (의결에 의해) 제외하다, 전혀 인정치 않다
(예) He *ruled out* the possibility. 그는 그 가능성은 (문제가 되지 않는다고) 고려하지 않았다.
as a rule 대개, 일반적으로
(예) *As a rule* he goes to bed early. 그는 대개 일찍 잔다.

rum [rʌm] 명 럼주(酒); 술

rum·ble [rʌ́mbl] 자 타 우르르 울리다, 덜커덕거리며 가다; 왁자하게 지껄이다 명 우르르, 덜커덕거림
NB ramble [rǽmbl] 「돌아다니다」와 혼동하지 말 것.

ru·mi·nate [rúːminèit] 자 타 반추(反芻)하다; 명상하다(=ponder)
파 **rúminant** 형 반추하는; 명상하는 명 반추 동물 **rumi-nátion** 명 반추; 묵상

ru·mo(u)r [rúːmər] 명 소문, 풍문 타 소문을 내다
(예) There is a *rumor* that the spy has been killed. ↔ There is a *rumor* of spy having been killed. 그 스파이는 살해당했다는 소문이 있다. // It is *rumored* (↔ *Rumor* says ↔ *Rumor* has it) that he will resign. 그는 사직할 것이라는 소문이다.

rump [rʌmp] 명 (동물의) 엉덩이(살)

run [rʌn] 자 타 《***ran; run***》 달리다; 도망하다(=flee); 돌다, 흐르다; 번지다; 통용하다; 전해지다, ~라고 씌어 있다; 경영하다(=keep) 명 달림, 경주; 계속; 연속 상연〔상영〕; 〖야구〗 득점
반 walk 걷다
(예) The letter *runs* as follows. 편지에는 다음과 같이 씌어 있다. // *run* a hotel 호텔을 경영하다 // It rained three

days *running.* 3일 계속해서 비가 내렸다.

파 ◇**rúnner** ⓜ 달리는 사람 **rúnning** ⓗ 흐르는 ⓜ 달리기 **rúnabout** ⓜ 배회하는 사람, 부랑자 ⓗ 배회하는 **rún away** ⓜ 도망자 ⓗ 도망한 **rún-down** ⓗ 지친, 건강을 해친, 쇠약한; 황폐한 **rúnway** ⓜ 주로(走路), 활주로

◇***run after*** ~을 뒤쫓다
(예) The boy *ran after* the carriage. 그 소년은 마차를 뒤쫓았다.

run against ~에 충돌하다, ~와 뜻밖에 마주치다(=run across)
(예) A ship *ran against* a rock. 배가 암초에 부딪쳤다.

*◇***run away*** 도망치다, 달아나다(=flee, escape)
(예) The enemies threw down their arms and *ran away* 적들이 무기를 버리고 도주했다.

run down 뛰어 내려가다; 흘러 떨어지다; (기계가) 멎다; 뒤쫓아 가서 잡다
(예) The clock has *run down.* 시계가 멎었다. // The police *ran down* the thief. 경찰은 그 도둑을 뒤쫓아가서 체포했다.

run high (시세가) 오르다; 바다가 거칠어지다
(예) Prices for fruits are *running high.* 과일 값이 치솟고 있다.

◇***run into*** ~에 뛰어들다; (강이) ~로 흘러 들다; ~에 달하다; ~와 일체가 되다; ~와 충돌하다
(예) A dump truck *ran into* an electric train. 덤프 트럭이 전동차와 충돌했다. // The cost of building the new schoolhouse will *run into* thousands of dollars. 새 교사를 건축하는 비용은 수천 달러에 달할 것이다.

◇***run off*** 달아나다; 흐르다; 줄줄 쓰다〔읽다〕; 탈선하다
(예) The boy *ran off* as fast as he could. 그 소년은 재빨리 달아났다.

run on 계속 달리다; 계속하다(=continue)
(예) The talk *ran on* endlessly. 이야기가 끝없이 계속되고 있었다.

*◇***run out***★ 내달리다; 흘러 나오다(=flow out); 떨어지다
(예) He *ran out* without waiting to hear more. 그는 그 이상 듣지 않고 내달렸다. // Their oxygen *ran out.* 그들의 산소가 떨어졌다.

◇***run out of*** ~을 다 써버리다(=exhaust)
(예) We're *running out of* provisions. 우리는 식량이 떨어져 가고 있다.

****run over***★ (차가) ~을 치다; 대충 훑어보다; 넘치다
(예) Dick narrowly escaped being *ran over* by a taxi. 딕은 하마터면 택시에 치일 뻔했다.

run short (of) (~가) 부족해지다
(예) I'm *running short of* money. 돈이 떨어져 곤궁에 처해 있다.

run through ~을 통독(通讀)하다; ~을 다 써 버리다; ~을 꿰뚫다
(예) I had to *run through* the book in an hour. 한 시간에 그 책을 다 통독해야만 했다. // He has *run through* his whole fortune. 그는 전재산을 탕진했다. // The needle *ran through* his finger. 바늘이 그의 손가락을 꿰뚫었다.
run up 뛰어 올라가다; 무럭무럭 성장하다; (물가가) 등귀하(게 하)다; (비용·빚 따위가) 별안간 늘(게 하)다
(예) *run up* debts 빚을 많이지다
in the long run 마침내는, 결국
(예) It pays *in the long run* to buy goods of high quality. 품질이 좋은 물건을 사는 것이 결국은 이익이 된다.
rune [ru:n] [명] 《*pl.*》 룬 문자《옛날 북유럽 민족이 쓴》; 신비로운 기호
ru·ral [rúərəl] [형] 시골의 (=rustic), 전원의, 농촌의 (*cf.* rustic)
[반] úrban 도시의
(예) *rural* scenery 전원 풍경 // live a *rural* life 전원 생활을 하다

> ▶ **245.** 「시골풍의」의 유사어
> **rural** 감정을 품지 않고 「시골의」라는 일반적인 말로 나쁜 의미는 없다.
> **rustic** 항상 감정을 품고 사용하며 「조야」 「소박」을 강조하는 말로 좋은 의미로도 나쁜 의미로도 사용한다.

rush [rʌʃ] [자] [타] 돌진하다 (=dash); 몰아대다(=drive); 급히 해 치우다 [명] 돌진; 아주 바쁨; 쇄도; 〖식물〗 골풀 [형] 쇄도하는
(예) *rush* to the scene 현장으로 달려가다 // with a *rush* 왈칵 한꺼번에 // In the *rush* hours everybody is in a *rush*. 러시아워에는 모두 바쁘다. // *Rush* this order, please. 서둘러 이 주문을 내 주게.
rus·set [rʌ́sit] [형] 황갈색의, 적갈〔고동〕색의
Rus·sia [rʌ́ʃə] [명] 러시아
[NB] 현재의 국호는 the Union of Soviet Socialist Republics.
[파] ***Rússian*** [형] 러시아(인 · 말)의, 러시아 말의 [명] 러시아인, 러시아 말
rust [rʌst] [명] 녹 [자] [타] 녹슬다
(예) His skill has *rusted*. 그의 솜씨는 녹슬었다.
[파] ◦ **rústy** [형] 녹슨 **rústiness** [명] 녹슮
rus·tic [rʌ́stik] [형] 시골(풍)의(=rural); 촌티 나는(=uncouth); 소박한(=simple) [명] 시골 사람, 농부
[파] **rustícity** [명] 시골풍; 조야(粗野)
rus·tle [rʌ́sl] [자] [타] (비·나뭇잎·비단 따위가) 바스락〔와삭〕거리다 [명] 바스락〔살랑살랑〕하는 소리
(예) The wind *rustles* the leaves. 나뭇잎이 바람에 살랑살랑 소리를 낸다. // The reeds *rustled* in the wind. 갈대가 바람에 살랑거렸다.
rut [rʌt] [명] 바퀴 자국; 도랑; 상습, 관례 [타] 바퀴 자국〔도랑〕을 내다
ruth·less [rú:θlis] [형] 무자비한(=merciless), 잔인한, 무

정한
rye [rai] 명 호밀

Sab·bath [sǽbəθ] 명 [통상 the ~] 안식일(安息日) 《유태교에서는 토요일, 기독교에서는 일요일》
sa·ber, sab·re [séibər] 명 사브르, (기병의) 군도(軍刀) 기병
sab·o·tage [sǽbətɑ̀:ʒ] 명 사보타지, 태업(怠業)
◇**sack** [sæk] 명 자루(=large cloth bag), 부대; 약탈 타 자루에 넣다; 〖구어〗 해고하다(=dismiss); 약탈하다
파 **sáckful** 명 한 자루 가득한 양, 한 부대 **sácking** 명 자루 만드는 삼베 **sáckcloth** 명 자루 만드는 올이 굵은 삼베, 즈크 **sack coat** 신사복 상의
sac·ra·ment [sǽkrəmənt] 명 〖종교〗 성례(聖禮); [the S-] 성찬(聖餐); 신비
◇**sa·cred** [séikrid] 형 신성한(=holy); 신에게 바쳐진; 엄숙한
반 profáne 불경(不敬)스러운
(예) a *sacred* promise 엄숙한 약속 // a *sacred* book 성서 // *sacred* music 교회 음악
파 **sácredly** 부 신성하게 **sácredness** 명 신성, 신성 불가침
S ◇***sac·ri·fice** [sǽkrəfàis]* 명 희생, 산 제물 자 타 희생하다, 바치다(=devote)
(예) Childhood and youth are too precious to be *sacrificed* to the present convenience of adults. 청소년 시대는 극히 귀중한 것이어서, 어른들의 현재의 편의를 위해 희생될 수 없다. // at the *sacrifice* of ~을 희생하여 // fall a *sacrifice* to ~의 제물이 되다
파 **sacrificial** [sæ̀krəfíʃəl] 형 희생의
◇***sad** [sæd] 형 슬픈(=feeling sorrow); 비참한
반 glad 기쁜
파 **sádden** 타 자 슬프게 하다, 슬퍼하다 ◇**sádly** 부 슬프게 애처롭게 ◇***sádness** 명 슬픔, 비애(=sorrow) (To his *sadness,* he lost the first prize. 슬프게도, 그는 1등상을 놓쳤다.)
◇**sad·dle** [sǽdl] 명 안장 타 안장을 얹다; (짐·책임 따위를) 지우다(=burden)
파 **sáddler** 명 마구 제조자 **sáddlebag** 명 안장에 다는 주머니 **saddle horse** 타는 말, 승용마
◇**sad·ism** [séidizəm, sǽd-] 명 사디즘, 가학성 변태성욕
파 **sadístic** 형 사디스트적인
◇**sa·fa·ri** [səfɑ́:ri] 명 (사냥·탐험 등의) 원정 여행, 사파리 (동아프리카의) 탐험대, 수렵대 자 사파리를 하다

*__safe__ [seif] ⓗ 안전한(=out of danger); 신중한, 조심성 있는(=cautious); 《come, arrive 따위의 보어로서》 무사한 ⓜ 금고; 육류 따위를 넣어 두는 찬장 《파리나 모기를 막음》
반 unsáfe 위태로운, dángerous 위험한
(예) arrive *safe* and sound 무사히 도착하다 // a *safe* guide 신뢰할 수 있는 안내인 // It is *safe* to say that he will be elected.↔You *are safe in* saying that he will be elected. 그가 당선된다고 말해도 틀림이 없다. // He is *safe* to succeed. 그는 반드시 성공한다.
파 *__sáfely__ ⓑ 안전하게 __safecracker__ [séifkrӕkər] ⓜ 금고털이 __safeguard__ [séifgɑ̀ːrd] ⓜ 보호 ⓣ 보호하다 __sáfe-kéeping__ ⓜ 보관 *__sáfety__ ⓜ 안전, 무사; 〖야구〗 안타 (a *safety* belt 구명대(救命帶), a *safety* island, a *safety* zone 안전 지대, a *safety* pin 안전핀, a *safety* razor 안전 면도, *Safety* First 〖게시〗 안전 제일)

__sa·ga__ [sɑ́ːgə] ⓜ 북유럽의 전설; 무용〔모험〕담; 대하 소설

__sa·ga·cious__ [səgéiʃəs] ⓗ 현명한(=wise); 기민한
파 __sagacity__ [səgǽsəti] ⓜ 총명, 현명

__sage__ [seidʒ] ⓜ 현인, 성인 ⓗ 현명한(=wise); 사려 깊은
반 fool 어리석은 사람

*__sail__ [seil] 〈동음어 sale〉 ⓜ 돛, 범선; 범주(帆走), 항정(航程) ⓙ ⓣ 항해하다(=navigate), 출범하다, 항행하다
파 __sáiler__ ⓜ 돛단배 __sáiling__ ⓜ 범주, 출범; 항해술 __sáilor__ ⓜ 수부, 뱃사람, 선원 __sáilboat__ ⓜ 범선 __sáilcloth__ ⓜ 범포(帆布), 돛 만드는 천 __sailing ship, sailing vessel__ (대형)범선

*__saint__ [seint] ⓜ 성자; 성(聖) ~(=holy)
어법 고유 명사에 붙일 때는 St.라는 생략형을 사용한다. St.는 모음 앞에서는 [sənt], 자음 앞에서는 [sən]으로 발음한다.
(예) I am no *saint.* 난 성인이 아니다 《결점이 많은 인간이다》. // the blessed *saints* 재천(在天)의 여러 성도
파 __sáintly__ ⓗ 성자다운, 덕이 높은

*__sake__ [seik] ⓜ ~을 위함, 목적, 이유; 이익
(예) *for* convenience' *sake* 편의상 // *for* appearance' *sake* 체재상, 체면상 // *for* shortness' *sake* 간결히 하기 위해 // I did it for my own *sake* as well as yours. 내가 그것을 한 것은 너를 위해서 뿐만 아니라 나도 위한 것이었다. // art for art's *sake* 예술을 위한 예술 《예술 지상주의》
어법 지금은 관용구에서만 쓰인다.

for God's sake 제발, 아무쪼록, 부디
어법 __for Heaven's sake, for pity's sake__도 같은 뜻으로 쓰인다.

*___for the sake of___ ~을 위하여
(예) *for the sake of* peace 평화를 위하여 // He never does wrong *for the sake of* making money. 그는 돈을 벌기 위해 결코 나쁜 짓은 하지 않는다
어법 이것은 또한 __for one's (own) sake__ 「~을 위하여」의

형태로도 쓰인다.

◇**sal·ad** [sǽləd] [명] 샐러드, 생채 요리

*◇**sal·a·ry** [sǽləri] [명] 봉급, 급료 (*cf.* wage) [타] 급료를 주다
[파] **sálaried** [형] 유급의 (a *salaried* man 봉급 생활자)

*◇**sale** [seil] 〈동음어 sail〉 [명] 판매(=act of selling), 매상고
[반] púrchase 구입 NB 동사는 sell. (*cf.* tale—tell)
(예) a *sale* on credit 외상 판매(↔a credit *sale*) // a bargain *sale* 염가 대매출
[파] **sálable** [형] (잘) 팔리는 ***salesman** [séilzmən] [명] 《*pl.* -men》 판매원, 점원, 〖미〗 외교원, 세일즈맨 ◇**sálesman·ship** [명] 판매 기술 **sálesclerk** [명] (남자) 점원 **sálesgirl** [명] 〖미〗 여점원 **sále(s) room** [명] 판매장, 경매장 **sáleswoman** [명] 《*pl.* -women》 여점원, 〖미〗 부인 외교원

for sale 팔려고 내 놓은
(예) These articles are not *for sale.* 이 물품은 비매품이다.

◇**sa·line** [séili:n / -lain] [형] 소금의, 염분이 있는, 짠 [명] 염호, 염류

◇**sa·li·va** [səláivə] [명] 침, 타액

sal·i·vate [sǽləvèit] [타][자] (수은제를 써서) 침이 다량으로 나게 하다; 침을 내다〔흘리다〕

sal·ly [sǽli] [명] (농성군의) 출격(出擊); 외출 [자] 출격하다

*◇**salm·on** [sǽmən]★ [명] 《단수·복수 동형》 연어 [형] 연어빛의

◇**sa·loon** [səlú:n] [명] (호텔·배 따위의) 큰 홀〔선실〕; 〖미〗 주점
(예) a dining *saloon* 선박의 대식당 // a dancing *saloon* 무도회장
[파] **saloon car** 〖영〗 세단형 승용차; 특별 열차, 전망차

*◇**salt** [sɔ:lt]★ [명] 소금 [형] 소금이 들어 있는, 짠; 신랄한 [타] 소금에 절이다
[파] ◇**sálty** [형] 소금기 있는; 신랄한

◇**sa·lute** [səlú:t] [타][자] 인사하다, 경례하다(=greet) [명] 인사, 경례; 예포(禮砲)
[파] **salutation** [sæ̀ljətéiʃən] [명] 인사(의 말)

salve [sæv, sɑ:v] [명] 고약, 연고(軟膏); 위안 [타] (고통 따위를) 가라앉히다; 위로하다; 구조하다
[파] **salvátion** [명] 구조, 구세(救世) (the *Salvation* Army 구세군) **salvage** [sǽlvidʒ] [명] 해난 구조

◇**sam·ba** [sǽmbə] [명] 삼바 《브라질의 댄스(곡); 이를 모방한 사교춤》

☆**same** [seim] [형] 같은, 동일한; 전기(前記)의 [명] 동일한 것
[반] óther 다른
(예) much the *same* 거의 같은 // one and the *same* 아주 같은 // ◇at the *same* time 동시에 // *Same* here. (상대의 말에 대해) 나도 같다〔그래〕 《동일한 상태·주문에서》.
[파] **sámeness** [명] 동일함; 단조로움(=monotony)

◇***all* 〔*just*〕 *the same*** 전혀 같은; 그래도 역시, 그럼에도 불구하고
(예) You can go or you can remain ; it's *all the same* to

me. 너는 가도 좋고 있어도 좋다. 나에겐 아무래도 좋다. // *All the same,* I would continue to do the work. 그래도 나는 그 일을 계속했다.

the same ~ as …와 같은 ~, …와 같은 종류의 ~
(예) Your hat is *the same as* Mary's. 네 모자는 메리의 것과 같다. // This is *the same* model *as* has been shown at the exhibition. 이것은 전시장에서 전시된 것과 같은 종류의 모델이다.

the same ~ that …와 동일한 ~, …와 같은 종류의 ~
(예) Every book worth reading ought to be read precisely in *the same* way *that* a scientific book is read. 읽을 가치가 있는 책은 과학 책을 읽는 것처럼 정확히 읽어야 한다.
어법 the same ~ as는 「같은 종류의 것」을 가리키는 데 대해서 the same ~ that은 바로 「그 물건」 자체를 가리킬 때가 많다.

sam·ple [sǽmpəl / sɑ́ːmpəl] 명 견본, 표본(=specimen), 보기(=example) 타 견본을 뽑다, 견본으로 조사하다 형 견본의

sanc·ti·fy [sǽŋ*k*təfài] 타 신성하게 하다(=make holy, consecrate), 신에게 바치다; 정당화〔시인〕하다(=justify)
원 sanct(=holy)+ify(=make)
파 **sanctificátion** 명 신성화; 봉납 **sánctity** 명 신성

sanc·tion [sǽŋ*k*ʃən] 명 재가(裁可), 비준(=approval, ratification), 제재(制裁) 타 재가하다; 용인하다
(예) take *sanctions* against the violator 위반자에게 제재를 가하다

sanc·tu·ar·y [sǽŋ*k*tʃuèri / -tjuəri] 명 신성한 곳, 신전, 사원

sand [sænd] 명 모래; 《*pl.*》 모래밭〔톱〕 타 모래를 뿌리다
파 **sándy** 형 모래의, 모랫빛의 **sándbag** 명 모래 넣은 자루 **sándbank** 명 모래 언덕, 모래톱 **sándman** 명 《*pl.* -men》 (어린이 눈에 모래를 넣어 잠이 오게 한다는 동화 속의) 잠귀신 **sándpaper** 명 사포(砂布), 샌드페이퍼 **sándstone** 명 사암(砂岩)

san·dal [sǽndl] 명 (고대 그리스·로마 사람들이 신던) 가죽신; 샌들

sand·wich [sǽn*d*witʃ / sǽnwidʒ, -witʃ] 명 샌드위치 타 사이에 끼우다, 삽입하다
(예) a *sandwich* man 샌드위치맨 《몸 앞뒤에 광고판을 메고 다니는 사람》

sane [sein] 형 제정신의(=sound); (사고 방식이) 온건한
반 mad, insáne 미친
(예) No *sane* man would do such a thing. 분별 있는 사람이라면 그런 일은 않을 게다.
파 **sánity** 명 본정신, 건전

san·guine [sǽŋgwin] 형 다혈질(多血質)의; 낙천적인; 혈색 좋은
(예) He is *sanguine of* success. ↔ He is *sanguine that* he

will succeed. 그는 자기는 성공한다고 자신을 갖고 있다.
[파] **sánguinary** [형] 피비린내나는; 잔인한; 말씨가 더러운

***san·i·tar·y** [sǽnətèri / -təri] [형] 위생상의(=hygienic); 위생적인
[원] sanit(=health)+ary(형용사 어미)
(예) *sanitary* conditions 위생적인 상태 // *sanitary* laws 공중 위생법
[파] **sanitarian** [sæ̀nətέəriən] [형] 위생의 [명] 위생학자 **sanitárium** [명] 《*pl.*-s, -ia》 〔미〕 **sanatórium** [명] 《*pl.* -s, -ria》 요양소 **sanitátion** [명] 위생 시설; 공중 위생

San·ta Claus [sǽntəklɔ̀ːz] 산타클로스
[원] St. Nicholas (네덜란드 말로 *Sint Klaus*)에서 나온 말.

sap [sæp] [명] 수액(樹液) [타] 수액을 짜내다; (건강·힘 따위를) 약하게 하다, 활력을 없애다

◇**sap·ling** [sǽpliŋ] [명] 어린 나무, 묘목; 젊은이

sap·phire [sǽfaiər] [명] 사파이어, 청옥(靑玉)

sar·casm [sɑ́ːrkæzəm] [명] 빈정거림, 비꼼, 풍자, 야유
[파] **sarcástic** [형] 비꼬는, 풍자의

sar·dine [sɑːrdíːn] [명] 정어리

◇**sa·ri, sa·ree** [sɑ́ːriː] [명] (인도 여성이 두르는) 사리

sash [sæʃ] [명] (여성·어린이용의) 허리띠, 장식 띠; (위아래로 여닫는) 창틀, 위아래로 여닫는 창문(=sash window)

Sa·tan [séitn] [명] 사탄, 마왕(=Devil), 악마
[반] ángel 천사
[파] **satanic** [seitǽnik, sə-] [형] 악마의; 극악 무도한 **Satanism** [séitənìzəm] [명] 악마주의

*◇**sat·el·lite** [sǽtəlàit] [명] (인공)위성; 위성국, 위성 도시; 종자(=follower), 신하 [형] 위성 같은
(예) an artificial 〔a man-made〕 *satellite* 인공 위성 // a manned *satellite* 유인 인공 위성 // *satellite* cities 〔towns〕 위성 도시

sa·ti·ate [형] [séiʃièit] 〔시〕 포만한 [타] 충분히 만족시키다, 물리게 하다
(예) He is *satiated* with pleasures. 그는 쾌락에 물렸다.
[파] **satiety** [sətáiəti] [명] 포만(飽滿)

sat·in [sǽtin] [명] 견수자(絹繻子), 새틴

◇**sat·ire** [sǽtaiər] [명] 풍자(문학), 비꼼
[파] **satíric, satírical** [형] 풍자적인, 비꼬기 좋아하는 **satírically** [부] 풍자적으로 **satirize** [sǽtəràiz] [타] 풍자하다 **sátirist** [명] 풍자가, 풍자 작가

▶ **246.** 말의 혼혈아

사람과 마찬가지로 단어에도 혼혈아가 많다. 영어 단어에 관한 한, 혼혈아가 다수파라고 하여도 과언이 아니다.

예를 들면 coward (프랑스어)+-ly(영어의 suffix)로 cowardly를, be-(영어의 prefix)+cause(프랑스어)로 because를 만드는 것 등. 그 반대로 starvation, distrust 등은 starve, trust라는 본래의 영어에 -ation(라틴말), dis-(프랑스어)라는 affix를 붙인 것. opera(이탈리아)+house(영어)는 2분의 1 혼혈아.

sat·is·fac·tion [sæ̀tisfǽkʃən] 명 만족, 흡족
sat·is·fac·to·ry* [sæ̀tisfǽktəri]* 형 만족한, 충분한
파 **satisfáctorily** 부 충분히, 만족하게, 마음껏
sat·is·fy* [sǽtisfài]* 타 자 만족시키다(=make content); 안심〔납득〕시키다; 배상하다(=compensate, recompense); (의심·근심 따위를) 풀다, 납득시키다
반 dissátisfy 불만을 품게 하다
(예) He *satisfied* him*self* *of* her honesty.↔He *satisfied* him*self* *that* she was honest. 그는 그녀가 정직하다는 것을 확신했다.
파 **sátisfying** 형 충분한, 만족한 (⇨) **satisfaction**
(***be***) ***satisfied with*** ~에 만족하는
(예) I *was* greatly *satisfied with* the result. 나는 그 결과에 대단히 만족하였다.
sat·u·rate [sǽtʃərèit] 타 스며들게 하다(=soak), 흠뻑 젖게 하다(=drench); 몰두시키다; 〔화학〕 포화시키다
파 **saturátion** 명 침윤(浸潤); 〔화학〕 포화 상태
Sat·ur·day [sǽtərdi, -dei] 명 토요일 〔약어〕 *Sat.*
Sat·urn [sǽtərn] 명 〔천문〕 토성; 농업의 신
sauce [sɔːs] 명 소스, 양념 타 소스를 치다
(예) Hunger is the best *sauce.* 〔속담〕 시장이 반찬이다.
파 **sáucepan** 명 소스 냄비《긴 손잡이가 달린 움푹한 냄비》
sau·cer [sɔ́ːsər] 명 (찻잔 따위를 받는) 받침 접시, 받침 접시 모양의 것
(예) a flying *saucer* 비행 접시
sau·cy [sɔ́ːsi] 형 건방진, 뻔뻔스러운 (=impudent); 맵시 있는, 멋들어진
파 **sáucily** 부 건방지게 **sáuciness** 명 건방짐
Saudi Arabia [sáudiəréibiə] 사우디아라비아
sau·sage [sɔ́ːsidʒ, sɑ́s-] 명 소시지, 순대
sav·age [sǽvidʒ] 형 야만스러운(=wild), 잔혹한 명 야만인
반 cívilized 문명의, refíned 세련된
(예) *savage* manners 거칠고 어긋난 예의 범절 // make a *savage* attack 맹렬히 공격하다
파 **sávageness, sávagery** 명 야만 **sávagely** 부 야만스럽게, 미개하게
save [seiv] 타 구하다(=rescue); 저축하다(=reserve), 저금하다; 절약하다; 제외하다 전 ~을 제외하고(=except)
반 waste 낭비하다
(예) A stitch in time *saves* nine. 〔속담〕 제 때의 한 바늘은 나중의 아홉 바늘의 수고를 던다 《적시의 조치는 후환을 막는다》. // She *saved* me a lot of trouble.↔I was *saved* a lot of trouble by her. 그녀 덕택으로 많은 수고를 덜었다.
파 **sáver** 명 구조자, 절약가 **sáving** 형 구조하는, 절약하는 명 구조, 절약; 《*pl.*》 저금 (a *savings* bank 저축 은행) 전 ~ 외에는 (⇨) **savio(u)r**

S

save for ~ 이외에는, ~을 제외하고
(예) *Save for* the slumbering fire, all was dark within the house. 까물까물 타고 있는 불 외에는 집안이 온통 캄캄하였다.
save ~ ***from*** …에서 ~을 구하다, ~을 벗어나게 하다
(예) He *saved* me *from* drowning. 그는 내가 물에 빠진 것을 구해 주었다. // She *saved* herself *from* misfortune. 그 여자는 불행을 면했다.
sav·io(u)r [séivjər] ⓜ 구조자, [the S-] 구세주, 그리스도
◇**sa·vo(u)r** [séivər] ⓜ 풍미(風味) (=taste), 맛(=relish), 향미(=flavor); 기미, 다소(=smack) ⓙⓣ ~의 맛이 나다(=taste); ~의 기미가 있다 [~ of]; 맛보다(=taste)
ⓟ **sávo(u)ry** ⓗ 풍미 있는, 맛 좋은, 평판 좋은; 요리 따위가) 짭짤한 ⓜ 싸한 맛이 나는 요리
◇**saw** [sɔː]★ ⓜ 톱 ⓙⓣ《***sawed*** ; ***sawn, sawed***》 톱으로 켜다
(예) a *sawing* machine 기계톱 (NB a sewing machine 재봉틀)
ⓟ **sawyer** [sɔ́ːjər] ⓜ 톱장이 **sáwdust** ⓜ 톱밥
Sax·on [sǽksən] ⓜ 색슨 사람, 색슨 말 ⓗ 색슨 사람의, 색슨 말의
☆**say** [sei] ⓣⓙ《***said***》말하다; 《명령형으로》 말하자면; 잠간만 ⓜ 말하고 싶은 것, 할말
(예) Have your *say*. 네가 하고 싶은 말을 해라. // That was well *said*. 잘 말했다. // that is (to *say*) 즉 // *say* one's prayers 기도를 드리다 // *say* grace 식전〔식후〕의 감사 기도를 드리다 // You *said* it. 『구어』 정말 그대로다; 찬성이다. // You don't *say* so! 설마, 그럴까! // What do you *say* to taking a walk? 산보를 하지 않겠습니까? // He *said to* me, "The doctor is out." 그는 나에게 「선생님은 나가고 안 계신다」라고 말했다. (↔ He told me that the doctor was out.)
어법 다음 표현에 주의: They 〔People〕 *say* that he was murdered. ↔ ◇It is *said* that he was murdered. ↔ He is *said* to have been murdered. (그는 살해되었다고 한다.)
ⓟ ◇***sáying** ⓜ 할말, 말, 설(說); 속담, 격언(=proverb)
say to oneself 마음속으로 생각하다, 혼잣말을 하다
(예) "Never again!" Nicholas *said to* him*self*. 「이젠 다시 하지 않겠다」라고 니콜라스는 마음속으로 생각했다.
◇***to say nothing of*** ~은 말할 것도 없고, ~은 고사하고
(예) He does not know English, *to say nothing of* French. 그는 불어는 말할 것도 없고 영어도 모른다.
to say the least (***of it***) 크게 줄잡아〔축소해〕 말해도
(예) *To say the least,* it was harsh treatment. 줄잡아 말해도 그것은 지독한 대우였다.
◇**scaf·fold** [skǽfəld, -fould] ⓜ (건축장 따위의) 비계; 처형대, 교수대; (야외의) 조립무대

S

파 ◇scáffolding 명 (건축장의) 비계, 발판
scald [skɔːld] 타 (끓는 물 따위에) 데게 하다, 뜨거운 물을 끼얹다 명 (뜨거운 증기·물엔 의한) 화상(火傷)
NB scold [skould]와 철자·발음을 혼동하지 않도록 주의하라.
scale [skeil] 명 저울; 자; 눈금; 규모, 정도; 단계, 등급; 비늘 타 자 재다; 비늘을 벗기다; 기어오르다(=climb)
(예) the lowest *scale* of life 최저의 생활 // *scale up* all wages by five percent 모든 임금을 5% 올리다 // hold the *scales* even 공평하게 판단하다 // *scale* a fish 물고기의 비늘을 제거하다
on a large* 〔*small*〕 *scale 대〔소〕규모로
(예) He started a business *on a large scale.* 그는 사업을 대규모로 시작했다.
scalp [skælp] 명 머릿가죽 타 ~의 머릿가죽을 벗기다
scal·y [skéili] 형 비늘이 있는; 비늘 모양의; 비늘처럼 벗겨지는
scam·per [skǽmpər] 자 뛰어 돌아다니다, 급히 여행하다 명 질주(疾走)
scan [skæn] 자 타 시의 운율을 고르다; 운각(韻脚)으로 나누다; 면밀히 조사하다(=scrutinize); 응시하다; 〖텔레비전〗(전송 사진을) 주사(走査)하다
파 **scánsion** 명 율독(律讀) 《운율을 붙여 낭독함》; 〖텔레비전〗 주사(走査)
scan·dal [skǽndl] 명 추문(=disgrace), 부정 사건; 중상
반 praise 칭찬
파 **scándalous** 형 명예롭지 못한, 수치스러운, 중상적인 **scándalously** 부 창피하게 **scándalize, -ise** 타 분개시키다, 어이없게 하다(=shock) **scándalmonger** 명 남의 추문을 퍼뜨리는 사람, 험담꾼
scant·y [skǽnti] 형 모자라는, 부족한(=not enough), 얼마 안 되는
반 abúndant 풍부한
파 **scántily** 부 모자라게 **scántiness** 명 모자람, 불충분 **scant** 형 모자라는, 불충분한; 가까스로의
scar [skɑːr] 명 흉터, 상처 자국 타 자 상처를 남기다(=mar)
scarce [skεərs] 형 결핍한(=scanty), 드문(=rare)
파 (⇨) **scarcely.** ◇**scárcity** 명 결핍(=dearth), 부족, 드문 일
scarce·ly [skέərsli] 부 간신히; 거의 ~ 아니다
(예) She is *scarcely* thirteen years old. 그녀는 겨우 13세가 될까 말까하다. // I *scarcely* know him. 나는 거의 그를 모른다. // *Scarcely* a man is without one weakness. 결점 하나씩을 갖지 않은 사람은 거의 없다.
***scarcely ~ when* 〔*before*〕** ~하자마자(=no sooner ~ than), ~하자 곧(=immediately after)
(예) He had *scarcely* gone out *when* it began to rain. 그가 나가자마자 비가 내리기 시작했다. (↔As soon as he

went out, it began to rain.)

어법 ① *hardly* ~ *when* 〔*before*〕..., *no sooner* ~ *than*... 은 둘 다 문어체이며 구어에서는 *as soon as* ~. ② scarcely가 문두에 오면 보통 주어와 술어와의 순서가 바뀐다: *Scarcel* had he gone out *when* it began to rain.

scare [skεər] 타 겁나게 하다(=frighten); 을러대어 쫓아 버리다 [~ away, off] 명 쓸데 없이 놀라기, 이유 없는 공포; 소동

(예) He *scared* the salesman *away*. 그는 그 외판원을 위협해 쫓아버렸다.

파 **scárecrow** 명 허수아비 「레 장식

***scarf** [skɑːrf] 명 《*pl.* **-s, scarves**》 목도리, 스카프; 목도

***scar·let** [skɑ́ːrlit] 명 주홍, 진홍색 형 진홍색의

(예) *scarlet* fever 성홍열

어법 crimson 보다 밝은 색을 말함.

***scat·ter** [skǽtər] 타 자 뿔뿔이 흩어버리다, 흩뜨리다, 흩어지다, 분산하다

반 gáther 모으다, 모이다

(예) The wind *scattered* the lawn *with* leaves. ↔ The wind *scattered* leaves *over* the lawn. 낙엽이 바람으로 잔디 위에 온통 흩뜨려졌다.

파 **scátterbrain** 명 침착하지 못한 사람, 경솔한 사람

***scene** [siːn] 〈동음어 seen〉 명 (극·영화·소설 등의) 장면, 정경, 무대; 풍경, 경치; (무대의) 배경; (사건의) 현장

(예) a *scene* painter 배경화가 // behind the *scenes* 무대 뒤에서, 몰래 // make a *scene* 야단법석하다 // come on the *scene* (무대 따위에) 등장하다; 모습을 나타내다

> ▶ **247.** 「풍경」의 유사어
> **view**는 「시야, 광경」을 의미하는 일반적인 말. **scene**은 하나의 광경 《view, scene은 한정된 경치를 의미함》. **scenery**는 한 지방 또는 한 나라의 풍경을 일컫는 추상명사.

파 ***scenery** [síːnəri] 명 《집합적으로》 풍경; 《총칭적으로》 무대면, 배경 **scenic** [síːnik] 형 경치의; 경치 좋은

***scent**★ [sent]★ 〈동음어 cent, sent〉 명 향기; 후각(嗅覺) (=smelling); 단서 타 냄새 맡다, 낌새 채다, 냄새를 풍기다

scep·ter, -tre [séptər] 명 왕홀(王笏); [the ~] 왕권

파 **scéptered, -tred** 형 왕위에 오른

***sched·ule**★ [skédʒuːl / ʃédjuːl] 명 일람표(=list); 〖미〗 시간표(=timetable), 예정 타 일람표를 만들다; 예정하다(=plan)

(예) on *schedule* 예정대로; 정기적으로 // They are *scheduled to* be here tomorrow. 그들은 내일 여기에 올 예정이다.

***scheme** [skiːm]★ 명 계획(=plan); 책략(=device), 음모(=intrigue) 타 자 계획하다, 음모를 꾸미다(=plot)

***schol·ar** [skɑ́lər / skɔ́lə] 명 학자; 급비생, 장학생, 학생

파 **schólarly** 형 학구적인, 학자다운 ***schólarship** 명 학

식; 장학금 **scholastic** [skəlǽstik] ㊍ 학교의; 교수의; 학자인 체하는

> ▶ **248.** 「계획」의 유사어
> **scheme**은 이익 등을 얻으려고 계획하는 것. **project**는 그냥 머리속에서 생각한 계획을 말함. **design**은 어떤 목적을 달성하기 위한 수단에 관한 고안·준비. **plan**은 어떤 일을 실행하기에 앞서 여러 가지로 궁리하는 것.

school [sku:l] ㊐ 학교; 수업; 학파, 유파(流派); (물고기 따위의) 떼(=shoal) ㊕ 교육하다, 훈련하다(=discipline)
(예) We have no *school* today. 오늘은 수업이 없다. // have little *schooling* (학교) 교육을 거의 받지 않다 // every *school* of social thought 사회 사상의 모든 학파 // Let's *school* ourselves to patience. 인내력을 기르자.
파 **school age** 학령, 의무 교육 연한 **schóolbook** ㊐ 교과서 ◦**schóolboy** ㊐ 남학생 **school days** 학생 시절 **schóolfellow** ㊐ 학우, 동창생 **schóolgirl** ㊐ 여학생 **school hour** 수업 시간 ◦**schóolhouse** ㊐ (특히 국민 학교의) 교사(校舍) ***schóoling** ㊐ 학교 교육 ***schóolmaster** ㊐ 남자 교원, 교장 ◦**schóolmate** ㊐ 교우, 학우 **schóolmistress** ㊐ 여선생, 여교장 ◦**schóolroom** ㊐ 교실(=classroom) ◦**schóolteacher** ㊐ 학교 선생《초등·중등·고등학교의》 **schóoltime** ㊐ 수업 시간, 학생 시절 ◦**schóolwork** ㊐ 학업 (성적); (학교의) 숙제

sci·ence★ [sáiəns] ㊐ 과학, 학술, ～학; 기술(=skill)
(예) In boxing, *science* is more important than strength. 권투에서는 힘보다 기술이 더 중요하다. // a man of *science* 과학자 // natural *science* 자연 과학 // political *science* 정치학 // *science* fiction (공상) 과학 소설(=SF) // social *science*(*s*) 사회 과학

sci·en·tif·ic [sàiəntífik]★ ㊍ 과학적인, 계통적인
파 **scientífically** ㊌ 과학적으로

sci·en·tist [sáiəntist] ㊐ 과학자

scis·sors [sízərz]★ ㊐《*pl.*》가위
NB 반드시 복수형임에 주의할 것: a pair of *scissors* (가위 한 자루) (*cf.* a pair of tongs, a pair of spectacles)

scoff [skɔ:f, skɑf / skɔf] ㊐ 비웃음(=jeer) ㊎ 비웃다, 야유하다 [～ at]
(예) the *scoff* of the world 세상의 웃음거리
파 **scóffer** ㊐ 조소하는 사람, 비웃는 사람

scold [skould] ㊕㊎ 꾸짖다(=blame), 잔소리하다, 야단치다 ㊐ 잔소리 심한 사람
반 encóurage 격려하다, praise 칭찬하다
(예) His mother *scolded* him for being naughty. 그의 어머니는 그의 나쁜 행실을 꾸짖었다.
파 **scólding** ㊍ 잔소리가 심한, 쨍쨍〔앙알〕거리는 ㊐ 꾸짖음, 질책

scoop [sku:p] ㊐ 국자, (석탄 따위를 푸는) 부삽; 퍼냄, 품; (신문 기사의) 특종(=beat) ㊕ 푸다, 도려내다; 특종

S

기사를 내다
scoop up 퍼올리다; 그러모으다
(예) *scoop up* fish with nets 망으로 고기를 떠 올리다
scope [skoup] 명 범위(=range), 구역; 시야(=outlook) 능력
scorch [skɔːrtʃ] 자 타 그슬리다, 태우다, 타다; (초목을) 시들게 하다 명 그슬림, (햇빛에) 탐
(예) a *scorching* day 몹시 더운 날 // It was *scorching* hot. 탈 정도로 날씨가 더웠다. (어법 분사가 부사적으로 쓰인 것)
*◇**score** [skɔːr] 명 득점(표); 셈; 벤 금, 새긴 금; 20; 《*pl.*》 다수 타 자 기록하다; 득점하다(=make points)
(예) In the last few years I have listened to *scores of* young people. 과거 수년간에 걸쳐 나는 많은 젊은이들의 말에 귀를 기울여 왔다. // on that *score* 그 점에 관해서(는); 그 때문에 // on the *score* of ~ 때문에, ~ 이유로 // What's the *score*?↔How does the *score* stand? 득점은 얼마인가?
파 **scórebook** 명 득점표 **scóreboard** 명 득점 게시판, 스코어보드
*◇**scorn** [skɔːrn] 명 경멸(=contempt); 경멸의 대상, 웃음거리 타 경멸하다
파 **scórnful** 형 경멸적인(=contemptuous), 건방진 **scórn·fully** 부 경멸하여, 깔보아
Scot [skat / skɔt] 명 스코틀랜드 사람(=Scotchman)
파 **Scotch, Scóttish** 형 스코틀랜드 (말·사람)의 **Scótch·man** 명 《*pl.* -men》 스코틀랜드 사람 ***Scótland** 명 스코틀랜드
scoun·drel [skáundrəl] 명 악당, 악한(=rascal)
◇**scour** [skauər] 자 타 문질러 닦다(=polish), 광내다; 질주하다; 샅샅이 뒤지다(=search everywhere)
scourge [skəːrdʒ] 명 채찍, 매; 벌 타 채찍질하다
scout [skaut] 명 소년〔소녀〕단원; 정찰(병), 정찰기 자 정찰하다
파 **scóutmaster** 명 (소년단의) 단장; 정찰 대장
scowl [skaul] 자 타 (얼굴을) 찌푸리다, 노려보다 명 찌푸린 얼굴
scram·ble [skrǽmbəl] 자 타 기다, 기어오르다(=climb) 서로 다투어 빼앗다; (달걀을 풀어서) 휘저어 익히다〔지지다〕; 혼란시키다
◇**scrap** [skræp] 명 조각(=small piece), 동강, 부스러기 (신문의) 오려낸 조각 타 부스러기가 되게 하다, 부스러기로 버리다
(예) The bureau was forced to *scrap* the plan. 당국은 그 계획을 버려야만 했다.
파 **scrápbook** 명 스크랩북
◇**scrape** [skreip] 타 자 문지르다, 긁다, 문질러 벗기다〔떼다〕, 스치다(=graze); 가까스로 빠져 나가다 [~ through]

㉺ 문지름, 긁음, 스치는 소리; 곤란
(예) The car *scraped by.* 차는 스치듯 지나갔다. // He *scraped through* the examination. 그는 가까스로 시험에 합격하였다.
㉺ **scráper** ㉺ 긁는 도구〔사람〕, 구두쇠; 신발의 흙털개
scráping ㉺ 문지름, 긁음; 《*pl.*》 (깎아낸) 부스러기

scratch [skrætʃ] ㉺㉺ 할퀴다; 갈겨쓰다; 긁어 모으다 [~ up, together]; 〖구어〗 취소하다(=cancel) ㉺ 할킴; 찰상(擦傷); 갈겨쓰기
(예) Never *scratch* a mosquito bite. 모기가 문 자리는 긁지 마라. // The flight was *scratched.* 그 비행편은 취소되었다.
㉺ **scrátchy** ㉺ 함부로 갈겨 쓴, (펜이) 거치적거리는

scrawl [skrɔːl] ㉺ 갈겨쓰기 ㉺㉺ 갈겨쓰다
(예) *scrawl* all over the wall 모든 벽면에 낙서하다

scream [skriːm] ㉺㉺ 날카롭게 소리치다, 비명을 지르다; (바람 따위가) 윙윙거리다 ㉺ 날카로운 외침, 비명
(예) *scream* out 꽥 소리 지르다 // *scream* oneself hoarse 소리 질러 목쉬게 하다 // *scream* with laughter 낄낄 웃다

▶ **249.** 「날카로운 비명을 올리다」의 유사어
scream은 shout보다 더 한층 날카로운 비명에 사용함. **shriek**는 scream보다 더 한층 강한 말임. **screech**는 귀에 거슬리고 어쩐지 기분이 나쁠 때에 사용함.

screech [skriːtʃ] ㉺ 날카롭게 외치는 소리, 비명(=scream) ㉺㉺ 날카로운 소리를 지르다, 끼익끼익 소리를 내다(*cf.* scream)
(예) The car *screeched* to a stop. 차가 끼익하고 섰다.

screen [skriːn] ㉺ 병풍, 장지문; 막, 영사막, 은막(銀幕); (생울타리 따위) 칸막이 ㉺ 가로막다(=hide); 영사하다; 체로 쳐서 가려내다
(예) behind a *screen* of trees 나무 그늘에 // under *screen* of night 어둠을 타고 // This place is *screened* from view with a big tree. 이곳은 큰 나무에 가려 앞이 안 보인다.

screw [skruː] ㉺ 나사; 추진기(推進機) (=propeller); 구두쇠(=miser) ㉺㉺ 나사로 죄다, 비틀다; 괴롭히다; (기운 따위를) 내다 [~ up]; 인색하게 굴다
(예) He *screwed up* his courage. 그는 용기를 냈다. // *screw* water out of a sponge 스펀지에서 물을 짜내다 // put the *screw*(*s*) on ~에 압력을 가하다, 강요하다 // *screw up* one's face 얼굴을 찌푸리다
㉺ **scréwdriver** ㉺ 나사돌리개

scrib·ble [skríbəl] ㉺ 갈겨쓰기, 난필(亂筆) ㉺㉺ 갈겨쓰다

script [skript] ㉺ 손으로 쓴 문자(=handwriting), 초서; 〖인쇄〗 필기체 활자; 각본, 대본

scrip·ture [skríptʃər] ㉺ [S-] 성서(=the Bible) 《신약이나 구약 성서, 또는 그 양자를 가리켜 the Holy Scripture 또는 the Scriptures라고도 한다》; 경전; 성서의

한 귀절

scroll [skroul] [명] 두루마리, 목록

◇**scrub** [skrʌb] [타][자] 북북 문지르다, 문질러 닦다 [명] 북북 문지름; 덤불, 관목 숲(=brushwood)

(예) give a good *scrub* to ~을 잘 문지르다

scru·ple [skrúːpəl] [명] (일의 옳고 그름에 대한) 의혹, 의심, 주저; 양심의 가책 [자][타] 《주로 부정문에서》 마음에 거리끼다, 망설이다(=hesitate)

[반] cónfidence 자신, 용기

(예) He tells lies without *scruple.*↔He makes no *scruple* to tell lies. 그는 서슴없이 거짓말을 한다. // He did not *scruple* to take his share of the money. 그는 서슴지 않고 배당금을 받았다. // *scruple* at ~을 주저하다

[파] **scrúpulous** [형] 양심적인, 아주 정직한; 세심한, 면밀한

scru·ti·ny [skrúːtəni] [명] 엄밀한 조사(=detailed examination); 음미; 응시

[반] neglect 등한시(等閒視)

(예) The teacher gave his homework a careful *scrutiny* 선생님은 그의 숙제를 주의깊게 조사하였다.

[파] ◇**scrútinize** [타] 면밀히 조사하다; 응시하다

*◇**sculp·ture** [skʌ́lptʃər] [명] 조각 [타][자] 조각하다

[파] ◇**scúlptor** [명] 조각가 **scúlptural** [형] 조각의

scut·tle [skʌ́tl] [명] (배의) 현창(舷窓); 천창(天窓), 채광창 [타] (배에) 구멍을 내다; 가라앉히다

scythe [saið] [명] 큰 낫, (긴 자루가 달린) 풀 베는 낫 [타] 큰 낫으로 베다

☆**sea** [siː] 〈동음어 see〉 [명] 바다, 해양; 많은 수량 [~ of]

[반] land 육지, air 하늘

(예) the Dead *Sea* 사해 // the Yellow *Sea* 황해 // a *sea* of flame 불바다 // a *sea* of troubles 엄청난 곤란 // put to *sea* 출범하다 // at *sea* 바다에서, 항해중에; 어찌할 바를 몰라 // ◇by *sea* 해로로, 배편으로

[어법] 성구(成句) 이외에는 대개 the를 붙인다.

[파] **sea bathing** 해수욕 ◇**séabed** [명] 해저 ◇**sea bird** 바닷새 **séaboard** [명] 해안(지방) **séaborne** [형] 해상 수송의; 표류하는 **sea breeze** 바닷바람 **séacoast** [명] 해안 **séafaring** [형] 선원을 직업으로 하는 ◇**séafood** [명] 해산 식품 **séagoing** [형] 대양(大洋) 항해의 ◇**sea gull** 갈매기 **sea level** 해면(海面) **séaline** [명] 수평선 ◇**séaman** [명] 《*pl.* -men》 선원 **séaplane** [명] 수상(水上) 비행기 ◇**séaport** [명] 항구 **séascape** [명] 바다 풍경(화) (*cf.* landscape) ◇**séashore** [명] 해안 **séasick** [형] 뱃멀미 난 **séasickness** [명] 뱃멀미 *◇**séaside** [명][형] 해변(의) **séaward** [형] 바다로 향한 [부] 바다쪽으로 **séawards** [부] 바다쪽으로 **séawater** [명] 해수, 바닷물 ◇**séaway** [명] 항로; 항행; 거친 바다 ◇**séaweed** [명] 해초 ◇**séaworthy** [형] (배 따위) 항해에 적합한, 항해에 견디는 ◇**séaworthiness** [명] 내항성

go to sea 선원이 되다; (배가) 출항하다

(예) Conrad *went to sea* in a French ship when he was 17. 콘래드는 17세 때 프랑스 배의 선원이 되었다.

seal [siːl] ⓜ 도장(圖章), 봉인(封印), 바다표범 ⓔ 날인하다; 봉하다 [~ up]; 확실하게 하다(=certify), 결정하다
(예) break the *seal* 개봉하다 // put one's *seal* to ~에 아무의 도장을 찍다, ~을 시인하다 // *seal* (*up*) a letter 편지를 봉하다 // His lips are *sealed.* 그는 말 못할 입장이다.
파 **séaler** ⓜ 날인자; 도량형 검사관 **sealing wax** 봉랍(封蠟)

seal·skin [síːlskìn] ⓜ 바다표범〔물개〕 가죽

seam [siːm] 〈동음어 seem〉 ⓜ (천·모피 따위의) 솔기, 이은 자리 ⓔ 꿰매다, 접합하다
파 **séamless** ⓗ 솔기〔이음매〕 없는 **seamstress** [síːmstris] ⓜ 여자 재봉사, 침모 **séamy** ⓗ 솔기 있는, 이면의 (the *seamy* side 이면, 사회의 암흑면)

search [səːrtʃ] ⓙ ⓔ 찾다(=seek), 찾아 구하다 [~ after, for]; 조사하다 ⓜ 수색, 조사(=investigation)
(예) make a *search for* 〔*after*〕 ~을 찾다 // ◇*search* out 조사하다; 찾아내다 // He *searched* his heart. 그는 자기의 신념〔동기·행동〕을 엄히 반성하였다.
파 **séarching** ⓗ 수색하는; 엄중한, 날카로운 ⓜ 수색, 검사 **séarchlight** ⓜ 탐조등(探照燈)

***search for*★ 〔*after*〕** ~을 찾다, 찾아 구하다
(예) *search for* things lost 분실물을 찾다 // *search after* health 건강해지려고 하다, 보양하다

in search of ~을 찾아서, ~을 구하여
(예) He was *in search of* a companion. 그는 친구를 찾고 있었다.

sea·son [síːzən] ⓜ 계절, 철; 알맞은 때, 호기(=right time); 한창 때, 한물, 유행기, 활동기 ⓔ ⓙ 익다; 완화하다; 맛들이다; 시들게 하다
(예) the tourist *season* 여행 시즌 // a word in *season* 때에 알맞은 충고 // the (London) *season* 런던의 사교 계절 《초여름》 // at all *seasons* 사계절을 통하여, 연중 // for a *season* 잠시 동안 // in good *season* 때마침; 넉넉히 제시간에 대어 // Timber is *seasoned* by exposure to the air. 재목은 바람을 쐬어 건조된다.
파 **séasonable** ⓗ 계절에 알맞은, 시기를 얻은 **séasonal** ⓗ 계절의 **séasoning** ⓜ 조미, 가감(加減); 건조 **season ticket** 정기 (승차)권

out of season 철 지난, 한물 간, 시기를 놓치어; 금렵기에
(예) The fish is *out of season.* 그 고기는 철이 지났다〔잘 잡히지 않는다〕.

seat★ [siːt]★ ⓜ 좌석, 의자; 소재지 ⓔ 착석시키다; 좌석을 마련하다
(예) The hall *seats* 2,000. 그 강당에는 2,000개의 좌석이

있다. // Please be *seated.* 자리에 앉아 주시오. // have a *seat* in Parliament 의회에 의석을 가지고 있다 // the *seat* of government 정부 소재지

㉺ ◦**seat belt** (비행기·자동차 등의) 좌석〔안전〕 벨트 ◦**séat-mate** ⓜ 〖미〗 (탈것 따위의) 동석자, (교실의) 짝

take a* 〔*one's*〕 *seat 착석하다, 자리에 앉다(=be seated)

(예) Please *take* your *seat.* 자리에 앉아 주십시오.

se·clude [siklúːd] ㉺ 격리시키다(=shut away from); 칩거시키다, 은퇴시키다 [~ oneself (from)]

(예) He *secluded* him*self from* society. 그는 사회에서 은퇴했다.

㉺ **seclúded** ⓗ 외딴; 은둔한 **seclúsion** ⓜ 격리; 은둔

☆**sec·ond** [sékənd] ⓗ 제2의; 둘째의, 차위의(=inferior) ⓜ 초, 순간(=moment); 둘째, 2위, 2등 ㉺ 지지하다(=support), 찬성하다

(예) for a *second* 잠시 // ◦in a *second* 순식간에 // in the *second* place 둘째로, 다음으로 // He is called a *second* Napoleon. 그는 제 2의 나폴레옹으로 불려지고 있다. // travel *second* 〔*second*-class〕 2등 차로 여행하다

㉺ *̊**secondary** [sékəndèri / -dəri] ⓗ 제 2위의, 2류의, 둘째 가는; 부차적인, 대리의 ⓜ 제 2 차적인 것; 보좌, 대리 *̊**sécondly** ⓑ 둘째로, 다음에 **séconder** ⓜ 찬성자, 지지자 **sécond-bést** ⓗ 둘째로 좋은 **sécond-cláss** ⓗ ⓑ 2등의〔으로〕 *̊**sécond-hánd** ⓗ 중고(품)의, 간접의 **second hand** 초침; 간접의 수단 **second helping** (식사 때) 두 그릇째 ◦**sécond-ráte** ⓗ 제 2 류의 **second sight** 선견, 투시력

(be) second to none 누구에게도〔무엇에도〕 뒤지지 않는, 최량(最良)의

(예) He *is second to none* in patriotism. 그는 애국심에 있어서 아무에게도 뒤지지 않는다.

in a few seconds 곧

(예) I'll be ready *in a few seconds.* 곧 준비된다.

◦**se·cre·cy** [síːkrəsi] ⓜ 비밀(의 상태), 은밀; 비밀주의

*̊**se·cret** [síːkrit] ⓗ 비밀의, 은밀한, 이상한 ⓜ 비밀; 비결

㉯ ópen, públic 공개적인, 공개의

(예) an open *secret* 공공연한 비밀 // the *secret* of success 성공의 비결 // keep a *secret* 비밀을 지키다 // keep something *secret* 어떤 일을 비밀로 해 두다 // let a person into a 〔the〕 *secret* 아무에게 비밀을 밝히다

㉺ ◦**sécretly** ⓑ 비밀로, 살짝

in secret 비밀로(=secretly), 남 몰래

(예) meet *in secret* 남 몰래 만나다 // make one's plan *in secret* 계획을 비밀리에 짜다

*̊**sec·re·tar·y** [sékrətèri / -təri]* ⓜ 비서, 서기(관); [S-] 〖미〗 장관; 〖영〗 국무 대신; 차관

(예) the *Secretary* of State 〖미〗 국무 장관 // a *secretary* general 사무 총장 // He is *secretary* to Mr. Kim. 그는 김씨의 비서이다.

S

㊂ **secretárial** ⓗ 비서〔서기〕의 **secretáriat, -iate** ⓜ 비서직, 비서실, 비서과
se·crete [sikríːt] ⓣ 비밀로 하다, 숨기다; 분비하다
㊂ **secrétion** ⓜ 분비(작용), 분비물; 은닉 ◇**secrétive** ⓗ 비밀주의의; 분비(성)의 **secrétory** ⓗ 분비성의
sect [sekt] ⓜ 종파, 당파, 학파
㊂ **sectarian** [sektɛ́əriən] ⓗ 종파의; 당파심이 강한
sec·tion [sékʃən] ⓜ 부분(=part); (책의) 절; 지구(=district); 과, 파, 당, 분대; 절단 ⓣ 구분하다
㊂ **séctional** ⓗ 단면(斷面)의; 지방적인, 파벌적인; 조립식의 **séctionalism** ⓜ 지역적 편파심, 파벌주의
sec·tor [séktər] ⓜ 부채꼴; 함수자; 분야, 영역
sec·u·lar [sékjələr] ⓗ 세속의(=worldly), 현세의
㊀ relígious 종교적인
se·cure [sikjúər]* ⓗ 안전한, 확실한, 견고한 ⓣ 안전하게 하다; 획득하다; 보증하다
㊀ ánxious 걱정스러운
(예) I have *secured* a house at last. 나는 드디어 집을 한 채 샀다. // *secure* oneself against accidents 상해 보험에 들다 // *secure* a position 지위를 획득하다 // *secure* a door 문단속을 하다 // be *secure* of ~을 확신하다
㊂ **secúrely** ⓑ 안전하게
se·cu·ri·ty [sikjúərəti] ⓜ 안전, 보호〔방위〕 수단; 보증; 담보, 저당; 《*pl.*》 증권
(예) national *security* 국가의 안전 // government *securities* 공채(公債)
sed·en·tar·y [sédəntèri / -təri] ⓗ 앉아 있는, 앉아서 하는, 정착한
sed·i·ment [sédəmənt] ⓜ 앙금, 침전물 ⓙⓣ 침전하다〔시키다〕
㊂ **sediméntary** ⓗ 앙금의, 침전물의, 침전으로 생긴
se·duce [sidjúːs / -djúːs] ⓣ 유혹하다, 꾀다; 타락시키다
(예) *seduce* a person into error 아무를 속여서 오류를 범하게 하다
㊂ **sedúction** ⓜ 유혹; 유괴 **sedúctive** ⓗ 유혹하는, 매혹적인
see* [siː] 〈동음어 sea〉 ⓣⓙ 《***saw*** ; ***seen***》 보다(=look at); 만나다; 알다, 깨닫다; 배웅하다; 돌보다 [~ to, after]; 주의하다 [~ to]
(예) *see* the doctor 의사의 진찰을 받다 // Do you *see*? 알겠느냐? // He cannot *see* a joke. 그는 농담을 이해할 줄 모른다. // He will never *see* forty again. 그도 40을 벌써 넘었다. // I *see* life differently now. 지금은 인생에 대한 내 견해가 달라졌다. // I *saw* him *run* away. ↔ He *was seen* to run away. 나는 그가 도망치는 것을 보았다. // I *saw* him runn*ing*. ↔ He *was seen* runn*ing*. 그가 달리고 있는 것을 보았다.
어법 감각 동사의 하나. *see*+목적어+원형 부정사의 형식에

S

주의. 수동태에서는 *to* 부정사를 취한다.
파 **séeing (that)** 전 접 ~임을 생각하면, ~에 비추어 명 보는 일, 시각 **séer** 명 보는 사람, 선각자, 예언자
◇***see** *a person* **off*** 아무를 전송하다
(예) Let us go to *see* him off. 그를 전송하러 가자.
see about ~을 생각하다; 조치하다
(예) I will *see about* it. 생각해 봅시다.
see into ~을 조사하다, 간파하다
(예) the wisdom and power of *seeing into* the future 미래를 통찰하는 지혜와 힘 // I will *see into* this matter. 나는 이 일을 조사하겠습니다.
****see through*** ~을 꿰뚫어 보다, 간파하다
(예) *see through* his scheme 그의 계략을 간파하다
◇***see to*** (***it that*** ~) 꼭 ~하도록 주선〔배려〕하다
(예) Leave it to me. I'll *see to it.* 나에게 맡겨 주십시오. 제가 그것을 주선하겠습니다. // Please *see* (*to it*) *that* the work is done properly. 일이 올바르게 되도록 돌봐 주시오.
you see (어때) 그렇지, 알겠지
(예) He is the best tennis player, *you see.* 어때, 그는 가장 훌륭한 테니스 선수이지.
***seed** [si:d] 명 씨, 종자 자 타 씨를 뿌리다 [~ down]; 씨가 생기다; 씨를 떨어뜨리다
(예) *seed* the field *with* wheat ↔ *seed* wheat *in* the field 밭에 소맥을 파종하다
파 **séedbed** 명 묘상(苗床), 모판 **séeder** 명 씨 뿌리는 사람〔기계〕 **séedy** 형 씨가 많은; 초라한; 기분이 나쁜 ◇**séedling** 명 묘목(苗木), 씨에서 자란 나무
seek** [si:k] 타 자 《sought***》 찾다(=search), 구하다, 얻고자 힘쓰다, (충고 따위를) 청하다; ~하려고 하다 [~ to do]; 조사하다
반 hide 숨기다, 숨다
(예) He *seeks* a situation as cook. 그는 요리사 자리를 찾고 있다.
파 ◇**séeker** 명 수색〔탐구〕자; (미사일의) 목표물 탐색 장치
****seek for*** 〔***after***〕 ~을 구하다, 찾다(=look for)
(예) He *seeks after* wealth.
그는 부를 추구한다.
***seem** [si:m] 〈동음어 seam〉 자 ~처럼 보이다〔여겨지다〕(=appear), ~로 생각되다
(예) ◇It *seems* that she was once a beautiful lady. ↔ ◇She *seems to have been* a beautiful lady at one time. 그녀는 한때는 미인이었을 것으로 보인다. // ◇She *seemed* to know everything. ↔ It *seemed* she knew everything. 그녀는 모든 것을 알고 있는 것 같았다. (NB that은 생략되는

▶ **250.** 「~처럼 보이다」의 유사어 —
seem은 마음 속으로 그렇게 생각되다, **appear**는 외견상으로 판단하여 그렇게 생각되다, **look**는 눈으로 보아 그렇게 생각되다의 뜻.

S

우가 있다.)
파 **séeming** 형 표면상의 명 외관 ◇**séemingly** 부 표면상
séemly 형 적당한, 알맞은(=becoming); 품위 있는
seep [siːp] 자 스며나오다, 새다
seethe [siːð] 자 끓어오르다; 들끓다, 소용돌이치다
파 **séething** 형 끓어오르는, 들끓는
seg·ment [ségmənt] 명 분절(分節), 부분, 조각; (원의) 호(弧) 타 자 분열시키다; 분열하다
seg·re·gate [ségrəgèit] 자 타 분리하다, 인종 차별을 하다
파 **segregátion** 명 분리; 인종 차별 **ségregative** 형 사교를 싫어하는; 인종 차별의
seis·mo·graph [sáizməgræ̀f / -grɑ̀ːf] 명 지진계
seis·mol·o·gist [saizmάlədʒist / -mɔ́l-] 명 지진학자
seize★ [siːz]★ 타 자 꽉 쥐다(=grasp); 《수동형》 (병·재앙이) 갑자기 닥쳐오다 [~ with]; 빼앗다; 차압하다; 이해하다 (=understand)
반 loose 풀다
(예) *seize* a person by the ear 아무의 귀를 잡다 // *seize* the meaning 의미를 파악하다
파 **séizure** 명 쥠, 압류; 약탈; (병의) 발작
seize on 〔***upon***〕 ~을 엄습하다, ~을 붙들다, ~을 점령하다
(예) An intense emotion *seized upon* me. 나는 격렬한 감동을 느꼈다.
sel·dom [séldəm] 부 좀처럼 ~하지 않다, 드물게(=rarely)
반 óften 종종
(예) He is *seldom* absent. 그는 좀처럼 결석하지 않는다. // I *seldom,* if ever, go to the cinema. 내가 영화관에 가는 일은 거의 없다. // It is *seldom that* a man lives to be a hundred years old. 사람이 백살까지 사는 일은 드물다.
se·lect [silékt] 타 고르다
(=choose) 형 선발한, 정선한
원 se (= apart) + lect (= choose)
(예) a *select* society 상류사회 // a *select* library 양서만으로 된 장서 // a *select* committee (국회 등의) 특별 조사 위원회

> **▶ 251.** 「고르다」의 유사어
> **choose**는 가장 일반적인 말. **select**는 선악, 좋고 싫음의 차이를 두고 신중하게 선택하는 것.

파 ***seléction** 명 선택; 발췌; 도태 ◇**seléctive** 형 선택의 ◇**seléctively** 부 선택적으로 **seléctor** 명 선택자; 선별기
self [self] 명 《*pl.* ***selves***》 자기, 자아
(예) one's former *self* 과거의 자기 // the study of the *self* 자아의 연구 // one's better *self* (선악 두 개의 성질이 있다는 가정하의) 좋은 기질, 양심
파 ***selfish** [sélfiʃ] 형 이기적인, 자기 본위의 **sélfishly** 부 이기적으로, 자기 본위로 **sélfishness** 명 이기주의 **sélfless** 형 무사 무욕한 **sélf-abándonment** 명 자포자기 **sélf-**

S

abhórrence ⓜ 자기 혐오 **sélf-assértive** ⓗ 주제넘은 **sélf-assértion** ⓜ 자기 주장 **sélf-céntered** ⓗ 자기 중심의 **sélf-commánd** ⓜ 극기, 자제 **sélf-complácence, -cy** ⓜ 자기 도취 **sélf-complácent** ⓗ 자기 만족의, 자기 도취의 **sélf-concéit** ⓜ 자부심 **sélf-concéited** ⓗ 자부심〔자만심〕이 강한 ◇**sélf-cónfidence** ⓜ 자신 ◇**sélf-cónfident** ⓗ 자신이 있는 **sélf-cónscious** ⓗ 자의식적인; 사람 앞을 꺼리는 **sélf-contáined** ⓗ 말이 적은, 자제하는 **sélf-contémpt** ⓜ 자기 경멸 **sélf-contradíction** ⓜ 자가 당착 ◇**sélf-contról** ⓜ 자제(심) **sélf-cúlture** ⓜ 자기 수양 **sélf-defénse, -ce** ⓜ 자위(自衛) **sélf-deníal** ⓜ 극기, 금욕, 자제 ◇**sélf-depéndence** ⓜ 자기 신뢰〔의존〕, 자립 ◇**sélf-determinátion** ⓜ 자결(自決) ◇**sélf-díscipline** ⓜ 자기 수련 ◇**sélf-distrúst** ⓜ 자기 불신, 자기 결여 **sélf-educátion** ⓜ 독학 ◇**sélf-éducated** ⓗ 독학의 **sélf-estéem** ⓜ 자존 ◇**sélf-évident** ⓗ 자명한 **sélf-góverning** ⓗ 자치의 **sélf-góvernment** ⓜ 자치; 극기 **sélf-hélp** ⓜ 자조(自助) **sélf-impórtance** ⓜ 자존 **sélf-impórtant** ⓗ 자존의, 잘난 체하는 **sélf-impróvement** ⓜ 자기 개선〔수양〕 **sélf-indúlgence** ⓜ 방종, 제 멋대로 함 **sélf-inflícted** ⓗ (상처 따위를) 스스로 가한 ◇**sélf-ínterest** ⓜ 사리(私利); 사욕 **sélf-knówledge** ⓜ 자기를 앎, 자각 **sélf-máde** ⓗ 자력으로 이룬 〔출세한〕 **sélf-múrder** ⓜ 자살 **sélf-posséssed** ⓗ 냉정한 **sélf-posséssion** ⓜ 냉정 **sélf-regárd** ⓜ 자애(自愛) **sélf-relíance** ⓜ 독립 독행, 자립 **sélf-relíant** ⓗ 자립 독행의 ◇**sélf-respéct** ⓜ 자존 **sélf-respécting** ⓗ 자존심이 있는 **sélf-restráin** ⓜ 자제 ◇**sélf-sácrifice** ⓜ 자기 희생 **sélf-sácrificing** ⓗ 헌신적인 **sélfsame** ⓗ 아주 동일한 **sélf-satisfáction** ⓜ 자기 만족 **sélf-sátisfied** ⓗ 자기 만족의 **sélf-séeking** ⓗ 이기주의의 **sélf-suffícient** ⓗ 자급 자족의 **sélf-suppórt** ⓜ 자영, 자활, 자급 **sélf-suppórting** ⓗ 자활하는 **sélf-sustáining** ⓗ 자급의, 자영하는 **sélf-táught** ⓗ 독학의 **sélf-tórture** ⓜ 고행(苦行) **sélf-wíll** ⓜ 제멋, 고집 **sélf-wílled** ⓗ 제멋대로의, 고집 센

☆**sell** [sel] 〈동음어 cell〉 ⓣⓩ《***sold***》 팔다, (잘) 팔리다, 장사하다; (나라 따위를) 배반하다
반 buy 사다
(예) Good advertising will *sell* goods. 좋은 광고는 물건을 잘 팔리게 한다. // *sell* at two hundred won a box 한 상자 200원으로 팔다 // It *sells* very well. 그것은 잘 팔린다. // be *sold* out 다 팔아 치우다 // He will *sell* me his car. ↔ He will sell his car *to* me. 그는 나에게 차를 팔 것이다. // They *sell* eggs at that store. ↔ That store *sells* eggs. 저 상점에서는 계란을 팔고 있다.
파 (⇨) **sale.** ◇**séller** ⓜ 파는 사람, 팔리는 물건 (a best *seller* 베스트 셀러)

sem·blance [sémbləns] ⓜ 유사(=resemblance); 외관, 외양; 위장

(예) in *semblance* 외관은

se·mes·ter [siméstər] [명] (대학의) 반학년, 1학기《6개월》(*cf.* term)

sem·i·cir·cle [sémisə̀ːrkəl] [명] 반원(형)

sem·i·co·lon [sémikòulən] [명] 세미콜론《 ; 》

sem·i·con·duc·tor [sèmikəndʌ́ktər] [명] 반도체; 반도체를 이용한 장치《트랜지스터·IC 등》

sem·i·moun·tain·ous [sèmimáuntinəs] [형] 반(半)산악 지대의

sem·i·nar [séməndɑ̀ːr] [명] 세미나, 연구 집회

sem·i·pre·cious [sèmipréʃəs] [형] 준(準)보석의, 약간 귀중한

> ▶ **252. 접두어 semi**
> 「반(半)(half)」의 뜻을 나타낸다.
> (예) *semi*circle (반원)

sen·ate [sénit] [명] 원로원; 〖미〗 [the S-] 상원
[파] **senator** [sénətər] [명] 상원 의원, 원로원 의원 **senatórial** [형] 원로원(의원)의, 상원 (의원)의

send [send] [타] [자] 《***sent***》 보내다, 파견하다, 심부름꾼을 보내다, 가게 하다; 편지를 보내다
[반] call 부르다
(예) *send* a telegram 전보를 치다 // *send* a person to school 아무를 학교에 보내다 // *send* abroad 해외에 파견하다 // I will *send* it to your place by a servant. 하인을 시켜 그것을 당신 있는 데로 보내겠오. // He *sent* her a Christmas present. ↔ He *sent* a Christmas present *to* her. 그는 크리스마스 선물을 그녀에게 보냈다.
[파] **sénder** [명] 발송인, 송신기 **sénd-off** [명] 송별

send away ~을 내쫓다, ~을 멀리 보내다
(예) I have *sent away* my servant. 나는 하인을 내보냈다.

send for ~을 데리러 보내다, 부르러 보내다
(예) You must *send for* a doctor. 의사를 부르러 보내야 한다.
[어법] 자신이 부르러 갈 때는 *go for*를 쓴다.

send forth 내다(=give out), 발하다(=emit), 보내다 (=send out)
(예) The sun *sends forth* light and heat. 태양은 빛과 열을 방사한다.

send off 전송하다, 보내다, 쫓아내다
(예) *send off* a messenger 심부름꾼을 보내다 // *send* a person *off* at the airport 공항에서 아무를 전송하다 // The manuscript was *sent off* to the printer. 원고를 인쇄소에 보냈다.

send out ~을 보내다, ~을 파견하다; (나무가 순 따위를) 내다; (빛·향기 따위를) 발하다
(예) Because natural gas burns clearly, the vehicles *sent out* almost no hydrocarbons. 천연 가스는 깨끗하게 연소하기 때문에 차는 거의 탄화 수소를 내지 않았다.

sen·ior [síːnjər] [형] 손위의(=older), 상급의; 고참의 [명]

S

연장자, 선배, 고참자, 상급자, 상급생
반 júnior 연소의, 연소자
(예) He is two years *senior to* me. ↔ He is *senior to* me b two years. 그는 나보다 두 살 위다. (↔He is two yea older than I.) // a *senior* officer 상관 // a *senior* hig school 〖미〗 고등 학교
파 **seniority** [siːnjɔ́ːrəti, -njár- / -niɔ́r-] 명 손위, 연장, 급; 선임

se·nor, -ñor [seinjɔ́ːr / senjɔ́ː] 명 〖스페인〗 《*pl.* ***-nor*** ***-ñores*** [-njɔ́ːreis]》 ~님, ~씨; 나리

sen·sa·tion [senséiʃən] 명 감각(=sense); 느낌(=feeling 감정; 감동; 대평판, 대소동
(예) a *sensation* of happiness 행복감
파 **sensátional** 형 선정적인, 세상을 놀래는; 감각상의

sense [sens] 명 감각《시각·청각·촉각 따위의》; 분별, 사리 상식; 의의, 이치; 의미(=meaning); 《*pl.*》 제정신 타 느 다; 〖미〗 깨닫다, 이해하다
(예) the (five) *senses* 오관 // the sixth *sense* 제 6 감 come to one's *senses* 제정신으로 돌아오다 // a man *sense* 분별 있는 사람 // in this *sense* 이런 점〔의미〕 서 // It does not make *sense*. 그것은 이치가 닿지 않 다. // He is out of his *senses*. ↔ He has taken leave of h *senses*. 그는 제정신이 아니다〔미쳐 있다〕.
파 **sénseless** 형 무감각의, 정신 잃은, 분별 없는 **séns** 명 감지기, 감지 장치 **sénsory** 형 지각의 명 감각 기관 *sensory* nerve 지각 신경, a sensory temperature 체감 도) **sénsual** 형 관능적인, 육체의 **sénsuous** 형 감각적 **sense organ** 감각 기관 (⇨) **sensible, sensation**

in a sense 어떤 의미로는
(예) It is true *in a sense*. 그것은 어떤 의미로는 진실 다.

in all senses 모든 의미〔점〕에서
(예) Their reunion was a happy one *in all senses*. 그 의 재결합은 모든 의미에서 행복한 것이었다.

sen·si·ble [sénsəbəl] 형 분별 있는(=judicious), 현명 의식하고 있는 [~ of]; 느낄 수 있는, 감각의; 실용 본위
반 insénsitive 무감각한, injudícious 무분별한
(예) *It was sensible of* you *to* refuse it. 그것을 거절한 은 현명한 일이었다. // She wears *sensible* shoes. 그녀 실용적인 구두를 신고 있다.
파 **sénsibly** 부 느낄 수 있을 만큼; 현명하게; 분별 있 **sensibílity** 명 감수성; 감각력; 민감함; 《*pl.*》 다감

sen·si·tive [sénsətiv] 형 감수성이 강한, 민감한, 상하 쉬운; 신경질적인, 화나기 쉬운(=touchy)
반 insénsitive, insuscéptible 무감각의
(예) A photographic film is *sensitive* to light. 필름은 에 민감하다.
파 **sensitívity** 명 감도(感度)

sen·tence [séntens] [명] 문장; 판결 [타] 판결〔선고〕하다
(예) pass *sentence* upon ~에 형을 언도하다, ~에 대하여 의견을 진술하다 // The accused was *sentenced* to death. 피고는 사형 선고를 받았다.
[파] **senténtious** [형] 경구(警句)적인, 격언적인

sen·ti·ment [séntəmənt] [명] 정서, 감정(=feeling); 감상(感傷); 《주로 *pl.*》 의견(=opinion), 소감
[파] ◇**sentimental** [sèntəméntl] [형] 감상적인, 감정적인 **sentiméntalism** [명] 감상주의 ◇**sentimentálity** [명] 감상성

sen·ti·nel [séntinl] [명] 보초, 지키는 사람(=guard) [타] 파수를 보다
[파] **séntry** [명] 보초, 파수병

sep·a·rate [형] [sépərit]* 분리된(=apart), 별개의, 개개(個個)의(=individual)
[타] [자] [sépərèit]* 떼어 놓다(=divide), 분리하다, 헤어지다; 갈라지다
[반] uníte 결합하다
(예) England is *separated* from France by the sea. 영국은 프랑스와 바다로 갈려 있다. // The two questions are quite *separate*. 이 두 문제는 전혀 별개의 것이다.
[파] ◇**séparately** [부] 따로따로 **separátion** [명] 분리, 별거; 분류(=sorting) **séparable** [형] 분리된, 분리할 수 있는 **séparator** [명] 분리기

> ▶ **253. 접두어 se**
> 「~없이」「따로」와 같이 분리를 뜻한다.
> (예) *se*parate, *se*clude 등

separate ~ from ~을 …와 떼어 놓다〔구분하다〕
(예) *separate* right *from* wrong 옳고 그름을 구별하다

Sep·tem·ber [septémbər] [명] 9월 〔약어〕 *Sept.*

sep·ul·cher, -chre [sépəlkər] [명] 무덤 [타] 무덤에 안치하다
[파] **sepúlchral** [형] 무덤의; 음산한; 매장에 관한

> ▶ **254. 접두어 sept**
> 「7(seven)」의 뜻을 나타냄.
> (예) *Sept*ember (로마력에서 7월)

se·quence [síːkwəns] [명] 연속(=succession); 순서; 〔문법〕 시제의 일치(=sequence of tenses)
[반] séverance 단절
(예) in alphabetical *sequence* 알파벳 순서로
[파] **séquent** [형] 잇달아 일어나는 **sequential** [sikwénʃəl] [형] 잇단(=following)

ser·e·nade [sèrənéid] [명] 세레나데, 소야곡

se·rene [sərí:n] [형] 고요한, 화창한(=clear and calm); 평정(平靜)한(=tranquil), 침착한
[반] fúrious 광포한
[파] **serenity** [sərénəti] [명] (정신 상태 등의) 평정, 침착; (하늘·공기의), 청랑(晴朗) (=clearness)

serf [səːrf] [명] 농노(農奴), 노예(와 같은 사람)

serge [səːrdʒ] [명] 서지, 세루《피륙》

ser·geant [sáːrdʒənt] [명] 중〔상〕사; 경사(警査)

se·ries [síəriːz] [명] 연속, 계열; 시리즈, 총서; 조(組), 열

(예) a *series* of wet days 우천의 연속 // the first serie (간행물의) 제 1 집 // in *series* 연속하여; 총서로서

어법 단수·복수 동형임에 주의. 이와 같은 종류의 예로서 means(수단)가 있다

파 ◇ **sérial** 형 연속적인 명 연속물 **sérially** 부 연속적으로

◇* **se·ri·ous** [síəriəs] 형 진지한(=earnest); 중대한(=important); 심각한(=grave), (병이) 중한

반 frívolous 경박한

(예) a *serious* illness 중병 // You can't be *serious*. 진정은 아니겠지(농담이겠지). // The choice of one's life work is a *serious* matter. 일생 동안 종사할 직업의 선택은 중요한 일이다.

파 ◇ **sériously** 부 진지하게; 몹시; 중대하게 ◇ **sériousness** 명 진정, 정색, 중대; 위독

ser·mon [sə́ːrmən] 명 설교, 훈계

ser·pent [sə́ːrpənt] 명 뱀; 음흉한 사람

NB 특히 큰 뱀을 가리킨다. 보통의 뱀은 *snake*이다.

파 **serpentine** [sə́ːrpəntìːn / -tàin] 형 뱀 같은; 꼬불꼬불한 자 꾸부러지다

◇* **serv·ant** [sə́ːrvənt] 명 하인, 종; 공무원

(예) a maid *servant* 하녀 // a civil *servant* 공무원

* **serve**★ [səːrv] 타 자 ~을 섬기다, ~에 도움이 되다(=work for another), 근무하다; (음식을) 차려내다, 공급하다 명 (정구의) 서브

(예) She *served* us *with* beer. ↔ She *served* beer *to* us. 그녀는 우리들에게 맥주를 대접했다. // *serve* a summons *on* him ↔ serve him *with* a summons 그에게 소환장을 송달하다 // *serve* in the navy 해군에 복무하다 // To *serve the good of* the country, we all must save electricity. 국가의 이익을 위하여 우리는 모두 전기를 절약해야 한다.

파 (⇨) **servant, service, servile, servitude**

serve** a person **right 아무에게 마땅한 대우를 하다

(예) *Serve* him *right !* 꼴 좋다!, 고것 고소하다!

serve as ~의 역할을 하다, ~의 대용이 되다

(예) This will *serve as* a model. 이것은 본보기가 될 것이다. // A sofa *served* him *as*〔*for*〕a bed. 소파가 그에게 침대 구실을 하였다.

◇* **serv·ice**★ [sə́ːrvis] 명 봉사, 돌봄; 공공 사업, 근무; 시중, 서비스; (~의) 편, 설비; 예배, 식; (정구의) 서브

(예) I am at your *service.* 무엇이든 말씀만 하십시오. // be of great *service* to ~에게 큰 도움이 되다 // a train *service* 기차편 // place at a person's *service* 아무에게 자유로이 사용케 하다

파 **sérviceable** 형 도움이 되는, 사용할 수 있는, 친절한 **service man** 수리공; 군인 **service station** 주유소

ser·vile [sə́ːrvəl / -vail] 형 노예의, 비굴한; 맹종적인

(예) *servile* behavior 비굴한 태도

파 **servílity** 명 노예 상태, 노예 근성, 굴종

ser·vi·tude [sə́ːrvətjùːd / -tjùːd] [명] 노예 상태, 예속; 고역
ses·a·me [sésəmi] [명] 참깨(의 씨)
(예) Open *sesame!* 열려라 참깨! 《Ali Baba 이야기에 나오는 문 여는 주문, 난관을 돌파하는 방법》
ses·sion [séʃən] [명] 개회(=sitting); 회기(會期); 〖미〗 학기
(예) the summer *session* 여름 학기 // The National Assembly is in *session.* 국회는 개회 중이다.
***set** [set]* [타][자] 《**set**》 두다, 놓다(=put); 장치하다; 바르게 하다(=adjust); 과(課)하다(=impose), ~시키다; 정하다, 장식하다; 움직이기 시작하다(=start), 착수하다; (해·달이) 지다; 굳어지다 [형] 고정된(=fixed); 예정의; 판에 박힌 [명] 한 벌, 세트; 동무; 한 번의 게임; 경향; 체격; (해·달이) 짐
(예) *set* things straight 물건을 똑바로 놓다 // ◇ *set* fire to a house 집에 불을 놓다 // ◇ *set* a glass to one's lips 유리잔을 입에 대다 // *set* one's mind on ~에 마음을 집중하다, 열중하다 // ◇ *set* one's heart on ~에 열중하다 // ◇ *set* a price on an article 상품의 값을 정하다 // ◇ *set* a high value on neatness 청결을 아주 중히 여기다 // *set* a room in order 방을 정돈하다 // *set* an example 모범을 보이다 // ◇ He *set to* work at once. 그는 곧 본격적으로 일하기 시작했다. // The sun *sets* in the west. 해는 서쪽으로 진다. // ◇ a *set* of buttons 한 벌의 단추 // According to *one set of* rules, players could use their hands. 일련의 규칙에 의하면 선수는 손을 쓸 수 있었다.
[파] ◇ **sétter** [명] 식자공; 세터 《사냥개의 일종》 ◇ **sétting** [명] 안치, 장치, 식자, (해·달이) 짐, 일몰(日沒), (조수의) 밀려듦 **sétback** [명] 퇴보 **sétdown** [명] 꾸짖음 **sétoff** [명] 돋보이게 하는 것; 장식 **sétout** [명] 출발; 준비 **sétup** [명] 조직
set about ~을 시작하다(=begin), ~에 착수하다(=set to work)
(예) The spring is advanced enough for us to *set about* gardening. 우리가 정원 일을 시작해도 좋을 만큼 봄이 무르익었다.
set apart 떼다; 따로 떼어 두다
(예) The river *sets* the village *apart* from the wooded area. 강이 그 마을과 삼림 지대를 갈라 놓는다. // A wise man *sets apart* some of his money *for* old age. 현명한 사람은 노후를 위해 사기 돈을 따로 좀 예비해 둔다.
set aside 곁에 제쳐 두다; 그만두다; 저축하다; 무시하다(=disregard)
(예) A certain sum was *set aside* every year for this purpose. 이 목적을 위하여 매년 얼마간의 돈이 저축되었다. // They often *set aside* his decisions. 그들은 가끔 그의 결정을 무시한다.
set down 아래에 놓다; (승객을) 내리다; 적어 두다, ~의 탓으로 돌리다
(예) *set down* in writing 써 두다 // *set down* (one's) suc-

cess to luck 아무의 성공을 행운으로 돌리다

◇***set forth*** 말하다(=state); 보이다, 진열하다; 발표하다; 출발하다

(예) He *set forth* his view upon the subject. 그는 그 문제에 대하여 의견을 말했다.

set free 해방하다, 놓아주다, 방면(放免)하다

(예) We are *set free* from our tasks every Sunday. 우리는 일요일마다 우리들의 일로부터 해방된다.

◇***set in*** 시작하다, ~이 되다; 정해지다

(예) The wet season *sets in* July here. 여기서는 우기가 7월에 시작된다.

*◇***set off*** 출발하다(=start); 돋보이게 하다; 폭발시키다, (불꽃 따위를) 쏴 올리다

(예) William *set off* for France. 윌리엄은 프랑스를 향하여 출발했다. // They *set off* on a 17,500 km journey. 그들은 17,500 km의 여행을 떠난다.

*◇***set out*** 출발하다(=start); 착수하다; 꾸미다(=adorn)

(예) *set out* at four 네 시에 출발하다

*◇***set up*** 설립하다, 세우다; 시작하다(=begin), 설치하다

(예) He *set up* a library in memory of his father. 그는 자기 아버지를 기념하기 위해 도서관을 설립했다. // He has *set up* a new business recently. 그는 최근 새로운 사업을 시작했다.

*◇**set·tle** [sétl] ㊀㊁ 정착시키다, 결정하다(=fix); 해결하다(=solve); 정주(定住)하다, 정주시키다, 식민(植民)하다; (셈을) 청산〔지불〕하다

반 move 움직이게 하다, unfíx 흔들리게 하다, 동요시키다

(예) *settle* oneself in a chair 의자에 앉다 // *settle* problems 문제를 해결하다 // I must *settle* my account. 셈을 청산해야 한다.

파 **séttled** ㊃ 고정된; 자리 잡힌; 해결된, 청산된 *◇**séttlement** ㊂ 신상을 안정시킴, 일정한 일자리를 잡음; 정주, 식민, 개척지; 세틀먼트; 결정, 해결 ◇**séttler** ㊂ 개척민, 식민자; 해결자

◇***settle down*** 앉다; 정주하다; 안정하다

(예) All his daughters have married and *settled down*. 그의 딸들은 모두 결혼하여 자리가 잡혀 있다. // Let him *settle down* first. 우선 그를 안정하게 해라.

settle in 자리잡다, ~에 거주하다

(예) The cloud *settled in* and thickened. 구름이 움직이지 않고 짙어져 갔다.

☆**sev·en** [sévən] ㊂ 7 ㊃ 7의

파 ☆**séventh** ㊂ 제7; 7분의 1; (달의) 7일 ㊃ 제7의; 7분의 1의 ◇**séventéen** ㊂ 17 ㊃ 17의 ***séventéenth** ㊂ 제17; 17분의 1; (달의) 17일 ㊃ 제 17의; 17분의 1의 ***séventy** ㊂ 70 ㊃ 70의 **séventieth** ㊂ 제70; 70분의 1 ㊃ 제 70의; 70분의 1의

sev·er [sévər] ㊀ 절단하다, 끊다(=cut off); 이간하다

NB severe [səvíər] 「엄한」과 혼동하지 말 것.
반 uníte 결합하다
파 **séverance** 명 분리; 절단; 단절

***sev·er·al** [sévərəl] 형 몇 개의, 몇몇의; 각자의(=individual) 대 몇 사람〔개〕
파 **séverally** 부 각개〔각자〕에

▶ **255.** 「몇 개」의 유사어
several은 3, 4 또는 4, 5를 의미함. **a few**는 2, 3부터 주관적으로 「소수」라고 느낄 수 있다면 꽤 큰 수에도 사용됨.

***se·vere** [səvíər] 형 엄한, 엄격한(=strict); 맹렬한, 격렬한(=violent)
반 mild 온화한
(예) You are too *severe* with your children. 당신은 아이들에게 너무 엄하다.
파 **sevérely** 부 격렬하게, 엄격히 **severity** [səvérəti] 명 격렬, 엄격, 엄함

sew★** [sou]★ 〈동음어 so〉 타 자 《sewed ; sewed, sewn***》 깁다, 재봉하다; (책을) 철하다(=bind)
(예) *sew* a button *on* a coat 저고리에 단추를 달다
파 **sewer** [sóuər] 명 바느질하는 사람 (NB [sú:ər / sjú:ə]라고 읽으면 「하수도」의 뜻) **séwing** 명 재봉 **sewing machine** 재봉틀

sew·age [sú:idʒ / sjú:idʒ] 명 시궁창, 오물, 오수(汚水)

***sex** [seks] 명 성(性), 성별(性別)
(예) the male *sex* 남성 // the female 〔fair〕 *sex* 여성
파 **sexual** [sékʃuəl] 형 성의, 자웅의

sex·ton [sékstən] 명 교회의 잡역부, 불목하니

***shab·by** [ʃǽbi] 형 초라한, 보잘것 없는; 비루한(=mean), 인색한
반 décent 품위 있는
파 **shábbily** 부 초라하게(=poorly) **shábbiness** 명 초라함

***shade** [ʃeid] 명 그늘, 응달; 차일(遮日), (남포의) 갓; 색채의 농도, 미묘한 차이 타 자 빛〔볕〕을 가리다(=protect from light), 그늘지게 하다, 덮다; 차츰 변화하다
반 sun 양지, illúminate 비추다
(예) a delicate *shade* of meaning 미묘한 의미의 차이 // There is not a *shade* of doubt. 털끝만큼의 의심도 없다. // He *shaded* his eyes with his hand. 그는 손으로 햇빛을 가렸다.
파 **shady** [ʃéidi] 형 그늘이 있는, 응달의; 의심스러운, 수상한 **shády** **sháding** 명 그늘지움; 음영(陰影), (색의) 농담(濃淡), 명암(明暗)

***shad·ow** [ʃǽdou] 명 그림자, 사람의 그림자; 환영(幻影); 어두움; 《부정문에서는》 아주 적음; 흔적 타 그늘지게 하다, 어둡게 하다(=darken)
반 súnshine 햇빛, 양지
파 **shadowy** [ʃǽdoui] 형 그림자가 많은, 어두운, 희미한(=obscure); 기분 나쁜

shaft [ʃæft / ʃɑ:ft] 명 화살대, 화살, 창, 자루; 축(軸), 굴

S

대; 기둥의 몸통; (광산의) 수갱(竪坑)

shag [ʃæg] ⓜ 거친 털; 보풀

shag·gy [ʃǽgi] ⓗ 털 많은, 텁수룩한

*◇**shake** [ʃeik] ⓣⓙ 《***shook*** **;** ***shaken***》 흔들다, 흔들리다; 떨리다(=tremble); 동요시키다 ⓜ 진동, 떨림

(예) ◇*shake* hands with a person 아무와 악수하다 // *shake* off 떨쳐내다, 쫓아버리다 // He is *shaking* with cold. 그는 추워서 떨고 있다.

㉯ **shǽker** ⓜ 흔드는 사람〔물건〕 **shǽky** ⓗ 떨리는

shake up ~을 흔들어 섞다; 흔들다

(예) War undoubtedly *shakes up* our ideas. 틀림없이 전쟁은 우리의 생각을 뒤흔들어 놓는다.

☆**shall** [ʃæl, ʃəl] ⓩ 《***should***》 ① 《제1인칭에서는 단순 미래》 ~일 것이다

(예) I *shall* be late. 나는 늦을 것이다. // We *shall* arrive tomorrow. 우리는 내일 도착할 것이다. // I *shall* 〔I'll〕 be seventeen next year. 나는 내년에 만 17 세가 된다.

② 《제 2·3인칭에서는 말하는 사람의 의지》 ~시키다, ~하게 하다 (*cf.* will)

(예) You *shall* go. 너를 가게 하겠다. (↔ I will let you go.) // He *shall* die. 그를 죽이겠다. (↔ I will let him die. 또는 I will kill him.) // She *shall* have this book. 이 책을 그 여자에게 주겠다. (↔ I will give her this book.)

◇**shal·low** [ʃǽlou] ⓗ 얕은(=not deep); 천박한, 피상적인 (=superficial) ⓜ (물이) 얕은 곳, 모래톱(=shoal) ⓙⓣ 얕게 되다, 얕게 하다

㉶ deep 깊은

S

sham [ʃæm] ⓜ 가짜(=counterfeit), 허위, 시늉 ⓗ 가짜의(=not real), 겉치레의 ⓣⓙ ~인 체하다

㉶ réal 진짜의

(예) a *sham* examination 모의 시험 // a *sham* doctor 가짜 의사

*◇**shame** [ʃeim] ⓜ 치욕(恥辱) (=disgrace), 수치, 창피 ⓣ 부끄러워하게 하다, 창피를 주다

㉶ hóno(u)r 명예

(예) His crime brought *shame on* 〔*to*〕 his family. 그의 범죄는 가명(家名)을 더럽혔다. // Even the school masters were put to *shame* by the boy. 선생님들조차도 그 학생에게는 창피를 당하였다. // She *shamed* him *into* apologizing. 그녀는 그가 부끄럽게 여겨 사과하도록 하였다.

㉯ **shǽmeful** ⓗ 수치스러운, 괘씸한 **shǽmefully** ⓟ 수치스럽게; 괘씸하게 **shǽmeless** ⓗ 뻔뻔스러운 **shamefaced** [ʃéimfèist] ⓗ 수줍어 하는

for shame 수치스러워서, 창피해서

(예) I cannot do it *for shame.* 창피해서 난 그런 일은 할 수 없다.

to *one's* ***shame*** 창피스런 일이지만, 부끄럽지만

(예) *To* my *shame,* I have never read Milton. 창피스런 일이지만, 나는 아직 밀턴을 읽은 적이 없다.

◇**sham·poo** [ʃæmpúː] 타 머리를 감다 명 머리를 감음, 샴푸

sham·rock [ʃǽmrɑk / -rɔk] 명 〖식물〗 토끼풀; 클로버

shank [ʃæŋk] 명 정강이(뼈), 다리(=leg); 줄기 자 도보로 가다, 걷다

> ▶ **256.** 「형상」의 유사어
> **form**은 가장 널리 쓰이는 말로서, 내용을 담는 「형식」의 의미. **shape**는 외관을 의미하며, 구체적인 물체의 꼴《구어적》. **figure**는 구체적인 물체의 꼴. 사람의 모습에 쓰이는 일이 많음.

shan·ty [ʃǽnti] 명 오두막집, 판잣집

*◇**shape** [ʃeip] 명 형상(=form), 외관(=appearance) 타 자 형상을 이루다, 형성하다(=form); ~이 되다, 발달하다
(예) ◇in the *shape* of ~형식으로, ~으로서의 // The child *shapes* clay into balls. 아이가 진흙으로 공을 만든다. // ◇He is in good 〔bad, poor〕 *shape.* 그는 건강이 좋다〔나쁘다〕. // Are dogs different from wolves in *shape ?* 개는 이리와 형상이 다르냐?
파 **shápeless** 형 무형(無形)의; 볼꼴사나운 **shápely** 형 맵시 있는, 모양 있는

*◇**share** [ʃɛər] 명 몫(=portion), (일·비용 등의) 분담, 부담; 역할; 주(株) (=stock) 타 자 분배하다; 함께 나누다 [~ in]; 같이 하다; 공유하다, 같이 사용하다
반 whole 전체
(예) work on *shares* 손익 공동의 시스템으로 사업을 하다 // He does not *share* their opinion. 그는 그들과 의견이 다르다.
파 **sháreholder** 명 주주(株主)(=stockholder)

share in ~에 참여하다, ~을 함께 하다, ~의 몫을 받다
(예) I *shared in* the profits. 나는 그 이익에 한 몫 끼었다. // She *shared* (*in*) my troubles. 그 여자는 나와 괴로움을 같이했다.

*◇***share ~ with*** ~을 나누다, ~을 같이하다
(예) *share* one's lunch *with* a person 아무에게 자기 도시락을 나누어 주다 // If you have an umbrella, let me *share* it *with* you. 우산이 있으면 같이 씁시다.

go shares (비용 등을) 분담하다
(예) Let me *go shares* with you in the taxi fare. 택시 요금을 나도 부담하게 해주시오.

◇**shark** [ʃɑːrk] 명 〖물고기〗 상어 자 타 사기를 하다

*◇**sharp** [ʃɑːrp] 형 날카로운, 예민한(=keen); 빈틈 없는; 뾰족한; 엄격한(=severe), 험한(=steep); 소리가 날카로운, 선명한 부 정확하게
반 dull, blunt 둔한, 무딘
(예) at five o'clock *sharp* 5시 정각에 // He is *sharp* at reckoning. 그는 계산이 빠르다. // I have to be *sharp* with him. 나는 그에게 엄하게 하지 않으면 안 된다.

파 ◇**shárpen** 타자 날카롭게 하다〔되다〕, 갈다; 격심하게 하다〔되다〕; 예민하게 하다〔되다〕 **shárpener** 명 (날을) 가는 도구〔사람〕 (a pencil *sharpener* 연필깎개) *◇**shárply** 부 날카롭게 **shárpness** 명 예리; 현명; 날카로움 **shárper** 명 날을 가는 기구, 사기꾼 **shárp-síghted** 형 눈이 날카로운, 눈치 빠른, 빈틈 없는

shat·ter [ʃǽtər] 타자 부수다(=smash), (희망 따위를) 좌절시키다, 꺾다, 부서지다; (건강 따위를) 해치다
(예) The bomb *shattered* the windows. 폭탄은 창문을 산산조각으로 부서뜨렸다. // His health was *shattered.* 그의 건강은 엉망이 되었다.

*◇**shave** [ʃeiv] 타자 《**shaved ; shaved, shaven**》 깎다, 면도질하다, 수염을 깎다 명 면도하기, 깎아낸 조각〔부스러기〕
(예) He *shaves* (himself) twice a day. 그는 하루에 두 번 수염을 깎는다.
파 ◇**sháver** 명 깎는〔면도하는〕 사람; 면도 기구; 전기 면도기

shawl [ʃɔːl] 명 숄 《어깨에 걸치는 것》

☆**she** [ʃiː (강), ʃi (약)] 대 그녀는, 그녀가

sheaf [ʃiːf] 명 《*pl.* **sheaves**》 (보리·화살 따위의) 단 타 단으로 묶다

shear [ʃiər] 타 《**sheared,** 〖옛말〗 **shore ; shorn,** 《드물게》 **sheared**》 베다(=clip); 탈취하다 명 《*pl.*》 큰 가위

sheath [ʃiːθ] 명 《*pl.* **sheaths** [ʃiːðz]》 칼집; 〖식물〗 엽초(葉鞘), 대나무의 껍질; 덮개(=cover)

◇**shed** [ʃed] 타 《**shed**》 흘리다; (빛·향기를) 발산하다; 벗다 명 오두막(=hut), 몸체에 잇대어 지은 오두막; 광, 창고
(예) ◇She *shed* tears. 그녀는 눈물을 흘렸다. // They *shed* their blood for their country. 그들은 나라를 위해 피를 흘렸다.

*◇**sheep** [ʃiːp] 명 양, 양피; 겁쟁이, 《집합적》 신자
(예) a stray *sheep* 길 잃은 양 // a wolf in *sheep's* clothing 양의 가죽을 덮어 쓴 늑대, 선인을 가장한 악인
어법 단수·복수 동형 《deer, swine 따위도 같음》: four *sheep* 4 마리의 양
파 **shéepish** 형 마음이 약한, 수줍어 하는(=shy), 겁 많은 **sheep dog** 양을 지키는 개 **shéepskin** 명 양피(지)

◇**sheer** [ʃiər] 형 순전한(=utter), 단순한(=mere); 순수한(=pure); 수직의 부 전연; 수직으로
(예) a *sheer* waste of time 순전한 시간 낭비 // a *sheer* cliff 깎아지른 듯한 절벽

*◇**sheet** [ʃiːt] 명 시트; (종이) 한 장 타 시트를 깔다
(예) ◇a *sheet* of glass 유리 한 장 // *sheet* glass 판유리 // as white as a *sheet* 창백한

◇**shelf** [ʃelf] 명 《*pl.* **shelves**》 선반; 모래톱(=sandbank), 암초, (벼랑의) 바위 턱(=ledge)
파 ***shelve** [ʃelv] 타 선반 위에 얹다; 미루다, 묵살하다

◇**shell** [ʃel] ⓜ 껍질, 조가비, (거북의) 등껍질; (곤충의) 허물, (콩의) 깍지; 포탄 ⓣⓙ 껍질을 벗기다, 껍질이 벗겨지다
　㉡ **shélly** ⓗ 조가비가 많은, 조가비 같은 ◇**shéllfish** ⓜ 조개(류); 게, 새우(류) **shéllproof** ⓗ 방탄의

◇**shel·ter** [ʃéltər] ⓜ 피난 장소, 은신처(=refuge), 엄호물, 보호; 차폐물 ⓣⓙ 보호하다(=protect), 피난하다
　(예) take *shelter from* the rain in a barn 헛간에서 비를 피하다 // Let us takes *shelter* till the storm is over. 폭풍우가 멎을 때까지 피하자. // *shelter* a person for the night 아무를 하룻밤 재워 주다

*◇**shep·herd** [ʃépərd]* ⓜ 양치는 사람, 목양자(牧羊者) (*cf.* shépherdess) ⓣ (양을) 지키다(=watch); 돌보다, 인도하다(=guide)
　(예) a *shepherd* dog 양을 지키는 개(=sheep dog, 보통 collie 따위)

sher·iff [ʃérif] ⓜ 〖영〗 집행관, 주(州) 장관, 〖미〗 군(郡) 보안관

Sher·pa [ʃéːrpə] ⓜ 《*pl.* ***-pa*(*s*)**》 셰르파(족의 사람) 《히말라야에 사는 티베트인으로 등반의 안내·장비 운반을 맡음》

shh [ʃː] ⓖ 조용히, 쉿

◇**shield** [ʃiːld] ⓜ 방패, 방어물 ⓣ 보호하다(=protect)

◇**shift** [ʃift] ⓣⓙ 바꾸다, 옮기다, 이동하다(=move); 이리저리 변통하다; (핑계 따위를) 둘러대다 ⓜ 방편; 전환, 교대(시간, 근무); 임시변통, 편법
　(예) *shift* responsibility upon a person 아무에게 책임을 전가하다 // *shift* with little money 얼마 안 되는 돈으로 이럭저럭 꾸려 나가다 // an eight-hour shift 8시간 교대제 // He was put to *shifts*. 그는 궁여지책을 취하지 않을 수 없었다.
　㉡ **shíftless** ⓗ 속수 무책의, 주변 없는, 무능한 **shífty** ⓗ 변하기 쉬운, 속이기 잘하는

make* (*a*) *shift 변통해 보다, 그럭저럭 해 보다, 임시 변통하다
　(예) She can *make* (*a*) *shift* to speak English a little. 그녀는 그럭저럭해서 약간의 영어를 말할 수 있다. // We must *make* (a) shift without help. 우리는 도움 없이 어떻게든 꾸려 나가야 한다.

*◇**shil·ling** [ʃíliŋ] ⓜ 실링 《영국의 구화폐 단위. 1/20 pound》 〖약자〗 *s.*

shim·mer [ʃímər] ⓙ 희미하게 비치다, 가물거리다 ⓜ 희미한〔가물거리는〕 (불)빛

shin [ʃin] ⓜ 정강이, 정강이 뼈 ⓙⓣ 기어오르다(=climb); 정강이를 차다

◇**shine** [ʃain] ⓙⓣ 《***shone***》 빛나다, 비치다; 닦다; 뛰어나다(=excel) ⓜ 일광(日光)(=sunshine), 맑게 개인 하늘
　NB 「구두를 닦다」의 뜻으로는 shined, shined로 활용한다.
　(예) Make hay while the sun *shines*. 〖속담〗 해가 쬐일 때

풀을 말려라 《좋은 기회를 놓치지 마라》. // He does not *shine* in conversation. 그는 대화를 별로 잘 하지 못한다.
파 ◇**shíny** 형 빛나는, 광나는; (날씨가) 청명한

***ship** [ʃip]★ 명 배(=vessel) 자 타 배에 타다, 배에 싣다; (하물을) 보내다
(예) a *ship* of the desert 사막의 배, 낙타 // when my *ship* comes home 〔in〕 돈이 생기면, 운이 트이면 // The goods will be *shipped* by rail. 물건은 철도편으로 발송하겠습니다.
파 ◇**shípping** 명 선박; 해운; (하물의) 발송, 운송업; 선적(船積) ◇**shípment** 명 선적(하물); 발송(된 하물) **shípboard** 명 갑판 ◇**shípbuilding** 명 조선술, 조선업 **shípmate** 명 동료 선원 **shípshape** 형 정돈된 부 정연하게 ◇**shípwreck** 명 난파(선), 파멸 자 타 난파하다〔시키다〕, 파멸하다〔시키다〕 **shipwright** [ʃípràit] 명 조선공 ◇**shíp-yard** 명 조선소

***shirt** [ʃəːrt] 명 셔츠, 와이셔츠; 내의(=undershirt)

◇***shiv·er** [ʃívər] 자 떨다(=tremble) 명 몸서리, 전율
파 **shívery** 형 떠는, 섬뜩하는

shoal [ʃoul] 명 얕은 곳(=shallow), 모래톱; (물고기의) 떼, 어군(魚群); 다수 자 얕아지다; (물고기가) 떼짓다

◇***shock** [ʃak / ʃɔk] 명 충격, 쇼크, 깜짝 놀람 타 충격을 주다, 깜짝 놀라게 하다(=astound)
(예) He was *shocked* at the news. 그는 그 소식을 듣고 깜짝 놀랐다. // His death was a great *shock* to his friends. 그의 죽음은 친구들에게 매우 큰 충격이었다.
파 **shócking** 형 소름이 끼치는 ◇**shock absorber** (자동차·비행기 따위의) 완충기, 완충 장치 ◇**shóck-absorbing** 형 완충적인

☆**shoe** [ʃuː] 명 단화 (*cf.* boot) 타 《***shod***》 신을 신기다, 편자를 박다
(예) I had new *shoes* on. ↔ I wore new *shoes*. 나는 새 구두를 신고 있었다.
파 **shóeblack** 명〖영〗구두닦기 **shóehorn** 명 구두 주걱 **shóelace, shóestring** 명 구두 끈 ◇**shóemaker** 명 구두 만드는〔고치는〕 사람

> ▶ **257.** 「구두」의 유사어
> **shoe**는 영국에서 발목에까지 미치지 않는 단화를 일컬음. **boot**는 발목까지 들어가는 「편상화」. 미국에서는 발목이 들어가는 정도까지를 shoe라고 일컬음.

◇***shoot** [ʃuːt] 타 자 《***shot***》 사격하다(=fire a gun); 총사냥을 하다; 힘차게 움직이다, 질주하다; 싹이 나오다 명 사격; 싹, 어린 가지; 급류
(예) He was *shot* dead. 그는 사살되었다. // ◇My son is *shooting up*. 내 아들은 무럭무럭 자라고 있다.
파 **shóoter** 명 사수(射手) **shóoting** 명 사격, 총사냥 (*cf.* hunting) ◇**shooting star** 유성(流星)

☆**shop** [ʃap / ʃɔp] 명 가게; 일터, 공장 자 물건을 사다
(예) set up *shop* 점포를 내다; 사업을 시작하다 // Let us stop talking *shop*. 전문적인 이야기는 그만두자.

파 **shópping** 명 물건 사기 **shópper** 명 물건 사는 사람 **shópboy** 명 점원 아이 **shópgirl** 명 여판매원, 여점원 ⁑**shópkeeper** 명 가게 주인, 소매 상인(=retailer) **shóplifter** 명 (가게에서) 물건을 훔치는 사람; 들치기 **shóplifting** 명 (가게에서) 물건 훔치는 일 **shópman** 명 《*pl.* -men》 점원, 판매원, 〔주로 영〕 가게 주인, 소매 상인

> ▶ **258.** 「가게」의 유사어
> **shop**는 영국에서는 「소매점」, 미국에서는 「공장, 작업장, 수리·가공장」, **store**는 미국에서는 「소매점」, 영국에서는 stores로서 「백화점」의 뜻. 《미국의 백화점은 department store》

shore [ʃɔːr] 명 바닷가, (바다·호수·강의) 기슭; 지주(支柱) 타 지주로 받치다
파 **shóreline** 명 해안선 **shóreward** 부 해안 쪽으로 형 해안 쪽의

short [ʃɔːrt] 형 짧은, (키가) 작은; 간단한(=brief), 퉁명스러운; 부족한 부 짧게, 불충분하게; 급히, 무뚝뚝하게 명 단편 영화; 〔야구〕 유격수; 《*pl.*》 짧은 바지
반 long 긴
(예) The play fell *short* of my expectations. 그 연극은 나의 기대에 어긋났다. // His escape is nothing *short* of a miracle. 그의 탈출은 정말 기적적이다. // The amount comes *short* by ten won. 10원이 모자란다. // to make a long story *short* 간단히〔요약해서〕 말하면
파 ◦**shorten** [ʃɔ́ːrtn] 타 자 짧게 하다; 짧아지다, 줄다; 적게 하다(=lessen) **shórtening** 명 단축; 쇼트닝 《제과용의 버터, 라드 따위》 ◦**shórtly** 부 곧, 얼마 안 있어; 간단히 **shórtness** 명 부족, 짧음 ⁑**shórtage** 명 부족 **shórtcoming** 명 부족; 단점 ◦**shórthand** 명 속기술 형 속기의 ◦**shórt-hánded** 형 손이 모자라는 **shórt-líved** 형 단명(短命)의 **shórtsíghted** 형 근시의 **shórtstop** 명 〔야구〕 유격수 ◦**shórt-témpered** 형 성급한 ◦**shórt-term** 형 단기의, 단기 만기의 **short wave** 단파 (반 long wave 장파) **shórt-wínded** 형 숨이 찬

(be) short of ~이 부족한, ~이 모자란, ~에 미치지 않는
(예) We *are short of* cash. 우리는 현금이 모자란다. // We *were* still five miles *short of* our destination. 목적지까지 가려면 아직 5마일 남아 있었다.

in short 요컨대(=in a word)
(예) *In short,* I want some money. 요컨대 돈이 좀 필요하다. // *In short,* I am not a fixed character. 요컨대 나는 확고한 인격의 소유자가 아니다.

little short of ~에 가까운, 거의 ~한
(예) His success was *little short of* miraculous. 그의 성공은 거의 기적이었다.

short·y, short·ie [ʃɔ́ːrti] 명 키작은 사내, 땅딸보; 짧은

S

옷

*shot [ʃɑt / ʃɔt] ⓜ 발포, 총성; 탄환; 사격; 사수; 사정(射程) 기도(企圖) ⓣ 장탄(裝彈)하다
NB shoot의 과거 및 과거 분사도 동형.
파 **shótgun** ⓜ 엽총, 산탄총 **shot put, shót-putting** ⓜ 〖경기〗 투포환(投砲丸) **dead shot** 명사수

☆**should** [ʃud, ʃəd] ㉤ shall의 과거 (*cf.* would)
어법 ① 《간접 화법에서는 단순 미래를 나타냄》 ~일 것이다 He said that he *should* come the next day. (그는 내일 오겠다고 말했다) // He did not know that he *should* die. (그는 그가 죽을 것이라는 것을 알지 못했다) ② 《조건·가정》 만일 ~하면: If he *should* die, what shall 〔should〕 I do? (만일 그가 죽는다면 어떻게 할까?) // If it *should* be fine tomorrow he would 〔will〕 go on a picnic. (만일 내일 날씨가 좋으면 그는 피크닉에 갈 것이다) ③ 《의무·당연》 ~해야 한다, ~하는 것이 당연하다: You *should* go at once. (곧 가야 한다) // You *should* not speak so loud. (그렇게 큰 소리로 말해서는 안 된다) NB 모든 인칭에 사용되며, 현재의 「의무」를 나타낸다. ought to와 거의 같은 뜻. 비슷한 뜻의 must have to는 「의무」 보다는 「필요」에 중점이 두어진 낱말이다. ④ 《가정·조건의 결과》 If he were to do so, I *should* be angry. (그가 그런 일을 한다면 나는 성을 낼 것이다) // If our teacher said that, I *should* believe him. (선생님이 말씀하시는 것이라면 정말로 믿을 텐데) ⑤ 《what, who, why, how 따위의 의문사와 함께 써서 의외·놀람 등의 의미를 나타냄》 Whom *should* I see but my old friend Harold? (옛 친구 해롤드와 만나다니?) // Why *should* I wait for another chance? (왜 딴 기회를 기다려야 하나?) ⑥ 《당연·의외·유감 따위를 나타내는 명사절 속에서》 ~이다니, ~하다니: It is natural that she *should* get angry. (그녀가 성을 내는 것은 당연하다) // ◇It is a pity that the building *should* have been reduced to ashes. (그 건물이 재가 된 것은 유감이다) ⑦ 《제안·결정·명령을 나타내는 동사에 이어지는 절에서》 He insisted 〔suggested, requested, ordered〕 that the plan *should* be carried out without delay. (그 계획이 지체없이 실행되도록 그는 주장 〔제안, 요청, 명령〕했다) ⑧ 《lest로 시작하는 부사절에 쓰임》 ~하지 않도록: I stayed in lest I *should* catch cold. (감기 들지 않도록 집에 있었다)
NB 미국에서는 ⑦⑧은 should를 쓰지 않고 the plan *be carried* out, lest I *catch* cold처럼 가정법 현재를 쓰는 일이 많다.

shoul·der [ʃóuldər] ⓜ 어깨 ⓣⓘ 짊어지다, 어깨로 밀어 헤치고 나아가다
(예) a *shoulder* strap 견장, 멜빵

shoulder to shoulder 어깨를 나란히 하여, 밀집하여 (=in mass formation); 협력하여(=hand in hand)
(예) work *shoulder to shoulder* 서로 협력해서 일하다 // To succeed we must go *shoulder to shoulder*. 성공하기

위해서 우리는 협력하여 나가지 않으면 안 된다.

*__shout__ [ʃaut] ㉮ 외침 ㉯㉰ 외치다, 큰소리로 이야기하다

shove [ʃʌv] ㉯㉰ 밀다, 떠밀다 ㉮ 밂, 떠밂

shov·el [ʃʌ́vəl] ㉮ 삽 ㉰ 삽으로 퍼내다

show [ʃou] ㉰㉯ 《***showed ; shown, showed***》 보이다; 안내하다(=guide); 알리다; 나타나다(=become visible); 증명하다 ㉮ 구경 거리, 연극, 쇼, 전람회(=exhibition); 외관(=appearance), 기색; 표시, 과시(=display)

(예) The sun has *shown* itself above the horizon. 태양이 지평선 위에 나타났다. // Oil paintings *show* best at a distance. 유화는 거리를 두고 보아야 잘 보인다. // He has *shown that* his theory is true. ↔ He has *shown* his theory *to be* true. 그는 자기의 이론이 옳다는 것을 증명했다.

㊋ **shówy** ㉱ 사치한, 화려한; 가식(假飾)의 **show bill** (서커스 따위의) 광고 삐라 **shówcase** ㉮ 진열장 **shówdown** ㉮ (분쟁 따위의) 최종적 해결〔결말〕; 내막의 공개, 폭로 **shówroom** ㉮ 진열실 **show window** 진열창

show** a person **the way 아무에게 길을 알려주다, 방법을 가르치다

(예) He *showed* me *the way* to the station. 그는 나에게 역으로 가는 길을 가르쳐 주었다.

show in 〔***into***〕 (손님을) 안내하다

(예) Please *show* the visitor *into* this room. 손님을 이 방으로 안내하시오.

show off ~을 뽐내어〔자랑해〕 보이다, 과시하다; 돋보이게 보이다, 잘 뵈다

(예) It was never to *show off* her own cleverness. 그것은 결코 그 여자 자신의 똑똑함을 뽐내어 보이려고 한 것은 아니었다.

show up ~을 폭로하다; 눈에 띄다; 나타나다

(예) *show up* a person's mistake 아무의 잘못을 폭로하다 // The yellow ribbon *showed up* against her dark hair. 그녀의 검은 머리에 노란 리본이 두드러지게 눈에 띄었다. // He did not *show up* for the meeting. 그는 그 회의에 나타나지 않았다.

show·er [ʃáuə*r*] ㉮ 소나기, 샤워; (탄환 따위가) 빗발치듯함 ㉯㉰ 소나기가 오다, 빗발치듯 퍼붓다, (선물 따위를) 잔뜩 주다

(예) She *showers* her affections upon her baby. 그 여자는 자기 어린아이에게 온갖 애정을 다 쏟는다.

㊋ **shówery** ㉱ 소나기가 잦은; 소나기(가 올 것) 같은 **shower bath** 샤워, 관수욕(灌水浴)

shred [ʃred] ㉮ 단편(=scrap), 찢어진 조각; 《부정문에서》 조금, 근소, 소량 ㉰㉯ 갈기갈기 찢다, 조각조각 자르다

shrew [ʃruː] ㉮ 잔소리가 심한 여자, 으드등 대는 여자

shrewd [ʃruːd] ㉱ 기민한(=clever); 빈틈없는

㊎ dull 우둔한

S

파 **shréwdly** 부 기민하게 **shréwdness** 명 영리함, 민첩

shriek [ʃriːk] 명 날카로운 소리(=scream), 비명, 새된 소리 자 타 날카로운 소리를 지르다, 비명을 지르다

shrill [ʃril] 형 (소리가) 날카로운, 새된 자 타 새된 소리로 말하다, 날카로운 소리를 내다

반 deep 음성이 낮고 굵은

(예) utter a *shrill* cry of pain 고통의 비명을 지르다

shrimp [ʃrimp] 명 (작은) 새우

shrine [ʃrain] 명 성당, 예배당, 사당; 《비유적》 전당

shrink [ʃriŋk] 자 타 《***shrank, shrunk ; shrunken, shrunk***》 오그라들다(=contract), 오그라뜨리다, 줄다(=lessen); 주저하다 [~ from]; 회피하다

반 expánd 팽창하다, 넓히다

(예) She *shrank* with fear. 그녀는 무서워서 몸을 움츠렸다. // Flannel is apt *to shrink* in the wash. 플란넬은 빨면 줄어들기 쉽다.

파 **shrínkage** 명 수축; 가격 하락 **shrínking** 형 꽁무니 빼는, 싫어하는(=reluctant)

shrink from 주춤하다, (꺼려서) ~하지 않다

(예) He *shrinks from* saying what he knows. 그는 자기가 아는 것을 꺼려서 말하지 않는다. // He *shrank from* the task. 그는 그 일을 하기 꺼려 했다.

shriv·el [ʃrívəl] 자 타 주름살지(게 하)다; 줄어들(게 하)다; 시들(게 하)다

shroud [ʃraud] 명 수의(壽衣); 덮개 타 수의를 입히다; 싸다, 가리다

shrub [ʃrʌb] 명 키 작은 나무; 관목(=bush)

shrug [ʃrʌg] 자 타 (어깨를) 으쓱하다 명 어깨를 으쓱하기 《불쾌·놀람·의혹·조소 따위의 표정》

(예) She *shrugged* her shoulders. 그녀는 어깨를 으쓱했다. // with a *shrug* of the shoulders 어깨를 으쓱하면서

shud·der [ʃʌ́dər] 자 몸을 떨다, 전율하다, 오싹하다(=shiver, tremble) 명 진저리, 전율

(예) I *shudder* at the mere thought of it. 그것은 생각만 해도 몸서리가 난다. // The sight sent a *shudder* through him. ↔ The sight gave him the *shudders*. 그 광경을 보고 그는 몸이 오싹했다.

shuf·fle [ʃʌ́fəl] 타 자 트럼프를 뒤섞다; 발을 질질 끌며 걷다; 얼버무리다 명 발을 질질 끌며 걸음; (얼버무려) 속임 트럼프를 침

shun [ʃʌn] 타 (사람 따위를) 피하다(=avoid), 싫어하다

shut [ʃʌt] 타 자 《***shut***》 닫다(=close), 닫히다 형 닫힌

반 ópen 열다, 열리다

(예) He *shut* the door behind him. 그는 들어가서 문을 닫았다. // The door won't *shut*. 이 문은 잘 닫혀지지 않는다. // *shut* the child in his room 어린애를 방에 가두다

파 **shútout** 명 내쫓음, 들이지 않음; 공장 폐쇄(=lock out); 〖야구〗 완봉 (경기) (*cf.* shut out) **shútter** 명 닫는

사람〔물건〕, 덧문; (사진기의) 셔터
shut off (가스·수도·라디오 등을) 끄다, 잠그다(=turn off); 차단하다
(예) *shut off* the gas 가스를 잠그다 // They *shut off* the water supply. 그들은 물 공급을 끊었다.
shut out 못 들어오게 막다, 들이지 않다; (적을) 영패시키다
(예) *shut out* the sunlight 햇볕이 들어오지 못하게 막다 // These trees *shut out* the view. 이 나무들이 전망을 가린다.
shut up 감금하다, 가두다(=confine); 입다물(게 하)다
(예) *shut up* a prisoner 죄수를 감금하다 // *Shut up!* 입닥쳐!
shut·tle [ʃʌ́tl] [명] (직조기·재봉틀의) 북; (근거리) 왕복 열차〔버스, 비행기〕, 우주 왕복선(=space shuttle) [타][자] 앞뒤로 움직이(게 하)다, 왕복하다
shy [ʃai] [형] 수줍어하는(=bashful), 겁많은, 소심한 [자] 뒷걸음질치다, 움츠러들다(=shrink)
[반] bold 대담한
(예) be *shy* of do*ing* ~하는 것을 망설이다〔주저하다〕, 좀처럼 ~하지 않다 // He is *shy* of girls. 그는 여자애를 피하고 있다.
[파] ◇**shýly** [부] 수줍어하여; 겁내어 ***shýness** [명] 수줍음, 겁, 소심
sib·i·lant [síbələnt] [형] 쉬쉬 소리를 내는(hissing); 치찰음의 [명] 치찰음《[s, z, ʃ, ʒ]》
sick [sik] [형] 병의(=ill); 느글거리는; 싫증나는 [~ of]; (그리워) 애달픈 [~ for]
[반] well 건강한, pleased 기뻐하는
(예) He was taken *sick.* 그는 병에 걸렸다. // I am *sick of* this weather. 이런 날씨는 진저리가 난다.
[어법] 「병이다」의 뜻에서는 보통 *ill. sick*를 쓰면 대개는 「구토하는」의 뜻으로 된다: I feel quite *sick* in the stomach. (아무래도 토할 것 같다)
[파] **sícken** [자][타] 병이 나다〔나게 하다〕, 구역질나게 하다 **síckening** [형] 구역질나게 하는, 넌더리나는 **síckish** [형] 병이 날 것 같은, 찌뿌드드한; 느글거리는 ◇**síckly** [형] 병약한, 안색이 좋지 못한, 구역질나는 ◇**síckness** [명] 병, 구역질 **síckroom** [명] 병실
sick·le [síkəl] [명] 작은 낫 (*cf.* scythe 사루가 긴 큰 낫)
side [said] [명] 측, 쪽, 면, 측면; 곁, 옆, 옆구리; ~쪽, ~편, 편 [자] 편들다 [~ with] [형] 측면의, 옆의
(예) on this 〔the other〕 *side* 이쪽〔저쪽〕에 // by the *side* of ~의 곁에, ~에 비하여 // on the *side* of ~에 편들어 // We took *sides* with them. 우리들은 그들의 편을 들었다.
[파] ◇**sídeboard** [명] (식당용) 식기장 **sídecar** [명] 사이드카 **sídeline** [명] 부업; 측선 **sídelong** [형] 비스듬히, 옆으로 **side step** 옆으로 한 걸음 비켜서기 **side table** 사이드 테이블

S

sídeward ⓗ 옆〔곁〕의 ⓟ 옆으로 ◇**sídeway** ⓜ 옆길; 보도 **sídeways** ⓟ 옆으로, 비스듬히

▶ 259. 접미어 way(s)
「위치」「방향」「상태」를 나타내는 부사를 만든다.
(예) side*ways*, al*ways*, any*way* (어쨌든) 등

side by side 나란히, 병행하여
(예) They were walking *side by side.* 그들은 나란히 걷고 있었다. // Britain and the United States fought *side by side* against Nazis. 영국과 미국은 협력해서 나치스에 대항해 싸웠다.

*◇**side·walk** [sáidwɔ̀:k] ⓜ 보도

siege [si:dʒ] ⓜ 포위 공격, 공략

lay siege to ~을 포위(공격)하다
(예) The enemy will *lay siege to* the capital before long. 적은 오래지 않아 수도를 포위 공격할 것이다.

◇**si·es·ta** [siéstə] ⓜ 〖스페인〗 (점심후의) 낮잠

sieve [siv] ⓜ (고운) 체 ⓣ 체질하다

sift [sift] ⓣⓩ 체로 치다, 체질하다, 체를 통해 떨어지다

*◇**sigh** [sai] ⓜ 한숨 ⓣⓩ 한숨쉬다, 탄식하며 말하다 [~ out]; 그리워하다 [~ for]
(예) It is no use *sighing for* the unattainable. 얻지 못할 것을 열망해도 소용 없다.

*◇**sight** [sait]★ 〈동음어 site, cite〉 ⓜ 광경; 시력(=eyesight), 시각, 봄; [the sights] 명소 ⓣ 보다, 알아보다
(예) catch *sight* of ~을 발견하다 // see 〔do〕 the *sights* of Seoul 서울 구경을 하다
ⓟ (-)**síghted** ⓗ 시력의 (near-*sighted* 근시의, long-*sighted* 원시의) **síghtless** ⓗ 소경의, 보지 못하는 **síghtly** ⓗ 아름다운, 경치가 좋은 ◇**síghtsee** ⓩⓣ 유람하다, 관광하다 ◇**síghtseeing** ⓜ 구경, 관광 ⓗ 관광의 **síghtseer** ⓜ 관광객, 유람객

at sight 보자마자; 〖상업〗 제시하자마자 곧
(예) fall in love *at* first *sight* 첫 눈에 반하다

at the sight of★ ~을 보고, ~을 보자
(예) The children ran away *at the sight of* a fierce dog 아이들은 사나운 개를 보고 달아났다.

by sight (이름은 모르고) 얼굴만은 (알고 있는) (*cf.* by name)
(예) I know the gentleman *by sight.* 나는 그 신사의 얼굴만은 알고 있다.

◇***catch* 〔*get*〕 *sight of***★ ~을 찾아내다
(예) We *caught sight of* a desert island. 우리는 무인도를 찾아냈다. // His eyes *caught sight of* a little tortoise. 작은 거북이 그의 눈에 띄었다.

◇***in sight*** 보여, 보이는 범위 내에
(예) The land was not yet *in sight.* 육지는 아직 보이지 않았다.

in sight of ~이 보이는 곳에(=within sight of)

(예) We are *in sight of* the goal. 이젠 목적지가 보인다.
어법 **in the sight of** 「~에서 보면, ~의 앞에서는 (=before)」와는 뜻이 다르다: Happy faces must be pleasing *in the sight of* God. (기쁨에 찬 얼굴은 신의 눈으로 보더라도 즐거운 것임에 틀림 없을 것이다)

lose sight of ~을 (시야에서) 놓치다; ~을 못보고 빠뜨리다, 잊다
(예) The ship *lost sight of* the coast. 그 배는 해안이 보이지 않게 되었다. // Never *lose sight of* the clue. 그 단서를 못보고 빠뜨리지 마라.

out of sight 눈에 보이지 않는 곳에〔으로〕, 시야밖에〔의〕
(예) The airplane flew *out of sight* in a moment. 비행기는 순식간에 날아가 버려 보이지 않게 되었다. // *Out of sight,* out of mind. 〖속담〗 헤어지면 마음조차 멀어진다 《거자일소(去者日疎)》.

sign [sain] 명 부호(符號), 기호(=mark); 표지; 자취, 징후(徵候); 간판 타 자 서명하다, 조인하다; 신호하다
(예) *sign* away 〔over〕 (권리·재산 등을) 서명하여 양도하다 // *sign* in 서명하여 도착〔출근〕을 기록하다 // *sign* off 그날의 방송을 끝내다; 사직하다; 편지에 서명하고 펜을 놓다 // *sign* out 서명하여 외출〔퇴근〕을 기록하다 // *sign* up 입대하다, (팀에) 가입하다
파 ◇**sígnboard** 명 간판, 게시〔고시〕판 ◇**sígnpost** 명 도표(道標) **sign language** 지화법(指話法), 수화(手話); 손짓〔몸짓〕말

sig·nal [sígnl] 명 신호, 신호기(機) 형 신호의; 현저한(=remarkable) 자 타 신호하다
(예) busy *signal* (전화에서) 통화 중이라는 신호 소리 // give the *signal* for a retreat 후퇴 신호를 하다 // He *signaled* her *to* stop. 그는 그녀에게 정지하라고 신호했다.
파 **sígnalize** 타 두드러지게 하다, 신호하다 **sígnally** 부 현저하게, 두드러지게 **signal fire** 봉화 **sígnalman** 명 《*pl.* -men》 신호원

sig·na·ture [sígnətʃər] 명 서명
파 ◇**sígnatory** 형 서명한 명 서명인; 조인자; (조약의) 가맹국

sig·net [sígnit] 명 도장, 인(印); [the s-] (옛 영국왕이 쓴) 옥새(玉璽)

sig·nif·i·cance [signífikəns] 명 중요성(=importance), 의의

sig·nif·i·cant [signífikənt]* 형 중요〔중대〕한(=important); 뜻 있는, 의미 심장한 원 <signify 의미하다
(예) His gesture is *significant* of consent. 그의 몸짓은 동의를 뜻한다.
파 ◇**signíficantly** 부 의미 심장하게, 의미있게

sig·ni·fy [sígnəfài] 타 자 의미하다(=mean), 나타내다(=express); 중대하다(=matter)
반 núllify 무가치하게 하다

S

(예) *signify* one's consent with a nod 끄덕거리며 승낙의 뜻을 나타내다
파 (⇨) **significant. signification** 명 의미, 의의(=meaning)

˚*si·lence [sáiləns] 명 침묵, 무언; 정적, 고요함; 무소식 타 침묵시키다, 가라앉히다, 억누르다 감 조용해!, 쉬!
반 noise 소음, 소동
(예) break 〔keep〕 *silence* 침묵을 깨뜨리다 〔지키다〕 // put 〔reduce〕 a person to *silence* 입다물게 하다 // Forgive me for my long *silence.* 오랫동안 격조하였음을 용서하십시오. // Speech is silver, *silence* is gold. 〖속담〗 웅변은 은, 침묵은 금.

˚ ***in silence*** 침묵하여, 조용히
(예) pass it *in silence* 잠자코 못본 체하다

˚*si·lent [sáilənt] 형 잠잠한, 침묵하는, 말 없는
(예) a *silent* film 무성영화 // Be *silent!* 조용해!
파 ˚***sílently** 부 조용히, 침묵하여, 잠자코

sil·hou·ette [sìlu:ét] 명 그림자; 실루엣; 흑색 반면 영상

sil·i·con [sílikən] 명 〖화학〗 규소, 실리콘 《기호 Si》

˚*silk [silk] 명 비단, 명주실, 생사(生絲) 형 명주의
파 **silken** [sílkən] 형 〖옛말·시〗 비단의, 명주로 만든 **sílky** 형 비단 같은 **silk cotton** 판야 《이불 속 따위에 넣는 명주솜》 **silk mill** 견방적〔견직〕 공장 ˚**silkworm** [sílkwə̀:rm] 명 누에

˚sill [sil] 명 문지방, 문턱(=threshold), 창턱

˚*sil·ly [síli] 형 어리석은, 바보 같은(=stupid) 명 《어린이말》 바보(=fool)
(예) *It was silly of* you to buy it. ↔ You *were silly to* buy it. 그것을 사다니 자네 참 어리석은 짓을 했군.
파 **sílliness** 명 어리석음

˚si·lo [sáilou] 명 사일로 《사료·풀 저장용의 원탑형 건조물》

˚*sil·ver [sílvər] 명 은; 《집합적으로》 은화, 은그릇 형 은의, 은색〔은제〕의 타 자 은도금하다, 은을 입히다, 은빛이 되다
파 **sílvery** 형 은과 같은, 은빛의, 은방울을 굴리는 듯한 **sílvern** 형 〖옛말〗 은제의, 은의, 은과 같은 ˚**sílverware** 명 《집합적으로》 식탁용 은그릇 **sílvergilt** 형 은 도금의 **silver birch** 자작나무 **silver screen** 은막, 《집합적》 영화

˚*sim·i·lar★ [símələr] 형 유사한 [~ to]; 같은 모양의, 같은 종류의; 〖수학〗 상사(相似)의, 닮은 꼴의
원 simil(=same)+ar(형용사·명사 어미)
반 dissímilar, dífferent 다른
(예) in a *similar* way 동일한 방식으로 // ˚This is very *similar to* that. 이것은 저것과 매우 닮았다.
파 ˚***similarity**★ [sìməlǽrəti] 명 유사(=likeness), 닮은 점 **símilarly** 부 마찬가지로, 비슷하여, 유사하여

sim·i·le [síməli:] 명 직유(直喩) 《as brave as a lion 따위처럼 두개의 사물을 직접 비교하는 어법》

반 métaphor 은유(隱喩)
(예) the *curtain* of night 밤의 장막

sim·ple [símpəl] 형 간단한(=easy), 단순한; 검소한(=plain), 소박한; 순박한, 순전한
반 cómplicated, cómplex 복잡한, cómpound 복합(複合)의
(예) the *simple* truth 거짓 없는 질실 // He is as *simple* as a child. 그는 어린애처럼 순진하다. // We are *simple* people. 우리는 서민에 불과하다.
파 ⁑**símply** 부 솔직히, 검소하게, 단순히, 다만(=only) **símpleton** 명 바보, 숙맥 ◦**símple-héarted** 형 순진한, 천진난만한 **símple-mínded** 형 단순한, 정직한 **simplificátion** 명 간소화, 단순화 ⁑**simplicity**★ [sìmplísəti] 명 간단, 평이; 순박 ◦**símplify** 타 간단하게 하다, 평이하게 하다 ◦**símplified** 형 간이화한

> **▶ 260. 접미어 fy**
> 동사 어미로 「~화하다」「~이 되다」의 의미를 나타낸다.
> (예) simpli*fy* (간단하게 하다), classi*fy* (분류하다)

sim·u·late [símjəlèit] 타 ~을 가장하다, (짐짓) ~인체 하다; 흉내내다
파 ◦**simulátion** 명 가장, (짐짓) ~처럼 보이기; 흉내

si·mul·ta·ne·ous [sàiməltéiniəs, sìmə-] 형 ~와 동시에 일어나는, 동시의
(예) *simultaneous* interpretation 동시 통역
파 ***simultáneously** 부 동시에

sin [sin] 명 (종교상·도덕상의) 죄(*cf.* crime); 과실, 위반, 반칙(=offense) 자 죄를 범하다
(예) commit a *sin* 죄를 범하다 // the original *sin* 원죄 // It is a *sin* against good manners. 그것은 예절바르지 못한 것이다.
파 **sínner** 명 (종교·도덕상의) 죄인 **sínful** 형 죄 많은, 죄 있는; 죄스러운 **sínless** 형 죄 없는, 결백한, 순결한

> **▶ 261. 「죄」의 유사어**
> **sin**은 신의 율법을 어기는 죄. **crime**은 사람의 율법, 즉 나라·사회의 법의 중대한 침범. **offense**는 도덕적으로나 또는 형법적으로도 사용하나 반드시 중대한 죄를 의미하지는 않는다.

since [sins] 접 ① ~ 이래
(예) Ten years have passed 〔It is ten years〕 *since* we parted. 우리들이 헤어지 지 10년이 된다. // We have never seen him *since* he came up to Seoul. 그가 상경한 이래 우리는 그를 보지 못했다.
어법 *since*는 과거에서 지금까지의 뜻으로, 주절에는 대개 현재 완료를 쓰며, since 이하의 종속절에는 과거형을 쓴다. 그러나 It is 〔was〕 ~ *since*...의 경우도 있으니 주의할 것.
② ~이므로, ~ 때문에
NB 통상 이 뜻의 since 절은 문두에 놓는다. 직접적인 원인을 나타내는 because보다는 뜻이 약하고, 부수적 이유를 말하는 as 보다는 뜻이 강하다.

S

(예) *Since* you say so, it must be true. 네가 그렇게 말하니 그것은 사실임에 틀림없겠지. // *Since* I have no money, I cannot think of going abroad. 돈이 없기 때문에 외국행 따위는 엄두도 내지 못 한다.

— 부 ① 그 후(=after)

(예) I have never seen him *since*. 그 후 그를 보지 못했다. // He was seriously injured, but he has *since* recovered. 그는 중상을 입고 있었지만 지금은 완쾌 되었다.

어법 이 경우는 현재완료와 함께 쓰여, 「그후 (지금까지 이르는 사이에)」란 뜻을 나타낸다.

② 지금〔그때〕부터 ~전에(=ago)

(예) He died many years 〔long〕 *since*. 그는 여러 해〔오래〕 전에 죽었다.

어법 *since*는 three months since (3개월 전에)와 같이 *ag*o 또는 *before* 대신으로 쓰이고 있다.

— 전 ~ 이래

(예) *since* then 그(때) 이래 // I have eaten nothing *since* yesterday. 나는 어제부터 아무것도 안 먹었다.

어법 「일주일 전부터」는 *since* a week ago 또는 for a week가 된다. *since*와 *from*의 차이점은 from을 참조하라.

ever since 그 후 죽; ~ 이래 죽

(예) *Ever since* he came back, I haven't seen him. 그가 돌아온 이후로 나는 그를 만나지 못했다.

sin·cere [sìnsíər] 형 성실한, 진실한(=real); 정직한

(예) a *sincere* letter of thanks 마음으로부터의 감사 편지 // a *sincere* friend 성실한 친구

파 ***sincérely** 부 성실하게 **sincerity** [sinsérəti] 명 성실, 진실, 정직, 표리가 없음

sin·ew [sínju:] 명 건(腱); 《*pl.*》 근육, 체력, 원기

파 **sínewy** 형 근골이 늠름한, 힘센; 힘찬《문체 따위》

sing [siŋ] 자 타 《***sang*** ; ***sung***》 노래하다, (새가) 울다, 지저귀다; 노래하여 ~시키다

(예) *sing* in time 장단에 맞추어서 노래하다 // My ears *sing*. 귀울음이 난다. // She *sang* her child to sleep. 그녀는 노래를 불러서 아이를 재웠다. // *Sing* us a song. = *Sing* a song *for* us. 노래 한 곡 부르시오.

파 ***singer** [síŋər] 명 가수, 성악가 **song** 명 노래; 우는〔지저귀는〕 소리

sin·gle [síŋgəl] 형 단 하나의(=only one), 독신의 명 단일, 단식 시합; 〖야구〗 단타(單打) 타 선발하다 [~ out]

반 dóuble 이중의

(예) She did not say a *single* word. 그녀는 한 마디도 말하지 않았다. // He remained *single* all his life. 그는 일생 독신으로 지냈다. // The teacher *singled* Harry out for praise. 선생은 해리를 선출해서 상을 주었다.

파 **síngly** 부 단독으로, 따로따로, 하나씩 **síngleness** 명 단일, 성실 **síngle-hánded** 형 부 한 손의〔손으로〕, 독력의〔으로〕, 단신의〔으로〕 **síngle-héarted** 형 일편단심의; 성실한

한 **síngle-mínded** ⓗ 전심〔골똘〕하는, 성실한, 정직한

sin·gu·lar [síŋgjələr] ⓗ 단수의, 단 한 사람의; 기묘한(=peculiar) ⓜ 〔문법〕 단수 〔약어〕 *sing.*

반 plúral 복수의

파 **singularity** [sìngjəlǽrəti] ⓜ 기묘, 특이 **síngularly** ⓑ 기묘하게, 이상하게

sin·is·ter [sínəstər] ⓗ 악의 있는, 불길한(=ominous)

sink [siŋk] ⓙⓣ 《***sank, sunk ; sunk***》 가라앉다(=go slowly down), (지반 따위가) 내려앉다; 쇠퇴하다; 스며들다 ⓜ (부엌의) 수채, 하수

(예) He is *sunk* in thoughts. 그는 생각에 잠겨 있다. // The lesson *sank into* the pupil's mind. 그 교훈은 학생의 마음에 스며들었다.

파 **sínker** ⓜ 가라앉히는 것〔사람〕; 추(錘) **sínking** ⓜ 침몰, 저하; 쇠약; 시굴(試掘)

si·nus [sáinəs] ⓜ 《*pl.* **~, ~*es***》 〔해부〕 공동〔空洞〕(=cavity); 〔식물〕 (잎의) 결각; 만곡(부), 후미

sip [sip] ⓣⓙ 홀짝이다, 빨다 ⓜ 한 모금

sir [səːr, sər] ⓜ 선생님, 나리 《손윗 사람, 미지의 남자 또는 의장을 부를 때의 경칭》; [S-] 경(卿)

반 mádam 마님

어법 ① Sir는 영국의 knight, baronet 에 대한 경칭으로서 personal name 에 붙인다. ② Dear Sir(s)는 편지의 「근계」란 뜻이고, 복수가 되면 「회사 귀중(貴中)」이란 뜻이 된다.

si·ren [sáiərən] ⓜ 사이렌, 호적(號笛); 《그리스 신화》 바다의 요정(妖精); 미녀; 노래 잘하는 여가수

sis·sy [sísi] ⓜ 〔구어〕 계집애 같은 사내(아이), 뱅충맞이 ⓗ 여자같은, 유약한

sis·ter [sístər] ⓜ 자매; 누이, 누이동생; 수녀

반 bróther 형제

파 **sísterly** ⓗ 자매의〔와 같은〕; 친밀한 **sísterhood** ⓜ 자매 관계; 여성 단체 **síster-in-law** ⓜ 《*pl.* sisters-》 시누이, 형수, 계수, 처형, 처제 **sister school** 자매교

sit [sit] ⓙⓣ 《***sat***》 앉다, 앉히다; (새가) 앉다; (시험을) 치르다 [~ for]; 개회하다

반 stand 일어서다

(예) *sit* on 〔in〕 a chair 의자에 앉다 // *sit* in Parliament 국회에 의석이 있다, 의원이 되다 // *sit* in judgement on ~을 비판〔재판〕하다

파 **sítter** ⓜ 착석자 **sítting** ⓜ 착석, 개회, 회기 ⓗ 앉아 있는 **sitting room** 거처방, 거실 **sít-in** ⓜ (항의를 위한) 연좌 데모

sit down 앉다; 자리잡다; 포위하다

(예) Let's *sit down,* shall we? 자, 좀 앉을까.

sit for (시험을) 치르다; (초상화를) 그리게 하다

(예) You had better prepare yourself thoroughly for the examination before you *sit for* it. 시험을 치르기 전에 시험에 대하여 만반의 준비를 하는 것이 좋다.

S

sit up 일어나 앉다, 똑바로 앉다; 자지 않고 일어나 있다
(예) *sit up* all night 철야하다 // *sit up* late at night 밤늦도록 안 자다 // She *sat up* for her son. 그녀는 자지 않고 아들을 기다렸다.

*◇**site*** [sait] ⟨동음어 sight, cite⟩ [명] 부지, 용지, 위치, 장소 (=place)

*◇**sit·u·ate** [sítʃuèit] [타] (어떤 장소에) 놓다; (어떤 입장에) 놓이게 하다(=locate)
(예) The town is *situated* on the shore. 그 도시는 해변에 위치해 있다.
[파] ***sítuated** [형] 위치하고 있는, ~에 있는 [~ at, in, on]

*◇**sit·u·a·tion** [sìtʃuéiʃən] [명] (건물 따위의) 장소(=place) 위치(=position); 처지, 입장; 사태, 상황, 형세; 일자리 취직자리
(예) the present international *situation* 현재의 국제 정세 // ◇He found himself in a very delicate *situation*. 그는 미묘한 입장에 처해 있었다. // *Situation* Wanted 직장 구함《신문 광고문》 // a thrilling *situation* 아슬아슬한 장면

☆**six** [siks] [명] 여섯, 6 [형] 여섯의, 6의
[파] ☆**sixth** [명][형] 제 6(의), 6분의 1(의), (달의) 6일 ☆**sixtéen** [명][형] 16(의), 16살 ***sixtéenth** [명] [형] 제 16(의), 16분의 1(의), (달의) 16일 ☆**síxty** [명][형] 60(의), 60살; 《*pl.*》 60년대 **síxtieth** [명][형] 제 60번째(의), 60분의 1(의) ◇**síxpence** [명] 6펜스 (은화) **síxpenny** [형] 6펜스의 값싼

> ▶ **262.** 접미어 **th**
> 4(four) 이상의 기수에 붙여 서수 또는 분모를 나타낸다.
> (예) six*th*, two-fif*ths* (5 분의 2) 등

*◇**size** [saiz] [명] 크기(=bigness), 치수; 형(型) [타] 재다(=measure); 크기에 따라 분류하다
[반] weight 무게
(예) of natural *size* 실물 크기의 // be of a 〔the same *size* 크기가 같다 // take the *size* of ~의 치수를 재다 // hat a *size* smaller 한 치수 더 작은 모자
[파] **sízable** [형] 상당히 큰, 알맞은 (크기의)

◇**siz·zle** [sízəl] [자] (튀김이나 고기 구울 때) 지글지글하다 [명] 지글지글하는 소리
(예) a *sizzling* hot day 푹푹 찌는 날

☆**skate** [skeit] [명]《통상 *pl.*》 스케이트 (구두) [자][타] 스케이트를 타다, 얼음지치다
[파] ◇**skáter** [명] 스케이트를 타는 사람 **skáting** [명] 스케이팅, 얼음지치기(a *skating* rink (롤러)스케이트장)

skel·e·ton [skélətn] [명] 해골; (건물 따위의) 뼈대, 골격 골자, 개략; 몹시 여윈 사람 [형] 해골의, 빼빼 마른; 대략의
(예) a *skeleton* key 맞쇠 // He has been reduced to a *skeleton*. 그는 여위어서 뼈와 가죽만 남았다.

skep·ti·cal, scep- [sképtikəl] [형] 의심 많은(=doubtful) 회의적인(=not believing easily)

㊀ **sképticism, scép-** ㊃ 회의론
sketch [sketʃ] ㊃ 스케치, 사생(화); 소품(小品); 약도; 줄거리 ㊀㊇ 사생하다; 약기(略記)하다
㊀ **skétchy** ㊆ 스케치의, 개략의 ◦**skétchbook** ㊃ 사생첩, 수필집 **sketch map** 약도, 겨냥도
ski [skiː] ㊃ 《*pl.* ***skis, ski***》 스키(용구) ㊇ 스키를 타다
NB 현재 분사는 *skiing.*
㊀ ◦**skíer** ㊃ 스키를 타는 사람 **skíing** ㊃ 스키(술) **ski lift** 스키 리프트
skill [skil] ㊃ 숙련, 기능, 기술, 솜씨, 기량; 교묘, 능숙함(=expertness)
(예) a man with *skill* in carpentry 목수의 기술이 있는 사람 // have (no) *skill* in ~에 능하다〔서툴다〕
㊀ ***skilled** ㊆ 숙련된 (a *skilled* workman 숙련공) ◦**skíl(l)ful** ㊆ 숙련된, 교묘한 (◦He is *skillful at* playing the piano. 그는 피아노를 잘 친다.) **skíl(l)fully** ㊄ 교묘히 **skíl(l)fulness** ㊃ 교묘, 숙련
skim [skim] ㊀㊇ (액체 따위의) 위에 뜬 찌끼를 걷어내다; (수면 따위를) 스쳐 지나가다, 대충 훑어 읽다(=read hastily)
(예) A bird *skimmed* over the lake. 새가 호수 위를 스쳐 날아갔다. // *skim* a magazine 잡지를 대강 훑어보다
㊀ **skim milk** 탈지유(脫脂乳)
skin [skin] ㊃ 피부, 가죽 ㊀㊇ 가죽을 벗기다
(예) He seems to consist of nothing but *skin* and bones. 그는 뼈와 가죽만 남은 것처럼 보인다. // wet 〔drenched〕 to the *skin* 함빡 젖은
㊀ ◦**skínny** ㊆ 가죽 모양의, 여윈 **skín-déep** ㊆ 가죽 한 꺼풀의, 피상적인 (Beauty is but *skin-deep.* 외관만으로 남의 인격을 판단하지 마라) **skín-dive** ㊇ 스킨다이빙을 하다 **skín-diver** ㊃ 스킨다이버
skip [skip] ㊇㊀ 뛰다, 줄넘기하다; 건너뛰며 읽다, 빠뜨리다, 생략하다 ㊃ 도약, 생략
(예) I was obliged to *skip* the hard passage. 나는 할 수 없이 어려운 구절은 빼놓고 읽었다.
㊀ **skípping** ㊆ 뛰노는, 뛰어다니는 ㊃ 줄넘기
skir·mish [skə́ːrmiʃ] ㊃ (적군과의) 작은 접전(接戰); 작은 논쟁, 경쟁 ㊇ 작은 충돌을〔승강이를〕 하다
skirt [skəːrt] ㊃ 스커트, 치마; 《종종 *pl.*》 (물건의) 끝, 가, 자락; 교외 ㊀㊇ 둘러싸다, 가장자리〔변두리〕를 나라 지나가다 [~ along], ~의 언저리를 지나가다
(예) His house is on the *skirts* of the city. 그의 집은 시 변두리에 있다.
skull [skʌl] 〈동음어 scull〉 ㊃ 두개골
sky [skai] ㊃ 하늘, 상공; 《보통 *pl.*》 날씨, 일기
㊀ **skẏ-blúe** ㊃ 하늘색 **skẏ-hígh** ㊆ 대단히 높은 ㊄ 대단히 높이 **skẏlark** ㊃ 종다리; 법석 ㊇ 희롱거리다, 법석이다 **skẏlight** ㊃ 천창(天窓), 채광창 ◦**skẏline** ㊃ 지평선; (건

물 등의) 하늘에 솟은 윤곽 *skýscraper 명 마천루
skýrocket 명 유성(流星), 꽃불 자타 〔미〕 (물가 따위가) 폭등하다〔시키다〕 skýward 형 하늘로 향한 부 하늘로
skýwards 부 하늘로 skýway 명 〔미〕 항공로; 고가 도로

slab [slæb] 명 평판(平板), 석판(石板); (빵 따위의) 납작하고 두껍게 썬 조각

slack [slæk] 형 느슨한(=loose); 느린(=slow); 활발하지 않은 부 느슨하게; 아무렇게나 명 이완(弛緩); 〔속어〕 불경기; 부진(不振) 타자 늦추다, 약해지다, 느즈러지다; 게으름 피우다
반 tight 팽팽한
(예) be *slack* in one's work 일을 게을리하다 // *slack* off 일손을 떼다, 힘을 늦추다
파 **sláсken** 타자 늦추다, 게으름 피우다 **sláckness** 명 이완 **slácker** 명 의무 불이행자, (병역) 기피자

slacks [slæks] 명 《*pl.*》 슬랙스《여성용의 평상복; 스포츠용 바지》; (남성용의) 여벌 바지

sla·lom [slɑ́ːləm] 명자 〔스키〕 회전 활강 경기(를 하다)

slam [slæm] 타자 (문 따위를) 쾅 닫다, (문이) 쾅 닫히다, 탁 내려놓다 명 쾅〔탁〕하는 소리

slan·der [slǽndər / slɑ́ːndə] 명 중상, 비방, 욕 타 중상하다 (*cf.* abuse)
반 éulogize 칭찬하다
파 **slánderous** 형 중상적인

> ▶ **263.** 「중상」의 유사어 — 법률적으로는 **slander**는 구두에 의한 중상, **libel**은 문서에 의한 중상을 나타낸다.

*__slang__ [slæŋ] 명 속어, 비어(卑語), (어떤 사회의) 통용어
파 **slángy** 형 속어의, 속어를 (많이) 쓰는

slant [slænt / slɑːnt] 형 기운(=oblique) 명 경사, 비탈 타자 기울다(=slope), 기울이다
파 **slánting** 형 기운 **slántwise** 부 기울게

slap [slæp] 명 손바닥으로 때림 타 찰싹 때리다 부 찰싹

slash [slæʃ] 타자 깊숙이 베다, 채찍으로 치다(=lash); 난도질하다 명 일격, 깊은 상처

slate [sleit] 명 슬레이트, 석판 타 슬레이트 지붕을 이다; 예정하다
(예) He *is slated to* arrive at eight o'clock. 그는 8시에 도착하기로 되어 있다.

slaugh·ter [slɔ́ːtər] 명 도살(屠殺), 학살(=act of killing) 타 도살하다, 학살하다
파 **sláughterhouse** 명 도살장, 도축장

Slav [slɑːv] 명 슬라브 민족 형 슬라브 민족의

*__slave__ [sleiv] 명 노예 자타 노예처럼 일하다, 고되게 일하다, 몹시 부려먹다
(예) *slave* trade 노예 무역
파 *__slávery__ 명 노예 제도, 노예 신분〔상태〕; 굴종(屈從) **slávish** 형 노예의, 비굴한, 노예 근성의; 맹종하는

slay [slei] 〈동음어 sleigh〉 타 《***slew*** ; ***slain***》 살해하다, 죽이다(=kill)

파 **sláyer** 명 살해자

sled [sled] 명 썰매(=sledge) 자타 썰매로 가다, 썰매에 타다, 썰매로 나르다

파 **sledge** [sledʒ] 명 썰매 자타 썰매로 가다

sleek [sli:k] 형 (머리칼 따위가) 매끄러운, 윤기 있는, 단정한; 말주변이 좋은 타 매끄럽게 하다, 윤을 내다

sleep [sli:p] 자타 《***slept***》 자다(=slumber); 영면(永眠)하다 명 수면, 잠; 영면, 정지(靜止)

반 wake 깨어 있다, 소생하다

(예) *sleep* a sound *sleep* 숙면하다 // *sleep away* 잠으로 (시간을) 보내다 // get a *sleep* 자다 // read a baby to *sleep* 책을 읽어 어린애를 재우다 // He talks in his *sleep*. 그는 잠꼬대를 한다. // go to *sleep* 잠자다 // *sleep off* a headache ↔ remove a headache by *sleeping* 두통을 잠으로 낫게 하다

> ▶ **264. 접미어 ing**
> 추상 명사를 만드는 명사 어미,
> (예) sleep*ing*, paint*ing* 따위

파 (⇨) **asleep.** **sléepy** 형 졸린, 졸린 듯한, 활기가 없는 **sléepily** 부 졸린 듯이 **sléeper** 명 잠자는 사람; 〔미〕 침대차 **sléepless** 형 잠 못자는, 방심하지 않는 **sléeping** 형 자는, 수면용의 명 수면 **sleeping bag** 침낭 **sleeping car** 침대차 **sleeping room** 침실 **sléepwalker** 명 몽유병자 **sléepwalking** 명 몽유병

fall into a sleep 잠들다

(예) He *fell into a* deep *sleep*. 그는 깊이 잠들었다.

put 〔***lay***〕 ~ ***to sleep*** ~을 재우다

(예) She *put* her baby *to sleep*. 그 여자는 아이를 재웠다.

sleet [sli:t] 명 진눈깨비 자 진눈깨비가 내리다

파 **sléety** 형 진눈깨비의, 진눈깨비 같은, 진눈깨비가 오는

sleeve [sli:v] 명 소매; 〔기계〕 투관(套管) 타 소매를 달다

파 **sléeveless** 형 소매가 없는

in *one's* ***sleeve*** 살짝, 몰래

(예) Every man has a fool *in* his *sleeve*. 누구나 약점은 있다.

sleigh [slei] 〈동음어 slay〉 명 썰매 자타 썰매를 타다, 썰매로 나르다

slen·der [sléndər] 형 홀쭉한(=long and thin; slim), 약한(=feeble), 얼마 안 되는(=scanty)

(예) He is *slender* in build. 그는 체격이 호리호리하다. // a *slender* income 빈약한 수입

slice [slais] 명 얇은 조각(=piece) 타자 얇게 썰다

(예) a *slice* of bread 〔ham〕 빵〔햄〕 한 조각

slick [slik] 형 매끄러운; 교활한; 안이한 부 매끄럽게; 정통으로(=directly)

slide [slaid] 자타 《***slid ; slid, slidden***》 미끄러지다, 미끄러지게 하다, (눈치 안 채게) 살짝 움직이다; 모르는 사이에 ~에 빠지다 [~ into] 명 활주, 미끄럼틀; 산사태, 눈사태; (환등의) 슬라이드

S

(예) let things *slide* 일을 되어 가는 대로 내버려 두다 // *slide into* bad habits 부지중에 악습에 빠져들다 // The years *slid* by. 세월이 유수처럼 흘러갔다.

파 **slíding** 형 미끄러지는 **sliding scale** 계산자

*◇**slight** [slait] 형 근소한, 사소한(=trifling); 가냘픈(=slender) 명 경멸(=contempt) 타 경멸하다, 업신여기다, 등한히 하다

반 respéct 존경하다

(예) make *slight* of ~을 업신여기다 // He has a *slight* cold. 그는 감기기가 있다. // There is not the *slightest* doubt about it. 그 점에는 추호의 의심도 없다. // I am not in the *slightest* anxious about her. 그녀에 대해서는 조금도 걱정하지 않는다.

파 *◇**slíghtly** 부 조금, 약간, 경미하게

slim [slim] 형 호리호리한, 가냘픈(=slender); 얼마 안 되는, 불충분한

slime [slaim] 명 끈적끈적한 물건; 차진 흙

파 ◇**slímy** 형 진흙의; 끈적끈적한

sling [sliŋ] 타 《***slung***》 던지다, 매달다 명 투석기(投石器)

◇**sling·shot** [slíŋʃɑ̀t / -ʃɔ̀t] 명 〖미〗 (고무줄) 새총

◇**slink** [sliŋk] 자 《***slunk***》 살금살금〔가만가만〕 걷다, 슬그머니 도망치다

*◇**slip** [slip] 자 타 미끄러지다(=slide), 미끄러뜨리다; 몰래 들어가다〔나오다〕; 몰래 달아나다(=escape secretly); (세월이) 지나가다 명 미끄러짐; 잘못, 실수(=mistake); (종이·나무 따위의) 조각(=piece)

(예) Time *slips* by. 시간이 어느덧 흐른다. // All these points have entirely *slipped* from my memory. 이런 모든 점들이 기억에서 완전히 사라졌다. // Let an opportunity *slip* away. 기회를 놓치다. // a *slip* of paper 종이 한 장 // There's many a *slip* between the cup and the lip. 〖속담〗 입에 든 떡도 넘어가야 제 것이다.

파 ◇**slípper** 명 슬리퍼 **slíppery** 형 잘 미끄러지는; 불안정한; (사람·행동 따위가) 믿을 수 없는, 교활한

slip off 훌쩍 벗다; 몰래 나가다; 미끄러져 내리다

(예) As the teacher came in, he *slipped off* his overcoat 선생님이 들어오셨기 때문에 그는 외투를 급히 벗었다.

slit [slit] 명 길게 베어진 상처〔자국〕, 틈새 자 타 《***slit***》 가느다랗게 베다, 가느스름하게 째지다

◇**slo·gan** [slóugən] 명 표어, 슬로건; 함성

◇**slope** [sloup] 명 비탈, 사면; 경사(=inclination) 자 타 비탈지다(=lean), 기울게 하다, 경사지게 하다

(예) at a *slope* of 1 in 10, 10분의 1의 구배로 // The road rises in a gentle *slope*. 도로는 완만한 경사를 이루고 있다. // on the *slope* 비탈지게 // The sun is *sloping* in the west. 태양은 서쪽으로 기울고 있다.

◇**slot** [slɑt / slɔt] 명 갸름한 구멍, 주화 넣는 구멍 타 ~에 갸름한 구멍을 내다

S

sloth [slɔːθ / slouθ] [명] 나태, 태만, 게으름(=laziness); 〖동물〗 나무늘보
[파] **slóthful** [형] 게으른
***slow** [slou] [형] 느린(=not fast), 더딘, (시계가) 늦은; 둔한(=dull) [부] 느리게; 더디게 [자][타] 늦어지다, 느리게 하다 [~ down]
[반] fast, quick 빠른
(예) be *slow* of understanding 이해가 더디다 // be *slow* at learning 기억력이 나쁘다 // This clock is ten minutes *slow*. 이 시계는 10분 늦다. // She is *slow* to take offense. ↔She is *slow* to anger. 그녀는 좀처럼 화내지 않는다. // *Slow* and steady wins the race. 〖속담〗 느려도 착실하면 이긴다. // *slow down* a car 차의 속력을 늦추다
[파] ☆**slówly** [부] 느리게, 더디게 **slówness** [명] 완만 ◇**slów-moving** [형] 동작이 느린
***slow down* 〔*up*〕** 속력을 늦추다, 속력이 떨어지다
(예) *Slow down* before you reach the crossroads. 네거리에 이르기 전에 속도를 늦추어라. // The car *slowed up* to a stop. 차가 속력을 늦추어 멎었다.
slug [slʌg] [명] 〖동물〗 괄태충; 느릿느릿한 것〔사람〕; (주먹에 의한) 강타(强打) [자][타] 세게 때리다
[파] **slúggish** [형] 느릿느릿한, 둔한, 게으른 **slúggishly** [부] 느릿느릿 **slúggard** [명] 게으름뱅이
slum [slʌm] [명] 빈민굴, 슬럼가
[어법] 흔히 복수형으로 쓰인다
slum·ber [slʌ́mbər] [명] 잠, 수면(=sleep); 〖비유적〗 혼수〔무기력〕상태 [자][타] 잠자다(=sleep), 졸다
[파] **slúmberous** [형] 졸음이 오는; (장소가) 잠들고 있는 듯한
sly [slai] [형] 교활한(=cunning); 남의 눈을 기이는, 은밀한
[파] **slýly** [부] 교활하게, 몰래
on the sly 몰래, 은밀히, 가만히
(예) The boys smoked tobacco *on the sly*. 소년들은 몰래 담배를 피웠다.
smack [smæk] [명] 맛(=taste); 조금(=trace), 기미; 입맛 다시기; 혀를 참 [자][타] 맛이 있다, ~의 기미가 있다[~ of]; 입맛을 다시다; 찰싹 때리다
(예) There is *a smack of* humor in the poem. 그 시에는 한 가닥의 유머가 풍기고 있다. // It *smacks of* vinegar. 그것은 초맛이 난다.
small [smɔːl] [형] 작은(=not large); 적은(=little); 비열한(=mean-spirited) [명] 작은 부분 [부] 작은 소리로
[반] big, large, great 큰
(예) *small* hope of success 적은 성공의 가망 // a man of *small* mind 도량이 좁은 사람 // feel *small* 풀이〔기가〕 죽다, 부끄럽게 여기다 // the *small* of the back 허리의 잘록한 부분
[파] **smállness** [명] 작음 **smallpox** [smɔ́ːlpɑ̀ks / -pɔ̀ks] [명] 천연두 **small arms** 휴대 무기(武器) **small change** 잔돈; 하

S

찮은 것〔사람, 이야기〕 **small hours** 깊은 밤《자정에서 새벽 3시까지》

smart [smɑːrt] ⓗ 재치 있는(=clever), 빈틈 없는; 민첩한(=brisk); 멋진(=stylish); 날카로운(=sharp) ⓜ 심한 아픔(=sharp pain) ⓙ 욱신욱신 쑤시다, 쓰리다; 괴로워하다, 몹시 화내다 [~ from, under]
반 dull 우둔한
(예) a *smart* remark 재치있는〔건방진〕 말 // The cold makes the skin *smart.* 추워서 살갗이 쓰리다. // My finger *smarts from* the sting. 찔린 손가락이 쑤신다.
파 **smárten** ⓙⓣ 말쑥하게 되다〔하다〕, 멋을 내다 [~ up]
smártly ⓑ 빈틈 없이; 날카롭게, 민첩하게; 멋지게

smash [smæʃ] ⓣⓙ 박살내다(=break to pieces), 분쇄하다 (=shatter), 부서지다;〘정구〙(급각도로) 강하게 내리치다 ⓜ 분쇄; 대충돌; 파탄;〘정구〙 스매시 ⓑ 철썩
(예) *smash* things to pieces 물건을 산산이 깨뜨리다 // come 〔go〕 to *smash* 산산조각이 되다; 파산하다 // *smash into* the rock 바위에 격돌〔충돌〕하다
파 **smáshing** ⓗ 분쇄하는, 맹렬한

smear [smiər] ⓙⓣ 더럽히다, 더러워지다(=stain), 문대어 바르다 ⓜ 얼룩, 오점
(예) *smear* one's fingers *with* paint 손가락을 페인트로 더럽히다 // a shirt *smeared with* blood 피로 더럽혀진 셔츠

smell [smel] ⓜ 냄새, 취기(臭氣), 후각(嗅覺); [a ~] 냄새를 맡음 ⓣⓙ《***smelled, smelt***》 냄새를 맡다, 냄새가 나다 [~ of]
(예) take a smell at ↔ have a *smell* of ~의 냄새를 맡아보다 // He *smells of* tobacco. 그 사람에게서는 담배 냄새가 난다. // *smell out* a mystery 비밀을 탐지해 내다
파 **smélly** ⓗ 불쾌한 냄새의

smelt [smelt] ⓣ 용해하여 정련하다, 제련하다; 용해하다
파 **smélter** ⓜ 제련공; 제련소; 용광로

smile [smail] ⓙⓣ 미소하다, 방실〔생긋〕웃다(*cf.* laugh) ⓜ 미소, 웃는 얼굴
반 frown 얼굴을 찌푸리다

smile at ~을 보고 미소짓다; 일소에 붙이다
(예) She *smiled at* us. 그녀는 우리를 보고 미소지었다.
파 **smíling** ⓗ 미소하는, 명랑한

smite [smait] ⓙⓣ《***smote ; smitten***》 강타하다(=hit), 쳐부수다(=destroy);《대개 수동태로》 괴롭히다[~ with]

smith [smiθ] ⓜ 대장장이(=blacksmith)
어법 보통 *goldsmith* (금 세공인), *tinsmith* (양철공)과 같이 합성어로 씀.
파 **smithy** [smíθi / smíði] ⓜ 대장간

smog [smɑg, smɔːg / smɔg] ⓜ 연무(煙霧), 스모그

smoke [smouk] ⓜ 연기, 증기, 안개; 담배 한대 피우기 ⓙⓣ 연기를 내다; 담배를 피우다; 그을리다, 그을리게 하다, (~을) 훈제하다

(예) Let us have a *smoke.* 한 대 피웁시다. // There is no *smoke* without fire. 〖속담〗 아니 땐 굴뚝에 연기 날까.
파 **smoked** 형 그을리게 한, 훈제(燻製)의 **smóking** 명 연기가 낌, 흡연 형 그을리는 **smóker** 명 흡연자 **smókeless** 형 연기가 안 나는 **smóky** 형 연기 나는, 연기 같은 **smókestack** 명 (기선의) 굴뚝 **smoking room** 흡연실 **smoke screen** 연막

smol·der [smóuldər] 자 연기 나다〔를 피우다〕; (불만 따위가) 쌓이다

*__smooth__ [smuːð]★ 형 매끄러운(=not rough), 유연한, 평온한 타 자 매끄럽게 하다〔되다〕; 누그러지게 하다; (곤란 따위를) 제거하다
반 rough 거친
(예) The sea is *smooth.* 바다는 잔잔하다. // make things *smooth* 장애를 없애고 일을 원활하게 하다 // He *smoothed* away all objections to the plan. 그는 그 계획에 대한 온갖 장애를 제거하였다.
파 ◇**smóothly** 부 매끄럽게, 순조롭게 **smóothness** 명 평활, 유창 **smóoth-fáced** 형 표면이 매끄러운 **smóoth-spóken** 형 구변이 좋은

◇**smoth·er** [smʌ́ðər] 타 자 숨막히게 하다, 질식시키다, 숨막히다(=suffocate); (불을) 덮어서〔묻어서〕 끄다(=check) 명 연기 피움; 연기 나는 것; 짙은 안개

smug·gle [smʌ́gəl] 자 타 밀수입〔밀수출〕하다[~ in, out, over]
파 **smúggler** 명 밀수입〔밀수출〕자

◇**snack** [snæk] 명 가벼운 식사

◇**snail** [sneil] 명 〖동물〗 달팽이

snake [sneik] 명 〖동물〗 뱀; 음흉한 사람
파 **snáky** 형 뱀의〔같은〕, 음흉한 **snake charmer** 뱀 부리는 사람 ◇**snákelike** 형 뱀같은, 뱀 비슷한

◇**snap** [snæp] 타 자 찰깍〔딱〕하고 소리나다〔소리내다〕; 덥석 물다, 딱 부러뜨리다〔부러지다〕; 스냅 사진을 찍다 명 획〔딱, 철썩〕하는 소리; 걸쇠; 스냅 사진 형 뜻밖의 부 딱〔뚝, 찰깍〕하고
(예) with a *snap* 딱〔뚝, 찰깍, 철썩〕하고 // ◇*snap at* a chance 기회를 재빨리 포착하다 // The rope *snapped.* 로프가 뚝 끊어졌다. // *snap* a box open 상자를 찰깍 열다
파 **snáppish** 형 딱딱거리는, 퉁명스러운 ◇**snápshot** 명 속사(速射); 스냅 사진 형 스냅 사진을 찍는

snare [snɛər] 명 덫(=trap), 유혹(=temptation) 타 덫으로 잡다; 유혹하다(=lure)
(예) fall into a *snare* 덫에 걸리다 // lay a *snare* 덫을 놓다 // *snare* a fox 여우를 덫으로 잡다

snarl [snɑːrl] 자 타 으르렁거리다(=growl harshly); 고함치다, 호통치다 명 으르렁거림, 서로 으르렁거리기; 혼란

◇**snatch** [snætʃ] 타 자 와락 붙잡다(=seize suddenly), 잡아채다 명 잡아챔; 《보통 *pl.*》 단편(斷片), 소량; 한 차례의

쉼〔일〕
(예) She *snatched at* the letter. 그 여자는 편지를 잡아채려고 했다. // He *snatched* a kiss from a girl. 그는 갑자기 그 소녀에게 키스했다.

◇**sneak** [sni:k] [자] 몰래 〔살금살금〕 움직이다, 몰래 하다; 훔치다(=steal) [명] 몰래 함; 비겁한 사람

◇**sneer** [sniər] [자] [타] 냉소〔조소〕하다 [~ at], 경멸하다 [명] 냉소
(예) They *sneered at* her poor clothes. 그들은 그녀의 낡은 의복을 비웃었다. // *sneer* a person *into* anger 아무를 조소하여 화나게 하다

sneeze [sni:z] [자] 재채기하다 [명] 재채기

sniff [snif] [타] [자] 냄새 맡다 (=smell); 눈치 채다, 콧방귀 뀌다 [~ at, on, in, up] [명] (코로) 냄새 맡음, (한 번) 들이쉼; 눈치 챔
(예) The dog *sniffed at* the stranger. 개는 낯선 사람에게 킁킁거리며 냄새를 맡았다.

snip·er [snáipər] [명] 저격병〔자〕

snob [snɑb / snɔb] [명] 사이비 신사, 속물
[파] **snóbbery** [명] 속물 근성, 신사연함 **snóbbish** [형] 신사연하는, 속물의

▶ **265.** 그리스와 라틴명

그리스 신화 등에 등장하는 인물의 이름은 그리스식으로 읽을 때와 라틴식으로 읽을 때가 서로 전혀 다르기 때문에 딴 사람과 같이 생각되는 일이 있다.

그리스	라 틴
Odysseus	Ulysses
Zeus	Jupiter
Aphrodite	Venus
Dionysus	Bacchus
Hermes	Mercury

snore [snɔ:r] [자] [타] 코를 골다 [명] 코곪

◇**snor·kel** [snɔ́:rkəl] [명] 스노클《두 개의 튜브에 의한 잠수함의 환기 장치, 잠수용 호흡 기구》

snort [snɔ:rt] [자] [타] 코를 씨근거리다, 씩씩거리며 말하다 [명] 거센 콧바람

snout [snaut] [명] (돼지 따위의) 코, 주둥이; 수도 꼭지

☆**snow** [snou] [명] 눈 [자] [타] 눈이 내리다; 눈으로 덮다; 눈처럼 내리다
(예) Presents *snowed in* on my birthday. 내 생일에 선물이 쏟아져 들어왔다. // The village was *snowed in.* 그 마을은 눈에 갇혔다.
[어법] 복수 *snows* 는 「설원(雪原), 적설(積雪)」의 뜻.
[파] ◇**snówy** [형] 눈같이 흰, 눈이 오는 **snówball** [명] 눈덩이 [자] [타] 눈뭉치를 던지다 **snówbound** [형] 눈에 갇힌 ◇**snów-covered** [형] 눈으로 덮인 **snówflake** [명] 눈송이 **snów-capped** [형] 꼭대기가 눈으로 덮인 ◇**snów-drift** [명] (바람에 불려서 쌓인) 눈더미 **snówdrop** [명] 〖식물〗 눈꽃, 스노드롭; 아네모네 ◇**snówfall** [명] 강설(降雪) **snow line** 설선(雪線) 《만년설(萬年雪)이 있는 지점의 최저 경계선》 **snówman** [명] 《*pl.* -men》 눈사람 **snówshoe** [명] 눈신 **snówslide** [명] 눈

사태 ◇**snówstorm** [명] 눈보라, 대설(大雪) **snów-whíte** [형] 눈같이 흰

snuff [snʌf] [자] [타] (공기를) 코로 들이쉬다; 코로 냄새 맡다 [명] 코 담배; 냄새 맡는 약; 코를 실룩거리며 숨을 쉼

snuf·fle [snʌ́fəl] [자] [타] 코를 킁킁거리다; 코로 냄새 맡다(=sniff); 콧소리로 말하다 [명] 콧소리; 코가 메임

◇**snug** [snʌg] [형] 아늑한, 안락한
[파] **snúgly** [부] 안락하게, 기분좋게

☆**so** [sou] 〈동음어 sew, sow〉 [부] ① 그와 같이, 그대로
(예) It is better *so*. 그것은 그대로 있는 편이 좋다. // Don't behave *so !* 그렇게 행동하지 마라! // Hold your pen *so !* 그와 같이 펜을 잡으시오!
② 《정도를 나타내어》 그렇게, 그 정도까지
(예) He did not live *so* long. 그는 그렇게 오래 살지 못했다. // He is not *so* great a man. 그는 그렇게 위대한 사람이 아니다.
③ 대단히, 매우(=very)
[어법] very의 뜻의 *so*는 구어적.
(예) It is *so* kind of you. 매우 친절하십니다. // I am *so* sleepy! 매우 잠이 오는군! // My tooth aches *so !* 이가 몹시 아프다! // *So* sorry! 대단히 미안하오! // I couldn't sleep, it was *so* hot. ↔ It was *so* hot *that* I couldn't sleep. 매우 더웠기 때문에 잠을 잘 수 없었다.
④ 《보어로서》 그리하여, 그렇게
(예) Is that *so ?* 그렇습니까? // Not *so*. 그렇지 않다. // if *so* 만약 그렇다면
⑤ ~도 또한 (=also, as well)
[어법] 아래 두 예문의 어순에 주의할 것.
(예) They work hard.—*So they do*. 그들은 열심히 공부한다.—사실 그렇다. // We were wrong; *so were you*. 우리들도 잘못했지만, 너도 마찬가지였다.
— [접] 그러므로, 그러니까
(예) The train leaves in ten minutes, *so* you had better hurry. 기차는 십 분 있으면 떠나므로 서두르는 편이 좋다. // It rained hard, and *so* I could not go. 비가 몹시 왔으므로 갈 수가 없었다.
— [감] (그것으로) 됐어
(예) A little more to the right, *so !* 더 오른쪽으로, 됐어! // *So !* Late again! 야아, 또 늦었다!
[파] ◇**só-and-so** [명] 아무개, 여차여차 (*cf.* such and such) **só-so** [형] 그저 그렇고 그런(정도의), 좋지도 나쁘지도 않은 [부] 어지간히, 그저 그대로 (⇨) **so-called**

so ~ as ★ ~처럼; ~만큼 (*cf.* not so ~ as)
(예) a country *so* large *as* China 중국처럼 큰 나라 // They must *so* walk *as* he walks. 그가 걷는 것처럼 그들도 걷지 않으면 안 된다.

*◇***so as to*** ~하기 위하여, ~하도록(=so that ~ may 〔might〕)

S

(예) Walk fast *so as* not *to* be late for the train. 기차에 늦지 않도록 빨리 걸어라. (↔ Walk fast lest you should be late for the train.)

NB 다음의 so ~ as to와 구별해서 기억해 둘 것.

* ***so ~ as to**** ~할 만큼 …이다, ~하게도 …하다, ~이므로 …하다

(예) He was *so* angry *as to* be unable to speak. 그는 말을 못할 만큼 화가 나 있었다. (↔ He was *so* angry *that* he was unable to speak.)

◇ ***so far*** 거기〔여기〕까지는, 지금까지는 (*cf.* as far as ~)

(예) This is the best I have seen *so far.* 이것은 내가 지금까지 본 것 중에서 가장 좋다. // *So far,* so good. 여기까지는 잘 되었다.

* **(*in*) *so far as*** ~하는 한에서는

(예) *So far as* I know, he will be away for three months. (↔*So far as* my knowledge *goes,* ~.) 내가 아는 한 그는 3개월 동안 출타할 것이다.

* ***so* 〔*as*〕 *far as ~ be concerned*** ~에 관한 한에서는, ~만으로는

(예) No two people, even of the same family, speak exactly alike, *so far as* sounds *are concerned.* 음성에 관한 한에서는, 설사 같은 가족의 사람이라도 두 사람이 전연 똑같이 발음할 수는 없다.

so long 안녕(=good-bye)

*◇ ***so long as*** ~하는 한, ~하기만 하면

(예) Any book will do, *so long as* it is interesting. 재미만 있으면 무슨 책이든지 좋다.

so much as ~조차, ~마저 (*cf.* not so much as)

(예) He left us without *so much as* saying good-bye. 그는「안녕」도 말하지 않고 떠났다.

☆◇ ***so ~ that*** 매우 ~하므로 … (*cf.* too ~ to)

(예) I'm *so* busy *that* I can't leave now. 나는 매우 바빠서 지금 갈 수 없다.

어법 ① 미국 구어에서는 *that* 가 종종 생략됨. ② 이 구문은 보통「결과」를 나타내지만「정도」의 뜻으로 생각해도 좋을 경우가 있다: No country is *so* wild *that* we cannot explore it. (우리들이 탐험할 수 없을 만큼 거친 지역은 없다) ③ 다음과 같이 쓰일 때 주의: It *so* happened *that* he was not at home. (마침 그는 집에 없었다)

*◇ ***so that ~* (*can, may*)** ~하도록; ~한 상태로; 그 때문에

(예) They worked hard *so that* they *could* finish it in time. 그들은 제시간에 그것을 끝내기 위해서 열심히 일했다. // I stood *so that* my head did not appear. 나는 나의 머리가 드러나지 않도록〔않는 상태로〕 서 있었다. // He ran very slowly, *so that* he was easily caught. 그는 너무 느리게 달렸기 때문에 쉽게 붙잡혔다.

*◇ ***so to speak* 〔*say*〕** 말하자면(=as it were)

S

(예) He is, *so to speak,* a grown-up baby. 말하자면 그는 다 큰 어린아이다.
So what ? 그러니 어떻단 말이냐? 그게 무슨 상관이냐?
****and so on* 〔*forth*〕** ~ 따위, 등등
****not so ~ as*** …만큼 ~하지 않다
(예) He is *not so* tall *as* you. 그는 너만큼 키가 크지 않다.
not so much ~ as ~라기 보다는 오히려 …이다
(예) He is *not so much* a teacher *as* a scholar. 그는 선생님이라기보다는 오히려 학자이다.
or so 《수량·기간의 낱말 뒤에서》 ~나 그 정도, ~쯤
(예) in an hour *or so* 한 시간 정도 // ten days *or so* ago 10일쯤 전에 // He must be thirty *or so.* 그는 30세 정도임에 틀림없다

soak [souk] [타] [자] (액체에) 담그다; (흠뻑) 적시다(=make very wet), 스며들다; 술을 많이 마시다 [명] 침투; 통음(痛飮) [반] dry 말리다
(예) be *soaked* to the skin 함빡 젖다 // be *soaking* wet 흠뻑 젖어 있다 // *soak up* information 지식을 흡수하다

***soap** [soup]* [명] 비누 [타] [자] 비누로 씻다, 비누칠하다
(예) a toilet *soap* 화장 비누 // a washing *soap* 세탁 비누
[파] **sóapy** [형] 비누의, 비누 같은; 알랑거리는 **sóapbox** [명] 〔미〕 비누 상자 《가두 연설가의 연단(演壇)으로 흔히 쓰인다》 **soap bubble** 비눗방울; 덧없는 것 **sóapsuds** [명] 《*pl.*》 (거품이 인) 비눗물 **soap work(s)** 비누공장

soar [sɔːr] 〈동음어 sore〉 [자] 날아 올라가다; (물가가) 급등하다; (산 따위가) 치솟다
(예) The glider *soared* high to heaven. 글라이더는 공중 높이 날아 올라 갔다. // Mt. Halla *soars* majestically into the sky. 한라산은 하늘에 장엄하게 솟아 있다.

sob [sɑb / sɔb] [자] [타] 흐느껴 울다, 목메어 울다; 바람이 윙윙거리다 [명] 흐느낌, 목메어 울기
(예) *sob* oneself to sleep 흐느껴 울다가 잠들다
[파] **sóbbing** [형] 흐느껴 울고 있는 **sóbbingly** [부] 흐느껴 울면서

so·ber [sóubər] [형] 진지한, 침착한(=quiet); 술 취하지 않은(=not drunk); (색이) 수수한 [자] [타] 술이 깨다; 침착〔진지〕해지다, 침착해지게〔진지하게〕 하다
[반] drúnken 술취한
[파] **sóberly** [부] 침착〔진지〕하게 **sobriety** [səbráiəti] [명] 진지함, 절주(節酒)

so-called [sòukɔ́ːld] [형] 소위, 이른바(=what is called)
(예) He is a *so-called* walking dictionary. 그는 이른바 살아 있는 사전이다.

soc·cer, sock·er [sɑ́kər / sɔ́kə] [명] 아식 축구(=association football)

so·cia·ble [sóuʃəbəl] [형] 교제를 좋아하는, 사교적인, 사근사근한(=friendly)
(예) in a *sociable* manner 사근사근한 태도로

파 ◇**sociabílity** 명 사교성 **sóciably** 부 사교적으로, 사근사근하게

*◇**so·cial** [sóuʃəl] 형 사회의, 사회적인, 사교(계)의, 사교적인, 사회생활을 영위하는(=living in a group) 명 〔구어〕 친목회

파 ***sócially** 부 사회적으로, 교제상, 허물없이 ◇**sócialism** 명 사회주의 **sócialist** 명 사회주의자 **socialístic** 형 사회주의적인 **sócialize** 타 사회(주의)화하다 **socializátion** 명 사회화; 사회주의화 (⇨) **sociable, society, sociology**

▶ **266. 접미어 ism**

「주의」「설」;「상태」「작용」「행위」;「특성」「장점」등의 의미를 나타낸다.

(예) social*ism*, commun*ism*; hero*ism*(영웅적 행위); American*ism*(미국 어법) 따위

*◇**so·ci·e·ty** [səsáiəti]★ 명 사회(=community); 사교(계); 회, 단체

(예) be embarrassed *in society* 사람들 앞에 나가서 부끄러워하다 // I always enjoy his *society.* 그와의 교제는 언제나 즐겁다.

어법 보통 관사가 없으나「회」「협회」의 뜻에서는 관사를 붙인다(the English Speaking *Society* 영어 회화 클럽)

so·ci·ol·o·gy [sòusiálədʒi / -siɔ́l-] 명 사회학

파 **sociológical** 형 사회학의 **sociólogist** 명 사회학자

sock [sak / sɔk] 명 《보통 *pl.*》 (짧은) 양말(=short stocking)

sock·et [sákit / sɔ́k-] 명 구멍, 소켓; 안와(眼窩)

◇**sod** [sad / sɔd] 명 잔디(=turf), 떼 타 잔디로 덮다

soda [sóudə] 명 소다, 소다수(水) (=soda water)

***so·fa** [sóufə] 명 소파, 긴 안락 의자

*◇**soft** [sɔ(:)ft] 형 부드러운(=not hard); 온화한(=mild), 상냥한 부 부드럽게, 조용하게(=softly)

반 hard, tough 딱딱한

(예) a *soft* climate 온화한 날씨 // be *soft* to the touch 촉감이 부드럽다

파 **soften** [sɔ́(:)fən] 타 자 부드럽게 하다, 부드러워지다 ***sóftly** 부 부드럽게, 조용하게, 상냥하게 ◇**sóftness** 명 부드러움, 온화 **sóft-héarted** 형 마음씨가 고운

◇**soft·ware** [sɔ́(:)ftwὲər] 명 소프트 웨어《컴퓨터의 프로그램 체계의 총칭》 (*cf.* hardware)

*◇**soil** [sɔil] 명 토양(土壤), 땅(=earth); 나라; 때, 오물(汚物) (=dirt), 오점(汚點) 타 자 더럽히다(=make dirty), 더러워지다, 때가 묻다

◇**so·journ** [sóudʒəːrn / sɔ́dʒəːn] 자 체재하다(=stay for a time), 머무르다 명 체재, 머무름

파 **sójourner** 명 체재하는 사람

sol·ace [sáləs / sɔ́l-] 명 위안, 위로, 위자(慰藉)(=comfort) 타 자 위로하다(=console), 위안이 되다

◇**so·lar** [sóulər] 형 태양의(=of the sun); 태양에서 생기는; 태양의 운행에 의하여 정해진

원 sol(=sun)+ar(형용사 어미) 반 lúnar 달의

(예) a *solar* eclipse 일식(日蝕) (*cf.* a *lunar* eclipse 월식) // a *solar* spot 태양의 흑점(黑點)

sol·dier [sóuldʒər] ⓜ 군인, 병사(兵士)
파 **sóldierlike, sóldierly** ⓗ 군인다운, 용감한 **sóldiery** ⓜ 《집합적으로》 군대, 군인

sole [soul] 〈동음어 soul〉 ⓗ 유일한(=one and only) ⓜ 발바닥, 신바닥; (물건의) 밑바닥 ⓣ (신 등에) 바닥을 대다
파 ⁑**sólely** ⓟ 단독으로, 혼자서; 다만, 오직(=only)

sol·emn [sáləm / sɔ́l-] ⓗ 장엄한, 엄숙한(=magnificent); 진지한; 격식을 차리는(=ceremonious)
반 frívolous 경박(輕薄)한
파 **solémnity** ⓜ 장엄, 엄숙 **sólemnize** ⓣ (결혼식 따위를) 엄숙히 올리다 ◦**sólemnly** ⓟ 엄숙하게

so·lic·it [səlísit] ⓣⓙ 간청하다(=ask for); 권유하다
(예) *solicit* a person *for* a thing ↔ *solicit* a thing *of* a person 아무에게 물건을 달라고 부탁하다 // *solicit* contributions 기부를 간청하다
파 **solicitátion** ⓜ 간청; 권유 **solícitor** ⓜ 사무 변호사 **solícitous** ⓗ 걱정하는; 열망하는 **solícitude** ⓜ 걱정; 열망

sol·id [sálid / sɔ́l-] ⓗ 고체(固體)의, 고형의(=not liquid); 견고한, 확실한; 충실(充實)한; 〖수학〗 입체(立體)의(=cubic) ⓜ 고체; 〖수학〗 입체
반 flúid, líquid 유동체(의)
(예) a *solid* body 고체 // a *solid* foot 1입방 피트
파 **solídify** ⓣⓙ 응고시키다〔하다〕, 굳히다, 단결하다 ◦**solídity** ⓜ 고체성(固體性), 견실(堅實) **solidárity** ⓜ 공동 일치, 단결; 연대 책임

sol·i·tar·y [sálətèri / sɔ́lətəri] ⓗ 고독한, 외로운(=lonely); 유일의(=single) ⓜ 독거자(獨居者), 은사(隱士)
반 bústling 부산한
파 ⁑**sólitude** ⓜ 고독; 외딴 곳

so·lo [sóulou] ⓜ 독주(곡); 독창(곡)
파 ◦**sóloist** ⓜ 독주자; 독창자

so·lu·tion [səlúːʃən] ⓜ 해결; 용해, 분해; 용액
원 <sólve 풀다 반 hárdening 경화(硬化)
(예) They cannot find a *solution* to 〔for〕 the difficulty. 그들은 그 어려움의 해결책을 찾아내지 못하고 있다.

solve [sálv / sɔ́lv] ⓣ 해결하다(=find the answer to), 풀다, 해명하다
파 ◦**sóluble** ⓗ 녹는; 해결할 수 있는 ◦**sólvable** ⓗ 풀 수 있는 **sólvent** ⓜ 용제(溶劑) ⓗ 지불 능력이 있는; 용해력이 있는 **sólvency** ⓜ 용해력 (⇨) **solution**

> ▶ **267.** 접미어 **ble**
> 「~할 수 있는」의 의미를 나타내는 형용사를 만든다(-able의 변형).
> (예) solu*ble*

som·ber, -bre [sámbər / sɔ́mbə] ⓗ 어두컴컴한(=dark), 음침한, 수수한(=sober)

some [sʌm, səm] 〈동음어 sum〉 ⓗ ① 약간의, 다소의

S

(예) for *some* days 며칠간 // I want *some* money. 돈이 (좀) 필요하다. // ◇ *Some* pupils are right and *others* wrong. 옳은 학생도 있고 틀린 학생도 있다.

어법 *any*는 의문·부정문에서, *some*은 긍정문에서 쓰이는 것이 보통. 단, 다음과 같은 경우에는 의문문에도 some을 쓴다: Won't you lend me *some* money? (돈 좀 빌려주지 않겠니?) (=Please lend me *some* money.)

NB 사람에게 무엇을 권하는 문장에서는 상대가 Yes, 라고 말할 것을 기대하고 있으므로 의문문에서도 *some*을 쓴다. Will you have *some* coffee? (커피를 좀 드시겠어요?)

② 어떤 ~ (=certain), 누군가

(예) for *some* reason or other 어떤 이유로 // I saw it in *some* book. 그것을 어떤 책에서 보았다.

③ 꽤 많은

(예) It cost me *some* money. 그것은 꽤 돈이 들었다.

④ 대체로, 약 ~

(예) I waited *some* ten minutes. 약 10분간 기다렸다.

— ㉤ 어떤 사람〔것〕, 〖수·양〗 약간

(예) *Some* say yes and *some* 〔others〕 say no. 찬성하는 사람이 있는가 하면 반대하는 사람도 있다. // I want *some* of the apples. 그 사과를 약간 원한다. // I have *some* with me. 나는 약간 갖고 있다.

어법 ① 대명사 *some*은 단수·복수 양쪽으로 쓰인다. ② *one day*(어느날)가 과거인 데 대해 *some day*는 미래의 어느날을 가리킨다. *Some day* there may be a generation for whom his words will come alive. (장래 언젠가는 그의 말이 살아서 호소하는 세대가 도래할는지도 모르다)

반 all 모든, ány 얼마간의

파 ☆**sómebody** ㉤㉥ 어떤 사람, 누군가; 상당한 인물 ◇**sómeday** ㉦ (앞으로) 언젠가, 훗날 ***sómehow** ㉦ 어떻게 해서든지, 여하튼; 어쩐지 ☆**sómeone** ㉤ =somebody **sómething** ㉤㉥ 어떤 것, 무엇인가; 중요한 것 ㉦ 얼마간 ◇**sómetime** ㉦ 언젠가, 언제고 ㉧ 이전의 ☆**sómetimes** ㉦ 때때로 **sómeway** ㉦ 어떻게든지 해서, 그럭저럭 ***sómewhat** ㉦ 약간(=rather), 다소 ***sómewhere** ㉦ 어딘가에, 어딘지 「한

◇***something like*** 어느 정도 ~같은, 대략, 훌륭한, 대단

(예) Learning English is *something like* learning how to swim. 영어를 배우는 것은 수영을 배우는 것과 비슷하다. // He gave me *something like* ten thousand dollars. 그는 나에게 약 10,000달러를 주었다. // He was *something like* a musician. 그는 훌륭한 음악가였다.

◇***something of*** 얼마간, 다소

(예) He has *something of* the musician in him. 그에게는 다소 음악가의 소질이 있다.

☆**son*** [sʌn]* 〈동음어 sun〉 ㉥ 아들(=male child)

반 dáughter 딸

파 ◇**són-in-law** ㉥ 《*pl.* sons-》 사위, 양자

so·nar [sóunaːr] ⓜ 소나, 수중 음파 탐지기
so·na·ta [sənáːtə] ⓜ 주명곡(奏鳴曲), 소나타
son·net [sánit / sɔ́n-] ⓜ 소네트, 14행시
son·ny [sʌ́ni] ⓜ 〖구어〗 아가야, 얘 《소년·연소자에 대한 친근한 호칭》
soon [suːn] ⓟ 곧, 얼마 안 가서, 이내; 빨리
반 late 늦게 (*cf.* before long)
(예) He will *soon* be back. 그는 곧 돌아올 것이다. // as *soon* as possible 될 수 있는 한 빨리
sooner or later 조만간, 머지 않아
(예) *Sooner or later* he will recover his health. 머지 않아 그는 건강을 회복할 것이다.
would* 〔*had*〕 *sooner ~ than ~할 바에야 차라리 … 하고 싶다
(예) I *would sooner* die *than* yield. 굴복하느니 차라리 죽는 편이 낫다.
soot [sut] ⓜ 검댕, 그을음 ⓣ 그을음투성이로 하다
파 **sóoty** ⓗ 검댕(색)의, 그을음투성이의
soothe [suːð] ⓣ 위로하다; 달래다, 진정시키다(=calm)
반 enráge 화나게 하다
(예) *soothe* a crying child 우는 아이를 달래다 // *soothe* a toothache 치통을 누그러뜨리다
so·phis·ti·cate [səfístəkèit] ⓣ ⓙ 궤변을 늘어놓다; (아무의) 순진성을 잃게 하다, 세파에 물들게 하다; 섞음질을 하다
파 **sophísticated** ⓗ 순진하지 않은, 굴러먹은; 섞음질을 한; 〖미〗 세련된; 복잡한, 정교한 **sophisticátion** ⓜ 궤변(詭辯); 가짜; 순진성의 상실; (기계 등의) 정교〔복잡〕화
soph·o·more [sáfəmɔ̀ːr / sɔ́fəmɔ̀ː] ⓜ 미국 대학(4년 과정)의 2년생 (*cf.* freshman, junior, senior)
sor·cer·er [sɔ́ːrsərər] ⓜ 마법사 (*cf.* sorceress 여자 마법사)
sor·did [sɔ́ːrdid] ⓗ 더러운, 누추한; 야비한
sore [sɔːr] 〈동음어 soar〉 ⓗ 아픈(=painful); 슬픈; 심한(=severe) ⓜ 상처, 비통
(예) touch a person on a *sore* place 아무의 아픈 곳을 건드리다 // feel *sore* about ~에 화가 나다
파 **sórely** ⓟ 아파서, 심하게 **sóreness** ⓜ 동통(疼痛), 비통; 분노; 불화
sor·row [sárou / sɔ́r-] ⓜ 슬픔(=sadness); 후회, 불행 ⓙ 슬퍼하다, 한탄하다
반 joy 기쁨
(예) He felt great *sorrow* for his friend's misfortune. 그는 친구의 불운을 매우 슬퍼했다. // be in great 〔deep〕 *sorrow* 크게 슬퍼하다 // to one's *sorrow* 유감스럽게도
파 **sórrowful** ⓗ 슬픈, 비탄에 잠긴 (a *sorrowful* sight 비참한 광경) **sórrowfully** ⓟ 슬퍼하여
sor·ry [sári, sɔ́ː- / sɔ́ri] ⓗ 가엾게 여기는, 유감으로 생각

되는, 미안한; 비참한; 슬픈

(예) I am *sorry that* I could not go with them. 그들과 같이 갈 수 없는 게 유감스럽다. (↔I wish I could have gone with them.) // I'*m sorry to* have kept you waiting. ↔ I'm *sorry* I have kept you waiting. 기다리게 해서 미안합니다. (↔ *Sorry to* have kept you waiting.) // I' *m sorry* but I cannot do it *tonight.*↔I'*m sorry* (*to* say that) I cannot do it tonight. 섭섭하지만 오늘밤 그것을 할 수 없다.

어법 *be sorry*의 다음에는 전치사(for, about), 부정사, 또는 that의 어느 것이 와도 된다: I am *sorry for* your failure.↔ I am *sorry* (*that*) you failed. (실패하셨다니 참 안 됐습니다.) I am *sorry to hear* it. (그것을 들으니 참 안 됐습니다.)

***sort** [sɔːrt] 명 종류(=kind); 품질(=quality) 타 분류하다(=classify), 갈라 나누다

(예) They are of all *sorts* and sizes. 그것들은 여러 가지 종류이며 크기도 여러 가지다.

sort of 다소, 얼마간

(예) I am *sort of* proud of my success. 내 성공을 조금은 자랑스럽게 여긴다.

****a sort of*** 일종의(=a kind of)

(예) He is *a sort of* pedant. 그는 학식을 내세우는 그런 사람이다.

(***be***) ***out of sorts*** 기분이 나쁜, 기운이 없는

(예) I was *out of sorts* because of lack of sleep. 잠이 모자라서 기운이 없었다.

SOS [èsoués] 명 (구조를 청하는 조난선의 무선 전신에 의한) 조난 신호(遭難信號), 구원 요청

***soul** [soul] 〈동음어 sole〉 명 영혼, 넋(=spirit), 정신; 사람; 정수(=essence)

반 bódy 신체

(예) He has no *soul.* 그는 기백이 없다. // Not a *soul* was to be seen in the street. 거리에는 한 사람도 볼 수 없었다. // The *soul* of the book has been lost in translation 그 책의 정수는 번역에서 상실되었다.

파 **sóulful** 형 정신적인; 열정적인 **sóulless** 형 영혼이 없는 무정한

***sound** [saund] 명 소리, 음향 자 타 소리가 나다, 울리다, 알리다, 신호하다; ~으로 들리다, 생각되다(=seem appear); 깊이를 재다, (사람의) 마음 속을 떠보다 형 건전한(=healthy); 완전한(=perfect); (수면 등이) 충분한 부 푹

(예) Not a *sound* was heard. ↔ There was no *sound.* 아무 소리도 들리지 않았다. // That excuse *sounds* queer 그 변명은 이상하게 들린다. // A *sound* mind in a *sound* body. 〖속담〗 건전한 몸에 건전한 정신.

파 **sóunding** 형 소리가 나는 명 수심 측량(水深測量) **sóundless** 형 소리 없는; 잴 수 없을 만큼 깊은 **sóundly** 부 건전하게; 충분히, 푹 **sóundness** 명 건전, 완전 **sóund** proof 형 방음(防音)의 타 방음 장치를 하다 **sound wave** 음파(音波)

soup [suːp] 명 수프, 고깃국
(예) a *soup* plate 수프 접시 // eat *soup* 수프를 마시다

sour [sauər] 형 신(=acid); 기분이 언짢은 (=ill-tempered) 타 자 시게 하다, 시어지다; 꾀까다로워지다, 심술궂게 되다 명 시큼한 것
반 sweet 단 (것)
(예) *sour* grapes 지기 싫어 허세 부리기 《이솝의 우화에서》 // the sweet and *sour* of life 인생의 고락 // turn 〔go〕 *sour* (부패하여) 시어지다; (사물이) 못쓰게 되다

source [sɔːrs]* 명 원천, 출처; 원인(=cause); 출전(出典)
(예) The river takes its *source* from this lake. 그 강은 이 호수에 근원을 두고 있다. // The news comes from a reliable *source*. 그 뉴스는 믿을 만한 곳에서 나왔다.

south [sauθ]* 명 남쪽, 남국(南國), 남부 지방 형 남쪽의, 남쪽을 향한, 남쪽에서의 부 남쪽으로, 남쪽에서 〖약어〗 *S.*
반 north 북쪽(의), 북국(北國)
(예) Mexico is *south* of the U.S.A. 멕시코는 미국의 남쪽에 있다.
파 **southerly** [sʌ́ðərli] 형 남쪽의 부 남쪽으로 **sóutherner** 명 남국 사람 **sóuthernmost** 형 최남단의 **southéast** 명 형 부 동남(의, 으로) **southéastern** 형 동남(으로)의, 남동으로부터의 ◦**southwést** 명 형 부 남서(의, 로) ◦**southwéstern** 형 남서(로)의, 남서로부터의 **southward** [sáuθwərd] 부 남쪽으로 형 남쪽의 **sóuthwards** 부 남쪽으로

south·ern [sʌ́ðərn]* 형 남쪽의, [종종 S-] 미국 남부 지방의

sou·ve·nir [sùːvəníər, súːvənìər] 명 기념품, 선물

sov·er·eign [sávrin / sɔ́v-] 명 군주(君主), 원수(元首) (=monarch); 소브린 《영국의 1파운드 금화》 형 최고의, 주권이 있는
(예) *sovereign* power 주권 // a *sovereign* state 독립국
파 **sóvereignty** 명 주권, 독립국

So·vi·et [sóuvièt, sóuviət] 명 [the ~s] 소련, 소련 정부〔국민〕 [s-] (소련의) 평의회(評議會) 형 소련의
NB 소비에트 연방의 약칭은 the Soviet Union, 정식 명칭은 The Union of Soviet Socialist Republics ; USSR

sow 타 자 [sou] 〈동음어 sew, so〉 《***sowed; sown, sowed***》 (씨를) 뿌리다(=scatter seeds) 명 [sau] 암퇘지; (곰 따위의) 암컷
반 reap 베어 들이다

soy [sɔi], **soya** [sɔ́iə] 명 간장(=soy sauce); 콩
파 ◦**sóybean** 명 콩

space [speis] 명 공간, 사이; 시간; 여백, 여지; 빈터; 간격, 거리; 우주(공간) 타 자 일정한 간격을〔스페이스를〕 두다
(예) a parking *space* 주차장 // The road is bad for a

space of three miles. 길이 3마일 간은 좋지가 않다. // th *space* travel age 우주 여행 시대
파 ◇**spácious** 형 넓디넓은, 넓은(=vast) **space capsul** 우주 캡슐《우주선의 기밀실》 ◇**spácecraft** 명 우주선(= spaceship) **space flight** 우주 비행 ◇**spáceman** 명《*p* -men》우주 비행가; 우주인 **space rocket** 우주 로켓 **spac satellite** 우주 위성 **space station** 우주 정류장 ◇**spáceshi** 명 우주선 **space suit** 우주복 **space travel** 우주 여행

◇**spade** [speid] 명 삽; (트럼프의) 스페이드
파 **spádework** 명 삽질; 힘드는 기초 작업

◇**spa·ghet·ti** [spəgéti] 명 〖이〗 스파게티; 소방 호스

***Spain** [spein] 명 스페인
파 ***Spanish** [spǽniʃ] 명 스페인 말〔사람〕 형 스페인〔말, 사람〕의 **Spaniard** [spǽnjərd] 명 스페인 사람

*◇**span** [spæn] 명 한 뼘; 짧은 거리; 전장(全長) 타 자 손가 으로 치수를 재다; (다리 등을) 놓다; ~에 걸치다, 건너디
(예) a person's life *span* 사람의 수명

span·gle [spǽŋgəl] 명 반짝거리는 금속 조각 타 반짝반 빛나게 하다(=make glitter), (금·은 장식 따위를) 박 넣다

spank [spænk] 타 (손바닥으로 엉덩이를) 찰싹 때리다 채찍질해서 달리게 하다 명 (손바닥으로) 찰싹 때림

*◇**spare** [spɛər] 형 모자라는(=scanty); 예비의(=reserved 여가의 자 타 절약하다, 아끼다; 나누어 주다; 용서해 주다 (사람에게) ~시키지 않다
반 waste 소비하다
(예) *Spare* the rod and spoil the child. 〖속담〗 매를 아 면 아이를 버린다. // a *spare* room 예비용 방(房) // *spa* trouble 〔pains, expense〕 수고를〔노고·비용을〕 아끼다 *Spare* (me) my life. 목숨만은 살려 주시오. // Have yo any time to *spare*? 틈이 있습니까?
파 **spáringly** 부 모자라게, 아껴서, 절약하여

spark [spɑːrk] 명 불꽃, 불똥; 섬광(閃光), 스파크; 조 자 불꽃이 튀다, 번쩍이다

◇**spar·kle** [spɑ́ːrkəl] 명 불꽃, 불똥, 섬광 자 불꽃을 튀 다, 반짝거리다

spar·row [spǽrou] 명 참새

sparse [spɑːrs] 형 성긴, 드문드문한; (인구 따위가) 희박
파 **spársely** 부 성기게, 드문드문

***Spar·ta** [spɑ́ːrtə] 명 스파르타《고대 그리스의 도시 국가
파 **Spártan** 형 명 스파르타(사람)의; 스파르타식의; 용감 (사람)

spasm [spæzəm] 명 경련; 발작; (흥미 등의) 일시적 충동

◇**spa·tial, -cial** [spéiʃəl] 형 공간의, 공간적인, 공간을 점 는; 장소의; 우주의

spat·ter [spǽtər] 타 (물·흙탕 따위를) 튀기다; 뿌리 (욕설을) 퍼붓다 자 튀다, 흩어지다

☆**speak** [spiːk] 자 타 《***spoke; spoken***》 이야기하다(=talk

말하다(=say), 연설하다(=make a speech)
(예) generally 〔roughly, strictly〕 *speaking* 일반적으로 〔대략, 엄밀히〕 말하면 // This is Jones *speaking*. 〖전화〗 나는 존스입니다. // *speak* from experience 실지 경험한 바를 이야기하다 // ˏ*speak* up 큰소리로〔거리낌없이〕 이야기하다
[파] ˏ**spéaker** [명] 이야기하는 사람, 변사(辯士), 의장(議長); 확성기 **spéaking** [형] 말을 하는(것 같은), 표정이 풍부한 (⇨) **speech**

▶ **268.** 「말하다」의 유사어
speak는 말하는 내용보다도 듣는 동작, 즉 입에서 나오는 말을 듣는다는 쪽에 중점을 둔다. **say**는 말하는 내용에 중점이 있다. **tell**은 사람에게 이야기를 전하는 데 쓰이며, **talk**는 허물없는 기분으로 이야기하는 경우이며, 회화나 회담 따위에 대하여 말한다.

speak for ~을 대변하다, 변호하다; ~을 나타내다; 주문〔예약〕하다
(예) This *speaks for* his honesty. 이것은 그가 정직하다는 것을 대변하고 있다. // This seat is already *spoken for*. 이 자리는 이미 예약되어 있다.
speak highly of ~을 칭송〔격찬〕하다(=talk highly of)
(예) The villagers *spoke highly of* him. 마을 사람들은 그를 격찬했다.
speak ill* 〔*evil*〕 *of ~을 나쁘게 말하다, 욕하다
(예) Don't *speak ill of* others. 남을 욕하지 마라.
speak of ~에 관하여 말하다(=talk about), ~을 초들어 말하다; ~이라는 말을〔용어를〕 쓰다
(예) the book I *spoke of* 내가 말한 책 // Her eyes *spoke of* suffering. 그녀의 눈은 고통을 말해주고 있었다.
speak out 거리낌없이〔털어놓고〕 말하다(=speak clearly), 공언하다, 큰 소리로 똑똑히 말하다
(예) Don't be afraid of *speaking out*. 염려 말고〔거리낌없이〕 말하라.
speak to* ~에게 말을 걸다
(예) He often *speaks to* himself. 그는 가끔 혼자서 중얼거린다.
speak well of ~을 좋게 말하다, ~을 칭찬하다
(예) He *speaks well of* his servants. 그는 자기 하인들을 칭찬한다.

spear [spiər] [명] 창(=lance); (식물의) 싹 [타][자] 창으로 찌르다, 싹이 트다
[파] **spéarhead** [명] 창끝; 선봉, 돌격대의 선두 **spéarman** [명] 《*pl.* -men》 창병(槍兵); 창 쓰는 사람

spe·cial [spéʃəl] [형] 특별한; 전문의; 특설의(=extraordinary) [명] 특별한〔임시의〕 사람〔것〕; 특별 시험; 특사(特使); 임시 열차; 특별호, 호외(號外) (=special edition)
[반] géneral 일반적인
(예) a *special* correspondent in Paris 파리 특파원 // make a *special* study of ~을 전문으로 연구하다 // a London *special* to the Dong-A Ilbo 동아 일보에 보낸 런

던발 특전

파 ◇spécially 부 특별히, 임시로 *spécialist 명 전문가 ◇speciálity, ◇spécialty 명 특색; 전문, 전공(專攻); 특산〔특제〕품 *spécialize 타 자 전문화하다, 전공하다 special delivery (우편의) 속달

*◇**spe·cies** [spíːʃiːz] 명 《단수·복수 동형》 종(種) (=kind, sort) 종류; 인류

(예) The Origin of *Species* 「종(種)의 기원(起源)」《다윈의 저서》

*◇**spe·cif·ic** [spisífik] 형 특별한(=particular), 특정의; 자세한, 명확한 (=explicit); 종(種)의 명 특성; 특효약

반 géneral 일반적인, inexáct 명확하지 않은

파 **specífically** 부 특히, 특효적으로 ◇**spécify** 타 지정하다, 자세하게〔구체적으로〕 말하다〔표시하다〕 ◇**specificátio**n 명 상술(詳述); 《*pl.*》 명세서

***spec·i·men** [spésəmən] 명 표본, 실례, 견본(=sample)

◇**speck** [spek] 명 오점(汚點), 작은 얼룩(=small stain) 반점(斑點); 아주 작은 조각(=bit) 타 반점을 붙이다(=dot)

(예) ◇There is not *a speck of* truth in what he said. 그가 한 말에는 진실성이 티끌만큼도 없다.

speck·le [spékəl] 명 반점(斑點) 타 반점을 찍다

specs [speks] 명 《*pl.*》《복수 취급》 안경; 설계 명세서

*◇**spec·ta·cle** [spéktəkəl] 명 광경(=sight), 장관(壯觀) (=grand sight); 구경거리(=show); 《*pl.*》 안경(=glasses)

원 specta(=see)+cle(접미어)

(예) a man in *spectacles* 안경을 쓴 사람 // put on 〔wear〕 *spectacles* 안경을 쓰다

파 **spéctacled** 형 안경을 쓴 ◇**spectacular** [spektǽkjulər] 형 구경거리의; 장관(壯觀)인, 볼 만한 *◇**spectator** [spékteitər / spektéitə] 명 구경꾼, 방관자; 관객; 관찰자

spec·ter, -tre [spéktər] 명 유령(=ghost), 요괴

파 **spéctral** 형 유령의, 무시무시한; 〖물리〗 분광(分光)의

spec·trum [spéktrəm] 명 《*pl.* ***-tra, -trums***》 〖물리〗 스펙트럼, 분광(分光); (눈의) 잔상(殘像); 영역, 범위

(예) a wide *spectrum* of reading 넓은 독서 범위

◇**spec·u·late** [spékjəlèit] 자 사색하다(=think, guess) [~ on, upon, about]; 투기(投機)를 하다 [~ in]

> **▶ 269. 접미어 ator**
> 「~하는 사람」「~하는 물건」의 의미를 나타낸다.
> (예) specul*ator*

(예) ◇*speculate on* the origin of the universe 우주의 기원에 대하여 사색하다 // *speculate in* shares 〔stocks〕 주식에 투기하다

파 **speculátion** 명 사색; 투기 (on *speculation* 투기로) **spéculator** 명 투기꾼; 사색가 **spéculative** 형 사색의, 공론(空論)의; 투기의

*◇**speech** [spiːtʃ] 명 연설(=address); 말(=language), 말투; 국어; 〖문법〗 화법(話法)

원 <speak 말하다 반 sílence 침묵
(예) be slow of *speech* 말을 더듬다, 말이 느리다 // *Speech* is silver, silence is gold. 〖속담〗 웅변은 은이고, 침묵은 금이다.
파 ◦**spéechless** 형 말 못하는, 말없는 **speech day** (학교의) 졸업식 날《졸업 증서·상품 수여 및 연설 등이 행해지는 축제일》

speed [spiːd] 명 속력; 속도; 빠름, 신속(=swiftness) (*cf.* velocity) 자 타 《***sped, speeded***》 빨리 가다, 서두르다(=hasten); (일이) 진행하다; (그럭저럭) 지내다
(예) ◦at *speed* 고속으로; 서둘러 // ◦at full 〔top〕 *speed* 전속력으로 // ◦at great *speed* 굉장한 속도로 // with all *speed* 전속력으로 // at a *speed* of 30 miles an hour 시속 30 마일의 속도로 // More haste, less *speed*. 〖속담〗 질러가는 길이 먼 길이다.
파 ◦**spéedy** 형 빠른, 재빠른 **spéedily** 부 신속하게 **speedometer** [spidámətər / -ɔ́mətə] 명 속도계 **spéed-up** 명 속력 증가, 능률 촉진

speed up 속도를 빨리 하다, 능률을 올리다; 촉진하다
(예) The train soon *sped up*. 열차는 곧 속도를 냈다. // ◦The processes of changes have been *speeded up* and intensified. 변화의 과정이 빨라지고 심해졌다.

spell [spel] 타 자 《***spelled, spelt***》 철자하다; 판독하다; 의미하다 명 한 차례의 계속; 잠시(=short time); 주문(呪文), 마력(魔力)
(예) a long *spell* of fine weather 오래 계속되는 맑은 날씨 // cast a *spell* on 〔upon, over〕 a person 아무에게 마술을 걸다
파 ***spélling** 명 철자(법)

spell·bound [spélbàund] 형 마법에 걸린; 홀린, 넋을 잃은

spend [spend] 타 자 《***spent***》 소비하다(=pay out), 쓰다; (시간을) 보내다(=pass), 지내다
어법 ① 「돈을 쓰다」라는 뜻으로는 *spend on* 〔*for*〕: ◦*spend* a lot of money *on* 〔*for*〕 books. ② 「시간을 보내다」라는 뜻으로는 *spend in* do*ing*: ◦He *spent* three hours (*in*) read*ing*. 동명사 이외의 명사에는 on을 취한다: *spend* two years *on* a project
파 **spéndthrift** 명 방탕한 사람 형 돈을 헤프게 쓰는

sphere [sfiər] 명 구(球)(=globe); 영역, (활동) 범위; 천체, 지구의(儀)
(예) be in one's *sphere* 세력권〔영역〕 안에 있다, 전문 영역에 속하다
파 **spherical** [sférikəl] 형 구(형)의

sphinx [sfiŋks] 명 《*pl.* ***sphinxes, sphinges***》 [S-] 스핑크스; 수수께끼 같은 인물

spice [spais] 명 양념(=condiment), 향료; 풍미(風味) (=flavor) 타 향료를 넣다, 양념을 치다(=season)
파 ◦**spícy** 형 향료를 넣은, 향기로운; 짜릿한 맛이 있는;

S

외설한 **spíciness** ⓜ 향기로움

◇**spi·der** [spáidər] ⓜ 〖곤충〗 거미; 삼발이
㊁ **spídery** ⓗ 거미 같은, 거미가 많은

◇**spike** [spaik] ⓜ 스파이크, 큰 못 ⓣ 큰 못으로 박다

◇**spill** [spil] ⓣⓙ 《***spilled, spilt***》 (액체 따위를) 흘리다, 흐르다; (피를) 흘리다(=shed); 〖구어〗 (말·차에서) 떨어뜨리다
(예) It is no use crying over *spilt* milk. 〖속담〗 엎지른 물은 다시 담을 수 없다《이미 저지른 일은 어쩔 도리 없다》.

◇**spin** [spin] ⓣⓙ 《***span, spun; spun***》 (실을) 잣다; (거미 따위가) 실을 내다; (팽이 따위가) 회전하다; 〖항공〗 나선형으로 돌며 내려가다 ⓜ 급회전
(예) *spin* cotton into yarn 솜에서 실을 잣다
㊁ ◇**spínning** ⓜ 방적(紡績) ⓗ 방적의

spin·ach [spínitʃ / -idʒ] ⓜ 시금치

spin·dle [spíndl] ⓜ 방추(紡錘); (기계의) 굴대(=axis)

spine [spain] ⓜ 등뼈, 척추(=backbone); 등; 가시
㊁ **spinal** [spáinəl] ⓗ 척추의, 등뼈의; 가시의 **spíneless** ⓗ 등뼈가 없는; 줏대〔결단력〕 없는

▶ 270. the Pacific
the Pacific Ocean의 Pacific이 「평온한」이라는 뜻이 있다는 것은 알 것이다. 그러나 태평양은 잔잔한 바다라기보다는 몹시 거칠다. 이와 같이 반대 의미의 이름을 붙인 것은 일종의 완곡(婉曲) 어법(euphemism)이다. euphemism의 가까운 예로서 lavatory를 들 수 있을 것이다. 본래 어떤 의미인가는 조사하여 주기 바란다. die의 euphemism으로서는 pass away, go west, breathe one's last, be no more 등 여러 가지가 있다.

◇**spi·ral** [spáiərəl] ⓗ 나선형〔나사모양〕의, 나선 장치의 ⓜ 나선, 소용돌이; 고둥 ⓣⓙ 나선형으로 하다, 나선형으로 움직이다

spire [spaiər] ⓜ 뾰족탑, (산의) 정상; 뾰족한 끝; 소용돌이 ⓙⓣ 쑥 내밀다; 싹트(게 하)다

▶ 271. 「첨탑(尖塔)」의 유사어
spire는 날카롭고 뾰족한 지붕, **steeple**은 선단에 spire를 가진 높은 탑을 말한다.

***spir·it** [spírit] ⓜ 정신, 영혼(=soul), 망령(亡靈)(=ghost); 원기(=vigor); 《*pl.*》 알코올(=alcohol) ⓣ 기운을 돋우다
㊙ bódy 육체
(예) the poor in *spirit* 마음이 가난한 자 // a man of *spirit* 활기가 있는 사람 // a *spirit* lamp 알코올 램프
㊁ **spírited** ⓗ 기운 있는 **spíritless** ⓗ 기운 없는 ***spiritual** [spíritʃuəl] ⓗ 정신적인, 영적인 ⓜ 성가(聖歌), 영가(靈歌) **spíritualism** ⓜ 강신술(降神術), 유심론(唯心論) **spirituálity** ⓜ 영성(靈性) **spíritualize** ⓣ 영화(靈化)하다, 고상하게 하다 **spíritually** ⓑ 정신적으로, 영적으로
in good* 〔*high, great*〕 *spirits 원기 왕성하게, 기분이 (썩) 좋아

반 in poor 〔low〕 spirits 기운 없이
(예) We are *in high* 〔*low*〕 *spirits*. 우리들은 매우 원기가 좋다〔나쁘다〕.

spit [spit] 자 타 《***spat, spit***》 침을 뱉다; (욕설을) 퍼붓다 명 침(=spittle)

spite [spait] 명 악의(惡意) (=malice); 원한(=grudge) [~ against] 타 괴롭히다(=vex), 학대하다
파 **spiteful** 형 심술궂은; 앙심 깊은

in spite of★ ~에도 불구하고(=notwithstanding), ~을 무릅쓰고(=in defiance of) (*cf.* (in) despite of)
(예) *in spite of* oneself 무심코, 저도 모르게 // They insisted on her going there alone *in spite of* her tears. 그녀가 우는 데도 아랑곳 않고 그들은 그녀가 혼자 그곳에 갈 것을 주장했다.

splash [splæʃ] 타 자 (물·흙탕 등을) 튀기다(=spatter); 튀기며 나아가다 명 (물을) 튀김; 철벅하는 소리; 오점, 얼룩
(예) Oh, my! That automobile has *splashed* mud over me. 이런, 제기랄! 저놈의 자동차가 내게 흙탕물을 튀겼네.
파 **spláshy** 형 흙탕물이 튀는, 철벅철벅하는 ◇**spláshdown** 명 (우주선의) 착수

splen·did [spléndid] 형 장려한(=beautiful), 굉장한; 장한, 위대한(=grand); 훌륭한(=fine)
파 **spléndidly** 부 훌륭하게, 화려하게, 멋지게 **spléndo(u)r** 명 광휘(光輝), 화려

splint [splint] 명 얇은 널조각; (접골 치료용) 부목; (성냥)개비 타 ~에 부목을 대다

splin·ter [splíntə*r*] 명 (돌·나무의) 쪼개진 조각, 가시 타 자 쪼개다, 쪼개지다

split [split] 타 자 《***split***》 (목재 따위를) 쪼개(지)다 (=divide into parts), (천 따위를) 찢(기)다 형 쪼개진, 갈라진, 찢어진 명 갈라짐, 갈라진 금〔틈〕, 찢음; 불화; 분할투표
반 uníte 합치다, 접합하다
(예) The party *split* into two over the question. 당은 그 문제 때문에 두 파로 분열됐다. // Let's *split* the cost of the dinner (among us). 저녁 식사의 비용을 (우리 서로) 분담하자.
파 **splítting** 형 쪼개지는 듯한; (두통 따위가) 심한

spoil [spɔil] 타 자 《***spoiled, spoilt***》 손상하다(=damage), 망치다(=ruin); 약탈하다 명 《종종 *pl.*》 노획품
(예) Too many cooks *spoil* the broth. 〖속담〗 사공이 많으면 배가 산으로 올라간다. // The picture is *spoilt* by too much detail. 그 그림은 묘사가 너무 세세하여 잡쳤다.
어법 ① 「약탈하다」의 뜻에서는 과거·과거 분사형은 *spoiled*. ② 명사형은 복수로 쓰일 때가 많다: *spoils* of war (전리품)
파 ◇**spóilage** 명 망쳐진 것; 손상액

spokes·man [spóuksmən] 명 《*pl.* ***-men***》 대변자, 대표자

sponge [spʌndʒ] 명 해면(海綿), 효모로 부풀린 빵; 식객(食客) 타 자 해면으로 닦다; 기식(寄食)하다 [~ on]

S

파 ◇spóngy 형 해면과 같은 sponge cake 카스텔라

◇**spon·sor** [spánsər / spɔ́nsə] 명 (상업 방송의) 광고주(廣告主); 보증인; 대부(代父), 대모(代母) 타 후원하다(=support); 보증하다, 보증인이 되다

◇**spon·ta·ne·ous** [spantéiniəs / spɔn-] 형 자발적인, 임의의(=voluntary), 스스로의; 자연 발생의
반 compúlsory 강제의
(예) a *spontaneous* expression of joy 무의식 중에 나오는 기쁨의 소리
파 **spontaneity** [spɑ̀ntəníːəti / spɔ̀n-] 명 자발성(自發性), 자연 발생 **spontáneously** 부 자발적으로; 자연히

spool [spuːl] 명 실패, 실꾸릿대(=reel) 타 실패에 감다

spoon [spuːn] 명 숟가락 타 숟가락으로 뜨다
(예) be born with a silver 〔gold〕 *spoon* in one's mouth 부귀한 집에 태어나다
NB 숟가락에는 teaspoon, dessertspoon, tablespoon, soup spoon 따위가 있다.
파 ◇**spóonful** 명 한 숟가락 가득(한 분량) (◇two *spoonfuls of* sugar 설탕 두 숟가락)

☆**sport** [spɔːrt] 명 스포츠, 운동 경기(=outdoor exercise); 재미; 농담 자 타 놀다, 장난하다(=frolic); 놀리다; 가지고 놀다; 자랑해 보이다
반 work 일, 일하다
(예) the school *sports* 학교의 운동회 // in 〔for〕 *sport* 농(담)으로
어법 형용사적으로 쓰일 때는 *sports* 로 된다: a *sports* dress
파 **spórting** 형 운동을 좋아하는, 스포츠용의; 모험적인 **spórtive** 형 까부는; 놀기 좋아하는 **spórty** 형 스포츠맨다운; 멋진 ◇**spórtsman** 명 《*pl.* -men》 운동가 **spórtsmanlike** 형 스포츠맨다운 ◇**spórtsmanship** 명 운동(가) 정신 **spórtswoman** 명 《*pl.* -women》 여류 운동가

*◇**spot** [spɑt / spɔt] 명 장소, 지점; 반점(=dot); 결점; 소량(小量) 타 자 오점을 찍다, 얼룩지게 하다, 더러워지다; 발견하다, 알아내다
(예) ◇be in a 〔on the〕 *spot* 『속어』 궁경〔어려운 처지〕에 있다 // *Spots* caused by peaches cannot be washed off. 복숭아 얼룩은 씻어도 지워지지 않는다. // without a *spot* 결점이 없는
파 **spótless** 형 오점이 없는 **spótty, spótted** 형 오점이 있는 ◇**spótlight** 명 (무대의) 스포트라이트

◇***on the spot*** 그 자리에서, 즉석에서
(예) He was killed *on the spot.* 그는 즉사했다.

spouse [spaus, spauz] 명 배우자

spout [spaut] 타 자 내뿜다(=spurt); 『구어』 거침없이 말하다 명 (주전자 따위의) 귀때(=tap); 분출(噴出)(=jet)

sprain [sprein] 타 (발목·손목 따위를) 삐다 명 삠, 접질림

◇**sprawl** [sprɔːl] 자 타 (손발을) 큰댓자로 쭉 뻗다, 배를 깔

고 엎드리다 [명] 큰댓자로 드러눕기
spray [sprei] [명] 물보라, 물안개; 작은 가지; 분무기(噴霧器) [타][자] 물보라를 날리다; 흡입(吸入)하다
[파] **spráyer** [명] 분무기; 흡입기(吸入器)
spread [spred] [타][자] 《***spread***》 펴다; 뿌리다(=scatter), 유포(流布)하다, 퍼뜨리다(=propagate); 뒤덮다(=cover with) [명] 퍼짐, 넓이, 폭; 유포, 보급 [형] 퍼져 있는
(예) the *spread* of knowledge 지식의 보급 // *spread* a blanket *on* the bed ↔ *spread* the bed *with* a blanket 침대에 모포를 깔다 // They knew that their own trade *spread* out over the seven seas. 그들은 그들 자신의 무역이 칠대양에 걸쳐 널리 행해지고 있다는 것을 알았다.
sprig [sprig] [명] 잔 가지(=twig), 어린 가지
spright·ly [spráitli] [형] 활발한(=lively), 쾌활한(=gay)
spring [spriŋ] [명] 봄(=springtime); 샘(=fountain), 근원(=source); 도약(=leap, jump), 용수철 [자][타] 《***sprang, sprung; sprung***》 뛰다(=jump), 생기다
(예) early in *spring* 이른 봄에 // It works by (means of) a *spring*. 그것은 용수철로 움직인다. // ◦The tears of joy *sprang from* her eyes. 그녀의 눈에 기쁨의 눈물이 솟았다. // The family *springs of* ancient kings. 그 가족은 옛 왕가의 후예다. // *spring* to one's feet 벌떡 일어서다
[파] **spríngy** [형] 탄력성이 있는; 샘이 많은 **spríngboard** [명] 도약판 **spríngtide**, ◦**spríngtime** [명] 봄(철), 청춘
spring ~ on a person (의견·질문 따위를) 느닷없이 내놓다; (나쁜 소식 따위로) 갑자기 아무를 놀라게 하다
(예) He *sprang* another mathematical trick *on* her. 그는 느닷없이 그 여자에게 수치적인 속임수를 또 내놓았다.
spring up 벌떡 일어나다; 일어서다, 생기다
(예) A little girl at once *sprang up* and gave the old man her seat. 한 작은 소녀가 벌떡 일어나서 그 노인에게 자리를 양보했다.
sprin·kle [spríŋkəl] [타][자] 뿌리다(=scatter liquid over), (쏟아져) 내리다, 흩뿌리다 [명] 부슬비; 소량
(예) She *sprinkled* the cake *with* sugar. ↔ She *sprinkled* sugar *on* the cake. 그녀는 케이크에 설탕을 뿌렸다.
[파] **sprínkler** [명] 물뿌리개, 살수차(撒水車) **sprínkling** [명] 흩뿌리기, 부슬부슬 내림; 소량
sprint·er [spríntər] [명] 단거리 선수
sprite [sprait] [명] 요정(妖精)(=fairy), 귀신
sprout [spraut] [명] 새싹(=shoot) [타][자] 싹트다, 싹트게 하다
spruce [spruːs] [명] 전나무 [형] 깨끔한(=trim), 맵시 있는
spur [spəːr] [명] 박차(拍車), 격려(=encouragement); 자극 [타][자] 고무(鼓舞)하다, 박차를 가하다(=urge)
(예) put [set, give] *spurs* to ~에 박차를 가하다 // on the *spur* of the moment 일시적인 흥에 겨워서, 순간적인 마음으로, 돌연 // Ambition *spurred* him to success. 야심이 그

S

의 성공에 박차를 가했다.

spurn [spə:rn] [타] 쫓아버리다, 내쫓다, 일축하다(= reject) [명] 거절, 일축

spurt [spə:rt] [자] [타] (단기간) 전력을 다하다, 역주하다; 분출하다 [명] 역주(力走)

sput·nik [spʌ́tnik, spút-] [명] 스푸트니크, 인공위성(=artificial satellite)

[원] 러시아 말로 fellow traveler「길동무」라는 뜻.

◇**spy** [spai] [명] 스파이, 간첩, 밀정 [타] [자] 염탐하다(=watch secretly); 찾아내다, 스파이 짓을 하다, 망보다

[파] **spýglass** [명] 작은 망원경

squad [skwɑd / skwɔd] [명] 반(班), 분대(分隊); 적은 인원

squad·ron [skwɑ́drən / skwɔ́d-] [명] 기병 대대; 소함대, 비행 중대; 단체

*◇**square** [skwɛər]* [형] 네모진; 올바른(=just); 평방의 [명] 정사각형, 네모진 것; 광장; 평방, 제곱 [부] 네모지게, 직각으로 [타] 정사각형으로 하다, 네모지게 하다; 청산하다, 〖수학〗 제곱하다

[반] round 둥근

(예) It is five feet *square*. 그것은 5피트 평방이다. // get *square* with ~와 동등해지다; 대차 관계〔승부〕가 없이 되다; ~에게 보복하다 // Times *Square* 타임즈 광장 // the Red *Square* 붉은 광장 // The *square* of 5 is 25. 5의 제곱은 25이다.

[파] **squárely** [부] 네모지게; 정면으로, 공평하게 **squáreness** [명] 정사각형; 공정(公正), 정직

squash [skwɑʃ / skwɔʃ] [명] 으깬 물건; 스쿼시 《과즙으로 만든 음료》 [타] [자] 으깨다, 납작하게 찌그러뜨리다(=flatten by pressing), 으끄러뜨리다, 으끄러지다

◇**squeak** [skwi:k] [자] [타] 삐걱거리다(=creak), (쥐 따위가) 찍찍 울다 [명] 삐걱거리는 소리(=creak), 찍찍 우는 소리

◇**squeal** [skwi:l] [자] [타] (고통·공포 따위로) 끽끽 울다, 불평하다; (비밀을) 폭로하다, 배반하다 [명] 끽끽 (우는 소리), (어린이·돼지 등의) 비명

*◇**squeeze** [skwi:z] [타] 압착하다(=press), 꽉 쥐다〔죄다〕 밀어 넣다; 짜내다; (좁은 데를) 억지로 뚫고 나아가다 [명] 죔, 죔; (군중이) 서로 밀치기, 혼잡

(예) *squeeze* juice from 〔out of〕 a lemon 레몬에서 즙을 짜내다 // ◇*squeeze* oneself *into* the bus (만원) 버스에 비집고 들어가다 // be *squeezed* to death 압사하다 // *squeeze* one's way through a crowd 군중 속을 헤치고 나아가다

squire [skwáiər] [명] 〖영〗 대지주(大地主), 시골 신사; 기사(騎士)의 종자(從者)

squir·rel [skwə́:rəl / skwírəl] [명] 〖동물〗 다람쥐

St. 〖약어〗 Saint 성(聖) ~; Street ~가(街)

stab [stæb] [자] [타] 찌르다, 꿰다; 해롭게 하다 [명] 찔린 상처, 찌름; 중상(中傷)

*◇**sta·ble** [stéibəl] [형] 안정된(=steady), 확고한(=firm), 변

하지 않는 ⓜ 외양간 ⓣⓘ 외양간에 넣다, 외양간에서 살다
[반] unstáble 불안정한
[파] stabílity ⓜ 안정; 착실 **stabilize** [stéibəlàiz] ⓣ 안정시키다 **stabilization** [stèibələzéiʃən / -lai-] ⓜ 안정 **stábleman** ⓜ 《*pl.* -men》 마구간 일꾼, 마부

stack [stæk] ⓜ 낟가리, 짚가리, 건초(乾草)의 더미, 퇴적(堆積) (=pile); 많음 ⓣ 쌓아 올리다(=heap)

sta·di·um [stéidiəm] ⓜ 《*pl.* **-diums, -dia** [-diə]》 경기장

▶ **272.** 영미의 화폐 단위
미국은 10진법(進法)이며 1달러가 100센트인고로 간단하나, 영국에서는 12진법과 20진법이 병용되어 왔다. 즉, 최하위가 1페니(penny)고 12펜스가 1실링(shilling), 20실링이 1파운드(pound)로 된다. 더구나 현재는 없어진 화폐 단위 기니(1 guinea=21 shillings)도 가하여져 매우 까다로왔다. 영국도 10진법으로 바꾸기로 되어 이미 new pence로 알려진 통화도 나와 있다. (*cf.* halfpenny [héipəni], three pence [θrépəns])

staff [stæf / stɑːf] ⓜ 《*pl.* **staffs, staves**》 직원; 참모; 막대기, 장대; 지탱
(예) the general *staff* 일반 참모 // the teaching *staff* of a college 대학의 교수진 // the *staff* of life 생명의 양식
[어법] 복수형에 *staves*를 쓰는 것은 「막대기·장대」의 뜻일 경우이다.

stag [stæg] ⓜ 〘동물〙 수사슴(*cf.* hind 암사슴)

stage [steidʒ] ⓜ 무대, 연극; 시기(=period); 단계, 발판; (여행 도중의) 역(驛), 역참 ⓣⓘ 상연하다, 무대에 올리다 ⓗ 무대의, 연극의
(예) be on the *stage* 무대에 서(있)다, 배우이다 // go on the *stage,* take to the *stage* 배우가 되다 // put 〔bring〕 ~ on the *stage* ~을 상연하다 // the final *stage* 최종 단계
[파] **stágecoach** ⓜ 역마차, 승합 마차

stag·ger [stǽgər] ⓘⓣ 비틀거리다(=walk unsteadily, reel), 비틀거리게 하다; (결심 따위를) 흔들리게 하다 ⓜ 비트적거림, 비틀거림
(예) *stagger* one's resolution 결심이 흔들리게 하다
[파] **stággering** ⓗ 비틀거리는; 망설이는(=wavering)

stag·nant [stǽgnənt] ⓗ (물이) 괴어 있는; 정체(停滯)된, 활발치 않은(=dull)
(예) Trade is *stagnant.* 장사가 부진하다.
[파] **stágnancy** ⓜ 침체(沈滯); 정체; 부신(不振) **stágnate** ⓘ 괴다; 침체하다 **stagnátion** ⓜ 굄; 불경기(不景氣)

staid [steid] ⓗ 침착한, 성실한, 착실한

stain [stein] ⓣⓘ 더럽히다, 더러워지다(=make foul), 얼룩이 지다(=soil); 착색하다 ⓜ 얼룩(=blot), 더럼, 오점(=spot)
[반] cleanse 깨끗이 하다
(예) a blood *stain* 혈흔(血痕) // hands *stained* with blood 피로 더러워진 손 // *stained* glass 착색 유리, 색유리

㉺ **stáinless** ⓗ 더럽혀지지 않은, 흠이 없는, 녹슬지 않는
stainless steel 스테인리스강(鋼)

◇* **stair** [stɛər] 〈동음어 stare〉 ⓜ 사닥다리의 한 단; 《*pl.*》 계단, 사닥다리
(예) a flight of *stairs* 한 줄로 이어진 계단
㉺ **stáircase** ⓜ 계단 ◇**stáirway** ⓜ 계단 ***úpstáirs** ⓑ 위층에서〔으로〕, 위층에서〔으로〕 ⓜ 2층, 위층 **dównstáir** ⓑ 아래층에서〔으로〕 ⓜ 아래층

◇ **stake** [steik] 〈동음어 steak〉 ⓜ 말뚝(=post); 화형(火刑) 화형주(柱); (경마 따위의 내기에) 건 돈(=wager); 이해 관계(=interest) ⓣ 말뚝에 매다; 말뚝을 박아 경계를 정하다; (돈이나 목숨을) 걸다(=risk)
(예) have a *stake* in an undertaking 사업에 이해 관계가 있다

◇ ***at stake*** 위태로워져서, 문제가 되어; (돈·목숨·운명이) 걸리어
(예) My honor is *at stake.* 나의 명예에 관한 문제다.

stale [steil] ⓗ 신선하지 않은, 상한, (술 따위가) 김빠진; 케케묵은(=trite) ⓙⓣ 김빠지(게 하)다; 시시하게 하다
㉥ fresh 신선한

◇ **stale·mate** [stéilmèit] ⓜ 〖체스〗 수의 막힘 《쌍방이 다 둘 만한 수가 없는 상태》; 궁지, 교착 상태 ⓣ 〖체스〗 수가 막히게 하다; 궁지에 몰리게 하다

◇* **stalk** [stɔːk] ⓜ 〖식물〗 줄기, 대; 성큼성큼 걷기, 활보(闊步); 살그머니 다가감 ⓙⓣ 활보하다(=walk proudly); 살그머니 다가가다

stall [stɔːl] ⓜ 매점(=stand), 노점; 1층 정면 일등석; 축사(畜舍) (=stable) ⓣⓙ 축사에 넣다; (진창 따위에) 빠지다, 오도가도 못하다
(예) a news *stall* 신문 매점 // a night *stall* 야간 매점

stal·lion [stǽljən] ⓜ 종마(種馬)

stal·wart [stɔ́ːlwərt] ⓗ 건장한, 굵직하고 튼튼한; 용감한

◇ **stam·mer** [stǽmər] ⓙⓣ (말을) 더듬다(=stutter), 더듬으며 말하다(=hesitate) ⓜ 말더듬기
(예) *stammer* (out) an excuse 더듬거리며 변명하다

◇* **stamp** [stæmp] ⓜ 도장, 스탬프, 소인(消印); 우표, 인지(印紙); 특징; 발구르기 ⓣⓙ 도장을 찍다(=press a mark upon); 명기(銘記)하다 (=impress); 우표를 붙이다; 짓밟다, 발을 구르다
(예) a face *stamped with* sadness 슬픔에 잠긴 얼굴 // *stamp* a man *as* a liar 아무를 거짓말쟁이로 낙인 찍다 // *stamp* an envelope *with* one's address ↔ *stamp* one's address *on* an envelope 봉투에 주소를 도장찍다
㉺ **stamp collector** 우표 수집가

☆ **stand** [stænd] ⓙⓣ 《***stood***》 (일어)서다, 세우다; (~ 상태에) 있다, ~하고 있다; 견디다(=endure), 존속하다 ⓜ (일어)섬, 정지, 저항; 입장; ~대(臺), 매점; ~걸이〔세우개〕; 관람석

반 sit 앉다, move 움직이다
(예) I can't *stand* such a fellow. 저런 놈은 참을 수 없다〔질색이다〕. // as it *stands* 현상태로는, 현상 그대로(=as it is)

어법 ① *stand*가 형용사·분사·명사 따위를 보어로 취할 경우는 불완전 자동사로 간주한다. stand의 뜻이 강하게 느껴지는 경우로부터 be와 거의 같게 생각되는 경우까지 여러 가지가 있다: *stand* silent (묵묵히 서 있다) *stand* opposed (반대하다) The door *stood* open. (문이 열려 있었다) I *stand* your friend. (나는 너의 친구이다) ② 길이나 역 따위의 노점을 미국에서는 stand라고 하나 영국에서는 stall을 많이 쓴다: news stand 〖미〗, bookstall 〖영〗 (신문 판매점)

파 **stánding** 형 서 있는; 고정된; 변하지 않는 명 신분; 존속(存續) (a *standing* room (극장의) 입석; 서 있을 만한 자리) **stánd-by** 명 의지가 되는 사람〔것〕, 자기편 **stánd-still** 명 막힘; 정지(停止) **stánd-up** 형 서 있는 **stándpoint** 명 입장; 관점, 견지(=point of view)

stand by ~의 곁에 있다; ~의 편을 들다(=side with), 조력〔지원, 옹호〕하다(=aid); 방관(傍觀)하다(=look on); 대기하다; (약속 따위를) 지키다
(예) His house *stands by* the river. 그의 집은 강가에 있다. // How can you *stand by* and see such cruelty? 이런 무자비함을 보고 어떻게 방관할 수 있소? // I'll *stand by* you whatever happens. 무슨 일이 있어도 널 돕겠다.

stand for* ~에 대신하다(=be in the place of); 상징하다, ~을 나타내다(=represent); 지지하다, ~의 편을 들다(=side with); 입후보하다
(예) The lion *stands for* courage. 사자는 용기를 상징한다. // Do you know what U.N. *stands for*? 너는 U.N.이 무엇을 나타내는지 아느냐?

stand in the way 방해가 되다(=be in the way)
(예) We must accomplish it, no matter what obstacles may *stand in the way*. 어떠한 장애에 부딪쳐도, 그것을 완성해야 한다.

stand on 〔***upon***〕 ~위에 서다; ~에 의거하다; ~을 고수하다; ~을 주장하다
(예) This plan *stands on* a hypothesis. 이 계획은 가정에 의거하고 있다. // *stand on* (one's) rights 권리를 주장하다

stand out 눈에 띄다, 두드러지다; 끝까지 버티다
(예) Mt. Hanra *stood out* against the blue sky. 한라산이 푸른 하늘을 배경으로 두드러져 보였다. // His work *stands out* from that of the others. 그의 작품은 다른 사람들의 것보다 두드러진다.

stand to (진술 따위의 진실을) 고집〔주장〕하다, (약속을) 지키다
(예) He *stood to* it that he had not seen it. 그는 그것을 보지 못했다고 주장했다. // He did not *stand to* the prom-

ise he had given. 그는 자기가 한 약속을 지키지 않았다.

stand up 일어서다; 오래 견디다
(예) That machine won't *stand up*. 그 기계는 오래 갈 것 같지 않다.

stand up for ~을 변호〔옹호〕하다, ~의 편을 들다, 지지하다
(예) A mother will usually *stand up for* children. 어머니는 아이들을 옹호해 주는 것이 보통이다. // They all *stood up for* their human rights. 그들은 모두 각자의 인권을 옹호했다.

take *one's* ***stand*** 위치에 서다, 자리잡다; 입장을 취하다
(예) The policeman *took* his *stand* at the street corner. 그 경관은 길모퉁이에 자리잡고 섰다.

stand·ard [stǽndərd] ⓜ 표준, 규범; 군기(軍旗), 기(旗) ⓗ 표준의, 모범적인
(예) the *standard* of living 생활 수준 // a *standard* author 일류 작가
파 **stándardize** ⓣ 표준〔규격〕화하다 **standardizátion** ⓜ 표준화

stan·za [stǽnzə] ⓜ (시의) 일 절(節), 연(聯)

sta·ple [stéipəl] ⓗ 주요한(=principal) ⓜ《종종 *pl.*》 주요 산물, 중요 상품, 주성분, 원료(=raw material); 섬유(=fiber)
(예) *staple* fiber 〔fibre〕 (방적용의 재단된)인조 섬유, 스프사(糸) // *staple* food 주식(主食) // Sugar and salt are *staples*. 설탕과 소금은 중요 상품이다.

S

star [stɑːr] ⓜ 별; 별표, 성장(星章); 운수; 인기 있는 사람〔배우〕, 스타 ⓣⓙ 별표를 붙이다; 주연(主演)하다
(예) see *stars* 눈에서 불꽃이 번쩍 튀다 // a falling *star* 유성 // a film *star* 영화 스타
파 **stárlike** ⓗ 별 같은 **stárlit** ⓗ 별빛의 **stárry** ⓗ 별이 많은, 별이 총총한 **stár-crossed** ⓗ 운(수) 나쁜, 복없는, 불행한 **stárlight** ⓜ 별빛 ⓗ 별빛의(=starlit) **the Star-Spangled Banner, the Stars and Stripes** 성조기(星條旗)《미국의 국기》

starch [stɑːrtʃ] ⓜ 전분, 녹말, 풀 ⓣ 풀을 먹이다
파 **stárchy** ⓗ 녹말의, 풀을 먹인, 빳빳한 **córnstarch** ⓜ 옥수수 녹말

stare [stɛər] 〈동음어 stair〉 ⓣⓙ 뚫어지게 보다, 빤히 보다, 노려보다 ⓜ 응시, 빤히 쳐다보기
어법 자동사의 경우는 stare *at* a person처럼 at를 쓴다: He *stared at* her. (그는 그녀를 뚫어지게 보았다)
파 **stáring** ⓗ 뚫어지게 보는; 눈에 띄는

stare *a person* ***in the face*** 아무의 얼굴을 뚫어지게 보다; 겁내지 않고 맞서다; (죽음 따위가) 눈 앞에 닥치다
(예) Death *stared* him *in the face*. 죽음이 그의 눈 앞에 닥쳤다. (↔Death *stared* at him.)

star·fish [stɑ́ːrfiʃ] ⓜ 〖동물〗 불가사리

star·ling [stáːrliŋ] ⓜ 〖새〗 찌르레기

start [staːrt] ⓐ ⓣ 출발하다(=set out), 시작하다, 시작되다, 착수하다(=begin); 생기다; (놀라) 움찔하다, 벌떡 일어나다 ⓜ 출발(점), 개시, 착수; 깜짝 놀람, 벌떡 일어남
반 reach 도착하다
(예) to *start* with 우선 첫째로 // I *started* at the sound of a rifleshot. 나는 총소리에 깜짝 놀랐다. // with a *start* 깜짝 놀라서 // He *started from* Paris *for* London. 그는 파리를 떠나 런던으로 향해 갔다(↔ He *left* Paris for London.).
어법 *begin to* do, *begin* do*ing* 따위의 begin 대신에 start를 사용할 수 있다.
파 **stárter** ⓜ 최초로 동작하는 사람; (경주 따위의) 출발 신호계원, 발차계원; 경주에 나가는 사람〔말〕

start in life 세상에 나오다, 사회생활을 시작하다
(예) give a person a *start in life* 아무를 세상에 나가게 하다〔직업을 갖게 하다〕

start off 출발하다〔시키다〕
(예) They *started off* on their expedition. 그들은 원정길에 나섰다.

start on (여행, 사업 따위)를 시작하다
(예) He *started on* a journey. 그는 여행을 떠났다.

start out 출발하다, 착수하다, 시작하다
(예) He *started out* as a flutist in an orchestra. 그는 관현악단의 플루트 연주자로 첫발을 내딛었다. // He *started out* on a trip. 그는 여행을 떠났다.

start up 벌떡 일어나다, 흠칫하다; 갑자기 나타나다; 시작하다; (엔진 따위의) 시동을 걸다
(예) He *started up* in surprise. 그는 놀라 펄쩍 뛰었다. // He *started up* the engine. 그는 엔진에 시동을 걸었다.

start with ~로부터 시작하다, 우선 ~하다
(예) The dictionary *starts with* the letter A. 사전은 A자로 시작되어 있다.

star·tle [stáːrtl] ⓣ ⓐ 깜짝 놀라(게 하)다(=frighten, surprise); 펄쩍 뛰(게 하)다
(예) He was *startled* to find his son dead by his side. 아들이 자기 옆에 죽어 있는 것을 보고 그는 깜짝 놀랐다.
파 **stártling** ⓗ 깜짝 놀라게 하는

starve [staːrv] ⓐ ⓣ 굶어 죽다(=die from hunger), 굶기다; 갈망〔열망〕하다[~ for]; 단식(斷食)하다; 〖구어〗 몹시 배가 고프다
반 sátiate 배 부르게 먹이다, 물릴 정도로 주다
파 **stárveling** ⓜ 굶주려서 여윈 사람〔동물〕 ⓗ 굶주린
starvátion ⓜ 굶주림

starve to death 굶어 죽다, 굶겨 죽이다
(예) He was *starved to death.* 그는 굶어 죽었다.

state [steit] ⓜ 상태(=condition); 국가(=nation); 주(州); 신분(=status), 지위, 계급(=rank) ⓗ 국가의; 공식의 ⓣ

S

말하다, 진술하다(=say, express), 지정하다
(예) a *state* of affairs 사태 // in a *state* of excitement 흥분 상태로
㊀ **státed** ㊂ 정해진 **státecraft** ㊁ 정치, 치국책(治國策) **Státehouse** 〖미〗 주의사당(州議事堂) **státely** ㊂ 위엄 있는, 당당한 **státeliness** ㊁ 당당함, 위엄 **státeroom** ㊁ (배의) 특등실 **Department of State** 〖미〗 국무성 ◇**státe-run** ㊂ 국영의 (⇨) **statement, statesman**

▶ **273.** 「정치가」의 유사어
politician은 당리(黨利)·사리를 위하여 활동하는 정치인. **statesman**은 국가를 위하여 사리를 잊고 진력하며 재능·견식이 뛰어난 참된 「정치가」.

*◇**state·ment** [stéitmənt] ㊁ 진술, 성명(서); 계산표

◇**states·man** [stéitsmən] ㊁ 《*pl.* ***-men***》 정치가
㊀ **státesmanly, státesmanlike** ㊂ 정치가다운 **státesmanship** ㊁ 정치적 수완(手腕)

☆**sta·tion** [stéiʃən] ㊁ 정거장; (임무의) 위치, 부서(=position); 신분(rank); 서(署), 국(局) ㊃ 배치하다
(예) one's *station* in life 신분 // people in all *stations* of life 모든 계급의 사람들 // a power *station* 발전소 // *station* a guard at the entrance 출입구에 위병을 배치하다
어법 「~역」은 무관사가 보통: Seoul *Station*
㊀ ◇**státionary** ㊂ 정지된, 고정된; 상비(常備)의 **státioner** ㊁ 문방구점 ◇**státionery** ㊁ 문방구류 **státionmaster** ㊁ 역장(驛長)

◇**sta·tis·tics** [stətístiks] ㊁ 《*pl.*》 통계(표); 통계학
어법 「통계학」의 뜻일 때는 단수로 취급된다.
㊀ **statístic(al)** ㊂ 통계(학상)의 **statistícian** ㊁ 통계학자, 통계가

◇**stat·ue** [stǽtʃuː] ㊁ 조상(彫像), 입상(立像)
㊀ **statuésque** ㊂ 조상 같은 **statuétte** ㊁ 작은 조상, 소상(小像) **státuary** ㊁ 《총칭적》 조상(=statues); 조각; 조각가(=sculptor)

stat·ure [stǽtʃər] ㊁ 신장(身長), 키(=bodily height); (지적·도덕적인) 성장, 발달; 재간
(예) He is short of *stature.* 그는 키가 작다.

*◇**sta·tus** [stéitəs] ㊁ 신분(身分), 지위 (=rank); 상태(=condition)

stat·ute [stǽtʃuːt] ㊁ 법령(=law)
㊀ **státutory** ㊂ 법령의; 법정(法定)의; 법에 걸리는

stave [steiv] ㊁ (통 따위를 짜는) 널; (사닥다리의) 디딤대, 단; 시의 1절(=stanza) ㊃ 《***staved, stove***》 통널을 붙이다; (통·배 따위에) 구멍을 뚫다 [~ in]

☆**stay** [stei] ㊄㊃ 머무르다(=remain), 체재하다; 멈추다(=stop); 버티다 ㊁ 체재; 정지; 지속(持續); 지주(支柱)
반 move 움직이다
(예) *stay* at one's uncle's ↔ *stay* with one's uncle 숙부 집에 묵다 // come to *stay* (상태·유행 등이)오래 계속되다

파 **stáy-at-home** 형 명 집에만 틀어박혀 있는 (사람), 외출을 싫어하는 (사람)

stay away (***from***) ~에 가까이 가지 않다; 결석하다
(예) He sometimes *stay away from* school. 그는 가끔 학교를 빠진다.

stay up (자지 않고) 일어나 있다
(예) The nurse had to *stay up* all night. 간호사는 밤새도록 자지 않고 있어야 했다.

stead [sted] 명 대신(=place); 유용(=use)
어법 다음과 같은 구에만 쓰인다.

in** one**'s stead ~의 대신으로
(예) He did it *in* my *stead.* 그는 내 대신 그것을 했다.

stand ~ in good stead (여차했을 때) ~에게 크게 도움이 되다
(예) That experience *stood* him *in good stead.* 그 경험은 그에게 크게 도움이 되었다.

in stead of ~의 대신으로(=instead of)
(예) I will go *in stead of* 〔*instead of*〕 you. 네 대신에 내가 가겠다.

stead·fast [stédfæ̀st / stédfɑ̀ːst] 형 확고 부동한(=firm); 불변의
(예) keep a *steadfast* gaze on him 그를 찬찬히 계속 바라보다

파 **stéadfastly** 부 확고 부동하게 **stéadfastness** 명 확고부동, 불변

*°**stead·y** [stédi]* 형 단단한(=firm); 흔들리지 않는, 견실한; 한결같은, 변함없는 타 자 단단하게 하다, 단단해지다, 견고하게 하다, 견고해지다; 안정되다
(예) a *steady* worker 늘 근면하게 일하는 사람 // a *steady* job 안정된 직업 // Slow and *steady* wins the race. 〖속담〗 느려도 착실하면 이긴다.

파 *°**stéadily** 부 꾸준히, 견실하게 °**stéadiness** 명 견실; 불변, 한결같음

*°**steak** [steik]* 〈동음어 stake〉 명 불고기 (*cf.* beefsteak)

*°**steal** [stiːl]* 〈동음어 steel〉 타 자 《***stole*** ; ***stolen***》 훔치다; 살짝 ~하다, 몰래 가다 명 절도; 〖야구〗 도루(盜壘)
(예) *steal* a glance at ~을 슬쩍 보다 // *steal* into 〔out of〕 the house 몰래 집에 들어가다〔집을 나오다〕 // I *had* my watch *stolen.* ↔ My watch *was stolen.* 시계를 도둑 맞았다.
NB I was stolen my watch. 라고 하지 말 것.

파 **stealth** [stelθ] 명 몰래〔살금살금〕함, 비밀(by *stealth* 살그머니, 몰래) **stéalthy** 형 남의 눈을 피하는, 살금살금 하는 °**stéalthily** 부 살그머니

*°**steam** [stiːm]* 명 증기(蒸氣), 김 자 타 김을 내다, 찌다; 증기력으로 나아가다
(예) give off *steam* 증기를 내다

파 °**stéamy** 형 증기의, 증기 같은, 김이 자욱한(=misty)

S

steam bath 증기탕 **stéamboat, stéamship** [명] 기선 **steam boiler** 기관(汽罐), 증기 보일러 **steam engine** 증기 기관 **steam launch** 작은 증기선(蒸氣船) ◇**steamer** [stíːmər] [명] 기선(=steamship); 증기 기관 **stéam-power** [명] 증기력

steed [stiːd] [명] 〖시·아어〗 말(馬)

*◇**steel** [stiːl]★ 〈동음어 steal〉 [명] 강철; 검(劍), 칼(=sword) [형] 강철로 만든 [타] ~에 강철을 입히다, 강철로 날을 만들다, 굳게〔강하게〕 하다
[파] **stéely** [형] 강철의, 강철 같은; 냉혹한, 무정한 ◇**stéel·man** [명] 제강업에 종사하는 사람 **stéelworks** [명] 《*pl.*》 제강소(製鋼所)

◇**steep** [stiːp] [형] 험(준)한, 가파른(=sloping up sharply), 터무니 없는 [명] 절벽(=precipice), 가파른 비탈, 가풀막 [타] (액체에) 담그다(=soak); 몰두시키다
[반] géntle (경사가) 완만한
(예) a *steep* flight of stairs 급경사의 계단
[파] **stéeply** [부] 가파르게, 험준하게

stee·ple [stíːpəl] [명] (교회 따위의) 뾰족탑 (*cf.* spire)
[파] **stéepled** [형] 뾰족탑이 있는; 뾰족탑 모양의

◇**steer** [stiər] [타][자] (배·자동차·비행기의) 키를 잡다, 조종하다(=guide); (어떤 방향으로) 돌리다(=direct), 나아가다; 처신하다
(예) a *steering* committee 운영 위원회
[파] **stéerage** [명] 3등 선실(船室); 키 조종 ◇**stéering** [명] 조타, 조종, 스티어링 **stéersman** [명] 《*pl.* -men》 (배의) 키잡이

◇**stem** [stem] [명] 줄기; (배의)이물; 어간(語幹) [자] 유래하다, 생기다 [타] (바람 따위를) 거슬러 나아가다; 막다(=stop), 저지하다(=check)

◇***stem from*** ~에서 생기다, 유래하다
(예) Poverty *stems from* war. 가난은 전쟁에서 생긴다.

sten·o·graph [sténəgræ̀f / -grɑ̀ːf] [명] 속기(문자) [타] 속기(문자)로 쓰다
[파] ◇**stenógrapher** [명] 속기사 **stenógraphy** [명] 속기(술)

***step** [step] [자][타] 걷다(=walk), 디디다, 밟다 [명] 보행(步行), 한 걸음; 걸음걸이(=gait), 보조(步調), 발소리(=footfall), 발자취; 계단; 조치, 수단
(예) *step* aside 옆으로 비키다 // ◇make a *step* forward 한 걸음 나아가다 // a flight of 20 *steps* 20계단
[파] **stépladder** [명] 발판 사닥다리 **stepping stone** 디딤돌; 수단(=means)

◇***step by step*** 한 걸음 한 걸음
(예) walk *step by step* 한 걸음 한 걸음 나아가다 // *Step by step* we gained knowledge. 점차 지식을 얻게 되었다.

step down (차·계단 따위에서) 내리다; 사직하다, 물러서다; ~을 점차로 줄이다

◇***step in*** 들어서다, 들르다; 개입하다

step on 〔***upon***〕 ~을 밟다; (경향·사람 따위를) 누르다

S

step out 잠시 자리를 뜨다; 서둘러 걷다; 놀러〔파티에〕 나가다
step up (계단 따위를) 올라가다; 가까이 가다; 촉진하다
take a step 〔***steps***〕 조처를 취하다
(예) Farmers *took steps* to protect their crops. 농부들은 그들의 농작물을 보호할 조처를 취했다.
step- [step-] 〖접두어〗 의붓~, 배다른, 계(繼)~
㉮ **stépbrother** ⓜ 배다른 형제 **stépchild** ⓜ 의붓자식 **stépdaughter** ⓜ 의붓딸 **stépfather** ⓜ 의붓아버지, 계부 **stépmother** ⓜ 의붓어머니, 계모, 서모 **stépparent** ⓜ 의붓부모 **stépsister** ⓜ 배〔아비〕 다른 자매 **stépson** ⓜ 의붓아들
ster·e·o [stériou, stíər-] ⓜ 입체 음향; 스테레오 전축〔테이프, 레코드〕; 연판; 입체경 ⓗ 스테레오의, 입체 음향(장치)의
ster·e·o·phon·ic [stèriəfánik / -fɔ́n-] ⓗ 입체 음향(효과)의, 스테레오의
ster·e·o·type [stériətàip] ⓜ 연판(鉛版)(인쇄); 판에 박힌 말, 상투 수단 ⓣ ~을 연판으로 (인쇄)하다, 판에 박다
ster·ile [stérəl / -rail] ⓗ 불모(不毛)의(=barren), 아이를 못 배는; 균이 없는; 무익한
(예) *sterile* land 불모의 땅
㉮ **sterílity** ⓜ 불임(不姙), 불모(不毛) **stérilize** ⓣ 불모로 하다; 살균〔소독〕하다
ster·ling [stə́ːrliŋ] ⓗ 영화(英貨)의; 진짜의, 순수한; 믿을 만한
stern [stəːrn] ⓗ 엄한(=severe), 엄격한, 단호한 ⓜ (배의) 고물
㉯ géntle 부드러운, bow 이물
㉮ **stérnly** ⓑ 엄(격)하게, 단호히
steth·o·scope [stéθəskòup] ⓜ ⓣ 청진기(로 진찰하다)
stew [stjuː / stjuː] ⓜ 스튜 요리 ⓣ ⓙ 뭉근한 불로 끓이다, 뭉근한 불에 끓다
stew·ard [stjúːərd / stjúəd] ⓜ 집사(執事), 청지기; 급사(*cf.* stewardess 여가령(女家令); (기선·비행기의) 스튜어디스); 간사, 회계원
stick [stik] ⓜ 막대기; 지팡이, 단장(短杖); 매 ⓣ ⓙ 《***stuck***》 찌르다(=thrust); 고착시키다(=fix on to), 붙이다, 달라붙다; 고수〔집착〕하다(=adhere); (끼거나 박혀서) 움직이지 않다, 꼼짝 못하다
(예) be *stuck* in the mud 진흙 속에 빠져〔박혀〕 움쭉 못하게 되다 // *stick* a notice to a door 문에 게시문을 붙이다 // *stick* a fork *into* a potato ↔ *stick* a potato *with* a fork 감자에 포크를 푹 찌르다
㉮ **stícker** ⓜ 찌르는 막대기; 고집하는〔끈덕진〕 사람, 스티커 **stíckiness** ⓜ 끈적거림; 무더위 ◇**stícky** ⓗ 끈적끈적한, 들러 붙는; 귀찮은
stick it out 최후까지 해내다〔버티다〕, 꾹 참다

S

(예) We shall *stick it out* to the end. 우리는 끝까지 참을 것이다.

◇***stick out*** 내밀다, 튀어나오다
(예) He *stuck* his tongue *out* at his sister. 그는 누이동생에게 혀를 내밀었다.

◇***stick to*** (~에) 들러붙다, 집착〔충실〕하다; (~을) 고집하다
(예) *stick to* one's ideal 이상을 버리지 않다 // His wife *stuck to* him throughout all his troubles. 그가 곤경에 처했을 때 그의 아내는 그에게 충실했다.

stick with ~에게 끝까지 충실하다
(예) He will *stick with* you in all circumstances. 그는 어떤 경우에도 너에게 충실할 것이다.

◇**stiff** [stif] ㊅ 굳은(=hard), 딱딱한, 뻣뻣한; 어색한, 부자연한; 짙은(=dense); 강한; 곤란한(=difficult)
㊉ limp 나긋나긋한, 휘주근한
㊈ **stíffen** ㊆㊇ 굳어지다, 뻣뻣하게 하다 ◇**stíffly** ㊊ 굳게 딱딱하게 ◇**stíffness** ㊄ 굳음; 완고함 **stíff-nécked** ㊅ 고집 센, 완고한; 목이 뻣뻣해진

sti·fle [stáifəl] ㊇㊆ 숨막히(게 하)다(=smother), 숨이 답답해지다, (불을) 끄다; (반란 등을) 누르다(=suppress)
㊈ **stífling** ㊅ 숨이 답답한; 질식할 것 같은; 갑갑한

stile [stail] 〈동음어 style〉 ㊄ (울타리를 넘기 위한) 디딤판

☆**still** [stil] ㊅ 고요한(=quiet), 정지한 ㊊ 아직, 상금; 더(한층), 그래도, 역시 ㊇ 고요하게 하다(=make calm), 잠잠하게 하다, 달래다 ㊄ 고요함; 스틸 사진《영화 장면의 광고용 사진》
(예) stand *still* 가만히 서 있다, 정지해 있다 // He is *still* asleep. 그는 아직도 자고 있다. // *Still* waters run deep. 〖속담〗 잔잔한 물이 깊다《사려 깊은 사람은 떠벌리지 않는다》.

어법 부사 용법에서 ① *still* 은 「아직 ~하다」, *yet* 는 「아직 ~않다」라고 긍정·부정의 뜻을 각각 나타낸다: He is *still* living. ↔ He is *not yet* dead. 그는 아직 살아 있다〔아직 죽지 않았다〕. ② 의문문에서는, still 은 '지금까지의 동작의 계속'을, yet 는 '동작의 완료'를 나타낸다: Is he *still* here? 그는 아직 여기 있느냐 // Is he here *yet?* 그는 벌써 여기 와 있느냐. ③ He is tall, but his brother is *still* taller.와 같이 비교급을 수식하여 「한층 (더)」의 뜻을 나타낼 때도 있다. taller *still*로 뒤에 와도 된다. 이 뜻으로 yet 를 쓸 때도 있다. ④ He is good-natured, *still* I don't like him.과 같이 「그럼에도 불구하고」의 뜻으로 쓰일 때는 접속사에 가깝다.

㊈ **stíllness** ㊄ 고요, 정적; 정지 **stilly** [stíli] ㊊ 고요히; 소리 없이

◇***still less*** 하물며 더욱 ~ 아니다(=much less)
(예) It is not good to live on today's income, and *still less* on that of tomorrow. 오늘의 수입으로 지내는 것도 좋지 않거늘 하물며 내일의 수입으로 산다는 것은 더더군다나

좋지 않다.

◦***still more*** 더욱 더 ~이다(=much more)

(예) If you must work hard, *still more* must I. 네가 열심히 공부해야 된다면 나야말로 더욱 더 그렇다.

어법 still less는 부정문에 쓰이며, still more는 긍정문에 쓰인다.

*◦**stim·u·late** [stímjəlèit] 타 자 자극하다(=excite), 자극이 되다, 활기를 띠게 하다(=animate); 격려하다

(예) His praise *stimulated* her *to* work harder. 그의 칭찬은 그녀를 자극하여 더욱 열심히 공부하도록 하였다.

파 **stímulant** 형 흥분성의; 자극성의, 격려하는 명 흥분제, 자극물; 《*pl.*》 주류(酒類) **stímulating** 형 자극적인 **stimulátion** 명 자극, 격려 **stímulative** 형 자극적인 명 자극(물) *◦**stímulus** 명 《*pl.* -li [-lai]》 자극(물); 북돋움, 고무(鼓舞)

◦**sting** [stiŋ] 명 (침·가시로) 쏘기, 찌르기, 찌른 상처; 찌르는 듯한 아픔, 고통; 〔동물〕 침(針), 가시 바늘; 〔식물〕 가시털 타 자 《***stung***》 쏘다, 쐬다, 찌르다(=prick the skin), 찔리다; 쑤시다; 아프다; 감정을 해치다, 자극하다

(예) a jest with a *sting* in it 가시를 품은 농담 // His conscience *stung* him. 그는 양심의 가책을 받았다.

파 **stínging** 형 쏘는, 찌르는 (듯한); 쑤시는 듯한 《고통 따위》

▶ **274. good morning**의 의미와 발음

good morning은 「안녕하십니까」하는 의미뿐만 아니라, 「안녕히 가세요」(오전중에 하는 경우)의 의미도 있고 그때마다 발음이 다르다.

만났을 때는, good mórning

헤어질 때는, góod morning

으로 된다. (good afternoon 〔day, evening〕의 경우도 같음)

stin·gy [stíndʒi] 형 인색한(=miserly)

파 **stíngily** 부 인색하게 **stínginess** 명 인색

stink [stiŋk] 명 악취 자 타 《***stank, stunk ; stunk***》 악취를 풍기다, 구린내가 나다, 악취로 괴롭히다; 평판이 나쁘다

***stir** [stəːr] 타 자 휘젓다; 움직이다(=move); 돌아다니다; 분발시키다, 소란케 하다; 감동하(게 하)다; (감정 따위를) 일으키다 명 소동, 큰 평판; 움직임, 활동

반 still 진정시키다

(예) make a *stir* 크게 평판이 나다

파 ◦**stírring** 형 흥분시키는, 감동시키는, 고무하는; 활동적인, 바쁜

◦***stir up*** 잘 뒤섞다〔휘젓다〕; 분기시키다; 일으키다

(예) *stir up* trouble 귀찮은 사태를 야기하다 // *stir up* interest 흥미를 돋우다

stitch [stitʃ] 명 한 바늘, 한 바늘 꿰맴〔뜸〕, 한 땀, 한 코 타 자 바느질하다(=sew), 꿰매다

(예) A *stitch* in time saves nine. 〔속담〕 제 때에 한 바늘은 나중에 아홉 번 꿰매는 수고를 던다.

*◇**stock** [stɑk / stɔk] [명] 재고품(=store of goods), 저장(품); 그루터기, 줄기(=stem); 가문(=family); 가축; 주(株), 주식; 자본, 공채 [타][자] 사들이다(=supply with goods); 저장하다 [형] 재고(在庫)의(=kept in stock); 평범한; 주식의
(예) goods in *stock* 재고품 // a great *stock* of knowledge 풍부한 지식 // take *stock* of ~을 자세히 조사하다 // a *stock* phrase 판에 박은 문구 // be *stocked with* ~을 풍부하게 가지고 있다 // *stock* a store *with* summer wear 가게에 여름옷을 들여놓다
[파] ◇**stóckbroker** [명] 증권 중매인 **stock farming, stock raising** 목축(업), 축산(업) **stóckholder** [명] 주주
out of stock 매진된, 품절된
(예) The book is *out of stock.* 그 책은 품절되었다.
◇**stock·ing** [stákiŋ / stɔ́k-] [명] 《보통 *pl.*》 (긴) 양말, 스타킹 (*cf.* sock)
Sto·ic [stóuik] [명][형] 스토아 학파(의); [s-] 극기(克己)주의(의), 금욕주의(의)
*◇**stom·ach** [stʌ́mək]* [명] 위, 배(=belly); 식욕(=appetite) [타] 참다(=endure); 소화하다
[파] **stomáchic** [형] 위의 [명] 건위제(健胃劑) **stómachache** [명] 위통(胃痛), 복통(have a *stomachache* 배가 아프다)
☆◇**stone** [stoun] [명] 돌; (과실의) 씨 [형] 돌의 [타] 돌을 던지다, 돌을 깔다; (과실의) 씨를 바르다
(예) the *Stone* Age 석기시대 // (as) blind 〔deaf, dumb〕 as a *stone* 완전히 눈먼〔귀먹은, 벙어리인〕 // The bridge is made of *stone.* ↔ The bridge is of *stone.* ↔ 〖구어〗 The bridge is *stone.* 그 다리는 석조물이다.
[어법] 물질로서의 「돌」은 셀 수 없고, 「돌멩이」「보석」의 뜻에서는 셀 수 있다: a house built of *stone* (석조 주택) throw a *stone* at a dog (개에게 돌을 던지다)
[파] ◇**stony** [stóuni] [형] 돌의, 돌이 많은; 돌같이 야문, 움직이지 않는, 무감동의 **stóny-héarted** [형] 무정한, 냉혹한(=cruel) **stóne-blínd** [형] 아주 눈이 먼 **stónecutter** [명] 석수; 돌 깨는 기계 **stóne-déaf** [형] 전혀 못 듣는 **stone pit** 채석장 **stone's throw** [a ~] 돌을 던지면 닿을 만한 거리, 근거리 **stóneware** [명] 석기(石器); 도자기 **stónework** [명] 돌세공
◇**stool** [stuːl] [명] 발판; (등받이 없는) 걸상; 변기(便器)
◇**stoop** [stuːp] [자][타] (몸·머리를) 구부리다(=bow), 허리를 굽히다; 굴욕을 참고 ~하다; 굴복하다 [명] 구부림; 새우 등
☆**stop** [stɑp / stɔp] [타][자] 멈추다, 그치다, 그만두다; 머무르다(=stay); 막다[~ up] [명] 중지, 정지(=pause); (단기간의) 체재; 방해; 정류소
(예) a bus *stop* 버스 정류소 // come to a *stop* 멈추다 // *stop* working 일을 그만두다 // ◇*stop* by 들르다, 방문하다
[어법] *stop* do*ing*은 「~하는 것을 그만두다」의 뜻으로 타동사, *stop to* do는 「~하기 위해서 멈추어 서다」가 원뜻으로 자동사: Even if every one *stopped* read*ing* or listen*ing* to poetry,

S

there would still be poets writing it. (비록 모든 사람이 시를 읽거나, 시에 귀를 기울이기를 그만둔다 해도, 여전히 시를 쓰는 시인은 존재할 것이다) He seldom *stops to* think. (그는 차분히 생각하는 일이 거의 없다)

파 **stóppage** 명 정지, 중지 **stópper** 명 막는〔멈추는〕 사람, 마개 **stópcock** 명 (수도 따위의) 꼭지, 고동, 조절판 **stópgap** 명 구멍 마개, 임시 변통 **stópover** 명형 도중 하차(의); (여행 중의) 단기 체재(의)

stop over 〔미〕 도중 하차하다; (여행 도중) 잠깐 체재하다

(예) You may *stop over* at ... ~에 도중 하차해도 좋다

***store** [stɔːr] 명 〔미〕 가게(=shop); 〔영〕 《pl.》 백화점, 창고(=storehouse); 저장(=stock); 많음(=abundance) [~ of] 타 저장하다, 축적하다(=lay up); 공급하다(=supply)

(예) *store* one's mind with knowledge 지식을 축적하다

파 **storage** [stɔ́ːridʒ] 명 저장; 창고; 보관료 **stórekeeper** 명 〔미〕 가게 주인 **stórehouse** 명 창고 **stóreroom** 명 저장실, 광

store up ~을 저장하다, 축적하다

(예) *store up* fuel for the winter 겨울에 대비하여 연료를 저장하다

in store 저장하여, 준비하여

(예) Good news was *in store* for us at home. 집에서는 기쁜 소식이 우리를 기다리고 있었다. // She keeps plenty of food *in store*. 그녀는 많은 식량을 저축해 두고 있다.

set store by ~을 존중하다

(예) He *sets* no *store by* science. 그는 과학을 전혀 중히 여기지 않는다.

stork [stɔːrk] 명 〔새〕 황새

***storm** [stɔːrm] 명 폭풍(우); 소동; 강습 자타 (날씨가) 사나워지다; 날뛰다; 강습하다; 쇄도하다

반 calm 잔잔함, 가라앉히다

(예) After a *storm* comes a calm. 〔속담〕 폭풍우 뒤에는 고요가 따른다 《고진감래(苦盡甘來)》. // a *storm* of applause 우레와 같은 박수

파 **stórmy** 형 폭풍(우)의, 격렬한; 거센 **stórmily** 부 사납게, 격렬히, 난폭하게 **stórm-beaten** 형 폭풍우에 휩쓸린 **stórmbound** 형 폭풍우에 갇힌 **storm center** 폭풍의 중심; 난동의 중심(인물) **storm cloud** 폭풍우를 몰고 오는 먹구름; 농란〔위험〕의 선조 **storm signal** 폭풍우 신호 **storm warning** 폭풍 경보 **storm wind** 폭풍

☆**sto·ry** [stɔ́ːri] 명 이야기(=tale), 진술, (소설 따위의) 줄거리; 내력; (건물의) ~층

(예) to make a long *story* short 요약해서 말하면

NB 「~층」의 뜻으로 영국에서는 storey 라고 쓴다.

파 **stórybook** 명 이야기〔동화〕 책, 소설 책 **stóryteller** 명 이야기꾼, 소설 작가

stout [staut] 형 튼튼한(=strong); 용감한(=brave), 굳센

S

(=undaunted); 뚱뚱한(=fat) 명 흑맥주(黑麥酒)
반 féeble 약한
파 **stóutly** 부 용감하게 **stóutness** 명 튼튼함, 굳셈; 비만(肥滿) **stóut-héarted** 형 용감한(=brave)

*◇**stove** [stouv] 명 스토브, 난로; 화덕
파 **stóvepipe** 명 (스토브의) 굴뚝〔연통〕

strag·gle [strǽgəl] 자 뿔뿔이 흩어지다; 일행에서 뒤떨어지다〔처지다〕(=stray); 낙오하다
NB struggle과 혼동하지 말 것.
파 **strággler** 명 낙오자, 부랑자 **strággling** 형 산재한; 낙오한

*◇**straight** [streit]* 〈동음어 strait〉 형 곧은, 일직선의; 곧추선(=erect); 정직한(=honest) 명 일직선(一直線) 부 똑바로; 일직선으로; 직접으로; 수직으로(=upright)
파 **stráighten** 타 자 (똑)바르게 하다〔되다〕, 정리하다 **straightfórward** 형 솔직한, 똑바로 나아가는 **stráightway** 부 곧, 즉시

*◇**strain** [strein] 타 자 잡아당기다(=pull hard); 과로시키다(=overwork); 긴장시키다, 애써 노력하다(=try hard); (법·의미를) 왜곡〔곡해〕하다; (근육 따위를) 접질리게 하다 명 긴장; 과로; 무거운 짐〔부담〕; 선율(旋律); 종족, 혈통
반 reláx 늦추다, 게을리하다
(예) *strain* one's ears 귀를 기울이다 // *strain* every nerve (~하려고) 극력 애쓰다, 노력하다 // *strain* for victory 승리를 목표로 노력하다 // *strain* the truth 진실을 왜곡하다
파 **strained** 형 긴장된, 무리한 **stráiner** 명 잡아당기는 사람; 여과기(濾過器)

◇**strait** [streit] 〈동음어 straight〉 명 해협(=channel); 《보통 *pl.*》 궁핍, 곤경 형 답답한, 좁은(=narrow)
반 broad 넓은
NB 무슨 무슨 해협이라고 할 때는 주로 복수형을 쓴다. straight와 혼동하지 말 것
(예) the *Straits* of Dover 〔Gibraltar〕 도버〔지브롤터〕 해협 // be in great *straits* 곤경에 처해 있다
파 **stráiten** 타 제한하다; 괴롭히다 **stráit-láced** 형 엄격한

strand [strænd] 자 타 좌초(坐礁)시키다, (배가) 물가에 얹히다(=run ashore); 궁지에 빠지다 〔빠뜨리다〕 명 〖시〗 물가, 바닷가(=beach)

***strange** [streindʒ] 형 이상한, 기묘한(=queer); 미지의; 낯선(=unfamiliar), 생소한; 외국의
반 famíliar 낯익은
(예) *strange* accident 이상한 사건 // It is *strange* that he should know it. 그가 그것을 알고 있다니 (참) 이상한데. (↔*Strange to say,* he knows it.)
파 ◇**strángely** 부 이상하게, 기묘하게 ◇**strángeness** 명 기묘함 **strángelooking** 형 이상하게 보이는

◇***strange to say*** 이상하게도

(예) *Strange to say,* the dead tree blossomed. 이상하게도, 죽은 나무에 꽃이 피었다.

stran·ger [stréindʒər] [명] 모르는〔낯선〕 사람, 타국인; 경험 없는 사람, 문외한

(be) a stranger to ~에 생소한, ~을 모르는, ~이 처음인

(예) He *is a stranger to* me. 나는 그를 모릅니다. // I *am* quite *a stranger to* these parts. 나는 이 부근에 아주 생소하다.

stran·gle [strǽŋgəl] [타] 교살하다, 질식시키다; 억누르다

strap [stræp] [명] 가죽 끈, 혁대 [타] 가죽 끈으로 묶다〔매다〕, 좌석벨트로 몸을 고정하다[~ in]

[파] **strápping** [명] 가죽 끈(재료); 채찍질; 반창고 [형] 몸집이 큰, 건장한

strat·a·gem [strǽtədʒəm] [명] 전략, 계략(=scheme), 모략

[파] **strategy** [strǽtədʒi] [명] 전략, 용병학 **strategic(al)** [strətí:dʒik(əl)] [형] 전략상의 **stratégically** [부] 전략상, 전략적으로 **strategics** [strətí:dʒiks] [명] 전략 **strátegist** [명] 전략가, 책사(策士)

straw [strɔ:] [명] 짚, 밀짚; 밀짚 모자

[파] **stráwy** [형] 짚의, 짚으로 만든 **strawberry** [strɔ́:bèri / -bəri] [명] 딸기, 양딸기 **stráw-colo(u)red** [형] 밀짚 빛의, 담황색의 **stráw-thatched** [형] 초가 지붕의

stray [strei] [자] 길을 잃다(=wander from the path), 나쁜 길로 들어서다(=go wrong) [형] 길을 잃은, 외떨어진 [명] 길 잃은 가축, 미아(迷兒)

(예) a *stray* sheep 길 잃은 양

streak [stri:k] [명] 줄, 줄무늬(=line of color); 경향; 기미 [타][자] 줄무늬를 넣다, 줄무늬가 되다

[파] **stréaky** [형] 줄무늬가 있는; (성질 따위가) 변덕스러운

stream [stri:m] [명] 흐름, 내, 개울(=small river); 풍조(風潮), 경향(=tendency) [자][타] 흐르다, 흘리다; (기 따위가 바람에) 나부끼다

(예) the *stream* of the times 시세(時勢) // go with the *stream* 시세에 순응하다

[파] **stréamer** [명] 기드림; 색테이프 **stréamlet** [명] 실개천 **stréamy** [형] 시내가 많은, 냇물처럼 흐르는 **stréamline** [명][형] 유선형(의) [타] 유선형으로 만들다; 간소화하다 **stréamliner** [명] 유선형 열차〔자동차〕

> ▶ **275. 접미어 let**
> 「소(小)」의 의미를 나타낸다.
> (예) stream*let*, book*let* (소책자)

street [stri:t] [명] 거리, 가로(街路), ~가(街) 〔약어〕 *St.* (*cf.* avenue, road)

(예) a main *street* 큰 길 // meet a person in 〔〔미〕 on〕 the *street* 길에서 아무를 만나다 // a *street* map 시가 지도

[파] **stréetcar** [명] 〔미〕 (시가) 전차 **street sweeper** 가로 청소부

strength [streŋkθ] 명 힘, 세기; 세력; 병력; 장점
(예) on the *strength* of ~을 의지하여, ~으로부터 힘을 얻어 // We will work with all our *strength.* 온 힘을 다해서 열심히 일하겠다.
파 **stréngthen** 자 타 강하게 하다〔되다〕, 강화하다

stren·u·ous [strénjuəs] 형 분투적인(=hard), 열심인, 정력적인; 맹렬한
파 **strénuously** 부 열심히 **strénuousness** 명 분투, 노력

strep·to·my·cin [strèptoumáisən] 명 스트렙토마이신

***stress** [stres] 명 중점(重點)(=emphasis); 긴장; 압박, 압력; 강세(强勢), 악센트 타 악센트를 붙이다, 강조하다(=emphasize)
(예) lay *stress on* science 과학에 중점을 두다 // a *stressed* syllable 강세가 있는 음절 // One will exert oneself under the *stress* of poverty. 사람은 가난 때문에 어쩔 수 없이 노력하는 것이다.

***stretch** [stretʃ] 타 자 뻗(치)다, 퍼지다(=extend); 긴장시키다 명 넓게 퍼진 것(=expanse), 범위(=extent), 한도; 뻗침, 늘임, 확장; 단숨, 한 연속(의 기간)
반 shrink 줄다, 줄이다
(예) *stretch* oneself 기지개를 켜다 // at a *stretch* 단숨에, 대번에 // a *stretch* of water 한 줄기의 물 // *stretch* the law 법률을 확대해석하다 // *stretch* facts 사실을 과장하다 // at full *stretch* 전력을 다하여 // She *stretched* out her hand for the hat. 그녀는 모자를 집으려고 손을 내밀었다.
파 **strétcher** 명 잡아 늘이는 사람〔기구〕; 들것

S

strew [stru:] 타 《***strewed; strewn,strewed***》(모래, 꽃 따위를) 흩뿌리다(=scatter)

strick·en [stríkən] 형 상처 받은; (재난·공포 따위에) 사로잡힌, (병에) 걸린, (비탄에) 잠긴
NB 원래는 strike의 고형(古形)의 과거 분사.
(예) a *stricken* deer 상처를 입은 사슴 // poverty-*stricken* 매우 빈곤한 // be *stricken* with disease 병들어 있다

***strict** [strikt] 형 엄중한(=rigid), 엄격한(=severe), 엄밀한(=exact), 정밀한(=precise)
반 lénient 관대한
파 ***stríctly** 부 엄하게; 엄밀하게(*strictly* speaking 엄밀하게 말하면)

stride [straid] 자 타 《***strode; stridden***》 큰 걸음으로 걷다, (성큼) 건너 뛰다, 뛰어 넘다 명 활보(闊步), 한 걸음의 넓이, 큰 걸음
(예) make great 〔rapid〕 *strides* in ~에 장족의 〔급속한〕 진보를 하다 // at a *stride* 한 걸음에

strife [straif] 명 다툼, 투쟁, 경쟁, 싸움(=fight)
파 ***strive** 자 《*strove; striven*》 애쓰다(=try hard) [~ to do, for, after], 다투다(=contend) [~ with]

strike** [straik] 타 자 《struck; struck, stricken***》 치다, 때리다(=hit), 부딪치다(=dash); 인상을 주다, 감동시키

다(=impress); 울리다(=sound); 파업하다 [명] 타격; 동맹 파업; 〖야구〗 스트라이크
(예) a sit down *strike* 농성 파업 // be *struck* with terror 공포에 질리다 // be *struck* dead by lightning 벼락에 맞아 죽다 // go on (a) *strike* 파업을 하다 // Your plan *strikes* me as silly. 나는 네 계획이 어리석게만 생각된다. // It *struck* me that she might be the boy's mother. 나는 그녀가 그 아이의 어머니일지도 모른다고 생각했다. // I *struck on* a good plan. 좋은 생각이 떠올랐다.
[어법] *strike* a person *on* the head 〔*in* the face〕「아무의 머리를〔얼굴을〕 때리다」의 표현에 주의. strike a person's head 〔face〕의 형식도 없는 것은 아니다.
[파] **stríker** [명] 치는 사람; 파업 참가자 ***stríking** [형] 뚜렷한, 현저한, 멋있는 **stríkingly** [부] 뚜렷이(=remarkably), 현저하게

strike up 쳐올리다; (친교·대화·거래 따위를) 시작하다
(예) *strike up* a friendship 친교를 맺다 // The stranger *struck up* a conversation with him. 그 낯선 사람은 그와 대화를 나누기 시작했다.

string [striŋ] [명] 실, 끈, 현(弦); 일련(一連), 한 줄 [타] [자] 《***strung***》 실을 꿰다, 주렁주렁 달다; (현악기에) 줄을 매다〔팽팽히 하다〕
(예) ◦a *string* of dried fish 한 꿰미의 건어물
[파] **stríngy** [형] 실의, 실 같은, 끈적끈적한 **string band** 현악단(絃樂團)

strin·gent [stríndʒənt] [형] 엄중한; 절박한; (금융이) 핍박한

strip [strip] [타] [자] (옷·껍질 따위를) 벗기다 [~ from, of], 빼앗다; 벌거숭이로 만들다 [명] 길고 가느다란 조각(=narrow piece)
[반] clothe 옷을 입히다
(예) a *strip* of land 길고 좁은 땅 // *strip* a tree *of* its bark ↔ *strip* the bark *from* a tree 나무의 껍질을 벗기다
[어법] The highwayman *stripped* him *of* his clothes. ↔ He was *stripped of* his clothes by the highwayman.의 형식에 주의

stripe [straip] [명] 줄무늬, 줄 [타] 줄을〔줄무늬를〕 넣다 〔붙이다〕
(예) the Stars and *Stripes* (미국의) 성조기
[파] **striped** [형] 줄무늬가 있는

strive [straiv] [자] 《***strove; striven***》 힘쓰다[~ to do], 얻으려고 애쓰다 [~ for, after]; 분투하다
(예) ◦*strive* for independence 독립을 얻으려고 노력하다

stroke [strouk] [명] 타격(=blow); (노를) 한 번 젓기; 일필(一筆), 필법; 시계가 치는 소리(=sound of a clock's bell); 공적(功績); (병의) 발작; 뇌일혈 [자] [타] 쓰다듬다(=rub gently); 한 번 젓다
[원] <strike
(예) a *stroke* of lightning 낙뢰 // at a *stroke* 단숨에, 일거에 // with one *stroke* of the pen 일필 휘지하여

stroll [stroul] [자] [타] 어슬렁어슬렁 거닐다(=walk leisure-

ly), 산책하다 명 산책(=walk), 만보(漫步)(=ramble)
(예) take a *stroll* 산책하다
파 **stróller** 명 산책하는 사람; 뜨내기 연극인
☆**strong**★ [strɔːŋ / strɔŋ] 형 강한(=powerful, firm, forceful); 튼튼한(=tough), 확고한, 유력한; 진한(=thick)
반 weak 약한
(예) a *strong* will 강한 의지 // ◇become *stronger and stronger* 점점 더 강해지다 // He is *strong* again after a long illness. 그는 오랜 병을 앓고 난 후에 다시 전처럼 튼튼해졌다.
파 (⇨) **strength, stréngthen.** *****stróngly** 부 강하게 **strónghold** 명 요새(=fortress) **stróng-mínded** 형 과단성 있는, 지기 싫어하는
*◇**struc·ture** [strʌ́ktʃər] 명 구조(構造), 구성(=arrangement of parts), 기구, 조직(=constitution); 구조물, 건축(물)(=a building)
(예) the *structure* of society 사회의 구조 // a stone *structure* 석조 건물
파 ◇**strúctural** 형 구조(상)의, 건축의 **strúcturally** 부 구「조상
*◇**strug·gle** [strʌ́gəl] 자 몸부림치다, 노력하다(=try hard); 싸우다(=fight)[~ against, with] 명 몸부림, 노력; 투쟁
(예) the *struggle* for existence 생존 경쟁 // a *struggle* of life and death 생사를 건 투쟁 // He *struggled* to express himself. 그는 어떻게든 자기 생각을 말하려고 애썼다.
파 **strúggler** 명 분투하는 사람; 투쟁가 **strúggling** 형 분투하는
struggle for ~하려고 싸우다, ~을 얻으려고 분투하다
(예) He *struggled for* his success. 그는 성공하려고 갖은 노력을 다했다. // *struggle for* a living 생활을 위해 싸우다
strut [strʌt] 자 점잔빼며 걷다 명 점잔뺀 걸음걸이
stub [stʌb] 명 그루터기; 쓰다남은 토막, 동강 타 그루터기를 파내다; (발부리를) 그루터기·돌 따위에 채다
stub·born [stʌ́bərn] 형 고집이 센, 완고한(=obstinate) 굽히지 않는, 불굴의
원 stubb(그루터기)+orn(형용사 어미)
반 dócile 고분고분한
(예) a *stubborn* determination 단호한 결의 // a *stubborn* cold 좀처럼 떨어지지 않는 감기
파 **stúbbornly** 부 완고하게; 완강히 ◇**stúbbornness** 명 불굴(不屈), 완고
stud [stʌd] 명 장식용 단추〔못〕 타 점점이 박다
*__stu·dent__ [stjúːdənt / stjúː-] 명 학생; 연구가
*◇**stu·di·o** [stjúːdiòu / stjúː-]

> ▶ **276.** 접미어 **ent**
> 「~하는 사람」「~하는 것」의 의미를 나타낸다.
> (例) stud*ent*

> ▶ **277.**「학생」의 유사어
> **student**는 주로 「대학생 이상의 학생」 또는 「특정 문제의 연구가」를 가리키나, 미국에서는 high school의 학생에게도 쓰인다. **pupil**은 「중학까지의 학생」「개인 교수를 받는 제자」를 말한다.

명 《*pl.* **-s**》 화실; 사진관; (예술인의) 일터; 방송실, 스튜디오

stu·di·ous [stjúːdiəs] 형 학구적인, 열심인(=eager); 신중한(=careful); 고의의

stud·y [stʌ́di] 명 공부, 연구; 서재(書齋), 학문, 학과 자 타 공부하다, 연구하다; 연습하다; 숙고하다; 세밀히 조사하다(*cf.* learn)
(예) make a *study* of ~을 연구하다 // human *studies* 인문학
어법 learn은 학습·경험 등에 의해 자연히 알게 된다는 뜻에, study는 의식적으로 노력해서 공부하다라는 뜻에 각각 중점이 두어진다. 즉 study한 결과로 learn하게 된다는 말이 성립된다.
파 **stúdied** 형 고의의(=intentional); 심사숙고한; ~에 정통한 (⇨) **student, studious**

stuff [stʌf] 명 재료(=material); 폐물(=refuse), 쓸데없는 물건(=useless things); 허튼 소리(=nonsense) 타 자 채워 넣다(=pack tightly); 박제(剝製)로 하다; 게걸스럽게 먹다
(예) green *stuff* 채소, 푸성귀 // He is of good *stuff*. 그는 좋은 소질이 있다. // *Stuff* and nonsense! 당치않은!, 시시한 소리! // *stuff* old clothes *into* a box↔*stuff* a box *with* old clothes 상자에 헌 옷을 채워 넣다
파 **stúffing** 명 (이불·의자 따위에 넣는) 속 **stúffy** 형 바람이 잘 통하지 않는, 숨막히는 **stúffiness** 명 바람이 잘 통하지 않음

stuff with ~을 채워 넣다
(예) have one's pockets *stuffed with* books 호주머니에 책을 가득 쑤셔 넣다

stum·ble [stʌ́mbəl] 자 타 비틀거리다, 곱드러지게 하다; 말을 더듬다 명 비틀거림; 실책; 과오
(예) *stumble over* a stone 돌에 걸려 비틀거리다
파 **stúmbling** 형 비틀거리는; 실패하는(a *stumbling* block 장애물)

***stumble on* 〔*upon*〕** 우연히 ~에 마주치다(=come across), ~을 발견하다(=discover); ~에 걸려 넘어지다
(예) Sometimes I *stumbled on* something notable never previously seen. 때때로 나는 이전에 보지도 못하였던 진기한 것에 우연히 마주쳤다.

stump [stʌmp] 명 그루터기(=stub); (연필 따위의) 쓰다 남은 도막 자 타 터버터벅 걷다(=walk heavily); 《주로 과거 분사형으로》 쩔쩔매게 하다(=puzzle); 〘미〙 유세(遊說)하다
파 **stúmpy** 형 그루터기가 많은; 땅딸막한 **stump speaker** 가두 연설자

stun [stʌn] 타 기절시키다(=make senseless); 어리벙벙하게〔아연케〕 하다(=daze, astound)
파 **stúnning** 형 어리벙벙하게〔아연케〕 하는, 놀랄 만한, 굉장한

stunt [stʌnt] 타 발육을 방해하다(=stop the growth of),

주접들게 하다 [명] 발육의 저지; 〔구어〕 묘기, 아슬아슬한 재주

stu·pe·fy [stjúːpəfài / stjúː-] [타] 마취시키다, 지각을 잃게 하다; 망연 자실케 하다(=astound)

[파] **stupefaction** [stjùːpəfǽkʃən / stjùː-] [명] 마취; 망연 자실(茫然自失)

stu·pen·dous [stju(ː)péndəs / stjuː-] [형] 놀랄 만한(=amazing), 엄청난, 거대한

*◇**stu·pid** [stjúːpid / stjúː-] [형] 우둔한, 어리석은(=foolish) 얼빠진

[반] cléver 똑똑한

(예) *It is stupid of* you *to* wait for him. 그를 기다리다니, 넌 참 바보다.

[파] ◇**stupídity** [명] 얼빠짐, 우둔, 무감각 **stúpidly** [부] 얼빠져, 어리석게

stur·dy [stə́ːrdi] [형] 튼튼한(=strong), 억센, 건장한, 힘찬(=vigorous); 불굴의, (생각 따위가) 확고한

[반] wéakly 약한

[파] **stúrdily** [부] 튼튼하게, 힘차게 **stúrdiness** [명] 완강함 불요 불굴

*◇**style** [stail] 〈동음어 stile〉 [명] 형(型)(=mode); 양식, 유행(형); 문체; 모양(=manner)

(예) live in good *style* 호화로운 생활을 하다 // the modern *style* of living 현대의 생활 양식 // have no *style* 품위가 없다; 평범하다

[파] **stýlish** [형] 유행의, 멋진 **stýlist** [명] 뛰어난 문장가 **stylistic** [stailístik] [형] 문체의

in* 〔*out of*〕 *style 유행을 따른〔에서 벗어난〕

(예) She dresses *in style*. 그 여자는 유행에 따라 옷을 입는다. // His hat is *out of style* now. 그의 모자는 유행이 지났다.

◇**sty·lus** [stáiləs] [명] 《*pl.* ~***es, -li***》 철필, 첨필; (축음기의) 바늘; (해시계의) 바늘

sub·con·scious [sʌ̀bkánʃəs / -kɔ́n-] [형] 잠재 의식의, 어렴풋이 의식하고 있는 [명] 《the를 붙여서》 잠재 의식

◇**sub·cul·ture** [sʌ́bkʌ̀ltʃər] [명] 2차 배양, 조직 배양의 이식(移植); 소문화(권), 하위 문화; (히피 따위의) 신문화, 이(異)문화 집단

sub·di·vide [sʌ̀bdiváid] [타] [자] 세분하다, 다시 나누다, 세분되다

[원] sub(=under)+divide

[파] **subdivísion** [명] 세별(細別), 세분(細分)

◇**sub·due** [səbdjúː / -djúː] [타] 정복하다(=conquer), 진압하다; 완화하다, 가라앉히다

(예) *subdue* a desire to laugh 웃음을 참다

*◇**sub·ject** [명] [sʌ́bdʒikt]* 백성, 국민; 주제(=theme), 제목, 의제(議題); 학과; 〔문법〕 주어; 원인 [형] 종속하는, 지배를 받는; ~을 받기 쉬운, ~되기 쉬운; ~을 조건으로〔필

로] 하는[~ to] [타] [səbdʒékt]* 복종시키다, 받게 하다, 제출하다; 넘겨주다
[반] objéct 반대하다
(예) a *subject* of study 연구 제목 // elective [required] *subjects* 선택[필수] 과목 // *subject* oneself *to* insults 모욕을 당하다 // a *subject* for complaint 불평의 원인
[파] **subjéction** [명] 정복, 종속 **subject matter** 주제 **subjéctive** [형] 주관적인; 〖문법〗 주어의 **subjectívity** [명] 주관성 **subjéctively** [부] 주관적으로
(***be***) ***subject to*** ~의 지배를 받는, ~에 따라야 할, ~되기 쉬운; ~을 조건으로 하여
(예) We are all *subject to* the laws of nature. 우리는 모두 자연 법칙의 지배를 받는다. // Men *are subject to* death. 인간은 죽음을 면할 수 없다. // The plan *is subject to* your approval. 그 계획은 너의 승인을 필요로 한다.

sub·junc·tive [səbdʒʌ́ŋktiv] [명] [형] 〖문법〗 가정법(의)

sub·lime [səbláim] [형] 숭고한(=lofty), 고상한(=noble), 장대한
[파] **sublimity** [səblíməti] [명] 숭고; 절정, 극치

sub·ma·rine [sʌ́bməriːn, sʌ̀bməríːn] [명] 잠수함 [형] 바다 속의, 바다 속에서 쓰는, 해저의

sub·merge [səbmə́ːrdʒ] [타] [자] (물 속에) 가라앉(히)다 (=sink), 침수시키다(=flood), 잠수하다

sub·mit [səbmít] [타] [자] 복종시키다, 복종하다, 제출하다
[반] resíst 저항하다
(예) There was nothing for it but to *submit* with good grace. 기꺼이 따를 도리밖에 없었다.
[파] **submíssion** [명] 복종, 순종 **submíssive** [형] 복종하는, 순종하는, 유순한(=obedient)
submit to ~에 따르다, ~을 감수하다; ~에 제출하다
(예) *submit to* authority 권위에 따르다 // *submit to* slavery 노예 신분을 감수하다 // *submit to* an operation 수술을 받다 // *submit* a report *to* the city council 시 의회에 보고서를 제출하다

sub·or·di·nate [səbɔ́ːrdənit] [형] 종속의, 하위의(=lower in rank) [명] 부하 [타] [-nèit] 종속시키다(=bring under control)
[반] coórdinate 동격의, 동등하게 하는
(예) *subordinate* one's own interest *to* the public good 사리(私利)보다도 공익을 중시하다 // Pleasure should be *subordinate to* duty. 오락은 의무를 다한 뒤에 행해야 한다.
[파] **subordinátion** [명] 종속, 복종

sub·scribe [səbskráib] [타] [자] 서명하다(=sign); 기부하다 (=contribute); 예약하다 [~ for], 구독하다; 찬성하다
[원] sub(=under)+scribe(=write)
(예) *subscribe to a* magazine 잡지를 구독하다
[파] **subscríber** [명] 기부자; 신청인; 구독자 **subscríption** [명]

S

예약(금), 신청, 기부(금); 서명 승낙

sub·se·quent [sʌ́bsəkwənt] 형 (그) 후의(=later), 다음의; 잇달아 일어나는, 결과로서 일어나는
반 antecédent 이전의
파 **súbsequently** 부 계속하여, 그 후에 **súbsequence** 명 뒤이어 일어남; 계속하여 일어나는 사건

sub·side [səbsáid] 자 (비·바람 따위가) 자다(=become quiet); 가라앉다, 침강하다(=sink)
파 **subsidence** [səbsáidəns, sʌ́bsəd-] 명 가라앉음, 침강, 침전; 진정

sub·sid·i·ar·y [səbsídièri / -əri] 형 보조의; 종속적인 명 《보통 *pl.*》 보조자〔물〕; 자회사
(예) a *subsidiary* company 자회사 // a *subsidiary* business 〔occupation〕 부업

sub·sist [səbsíst] 자 타 생존하다(=continue to live); 생계를 세우다; 음식물을 급여하다
(예) *subsist on* fish 생선을 먹고 살다
파 **subsístence** 명 생존; 생계(means of *subsistence* 생활 수단)

sub·spe·cies [sʌbspíːʃi(ː)z] 명 〔생물〕 아종(亞種)

*__sub·stance__ [sʌ́bstəns] 명 물질(=matter, material); 실체, 본질; 취지, 요지(=meaning); 자산(資産)
(예) solid *substances* 고체 물질 // the *substance* of a speech 연설의 요지 // soup without much *substance* 건더기가 많지 않은 수프 // in *substance* 실질적으로, 사실상
파 ***substántial** 형 실질적인, 실제상의(=actual); 충실한, 중요한 **substántially** 부 본질상; 사실상 **substantiálity** 명 실재성, 본질; 견고성 **substántiate** 타 실증하다, 실체화하다 **substantiátion** 명 실증 **súbstantive** 명 〔문법〕 실사, 실명사, 명사 형 독립의, 실재적인

*__sub·sti·tute__ [sʌ́bstətjùːt / -tjùːt] 타 대용하다[~ for], 바꾸다 명 대리인, 대용품
(예) *substitute ~ for* …대신 ~를 쓰다
파 **substitútion** 명 대리, 대용

sub·ter·ra·ne·an [sʌ̀btəréiniən] 형 지중의, 지하의(=under the earth)

sub·ti·tle [sʌ́btàitl] 명 (책 등의) 부제; (영화의) 설명 자막 타 ~에 부제를 달다

> ▶ 278. 접두어 subter
> 「밑의」「밑에」「이하의」「살짝」의 의미를 나타낸다.
> (예) *subter*ranean, *subter*fuge (핑계) 따위

__sub·tle__ [sʌ́tl] 형 미묘한(=delicate); 치밀한, 교묘한(=clever); 희미한, 엷은, 예민한(=acute)
반 símple 소박한
(예) a *subtle* odor 희미한 냄새
파 **subtlety** [sʌ́tlti] 명 미묘, 예민; 정묘, 교활 **súbtly** 부 정묘하게, 교활하게

sub·tract [səbtrǽkt] 타 감하다(=deduct), 공제하다
원 sub(=under)+tract(=draw)

반 add 더하다
파 **subtráction** 명 빼기, 〔수학〕 뺄셈
sub·urb* [sʌ́bəːrb] 명 《종종 *pl.*》 교외, 근교
(예) live in the *suburbs* of Seoul 서울 근교에서 살다
파 **suburban** [səbə́ːrbən] 형 교외의 **subúrbanite** 명 교외 거주자
sub·way [sʌ́bwèi] 명 〔주로 영〕 지하도; 〔미〕 지하철
원 sub(=under)+way
NB 영국에서는 「지하철」을 underground, 또는 tube 라고 한다.

▶ **279. 접두어 sub**
「아래·다음·부(副)·아(亞)·조금」의 의미를 나타낸다.
(예) *sub*way, *sub*marine, *sub*altern (부관(副官)) 따위

(예) take the *subway* 지하철을 타다 // go *by subway* 지하철로 가다
suc·ceed* [səksíːd] 자 타 성공하다; 계속하다; 계승하다; 잇달아 일어나다(=come after)
반 fail 실패하다, precéde 앞서다
(예) The attack *succeeded.* 그 공격은 성공했다. // One exciting event *succeeded* another. 자극적인 사건이 잇달아 일어났다.
어법 ① 「계승하다」의 뜻에서는 다음에 오는 전치사가 *to,* 「성공하다」의 경우에는 *in*이 된다. ② 명사로서 「연속」은 *succession,* 「성공」은 *success*
파 **succéeding** 형 계속되는, 다음의 (⇨) **success, succession**
succeed in ~에 성공하다, ~을 잘 해내다
(예) He must have *succeeded in* begging several pennies. 그는 간청을 잘 하여 몇 페니 받아냈음에 틀림없다. // *succeed in* business 사업에 성공하다
succeed to ~의 뒤를 잇다, ~을 상속하다(=be heir to)
(예) *succeed to* the throne 왕위를 잇다 // *succeed to* an estate 부동산을 상속받다
suc·cess* [səksés] 명 성공, 성취; 출세; 행운
(예) *success* in life 입신 출세 // The concert was a great *success.* 음악회는 대성공이었다.
suc·cess·ful [səksésfəl] 형 성공한, 대성공인, 크게 히트한
(예) He was *successful* in the exam. 그는 시험에 합격했다.
파 ***successfully** 부 성공적으로; 훌륭하게
suc·ces·sion* [səkséʃən] 명 연속; 계승, 상속; 계열
(예) a *succession* of events 사건의 연속
파 **successive** [səksésiv] 형 연속하는, 잇따른, 대대의 **succéssively** 부 연달아 **successor** [səksésər] 명 후계자, 상속인
in succession 잇달아, 연속하여(=one after another)
(예) Mysterious events occurred *in succession.* 이상한 사

S

건들이 연속하여 일어났다.

어법 in succession to는 「~을 계승하여」의 뜻.

suc·co(u)r [sʌ́kər] 〈동음어 sucker〉 명 구조(=help) 타 구(원)하다

suc·cumb [səkʌ́m] 자 굴복하다(=yield, give way) [~ to] (예) *succumb to* grief 비탄에 잠기다 // *succumb to* cancer 암으로 죽다

> ▶ **280. 접두어 suc**
> sub-와 같이 「밑의」 「밑에 있는」의 의미를 나타낸다.
> (예) *suc*cumb

◇**such** [sʌtʃ, sətʃ] 형 이러한, 그러한(=of that kind) [~ as]; 대단한 대 이와〔그와〕 같은 사람〔물건〕

어법 부정관사를 동반할 때는 such 뒤에 온다: *such a* good boy. so의 경우와 비교할 것: *so* good *a* boy

파 **súchlike** 형 대 이러한 종류의 (사람·물건)

such and such 여사여사한, 이러이러한

(예) If you must leave, say you must leave for *such and such* a reason. 떠나가야 하겠거든 이러이러한 이유가 있어서 떠나야겠다고 말하게.

****such as*** ~와 같은, 이러이러한 (것), 이를테면

(예) Autumn gives us fruit, *such as* pears, apples, and grapes. 가을은 우리에게 배, 사과, 포도와 같은 과일을 가져다 준다.

어법 A *such as* B 및 *such* A *as* B의 두 형식이 가능함.

*◇***such ~ as*** ~와 같은

(예) It was *such* a night *as* one would gladly have spent in the open air. 즐겨 옥외에서 보냈으면 싶다고 여겨지는 밤이었다.

어법 as에 to부정사가 계속될 경우에 주의: He is not *such* a fool *as to* believe that. (그것을 믿을 만큼 바보는 아니다)

*◇***such ~ that*** 매우 ~해서〔하므로〕

(예) He was *such* a fine gentleman *that* everybody respected him. 그는 매우 훌륭한 신사였으므로 누구나 그를 존경했다.

어법 *so ~ that*와 같은 뜻이나, such와 that의 사이에 명사가 들어 있을 경우에만 쓰인다. 단, 다음의 표현에 주의: *Such* was his surprise *that* he could not utter a word. (너무 놀라서 그는 말 한마디도 할 수 없었다)

◇***as such*** 그대로; 그 명의로〔자격으로〕; 그런 것으로〔일로〕

(예) If you act like a fool, you must be treated *as such*. 네가 바보같은 짓을 한다면 바보로서 취급되지 않으면 안 된다.

◇**suck** [sʌk] 타 자 빨다(=draw into the mouth) 명 빨기

NB sack [sæk] 「자루」와 혼동하지 말 것.

파 **súcker** 명 빠는 사람〔것〕; 빨판; 젖먹이; 〖미·구어〗 잘 속는 사람 **súcking** 형 젖을 빠는; 미숙한 **súckle** 타 젖을 먹이다, 기르다 **súction** 명 빨아들임〔올림〕, 흡입

*◇**sud·den** [sʌ́dn] 형 갑작스러운, 뜻밖의(=abrupt); 별안간의(=not expected) 명 불시, 돌연

S

반 grádual 점차적인
파 *súddenly 부 갑자기, 별안간 **súddenness** 명 불의, 돌연, 급격
(all) of a sudden; on a sudden 별안간, 갑자기, 불시에(=suddenly)
(예) *All of a sudden* he began running. 갑자기 그는 달리기 시작했다.
sue [suː / sjuː] 타 자 고소하다, 간청하다(=plead) [~ for]
(예) *sue* him *for* damage 그에게 손해 배상 소송을 제기하다
suf·fer [sʌ́fər] 타 자 겪다(=undergo), (병을) 앓다, 괴로워하다(=bear pain); 손해를 입다, 참고 견디다(=tolerate); 《대개 부정구문에서》 ~하게 내버려 두다(=permit)
(예) *suffer* pain 고통을 받다 // *suffer* grief 비탄에 잠기다 // *suffer* wrong 부당한 처사를 당하다 // He *suffered* death *for* his crime. 그는 죄 때문에 죽었다. // I have *suffered* much loss *through* him. 나는 그 때문에 큰 손해를 입었다. // I cannot *suffer* you to idle away your time. 너를 빈들빈들 놀려 둘 수는 없다.
파 **súfferance** 명 묵인; 인내 **súfferer** 명 수난자 ***súffering** 명 수난, 고뇌 형 괴로워하는
suffer from ~에〔으로〕 시달리다(=be afflicted with), ~에 걸리다
(예) *suffer from* a fever 열병을 앓다 // Korea *suffers from* a dire lack of raw materials. 한국은 극도로 부족한 원료 때문에 곤란을 겪고 있다.
suf·fice [səfáis] 타 자 만족시키다(=satisfy), 충분하다, 족하다(=be enough)
(예) That *suffices* to prove his honesty. 그것은 그가 정직하다는 것을 증명하기에 족하다. // *Suffice* it to say that … ~이라고 말하는 정도로 그칩시다.
파 (⇨) **sufficient**
suf·fi·cient* [səfíʃənt]* 형 충분한(=enough), 넉넉한, 족한
반 insuffícient 불충분한
어법 *enough* 와 같이 ~ for, ~ to와의 연관에 주의할 것: He knows *sufficient* English *to* make himself understood. (그는 자기 뜻을 나타낼 수 있을 만큼은 영어를 알고 있다)
파 ***suffíciently** 부 충분히 **suffíciency** 명 충분, 넉넉함
suf·fix [sʌ́fiks] 명 접미사, 접미어
반 prefíx 접두사
suf·fo·cate [sʌ́fəkèit] 타 자 질식시키다(=choke), 숨을 막다; 질식하다, 숨이 막히다, 헐떡이다
파 **suffocátion** 명 질식
suf·frage [sʌ́fridʒ] 명 투표(=vote), 선거권
파 **suffragette** [sʌ̀frədʒét] 명 여성 참정권론자 《특히 여성을 말함》
sug·ar [ʃúgər]* 명 설탕; 감언(甘言) 타 자 설탕으로 달게 하다

S

파 **súgary** 형 설탕 같은, 달콤한 **sugar basin** (식탁용) 설탕그릇 **sugar beet** 사탕무 **sugar candy** 얼음사탕 ◦**sugar cane** 사탕수수

◦**sug·ar·coat** [ʃúgərkòut] 타 (알약 따위에) 당의를 입히다; ~을 먹기 좋게 하다; ~의 겉을 잘 꾸미다

*◦**sug·gest** [səgdʒést / sədʒést] 타 암시하다(=hint), 생각이 떠오르게 하다, 연상시키다; 제안하다(=propose)
(예) His clothes *suggested* poverty. 그의 의복은 빈곤을 연상시켰다. // *suggest* a plan 계획을 제안하다 // He *suggested* a walk. ↔ He *suggested* taking a walk. 그는 산책하는 것이 어떻겠느냐고 제안했다.
어법 He said, "*Let's* start at once."와 같이 제의의 글을 간접화법으로 바꿀 때는 He *suggested* that we should start at once. 처럼 하는 것이 보통. should를 쓰지 않는 경우는 미국 용법.

▶ **281. 접두어 sug**
sub와 같이 「밑의」「밑에 있는」의 의미를 나타낸다.
(예) *suggest*

*◦**sug·ges·tion** [səgdʒéstʃən / sədʒés-]* 명 암시, 시사, 연상; 제의, 제안
파 ◦**suggéstive** 형 암시하는, 시사하는 (◦be *suggestive* of ~을 연상시키는)

◦**su·i·cide** [sú:əsàid / sjú:ə-] 명 자살(=killing oneself); 자살자
반 múrder 타살
(예) ◦commit *suicide* 자살하다
파 **suicídal** 형 자살의, 자멸적인

*◦**suit** [su:t / sju:t] 명 소송(=lawsuit), 청원; 구혼; 한 벌(의 옷), 한짝 타 자 ~에 잘 어울리다(=be well fitted to); 적응시키다, 잘 들어맞다; 만족시키다; 알맞다
(예) a *suit* of clothes 옷 한 벌 // a criminal *suit* 형사 소송사건 // bring a *suit* against a person 아무를 고소하다 // I'd like to call on you tomorrow if it *suits* you. (계제가) 좋으시다면 내일 찾아 뵙고 싶습니다.
NB suite [swi:t] 「수행원」의 철자와 발음을 구별할 것.
파 *****súitable** 형 적당한(=proper), 어울리는(=fitting) **súitably** 부 적당하게, 알맞게 **suitabílity** 명 적당, 어울림 ◦**súitcase** 명 (상자형) 여행 가방 **súitor** 명 소송인, 원고(=plaintiff); 구혼자, 청원자

◦(***be***) ***suited to*** 〔***for***〕 ~에 어울리는; ~의 마음에 드는
(예) The title of this book *is* well *suited to* its contents. 이 책 이름은 내용에 잘 어울린다.

(***be***) ***suitable to*** 〔***for***〕 ~에 적당한, 알맞은
(예) It *is suitable for* the occasion. 그것은 그런 경우에 알맞다.

suite [swi:t] 〈동음어 sweet〉 명 수행원; 붙은 방 [~ of]

sul·fur, sul·phur [sʌ́lfər] 명 황, 유황

◦**sulk** [sʌlk] 명 《보통 *pl.*》 실쭉하기, 부루퉁함 자 실쭉거리다, 부루퉁해지다

S

(예) in the *sulks* 실쭉해서, 부루퉁하여
sulk·y [sʌ́lki] ⓗ 실쭉한, 부루퉁한; 음산한, 음울한
***sul·len** [sʌ́lən] ⓗ 뚱한, 시무룩한, 부루퉁한; 음울한 ⓜ 《*pl.*》 [the sullens] 찌푸린 얼굴, 뚱함, 우울
sul·try [sʌ́ltri] ⓗ 무더운(=hot and damp), 찌는 듯이 더운
sum [sʌm] 〈동음어 some〉 ⓜ 합계(=total amount), 금액; 개요(=outline); 《보통 *pl.*》 계산(=calculation) ⓣⓙ 합계하다, 요약하다 [~ up]
반 part 부분; 나누다
(예) a large 〔small〕 *sum* of money 다〔소〕액의 돈 // the *sum* and substance 요점
sum up 총계하다; 요약하다; (인물 따위를) 평가하다
(예) *sum up* bills at the store 상점에서 계산서를 합계하다 // *sum up* the contents in fifty words 50어로 내용을 요약하다 // *sum up* the situation at a glance 일견에 사태를 간파하다
sum·ma·ry [sʌ́məri] ⓜ 요약, 적요(摘要) ⓗ 개요의, 간략한(=brief)
파 **súmmarily** ⓑ 요약하여 **súmmarize** ⓣ 요약하다
sum·mer [sʌ́mə*r*] ⓜ 여름 ⓗ 여름(철)의 ⓙⓣ 여름을 지내다
파 **súmmerhouse** ⓜ 정자, 여름의 별장 **súmmertime** ⓜ 여름철, 하절 **summer time** 〖영〗 (여름) 일광 절약 시간, 서머타임
sum·mit [sʌ́mit] ⓜ 정상; 절정(=top), 극점
반 bóttom 바닥
(예) a *summit* talk (국가 수뇌의) 정상 회담
sum·mon [sʌ́mən] ⓣ 소환하다(=order to come), 소집하다; (용기·힘 따위를) 내다 [~ up] 「소집
파 **súmmons** ⓜ 《*pl.* summonses [sʌ́mənziz]》 소환(장),
sump·tu·ous [sʌ́mptʃuəs] ⓗ 호화로운(=luxurious), 사치스러운(=costly); 화려한
반 parsimónious 검소한
파 **súmptuousness** ⓜ 호사, 사치 **súmptuary** ⓗ 사치를 단속하는, 절약의
sun [sʌn]* 〈동음어 son〉 ⓜ 태양, 햇빛, 양지 ⓙⓣ 햇볕에 쬐다, 일광욕하다
반 moon 달
(예) in the *sun* 양지쪽에 // rise with the *sun* 일찍 일어나다 // There is a lot of *sun* in the garden. 정원에는 햇볕이 가득하다.
파 **sunny** [sʌ́ni] ⓗ 햇볕이 잘 드는, 양지바른; 쾌활한 **súnless** ⓗ 태양이 없는, 햇볕이 잘 들지 않는 **súnbathing** ⓜ 일광욕 **súnbeam** ⓜ 햇살 **súnbonnet** ⓜ 햇볕 가리는 모자 **súnburn** ⓜ 햇볕에 탐 ⓙⓣ 《*-burned, -burnt*》 햇볕에 타다〔태우다〕 **súnburned, súnburnt** ⓗ 햇볕에 탄 **súndial** ⓜ 해시계 **súndown** ⓜ 일몰, 해거름

súnflower [명] 해바라기 *̥**súnlight** [명] 햇빛 ̥**súnlit** [형] 햇볕에 쬐인 ̥**súnrise** [명] 해돋이, 새벽녘 **súnroom** [명] 일광욕실 ̥**súnset** [명] 일몰, 해거름; 만년(晩年) **súnshade** [명] 양산, 차양 *̥**súnshine** [명] 일광, 양지; 맑은 날씨 **súnshiny** [형] 양지바른; 쾌활한 **súnspot** [명] 태양의 흑점 **súnstroke** [명] 일사병 **sún-up** [명] 해돋이(시간)

̥**sun·dae** [sʌ́ndi / -dei] [명] 아이스크림선디《시럽·과일 등을 얹은 아이스크림》

☆**Sun·day** [sʌ́ndi, -dei] [명] 일요일, 안식일 〖약어〗 *Sun.*
(예) last *Sunday* ↔ on *Sunday* last 지난 일요일에

sup [sʌp] [자] [타] 홀짝홀짝 마시다, 빨다; 저녁을 먹다 [명] (음료의) 한 모금

su·perb [su:pə́ːrb / sju:pə́:b] [형] 장려한, 훌륭한
[파] **supérbly** [부] 장려하게, 훌륭하게

***su·per·fi·cial** [sù:pərfíʃəl / sjù:pə-] [형] 표면적인, 피상적인(=only on the surface); 천박한(=shallow)
[원] super(=above)+fici(=face)+al(=of)
[반] substántial 실질적인
[파] **superfícially** [부] 표면적으로, 천박하게 **superficiality** [sù:pərfìʃiǽləti / sjù:pə-] [명] 표면적임, 천박

> ▶ **282. 접두어 super**
> 「위」「과도(過度)」「이상」「초월」의 의미를 나타낸다.
> (예) *super*ficial, *super*natural 따위

su·per·flu·ous [su:pə́:rfluəs / sju:pə́:-]★ [형] 불필요한, 여분의, 남는
[원] super(=over)+flu(=flow)+ous(=full)
[파] **superflúity** [명] 여분(의 것), 과다

su·per·in·tend [sù:pərinténd / sjù:-] [자] [타] 감독하다, 관리하다(=manage), 지휘하다
[파] ̥**superinténdent** [명] 감독자, 관리자, 소장 **superinténdence** [명] 감독, 관리, 지배

*̥**su·per·i·or** [supíəriər / sju:píəriə]★ [형] 우수한, 훌륭한(=excellent), 상급〔상위〕의 [~ to]; 우세한, 거만한 [명] 윗사람; 상관; 우수한 사람
[반] inférior 열등한; 아랫사람
(예) with a *superior* air 으스대며, 뽐내며 // He is my *superior* in every way.↔̥He is *superior* to me in every way. 그는 모든 점에 있어서 나보다 낫다.
[어법] 본래 라틴말의 비교급이지만 특히 비교를 나타낼 경우가 아니면 very로 수식하는 것이 보통이다: a *very* superior man (매우 우수한 인물)
[파] *̥**superiority** [supìəriɔ́:rəti / sju:pìəriɔ́r-] [명] 우월, 우세 (*superiority* complex 우월감)

* ***(be) superior to*** ~보다 우수한, ~보다 상급의, ~에 좌우되지〔굴하지〕 않는
(예) Our knowledge *is* vastly *superior to* that of our ancestors. 우리의 지식은 우리 조상들의 지식보다 훨씬 낫다. // He *is superior to* flattery. 그는 아첨에 좌우되지 않

는다.

su·per·la·tive [supə́ːrlətiv / sjuːpə́ː-] ⓗ 최고의, 최상급의 (=of the highest degree) ⓜ 최상급, 최고

su·per·man [súːpərmæ̀n / sjúːpə-] ⓜ 《*pl.* ***-men*** [-mèn]》 초인(超人)

◇**su·per·mar·ket** [súːpərmɑ̀ːrkit / sjúːpəmɑ̀ː-] ⓜ 슈퍼마켓 《손님이 스스로 골라 사는 방식의 식료품점》

◇**su·per·nat·u·ral** [sùːpərnǽtʃərəl / sjùː-] ⓗ 초자연의, 불가사의한, 신비의

su·per·son·ic [sùːpərsɑ́nik / sjùːpəsɔ́n-] ⓗ 초음속의
(예) a *supersonic* plane 초음속기 // The jet plane flew at the *supersonic* speed. 제트기는 초음속으로 비행했다.

◇**su·per·sti·tion** [sùːpərstíʃən / sjùːpə-] ⓜ 미신
㉺ **superstítious** ⓗ 미신적인

◇**su·per·vise** [súːpərvàiz / sjúːpə-] ⓣ 감독하다, 관리하다 (=watch over)
㉯ super(=above)+vise(=see)
㉺ ◇**supervísion** ⓜ 감독 **súpervisor** ⓜ 감독자, 관리인 **supervísory** ⓗ 감독(자)의, 관리(인)의

☆**sup·per** [sʌ́pər] ⓜ 저녁 식사, 만찬 (*cf.* dinner)

*◇**sup·ply** [səplái] ⓣ 공급하다(=provide); 보충하다; 대신하다 ⓜ 공급, 보충; 재고(在庫); 《*pl.*》 양식
㉸ demánd 요구하다; 수요
(예) *supply* and demand 수요와 공급 // *supply* the need 필요를 충족시키다 // have a good *supply* of ~을 풍부히 갖다 // ◇Beer is in short *supply.* 맥주가 (잘 팔려) 품귀하다. // ◇The lake *supplies* water *for*〔*to*〕 the town. ↔ ◇The lake *supplies* the town *with* water. 그 호수는 도시에 물을 공급한다.
㉺ **súpplement** ⓜ 부록, 보충, 추가 ⓣ 보충〔증보〕하다 **suppleméntary, -tal** ⓗ 보충의; 부록의

◇***supply with*** ~을 공급하다
(예) He *supplies* me *with* food, clothing and amusement. 그는 나에게 먹을 것, 입을 것 및 위안을 가져다 준다.

*◇**sup·port** [səpɔ́ːrt] ⓣ 지탱하다(=hold up); 부양하다; 후원하다, 지지하다; 견디다 ⓜ 지지, 지주(支柱); 부양, 찬조
(예) *support* a plan 계획을 지지하다 // *support* oneself 자활하다 // facts that *support* my claim 나의 주장을 뒷받침하는 여러 사실들
㉺ **suppórtable** ⓗ 지탱할 수 있는 ◇**suppórter** ⓜ 지지자, 부양자; 박대(縛帶), 붕대

in support of ~을 옹호〔원호〕하여
(예) He spoke *in support of* the motion. 그는 그 동의를 옹호하는 발언을 했다.

*◇**sup·pose** [səpóuz] ⓣ 상상하다(=imagine), 가정하다; 생각하다, 추측하다
(예) Let's *suppose* that he is innocent. 그가 결백하다고

S

가정하자. // She *supposed* (*that*) he was a doctor. ↔ She *supposed* him *to be* a doctor. 그녀는 그가 의사라고 생각했다.

[어법] 다음 용법에 주의. ① *suppose, supposing* 이 결국 if 와 같은 뜻이 될 경우: *Suppose* 〔*Supposing*〕 it were true, what would you do? (그것이 사실이라면 어떻게 하겠느냐?) ② Who do you *suppose* he is? (그는 누구라고 생각하느냐?)의 어순에 주의.

[파] **suppósed** [형] 상상된 ◇**supposedly** [səpóuzidli] [부] 상상상, 아마 ◇**supposítion** [명] 상상, 추정, 가정 **suppositíonal** [형] 상상의, 가정의 **suppositíonally** [부] 상상하여, 상상적으로

◇***be supposed to*** *do* ~할 것으로 생각〔기대〕되다; ~하기로 되어 있다; ~할 의무가 있다

(예) He *is supposed to* have been a rich man. ↔ It is *supposed* that he was a rich man. 그는 부자였으리라 생각된다. // What *are* we *supposed to* study this hour? 이번 시간에 우리는 무엇을 배우지?

◇**sup·press** [səprés] [타] 진압하다(=subdue), 금지하다; 은폐하다(=keep secret)

> ▶ **283. 접두어 sup**
> sub-와 같이 「밑의」 「밑에 있는」의 의미를 나타낸다.
> (예) *sup*press

[원] sup(=under)+press

[파] **suppréssible** [형] 진압할 수 있는, 억누를 수 있는 **suppréssion** [명] 진압, 억압, 판매 금지

*◇**su·preme** [səprí:m, sju:-] [형] 최고(위)의, 지상(至上)의; 극도의, 지대한(=utmost)

(예) the *supreme* commander 최고 사령관 // a matter of *supreme* importance 가장 중요한 문제

[파] ◇**suprémacy** [명] 최상위, 주권

***sure** [ʃuər / ʃuə, ʃɔ:] [형] 확실한(=certain), 신뢰할 수 있는(=reliable); 안전한(=safe); 자신이 있는(=confident); 반드시 ~하는

(예) a *sure* method 확실한 방법 // *sure* proof 신용할 수 있는 증거 // a *sure* foundation 튼튼한 토대

[파] *◇**súrely** [부] 확실히, 꼭, 틀림없이(=certainly); 《부정문에서》 설마 **súrety** [명] 보증인, 보증금〔물〕

*◇(***be***) ***sure of*** 〔***that***〕★ ~을 확신하여

(예) I *am sure of* his success. ↔ I *am sure that* he will succeed. 확실히 그는 성공할 게다

[어법] 다음 차이에 주의하라: He is *sure of* success. ↔ He is *sure that* he will succeed.와 He is *sure to* succeed. ↔ I am *sure that* he will succeed.

be 〔***feel***〕 ***sure of one******self*** 자신이 있다

(예) He *was* so *sure of* him*self*. 그는 자신 만만하였다.

◇(***be***) ***sure to*** 꼭〔반드시〕 ~하는

(예) They *are sure to* come back. 그들은 반드시 돌아온다. // *Be sure to* write me as soon as you get there. 그

곳에 도착하는 즉시 꼭 편지 보내시오.

◇ ***for sure*** 확실히, 틀림없이
(예) It's going to be fine, *for sure*. 틀림없이 날씨는 좋아질 것이다.

◇ ***make sure*** 확인하다, 다짐하다; 확보하다
(예) He just waited for a few hours to *make sure of* his position. 그는 자기 입장을 확인하기 위하여 몇 시간 동안을 그저 기다렸다. // He came back to *make sure* (*that*) she was away. 그는 그 여자가 없는지 확인하기 위해 돌아왔다.

to be sure 확실히, 과연 (~이나, 그러나 …) 《양보적으로 쓰여》
(예) He has a clear head, *to be sure,* but he has no heart. 과연 그는 머리는 좋으나 인정미가 없다.

◇ **surf** [səːrf] [명] (해안에) 밀려오는 파도, 밀려와서 부서지는 파도
[파] **surfing** [명] 서핑, 파도타기

*◇ **sur·face** [sə́ːrfis] [명] 표면, 외관(=outward appearance) [형] 표면만의, 외관의 (=superficial, apparent)
[원] sur(=over)+face
[반] intérior 내부
(예) *surface* tension 표면 장력(張力) // on the *surface* 표면은 // *surface* transportation (항공기·지하철 따위에 대한) 노면〔해면〕 수송기관

> ▶ **284. 접두어 sur**
> 「위」「초과」의 의미를 나타낸다.
> (예) *sur*face, *sur*plus 따위

◇ **surge** [səːrdʒ] [자] 물결치다, 물결처럼 밀려들다 [명] 큰 파도, 파동, 동요

◇ **sur·geon** [sə́ːrdʒən] [명] 외과 의사; 군의관
[반] physícian 내과 의사

◇ **sur·ger·y** [sə́ːrdʒəri] [명] 외과 (의술), 수술실
[반] médicine 내과
[파] ◇ **súrgical** [형] 외과의 (⇨) **surgeon**

sur·mise [sə́ːrmàiz, səːrmáiz] [명] 추측(=conjecture) [타][자] [səːrmáiz] 추측하다, 억측하다(=guess)

sur·mount [sərmáunt] [타] 극복하다(=overcome); 넘다(=cross over); 《수동형》 ~위에 놓다, 얹다(=be on the top of)

◇ **sur·name** [sə́ːrnèim] [명] 성(=family name) [타] 성을 붙이다, 성으로 부르다
[반] Christian name, given name 이름

◇ **sur·pass** [sərpǽs / səpɑ́ːs] [타] ~보다 뛰어나다, 우월하다 (=excel), ~을 능가하다
[파] **surpássing** [형] 뛰어난, 우수한

◇ **sur·plus** [sə́ːrpləs] [명] 과잉(=excess), 잉여(剩餘) [형] 과잉의
[원] sur(over)+plus(=additional)
[반] déficit 부족
(예) *surplus* stock 잉여 상품, 재고품 // the *surplus*

population 과잉 인구

*sur·prise [sərpráiz] ⓜ 놀람(=astonishment); 불시에 습격함 ⓣ 놀라게 하다; 불시에 습격하다(=attack suddenly)
(예) I am *surprised* that she won the prize. 그녀가 상을 탔다니 놀랍다. // I am *surprised* to see you. 난 자넬 보고 놀랐네.
ⓟ **surprísing** ⓐ 놀라운 ***surprísingly** ⓑ 놀라울 만큼, 「의외로
(*be*) *surprised at* ~에 놀라
(예) I *was* much *surprised at* the news. 나는 그 소식을 듣고 깜짝 놀랐다.
in surprise 놀라서
(예) "Why?" she exclaimed *in surprise.* 그 여자는 놀라서 "왜?"라고 소리쳤다.
to one's surprise 놀랍게도
(예) *To* my *surprise,* it started raining. 놀랍게도 비가 오기 시작했다.

*sur·ren·der [səréndər] ⓣⓘ 넘겨주다(=hand over), 항복하다(=yield); 포기하다(=give up) ⓜ 항복, 함락

*sur·round [səráund] ⓣ 둘러싸다, 에워싸다(=encircle)
(예) High walls *surround* the factory. ↔ The factory *is surrounded by* 〔*with*〕 high walls. 공장은 높은 담장으로 둘러싸여 있다.
ⓟ ***surróunding** ⓐ 주위의 ⓜ 《*pl.*》 주위, 환경

*sur·vey ⓣ [sərvéi] 내려다 보다, 개관하다; 눈여겨 보다(=examine); 측량하다(=measure) ⓜ [sə́ːrvei] 개관; 관찰; 측량(도)
(예) make a *survey* of ~을 개관〔측량〕하다, 눈여겨 보다
ⓟ **survéying** ⓜ 측량(술) **survéyor** ⓜ 측량사, 감시인

*sur·vive [sərváiv] ⓘⓣ 살아남다; ~보다 오래 살다
(예) *survive* one's wife 아내보다 오래 살다 // The law still *survives.* 그 법률은 지금도 시행되고 있다.
ⓟ ***survíval** ⓜ 살아남음, 잔존자〔물〕 **survívor** ⓜ 잔존자, 유가족

sus·cep·ti·ble [səséptəbl] ⓐ 민감한(=sensitive), 걸리기 쉬운(=easily affected by); ~을 허용하는, ~이 가능한 [~ of]
(예) be *susceptible* to influenza 유행성 감기에 걸리기 쉽다

*sus·pect ⓣⓘ [səspékt] 수상히 여기다, 혐의를 걸다, 의심하다; 아마 ~이 아닌가 생각하다(=surmise) ⓐⓜ [sʌ́spekt] ⓐ 수상쩍은 ⓜ 혐의자, 용의자 (*cf.* doubt)
원 su(=under)+spect(=see) 반 trust 신용하다
(예) *suspect* a man *of* murder 아무에게 살인 혐의를 두다 // I *suspect* him *to* be lying. 그가 거짓말을 하고 있는 것이 아닌가 생각한다.
어법 doubt와 달라 whether, if 에 이끌린 절을 목적어로 하지 않는다.
ⓟ **suspéctable** ⓐ 의심스러운, 수상쩍은 ***suspícion** ⓜ 의심, 혐의; 낌새, 기미 ***suspícious** ⓐ 의심스러운, 수상한 **suspíciously** ⓑ 의심스러운 듯이, 수상하게

◇**sus·pend** [səspénd] ㊊ (매)달다(=hang up); 연기하다(=delay), 정지하다(=stop), 중지하다; 정직(停職)시키다
㉯ sus(=under)+pend(=hang)
㉰ **suspénders** ㊂ 《*pl.*》〖미〗 바지 멜빵 (*cf.* braces) **suspénsion** ㊂ 매닮; 미결정, 중지; 정직; 정학; 불통 **suspénse** ㊂ 미결, 이것도 저것도 아닌 상태; 불안(=anxiety)

▶ **285. 접두어 sus**
c. p. t로 시작하는 라틴계의 말에 붙어서, sub-와 같이 「밑에」「밑에 있는」의 뜻을 나타낸다.
(예) *sus*pend, *sus*pect, *sus*tain 따위

keep** a person **in suspense 아무를 불안하게 하다, 마음 졸이게 하다
(예) The story *kept* me *in suspense* till the last page. 그 이야기는 마지막 페이지까지 나를 마음 졸이게 했다.

*◇**sus·tain** [səstéin] ㊊ 떠받치다(=hold up), 부양하다(=support); (손해 따위를) 입다(=suffer); 견디다(=bear); 계속하다
㉯ sus(=up)+tain(=hold)
㉰ **sustáined** ㊇ 지지된; 지속된 (*sustained* efforts 끊임없는 노력) **sustenance** [sʌ́stənəns] ㊂ 생계; 자양물; 유지

swag·ger [swǽgər] ㊋ 뽐내며 걷다, 으스대다 ㊊ 을러대어 ~을 그만두게 하다 ㊂ 뽐내며 걷기, 활보

*◇**swal·low** [swálou / swɔ́l-] ㊊ 마시다, 삼키다(=gulp); 그대로 곧이듣다; 참다(=put up with) ㊂ 제비; 한 모금
㉰ **swállowtail** ㊂ 제비 꼬리; 연미복(燕尾服)

◇**swamp** [swamp, swɔ(ː)mp] ㊂ 늪(=bog), 소택지(=marsh), 습지 ㊊㊋ 물에 잠기게 하다, 침수되어 가라앉다; 압도하다(=overwhelm)
㉰ ◇**swámpy** ㊇ 소택의, 습지의, 질퍽한

◇**swan** [swan, swɔ(ː)n] ㊂ 백조; 시인
(예) a *swan* song 백조가 죽을 때 부른다는 아름다운 노래, 유종(有終)의 미(美); (시인·작곡가 등의) 최후의 작품; 절필(絕筆); 최후의 업적

swarm [swɔːrm] ㊂ (곤충의) 떼, 무리(=crowd) ㊋ 떼짓다(=move in crowds), 가득 차다 [~ with]

◇**sway** [swei] ㊋㊊ 흔들리다(=swing), 동요시키다; 지배하다(=control) ㊂ 흔들림(=gentle swing); 지배(=rule), 세력(=power)
(예) under the *sway* of ~의 지배하에 // The bus *swayed* to the left. 버스는 흔들리며 좌측으로 기울었다.

*◇**swear** [swεər] ㊋㊊ 《***swore*** ; ***sworn***》 선서하다, 하느님께 맹세하다; 저주하다(=curse); 욕설을 퍼붓다; 〖구어〗 단언하다 ㊂ 선서; 저주
(예) ◇*swear* by God 하느님의 이름으로 맹세하다 // He *swore to* tell the truth. ↔ He *swore that* he *would* tell the truth. 그는 진실을 말하겠다고 선서했다.

swear at ~에게 욕하다

S

(예) Stop *swearing at* me! 날 욕하지 마!

*◇**sweat** [swet] 명 땀 자 타 《***sweat, sweated***》 땀을 흘리다, 땀을 흘리며 일하다〔일하게 하다〕 (=work hard)
파 ***sweater*** [swétər]* 명 스웨터 **swéaty** 형 땀 같은, 땀투성이인; 힘드는

***Swe·den** [swí:dn] 명 스웨덴
파 **Swéde** 명 스웨덴 사람 ***Swédish** 형 스웨덴(사람)의, 스웨덴 말의 명 스웨덴 말, [the ~] 스웨덴 사람

*◇**sweep** [swi:p] 자 타 《***swept***》 청소하다(=brush), 쓸다; 일소하다(=remove); 쓰다듬다 명 청소, 일소; 흐름; 범위
(예) *sweep* away slavery 노예 제도를 일소하다 // The typhoon *swept* over the whole country. 태풍이 전국을 휩쓸었다. 「인 명 청소
파 **swéeper** 명 청소부〔기〕 **swéeping** 형 일소하는; 개괄적

***sweet** [swi:t]* 〈동음어 suite〉 형 단, 향기로운(=fragrant); 기분 좋은; 사랑스러운(=dear) 명 단맛, 단 것, 사탕 과자, 캔디; 애인; 《보통 *pl.*》 향기, 쾌락
반 sóur 신, bítter 쓴
(예) a *sweet* little girl 귀여운 여자애 // a *sweet* voice 아름다운 목소리 // This rose smells *sweet.* ↔ This rose has a *sweet* scent. 이 장미꽃은 좋은 냄새가 난다.
파 **swéetly** 부 달게; 상냥하게, 아름답게; 향기롭게 ◇**swéetness** 명 단맛; 아름다움; 친절 **swéeten** 타 자 달게 하다〔되다〕 **swéetening** 명 달게 함, 감미료 **swéetish** 형 조금 단, 예쁘장한 ◇**swéetheart** 명 애인 《특히 여자》 **swéetmeat** 명 《보통 *pl.*》 사탕 과자 **swéetmelon** 명 참외 ◇**sweet pea** 〖식물〗 스위트피 《콩과의 원예 식물》; 연인 **sweet potato** 고구마 **swéet-scented** 형 향기로운, 냄새가 좋은 **swéet-témpered** 형 마음씨 고운

◇**swell** [swel] 자 타 《***swelled; swollen, swelled***》 부풀다 (=grow bigger), 부풀게 하다(=inflate); 증대하다, 늘이다, 뽐내다 명 팽창, 융기(隆起), 증대; 굽이치는 파도; 〖속어〗 명사(名士), 멋쟁이 형 〖속어〗 멋진, 훌륭한(=excellent)
(예) ◇His face *swelled up.* 그의 얼굴은 부어 올랐다.
파 **swélling** 명 팽창, 증대, 부풂 형 부푼, 부풀어 오른

◇**swel·ter** [swéltər] 자 무더위에 지치다; 땀투성이가 되다 명 무더위; 흥분(상태)

swerve [swə:rv] 자 타 급히 방향을 바꾸다, 빗나가다(=deviate), (공 따위를) 커브시키다; 길을 잃다 명 빗나감, 벗어남, 급선회

swift [swift] 형 빠른, 신속한(=rapid, quick); 잠깐 동안의 부 신속하게
반 slow 느린, 느리게
(예) be *swift* of foot 걸음이 빠르다
파 ◇**swíftly** 부 빠르게 **swíftness** 명 신속

☆**swim** [swim] 자 타 《***swam ; swum***》 헤엄치다, 헤엄치게 하다; (수면 위에) 뜨다, 떠서 움직이다, 뜨게 하다; (물

에) 잠기다; 어지럽다 명 [보통 a~] 헤엄, 수영
파 ◇**swímmer** 명 헤엄치는 사람〔물건〕 **swímming** 명 헤엄 (*swimming* pool 〖미〗 수영 풀) **swímmingly** 부 순조롭게, 거침없이

swine [swain] 명 《단수·복수 동형》《집합적》 돼지(=pigs); 비열한 사람
파 **swíneherd** 명 양돈가

swing [swiŋ] 자 타 《***swung***》 이리저리 흔들리다, 흔들다; 그네를 타다; 회전하다〔시키다〕; 기운차게 나아가다 명 흔들림, 진동; 그네; 자유로운 활동; 성쇠(盛衰); 율동; 스윙 음악
파 **swínging** 명 진동 형 흔들거리는 **swing bridge** 선개교(旋開橋)
swing to (문이 자동적으로 돌아서) 쾅 닫히다
(예) He heard the door *swing to.* 그는 문이 쾅 닫히는 소리를 들었다.
in full swing 한창 진행 중인, 척척 진행 중인
(예) The Christmas festivities are now *in full swing.* 크리스마스 축제가 지금 한창이다.

swirl [swəːrl] 자 타 소용돌이치(게 하)다; (머리가) 어질어질하다 명 소용돌이(꼴); 곱슬 머리

swish [swiʃ] 명 휙휙 《날개·채찍 따위의 소리》; 일격 자 타 (지팡이·채찍 따위를) 휘두르다, (채찍이) 휙소리를 내다

switch [switʃ] 명 스위치, 개폐기(開閉器); 채찍 타 자 스위치를 틀다, 바꿔 넣다, 전환하다; (전등을) 켜다[~ on], 끄다 [~ off]; 채찍으로 치다(=whip)
파 ◇**swítchboard** 명 배전반, 교환대 **swítch-box** 명 스위치함 **swítchman** 명 《*pl.* -men》〖철도〗 전철수(轉轍手)

Switz·er·land [swítsərlənd] 명 스위스
파 ***Swiss** 명 스위스 사람 형 스위스(사람)의

swoon [swuːn] 자 기절하다(=faint); 쇠약해지다 명 기절

sword [sɔːrd]* 명 검(劍), 칼; 무력 (NB 발음에 주의.)
파 **swórdplay** 명 검술; 격론 **swórdsman** 명 《*pl.* -men》 검객, 무사 **swórdsmanship** 명 검술, 검도 **sword belt** 칼띠 **sword cut** 칼에 벤 상처 **sword dance** 칼춤 **sword guard** 날밑

syl·la·ble [síləbəl] 명 음절 타 음절로 나누어서 발음하다
파 **syllábic** 형 음절의 **syllábicate** 타 음절로 나누다, 각 음절로 발음하다 **syllabicátion** 명 분절법

sym·bol [símbəl] 명 상징(=emblem); 기호, 부호
(예) Our flag is our nation's *symbol.* 우리의 기는 우리 국가의 상징이다.
파 ***symbólic(al)** 형 상징적인, 상징하는 [~ of]; 부호의 ***sýmbolism** 명 상징주의 **symbolizátion** 명 기호화; 상징화 ⁑**sýmbolize** 타 ~을 나타내다, ~을 상징하다

sym·me·try [símətri] 명 균형; 조화; (좌우) 대칭
원 sym(=same)+metr(=measure)+y(명사 어미)
파 **symmétric(al)** 형 대칭적인, 균형이 잡힌 **symmétrically** 부 대칭적으로 **sýmmetrize** 타 균형잡히게 하다, 대칭적으로 하다

S

*◇**sym·pa·thy** [símpəθi] 명 동정(심) (=compassion); 연민 공명
원 sym(=same)+pathy(=emotion)
반 antípathy 반감
(예) feel *sympathy* for ~에 동정하다
파 ◇**sympathize** [símpəθàiz] 자 동정하다; 동의하다; 공감하다 [~ with]; 위로하다 **sýmpathizer** 명 동정자; 공명자 *◇**sympathétic** 형 동정적인; 공감하는 **sympathétically** 부 동정하여, 공명하여
in sympathy with ~에 동정하여; ~와 공명하여
(예) It is no use being a writer if one is not *in sympathy with* the world in which one is living. 사람은 자기가 살고 있는 세계에 공명하는 바가 없다면 작가가 된다는 것은 무익하다.

◇**sym·pho·ny** [símfəni] 명 교향악; 조화

*◇**symp·tom** [símptəm] 명 징후(=sign), 증상, 징조
파 **symptomátic** 형 징후의, ~을 나타내는

◇**syn·o·nym** [sínənìm] 명 뜻이 같은 말, 동의어
반 ántonym 반대어, 반의어
파 **synónymous** 형 동의어의, 같은 뜻의

▶ 286. 접두어 **syn, sym, sys, syl**

syn-은 「함께」 「동시에」의 의미를 나타낸다. l의 앞에서는 syl-로, m, p, b의 앞에서는 sym-으로, s 앞에서는 sys-로 바뀐다.
(예) *syn*onym, *sym*pathy, *sys*tem, *syl*lable 따위

syn·the·sis [sínθəsis] 명 《*pl.* **-ses** [-sì:z]》 종합, 합성
반 análysis 분석
파 **synthétic** 형 종합의, 합성적인

syr·up, sir·up [sírəp, sə́-] 명 시럽; 당밀

T

***sys·tem** [sístəm] 명 조직(=arrangement), 계통, 체계, 제도; 방식(=method)
(예) the social *system* 사회 조직 // the nervous *system* 신경계통 // the feudal *system* 봉건제도 // work with *system* 질서 있게 일하다
파 ***systemátic** 형 조직적인, 계통적인 **systemátically** 부 조직적으로, 정연하게 **sýstematize** 타 조직화하다, 분류하다, 체계를 세우다 **systematizátion** 명 조직〔체계〕화

☆**ta·ble** [téibl] 명 테이블, 식탁, 탁자; 요리(=food); 표(=list); 평원, 고원 형 식탁의 타 탁자 위에 놓다
(예) clear the *table* 식탁 위를 치우다 // set the *table* for supper 저녁상을 차리다 // wait at 〔《미》 on〕 *table* 식사 시중들다
파 ◇**táblecloth** 명 식탁보 **table knife** 식탁용 나이프

tábleland ⓜ 고원, 대지(臺地) (=plateau) **table linen** 식탁용의 흰 천《냅킨 따위》 **table manners** 식사시의 예법 **table salt** 식탁용의 소금 **táblespoon** ⓜ 큰 숟가락 **table talk** 좌담 **table tennis** 탁구 **tábleware** ⓜ 식기류

at table 식탁에 앉아, 식사중

(예) They were all *at table* when I got home. 내가 집에 도착했을 때 그들은 모두 식사중이었다.

under the table 몰래, 불법으로

(예) give him money *under the table* 그에게 뇌물을 주다

tab·let [tǽblit] ⓜ (금속·돌·나무의) 평판, 패(牌); 정제(錠劑) (*cf.* pill)

(예) two aspirin *tablets* 아스피린 두 정〔알〕

ta·boo [tæbúː / tə-] ⓜ 터부, 금기(禁忌), 금제(禁制) ⓣ 금하다 ⓗ 금제의

tac·it [tǽsit] ⓗ 말로 나타내지 않는(=unspoken), 무언의 (=silent)

ⓟ **tácitly** ⓑ 말 없는 가운데 **táciturn** ⓗ 입이 무거운 **tacitúrnity** ⓜ 과묵(寡默), 무언

tack [tæk] ⓜ 납작한 못; 시침질, 가봉 ⓣ 납작한 못으로 박아 붙이다; 시치다, 가봉하다; 덧붙이다(=attach)

tack·le [tǽkəl] ⓜ 도구, 기구(=gear); 활차(滑車); 〖럭비〗 태클 ⓙⓣ (일 따위에) 달려들다(=undertake); 붙잡다(=seize)

tact [tækt] ⓜ 요령(=skill), 꾀바름, 재치; 〖음악〗 박자

(예) have *tact* in teaching 가르치는 요령을 알고 있다

ⓟ **táctful** ⓗ 재치 있는, 꾀바른 ◇**táctless** ⓗ 재치 없는

tac·tics [tǽktiks] ⓜ《*pl.*》 전술, 병법, 책략(=skillful devices)

(예) guerrilla *tactics* 게릴라 전술

ⓟ **táctical** ⓗ 전술적인 **tactícian** ⓜ 전술가

tac·tile [tǽktl / -tail] ⓗ 촉각의, 감촉할 수 있는; 〖미술〗 입체감을 내는

tad·pole [tǽdpoul] ⓜ 〖동물〗 올챙이

tag [tæg] ⓜ (의복·리본 따위의) 늘어진 끝, 꼬리표; 부전(附箋) ⓣ 부전을 붙이다, 부가하다(=add) ⓙ 붙어다니다

(예) a price *tag* 가격표 // a *tag* question 부가 의문(附加疑問)

tail [teil] 〈동음어 tale〉 ⓜ 꼬리, 말단; (화폐의) 뒷면; 수행원; 미행 ⓣⓙ 꼬리를 달다; 수행〔미행〕하다

ⓑ head 머리

ⓟ **tail coat** 연미복(燕尾服) **tail end** 말단 **táillight** ⓜ (자동차 따위의) 미등(尾燈) (ⓑ héadlight 헤드라이트)

cannot make head or tail of ~의 뜻을〔정체를〕 전혀 모르다(=cannot understand at all)

(예) The police *couldn't make head or tail of* the murderer. 경찰은 그 살인범의 정체를 전혀 몰랐다.

tai·lor [téilər] ⓜ (남자 옷의) 재봉사, 양복 짓는 사람

ⓑ dréssmaker (여성·아이들 옷의) 재봉사

T

(예) The *tailor* makes the man. 〖속담〗 옷이 날개다.
파 **táilor-made** 형 양복점에서 지은, 맞춤의

taint [teint] 명 오점(=stain), 오명; 기미(氣味); 부패 타 자 더럽히다, 더럽혀지다; 부패시키다(=spoil)

☆**take** [teik] 자 타 《***took; taken***》 잡다, 가지고 가다(=carry); 타다; 먹다, 마시다; (~만큼) 소요되다; ~라고 생각하다(=consider); 받다(=accept); (병에) 걸리다(=catch); 좋아하다 [~ to]
반 give 주다
(예) I *took* him by the hand. 나는 그의 손을 잡았다. // *Take* an umbrella with you. 우산을 가지고 가거라. // *take* a train 기차를 타다 // ◇It *took* (me) an hour to write it. 그것을 쓰는 데 (나는) 한 시간 걸렸다. // *take* a joke in earnest 농담을 진담으로 받아들이다 // *take* cold 감기 들다 // *take* a look at ~을 보다 // *take* a picture 사진을 찍다 // *take* notes 노트에 기록하다
파 **táking** 형 매력적인; 전염하는 명 취득; 《*pl.*》 매상고

◇***take a walk*** 산책을 하다 (*cf.* take a stroll, go out for a walk)
(예) If it is fine tomorrow, we are going to *take a* long *walk* in the suburbs. 내일 날씨가 좋으면 교외로 소풍을 갈 작정이다.

take after★ ~을 닮다; 모방하다(=resemble)
(예) Jim *takes after* his father. 짐은 자기 아버지를 닮았다.

take ~ apart ~을 분해하다; 분석하다; 혼나게 하다
(예) He *took* the watch *apart.* 그는 시계를 분해했다. // He was *taking* himself *apart* with excuses. 그는 변명하느라고 쩔쩔매고 있었다.

◇***take away*** 가지고 가다; 제거하다, 빼다; 식탁을 치우다
(예) Not to be *taken away.* 지출(持出)을 금함《도서관 등에서》. // *Take away* four cows from ten cows. 소 10 마리에서 4 마리를 가지고 가라.

take back ~을 취소하다, 철회하다; (구입한 상품을) 반품하다
(예) I *take back* what I said. 앞서 말한 것을 취소한다.

take by surprise 불시에 치다, 기습하다
(예) The castle was *taken by surprise.* 성은 기습으로 함락되었다.

take down 내려놓다; 적어두다(=write down)
(예) *take down* a book 책을 내리다 // Reporters will *take down* the speeches. 신문 기자들이 그 연설을 받아 쓸 것이다.

take ~ for ~을 …이라고 생각하다; …으로 잘못 알다(=mistake ~ for)
(예) I'm sorry ; I *took* you *for* Mr. Smith. 미안합니다. 저는 당신을 스미스씨로 잘못 알았습니다.

◇***take in*** 받아들이다; 이해하다; 속이다

(예) It readily *takes in* moisture. 그것은 수분을 잘 흡수한다. // Don't be *taken in* by his promise. 그의 약속에 속지 마라. // She *took in* the situation at a glance. 그녀는 한 눈으로 그 장소의 상황을 이해했다.

take it easy 마음을 편하게 가지다, 여유 있게 하다, 예사롭게 생각하다, 태평하게 마음먹다
(예) Everyone in the family can *take it easy* at home. 가족은 모두 집에서 편안히 지낼 수 있다.

take it that ~라고 생각하다〔믿다〕
(예) I *take it that* we are to come early. 우리는 일찍 오지 않으면 안 된다고 생각합니다.

take notice* 〔*note*〕 *of ~에 주목〔주의〕하다, 눈치채다; 후대하다
(예) I warned him, but he *took* little *notice of* it. 그에게 경고했으나 그는 그다지 유의하지 않았다.

take off 덜어내다; 가버리다, 떠나다; 벗다 (반 put on); 이륙하다
(예) *take off* one's hat 모자를 벗다 // The plane *took off* at eight o'clock from Kimpo Airport. 비행기는 8 시에 김포공항을 이륙했다.

take on 맡다; (성질·양상 따위를) 띠다; 고용하다
(예) His face *took on* an angry look. 그의 얼굴은 성난 빛을 띠었다. // The manager has agreed to *take* him *on*. 지배인은 그를 고용할 것을 승낙했다.

take out 꺼내다, 집어내다; 데리고 가다; (신청해서) ~을 얻다〔받다〕
(예) He *took* the children *out* for a walk. 그는 산책하러 아이들을 데리고 나갔다. // She *took* her handkerchief *out of* her pocket. 그 여자는 호주머니에서 손수건을 꺼냈다. // *take out* a driver's license 운전 면허를 따다 // *take out* an insurance policy 보험 계약을 맺다

take over ~을 인계하다, 떠맡다
(예) *take over* the business of a firm 회사의 사무를 인계받다

take pains 수고하다, 애쓰다
(예) He *takes* great *pains* in educating his children. 그는 자기 아이들을 교육하는 데 큰 수고를 한다.

take part in** ~에 참가하다
(예) Will she *take part in* the concert? 그 여자는 음악회에 참가할까?

take to ~을 좋아하다, ~이 마음에 들게 되다; ~에 몰두하다, (수단)에 호소하다
(예) The baby has *taken to* her new nursemaid. 아기가 새 유모를 따랐다. // He has *taken to* drink. 그는 음주의 습관이 붙게 되었다. // *take to* violence 폭력에 호소하다

take up 집어 올리다; 뒤를 잇다, 취임하다, 종사하다; (시간·장소 따위를) 잡다, 차지하다
(예) *take up* golf 골프를 시작하다 // He *took up* the pen

to write. 그는 글을 쓰려고 펜을 들었다. // His time i mostly *taken up* with writing. 그는 대부분의 시간을 저술하는 데 보내고 있다.

(*be*) ***taken ill*** 병에 걸린(=fall ill)

tale [teil] 〈동음어 tail〉 ⓜ 이야기(=story); 고자질, 소문(=rumor)

파 **tálebearer** ⓜ 고자질하는 사람

tal·ent [tǽlənt] ⓜ 재능 (*cf.* ability); 수완; 《집합적》 재능있는 사람들, 인재, 탤런트

(예) a man of *talent* 재능이 있는 사람 // have a *talent* for music 음악에 재능이 있다

파 **tálented** ⓗ 재능이 있는, 재주있는

talk [tɔːk] ⓙⓣ 이야기하다(=speak), 상담하다 ⓜ 이야기, 상담

(예) a tall *talk* 허풍 // He had a long *talk* with her. 그는 그녀와 오랫동안 이야기하였다.

파 **tálker** ⓜ 이야기하는 사람 **tálking** ⓗ 말하는 **tálkie** ⓜ 《보통 *pl.*》 발성 영화 **talkative** ⓗ 이야기하기를 좋아하는, 수다스러운(=chatty) **tálkatively** ⓑ 수다스럽게

talk about ~의 이야기를 하다, ~을 논하다

(예) What are you *talking about ?* 무슨 이야기를 하고 있는 거냐?

talk *a person* ***into*** 〔***out of***〕 *do**ing*** 아무를 설득하여 ~시키다〔~하지 않도록 하다〕

(예) I *talked* her *into* accept*ing* my present. 그녀를 설득하여 내 선물을 받도록 하였다. // I *talked* him *out of* resign*ing*. 나는 그를 설득하여 사임하지 않도록 하였다.

talk over* ~에 대해서 의논하다; (아무개를) 설득하다

(예) My parents were *talking over* our future. 부모님은 우리 장래에 관해 얘기하고 계셨다. // They *talked* him *over* to their side. 그를 설득해서 그들의 편이 되게 하였다.

talk to ~에게 말을 걸다

(예) *talk to* a person *about* 〔*over*〕 a matter 어떤 일에 관하여 아무개와 이야기하다

talking of ~으로 말하자면

(예) *Talking of* music, do you like jazz? 음악에 관한 이야기인데 재즈를 좋아합니까?

tall [tɔːl] ⓗ (키가) 큰(*cf.* high); 〖구어〗 과장된 ⓑ 과장하여

반 short (키가) 작은

tal·low [tǽlou] ⓜ 수지(獸脂), 쇠〔양〕기름

tal·ly [tǽli] ⓜ 부절(符節), 부신(符信) 《대차 관계자가 나무에 금액을 새기고 둘로 쪼개어 뒷날의 증거로 삼은 것》; 두 개가 똑같은 것, 일치 ⓙⓣ (부신·부절 따위에) 새기다; 계산하다; 일치하다 [~ with], 부합되다

tame [teim] ⓗ 길든(=domesticated); 순한, 무기력한(=spiritless); 평범한(=dull) ⓣⓙ 길들이다, 길들다

반 wild 야생의

tan [tæn] [타][자] 가죽을 무두질하다; 햇볕에 그을리다
tan·gi·ble [tǽndʒəbəl] [형] 만져서 알 수 있는; 실체적인; 명백한; 현실의 [명] 《*pl.*》 유형 자산
(예) *tangible* property 유형 자산 // a *tangible* fact 명백한 사실
tan·gle [tǽŋgəl] [자][타] 엉키게 하다, 얽히게 하다(=entangle) [명] 엉킴, 혼란, 뒤죽박죽
[반] disentángle 얽힌 것을 풀다
tan·go [tǽŋgou] [명] 《*pl.* **-gos**》 탱고 음악〔춤〕 [자] 탱고를 추다
tank [tæŋk] [명] 탱크, 유조(油槽), 수조(水槽); 전차(戰車)
[파] **tánker** [명] 유조선 **tank car** 유조차 **tank station** 급수역(給水驛)
tap [tæp] [명] 가볍게 두드리기(=light blow); (통의) 주둥이; 〖영〗 꼭지(=〖미〗 cock) [타][자] 가볍게 두드리다(=strike lightly); (통에) 꼭지를 달다
[파] **tap dance** 탭댄스
tape [teip] [명] 테이프, 줄자, 끈 [타] 테이프로 묶다
[파] **tape measure, tápeline** [명] 줄자
ta·per [téipər] [명] 가느다란 초 [자][타] 끝이 차츰 뾰족해지다 [형] 끝이 가는
tap·es·try [tǽpistri] [명] (장식용의) 색무늬를 넣어 짠 천
tar [tɑːr] [명] 타르 [타] 타르를 칠하다
tar·dy [tɑ́ːrdi] [형] 느린(=slow), 늦은(=late)
[반] quick 빠른
[파] **tárdily** [부] 느릿느릿
tar·get [tɑ́ːrgit] [명] 표적(=mark), 목표(=aim), 과녁
(예) Our company became the *target* of the enemy's fire. 우리 중대는 적의 포화의 표적이 되었다.
tar·iff [tǽrif] [명] 관세(율); 요금표(=list of prices)
tar·ry [tǽri] [자] 늦어지다, 꾸물거리다(=delay)
NB 같은 철자로 [tɑ́ːri]라고 발음하면 「타르(tar)와 같은」의 뜻.
tart [tɑːrt] [형] 신(=sour); 신랄한 [명] 과실 파이
task [tæsk / tɑːsk] [명] 일(=piece of work), 임무(=duty) [타] 일을 과하다; 혹사하다
(예) a home *task* 숙제 // She *tasked* her maid beyond her strength. 그 여자는 하녀에게 힘겨운 일을 시켰다.
[파] **táskmaster** [명] 십장, 감독 **task force** 기동 부대〔함대〕; 대책 본부
***take* 〔*call, bring*〕 *a person* to task** 아무를 꾸짖다
tas·sel [tǽsəl] [명] (장식용의) 술 [타] 술을 달다
taste [teist] [명] 맛(=flavor), 미각; 취미, 기호(嗜好)(=liking) [타][자] 맛보다; ~한 맛이 있다, ~한 기미가 있다 [~ of]
(예) It *tastes* sour 〔of mustard〕. 그것은 신〔겨자〕 맛이 난다. // to one's *taste* 아무의 비위에 맞는, 취미에 맞아서 // in good 〔bad〕 *taste* 격이 높은〔높지 않은〕, 아취 있는 〔없

는] // There is no accounting for *taste(s)*. ↔ Every man do his *taste*. 〖속담〗 십인십색(十人十色).
[파] **tásteful** [형] 취미를 아는; 멋 있는 **tástefully** [부] 풍취가〔멋이〕 있게 **tásteless** [형] 맛없는; 무취미한 ◦**tásty** [형] 맛있는, 품위 있는

have a taste for ~에 취미를 갖다, ~가 좋다
(예) *have a taste for* music 음악을 좋아하다 // She *has* no *taste for* reading. 그 여자는 독서에 취미가 없다.

tat·ter [tǽtər] [명] 《보통 *pl.*》 넝마 조각(=rag), (천·종이 따위의) 나부랑이, 누더기 [타][자] 갈가리 찢다〔찢어지다〕
[파] **táttered** [형] 해어진, 누더기를 걸친

taunt [tɔːnt] [타] 꾸짖다, 힐책하다, 조롱하다 [명] 조롱

tav·ern [tǽvərn] [명] (선)술집(=public house); 여인숙(=inn)

taw·ny [tɔ́ːni] [형] 황갈색의(=yellowish brown)

tax [tæks] [명] 세금; 무거운 부담 [타] 과세하다, 부담을 지우다
(예) national 〔local〕 *taxes* 국〔지방〕세 // impose a *tax* on ~에 과세하다 // including *taxes* ↔ with *taxes* included ↔ before *taxes* 세금 포함의〔으로〕 // after *taxes* 세금 공제의〔로〕
[파] **táxable** [형] 세금 붙는 **taxation** [tækséiʃən] [명] 과세 **táx-frée, táxless** [형] 면세의 **táxpayer** [명] 납세자

> ▶ **287.** 「세금」의 유사어
> **tax**는 일반적인 세금, **rates**는 영국에서 특별 목적으로 부동산에 과하는 지방세, **duties**는 관세를 말한다. 비행장 등의 면세품에 관해서 말할 때는 duty free라고 한다.

*__tax·i__ [tǽksi] [명] 택시 [자][타] 택시로 가다〔나르다〕
[파] ◦**táxicab** [명] 택시

T

☆**tea** [tiː] [명] 차, 홍차, 차나무〔잎〕; 티《점심과 저녁 사이에 차와 함께 먹는 가벼운 식사》
(예) make *tea* 차를 끓이다
[어법] 보통 홍차를 tea라고 하는데, 특히 명시할 경우에는 black tea라고 함. 녹차는 green tea.
[파] **téacup** [명] 찻잔 **tea house** 다방 **téakettle** [명] (차를 끓이는) 찻주전자 **tea leaf** 차 잎사귀 **tea party** 다과회 **téapot** [명] 찻주전자 ◦**téaroom** [명] 다방 **téaspoon** [명] 찻숟가락 **téaspoonful** [명] 찻숟가락 하나 가득 **téatime** [명] 차 마시는 시간

☆**teach** [tiːtʃ] [타] 《***taught***》 가르치다, 설명하다; 길들이다
[반] learn 배우다
(예) *teach* oneself 독학하다 // She *taught* them French. ↔ She *taught* French *to* them. 그녀는 그들에게 프랑스어를 가르쳤다.
[파] ☆**téacher** [명] 선생 ***téaching** [명] 가르침, 교수 **téachable** [형] 가르칠 수 있는, 유순한 **téach-in** [명] 토론 집회, 교내 토론회

*◦**team** [tiːm] 〈동음어 teem〉 [명] 팀, 조(=group) [타][자] (말·소 따위를) 한 수레에 매다; 공동 작업을 하다

㉻ **téammate** ⓜ 같은 팀의 동료 **téamwork** ⓜ 협동 작업, 팀워크

tear* ⓣⓙ [tɛər] 《**tore; torn**》 찢다, 찢어지다, 잡아찢다; 질주하다 ⓜ [tɛər] 찢어진 틈; [tiər] 《보통 *pl.*》 눈물

(예) shed *tears* 눈물을 흘리다 // burst into *tears* 울음을 터뜨리다 // This mountain was *torn* to pieces. 이 산은 산산 조각으로 무너졌다.

㉻ **tearful** [tíərfəl] ⓗ 눈물이 헤픈 **téarless** ⓗ 눈물 없는, 무정한 **tear gas** 최루(催淚) 가스

tear away 잡아찢다; 질주하다

(예) I could not *tear* myself *away* from my friends. 나는 차마 친구들과 헤어질 수가 없었다.

tear down (건물 따위를) 헐다; (명성 따위를) 손상하다

(예) The old theater is to be *torn down* next month. 그 낡은 극장 건물은 다음 달에 헐리도록 되어 있다.

tear off ~에서 잡아떼다, ~에서 잡아떼어 가지다

(예) a branch *torn off* a tree 나무에서 꺾어낸 가지

tear up 갈기갈기 찢다(=tear in pieces); 뿌리째 뽑다

(예) *tear* a tree *up* by the roots 나무를 뿌리째 뽑다

in tears 눈물을 흘리며

(예) When I looked up at her, she was all *in tears.* 내가 그녀를 쳐다보았을 때, 그녀는 눈물 투성이었다.

tease [ti:z] ⓣ 짓궂게 괴롭히다(=annoy), 놀려대다

tech·nic [téknik] ⓜ (예술의) 수법, 기술, 기교(=technique); 《*pl.*》 전문적 술어, 공학, 산업 기술

㉻ **technícian, téchnicist** ⓜ 전문가, 기술자 (⇨) **technical**

tech·ni·cal [téknikəl] ⓗ 기술적인; 공업의; 전문의, 전문적인

(예) *technical* terms 기술 용어, 전문어

㉻ **technicálity** ⓜ 전문적임; 《*pl.*》 전문적 사항, 전문어

tech·nique [tekní:k] ⓜ 기교, 기술(=technic)

(예) have poor *technique* at the piano 피아노 연주가 서투르다

tech·nol·o·gy [teknálədʒi / -nɔ́l-] ⓜ 공업 기술, 공예학

㉻ *****technológical** ⓗ 공예의; 공예학의 ◦**technólogist** ⓜ 과학 기술자〔연구가〕, 공학자; 공예학자

ted·dy [tédi] ⓜ 《*pl.*》 테디《슈미즈의 상반과 팬티를 이은 여성용 속옷》

㉻ ◦**teddy bear** 장난감 곰

te·di·ous [tí:diəs, -dʒəs / -djəs] ⓗ 지루한, 싫증 나는

(예) a *tedious* talk 지루한 이야기

㉻ ◦**tédium** ⓜ 권태, 지루함

teem [ti:m] 〈동음어 team〉 ⓙ 충만하다, 풍부하다(=abound); 우글우글하게 많다 [~ with]

㉻ **téeming** ⓗ 풍부한, 다산(多産)인(=fertile)

teens [ti:nz] ⓜ 《*pl.*》 (연령의) 10대 《-teen으로 끝나는 13세에서 19세까지의 연령》

T

(예) She is just out of her *teens.* 그 여자는 겨우 10대를 넘어섰다.

파 **téen-age** 형 10대의 ***téen-ager** 명 10대의 소년〔소녀〕

in one's teens 10대의〔에〕

(예) *in* her last *teens* 그녀가 19 세인 해에 // *in* her early 〔late〕 *teens* 그녀가 10 대 초반〔후반〕일 때에

tel·e·cast [téləkæ̀st / -kɑ̀:st] 자 타 텔레비전 방송을 하다 명 텔레비전 방송

tel·e·com·mu·ni·ca·tion [tèləkəmjù:nəkéi:ʃən] 명 (라디오·TV·전신·전화 따위에 의한) 원거리 통신; 전자통신

> ▶ 288. 접두어 **tele**
> 「먼」「원거리 조작(操作)의」의 뜻을 나타낸다.
> (예) *tele*graphy, *tele*phone

tel·e·gram [téləgræ̀m] 명 전보

(예) send a *telegram* 전보를 치다 // by *telegram* 전보로

***tel·e·graph** [téləgræ̀f / -grɑ̀:f] 명 전신(기) 자 타 전보를 치다(=wire), 전신으로 알리다, 전송(電送)하다

원 tele(=far off)+graph(=write)

(예) *telegraph* him to come 그에게 오라고 전보를 치다 // He *telegraphed* her the discovery. ↔ He *telegraphed* the discovery *to* her. 그는 그녀에게 그 발견을 전보로 알렸다.

파 **telegraphy** [təlégrəfi] 명 전신(술) **telégrapher** 명 전신 기사 **telegraphic** [tèləgrǽfik] 형 전신〔보〕의 **telephótograph** 명 전송 사진

☆**tel·e·phone** [téləfòun] 명 전화(기) 자 타 전화를 걸다, 전화로 말하다 [~ to] 〖약어〗 *tel., phone*

원 tele(=far off)+phone(=sound)

(예) by *telephone* 전화로 // speak on 〔over〕 the *telephone* 전화로 말하다 // I *telephoned* him her arrival. ↔ I *telephoned* her arrival *to* him. 나는 그에게 그녀의 도착을 전화로 알렸다.

파 **telephone booth** 공중 전화실 **telephone directory** 전화 번호부 **telephone number** 전화 번호 **telephone office** 〔**exchange**〕 전화국 **telephone operator** 교환수

***tel·e·scope** [téləskòup] 명 망원경

원 tele(=far off)+scope(=see)

파 **telescópic(al)** 형 망원경의

tel·e·type [télitàip] 명 텔레타이프 통신(문) 타 자 텔레타이프로 송신하다

파 **teletýpewriter** 명 전신 타자기, 텔레타이프 라이터

☆**tel·e·vi·sion** [télivìʒən] 명 텔레비전 〖약어〗 *TV*

(예) watch *television* 텔레비전을 보다 // see a boxing match on *television* 텔레비전에서 권투 경기를 보다

파 **televise** [téləvàiz] 타 텔레비전 방송을 하다, 텔레비전을 수상하다

tel·ex [téleks] 명 텔렉스 《가입자가 교환 접속에 의해 텔레타이프로 교신하는 통신 방식》 타 텔렉스로 송신하다

☆**tell** [tel] 자 타 《***told***》 말하다(=say), 이야기하다, 알리다

(=inform); 명하다(=order); 식별하다
(예) *tell* a lie 거짓말을 하다 // *Tell* me a story. ↔ *Tell* a story to me. 이야기를 해 주시오. // I'm *told* you've been to America. 네가 미국에 갔다 왔다는 말을 들었다. // to *tell* the truth 사실을 말하자면

어법 ① 명령문을 피전달문으로 하는 직접 화법을 간접 화법으로 전환할 때 쓰인다: He said to me, "Don't leave the room."↔He *told* me not to leave the room. ② I *told* that ~와 같이 상대편을 나타내지 않고 that clause를 목적어로 하는 것은 옳지 않다. said는 가능하다.

파 **téller** 명 말하는 사람; 금전 출납계 **télling** 형 효력 있는 **téllingly** 부 효과적으로, 유효하게 **télltale** 명 고자질하는 사람 형 (비밀·감정 따위를) 저도 모르게 드러내는

tell ~ from*⋆* ~과 …을 구별하다(=distinguish ~ from)
(예) How can you *tell* an Englishman *from* an American? 영국 사람과 미국 사람을 어떻게 분간하느냐? // It is not difficult to *tell* blue *from* green. 청색과 녹색을 분간하는 것은 어렵지 않다. // I cannot *tell* the sheep *from* the goat. 나는 양과 염소의 구별을 할 수 없다. (↔I cannot *tell* the difference between the sheep and the goat.)

***tell ~ of* 〔*about*〕** ~을 말하다; ~의 이야기를 하다
(예) Can you *tell* me *of* a good dentist? 좋은 치과 의사를 말해주시겠습니까? // He *told* me *of* 〔*about*〕 his troubles. 그는 나에게 자신의 어려움에 관해 말하였다.

tell on ~에 영향을 미치다; (~에 관한 것을) 고자질하다, 밀고하다
(예) His age is beginning to *tell on* him. 그도 나이에는 어쩔 수 없게 되었다. // I did not *tell on* you. 너에 관한 것을 고자질하지 않았다.

temp. temperature; temporal; temporary

tem·per [témpər] 명 기질(=disposition); 기분(=mood); 성마름, 노여움(=anger); 침착 자타 (강철 따위를) 불리다, 이기다; 부드럽게 하다, 누이다
(예) have a hot *temper* 성미가 급하다

어법 *in a temper* 와 *out of temper* 는 둘 다 「발끈 화를 내어」란 뜻. 앞의 temper는 mood(울화)의 뜻이고, 뒤의 temper는 composure(침착)의 뜻이다.

in a good* 〔*bad*〕 *temper 기분이 좋아〔나빠〕서

tem·per·a·ment [témpərəmənt] 명 기질(=natural disposition), 체질; 열정적인 성질

파 **temperaméntal** 형 기분의, 기질상의; 변덕스러운, 신경질적인

tem·per·ance [témpərəns] 명 절제; 절주, 금주(禁酒)
(예) a *temperance* movement 금주 운동

tem·per·ate [témpərit] 형 절제 있는(=moderate); 온화한(=calm); 금주의(=abstinent)
(예) a man of *temperate* habits 절제가 // the *temperate* zone 온대 // a *temperate* climate 온화한 기후

T

*tem·per·a·ture [témpərətʃər] 명 온도, 기온; 체온
(예) a *temperature* chart 체온표 // a *temperature* curve (환자의) 체온 곡선 // have a *temperature* (병으로) 열이 있다 // Water begins to boil at the *temperature* of 212 F. 물은 화씨 212도에서 끓기 시작한다.

tem·pest [témpist] 명 폭풍우(=violent storm); 대소동(=tumult)
파 **tempéstuous** 형 폭풍우의

tem·ple [témpəl] 명 사원, 신전; 관자놀이

tem·po [témpou] 명 템포, 박자

tem·po·ral [témpərəl] 형 일시적인(=temporary), 때의 현세의(=earthly), 세속의; 관자놀이의
반 pérmanent 영구적인, spíritual 탈속(脫俗)적인

***tem·po·rar·y** [témpərèri / -rəri] 형 일시적인, 덧없는; 임시의, 임시 변통의
반 lásting 영속하는
(예) a *temporary* job 임시의 일 // *temporary* pleasure 덧없는 쾌락
파 **témporarily** 부 일시적으로

***tempt** [tempt] 타 유혹하다(=lure), ~할 생각을 일으키다(=induce) [~ a person to do]
(예) I *was tempted to* buy the hat. 그 모자를 사고 싶은 생각이 들었다. // He tried to *tempt* me with a bribe. 그는 나를 뇌물로 유혹하려 했다.
파 **témpter** 명 유혹자, 유혹물; [the T-] 악마 **témpting** 형 유혹적인 ***temptation** [temptéiʃən] 명 유혹(물)

☆**ten** [ten] 명 10 형 10의
파 ☆**tenth** 명형 제 10(의), 10분의 1(의), (달의) 10일

ten to one 십중 팔구, 거의 틀림없이
(예) The boy has been eating green fruit, and *ten to one* he will be sick. 그 아이는 익지 않은 과일을 먹고 있었으니까 틀림없이 병이 날 것이다. // *Ten to one* he will arrive late. 십중 팔구 그는 늦게 도착할 것이다.

tens of thousands of 수만이나

ten·ant [ténənt] 명 차지인(借地人), 차가인, 소작인 타 (토지·가옥을) 차용하다
반 lándlord 지주, 가옥주
(예) a *tenant* farmer 소작농 // *tenant* right 차지〔차가〕권

***tend** [tend] 자타 ~의 경향이 있다, ~하기 쉽다(=be inclined to); 돌보다(=look after), 주의하다(=attend to)
(예) *tend* the sick 병자를 보살피다
파 (⇨) **tendency**

* ***tend to*** ~의 경향이 있다; ~에 이바지하다
(예) She *tends to* exaggerate. 그녀는 과장해서 말하는 경향이 있다. // This will *tend to* improve working conditions. 이것은 노동 조건 개선에 이바지할 것이다.

***tend·en·cy** [téndənsi] 명 경향, 풍조(=trend); 성향(性向)
원 <tend ~의 경향이 있다

(예) Her hobbies show artistic *tendencies.* 그녀의 취미에는 예술적 경향이 보인다. // ◦Traffic accidents have *a tendency to* increase. 교통 사고는 증가되는 경향이 있다. // He has *a tendency toward* 〔*to*〕 exaggeration. 그는 과장해서 말하는 버릇〔성향〕이 있다.

ten·der [téndər] ⓗ 상냥한(=kind, loving); 부드러운(=soft); 연약한(=delicate); 민감한(=sensitive) ⓙⓣ 제공하다, 제출하다(=offer) ⓜ 돌보아 주는 사람; 제출
반 hard, tough 단단한
파 ◦**ténderly** ⓑ 상냥하게 ◦**ténderness** ⓜ 부드러움; 상냥함; 친절 **ténder-héarted** ⓗ 마음씨가 고운〔상냥한〕

ten·e·ment [ténəmənt] ⓜ 차지(借地); 셋집; 아파트

ten·nis [ténis] ⓜ 정구, 테니스
(예) a *tennis* court 정구장 // a *tennis* racket 테니스 라켓

ten·or [ténər] ⓜ 테너(가수); 방침, 취지 ⓗ 테너의

tense [tens] ⓗ 팽팽한(=tightly stretched), 긴장한 ⓜ 〖문법〗 시제(時制)
반 lax, loose 느슨한
파 ◦**ténsion** ⓜ 긴장; 장력(張力)

tent [tent] ⓜ 텐트, 천막 ⓙⓣ 천막을 치다
(예) pitch 〔strike〕 a *tent* 텐트를 치다〔걷어 치우다〕

term [təːrm] ⓜ 기간, 학기(=〖미〗 semester); (학술) 용어; 《*pl.*》 조건; 교제 관계 ⓣ 일컫다(=name)
(예) technical *terms* 기술 용어, 전문어 // the *terms* of peace 강화 조건
파 ◦**términal** ⓗ 끝의, 학기의 ⓜ 말단, 종점 **terminally** ⓑ 종말에 ◦**terminology** [təːrmənɑ́lədʒi / təːrmənɔ́l-] ⓜ 전문 용어(집), 술어학(術語學) **términus** ⓜ 《*pl.* -nuses, -ni [-nai]》 종착역, 경계선 (⇨) **terminate**

in terms 교섭〔상담〕중인

in terms of ~(에 특유한) 말로, ~에 의하여, ~의 견지에서
(예) He sees life *in terms of* money. 그는 돈의 관점에서 인생을 본다. // *in terms of* censure 비난의 말로
NB in terms of의 형 대신에 종종 in ~ terms의 형이 쓰이기도 한다: in technical 〔legal〕 terms 전문〔법률〕 용어로

on good 〔***bad***〕 ***terms with*** ~와 사이가 좋은〔나쁜〕
visiting terms는 「서로 왕래하는 사이」, speaking terms는 「서로 말을 건네는 정도의 사이」
(예) Now I stand *on good terms with* my father. 이제 나는 아버지와 원만하게 지내고 있다.

ter·mi·nate ⓣⓙ [tə́ːrmənèit] 끝내다(=end), 끝나다, 낙착되다; 폐지하다; 한계를 짓다(=bound) ⓗ [-nit] 유한(有限)의
(예) The meeting *terminated* at ten o'clock in the evening. 그 회합은 밤 10시에 끝났다.
파 ◦**termination** [təːrmənéiʃən] ⓜ 종료, 폐지; 결말, 만기

T

◇**tern** [təːrn] 명 〖새〗 제비갈매기《갈매기과의 해조》
ter·race [térəs] 명 (층층을 이룬) 단지(段地), 고지(高地) (=height); 단(壇), 테라스
ter·res·tri·al [təréstriəl] 형 지구(상)의(=earthly); 육지의
반 celéstial 하늘의, aquátic 물(속)의
*◇**ter·ri·ble** [térəbəl] 형 무시무시한(=awful); 호된, 지독한
NB 명사는 terror, 동사는 terrify. 다음 것과 비교하라.
horror—horrible—horrify
(예) a *terrible* weapon 가공할 무기 // The heat is *terrible* here. 이곳의 더위는 지독하다.
파 *◇**térribly** 부 무시무시하게, 지독하게
ter·ri·er [tériər] 명 테리어《개의 일종》
* **ter·ri·to·ry** [térətɔ̀ːri / -təri]* 명 영토, 구역; (광대한) 지방, 지역
파 ◇**territórial** 형 영토의
*◇**ter·ror** [térər] 명 공포(=great fear); 공포를 일으키는 것
(예) He is a *terror* to the villagers. 그는 마을 사람들에게 무서운 존재다.

> ▶ **289.** 접미어 **fic**
> 「~로 하는」「~화(化)하는」의 뜻의 형용사를 만든다.
> (예) terri*fic*, scienti*fic*(과학적인) 따위

파 *◇**terrify** [térəfài] 타 무섭게 하다, 놀라게 하다(=frighten) ◇**terrífic** 형 무서운, 지독한 **terrífically** 부 무섭게, 지독하게 **térrorism** 명 공포 정치, 폭력주의 **térrorist** 명 테러리스트 **térrorize** 타 공포를 주다
*__test__ [test] 명 시험(=examination), 검사, 음미; 시금석 타 시험하다(=try and examine); 정련(精鍊)하다
(예) a blood *test* 혈액 검사 // give a *test* in English 영어 시험을 치다 // put ~ to the *test* ~을 시험하다
파 **téster** 명 시험자, 시험 장치 **test paper** 시험지 ◇**test tube** 시험관(管)
◇**tes·ta·ment** [téstəmənt] 명 유언(장)(=will); 신과의 서약 [the T-] 신약 성서
(예) the Old 〔New〕 *Testament* 구약〔신약〕 성서
◇**tes·ti·fy** [téstəfài] 자 타 증명〔입증〕하다, 언명하다
(예) The fact *testified to* his innocence. ↔ The fact *testified* that he was innocent. 그 사실이 그의 무죄를 증명했다.
tes·ti·mo·ny [téstəmòuni / -mə-] 명 증거(=proof); 증언《법정에서의》, 증명
파 **testimónial** 명 (자격) 증명서, 추천장, 상장 형 증명서의
tet·ro·do·tox·in [tétrədoutáksin / -tɔ́ksin] 명 테트로도톡신《복어의 독》
*◇**text** [tekst] 명 원문(=original); 본문(=main body); 주제(=theme); 교과서(=textbook)
파 **téxtual** 형 원문의 *◇**téxtbook** 명 교과서
◇**tex·ture** [tékstʃər] 명 직물, 피륙; 조직, 구조(=constitu

tion)

파 *textile [tékstil, -tail / tékstail] 형 직물의 명 《*pl.*》 직물 (원료)

Thai·land [táilənd, -lænd] 명 타이《구칭 Siam》

than [ðən, ðæn] 접 ① ~보다도, ~에 비하여

(예) He is ten years older *than* I (am). ↔ He is older *than* I by ten years. 그는 나보다 10 살 위이다 // He is taller *than* any other boy in his class. 그는 반에서 누구보다도 키가 크다.

어법 ① than 이하의 절에는 생략이 많다. 특히 격에 주의: You know her better *than* I (know her). (나보다 네가 그녀를 더 잘 알고 있다) You know her better *than* (you know) me. (당신은 나보다 그녀를 더 잘 알고 있다) ② 구어에서는 He is taller *than* I.를 than me 라고 할 때가 많으나, 이 때의 than 은 전치사.

② ~보다는 차라리

(예) I would *rather* 〔*sooner*〕 starve to death *than* steal. 도둑질하는 것보다는 차라리 굶어 죽는 편이 낫다.

③ ~ 이외에 (는)

(예) None other *than* his parents can help him. 양친 이외에 그를 도와줄 사람은 아무도 없다. // He never teaches otherwise *than* by examples. 그는 실례를 들어 가르치는 이외에는 (다른 방법으로) 가르치지 않는다. // I had no *other* choice *than* that. 그것 이외에는 달리 방도가 없었다.

— 전 《문어에서는 than whom의 형태로만 사용》 ~보다도

(예) Here is my son, *than* whom a better does not exist. 여기에 내 아들이 있는데 나에게는 그보다 더 좋은 사람은 없다.

thank [θæŋk] 타 감사하다 명 《항상 *pl.*》 감사

(예) *Thank* you *for* your present. 선물에 대하여 감사합니다. // No, *thank* you. 아닙니다, 이제는 됐습니다. 그만 두어라, 괜찮다《권유를 사양할 때의 말》

파 **thánkful** 형 감사하는, 고마워하는(with a *thankful* heart 진심으로 감사하여) **thánkfully** 부 감사하여 **thánkless** 형 은혜를 모르는 **thanksgiving** [θæ̀ŋksgíviŋ / θǽŋksgìviŋ] 명 감사, 사은(謝恩) **Thanksgiving Day** 〖미〗 감사절《11 월의 제 4 목요일》

thanks to ~의 덕택으로, ~때문에 (=because of)

(예) *Thanks to* his decision, things have come out right. 그가 결정을 내려준 덕분에 일이 잘 되었다.

that [ðæt, ðət]* 형 ① 《this 에 대하여 먼 것을 가리키거나, this 와 상관적으로 쓰임》 그, 저

(예) on *that* day 그 날에 // in *that* city 그 시에서 // What is *that* flower? 저 꽃은 무엇이냐?

② 《the의 대용으로, the 보다 의미가 강함》 저, 그, 그런, 예의

T

(예) *that* picture of hers 그녀의 저 사진 // *that* camera you boast of 네가 자랑하는 그 카메라

— 대 ① 《this에 대하여 좀 떨어진 곳에 있는 물건·사람; 이미 언급했거나 이야기에 나온 사물·사람을 가리킴》 그것, 저것

(예) Can you hear *that?* 그것이 들리느냐? // *That* is what I want to hear. 그것이 내가 듣고 싶어하는 것이다.

② 《명사의 반복을 피하는 대명사로서》 (～의) 그것

(예) The population of Seoul is larger than *that* (=the population) of Pusan. 서울의 인구는 부산의 인구보다 많다.

③ [ðət] 《형용사절을 이끄는 관계대명사로》 ～인〔한〕 바의

(예) Where is the dog *that* was here? 여기 있었던 개는 어디에 있느냐? // He is the scientist (*that*) I spoke of. 그가 바로 내가 말했던 과학자이다. // He is the kindest man *that* ever lived. 그는 이 세상에서 가장 친절한 분이시다. // It is the only dictionary (*that*) I have. 그것이 내가 소유한 유일한 사전이다.

어법 주의해야 할 용법 ① 관계대명사로서: (a) 선행사를 수식하는 형용사절을 이끈다. (b) 사람·동물·사물을 나타내는 선행사에 두루 쓰인다. (c) 주격·목적격만 있고 소유격은 없다. 목적격의 관계대명사 that는 흔히 생략된다. (d) 전치사의 목적어로 바로 그 뒤에 올 수 없다: the house *in that* he lives(×)→the house *that* he lives *in* (e) 선행사에 최상급의 형용사 또는 the only, the same 〔very〕, all, any, no 따위가 붙는 경우에는 대개 that만이 사용된다

② 관계부사적으로: (a) 관계부사 when, where, how, why 따위의 대신으로 자유롭게 쓰인다. (b) 이 때의 that는 흔히 생략되는 경우가 많다. The day (*that*) he was born was rainy. (그가 태어난 날은 우천이었다) I don't know the reason (*that*) he came here. (그가 여기 온 이유를 모른다)

③ **It is A that**의 강조구문: that가 절의 주어일 때 that절의 동사는 A와 일치해야 한다: It is I *that am* to blame. (나쁜 것은 바로 나다) It is lack of water *that worries* me. (내가 걱정하고 있는 것은 물의 부족이다) (↔ Lack of water worries me. 비강조문)

— 부 그만큼, 그렇게

(예) We've done only *that* much. 그만큼밖에 하지 않았다. // Is it *that* bad? 그렇게 나쁜가?

— 접 [ðæt, ðət] ～하다는〔이라는〕 것(은)

(예) *That* you would fail was certain. ↔ It was certain *that* you would fail. 네가 실패한다는 것은 틀림없었다. // I think (*that*) he will come. 그가 올 것이라고 난 생각한다. // The trouble is *that* he has no money. 문제는 그가 돈이 없다는 것이다.

어법 주의해야 할 용법: ① 명사절을 이끌어 문장 안에서 주

어·목적어·보어의 역할을 한다. ② 동사의 목적어가 되는 명사절의 that는 흔히 생략된다. 특히, *think, suppose, believe, hope, know* 의 다음에는 생략이 많다: He knows (*that*) it is difficult. (그는 그것이 어렵다는 것을 알고 있다). ③ 《**it ~ that**》의 구문: I think *it* possible *that* he may come. (나는 그가 올지도 모른다고 생각한다) it는 가목적어로 that 이하를 가리킴. ④ 앞의 명사와 동격이 되는 that절: *the news that* war has broken out (전쟁이 발발했다는 뉴스) No one can deny *the fact that* smoking is harmful. (끽연이 해롭다는 사실은 누구도 부인하지 못한다). ⑤ that절을 목적어로 취하는 전치사에는 *except, save, but, besides, beyond, in* 따위 몇몇 전치사로 제한된다. ⑥ 부사절을 이끄는 *that ~ may, so ~ that* (그항 참조). ⑦「판단의 근거」를 나타내는 부사절에 쓰이거나 형용사·자동사에 계속되어 「원인·이유」를 나타낸다: Are you mad *that* you should say such a thing? (그런 말을 하다니 너 미쳤니?) Where is he, *that* you come without him? (자네가 그와 함께 오지 않다니, 그는 대체 어디 있는가) ⑧ 기타 주의해야 할 용법: Oh, *that* he were here! (그가 여기에 있으면 좋으련만) (↔I wish he were here.) *Not that* he doesn't like you. (그가 너를 싫어해서가 아니다)

*̊ ***that is*** (***to say***) 즉(=namely), 다시 말하면
(예) This is the place where the Savior, *that is* (*to say*), Christ was born. 여기가 구세주 즉 예수께서 나신 곳이다.

that ~ may ~하기 위하여, ~하도록(=so that ~ may)
(예) She rose early *that* she *might* not be late for the first train. 그녀는 첫 열차에 늦지 않도록 일찍 일어났다.

◦ ***that's why ~*** 그것이 ~하는 이유다
(예) *That's why* I don't like it. 그래서 그게 싫단 말이야.

in that ~한 점에서, ~하므로
(예) I prefer his plan to yours *in that* it is more practical. 나는 그의 계획이 보다 실용적이라는 점에서 너의 계획보다 좋아한다.

not that ~ but that… ~하다는 것이 아니라 …하다는 것이다
(예) It is *not that* I dislike it, *but that* I cannot afford it. 그것이 마음에 안 든다는 게 아니라 살 만한 여유가 없다는 것이다.

◦ ***with that*** 그리하여, 그렇게 말하고
(예) *With that* he went away. 그렇게 말하고 그는 떠나가 버렸다.

thatch [θætʃ] ㊔ 이엉, 이엉집 ㊕ (지붕을) 짚으로〔풀로〕 이다
(예) a *thatched* roof 초가 지붕

thaw [θɔː] ㊋㊕ (얼음 따위가) 녹다, 녹이다(=melt); 풀리다, 융화시키다(=soften) ㊔ 해빙; 화해
(예) It will *thaw* tomorrow. 내일은 눈이 녹을 것이다. // A *thaw* has set in. 눈 녹을 계절이 시작되었다.

☆ **the** [ðə (자음 앞), ði (모음 앞), ðiː (강조할 경우)] 《정관

T

사》 저, 그, 이, 예의
① 《전후의 관계로 명확히 알 수 있는 것》
(예) *The* man I met yesterday was a foreigner. 내가 어제 만난 사람은 외국인이었다.
어법 특정물의 지시: 그 전에 이미 지적되었거나 이미 아는 것 또는 전후 관계로 일정한 것을 가리켜서 「그」「이」 따위의 뜻.
② 《독특·유일한 것》
(예) *the* sun 태양 // *the* Bible 성경
③ 《계절·자연 현상·방위 등에 붙여》
(예) *the* spring 봄 // *the* wind 바람 // *the* north 북쪽
NB 단, 춘하추동에는 the를 붙이지 않는 일이 많다.
④ 《특수한 병명에 붙여》
(예) *the* smallpox 천연두 // *the* measles 홍역
⑤ 《신체의 일부를 가리킬 때 소유격 대명사 대용으로》
(예) I took him by *the* hand. 나는 그의 손을 잡았다.
어법 이 경우 보통 I took his hands. 라고는 하지 않는다.
⑥ 《고유 명사에 붙이는 경우》
(예) *the* Hans 한씨 가문 // *the* Alps 알프스 산맥 // *the* United States 《단수 취급》 아메리카 합중국 // *the* Thames 템스 강 // *the* Panama Canal 파나마 운하 // *the* Duke of York 요크 공
어법 the를 붙이지 않는 고유 명사는 인명, 일반적인 지명, 국명, 별·(라틴어계의) 별자리 이름, 산·호수·공원·역·가로·다리 등의 이름이다. 그러나 산이라도 유럽 알프스의 독일어·불어계의 산 이름은 *the* Jungfrau처럼 the를 붙인다.
⑦ 《보통 명사 및 집합 명사에 붙이는 경우》
(예) *The* horse is a useful animal. 《대표 단수》 말은 유용한 동물이다. // These are *the* pictures of his own painting. 《한정된 것 전부》 이것들은 그가 그린 그림(전부)이다. // *The* pen is mightier than *the* sword. 《추상적 성질》 문은 무보다 강하다. // He is not *the* man to betray us. 《such의 뜻》 그는 우리를 배반할 자는 아니다. // *the* aristocracy 《전부를 뜻함》 귀족 계급
어법 전형(典型) 대표: 위 예문에서와 같이 보통 명사, 집합 명사에 the를 붙여 같은 종류의 전형으로서 대표시킬 때가 있다. 또, 다음의 the+형용사도 참고할 것.
⑧ 《형용사 또는 분사에 붙는 경우》
(예) As a vocation, business attracts *the* noble, *the* rich, *the* lowly, and *the* ambitious. 직업으로서, 실업은 고귀한 사람들, 부자, 신분이 낮은 사람, 야심가들의 마음을 끈다. // *the* living 살아 있는 사람들 // *the* accused 피고
어법 위 예문의 the+형용사〔분사〕는 모두 「~한 사람들」의 뜻. 이와 같은 형식이 추상 명사가 되는 경우도 있다: the beautiful (=beauty)
⑨ 《강조하기 위해서 명사 또는 부사 앞에 붙이는 경우》
(예) Caesar was *the* general of Rome. 카이사르는 로마

T

제일의 장군이었다. // He is *the* very man I wanted to see. 그는 내가 보고자 했던 바로 그 사람이다.

⑩《계량의 단위에 붙여》

(예) by *the* hour 한 시간에 얼마로

— ㊊ ~하면 할수록, (~때문에) 더욱, 그만큼

(예) *The* more, *the* better. 많으면 많을수록 더 좋다. // I love him all *the* better for his faults. 그에게 결점이 있기 때문에 오히려 더 좋아한다.

어법 ① 상관적으로 형용사·부사의 비교급 앞에 붙여서 비례적 변화를 나타낸다. (the more ~, the more 따위) ② 위의 첫 예문의 경우 앞의 the는 관계 부사, 뒤의 the는 지시 부사이다. 지시 부사는 그 자신 독립해서도 쓰일 수 있다. He had a holiday, and looks *the* better. (그는 쉬었기 때문에 그만큼 더 원기 있어 보인다)

***the more ~, the more** ~하면 할수록 더욱 더

(예) *The more* briefly a thought is expressed, *the more* clearly it is conveyed. 사상은 간결하게 표현될수록 더욱 더 명료하게 전달된다. // *The more* hurry we are in, *the more* likely we are to drop an egg on the floor or spill the milk. 서두르면 서두를수록 달걀을 마루에 떨어뜨리거나 우유를 엎지르기 쉽다.

어법 more에만 한하지 않고 뜻에 따라 여러 가지 형용사·부사의 비교급이 쓰인다. 앞의 the는 관계 부사, 뒤의 the는 지시 부사이다.

***the·a·ter, -tre** [θíːətər / θíətə] ㊔ 극장(=playhouse); 무대; 현장; [the ~] 극

(예) go to the *theater* 극장 구경 가다 // the modern *theater* 현대극

파 **theátrical** ㊕ 극장의, 연극적인 ㊔《*pl.*》연극

thee [ðiː] ㊐《thou의 목적격》그대에게, 그대를

theft [θeft] ㊔ 도둑질(=stealing), 절도 (*cf.* thief)

(예) commit a *theft* 도둑질을 하다

***theme** [θiːm] ㊔ 논제(=topic), 주제(=subject), 테마

***then** [ðen] ㊊㊔㊕ 그 때; 그리고는, 그 다음에, 그러면; 그 때의

반 now 지금

(예) Prices were lower *then*. 그 때에 물가는 쌌다. // It is a nice car, *and then* it is cheap. 그것은 좋은 차이고 게다가 값도 싸다. // the *then* prime minister 그 당시의 수상

from then on 그 이후

(예) They were friends *from then on*. 그 이후 그들은 친구가 되었다.

thence [ðens] ㊊ 거기서부터(=from there); 그런고로(=therefore) 그 후(=from then)

반 hence 여기서부터, 금후

파 **thencefórth, thencefórward(s)** ㊊ 그 후

the·ol·o·gy [θiːálədʒi / θiɔ́lə-] ㊔ 신학

T

㉣ ◇**theological** [θìːəládʒikəl / θiəlɔ́dʒi-] ㉢ 신학의 **theológian** ㉠ 신학자

the·o·rem [θíːərəm / θíə-] ㉠ 〖수학〗 정리, 법칙(=law), 정설

***the·o·ret·i·cal**★ [θìːərétikəl / θìə-] ㉢ 이론상의, 이론적인

*◇**the·o·ry**★ [θíːəri / θíə-] ㉠ 이론, 학설, ~설; 의견(=opinion)

반 practice 실제, hypóthesis 가설

파 **theorétically** ㉣ 이론상 **théorist** ㉠ 이론가 **théorize** ㉧ 이론을 구성하다

☆**there** [ðɛər]★ ㉣ ① 거기에, 거기서

(예) Here a plain, *there* a river. 여기에는 평원이, 거기에는 강이 있다. // When shall we go *there*? 우리는 언제 거기에 가는가?

② 그 점에서(=at that point)

(예) *There* I agree with you. 그 점에서 너에게 동의한다.

③《주의를 촉구하는 경우에》저(것)봐, 자아 (저기)

(예) *There* he goes! 저봐 그가 간다! // *There* goes the bell! 들어봐 종 소리가 울린다! // *There* goes the train! 저것 봐 기차가 떠났어! // *There* you are! 그것 봐《너 같은 사람이 그런 짓을 하다니》!

④《there+be 동사의 형식으로 단순히 존재·사건 등을 나타냄》

(예) *There* is a book on the desk. 책상 위에 책이 있다. // *There* was a fire in Chongno last night. 어젯 밤 종로에 불이 났었다. // *There* is a page missing. 한 페이지가 모자란다.

어법 ① *there*+be+주어의 형식으로 존재를 나타낸다. be 이외에도 여러 가지 자동사나 수동태 형식이 쓰일 때도 있다: *There* came to Korea a foreigner. 한 외국인이 한국에 왔다. 다음의 형식에 주의: It is necessary that *there be* a change. (변화가 일어날 필요가 있다) *There being* no doubt about it, …(그것에는 의심할 여지가 없어서…) ② 특히 구어에서는 주어가 복수인 때도 be의 단수형을 쓸 때가 있다: There *was* a man and his children. ③ *There be*~ 에 계속되는 주격의 관계 대명사가 생략될 때가 있다: There's a man (who) wants to see you. (너를 보고자 하는 사람이 있다)

반 here 여기에

파 **thereabout(s)** [ðέərəbàut(s)] ㉣ 그 부근에 **thereafter** [ðὲərǽftər / -áːftə] ㉣ 그 후에 **therebý** ㉣ 그것 때문에 *◇**therefore** [ðέərfɔ̀ːr] ㉣ 그러므로 **thereín** ㉣ 그 가운데, 그 점에 있어 **thereóf** ㉣ 그것을 **thereón** ㉣ 게다가, 곧 **thereupón** ㉣ 그래서 곧 **therewíth** ㉣ 그와 함께, 그러자, 곧

****there is no doing***★ ~할 수 없다(=It is impossible to *do*)

(예) *There is no* say*ing* what may happen. 무엇이 일어

날지 알 수 없다. (↔It is impossible to say what may happen.) // *There is no* satisfy*ing* that naughty boy. 저 장난꾸러기의 아이를 만족시킬 수는 없다. (↔It is impossible to satisfy that naughty boy.)

◇**ther·mo·dy·nam·ic, -i·cal** [θə̀ːrmoudainǽmik], [-əl] [형] 열역학의; 열동력을 사용하는

*◇**ther·mom·e·ter** [θərmámətər / -mɔ́mətə] [명] 온도계 〖약어〗 *therm.*

[원] thermo(=heat 열)+meter(측정)

(예) a clinical *thermometer* 검온기, 체온계 // The *thermometer* dropped very rapidly. 온도계는 몹시 빨리 내려갔다.

ther·mos [θə́ːrməs / -mɔs] [명] 보온병

☆**these** [ðiːz] 《this의 복수》 [대] 이(것)들 [형] 이(것)들의

[반] those 저(것)들(의)

the·sis [θíːsis] [명] 《*pl.* **-ses** [-siːz]》 논문, 논제

☆**they** [ðei] [대] 그들(은), 그것들(은), 세상 사람들(=people)

(예) *They* say that~ ~라고들 한다(↔It is said that) // *They* sell dear at that store. 저 상점에서는 비싸게 판다.

*◇**thick** [θik] [형] 두꺼운, 굵은; 짙은(=dense), 무성한, 빽빽한 [부] 두껍게; 진하게 [명] 무성한 숲; 한창때

[반] thin 얇은

(예) a *thick* forest 무성한 숲 // be two inches *thick* 2인치 두께이다

[파] **thícken** [타][자] 두껍게〔짙게〕 하다, 두꺼워지다, 짙어지다 **thíckly** [부] 두껍게, 짙게 ◇**thíckness** [명] 두꺼움, 짙음 ◇**thíck-sét** [형] 무성한 [명] 빽빽한 생나무 울타리

through thick and thin 물불을 가리지 않고, 어떤 난관이 있어도(=in spite of obstacles), 결연히, 굽히지 않고

thick·et [θíkit] [명] (잡목) 숲, 관목 숲

*◇**thief** [θiːf] [명] 《*pl.* ***thieves***》 도둑, 절도

[파] **thieve** [θiːv] [타] 훔치다 **thíevish** [형] 도벽(盜癖)이 있는 (⇨) **theft**

thigh [θai] [명] 넓적다리, 가랑이

thim·ble [θímbəl] [명] (재봉용의) 골무

*◇**thin** [θin] [형] 얇은, 성긴; 가는(=slender)

[반] thick 두꺼운

[파] **thínly** [부] 얇게, 가늘게 **thínness** [명] 얇음

☆**thing** [θiŋ] [명] 물건, 것, 일; 《*pl.*》 정세; 도구, 소지품

(예) fishing *things* 낚시 도구 // *things* Korean 한국의 풍물 // *Things* look dark. 형세는 어둡다.

◇***for one thing*** (이유중의) 한 가지는, 하나의 이유로서, (우선) 첫째로는

(예) *For one thing* I don't have the money, *for another* I'm busy. 첫째로는 그런 돈도 없고 또 바쁘기도 하다.

☆**think** [θiŋk] [자][타] 《***thought***》 생각하다, 사색하다

(예) I *think* him (to be) mad.↔I *think* (that) he is mad. 나는 그가 미치광이라고 생각한다.

어법 ① 우리말의 「생각하다」에 대한 가장 일반적인 영어는 *think*이지만 *I guess, I imagine, I suppose ; I believe, I'm sure ; I expect, I hope ; I'm afraid, I fear* 따위는 우리말로 옮기면 다 「생각하다」가 된다. 단, 경우에 따라 구별해서 사용해야 한다. ② 다음과 같은 점에 주의: Who *do you think* will win the race? (누가 경주에 이길 것이라고 생각하는가)의 어순에 주의할 것. 「그렇게 생각하지 않는다」는 I *think not.* I *think so.*와 비교. 「~하지 않다고 생각하다」는, 이를테면 I *don't think* it will rain.과 같이 think를 부정하는 것이 보통. ③ think의 목적격 보어로 부정사가 쓰이는 것은 be 동사에 한해서만이다: I *think* him to do it. (틀림)→I *think* that he will do it.

파 **thínkable** 형 생각할 수 있는, 믿을 수 있는 ***thínker** 명 사색가, 사상가 ***thínking** 형 생각하는 명 사고

think about ~에 대하여 생각하다
(예) What are you *thinking about ?* 무엇에 대해서 생각하고 있느냐?

think better of ~을 다시 생각하다〔보다〕; 더 낫다고 생각하다
(예) What a foolish idea! I hope you'll *think better of* it. 정말 어리석은 생각이군! 다시 생각해 주기 바란다. // I had always *thought better of* you than to suppose you could be so unkind. 네가 그렇게 인정이 없다고 생각하기보다는 좀 더 나은 너를 생각하고 있었다.

think highly of ~을 우러러보다, 존경하다
반 think light〔lightly〕 of ~을 경시하다
(예) I *think highly of* his scholarship. 나는 그의 학식을 높이 평가한다.

think ill 〔***well***〕 ***of*** ~을 나쁘게〔좋게〕 생각하다

think little 〔***nothing***〕 ***of*** ~을 경멸하다; 하찮게 여기다
(예) He *thinks little of* walking ten miles a day. 그는 하루에 10마일 걷는 것을 아무렇지도 않게 생각하고 있다.

think much of ~을 중시하다
(예) I didn't *think much of* her. 나는 그녀를 대단치 않게 생각했다.

▶ 290. 무섭게 피곤한

직역 같지만 I'm *dreadfully* tired.라고 하면 훌륭한 영어가 된다. dreadfully 같은 단어를 intensifier(강의어)라고 일컬으며 그 대표는 물론 very이다. 단지, 때에 따라 그 강도가 약해지는 것이 intensifier의 숙명(宿命)으로, very는 우리말의 「대단히」와 같이 매우 가벼운 말이 되어 버리고 기타 여러 가지 말이 대신 쓰이게 되었다. awfully, terribly, frightfully, fearfully, horribly 등 「무섭게」「지독하게」「몹시」에 해당하는 말이 많다.

***_think of_**★ ~에 대하여 생각하다, ~을 생각해 내다
(예) I cannot *think of* the word I want to use. 쓰고 싶은

말이 머리에 떠오르지 않는다. // Old people often *think of* the good times they had in their youth. 늙은이는 흔히 젊었을 적의 즐거웠던 시절을 생각한다. // Everyone about us *thinks of* them in this way. 우리들 주변의 사람은 모두 그들의 일을 이와 같이 생각한다.

어법 「~할까 하다」는 I *am thinking of* going there for the summer. (여름을 지내고자 그 곳에 갈까 생각중이다)와 같이 말한다.

◇***think of ~ as ...*** ~을 …라고 생각하다
(예) I *thought of* him *as* being tall. 나는 그가 키다리라고 생각하고 있었다.

think out 생각해 내다(=devise), 안출하다, 해석하다
(예) We've got to *think out* a plan. 우리는 계획을 생각해 내야 한다.

think over 숙고하다(=consider), 곰곰히 생각하다
(예) *Think over* what I've said. 내가 말한 것을 잘 생각해 봐라. // You must *think* the matter *over*. 그 문제를 숙고하지 않으면 안 된다.

☆**third** [θəːrd] 형 제 3의, 3분의 1의 명 제 3, 3분의 1; (달의) 3일 〖약어〗 *3rd.*
파 ◇**thírdly** 부 세 (번)째로

◇**thirst** [θəːrst] 명 목마름, 갈증; 갈망, 열망 자 갈망하다 [~ for, after]
파 ◇**thírsty** 형 목마른; 갈망하는 **thírstily** 부 목마르게; 갈망하여

☆**thir·teen** [θə̀ːrtíːn] 명 13 형 13의
파 **thírtéenth** 명 형 제 13(의), 13분의 1(의), (달의) 13일

☆**thir·ty** [θə́ːrti] 명 30 형 30의
(예) He reached *thirty*. 그는 30세가 됐다. // in the *thirties* 30년대에 《1930·1830년대 따위》
파 **thírtieth** 명형 제 30(의), 30분의 1(의), (달의) 30일

☆**this** [ðis] 형 이, 지금의 대 이것, 이 사람; 《that (전자)에 대하여》 후자(=the latter)
반 that 그, 저, 저것
(예) *this* day week 내〔전〕주의 오늘 // Alcohol and tobacco are both injurious to the health ; *this,* however, is less so than that. 술도 담배도 건강에는 해롭다. 그러나 후자는 전자보다도 해가 적다.

◇**thith·er** [θíðər / ðíðər] 부 〖옛말〗 저기에, 저쪽에
어법 지금은 보통 there를 쓴다.
반 híther 여기에

◇**thorn** [θɔːrn] 명 가시; 고통, 번민의 원인
파 **thórny** 형 가시가 있는; 곤란한, 쓰라린

*◇**thor·ough**★ [θə́ːrə, -ou / θʌ́rə] 형 완전한, 철저한(=complete)
파 *◇**thóroughly** 부 철저히, 충분히 **thóroughness** 명 완전, 철저함 ***thoroughfare** [θə́ːrəfὲər / θʌ́rəfὲə] 명 한길, 대로; 통행 **thóroughbred** 명 순종의 말 형 순종의 **thór-**

T

oughgoing ㊌ 철저한, 근본적인

☆**those** [ðouz] 《that의 복수형》 ㊎ 그(것)들 ㊌ 그(것)들의 반 these 이(것)들(의)

those who ~하는 사람들, ~인 사람들

(예) Heaven helps *those who* help themselves. 하늘은 스스로 돕는 자를 돕는다.

◇**thou** [ðau] ㊎ 〖옛〗 그대는, 그대가

어법 소유격은 thy, 목적격은 thee

☆**though**★ [ðou]★ ㊏ ① ~에도 불구하고, ~이지만 (*cf.* in spite of)

(예) *Though* he was miserable, he was cheerful. 그는 비참했지만 명랑했다. (↔In spite of his misery, he was cheerful.) // *Though* he is very rich, he works hard. 그는 아주 부자이지만 열심히 일한다.

② 비록 ~하더라도〔할지라도〕 (=even if)

(예) I shall go even *though* it rains. 비록 비가 와도 나는 간다.

— ㊇ 그러나, 그래도

(예) I don't believe all of it, *though*. 그러나 다 믿지는 않지만. // I can't get her out of my thoughts, *though*. 그래도 그녀를 생각하지 않을 수 없다.

어법 부사로서는 문미에 두고 콤마로 끊는 것이 보통. (*cf.* although)

*◇**thought** [θɔːt]★ ㊔ 생각; 사상; 배려, 인정 ㊋㊍ think의 과거·과거 분사

(예) be lost in *thought* 사색에 잠기다 // at the *thought* of ~이라고 생각하니, ~을 생각하여 // on second *thought*(*s*) 다시 생각하여〔하니〕

파 *◇**thóughtful** ㊌ 사려 깊은; 인정 있는[~ of] ◇**thóughtfully** ㊇ 생각 깊게, 친절히 ◇**thóughtfulness** ㊔ 지각 있음, 신중함; 친절 ◇**thóughtless** ㊌ 생각 없는, 경솔한

☆**thou·sand** [θáuzənd] ㊔ 천; 《*pl.*》 무수(無數) ㊌ 천의; 무수한

어법 수사 다음에서는 복수라도 -s를 붙이지 않는다.

*◇***thousands of*** 수천의

(예) *Thousands of* students joined the demonstration. 수천 명의 학생이 그 데모에 참가했다.

by (***the***) ***thousands*** 수천이나, 무수히

(예) They return *by the thousands* for the summer festivals. 그들은 수없이 여름 축제를 위하여 돌아온다.

*◇**thread** [θred]★ ㊔ 실; 줄거리, 연결(=sequence) ㊍ 실을 꿰다, 누비듯이 지나가다

파 **threadbare** [θrédbὲər] ㊌ (의복이) 해진; 케케묵은

*◇**threat** [θret]★ ㊔ 협박, 위협(=menace); (나쁜) 징조

(예) a *threat* to peace 평화에 대한 위협

*◇**threat·en** [θrétn] ㊍㊋ 협박하다, 험악해지다

(예) ◇It *threatens* to rain. 금방 비가 쏟아질 것 같다.

파 **thréatening** ㊌ 위협하는, 험악한

☆**three** [θriː] ㊔ 3 ㊕ 3의
㊋ **thrice** [θrais] ㊊ 세 번(=three times) (*cf.* twice)
three-di·men·sion·al [θrìːdiménʃənəl, -dai-] ㊕ 3차원의, 입체의; 입체 사진의
three·score [θrìːskɔ́ːr] ㊔㊕ 60(의), 60세(의)
thresh [θreʃ] ㊍㊎ (곡식을 도리깨로) 뚜드리다, 탈곡하다(=thrash); 때리다; 뒹굴다 [~ about]
thresh·old [θréʃhould] ㊔ 문지방, 입구; 발단, 시초
on the threshold of 바야흐로 ~하려고 하여, ~의 시초에
(예) The scientist was *on the threshold of* an important discovery. 그 과학자는 바야흐로 중대한 발견의 문턱에 서 있었다.
thrift [θrift] ㊔ 절약, 검약(=economy)
㊏ waste 낭비　NB 동사는 thrive
(예) practice *thrift* 절약하다
㊋ **thrífty** ㊕ 절약하는, 검소한 **thríftless** ㊕ 절약하지 않는
thrill [θril] ㊔ (공포 따위로) 오싹해짐, 전율, 감동 ㊍㊎ 오싹해지다, 떨리게 하다
㊋ **thrílling** ㊕ 오싹해지는; 감동시키는 **thríller** ㊔ 스릴러 소설〔극·영화〕
thrive [θraiv] ㊍ 《***throve, thrived; thriven, thrived***》 번창하다, 번영하다(=prosper); 무성하다; 잘 자라다
throat [θrout] ㊔ 목구멍
(예) clear one's *throat* (말하기 전에) 헛기침을 하다
throb [θrɑb / θrɔb] ㊍ (심장이) 뛰다(=beat), 고동치다, 두근거리다, 맥박치다; 진동하다(=vibrate) ㊔ 동계(動悸), 고동; 진동
throne [θroun] ㊔ 왕위, 왕권; 왕좌, 옥좌
(예) Being on the *throne,* the man was never happy. 왕위에 있으면서 그는 결코 행복하지 않았다.
throng [θrɔːŋ / θrɔŋ] ㊍㊎ 떼지어 모이다(=crowd), 북적대다, 군집하다; 밀어닥치다 ㊔ (북적대는) 군중, 많은 사람(=crowd)
☆**through**★ [θruː]★ 〈동음어 threw〉 ㊐ ①《관통》 ~을 통하여
(예) The road runs *through* the village. 길이 마을을 관통하고 있다. // The rumor spread *through* the town. 소문이 읍에 온통 퍼졌다. // see *through* the glasses 안경을 쓰고 보다 // get a better front view *through* thick fog 짙은 안개를 통하여 앞을 잘 보다
②《때》 처음부터 끝까지, ~중 내내
(예) *through* the night 밤새껏 // *through* the year 일년 내내 // *through* the day 하루 종일 // Every night, Monday *through* Friday, he went to night school. 그는 월요일부터 금요일까지 매일 밤 야간 학교에 갔다.
③《장소》 도처에, 두루

(예) He traveled all *through* the world. 그는 세계의 도처를 여행했다. // I was shown *through* the town. 나는 읍내의 구석구석을 안내받았다.

④《경과·종료》~을 끝마쳐, ~을 거쳐서

(예) go *through* the work 일을 끝내다 // They are *through* school at four o'clock. 네 시에 학교가 끝난다. // He got *through* the examination. 그는 시험에 합격했다.

⑤《수단·원인·이유》~에 의하여, ~ 때문에

(예) *through* observation 관찰에 의하여 // fail *through* carelessness 부주의로 실패하다 // This misfortune came *through* you. 이 불행은 너 때문이었다. // *Through* your help he may succeed. 너의 원조로 그는 성공할 것이다.

— ㊄ ① (처음부터) 끝까지

(예) hear him *through* 끝까지 그의 이야기를 듣다 // read a book *through* 책을 통독하다

② 관통하여, 통하여

(예) look a paper *through* 신문을 훑어보다 // pierce a wall *through* 벽을 꿰뚫다

③ 그 동안 죽〔내내〕

(예) all the night *through* 밤새

④ 철저히

(예) be wet *through* 흠뻑 젖다 // Carry your plans *through*. 자네의 계획을 완수하게. // see things *through* 사물을 꿰뚫어 보다

— ㊈《명사 앞에 써서》직통의, 직행의

(예) a *through* ticket 직행 차표 // a *through* train 직통 열차

T

be through with ~을 마치다; ~와 관계가 없다

(예) I *am* just *through with* (reading) this book. 나는 방금 이 책을 다 읽었다. // I *am through with* him. 나는 그와 손을 끊었다.

*◇**through·out** [θru:áut] ㊄ 죄다, 끝까지 ㊇ 내내

☆◇**throw** [θrou] ㊅㊆《***threw; thrown***》던지다(=hurl), 뒤집어엎다; 발사하다; 급히 입다〔벗다〕[~ on, off] ㊉ 던짐, 던져서 닿는 곳

(예) *throw* open a door 문을 확 열다 // at a stone's *throw* 돌을 던져서 닿을 만한 거리에 // *throw* down 넘어뜨리다; 내던지다; 퇴짜놓다 // I *threw* a bone *to* the dog. ↔ I *threw* the dog a bone. 나는 개에게 뼈를 던져 주었다.

◇***throw away*** ~을 내버리다; 낭비하다

(예) He got up and stepped slowly towards the girl, *throwing away* his cigarette. 그는 일어나서, 담배를 내버리고 천천히 그 여자쪽으로 걸어 갔다.

throw off (관계 따위를) 끊다; 벗어 던지다

(예) *throw off* the yoke of slavery 노예 신분의 굴레를 벗다

throw out 내던지다; 내쫓다; (빛·열 따위를) 발하다
(예) They *threw out* a noisy person out of the meeting. 그들은 떠드는 사람을 회합에서 내쫓았다.
throw up 던져 올리다, (창문을) 밀어 올리다
(예) They *threw up* their hats for joy. 그들은 기뻐서 모자를 던져 올렸다. // *throw up* a window 창문을 활짝 밀어 올리다

thrush [θrʌʃ] 명 〖새〗 티티새, 개똥지빠귀

*__thrust__ [θrʌst] 타 자 《***thrust***》 밀다(=push), 밀치다; 찌르다(=pierce) 명 밀기; 찌르기
(예) *thrust* one's way 억지로 통과하다, 밀어젖히고 나아가다

thumb [θʌm] 명 엄지손가락 타 (책이나 서류의 페이지 가장자리를 엄지손가락으로) 더럽히다, 되풀이하여 만지다 〔읽다〕

thump [θʌmp] 명 쿵, 탁(하고 때림, 소리) 자 타 탁 때리다, 쾅 치다, 쿵쾅거리며 걷다

thun·der [θʌ́ndər] 명 천둥, 우레; 질타(叱咤) 자 타 천둥치다; 큰 소리로 꾸짖다[~ out]
(예) It *thundered* last night. 간밤에 천둥이 쳤다. // *thunders* of applause 우레 같은 갈채
파 **thúnderous** 형 천둥의, 우레 같은 **thúnderbolt** 명 벼락, 낙뢰 **thúnderclap** 명 뇌성; 벽력 **thúnderstorm** 명 뇌우 **thúnderstruck** 형 벼락 맞은, 깜짝 놀란

☆**Thurs·day** [θə́ːrzdi, -dei] 명 목요일 〖약어〗 *Thurs.*

*__thus__ [ðʌs] 부 이와 같이, 이리하여, 이런 까닭에, 이 정도로

thwart [θwɔːrt] 부 횡단하여 형 가로 누운 타 가로지르다, 방해하다, 꺾다 명 (보트의) 노 젓는 사람의 자리

thy [ðai] 대 〖옛〗 《thou 의 소유격》 그대의

thy·self [ðaisélf] 대 〖옛〗 너 자신, 그대 자신《thou, thee의 재귀형, 강조형》

tick [tik] 명 똑딱 소리 《시계 따위의 소리》 자 똑딱 소리 내다
파 **tícktack** 명 (시계의) 똑딱 소리; 동계(動悸)

tick·er [tíkər] 명 똑딱거리는 물건; 시계추; (전신의) 수신기
파 **tícker-tape** 명 수신기에서 자동적으로 나오는 수신용 테이프

*__tick·et__ [tíkit] 명 표, 입장권, 권(券)
(예) a *ticket* office 〖미〗 출찰소(出札所), 매표소(=〖영〗 booking office) // a *ticket* system 표 제도 // a railway *ticket* 기차표 // a *ticket* window 출찰소의 창구(窓口), 매표구

tick·le [tíkəl] 타 간질이다; 즐겁게 해주다(=amuse) 명 간지럼
파 **tícklish** 형 간지러운; 성 잘 내는; 다루기 힘든

tide [taid] 명 조수, 조류; 성쇠; 풍조; 때, 계절(=time,

season) ㉮㉯ (곤란을) 극복하다, 이겨내다 [~ over]
(예) Time and *tide* wait for no man. 〖속담〗 세월은 사람을 기다리지 않는다. // go with the *tide* 시대 풍조를 따르다 // *tide over* a difficulty 곤란을 극복하다
파 ◇**tidal** [táidl] ㉱ 조수의 (*tidal* waves 해일)

ti·dings [táidiŋz] ㉯ 《*pl.*》 기별, 소식(=news)
어법 항상 복수형으로 쓰이나 단수로도 취급된다.

◇**ti·dy** [táidi] ㉱ 정연한(=in good order), 청초한(=neat) ㉯ 정돈하다(=put in order) [~ up]

*◇**tie** [tai] ㉯㉮ 매다(=bind), 묶다; 동점이 되다 ㉰ 매듭; 《*pl.*》 연분, 인연; 넥타이(=necktie); (철도의) 침목(枕木); 동점(同點)
반 untíe 풀다
(예) *tie* a horse *to* a post 말을 기둥에 매다 // friendly *ties* 우호적인 유대
파 **tie-up** [táiʌ̀p] ㉰ 정지, 두절, 막힘; 〖미〗 협력, 제휴(提携); 파업

◇***tie up*** 단단히 묶다〔매다〕; 구속하다; (교통을) 불통이 되게 하다
(예) Ships are *tied up* at the dock. 선박이 독에 계류되어 있다. // The horse was *tied up* in an empty house. 말은 빈 집에 매여 있었다.

◇**ti·ger** [táigər] ㉰ 범, 호랑이 (*cf.* tigress 암호랑이)

◇**tight** [tait] ㉱ 단단한(=firmly held), 견고한; 틈이 없는; 꼭끼어 답답한, 팽팽한 ㉲ 단단하게, 꽉(=firmly) ㉰ 《*pl.*》 타이츠
반 slack 느슨한; 느슨하게
(예) a *tight* rope 팽팽한 줄 // *tight* money 금융 핍박, 돈에 쪼들림 // a *tight* schedule 빡빡한 스케줄〔예정〕 // a *tight* control 엄중한 통제
파 ◇**tighten** [táitn] ㉯㉮ 죄다, 죄이다, 단단하게 하다, 단단해지다 **tightly** ㉲ 단단히, 팽팽하게 **tíght-fítting** ㉱ 빡빡하게 맞는

◇**tile** [tail] ㉰ 기와, 타일 ㉯ 기와를 이다, 타일을 깔다

☆**till** [till] ㉳ 〖시간〗 ~까지 (=up to) ㉴ (~할 때)까지(=to the time when); ~하여 마침내 ㉯ 경작하다 (=cultivate)
(예) *till* now 지금까지 // Closed *till* Monday. 일요일까지 휴업《게시문》(NB 우리말 「까지」와는 달리 보통 그 날은 포함되지 않음) // *till* after midnight 새벽녘까지 // Don't move *till* I tell you. 내가 말할 때까지 움직이지 마라.

▶ **291.** 「팔등신」은 영어로 무어라고 말하는가?
「팔등신」은 신체의 균형(proportion)이 잘 잡힌 것을 일컫기 때문에, 「팔등신 미인」은 한영 사전에서도 볼 수 있는 것처럼 a beautiful girl of tall, well-formed girl 이라든가, a well-proportioned figure 로해도 좋지만, 좀 더 숫자적으로 분명하게 한다면 She is eight heads tall.과 같은 표현도 있다. (Kenneth Clark : *The Nude*)

T

어법 ① *till* 은 「계속」을, *by* 는 「완료」를 나타낸다: Wait *till* 9. (9시까지 기다려라) Come *by* 9. (9시까지 오라) ② *until, till* 은 의미·용법이 거의 같다. until 쪽이 딱딱한 감이 드는 말로 문두에 쓰이는 경향이 있다. ③ He went on and on, *till* at last he came to a little village. (계속해서 걸어 가니 마침내 어떤 조그마한 마을에 도달했다)와 같이 내리 번역할 때가 있다.

㉺ **tíllage** ⓜ 경작 ◦**tíller** ⓜ 농부, 경작자

tilt [tilt] ⓜ 기울기; 말을 타고 하는 창 시합 ㉶㉸ 기울다 (=slant), 기울이다; 창 시합을 하다

tim·ber [tímbər] ⓜ 재목(=〖미〗lumber); 삼림(=wood); 들보 ㉸ 재목으로 짓다

time [taim] ⓜ 때, 시간; 기간(=period); 계절(=season); 여가(=leisure); 《보통 *pl.*》 시대(=age); 시세; ~회, ~번, ~배 ㉶㉸ 시간을 재다, 알맞은 시기에 하다; 박자를 맞추다

㉸ space 공간

(예) ◦That will take a long *time*. 그것은 오랜 시간이 걸릴 것이다. // ◦for a long time 오랫동안, 장기간 // in *times* of danger 위험한 때에 // *Time* is up. 시간이 다 됐다. // have a good *time* 즐겁게 보내다, 재미난 시간을 갖다 // in good *time* 마침 좋은 때에 // ◦From that *time*, she began to study harder. 그때부터 그녀는 열심히 공부하기 시작했다. // What is the *time* ? ↔ What *time* is it 〔do you have〕? ↔ Do you have the *time?* ↔ Could you tell me the *time* ? 지금 몇 시입니까.

어법 배수의 표현에 주의: Three *times* three is nine. (3의 3곱은 9) I have five *times as* much money 〔*as* many books〕 *as* you have. (나는 너의 다섯 배의 돈〔책〕을 가지고 있다) 또 2배는 twice가 보통.

㉺ **tímely** ⓗ 시기에 알맞은 **tímer** ⓜ 시간 기록계 **tíme-hono(u)red** ⓗ 유서 있는, 옛적부터의 **tímepiece** ⓜ 시계 **tímetable** ⓜ 시간표

time and* (*time*) *again; time after time 몇 번이고, 되풀이하여

(예) *Time and again* he eluded the enemy. 그는 몇 번이고 적을 교묘히 피했다.

all the time 그 동안 죽, 줄곧

(예) The baby kept crying *all the time*. 그 애는 그동안 죽 울고 있었다.

at a time 동시에, 한 번에

(예) do one thing *at a time* 한 번에 하나씩 하다 // Hand them to me one *at a time*. 그것들을 한 번에 하나씩 다오.

at all times 언제나(=always), 모든 경우에

(예) All truth is not to be told *at all times*. 진리라고 하여 언제나 무턱대고 말해도 좋은 것은 아니다.

at any time 어느 때든지(=whenever)

(예) He could command sleep *at any time*. 그는 어느 때

듣지 마음 내키는 대로 잘 수가 있었다.

◇***at one time*** 동시에; 일찌기, 한때는

(예) *At one time* he lived in New York. 그는 한때 뉴욕에 살았다. // *At one time* I used to go fishing on weekends. 한때는 주말에 낚시질하러 가곤 했다.

◇***at one time or another*** 〔***the other***〕 한때는, 전에 어느 때엔가

(예) He must have been an actor *at one time or the other.* 그는 한때 배우였음에 틀림없다.

at some time or other 이따금

(예) Everyone uses a telephone *at some time or other.* 누구나 전화를 이따금 쓴다.

****at the same time*** 동시에; 하지만(=however)

(예) There is much truth in what you say, but *at the same time* I adhere to my own opinion. 네가 한 말에도 많은 진실성이 있지만, 나는 내 의견을 고수한다.

*◇***at times*** 때때로(=occasionally)

(예) *At times* I think he is smart. 나는 때때로 그가 영리하다고 생각한다.

◇***by the time*** ~할 때까지

(예) *By the time* you come back, it will be dark. 네가 돌아올 때는 어두워져 있을 것이다.

for a time 일시, 잠시, 임시로; 당분간

(예) He stayed in New York *for a time.* 그는 잠시 뉴욕에 머물렀다.

*◇***for the first time*** 처음으로

(예) Seeing me *for the first time,* my uncle wept for joy. 나를 처음으로 보고 아저씨는 기뻐서 울었다.

T

◇***for the time being*** 당분간(=for the present)

(예) This will be enough *for the time being.* 당분간은 이것으로 충분할 것이다.

*◇***in time***★ 시간에 맞게; 조만간

(예) I must have the boat mended *in time* for the races. 경기에 맞춰 보트를 손보아야 한다. // The candle-light will *in time* go out by itself. 촛불은 조만간 저절로 꺼질 것이다.

어법 「시간에 맞게」의 경우에는 뒤에 for를 수반하는 경우가 많다.

◇***in no time*** 곧, 이내

(예) The villagers worked day and night, and *in no time* a beautiful bridge was completed. 마을 사람들은 밤낮으로 일한 결과 곧 아름다운 다리가 완성되었다.

◇***It is*** (***high***) ***time*** 이제 ~할 시간이다

(예) *It is high time* that he should go. 이제 그는 가야 할 시간이다. // *It's time* she were 〔was〕 married. 그 여자는 결혼할 때다.

NB It is (high) time에 계속되는 절의 동사는 보통 가정법 과거 동사를 씀에 주의할 것.

* ***on time*** 정각에; 후불로
(예) He is always *on time.* 그는 언제나 정각에 온다. // The train came in *on time.* 열차는 정각에 들어왔다. // buy a book *on time* 책을 외상으로 사다
some time or other 언젠가는
(예) *Some time or other* I will get all this done. 언젠가는 이것을 다 해내겠다.
take (*one's*) ***time*** 천천히 하다
(예) He *took time* to answer the question. 그는 천천히 (생각하고 나서) 질문에 대답했다.

tim·id [tímid] ⓗ 겁 많은, 마음이 약한; 소심한; 수줍은(=shy)
반 bold 대담한
(예) He is (as) *timid* as a rabbit. 그는 매우 겁이 많다. // He *is timid of* fires. 그는 불을 무서워한다.
파 **timídity** ⓜ 겁 많음, 소심 **tímidly** ⓑ 겁이 나서, 소심하게 **tímorous** ⓗ 겁 많은

tin [tin] ⓜ 주석, 양철; 〖영〗 양철 깡통(=〖미〗 can) ⓣ 주석을 입히다
(예) a *tin* box 양철통 // a *tin* of salmon 연어 통조림
파 **tínny** ⓗ 주석의 **tínsmith** ⓜ 양철공

tinc·ture [tíŋktʃər] ⓜ 색조(色調), 색(=tint); 기미(=trace); 정기(丁幾) ⓣ 착색하다, 물들이다

tinge [tindʒ] ⓜ (엷은) 색조(=tint); 기미(=trace) ⓣ 착색하다(=color); 가미하다

tin·gle [tíŋgəl] ⓙ 쑤시다, 얼얼하다 ⓜ 쑤심; 얼얼함

tin·kle [tíŋkəl] ⓙⓣ 짤랑짤랑〔찌르릉〕 울리다 ⓜ 짤랑짤랑

tint [tint] ⓜ 색조(=hue), 엷은 색(=faint color) ⓣ 착색하다(=tinge)

ti·ny [táini] ⓗ 몹시 작은(=very small)
반 large, big 큰

tip [tip] ⓜ 끄트머리(=point, end), 끝에 붙인 물건; 팁, 행하 ⓙⓣ 끝을 붙이다; 팁을〔행하를〕 주다; 기울이다; 가볍게 두드리다
(예) the northern *tip* of the island 섬의 북단 // We *tipped* the waiter. 급사에게 팁을 주었다.
파 **típtop** ⓜ 절정, 최고 ⓗ 최상의 ⓑ 대단히, 더할 나위 없이

tip·toe [típtòu] ⓜ 발가락 끝 ⓙ 발끝으로 걷다

tire [taiər] ⓣⓙ 피곤케 하다(=fatigue), 피곤해지다; 싫증나다; 타이어를 달다 ⓜ 타이어
NB 「타이어」의 뜻으로는 tyre 라고도 철자한다.
반 refrésh 휴양하다
(예) I'm *tired* from 〔by, with〕 work 〔walking〕. 일로〔걸어서〕 피곤하다. // The walk quickly *tired* him. ↔ He was quickly *tired* by the walk. 그는 걸으면 곧 피곤해졌다.
파 ***tíred** ⓗ 지친, 싫증난 **tíredness** ⓜ 피로; 권태 **tíre-**

less ⓗ 지칠 줄 모르는 ◇**tíresome** ⓗ 귀찮은; 피곤한

tire of ~에 물리다, 싫증나다

(예) The child *tired of* the toys very quickly. 그 애는 곧 장난감에 싫증을 냈다.

◇(***be***) ***tired of*** ~에 싫증나는, 싫어지는

(예) I'*m tired of* boiled eggs. 삶은 달걀에 물렸다.

(***be***) ***tired out*** 몹시 지친

(예) In the race, he reached the goal first, but he looked *tired out.* 그는 경주에서 1착으로 결승점에 도착했지만 몹시 지친 모양이었다.

(***be***) ***tired with*** ~로 지친, 피곤한

(예) I *am tired with* writing. 글쓰기에 지쳤다.

◇***get tired of*** (점점) 싫어지다, 싫증이 나다

(예) He *got tired of* her cakes. 그는 그녀가 만드는 케이크에 싫증이 나기 시작했다.

◇**tis·sue** [tíʃuː] ⓜ (생물의) 조직; 얇은 직물; 얇은 종이, 화장지(=tissue paper)

(예) nervous *tissue* 신경 조직 // toilet *tissue* 화장지

*◇**ti·tle** [táitl] ⓜ 제목; 책 이름; 칭호, 이름, 직함; 정당한 권리

㉤ **títled** ⓗ 직함이〔지위가〕 있는 **title page** (책의) 속표지

☆**to** [tuː (강), tu, tə (약)] 〈동음어 too, two〉 ⓙ《명사(상당어)구를 목적으로 하여》

① 《방향》 ~으로

(예) come *to* the house 집으로 오다 // the road *to* London 런던으로 가는 도로 // Turn *to* the left. 왼쪽으로 돌아라.

② 《도착점》 ~에, ~으로

(예) get *to* London 런던에 도착하다

③ 《목적》 ~을 목적으로, ~을 위하여

(예) go *to* the rescue of ~을 구출하러 가다 // Make the best effort *to* that end. 그 목적을 위해 최선을 다하라.

④ 《결과·효과》 ~하게 되기까지, ~에 이르도록; [흔히 to *one*'s ~의 형태로] ~하게도

(예) He drank himself *to* death. 그는 술을 마셨기 때문에 죽었다. // tear the letter *to* pieces 편지를 갈가리 찢어찢다 // be moved *to* tears 감동하여 눈물을 흘리다 // ◇*to one's* grief〔regret〕 슬프게도〔유감스럽게도〕

⑤ 《대립》 ~에 대하여

(예) fight hand *to* hand 백병전을 하다 // 20 cents *to* the dollar 달러당 20센트

⑥ 《비교》 ~와 비교하면

(예) prefer wine *to* water 물보다 술을 좋아하다 // He is quite healthy *to* his state of last year. 그는 작년의 상태에 비해서 아주 건강하다.

⑦ 《부속》 ~의, ~에 딸린

(예) a son *to* the king 왕의 아들 // a man belonging *to*

this club 이 클럽의 회원
⑧《수반》~에 맞추어
(예) dance *to* music 음악에 맞추어 춤추다
⑨《시간》까지, (~분) 전
(예) a quarter *to* five, 5시 15분 전 // *to* this day 금일까지
— 《부정사 용법 (동사의 원형 앞에 붙인다)》
①《명사적 용법》~하는 것
(예) *To* do so is quite easy. 그렇게 하기는 아주 쉽다.
②《형용사적 용법》~하는, ~하기 위한
(예) a house *to* let 셋집 // water *to* drink 음료수
③《부사적 용법》~하기 위해, ~해서
(예) I awoke *to* find myself famous. 눈을 떠보니 내가 유명해진 것을 알았다. (↔ I awoke and found myself famous.) // They arrived there only *to* be too late. 그들은 거기에 너무 늦게 도착했다.
[어법] ① 지각동사 (see, hear, feel, *etc.*), 사역동사(make, let, have, *etc.*)는 목적어 다음에 to 없는 부정사를 쓰지만 수동태에서는 to를 붙인다. help에도 같은 용법이 있다: I heard the bell *ring.* ↔ The bell was heard *to* ring. (벨이 울리는 것이 들렸다) ② 앞서 나온 동사가 to에 계속될 때는 그 동사를 생략해서 to만을 남길 때가 있다. You may do so if you want *to* (do so). (네가 원한다면 그렇게 해도 좋다) ③ He came *to.* (그는 정신이 들었다) shut the door *to* (문을 꼭 닫다) 따위의 *to*는 부사.
[반] from ~으로부터

to and fro 여기저기, 이리저리
(예) His eyes went *to and fro.* 그의 눈은 이리저리 움직였다.

toad [toud] ㊔ 두꺼비; 징그러운 놈

toast [toust] ㊔ 구운 빵, 토스트; 축배 ㊟㊆ 누렇게〔바삭바삭하게〕 굽다; 축배를 들다
(예) *toast* a person's health 아무의 건강을 빌며 축배를 들다
[파] tóaster ㊔ 빵을 굽는 사람〔기구〕; 축배를 드는 사람

to·bac·co [təbǽkou] ㊔ 담배 (*cf.* cigarette, cigar)

> ▶ **292.**「담배」의 유사어
> **tobacco**는 파이프용의 잘게 썬 살담배. **cigar**는 잎을 만 담배, 여송연. **cigarette**는 종이로 만 담배, 궐련. 그러므로 영국에서는 Do you sell *tobacco?* (담배 팝니까?)라고 물어서는 cigarette를 살 수 없다.

to(-)day [tədéi] ㊔㊕ 오늘, 금일(=this day); 오늘날, 현재, 요즈음(=the present time)

tod·dle [tádl / tɔ́dl] ㊆ 아장아장 걷다 ㊔ 아장아장 걷기
[파] **tóddler** ㊔ 아장아장 걷는 아이

toe [tou] ㊔ 발가락; (신발·양말 따위의) 앞부리
[반] fínger 손가락
(예) from top to *toe* 머리 끝에서 발 끝까지; 철두 철미

to·geth·er [təgéðər] ㊕ 함께(=in company), 서로 ~하

여; 동시에; 잇따라서
반 alóne 홀로
(예) You cannot eat both cakes *together*. 동시에 양쪽 케이크를 먹을 수는 없다. // talk for hours *together* 몇 시간이나 계속해서 이야기하다
◇***together with*** ~와 함께, ~도 같이(=along with)
(예) I'm sending you a dozen new-laid eggs, *together with* some fresh butter. 갓 낳은 달걀 1다스를 신선한 버터와 함께 보내드립니다.
*◇**toil** [tɔil] ㉶ 애써 일하다(=labor), 고되게 일하다; 터벅터벅 걷다 ㉷ 힘써 일함; 어려운 일(=hard work), 노역, 수고
반 rest 휴식
(예) *toil* up a hill 애써서 언덕을 올라가다
파 **tóiler** ㉷ 노동자; 고생하는 사람 **tóilsome** ㉸ 몹시 힘드는
toi·let [tɔ́ilit] ㉷ 화장; 복장; 화장실; 〖미〗 목욕실(=bathroom); 세면소; 변소(=water-closet, W.C.)
(예) *toilet* paper 화장지, 휴지 // a *toilet* set 화장 도구
to·ken [tóukən] ㉷ 표, 부호(=sign), 증거; 기념품
in token of ~의 표시로
(예) *in token of* my gratitude 저의 감사의 표시로
*◇**tol·er·a·ble** [tálərəbəl / tɔ́l-] ㉸ 견딜 수 있는(=endurable), 참을 수 있는; 어지간히 좋은(=fairly good)
반 intólerable 견딜 수 없는
(예) a *tolerable* income 상당한 수입
파 **tólerably** ㉹ 어지간히 *◇**tolerate** [táləreit / tɔ́l-] ㉻ 너그럽게 대하다; 묵인하다 **tolerátion** ㉷ 관용, 묵인 ◇**tólerant** ㉸ 관대한 ◇**tólerantly** ㉹ 관대하게 ***tólerance** ㉷ 관용, 아량
toll [toul] ㉷ 통행세; 통행료; 종소리; 사상자수(死傷者數) 통행 요금 ㉶㉻ 종이 울리다; 종을 치다(=sound a bell)
파 **tóllgate** ㉷ 통행료 징수소(의 관문) **tólltaker** ㉷ 자릿세〔통행료〕 징수인
*◇**to·ma·to** [təméitou / -mɑ́:-] ㉷ 《*pl.* **-toes**》 토마토
*◇**tomb*** [tu:m]* ㉷ 묘(=grave)
파 **tómbstone** ㉷ 묘석(墓石)
☆**to(-)mor·row** [təmɔ́:rou, -már- / təmɔ́rou] ㉷㉹ 내일; 미래
(예) the people of *tomorrow* 앞으로의〔미래의〕 사람들
◇**ton** [tʌn] ㉷ 톤《중량 또는 용적의 단위》
(예) a five-*ton* truck 5톤 트럭
파 **tonnage** [tʌ́nidʒ] ㉷ 톤수
*◇**tone** [toun] ㉷ 음, 음색; 가락; 어조, 색조; 〔보통 the ~〕 기풍, 풍조 ㉻㉶ 가락을 맞추다, 조화시키다; 부드럽게 하다 〔~ down〕
(예) in an angry *tone* 노기띤 어조로 // the *tone* of the press 신문의 논조 // *the tone* of our school 우리 학교의

교풍 // *tone* a painting 그림의 색조를 알맞게 하다

tongs [tɔːŋz, taŋz / tɔŋz] ⓜ《*pl.*》부젓가락, 부집게
　어법 항상 복수형으로, 보통 a pair of tongs의 형식으로 쓴다.

tongue [tʌŋ]★ ⓜ 혀; 언어(=language); 변설(=speech)
(예) one's mother *tongue* 모국어 // *tongue* twister 혀가 잘 안 도는 말
　파 **tóngue-tied** ⓗ 혀가 짧은; 과묵한

ton·ic [tánik / tɔ́nik] ⓜ 강장제 ⓗ 튼튼하게 하는

to(-)night [tənáit] ⓜⓑ 오늘 저녁, 오늘 밤

too [tuː] 〈동음어 two, to〉 ⓑ ①《문장 전체를 수식》또한, ~도 또한(=also)
　(예) beautiful, and good *too* 아름답고 또한 선량한 // fool, and idle *too* 바보스럽고 또한 게으름 피우는 // He can speak English, and German *too*. 그는 영어도 말할 줄 알고 또한 독일어도 말할 줄 안다.
　어법 ① 문장 전체를 수식하는 too의 앞에 콤마를 두는 것이 원칙이나 짧은 문장에서는 콤마가 생략될 수도 있다: I'm going, *too*. 또는 I'm going *too*. ②「~도 또한 아닌」이라는 부정문에서는 too를 쓰지 않고 *not* ~ *either*...를 쓴다.
②《형용사·부사를 수식》지나치게, 너무나(=over)
　(예) It's *too* late. 시간이 너무 늦었다. // He spoke *too* fast. 그는 너무나 빠르게 이야기했다. // much 〔far〕 *too* small 아주〔너무〕 지나치게 작은
　어법「지나치게」의 뜻을 강조할 경우에는 *much, far* 등을 쓴다.

too ~ for ... …으로서는 너무 ~하다; …하기에는 너무 ~하다
(예) It is *too* warm *for* this season. 이맘때로는 너무 따뜻하다. // The light is *too* dim *for* reading. 책을 읽기에는 불이 너무나 어둡다. // This is *too* good *for* you. 이것은 자네에겐 너무 좋아 황송할 지경이다.

too ~ to do★ 너무 ~해서 …할 수 없다
(예) The report is *too* good *to* be true. 소문이 너무 좋아 믿어지지 않는다. // She is *too* young *to* understand such things. 그녀는 너무 어려서 그런 것을 이해할 수가 없다.
　어법 부정사의 주어를 표시할 경우에는 too ~ for... to do의 형식을 취한다: This book is *too* difficult *for* me *to* understand. (이 책은 너무 어려워서 나는 이해할 수 없다) (↔ This book is *so* difficult *that* I cannot understand it.)

all too 너무나도
(예) The holidays ended *all too* soon. 휴가가 너무나도 일찍 끝났다.

none too 조금도 ~하지 않은(=not at all)
(예) The party was *none too* pleasant. 파티는 조금도 즐겁지 않았다.

tool [tuːl]★ ⓜ 도구(=instrument), 연장; 남의 앞잡이

tooth [tuːθ] ⓜ《*pl.* ***teeth***》이; 이 모양의 것

T

파 **toothed** [tú:θt, -ðd] 형 이가 있는, 톱니 모양의 **tóothless** 형 이가 없는; 쇠약한 **tóothsome** 형 맛있는 ***toothache** [tú:θèik] 명 치통 ◦**tóothbrush** 명 칫솔 ◦**tóothpaste** 명 크림 치약 **tóothpick** 명 이쑤시개 **tooth powder** 치분, 가루 치약

***top** [tap / tɔp] 명 꼭대기(=summit); 수석(=head); 표면(=surface); 극치(=utmost); (페이지의) 윗부분, 위쪽; 팽이 형 수석의, 최고의(=highest) 타 자 관을 씌우다(=crown), 꼭대기에 오르다; 뛰어나다(=exceed)
반 foot 기슭, bóttom 밑바닥
(예) sleep like a *top* 푹 자다 // keep 〔stay〕 on *top* of ~보다 계속 우위에 서다; (일 따위를) 잘 처리해 나가다 // He *tops* us in mathematics. 그는 수학에서 우리를 앞선다.
파 **tópmost** 형 최고의, 절정의 ◦**tóp-ranking** 형 최고급의; 일류의; 고위의
at the top of 한껏 ~로
(예) The lad shouted *at the top of* his lungs. 그 젊은이는 목청껏 외쳤다.

to·paz [tóupæz] 명 토파즈, 황옥(黃玉)

*◦**top·ic** [tápik / tɔ́p-] 명 화제(=subject of talk), 논제(=theme); 제목
파 **tópical** 형 제목의; 화제의; 시사 문제의

top·ple [tápəl / tɔ́pəl] 자 타 비틀비틀 넘어지다(=tumble down); 넘어뜨리다, 뒤집어 엎다

◦**top·soil** [tápsɔ̀il / tɔ́p-] 명 표토(表土) 타 표토를 입히다

top·sy-tur·vy [tàpsitə́:rvi / tɔ̀psitə́:vi] 형 곤두박힌(=upsidedown), 거꾸로의; 혼란된 부 곤두박혀; 뒤죽박죽으로 명 전도, 혼란(=confusion)

T

◦**torch** [tɔ:rtʃ] 명 횃불, (지식·문화의) 빛; 회중 전등
(예) The *torch* was lighted. 그 횃불은 점화되었다.
파 **tórchlight** 명 횃불의 빛, 회중 전등의 빛

tor·ment 명 [tɔ́:rment] 고통; 가책(=torture); 고통거리; 고문 도구 타 [tɔ:rmént] 고통을 주다; 괴롭히다(=annoy)
파 ◦**torméntor** 명 괴롭히는 사람〔것〕

◦**tor·na·do** [tɔ:rnéidou] 명 《*pl.* ~(***e***)***s***》 토네이도《미국 미시시피 강 유역 및 서부 아프리카에 일어나는 맹렬한 회오리바람》; (갈채·비난 따위가) 쏟아짐

tor·pe·do [tɔ:rpí:dou] 명 《*pl.* **-es**》 수뢰, 어뢰

tor·rent [tɔ́:rənt, tár- / tɔ́r-] 명 급류; 《*pl.*》 억수(처럼 오는 비)
(예) a *torrent* of tears 마구 쏟아져 흐르는 눈물 // *torrents* of rain 폭우 // in *torrents* 억수로
파 **torréntial** 형 급류의; 기세가 맹렬한

tor·rid [tɔ́:rid, tár- / tɔ́r-] 형 타는 듯이 더운(=very hot)
반 frígid 몹시 추운
(예) the *Torrid* Zone 열대

***tor·toise** [tɔ́:rtəs] 명 거북《특히 육지나 민물에 사는 것》(*cf.* turtle 바다거북)

(예) *tortoise* shell 귀갑(龜甲)

tor·ture [tɔ́ːrtʃər] [명] 고문; 고통, 고뇌 [타] 고통을 주다(=torment), 고문하다; 곡해하다, 비꼬다
[파] **tórturer** [명] 고문하는 사람

toss [tɔːs / tɔs] [타] [자] 던져 올리다(=throw); 뒹굴다; (배 따위가) 위 아래로 흔들리다 [명] 던져 올림; (앞뒤를 알아 맞히는) 동전 던지기
[파] **tóss-up** [명] 동전 던지기

to·tal [tóutl] [명] 총계 [형] 전체의, 총계의(=whole); 전적인 [자] [타] 합계하다, 총계 ~이 되다(=amount to)
[반] pártial 부분의, 국부의
(예) the *total* sum 총액 // a *total* failure 완전한 실패 // A *total* of 100 villagers was mobilized for the purpose for 15 days. 15 일간 그 목적을 위하여 전부 100 명의 마을 사람들이 동원되었다. // The participants *totaled* 100. 참가자는 도합 100 명이었다.
[파] *tótally [부] 아주, 전적으로(=entirely) **tótalize** [타] 합계하다 **totality** [toutǽləti] [명] 총계 **totalitárianism** [명] 전체주의 **totalitárian** [형] 전체주의의 [명] 전체주의자

tot·ter [tátər / tɔ́tə] [자] 비틀거리다, 비틀비틀 걷다(=stagger)

touch [tʌtʃ] [자] [타] 대다, 닿다(=reach); 영향을 주다(=affect); 해치다(=hurt); 언급하다; 감동시키다; 필적하다; (악기를) 타다, 치다 [명] 접촉; 일필(一筆), 필치; 수법; 극소량[~ of]; 병(病); (~한) 기미
(예) ◇*touch* a person on the shoulder 아무의 어깨에 손을 대다 // I was greatly *touched* by what you told me. 네가 한 말에 크게 감동했다. // *touch* at Inch'on 인천에 기항하다 // a *touch* of winter 약간 겨울 같은 기미
[파] **tóuchy** [형] 성을 잘 내는, 과민한 **tóuching** [형] 비장한; 애처로운 [전] ~에 관하여 **tóuchstone** [명] 시금석(試金石)

touch down 〖럭비〗 터치다운하다; 착륙하다

touch off ~의 발단이 되다, 유발하다; (총포 따위를) 발사하다, 폭파시키다
(예) His speech *touched off* a storm of protest. 그의 연설은 빗발치는 항의를 유발하였다.

touch on 〔***upon***〕 (화제 따위에) 가볍게 언급하다, ~와 관계하다
(예) He *touched on* the point. 그는 그 점에 관해 가볍게 언급했다. // Does your story *touch on* this case? 너의 이야기는 이 사건과 관계가 있느냐.

in 〔***out of***〕 ***touch with*** ~와 접촉하여〔하지 않아서〕
(예) keep *in touch with* old friends 오랜 친구들과 교제를 계속하다 // be *out of touch with* the political situation 정치 정세에 어둡다

tough [tʌf]* [형] 단단한(=hard), 튼튼한(=strong); 완고한(=sturdy); 어려운, 다루기 힘든, 집요한
[반] soft 부드러운

T

파 **toughen** [tʌ́fən] 타 자 단단하게 하다; 단단해지다

*tour★ [tuər]★ 명 일주 여행(=round trip); (시찰·순시·관광 따위의) 여행 (*cf.* journey) 자 타 주유(周遊)하다, 여행하다

(예) a *tour* around the world 세계 일주 여행 // on *tour* 여행중에

파 *tourist★ [túərist] 명 여행자, 관광객 **tóurism** 명 관광 여행; 관광 사업

make a tour of ~을 한 바퀴 돌다, 일주하다

(예) We set out together to *make the tour of* Europe. 우리는 함께 유럽 일주 여행을 떠났다.

tour·na·ment [túərnəmənt, tə́ːr-] 명 경기, 시합, 토너먼트

파 **tóurney** 명 시합(=tournament)

***to·ward(s)** [təwɔ́ːrd(z), tɔ́ːrd(z)] 전 《방향》 ~쪽으로 (=in the direction of); 《관계》 ~에 대하여; 《접근》 ~무렵, ~에 가까이(=about); 《공헌·보조》 ~을 위하여, ~에 도움이 되어(=for)

NB toward는 주로 미국, towards는 영국에서 씀.

tow·el [táuəl] 명 수건, 타월

***tow·er** [táuər] 명 탑, 망루 자 우뚝 솟다(=rise high) [~ up]

(예) a bell *tower* 종각 // a water *tower* 급수탑

파 **tówered** 형 탑이 있는 **tówering** 형 우뚝 솟은; 격렬한

☆**town** [taun]★ 명 읍《village 보다 크지만 city 보다 작은 도시》, (시골에 대하여) 도회지; 《집합적》 [the t-] 시민, 읍 사람

반 cóuntry 시골

어법 무관사인 때는 London 또는 어떤 지방의 중심 도시를 가리킨다.

파 **tównsfolk** 명 시민, 읍민 **tównship** 명 〔미〕 군구(郡區)《county의 일부》 **tównspeople** 명 《*pl.*》 시민, 읍민 **tównsman** 명 《*pl.* -men》 도회지 사람, 같은 시·읍의 사람 **town planning** 도시 계획

tox·ic [táksik / tɔ́k-] 형 독의, 유독한, 중독(성)의

***toy** [tɔi] 명 장난감(=plaything); 하찮은 것(=trifle) 자 장난(질)하다, 가지고 놀다 [~ with]

***trace** [treis] 명 자국(=track), 발자국(=footprint); 흔적, 소량 타 자국을 밟아가다(=follow), 추적하다; 탐색하다 [~ out]; (그림을) 그리다 [~ out]

어법 명사의 경우, 부정에는 단수형, 긍정에는 복수형이 많이 쓰인다: There was no *trace* of the ship. (그 배는 흔적도 없었다) Sorrow has left its *traces* upon her face. (그녀의 얼굴에 슬픔의 흔적이 남아 있다)

파 **tráceable** 형 추적할 수 있는

***track** [træk] 명 지나간 자취, 발〔수레바퀴〕자국; 진로, 선로; 상궤(常軌); 〔경기〕 경주로, 트랙 (경기) 타 자국을 밟아가다, 추적하다

반 unbeaten track

(예) the *track* of a storm 폭풍우의 진로 // jump the *track* (열차가) 탈선하다 // *track* events 트랙 종목
파 **beaten track** 밟고 다녀서 된 길; 관례(慣例)

in one's tracks 그 자리에서; 즉석에서, 즉시
(예) He died *in* his *tracks.* 그는 그 자리에서 죽었다.

keep* 〔*lose*〕 *track of ~의 자취를 좇다〔놓치다〕; ~의 소식이 끊이지 않도록 하다〔끊어지다〕
(예) You must *keep track of* current affairs. 너는 현정세에 밝아야 한다. // We *lost track of* dates. 우리는 날짜를 따져나가다 잊어버렸다.

tract [trækt] 명 넓은 토지(=expanse of land), 지방(=region); (특히 종교·정치상의) 소(小)논문

trac·tor [trǽktər] 명 견인(牽引)차, 트랙터

***trade** [treid] 명 장사, 매매(=buying and selling); 무역; 직업, 손일 자 타 장사하다, 무역하다; ~와 교환하다
(예) be a carpenter by *trade* 직업은 목수이다 // overseas *trade* 해외 무역 // *trade* in sugar 설탕 장사를 하다 // *trade* (in) an article *for* another 어떤 물건을 다른 물건과 교환하다
파 **tráder** 명 상인, 상선 **trádemark** 명 상표(=brand) **trádesman** 명 《*pl.* -men》 상인, 무역업자 **trade union** 노동 조합 **trade wind** 무역풍

***tra·di·tion** [trədíʃən] 명 전설, 구전(口傳); 전통, 관례
(예) keep up the family *tradition* 집의 전통을 지키다 // stories based on *tradition*(*s*) 전설에 근거한 이야기 // be handed down by *tradition* 말로 전해 내려오다
파 **tradítionary** 형 구전(口傳)의, 전승(傳承)의

***tra·di·tion·al** [trədíʃənəl] 형 전통적인; 전설의
파 **tradítionally** 부 전통적으로

***traf·fic** [trǽfik] 명 통행, 교통, 왕래; (부정한) 거래 타 거래하다 [~ in]
(예) *traffic* jam 교통 체증〔마비〕 // heavy *traffic* 격심한 교통량 // *traffic* regulations 교통 법규 // There is much *traffic* on this road. 이 길은 교통량이 많다. // be opened to *traffic* (새로운 노선이) 개통하다
파 **traffic accident** 교통 사고 **traffic circle** (도로의) 로터리(=〖영〗 roundabout) **traffic control** 교통 정리 **traffic signal** 교통 신호

***trag·e·dy** [trǽdʒədi] 명 비극, 참사(=sad event, calamity)
반 cómedy 희극
파 (⇨) **tragic**

***trag·ic** [trǽdʒik] 형 비극의, 비극적인, 비참한
반 cómic 희극적인
(예) a *tragic* actor 비극 배우
파 **trágical** 형 비극적인, 비참한

trail [treil] 타 질질 끌다(=drag); 추적하다(=pursue), 느릿느릿 걷다 명 지나간 자국(=track), (황야 따위에서) 사람이 다녀서 된 길(=beaten track); 실마리(=clue)

파 **tráiler** 명 질질 끄는 사람〔물건〕; 추적자 (*trailer* bus 트레일러 버스)

☆**train** [trein] 명 열차; 행렬; 수행원; 연속 타 자 훈련하다(=teach), 양성하다, 단련하다
(예) an up 〔a down〕 *train* 상〔하〕행 열차 // go by *train* 기차로 가다 // take the 3 : 30 p.m. *train* [θriː θəːrti piː em trein] 오후 3시 반 기차를 타다 // catch 〔miss〕 the *train* 기차를 타다〔놓치다〕 // *train* a dog to do tricks 개가 재주를 부리도록 가르치다
파 **tráiner** 명 훈련자; 트레이너 **tráining** 명 훈련, 교육; 연습

▶ **293. "Curiouser and Curiouser"**
위의 표현은 이상한 나라의 앨리스가 한 말이다. 이것을 보고서 우습지 않는가? 웃음을 느끼지 않는가? 앨리스의 본문 중에서는 그 후에, 앨리스가 대단히 놀라서 good English를 말하는 법을 잊어버렸다라고 씌여져 있다. 즉 앨리스는 놀란 나머지 more curious라고 해야 할 것을—curious는 3음절—틀리고 만 것이다. ("Alice in Wonderland"에는 이외에 Cheshire Cat, Mock Turtle, March Hare 등 영국의 풍물에 관계가 있는 재미난 말이 나온다.

◇**trait** [treit] 명 특색, 특성, 특질
(예) national *traits* 국민적 특성, 국민성

trai·tor [tréitər] 명 배반자, 반역자
파 **tráitorous** 형 반역적인(=treacherous) **tráitorousness** 명 반역

***tram** [træm] 명 〖영〗 전차(=〖미〗 streetcar)
NB tramcar 라고도 한다.
파 **trámway** 명 전차 선로; 삭도(索道)

tramp [træmp] 자 타 내리 디디며 걷다 [~ on], 쿵쿵거리며 걷다(=walk heavily); 터벅터벅 걷다(=plod along) 명 쿵쿵 걷는 소리; 도보 여행; 방랑인(=vagabond)

tram·ple [trǽmpl] 타 자 짓밟다, 유린하다
(예) The elephant *trampled* him to death. 코끼리가 그를 밟아 죽였다. // He *trampled* on her feelings. 그는 그녀의 감정을 짓밟았다.

trance [træns / trɑːns] 명 황홀, 무아의 경지; 혼수 상태

tran·quil [trǽŋkwəl] 형 조용한(=quiet), 침착한(=calm); 잠잠한, 한가한
반 unquíet 조용하지 않은
(예) live a *tranquil* life 조용한 생활을 하다
파 **tranquil(l)ity** [træŋkwíləti] 명 조용함, 평화 **tránquil(l)y** 부 조용하게, 침착하게 **tránquil(l)ize** 타 자 조용하게 하다; 조용해지다 **tránquil(l)izer** 명 진정제

trans·act [trænzǽkt, træns- / trɑːns-] 타 자 처리하다(=settle); 거래하다(=deal) [~ with]
어법 trans-는 across, over, through의 뜻으로 복합어를 만든다.
파 **transáction** 명 처분; 거래, 업무; 《*pl.*》 (학회 따위의) 회보

trans·at·lan·tic [trænsətlǽntik / trænz-] 형 대서양 횡단의; 대서양 저편의 명 대서양 저편에 사는 사람, 미국인;

대서양 항로 정기선

tran·scend [trænsénd] 타 자 (경험·이해력의 범위를) 초월하다(=go beyond), 능가하다(=surpass, excel)

파 **transcéndence, -cy** 명 초월, 탁월 **transcéndent** 형 탁월한

tran·scribe [trænskráib] 타 베끼다, 복사하다; 녹음〔편곡〕하다

trans·fer 타 자 [trænsfə́ːr] 옮기다(=convey), 운반하다; 갈아 타다(=change); 전임시키다; 양도하다 명 [trǽnsfər] 이전; 운반; 양도; 환(換); 갈아 타는 표〔역〕

(예) The teacher was *transferred* to your school. 그 선생은 너의 학교로 전임되었다.

파 **transference** [trænsfə́ːrəns, trǽnsfərəns] 명 이전, 전임; 운반; 양도

trans·form [trænsfɔ́ːrm] 타 자 변형시키다, 변형〔변화〕하다

원 trans(=change)+form

파 **transformátion** 명 변형, 변질, 변태

transform ~ into ~을 …으로 변형하다

(예) They *transformed* the woodland *into* factories. 그들은 그 삼림 지대를 공장으로 바꿔 놓았다. // He was *transformed into* a good husband. 그는 딴 사람처럼 좋은 남편이 되었다.

trans·gress [trænsgrés, trænz-] 타 자 (한도를) 넘다; (법을) 어기다, (죄를) 범하다

파 **transgréssion** 명 위반, 죄(=sin)

tran·sient [trǽnʃənt / -ziənt] 형 일시적인(=momentary), 덧없는; 단기 체류의

반 pérmanent 영원한

파 **tránsience, -cy** 명 일시적임, 덧없음, 무상함

tran·sis·tor [trænzístər] 명 트랜지스터

(예) a *transistor* radio 트랜지스터 라디오

tran·sit [trǽnsit, trǽnz-] 명 통과, 통행(=passage); 운송

tran·si·tion [trænzíʃən / trænsíʒən] 명 변천, 추이(推移); 과도기

파 **transítional** 형 과도기의; 변천의

tran·si·tive [trǽnsətiv, -zə-] 〖문법〗 형 타동(사)의 명 타동사

반 intránsitive 자동(사)의, 자동사

tran·si·to·ry [trǽnsətɔ̀ːri / -təri] 형 덧없는, 일시적인(=transient)

trans·late [trænsléit, trænz-] 타 자 번역하다, 해석하다(=interpret); 옮기다(=transform)

(예) *translate* English *into* Korean 영어를 한국어로 옮기다 // *translate* a promise *into* action 약속을 이행하다

파 ***translátion** 명 번역, 번역문 **translátor** 명 번역자

trans·mit [trænsmít, trænz-] 타 전달하다, 보내다(=send); 전도(傳導)하다

파 **transmíssion** 명 회송, 전달; 양도; 전도 **transmítter** 명 전달자

trans·par·ent [trænspέərənt] 형 투명한(=seen through) (문체가) 알기 쉬운(=easily understood), 평이한
반 opáque 불투명한
파 **transpárence, -cy** 명 투명(체), 투명도(度), 명료

trans·plant [trænsplǽnt / -plɑ́ːnt] 타 자 ~을 이식하다, 이주하다 명 이식, 이전
파 **transplánter** 명 이식자, 이식기(機)

trans·port 타 [trænspɔ́ːrt] 수송하다(=carry, convey); 유형(流刑)에 처하다; 《보통 수동형》 열중케 하다 명 [trǽnspɔːrt] 수송선, 수송(=conveyance); 도취(=engrossment)
원 trans(=through)+port(=carry)
파 ***transportátion** 명 수송, 운송(기관)

trap [træp] 명 덫, 함정, 속임수(=trick) 타 자 덫을 놓다, 함정에 빠뜨리다〔빠지다〕
(예) be caught in a *trap* 덫에 걸리다, 함정에 빠지다
파 **trap door** (지붕·마루·무대 따위의) 뚜껑문; 함정문; 들창

trash [træʃ] 명 쓰레기, 잡동사니(=rubbish)
파 **tráshy** 형 쓰레기의, 폐물의(*trashy* novels 저속한 소설)

***trav·el** [trǽvəl] 자 타 여행하다; 전해지다 명 여행
(예) Ill news *travels* apace. 〖속담〗 나쁜 소문은 빨리 퍼진다. // Light *travels* faster than sound. 빛은 소리보다 빠르다.
파 **trável(l)er** 명 여행자, 나그네 **trável(l)ing** 형 여행하는 명 여행

(*be*) *on one's travels* 여행중인
(예) *Is* he still *on* his *travels*? 그는 아직 여행중이냐?

trav·erse [trǽvəːrs, trævə́ːrs] 타 자 횡단하다(=pass across); 반대하다(=oppose) 명 횡단(=passing across)

tray [trei] 명 쟁반, 접시
(예) an ash *tray* 재떨이 // a tea *tray* 차반

treach·er·ous [trétʃərəs] 형 배반하는, 반역하는(=disloyal); 겉과 속이 다른(=deceiving); 음흉한 [~ to]; 믿을 수 없는
(예) *treacherous* weather 믿을 수 없는 날씨
파 **tréachery** 명 배반, 반역, 위약(違約)

◇**trea·cle** [tríːkəl] 명 당밀(molasses); 달콤하면서 역겨운 것〔음성, 태도 등〕

***tread** [tred]* 자 타 《*trod*; *trodden, trod*》 밟다, 걷다(=walk) 명 밟음, 발소리; (계단의) 발판, (사닥다리의) 가로장
(예) *tread* under foot 짓밟다
파 **tréadle** 명 (발틀의) 디딤판, 페달 자 디딤판을 밟다 **tréadmill** 명 디딤바퀴

trea·son [tríːzən] 명 반역(죄); 불신
파 **tréasonable, tréasonous** 형 반역의

__treas·ure__ [tréʒər] ㊅ 보물(=thing of great value), 보배; 귀중한 사람〔물건〕 ㊆ (보배로서) 비장하다 [~ up]; 소중히 하다
㊄ **tréasurer** ㊅ 회계원 **tréasury** ㊅ 국고; 보고(寶庫)

*__treat__ [triːt] ㊆㊇ 대우하다, 취급하다(=deal with); 대접하다; 한턱 내다; 치료하다 ㊅ 대접, 향응(饗應)
(예) I *treated* him *to* a cup of coffee. 그에게 커피 한 잔 대접했다. // The article *treats of* this problem. 그 논설은 이 문제를 다루고 있다. // You will *treat* us *as* civilized people. 당신은 우리들을 문명인으로 취급하겠지요.
㊄ *__tréatment__ ㊅ 대우, 취급; 치료(법)

trea·tise [tríːtis / -tiz] ㊅ 논문

trea·ty [tríːti] ㊅ 조약(=agreement), 협정, 약속

tre·ble [trébəl] ㊈ 3배의, 3중의(=triple); 고음(부)의 ㊅ 3배; 고음부, 높은 소리 ㊆㊇ 3 배로 하다; 3 배가 되다

☆__tree__ [triː] ㊅ 나무, 수목, 교목(喬木)
어법 서 있는 「교목」이 *tree.* 「관목」은 *bush, shrub*라고 한다. log, lumber, timber, wood를 참조할 것.
㊄ **trée-lined** ㊈ 나무가 늘어선 ◇**tréetop** ㊅ 우듬지, 나무꼭대기

trem·ble [trémbəl] ㊇㊆ 떨(리)다(=shake) ㊅ 떨림
(예) *tremble* to think of ~을 생각하니 몸이 떨리다
㊄ ◇**trémbling** ㊅ 떨기, 전율

tre·men·dous [triméndəs] ㊈ 무서운(=awful), 무시무시한(=dreadful); 굉장한; 거대한(=very large)
㊄ **treméndously** ㊉ 무시무시하게; 굉장히, 아주

trem·u·lous [trémjələs / -mju-] ㊈ 떠는(=shaking); 겁먹은
(예) a voice *tremulous* with fear 공포로 떠는 소리

trench [trentʃ] ㊅ 도랑, 참호 ㊇㊆ 도랑을 파다

trend [trend] ㊅ 경향(=tendency), 추세 ㊇ 기울다, 향하다

tres·pass [tréspəs] ㊅ 침입 ㊇ 침입하다(=invade); 끼어들다 [~ on, upon]; 죄를 범하다 [~ against]
㊄ **tréspasser** ㊅ (가택) 침입자; 침해자

*__tri·al__ [tráiəl] ㊅ 시도, 시험(=test); 시련(=hardship); 재판
㊌ <try 시도하다
(예) give a machine a *trial*↔put a machine to *trial* 기계를 시험해 보다

on trial 시험적으로; 공판중인
(예) He was employed *on trial.* 그는 시험적으로 고용되었다. // He is *on trial* for murder. 그는 살인죄로 공판중이다.

tri·an·gle [tráiæŋgəl] ㊅ 3각형
㊌ tri(=three)+angle(각)
㊄ **tríangular** ㊈ 3각(형)의

> ▶ **294.** 접두어 **tri, tre**
> 「3(three)」의 뜻을 나타낸다.
> (예) *tri*angle, *tre*ble 등

T

*__tribe__ [traib] 명 종족, 부족; 같은 무리〔패〕
파 __tríbal__ 형 종족의 __tríbesman__ 명 《*pl.* -men》 종족, 부족민
__tri·bu·nal__ [traibjúːnl, tri-] 명 법정(=court), 판사석; 심판
__trib·ute__ [tríbjuːt] 명 공물(貢物), 세(=tax); 찬사
(예) pay (a) *tribute* to ～에게 경의를 표하다
파 __tributary__ [tríbjətèri / -təri] 형 예속하는; 지류의 명 공물을 바치는 사람〔국가〕, 속국; 지류
*__trick__ [trik] 명 계략, 책략; 요술; 재주 형 요술의; 묘기의 타 자 속이다(=cheat)
(예) *trick* a person out of his money 아무를 속여서 돈을 빼앗다
파 __tríckery__ 명 속임수, 간계 __trícky__ 형 속이는, 교활한; 다루기 힘든
◇***play a trick on*** ～에게 장난을 하다; ～을 속이다
(예) He *played a* dirty *trick on* me. 그는 나에게 치사한 장난을 했다.
◇__trick·le__ [tríkəl] 자 타 똑똑 듣다〔떨어뜨리다〕; 졸졸 흐르다〔흐르게 하다〕 명 똑똑 떨어짐, 물방울
*__tri·fle__ [tráifl] 명 사소한 일, 하찮은 물건; 소량 자 타 장난치다, 농담하다; 낭비하다 [～ away]
(예) worry over *trifles* 쓸데없는 일로 괴로워하다 // *trifle away* one's time 허송 세월하다
어법 a trifle을 little과 같은 뜻으로 부사적으로 쓰는 때가 있다: be *a trifle* sad (좀 슬프다)
파 __trífling__ 형 하찮은(=trivial)
trifle with ～을 가지고 놀다, 소홀히 다루다, 우습게 보다
(예) a man not to be *trifled with* 허투루 다룰 수 없는 사람 // Don't *trifle with* serious matters. 중대한 일을 소홀히 생각하지 마라. // You should not *trifle with* this feeling. 이 감정을 우습게 보지 마라.
__trig·o·no·met·ric, -ri·cal__ [trìgənəmétrik], [-əl] 형 삼각법의, 삼각법에 의한
파 ◇__trigonómetry__ 명 삼각법
__tril·lion__ [tríljən] 명 형 〖미〗 1조(兆)(의); 〖영〗 100만의 3제곱(의)
__trim__ [trim] 형 말쑥한(=neat) 타 자 정돈하다, 손질하다 명 정돈(=order)
파 __trímming__ 명 정돈; (사진의) 트리밍; 《*pl.*》 장식 __trímly__ 부 정연〔말쑥〕하게
__trin·i·ty__ [trínəti] 명 [the T-] 삼위 일체《성부·성자·성신을 일체로 봄》; 삼위 일체의 축일(=Trinity Sunday); 3인조, 3개 한 벌의 것
__tri·o__ [tríːou] 명 《*pl.* __-os__》 3인조, 세 개의 묶음; 삼중주〔창〕
*__trip__ [trip] 명 (특히 짧은) 여행(=journey); 경쾌한 걸음 자 타 경쾌한 걸음으로 걷다; 곱드러지다, 실패하(게 하)다

(예) go on a *trip* 여행을 떠나다 // make 〔take〕 a *trip* to ~에 여행하다
tri·ple [trípəl] ⓗ 3 배의, 3 중의(=threefold) ⓙⓣ 3 배가 되다, 3 배로 하다
tri·pod [tráipɑd / -pɔd] ⓜ 삼각대, 삼각(三脚) 걸상〔탁자〕 ⓗ 삼각의
tri·umph [tráiəmf] ⓜ 승리(=victory) ⓙ 이기다 [~ over]
반 deféat 패배
(예) win a *triumph* over one's enemy 적을 누르고 승리를 거두다
파 **triúmphal** ⓗ 개선의, 승리의 ***triumphant** [traiʌ́mfənt]* ⓗ 이긴, 이겨서 뽐내는(=victorious), 의기〔득의〕 양양한(=exultant), 우쭐한 **triúmphantly** ⓑ 의기〔득의〕 양양하여, 우쭐하여
in triumph 의기양양하여
(예) The victor marched on *in triumph.* 승리자는 의기양양하게 행진했다.
***triv·i·al** [tríviəl] ⓗ 사소한, 하찮은(=trifling)
반 impórtant 중대한
(예) Your composition has only a few *trivial* mistakes. 너의 작문은 사소한 오류가 있을 뿐이다.
파 **triviálity** ⓜ 사소한 일〔물건〕
troll [troul] ⓙⓣ 윤창(輪唱)하다; 명랑하게 노래하다 ⓜ 윤창
◇**trol·ley** [trɑ́li / trɔ́li] ⓜ 트롤리《고가(高架) 이동 활차》; 〖미〗 전차(=trolley car)
◇**troop** [tru:p] ⓜ 대(隊)(=band), 떼; 《*pl.*》 군대(=army) ⓙⓣ 모이다, 모으다; 떼지어 나아가다
(예) a *troop* of children 한 떼의 아이들 // *troop* into a room 떼지어 방에 들어가다
tro·phy [tróufi] ⓜ 전리품; (경기의) 우승기〔배〕, 트로피
◇**trop·ic** [trɑ́pik / trɔ́p-] ⓜ 회귀선; [the tropics] 열대 ⓗ 열대의
파 ◇**trópical** ⓗ 열대의 (*tropical* vegetation 열대 식물)
◇**trot** [trɑt / trɔt] ⓙⓣ 빠른 걸음으로 걷다 ⓜ 빠른 걸음 (*cf.* gallop)
◇**trou·ba·dour** [trú:bədɔ̀:*r*, -dùə*r*] ⓜ 〖프〗 (11-13세기에 남부 프랑스·북부 이탈리아 등지에서 활약하던) 서정 시인; 음유시인
*◇**trou·ble*** [trʌ́bəl] ⓜ 고생 (=pain); 근심, 말썽; 곤란 (=difficulty) ⓣⓙ 괴롭히다; 어지럽히다(=disturb), 걱정하다(=worry); 일부러 ~하다(=bother)
반 relíeve 편하게 하다
(예) make *trouble* for ~을 괴롭히다 // take *trouble* 수고하다 // with no *trouble* (at all) (조금도) 어려움〔곤란〕 없

> ▶ **295. 접미어 some**
> 「~에 알맞은」「~을 생기게 하는」「~하기 쉬운」「~의 경향이 있는」 따위의 의미를 나타내는 형용사를 만든다.
> (예) trouble*some*, quarrel*some*(싸움을 좋아하는) 따위

이 // Don't *trouble* to write. 일부러 편지까지 할 필요는 없다. // He is *troubled* about the payment. 지불에 대한 일로 그는 골치를 앓고 있다. // be at the *trouble* of (doing) 귀찮지만〔수고스럽지만〕 ~하다 // You need not *go to all that trouble.* I will do it myself. 그렇게 수고할 필요가 없다. 내가 (직접) 하겠다. // ◇take the *trouble* to do 노고를 아끼지 않고 ~하다

㉺ ***tróublesome*** ㉻ 괴로운, 성가신

◇***get into trouble*** (일이) 성가시게 되다; 말썽을 일으키다; 벌을 받다

(예) Take care what you say, or you'll *get into trouble.* 함부로 말을 하면 말썽을 일으키게 된다.

have trouble with (병 따위)로 고생하다; (아무)와 옥신각신하다, 불화하다

(예) I am *having trouble with* my teeth. 이앓이로 고생하고 있다. // You will *have trouble with* him. 너는 그와 트러블이 있을 게다.

◇***in trouble*** 곤경에

(예) He is very kind to everyone *in trouble.* 그는 곤경에 놓인 사람에게는 누구에게나 친절하다.

The trouble is (***that***) 곤란한 것은 ~이다.

(예) *The trouble* with us *is that* we have no fund. 곤란한 것은 우리에게 자금이 없는 것이다.

trough [trɔːf / trɔf] ㉰ 여물통, 구유, 홈통

⁑**trou·sers** [tráuzərz]* ㉰ 《*pl.*》 바지

어법 이 단어는 scissors, tongs와 같이 항상 복수형으로 쓴다.

㉺ **tróuser(s)-pocket** ㉰ 바지의 호주머니

◇**trout** [traut] ㉰ 〔물고기〕《단수·복수 동형》 송어

tru·ant [trúːənt] ㉰ 게으름뱅이; 무단 결석자 ㉻ 꾀를 부리는, 게으름 피우는(=idling) ㉶ 무단 결석하다

◇**truce** [truːs] ㉰ 휴전(=armistice); (고통·분쟁 따위의) 일시적인 정지, 중단

truck [trʌk] ㉰ 화물 자동차, 트럭; 광차; 손수레

trudge [trʌdʒ] ㉶ ㉷ 터벅터벅 걷다 ㉰ 터벅터벅 걷기

***true** [truː] ㉻ 진실한, 진짜의(=real); 성실한(=faithful)

반 false 거짓의

(예) *true* to life 실물 그대로의 // *True* to his word, he sent me the gift. 약속한 대로 그는 그 선물을 내게 보내주었다.

㉺ ◇**trúly*** ㉸ 진실로, 참되게; 성실하게 (⇨) **truth**

◇(***be***) ***true of*** ~에 관하여 사실인, 해당되는

(예) This is also *true of* others. 이것은 또한 다른 사람들에게도 해당된다.

come true (예언 따위가) 들어맞다, 실현되다

(예) My prediction has *come true.* 내 예언이 맞았다.

It is true that ~, but 과연 ~이지만, 그러나…

(예) *It is true that* English is a difficult language to learn, *but* the grammar is quite easy. 과연 영어는 배우기 힘든 언어이긴 하지만, 문법은 참으로 쉽다.

trump [trʌmp] ⓜ (트럼프의) 으뜸패; 비결

◇**trum·pet** [trʌ́mpit] ⓜ 나팔 (*cf.* bugle) ⓩⓣ 나팔을 불다; 말을 널리 퍼뜨리다

파 **trúmpeter** ⓜ 나팔수; 트럼펫 부는 사람

◇**trunk** [trʌŋk] ⓜ (나무의) 줄기; 몸통; 여행용의 큰 가방, 트렁크; 코끼리의 코

*◇**trust** [trʌst] ⓜ 신용, 신뢰(=faith, confidence), 기대; 기업 합동 ⓣⓩ 신용하다, 신뢰하다, 맡기다; 의지하다; 생각하다

반 distrúst 신용하지 않다

(예) put *trust* in ～을 신용하다 // sell goods *on trust* 물품을 외상으로 팔다 // He *trusted* her *with* the pearls. ↔ He *trusted* the pearls *to* her. 그는 그녀에게 진주를 맡겼다. // Don't *trust to* luck. 운에 기대를 걸지 마라.

파 **trustée** ⓜ 수탁인(受託人) **trústworthy** ⓗ 신용할 수 있는, 의지가 되는(=reliable) **trústy** ⓗ 신뢰할 수 있는, 확실한

*◇**truth** [tru:θ] ⓜ《*pl.* ***truths*** [-ðz, tru:θs]》 진리, 진실; 성실, 충실

원 <true 진실한

파 ◇**trúthful** ⓗ 성실한; 참된 **trúthfully** ⓑ 성실히, 진실하게 *◇**trúthfulness** ⓜ 성실, 진실

◇***in truth*** 실제로는, 실은, 실로(=truly)

(예) They were married, but *in truth* they didn't live together. 그들은 결혼했으나 실은 같이 살지는 않았다.

to tell the truth 사실을 말하(자)면, 실은

(예) *To tell the truth,* he is not honest. 사실을 말하자면 그는 정직하지 않다.

☆**try** [trai] ⓣⓩ 시도하다, 시험적으로 ～하다; 노력하다(=endeavor); 재판하다; 괴롭히다 ⓜ 시도(=attempt), 시험

(예) *try* one's best 최선〔전력〕을 다하다 // *Try* this cake. 이 케이크를 먹어 보아라. // ◇*try* to give up smoking 담배를 끊으려고 하다

파 **trýing** ⓗ 쓰라린, 힘드는 **tried** ⓗ 시험필(畢)의; 믿을 수 있는 (⇨) **trial** ◇**trýout** ⓜ 예선(경기), (스포츠의) 적격시험, 적성검사

◇***try on*** 시험삼아 (입어) 보다

(예) *try on* the gloves 장갑을 끼어 보다 // *Try* it *on.* 그것을 입어 보아라.

◇***try out*** (기계·지원자 등을) 엄밀히 시험하다, 철저히 해보다

(예) The idea seems good but it needs to be *tried out.* 좋은 착상인 듯하나 실지로 시험해볼 필요가 있다.

give a try to ～을 시도하다, 시험해보다

(예) Always be ready to *give a try to* many different things. 항상 여러 가지 일을 해 보겠다는 생각을 가져라.

*◇**tub** [tʌb] [명] 통, 물통; 목욕통, 욕조(*cf.* bathtub)

◇**tube** [tjuːb / tjuːb] [명] 관(=pipe), 튜브; (런던의) 지하철

◇**tu·ber·cu·lo·sis** [tjubəːrkjəlóusis] [명] 《*pl.* **-ses**》 결핵, 폐결핵 〖약어〗 *T.B., TB*

◇**tuck** [tʌk] [타][자] 챙겨 넣다, 밀어 넣다[~ in]; 싸다; 걷어 올리다[~ up]

☆**Tues·day** [tjúːzdi, -dei / tjúːz-] [명] 화요일 〖약어〗 *Tues.*

tuft [tʌft] [명] (머리칼·깃털·실 따위의) 술; 수풀 [타][자] 술을 달다; 군생(群生)하다

◇**tug** [tʌg] [타] 당기다, 끌어 당기다(=pull hard) [명] 힘껏 당기기; 노력(struggle)

(예) *tug at* a rope 밧줄을 힘껏 잡아당기다 // a *tug* of war 줄다리기

tu·lip [tjúːlip / tjúː-] [명] 〖식물〗 튤립

◇**tum·ble** [tʌ́mbəl] [자][타] 엎드러지다, 넘어지다(=fall); 넘어뜨리다 [명] 뒹굶

(예) I *tumbled* down the stairs. 나는 계단에서 굴러 떨어졌다.

[파] **túmbler** [명] (물 따위를 마시는) 컵; 곡예사

tu·mult [tjúːmʌlt / tjúː-] [명] 소동; 소란(=uproar), 동란

[반] quíet 고요, 평정

[파] **tumultuous** [tjuːmʌ́ltʃuəs / tjuː-] [형] 소란스러운, (마음이) 동요된

◇**tu·na** [tjúːnə / tjúː-] [명] 〖물고기〗 다랑어

*◇**tune** [tjuːn / tjuːn] [명] 곡조(=melody); 가락(=tone) [자][타] 가락이 맞다, 가락을 맞추다

(예) a merry *tune* 흥겨운 곡 // be in 〔out of〕 *tune* with ~와 조화되다〔안 되다〕

[파] **túneful** [형] 음조가 좋은 **túneless** [형] 음조가〔가락이〕 맞지 않는

*◇**tun·nel** [tʌ́nl] [명] 터널 [자][타] 터널을 파다

tur·ban [tə́ːrbən] [명] 터번 《인도 등지에서 남자가 머리에 두르는 두건》

tur·bine [tə́ːrbin / -bain] [명] 〖기계〗 터빈

tur·bu·lent [tə́ːrbjələnt] [형] 떠들썩한; 사나운, 광포한(=violent)

turf [təːrf] [명] 잔디(=lawn), 뗏장(=sod)

◇**tur·key** [tə́ːrki] [명] 칠면조; [T-] 터키 공화국

[파] **Turk** [명] 터키 사람; 회교도 **Túrkish** [형] 터키(사람·말)의 [명] 터키말

☆**turn** [təːrn] [자][타] 돌다(=go round), 돌리다, (어떤 방향으로) 향하게 하다; 뒤엎다[~ over]; ~에 거역하다[~ against]; 바꾸다, 바뀌다(=change); ~이 되다 [명] 회전, 변화; 모퉁이; 차례; 경향; 성질

(예) *turn* one's attention to ~에 주의를 돌리다 // *turn* red 빨갛게 되다 // *turn* upside down 뒤집다, 뒤엎다 // take *turns* (*in* 〔*at*〕) driving the car 교대로 자동차를 운전하다 // ◇She *turned* her old dress *into* a skirt. 그 여자는 헌 드레스로 스커트를 만들었다. // It is your *turn* to

read. 네가 읽을 차례다.
파 **túrning** 형 회전하는 명 회전, 모퉁이 (*turning* point 분기점, 전환기)

turn (a)round 돌(리)다, 방향을 바꾸다; 변절하다
(예) *Trun round* and let me see your profile. 고개를 돌려 옆 모습을 보여다오.

turn aside 비키다; 길을 잘못 들다; 외면하다; (분을) 가라앉히다
(예) A kind answer *turns aside* anger. 상냥하게 대답하면 울화도 가라앉는다. // That will *turn aside* his temper. 그것으로 그의 신경질도 가라앉을 것이다.

turn away (얼굴을) 돌리다; 해고하다, 쫓아내다
(예) She *turned away* in disgust. 그녀는 기분이 상해서 외면했다. // *turn away* a beggar 거지를 쫓아 버리다

turn back 되돌아가(게 하)다; (적을) 퇴각시키다; (옷·종이 따위를) 되접다
(예) The fleet *turned back* to attack the enemy. 그 함대는 적을 공격하기 위해 되돌아섰다. // Please *turn back* to page 10. 10페이지로 되돌아 가십시오.

turn down*** 접다; (등불 따위를) 작게 하다; 거절하다(=reject)
(예) The Korean government *turned* the request *down*. 한국 정부는 그 요청을 거절했다.

turn into ~으로 화하다〔변하다〕, ~이 되다
(예) Caterpillars *turn into* butterflies. 모충이 나비가 된다.

turn off*** 해고하다; (길을) 잘못 들다; (전등·TV·라디오 따위를) 끄다; (수도 따위를) 잠그다
(예) The maid *turned off* for carelessness. 가정부는 부주의해서 쫓겨났다. // Please *turn off* the radio. 라디오를 꺼 주십시오.

turn on (라디오·TV 따위를) 틀다; (전등을) 켜다; ~에 좌우되다, 의하다(=depend on); (이야기가) ~로 바뀌다; ~에게 대들다
(예) She *turned on* the lights. 그녀는 전등 불을 켰다. // The conversation *turned on* 〔*upon*〕 national education. 화제는 국민 교육의 문제로 바뀌었다. // Everything *turns on* his answer. 만사는 그의 대답에 달려 있다.

turn out*** (결국) ~이 되다; 쫓아내다; 끄다; 나오다, 모이다
(예) The rumor *turned* out (to be) false. 그 소문은 거짓임이 드러났다. // *turn out* a tenant 세든 사람을 쫓아내다 // Please *turn out* the lights. 불을 끄십시오. // People *turned out* in large numbers to welcome him. 그를 환영하기 위하여 사람들이 많이 나왔다.

turn over 뒤집어엎다; (책장을) 넘기다
(예) The car (was) *turned over,* killing the driver. 차가 뒤집혀서 운전사가 죽었다. // *turn over* in bed 자면서 뒤치다 // *Turn* the page *over.* 그 페이지를 넘겨라.

turn over a new leaf 개심하다, 면목을 일신하다
(예) He has *turned over a new leaf.* 그는 마음을 고쳐 먹었다.

turn the tables 형세를 일변시키다
(예) *The tables* are *turned.* 형세가 역전되었다.
◇***turn to*** ~에 착수하다; ~에 의지하다; 좋아하다, 익숙해지다
(예) When we *turn to* history, we perceive the fact. 역사를 보면 그 사실을 인정하게 된다.
turn ~ to account ~을 이용하다
(예) *Turn* your misfortune *to account.* 재난을 복으로 전환시켜라.
◇***turn up*** 위쪽을 향하다; 위로 구부리다; 나오다, 나타나다
(예) He didn't *turn up* until six. 그는 6시까지 나타나지 않았다.
by turns 번갈아, 교대로
(예) They carried the load *by turns.* 그들은 교대로 짐을 날랐다.
*◇***in turn*** 차례로, 교대로, 이번에는
(예) One who hates others will be hated *in turn* by them. 남을 미워하는 사람은 그들에게도 미움을 사는 법이다.
in turns 교대로
(예) The students would do it *in turns.* 학생들은 교대로 그것을 하는 것이었다.

tur·nip [tə́:rnip] 명 〖식물〗 순무
tur·ret [tə́:rit / tʌ́rit] 명 작은 탑, 포탑(砲塔)
◇**tur·tle** [tə́:rtl] 명 바다거북 (*cf.* tortoise); 산비둘기(=turtledove)
***tu·tor** [tjú:tər / tjú:tə] 명 가정 교사 (*cf.* tutoress 여가정교사), 〖영〗 개별 지도 교관 타 (개인적으로) 가르치다, 후견(後見)하다
TV 〖약어〗 television 텔레비전
twain [twein] 명 형 〖아어〗 둘(의), 두 개(의)
tweed [twi:d] 명 트위드 《양복지의 한 가지》
☆**twelve** [twelv] 명 12 형 12의
파 ☆**twelfth** 명 형 제 12(의), 12분의 1(의), (달의) 12일
☆**twen·ty** [twénti] 명 20 형 20 의
파 ***twentieth** [twéntiiθ] 명 형 제 20(의), 20분의 1(의), (달의) 20 일
***twice** [twais] 부 두 번, 2회(=two times); 2배로
◇**twig** [twig] 명 잔가지, 실가지 (*cf.* branch)
◇**twi·light** [twáilàit] 명 땅거미, 황혼(=dusk); 희미한 빛
◇**twin** [twin] 형 쌍둥이의 명 쌍둥이, 쌍생아

> ▶ **296.** 접두어 **twi**
> 「2(two)」의 뜻을 나타낸다.
> (예) *twice, twin* 등

twine [twain] 명 꼰 실; 뒤얽힌 것 자 타 꼬다, 얽히〔감기〕다, 얽히〔감기〕게 하다
◇**twin·kle** [twíŋkəl] 명 반짝임 자 타 반짝이다, 깜박이다
파 **twínkling** 형 반짝반짝하는 명 깜박임, 반짝임
◇**twist** [twist] 타 자 꼬다, 감(기)다, 휘감(기)다; 비틀다 명 꼬임, 비틀림, 나선형의 비꼬임; 꼰 실

T

[파] ◦**twíster** [명] (새끼 따위를) 꼬는 사람; 곱새기는 사람; 선풍 ; (야구 따위의) 곡구

twitch [twitʃ] [타][자] 홱 잡아당기다; 씰룩씰룩 움직이(게 하)다 [명] 홱 잡아당김(=jerk); 씰룩거림, 경련

twit·ter [twítər] [명] 지저귐(=chirp) [자][타] 지저귀다, 재잘거리다

two [tuː] 〈동음어 too, to〉 [명] 둘, 쌍(=pair) [형] 둘〔두 개·두 사람〕의

[파] (⇨) **twelve, twenty**

two·pence [tʌ́pəns, túːpens] [명] 2펜스(은화)

[파] **twopenny** [tʌ́pəni, túːpeni] [형] 2펜스의; 값싼 [명] 2펜스의 동전

type [taip] [명] 형(=special class or kind), 타이프; 전형; 자체(字體), 활자 [타] 타이프로 찍다(=typewrite)

(예) a new *type* of car 신형차 // men of this *type* 이런 유형의 사람들 // an ideal *type* of statesman 정치가의 이상적인 타이프

[파] **týpist** [명] 타이피스트 ***týpewriter** [명] 타이프라이터, 타자기(打字機) **týpewrite** [타][자] 《*-wrote ; -written*》 타이프라이터로 찍다 ◦**týpewriting** [명] 타자술

ty·phoid [táifɔid] [명] 장티푸스(=typhoid fever)

ty·phoon [taifúːn] [명] 태풍

ty·phus [táifəs] [명] 〖의학〗 발진티푸스

typ·i·cal [típikəl] [형] 전형적인; ~을 대표〔상징〕하는[~ of]

(예) He was most *typical of* the times in which he lived. 그는 그가 산 시대의 가장 대표적인 인물이었다.

ty·ran·no·saur [tairǽnəsɔ̀ːr] [명] 사자용(龍)《공룡의 일종》

ty·rant [táiərənt] [명] 폭군(=cruel ruler), 압제자, 참주

[파] ***tyranny** [tírəni] [명] 폭정, 학정, 학대 **tyrannical** [tirǽnikəl] [형] 압제적인(=despotic) **týrannize** [타][자] 압제하다, 학대하다

U

ugh [ʌx, uːx, uh] [감] 우흐!, (으)흥!, 이(크)! 《혐오·경멸·공포 따위를 나타냄》

ug·ly [ʌ́gli] [형] 추한(=unpleasant to look at), 추악한; 보기 흉한; (날씨·사태 따위가) 험악한

[반] béautiful 아름다운

(예) an *ugly* sight 보기에 불쾌한 광경 // an *ugly* sky 험악한 날씨

[파] **úgliness** [명] 추악, 보기 흉함

u·ku·le·le [jùːkəléili] [명] 우쿨렐레 《하와이 원주민의 기타 비슷한 4현 악기》

ul·cer [ʌ́lsər] [명] 종기, 궤양(潰瘍); 병폐, 악폐

ul·ti·mate [ʌ́ltəmit] [형] 최후의(=last), 궁극의; 근본적인

(예) the *ultimate* weapon 궁극 병기《수소 폭탄·미사일 따위》// *ultimate* principles 근본 원리
파 *◇**últimately** 부 결국 **ultimátum** 명《*pl.* -ta》최후 통고, 마지막 제안
ul·ti·mo [ʌ́ltəmòu] 형 지난 달의《약어는 ult.이며 날짜 뒤에 적는다》
반 inst. (<instant) 이달의, prox.(<proximo) 내달의
◇**ul·tra·son·ic** [ʌ̀ltrəsɑ́nik / -sɔ́n-] 명 형 초음파(의)
*◇**um·brel·la** [ʌmbrélə] 명 우산, 양산
◇**um·pire** [ʌ́mpaiər] 명 (경기의) 심판자(=judge, referee)
UN 〖약어〗 United Nations 국제 연합
un- [ʌn-] 부정·반대(=not)의 뜻을 나타내는 접두사.
어법 명사·형용사·부사·동사에 붙는데 대개는 not를 대치해서 짐작해 보면 뜻이 명백해진다.
*◇**un·a·ble** [ʌ̀néibəl] 형 ~할 수 없는[~ to do]
*◇(*be*) ***unable to do*** ~할 수 없는
(예) *be unable to* read and write 읽지도 쓰지도 못하다 // I *am unable to* walk. 걸을 수 없다.
◇**un·ac·cept·a·ble** [ʌ̀nəkséptəbəl] 형 받아들이기 어려운; 용납하기 어려운
un·ac·cus·tomed [ʌ̀nəkʌ́stəmd] 형 익숙지 않은 [~ to]; 관례가 아닌; 보통이 아닌, 진기한
(예) He is *unaccustomed to* this kind of job. 그는 이런 종류의 일에 익숙지 않다. // *unaccustomed* surroundings 바뀐 새로운 환경
◇**un·ac·knowl·edged** [ʌ̀nəknɑ́lidʒd / -nɔ́l-] 형 인정되지 않은; 응답을 받지 못한
un·af·fect·ed [ʌ̀nəféktid] 형 꾸밈 없는, 자연의(=natural); 감동하지 않는(=unmoved), 변치 않는, 영향을 받지 않는
◇**u·nan·i·mous** [juːnǽnəməs] 형 만장 일치의(=agreed), 이의 없는, 이구동성의
원 un(=one)+anim(=mind)+ous(형용사 어미)
파 ◇**unánimously** 부 이의 없이 **unanímity** 명 만장 일치
◇**un·an·nounced** [ʌ̀nənáunst] 형 공표되지 않은; 미리 알리지 않은
(예) arrive *unannounced* 예고 없이 오다
un·an·swered [ʌ̀nǽnsərd] 형 대답 없는; 반박되지 않은, 보답 없는
un·arm [ʌ̀nɑ́ːrm] 타 자 무장 해제하다(=disarm), 무기를 버리다
파 ◇**unármed** 형 무장하지 않은, 맨손의(=without arms)
un·at·tain·a·ble [ʌ̀nətéinəbəl] 형 얻기 어려운, 성취하기 어려운
◇**un·a·vail·a·ble** [ʌ̀nəvéiləbəl] 형 입수되지 않는; 이용할 수 없는, 쓸모 없는
un·a·void·a·ble [ʌ̀nəvɔ́idəbəl] 형 피할 수 없는(=inevitable)
***un·a·ware** [ʌ̀nəwέər] 형 눈치 채지 못하는, 모르는, 알지

못하는(=not knowing) [~ of]
[반] awáre 알고 있는
[파] **unawáres** [부] 뜻밖에, 모르는 새에
(***be***) ***unaware of*** ~을 알지 못하는, 눈치 채지 못하는
(예) He *was unaware of* my presence. 그는 내가 있는 것을 눈치 채지 못했다.

un·bal·ance [ʌ̀nbǽləns] [타] 균형을 잃다, 어울리지 않게 하다; 혼란케 하다 [명] 불균형, 불평형
[파] **unbálanced** [형] 균형을 잃은; 불안정한; 미결산의

un·bear·a·ble [ʌnbέərəbəl] [형] 참을 수 없는, 견딜 수 없는, 참기 어려운
[파] **unbéarably** [부] 참을〔견딜〕 수 없게

un·be·liev·a·ble [ʌ̀nbəlíːvəbəl] [형] 믿을 수 없는, 믿기 어려운
[파] ◇**unbelíevably** [부] 믿을 수 없을 만큼

un·bend [ʌnbénd] [타][자] 곧게 펴(지)다; (마음·몸을) 편하게 하다
[파] **unbénding** [형] 굽지 않는; (정신 따위가) 불굴의

un·born [ʌ̀nbɔ́ːrn] [형] 장래의, 후세의; 아직 태어나지 않은

un·bos·om [ʌ̀nbúzəm] [타] (속마음·비밀 따위를) 털어놓다, 밝히다[~ to] [자] 의중(意中)을 밝히다
(예) *unbosom* oneself to a person 아무에게 속마음을 밝히다〔고백하다〕

un·but·ton [ʌ̀nbʌ́tn] [타][자] (~의) 단추를 끄르다; (장갑차의) 뚜껑을 열다; 시원히 털어놓다

un·ceas·ing [ʌnsíːsiŋ] [형] 끊임없는, 연속된
[파] **uncéasingly** [부] 끊임없이

un·cer·tain [ʌ̀nsə́ːrtn] [형] 불확실한, 불안(정)한
[반] cértain 확실한
[파] ◇**uncértainly** [부] 불확실하게, 의심스럽게; 변덕스럽게
◇**uncértainty** [명] 불확실, 불확정

un·changed [ʌ̀ntʃéindʒd] [형] 불변의, 변하지 않은

un·chang·ing [ʌ̀ntʃéindʒiŋ] [형] 변하지 않는, 불변의, 언제나 일정한

un·checked [ʌ̀ntʃékt] [형] 저지〔억제〕되지 않은; 검사받지 않은

un·civ·il [ʌ̀nsívl] [형] 버릇없는, 예절 모르는, 무례한(=rude)
[파] **uncívilized** [형] 미개의, 야만의(an *uncivilized* country 미개국)

un·cle [ʌ́ŋkəl] [명] 아저씨, 백부, 숙부(*cf.* aunt 아주머니)

un·clean [ʌ̀nklíːn] [형] 불결한; 부정한; 불명확한

un·com·fort·a·ble [ʌ̀nkʌ́mfərtəbəl] [형] 불유쾌한(=unpleasant); 불편한, 불온한(=disquieting)
[파] ◇**uncómfortably** [부] 불쾌하게; 귀찮게

un·com·mon [ʌ̀nkámən / -kɔ́m-] [형] 비범한(=remarkable), 진귀한(=rare) [부] 드물게, 굉장하게(=remarkably)
[반] cómmon 평범한, 보통의

U

◇**un·con·cern** [ʌ̀nkənsə́ːrn] [명] 태연, 무관심, 냉담
un·con·di·tion·al [ʌ̀nkəndíʃənəl] [형] 무조건의, 무제한의 절대적인
*◇**un·con·scious** [ʌ̀nkánʃəs / -kɔ́n-] [형] 무의식의, 깨닫지 못하는; 인사불성의
[반] cónscious 의식적인
(예) be *unconscious* of ~을 깨닫지 못하다
[파] ***uncónsciously** [부] 무의식적으로, 부지중에, 깨닫지 못하고 **uncónsciousness** [명] 무의식; 의식 불명
◇**un·con·trol·la·ble** [ʌ̀nkəntróuləbəl] [형] 제어할 수 없는 억제하기 어려운
[파] ◇**uncontróllably** [부] 제어할 수 없게
un·couth [ʌ̀nkúːθ] [형] 멋없는(=awkward), 거친(=rude)
[반] smart 멋있는, cívilized 예의바른
◇**un·cov·er** [ʌ̀nkʌ́vər] [타][자] 덮개를 벗기다, 벗다; 드러내다, 폭로하다(=expose, disclose)
[반] cóver 덮다, 감추다
un·cul·tured [ʌ̀nkʌ́ltʃərd] [형] (토지가) 경작〔개간〕되지 않은, (식물이) 재배되지 않은; 교육받지 않은
un·daunt·ed [ʌ̀ndɔ́ːntid] [형] 굽히지 않는, 불굴의, 용감한
◇**un·de·liv·ered** [ʌ̀ndilívərd] [형] 석방되지 않은; 배달되지 않은; 입밖에 내지 않은
un·de·ni·a·ble [ʌ̀ndináiəbəl] [형] 부정〔부인〕할 수 없는; 명백한; 〖구어〗 더할 나위 없는
(예) an *undeniable* student 매우 우수한 학생
☆**un·der** [ʌ́ndər] [전] ① 《위치 따위가》 ~의 아래에(=below); ~의 안쪽에
(예) a bench *under* a tree 나무 아래의 벤치 // ◇from *under* the table 테이블 밑으로부터 // *under* the skin 피하에 // houses *under* water 물에 잠긴 가옥들
② 《범위》 이하, 미만의(=less than)
(예) boys *under* twelve years old 12세 미만의 소년들 // sell *under* £10 십 파운드 이하로 팔다
③ 《통할》 ~의 치하에, ~의 지도하에
(예) the country *under* British government 영국 치하에 있는 나라 // study *under* Dr. Jones 존스 박사의 지도하에 연구하다
④ 《사정·조건·의무》 ~의 밑〔아래〕에(서)
(예) *under* any circumstances 어떤 일이 있든, 반드시 // *under* no circumstances 어떤 일이 있어도 결코 ~하지 않는 // I am *under* (an) obligation to him. 나는 그에게 신세를 지고 있다.
⑤ 《상태》 ~하는 중(=in course of)
(예) *under* construction 건축중에, 공사중에
⑥ 《준거》 ~에 따라서
(예) *under* Article 9 제 9 조에 의거해서
— [형] 아래의, 낮은(=lower)
(예) *under* layers 밑층 // an *under* officer 하급 장교

U

— [부] 아래에, 지배하에 (*cf.* below)
(예) The ship went *under.* 배는 가라앉았다.
[반] over ~의 위에

un·der·brush [ʌ́ndərbrʌ̀ʃ] [명] 덤불, 잡목

un·der·car·riage [ʌ́ndərkæ̀ridʒ] [명] (자동차 등의) 차대(車臺); (비행기의) 착륙 장치

un·der·clothes [ʌ́ndərklòuz, -klòuðz] [명] 《*pl.*》 속옷, 내의류

un·der·de·vel·oped [ʌ̀ndərdivéləpt] [형] 발육이 불충분한; 저개발의, 개발 도상의

un·der·es·ti·mate [ʌ̀ndəréstəmèit] [타] 낮추 어림하다; 과소평가〔판단〕하다; 얕보다

un·der·go [ʌ̀ndərgóu] [타] 《***-went; -gone***》 (수술을) 받다; (시험을) 치다; (피해·영향 따위를) 입다(=suffer), (고통·변화 따위를) 겪다, 경험하다(=experience)
(예) The city has *undergone* various changes. 그 도시는 여러 가지의 변화를 겪었다.
[어법] operation 「수술」이나 기타 즐겁지 않은 경험에 대하여 쓰인다.

un·der·grad·u·ate [ʌ̀ndərgrǽdʒuət] [명] 대학생, 대학 재학생 [형] (재학중인) 대학생의
[반] grǽduate 졸업생(의), 대학원 학생(의)

un·der·ground [ʌ́ndərgràund] [형] 지하(地下)의, 비밀의; 반체제의 [명] 지하 철도(=〖미〗 subway); [통상 the ~] 지하 정치 운동〔조직〕 [부] [ʌ̀ndərgráund] 지하에(서); 비밀히

un·der·hand [ʌ̀ndərhǽnd] [형] 〖야구〗 치던지는, 치켜 치는; 비밀의, 부정한

un·der·lie [ʌ̀ndərlái] [타] 《***-lay, -lain***》 ~의 아래에 있다, 기초가 되다
[파] **underlýing** [형] (층 따위가) 아래에 있는, 근본의

un·der·line [명] [ʌ́ndərlàin] 밑줄 [타] [ʌ̀ndərláin] 밑줄을 치다; ~을 강조하다

un·der·neath [ʌ̀ndərní:θ] [부] 바로 아래〔밑〕에(=beneath, below) [전] ~의 아래에(=under) [명] 하면, 하부

un·der·nu·tri·tion [ʌ̀ndərnju:tríʃən] [명] 영양 부족, 저(低)영양

un·der·pass [ʌ́ndərpæ̀s / -pà:s] [명] 지하도

un·der·rate [ʌ̀ndərréit] [타] ~을 헐하게 어림치다, 낮게 평가하다(=underestimate); 얕보다

un·der·sea [ʌ́ndərsì:] [형] 해중의, 해저의 [부] 바닷속〔해저〕에(서)

un·der·side [ʌ́ndərsàid] [명] 아래쪽; 이면, 좋지 않은 면

un·der·stand [ʌ̀ndərstǽnd] [자] [타] 《***-stood***》 이해하다(=know the meaning of), 알다; 추측하다(=infer); 생략하다

▶ **297.** 접미어 **able**

주로 타동사에 붙여 형용사를 만들고 「~할 수 있는」 「~되는」「~에 적합한」「~하기 쉬운」 등의 뜻을 나타낸다.
(예) understand*able* 「이해할 수 있는」, eat*able* 「식용에 적합한, 먹을 수 있는」, peace*able* 「온화한」, lov*able* 「사랑스러운」 등

반 misunderstánd 오해하다
(예) give a person to *understand* that 아무에게 ~라고 알려주다 // A relative pronoun *is understood* here. 여기엔 관계 대명사가 생략되어 있다.
파 ◇**understándable** 형 이해할 수 있는 ***understánding** 명 이해(력), 지성 형 사리를 잘 아는, 분별 있는

make oneself understood * 자기의 말을 남에게 이해시키다, 자기의 의사를 남에게 통하다
(예) Can you *make yourself understood* in English? 너는 영어로 의사 소통이 되느냐?

*◇**un·der·take** [ʌ̀ndərtéik] 자 타 《***-took; -taken***》 떠맡다(=take on oneself); 보증하다; 착수하다; 기도하다
(예) *undertake* an enterprise 사업을 시작하다 // *undertake* that the medicine will work 그 약이 효험이 있음을 보증하다
파 **undertaker** 명 [ʌ̀ndərtéikər] 떠맡는 사람; [ʌ́ndərtèikər] 장의사 ◇**undertáking** 명 도급, 사업

*◇**un·der·wa·ter** [ʌ̀ndərwɔ́:tər] 형 물 속의, 물 속에서 쓰는

◇**un·der·wear** [ʌ́ndərwɛ̀ər] 명 속옷, 내의(=underclothes)

◇**un·der·world** [ʌ́ndərwə̀:rld] 명 하계(下界), 이승; 저승, 황천

◇**un·de·sir·a·ble** [ʌ̀ndizáiərəbəl] 형 바람직하지 않은, 탐탁하지 않은
반 desírable 바람직한

un·de·vel·oped [ʌ̀ndivéləpt] 형 발달하지 못한, 미발달의 미개발의

◇**un·dis·cov·ered** [ʌ̀ndiskʌ́vərd] 형 발견되지 않은, 찾아내지 못한; 미지의

un·dis·turbed [ʌ̀ndistə́:rbd] 형 방해받지 않은, 흔들리지 않는, 조용한; 마음이 편안한

un·di·vid·ed [ʌ̀ndiváidid] 형 가르지〔나눠지〕 않은; 완전한; 연속된; 집중된

◇**un·do** [ʌ̀ndú:] 타 《***-did ; -done***》 원상태로 돌리다; 취소하다; 파멸시키다(=destroy); 풀다(=untie), 끄르다
(예) What is done cannot be *undone.* 〖속담〗 저지른 일은 어쩔 수 없다《엎지른 물은 다시 담을 수 없다》.

un·doubt·ed [ʌ̀ndáutid] 형 의심할 여지가 없는(=certain)
파 *◇**undóubtedly** 부 틀림없이, 확실히

un·dress [ʌ̀ndrés] 자 타 옷을 벗다〔벗기다〕, 붕대를 풀다

◇**un·drink·a·ble** [ʌ̀ndríŋkəbəl] 형 마실 수 없는, 마시기에 적당치 않은

un·due [ʌ̀ndjú: / -djú:] 형 부당한(=improper); 과도한, 지나친
파 ***undúly** 부 부당하게; 과도하게(=excessively)

◇**un·ease** [ʌní:z] 명 불안, 걱정, 불쾌

◇**un·eas·y** [ʌní:zi] 형 불안한(=restless); 불편한(=uncomfortable)

U

반 éasy 편안한
파 **unéasily** 부 불안하게
un·e·co·nom·ic, -i·cal [ʌ̀nìːkənάmik / -nɔ́m-], [-ikəl] 형 경제 법칙에 맞지 않는; 비경제적인, 낭비하는
un·ed·u·cat·ed [ʌnédʒukèitid] 형 교육받지 않은, 무지의, 무식한
un·em·ployed [ʌ̀nimplɔ́id] 형 실직한; 사용하지 않는
파 ◇**unemplóyment** 명 실업
un·end·ing [ʌnéndiŋ] 형 끝없는, 무궁한, 영원한
un·en·dur·a·ble [ʌ̀nindjúərəbəl] 형 견딜 수 없는
un·en·thu·si·as·tic [ʌ̀ninθjùːziǽstik] 형 열의 없는; 냉담한, 미온적인
un·e·qual [ʌníːkwəl] 형 같지 않은, 대등하지 않은, 불공평한(=partial); 부적당한
반 équal 평등한
un·e·qua(l)led [ʌ̀níːkwəld] 형 필적할〔견줄〕 것이 없는, 월등하게 좋은
UNESCO, U·nes·co [juːnéskou] 〖약어〗 United Nations Educational, Scientific, and Cultural Organization 유네스코《국제 연합 교육 과학 문화 기구》
un·e·ven [ʌníːvən] 형 평탄하지 않은; 홀수의
un·ex·pect·ed [ʌ̀nikspéktid] 형 의외의, 뜻밖의, 예기치 않은
반 usual 보통의 파 **unexpéctedly** 부 뜻밖에
un·ex·plain·a·ble [ʌ̀nikspléinəbəl] 형 설명할 수 없는, 묘한
un·ex·plored [ʌ̀nikspl ɔ́ːrd] 형 미답사의, 탐구되지 않은
un·fail·ing [ʌnféiliŋ] 형 끊임없는; 틀림없는
파 ◇**unfáilingly** 부 꼭, 틀림없이, 확실히
un·fair [ʌnfέər] 형 불공평한(=partial), 부정한(=unjust)
파 **unfáirly** 부 불공평하게, 부정하게
un·faith·ful [ʌnféiθfəl] 형 불성실한(=disloyal), 부정한; 부정확한(=inaccurate)
반 fáithful 성실한
un·fa·mil·iar [ʌ̀nfəmíljər] 형 생소한, 낯선; 경험이 없는 [~ with, to]
반 famíliar 익숙한
un·fast·en [ʌnfǽsn / -fάːsn] 타 자 늦추다, 풀다, 벗기다; 헐거워지다, 풀리다
un·fa·vo(u)r·a·ble [ʌnféivərəbəl] 형 형편이 나쁜, 불리한
반 fávo(u)rable 형편이 좋은
un·feel·ing [ʌnfíːliŋ] 형 느낌이 없는; 무정한, 냉혹한
un·fin·ished [ʌnfíniʃt] 형 미완성의
un·fit [ʌnfít] 형 부적당한, 적임이 아닌, 어울리지 않는 타 부적당하게 하다, 알맞지 않게 하다
반 fit 적당한
(예) It is *unfit* for use. 그것은 사용하기에 적당치 않다.

U

*****un·fold** [ʌ̀nfóuld] ㉧㉣ 펴다, 펼치다; 표명하다(=reveal)
◇**un·fore·seen** [ʌ̀nfɔːrsíːn] ㉨ 생각지 않은, 우연의, 뜻밖의
◇**un·for·get·ta·ble** [ʌ̀nfərgétəbəl] ㉨ 잊을 수 없는, (언제까지나) 기억에 남는
un·for·giv·a·ble [ʌ̀nfərgívəbəl] ㉨ 용서할 수 없는(=unpardonable)
*◇**un·for·tu·nate** [ʌ̀nfɔ́ːrtʃənit] ㉨ 불운한, 불쌍한 ㉦ 불운한 사람
　반 fórtunate 운 좋은
　(예) He *was unfortunate to* lose his wife. ↔ It *was unfortunate that* he lost his wife. 그는 불운하게도 아내를 잃었다. // an *unfortunate* enterprise 실패로 끝난 기업
　파 *◇**unfórtunately** ㉥ 운 나쁘게, 불행하게
◇**un·friend·ly** [ʌ̀nfréndli] ㉨ 불친절한(=unkind), 우정 없는; 적의가 있는(=hostile)
◇**un·fro·zen** [ʌ̀nfróuzən] ㉨ 얼지 않은; 동결되지 않은
◇**un·ful·filled** [ʌ̀nfulfíld] ㉨ 다하지 못한; 실현〔성취〕하지 못한
un·furl [ʌ̀nfə́ːrl] ㉣ (돛·우산 등을) 펴다, (기 등을) 올리다, 바람에 펄럭이게 하다 ㉧ 펴지다, 오르다, 펄럭이다
un·god·ly [ʌ̀ngɑ́dli / -gɔ́d-] ㉨ 신앙심 없는; 죄 많은, 사악한; 〖구어〗 지독한, 심한
◇**un·grate·ful** [ʌ̀ngréitfəl] ㉨ 은혜를 모르는(=unthankful) 보람이 없는, 불쾌한(=disagreeable)
*◇**un·hap·py** [ʌ̀nhǽpi] ㉨ 불행한(=unfortunate), 운수 나쁜
　파 **unháppily** ㉥ 불행하게 **unháppiness** ㉦ 불행
*◇**un·health·y** [ʌ̀nhélθi] ㉨ 건강하지 않은, 건강에 좋지 않은, (도덕·정신적으로) 불건전한
un·heard [ʌ̀nhə́ːrd] ㉨ 들리지 않는; 경청해 주지 않는; 미지의
　파 **unhéard-of** ㉨ 전례 없는, 전대 미문의(unprecedented) ; 기이한

U

◇**un·i·den·ti·fied** [ʌ̀naidéntəfàid] ㉨ 확인되지 않은, 미확인의, 정체 불명의
*◇**u·ni·form** [júːnəfɔ̀ːrm] ㉨ 한결같은, 균일한 ㉦ 제복, 군복 ㉣ 한결같게 하다, 제복을 입히다
　원 uni(=one)+form
　(예) be *uniform* in shape 형태가 일정하다
　파 ***unifórmity** ㉦ 한결같음, 일률 **úniformly** ㉥ 한결같게, 균일하게, 고르게

> ▶ **298. 접두어 uni**
> 「단일(one)」의 뜻을 나타냄.
> (예) *uni*form, *uni*corn (일각수(一角獸))

◇**u·ni·fy** [júːnəfài] ㉣ 하나로 하다, 통일하다(=unite)
　파 **unificátion** ㉦ 통일, 통합
◇**un·im·ag·in·a·ble** [ʌ̀nimǽdʒənəbəl] ㉨ 상상〔생각〕할 수 없는
un·im·ag·i·na·tive [ʌ̀nimǽdʒinətiv] ㉨ 상상력이 없는, 시적이 아닌

un·im·por·tant [ʌ̀nimpɔ́:rtənt] ⓗ 중요하지 않은, 하찮은 (=trivial)

un·in·hab·it·ed [ʌ̀ninhǽbitid] ⓗ 사람이 살지 않는, 무인의 《섬 따위》

un·in·tel·li·gi·ble [ʌ̀nintélədʒəbəl] ⓗ 이해하기 어려운, 영문을 알 수 없는

un·in·ter·est·ed [ʌ̀níntərəstid] ⓗ 흥미를 느끼지 않는, 무관심한; 이해관계가 없는

un·in·ter·est·ing [ʌ̀níntəristiŋ] ⓗ 시시한, 흥미〔재미〕없는, 지루〔따분〕한

un·ion [jú:njən] ⓜ 결합, 일치; 조합; 연합, 동맹
반 divísion 분할
(예) *Union* is strength. 단결은 힘이다. // a labor 〔〘영〙 a trade〕 *union* 노동조합 // live in perfect *union* 사이 좋게 살다

u·nique [ju:ní:k] ⓗ 유일무이한(=sole), 독특한; 〘속어〙 진기한(=rare)

> ▶ **299. 접미어 ique**
> 형용사 어미이다.
> (예) un*ique*

파 **uníquely** 부 유일무이하게, 독특하게 ◇**uníqueness** ⓜ 유일 무이함; 독특함

u·ni·son [jú:nisn, -zn] ⓜ 조화(=agreement); 〘음악〙 제창

u·nit [jú:nit] ⓜ 단위; 한 개, 한 사람; 단원; 일단, 부대

u·nite [ju:náit] 타 자 결합하다(=make one), 일치하다(=join)
반 divíde 나누다
(예) Oil will not *unite* with water. 기름은 물과 섞이지 않는다.

> ▶ **300. 접미어 ite**
> ① 동사를 만듦. (예) un*ite*
> ② 형용사를 만듦.
> (예) fin*ite* (제한되어 있는)
> ③ 명사를 만듦. (예) favor*ite* (마음에 드는 것〔사람〕)

파 ◇**uníted** ⓗ 결합한, 연합한(the *United* States of America 미합중국 어법 단수 취급)

u·ni·ty [jú:nəti] ⓜ 통일, 단일(성), 일관성; 일치, 조화, 화합
(예) find *unity* in variety 다양함 속에서의 통일을 찾아내다 // work in *unity* with fellow workers 동료와 협력하여 일하다

u·ni·ver·sal [jù:nəvə́:rsəl] ⓗ 우주의; 전세계의; 보편적인; 다방면의
(예) The rule is *universal*. 그 규칙에는 예외가 없다. // *universal* information 다방면에 걸친 지식 // *universal* applause 만장의 갈채
파 ◇**univérsally** 부 일반적으로(=generally), 널리

u·ni·verse [jú:nəvə̀:rs] ⓜ 우주(=cosmos); 만물(=all things); 전세계(=the whole world)

u·ni·ver·si·ty [jù:nivə́:rsəti]★ ⓜ 종합 대학
어법 *college*는 「단과 대학」. 일반적으로, 지명·인명을 붙인 대학명은 the를 쓰지 않는다. Oxford University. 그러나 of ~로 되는 경우는 the를 붙인다: the University of Michigan.

다른 낱말과 어울려 쓰일 때는 the를 붙이는 수가 많다.

◇**un·just** [ʌ̀ndʒʌ́st] [형] 부정한, 부당한, 불공평한(=unfair)

◇**un·kind** [ʌ̀nkáind] [형] 불친절한, 냉혹한(=cruel); (날씨가) 나쁜

[파] **unkíndness, unkíndliness** [명] 불친절, 몰인정

▶ 301. 접두어 un

① 명사·형용사·부사에 붙여서 완전한 부정을 나타낸다.
(예) *un*kind, *un*like 등

② 동사에 붙여서 반대의 동작 또는 박탈·분리의 행위를 나타낸다.
(예) *un*bind(풀다), *un*lock 등

*◇**un·known** [ʌ̀nnóun] [형] 미지의 [명] [the ~] 미지수, 무명인(無名人)

(예) an *unknown* quantity 미지수 // for some *unknown* reason 무슨 이유인지 모르지만

(*be*) ***unknown to*** ~에 알려져 있지 않은

(예) He *is unknown to* me. 나는 그를 모른다.

***un·less** [ənlés] [접] 만일 ~이 아니면(=if not)

(예) *Unless* you work harder, you will never pass the examination. 좀 더 열심히 공부하지 않으면 시험에 합격하지 못한다. (↔ If you do not work harder, ~. ↔ Work harder, or you ~.)

— [전] ~을 제외하고는(=except)

*◇**un·like** [ʌ̀nláik] [형] 다른(=different) [전] ~와 달라서

[반] alíke 서로 같은, 마찬가지의

[NB] dislike 「싫어하다」와는 아주 다름.

(예) The picture is quite *unlike* him. 이 그림은 전혀 그와 비슷하지 않다.

[파] ◇**unlíkely** [형] 있을 것 같지 않은(an *unlikely* candidate 당선 가능성이 없는 후보자)

◇**un·lim·it·ed** [ʌ̀nlímitid] [형] 한없는; 무제한의

un·load [ʌ̀nlóud] [타] (차·배 따위의) 짐을 부리다; (근심 따위를) 털어 놓다

U

◇**un·lock** [ʌ̀nlák / -lɔ́k] [타] 자물쇠를 열다; 비밀을 토로하다

◇**un·luck·y** [ʌ̀nlʌ́ki] [형] 불행한, 불운한(=unfortunate)

[파] **unlúckily** [부] 불행하게도

◇**un·man·ly** [ʌ̀nmǽnli] [형] 남자답지 않은, 계집애 같은; 비겁한, 나약한

◇**un·manned** [ʌ̀nmǽnd] [형] 사람이 타지 않은, 무인의

(예) an *unmanned* spaceship 무인 우주선 // an *unmanned* automatic wicket 무인 자동 개찰구

◇**un·matched** [ʌ̀nmǽtʃt] [형] 균형이 잡히지 않는, 어울리지 않는; 필적하기 어려운

un·mean·ing [ʌnmíːniŋ] [형] 무의미한, 부질없는; 무표정한

un·moved [ʌ̀nmúːvd] [형] (결심 따위가) 흔들리지 않는, 단호〔확고〕한; 냉정한, 태연한

◇**un·nat·u·ral** [ʌ̀nnǽtʃərəl] [형] 부자연한; 인공적인, 일부러 꾸민 듯한

◇**un·nec·es·sar·y** [ʌ̀nnésəsèri / -səri] [형] 불필요한(=need

less)
반 nécessary 필요한
un·no·ticed [ʌ̀nnóutist] 형 주목되지 않은, 무시된, 알아채이지 않은
(예) The error passed *unnoticed.* 그 잘못은 발견되지 않았다.
un·oc·cu·pied [ʌ̀nάkjəpàid / -ɔ́k-] 형 (집·토지 따위가) 비어 있는(=vacant), 한가한
un·of·fi·cial [ʌ̀nəfíʃəl] 형 비공식의, 사적인
파 **unoffícially** 부 비공식적으로, 사적으로
un·paid [ʌ̀npéid] 형 미불의, 미납의; 무급(無給)의, 무보수의
un·paint·ed [ʌ̀npéintid] 형 페인트칠을 하지 않은〔해야 하는〕
un·par·don·a·ble [ʌ̀npάːrdənəbəl] 형 용서할 수 없는
un·paved [ʌ̀npéivd] 형 포석(鋪石)을 깔지 않은, 포장되지 않은
un·pleas·ant [ʌ̀nplézənt] 형 불쾌한, 싫은(=disagreeable)
un·pop·u·lar [ʌnpάpjələr / -pɔ́p-] 형 인망이 없는, 인기가 없는, 평판이 나쁜
파 **unpopulárity** 명 인망이 없음, 인기 없음
un·prec·e·dent·ed [ʌ̀nprésədèntid / -dəntid] 형 전례 없는, 공전(空前)의
NB 반대의 precedented는 별로 쓰이지 않는다.
un·pre·pared [ʌ̀npripɛ́ərd] 형 준비가 없는, 불의의
(예) an *unprepared* reply 즉답 // I caught him *unprepared.* 나는 그의 허를 찔렀다.
un·pressed [ʌ̀nprést] 형 눌리지 않은
un·pre·ten·tious [ʌ̀npriténʃəs] 형 ~인 체하지 않는; 겸손한
un·pro·duc·tive [ʌ̀nprədʌ́ktiv] 형 비생산적인, 이익 없는, 효과 없는
un·pro·tect·ed [ʌ̀nprətéktid] 형 보호(자)가 없는; 무방비의; 장갑(裝甲)되어 있지 않은; 관세 보호를 받지 않는《산업 따위》
un·quenched [ʌ̀nkwéntʃt] 형 꺼지지 않은
un·ques·tion·a·ble [ʌ̀nkwéstʃənəbəl] 형 의심할 바 없는(=indisputable), 명백한(=obvious)
반 quéstionable 의심스러운
파 **unquéstionably** 부 의심할 여지 없이
un·ques·tioned [ʌ̀nkwéstʃənd] 형 문제되지 않는, 의심되지 않는(=undoubted); 조사받지 않은
un·ques·tion·ing [ʌ̀nkwéstʃəniŋ] 형 의심하지 않는; 절대적인; 질문하지 않는
un·rav·el [ʌ̀nrǽvl] 타 자 풀다, 풀어지다; 해명하다; 해결짓다
un·re·al [ʌ̀nríːəl] 형 실재하지 않는, 비현실적인; 진실이

아닌

un·rea·son·a·ble [ʌnríːznəbəl] 형 불합리한; 부당한
반 réasonable 합리적인, 합당한
파 **unréasonably** 부 불합리하게, 터무니없게

un·re·li·a·ble [ʌ̀nriláiəbəl] 형 믿을 수 없는, 의지할 수 없는

un·re·quit·ed [ʌ̀nrikwáitid] 형 보답이 없는; 보수를 받지 않는; 앙갚음을 당하지 않는, 일방적인
(예) *unrequited* love 〔affection〕 짝사랑 // an *unrequited* labor 무보수의 노동

un·re·ward·ed [ʌ̀nriwɔ́ːrdid] 형 보수 없는, 보답 없는

un·ripe [ʌ̀nráip] 형 미숙한, 익지 않은; 시기 상조의

un·roll [ʌ̀nróul] 타 풀다, 펴다, 펼치다 자 (말린 것이) 펴지다; (풍경 따위가) 전개되다

un·ru·ly [ʌ̀nrúːli] 형 제어하기 어려운, 제멋대로 구는
반 tame 길들인, obédient 유순한

un·sat·is·fac·to·ry [ʌ̀nsæ̀tisfǽktəri] 형 마음에 차지 않는; 불충분한

un·screw [ʌ̀nskrúː] 타 ~의 나사를 빼다 자 나사가 빠지다

un·scru·pu·lous [ʌ̀nskrúːpjələs] 형 뻔뻔스러운, 발칙한, 예사로 나쁜 짓을 하는, 무절조한, 부도덕한

un·seen [ʌ̀nsíːn] 형 보이지 않는(=invisible); 미지의

un·self·ish [ʌ̀nsélfiʃ] 형 이기적이 아닌, 사심이 없는
파 **unsélfishness** 명 이기적이 아님

un·sold [ʌnsóuld] 형 팔리지 않은, 팔다 남은

un·speak·a·ble [ʌ̀nspíːkəbəl] 형 말로 다 할 수 없는; 언어도단의, 매우 나쁜

un·sta·ble [ʌ̀nstéibəl] 형 불안정한; 변하기 쉬운; 침착하지 못한

un·stead·y [ʌ̀nstédi] 형 불안정한; 변하기 쉬운; 동요하는 《시세 따위》; 소행〔몸가짐〕이 나쁜

un·suc·cess·ful [ʌ̀nsəksésfəl] 형 성공치 못한, 실패한, 불운의

un·suit·a·ble [ʌ̀nsúːtəbəl] 형 부적당한, 어울리지 않는
(예) an article *unsuitable for* export 수출하기에 부적당한 물품

un·sung [ʌ̀nsʌ́ŋ] 형 시가(詩歌)로 읊어지지 않는; (시가에 의하여) 찬미되지 않는

un·sure [ʌ̀nʃúər] 형 확신이 없는, 불확실한; 불안정한; 신용할 수 없는

un·sus·pect·ing [ʌ̀nsəspéktiŋ] 형 의심하지 않는, 수상히 여기지 않는, 신용하는

un·sweet·ened [ʌ̀nswíːtnd] 형 단맛이 없는, 아름답게 다듬지 않은

un·sym·pa·thet·ic [ʌ̀nsimpəθétik] 형 동정심 없는, 무정한; 성미가 맞지 않는

un·tend·ed [ʌ̀nténdid] 형 시중〔간호〕받지 않은, 돌보는 사람 없는, 등한시된(=neglected)

un·think·a·ble [ʌ̀nθíŋkəbəl] 형 생각〔상상〕할 수 없는; 터

무니 없는; 있을 법하지도 않은
un·think·ing [ʌ̀nθíŋkiŋ] [형] 생각〔사려〕 없는, 조심하지 않는, 경솔한
un·ti·dy [ʌ̀ntáidi] [형] 단정치 못한; 게으른
un·tie [ʌ̀ntái] [타] 풀다, 끄르다(=undo); (묶인 동물 따위를) 풀어주다, 해방하다(=free)
un·til [əntíl] [전] [접] ~까지(=till); ~하면 (*cf.* till)
(예) wait *until* after dark 해가 질 때까지 기다리다 // The sound became fainter and fainter, *until* it ceased to be heard. 그 소리는 점점 작아지더니, 마침내 들리지 않게 되었다. // ◇He did *not* come *until* I called. 그는 내가 부를 때까지 오지 않았다.
It is not until ~ that ~에 이르러 비로소 …하다
(예) *It was not until* last week *that* I noticed it. 지난 주에 이르러 비로소 그것을 알아챘다.
un·time·ly [ʌ̀ntáimli] [형] 때가〔철이〕 아닌, 시기를 얻지 못한, 계제가 아닌 [부] 계제가 나쁘게
(예) an *untimely* joke 때에 어울리지 않는 농담 // an *untimely* death 요절
un·to [ʌ́ntu(:), ʌ́ntə] [전] 〖옛말〗 ~에, ~으로, ~까지(=to)
un·touched [ʌ̀ntʌ́tʃt] [형] 손대지 않은, 원래 그대로의
un·trained [ʌ̀ntréind] [형] 훈련되지 않은, 연습을 안 쌓은
un·trou·bled [ʌ̀ntrʌ́bəld] [형] 마음을 어지럽히지 않은; 조용한(=calm), 침착한
un·true [ʌ̀ntrú:] [형] 허위의(=false); 불성실한; 부정확한
un·trust·wor·thy [ʌ̀ntrʌ́stwə̀:rði] [형] 신뢰할 수 없는, 믿을 수 없는
un·us·a·ble [ʌ̀njú:zəbl] [형] 쓸 수 없는, 쓸모 없는
un·used [ʌ̀njú:zd] [형] 쓰지 않는; [-jú:st] 익숙하지 않은[~ to]
un·u·su·al [ʌ̀njú:ʒuəl] [형] 보통〔정상〕이 아닌, 이상한(=uncommon)
(예) an *unusual* book 특이한 책 // It is *unusual* for him to be absent. 그가 결석하다니 이상하다.
[파] ***unúsually** [부] 이상하게, 비상하게
un·want·ed [ʌ̀nwántid / -wɔ́nt-] [형] 볼일이 없는; 쓸모가 없는, 불필요한
un·wel·come [ʌ̀nwélkəm] [형] 환영받지 못하는, 반갑지 않은(=not wanted); 싫은
un·will·ing [ʌ̀nwíliŋ] [형] 싫어하는, 마음이 내키지 않는
[반] wílling 마음이 내키는
(예) willing or *unwilling* 싫든 좋든 간에 // be *unwilling* to do ~하기 싫어하다
[파] **unwíllingly** [부] 마지 못해서(=reluctantly)
un·wise [ʌ̀nwáiz] [형] 분별 없는, 어리석은
[파] **unwísely** [부] 어리석게, 분별 없이
un·wor·thy [ʌ̀nwə́:rði] [형] 가치 없는, ~에 알맞지 않는

U

(예) be *unworthy of* belief 믿을 만하지 못하다 // He is *unworthy to* take the job. 그는 그 일을 맡을 만큼 유능히 지 못하다. // Such a conduct is *unworthy of* a gentleman 그런 짓은 신사답지 못하다.

◇**un·wrap** [ʌ̀nrǽp] [타] ~의 포장을 풀다, 끄르다 [자] (포장· 꾸러미가) 풀리다, 열리다

◇**un·wrin·kle** [ʌ̀nríŋkəl] [타] 주름을 펴다, 반반하게 하다 [자] 주름이 펴지다, 반반해지다

☆**up** [ʌp] [부] ① 위로(=into a higher place)

(예) go *up* to the top of the hill 산꼭대기에 올라가다 // What is shining *up* there? 저 위에서 비치고 있는 것은 무엇이냐?

② 일어나서

(예) be *up* 일어나 있다 // get *up* 일어나다 // The sun is *up*. 해가 떠 올랐다.

③ (수도·중심점 따위의) 쪽으로

(예) come *up* from the country 시골에서 (도회로) 올라 오다 // come *up* to Seoul 상경하다

④ 끝나, 종결하여, 완전히, 모두 (~하다)

(예) eat *up* 먹어치우다 // Your time is *up*. 너의 시간이 다 됐다.

— [전] ① ~의 위에

(예) go *up* a hill 산을 올라가다 // He went *up* the social scale step by step. 그는 일보일보 사회적 지위가 높아져 갔다.

② ~을 올라가서, ~을 거슬러 올라가

(예) sail *up* the stream 강을 거슬러 올라가다 // The town is about 50 miles *up* the river. 그 마을은 강의 약 50 마일 상류에 있다.

— [형] 올라가는, 위로 향하는

(예) an *up* line (철도의) 상행선 // the *up* train 상행 열차

[어법] ① 품사의 구별에 주의: go *up* [부], go *up* a hill [전], an *up* train [형]. 또 the *ups* in the rent (집세의 상승)처럼 명사로 사용하는 일도 있다. ② 영국에서는 중심 도시로 향하는 것을 *up*, 떨어지는 것을 *down* 이라 하며, 미국에서는 북쪽으로 향하는 것을 *up*, 남쪽으로 향하는 것을 *down* 이라 한다. 열차 따위의 방향은 영국에서는 up〔down〕train 이라고 하는 데 대하여, 미국에서는 eastbound〔west-, north-, south-〕 train 따위로 말한다. 또 미국에서는 도시의 상업 구역은 down, 주택 구역은 up 이라고 한다.

◇***up and down*** 위 아래로; 왔다갔다, 여기저기

(예) He began to walk *up and down* the room. 그는 방 안을 왔다갔다하기 시작했다.

ups and downs (도로 따위의) 오르내림, 기복; 영고성쇠, 부침(浮沈)

(예) the *ups and downs* of the hills 구릉의 기복 // the *ups and downs* of life 인생의 부침

*◇ ***up to*** (거리·시간·정도·수량 따위) ~까지, ~에 이르기까지; ~의 책임인; ~에 종사하여
(예) It has been all right *up to* this time. 지금까지는 괜찮았다. // It is *up to* you to do so. 그렇게 하는 것은 네 책임이다.

up·braid [ʌ̀pbréid] ㉠ 책하다, 비난하다, 꾸짖다

◇ **up·bring·ing** [ʌ́pbrìŋiŋ] ㉰ (유년기의) 양육, 교육, 가정교육

◇ **up·hold** [ʌ̀phóuld] ㉠ 《***-held***》 옹호하다, 지지하다(=support); 지탱하다; 장려하다
㉺ **uphólder** ㉰ 지지자

◇ **up·hol·ster** [ʌ̀phóulstər] ㉠ (집·방을 가구 따위로) 꾸미다; ~에 가구를 비치하다; (의자·침대 등에) 속을 넣어 천을 씌우다, 덮개를〔스프링을〕 대다

up·land [ʌ́plənd] ㉰ 고지; 《*pl.*》 고원 지방 ㉱ 고지의

◇ **up·lift** ㉠ [ʌ̀plíft] (아무의) 정신을 고양시키다, (의기를) 높이다, 향상시키다 ㉰ [ʌ́plìft] 높임(=elevation); 융기(隆起); (도덕적) 향상

***up·on** [əpán / əpɔ́n] ㉢ on과 같은 뜻
(예) *upon* my word 맹세코 // once *upon* a time 옛날
어법 on이 대체로 구어적임.

*◇ **up·per** [ʌ́pər] ㉱ 위쪽의, 보다 높은(=higher); 상류의
㉻ lówer 아래쪽의
㉺ **úppermost** ㉱㉯ 최상의〔으로〕 **úppercut** ㉰〖권투〗어퍼컷 **úpper-líp** ㉰ 윗입술 **úpper-cláss** ㉱ 상류계급의; (고교·대학의) 상급의《학생》

◇ **up·right** [ʌ́pràit, ʌ̀práit] ㉱ 똑바로 선(=erect); 정직한(=honest) ㉯ 똑바로 ㉰ 직립 상태〔물건〕; 수직
㉺ ◇**úprightness** ㉰ 직립 상태; 정직

up·ris·ing [ʌ́pràiziŋ, ʌ̀práiziŋ] ㉰ 일어남; 반란, 폭동, 봉기

◇ **up·roar** [ʌ́prɔ̀:r] ㉰ 큰 소동(=tumult), 소란, 소음.
㉺ **upróarious** ㉱ 소란한

up·root [ʌprú:t] ㉠ 뿌리째 뽑다, 근절하다

*◇ **up·set** ㉮㉠ [ʌ̀psét] 《***-set***》 뒤엎다(=turn over), 뒤엎어지다 ㉰ [ʌ́psèt] 전복, 혼란 ㉱ [ʌ̀psét] 뒤엎어진, 혼란한(=disordered)
(예) The food *upset* my stomach. 그 음식으로 나는 속이 불편해졌다. // She had an *upset* at the news. 그녀는 그 뉴스를 듣고 심한 쇼크를 받았다.

◇ **up·side** [ʌ́psàid] ㉰ 위쪽

◇ ***upside down*** 거꾸로, 뒤집혀
(예) turn the table *upside down* 테이블을 뒤집다

*◇ **up·stairs** [ʌ́pstɛ́ərz] ㉯ 이층에 ㉱ 이층의 ㉰ 이층
㉻ dównstáirs 아래층(에)

up·stream [ʌ̀pstrí:m] ㉯ 상류에 ㉱ 흐름을 거슬러 올라가는; 상류에 있는, 상류의

up·surge ㉮ [ʌ̀psə́:rdʒ] 파도가 일다; 솟구쳐 오르다, 급증

하다 [명] [ʌ́psə̀ːrdʒ] 솟구쳐 오름; 급증

◇**up-to-date** [ʌ́ptədéit] [형] 최신의, 현대적인(=modern)
(예) an *up-to-date* hotel 최신의 설비를 갖춘 호텔

*◇**up·ward** [ʌ́pwərd] [형] 위로 향한, 향상하는, 상향의 [부] 위쪽으로(=upwards); ~ 이래, ~ 이상
[반] dównward 아래로 향한, 아래쪽으로
[파] **úpwards** [부] 위쪽으로

◇**u·ra·ni·um** [juəréiniəm] [명] 우라늄

*◇**ur·ban** [ə́ːrbən] [형] 도시의, 도회지의; 도시에 거주하는
(예) an *urban* area 도시 지구

*◇**urge** [əːrdʒ] [타] (사람·말 따위를) 몰아대다, 서둘게 하다; 격려하다, 재촉하다; 역설하다; (사업 따위를) 추진하다, 밀고 나아가다
(예) *urge* a boy *to* study harder 아이를 격려하여 더욱 열심히 공부시키다 // He *urged* (*upon* us) the necessity of the measure. 그는 (우리에게) 그 조치의 필요성을 역설했다.
[파] ***úrgency** [명] 긴급 ***úrgent** [형] 긴급한 **úrgently** [부] 긴급히, 다급하게

urn [əːrn] 〈동음어 earn〉 [명] (장식용) 항아리, 단지, 유골단지

U.S.A., USA 〔약어〕 the United States of America 미합중국

*◇**us·age** [júːsidʒ / -zidʒ] [명] 용법; 관습; 어법; 대우

☆**use** [타][자] [juːz] 사용하다, 쓰다(=employ); 취급하다 [명] [juːs] 사용, 용법; 유용; 습관; 필요
[반] disúse 사용하지 않다
(예) Washing machines are being put into wide *use* now. 세탁기는 요즈음 널리 쓰이고 있다. // I have no *use* for such an idle man. 그런 게으른 사람은 필요가 없다. // ◇He didn't *see much use in* going to college. 그는 대학에 갈 필요성을 별로 느끼지 않았다. // ◇Modern science can *be used for* good or bad purposes. 현대 과학은 좋은 목적이나 나쁜 목적으로 사용될 수 있다.
[어법] ◇It is (of) no *use* to complain 〔complain*ing*〕. ↔ ◇What is the *use* of complaining? ↔ There is no use *in* complaining. 따위는 결국 It is useless to complain. 「불평을 해도 소용 없다」의 뜻.
[파] ◇**usable** [júːzəbəl] [형] 사용 가능한, 편리한 *◇**úseless** [형] 쓸모 없는, 무익한 **úselessly** [부] 쓸모 없이, 무익하게 **úser** [명] 사용자, 이용자 (⇨)**usage**

◇***use up*** 다 써 버리다
(예) Don't *use up* your energy in fruitless efforts. 효과없는 노력에 정력을 소모하지 마라. // The oil is all *used up*. 석유가 다 떨어졌다.

◇(***be***) ***in*** 〔***out of***〕 ***use*** 쓰이는〔쓰이지 않는〕
(예) This dictionary *is in* daily *use*. 이 사전은 늘 쓰이고 있다. // The word *is* now wholly *out of use*. 그 낱말은

현재 전혀 쓰이지 않고 있다.

◇(**be**) (**of**) **no use** 쓸모가 없는, 무익한
(예) It *is of no use* to try it. 그것을 해 보았자 아무 소용없다. // Talking *is no use.* 말해도 소용없다.

◇***come into use*** 사용하게 되다
(예) This word has lately *come into use.* 이 말은 근래에 사용되기 시작했다.

◇***make use of*** ～을 사용〔이용〕하다
(예) You must *make* good *use of* any opportunities of practicing English. 영어를 연습할 기회를 잘 이용해야 한다.

◇***of use*** 쓸모 있는, 유용한(=useful)
NB use에는 of *great* 〔*some, little*〕 use처럼 흔히 형용사가 수반된다.
(예) It was *of* great *use.* 그것은 매우 쓸모가 있다. // Can it be *of* any *use* to us? 그것이 우리에게 유용하게 쓰일 수 있을까?

***used** ⓗ [ju:zd] 써서 낡은, 중고의, 사용된; [ju:st] ～에 익숙하여[be ～ to]
(예) *used* books 헌 책 // buy a *used* car 중고차를 사다 // *used* stamps 소인이 찍힌〔사용된〕 우표

*◇***used to**** [jú:stə] ① 늘 ～했다, ～하는 것이 예사였다.
(예) I *used to* visit him on holidays. 나는 휴일에는 그를 늘 방문하곤 했다.
② 《be, get와 더불어》 ～에 익숙하여
(예) Jane *is* now *used to* Korean food. 이제 제인은 한국 음식에 익숙해졌다. // She *was* not *used to* running fast. 그녀는 빨리 달리기에 익숙지 않았다.
어법 ① used to 다음에는 부정사, be 〔get〕 used to 다음에는 흔히 동명사가 온다: He *used to sing* before large audiences. (그는 많은 청중 앞에서 늘 노래를 부르곤 했다) He *was used to singing* before large audiences. (그는 많은 청중 앞에서 노래를 하는 데 익숙했다). ② *used to*는 과거의 습관만이 아니고 상태·존재를 현재와 대조하여 연상시키기 위해 쓰인다: There *used to* be a drugstore here. (전에는 여기에 약방이 있었다) ③ 습관을 나타내는 경우, *would*는 비교적 짧은 기간의 반복 행위를 나타내는 데 대하여, *used to*는 오랜 기간의 상습적인 것을 말한다. 따라서, I *used to* be fond of reading. 은 옳으나 would를 쓰면 틀린다. ④ 의문에는 *Used* you *to*～?, 부정에는 *used not to*(단축형 *usedn't* [ju:snt])를 사용하나, 구어에서는 *Did* you *use to*～?, *did not use to* 의 형식도 쓰고 있다.

***use·ful** [jú:sfəl] ⓗ 쓸모 있는, 유용한
㉺ ***úsefulness** ⓜ 쓸모 있음, 유용성

ush·er [ʌ́ʃər] ⓜ 문지기, 수위(=doorkeeper); 접수, 안내인 ⓣ 안내하다(=show); 선도(先導)하다, (도착 따위를) 알리다(herald) [～ in]
(예) The successful launching of artificial satellites *ush-*

U

ered in the Space Age. 인공 위성의 성공적인 발사는 우주 시대가 왔음을 알렸다.

U.S.S.R., USSR 〖약어〗 the Union of Soviet Socialist Republics 소비에트 사회주의 공화국 연방

u·su·al [jú:ʒuəl] ㊎ 평소의; 보통의(=ordinary)
반 unexpécted 의외의
(예) ◦He rose earlier 〔later〕 than *usual.* 그는 평소보다 일찍〔늦게〕 일어났다.
파 ***úsually*** ㊕ 보통, 일반적으로

◦***as is usual with*** ~이 언제나 하듯이, ~에게는 언제나 있는 일이지만
(예) *As is usual with* picnickers, they left a lot of litter behind them. 소풍객들이 언제나 그렇듯이 그들도 쓰레기를 많이 남기고 갔다.

◦***as usual*** 여느 때처럼
(예) He is idle *as usual.* 그는 여느 때처럼 게으르다.

u·surp [ju:sə́:rp / -zə́:rp] ㊁ (왕위 따위를) 빼앗다, 강탈하다

◦**u·ten·sil** [ju(:)ténsəl] ㊔ (가정용) 도구, 기구(=tool), 부엌 기구

◦**u·til·ize** [jú:təlàiz] ㊁ 이용하다(=use)
(예) Water can be *utilized* as a source of power. 물은 동력원으로서 이용될 수 있다.
파 **utilizátion** ㊔ 이용 **utílity** ㊔ 효용, 유익, 유용

***ut·most** [ʌ́tmòust, -məst] ㊎ 극도의, 최대한의; 가장 먼(=furthest) ㊔ 최대한, 극한
원 ut(=out)+most

to the utmost 극도로, 극력
(예) enjoy oneself *to the utmost* 한껏 즐기다 // *to the utmost* of one's power 힘이 닿는 한

◦**U·to·pia** [ju:tóupiə] ㊔ 이상향, 유토피아
원 그리스어로 nowhere의 뜻.
파 **Utópian** ㊎ 몽상적인 ㊔ 몽상가

ut·ter [ʌ́tər] ㊎ 전적인(=complete), 절대의 ㊁ 말하다(=speak), (말·목소리 따위를) 내다, 발음하다; (감정을) 나타내다
(예) *utter* darkness 칠흑같은 어둠 // *utter* disbelief 전적인 불신 // *utter* a sigh 한숨을 쉬다
파 ***útterance*** ㊔ 발언, 발성 **útterer** ㊔ 발언자 **útterly** ㊕ 아주(=completely) **úttermost** ㊎ 극도의 ㊔ 극한(=utmost)

***va·cant** [véikənt] ㊎ 텅 빈; (방 따위가) 비어 있는(=empty); 멍청한(=stupid)

원 vac(=empty)+ant(형용사 어미)　반 full 충만한
(예) a *vacant* room (호텔 따위의) 빈 방 // a *vacant* job 결원이 되어 있는 일자리 // *vacant* hours 한가한 시간
파 **vácancy** 명 공허; 결원, 여지 **vácantly** 부 멍청히

***va·ca·tion** [veikéiʃən / vək-] 명 휴가, 방학 자 〔미〕 휴가를 얻다

vac·ci·na·tion [væksənéiʃən] 명 우두, 종두, 왁친 주사

***vac·u·um** [vǽkjuəm] 명 《*pl.* **-ums, -ua**》 진공
(예) a *vacuum* cleaner 진공 소제기 // a *vacuum* bulb 진공관 // a *vacuum* in one's heart 마음의 공허

vag·a·bond [vǽgəbɑ̀nd / -bɔ̀nd] 명 방랑자(=wanderer); 무뢰한(=rascal) 형 방랑하는(=wandering); 무뢰한의

va·grant [véigrənt] 형 유랑하는(=wandering), 종잡을 수 없는(=wayward) 명 방랑자(=vagabond)
파 **vágrancy** 명 방랑 (생활)

***vague** [veig]★ 형 막연한(=indistinct), 어슴푸레한(=obscure), 애매한(=ambiguous)
반 clear, distínct 명확한　파 ***váguely** 부 막연히

***vain** [vein] 〈동음어 vein〉 형 무익한, 헛된, 쓸모 없는(=useless), 공허한(=empty); 허영의
파 **váinly** 부 헛되이(=uselessly, in vain)

in vain 헛되이, 보람 없이(=vainly)
(예) We tried *in vain* to persuade him. ↔ We tried to persuade him, but *in vain.* 그를 설득코자 하였으나 허사였다. // I have looked for the missing book *in vain.* 나는 행방 불명이 된 책을 찾았으나 허사였다.

vale [veil] 〈동음어 veil〉 명 〔시〕 계곡(=valley)

val·en·tine [vǽləntàin] 명 애인; 발렌타인 축일에 이성에게 보내는 사랑의 카드
(예) St. *Valentine*'s Day 성 발렌타인 축일 《2월 14일》

val·id [vǽlid] 형 (법적으로) 유효한(=effective); 확실한, 근거가 있는(=well-grounded); 타당한
반 inválid 근거가 희박한, 무효인
(예) a *valid* procedure 타당한 절차 // a *valid* contract 합법적인 계약
파 **valídity** 명 타당(성); 합법성, (법적) 유효성

***val·ley** [vǽli] 명 계곡; (강의) 유역

val·o(u)r [vǽlər] 명 용맹, 무용(=great courage)
파 **valiant** [vǽljənt] 형 용감한, 영웅적인

***val·u·a·ble** [vǽljuəbl] 형 귀중한 명 《보통 *pl.*》 귀중품

***val·ue** [vǽlju:] 명 가치, 값어치(=worth) 타 평가하다; 존중하다 〔약어〕 *val.*
(예) market *value* 시장 가격 // *value* honor above riches 부보다 명예를 중히 여기다 // How do you *value* him as a teacher? 그를 교사로서 어떻게 평가하십니까?
파 **valuation** [væljuéiʃən] 명 평가 **válueless** 형 무가치한 (*cf.* invaluable)

*(***be***) ***of value*** 가치가 있는, 귀중한

(예) Your help *is of* great *value* to me. 너의 도움은 나에게 매우 소중하다.

◇***set* 〔*put*〕 *a value on*** ~의 값을 매기다, ~을 평가하다
(예) I asked him to *set a value on* the picture. 나는 그에게 그 그림의 값을 매겨 달라고 부탁했다. // He *puts a* high *value on* her poems. 그는 그녀의 시를 높이 평가하고 있다.

◇**valve** [vælv] ⓜ 밸브, 판(瓣)
(예) a safety *valve* 안전판

◇**van** [væn] ⓜ (군대의) 선봉(=front of an army), 선도자(=leader); 유개 운반차〔화차〕; 큰 포장 마차

va·na·di·um [vənéidiəm] ⓜ 〖화학〗 바나듐 《기호 V》

Van·dal [vǽndl] ⓜ 반달 사람; [종종 v-] 예술품·자연미 따위의 (고의적 또는 무의식적인) 파괴자, 야만인

*◇**van·ish** [vǽniʃ] ⓙ 보이지 않게 되다(=disappear), 사라지다
NB banish「추방하다」와 혼동하지 말 것.
반 appéar 출현하다

***van·i·ty** [vǽnəti] ⓜ 허영(심)(=empty pride); 공허, 덧없음, 허무(=emptiness)
반 reálity 실재
(예) a *vanity* case 〔bag〕 휴대용 화장품 상자〔가방〕 // He realized then the *vanity* of life 〔human wishes〕. 그 때 그는 인생〔인간의 욕망〕이 덧없음을 깨달았다.

van·quish [vǽŋkwiʃ] ⓣ 정복하다(=conquer), ~에게 이기다; (감정을) 억제하다

*◇**va·po(u)r** [véipər] ⓜ 증기, 김; 안개; 덧없는 것
파 **vápo(u)rize** ⓣⓙ 증발시키다; 기화하다 **vápo(u)rizer** ⓜ 증발기 **vapo(u)rizátion** ⓜ 증발(작용) **váporous** ⓗ 증기 모양의, 안개에 싸인 **vapo(u)r bath** 증기 목욕

var·i·able [vɛ́əriəbəl] ⓗ 변하기 쉬운(=changeable), 일정치 않은 ⓜ 변화하기 쉬운 것
반 inváriable 변화하지 않는
(예) *variable* weather 변덕스러운 날씨 // a *variable* time limit 변경 가능한 기한
파 **váriably** ⓟ 변하기 쉽게

*◇**va·ri·e·ty*** [vəráiəti] ⓜ 다양성(=diversity), 가지 각색의 것; 종류(=kind), 변종; 버라이어티
(예) a *variety* show 버라이어티 쇼

a variety of 여러 가지의, 가지 각색의
(예) The store has *a* great *variety of* toys. 그 가게에는 매우 다양한 장난감들이 있다.

*◇**var·i·ous** [vɛ́əriəs] ⓗ 여러 가지의, 가지가지의(=different); 다방면의(=many-sided); 몇몇의(=several)

var·nish [vɑ́ːrniʃ] ⓜ 니스; 유약(釉藥); 겉치레 ⓣ 니스를 칠하다; 겉치레하다

*◇**var·y** [vɛ́əri] ⓣⓙ ~에 변화를 주다; 변화하다(=change); 수정하다(=alter); 다르다(=differ) [~ from]
파 (⇨) **variable, variety, various.** *◇**varied** [vɛ́ərid] ⓗ

가지가지의 **váriance** ㊔ 차이, 불일치, 불화 **váriant** ㊗ 같지 않은 ㊔ 변태, 변형 ⁑**variátion** ㊔ 변화
vase [veis, veiz / vɑːz] ㊔ 꽃병, 병, 단지
vas·sal [vǽsəl] ㊔ 신하, 하인(=servant)
⁑**vast** [væst / vɑːst] ㊗ 광대한; (수량·정도가) 막대한; 〖구어〗 굉장한(=very great)
반 nárrow 협소한
파 ***vástly** ㊕ 광대하게, 무한히 **vástness** ㊔ 광대함
vault [vɔːlt] ㊔ 둥근 천장(=arched ceiling); 창공
veal [viːl] ㊔ 송아지 고기(=meat of the calf)
Ve·ga [víːgə] ㊔ 직녀성, 베가성(星)
◇**veg·e·ta·ble** [védʒtəbəl] ㊔ 야채, 식물 ㊗ 식물(성)의
(예) the *vegetable* kingdom 식물계 // He grows *vegetables.* 그는 야채를 재배한다.
파 **vegetarian** [vèdʒətɛ́əriən] ㊔ 채식주의(자) ㊗ 채식주의(자)의 ◇**vegetation** [vèdʒətéiʃən] ㊔《총칭적》 식물, 초목(=plants) (NB 어떤 지방에 생장하는 식물 전부를 가리켜 일컬음) **végetate** ㉶ 식물처럼 자라다; 무위 도식하다
ve·he·ment [víːəmənt] ㊗ 맹렬한(=violent), 열렬한(=eager)
파 **véhemence** ㊔ 격렬
⁑**ve·hi·cle** [víːikəl] ㊔ 탈것, 차; 매개물, 수단(=means)
◇**veil** [veil] 〈동음어 vale〉 ㊔ 베일, 장막; 씌우개
◇**vein** [vein] 〈동음어 vain〉 ㊔ 혈관, 정맥; 엽맥(葉脈); 기질
반 ártery 동맥
***ve·loc·i·ty** [vəlɑ́səti / -lɔ́s-] ㊔ 속력, 속도(=speed)
◇**vel·vet** [vélvit] ㊔ 벨벳, 우단 ㊗ 벨벳제의, 부드러운
파 **vélvety** ㊗ 벨벳 같은, 매끄럽고 부드러운
◇**ven·dor** [véndər, vendɔ́ːr] ㊔ 판매인; 행상인; 자동 판매기(=vending machine)
ven·er·a·ble [vénərəbəl] ㊗ 존경할 만한(=reverend); ~ 존장(尊長)
ven·er·ate [vénəreit] ㉸ 존경하다(=respect, honor)
파 **venerátion** ㊔ 존경
◇**venge·ance** [véndʒəns] ㊔ 복수, 원수를 갚음(*cf.* revenge, avenge)
Ven·ice [vénəs] ㊔ 베니스《이탈리아 북동부의 항구 도시》
ven·i·son [vénizn, -sn] ㊔ 사슴 고기(=meat of the deer)
ven·om [vénəm] ㊔ 독, 독액(=poison); 원한, 악의
파 **vénomous** ㊗ 독이 있는(=poisonous), 유해한
vent [vent] ㊔ 구멍, 새는 구멍 ㉸㉶ ~에 구멍을 뚫다〔내다〕
give vent to ~을 터뜨리다, 나타내다
(예) He *gave vent to* his dissatisfaction. 그는 불만을 터뜨렸다.
ven·ti·late [véntəlèit] ㉸ 통풍을 좋게 하다, 환기하다
파 **ventilátion** ㊔ 통풍(장치), 환기(법) **véntilator** ㊔ 통풍기〔구멍〕

V

*◇**ven·ture** [véntʃər] 명 모험적 사업, (특히 경제상의) 모험 타 위험을 무릅쓰고 하다(=dare), 감행하다[~ to do]; 위험에 내맡기다(=risk)
(예) Nothing *venture,* nothing have. 〖속담〗 호랑이 굴에 가야 호랑이 새끼를 잡는다. // ◇I will *venture to* ask that question. 나는 용기를 내어 그것을 물어보겠다.
파 **vénturesome** 형 모험적인, 대담한(=bold) **vénturous** 형 모험을 좋아하는

Ve·nus [ví:nəs] 명 〖구어·신화〗 사랑과 미의 여신; 비너스(상); 미인; 금성

◇**ve·ran·da(h)** [vərǽndə] 명 베란다(=〖미〗 porch)

verb [və:rb] 명 〖문법〗 동사 〖약어〗 *vb., v.*
파 **vérbal** 형 동사의; 구두의, 말로써의

ver·dict [və́:rdikt] 명 (배심원의) 평결, 판결; 판단(=judgement)

ver·dure [və́:rdʒər] 명 (초목의) 신록, 푸른 초목; 신선함(=freshness)
파 **vérdant** 형 푸릇푸릇한; 미숙한

◇**verge** [və:rdʒ] 명 끝, 가장자리(=edge); 경계(境界) 자 가까이 가다; 접〔인접〕하다

◇***on the verge of*** 바야흐로 ~하려고 하여, ~에 직면하여
(예) She *was on the verge of* breaking into tears. 그 여자는 울음이 터질 지경이었다.

ver·i·fy [vérəfài] 타 확인하다, 증명하다(=prove)
파 **véritable** 형 틀림없는, 실제의 **vérity** 명 진실성

ver·mil·ion [vərmíljən] 명 주홍(빛), 진사(辰砂) 형 주홍(빛)의, 주홍으로 물들인〔칠한〕

ver·nac·u·lar [vərnǽkjələr] 명 모국어, 지방어, 사투리, 방언 형 (언어가) 자기 나라의, 지방 특유의, 자기 나라말로 쓴〔쓰인〕

◇**verse** [və:rs] 명 운문, 시; (시·성서의) 한 구절
반 prose 산문 파 **versificátion** 명 작시(법)

versed [və:rst] 형 (~에) 정통〔숙달〕한(=skilled) [~ in]
(예) He is well *versed in* literature. 그는 문학에 정통하다.

V

◇**ver·sion** [və́:rʒən / -ʃən] 명 번역(서); 진술, 설명

ver·sus [və́:rsəs] 전 ~ 대(對), ~에 대한(=against) 〖약어〗 *v., vs.*
(예) Oxford *v.* Cambridge 옥스포드 대 케임브리지

ver·ti·cal [və́:rtikəl] 형 수직의, 연직(鉛直)의, 직립한; 세로의 명 수직선; [the ~] 수직(의 위치)
반 horizóntal 수평의, 가로의

☆**ver·y** [véri]* 부 ① 대단히, 매우
(예) a *very* interesting book 대단히 재미있는 책
② 《부정문에 쓰여》 그다지 (~ 않다), 그렇게 (~ 않다)
(예) He doesn't look *very* happy. 그는 별로 행복해 보이지 않는다. // It is not *véry* warm today. 오늘은 그다

지 따뜻하지 않다.

[어법] 형용사·부사의 원급, 현재 분사에서 생긴 형용사, 완전히 형용사화한 과거 분사를 수식한다. 또 much처럼 형용사의 최상급을 수식하는 일도 있으나, 그 경우 어순에 주의할 것: *much* the best, the *very* best.

— 형 ① 바로 그

(예) The is the *very* thing I want to have. 이것은 내가 갖고 싶은 바로 그것이다.

② [the ~ / one's ~] ~조차도, ~까지도(=even); [the ~] (단지) ~만으로도(=mere)

(예) The lion's roar caused *the very* rocks to tremble. 사자의 포효(咆哮)는 바위까지도 떨게 하였다. // The *very* thought of blood made her sick. 그녀는 피라는 것을 생각만해도 구역질이 났다.

③ 정말, 참다운

(예) the *very* God 참된 신 // in *very* deed 실제로 // He has shown himself a *very* knave. 그는 진짜 악당임을 보여 주었다.

***ves·sel** [vésəl] 명 용기(容器), 그릇; (큰) 배; 〖동물〗 혈관, 맥관; 〖식물〗 도관(導管)

vest [vest] 명 〖미〗 조끼(=waistcoat) 타 (남에게) 주다, 수여하다, 부여하다(=endow)

파 **vést-pócket** 형 (조끼 주머니에 들어갈 만큼) 소형의, 회중용의

vet·er·an [vétərən] 명 노련한 사람(=old and experienced person); 노병(老兵) 형 노련한, 능숙한

ve·to [víːtou] 명 《*pl.* **-es**》 (군주·상원 따위의) 거부권, 부인권 타 (의안을) 부인하다, 거부(권을 행사)하다

vex [veks] 타 초조하게 하다(=irritate), 귀찮게 하다(=trouble); 화나게 하다(=provoke)

반 please 기쁘게 하다

(예) be *vexed with* a person 〔*at* a thing〕 아무에게 〔일에 대하여〕 화를 내다

파 **vexation** [vekséiʃən] 명 심뇌(心惱), 안달, 초조 **vexátious** 형 안달나는, 분한, 성가신, 귀찮은

vi·a [vaiə, viːə] 전 ~을 경유하여(=by way of); ~에 의하여 《주로 우편·전달 수단의 사용》

(예) *via* America 미국을 경유하여 // *via* air mail 항공편으로 // *via* the mass media 매스컴을 통해서

vi·a·ble [váiəbəl] 형 (태아·신생아가) 생존〔생육〕할 수 있는; (특수한 기후에) 자랄 수 있는; (계획 따위가) 실현 가능한

vi·brate [váibreit / vaibréit] 자 타 진동하다, 떨리다

파 **vibrátion** 명 진동

vic·ar [víkər] 명 〖영〗 (교구(敎區)의) 목사(*cf.* rector)

파 **vícarage** 명 목사관; vicar의 직〔직위〕

***vice** [vais] 명 악덕, 죄악(=evil, sin); 결점; 바이스 《기계의 일종》

NB 「바이스」라는 뜻으로는 vise 라고도 쓴다.
반 vírtue 덕행
파 *__vicious__ [víʃəs] 형 악덕의(=wicked), 부도덕한; 악의가 있는(=malignant); 불완전한 **vicious circle** 악순환

> ▶ **302. 접두어 vice**
> 「부(副)의」「차석의」의 뜻을 나타낸다. (예) *vice*-president (부통령), *vice*-chairman (부의장) 따위

vice- 《접두어》 차석의, 부(副)의 (=subordinate)
파 **více-président** 명 부통령, 부총재, 부회장

vice versa [vàisi vɔ́:rsə] 부 〖라〗 거꾸로, 반대로
(예) The man blames his wife and *vice versa.* 남편은 부인을 탓하고 부인은 남편을 탓한다.

◇**vi·cin·i·ty** [vəsínəti] 명 인근(=neighborhood), 근처, 부근, 근접

vi·cis·si·tude [visísətjù:d / -tjù:d] 명 《*pl.*》 (세상의) 변천, 영고 성쇠(榮枯盛衰), (인생의) 파란 곡절

*◇**vic·tim** [víktəm] 명 희생(자), 피해자; 수난자
(예) fall a *victim* to ~의 희생이 되다

vic·tor [víktər] 명 승리자, 정복자(=conqueror) 형 승리(자)의
파 *◇**víctory** 명 승리, 극복 **victorious** [viktɔ́:riəs] 형 이긴, 승리의(=triumphant)

Vic·to·ri·an [viktɔ́:riən] 형 빅토리아 여왕의; 빅토리아조(朝) 시대의

vict·ual [vítl] 명 《보통 *pl.*》 음식물(=food) 타 자 식량을 공급하다, 식량을 싣다

◇**vid·e·o** [vídiou] 명 《*pl.* ***videos***》 〖미〗 텔레비전; TV의 영상 《음성에 대해》 형 텔레비전의; 비디오테이프의; 영상의 《audio에 대하여》
파 ◇**vídeo-recorder** 명 비디오테이프식 녹화기

◇**vie** [vai] 자 경쟁하다, 다투다
(예) ◇*vie with* another *for* power 권력을 얻으려고 남과 다투다

*◇**view** [vju:] 명 경치, 전망(=sight); 의견(=opinion); 봄, 시야; 목적(=purpose) 타 관찰하다, 보다(=look at)
(예) come into *view* 보이기 시작하다 // a *view* of life 인생관 // From the boat we could *get a* good *view of* the beach. 우리는 보트에서 해안을 잘 볼 수 있었다. // ◇What are your *views* on his proposal? 그의 제안에 대한 너의 의견은 무엇이냐?
파 *◇**víewer** 명 관찰자 *__víewpoint__ 명 견해, 견지 (from a different *viewpoint* 다른 견지에서)

in view 시계 안에, 보이는 곳에(=in sight); 기대하여
(예) He has some end *in view.* 그에게는 무엇인가 목적하는 바가 있다.

in view of ~이 보이는 곳에, ~을 고려하여
(예) It was clear to me, especially *in view of* his sullen and disobedient behavior. 특히 그의 찌무룩하고 반항적인 행

V

동을 생각하면 그 일은 명백하였다.
with a view to ～을 목적으로 하여, ～할 목적으로
(예) He works hard *with a view to* gaining a scholarship. 그는 장학금을 얻으려고 열심히 공부하고 있다.
NB to의 다음에 원형 동사를 쓰는 것은 잘못임.

vig·il [vídʒil] 명 불침번(不寢番)(=watch), 철야(徹夜)
파 ◇**vígilance** 명 경계, 불침번; 불면(不眠) **vígilant** 형 방심치 않는, 주의 깊은(=watchful); 자지 않고 지키는

*◇**vig·o(u)r** [vígər] 명 활력 (=strength), 정력, 원기
파 ***vígorous** 형 원기 왕성한, 힘찬 **vígorously** 부 원기 있게, 힘차게

vile [vail] 형 비열한(=base, mean); 고약한, 지독한
반 nóble 고상한

vil·la [vílə] 명 별장

☆**vil·lage** [vílidʒ]* 명 마을(*cf.* hamlet); 《집합적》 마을 사람들
파 *◇**víllager** 명 마을 사람

vil·lain [vílən] 명 악한(=rascal); 악당
반 héro 영웅
파 **víllainous** 형 간악한 **villainy** [víləni] 명 악행

vin·di·cate [víndəkèit] 타 정당함을 입증〔변명〕하다; ～을 옹호하다

◇**vine** [vain] 명 포도나무(=grapevine); 덩굴풀
파 **vineyard** [vínjərd] 명 포도원

vin·e·gar [vínigər] 명 초, 식초 타 초를 넣다

vi·nyl [váinəl] 명 비닐기(基), 비닐 수지(樹脂), 플라스틱

vi·o·late [váiəlèit] 타 (조약·법률 따위를) 위반하다, 침해하다; (신성한 것을) 더럽히다(=profane)
반 keep, obsérve 준수하다
파 **violátion** 명 위반 (행위), (권리의) 침해; 불경(不敬)

*◇**vi·o·lence** [váiələns] 명 맹렬, 격렬; 폭력, 난폭
(예) He slammed the door with *violence.* 그는 난폭하게 문을 닫았다. // by use of *violence* 폭력을 사용하여 // resort to *violence* 폭력에 호소하다

*◇**vi·o·lent** [váiələnt] 형 격렬한, 맹렬한; 난폭한
(예) a *violent* wind 맹렬한 바람 // a *violent* headache 지독한 두통 // He met a *violent* death. 그는 사고사했다.
파 *◇**víolently** 부 격렬히

◇**vi·o·let** [váiəlit] 명 제비꽃; 보랏빛 형 보랏빛의

*◇**vi·o·lin** [vàiəlín]* 명 바이올린
파 ◇**violinist** [vàiəlínist] 명 바이올린 연주자

vir·gin [vɔ́ːrdʒin] 명 처녀, 아가씨(=maid) 형 처녀의, 미개척의; 순결한(=pure)
(예) a *virgin* forest 원시림 // She died a *virgin.* 그녀는 미혼녀로 죽었다.
파 **virgínity** 명 처녀성, 순결

***vir·tu·al** [vɔ́ːrtʃuəl] 형 사실상의, 실질상의
파 ***vírtually** 부 사실상, 실질적으로

***vir·tue** [vɔ́ːrtʃuː] 명 덕(=goodness), 미덕; 정조(=chas-

V

tity); 장점, 미점(=merit); 효능(=efficacy); 힘
(예) a man of *virtue* 고결한 사람
[파] ◦**vírtuous** [형] 덕 있는; 정숙한
by* 〔*in*〕 *virtue of ~의 힘으로, ~에 의하여
(예) The Spaniards, *in virtue of* the first discovery, claimed all America as their own. 스페인 사람들은 맨 먼저 발견했다는 이유로 전아메리카를 자기들의 것이라고 주장하였다.

◇**vir·us** [váiərəs] [명] 바이러스, 여과성 병원체

vis·age [vízidʒ] [명] 얼굴(=face), 용모

vis·count [váikàunt] [명] 자작(子爵)

*◇**vis·i·ble**★ [vízəbəl] [형] 눈에 보이는(=able to be seen), 명백한
[원] vis(=see)+ible(=can)
[반] invísible 눈에 보이지 않는 (*cf.* audible)
(예) ◦They are hardly *visible* to the naked eye. 그들은 맨 눈으로 거의 보이지 않는다. // There was no movement *visible.* 눈에 보이는 움직임은 없었다. // He spoke with *visible* impatience. 그는 초조한 기색을 역력히 드러내면서 말했다.

> ▶ **303.** 「얼굴」의 유사어
> **face**는 가장 일반적인 말. **countenance**는 형식에 치우친 말로 「사고·감정의 반영으로서의 얼굴」「얼굴의 표정」. **visage**는 「얼굴의 형태·균형」「엄숙한 기분을 나타내는 표정」으로 시어(詩語). **complexion**은 얼굴 피부의 윤기. **features**는 눈·코의 생김새 등의 용모. **look**는 곁에 나타나는 얼굴 모습. **expression**은 감정을 나타내는 얼굴 모양.

[파] **visibílity** [명] 눈에 보임; 명백(한 상태); 가시도(可視度), (대기의) 투명도; 시야 **vísibly** [부] 눈에 보이게, 뚜렷이

*◇**vi·sion** [víʒən] [명] 시각, 시력(=sight); 상상력, 통찰력; 환영(幻影)
(예) the field of *vision* 시야 // a man of *vision* 식견이 있는 사람
[파] **vísionary** [형] 환영의; 몽상적인, 가공의 *◇**visual** [víʒuəl] [형] 시각의; 눈에 보이는(=visible) ([반] áuditory 청각의) ◦**vísually** [부] 시각적으로; (눈에) 보이도록 ***vísualize** [타] [자] 눈 앞에 떠오르게 하다, 생생하게 마음에 그리다

☆**vis·it** [vízit] [타] 방문하다(=go 〔come〕 to see); 시찰〔참관〕하다; (재난 따위가) 엄습하다 [명] 방문; 참관; 시찰; 체류(=short stay)
[파] *◇**vísitor** [명] 방문자 **visitátion** [명] (감독관의) 시찰; 천벌; (목사의) 환자 방문
make* 〔*pay*〕 *a visit to ~을 방문하다, ~을 구경하다
(예) I *made* 〔*paid*〕 *a visit to* him yesterday. 어제 그를 방문했다. (↔ I *made* 〔*paid*〕 him *a visit* yesterday.)

◇**vis·it·ing** [vízətiŋ] [형] 방문하는; 문병하는; 시찰하는
(예) *visiting* hours (병원의) 문병 가능 시간 // the *visiting* team 외래 팀《[NB] 본거지의 팀은 the home team》// They were not on *visiting* term. 그들은 서로 방문할 정도

로 친숙하지는 않았다.

*◇**vi·tal** [váitl] ⓗ 생명의(=of life), 활기 있는; 생사에 관계된; 중대한
원 vit(=life)+al(형용사 어미)
(예) *vital* energies 생명력 // This matter is of *vital* importance to us all. 이 문제는 우리 모두에게 매우 중대하다.
파 ◇**vitálity** 명 활력, 활기 **vítalize** 타 활력을 부여하다

◇**vi·ta·min(e)** [váitəmən / vít-] 명 비타민 형 비타민의

*◇**viv·id** [vívid] 형 생생한, 발랄한, 활기 있는(=lively); 완연한, 눈에 보이는 듯한; 선명한(=clear)
(예) a *vivid* recollection 눈에 선한 추억 // *vivid* in one's memory 기억에 생생한
파 ◇**vívidly** 부 생생하게, 선명하게 **vívidness** 명 생생함, 활기; 선명

*◇**vo·cab·u·lar·y** [vəkǽbjəlèri / -əri] 명 어휘, 용어(수); 단어집
어법 어휘가 「많은」「적은」일 때는 *large, small* 을 쓴다.

◇**vo·cal** [vóukəl] 형 목소리의, 음성의〔에 관한〕

***vo·ca·tion** [voukéiʃən] 명 천직(=calling), 직업(=occupation); (특정 직업에 대한) 적성, 소질[~ for] (*cf.* profession, avocation 「부업」)

vogue [voug] 명 유행(=fashion); 인기
come into vogue 유행하기 시작하다
in* 〔*out of*〕 *vogue 유행하고 있는〔유행이 지난〕
(예) War novels were *in vogue* several years ago. 수 년 전에는 전쟁 소설이 유행하였다.

*◇**voice** [vɔis] 명 목소리; 발언권; 의견; 〖문법〗 태(態) 타 말로 표현하다(=express)
(예) in a loud *voice* 높은 소리로 // with one *voice* 이구동성으로, 일제히
파 **vocal** [vóukəl] 형 목소리의, 음성의; 목소리를 내는 **vocalizátion** 명 발성(법) **voiced** 형 목소리로 낸, 유성음의 **vóiceless** 형 무성(음)의

◇**void** [vɔid] 형 빈, 공허한(=empty), ~이 없는 [~ of]; 무효의(=of invalid effect) 명 공허(=vacancy)
(예) He *is void of* love. 그에게는 애정이 없다. // This contract is *void*. 이 계약은 무효이다.

◇**vol·ca·no** [valkéinou / vɔl-] 명 《*pl.* **-noes, -nos**》 화산
원 Vulcan(불과 대장일의 신)에서 나온 말
(예) an active 〔a dormant, an extinct〕 *volcano* 활(活)화산 〔휴(休)화산, 사(死)화산〕
파 ◇**volcánic** 형 화산의; 격렬한(*volcanic* temper 격렬한 기질)

vol·ley [váli / vɔ́li] 명 일제 사격; 《정구·축구에서》 발리
파 **volleyball** [válibɔ̀ːl / vɔ́li-] 명 배구

◇**volt** [voult] 명 〖전기〗 볼트《전압의 단위》

volt·age [vóultidʒ] 명 전압, 볼트 수

V

vol·ume [váljəm / vɔ́ljuːm] ⓜ 권(卷), 책, 서적(=book); 양; 부피, 다량
　㊇ **voluminous** [vəlúːmənəs / -ljúː-] ⓗ 부수가 많은; 부피가 큰; 방대한

vol·un·tar·y [válәntèri / vɔ́lәntәri] ⓗ 자발적인, 지원의 (=not forced)
　㊉ invóluntary 본의 아닌
　㊇ **vóluntarily** ⓑ 자진하여, 자발적으로 **volunteer** [vàlәntíәr / vɔ̀lәntíә] ⓜ 지원자, 의용병 ⓣⓐ 자발적으로 하다, 지원하다 ⓗ 자발적인

vom·it [vámit / vɔ́m-] ⓣⓐ 토하다, 게우다; 뿜어내다 ⓜ 구토물; 토제(吐劑)

vote [vout] ⓜ 투표(권) ⓐⓣ 투표하다
　(예) cast a *vote* 투표하다 // take a *vote* on ～에 대하여 표결하다
　㊇ **vóter** ⓜ 유권자 **vóting** ⓜ 투표, 선거

vouch [vautʃ] ⓐ 보증하다(=guarantee); 단언하다(=assert) [～ for]
　㊇ **vóucher** ⓜ 보증인; 증거물; 증표, 영수증

vouch·safe [vautʃséif] ⓣ 허용하다; 주다, ～해 주다

vow [vau] ⓜ 맹세(=solemn promise), 서약 ⓣⓐ 맹세하다, 서약하다

vow·el [váuәl] ⓜ 모음, 모음 글자 ⓗ 모음의
　㊉ cónsonant 자음(의)

voy·age [vɔ́iidʒ, vɔ́idʒ] ⓜ 항해, 항행 ⓐⓣ 항행하다(*cf.* journey)
　㊇ **vóyager** ⓜ 항해자

vul·gar [vʌ́lgәr] ⓗ 저속한, 비천한(=unrefined), 범속(凡俗)한(=common)
　㊌ <〖라〗 vulgus(=common people)
　㊉ refíned 세련된, partícular 특수한
　㊇ **vulgárity** ⓜ 속악(俗惡); 《*pl.*》 무례한 언동〔행위〕

vul·ner·a·ble [vʌ́lnәrәbәl] ⓗ 상처를 입기 쉬운, 비난 받기 쉬운 [～ to]; 약점이 있는

vul·ture [vʌ́ltʃәr] ⓜ 독수리; 탐욕스런 사람

wade [weid] ⓐⓣ (강을) 걸어서 건너다, (눈길·진창·모래밭 따위를) 힘들여 지나다〔걷다〕; 힘들여 나아가다 [～ through]

wa·fer [wéifәr] ⓜ 웨이퍼《과자의 일종》; 〖의학〗 오블라토

waft [wæft, wɑːft] ⓣⓐ (냄새·소리 따위를) 부동(浮動)시키다; 떠돌다(=float) ⓜ 한바탕 부는 바람, 바람을 타고 오는 냄새〔소리〕; 부동(浮動)

wag [wæg] ⓣⓐ (꼬리·머리 따위를) 흔들다; 흔들리다(=

shake)

*wage [weidʒ] 명 《보통 *pl.*》 임금, 급료(=money paid for work); (죄의) 응보(應報) 타 (전쟁 따위를) 하다(=carry on)

NB salary는 주급·월급·연급으로 지급되는 급료를, wage는 시간급·일급제의 임금을 흔히 가리킨다.

(예) a *wage* earner 임금 생활자

어법 「임금」의 뜻에서는 *wages*의 형으로 흔히 복수 취급을 한다.

▶ **304.** 「임금」의 유사어
salary는 회사원·관리 기타 지적 직업을 가진 사람의 월급·연봉. **wages**는 공장 노동자, 노무자, 가사 사용인에 지불하는 임금.

wa·ger [wéidʒər] 명 내기, 노름 타 (내기에) 걸다(=bet); 보증하다

(예) No one took his *wager*. 아무도 그의 내기에 응하지 않았다.

wag·on, wag·gon [wǽgən] 명 짐마차; 〖영〗 화차

wail [weil] 자 타 슬피 소리내어 울다, 비탄하다 명 울부짖음, 비탄(의 소리)

반 joy 기뻐하다, 환희

waist [weist]* 〈동음어 waste〉 명 허리, 요부(腰部)

파 **waistcoat** [wéskət, wéistkòut] 명 〖영〗 조끼(=〖미〗 vest) **wáist-hígh** 형 부 허리 높이의〔로〕

☆**wait** [weit]* 〈동음어 weight〉 자 타 기다리다 [~ for]; 모시다, 시중들다(=serve) [~ on] 명 기다리기

파 **wáiter** 명 급사 **wáitress** 명 여자 급사 **waiting room** 대합실

****wait for*** ~을 기다리다(=await), 기대하다(=expect)

(예) They *waited for* the lawyer to arrive. 그들은 변호사의 도착을 기다리고 있었다.

***wait on* 〔*upon*〕** ~을 시중들다, ~을 받들다

(예) He was *waited on* by many servants. 많은 하인들이 그의 시중을 들었다. // Are you *waited on*? 누군가에게 분부를 내리셨습니까? 《점원이 손님에게 하는 말》

* **wake** [weik] 자 타 《***waked, woke ; waked,*** 《드물게》 ***woken***》 깨다, 깨우다, 각성시키다(=awaken), 일어나다 [~ up] 명 밤샘; 배가 지나간 자리(=track left by a ship)

파 **wáken** 자 타 깨(우)다, 일으키다(=rouse) **wákeful** 형 자지 않는 **wáking** 형 깨어나〔일어나〕 있는 (*waking* or sleeping 자나 깨나)

wake up 자 깨다 타 깨우다

(예) I *wake up* at six every morning. 나는 매일 아침 6시에 잠을 깬다. // She *woke* me *up* at six. 그녀는 나를 6시에 깨웠다.

in the wake of ~의 자국을 좇아서; ~의 뒤를 이어; ~뒤에

(예) *In the wake of* explorers come merchants. 탐험가들의 뒤를 이어 장사꾼들이 온다.

☆**walk** [wɔːk]★ ㉳㉹ 걷다; 걸리다 ⓜ 산책(길), 걷기; 직업, 신분
(예) *walk* about 돌아다니다 // ◇go for a *walk* 산책 나가다 // It is a ten minutes' *walk* to the school. 학교까지 걸어서 10분이다. // ◇*walk* of life 사회적 신분, 직업
파 **wálker** ⓜ 보행인 **wálking** ⓗ 보행(용)의, 도보의 ⓜ 보행(*walking* tour 소풍 *walking* stick 단장) **wálkout** ⓜ 〖미〗 파업(=strike)

walk·ie-talk·ie, walk·y-talk·y [wɔ̀ːkitɔ́ːki] ⓜ 휴대용 무선 전화기

◇**Walk·man** [wɔ́ːkmən] ⓜ 워크맨 《일본 카세트 라디오의 상표명》

☆**wall** [wɔːl] ⓜ 벽, 담 ㉹ 벽〔담〕으로 둘러싸다

◇**wal·let** [wɑ́lət, wɔ́ːl- / wɔ́lət] ⓜ 돈주머니, 지갑(=pocketbook)

◇**wal·nut** [wɔ́ːlnʌ̀t, -nət] ⓜ 호두

wan [wɑn / wɔn] ⓗ 창백한, 핏기 없는(=pale), 병약한(=weak)

wand [wɑnd / wɔnd] ⓜ 막대기; 요술 지팡이

*◇**wan·der** [wɑ́ndər / wɔ́ndə]★ ㉳㉹ 떠돌아다니다, 방랑하다; 헤매다; 길을 잃다
파 **wánderer** ⓜ 방랑자(=vagabond) **wándering** ⓜ 《보통 *pl.*》 유랑, 방랑 ⓗ 방랑하는, 헤매는

wane [wein] ㉳ 작아지다, 약해지다; (달이) 이지러지다 ⓜ (달의) 이지러짐; 쇠미(衰微)
반 wax (달이) 차다

☆**want**★ [wɑnt / wɔnt]★ ⓜ 필요(=necessity); 결핍, 부족(=lack) ㉹㉳ 원하다, 바라다(=desire) [~ to]; ~이 부족하다, ~이 없다 [~ for, in]; ~을 필요로 하다(=need)
반 plénty 충분
(예) I *want to* see him. 나는 그를 만나고 싶다. // I *want* you *to* go. 나는 네가 가길 바란다. // Do you *want* this box *opened*? 이 상자를 열어주면 좋겠느냐? // The house *wants* repairing. 그 집은 수선할 필요가 있다. // He doesn't *want for* abilities. 그에게는 재능에 부족이 없다.
파 **wánting** ㉶ ~이 없는, ~이 모자라는 ⓗ 결핍한

for want of ~의 결핍 때문에(=for lack of)
(예) The plant is dying *for want of* water. 식물은 물이 없어서 죽어가고 있다.

in want of ~이 필요하여
(예) The house is *in want of* repair. 이 집은 수리할 필요가 있다.

wanting in ~이 없는, ~이 결핍되어 있는
(예) He is *wanting in* common sense. 그는 상식이 없다.

wan·ton [wɑ́ntən / wɔ́nt-] ⓗ 변덕스러운; 바람난, 부정(不貞)한 ⓜ 화냥년

*◇**war** [wɔːr] ⓜ 전쟁, 투쟁(=struggle)
반 peace 평화

(예) *war* debts 전채(戰債) // a *war* criminal 전쟁 범죄자, 전범 // the *War* office 〔〖미〗 War Department〕 육군성 // go to *war* 전쟁하다; 출정(出征)하다
파 **wárfare** 명 전쟁 **wárlike** 형 호전적인 **wárship** [wɔ́ːrʃìp]* 명 군함

be at war 교전중이다; 불화하다
(예) Spain *was at war* with England. 스페인은 영국과 교전중이었다.

***make* 〔*wage*〕 *war on* 〔*against, with*〕** ～와 전쟁하다, 싸우다
(예) Another king, who was stronger than he, *waged war against* him. 그보다 강한 다른 왕이 그에게 싸움을 걸었다.

war·ble [wɔ́ːrbəl] 자 타 지저귀다, (목소리를 떨며) 노래하다 명 지저귐
파 **wárbler** 명 지저귀는 새

ward [wɔːrd] 명 병실, 병동; (도시의) 구; 감독, 보호, 후견 타 (위험한 것을) 지키다, 보호하다 [～ off]; 받아 넘기다, 격퇴하다

war·den [wɔ́ːrdn] 명 관리자; 감시자; 〖미〗 교도소장; 〖영〗 학장; (각종 관공서 따위의) 기관장

ward·er [wɔ́ːrdər] 명 수호자, 호위자; 위병, 〖영〗 간수(看守)

ward·robe [wɔ́ːrdròub] 명 양복장

ware [wɛər] 〈동음어 wear〉 명 기물(器物); 《*pl.*》 상품(= goods)

NB 주로 복합어로 사용하며, 철물이나 도자기 등을 일컬음: hardware(철물류)

파 **wárehouse** 명 창고; 도매 상점, 큰 소매점

warm [wɔːrm]* 형 따뜻한, 더운(=hot); 열렬한 타 자 따뜻하게 하다, 따뜻해지다 [～ up]
반 cool 서늘한
파 **wárm-blóoded** 형 〖동물〗 온혈의; 〖비유〗 (사람·행위가) 열렬한, 격하기 쉬운 **wármly** 부 따뜻이; 열심히 ***warmth** 명 따뜻함, 온기, 온정 **wárming-úp** 명 (시합 전의) 준비 운동

warn [wɔːrn] 타 경고하다 [～ of]; (미리) 알리다(=inform)
파 ***wárning** 명 경고, 경보, 예고 형 경고의

***warn ～ of* 〔*against*〕** ～에게 …을 조심시키다, ～에게 (위험을) 경고하다
(예) He *warned* me *of* her visit. 그는 그녀가 방문하러 온다는 것을 나에게 알려 주었다. // A lighthouse *warns* vessels *of* rocks and sands. 등대는 암초나 모래둑의 위험을 배에 경고한다. // I *warned* him *against* entering the room. ↔ I *warned* him *not to* enter the room. 나는 그에게 그 방에 들어가지 말라고 경고하였다.

warp [wɔːrp] 타 자 휘게 하다, 휘다; 뒤틀다, 뒤틀리다(= twist); 비뚤어지게 하다, 비뚤어지다 명 (피륙의) 날; 휨,

뒤틀림; 왜곡(歪曲)

war·rant [wɔ́ːrənt, wɑ́r- / wɔ́r-] [타] 보증하다, 보장하다 (=guarantee); 정당화하다 [명] 보증; 허가증, 영장(令狀); 정당한 이유, 근거
(예) I *warrant* it (*to be*) genuine. ↔ I *warrant that* it is genuine. 그것이 진짜임을 보증한다.
[파] **wárranter, -tor** [명] 보증인

◇**war·ri·or** [wɔ́ːriər, wɑ́r- / wɔ́riə] [명] 군인, 전사(=soldier)

◇**wart** [wɔːrt] [명] 사마귀; (나무 줄기의) 혹, 옹두리

war·y [wέəri] [형] 조심성 있는, 신중한(=cautious)
[파] **wárily** [부] 세심하게 **wáriness** [명] 조심

☆**wash** [wɑʃ, wɔːʃ / wɔʃ] [타][자] 씻다, 세탁하다 [명] 세탁
(예) ◇*wash* dirty marks *off* 더러운 때를 씻어내다 // ◇*Wash* the dust *off* your face. 얼굴의 먼지를 씻어라. // The fertile soil was *washed* away yearly by floods. 홍수에 의해 매년 비옥한 흙이 씻겨 내려갔다.
[파] **wásher** [명] 씻는 사람, 세탁기(=washing machine) **wáshing** [명] 빨래, 세탁물 [형] 세탁용의 **wáshstand** [명] 세면대 **wáshtub** [명] 빨래통

wasp [wɑsp / wɔsp] [명] 〖곤충〗 장수말벌; 성 잘 내는 〔까다로운〕 사람

*◇**waste** [weist]★ 〈동음어 waist〉 [타][자] 낭비하다, 황폐해지다; 쇠약해지다 [~ away]; (시간이) 흐르다 [형] 황폐한(=desolate); 폐물의 [명] 황무지(=wilderness), 황폐; 낭비 소모; 폐물
(예) It is a pity to *waste* time on such a matter. 그러한 일에 시간을 낭비한다는 것은 유감이다. // lay *waste* (토지 따위를) 황폐시키다 // go to *waste* (물건이) 폐물이〔헛되이〕 되다 // *Waste* not, want not. 〖속담〗 낭비가 없는 곳엔 부족이 없다.
[파] **wásteful** [형] 낭비하는, 불경제적인 ◇**wástefulness** [명] 낭비 **wásteland** [명] 황무지, 미개간지, (홍수·전쟁 따위로) 황폐한 땅 ◇**wastepaper basket** 휴지통(=wastebasket)

☆**watch** [wɑtʃ, wɔːtʃ / wɔtʃ] [명] (휴대용) 시계; 망보기, 경계; 주의 [자][타] 지켜보다, 주의하여 보다; 간호하다, 돌보다; 경계하여 살펴보다, 감시하다; (기대하며) 기다리다
(예) be on the *watch* for ~을 경계하다 // ◇*watch for* an opportunity 기회가 오기를 기다리다 // *watch for* symptoms of a fever 열병의 징후가 나타나지 않나 하고 경계하여 살펴보다
[파] **wátchful** [형] 주의 깊은 **wátchman** [명] 《*pl.* -men》 야경꾼 ◇**wátchtower** [명] 망루, 감시탑 **wátchword** [명] 암호, 표어, 슬로건

watch out for ~을 경계하다
(예) *Watch out for* cars when you cross the road. 길을 건널 때 자동차에 주의하여라.

☆**wa·ter** [wɔ́ːtər, wɑ́t-] [명] 물, 바다 [타][자] 급수하다; 물을

W

주다; 관개(灌漑)하다; 물을 타다; (동물이) 물을 마시다
(예) by *water* 수로로 // Still *waters* run deep. 〖속담〗 잔잔한 물이 깊다《잘난 사람은 재주를 자랑하지 않는다》. // make *a person's* mouth *water* 아무에게 군침을 흐르게 하다, 식욕이 나게 하다

어법 하천·호수·바다 등(의 물)을 뜻할 때는 때때로 복수형이 쓰인다.

파 **wátering** 명 형 물뿌리기(의) (a *watering* pot 물뿌리개, 조로) **wátery** 형 물기 많은, 수분을 포함한 **water clock** 물시계 **water closet** 변소 〖약어〗 *W.C.* **wátercolo(u)r** 명 그림물감, 수채화 **wáterfall** 명 폭포 **water lily** 〖식물〗 수련 **wátermelon** 명 수박 **water mill** 물레방아 **wáterproof** 명 방수복〔포〕 형 방수의 타 ~을 방수 처리하다 **wátershed** 명 분수선, 분수계(界) **water supply** 급수(량); 상수도 (설비) **wáterway** 명 수로

wat·tle [wátl / wɔ́tl] 명 〖주로 영〗 (세공용) 잔가지, 욋가지; 욋가지로 엮어 만든 울타리〔지붕, 벽〕

wave [weiv] 명 물결; 파동 타 자 (파도처럼) 흔들(리)다, 펄럭대다; 물결치다

파 **wávelength** 명 〖물리〗 파장 《기호 λ》; 〖구어〗 사고방식 (on the same *wavelength* as 〖구어〗 ~와 같은 파장으로; ~와 의기 투합하여) **wávy** 형 물결 모양의, 파상(波狀)의

wa·ver [wéivər] 자 너울거리다; 흔들리다; 망설이다(=hesitate)

wax [wæks] 명 밀초, 밀랍 타 자 밀초를 칠하다; (달이) 차다

반 wane (달이) 이지러지다

파 **wáxy** 형 밀초(모양)의

way [wei] 〈동음어 weigh〉 명 길, 도중, 노정; 방향(=direction), 방면; 방법(=method); 방식; 습관(=manner) 부 《부사·전치사를 강조하여》 아득히, 아주, 멀리(=away)

(예) the Western *way* of life 서구식 생활 방식 // in some 〔many〕 *ways* 어느 〔많은〕 점에서 // lose one's *way* 길을 잃다 // have one's own *way* 제멋대로 하다 // fight one's *way* 분투하여 나아가다 // break one's *way* out of the burning building 불타고 있는 건물에서 화염을 뚫고 밖으로 나오다 // He tried his best to escape, but there seemed to be *no way out.* 그는 온 힘을 다해 도망치려고 하였으나 빠져나갈 길이 없는 것 같았다. // He flew a model plane high — *way* up. 그는 모형 비행기를 높이, 아주 높이 날렸다.

파 **wayfarer** [wéifɛ̀ərər] 명 나그네, 도보 여행자 **wayláy** 타 《-laid》 숨어서 기다리다, 매복하다 **wáyside** 명 길가 형 길가의 **wáyward** 형 제멋대로 하는, 고집 센

way off 먼, 멀리 떨어져서(=a long way off)
(예) He works in a lumber camp *way off* in the woods.

그는 숲속 멀리 떨어져 있는 벌채장에서 일한다.

a long way (***off***) 먼, 멀리 떨어져
(예) His house was *a long way* from the river. 그의 집은 강에서 멀리 떨어져 있었다.

◇***all the way*** 도중 내내, 멀리
(예) He came running *all the way.* 그는 내내 뛰어 왔다.

◇***by the way*** 그런데 《화제를 바꿀 때》; 도중에서
(예) *By the way,* have you seen him lately? 그런데 요 근래 그를 만난 적이 있느냐?

◇***by way of*** ~을 경유해서(=via); ~을 위하여, ~할 셈으로
(예) He came to Korea *by way of* Tokyo. 그는 도쿄를 거쳐 한국에 왔다. // He said this *by way of* an introduction. 그는 머리말로서 이렇게 말했다.

come *a person*'***s way*** (일이 아무)에게 일어나다
(예) A bit of good fortune *came* my *way.* 작은 행복이 나에게 찾아왔다.

find *one*'***s way*** 길을 찾아가다; 도착하다, 들어가다
(예) He *found* his *way* to the hotel in total darkness. 그는 칠흑 같은 어둠을 헤치며 호텔로 갔다.

get in the 〔*a person*'***s***〕 ***way*** 방해하다
(예) He is always *getting in* my *way.* 그는 항상 나를 방해한다.

get under way 나아가기 시작하다, 출발하다; 실행에 옮기다
(예) *get* the plan *under way* 계획을 실행하다

◇***give way*** 무너지다, 꺾이다; 패하다 [~ to]; 양보하다
(예) The rope *gave way.* 밧줄이 끊어졌다. // Don't *give way to* your feelings. 감정에 져서는 안 된다. // Steam replaced sail, but it *gave way to* gasoline later on. 증기는 돛을 대신했으나 뒤에 가솔린으로 대체되었다.

go out of *one*'***s*** 〔***the***〕 ***way to*** *do* 일부러〔고의로〕 ~하다
(예) It was mad of him to *go out of the way to* do such a thing. 고의로 그런 짓을 하다니 그는 미쳤군.

◇***go the way of*** ~와 같은 길을 걷다, ~와 같은 결과가 되다; ~처럼 죽다〔멸망하다〕(=perish like)
(예) The earth will *go the way of* Venus. 지구는 금성과 같은 결과가 될 것이다 《금성처럼 되어 죽어버릴 것이다라는 뜻》.

in a way 어떤 점에서는, 어느 정도
(예) He is handsome *in a way.* 그는 어떤 점에서는 미남자다.

◇***in any way*** 어떤 방법으로든; 어쨌든, 아무튼; 《부정사와 함께》 조금도 (~이 아니다) (=in no way)
(예) He asked them to help *in any way* possible. 그는 그들에게 가능한 어떤 방법으로든 도와 달라고 부탁했다.

in every way 온갖 수단으로; 어느 모로 보든지

(예) He helped them *in every way.* 그는 여러 모로 그들을 도왔다.

in no way 결코 ~ 않다

(예) The situation is *in no way* serious. 사태는 결코 심각하지 않다.

in** one**'s own way 제 나름대로, 《제한적》 그런대로

(예) He is a good teacher *in* his *own way.* 그는 (비록 결점은 있지만) 그 나름대로 훌륭한 교사이다.

in the* 〔*a person*'s〕 *way ~의 방해가 되어, 가는 길을 막아

(예) He is always *in* my *way.* 그는 언제나 나에게 방해가 된다. // A truck got *in the way.* 한 대의 트럭이 길을 막았다. // There are many difficulties *in* our *way.* 우리들의 앞길에는 수많은 어려움이 가로막고 있다.

in the way of ~의 방해가 되어(=in the way); ~에 관하여, ~으로서, ~의 방면〔점〕에서

(예) There is a great deal of nonsense done *in the way of* bodily exercises. 체육이라는 면에서 쓸데없는 일들이 굉장히 많이 행하여지고 있다. // What is there *in the way of* food? 먹을 음식으로서 무엇이 있느냐?

make** one**'s** (**own**) **way 나아가다, 가다; (스스로 노력하여) 출세하다, 성공하다

(예) They had to *make* their *way* up a valley. 그들은 계곡을 올라가야 했다. // He studied in order to *make* his *way* in life. 그는 출세하기 위해서 공부했다.

make way for ~을 위하여 길을 비키다(=step aside), ~을 위하여 길을 열다

(예) He *made way for* an old man. 그는 노인에게 길을 비켜주었다. // All traffic has to *make way for* a fire engine. 소방차를 위해 모든 차는 길을 비켜야 한다.

on** one**'s way home from ~에서 돌아오는 도중

(예) I was *on* my *way home from* walk, when I met Charlie. 나는 산보에서 돌아오는 길에 찰리를 만났다.

on** one**'s way to ~에 가는 도중에

(예) I was *on* my *way to* my parents. 부모에게로 가는 길이었다.

on the way back 돌아오는 길에, 귀로에

(예) *On the way back,* they make a complete circuit of Antarctica. 귀로에 그들은 남극 대륙을 완전히 한 바퀴 일주한다.

pay* 〔*earn*〕 one*'s way 빚지지 않고 살아가다; (여행 따위를) 제대로 비용을 쓰며 가다

(예) He *paid* his *way* through college. 그는 아르바이트로 대학을 졸업했다.

under way 진행중에, 항해중에

(예) The fourth five-year plan is now *under way.* 제 4차 5개년 계획이 지금 진행중이다.

we [wiː] ㉥ 우리들

weak [wi:k]* 〈동음어 week〉 ⓗ 약한(=feeble); 서투른, 둔한 [~ in]
반 strong 강한
(예) The Roman Empire slowly became *weaker* and *weaker.* 로마제국은 서서히 약해지기 시작했다.
파 **wéaken** ⓙⓣ 약해지다, 약하게 하다 **wéakly** ⓗ 병약한, 가냘픈 ⓑ 약하게, 가냘프게 ***wéakness** ⓜ 박약, 허약; 약점 **weak point** 약점 (*cf.* strong point)

***wealth** [welθ] ⓜ 부, 재산(=riches); 풍부(=plenty)
파 ***wéalthy** ⓗ 부유한(=rich); 풍부한

wean [wi:n] ⓣ 젖을 떼다; ~에서 떼놓다 [~ from, away]

***weap·on** [wépən]* ⓜ 무기(=arms), 병기
파 **wéaponry** ⓜ 병기류; 조병학(造兵學)

> ▶ 305. 「무기」의 유사어
> **weapon**은 공격·방어를 위한 도구로서, 본래 그 목적을 위해 만들어진 것이 아니더라도 weapon이 될 수 있다. **arms**는 본래 전쟁용으로 만들어진 것.

***wear** [wεər]* 〈동음어 ware〉 ⓣⓙ 《*wore* ;*worn*》 착용하다, 입다, 신다 (*cf.* put on, have on); (태도·표정을) 나타내고〔띠고〕 있다; 닳아 떨어지다, 써서 낡게 하다 [~ away]; 피곤케 하다; 사용에 견디다; 오래 가다; (시간이) 지나가다 ⓜ 착용; 닳아 해짐
(예) *wear* a smile 미소를 띠고 있다 // *wear* a moustache 수염을 기르고 있다 // This suit *wears* well. 이 옷은 오랫동안 입는다〔질기다〕. // Hard work *wore* him *down.* 힘든 노동으로 그는 지쳤다.
파 **wéarer** ⓜ 착용자, 휴대자, 사용자; 닳아 없애는 것
(⇨) **weary**

wear away 닳아 없애다〔없어지다〕; 지치게 하다
(예) The name on the door has *worn away.* 문위의 이름이 닳아 없어졌다.

wear off 점점 줄어들다, 점차로 없어지다
(예) These pains will soon *wear off.* 이 고통은 곧 없어질 것이다.

wear on (시간이) 경과하다, 점점 나아가다
(예) As the hour *wore on,* we talked more and more. 시간이 지남에 따라 우리는 더 많은 이야기를 하게 되었다.

wear out 닳아 해어지다; 소모시키다(=exhaust)
(예) It will *wear out* slowly or more quickly according to the manner in which it is used. 그것은 쓰는 방식에 따라 더 빨리 닳기도 하고 더디게 닳기도 한다.

***wea·ry** [wíəri]* ⓗ 피곤한(=tired); 싫증난 [~ of] ⓙⓣ 피곤해지다, 피곤케 하다(=tire); 싫증나(게 하)다, 지루해지다
파 **wéarily** ⓑ 피로하여; 싫증이 나서 **wéariness** ⓜ 피로, 권태, 싫증 **wéarisome** ⓗ 피로하게 하는; 진저리나게 하는, 싫증나는

(*be*) *weary of* ~에 싫증나는, ~이 지루해지는(=tired

of)
(예) I grew *weary of* his idle talk. 나는 그의 헛된 이야기에 진저리가 났다.

wea·sel [wí:zəl] 명 〔동물〕 족제비; 교활한 사람

***weath·er** [wéðər]* 명 날씨, 일기, 기상 타자 비바람을 맞게 하다; 퇴색(退色)하다; (풍파 따위를) 겪어내다
(예) *weather* permitting 날씨가 좋으면 // The *weather* improves. 날씨가 좋아진다.
파 **wéather-beaten** 형 비바람에 시달린 **wéathercock** 명 바람개비 **weather forecast** 일기 예보 **wéatherglass** 명 청우계(=barometer) ◇**wéatherman** 명 《*pl.* -men》 〔미·구어〕 기상 통보관, 기상국〔관상대〕원 **weather map** 일기〔기상〕도 **wéatherproof** 형 (건물 따위가) 비바람에 견딜 수 있는 **weather station** 측후소, 관상대

◇**weave** [wi:v] 타자 《***wove; woven, wove***》 짜다, 직조하다, 꽃다발을 엮다; 짜맞추다; (좌우로) 누비듯이 (길을) 나아가다
파 ◇**wéaver** 명 짜는 사람, 직공(織工)

◇**web** [web] 명 거미집(=cobweb); 〔동물〕 물갈퀴

wed [wed] 자타 《***wedded; wedded, wed***》 결혼하다, 결혼시키다(=marry)
파 ◇**wédding** 명 결혼(=marriage), 결혼식 **wédlock** 명 혼인(의 상태)

wedge [wedʒ] 명 쐐기 타 쐐기로 죄다, 억지로 밀어〔끼어〕넣다

☆**Wednes·day*** [wénzdi, -dei] 명 수요일 〔약어〕 *Wed.*

wee [wi:] 형 아주 작은(=tiny)

*◇**weed** [wi:d] 명 잡초 자타 잡초를 뽑다
파 **wéedy** 형 잡초가 많은

☆**week** [wi:k]* 〈동음어 weak〉 명 주, 일주일간
(예) The contents of the box varied so little *week* by *week*. 상자 속의 알맹이는 매주마다 거의 변하지 않았다.
파 *◇**wéekly** 형 일주 일회의 부 매주, 1주일에 1회 명 주간지 ◇**wéekday** 명형 평일(의) **wéek(-)end** 명형 주말(의)

week in, week out 매주마다, 오는 주도 또 오는 주도

*◇**weep** [wi:p] 자타 《***wept***》 울다(=cry), 눈물을 흘리다, 슬퍼하다
파 **wéeper** 명 우는 사람

*◇**weigh*** [wei]* 〈동음어 way〉 타자 무게를 달다, 체중이 ~이다〔나가다〕; (가치를) 재다; 부담이 되다, 중요시되다, 잘 생각하다
(예) *weigh* a proposal 제안을 검토하다 // It *weighs* heavy 〔ten pounds〕. 그것은 무게가 무겁다〔10파운드이다〕. // The trees *were weighed down* by snow. 나무들은 쌓인 눈의 무게로 휘어져 있었다.

weigh on 〔***upon***〕 ~을 압박하다, ~에 부담이 되다, ~을 괴롭히다
(예) These troubles *weighed on* his mind. 이 걱정이 그의

W

마음을 괴롭혔다.

weight [weit]* 〈동음어 wait〉 ㉮ 무게; 중량; 무거운 짐, 부담(=burden); 중요도, 중요성(=importance)

(예) put on *weight* 체중이 늘다 // carry *weight* (의견 따위가) 비중이 크다 // an opinion of great *weight* 유력한 의견 // The apples are sold *by weight.* 사과는 무게로 달아서 판다.

㉻ **wéightless** ㉯ (거의) 중량이 없는, 무중력의, 중요성〔영향력〕이 없는 **wéightlessness** ㉮ 무중력 **wéighty** ㉯ 무거운, 무게가 있는, 중요한, 유력한

weir [wiər] ㉮ 둑《물레방아용》; 어살

weird [wiərd] ㉯ 수상한, 불가사의한(=mysterious)

***wel·come** [wélkəm] ㉮ 환영, 환대 ㉯ 환영받는, 인기 있는; 형편이 좋은 ㉰ 환영하다 ㉱ 잘 오셨오, 어서 오십시오

> ▶ **306. 접두어 wel**
> 「좋은(good)」의 뜻을 나타낸다.
> (예) *wel*come, *wel*fare 등

(be) welcome to ~을 자유로이 써도 좋은, 자유로이 ~하여도 좋은

(예) You *are welcome to* (use) the telephone. 전화를 마음대로 쓰시오.

NB 미국에서는 Thank you.라는 고맙다는 인사에 You're welcome. (천만의 말씀)이라고 대답한다. 동사인 경우, ~ed가 붙는 규칙 변화인 점에 주의.

weld [weld] ㉰ 용접하다; 결합시키다 ㉲ 용접되다 ㉮ 용접, 밀착

㉻ **wélding** ㉮ 용접

***wel·fare** [wélfὲər] ㉮ 행복, 번영, 복리(=health, happiness, and prosperity); 복지 사업 ㉳ mísery 비참

well [wel] 《***better ; best***》 ㉴ ① 잘, 훌륭히(=skillfully)

(예) live *well* 유복하게 살다 // speak English *well* 영어를 잘 하다 // He behaved *well.* 그의 행동은 훌륭했다. // *Well* done! 잘 했어! // The plan worked *well.* 계획은 잘 이행되었다.

② 적당히, 형편이 좋게, 알맞게

(예) treat 〔do〕 a person *well* 아무를 친절하게〔잘〕 대접하다 // *Well* met. 잘 만났다. // You are *well* out of it. 벗어나서 다행이군. // The hotel is *well* situated on a hill. 그 호텔은 언덕 위 좋은 장소에 위치해 있다.

③ 충분히, 꽤, 상당히

(예) *well* up in the list 명부에서 꽤 위쪽에 // *well* past fifty, 50을 꽤 넘어서 // listen *well* 충분히 잘 듣다 // Shake *well* before using. 사용하기 전에 잘 흔들어라. // It is *well* worth trying. 그것은 시도해 볼 가치가 충분히 있다.

④ 《통상, may ~의 형태로》 아마, 대개

(예) It *may well* be true. 그것은 아마 사실일지도 모른다.

⑤ 《cannot ~의 형태로》 도저히 ~할 수 없다
(예) I *cannot well* decline his invitation. 나로선 도저히 그의 초대를 거절할 수 없다.
— 형 ① 《주로 서술적 용법으로》 건강한 (*cf.* ill)
(예) a *well* man 건강한 사람 // look *well* 건강하게 보이다 // Are you *well ?* 안녕하십니까? // He will soon get *well.* 그는 곧 완쾌할 것입니다.
② 좋은, 적당한(=in the right way)
(예) All is *well with* us. 모든 것이 잘 됩니다. // It looks *well* on you. 당신에게 잘 어울립니다. // It is *well* that you came. 당신이 오길 잘 했습니다. // It is all very *well.* 그것 참 잘 됐다.
— 감 그래서, 그런데, 과연, 정말이지
(예) *Well, well !* What's the matter? 그런데 어찌 된 거냐? // *Well,* perhaps you are right. 그래 아마 네가 옳겠지. // *Well,* here we are at last. 자 드디어 다 왔다.
— 명 우물
(예) The *well* is dry. 우물이 말라 있다. // an oil *well* 유정(油井)
파 ⁑**wéll-béing** 명 복리, 안녕 **wéllbórn** 형 가문이 좋은 **wéll-bréd** 형 본데 있게 자란 **wéll-dréssed** 형 잘 차려 입은 ◦**wéll-éducated** 형 교육을 잘 받은 ◦**wéll-féd** 형 영양이 충분한; 살찐 **wéll-infórmed** 형 박식한 ◦**well-groomed** [wèlgrú:md] 형 몸차림이 깔끔한; (동물 따위가) 손질이 잘 된 ⁑**wéll-knówn** 형 유명한, 주지의 ◦**wéll-máde** 형 (몸이) 균형 잡힌; (세공품이) 잘 만들어진; (소설·극이) 구성이 잘 된 ◦**wéll-mánnered** 형 예절 바른 **wéll-óff** 형 유복한 **wéll-súited** 형 적절한, 알맞은, 편리한 ◦**wéll-to-dó** [wéltədú:] 형 유복한

◦***(be) well off*** 잘 사는 《비교급은 better off》
반 (be) badly 〔ill〕 off 잘 살지 못하는
(예) He is not very *well off.* 그는 그다지 잘 살지 못한다.

◦***do well to*** *do* ~하는 것〔편〕이 좋다〔현명하다〕
(예) He *did well to* confess his crime before he was accused of it. 고발되기 전에 자기 죄를 자백한 것은 현명하였다.

☆**west** [west] 명 서쪽; [the W-] 서양 〖약어〗 *W* 형 서쪽의 부 서쪽으로
반 east 동쪽(의)
파 **wéstbound** 형 서쪽으로 가는 ◦**wéstward** 형 서쪽의 부 서쪽으로 **wéstwards** 부 서쪽으로

> ▶ **307. 접미어 ern**
> 방향을 나타내는 말에 붙어서 형용사를 만든다.
> (예) west*ern*, east*ern*(동쪽의) 등

⁑**west·ern** [wéstərn] 형 서쪽의; [W-] 서양의; 서부의 명 서부 사람; 서양인; 〖미〗 서부극
파 ◦**wésterner** 명 [또는 W-] 서양인, 구미인; 〖미〗 서부 사람

⁑**wet** [wet] 형 젖은(=soaked), 축축한(=damp); 비 내리

는, 비가 잘 오는(=rainy) ⓣ 적시다
반 dry 마른

*whale [hweil] 명 고래
파 wháler 명 포경선(捕鯨船); 고래잡이《사람》 wháling 명 포경 wháleboat 명 구난 따위에 쓰이는 수조(手漕) 보트; 포경선

wharf [hwɔːrf] 명 《*pl.* ***wharves, wharfs***》 선창, 부두(=pier, quay) 타 (배를) 부두에 매다

☆**what** [hwɑt / wɔt] 대 ① 《의문 대명사》 무엇, 어떤 것, 어떤 일, 얼마
(예) *What* is this? 이것은 무엇인가? // *What* has happened? 무슨 일이 일어났나? // I don't know *what to* do. 어찌 해야 좋을지 모르겠다.
어법 ① *What* is he?는 직업·신분·국적 따위를 묻는 뜻이며, *Who* is he?는 이름을 묻는 뜻이다. ② 생략적 관용 어법에 주의: Well, *what* of it? (이것이 어찌 되었다는 것이냐) So *what?* (그래서 어쨌다는 거냐) *What* about ~? (~은 어떤가) *What* if ~? (~라면 어찌 될까).
② 《관계 대명사》 ~하는 것〔일〕 (=that which)
(예) I don't understand *what* he says. 그가 말하는 것을 이해할 수가 없다. // He lost his money, and *what* was worse, his life. 《삽입절을 이끎》 그는 돈을 잃었으며 더욱 안된 것은 생명까지 잃었다. // Come *what* will, I shall not change my mind. 어떤 일이 있더라도 나의 마음은 변하지 않을 것이다.
— 형 ① 《의문 형용사》 a) 무슨, 어떤
(예) *What* time is it? 몇 시인가? // *What* news? 무슨 다른 소식이 있는가? // *What* money have you earned? 얼마 벌었는가?
b) 《감탄 용법》 참, 얼마나
(예) *What* a beautiful day (it is)! 날씨 참 좋기도 하구나! // *What* an idea! 얼마나 근사한 생각인지!
NB How를 쓴 감탄문의 관사의 위치에 주의. *How* fine *a* day it is!
② 《관계 형용사》 ~할 (만큼의)
(예) I will give *what* help I can. 될 수 있는 한의 조력을 해드리지요.
어법 관계 형용사의 경우, 「~하는 것의 전부」의 뜻을 가지는 때가 있다: Give me *what* money you have. (가지고 있는 돈을 전부 주시오)

what about ~? ~하는 게〔~은〕 어떤가; ~은 어떻게 되어 있나; 〖비난〗 ~은 어찌 되었나
(예) *What about* visiting him? 그를 방문하면 어떨까? // *What about* the money I lent you last month? 지난달 내가 꿔준 돈은 어떻게 했느냐?

what by ~, what by ~이라든가 …이라든가로써, ~하다가 …하다가 해서
(예) *What by* threatening, and *what by* coaxing, I made

him give up his reckless plan. 위협도 하고 달래기도 하여 나는 그의 무모한 계획을 단념시켰다.

◇ ***What* (~) *for ?*** 무슨 목적으로, 왜, 무엇 때문에; (물건이) 무슨 목적에 쓰이어

(예) *What* did you go there *for ?* 왜 거기에 갔느냐? // *What for ?* 무엇 때문이지?

What if ~ ? ~라면 어찌 될까; (설사) ~하더라도 어떻단 말인가

(예) *What if* we were to try? 해 본다면 어찌 될까? // *What if* we are poor? 가난하면 어떠냐?

what little 적지만 모조리

(예) I gave *what little* money I had. 적지만 가진 돈을 다 주었다. // *What little* he said on the subject was full of wisdom. 그가 그 제목에 관해서 말한 것은 얼마 안되지만 기지가 넘친다.

* ***what** one **calls* 〔*is called*〕** 소위(=so-called)

(예) He is *what you call* a genius. 그는 소위 천재이다.

NB what is called, what you call은 모두 똑같은 뜻.

what with ~ and what with ~이라든가 …이라든가로, ~하기도 하고 …하기도 하여

(예) *What with* the wind *and* (*what with*) the rain, our trip was spoiled. 바람이라든가 비 따위로 우리의 여행은 엉망이 되었다.

어법 ① 뒤에 이어지는 what with는 생략되는 것이 일반적이다. ② what by…와 같은 뜻이나, *by*는 수단을 나타내며, *with*는 원인을 나타낸다.

~ is to ~ what … is to … ~와 ~에 대한 관계는 마치 …이 …에 대한 관계와 같다

(예) Reading *is to* the mind *what* exercise *is to* the body. 독서와 정신과의 관계는 운동과 육체와의 관계와 같다.

NB A *is to* B *what* C *is to* D.와 *What* C *is to* D A *is to* B. 와는 같은 뜻.

어법 what 이하의 절을 선행시키는 수도 있다.

and* 〔*or*〕 *what not 《열거한 뒤에》 그밖에 그런 따위의 것, 등등

(예) novels, short stories, plays, *and what not* 소설, 단편, 희곡 따위

what·e'er [*h*wɑtέər / wɔtέə] ㉹ ㉻ 〖시어〗 =whatever

***what·ev·er** [*h*wɑtévər / wɔtévə] ㉹ ~(하는 것)은 무엇이든지, 아무리 ~이어도; 도대체 무엇이〔을〕 ㉻ 어떠한(~이라도), 아무리 (~이라도)

(예) I'll do *Whatever* I can to help you. 너를 돕기 위해서는 내가 할 수 있는 어떤 일이라도 하겠다. // *Whatever* do you want me to do? 대체 내가 무엇을 해주기를 원하느냐? // She has no faults *whatever*. 그녀에겐 전혀 아무런 결점도 없다.

파 **whatsoéver** ㉹ ㉻ whatever의 강조형.

whatever ~ may be 어떠한 ~일지라도 (*cf.* no matter

what)
(예) *Whatever* the matter *may be,* do your best. 어떠한 일이 있더라도 전력을 다하여라.

◇**wheat** [*h*wiːt] [명] 밀 (*cf.* barley「보리」, oat「귀리」, rye「라이 보리」)

*◇**wheel** [*h*wiːl] [명] 바퀴, 차륜
(예) break a butterfly 〔fly〕 on the *wheel* 목적에 어울리지 않게 강력한 수단을 쓰다, 소 잡는 칼로 닭을 잡다
[파] ◇**whéelchair** [명] 휠체어, (환자용의) 바퀴 달린 의자
(**be**) ***at the wheel*** 키를〔핸들을〕 잡는; 지배권을 쥔
(예) Do not speak to the man *at the wheel.* 차를 운전하는 사람에게 말을 걸지 마라.

☆**when** [*h*wen] [부] ① 《의문 부사》 언제
(예) *When* are you going to start? 언제 출발합니까? // I don't know *when* it was. 언제였던가 모른다.
② 《관계 부사》 a) 《앞에 콤마가 없을 경우》 ~할 때, ~하고서
(예) I don't know the time *when* he will arrive. 그가 도착하는 시간을 모른다.
b) 《앞에 콤마가 있을 경우》 ~하니 그 때(=and then, but then)
(예) He stayed there two days, *when* he was called back to London. 그는 그곳에 2일간 체재했는데 그 때 런던으로 소환되었다.
— [접] ① ~할 때, ~할 때는 언제나(=whenever)
(예) It was eleven o'clock *when* he went to bed. 그가 잠을 잘 때는 열 한 시였다. // *When* he goes out, he takes his dog with him. 나갈 때는 언제나 그는 개를 데리고 간다.
② ~인데도
(예) He keeps idling *when* he has an examination before him. 시험을 앞두고도 그는 놀고만 있다.
— [대] 《의문 대명사》 언제; 그 때
(예) Till *when* are you going to stay? 언제까지 머물 생각입니까?
— [명] 때
(예) the *when* and (the) where 때와 장소
[어법] ① Tell me *when he will come.*과 Tell him so *when he comes.*에서 전자는 명사절, 후자는 부사절. 미래 대용의 현재형에 주의. ② *When* ~? 에는 현재 완료형을 쓰지 않음. ③ 다음 용법에 주의: I have only 5,000 won *when* I have the whole month before me. (꼬박 한 달을 지내야 하는데 5천 원밖에 없다) He was about to start, *when* the messenger came. (그가 막 떠나려고 하는데 사환이 왔다) Say *when.* ((적당한 분량이 되면) 그만이라고 하게)
[파] *◇**whenéver** [부][접] 언제라도, ~할 적마다

whence [*h*wens] [부] 어디서(=from where); 어째서; ~하는 바의 [대] 《의문 대명사》 어디 [명] 유래

W

(예) *Whence* came his ruin? 그의 파멸의 원인은 무엇인가? // From *whence* did he come? 그는 어디서 왔는가?

☆**where** [*h*wεər] 부 ① 《의문 부사》 어디에, 어디로

(예) *Where* are you going? 어디에 가느냐? // *Where* am I? 여기가 어디입니까? // *Where* are you staying? 어디에 머물고 있습니까? // Let me know *where* to go. 어디로 가면 좋을지 알려주십시오.

어법 *Where* do you come from? (고향이 어디입니까)와 같은 *Where*는 의문 대명사로 생각하는 견해도 있다.

② 《관계 부사》 a) 《제한적 용법》 ~하는 곳에서

(예) the house *where* I was born 내가 태어난 집

b) 《앞에 콤마가 있을 경우—계속적 용법》 그리고, 그곳에서

(예) He went to Paris, *where* he stayed for a week. 그는 파리에 가서 (그 곳에) 일주간 체재했다.

어법 This is the place *where* the accident happened.의 the place와 같은 일반적인 의미의 선행사는 생략하는 것이 보통.

— 접 ~하는 곳에〔으로, 에서〕

(예) You may go *where* you like. 어디든지 좋아하는 곳으로 가시오. // Let me take you *where* you live. 사시는 곳까지 데려다드리지요. // Leave the book *where* he can get it. 그가 집을 수 있는 곳에 책을 놓아 두시오.

— 대 어디

(예) *Where* do you come from? ↔ *Where* are you from? 고향이 어디입니까?

NB *Where have* you come from? (어디에서 오셨습니까)는 지금까지 있었던 곳을 묻는다.

— 명 장소 《흔히 the wheres 의 형태로》

(예) the *wheres* and the whens 장소와 때

파 **whéreabóuts** 부 어디(쯤)에 명 행방, 소식, 소재 *◇**whereás** 접 그런데, ~에 반하여 **whereát** 부 무엇 때문에, 여기에서 *◇**wheréver** 접 어디서나 부 대체 어디에(서) ◇**whereb ý** 부 그것에 의하여 **whereín** 부 어디에, 그 중에 **whérefore** 부 어떤 이유로 접 그런고로 **whereóf** 부 무엇의, 누구의, 그것의 **whereón** 부 무엇 위에, 그 위에 **wherewíth** 부 무엇으로, 무엇에 의하여, 그것을 가지고

*◇**wheth·er** [*h*wéðər] 접 ~인지 어떤지(=if); ~이거나 아니거나

(예) I doubt *whether* he will ever be able to come. ↔ *It* is doubtful *whether* he will ever be able to come. 대체 그가 올 수 있을는지 어떤지 의심스럽다. // I asked him *whether* (=if) he was free. 나는 그에게 여가가 있는지 어떤지 물었다(↔ I said to him, "Are you free?")

*◇***whether ~ or*** ~인지 …인지, ~해야 할지 어떨지

(예) I don't know *whether* to laugh *or* to cry. 웃어야 할지 울어야 할지 나는 모르겠다.

◇***whether ~ or not*** ~인지 아닌지, ~이거나 말거나

(예) *Whether* it may be a fact *or not,* it does not concern us. 사실이거나 말거나 우리에겐 상관 없다.

☆**which** [*h*witʃ] ㉠ ①《의문 대명사》어느 (것), 어느 쪽
(예) *Which* do you like better, tea or coffee? 홍차와 커피 중 어느 것을 좋아합니까? // *Which* do you like best? 어느 쪽이 가장 좋은가? // *Which* of these books is yours? 이 책 중 어느 것이 너의 것인가?
②《관계 대명사》a)《앞에 콤마가 없을 경우—제한적 용법》~하는 (것), ~한 (것)
(예) She made a doll *which* had blue eyes. 그녀는 파란 눈의 인형을 만들었다. // It is not the means *which* matters; it is the end. 중요한 것은 수단이 아니라 목적이다.
b)《앞에 콤마가 있을 경우—계속적 용법》그리고 그것은, 그러나〔그런데〕그것은
(예) He gave me this book, *which* is very interesting. 그는 나에게 이 책을 주었는데 그것은 대단히 재미있다.
어법 ① 관계 대명사의 계속적 용법에서 앞의 절을 선행사로 하는 경우에 주의: He said he had a car, *which* was a lie. (그는 차를 가지고 있다고 말했지만, 그것은 거짓말이었다) ② 관계 대명사의 소유격에는 whose, of which의 두 경우가 있지만 구어에는 후자가 많이 쓰인다. 다음과 같은 어순도 가능: the mountain the top *of which* 〔*of which* the top〕 is covered with snow (꼭대기가 눈으로 덮인 산)
— ㉡ ①《의문 형용사》어느 쪽의
(예) *Which* book is yours? 어느 책이 너의 것인가? // *Which* one do you mean? 어느 것을 의미하는가?
②《관계 형용사》그리고 그
(예) We went to Rome, at *which* place we parted. 우리는 로마까지 가서 거기서 헤어졌다.
어법 관계 형용사의 계속적 용법에서 앞의 절을 선행사로 하는 경우에 주의: He is very young, *which* fact must be taken into consideration. (그는 매우 젊다. 그러므로 이 점을 고려하지 않으면 안 된다)
파 ◇**whichéver, whichsoéver** ㉠㉡ 어느 것(이나), 어느 ~이라도《whichsoever는 whichever의 강의형(強意形)》

***while** [*h*wail] ㉢ 동안, 잠시 동안
(예) at *whiles* 때때로, 이따금
— ㉣ ① ~하는 동안
(예) *While* (I was) in London, I visited Hyde Park several times. 나는 런던에 있는 동안에 하이드파크에 몇 번 갔었다.
②《대조》그러나 한편, ~하는데
(예) I have remained poor, *while* my brother has made a fortune. 나는 여전히 가난하지만 한편 형은 재산을 모았다. // *While* the boy is good in arithmetic, he is not good in science. 저 소년은 산수는 잘 하나 과학은 잘 못 한다.
— ㉤ 빈둥빈둥 보내다

(예) *while* away the time fishing and swimming 낚시질을 하거나 수영을 하면서 시간을 빈둥빈둥 보내다
파 ◇**whilst** 접 =while
after a while 잠시 후에
all the while 그 동안 내내〔죽〕
(예) He sat silent *all the while.* 그는 그 동안 내내 잠자코 앉아 있었다.
*◇***for a while*** 잠시(=for some time)
(예) They reached the sea and then rested *for a while.* 그들은 해안에 도착하고서 잠시 쉬었다.
in a little while 〔***time***〕 얼마 안 되어, 곧(=soon)

◇**whim** [*h*wim] 명 변덕(=caprice), 일시적인 기분
파 **whimsical** [*h*wímzik*ə*l] 형 변덕스러운, 별난

whine [*h*wain] 자 타 구슬피 울다, (개 따위가) 킹킹거리다; 불평을 말하다 [~ about]

◇**whip** [*h*wip] 명 매 타 매질하다, 때리다(=lash, beat); 갑자기 움직이게 하다
(예) The door was *whipped* open. 문이 홱 열렸다. // She *whipped* off her coat. 그녀는 재빨리 코트를 벗었다.
파 **whíp-blow** 명 채찍질

◇**whirl** [*h*wəːrl] 자 타 빙빙 돌다 명 회전; 선풍
파 **whírlpool** 명 소용돌이 **whírlwind** 명 회오리 바람; 선풍

◇**whir(r)** [*h*wəː*r*] 명 (나는 화살 따위의) 휙하는 소리; (선풍기 따위의) 윙하고 도는 소리 자 타 《***-rr-***》 휙 날다; 윙 돌다〔돌리다〕

whisk [*h*wisk] 명 작은 비, 털비; (마른 풀이나 깃털의) 다발 타 자 (먼지를) 털다; 갑자기 (가져) 가다

◇**whis·ker** [*h*wísk*ər*] 명 구레나룻 (*cf.* beard, moustache); (고양이·쥐 따위의) 수염

◇**whis·k(e)y** [*h*wíski] 명 위스키

*◇**whis·per** [*h*wísp*ər*] 자 타 속삭이다(=speak in a low voice); 살랑살랑 소리가 나다 명 속삭임, 소문; 살랑거리는 소리

*◇**whis·tle** [*h*wís*ə*l] 자 타 휘파람을 불다; 호각으로 신호하다, 기적을 울리다; (새가) 지저귀다 명 휘파람, 경적

whit [*h*wit] 명 미소(微小), 약간(=small bit)

☆**white** [*h*wait] 형 흰, 창백한(=pale); 백인의 명 흰

▶ 308. John Bull

영국민의 nickname을 John Bull이라고 한다. 18세기에 Arbuthnot가 무뚝뚝하면서 솔직하고 또 강직한 점이 bull과 닮았다고 하여, John Bull이라는 이름의 농부를 등장시켜 풍자문을 썼던 것이 그 기원이다. 미국인에게는 Uncle Sam이라는 nickname이 있으나, 그 기원은 명백하지 않고, 일설에는 국명의 U.S.를 비꼬는 말씨라고도 한다. Yankee라는 말은 본래 New England나 New York의 사람들을 가리키는 말이다. 독일인을 Cousin Michael, 프랑스인을 Lewis Baboon, 러시아인을 Ivanovitch라고 부르기도 한다.

색; 흰 옷; 백인

(예) a *white* ant 흰개미 // *white* races 백색 인종 // turn *white* 창백해지다

파 **whíte-cóllar** 형 샐러리맨의 **whíten** 타자 희게 하다, 희게 되다 **whítewash** 명 수성(水性) 백색 도료 타 흰 도료를 칠하다 **white lie** 악의 없는〔의례적인〕 거짓말

White House, the 화이트 하우스, 백악관《미국 대통령의 관저》

whith·er [*h*wíðə*r*] 부 〖옛말〗 어디로

☆**who** [huː] 대 《소유격 whose, 목적격 whom》 ① 《의문 대명사》 누구, 누가

(예) *Who* is he?—He is Mr. Smith. 그는 누구입니까? —스미스씨입니다. // *Who* came? 누가 왔는가? // *Who* is the oldest? 누가 제일 연상인가?

어법 구어에서는 목적격에서도 who의 형식을 쓸 때가 많다: *Who* do you mean? (누구에 대해서 말하고 있습니까)

② 《관계 대명사》 a) 《앞에 콤마가 없을 경우—제한적 용법》 ~하는 (사람)

(예) the man *who* came here yesterday 어제 여기에 왔던 사람 // Now there is no one *who* believes in a ghost. 현재에는 유령을 믿는 사람이 아무도 없다. // It is my mother *who* takes care of our children. 아이들을 돌봐 주고 있는 것은 나의 어머니이시다. (NB It is ~ that…의 that가 who로 바뀐 것; ~를 강조하는 구문)

어법 다음과 같은 잘못에 주의: He is the man *whom* I believe is the best writer. is의 주어이므로 who가 옳다. 단, He is the man *whom* I believe to be the best writer.에서는 believe의 목적어이므로 whom이 옳다.

b) 《앞에 콤마가 있을 경우—계속적 용법》 그리고〔그러나〕 그는〔그들은〕

(예) I lived with Mr. A, who taught me English. 나는 A씨와 함께 살았고, 그이한테서 영어를 배웠다. // This boy, *who* lives next door, got the prize yesterday. 이 소년은 옆집에 살고 있는데, 그는 어제 상을 받았다.

파 ***whoéver** 대 ~하는 사람은 누구나, 누가 ~해도

***whole**★ [houl]★ 〈동음어 hole〉 명 전부, 모두, 전체 형 전부의, 모든(=complete)

반 part 부분

(예) a *whole* month 만 1개월 // for two *whole* weeks ↔ for the *whole* two weeks 만 2주 동안

파 ***wholly** [hóul*l*i] 부 온통, 완전히(=entirely)

******as a whole*** 전체로서는, 전체적으로

(예) The Korean, *as a whole,* are a polite people. 한국인은 대체로 예의바른 국민이다. // We must consider these matters *as a whole,* not one by one. 우리는 이 문제를 전체적으로 고려해야지 하나씩 고려해서는 안 된다.

******on the whole*** 대체로(=generally), 전체로 보아서

(예) *On the whole,* the contrary is more often the case.

대체로 반대의 경우가 더 많다.

◇***with** one's **whole being*** 진심으로, 성심성의껏(=with all one's heart)

(예) She carried out her *goal with* her *whole being.* 그녀는 그녀의 목표를 성심성의껏 실천해 나갔다.

whole·heart·ed [hòulhɑ́ːrtid] [형] 성심 성의로, 성실한, 진심의

[파] **whóleheártedly** [부] 성심 성의로, 성실하게, 진심으로

whole·sale [hóulsèil] [형][부] 도매의〔로〕; 대규모의〔로〕 [명] 도매 [타][자] 도매로 팔다

[반] rétail 소매(하다)

◇**whole·some** [hóulsəm] [형] 건강에 좋은, 건전한, 온건한

(예) *wholesome* food 자양분 있는 식품

whoop [*h*wuːp, huːp] [명] 야아〔우아〕하는 외침 [자][타] 야아〔우아〕하고 외치다〔부르다〕

☆**why** [*h*wai] [부] ① 《의문 부사》 왜

(예) *Why* did you do it? 너는 왜 그것을 했느냐?

[어법] ① Why ~?의 형식에서 동사의 원형을 쓸 때가 있다: *Why stay* here idle? (왜 빈둥거리고 있느냐?) ② ◇*Why don't you* come with us? (함께 와주시지 않겠습니까?)와 같이 Why don't you ~?가 권유를 나타낼 때도 있다. 또, *Why not?* 은 (왜 안 되나?)의 뜻 이외에 「동의」「권유」도 나타내는 일이 있다. ③ *Why to* ~의 형식은 극히 드물다. ④ Why로 시작되는 의문문에 대한 대답에는 보통 Because가 쓰인다: *Why* didn't you come? — *Because* I was tired. (왜 오지 않았지?—피곤했기 때문이야)

② 《관계 부사》 ~하는 (이유)

(예) This is the reason *why* he did it. 이것이 그가 그것을 한 이유입니다.

[어법] This is the reason *why* he did it. 의 the reason 은 생략될 때가 많다. 또, why 쪽이 생략될 때도 있다.

— [명] 이유 《흔히 the whys 의 형태로》

(예) I cannot explain the *whys.* 이유를 설명할 수 없다. // the *whys* and wherefores of his refusal 그의 거절의 이유

— [감] 《놀람·반대·승인 따위를 나타내어》 어마, 아유, 물론이지

(예) *Why,* it is surely Tom. 어마, 틀림 없이 톰이다. // *Why,* of course. 그거야, 물론이지.

Why not ~? ~하면 어떻겠느냐, ~하지 그래

(예) *Why not* ask your teacher? 선생님께 물어보지 그래? // *Why not* leave right away? 지금 당장 출발하는게 어떻겠느냐?

Why not let ~? 왜 ~를 …하도록 하지 않느냐

(예) *Why not let* him go there? 왜 그를 거기에 가도록 하지 않느냐?

◇**wick** [wik] [명] (양초·램프 따위의) 심지

◇**wick·ed** [wíkid]* [형] 사악한(=evil); 심술궂은; 장난기 있는

파 **wíckedly** 부 사악하게, 부정으로 **wíckedness** 명 사악, 심술궂음

wick·et [wíkit] 명 작은 문, 쪽문

☆**wide** [waid] 형 폭이 넓은(=broad), 광대한 (*cf.* across); 동떨어진 [~ of] 부 넓게; 동떨어지게

반 nárrow 좁은

파 *°**wídely** 부 크게, 널리 *°**wíden** 자타 넓게 되다, 넓히다 **wíde-éyed** 형 눈을 크게 뜬, 놀란; 순진한 *°**wíde-spread** 형 보급된, 널리 퍼진 (⇨) **width**

°**wid·ow** [wídou] 명 미망인, 과부 (*cf.* widower 홀아비)

파 **wídowed** 형 과부의

*°**width** [widθ, witθ]★ 명 넓이, 폭(=breadth)

원 <wide 넓은 반 depth 깊이

°**wield** [wiːld] 타 (칼을) 휘두르다; (도구를) 사용하다; 지배하다(=control)

wife** [waif] 명 《*pl.* ***wives》 아내, 부인 (*cf.* husband 남편)

wig [wig] 명 가발(假髮); 머리 장식

*°**wild** [waild] 형 야생의, 야만의(=savage); 난폭한(=furious), 방종(放縱)한(=uncontrolled) 명 황야, 황무지

반 tame, doméstịcated 길들인

파 °**wíldly** 부 야생적으로, 사납게 **wíldness** 명 야생 **wíldcat** 명 살쾡이 *°**wilderness** [wíldərnis] 명 황무지, 황야(=desert) °**wíldlife** 명형 《집합적》 야생 생물(의)

☆**will**★ 명 [wil] 《흔히 단수형으로》 의지, 결의

(예) an iron *will* 굳은 의지 // the *will* to fight 전의(戰意) // show good *will* 선의를 보이다 // Where there's a *will*, there's a way. 〖속담〗 뜻이 있는 곳에 길이 있다.

— 조 [wil, wəl, əl] 《***would***》 ① 《서술문인 경우》

a) 《의지 미래》 ~할 작정이다, ~하겠다, ~하려고 하다

(예) I *will* write to him at once. 즉시 그에게 편지를 쓰겠다. // We *will* start tomorrow morning. 우리는 내일 아침 출발할 작정이다.

어법 서술문에서 제 1 인칭의 경우에는 대개 의지를 나타낸다.

b) 《단순 미래》 ~일 것이다

(예) You *will* come of age next year. 너는 내년에 성년이 된다. // They *will* be at a loss. 그들은 당황해 할 것이다.

어법 서술문에서 제 2 인칭, 제 3 인칭의 경우에는 단순 미래를 나타낸다.

NB 영국에서는 1 인칭의 단순 미래에는 *shall* 을 쓰지만, 미국에서는 보통 *will* 이 쓰인다. I *will* be fourteen years old next year. (나는 내년에 14 살이 된다)

② 《의문문의 경우》

a) 《상대의 의지를 묻거나, 권유·약속·의지 등을 나타내어》 ~하여 주겠느냐, ~할 작정이냐

(예) *Will* you dine with us on Monday? 월요일에 우리

와 함께 식사하시지 않으렵니까? // Pass the sugar, *will* you? 설탕을 이리로 넘겨주지 않겠니?
어법 의문문에서 제 2 인칭의 경우에는 상대편의 의지를 나타낸다.
b) 《단순 미래》 ~일 것인가
(예) *Will* he be at home tomorrow? 그는 내일 집에 있을까? // When *will* this train get to Seoul? 이 기차는 몇 시에 서울에 도착합니까?
어법 의문문에서 제 3 인칭의 경우에는 단순 미래를 나타낸다.
NB 영국에서는 2인칭의 단순 미래는 *Shall* you ~?를 많이 쓰지만, 미국에서는 *Will* you ~?를 쓴다. (*cf.* shall)
파 **wíl(l)ful** 형 고의의; 외고집의, 제멋대로의 **wíl(l)fully** 부 일부러, 고집 부려

will do ~이면 되다, ~로 좋다(=be good enough)
(예) This log *will do* for us to sit on. 이 통나무라면 우리가 앉기에 알맞다. // That *won't do.* 그건〔그것으로는〕 안 된다. // Any time *will do.* 언제라도 좋다.

will·ing [wíliŋ] 형 기꺼이 ~하는(=ready) [~ to do]
반 unwílling 마음 내키지 않는
파 **wíllingly** 부 기꺼이 **wíllingness** 명 자진하여 함

(be) willing to *do* 기꺼이 ~하는
(예) I *am* quite *willing to* do anything for you. 나는 너를 위해 무엇이든 기꺼이 하겠다.

wil·low [wílou] 명 버들

wilt [wilt] 자 타 (풀·꽃이) 시들다(=wither), 풀이 죽다

win [win] 타 자 《**won** [wʌn]》 이기다; 얻다(=gain), 획득하다; 설득하다(=persuade); 달성하다(=attain)
반 lose 패하다, 잃다 (*cf.* defeat)
(예) *win* a race 경쟁에서 이기다 // The novel *won* him fame. 그는 그 소설로 명성이 높아졌다. // *win* over 자기편에 끌어 들이다
파 **wínner** 명 승리자 **wínning** 형 결승의 명 승리

wind 명 [wind] 바람 타 자 [waind] 《**wound** [waund]》 감다, 돌리다 (=turn); (길이) 꾸불꾸불하다; 헐떡이다
(예) The *wind* rises 〔falls〕. 바람이 인다〔잔다〕.
NB wound [wu:nd] (상처를 입히다)와 혼동하지 말 것.
파 **winding** [wáindiŋ] 형 꼬불꼬불한 **wíndy** 형 바람이 센; 말 많은 **wíndblown** 형 바람에 날린; (여성의 머리를) 짧게 잘라 앞으로 내민져 붙인 **windmill** [wín*d*mìl] 명 풍차 **wíndpipe** 명 기관(氣管), 숨통 **wíndshield** 명 〖미〗 (자동차의) 바람막이 유리(=〖영〗 windscreen) **wínd-storm** 명 (비를 수반하지 않는) 폭풍 **wínd-swept** 형 바람에 휘몰린, 바람에 노출된

wind *one's* **way** 꼬불꼬불〔굽이치며〕 나아가다《비유적으로도 쓰임》
(예) The river *wound* its *way to* the ocean. 강은 꾸불꾸불 바다로 흘러 간다. // He *wound* his *way into* my affections. 그는 용케 내 애정을 샀다.

☆**win·dow** [wíndou] [명] 창(窓), 창문
[파] **wíndowpane** [명] 창유리 **window sill** 창턱, 창받침

*◇**wine** [wain] [명] 포도주, 술

*◇**wing** [wiŋ] [명] 날개 [타][자] 날리다, 날개를 달다
[파] **winged** [형] 날개가 있는, 신속한 **wíngless** [형] 날개가 없는, 날지 못하는

◇**wink** [wiŋk] [명] 눈짓; 순간 [자][타] 눈을 깜박이다; 눈짓하다 [~ at]; (별이) 반짝이다(=twinkle)

☆**win·ter** [wíntər] [명] 겨울; 만년(晩年) [자] 겨울을 지내다, 월동하다(=spend the winter) [~ at, in] [형] 겨울의
[파] **wíntry** [형] 겨울의, 추운 **wíntertime** [명] 겨울

*◇**wipe** [waip] [타][자] 닦다, 훔치다 [~ away, off, out] [명] 닦아 냄
(예) A third world war will *wipe out* all human life. 3차 세계 대전은 인류를 전멸시킬 것이다.

*◇**wire** [waiər] [명] 철사, 전선; 전신(=telegraphy) [타][자] 철사로 감다; 전선(電線)을 달다; 전보를 치다(=telegraph)
(예) by *wire* 전신으로 // He *wired* me to start at once. 그는 나더러 곧 출발하라고 전보를 쳤다.
[파] **wíred** [형] 유선의 *◇**wireless** [wáiərlis] [형] 무선의, 무전의 [명] 무선, 무전; 〖영〗 라디오(=〖미〗 radio) **wíry** [형] 철사 같은

*◇**wis·dom** [wízdəm] [명] 지혜, 슬기로움; 지식(=learning)
[원] <wise 현명한 [반] fólly 어리석음

*◇**wise** [waiz] [형] 슬기로운, 현명한(=clever); 박식한(=learned)
(예) You *were wise to* refuse. ↔ It *was wise of* you *to* refuse. 네가 거절한 것은 현명하였다.
[파] ***wísely** [부] 현명하게 (⇨) **wisdom**

☆**wish** [wiʃ] [타][자] 바라다, 원하다(=want, desire) [~ to do]; ~을 기원하다〔빌다〕, ~면 좋겠다고 생각하다 [명] 소원, 소망(=desire)
(예) I *wish* to visit the temple. 그 성당을 방문하고 싶다. // I *wish* you to realize its importance. 그 중요성을 인식하기 바란다. // I *wish* myself at home. 집에 있으면 하고 생각한다.
[어법] *I wish* 에 가정법을 계속해서 쓰는 표현에 주의: I *wish* I were a millionaire. (백만장자라면 좋으련만) I *wish* he had been saved. (그가 구조되었더라면 좋으련만)

wist·ful [wístfəl] [형] 바라는 듯한; 생각에 잠긴
[파] ◇**wístfully** [부] 바라는 듯이; 생각에 잠겨서 **wístfulness** [명] 바라는 듯함

*◇**wit** [wit] [명] 기지(機智), 재치; 재사(才士)
[반] dúllness 우둔
[파] (⇨) **witty**

◇**witch** [witʃ] [명] 마녀 (*cf.* wizard)

▶ **309. 접미어 craft**
「일하기」「기술」 따위의 뜻을 나타내는 명사 어미. (예) witch*craft*, handi*craft* (수(세)공) 따위

파 wítchcraft 명 마법

*__with__ [wið, wiθ] 전 ① ~와 함께〔같이〕
(예) live *with* a person 아무와 함께 살다 // I had no purse *with* me. 나는 지갑을 갖고 있지 않다. // Crane was then living *with* a farmer. 크레인은 당시 한 농가에 기숙하고 있었다.
② 《도구·수단·재료》 ~으로, ~을 사용하여 (*cf.* by)
(예) fill the glass *with* water 컵에 물을 가득 채우다 // Don't write *with* a pencil. 연필로 쓰지 마라. // The road was covered *with* mud. 길은 진흙투성이가 되어 있었다.
③ 《양태》 (「with+추상명사」의 형태로→부사적인 뜻이 된다.)
(예) *with* care (=carefully) 조심하여 // *with* ease (=easily) 쉽게 // *with* patience(=patiently) 참을성 있게 // *with* skill(=skillfully) 능숙하게 // *with* fluency(=fluently) 유창하게
④ ~을 갖고 있는, ~을 가지고(=having)
(예) a girl *with* curly hair 곱슬머리의 소녀 // He has a box *with* a red lid. 그는 빨간 뚜껑이 달린 상자를 갖고 있다. // Leave the dog *with* me. 개는 내게 맡겨 둬라.
어법 「with+목적어+형용사〔분사·구〕」의 꼴로 부대 상황을 나타내는 구를 만든다: *with* the window open (창문을 열어 놓고) *with* the candle lit (초에 불을 켜고) *with* one's hands in one's pockets (포켓에 양손을 넣고)
⑤ ~에 관하여, ~에 대하여
(예) be angry *with* a person 아무에게 화를 내다 // What do you want *with* me? 나에게 무슨 볼 일이 있느냐? // What is the matter *with* you? 자네는 어찌된 일인가? // It is usual *with* him. 그에게는 그것이 보통이다.
반 withóut ~ 없이

◇***with all*** ~에도 불구하고, ~은 있지마는 (*cf.* for all)
(예) *With all* his wealth, he is not happy. 그렇게 많은 재산이 있지만 그는 행복하지 않다.

with this 〔***that***〕 이렇게〔그렇게〕 말하고, 이렇게〔그렇게〕 하고, 이와〔그와〕 동시에

*◇__with·draw__ [wiðdrɔ́ː, wiθ-] 자 타 《***-drew; -drawn***》 물러나다, 물러나게 하다(=draw back); 탈퇴하다; 철회하다
파 ◇**withdráwal** 명 철회, 취소

with·er [wíðər] 자 타 시들다(=dry up and fade), 쇠퇴하다

with·hold [wiðhóuld, wiθ-] 타 《***-held***》 삼가다, 보류하다(=keep); 만류하다, 억제하다(=hold back)

▶ **310. 접두어 with**
「뒤쪽에」 「반대로」의 뜻을 나타낸다.
(예) *with*hold, *with*draw 등

◇**with·in** [wiðín] 전 ~의 속에, ~이내에 (*cf.* in) 부 속에, 집 안에; 내부에, 내심에 명 속, 내부(=inside)
(예) Keep *within* doors. 집 밖으로 나오지 마라.

W

within a stone's throw **(*from, of*)** (~의) 바로 가까이에
(예) There is a brook *within a stone's throw from* my house. 내 집 바로 근처에 시내가 있다.
within *one*'***s reach*** 손이 닿는 곳에, 힘이 미치는 범위 내에
within reach of ~이 닿는 곳에, ~의 범위 안에
(예) We want to live somewhere *within reach of* a bus-stop. 버스 정류장에서 가까운 곳에 살고 싶다.
within sight **(*of*)** (~이) 보이는 곳에, (~의) 근처에
☆**with·out** [wiðáut] 전 ~ 없이; ~의 밖에 부 밖은, 옥외에; 외면은 명 외부(=outside)
(예) ◇We can't *do without* him. 그가 없이는 해나갈 수 없다.
어법 다음 예문에 주의: *Without water,* nothing could live. (물이 없으면 아무 것도 생존할 수 없을 것이다) (↔ If it were not for water, ~.)
without delay 곧, 지체 없이(=without hesitation)
◇***without*** *do**ing*** ~하지 않고, ~함이 없이
(예) She went out *without* be*ing* noticed. 그녀는 아무도 모르게 밖으로 나갔다. // He passed *without* speak*ing*. 그는 아무 말 없이 지나갔다.
without exception 예외 없이, 빠짐 없이
without fail 반드시, 꼭
◇***not without*** 다소 ~이 없지 않은, 상당히 ~이 있는
(예) Parents are *not without* faults. 부모님들도 허물은 있다. // He is *not without* money. 그는 꽤 돈이 많다.
with·stand [wiðstǽnd, wiθ-] 타 자 《***-stood***》 저항하다(=stand against); 견디다, 버티다(=endure)
◇**wit·ling** [wítliŋ] 명 〖영〗 똑똑한 체하는 사람, 윤똑똑이
*◇**wit·ness** [wítnis] 타 자 목격하다(=see); 입증하다(=testify) 명 증거(=evidence), 입증; 목격자(=eyewitness), 증인
◇**wit·ty** [wíti] 형 재치 있는, 우스갯소리 잘 하는
원 <wit 기지
파 **wíttily** 부 재치 있게 **wítticism** 명 경구(警句), 재담(才談)
wiz·ard [wízərd] 명 (남자) 마법사, 요술쟁이 (*cf.* witch)
woe [wou] 명 〖시·아어〗 비애(=grief), 고뇌(=affliction) 《*pl.*》 고난(苦難)
파 **wóeful** 형 비참한
*◇**wolf** [wulf]★ 명 《*pl.* ***wolves***》 〖동물〗 이리
☆**wom·an** [wúmən]★ 명 《*pl.* ***women*** [wímin]》 부인, 여자 (*cf.* man 남자)
어법 여성을 총칭하는 경우에는 관사를 붙이지 않음: Frailty thy name is *woman.* (약한 자여, 그대 이름은 여자니라)
파 **wómanhood** 명 여자다움 **wómanish** 형 여자다운, 여자 같은 **wómanlike** 형 여자다운 **wómanly** 형 여자의, 여

W

자다운

*◇**won·der** [wʌ́ndər]★ [명] 경이(=marvel); 불가사의 [자][타] 놀라다, 경탄하다; 의아하게 여기다 [~ at]; ~나 아닐까 생각하다

(예) in *wonder* 놀라서 // It is no *wonder* that he was dismissed. 그가 해고당한 것은 조금도 이상하지 않다. // I *wonder* what made him angry. 그는 왜 화를 냈을까.

[어법] 맨 끝의 예문과 같이 의문절을 동반하여 「~이 아닐까」의 뜻으로 쓰이나, 의문사가 없는 경우에는 if, whether로 접속함: ◇I wonder *if* he is safe. (그가 무사한지 모르겠다)

[파] **wónderland** [명] 이상한 나라, 동화의 나라; 멋진 곳

***won·der·ful** [wʌ́ndərfəl] [형] 이상한, 놀랄 만한; 훌륭한

[파] **wónderfully** [부] 놀랄 만큼, 훌륭하게 **wónderment** [명] 불가사의, 경이

wont [wɔːnt / wount] [형] 늘 ~하는 [~ to do] [명] 습관(=habit), 풍습

[NB] **won't** [wount]는 will not의 단축형.

woo [wuː] [타] 구혼하다, 구애하다(=court); 추구하다(=pursue); (재앙을) 초래하다(=invite); 조르다

☆**wood** [wud]★ 〈동음어 would〉 [명] 《종종 *pl.*》 숲, 삼림(=forest); 나무, 목재(*cf.* forest)

[파] **wóoded** [형] 숲이 많은 *◇**wóoden** [형] 나무의, 목제(木製)의 **wóody** [형] 나무가 많은 **wóodblock** [명] 판목(版木) **wóodchuck** [명] 〔동물〕 (북미산) 마멋(=marmot) ◇**wóodcutter** [명] 나무꾼 ◇**wóodland** [명] 삼림 [형] 숲의 **wóodman** [명] 《*pl.* -men》 나무꾼 **wóodpecker** [명] 〔새〕 딱따구리 **wóodwork** [명] 목조부 《가옥 내부의 문짝·층계 따위》, 목제〔목공〕품

*◇**wool** [wul]★ [명] 양털; 모직물

[파] **wóol(l)en** [형] 양털의, 모직물의 **wóol(l)y** [형] 양털의, 양모와 같은

☆**word** [wəːrd] [명] 말, 낱말; 약속(=promise); 《*pl.*》 말다툼, 논쟁

(예) keep 〔break〕 one's *word* 약속을 지키다〔깨뜨리다〕 // by *word* of mouth 구두로 // ◇in other *words* 바꾸어 말하면, 환언하면

[어법] 「전언·소식」의 의미에서는 보통 관사를 안 씀. 「말다툼」은 복수형: send *word* (말을 전하다) have *words* with (~와 논쟁하다)

word for word 한 마디 한 마디씩, 축어(逐語)적으로 (=literally), 완전히 말 그대로

(예) repeat 〔translate〕 a poem *word for word* 시를 축어적으로 암송〔번역〕하다

in a word 요컨대, 한 마디로 말하면

(예) *In a word,* he was the walking dictionary of the office. 요컨대 그는 그 사무소의 살아 있는 사전이었다.

on* 〔*upon*〕 *one's word 맹세코, 꼭, 반드시

(예) *On* my *word,* I should like to have that fowl. 꼭 저

W

닭을 갖고 싶다.

put ~ into words 말〔언어〕로 나타내다

(예) He *put* his gratitude *into words.* 그는 감사하다는 말을 했다.

☆**work** [wəːrk] ⓜ 일, 노동(=toil, labor); 사업; 작품, 저작; 《복수형으로 단수 취급》 공장 ⓐⓣ 일하다, 공부하다; 움직이다; 세공하다

반 rest 휴식

(예) go to *work* 일하러 가다, 일에 착수하다 // a *work* of art 예술 작품 // He is out of *work.* 그는 실직하고 있다. // a glass *works* 유리 공장 // ◇*work* for ~을 위해 일하다, ~에 고용되어 있다, ~을 달성하고자 힘을 다하다 // The plan did not *work.* 그 계획은 들어맞지 않았다. // All *work* and no play makes Jack a dull boy. 〖속담〗 공부만 시키고 놀리지 않으면 아이는 바보가 된다.

파 *◇**wórker** ⓜ 일하는 사람, 노동자, 직공 ◇**wórkman** ⓜ 《*pl.* -men》 직공, 노동자 **wórkmanship** ⓜ 솜씨, 기량, 기술; 마무리; 세공, 제작품 **wórkroom** ⓜ 작업실, 일하는 방 ◇**wórkshop** ⓜ 일터, 작업장, 직장

work at ~에 착수하다, ~에 종사하다, ~을 공부하다

(예) *work at* one's trade 가업에 종사하다 // He is *working at* a difficult problem in mathematics. 그는 수학의 어려운 문제를 풀려고 노력하고 있다.

◇***work on*** 〔***upon***〕 계속 일하다; ~을 연구하다; ~에 효험이 있다.

(예) This drug *worked on* me. 이 약은 효험이 있었다.

work one's way 일〔고생〕하면서 나아가다

(예) The boy *worked* his *way* through the huge crowd. 그 소년은 엄청난 군중 속을 간신히 헤쳐 나아갔다. // *work* one*'s way* through college 고학으로 대학을 나오다

◇***work oneself into*** 점차로〔노력하여〕 ~ 상태가 되다

(예) He *worked* him*self into* a rage 〔passion〕. 그는 점점 흥분하더니 마침내 격노했다. // He usually *works* him*self into* favor with others. 그는 늘 노력해서 남의 호감〔환심〕을 산다.

*◇***work out*** 애써서 완성하다; 성취하다; 다 파버리다; 안출(案出)하다; 계산하다; 풀다

(예) *work out* a plan 계획을 안출하다 // *work out* a problem 문제를 풀다 // Those mines were *worked out* many years ago. 그 광산들은 여러 해 전에 다 파버렸다.

*◇***at work*** 일을 하고, 작업중

(예) You will find him in the garden ; he is *at work* there. 그는 뜰에 있습니다. 거기서 일을 하고 있어요.

set 〔***put***〕 ***to work*** 일에 착수시키다

(예) They *set* the machines *to work* at nine in the morning. 그들은 오전 9시에 기계를 가동한다.

work·a·day [wə́ːrkədèi] ⓗ 일하는 날의, 평상일의(=everyday); 무미 건조한, 평범한

☆**world** [wəːrld]★ ㊐ 세계(=earth), 세상; 세상 사람(=people); ～계(=sphere), 권
(예) the other *world* 저승 // the *world* of letters 문학계 // as the *world* goes 세상에서 흔히 말하듯이 // *World* War II [tuː] 제 2차 세계 대전 // the vegetable *world* 식물계
㊃ ◦**wórldly** ㊔ 이 세상의, 세속적인 ◦**wórld-fámous** ㊔ 세계적으로 유명한 ◦**wórldwide** ㊔ 세계적인(*worldwide* fame 세계적인 명성)

***all over the world** 세계 도처에, 온 세계에
(예) It is found *all over the world.* 그것은 세계 도처에서 발견된다.
어법 *all the world over, the world over* 라고도 한다.

for all the world 아무리 보아도, 참으로, 무슨 일이 있어도
(예) They look *for all the world* like the real articles. 그것들은 아무리 보아도 실물처럼 보인다.

◦***in the world*** 《의문사를 강조하여》 도대체; 《부정어를 강조하여》 결코, 절대로
(예) What *in the world* happened? 도대체 무슨 일이냐? // She will never *in the world* marry him. 그녀는 절대로 그와 결혼하지 않을 것이다.

*◦**worm** [wəːrm]★ ㊐ 벌레, 지렁이
㊃ **wórmy** ㊔ 벌레먹은; 벌레 같은

◦**worn-out** [wɔ̀ːrnáut] ㊔ 써서 낡은, 닳아 해진; 기진맥진한; 케케 묵은
(예) *worn-out* motorcars 써서 낡은 자동차 // He looks *worn-out.* 그는 기진맥진한 것처럼 보인다.

***wor·ry** [wə́ːri / wʌ́ri] ㊙ ㊋ 괴롭히다(=annoy), 애태우다(=vex); 걱정하다(=be anxious) ㊐ 걱정(=anxiety); 걱정거리, 번민

◦***worry*** 〔***be worried***〕 ***about*** ～을 걱정하다
(예) They *worry* 〔*are worried*〕 *about* their son's health. 그들은 아들의 건강을 염려한다.

***worse**★ [wəːrs] ㊔ 더 나쁜 ㊕ 더 나쁘게
(예) *worse* than useless 유해 무익한
어법 ill, bad의 비교급. 최상급은 worst.

to make matters worse 설상가상으로
(예) *To make matters worse,* there was a big flood which destroyed all his paintings. 설상가상으로 큰 물이 나서 그의 그림은 죄다 망그러지고 말았다.

***wor·ship** [wə́ːrʃip]★ ㊐ 숭배, 예배 ㊙ ㊋ 숭배하다(=revere), 예배하다
반 contémpt 경멸
㊃ **wórship(p)er** ㊐ 숭배자, 예배자

◦**worst** [wəːrst] ㊔ 가장 나쁜, 최악의 ㊕ 가장 나쁘게
어법 ill, bad의 최상급. 비교급은 worse.
(예) ◦*worst* of all 무엇보다도 나쁜 것은 // Who sang (the) *worst*? 누가 노래를 제일 잘 못했느냐?

at (the) worst 아무리 나빠도; 최악의 상태에
(예) You will lose only five cents *at worst.* 최악의 경우라도 5센트밖에 손해를 보지 않을 것이다.

*◇**worth** [wəːrθ]★ ⓗ ~의 가치가 있는 ⓜ 가치(=value)
어법 형용사로서는 서술적 용법뿐임. 목적어를 취하는 형용사의 하나.
(예) a man of great *worth* 매우 훌륭한 사람 // This book is *worth* two dollars. 이 책은 2달러의 가치가 있다. // That picture is not *worth* a penny. 저 그림은 한 푼의 가치도 없다.
파 ◇**wórthless** ⓗ 무가치한, 하찮은 (⇨) **worthy**

*◇***worth doing*** ~할 만한 가치가 있는
(예) The book is *worth* read*ing*. 그 책은 읽을 만한 가치가 있다. (↔ It is *worth* reading the book.)

*◇***worth while*** 가치가 있는, ~할 만한
(예) Change is not *worth while* unless it is improving. 더 나아지는 것이 아니라면 변화는 가치가 없는 것이다.
어법 worth one's while의 형식으로도 같은 뜻. ◇It is worth while doing 〔to do〕의 형식으로도 쓰인다.

> **▶ 311. 접미어 y**
> 명사에 붙여서 형용사를 만들고 「~로 가득 찬」「~로 된」「~와 닮은」「~의 성질을 갖는」 등의 뜻을 나타낸다.
> (예) worth*y*, dirt*y*(더러운), hair*y*(털이 있는) 등

*◇**wor·thy** [wə́ːrði]★ ⓗ 가치 있는, ~하기에 족한; 훌륭한 ⓜ 명사(名士), 훌륭한 인물
반 unwórthy 가치가 없는
(예) His proposal *is worthy to* be considered. ↔ His proposal *is worthy of* being considered. 그의 제안은 고려할 만한 가치가 있다. (↔ His proposal is worth considering.)
파 **wórthily** ⓑ 훌륭히, 상당히

◇***worthy of*** ~의 가치가 있는, ~에 알맞은
(예) The museum is quite *worthy of* a visit. 그 박물관은 한 번 가볼 만한 가치가 충분히 있다.

*__would__ [wud (강); wəd, əd (약)]★ 〈동음어 wood〉 ⓩ will의 과거
어법 ①《간접 화법에서는 단순 또는 의지 미래를 나타냄》 ~할 것이다, ~할 작정이다: I said, "He will succeed." ↔ I said he *would* succeed. (그가 성공할 것이라고 말했다) ②《조건법에 써서》 ~할 텐데: If I had a chance, I *would* try. (만약 기회가 있으면 해볼 텐데) ③《조건문의 if-clause 속에서는 의지를 나타냄》 만약 ~할 의지가 있으면: I could do so if I *would.* (만약 하고 싶으면 그렇게 할 수 있는데) ④《과거의 습관》 ~하곤 했다. *used to* 참조: When I was young, I *would* often go there. (젊었을 때 자주 거기에 가곤 했다) ⑤《바람을 나타냄》 ~하고 싶다, ~이면 좋겠다; ~하겠다: *Would* that he were still living. (그가 아직 살아 있다면 좋겠는데) ⑥《would not 로 과거의 거부》 암만해도 ~하지 않았다: The stone *would* not move. (그 돌은 암만해도 움직이지 않았다)

*◇***_would_ 〔_should_〕 _like to_** ～하고 싶다
(예) I *would like to* do it. 나는 그것을 하고 싶다.

*◇**wound** [wu:nd]★ 명 부상, 상처 타 상처를 입히다(=injure)
(예) a *wounded* soldier 부상병 // *wound* a person's feelings 아무의 감정을 상하게 하다 // He received a bad *wound* in his arm. 그는 팔에 심한 상처를 입었다.
어법 ① *wound*는 attack 당할 때에 사용하며, accident에는 *injure*를 씀. ② [waund]라고 발음하면 wind [waind] 「감다」의 과거, 과거분사.
파 ◇**wóunded** 형 상처 입은, 부상당한; (감정 등을) 상한 명 〖집합적〗 [the ～] 부상자

◇**wow** [wau] 감 야!, 아이구!, 저런! 《놀람·기쁨·고통 따위를 나타냄》 타 〖미·속어〗 (청중 따위를) 열광시키다; 대성공을 거두다 명 대성공

wran·gle [rǽŋgəl] 자 타 말다툼하다, 논쟁하다 명 말다툼

◇**wrap** [ræp] 타 자 싸다; 두르다, 휘감다 명 《보통 *pl.*》 어깨두르개
반 unwráp 포장을 끄르다
파 **wrápper** 명 싸는 사람; 포장지; (책의) 커버

◇***wrap up*** ～을 싸다; (외투 따위로) 몸을 감싸다; (일·사건 따위를) 끝내다, 종결시키다; 〖구어〗 ～을 요약하다
(예) *wrap up* a gift in 〔with〕 paper 선물을 종이에 싸다 // He *wrapped* himself *up* in a fur coat. ↔ He was *wrapped up* in a fur coat. 그는 모피 코트로 몸을 감쌌다. // We are ready to *wrap up* the truce. 기꺼이 휴전을 하겠다.

wrath [ræθ, rɑ:θ / rɔ:θ] 명 〖시〗 분노, 격노(=rage)
(예) the *wrath of* God 신의 노여움
파 **wráthful** 형 격분한

◇**wreath** [ri:θ] 명 《*pl.* ***wreaths*** [ri:ðz, ri:θs]》 화환, (연기 따위의) 소용돌이, 동그라미

wreathe [ri:ð] 타 자 동그라미가 되(게 하)다, 화환으로 만들다; 감다, 싸다

◇**wreck** [rek] 명 난파(선); 파괴(=ruin) 타 자 난파시키다〔하다〕; 파괴하다(=destroy)
파 ◇**wréckage** 명 난파, 표착물

wrench [rentʃ] 타 비틀다, 비틀어 떼다(=wrest); 삐게 하다, 삐다, (사실을) 왜곡하다 명 세차게 비틂; 접질림, 삠; 왜곡

wrest [rest] 〈동음어 rest〉 타 비틀다, 비틀어서 떼다, 왜곡하다

wres·tle [résəl] 자 타 맞붙어 싸우다, 씨름하다; (문제 따위와) 씨름하다(=struggle) 명 맞붙어 싸우기, 씨름; 분투
파 **wréstler** 명 레슬링 선수, 씨름꾼 **wréstling** 명 레슬링, 씨름

*◇**wretch** [retʃ] 명 불쌍한 사람(=sad poor person), 비참한 사람; 비열한 사람(=scoundrel)
파 *◇**wretched** [rétʃid]★ 형 불쌍한, 가엾은, 비참한

wrig·gle [rígəl] 자 타 (지렁이 따위가) 꿈틀거리다, 몸부림

치다, 꿈틀거리게 하다 ⓜ 꿈틀거림, 몸부림침

wring [riŋ] 〈동음어 ring〉 ⓣ《***wrung***》 비틀다(=twist), 짜다; 곡해하다; 착취하다
(예) He *wrung out* his wet clothes. 그는 젖은 옷을 짰다.
ⓟ **wrínger** ⓜ (비틀어) 짜는 사람 〔물건〕; 착취자

◇**wrin·kle** [ríŋkəl] ⓜ 주름, 구김살(=fold) ⓣⓙ 주름을 잡다, 주름이 지다

◇**wrist** [rist] ⓜ 손목
(예) a *wrist* watch 손목시계 // I took him by the *wrist*. ↔ I took his *wrist*. 나는 그의 손목을 잡았다.

☆**write** [rait]★ 〈동음어 right, rite〉 ⓣⓙ《***wrote; written***》 쓰다, 저술하다; (편지를) 쓰다
(예) *write down* his phone number 그의 전화 번호를 메모하다 // *write* a symphony 교향곡을 작곡하다 // He often *writes* for the magazine. 그는 그 잡지에 자주 기고한다. // She *wrote* him a letter. ↔ She *wrote* a letter *to* him. 그녀는 그에게 편지를 썼다.
ⓟ ⁑**wríter** ⓜ 저자, 문필가(=author) ***wríting** ⓜ 저작

***write to** ~에게 편지를 쓰다
(예) He *wrote* a letter of thanks *to* his teacher. 그는 선생님에게 감사의 편지를 썼다.

writhe [raið] ⓙⓣ 몸부림치다 ⓜ 몸부림
(예) *writhe* in agony 고뇌로 몸부림치다

☆**wrong** [rɔːŋ / rɔŋ] ⓗ 나쁜(=evil), 잘못된, 틀린(=mistaken) ⓜ 부정(=injustice), 과오 ⓣ 부정한 짓을 하다 ⓑ 나쁘게, 잘못하여, 그릇되게
ⓑ right 올바른, 옳음
(예) take the *wrong* way 길을 잘못 들다 // do *wrong* 나쁜 짓을 하다 // know right from *wrong* 옳고 그름을 분별하다 // *It was wrong of* you *to* strike him. ↔ *It was wrong that* you should strike him. ↔ You *were wrong to* strike him. 네가 그를 때린 것은 잘못이었다.
ⓟ **wróngly** ⓑ 그릇되어, 부당하게 **wróngful** ⓗ 부정한, 불법의, 나쁜 **wróngfully** ⓑ 부정으로, 불법으로, 나쁘게 ◇**wróngdoing** ⓜ 나쁜 짓을 함, 비행; 범죄

(be) wróng with 좋지 않은, ~에 고장이 있는
(예) Something must *be wrong with* the engine. 기관에 무슨 고장이 생긴 모양이다.

go wrong 나빠지다, 고장이 생기다; (일이) 잘 안 되다; 길을 잘못 들다
(예) All our plans *went wrong*. 우리의 모든 계획이 틀어졌다. // It is sad that students should *go wrong*. 학생들이 잘못된 길을 밟는 것은 슬픈 일이다.

in the wrong (태도·행동이) 그릇된, 나쁜
ⓑ in the right 올바른
(예) You are *in the wrong*. 네 생각은 잘못되어 있다.

◇***What's wrong with ~?*** ~의 어디가 나쁜가, 어디가 마음에 들지 않느냐

(예) *What's wrong with* telling him the truth? 그에게 진실을 말하는 것이 어디가 나쁜가?

wrought [rɔːt] [자] [타] 〖옛·시〗 work의 과거 (분사) [형] 만든, 가공한; 정교한, 공들여 세공한

X

◇**Xe·rox** [zíərɑks / zíərɔks] [명] 제록스《전자 복사기의 상표명》 [형] 제록스의 [타] [통상 x-] 제록스로 복사하다
(예) take two *Xerox* copies 제록스 코피를 두 부 만들다

Xmas [krísməs, éksməs] [명] 크리스마스(=Christmas)
[NB] 상점의 광고 따위에 사용되는 Christmas의 약어형으로 [éksməs]라고도 읽는다.

X-ray [éksrèi] [형] X선의 [명] 《보통 *pl.*》 X선 [타] X선으로 검사하다〔치료하다〕 ([NB] 명사인 때는 X rays가 더 일반적)

xy·lo·phone [záiləfòun] [명] 목금(木琴), 실로폰

Y

*◇**yacht** [jɑt / jɔt] [명] 요트, 쾌속정 [자] 요트를 타다

Yan·kee [jǽŋki] [명] 양키, 미국 사람 [형] 양키(식)의
[파] **Yánkeeism** [명] 양키 기질, 미국풍

*◇**yard** [jɑːrd] [명] 안마당(*cf.* garden); 구내; 야드《3 피트》 〖약어〗 *yd.*

yarn [jɑːrn] [명] 실, 털실; 이야기(=tale)
(예) cotton 〔woolen〕 *yarn* 면사〔털실〕

◇**yawn** [jɔːn] [명] 하품; 크게 벌어진 틈 [자] 하품을 하다(=gape); 입을 크게 벌리다

ye [ji(ː)] [대] 〖옛〗《thou의 복수형》 너희, 그대들

yea [jei] [부] 그렇고말고(=yes) [명] 긍정, 찬성

◇**yeah** [jɛə] [감] 〖미·구어〗 예, 그렇소(=yes)

☆**year** [jiər / jəː] [명] 연(年), 해; 《*pl.*》 연령
(예) ◇from *year* to *year* 해마다, 매년 // this 〔last, next〕 *year* 금〔작, 내〕년 // the *year* after next 내후년 // the *year* before last 재작년 // the following *year* 그 다음 해 // the *year* before ↔ the previous *year* 그 전해 // a child of ten *years* of age ↔ a child ten *years* old 10세의 아이 ([NB] a child of ten 또는 a child of ten *years* old의 형도 있다) // Three *years* have passed since he died. ↔ It is three *years* since he died. 그가 죽은 지 3년이 된다.
[파] **yéarly** [형] 일년의, 매년의 [부] 연 1회, 해마다 **yéarling** [명] 만 한 살 먹은 동물, 하릅

◇***year after* 〔*by*〕 *year*** 해마다, 매년
(예) Your learning and your budding ideas will fade *year*

by year. 너의 학식과 싹트기 시작한 착상도 해마다 쇠퇴해 갈 것이다.

year in, year out; year in and year out 연중, 해마다; 언제나

(예) *Year in and year out,* I see him working hard. 그는 연중 열심히 일하고 있습니다.

all the year round 일년 내내

(예) He indulges in some sport or other *all the year round.* 그는 일년 내내 이것 저것 운동에 열중하고 있다.

(***be***) ***in*** *one'***s first** 〔**second,** etc.〕 ***year*** 만 한〔두, 따위〕 살인

(예) He was graduated *in* his 20th *year.* 그는 만 20세에 졸업했다.

◇**yearn** [jəːrn] [자] 그리워하다(=long) [~ for, after]

(예) ◇*yearn for* a long vacation 여름 휴가를 갈망하다 // *yearn to* go home 고향에 가기를 간절히 바라다 // *Yearning after* her home, she does nothing but cry. 고향이 그리워서 그녀는 울기만 한다.

[파] **yéarning** [명] 그리워함 [형] 그리워하는 **yéarningly** [부] 그리워서

yeast [jiːst] [명] 누룩, 효모, 이스트

◇**yell** [jel] [자][타] 고함치다, 외치다, 소리지르다 [명] 외침 소리

☆**yel·low** [jélou] [형] 황색의 [명] 황색 [자][타] 노랗게 되다〔하다〕

(예) the *Yellow* River 황하(黃河) // the *Yellow* Sea 황해

[파] **yéllowish** [형] 누르스름한 **yéllow-gréen** [명][형] 황녹색(의)

yelp [jelp] [자] (개가) 깽깽 짖다; 외치다 [명] 개의 짖는 소리

yeo·man [jóumən] [명] 《*pl.* ***-men***》 자유민, 향사(鄕士); 자작농, 소지주; 〖영〗 기마 의용병; 〖미〗 (해군의) 서무계 하사관

☆**yes** [jes] [부] ① 《질문·부름에 답하여》 예, 네

(예) Do you understand? — *Yes,* I do. 알았습니까? — 네, 알았습니다. // Don't you like it? — *Yes,* I do. 싫은가요? — 아뇨(좋아요). // Isn't it raining? — *Yes,* it is. 비가 오지 않는가요? — 아뇨 (비가 와요).

② 《상대방의 말에 동의를 나타내어》 그렇다

(예) He may succeed. — *Yes,* he may. 그는 성공할지도 모른다. — 그럴 거야.

③ 《의문부를 붙여, 상대의 대답을 촉구》 그래요〔서〕?,

(예) I was just thinking I'd better go and see her.— *Yes?* 그녀를 가서 만나는 게 좋으리라고 생각하던 참이다. —그래서?

— [명] yes라고 하는 말

(예) say *yes* 「네」라고 하다 〔승낙하다〕 // answer with a plain *yes* or no 예나 아니다로 명백히 대답하다

[반] no 아니

Y

☆**yes·ter·day** [jéstərdi, -dèi] [명][부] 어제, 어저께

the day before yesterday 그저께(*cf.* 「모레」는 the day after tomorrow)

☆**yet** [jet] [부] ① 《부정어를 동반하여》 아직(*cf.* still)

(예) The bell has not rung *yet.* 종은 아직 울리지 않았다. // He has not come *yet.* ↔ He has not *yet* come. 그는 아직 오지 않았다.

② 《의문문에 써서》 벌써(*cf.* already), 이미
(예) Has the bell rung *yet ?* 종은 벌써 울렸는가?

③ 《최상급을 동반하여》 이제까지
(예) This is the biggest *yet* found. 이것은 이제까지 발견된 것 중에서 가장 큰 것이다.

④ 《긍정문에 써서》 아직(도), 아직껏
(예) while there is *yet* time 아직 시간이 있는 동안에

⑤ 《종종 비교급과 더불어》 더 한층, 그 위에, 더욱 더
(예) Let practice *yet* again. 자 한 번 더 연습하자. // This story is *yet* more interesting. 이 이야기가 (그것보다) 한층 더 재미있다.

반 alrĕady 이미

— 접 그러나(=however), 그렇지만, 그럼에도 불구하고
(예) He worked hard, *yet* he failed. 그는 열심히 일했으나 실패했다. // Though rich, *yet* he is unhappy. 그는 부자이긴 하나 불행하다.

yew [juː] 〈동음어 you〉 명 〖식물〗 주목(朱木)

*◇**yield** [jiːld] 타 자 산출하다(=produce); 굴복하다(=surrender); 주다(=give) 명 산출고, 수확; 보수(=return)
(예) *yield* one*self to* temptation 유혹에 지다 // a heavy *yield* of wheat 소맥의 풍작

yield to ~을 받아들이다, ~에 지다
(예) We will never *yield to* force. 우리는 결코 폭력에 굴하지 않는다.

yield up 넘겨 주다, 포기하다
(예) He recognized the justice of my claim, and *yielded up* the land to me. 그는 나의 요구가 정당함을 인정하고 토지를 나에게 양도했다.

Y.M.C.A. 〖약어〗 Young Men's Christian Association 기독교 청년회

◇**yo·ga, Yo·ga** [jóugə] 명 유가(瑜伽), 요가《주관과 객관과의 일치를 이상으로 삼는 인도의 신비 철학》

> **▶ 312. 영미의 지명**
>
> 영미의 지명에 관하여서는 정확히 외는 것이 중요하다. 예를 들면 유명한 그리니지 천문대가 있는 Greenwi*ch*는 [grínidʒ]가 일반적이다 (Norwi*ch* [nɔ́ridʒ]도 마찬가지). 그러나 미국 뉴욕의 Greenwich Village의 경우는 [gréni*t*ʃ]로 된다. 또 철자와 발음의 관계에서는 Leicester [léstə]나 Worcester [wústə]와 같이 영국의 독특한 것도 있다.

yoke [jouk] 명 지배(支配); 속박(=bond); 멍에 타 자 멍에를 씌우다; 결합하다(=join together)

◇**yon·der** [jándər / jɔ́ndə] 형 저쪽의 부 저쪽에(=over there)

☆**you** [ju, jə, juː] 〈동음어 yew〉 대 당신, 당신들; 《일반적으로》 사람, 누구든지(=one); 《부름말》 여보세요, 이 ~ 같은 놈!

[파] ☆**your** [대] 당신의 ☆**yours** [대] 당신의 것 ☆**yoursélf** [대] 당신 자신

☆**young** [jʌŋ] [형] 젊은(=not old), 어린 [명] 《집합적으로 써서 복수 취급》 (동물의) 새끼
[반] old 늙은
(예) He is five years *younger* than I. ↔ He is *younger* than I by five years. 그는 나보다 다섯 살 연하다.
[파] (⇨) **youth. yóungish** [형] 좀 젊은 **yóungster** [명] 소년, 젊은이

young and old 노소를 불문하고, 늙은이나 젊은이나
(예) Death comes to *young and old.* 죽음은 노소를 가리지 않고 찾아온다.

*◇**youth** [ju:θ]* [명] 《*pl.* ***youths*** [ju:ðz]》 청년(=young person); 청춘(기)
[반] age 노년(老年)
[파] ◇**yóuthful** [형] 청년의, 한창 젊은 **youth hostel** 청년 숙박소

in one's youth 젊었을 때에
(예) He traveled *in* his *youth.* 그는 젊었을 때 여행 했다.

Y.W.C.A. 〔약어〕 Young Women's Christian Association 기독교 여자 청년회

Z

***zeal** [zi:l] [명] 열의, 열심(=eagerness, keenness)
[파] ◇**zealous** [zéləs] [형] 열심인 **zéalously** [부] 열심히

ze·bra [zí:brə] [명] 얼룩말

◇**ze·nith** [zí:niθ / zé-] [명] 절정(絕頂); 천정(天頂)

ze·ro [zíərou] [명] 제로, 영점(零點), 영도; 최하점; 무(無)
(예) Our hopes were reduced to *zero.* 우리들의 희망은 무(無)로 돌아갔다. // ◇The temperature stands at ten degrees above *zero.* 온도는 영상 10도를 가리키고 있다.

zest [zest] [명] 풍미(風味) (=relish), 맛, 묘미; 열정

Zeus [zu:s / zju:s] [명] (그리스 신화의) 제우스

zig·zag [zígzæg] [부] 꼬불꼬불하게, Z자형으로 [형] Z자형의 (=winding) [명] Z자형 [자] Z자형으로〔갈짓자로〕 나아가다

zinc [ziŋk] [명] 아연(亞鉛); 함석 [타] 함석을 입히다

◇**zip·per** [zípər] [명] 지퍼(=slide fastener)

zo·di·ac [zóudiæk] [명] 황도대(黃道帶); 12궁도(宮圖)

zone [zoun] [명] 대(帶), 지대(=region) [타] 띠로 두르다
(예) a safety *zone* 안전 지대

***zoo** [zu:] [명] 동물원
[원] zoological garden의 단축형

◇**zo·ol·o·gy** [zouáləd͡ʒi / -ɔ́l-] [명] 동물학
[원] zoo(=living being, animal)+logy(=science)
[파] ◇**zoological** [zòuəládʒikəl / -lɔ́dʒ-] [형] 동물학(상)의 **zoólogist** [명] 동물학자

A

abort [əbɔ́ːrt] [자] [타] 유산〔낙태〕하다; (계획 등이) 실패하다
[파] **abortion** [명] 유산, 낙태; (계획 등의) 실패
(예) We *aborted* a trip because of my brother's illness. 남동생이 아파서 여행가는 것을 취소했다.

Achilles' heel [əkíliːz híːl] [명] 유일한 약점 《아킬레스는 발꿈치 외에는 불사신이었다 함》

acid rain [명] 산성비

ad-lib [ǽdlib] [형] [부] 생각대로, 자유로이, 즉흥적으로 [자] [타] (대본에 없는 대사 등을) 즉흥적으로 주워대다〔연기하다〕
(예) He had to speak *ad-lib* because he didn't bring his notes. 그는 대본을 가지고 오지 않아 즉흥적으로 연설해야 했다.

aerobics [εəróubiks] [명] (단수 취급) 에어로빅스
(예) I do *aerobics* every day to keep fit. 나는 건강을 유지하기 위해 매일 에어로빅스를 한다.

agenda [ədʒéndə] [명] 예정표, 안건, 의사 일정
(예) the first item on the *agenda* 의사 일정의 제1항 // The matter of security was placed high on the *agenda*. 안보 문제가 매우 중요한 안건으로 잡혔다.

AI 《약어》 artificial intelligence 인공 지능

air conditioner [명] 에어컨, 냉난방 장치, 공기 조절 장치
[파] **air conditioning** [명] 냉난방 시스템, 공기 조절 장치

allergy [ǽlərdʒi] [명] 《의학》 알레르기, 과민성; 반감, 혐오
(예) an *allergy* to pollen 꽃가루 알레르기 // have an *allergy* to books 책을 아주 싫어하다
[파] **allergic** [형] 알레르기(체질)의

all-in [형] 모든 것을 포함한, 전면적인
(예) an *all-in* price 다 포함한 가격

amnesty [ǽmnəsti] ⓜ 은사, 대사(大赦), 특사
(예) grant an *amnesty* to criminals 죄인에게 은사를 내리다

Amnesty International 국제 사면 위원회, 국제 엠네스티 《정치사상범의 석방 운동을 위한 국제 조직》

Antarctica [æntɑ́ːrktikə] ⓜ 남극 대륙 (=the Antarctic Continent) (*cf.* the Arctic)

apartheid [əpɑ́ːrthèit] ⓜ 인종 차별 (정책) 《과거 남아프리카의 정치 · 사회 제도로 백인들만이 완전한 참정권을 행사하고 다른 민족들 특히, 흑인들은 격리된 학교에 다니고 격리된 지역에서 생활하도록 강요당했음》

archive [ɑ́ːrkaiv] ⓜ (보관되어 있는) 고(古)문서, 공문서; 기록 보관소; (정보 · 데이터 등의) 집적소

aroma [əróumə] ⓜ 방향(芳香), 향기
(예) the *aroma* of freshly baked bread 갓 구워낸 빵의 향

asteroid [ǽstərɔ̀id] ⓜ 《천체》 (화성과 목성 사이의) 소행성 ⓗ 별 모양의; 불가사리의〔같은〕

ATM 《약어》 automated-teller machine 자동 현금 입출금기

Aussie [ɔ́ːsi, ɔ́(ː)zi] ⓜ 오스트레일리아 (사람)

avant-garde [əvɑ̀ːntgɑ́ːrd] ⓜ (예술상의) 전위파, 아방가르드 ⓗ 전위파의

B

baby-sit [béibisìt] ⓙ ⓣ (부모가 부재 중일 때 잠시) 아이를 돌봐 주다
[파] **baby-sitter** ⓜ 베이비 시터 (잠시 아이를 돌봐 주는 사람)

backpack [bǽkpæ̀k] ⓜ (여행용의) 배낭, 등짐 ⓙ 등짐을 지고 여행하다
(예) We went *backpacking* round Europe last summer. 우리는 지난 여름에 유럽으로 배낭 여행을 갔다.
[파] **backpacker** ⓜ 배낭 여행자

beep [bi:p] ⓜ (경적 등의) 삑하는 소리, 발신음 ⓐ ⓣ 삑하고 경적을 울리다, 삑 소리를 내다
(예) The computer started *beeping*, so I knew something was wrong. 컴퓨터가 삑삑거려서 나는 뭔가 잘못되었음을 알아챘다.
[파] **beeper** ⓜ 무선 호출 장치

benchmark [béntʃmɑ̀:rk] ⓜ (일반적인) 기준, 척도
(예) His performance today has set a *benchmark* for other musicians to aim at. 오늘 그의 공연은 다른 음악가들이 목표로 삼을 기준을 세웠다.

bilingual [bailíŋgwəl] ⓗ 두 나라 말을 (사용)하는, 2개 국어를 구사하는
(예) a *bilingual* dictionary 2개 국어로 쓰여진 사전 // He is *bilingual* in English and Korean. 그는 영어와 한국어 2개 국어를 한다.

biotechnology [bàiouteknɑ́lədʒi/-nɔ́l-] ⓜ 생물공학

black hole ⓜ 《천문》 블랙홀 《초중력에 의해 빛 · 전파도 빨려든다는 우주의 가상적 구멍》

blind date ⓜ (소개에 의한) 서로 모르는 남녀간의 만남〔데이트〕
(예) I heard you went out on a *blind date* yesterday. How was it? 너 어제 소개로 데이트했다고 들었는데. 어땠어?

blockbuster [blɑ́kbʌ̀stər] ⓜ (책 · 영화) 초(超)대작, 대히트, 대성공; 고성능 폭탄
(예) the latest *blockbuster* from Hollywood 헐리우드의 최신 대히트 영화

bookmobile [búkmoubì:l] ⓜ 자동차 이동 도서관, 순회 도서관

braille [breil] ⓜ 점자(법) 《프랑스 교육자인 Louis Braille에 의해 고안됨》
(예) The instructions were written in six languages and in *braille*. 안내문은 6개국의 언어와 점자로 표기되었다.

brainstorm [bréinstɔ̀:rm] ⓐ ⓣ 브레인스토밍하다 《회의에서 모두가 아이디어를 제출하여 그 중에서

최선책을 결정하는 방법》 [명] (갑작스런) 정신 착란; (갑자기 떠오른) 묘안〔영감〕

(예) We got together to *brainstorm.* 우리는 아이디어 회의를 하기 위해 모였다.

brochure [brouʃúər] [명] 소책자 《회사나 상품에 대한 사진과 정보가 들어있는 얇은 책자》

broke [brouk] [형] 돈이 없는, 파산한

(예) I can't afford to go on holiday—I'm *broke.* 나는 휴가를 갈 수가 없다. 돈이 하나도 없다.

broken [bróukən] [형] 부서진, 망가진; (약속 · 맹세 등이) 깨진, 파기된; 낙담한, 비탄에 잠긴

(예) The camera's *broken.* 카메라가 망가졌다. // There's *broken* glass on the floor. 바닥에 깨진 유리 조각이 있다. // a *broken* promise 지켜지지 않은 약속

broken home [명] 결손 가정 《이혼 등으로 부모가 없는 가정》

buddy [bʌ́di] [명] 친구 《특히 남자끼리 또는 모르는 사이에 부르는 말》

(예) They have been great *buddies* for years. 그들은 수년간 절친한 친구로 지내고 있다. // Hey, *buddy*! Is this your car? 이봐, 친구! 이거 자네 차인가?

bungee jumping [명] 번지 점핑 《발목에 신축성 있는 로프를 매고 높은 곳에서 뛰어내리는 스포츠》

byte [bait] [명] 바이트 《컴퓨터의 정보 단위로 보통 8개의 비트로 이루어짐》

C

CAD 《약어》 computer aided design 컴퓨터를 활용한 디자인〔설계〕

camcorder [kǽmkɔ̀ːrdər] [명] 캠코더 《비디오 카메라와 비디오 카세트 리코더를 일체화한 소형 전자기기》

cameo [kǽmiòu] [명] 유명배우의 잠깐 출연 · 조연; 카메오 세공(을 한 보석)

(예) He played a *cameo* role as a dying Aids

patient. 그가 에이즈로 죽는 환자로 잠깐 출연했다.
car pool [명] (통근 때 등의) 자가용차의 합승 이용; 그 그룹
CCTV 《약어》 closed-circuit television 《공공 건물 등의 범죄 방지용으로 많이 쓰임》
CD 《약어》 compact disc 시디, 콤팩트디스크
CD-ROM 《약어》 compact disc read only memory 콤팩트디스크형 판독 전용 메모리
cell phone [명] (셀 방식의) 휴대 전화
Celsius [sélsiəs] [형] 섭씨의 (*cf.* Fahrenheit)
CEO 《약어》 chief executive officer 최고 경영자
chain store [명] 체인점, 연쇄점
cholesterol [kəléstəròul] [명] 《생화학》 콜레스테롤 《동물의 지방 · 담즙 · 혈액 및 노른자위 등에 존재함》
chopper [tʃápər] [명] 헬리콥터 (=helicopter)
CIA 《약어》 Central Intelligence Agency 《미》 중앙정보국
classified [klǽsəfàid] [형] 분류한, (광고 등이) 항목별의; (군사 정보 · 문서 등이) 비밀의
(예) a *classified* telephone directory 직업별 전화번호부 // *classified* information 비밀 정보
cliché [kli(:)ʃéi] [명] 진부한 표현, 상투적인 문구
(예) It's a *cliché* but my wedding day was the happiest day of my life. 상투적인 표현이긴 하지만 나의 결혼식 날은 내 생에 가장 행복한 날이었다.
clone [kloun] [명] 복제 생물; 꼭 닮은 것〔사람〕 [자] [타] 복제하다, 꼭 닮게 만들다
(예) Is it possible to *clone* extinct life forms? 멸종한 생명체를 복제해 내는 것이 가능할까?
coordinator [kouɔ́ːrdənèitər] [명] 조정자, 제작 진행계, 코디네이터
copywriter [kápiràitər] [명] 광고문안 작성자, 카피라이터
CPU 《약어》 《컴퓨터》 central processing unit 중앙 처리 장치
culture shock [명] 문화 쇼크 《다른 문화에 처음 접했을 때 받는 충격》
(예) He, recently arrived in London, is suffering

from *culture shock.* 그는, 최근에 런던에 도착하여, 문화 쇼크를 겪고 있다.

curator [kjuəréitər] ⓜ (도서관 · 박물관 등의) 관리자

cyber- 〖접두어〗 '전자 통신망과 가상 현실' 의 뜻

cyberspace [sáibərspèis] ⓜ 사이버스페이스 《컴퓨터 네트워크가 둘러진 가상 공간》

D

database [déitəbèis, dǽːtəbèis] ⓜ 데이터베이스 《쉽게 사용하거나 추가할 수 있는 컴퓨터에 저장된 다량의 자료》

date line [déitlàin] ⓜ (the ~) 날짜 변경선 (=the International Date Line)

debit card ⓜ 데빗 카드 《은행 예금의 인출 · 예입을 직접 할 수 있는 카드》

default [difɔ́ːlt] ⓜ 〖컴퓨터〗 디폴트값 《이미 예상한 설정이나 사전에 정한 데이터》

delete [dilíːt] ⓣ 삭제하다, 지우다

(예) Her name was *deleted* from the list. 그녀의 이름이 명단에서 삭제되었다.

desktop [désktɑ̀p] ⓜ 책상의 작업면; (프로그램을 나타내는 아이콘들이 떠 있는) 컴퓨터 스크린; 탁상용 컴퓨터 (=desktop computer)

detergent [ditə́ːrdʒənt] ⓜ 합성 세제

diesel [díːzəl] ⓜ 디젤 기관〔엔진〕 (=diesel engine); 디젤 기관차〔트럭, 배 등〕

disabled [diséibəld] ⓗ 불구가 된

(예) the *disabled* 신체 장애자들

diskette [diskét] ⓜ 디스켓 《컴퓨터의 자료 및 프로그램을 저장하는 소형 자성 디스크》 (=floppy disk)

disposable [dispóuzəbəl] ⓗ 사용 후 버릴 수 있는

(예) a *disposable* razor 일회용 면도기

DIY 〖약어〗 do-it-yourself 손수 함, 손수 하는

DNA ⓜ 디옥시리보 핵산, 디엔에이 《동물이나 식물 세포 속의 유전 정보를 지닌 화학 성분》

domain [do*u*méin] ⓜ (지식 · 활동 등의) 범위, 영역; 《컴퓨터》 도메인 《인터넷에서 호스트 시스템이나 망의 일부를 식별하기 위한 인터넷 주소의 지정 단위》

domino effect ⓜ 도미노 효과 《하나의 사건이 다른 일련의 사건을 야기시키는 연쇄적 효과》

donor [dóunə*r*] ⓜ 기증자, 기부자

dot-com, dot com, dot.com [dɑ́tkòum] ⓜ 인터넷으로 상품을 파는〔서비스를 제공하는〕 회사

download [dáunlòud] ⓣ 《컴퓨터》 다운로드하다 《상위의 컴퓨터에서 하위의 컴퓨터로 데이터를 전송하다》 ⓜ 《컴퓨터》 다운로드(한 파일)

drive-in ⓜ 《미》 드라이브인 《차를 탄 채로 들어가는 식당 · 영화관 등》

(예) a *drive-in* theater 자동차 전용 극장

drive-through ⓜ 차를 탄 채로 서비스를 받는 음식점 · 은행 등

drunk driver ⓜ 《미》 음주 운전자 (=drink driver)

[파] **drunk driving** 음주 운전

DVD 《약어》 digital video disc 또는 digital versatile disc 《음악 · 영화 등을 기록하는 디스크로 CD보다 용량이 훨씬 큼》

E

e-book, ebook [íbuk] ⓜ electronic book 전자책 《종이에 인쇄되지 않고 컴퓨터 스크린 또는 휴대용 단말기로 그 내용을 읽고 보고 들을 수 있는 도서》

e-business [íbiznis] ⓜ electronic business 인터넷 비즈니스 《인터넷을 활용한 상품을 사고 파는 등의 사업 활동》

e-card [íkɑːrd] ⓜ 온라인 카드

e-commerce [íkɑməːrs] ⓜ electronic commerce 전자 상거래

ecosystem [íːkousìstəm] ⓜ (the ~) 생태계

ecotourism [íːkoutùərizm] ⓜ 환경 (보호) 지향의 관광 여행

email, e-mail, E-mail [íːmèil] ㊔ electronic mail 전자 우편《컴퓨터 네트워크를 이용하여 주고받는 메시지; 그 시스템》

e-money [íːmʌni] ㊔ electronic money 전자 화폐《인터넷 상에서 사용되는 돈으로 실제 화폐의 형태가 있거나 한 나라에 속하지는 않음》(=e-cash)

emoticon [imóutikɔn] ㊔ 이모티콘《전자 우편 등에서 감정을 표현하는 데 사용하는 것으로 기호나 문자를 조합하여 만든 사람 표정의 그림》

[원] emotion(감정)+icon(아이콘)

endorphin [endɔ́ːrfin] ㊔ 《생화학》 엔도르핀《동물의 뇌 등에서 추출되는 모르핀과 같은 진통 효과를 가지는 물질의 총칭》

EQ 《약어》 emotional quotient 감성 지수 (*cf.* IQ); educational quotient 교육 지수

ER 《약어》 emergency room 응급 치료실

ESL 《약어》 English as a Second Language 제2 언어로 사용하는 영어

EU 《약어》 European Union 유럽 연합

euro [júərо] ㊔ 유로화《유럽 연합(EU)의 통합 화폐 단위》

Expo, expo [ékspou] ㊔ 《*pl.* expos》 전람회, 박람회 (=exhibition, fair) ※ exposition의 줄임말.

expressway [ikspréswèi] ㊔ (인터체인지가 완비된) 고속 도로 (=express highway)

extreme sport ㊔ 극한〔위험〕 스포츠《생명의 위협을 무릅쓰고 갖가지 고난도 묘기를 펼치는 모험 레포츠; 인공 암벽등반, 인라인 스케이트, 스케이트보드, 스카이 서핑 등》

eye-catcher ㊔ 눈이 휘둥그레지게 하는 것, 놀랄 만한 일; 매력적인 여자

[파] **eye-catching** ㊕ 눈길을 끄는

eye-opener [áiòupənər] ㊔ 눈이 휘둥그레질 만한 것〔사건, 미인〕 (=eye-catcher); 진상을 밝히는 새 사실〔사람〕

[파] **eye-opening** ㊕ 눈이 휘둥그레질 만한, 놀라운

e-zine [íːziːn] ㊔ electronic magazine 전자 잡지《돈을 지불하면 인터넷 상에서 읽을 수 있는 잡지》

F

fast food ⓜ 패스트 푸드, 간이〔즉석〕 식품

FAQ 《약어》 《컴퓨터》 frequently asked question 뉴스 그룹이나 게시판에서 사람들이 일반적으로 흔히 하는 질문

fax [fæks] ⓜ 팩시밀리 (=facsimile), 팩스

FBI, F.B.I. 《약어》 Federal Bureau of Investigation 《미》 연방 수사국

feedback [fíːdbæ̀k] ⓜ (정보 · 질문 · 서비스 등을 받는 측의) 반응, 의견, 감상

FIFA 《약어》 Federation of International Football Association 국제 축구 연맹

floppy disk ⓜ 《컴퓨터》 플로피디스크 《외부 기억용의 플라스틱제 자기(磁氣) 디스크》 (=floppy, diskette) (*cf.* hard disk)

font [fɑnt] ⓜ 《인쇄》 《미》 종류와 크기가 같은 활자 한 벌; 《컴퓨터》 글자체, 폰트

format [fɔ́ːrmæt] ⓜ (서적 등의) 체제, 형(型), 판형; (라디오 · 텔레비전 프로 등의) 전체 구성, 체제; 《컴퓨터》 틀잡기, 포맷, 형식 ⓣ (formatted; formatted) 형식에 따라 배열하다〔만들다〕; 《컴퓨터》 포맷에 넣다

franchise [frǽntʃaiz] ⓜ 《미》 독점 판매〔가맹〕권, 체인점 영업권; 선거권, 참정권; 특권, 특허
(예) This fast-food restaurant is operated under *franchise*. 이 간이 음식 전문 식당은 체인점 영업권 아래 운영되고 있다.

free kick ⓜ 《축구 · 럭비》 프리 킥 《반칙에 대한 벌로서 허용되는 킥》

free-lance [fríːlǽns] ⓗ ⓑ 자유 계약의〔으로〕; 비전속의〔으로〕 ⓙ ⓣ (작가 · 배우 등이) 자유로운 입장에서 활동〔기고〕하다
[파] **free-lancer** ⓜ 프리랜서, 자유 계약자

freeway [fríːwèi] ⓜ 《미》 교차는 입체 교차로로 하고 출입 제한이 된 다차선식 고속 도로; 무료 간선 도로 (《영》 motorway)

French fries 명 《*pl.*》 감자 튀김

G

galaxy [gǽləksi] 명 (the G-) 은하, 은하수 (=the Milky Way); 은하계

garage sale 명 〖미〗 (이사하거나 할 때 보통 자기 집 차고에서 파는) 중고 가정용품〔정리품〕 염가 판매

GATT 〖약어〗 General Agreement on Tariffs and Trade 관세 및 무역에 관한 일반 협정

gay [gei] 〖미〗 형 동성 연애(자)의 명 동성 연애(자), 호모 (*cf.* lesbian)

GDP 〖약어〗 gross domestic product 국내 총생산 (*cf.* GNP)

genetic engineering 명 유전자 공학

genetics [dʒinétiks] 명 《*pl.*》 (단수 취급) 유전학

genome, -nom [dʒíːnoum] 명 〖생물〗 게놈 《염색체의 1조(祖)》

globalize [glóubəlàiz] 자 타 세계화하다, 전 세계에 퍼뜨리다〔미치게 하다〕

파 **globalization** 명 (금융 · 기업 등의) 국제화, 세계화

global village 명 (the ~) 지구촌 《통신의 발달로 일체화한 세계》

global warming 명 지구 온난화 (현상)

GM 〖약어〗 genetically modified 유전자 조작된, 유전자 조작의

(예) *GM* tomatoes 유전자 조작된 토마토

grand slam 명 (골프 · 테니스 등의) 그랜드 슬램 《주요한 대회를 모두 제패함》; 대성공, 완승

green belt 명 (도시 주변의) 녹지대(綠地帶), 그린벨트

greenhouse effect 명 (the ~) 온실 효과

Greenpeace 명 그린피스 《1969년에 결성된 핵무기 반대 · 야생 동물 보호 등의 환경 보호를 주장하는 국제적인 단체》

H

hacker [hǽkər] ⓜ 《컴퓨터》 해커 《다른 사람의 컴퓨터 시스템에 불법으로 침입하는 사람》

hacking [hǽkiŋ] ⓜ 《컴퓨터》 광적인 컴퓨터 조작; 해킹

Halloween [hæ̀ləwíːn] ⓜ 모든 성인(聖人)의 날 전야 《10월 31일 밤. 가장한 어린이들이 집집마다 다니며 "Trick or treat!"을 외치고 초콜릿과 캔디를 얻어 감.》

hard core ⓜ (정당 등의) 핵심, 중핵; (사회 · 조직의) 비타협 분자, 강경파; 하드코어 록 (음악)

파 **hard-core** ⓗ (포르노 영화 · 소설 등) 성 묘사가 노골적인

hard disk ⓜ 《컴퓨터》 하드 디스크 《자성체를 코팅한 금속 원판으로 된 자기(紫氣) 디스크》 (*cf.* floppy disk)

HDTV 《약어》 high-definition television 고선명 텔레비전 《현행 텔레비전보다 약 2배의 주사선(走査線)을 갖춘 고품위 텔레비전》

headhunter [hédhʌ̀ntər] ⓜ (기업의) 인재 스카우트 담당자

headset [hédsèt] ⓜ 《미》 마이크가 달린 헤드폰

hegemony [hidʒéməni] ⓜ 패권, 지도권, 주도권, 헤게모니

hertz [həːrts] ⓜ 《*pl.* hertz, hertzes》 헤르츠 《진동수 · 주파수의 단위; 기호 Hz》

high-five ⓜ 하이파이브 《우정 · 승리의 기쁨을 나누기 위해 손을 들어 상대의 손바닥을 마주치는 행동》 ⓐ ⓣ 하이파이브하다

high-tech [háiték] ⓗ 하이테크의 《최첨단의 기술과 기계, 특히 전자 공학적인 것을 이용하는》

(예) *high-tech* industries 하이테크 산업

hijack, highjack [háidʒæ̀k] ⓣ (배 · 비행기를) 약탈하다, 공중〔해상〕 납치하다; 강요〔강제〕하다

파 **hijacking** ⓜ 공중〔해상〕 납치 **hijacker** ⓜ 하이잭 범인

hip-hop, hip hop [híphàp] 명 힙합 《1980년대 미국에서 유행하기 시작한 새로운 감각의 춤과 음악; 랩 뮤직 · 브레이크 댄싱 · 낙서 예술이 포함됨》

HIV 《약어》 Human Immunodeficiency Virus 인류 면역 결핍 바이러스; AIDS 바이러스

holocaust [hάləkɔ̀:st] 명 대학살; (the H-) 나치스의 유대인 대학살

homecoming [hóumkʌ̀miŋ] 명 귀향, 귀가, 귀국; 《미》 동창회

home page 명 《컴퓨터》 홈 페이지 《인터넷의 월드 와이드 웹(World Wide Web) 서비스에 접속했을 때 처음으로 나타나는 화면》

homosexual [hòuməsékʃuəl] 형 명 동성애의 (사람); 동성의

파 **homosexuality** 명 동성애, 동성 성욕

hooligan [hú:ligən] 명 무뢰한, 깡패; 《영》 (축구 시합 등의) 난폭한〔난동 부리는〕 관객

housewarming [háuswɔ̀:*r*miŋ] 명 집들이

HTML 《약어》 《컴퓨터》 Hypertext Markup Language 《www에서 웹 페이지를 작성하기 위해 사용되는 언어의 이름》

hyperlinks [hàipə*r*líŋks] 명 《컴퓨터》 하이퍼링크스 《문서 · 비디오 · 그래픽스 · 소리 등을 짜 맞추어 다각적으로 정보로 제시하기 위해 연결하는 링크스》

I

icon [áikαn] 명 《컴퓨터》 쪽그림 《컴퓨터의 각종 기능 · 메시지를 나타낸 그림 문자》; 우상 (=idol); (예수 · 성인 등의) 성화상, 성상(聖像) (=ikon)

ID 《약어》 identification 신분 증명, 신원 확인

(예) *ID* card 신분증

I.M.F., IMF 《약어》 International Monetary Fund 국제 통화 기금

Inc. 《약어》 《미》 (기업명 뒤에) Incorporated (《영》 Ltd.)

inline skate 명 인라인 스케이트

internet [íntərnèt] ⓜ (the I-) 인터넷 《전자 정보망을 중심으로 한 국제적 컴퓨터 네트워크》 (=the Net)

internship [íntəːrnʃìp] ⓜ 인턴의 신분〔지위 · 기간〕; (일반적으로) 직업 연수〔훈련〕 계획

Interpol [íntərpɔ̀(:)l] ⓜ 인터폴, 국제 경찰 (International Police)

IQ, I.Q. 《약어》 intelligence quotient 지능 지수 (*cf.* EQ)

IT 《약어》 information technology 정보 기술

J

jamboree [dʒæ̀mbəríː] ⓜ (전국적 · 국제적인) 보이스카우트 대회, 잼버리; (정당 · 스포츠 연맹 등의) 대회

jet lag ⓜ 시차증, 시차로 인한 피로
 ㉣ **jet-lagged** ⓗ 시차증의

jinx [dʒiŋ*k*s] ⓜ 재수 없는〔불길한〕 물건〔사람〕, 불운, 징크스 ⓣ …에게 불행을 가져오다

JSA 《약어》 Joint Security Area 공동 경비 구역

junk food ⓜ 정크 푸드 《칼로리는 높으나 영양가가 낮은 포테이토 칩 같은 인스턴트 식품》

K

key word, keyword ⓜ (암호 해독 등의) 실마리〔열쇠〕가 되는 말; (작품의 주제를 나타내는) 중요〔주요〕어; (철자 · 발음 등의 설명에 쓰이는) 보기말; 《컴퓨터》 핵심어 《찾는 자료를 나타내는 핵심 단어》

L

Lan 《약어》 local area network 근거리 통신망, (빌딩 · 사무실 내 등의) 기업내 정보 통신망

laptop (computer) [lǽptɑ̀p/-tɔ̀p] ⓜ 랩탑 (컴

퓨터) 《무릎에 얹어놓을 만한 크기의 휴대용 퍼스널 컴퓨터》

Laundromat [lɔ́ːndrəmæ̀t] 명 《상표명》 동전을 넣어 작동시키는 전기 세탁기 · 건조기의 일종; (l-) (자동 세탁 건조기 등을 갖춘) 셀프서비스식 세탁소

LCD 《약어》 liquid crystal display 액정 표시(기), 액정 소자(素子)

lesbian [lézbiən] 명 여자 동성애자 (*cf.* gay)

logo 명 《*pl.* logos》 (상품명 · 회사명의) 의장(意匠) 문자, 심벌 마크, 로고

M

macro- 《접두어》 '큰…, 긴…; 초(超)' 의 뜻 《모음 앞에서는 macr-》

반 **micro-** '초미니의; 100만분의 1' 의 뜻

mailing list 명 우편물 수취인 명부

mall [mɔːl] 명 보행자 전용 상점가; 쇼핑 센터

mania [méiniə] 명 열중, 열광, …열, …광; 《의학》 조병(躁病)

(예) a football *mania* 축구광

megabyte [mégəbàit] 명 메가바이트 《컴퓨터의 기억용량 단위; 100만 바이트; 생략 MB》

merchandiser [mə́ːrtʃəndàiz] 명 상품 개발 담당자, 상품 기획자 (생략 MD)

metabolism [mətǽbəlìzəm] 명 《생물》 물질〔신진〕 대사

microchip [máikroutʃìp] 명 《전자》 마이크로칩, 극미 박편 《전자 회로의 구성 요소가 되는 미소한 기능 회로》

microwave [máikrouwèiv] 명 마이크로파(波), 극초단파 《파장이 1m−1cm의 전자기파》; 전자 레인지 (=microwave oven)

Milky Way 명 (the ~) 은하(수)

mobile phone 명 《영》 이동 전화 (=mobile, cell phone)

mp3 《약어》 MPEG Audio Layer-3 《소리 파일의

용량을 줄여서 컴퓨터의 하드 디스켓, 웹 사이트, CD, 휴대용 플레이어에 저장할 수 있도록 만들어 주는 컴퓨터 파일》

파 **mp3 player** 명 mp3 플레이어

multicultural [mʌ̀ltikʌ́ltʃərəl] 형 다문화의, 여러 가지 이문화(異文化)가 병존하는

multimedia [mʌ̀ltimíːdiə] 명 멀티미디어 《여러 미디어를 사용한 커뮤니케이션, 오락, 예술》 형 다양한 전달 수단을〔선전 매체를〕 갖는

N

nanometer [nǽnəmìːtər] 명 나노미터 《10^{-9}미터; 기호 nm》

nanotechnology [næ̀nətekndʒi] 명 미세 공학 《나노 크기의 극소 물체를 만들거나 측정하는 반도체 등의 미세 가공 기술》

NASA 〘약어〙 National Aeronautics and Space Administration 나사, 미국 항공 우주국

netiquette [nétikèt] 명 〘컴퓨터〙 네티켓 《컴퓨터 에티켓; 네트워크상에서 정보를 교환할 때의 예의》

원 net(work) + etiquette

netizen [nétizn] 명 네티즌 《컴퓨터 네트워크 사용자》

원 (inter)net + (c)itizen

NGO 〘약어〙 nongovernmental organization 비정부 조직

NIMBY 〘약어〙 not in my back yard 주변에 꺼림칙한 건축물 설치를 반대하는 주민 운동

notebook (computer) 명 노트북 컴퓨터 《책 크기 정도의 휴대하기 쉬운 컴퓨터》

O

obesity [oubíːsəti] 명 비만, 비대

파 **obese** 형 지나치게 살찐

OECD 《약어》 Organization for Economic Cooperation and Development 경제 협력 개발 기구

off-line [ɔ́(ː)flàin] ⓗ ⓑ 《컴퓨터》 오프라인의〔으로〕 《컴퓨터의 중앙 처리 장치에서 독립, 또는 그것에 직결하지 않고 작동하는》

old-fashioned ⓗ 구식의; 시대〔유행〕에 뒤진

one-way ⓗ 일방 통행의; (차표가) 편도의
(예) a *one-way* street 일방 통행로 // a *one-way* ticket 편도 승차권

ongoing [ángòuiŋ] ⓗ 전진하는, 진행 중인

on-line, online [ánlàin/ɔ́n-] ⓗ ⓑ 《컴퓨터》 온라인의〔으로〕 《통신 회선 등을 이용하여 사람 손을 거치지 않고 정보를 전송할 수 있는 상태; 계산기 시스템에서 주변 장치나 외부 장치가 중앙 처리 장치의 직접 제어를 맡는 상태》

OPEC 《약어》 Organization of Petroleum Exporting Countries 석유 수출국 기구

overdo [òuvərdúː] ⓣ ~을 지나치게 하다, 과장하다; (음식을) 너무 익히다

overnight [óuvərnàit] ⓗ ⓑ 하룻밤 동안, 밤새껏; 하룻밤 사이의〔에〕

overpass [óuvərpæ̀s] ⓜ 육교, 고가 도로

overtime [óuvərtàim] ⓜ 규정외 노동 시간, 초과 근무

ozone [óuzoun] ⓜ 《화학》 오존 《산소의 동소체로서 특유한 냄새가 나는 무색의 기체》
[파] **ozone layer** ⓜ 오존층

P

palmtop (computer) [páːmtɑp] ⓜ 팜탑 컴퓨터 《손바닥 크기의 휴대용 퍼스널 컴퓨터》

parent-in-law ⓜ 시아버지, 시어머니, 장인, 장모

parody [pǽrədi] ⓜ (풍자적 · 해학적인) 모방 시문, 야유적으로 가사를 고쳐 부르는 노래; 서투른 모방, 흉내 ⓣ 서투르게 흉내내다; 풍자〔해학〕적으로 시문을 개작하다

pasta [pɑ́:stə] ㊔ 파스타 《마카로니 · 스파게티 등을 만들기 위한 밀가루 반죽; 그 요리》

PC 〘약어〙 personal computer 개인용 컴퓨터

PDA 〘약어〙 personal digital assistant 휴대용 컴퓨터의 일종으로, 손으로 쓴 정보를 입력하거나 개인 정보 관리, 컴퓨터와의 정보 교류 등이 가능한 휴대용 개인 정보 단말기

PDP 〘약어〙 plasma display panel 〘전자〙 플라스마 화면 표시판 《방전에 의한 발광을 이용하여 글자 · 화상을 표시하는 박형(薄型) 표시 장치》

phobia [fóubiə] ㊔ (특정 사물 · 활동 · 상황에 대한) 병적 공포〔혐오〕, 공포병〔증〕

(예) I have a *phobia* about flying. 나는 비행 공포증이 있다.

PIN (number) 〘약어〙 personal identification number (은행 카드의) 비밀 번호, 개인별 식별 번호

play-off ㊔ (비기거나 동점인 경우의) 결승 경기; (시즌 종료 후의) 우승 결정전 시리즈

plutonium [plu:tóuniəm] ㊔ 〘화학〙 플루토늄 (방사성 원소; 기호 Pu)

Polaroid [póulərɔ̀id] ㊔ 〘상표명〙 폴라로이드, 인조 편광판; 폴라로이드카메라 《촬영과 현상, 인화 제작이 카메라 안에서 이루어짐》

price tag ㊔ (상품에 붙이는) 정찰, 가격표

prime minister ㊔ 국무 총리, 수상

pub [pʌb] ㊔ 〘영〙 술집, 선술집

Q

quantum [kwɑ́ntəm] ㊔ 《*pl.* quanta》 〘물리〙 양사(量子)

questionnaire [kwèstʃənέər] ㊔ 질문서, 질문표, 앙케트

(예) He answered a *questionnaire* about his hobby. 그는 취미에 관한 질문서에 답했다.

quotient [kwóuʃənt] ㊔ 〘수학 · 컴퓨터〙 몫, 지수

(예) intelligence *quotient* (IQ) 지능 지수

R

rafting [rǽftiŋ] 명 (스포츠로서) 뗏목 타기, 고무 보트로 계곡 내려가기

rain check 명 《미》 우천 입장 보상권 《야구 경기 등을 우천으로 연기할 때 다음에 관람할 수 있도록 주는 것》

take a rain check on 다음에 다시 초대하기로 약속하다

rain forest, rainforest [réinfɔ̀(:)rist] 명 《생태》 다우림(多雨林), (특히) 열대 다우림

(예) We are concerned about the destruction of the *rain forests*. 우리는 열대 다우림의 파괴를 걱정하고 있다.

RAM 《약어》 random-access memory 《컴퓨터》 임의 접근 기억 장치, 램 《컴퓨터나 주변 단말기기의 기억 장치에 널리 쓰이며 정보의 기록, 해독이 가능함》

Ramadan [ræ̀mədɑ́:n] 명 라마단 《회교 달력의 9월; 회교도가 해돋이로부터 해가 질 때까지 단식함》

real-time 형 《컴퓨터》 실시간의; (방송 등이) 즉시의, 동시의

(예) *real-time* language translations 실시간 언어 번역

recycle [ri:sáikəl] 타 재생 이용하다, 다시 순환시키다

파 **recycling** 명 재생 이용 **recyclable** 형 재생 이용할 수 있는

red carpet 명 (귀빈의 출입로에 까는) 붉은 융단; (the ~) 극진한 예우〔대접, 환영〕

roll out the red carpet (for) (~을) 정중하게 대접하다

rental [réntl] 명 임대료, 임차료

(예) Bike *rental* is 2 dollars. 자전거 임대료는 2달러이다.

replay [ri:pléi] 타 경기를 다시 하다; (녹음 · 녹화된 것을) 재생하다 명 [rí:plèi] 재경기; 재생

reset [riːsét] ㊈ 고쳐 놓다; (계기 등을) 초기 상태로 돌리다; 《컴퓨터》 재시동하다

role-play, role play ㊊ 역할 놀이 ㊈ ㊆ (실생활에서) ~의 역할을 하다; (역할을 하여) 체험하다

㊂ **role-playing** ㊊ (심리극 등에서) 역할 연기

Rollerblade™ [róulərblèid] ㊊ 《상표명》 롤러블레이드

㊆ (r-) 롤러블레이드를 타다

ROM 《약어》 read-only memory 《컴퓨터》 판독 전용 기억 장치, 롬

rsvp 《약어》 《프》 *Réondez, s'il vous plaît.* (Reply, if you please.) 회답을 바람.

S

sci-fi [sáifái] ㊊ 《*pl.* sci-fis》 공상 과학 소설 ㊌ 공상 과학 소설의

(예) a *sci-fi* movie 공상 과학 영화

㊍ science fiction

search engine ㊊ 검색 엔진 《핵심어(keyword)를 이용해서 인터넷상의 정보 자원을 찾아 주는 검색 도구 또는 서비스》

self-service ㊊ ㊌ (식당 · 매점 등의) 셀프서비스(의) 《손님이 직접 갖다 먹는 식의》

self-study ㊊ (통신 교육 등에 의한) 독학; 자기 관찰 ㊌ 독습용의; 독학으로 습득한

senior citizen ㊊ 노인, 고령자, 고령 시민 《보통 여자 60세, 남자 65세 이상의 연금 생활자》

short cut ㊊ 지름길, 최단 노선; 손쉬운 방법

(예) I took a *short cut* to school across the field. 나는 들판을 가로질러 지름길로 학교로 갔다.

SF, S.F., sf 《약어》 science fiction 공상 과학 소설〔영화〕(=sci-fi)

sneaker [sníːkər] ㊊ 《*pl.*》 《미》 고무 바닥의 운동화

SOHO [sóuhòu] 《약어》 small office, home office 소호, 재택 근무 일터 《개인이 자기 집을 사무실로 하

여 사업을 하는 소규모 업체》

spam [spæm] 명 〔컴퓨터〕 스팸 메일 《통신이나 인터넷을 통해 무차별적으로 대량 살포되는 광고성 전자메일》

Styrofoam [stáiərəfòum] 명 스티로폼 《발포(發泡) 폴리스티렌; 상표명》

symposium [simpóuziəm] 명 토론회, 좌담회, 심포지엄

syndrome [síndroum] 명 〔의학〕 증후군; (어떤 감정 · 행동이 일어나는) 일련의 징후, 일정한 행동 양식
(예) Acquired Immune Deficiency *Syndrome* (AIDS) 후천성 면역 결핍 증후군

synopsis [sinápsis] 명 《*pl.* synopses》 개관, 개요; (소설 · 영화 등의) 대강의 줄거리

T

tabloid [tǽblɔid] 명 타블로이드 신문 《쉽게 읽을 수 있는 작은 신문》; 요약; (T-) 알약, 정제
(예) The *tabloids* often attract people with sensational headlines. 타블로이드 신문들은 종종 자극적인 제목으로 사람들의 눈길을 끈다.

telecommute [téləkəmjùːt] 자 컴퓨터로 집에서 근무하다
파 **telecommuter** 명 재택 근무자

teleconference [téləkɑ̀nfərəns] 명 (전화 · 텔레비전 등을 이용한) 원격지간의 회의

telemarketing [téləmɑ̀ːrkətiŋ] 명 전화를 이용한 판매〔광고〕 활동
파 **telemarket** 자 타 전화로 판매 활동을 하다
telemarketer 명 전화로 판매 활동을 하는 사람

telephone banking 명 텔레뱅킹 《은행에 가지 않고 전화로 잔액 조회 · 계좌 이체 · 납입 등을 할 수 있는 서비스》

TESOL 〔약어〕 Teaching of English to Speakers of Other Languages 《영어를 모국어로 하지 않는 나라에서의 영어 교수》

therapy [θérəpi] [명] 치료 (=medical treatment), 치료법; 심리〔정신〕 요법
(예) speech *therapy* 언어 치료
[파] **therapeutic** [형] 치료상의; 건강 유지에 도움이 되는 **therapist** [명] (의사 등) 치료 기술의 전문가
think tank [명] 두뇌 집단, 종합 연구소 《각 분야의 전문가로 구성된 종합 연구 조직》
[파] **think tanker** [명] 두뇌 집단의 일원
Third World [명] (the ~) 제3세계 《특히 아프리카 · 아시아 등지의 개발 도상국》
tomboy [támbɔ̀i] [명] 말괄량이
transgender [trænsdʒéndər] [형] 성전환을 한 (=transgendered) [명] 성전환을 한 사람
trendy [tréndi] [형] 최신 유행의, 유행을 따르는
trigger [trígər] [명] (총의) 방아쇠; 다른 일을 유발하는 사건, 계기, 동기 [타] (일련의 사건 · 반응 등을) 일으키다, 유발하다
(예) That *triggered* off a revolution. 그것이 계기가 되어 혁명이 일어났다.
trivia [tríviə] [명] 하찮은 것, 사소한 일
[파] **trivial** [형] 하찮은, 사소한
tuition [tjuːíʃən] [명] 교수, 수업, 지도; 수업료 (=tuition fee)
two-way [형] 두 길의; 두 방향의, 상호적인; 송수신 양용의

U

UFO, ufo 《약어》 unidentified flying object 미확인 비행 물체; 비행 물체(=flying saucer)
ultraviolet [ʌ̀ltrəváiəlit] [형] 자외(선)의 [명] 자외선 《생략 UV》
(예) *Ultraviolet* rays make your skin darker. 자외선이 피부를 검게 한다.
underprivileged [ʌ̀ndərprívəlidʒd] [형] (남보다) 특권이 적은, (사회적 · 경제적으로) 혜택을 받지 못하는

반 privileged 특권〔특전〕이 있는
(예) the *underprivileged* 혜택을 덜 받고 있는 사람들

unearth [ʌnə́ːrθ] 타 (땅 속에서) 발굴하다, 파내다(=excavate); (음모 등을) 밝혀 내다, 폭로하다(=uncover)
반 cover 감추다
(예) *unearth* a hidden treasure 숨겨진 보물을 발굴하다 // The reporter *unearthed* some important secrets about her. 기자는 그녀에 관한 몇 가지 중요한 비밀을 밝혀 냈다.

UNICEF, Unicef 《약어》 United Nations Children's Fund 유니세프 《유엔 아동 기금》

update [ʌpdéit] 타 새롭게 하다, 최신의 것으로 하다; 《컴퓨터》 갱신하다 명 [ʌ́pdèit] 새롭게 하기, 갱신; 최신 정보
(예) The web site is *updated* once a month. 그 웹 사이트는 한 달에 한 번 업데이트 된다.

URL 《약어》 《컴퓨터》 uniform resource locator 인터넷에서 파일, 뉴스 그룹과 같은 각종 자원을 표시하기 위한 표준화된 논리 주소; 사용할 프로토콜(http, ftp 등), 주 컴퓨터의 이름과 주소, 파일이 있는 디렉터리 위치, 파일 이름으로 구성됨.

user-friendly 형 (컴퓨터 · 책 · 기계 등이) 사용하기 쉬운, (이용자에게) 알기 쉬운
(예) an *user-friendly* printer 사용하기 쉬운 프린터 // a *user-friendly* instruction manual 알기 쉬운 사용 설명서

U-turn [júːtəːrn] 명 U턴, 회전; (정책 등의) 180도 전환
(예) No *U-turns.* U턴 금지.

vaccine [vǽksi(ː)n] 명 백신; 《컴퓨터》 바이러스 예방 프로그램
(예) a polio *vaccine* 소아마비 백신
파 **vaccinate** 타 ～에게 예방 접종을 하다

vending machine [명] 자동 판매기
(예) a candy *vending machine* 사탕 자동 판매기
vet [vet] [명] 수의사 《veterinarian의 줄임말》 [자] [타] (동물을) 진료하다; 수의사 노릇〔일〕을 하다
(예) I took the puppy to the *vet.* 나는 강아지를 수의사에게 데려갔다.
virtual [və́ːrtʃuəl] [형] 컴퓨터에 의해 만들어지거나 행해지거나 보여지는; 가상(假想)의
virtual reality [명] 가상〔인공〕 현실 《컴퓨터로 만든 가상 공간에서 마치 현실과 같은 체험을 느끼게 하는 기술; 생략 VR》
virus [vái∂rəs] [명] 컴퓨터 바이러스 (=computer virus)
voice mail [vɔ́ismèil] [명] 음성 우편 《음성으로 기록한 것을 수신인이 확인하는 전자 시스템》
voice recognition [명] 음성 인식 《음성을 컴퓨터가 처리 가능한 것으로 인식함; 그 기술》

W

warrant [wɔ́(ː)rənt] [명] 근거, 정당한〔충분한〕 이유; 보증(이 되는 것), 담보 물건; 보증서; 영장; 허가증, 증서 [타] 정당화하다, ~의 정당한 이유〔근거〕가 되다; 확언하다, 보증하다
(예) You can't search my house without a search *warrant.* 가택 수색 영장 없이 내 집을 수색할 수 없다. // a death *warrant* 사망 증명(서) // *Warranted* for two years. 2년간 보증함.
warranty [wɔ́(ː)rənti] [명] (품질 등의) 보증(서); 정당한 근거〔이유〕
(예) This computer is still under *warranty.* 이 컴퓨터는 아직 보증 기간 중에 있다.
webmaster [wébmæ̀stər] [명] 웹 마스터 《World Wide Web 사이트를 유지하고 업그레이드하는 총괄 책임자》
web page, webpage [wébpèidʒ] [명] 웹 페이지 《웹에서는 HTML이라는 언어를 사용해 작성된 문서를

통해 정보를 교환하는데 이 때 정보 교환을 위해 HTML로 작성된 문서》

web site, website [wébsàit] ⓜ 웹 사이트 《인터넷에서 사용자들이 정보가 필요할 때 언제든지 그것을 제공할 수 있도록 웹 서버에 정보를 저장해 놓은 집합체》

webzine [wébzìːn] ⓜ 웹진, 웹 잡지 《www상의 전자 잡지》

WHO 《약어》 World Health Organization (유엔) 세계 보건 기구

window-shop [wíndouʃɑ̀p] ⓙ (사지 않고) 진열창을 들여다보며 눈요기만 하면서 다니다

[파] **window-shopping** ⓜ 진열창 안의 물건을 들여다보며 다니기 **window-shopper** ⓜ 진열창 안의 물건을 들여다보며 다니는 사람

win-win [wínwín] ⓗ (정책 등이) 어느 쪽에서도 비난받지 않을, 무난한; (교섭 등에서) 쌍방에게 다 만족이 가는, 쌍방에게 유리한

(예) It's a *win-win* proposition for the producer and the consumer. 그것은 생산자와 소비자 쌍방에게 유리한 제안이다.

workaholic [wə̀ːrkəhɔ́ːlik] ⓜ 지나치게 일하는 사람, 일벌레

workbook [wə́ːrkbùk] ⓜ 과목별 학습지도 요령; (교과서와 병행해 쓰는) 워크북, 학습장

workout [wə́ːrkàut] ⓜ 연습, 연습 경기; 기업 가치 회생 작업; 개인이 법원에 파산 신청을 내기 전에 채무 일부를 탕감해 주거나 만기를 연장해 개인에게 신용 회복의 기회를 주는 제도 (=individual workout)

workstation [wə́ːrkstèiʃən] ⓜ (책상·컴퓨터가 놓인) 근로자 1인의 자리; 작업 컴퓨터 《네트워크에 연결된 1대의 컴퓨터》

WTO 《약어》 World Trade Organization 세계 무역 기구

WWW 《약어》 World Wide Web 월드 와이드 웹 (=the Web) 《인터넷에 존재하는 정보 공간》

제 2 편　기본 문형 33

일반적으로 영문을 5 문형으로 대별한다. 그러나 이는 형식적인 분류이며, 학습과 실용적인 면을 고려한다면 더 세분할 필요가 있다. 여기서는 동사의 성질에 따라 영문의 대표적인 pattern을 33 기본 문형으로 세분하였다. 이를 완전히 습득하여 잘 활용하기 바란다.

▩ 기본 문형 일람표 ▩

제 1 문형 S×V

SP 1. S×V
SP 2. *It*×V×S
SP 3. (a) *There*×V×S
SP 3. (b) *There*×V×S +부사(구)
SP 3. (c) *Here; There*×S×V
SP 4. S×V+부사(구·절)
SP 5. (a~d) S×V+to-원형
SP 6. S×V^P+that ~

제 2 문형 S×V+C

SP 7. S×V+(대)명사·형용사·동명사·명사절
SP 8. (a) S×V+형용사+to-원형
SP 8. (b) S×V+형용사×전치사+(대)명사·동명사·절
SP 8. (c) S×V+형용사+that ~
SP 8. (d) S×V+부사(절)·전치사구
SP 9. (a) S×*be*+to-원형
SP 9. (b) S×V^P+to-원형
SP 10. *It*×*be*+C×S

제 3 문형 S×V+O

SP 11. S×V+(대)명사·명사절
SP 12. S×W+(대)명사·동명사
SP 13. S×V+to-원형
SP 14. S×V+동명사
SP 15. S×V+접속어×to-원형
SP 16. S×V+that ~
SP 17. S×V+*to*×(대)명사+that ~
SP 18. S×V+접속어×절
SP 19. (a) S×V+(대)명사+*to*+(대)명사
SP 19. (b) S×V+(대)명사+*for*+(대)명사
SP 19. (c) S×V+(대)명사+전치사+(대)명사
SP 20. S×V+*it*+전치사+(대)명사+부정사구·명사절
SP 21. S×V+(대)명사+부사
SP 22. S×V+(대)명사+부정사구·부사절

제 4 문형 S×V+O^i+O^d

SP 23. S×V+(대)명사+(대)명사
SP 24. S×V+(대)명사+(접속어×)to-원형
SP 25. S×V+(대)명사+접속어×절
SP 26. S×V+(대)명사+that ~

제 5 문형 **S×V+O+C**

SP 27. (Ⅰ) S×V+(대)명사+형용사(구)
SP 27. (Ⅱ) S×V+(대)명사+형용사(구)
SP 28. S×V+(대)명사+명사(절)
SP 29. S×V+(대)명사+과거분사
SP 30. (a) S×V+(대)명사+to-원형
SP 30. (b) S×W+(대)명사+to-원형
SP 31. S×V+(대)명사+원형
SP 32. S×V+(대)명사+현재분사
SP 33. S×V+*it*+(대)명사·형용사+구·절

제 1 문형 S×V

★ SP 1. S×V

	S	V
1.	Fire	burns.
2.	It	rains.
3.	Who	came?
4.	What he says	does not matter.
5.	Either of the two	will do.

【뜻】 1. 불이 탄다.
2. 비가 내린다.
3. 누가 왔느냐?
4. 그가 말하는 것은 문제가 되지 않는다.
5. 그 둘 중에서 어느 것이라도 좋다.

해설 동사만으로 문장의 뜻이 완전한 가장 간단한 문형. 이 문형에 쓰이는 동사를 완전자동사(Complete Intransitive Verb)라고 한다. 위 예문 중의 동사는 모두 완전자동사 용법이다. 그러나 burn은 This stove *burns* oil.(이 스토브는 석유를 연료로 한다.)의 문형에서는 oil을 목적어로 갖는 타동사가 된다. 따라서 동사의 자동사·타동사는 문형에 따라 결정되는 경우가 많다.

한편, 항상 자동사로만 쓰이는 동사도 있다. 위 예문의 **matter**는 「문제가 되다, 중대하다」의 뜻으로 자동사로서만 사용된다.

cf. It *matters* little if we are late.
(지각하더라도 별문제가 아니다.)

He ***lies*** on the grass. 〈자동사〉
(그는 잔디 위에 눕는다.)
He ***lays*** the boy on the grass. 〈타동사〉
(그는 소년을 잔디 위에 눕힌다.)

He ***starts*** from London. 〈자동사〉
(그는 런던에서 출발한다.)
He ***leaves*** London. (그는 런던을 떠난다.) 〈타동사〉

Leaves ***fell*** from the trees. 〈자동사〉
(잎이 나무에서 떨어졌다.)
The woodcutter ***felled*** a tree. 〈타동사〉
(나무꾼은 나무를 베어 넘겼다)
He ***sits*** down on a bench. 〈자동사〉
(그는 벤치에 앉는다.)
He ***sets*** the pot on the table. 〈타동사〉
(그는 단지를 식탁 위에 놓는다.)

합성 동사에도 자동사 용법을 갖는 것이 있다.

I'm sure he will *make good* in the new job.
(그는 새 일자리에서 꼭 성공할 것이다.)

이 make good는 자동사 succeed와 같은 용법을 가진 합성 동사이다.

★ SP 2. *It*×V×S(명사절)

	It × V	S(명사절)
1.	It does not matter	whether he will join us.
2.	It seems	that he is honest.
3.	It happened	that I was out of Seoul at that time.
4.	It chanced	that we rode in the same train.

【뜻】 1. 그가 우리와 함께 가든 안 가든 상관 없다.
2. 그는 정직한 사람처럼 보인다.
3. 그 당시 나는 공교롭게도 서울을 떠나 있었다.
4. 우연히 우리들은 같은 기차에 탔다.

해설 진주어가 절로 되어 길기 때문에, 형식상 **It**를 주어로 내세운 형식. **It**와 절은 동격.

cf. 1. *It matters little* whether he will join us.
2. *He seems to* be honest.
3. *I happened to* be out of Seoul at that time.
4. *We chanced to* ride in the same train.

또, It is said 〔believed〕 that ~; It turned out that ~ 따위도 이런 문형으로 쓰인다.

It is said that he invented the machine.
(그가 그 기계를 발명했다고 한다.)

cf. *They say that* he invented the machine.
He is said to have invented the machine.

It is believed that this old writing was written centuries ago.
(이 옛 문서는 수세기 전에 쓰여졌다고 믿어지고 있다.)

It turned out that his letter had been delivered to Mr. Brown by mistake. (그의 편지가 브라운씨에게 잘못 배달되었다는 것이 드러났다.)

cf. His letter turned out to have been delivered to Mr. Brown by mistake.

★ SP 3. (a) ***There*** **×V×S**

	There × V	S
1.	There is	no hope of his recovery.
2.	There is	no room for doubt about it.
3.	There is	no telling what may happen.
4.	There once lived	a great king.
5.	There seems to be	no chance of his success.

【뜻】 1. 그가 회복할 가망은 없다.
2. 그것에 대해 의심할 여지가 없다.
3. 무엇이 일어날지 아무도 모른다.
4. 이전에 훌륭한 왕이 살고 있었다.
5. 그가 성공할 기회는 없는 것같이 보인다.

해설 There is는 존재를 나타내는 형식이다. There [ðər]는 유도사에 불과하므로 「거기에」란 뜻은 없다. There is *a* cat. 라고 할 수 있으나 There is *the* cat. 라고는 할 수 없다. 특정한 것이 특정한 장소에 있는 경우는 *The* cat is on the roof. 처럼 나타낸다.

3. **There is no ~ing** 는 **It is impossible to ~, Nobody can** ~과 같으며 「~할 수 없다」란 뜻의 idiom이다.

=*It is impossible to* tell what may happen.

=*Nobody can* tell what may happen.

4. **There× *be*** 외에 다른 자동사가 쓰이는 경우도 있다.

There ***runs*** a river through this town.
(이 읍에는 강이 흐르고 있다.)

There ***stands*** a hill behind his house.
(그의 집 뒤에는 언덕이 있다.)

5. There seems to be의 주어가 no chance이므로 seems가 단수형으로 되었다.

cf. There seem to be a lot of chances of his success.
(그가 성공할 기회는 많을 것같이 보인다.)

There appeared to be no one who could equal him.
(그에게 필적할 사람이 없는 것 같았다.)

★ SP 3. (b) ***There*** **×V×S+부사(구)**

	There × V	S	부사(구)
1.	There was	a dentist	nearby.
2.	There is	someone	at the door.
3.	Are there	many apples	on your trees this year?
4.	There comes	an end	to all things.
5.	is there	Who	behind the curtain?

【뜻】 1. 근처에 치과 의사가 있었다.

2. 문에 누군가 있다.
3. 금년에는 댁의 나무에 사과가 많이 열려 있습니까?
4. 모든 것에는 종말이 온다.
5. 커튼 뒤에 누가 있느냐?

해설 존재를 나타내는 There is에 부사(구)가 붙은 형식으로, **is** 대신에 다른 완전자동사도 쓰인다. 이 경우에도 there에는 「거기에」란 뜻은 없다. 5. Who, What와 함께 there is를 쓸 경우에는 Who 〔What〕 is there?의 어순으로 된다.

★ SP 3. (c) *Here; There*×S×V

	Here *There*	S × V
1. 2.	Here Here	they come! we are!
		V × S
3. 4.	Here There	's your bag. comes the school bus!

【뜻】 1. 자, 그들이 왔다.
2. 자, 도착하였다.
3. 여기에 너의 가방이 있다.
4. 저기 학교 버스가 왔다.

해설 이 Here, There는 단순히 문장을 유도하기 위한 것이 아니므로, **Here, There**에 강세를 두고 발음한다.

★ SP 4. S×V+부사(구·절)

	S	V	부사(구·절)
1.	Who	came	in?
2.	I	went	nowhere last night.
3.	What	will happen	there?
4.	She	sings	better than he does.
5.	They	were all sitting	in the classroom, when the ceiling fell down.

【뜻】 1. 누가 들어왔느냐?
2. 나는 지난 밤 아무 데도 가지 않았다.
3. 거기서 무엇이 일어날까?
4. 그녀가 그보다 노래를 잘 한다.
5. 그들이 모두 교실에 앉아 있었는데, 그 때 천정이 내려앉았다.

해설 1. in은 여기서는 부사. Who is there in the room?에서는 전치사.

2. last night는 전치사가 쓰이지 않는 부사구. 때·거리·기간·정도·모양·연령을 나타내는 부사구는 전치사를 생략하는 용법이 있다.

He'll start ***next Sunday.*** 〈때〉
(그는 다음 일요일에 출발할 것이다.)
We walked (***for***) ***five miles.*** 〈거리〉
(우리는 5 마일 걸었다.)
I was kept standing ***all the way.*** 〈거리〉
(나는 내내 서 있었다.)
We waited (***for***) ***two hours.*** 〈기간〉
(우리는 두 시간 기다렸다.)
The thermometer rose ***ten degrees.*** 〈정도〉
(온도계는 10 도 올라갔다.)
You could do it better ***that way.*** 〈모양〉
(그렇게 하는 편이 그것을 잘 할 수 있을 것이다.)
He is ***two years*** older than I. 〈연령〉
(그는 나보다 두 살 위이다.)

3. happen 대신 합성 동사 take place도 쓰인다.
4. does는 sings의 대동사.
5. ~, when…은 「~하자, 그 때에 …」라는 뜻의 계속적 용법이다.

★ **SP 5. (a) S×V+to-원형**

	S × V	to-원형
1.	We sat down	to have a rest.
2.	Would you care	to go to the cinema?
3.	She longed	to know what had become of her son.
4.	He agreed	to go with us.
5.	Don't hesitate	to speak English.
6.	I failed	to see what he meant.

【뜻】 1. 우리는 잠시 쉬기 위하여 앉았다.
2. 영화 보러 가고 싶은 생각은 없습니까?
3. 그녀는 자기 아들이 어찌되었는지 알고 싶었다.
4. 그는 우리와 동행할 것에 동의했다.
5. 영어를 말하기를 주저해서는 안 된다.
6. 나는 그가 말하는 뜻을 알지 못했다.

[해설] 이 문형의 **to**-원형은 목적·목표·의도를 나타내고, **V**로 쓰이는 동사는 완전자동사이다.

1. 이 부정사구는 「~하기 위하여」. 뜻을 명료하게 나타내려면 in order to have a rest로 바꿔 쓰면 된다.

2~6. care, long, agree, hesitate, fail 다음에 계속되는 to-원형은 「~하기 위하여」란 뜻이 반드시 명료하지는 않지만, to-원형의 근본적인 뜻이 「~하는 방향으로; ~할 것을 목표로 하여」이므로 이 문형에 넣었다. 그러나 **care to** ~ 「~ 하고자 하다」, **long to** ~ 「~할 것을 갈망하다」, **agree to** ~ 「~할 것에 동의하다」, **hesitate to** ~ 「~하기를 망설이다」, **fail to** ~ 「~하지 못하다」처럼 기억해 두는 것이 편리하다.

cf. 2. Would you *care for* a drive?
(드라이브하고 싶은 생각이 없으십니까?)

3. She *longed for* the news of her son.
(그녀는 아들의 소식을 알고 싶었다.)
4. He *agreed to* our proposal.
(그는 우리의 제안에 동의했다.)
5. Don't *hesitate in* speak*ing* English.
(영어를 말하기를 망설이지 마라.)
6. I *couldn't* see what he meant.
(나는 그가 말하는 뜻을 알 수 없었다.)

★ SP 5. (b) **S×V+to**-원형

	S × V	to-원형
1.	He lived	to be eighty.
2.	She grew up	to be a beautiful lady.
3.	He awoke	to find himself lying on the grass.
4.	He went out	never to return.
5.	He tried	only to fail.
6.	How did you come	to know him?
7.	The news proved	to be true.
8.	He is growing	to be more obstinate.

【뜻】 1. 그는 80세까지 살았다.
2. 그녀는 성장하여 아름다운 부인이 되었다.
3. 그는 깨어보니 잔디 위에 누워 있었다.
4. 그는 나간 채 돌아오지 않았다.
5. 그는 해 보았으나 실패했다.
6. 너는 어떻게 그와 알게 되었느냐?
7. 그 소식은 사실이라는 것을 알았다.
8. 그는 더욱 완고해지고 있다.

[해설] 이 문형의 to-원형은, 결과 또는 일의 경과를 나타내는 부사 용법의 부정사구이다. 여기에 쓰인 동사는 이 문형에 속하는 대표적인 것이다.

5. **only to** ~ 「그 결과 다만 ~으로 끝나다」란 뜻으로, 결과를 나타내는 부사 용법.

6. **come to ~, get to** ~는 「~하게 되다」의 뜻.

7. prove, turn out은 「결과는 ~인 것으로 판명되다」의 뜻. to be를 생략하면 The news proved 〔turned out〕 true.로 된다. 이 경우 true는 주격 보어이므로 본래의 문장도 제 2 문형으로 보아도 좋다.

8. grow to ~은 여기서는 「점점 ~으로 되다」란 뜻.

★ SP 5. (c) **S×V+to**-원형

	S × V	to-원형
1.	He rejoiced	to hear of your success.
2.	He grieved	to hear of your brother's death.
3.	She shuddered	to think of it.

【뜻】 1. 그는 너의 성공을 듣고 기뻐했다.
2. 그는 네 형의 죽음을 듣고 슬퍼했다.
3. 그녀는 그것을 생각하고 몸서리쳤다.

해설 이 to-원형은 원인을 나타내는 부사 용법의 부정사구이다. 감정을 나타내는 동사와 함께 쓰이는 경우가 많다.

cf. 1. He rejoiced when he heard of your success. / He rejoiced at the news of your success.
2. He grieved when he heard of your brother's death.
3. She shuddered when she thought of it. / She shuddered at the thought of it.

★ SP 5. (d) **S×V+to-원형**

	S × V	to-원형
1.	A stranger happened	to come up to me.
2.	I chanced	to meet her at the hotel.
3.	He appeared	to be happy.
4.	He seemed	not to notice it.

【뜻】 1. 낯선 사람이 우연히 내게 다가왔다.
2. 나는 우연히 호텔에서 그녀를 만났다.
3. 그는 행복한 것처럼 보였다.
4. 그는 그것을 알아차리지 못한 것처럼 보였다.

해설 이 문형에 쓰이는 to-원형은 V로서 쓰인 happen, chance, appear, seem보다 뜻이 무거운 것이 특징. 이 부정사구가 명사·형용사·부사 중 어느 용법에 속하는가를 결정하기는 어렵다. 굳이 말하자면 동사 용법으로, 다음의 복문을 단문으로 나타낸 것이라고 생각하면 된다.

1. *It happened that* a stranger came up to me.
[=A stranger came up to me by chance.]
2. *It chanced that* I met her at the hotel.
[=I met her at the hotel by chance.]
3. *It appeared that* he was happy.
[=He was apparently happy.]
4. *It seemed that* he did not notice it.
[=Seemingly he did not notice it.]

★ SP 6. **S×V^P+that ～**

	S × V^P	that ～
1.	I was surprised	that he had been killed in an accident.
2.	He is disappointed	that his son has failed in the examination.

【뜻】 1. 그가 사고로 죽었으므로 나는 놀랐다.
2. 그는 아들이 시험에 낙제했으므로 실망했다.

해설 타동사 가운데는 수동태로 할 경우, 원래의 능동태의 주어를 **by** 이외의 전치사로 나타내는 동사가 있다. 1. surprise는 **be surprised at,** 2. disappoint는 **be disappointed at**으로 된다. 그런데 that-절이 계속될 경우에는 전치사가 생략되므로, 이 구문이 생긴 것이다. that 이하는 목적어가 아니기 때문에 $S \times V^P + M$의 구문으로서 분석하지 않으면 안 된다. 여기서 V의 P는 Passive를 나타낸다.

cf. 1. *It surprised me* that he had been killed in an accident.
2. *It disappoints him* that his son has failed in the examination.

♣ 이 문형에 쓰이는 주요 동사 :

She was ***surprised*** that her daughter should visit such a place.
[=She was *surprised at* her daughter visiting such a place. / *It surprised her* that her daughter should visit such a place.]
(그녀는 자기 딸이 그런 곳에 찾아와서 놀랐다.)

I am ***pleased*** that he has succeeded in the attempt.
[=I am *pleased at* his success in the attempt.]
(나는 그가 시도한 일에 성공해서 기뻤다.)

She was ***astonished*** that you had not come.
[=She was *astonished at* your not having come.]
(그녀는 네가 오지 않아서 놀랐다.)

I am ***convinced*** that the statement is true.
[=I am *convinced of* the truth of the statement.]
(나는 그 말이 사실이라고 믿는다.)

제 2 문형 S×V+C

★ SP 7. S×V+명사·대명사·형용사·동명사·명사절

	S × V	명사·형용사·동명사·명사절
1.	He is	a merchant.
2.	It is	she.
3.	I am	ill.
4.	Seeing is	believing.
5.	That he will join us is	another question.
6.	Is this	what you are looking for?
7.	He seems	ill.
8.	This rose smells	sweet.
9.	Thc parcels weigh	sixty pounds.
10.	This bridge measures	500 meters.
	의문대명사	S × V
11.	Who	is he?
12.	What price	is this watch?

뜻】 1. 그는 상인이다. 2. 그것은 그녀이다. 3. 나는 앓고 있다. 4. 보는 것이 믿는 것이다(백문이 불여 일견). 5. 그가 참가한다는 것은 별문제이다. 6. 이것이 네가 찾고 있는 것이냐? 7. 그는 앓고 있는 것 같다. 8. 이 장미는 좋은 향

기가 난다. 9. 이 소포는 무게가 60 파운드이다. 10. 이 다리는 길이가 500 미터이다. 11. 그는 누구이냐? 12. 이 시계의 값은?

해설 이 문형의 보어는 주어의 설명이 되는 부분으로, 주격보어를 수반하는 문형에 쓰이는 술부 동사는 불완전자동사이다. **be, become, get, grow**가 가장 많이 쓰인다. 4. 동명사가 S와 C로 쓰인 형식. 5. 명사절이 주어. 6. 명사절이 보어. 7. =He *seems to be* ill. / *It seems that* he is ill. 8~10. 완전자동사로 쓰이는 동사에 형용사(구)를 첨가하여 주어를 설명하는 보어로 사용한 예.

이 문형에 속하는 동사는 위에서 말한 smell, weigh measure 외에 다음과 같은 것이 있다.

His words *sound* strange. (그의 말은 이상하게 들린다.)
She *looks* pale. (그녀는 안색이 나쁘다.)
He *turned* pale. (그는 창백해졌다.)
I *feel* bad today. (오늘은 건강 상태가 나쁘다.)
cf. He *feels badly about* having lost the book.
(그는 그 책을 잃어버린 것에 대해 상심하고 있다.)

11, 12. 의문대명사가 C인 경우는 문두에 온다. 제 5 문형 **S×V+O+C**의 수동태도 이 문형으로 된다.

She was found dead in her room.
(그녀는 자기 방에서 죽어 있었다.)
cf. They found her dead in her room. (S×V+O+C)

★ SP 8. (a) S×V+형용사+to-원형

	S × V	형용사+to-원형
1.	You are	very kind to say so.
2.	We are	sorry to hear of your failure.
3.	I was	impatient for the bus to come.
4.	He was	kind enough to show me the way.
5.	The book is	too difficult for me to understand.
6.	This river is	dangerous to swim in.

【뜻】 1. 찬사의 말씀 황송합니다.
2. 네가 실패했다는 말을 듣고 유감으로 생각한다.
3. 버스가 오기를 안타깝게 기다렸다.
4. 그는 친절하게도 길을 안내해 주었다.
5. 그 책은 너무 어려워서 나는 이해할 수 없다.
6. 이 강은 헤엄치기에 위험하다.

해설 1. =*It is very kind of you* to say so.
2. =We are sorry *that you have failed.*
3. for the bus는 to come의 의미상의 주어로, 전체가 impatient에 걸린다.
4. =He *kindly* showed me the way. / He was *so kind as to* show me the way. / He *had the kindness to* show me the way.
5. =The book is *so difficult that* I can*not* understand it.
6. =*It is dangerous to* swim in this river.

(유례)

I'm very ***glad*** to hear the news.
(그 소식을 들으니 매우 기쁘다.)

She is quite ***easy*** to deceive.
(그녀는 아주 잘 속는다.)

That man is ***hard*** to please.
(저 사람은 성미가 까다롭다.)
[=It is hard to please that man.]

I shall be ***ready*** to start in two or three hours.
(두세 시간이면 출발 준비가 될 것이다.)

The grammar book proved too ***difficult*** for her son to read.
(그 문법 책은 읽어보니 그녀의 아들에게는 너무 어려웠다.)

I was ***foolish*** enough to trust such a man.
(나는 어리석게도 그런 사람을 신용했다.)

The stranger was not so ***polite*** as to take off his hat.
(그 낯선 사람은 예의 없게도 모자를 벗지 않았다.)

★ SP 8. (b) **S×V+형용사×전치사+(대)명사·동명사·절**

	S × V	형용사×전치사+(대)명사·동명사·절
1.	Aren't you	ashamed of your behavior?
2.	He is	proud of his father being a famous pianist.
3.	It is	very nice of you to come to see me.
4.	I am	doubtful (about) when I should start.

【뜻】 1. 너는 너의 행위를 수치스럽게 생각하지 않느냐?
2. 그는 부친이 유명한 피아니스트인 것을 자랑으로 여기고 있다.
3. 나를 만나러 잘 오셨습니다.
4. 나는 언제 떠나야 할지 모른다.

해설 「형용사+전치사」형의 숙어가 보어로 쓰일 때는 명사·대명사·동명사·절이 계속된다.

1. *cf.* Aren't you ashamed of what you have done?
2. his father는 동명사 being의 의미상의 주어.
3. 이 문형은 성질을 나타내는 형용사가 It is 다음에 올 때 쓰는데, SP 8 (a)의 1.을 It is...로 바꿔 쓰면 이 문형에 속한다. 성질을 나타내는 형용사로는 **absurd, bold, brave, careful, careless, cruel, foolish, good, honest, kind, naughty, nice, rude, stupid, thoughtful, thoughtless, wise, wrong** 따위가 자주 쓰이는데, **of**를 수반하여 nice of, kind of 처럼 자주 쓰인다. 이 of는 행위의 원천을, It는 상태를 나타낸다. 뒤에 오는 부정사구는 원인·이유를 나타내는 부사 용법으로 「~하다니」의 뜻으로 쓰이는 점에서 You are very nice *to come to see* me.와 같다.

It is very nice of you to come to see me.의 문장을 감탄문으로 할 때, How nice (*it is*) of you to come to see me!의 It is를 습관적으로 생략하는 이유는, nice of를 분리시킬 수 없다는 느낌이 있기 때문이다.

4. 절이 계속될 경우는 전치사가 흔히 생략된다.

(유례)

She was ***busy*** doing her homework.
(그녀는 숙제를 하느라고 바빴다.)

***busy in** ~ing*의 **in**은 습관적으로 생략된다.

It would be ***unwise of*** you not to accept his kind offer.
(네가 그의 친절한 제의를 받아들이지 않는다면 어리석은 짓일 것이다.)

It is ***stupid of*** him to make such a mistake.
(이런 잘못을 저지르다니 그는 어리석다.)

cf. He is stupid to make such a mistake.

His parents are ***glad of*** their daughter passing the examination.
(그의 양친은 딸이 시험에 합격한 것을 기뻐한다.)

I am ***sure of*** your success in the coming examination.
(이번 시험에서 너는 틀림없이 합격하리라고 생각한다.)

I am ***sick of*** your excuses.
(너의 변명은 진저리가 난다.)

It was ***careless of*** you to leave your umbrella in the classroom.
(교실 안에 우산을 놔두고 오다니 부주의했구나.)

It was ***naughty of*** Betty to pull the kitten's tail.
(새끼고양이의 꼬리를 잡아당기다니 베티도 행실이 좋지 않았구나.)

I'm not ***certain*** (***about***) where this ought to be put.
(이것을 어디에 두어야 할지 모르겠다.)

★ SP 8. (c) S×V+형용사+that ~

	S × V	형용사+that ~
1.	We are	sorry (that) you have failed.
2.	I'm	afraid I don't know.
3.	I'm	sure he will succeed.

【뜻】 1. 네가 실패한 것을 우리는 유감스럽게 생각하고 있다.
2. 잘 모르겠는데요.
3. 그는 틀림없이 잘 해낼 것이다.

[해설] 「형용사+전치사」형의 숙어에 **that** 절이 계속될 경우 전치사는 생략한다. 또 구어체에서는 that을 생략한다.

cf. 1. We are sorry *to hear* that you have failed.
We are sorry *for your failure.*
2. I'm afraid *of my ignorance.*
3. I'm sure *of his success.*

(유례)

He was not ***aware that*** she was careless.
(그는 그녀가 부주의하다는 것을 몰랐다.)

He is ***ashamed that*** his son did such a thing.
(그는 아들이 그런 짓을 한 것을 부끄럽게 여기고 있다.)

He is ***proud that*** his father was educated in England.
(그는 부친이 영국에서 교육받은 것을 자랑으로 여기고 있다.)

★ SP 8. (d) S×V+부사(절)·전치사구

	S × V	부사(절)·전치사구
1.	School is	over.
2.	Are you	in a hurry?
3.	This book is	of great use.

【뜻】 1. 수업이 끝났다.
2. 너는 급하냐?
3. 이 책은 매우 유익하다.

해설 부사는 그 형용사형을 갖지 않는 것에 한해서 보어로 쓰일 수가 있다. 전치사구가 보어로 쓰일 때는 형용사구의 역할을 한다.

(유례)

The new school is ***near*** at hand. (새 학기가 가까워졌다.)

It looks ***as if he were mad.***
(그는 마치 미친 사람처럼 보인다.)

I am ***in perfect agreement*** with you on that point.
(나는 그 점에 관해서는 너와 전적으로 같은 의견이다.)

★ SP 9. (a) S×*be*+to-원형

	S × *be*	to-원형
1.	My aim is	to make much money.
2.	You are	to blame.
3.	We are	to start tomorrow morning.
4.	He was	never to return.
5.	We are	to obey the laws.
6.	No one was	to be seen within the house.

【뜻】 1. 나의 목적은 돈을 많이 버는 것이다.
2. 네가 나쁘다.
3. 우리는 내일 아침 출발할 예정이다.
4. 그는 돌아오지 못할 운명에 놓여 있었다.
5. 우리는 법률을 지켜야 한다.
6. 집 안에는 아무도 없었다.

해설 to-원형이 주격 보어로 쓰일 때는 여러가지 뜻을 나타낸다.

1.「~하는 것」 2. to be blamed (책망되어야 할)를 습관적으로 to blame이라고 한다. 3.「~할 예정인」 4.「~할 운명인」 5.「~해야 할」 6.「~할 수 있는」

(유례)

The thing for you to do ***is to*** study hard.
(네가 해야 할 것은 열심히 공부하는 것이다.)

They ***are to*** meet at six o'clock sharp.
(그들은 6시 정각에 만나기로 되어 있다.)

You ***are to*** do your best.
(너는 최선을 다해야 한다.)

She ***was*** never ***to*** return to her native village.
(그녀는 고향 마을로 다시 돌아가지 못할 운명이었다.)

★ SP 9. (b) S×V^{P}+to-원형

	S × V^{P}	to-원형
1.	He is expected	to come back tomorrow.
2.	You are supposed	to be here at eight every day.
3.	The passengers are forbidden	to cross the rails.
4.	Those students are advised	to learn English.

【뜻】 1. 그는 내일 돌아올 것이다.
2. 너는 매일 8시에 여기에 오기로 되어 있다.
3. 승객은 선로를 횡단하는 것이 금지되어 있다.
4. 학생들은 영어를 공부하도록 충고받고 있다.

해설 *cf.* 1. We expect him to come back tomorrow.
2. **be supposed to** ~ 「~하기로 되어 있다」
3. They forbid the passengers to cross the rails.
4. They advise those students to learn English.

★ SP 10. ***It***×***be***+C×S

	It×be	C	S
1.	It is	careless	to make a mistake.
2.	It is	difficult	for you to read this book.
3.	It's	no use	your trying to do that.
4.	It was	a pity	that you couldn't come.
5.	It is	doubtful	whether he will agree with us.

【뜻】 1. 잘못을 저지르는 것은 부주의이다.
2. 네가 이 책을 읽기는 어렵다.
3. 네가 그것을 할려고 해도 소용 없다.
4. 네가 올 수 없었던 것은 유감이었다.
5. 그가 우리에게 동의할지 어쩔지 의문이다.

해설 형식 주어 **It**와 동격인 진주어가 부정사구·동명사구·명사절인 예. 2. for you는 to read의 의미상의 주어, 3. your는 trying의 의미상의 주어.

♣ 이 문형에 C로 쓰이는 주요한 명사·형용사 :

It is ***desirable*** for the examination results to be made public by next week. (시험 성적이 다음 주까지 발표되는 것이 바람직하다.)

cf. It is desirable that the examination results should be made public by next week.

It is ***impossible*** for him to pass the examination. (그가 시험에 합격하기는 불가능하다.)

cf. It is impossible that he should pass the examination.

It is quite ***natural*** for a boy to work mischief.
(남자 아이가 장난치는 것은 지극히 당연하다.)
cf. It is quite natural that a boy should work mischief.
It is very ***important*** that you should work hard when young.
(젊었을 때 열심히 일하는 것은 매우 중요하다.)
cf. It is very important for you to work hard when young.
It would have been ***better*** for you to have scolded him.
(그를 나무랬더라면 더 좋았었을 텐데.)
cf. You had better have scolded him.
It's ***a pity*** you can't come.
(네가 올 수 없는 것은 유감이다.)
It is ***no wonder*** he didn't want to go.
(그가 가고 싶어하지 않았던 것은 이상하지 않다.)

제 3 문형 S×V+O

★ SP 11. S×V+명사·대명사·명사절

	S × V	명사·대명사·명사절
1.	I know	his name.
2.	He resembles	me.
3.	I believe	what he says.
4.	This book cost	ten dollars.
5.	She takes	a long time to prepare breakfast.

【뜻】 1. 나는 그의 이름을 알고 있다.
2. 그는 나를 닮았다.
3. 나는 그가 말하는 것을 믿는다.
4. 이 책의 값은 10 달러였다.
5. 그녀는 조반을 준비하는 데 오랜 시간이 걸린다.

[해설] 이 문형에 쓰이는 술어 동사는 완전타동사이다. 목적어로는, 동작의 대상 또는 그 결과 생긴 것을 나타내는 명사·대명사 또는 명사절.

2. **resemble**은 **discuss, mention**과 마찬가지로 전치사를 수반하지 않으며, **cost, take**와 마찬가지로 수동태로 할 수 없는 점에 주의.

4. **cost**는 **S×V+O^i+O^d**의 문형에도 쓰인다.
The book *cost* me ten dollars.
[=I paid ten dollars for the book.]
It *cost* him $1,000 to buy the car.
[=He paid $1,000 to buy the car.]

5. 「시간이 걸리다」란 뜻의 take는 S×V+O^i+O^{d}의 문형에도 쓰인다.
It *took* me five days to do the work.
[=The work *took* me five days to do.]

♣ 이 문형에 쓰이는 주요 동사 :
I have ***done*** all my homework.
(나는 숙제를 전부 끝마쳤다.)

This theater ***holds*** nearly 3,000 people.
(이 극장은 약 3,000 명을 수용할 수 있다.)
We ***discussed*** the matter over a cup of coffee.
(우리는 커피를 마시면서 그 문제를 토의했다.)
This paragraph ***concerns*** his early life.
(이 장은 그의 유년 시대의 생활에 관한 것이다.)
Nowadays we can never ***open*** a newspaper without finding some sad accidents.
(요즈음 신문을 펴보면 반드시 슬픈 사고가 몇 개 게재되어 있다.)
I never ***heard*** that such a thing had been invented.
(그런 물건이 발명되었다는 것을 들은 적이 없었다.)
He ***left*** town at 11 a.m., so we may ***expect*** him here by 2.30 p.m.
(그는 오전 11시에 읍을 떠났으므로, 오후 2시 30분까지는 여기에 올 것이다.)
The later 17th century ***saw*** the founding of many scientific societies in Europe.
(17세기의 후반에 유럽에서는 많은 과학 협회가 설립되었다.)
She ***married*** my brother.
(그녀는 나의 형과 결혼했다.)
We have just ***missed*** the train.
(우리는 막 기차를 놓쳤다.)
He ***suspected*** that one of them was a spy.
(그들 중 한 사람이 스파이가 아닐까 하고 그는 의심했다.)
He never ***understands*** anything his teacher says.
(그는 선생님이 말하는 것은 아무 것도 모른다.)
Were you ***wearing*** that dress when I first saw you at the station?
(내가 역에서 처음 너를 만났을 때, 너는 그 드레스를 입고 있었느냐?)
He ***repents*** that he was idle in his youth.
(그는 젊었을 때 태만했던 것을 후회하고 있다.)
[=He repents of having been idle in his youth.]
He ***complained*** that his room was too cold.
(그는 자기의 방이 너무 춥다고 불평했다.)
I ***remember*** that I saw him somewhere.
(나는 그를 어디선가 만난 것을 기억하고 있다.)
He ***denied*** that he had stolen that watch.
(그는 그 시계를 훔친 것을 부인했다.)
He ***pretended*** that he did not hear her.
(그는 그녀가 말하는 것이 들리지 않는 체했다.)
cf. He pretended not to hear her.
I ***admit*** that it is true.
(나는 그것이 사실임을 시인한다.)
[=I admit it to be true. / I admit the truth of it.]
I ***dreamed*** a strange dream last night.
(나는 어젯밤 이상한 꿈을 꾸었다.)
The boy ***lost*** what little money he had.
(그 소년은 적은 액수이지만 가지고 있던 돈을 다 잃어버렸다.)

Illness ***prevented*** me from attending the party.
(병 때문에 나는 파티에 참석하지 못했다.)

★ SP 12. S×W(=V+부사·전치사)+명사·대명사·동명사

	S × W	명사·대명사·동명사
1.	You can rely upon	that woman.
2.	Can I count on	his help?
3.	He insists on	my going with her.
4.	He has given up	smoking.

【뜻】 1. 저 여자는 신용할 수 있다.
2. 그의 도움을 기대할 수 있을까요?
3. 그는 나에게 그녀와 함께 가라고 우긴다.
4. 그는 담배를 끊었다.

해설 「자동사+전치사」, 「타동사+부사」형의 합성 동사가 술어 동사로 되는 문형. 「타동사+부사」형의 목적어가 대명사일 때는 **give *it* up** 처럼 가운데에 삽입되는 점에 주의. 이런 문형에서는 W를 한 개의 타동사로 취급하여 수동태를 만든다.

(유례)

Yesterday I ***caught sight of*** her on the platform.
(어제 나는 플랫폼에서 그녀를 보았다.)
In his business he cannot ***do without*** a car.
(그의 장사는 자동차 없이는 할 수 없다.)
Little did I ***dream of*** seeing my mother again.
(두 번 다시 어머니를 만나리라고는 꿈에도 생각지 못했다.)
Do you ***object to*** my opening the door?
(내가 문을 열어도 괜찮겠습니까?)
I had hardly ***spoken to*** him when he was gone.
(내가 말을 건네자마자 그는 가 버렸다.)
cf. I *was spoken to* by an American.
He usually ***listen to*** the radio, but at the present moment he is watching television.
(그는 보통 라디오를 듣지만 지금은 텔레비전을 보고 있다.)
We ***thought of*** living in the country.
(우리는 시골에서 살려고 생각했다.)
Nobody has ***slept in*** that room for years.
(수년간 아무도 저 방에서 잔 사람이 없다.)
cf. That room *has not been slept in* for years.

★ SP 13. S×V+to-원형

	S × V	to-원형
1.	I should like	to swim in this river.
2.	It has begun	to rain.
3.	Remember	to post this letter.

【뜻】 1. 나는 이 강에서 헤엄치고 싶다.
2. 비가 내리기 시작했다.
3. 이 편지를 부치는 것을 잊지 마라.

해설 1. like가 to-원형을 수반할 경우는 「지금 ~하고 싶다」

의 뜻이고, 동명사를 수반할 때는 일반적으로 「~하는 것을 좋아하다」의 뜻으로 된다. I like *swimming*. (나는 수영을 좋아한다.)

3. **remember**가 **to**-원형을 수반하면 「이제부터 ~할 것을 잊지 않고 있다」의 뜻이고, ~**ing**을 수반하면 「~한 것을 기억하고 있다」의 뜻으로 된다.

think는 SP 33.에 나타나 있는 바와 같이 보어를 수반하는 것이 보통인데, 부정사구를 목적어로 쓸 경우는 다음과 같은 뜻에 한한다.

I never *thought* (=expected) *to see* you here.
(여기서 너를 만나리라고는 전혀 생각지 않았다.)

He *thinks* (=has the idea that he can *or* will) *to kill* me.
(그는 나를 죽일 수 있다고〔죽이려고〕 생각한다.)

♣ 이 문형에 쓰이는 주요 동사 :

attempt, *begin, care, *cease, *continue, dare, decide, endeavor, expect, *fear, *forget, *hate, hope, intend, learn, *like, *love, mean (=intend), *need, offer, *prefer, pretend, promise, propose, refuse, *regret, *remember, *start, *try, undertake, *want, wish (*표는 **SP 14.**에도 쓰이는 동사)

(유례)

I ***expect to*** be back on Sunday.
(나는 일요일에는 돌아올 수 있다고 생각한다.)

It wasn't for nothing that we ***tried to*** persuade him, for he ***promised to*** reconsider it.
(우리가 그를 설득하려고 했던 것은 허사가 아니었다. 왜냐하면 그는 그것을 재고하겠다는 약속을 했으니까.)

As the sky ***began to*** be overcast, we hurried.
(하늘이 흐리기 시작했으므로 우리는 서둘렀다.)

The teachers ***tried to*** think about a question.
(선생들은 어떤 문제를 생각하려고 했다.)

You must never ***wish to*** deceive others.
(남을 속이려 해서는 결코 안 된다.)

I ***wanted to*** have seen him. (그를 만나고 싶었지만 못 만났다.)

★ SP 14. S×V+동명사

	S × V	동 명 사
1.	You should stop	smoking.
2.	I have finished	writing my composition.
3.	I remember	seeing him in New York.
4.	Do you mind	my smoking here?
5.	I cannot help	respecting him.

【뜻】 1. 너는 담배를 끊어야 한다.
2. 나는 작문 쓰기를 끝마쳤다.
3. 나는 뉴욕에서 그를 만난 것을 기억하고 있다.
4. 내가 여기서 담배를 피워도 괜찮겠습니까?
5. 나는 그를 존경하지 않을 수 없다.

해설 1. *cf.* I stopped *to smoke*.
(나는 담배를 피우기 위해서 멈췄다.)

3. =I remember *that* I saw him in New York. *cf.* Remember *to see* him tomorrow. (내일 그를 만날 것을 잊지 마라.)
5. =I *cannot but* respect him.

♣ 이 문형에만 쓰이는 (부정사를 목적어로 취하지 않는) 동사 :
admit, avoid, consider, deny, dislike, enjoy, escape, excuse, finish, give up, (can't) help, leave off(=stop), mind, miss, practice, (can't) stand, stop, suggest

(유례)

I ***admit*** having cut down the tree.
(나는 그 나무를 베어버린 것을 시인한다.)

The president ***denied*** knowing anything about the matter.
(대통령은 그 문제에 대해 아무 것도 모른다고 말했다.)

She ***dislikes*** going swimming in the lake.
(그녀는 호수에 헤엄치러 가기를 싫어한다.)

Do you ***mind*** my opening the door?
(내가 문을 열어도 괜찮겠습니까?)

I ***prefer*** reading books to watching television.
(나는 텔레비전을 보는 것보다 책 읽기를 좋아한다.)

I have been ***looking forward to*** seeing you again.
(나는 당신을 다시 만나기를 손꼽아 기다리고 있었습니다.)

I ***regret*** having agreed to the proposal.
(그 제안에 동의한 것을 후회하고 있다.)

He ***could not help*** feeling proud to have such an important person for his friend. (그는 그렇게 중요한 인물을 자기의 친구로서 가지고 있는 것을 자랑으로 여기지 않을 수 없었다.)

He always ***enjoys*** reading a detective story.
(그는 항상 탐정 소설을 즐겨 읽는다.)

You should ***avoid*** keeping company with such people.
(이런 자들과 교제하는 것은 피해야 한다.)

The baby did not ***stop*** crying until he was fed.
(그 아기는 젖을 줄 때까지 울음을 그치지 않았다.)

★ SP 15. S×V+접속어×to-원형

	S × V	접속어×to-원형
1.	I don't know	how to drive a car.
2.	I wonder	what to do next.
3.	Have you settled	where to go?

【뜻】 1. 나는 자동차 운전하는 법을 모른다.
2. 다음에 무엇을 해야 좋을지 모르겠다.
3. 어디에 갈 것인지 결정했느냐?

해설 접속어란 의문사가 접속의 역할을 하여 구나 절을 인도하는 것을 말한다.
1. =I don't know how I should drive a car.
2. =I wonder what I should do next.

(유례)

Few students ***know how*** *to* solve it.
[=Few students know how they should solve it.]
(그것을 푸는 방법을 알고 있는 학생은 거의 없다.)

As he did not ***know what*** *to* do, he came to me for help.
(무엇을 해야 할지 몰라서 그는 도움을 청하러 나에게 왔다.)

★ SP 16. **S×V+that ~**

	S × V	that ~
1.	I think	(that) he knows it.
2.	I hope	you will soon get well.
3.	He suggested	that we should start early.
4.	He insisted	that I should accept his offer.

【뜻】 1. 나는 그가 그것을 알고 있다고 생각한다.
2. 네가 곧 회복되기를 바란다.
3. 우리는 일찍 출발하자고 그가 말했다.
4. 그는 내가 그의 제의를 받아들여야 한다고 주장했다.

해설 목적어로 쓰이는 that 절의 접속사 that은 구어체에서 생략된다. 특히 **hope, wish** 다음에서는 생략되는 것이 보통이다. **suggest**나 **insist**는 **that** 절에 **should**를 관용적으로 쓴다. 또, insist는 자동사이므로 목적어를 수반하려면 insist on으로 되어야 하지만, **that** 절의 앞에서는 전치사를 생략하므로 on을 쓰지 않았다.

3. *cf.* He *suggested* our starting early.
He said, "Let's start early."

4. *cf.* He *insisted on* my accept*ing* his offer.
He was insistent on my accepting his offer.

(유례)

Mary ***believes*** *that* Tom stole the money yesterday.
(메리는 톰이 어제 그 돈을 훔쳤다고 믿고 있다.)

I ***expect*** *that* I'll be back on Sunday.
(일요일에는 돌아올 수 있으리라고 생각한다.)

Do you ***think*** you can finish your task in an hour?
(한 시간에 너의 일을 끝마칠 수 있다고 생각하느냐?)

We ***decided*** *that* we would not attend the meeting.
(우리는 그 회합에 참석하지 않기로 결정했다.)
[=We decided not to attend the meeting.]

☞ would는 we의 의지를 나타낸다. 일반적으로는 should를 쓴다.

★ SP 17. **S×V+*to*×명사·대명사+that (*etc.*) ~**

	S × V	*to*×명사·대명사	that (*etc.*) ~
1.	He admitted	to me	that he had broken the vase.
2.	You will have to explain	to me	why you are late for school.
3.	He confessed	to his mother	that he had told her a lie.
4.	I suggested	to her	that we should go skiing.

【뜻】 1. 그는 자기가 그 꽃병을 깬 것을 시인했다.
2. 너는 수업에 지각하는 이유를 나에게 설명할 필요가 있을 것이다.
3. 그는 거짓말을 했다고 어머니에게 고백했다.
4. 나는 그녀에게 스키 타러 가자고 말했다.

[해설] 이 문형에 쓰이는 **to**×명사·대명사는 부사구이며, 간접목적어가 아니다.

♣ 이 문형에 쓰이는 주요 동사 : admit, confess, explain, suggest

★ SP 18. **S×V**+접속어×절

	S × V	접속어×절
1.	Nobody knows	what will happen in future.
2.	I wonder	why he is angry.
3.	Nobody will believe	how hard he worked.
4.	Can you suggest	where this tree should be planted?
5.	I will ask	when school will begin.

【뜻】 1. 장래 무엇이 일어날지 아무도 모른다.
2. 왜 그는 성을 내고 있을까.
3. 그가 얼마나 열심히 일을 하였는지 아무도 믿지 않을 것이다.
4. 이 나무를 어디에 심어야 할지 가르쳐 주지 않겠습니까?
5. 수업이 언제 시작되는지 물어보겠다.

[해설] 2. 이 wonder는 「…나 아닐까(고 생각하다)」라는 뜻을 나타내며, who, what, why, how, if, whether 따위가 이끄는 절이 뒤에 온다.

♣ 이 문형에 쓰이는 주요 동사 : know, wonder, believe, say, imagine, decide, suggest, ask, discover, discuss, show, tell, understand

★ SP 19. (a) **S×V**+명사·대명사+***to***+명사·대명사

	S×V	명사·대명사	*to*	명사·대명사
1.	He told	an interesting story	to	all of us.
2.	I sold	my car	to	a friend of mine.

【뜻】 1. 그는 우리들 모두에게 재미있는 이야기를 해 주었다.
2. 나는 자동차를 내 친구에게 팔았다.

[해설] 이 문형은 간접목적어가 길 때 쓰인다. 따라서 간접목적어가 짧은 인칭대명사의 경우는 다음의 문형을 쓴다.

cf. 1. He told *us* an interesting story.
2. I sold *him* my car.

또, 이런 문형의 수동태는 S×V+O^i+O^d와 마찬가지로, **to** 뒤에 오는 명사·대명사도 원래는 간접목적어이므로 수동태의 주어로 할 수 있다.

They gave the prize to Mr. Smith.
(그들은 스미스씨에게 그 상을 주었다.)
→ { (a) *The prize* was given to Mr. Smith.
(b) *Mr. Smith* was given the prize.
다만, (a)는 the prize에, (b)는 Mr. Smith에 중점을 두고 있다.

♣ 이 문형에 쓰이는 주요 동사 : bring, buy, cash, choose, cook, cut, do, fetch, get, leave, make, order, paint, play, reach, save, spare, write

(유례)
He ***read*** the letter ***to*** all of us.
(그는 우리 모두에게 그 편지를 읽어 주었다.)
cf. He read *me* the letter.
He ***offered*** some money ***to*** the society.
(그는 그 협회에 약간의 돈을 제공했다.)
cf. He offered *me* some money.
I still ***owe*** some ***to*** the shop.
(나는 아직 그 가게에 약간의 빚이 있다.)
cf. I owe *you* some.
He ***promised*** the book ***to*** me, not (***to***) you.
(그는 그 책을 주겠다고 나에게 약속했지, 너에게 한 것은 아니었다.)

★ SP 19. (b) **S×V+명사・대명사+for+명사・대명사**

	S × V	명사・대명사	*for*	명사・대명사
1. 2.	He bought She made	a new car coffee	for for	his son. all of us.

【뜻】 1. 그는 아들에게 새 차를 사 주었다.
2. 그녀는 우리 모두에게 커피를 끓여 주었다.

해설 이 문형에 쓰이는 동사는, 두 개의 목적어를 반드시 가져야 뜻이 완전히 된다고는 할 수 없다. He bought a new car. 만으로도 문장의 뜻이 완전하지만, 「~에게 …해 주다」의 뜻을 나타내기 위해 **for** ~를 쓴 것이다. 이 경우도 for ~가 짧은 대명사인 경우는 다음과 같이 나타낼 수 있다.
cf. 1. He bought *me* a new car.
2. She made *us* coffee.

♣ 이 문형에 쓰이는 주요 동사 : bring, buy, cash, choose, cook, cut, do, fetch, get, leave, make, order, paint, play, reach, save, spare, write

(유례)
She ***cut*** a piece of bread ***for*** her mother.
(그녀는 어머니에게 빵 한 조각을 잘라 드렸다.)
She ***ordered*** a new dress ***for*** herself.
(그녀는 자신을 위해 새 옷을 주문했다.)
Save some ***for*** your brother.
(동생을 위해 좀 남겨 두어라.)
She ***cooked*** breakfast ***for*** the old man.
(그 여자는 노인에게 아침을 지어 주었다.)

I want to ***choose*** gifts ***for*** my children.
(아이들에게 선물을 골라 주고 싶다.)

★ SP 19. (c) S×V+명사·대명사+전치사+명사·대명사

	S × V	명사·대명사	전치사	명사·대명사
1.	He asked	several questions	of	my brother.
2.	I congratulate	you	on	your success.
3.	That prevented	me	from	coming in time for school.
4.	He spends	a lot of money	on	books.

【뜻】 1. 그는 내 동생에게 몇 가지 질문을 했다.
2. 성공을 축하합니다.
3. 그 때문에 나는 수업 시간에 대어 올 수 없었다.
4. 그는 책에 많은 돈을 쓴다.

해설 ask는 He *asked* me a question.처럼 전치사를 쓰지 않는 문형에도 쓰이지만, **congratulate, prevent** 따위와 같은 동사는 이 문형으로 밖에 쓰이지 않고, 전치사도 각각 정해져 있다. 이런 것은 합성 동사를 이루는 숙어로서 기억해 두지 않으면 안 된다.

accuse ... of ~, spend ... on ~, waste ... on ~, thank ... for ~, remind ... of ~, add ... to ~, compare ... with ~, protect ... from ~ 따위.

위 예문 4.의 spend는 「spend+목적어+on+명사·대명사」의 형태로 쓰이는 외에, 동명사가 뒤따르는 경우는 「**spend**+목적어+(**in**+)~**ing**」의 형태로 쓰인다. 이 경우 in은 생략되는 경우가 많다.

The little girl ***spent*** all the morning (*in*) *writing* letters.
(그 어린 소녀는 오전 내내 편지를 쓰면서 보냈다.)

(유례)

Astonishment almost ***deprived*** the girl ***of*** her speech.
(그 소녀는 놀란 나머지 거의 말도 못했다.)

The airplane has ***robbed*** travel ***of*** its poetry.
(비행기는 여행에서 시정을 빼앗아 갔다.)

They ***took*** me ***for*** a physician.
(그들은 나를 의사로 잘못 알았다.)

I ***regard*** him ***as*** my benefactor.
(나는 그를 은인으로 간주하고 있다.)

I ***informed*** him ***of*** the accident.
(나는 그에게 그 사고를 알렸다.)

The cow ***supplies*** us ***with*** milk.
(암소는 우리에게 우유를 공급해 준다.)

I can ***discern*** good ***from*** bad.
(나는 선과 악은 식별할 수 있다.)

★ SP 20. **S×V＋*it*＋전치사＋명사·대명사＋부정사구·명사절**

	S × V	*it*	전치사	명사·대명사	부정사구·명사절
1.	He left	it	to	my own judgement	to decide whether I should carry out the plan or not.
2.	She owes	it	to	her mother's influence	that she was elected Miss Hongkong.

【뜻】 1. 그는 내가 그 계획을 실행해야 할 것인지 어떨지를 결정하는 것을 나 자신의 판단에 맡겼다.
2. 그녀가 미스 홍콩으로 뽑힌 것은 자기 어머니의 영향력 덕택이다.

해설 **leave ... to ~, owe ... to ~, take ... upon ~, put ... to** ~와 같은 동사의 목적어구가 구나 절인 경우는 형식 목적어 **it**를 써서, 진목적어를 어미에 둔다. 다만, owe 와 leave 는 다음의 문형에도 쓰인다.

cf. 1. He *left* the decision *to* my own judgement.
(그는 그 결정을 나의 판단에 맡겼다.)
2. She *owes* her success *to* her father's influence.
(그녀가 성공한 것은 아버지의 영향 덕분이다.)

★ SP 21. **S×V＋명사·대명사＋부사**

	S × V	명사·대명사	부 사
1.	You must take	your overcoat	off.
2.	Send	it	back.
3.	I saw	him	off at the airport.

【뜻】 1. 너는 외투를 벗어야 한다.
2. 그것을 되돌려 보내라.
3. 나는 그를 공항에서 전송했다.

해설 「타동사＋부사」형의 합성 동사의 목적어가 짧거나 또는 대명사인 경우 이 문형을 쓴다. 다만, 명사인 경우는 You must take *off* your overcoat. 처럼 할 수 있다. Send *it* back. 은 Send back *it*.라고 할 수는 없다. 다만, **see off**(전송하다)는 항상 「**see**＋명사·대명사＋**off**」의 형태로만 쓰인다.

★ SP 22. **S×V＋명사·대명사＋부정사구·부사절**

	S × V	명사·대명사	부정사구·부사절
1.	I sent	my son	to buy a weekly magazine.
2.	He praised	the boys	that they might work harder.
3.	They treated	me	as if I were a child.

【뜻】 1. 나는 주간지를 사 오게 아들을 보냈다.

2. 그는 소년들이 더 열심히 공부하도록 칭찬했다.
3. 그들은 나를 마치 아이처럼 다루었다.

해설 부정사구는 목적·결과를 나타내는 부사 용법. 절도 역시 목적·장소·모양·기간·결과 따위를 나타낸다.

제 4 문형 $S \times V + O^i + O^d$

★ SP 23. S×V+명사·대명사+명사·대명사

	S × V	명사·대명사	명사·대명사
1.	He gave	me	some money.
2.	Will you do	me	a favor?
3.	I asked	him	several questions.

【뜻】 1. 그는 나에게 돈을 좀 주었다.
2. 부탁할 일이 있습니다만.
3. 나는 그에게 몇 가지 질문을 했다.

해설 1. **give, send, tell, pay** 따위의 동사는 직접·간접의 두 개의 목적어를 보통 수반한다. 이들 동사는 간접목적어가 길 경우는 SP 19 (a)를 사용한다. read가 「아무에게 ~을 읽어 주다」의 뜻일 때는 이 문형으로 쓰인다.

2. 일반적으로 타동사가 두 개의 목적어를 취할 때, 「~을 위하여」란 뜻을 나타내는 목적어가 간접목적어의 위치에 들어가기에는 너무 길 때는 SP 19 (b)를 쓴다. *cf.* Will you do a favor *for* all my family?

3. ask가 두 개의 목적어를 취할 때, 인칭대명사처럼 짧은 말은 이를 먼저 내놓지만, 긴 말일 때는 SP 19 (c)를 쓴다. *cf*. I asked several quetions *of* my teacher.

★ SP 24. S×V+명사·대명사+(접속어×)to-원형

	S × V	명사·대명사	(접속어×)to-원형
1.	He promised	me	to give the book.
2.	He showed	me	how to swim.
3.	Ask	the man	where to get tickets.

【뜻】 1. 그는 나에게 그 책을 주겠다고 약속했다.
2. 그는 나에게 헤엄치는 법을 가르쳐 주었다.
3. 그 사람에게 어디서 표를 사야 할지 물어 보아라.

해설 이 문형에서는 부정사구가 직접목적어이므로, 이 문형의 수동태는 간접목적어만 주어로 될 수 있다. 이 부정사구는 절로 바꿔 쓸 수 있다.

1. He promised me *that he would give me the book.*
2. He showed me *how I should swim.*
3. Ask the man *where we can get tickets.*

또, 이와 유사한 다음 문형과 혼동하지 말 것.

He told me to read the book.
(그는 나에게 그 책을 읽으라고 말했다.)

이 문형은 S+V+O+C형으로 me는 to read the book의 의미상 주어이다. 그러나 위 예문 1.에서는 to give the book의 의미상의 주어는 문장의 주어 He이므로 $S \times V + O^{i} + O^{d}$형에 속하게 된다.

★ SP 25. S×V+명사·대명사+접속어×절

	S × V	명사·대명사	접속어×절
1.	Can you tell	me	how high the tower is?
2.	I asked	him	what he is.

【뜻】 1. 그 탑의 높이가 어느 정도인지 아느냐?
2. 나는 그에게 직업을 물어 보았다.

해설 1.=Can you tell me ***the height of the tower?***
2.=I asked him ***about his occupation.***

(유례)
I ***asked*** him *why* he was still absorbed in his work.
(나는 그에게 왜 여전히 일에 몰두하고 있는가 물어 봤다.)
Tell me *who* told you that.
(누가 너에게 그것을 말했는지 말하여라.)
He ***showed*** me *how* the machine worked.
(그는 나에게 기계가 어떻게 움직이는지 가르쳐 주었다.)

★ SP 26. S×V+명사·대명사+*that* ~

	S × V	명사·대명사	that ~
1.	He told	me	that the news was true.
2.	I informed	the policeman	that the thief must be in the hut.

【뜻】 1. 그는 나에게 그 소식은 사실이라고 말했다.
2. 나는 경관에게 도적이 오두막 안에 있음에 틀림없다고 알렸다.

해설 이 문형에 쓰이는 동사는 SP 19 (c)에도 쓰인다.
cf. 1. He told me *of the truth of the news.*
2. I informed the policeman *of the hut where the thief must be.*

1.의 수동태는 I was told that the news was true.이고, It was told me that ~은 드물게 쓰인다.

(유례)
He ***assured*** me *that* they were alive.
(그는 그들이 생존하고 있음을 나에게 보장했다.)
cf. He assured me *of their being alive.*
He ***promised*** me *that* he would be punctual.
(그는 시간을 지키겠다고 나에게 약속했다.)
Remind him *that* he must come home early.
(일찍 집에 돌아오도록 그에게 일깨워 주어라.)

제 5 문형 S×V+O+C

★ SP 27. (I) S×V+명사·대명사+형용사(구)

	S × V	명사·대명사	형용사(구)
1.	I found	the cage	empty.
2.	I like	coffee	strong.
3.	(I hope) I see	you	well.
4.	Please make	yourself	at home.

【뜻】 1. 새장이 비어 있는 것을 알았다.
2. 나는 커피가 진한 것을 좋아한다.
3. 건강하신 듯하니 무엇보다 다행입니다.
4. (스스럼 없이) 편히 하십시오.

해설 이 문형의 특징은 목적어인 명사·대명사가 보어인 형용사(구)의 의미상의 주어로 된 것이다. 다시 말하면 「목적어+보어」 전체가 V의 복합 목적어로 된다. 따라서,

1. =I found *that the cage was empty.* 이것은 I found the empty cage. (나는 빈 새장을 발견했다.)와 같지 않다.

2. =I like coffee *to be* strong.
다만, to be가 있으면 형식에 사로잡힌 표현이 된다.

3. =I hope you are well now, when I see you.

4. at home(=comfortable)이라는 형용사구가 보어로 쓰인 형식으로, yourself가 그 의미상의 주어 구실을 한다. make는 사역동사.

★ SP 27. (II) S×V+명사·대명사+형용사(구)

	S × V	명사·대명사	형용사(구)
1.	He pushed	the door	open.
2.	She boiled	the egg	hard.
3.	Open	your mouth	wide.
4.	The Governor set	the prisoners	free.
5.	Raise	your head	higher.

【뜻】 1. 그는 문을 밀어서 열었다.
2. 그녀는 달걀을 푹 삶았다.
3. 입을 크게 벌려라.
4. 총독은 포로들을 석방했다.
5. 머리를 좀 더 높이 쳐들어라.

해설 이 문형에서 보어는 동사가 나타내는 동작의 결과로 생기는 상태를 나타내는 것이 특징이다. 예를 들면 예문 1.은 문을 민 결과 그 문이 열렸음을 나타낸다. 이 문형에 속하는 표현 가운데서 push open(밀어서 열다), cut short(갑자기 멈추다, 짧게 깎다), make clear(명백하게 하다), make good (달성하다), set free (석방하다)는 합성 동사로 S×W+O의 문형에 쓰인다.

★ **SP 28. S×V＋명사·대명사＋명사(절)**

	S × V	명사·대명사	명사(절)
1.	They elected	him	President of the United States.
2.	Call	it	what you will.
3.	I named	my eldest son	George after my uncle.

【뜻】 1. 그들은 그를 미합중국의 대통령으로 선출했다.
2. 그것을 부르고 싶은 대로 불러라.
3. 나는 장남을 아저씨의 이름을 따서 조지라고 했다.

해설 목적어로 쓰인 명사·대명사는, 보어로 쓰인 명사(절)와 대등한 관계를 나타내는 점에 주의. 즉, 1.에서는 *him*＝President, 2.에서는 *it*＝what you will, 3.에서는 *my eldest son*＝George의 관계가 성립된다.

cf. (a) I made him presents.
(나는 그에게 선물을 했다.)
(b) I made him my servant.
(나는 그를 하인으로 삼았다.)

(a)에서는 *him*≠presents이므로 S×V＋O^i＋O^d의 문형이지만 (b)에서는 *him*＝my servant이므로 이 문형에 속한다.

★ **SP 29. S×V＋명사·대명사＋과거분사**

	S × V	명사·대명사	과거분사
1.	He heard	his name	called.
2.	I couldn't make	myself	understood.

【뜻】 1. 그는 자기의 이름이 불리어지는 것을 들었다.
2. 나는 내 말을 상대방에게 이해시킬 수가 없었다.

해설 목적어로 쓰인 명사·대명사는 보어로 쓰인 과거분사에 대해 의미상 수동의 주어로 되는 점에 주의. 타동사의 과거분사에는 수동적인 뜻이 있다. 경험 및 사역의 ***have*** 용법에 주의. 경험을 나타내는 have는 suffer, experience의 뜻.

(유례)

He ***had*** his house ***burnt*** down in the great fire. 〈경험〉
(그는 큰불로 집이 소실되었다.)

Please ***have*** my luggage ***carried*** to the station. 〈사역〉
(어서 내 짐을 역까지 운반시켜 주십시오.)

★ **SP 30. (a) S×V＋명사·대명사＋to-원형**

	S × V	명사·대명사	to-원형
1.	I know	him	to be honest.
2.	I want	you	to do the work.

【뜻】 1. 나는 그가 정직하다는 것을 알고 있다.
2. 나는 네가 그 일을 하기 바란다.

해설 목적어로 쓰인 명사·대명사는 보어인 **to-**원형의 의미상의 주어. 1.＝I know *that he is honest.* 2.의 **want**는 **that**절

을 목적어로 수반할 수 없으므로 1.처럼 바꿔 쓸 수는 없다.

He promised me to give the book.은 $S\times V+O^i+O^d$형 이다. me는 to give의 의미상의 주어가 아니기 때문이다.

♣ 이 문형에 쓰이는 주요 동사 :

I ***believe*** it *to* have been a mistake.
(나는 그것이 과오였다고 믿는다.)
cf. I believe it was a mistake.
He ***desires*** you *to* see her. (그는 네가 그녀를 만나기 바란다.)
cf. He desires that you should see her.
He ***expected*** his son *to* succeed.
(그는 아들이 성공하기를 기대했다.)
cf. He expected that his son would succeed.
I ***ordered*** him *to* clean the room.
(그에게 방을 청소하라고 명했다.)
cf. I ordered that he should clean the room.
Careless driving will ***cause*** accidents *to* happen.
(부주의한 운전으로 사고가 일어나는 법이다.)
I ***set*** my children *to* rake the fallen leaves.
(나는 아이들에게 낙엽을 긁어 모으게 했다.)

★ SP 30. (b) S×W+명사·대명사+to-원형

	S × W	명사·대명사	to-원형
1.	We're waiting for	my father	to return.
2.	I count on	all of you	to join us.

【뜻】 1. 우리는 아버지가 돌아오시기를 기다리고 있다.
2. 나는 너희들 모두가 우리와 함께 하기를 기대하고 있다.

해설 **wait for, count on**과 같은 합성 동사가 **V**로 쓰이는 문형. my father, all of you는 각각 for, on 다음에 와서 목적격이지만, to-원형의 의미상의 주어인 점은 변함이 없다.

cf. 1. We're waiting for *my father's return.*
2. I count on *all of you joining us.*

★ SP 31. S×V+명사·대명사+원형

	S × V	명사·대명사	원형
1.	I saw	him	dance.
2.	He makes	me	work too hard.

【뜻】 1. 나는 그가 춤추는 것을 보았다.
2. 그는 나에게 지나치게 일을 시킨다.

해설 목적어로 쓰인 명사·대명사가 보어인 원형 부정사의 의미상의 주어로 된다. 원형을 쓰는 경우는 지각동사와 사역동사가 **V**로 쓰인 경우에 한한다.

이 문형이 수동태로 될 경우에는 원형에 **to**를 붙인다.

1. →He was seen ***to dance*** by me.
2. →I am made ***to work*** too hard by him.

(유례)

He ***bade*** the attendants ***leave*** the hall.
(그는 출석자에게 홀에서 나가라고 명했다.)

It was so still that you could have ***heard*** a pin ***drop.***
(너무나 조용해서 핀이 떨어져도 들릴 정도였다.)

★ SP 32. S×V+명사·대명사+현재분사

	S × V	명사·대명사	현재분사
1.	I saw	him	dancing.
2.	I can't have	my son	doing that.
3.	I found	myself	lying on the seashore.

【뜻】 1. 나는 그가 춤추고 있는 것을 보았다.
2. 아들에게 그것을 하게 할 수는 없다.
3. 내가 해안에 누워 있는 것을 알았다.

해설 1. 보어로 쓰인 현재분사는 동작이 현재 행해지고 있음을 나타낸다. 원형을 쓴 경우와는 의미상의 차이가 있으니 주의.

(a) I saw him ***dance.*** =He danced and I saw him do so.
(b) I saw him ***dancing.***
=When I saw him, he was dancing.

2. 여기에 쓰인 have는 사역동사로 allow(허락하다), suffer(묵인하다)와 같은 뜻이다. 문장의 뜻은 「아들이 현재 그것을 하고 있는 것을 그대로 허락해 둘 수는 없다」란 뜻이다.

3. =I found that I was lying on the seashore.

★ SP 33. S×V+*it*+명사·대명사·형용사+구·절

	S × V	*it*	명사·대명사·형용사	구·절
1.	I think	it	a pity	that he was injured.
2.	I think	it	dangerous	your climbing the mountain alone.
3.	Do you think	it	wrong	to tell a lie in this case?

【뜻】 1. 그가 부상한 것은 유감스럽다.
2. 네가 혼자 산에 오르는 것은 위험하다고 생각한다.
3. 이 경우에 거짓말을 하는 것은 나쁘다고 생각하느냐?

해설 목적어가 부정사구, 동명사구 또는 명사절일 때는 목적어의 위치에 **it**를 두어 형식 목적어로 한다.

2.=I think *it* dangerous *that you are going to climb* ~.
3.=Do you think *it* wrong *that we should tell a lie* ~.

(유례)

I ***find it*** quite natural ***that*** they should hate their oppressors.
(그들이 압제자를 미워하는 것은 지극히 당연하다고 생각한다.)

The simplicity of the book ***makes it*** suitable for children ***to*** read.
(이 책은 쉽기 때문에 아이들이 읽기에 적합하다.)

제 3 편　문법 필수 사항 300

문법 필수 사항이란, 영어를 운용하는 데 있어서 필요 불가결한 관용적 사실을 규칙 형식으로 요약한 것이다.
영어를 말하고, 쓰고, 해석하는 데 필요한 문법 필수 사항을 고등학교 영어 교과 과정과 대학 입시 문제의 종합적 분석을 토대로 엄선하여 항목별로 다루었다. 이것을 예문 중심으로 철저히 이해하고 암기해 두면 영어를 바르게 운용하는 데 산 지식이 될 것이다. 특히, 각 항목 아래에 주의를 요하는 사항, 이해에 도움이 될 사항 및 실력 확충을 위한 자료를 보였으므로 이를 잘 활용하기 바란다.

1. 주어와 동사의 인칭·수의 일치(Concord)

술어 동사는 그 주어와 인칭·수가 일치하지 않으면 안 되는데, 이를 일치의 법칙이라고 한다.
주어가 3인칭 단수이고, 그 술어 동사가 현재, 직설법일 때에는 그 동사에는 -s(또는 -es)를 붙인다.

▶ GR 1. 주어와 동사의 수의 일치

주어가 단수형일 때에는 동사도 단수형, 복수형일 때에는 동사도 복수형인 것이 원칙이다.

(예) ⓐ The sun *was* high up in the heavens.
(태양은 하늘 높이 떠 있었다.)
ⓑ The teeth of a horse *reveal* his age.
(말의 이는 나이를 나타낸다.)

▶ GR 2. 복수형 주어를 단수 취급하는 경우

ⓐ -ics로 끝나는 학문명, ⓑ 복수형의 병명, ⓒ 복수형의 국명·지명, ⓓ 복수형의 책·신문 따위의 이름, ⓔ 시간·거리·금액 따위를 한 덩어리로 나타낼 때, ⓕ 단수형이 없는 명사 따위는 단수로 취급한다.

(예) ⓐ Mathematics *is* a difficult subject.
(수학은 어려운 과목이다.)
ⓑ Measles *is* a dangerous disease.
(홍역은 위험한 병이다.)
ⓒ The United States of America *is* a democratic country. (미국은 민주 국가이다.)
ⓓ The Times *is* published in London.
(타임지는 런던에서 간행된다.)
ⓔ Three hundred miles *is* a great distance.
(300 마일은 대단한 거리이다.)
ⓕ No news *is* good news. (무소식이 희소식.)

☞ (유례) ⓐ politics「정치학」, physics「물리학」, ethics「윤리학」, gymnastics「체조」 따위. ⓑ glanders「비저병(말의 전

염병)」, mumps「이하선염」 따위. ⓓ the Gulliver's Travels「걸리버의 여행기」, the Adventures of Tom Sawyer「톰 소여의 모험」 따위. ⓕ teens「십대」, odds「차이」 따위.

▶ **GR 3. 집합명사의 수**

집합명사가 하나의 집합체를 나타낼 때에는 단수, 그 집합체의 구성원을 나타낼 때에는 복수로 취급한다.

(예) ⓐ My family *is* a large one.
(내 가족은 대가족이다.)
All my family *are* early risers.
(내 가족은 모두 일찍 일어난다.)

ⓑ The committee *was* dissolved.
(그 위원회는 해산되었다.)
The committee *were* divided in opinion.
(위원들은 의견이 나뉘었다.)

☞ 집합명사가 단수형인데 복수로 취급할 때 이를 「군집명사」(Noun of multitude)라고 부른다.
틀리기 쉬운 집합명사 : crowd「군중, 군중들」, crew「승무원, 승무원들」, committee「위원회, 위원들」, company「회사, 회사 사람들」, people「사람들」, a people「국민」, class「학급, 학급생들」 따위.

▶ **GR 4. 「the+형용사」**

「**the**+형용사(또는 분사)」가 ⓐ「**those who are**+형용사」의 뜻일 때에는 복수, ⓑ「**that which is**+형용사」의 뜻일 때와 ⓒ 추상명사의 뜻일 때에는 단수로 취급한다.

(예) ⓐ *The rich* **are** not always happy.
(부자라고 항상 행복한 것은 아니다.)
The English **are** said to be a practical people.
(영국 사람들은 실제적인 국민이라고 한다.)

ⓑ *The unexpected* **has** happened.
(예기치 않은 일이 생겼다.)

ⓒ *The beautiful* **is** higher than the good.
(미는 선보다 숭고하다.)

☞ ⓐ=Those who are rich ~. =The English people ~. ⓑ=That which is not unexpected ~. ⓒ=Beauty is higher than goodness.

▶ **GR 5. A and B**

둘 이상의 단수 주어가 and로 연결되어 있을 때에는 원칙으로 복수로 취급한다. 그러나, ⓐ 동일한 사람이나 물건을 나타내는 것, ⓑ 일체로서 불가분인 것, ⓒ 명사가 **every, each, no**의 수식을 받은 것은 단수로 취급한다.

(예) ⓐ *The poet and statesman* **is** dead.
(그 시인 정치가는 죽었다.)
The black and white dog **is** Tom's.
(흑백 반점인 개는 톰의 것이다.)

ⓑ *Bread and butter* **is** their usual breakfast.

(버터 바른 빵은 그들의 일상 조반이다.)

ⓒ *Every boy and every girl* in my class **was** glad to see you.

(내 학급의 소년, 소녀는 모두 너를 만나 기뻐했다.)

☞ ⓐ a 〔the〕 poet and a 〔the〕 statesman은 「시인과 정치가」 두 사람. a 〔the〕 black and a 〔the〕 white dog는 「검은 개와 흰 개」 두 마리. ⓑ (유례) a watch and chain 「사슬 달린 시계」, a needle and thread 「실을 꿴 바늘」 *cf.* All work and no play *makes* Jack a dull boy. (공부만 하고 놀지 않는 아이는 바보가 된다.) Two and two *is* 〔*are*〕 four. ⓒ *Every* man, woman, and child in this country *desires* peace. (이 나라의 남자, 여자, 어린이는 모두 평화를 바란다.)와 같이 두 번째부터 every가 생략되는 경우도 있다.

▶ **GR 6. (either) A or B**

A or B 「A나 B」, **either A or B** 「A나 B 어느 한 쪽」, **neither A nor B** 「A도 B도 ~아니다」는 동사에 가까운 주어의 인칭·수에 일치한다.

(예) ⓐ *One or two cars* **have** already been sold.

(차가 한 대나 두 대는 이미 팔렸다.)

Were *you or he* there?

(거기에 네가 있었느냐, 그가 있었느냐?)

ⓑ *Either you or John* **has** made the mistake.

(너나 존 중 하나가 잘못했다.)

ⓒ *Neither Mr. Smith nor his sons* **were** present.

(스미스씨도 그의 아들들도 참석하지 않았다.)

☞ ⓐ one or two cars는 복수 동사가 따르나, a car or two는 단수 동사가 따른다. *A car or two* **has** already been sold. ⓒ Neither Mr. Smith (*was present*) nor his sons *were present.*의 생략.

▶ **GR 7. as well as, not only ~ but, not ~ but**

A as well as B 「B뿐만 아니라 A도」는 **A**에, **not only A but (also) B** 「A뿐만 아니라 B도」는 **B**에 일치하고, **not A but B**와 같이 긍정과 부정의 주어가 있을 때에는 긍정의 주어에 일치한다.

(예) ⓐ *He as well as you* **is** guilty.

(너뿐만 아니라 그도 죄가 있다.)

ⓑ *Not only you, but also* I **am** a student.

(너뿐만 아니라 나도 학생이다.)

ⓒ *Not I but he* **has** been invited.

(나는 초대받지 않았으나 그는 초대를 받았다.)

☞ ⓐ A, (together) with B 「B와 동시에 A도」, A no less than B 「B에 못지 않게 A도」 따위도 A에 중점이 있으므로 A에 일치한다. *The book, together with some flowers,* **was** on the table. (몇 송이의 꽃과 함께 책이 탁자 위에 있었다.) *They no less than he* **were** guilty of the crime. (그들도 그와 마찬가지로 그 죄를 범했다.) ⓒ (유례) *I, not you,* **was** in the wrong. (네가 아니라 내가 틀렸다.)

▶ **GR 8. all, none, nobody, each, every ~, (n)either**

all은 사람을 가리킬 때에는 복수, 사물을 가리킬 때에는 단수동사로 받으며, **none**은 보통 사물을 가리킬 때에는 단수로, 사람을 가리킬 때는 복수로 취급한다.

no one, nobody, each, every ~, either, neither는 항상 단수동사로 받는다.

(예) ⓐ *All* **is** not gold that glitters.
(번쩍이는 것이 다 금은 아니다.)
All **are** well. (모두 잘 있다.)

ⓑ *None* of these **is** the thing I want.
(이것은 어느 것도 내가 바라는 것이 아니다.)
None **were** 〔**was**〕 present.
(아무도 출석하지 않았다.)

ⓒ *Each* of them **has** his own house.
(그들은 각자 자기 집이 있다.)
Neither of them **is** in the room.
(그들은 아무도 방에 없다.)

▶ **GR 9.** 「**most of**+수」「**most of**+양」 따위

most of「~의 대부분」, **part of**「~의 일부」, **the rest of**「~의 나머지」, **three-fourths of**「~의 4분의 3(분수)」 따위는 뒤에 오는 명사가 수를 나타낼 때에는 복수, 양이나 정도를 나타낼 때에는 단수 동사로 받는다.

(예) ⓐ *Most of them* **are** Americans.
Most of the money **was** given to the poor.

ⓑ *The rest of the boys* **were** missing.
The rest of the money **is** in the bank.

▶ **GR 10. a number of, a lot of** 따위

a number of, a great 〔**good**〕 **number of**는 many의 뜻이므로 복수 취급. **a lot of, lots of, plenty of , a world of** 따위는 many, much의 뜻이므로 **of** 뒤의 명사가 단수이면 단수, 복수이면 복수로 취급한다.

(예) ⓐ *A number of sailors* **were** seen on the deck.
(갑판 위에 많은 선원들이 보였다.)

ⓑ *Lots of money* **was** stolen from the safe.
(많은 돈이 금고에서 도난당했다.)
Lots of boys **are** swimming in the pool.
(많은 소년들이 수영장에서 수영하고 있다.)

ⓒ There **is** *plenty of time.*
There **are** *plenty of* eggs.

☞ ⓐ 「many a+단수명사」는 단수 동사로 받는다. *Many a man* **has** made the same mistake. the number of는 「~의 수」의 뜻이므로 단수로 취급. *The number of* sailors **was** great. 「선원들의 수가 많았다.」

▶ GR 11. 관계대명사와 선행사의 인칭·수

관계대명사가 주어일 때 이에 대한 동사는 그 선행사의 인칭·수에 일치한다.

(예) ⓐ She is one of those *women* who always **speak** ill of others.
(그 여자는 항상 남을 험담하는 부인들 중의 한 사람이다.)
ⓑ He is the only *one* of my students that **speaks** English well.
(내 학생 중 영어를 잘 하는 사람은 그뿐이다.)

☞ ⓐ의 선행사는 women, ⓑ의 선행사는 one. ※강조 구문 It is (was) ~ that 〔who, which〕 ... 에서 that은 원래 관계대명사이므로 that절의 동사는 문법상의 선행사 It와 일치해야 할 것이나, 심리적인 영향을 받아 that 앞의 말과 일치한다. *It is* **I** *that* **am** wrong.

2. 자동사와 타동사(Verbs)

문장(Sentence)은 주제를 이루는 주부(Subject)와, 주부의 동작이나 상태를 나타내는 술부(Predicate)로 구성되며, 주부의 중심어를 주어(Subject Word), 술부의 중심어를 술어 동사(Predicate Verb)라고 한다.

주 부 / 술 부
The diligent **boy** **worked** very hard.
(주어) (술어동사)

또한, 문장의 기본 문형은 동사의 종류에 따라 좌우되는데, 동사는 목적어, 보어의 유무에 따라 다음 5가지로 나뉜다.

동사
- 자동사(목적어 없음)
  - 완전자동사「주어＋동사」
  - 불완전자동사「주어＋동사＋보어」
- 타동사(목적어 있음)
  - 완전타동사「주어＋동사＋목적어」
  - 수여동사「주어＋동사＋목적어＋목적어」
  - 불완전타동사「주어＋동사＋목적어＋보어」

▶ GR 12. 틀리기 쉬운 타동사

우리말에서 「～에」 따위의 조사가 사용되기 때문에 타동사를 자동사로 착각하기 쉬운 경우가 많다.

(예) ⓐ He *attended* **to** this high school. (×)
He *attended* this high school. (○)
(그는 이 고등 학교에 다녔다.)
ⓑ He *reached* **to** Pusan yesterday. (×)
He *reached* Pusan yesterday. (○)
(그는 어제 부산에 도착했다.)

☞ (유례) **climb**「～에 올라가다」 **enter**「～에 들어가다」
leave「～에서 떠나다」 **resemble**「～와 닮다」
obey「～에 복종하다」 **touch**「～에 손을 대다」

discuss「~에 관하여 의논하다」

▶ **GR 13.「자동사+전치사」=타동사**

원칙적으로 자동사는 목적어를 취하지 않으나 어떤 자동사는 뒤에 전치사를 수반하여 타동사처럼 쓰이는 것이 있다. 이 경우, 전치사를 빠뜨리지 않도록 주의.

(예) ⓐ He *started from* Pusan and arrived in Seoul.
(그는 부산을 출발해서 서울에 도착했다.)
ⓑ I have been *waiting for* you for a long time.
(나는 오랫동안 너를 기다리고 있었다.)
ⓒ You must *reply to* my letter by return of post.
(회편으로 제 편지에 답해야 합니다.)
ⓓ The fine day *added to* our pleasure.
(날씨가 좋아 더욱 즐거웠다.)

☞ ⓐ start from=leave ⓑ wait for=await ⓒ reply to=answer ⓓ add to=increase

▶ **GR 14.「자동사+동족목적어」**

원래 자동사인데 타동사처럼 그 동사와 동족인 명사를 목적어로 취할 때가 있다. 이 경우의 목적어를 동족목적어(Cognate Object)라고 한다.

(예) ⓐ The queen *died* a sudden **death.**
(여왕은 갑자기 죽었다.)
ⓑ The army *fought* a fierce **battle.**
(그 군대는 격전을 했다.)

☞ ⓐ =The queen died suddenly. ⓑ =The army fought fiercely. (유례) **live** a happy **life**「행복하게 살다」, **breathe** one's **last** (breath)「숨이 끊어지다」, **dream** a strange **dream**「이상한 꿈을 꾸다」, **run** a **race**「경주하다」, **sleep** a sound **sleep**「단잠을 자다」

▶ **GR 15. 완전타동사의 목적어**

완전타동사의 목적어로 쓰이는 말은 ⓐ 명사, ⓑ 대명사 이외에 ⓒ「**the**+형용사」, ⓓ 부정사, ⓔ 동명사, ⓕ 구, ⓖ 절이다.

(예) ⓐ He killed a *bird.*
ⓑ I struck *him.*
ⓒ She saved *the weak.*
(그 여자는 약한 사람들을 구했다.)
ⓓ I intend *to go there.*
(나는 거기에 갈 예정이다.)
ⓔ I finished *writing a letter.*
(나는 편지 쓰는 것을 마쳤다.)
ⓕ He knew *how to swim.*
(그는 수영하는 법을 알았다.)
ⓖ I don't know *when he will come.*
(나는 그가 언제 올지 모른다.)

▶ GR 16. 수여동사의 목적어

목적어를 둘 가져 「주어+동사+간접목적어+직접목적어」의 문형을 취하는 동사를 수여동사(Dative Verb)라고 한다. 술어동사의 직접목적어로 쓰이는 말은 ⓐ 명사, ⓑ 부정사, ⓒ 동명사, ⓓ 구, ⓔ절이다.

(예) ⓐ He brought me some *water.*
ⓑ He promised me *to come early.*
(그는 나에게 일찍 오겠다고 약속 했다.)
ⓒ I taught her *swimming.*
ⓓ He told me *what to do.*
(그는 나에게 무엇을 해야 하는가를 말해 주었다.)
ⓔ I asked him *if he knew it.*
(나는 그에게 그것을 아느냐고 물었다.)

▶ GR 17. 「간접목적어+직접목적어」 ⇌「(직접)목적어+전치사+(간접)목적어」

수여동사의 경우, 간접목적어를 직접목적어 뒤로 돌릴 때에는 「전치사+(간접)목적어」의 형식을 취하여 부사구가 된다. 이 때, 일반적으로 전치사 **to**를 쓰나, 동사에 따라서는 **for, of** 따위를 쓰기도 한다.

(예) ⓐ We gave *him* a book.
→We gave a book **to him.**
ⓑ Father bought *me* a new dress.
→Father bought a new dress **for me.**
(아버지께서 나에게 새 옷을 사 주셨다.)
ⓒ Don't ask *him* such a matter.
→Don't ask such a matter **of him.**
(그에게 그런 일을 묻지 마라.)
ⓓ He played *me* a trick.
→He played a trick **on me.**
(그가 나에게 장난을 쳤다.)

☞ ⓐ **to를 쓰는 동사** : give, bring, lend, offer, read, refuse「거절하다」, teach, write, tell, send 따위의 대부분의 동사. ⓑ **for를 쓰는 동사** : buy「사 주다」, make「만들어 주다」, get「구해 주다」, order「주문하여 주다」, find「발견하여 주다」, leave「남겨 주다」, play「연주해 주다」, sing「노래해 주다」, cook「요리해 주다」 따위. ⓒ **of를 쓰는 동사** : ask, inquire「묻다」, beg「부탁하다」, demand「요구하다」 따위. ※envy「부러워하다」, save「(수고 따위를) 덜어 주다」, strike「치다」, answer, forgive「용서하다」 따위의 동사는 간접목적어를 직접목적어 뒤로 돌리지 못한다. 또, 직접목적어가 대명사일 때에는 He gave it **to me.**와 같이 간접목적어를 뒤로 돌린다.

▶ GR 18. 불완전자동사의 주격 보어

불완전자동사의 주격 보어로 쓰이는 말은 ⓐ 명사, ⓑ 대명사, ⓒ 형용사 이외에 ⓓ 부정사, ⓔ 분사, ⓕ 동명사, ⓖ 구, ⓗ 절이다.

(예) ⓐ Time is *money.*

ⓑ It is *he.*
ⓒ She looks *happy.*
ⓓ To see is *to believe.*
ⓔ He kept *reading in the room.*
(그는 방에서 계속 책을 읽었다.)
ⓕ My hobby is *collecting stamps.*
ⓖ This book is *of great use.* (이 책은 아주 유용하다.)
ⓗ The fact is *that he ran away.*
(사실은 그가 도망했다는 것이다.)

☞ 보어를 취하는 불완전자동사 : be, lie, remain, rest, stand, stay, continue, keep(이상은 상태 동사), get, become, grow, turn, prove, come, run(이상은 「～되다」란 뜻의 동사), look, seem, appear, sound, feel, smell, taste(이상은 감각 동사) 따위.

▶ **GR 19. 준주격 보어**

원래는 완전자동사인데 불완전자동사처럼 보어에 준하는 말을 가질 때가 있다. 이러한 말을 특히 준주격 보어라고 하여 넓은 뜻으로 보어로 취급하며, 이 경우의 동사도 불완전자동사로 다룬다.

(예) ⓐ The poet *died* **young.**
(그 시인은 젊어서 죽었다.)
ⓑ He *returned* home **a changed man.**
(그는 딴 사람이 되어 고향에 돌아왔다.)

☞ ⓐ＝He died when he was young. ⓑ ＝He returned home as a changed man.

▶ **GR 20. 불완전타동사의 목적격 보어**

불완전타동사의 목적어의 뜻을 보완해 주는 목적격 보어로는 ⓐ 명사, ⓑ 형용사 이외에 ⓒ 부정사, ⓓ 원형 부정사, ⓔ 분사, ⓕ 구, ⓖ 절이 쓰인다.

(예) ⓐ I made him a *teacher.*
ⓑ He painted the wall *white.*
(그는 벽을 하얗게 칠했다.)
ⓒ They believed him *to be honest.*
(그들은 그를 정직하다고 믿었다.)
ⓓ I saw her *come.* (나는 그 여자가 오는 것을 보았다.)
ⓔ He had his watch *mended.*
(그는 시계를 수선시켰다.)
ⓕ He found the box *of great use.*
(그는 그 상자가 크게 쓸모 있음을 알았다.)
ⓖ You have made me *what I am.*
(당신은 나를 지금의 나로 만들었습니다.)

☞ 보어를 취하는 불완전타동사 : **find**「(～하여 보니 …)이다」, **make**「(～을 …으로) 하다」, **keep**「(～을 …으로)하여 두다」, **leave**「(～을 …한) 대로 놔두다」, **think**「(～을 …라고) 생각하다」, **consider**「(～을 …라고) 생각하다」, **believe**

「(~을 …라고) 믿다」, **elect**「(~을 …로) 선출하다」, **appoint**「(~을 …로) 임명하다」, **call**「(~을 …라고) 부르다」, **expect**「(~가 …하기를) 기대하다」 따위.

▶ GR 21. 기본 5문형

영문에는 동사의 종류에 따라 다음과 같은 다섯가지 기본 문형이 있다.

ⓐ 제 1 형식 「주어+동사」
ⓑ 제 2 형식 「주어+동사+보어」
ⓒ 제 3 형식 「주어+동사+목적어」
ⓓ 제 4 형식 「주어+동사+간접목적어+직접목적어」
ⓔ 제 5 형식 「주어+동사+목적어+보어」

(예) ⓐ We *speak.* 「…는 ~하다」
ⓑ We *are* students. 「…는 ~이다, …는 ~이 되다」
ⓒ We *speak* English. 「…는 …을 ~하다」
ⓓ We *gave* him books. 「…는 …에게 …을 ~하다」
ⓔ We *made* him happy. 「…는 …을 …하게 ~하다」

☞ ⓐ 완전자동사. ⓑ 불완전자동사. 보어는 주격 보어. ⓒ 완전타동사. ⓓ 수여동사. ⓔ 불완전타동사. 보어는 목적격 보어.

▶ GR 22. 하나의 동사가 여러 가지 문형을 취하는 예

동사에 따라서는 자동사와 타동사로 쓰여 각기 다른 문형을 취하는 것이 있다. **make, leave, keep**을 예로 들어 보면 다음과 같다.

(예)
ⓐ
Wine *is* **making.** 〈완전자동사. 제 1 형식〉
(포도주가 되어가고 있다.)
She **will make** (=become) a fine pianist. 〈불완전자동사. 제 2 형식〉
(그 여자는 훌륭한 피아니스트가 될 것이다.)
Birds **make** their nests. 〈완전타동사. 제 3 형식〉
(새들은 자기들의 둥지를 만든다.)
I **made** her a new dress. 〈수여동사. 제 4 형식〉
(나는 그 여자에게 새 옷을 만들어 주었다.)
I **made** her happy. 〈불완전타동사. 제 5 형식〉
(나는 그 여자를 행복하게 했다.)

ⓑ
We **leave** for Europe tomorrow. 〈완전자동사. 제 1 형식〉
(우리는 내일 유럽으로 떠난다.)
Don't **leave** your book on the table. 〈완전타동사. 제 3 형식〉
(네 책을 탁자에 두고 가지 마라.)
He **left** his son a fortune. 〈수여동사. 제 4 형식〉
(그는 아들에게 재산을 남겼다.)
Don't **leave** the door open. 〈불완전타동사. 제 5 형식〉
(문을 열어 두지 마라.)

ⓒ
Milk will **keep** till tomorrow.
〈완전자동사. 제 1 형식〉
(우유는 내일까지는 상하지 않을 것이다.)
Fish will **keep** fresh in the icebox.
〈불완전자동사. 제 2 형식〉
(고기는 냉장고에서는 신선도를 유지할 것이다.)
Keep butter in a cool place.
〈완전타동사. 제 3 형식〉
(버터를 찬 곳에 보관해라.)
Keep me informed of your address.
〈불완전타동사. 제 5 형식〉
(나에게 네 주소를 연락해라.)

3. 동사의 활용(Conjugation)

동사에는 원형(Root), 과거형(Past), 과거분사형(Past Participle)의 세 가지 기본적인 변화형이 있는데, 이 변화를 동사의 활용이라고 한다. 활용에는 규칙 변화(~ed)와 불규칙 변화가 있다. 아울러 동사의 현재분사형(또는 동명사형)인 ~ing형도 틀리기 쉬우므로 잘 알아둘 필요가 있다.

▶ **GR 23. 동사의 활용**

동사의 활용에는 동사 어미에 -ed를 붙여서 과거형, 과거분사형을 만드는 **규칙 변화**와, 그렇게 변화하지 않는 **불규칙 변화**가 있다.

(예) 1. 규칙 변화
ⓐ look—look*ed*—look*ed* 〈일반적으로 -ed를 붙인다.〉
ⓑ hope—hope*d*—hope*d* 〈어미가 e이면 -d만〉
ⓒ cry—cr*ied*—cr*ied*
〈어미가 「자음자+y」이면 y를 i로 고치고 -ed〉
ⓓ stop—stop*ped*—stop*ped*
〈어미가 「단모음+단자음자」이면 자음을 겹치고 -ed〉
2. 불규칙 변화(부록 8. 참조)
ⓔ XXX형 : put—put—put, set—set—set
ⓕ XYY형 : find—found—found, think—thought—thought
ⓖ XYZ형 : rise—rose—risen, take—took—taken
ⓗ XYX형 : come—came—come, run—ran—run
ⓘ XX-edY형 : show—showed—shown

☞ ⓒ 「모음+y」의 경우에는 y가 변하지 않는다. play→play*ed*
ⓓ 「단모음+단자음자」의 경우, 끝음절에 악센트가 없는 2음절 이상의 동사는 예외. 다만, 어미가 l, c일 때에는 끝 음절에 악센트가 없어도 l은 겹치고 c는 ck로 하여 -ed를 붙인다. trável→trável*led* (미어에서는 traveled), pícnic → pícnic*ked*

▶ **GR 24. ed의 발음**

-ed는 [**d**], [**t**], [**id**] 세 가지로 발음되며, 다음 규칙에 따른다.

(예) ⓐ stayed [steid] ⟨[d] 이외의 유성음 뒤에는 [d]⟩
ⓑ looked [lukt] ⟨[t] 이외의 무성음 뒤에는 [t]⟩
ⓒ mended [méndid], wanted [wántid] ⟨[d], [t] 뒤에서는 [id]⟩

☞ 완전히 형용사화한 경우의 -ed 발음은 [id]. learned [lə́:rnid]「학식 있는」, aged [éidʒid]「늙은」, blessed [blésid]「축복받은」, cursed [kə́:rsid]「저주받은」, crooked [krúkid]「비뚤어진」 따위. 그러나 old-fashioned [óuldfǽʃənd], good-natured [gúdnéitʃərd] 따위와 같은 복합어의 경우에는 예외.

▶ GR 25. 혼동하기 쉬운 동사의 활용

동사의 활용 중에는 비슷하여 혼동하기 쉬운 것이 있으므로 특히 주의해야 한다.

(예)

ⓐ	bear「참다, 나르다」	bore	borne
	bear「낳다」	bore	born
ⓑ	bind「묶다」	*bound*	bound
	**bound*「뛰다」	bounded	bounded
ⓒ	fall「넘어지다, 떨어지다」	*fell*	fallen
	**fell*[넘어뜨리다]	felled	felled
ⓓ	find「발견하다」	*found*	found
	**found*「세우다」	founded	founded
ⓔ	fly「날다」	flew	flown
	fly「도망하다」	fled	fled
	*flow「흐르다」	flowed	flowed
ⓕ	grind「갈다, 가루로 만들다」	*ground*	ground
	**ground*「근거를 두다」	grounded	grounded
ⓖ	hang「매달다, 걸다」	hung	hung
	*hang「목매달다, 교수형에 처하다」	hanged	hanged
ⓗ	*lay*「눕히다, 두다」	laid	laid
	lie「눕다」	*lay*	lain
	*lie「거짓말하다」	lied	lied
ⓘ	rise「일어나다」	rose	risen [rízn]
	*raise「일으키다」	raised	raised
ⓙ	see「보다」	*saw*	seen
	saw「톱질하다, 톱으로 썰다」	sawed	sawn, sawed
	sew「꿰매다」	sewed	sewn, sewed
ⓚ	*wind*「감다」 [waind]	*wound* [waund]	wound
	**wound*「상처를 입히다」 [wu:nd]	wounded	wounded
	**wind* [wind]「낌새 채다」	winded	winded

☞ welcome「환영하다」, behave「행동하다」는 규칙 변화임에 주의. -come, -have에 얽매이지 말 것(*표는 규칙 변화, 이탤릭

체는 다른 것과 혼동하기 쉬운 것)

▶ GR 26. 현재분사(~ing) 만드는 법

동사 원형에 -ing를 붙여 현재분사(또는 동명사)를 만드는 요령은 다음과 같다.

(예) ⓐ go→go*ing* 〈일반적으로 -ing를 붙인다.〉
ⓑ come→com*ing* 〈발음되지 않는 어미 e는 빼고 -ing〉
ⓒ lie→*lying*〈어미 ie는 y로 바꾸고 -ing〉
ⓓ sit→sit*ting* omit→omit*ting*
〈어미가 「단모음+단자음자」이면 자음자를 겹치고 -ing〉

☞ ⓓ 「단모음+단자음자」의 경우, 끝 음절에 악센트가 없는 2음절 이상의 동사는 예외. 다만, 어미가 l, c일 때에는 l을 겹치고 c는 ck로 하여 -ing를 붙인다. trável→trável*ling* (미국어에서는 traveling), pícnic → pícnic*king*

4. 시 제(Tense)

시제란 동사가 시간적 관계를 나타내기 위하여 변화하는 것을 가리킨다. 문법상 시제는 크게 기본 시제, 완료형, 진행형으로 나뉘며, 이를 다시 세분하면 12시제가 된다.

(1) 기본 시제(Primary Tenses)

1. 현재	I **speak.**
2. 과거	I **spoke.**
3. 미래	I {**will** / **shall**} **speak.**

(2) 완료형(Perfect Forms)

4. 현재완료	I **have spoken.**
5. 과거완료	I **had spoken.**
6. 미래완료	I {**will** / **shall**} **have spoken.**

(3) 진행형 (Progressive Forms)

7. 현재진행형	I **am speaking.**
8. 과거진행형	I **was speaking.**
9. 미래진행형	I {**will** / **shall**} **be speaking.**
10. 현재완료 진행형	I **have been speaking.**
11. 과거완료 진행형	I **had been speaking.**
12. 미래완료 진행형	I {**will** / **shall**} **have been speaking.**

▶ GR 27. 현재 시제

현재 시제는 3인칭·단수를 제외하고는 원형과 같은 꼴로, ⓐ **현재의 사실**, ⓑ **현재의 습관**, ⓒ 불변의 진리, ⓓ 역사적 현재를 나타내며, ⓔ 미래나 ⓕ 현재완료 대신으로도 쓰인다.

(예) ⓐ She *swims* well. She *is* a good swimmer.
ⓑ He *gets* up early every morning.
ⓒ The sun *rises* in the east.
ⓓ Caesar *crosses* the Rubicon.
ⓔ I *leave* Pusan tomorrow.
When I *arrive* in Seoul, I'll call on him.
ⓕ I *hear* (=have heard) that he went to America.

☞ ⓓ 역사적 현재란 과거의 일을 눈앞에 보듯이 생생하게 전하는 표현. ⓔ 왕래·발착 동사(go, come, start, leave, return, depart 따위)는 흔히 미래 부사와 함께 현재형으로 미래를 나타내며, 때나 조건을 나타내는 부사절에서는 미래형 대신 현재형을 쓴다. ⓕ come, hear, see, find, learn, be told, forget 따위는 현재완료형 대신 현재형을 써도 뜻에는 큰 차이가 없다.

▶ GR 28. 과거 시제

과거 시제는 과거형으로, ⓐ 과거의 사실, ⓑ 과거의 습관, ⓒ 과거의 경험을 나타내며, ⓓ 과거완료 대신으로도 쓰인다.

(예) ⓐ He *was* a brave soldier.
ⓑ We *went* to school every day except Sunday.
ⓒ *Did* you ever see a whale?
(=Have you ever seen a whale?)
ⓓ He *did* (=had done) nothing before he saw me.

☞ ⓒ 경험을 나타낼 때에는 흔히 ever, never, often 등의 부사를 수반한다. ⓓ after, when, before, till, as soon as 등의 접속사(구)를 포함한 문장에서는 과거로 과거완료를 대신한다.

▶ GR 29. 미래 시제(1)—단순 미래

단순 미래는 사람의 의지와는 관계 없이 시간이 흐르면 자연히 그렇게 되리라는 예상·추측 따위를 나타내며, will, shall의 쓰임은 다음 표와 같다.

(예)

인 칭	평 서 문	의 문 문
1인칭	I 〔We〕 *shall* go. 〘영〙 I 〔We〕 *will* go. 〘미〙	*Shall* I 〔we〕 go? 〘영〙 *Will* I 〔we〕 go? 〘미〙
2인칭	You *will* go.	*Will* 〔*Shall*〕 you go? 〘영〙 *Will* you go? 〘미〙
3인칭	He 〔She, It, They〕 *will* go.	*Will* he 〔she, it, they〕 go?

☞ 단순 미래에는 will을 쓴다고 보아도 좋다.

▶ GR 30. 미래 시제(2)—의지 미래

의지 미래는 사람의 의지를 나타내며, 말하는 사람의 의지, 주어의 의지, 상대방의 의지에 따라 will, shall의 쓰임이 복잡하므로 특히 주의해야 한다.

인 칭	(1) 말하는 사람의 의지	(2) 주어의 의지	(3) 상대방의 의지
1인칭	I 〔We〕 *will* ~.	I 〔We〕 *will* ~.	*Shall* I 〔we〕 ~?
2인칭	You *shall* ~.	You *will* ~.	*Will* you ~?
3인칭	He / They } *shall* ~.	He / They } *will* ~.	*Shall* {he / they} ~?

(예) (1) 말하는 사람의 의지

ⓐ I *will* punish him. (=I intend to punish him.)
(나는 그에게 벌을 주겠다.)

ⓑ You *shall* go. (=I will make 〔let〕 you go.)
(너를 가게 하겠다.)

ⓒ He *shall* die. (=I will make him die.=I will kill him.)
(그를 죽이겠다.)

(2) 주어의 의지

ⓓ I'll be glad if you *will* do so.
(만약 네가 그렇게 한다면 고맙겠다.)

ⓔ He says he *will* do so. (=He says, "I will do so.")
(그는 그렇게 하겠다고 한다.)

(3) 상대방의 의지

ⓕ *Shall* I open the window? (창을 열까요?)
(=Do you mind if I open the window?)

ⓖ *Will* you buy me this book?
(나에게 이 책을 사 주겠습니까?)

ⓗ *Shall* he do so? (=Do you want him to do so?)
(그에게 그렇게 하도록 할까요?)

☞ ⓑ, ⓒ와 같이 2인칭, 3인칭에 shall을 쓰면 명령·약속·협박을 나타낸다. ⓖ Will you ~?는 부탁이나 권유를 나타낼 때가 있다. *Will you* please open the door? (문 좀 열어 주지 않겠습니까? —부탁) / *Won't you* dine with us? (우리와 식사를 하지 않겠습니까? — 권유)

▶ GR 31. will, shall을 쓰지 않은 미래 표현

will이나 shall을 쓰지 않고, 현재형, 진행형, **be going to ~, be about to ~, be to ~**를 써서 미래를 나타내기도 한다.

(예) ⓐ He {*leaves* / *is leaving*} for Europe tomorrow.
(그는 내일 유럽으로 떠난다.)

ⓑ He {*is going to* / *is about to*} write a letter.
(그는 편지를 쓰려고 한다.)

ⓒ We *are to* meet at five.
(우리는 5시에 만나기로 되어 있다.)

☞ ⓐ 왕래·발착을 나타내는 동사(go, come, start, leave, return, depart 따위)는 미래 부사와 함께 현재형이나 현재진행형으로 미래를 나타내는 경우가 많다. (GR 27 참조) ⓑ be going to ~, be about to ~는 「(막) ~하려고 하다」란 뜻으로 가까운 미래를 나타내며, be about to ~는 문어적인 표현. ⓒ be to ~는 예정, 운명, 의무, 가능 따위를 나타낸다 (p. 992 참조).

▶ GR 32. 현재완료형

현재완료는 「have(또는 has)+과거분사」의 형식으로, 현재를 기준으로 ⓐ 동작의 완료, ⓑ 결과, ⓒ 경험, ⓓ 상태의 계속을 나타낸다.

(예) ⓐ I *have* just *finished* my homework.
(나는 방금 숙제를 마쳤다.)
ⓑ He *has bought* a house. (그는 집을 샀다.)
ⓒ *Have* you ever *visited* Rome?
(너는 로마에 가 본 적이 있느냐?)
ⓓ He *has lived* in Seoul these two years.
(그는 서울에 2년 동안 살고 있다.)

☞ ⓐ 완료를 나타낼 때에는 just, now, already, yet 따위의 부사구를 수반할 때가 많다. ⓑ 결과는, 현재에 있어서의 동작의 완료 → 그 결과 → 현재의 상태를 나타낸다. 이 경우, 잘 쓰이는 동사는 go, come, leave, become, arrive, buy, sell, give 따위. ⓒ 경험을 나타낼 때에는 ever, never, once, before, sometimes, often 등의 부사를 수반할 때가 많다. ⓓ 상태의 계속은 현재완료형을 쓰나, 동작의 계속은 현재완료 진행형을 써서 나타낸다. I *have been studying* English these two years. (p. 972 참조).

▶ GR 33. have gone과 have been

have gone은 「갔다, 가서 여기에 없다」란 뜻으로 완료나 결과를 나타내고, **have been**은 「(지금까지 ~에) 간 적이 있다, 갔다 온 적이 있다」란 뜻으로 경험을 나타낸다.

(예) ⓐ He *has gone* to Europe.
(=He went to Europe and is not here now.)
ⓑ *Have* you ever *been* to America?
(너는 미국에 가 본 적이 있느냐?)

☞ ⓑ have been은 「갔다 왔다」란 뜻으로 완료를 나타낼 때도 있다. I *have been* to the airport. (나는 비행장에 갔다 왔다.)

▶ GR 34. 현재완료형을 쓰지 않는 경우

현재완료는 명확한 과거를 나타내는 어구, 의문사 **when, just now** 따위와 함께 쓰이지 않는다.

(예) ⓐ {*Have* you *seen* him yesterday? (×)
{*Did* you *see* him yesterday? (○)
ⓑ {When *has* he *returned*? (×)
{When *did* he *return*? (○)

ⓒ {He *has started* just now. (×)
He *started* just now. (○)
(그는 방금 출발했다.)

☞ ⓐ yesterday, last year, long ago 따위는 명확한 과거를 나타내므로 현재완료에 쓸 수 없다. ⓑ When ~ ?은 과거나 미래의 때를 물을 때 쓴다. ⓒ just now는 a moment ago의 뜻이므로 현재완료에 쓸 수 없다. He *has* **just** *started*.는 가능.

▶ GR 35. 미래완료 대용의 현재완료

때나 조건을 나타내는 부사절 안에서는 미래에 있어서의 완료를 나타내는 미래완료형 대신에 현재완료형을 쓴다.

(예) ⓐ {He *will go* to America *as soon as* he **will have finished** the school. (×)
He *will go* to America *as soon as* he **has finished** the school. (○)
(그는 학교를 마치자마자 미국에 가려고 한다.)

ⓑ {Please let me have a look at the paper *if* you **will have done** with it. (×)
Please let me have a look at the paper *if* you **have done** with it. (○)
(신문을 다 읽으면 좀 보여 주십시오.)

☞ 완료의 뜻이 포함되어 있으면 미래완료형 대용의 현재완료형이 쓰이나, 그렇지 않으면 미래형 대용의 현재형이 쓰인다. He *will go* to America *as soon as* he **finishes** the school.

▶ GR 36. 과거완료형

과거완료는 「had+과거분사」의 형식으로, 과거를 기준으로 ⓐ 동작의 완료, ⓑ 결과, ⓒ 경험, ⓓ 상태의 계속 및 ⓔ 대과거를 나타낸다.

(예) ⓐ I *had* just *finished* it when you came.
(네가 왔을 때 나는 그것을 막 마쳤었다.)

ⓑ I *had bought* a house when I met him.
(그를 만났을 때 나는 집을 샀었다.)

ⓒ I *had met* him before that time.
(나는 그 전에 그를 만난 적이 있었다.)

ⓓ He *had lived* in Seoul (for) two years in his younger days.
(그는 소시 적에 서울에서 2년 동안 살았었다.)

ⓔ I lent him the book I *had bought* the day before.
(나는 일전에 산 책을 그에게 빌려 주었다.)

☞ ⓓ 상태의 계속은 과거완료형을 쓰나, 동작의 계속은 과거완료 진행형을 쓴다. I *had been studying* English for two years when he came back. (그가 돌아왔을 때, 나는 2년 동안 영어를 공부하고 있었다.)(p. 972 참조) ⓔ 대과거란 과거의 어느 때보다 이전의 과거를 나타낸다. had bought는 lent보다 앞선 시제를 나타내는 대과거. It got dark before I *had finished* the work. 에서 had finished는 대과거(GR 38 참조).

▶ GR 37. 기타 과거완료형을 쓰는 표현

hardly … when, scarcely … when, no sooner … than 의 주절에는 과거완료형을 쓰며, 실현되지 못했던 염원, 의도, 희망, 기대를 나타낼 때에도 과거완료형을 쓴다.

(예) ⓐ You **had** *hardly* **left** the house *when* the doorbell rang.
(네가 집을 나서자마자 현관 벨이 울렸다.)
No sooner **had** he **seen** me *than* he began to laugh.
(그는 나를 보자마자 웃었다.)
ⓑ I **had intended** 〔**meant**〕 to go abroad.
(나는 외국에 가려고 했었는데(가지 못했다).)

☞ ⓑ =I intended 〔meant〕 to go abroad, *but I could not do so.* (p. 976 참조)

▶ GR 38. 과거완료형⇌과거형(완료성의 강조)

과거 어느 때보다 이전에 있었던 일을 나타낼 때에는 과거완료형(대과거)을 쓰나, 동작이 일어난 순서대로 말하거나, 전후가 명백한 접속사 **after**나 **before**가 있는 문장에서는 과거완료형 대신에 과거형을 쓴다. 이 경우, 과거완료형을 쓰면 특히 완료성을 강조한다.

(예) ⓐ The roads were bad, as it **had rained** all night.
→It **rained** all night, and the roads were bad.
→It **had rained** all night, and the roads were bad.
(밤새도록 비가 와서 길이 나빴다.)
ⓑ After he **finished** the book, he returned it.
→After he **had finished** the book, he returned it.
(그는 책을 다 읽고나서 돌려주었다.)
ⓒ The concert **started** before we got to the hall.
→The concert **had started** before we got to the hall.
(홀에 도착하기 전에 음악회가 시작되었다.)

☞ ⓐ 첫 예문은 대과거, 둘째 예문은 일어난 순서대로, 셋째 예문은 완료성을 강조한다. ⓑ와 ⓒ의 과거완료형은 완료성이 강조된다. ※ 일반 부사절 안에 과거완료형을 써도 완료성을 강조한다. When all the guests *had entered* the hall, the concert began. (손님이 모두 홀에 들어가자 음악회가 시작되었다.)

▶ GR 39. 미래완료형

미래완료형은 「will(또는 shall)+have+과거분사」의 형식으로, 미래를 기순으로 ⓐ 동작의 완료, ⓑ 결과, ⓒ 경험, ⓓ 상태의 계속을 나타내는 이외에, ⓔ 과거의 일에 대한 추측을 나타낼 때 쓴다.

(예) ⓐ I *will have finished* it by noon tomorrow.
(내일 정오까지는 나는 그것을 마치고 있을 것이다.)
ⓑ He *will have bought* a house by that time.
(그 때까지는 그는 집을 사 가지고 있을 것이다.)
ⓒ I *will have met* him six times when I meet him again.
(또 만나면 나는 그를 여섯 번 만나는 것이 된다.)

ⓓ He *will have lived* in Seoul two years next May.
(다음 5월이면 그는 서울에 2년 동안 살게 된다.)

ⓔ You *will have heard* the news.
(너는 그 소식을 들었을 것이다.)

☞ ⓓ 미래 어느 때까지의 상태의 계속은 미래완료로 나타내나, 동작의 계속은 미래완료 진행형으로 나타낸다. I *will have been studying* English for two years by May next year. (GR 40 참조) ⓔ =I assume that you have heard the news.

▶ GR 40. 진행형의 종류

진행형은 「be동사의 변화형+~**ing**」 형식으로, 어느 시점을 기준으로 동작의 진행·계속을 나타내며, 기준 시점에 따라 ⓐ 현재 진행형, ⓑ 과거 진행형, ⓒ 미래 진행형, ⓓ 현재완료 진행형, ⓔ 과거완료 진행형, ⓕ 미래완료 진행형이 있다.

(예) ⓐ He *is writing* a letter.
ⓑ He *was writing* a letter.
ⓒ He *will be writing* a letter.
ⓓ He *has been writing* a letter.
ⓔ He *had been writing* a letter.
ⓕ He *will have been writing* a letter.

☞ 진행형은 어느 시점에 있어서의 동작의 진행·계속을, 완료 진행형은 어느 시점까지의 동작의 진행·계속을 나타낸다.

← | —(He is writing.) ← | —(He was writing.)
← | ←(He has been writing.)← | ←(He had been writing.)
현재 과거 어느 때

※ may, must, had better 따위의 뒤에도 진행형이 쓰일 때가 있다.

You *may be going.* (이제 가도 좋다.)
I *must be going.* (이제 슬슬 가 보아야겠다.)
You *ought to be doing* it. (지금 하지 않으면 안 된다.)
You *had better be going.* (너는 지금 가는 것이 좋다.)

▶ GR 41. 진행형의 용법

진행형은 ⓐ 동작의 계속, ⓑ 행위자의 성질·습관, ⓒ 일시적인 동작의 반복, ⓓ 예정(미래 대용)을 나타내는 이외에, ⓔ 문장에 감정적인 색채를 주기 위해서도 쓰인다.

(예) ⓐ It *was raining* when I visited Paris.
ⓑ He *is* always *telling* lies.
(그는 늘 거짓말만 해.—좋지 못한 자란 기분을 내포함)
ⓒ We'*re having* supper at eight this week.
(우리는 이 주일에는 8시에 저녁을 먹기로 하고 있다.)
ⓓ He *is going* (=will go) to Pusan tomorrow.
(그는 내일 부산에 간다.)
ⓔ He *is bothering* me every day.
(그는 매일 나를 못살게 굴어.—불평)

☞ ⓑ 행위자의 성질·습관을 나타낼 때에는 always, constantly, incessantly, forever 따위와 함께 쓰인다. ⓓ 미래 어구와 함께 쓰인 진행형은 미래를 나타내는데, 왕래·발착을 나타내는 동사(go, come, start, leave, arrive, depart 따위)의 경우에 많이 볼 수 있다. ⓔ 진행형을 써서 칭찬, 불평, 기쁨, 슬픔, 초조함 따위의 감정적인 색채를 띠게 할 때가 있다. He *bothers* me every day.는 객관적인 사실.

▶ GR 42. 진행형을 쓰지 않는 동사

ⓐ 계속적인 상태를 나타내는 동사, ⓑ 지각을 나타내는 동사, ⓒ 감정을 나타내는 동사는 일반적으로 진행형으로 할 수 없다.

(예) ⓐ He *is having* a fine racket. (×)
He *has* a fine racket. (○)
(그는 좋은 라켓을 가지고 있다.)

ⓑ I *am seeing* a picture on the wall. (×)
I *see* a picture on the wall. (○)
(나는 벽에 걸려 있는 그림을 보고 있다.)

ⓒ He *is hating* me. (×)
He *hates* me. (○)
(그는 나를 미워한다.)

☞ ⓐ 상태 동사 : be, have(가지다), live, belong, contain, resemble 따위. ⓑ 지각 동사 : see, hear, smell, taste 따위. look at, listen to는 see나 hear와는 달리 자기 의지에 따라 좌우할 수 있는 동사이므로 진행형을 쓸 수 있다. I *am listening to* the radio. ⓒ 감정 동사 : love, like, hate, fear, remember, know, think, believe 따위.
※ 진행형을 쓸 수 없는 동사라도 보통의 뜻과 달라지거나 일시적인 뜻을 나타낼 때에는 진행형을 쓸 수 있다.
He *is having* (=eating) his supper. / He *is hearing* lectures on history. (그는 역사 강의를 듣고 있다.—「청강하다」란 뜻) / He *is living* with his uncle. (그는 (임시) 아저씨와 살고 있다.)

5. 조동사(Auxiliary Verbs)

be (is, am, are ; was, were), do (does ; did), have (has ; had), will (would), shall (should), can (could), may (might), dare (dared), must, ought (to), need, used (to)

조동사란 동사 앞에서 그 구실을 돕거나 뜻을 완전하게 해 주는 말로서 다음과 같은 특징을 갖는다.

(1) 조동사는 인칭·수에 따라 변화하지 않는다. 다만, be, have, do는 예외.
(2) be 이외의 조동사는 현재형과 과거형뿐이다. 다만, must, ought, need는 현재형뿐이고, used는 과거형뿐이다.
(3) 조동사는 부정문·의문문을 만드는 데 do의 도움이 필요 없다.
(4) 조동사 뒤에는 반드시 동사 원형이 온다. 다만, ought와 used 뒤에는 to 부정사가 온다.

▶ **GR 43. 조동사 be의 용법**

조동사 be는 ⓐ 진행형(=be+현재분사), ⓑ 수동태(=be+타동사의 과거분사), ⓒ 완료시제(=be+자동사의 과거분사)를 만든다.

(예) ⓐ Tom *is playing*.
ⓑ This book *was written* by a great writer.
ⓒ He *is gone*. (그는 지금 없다.)
Spring *is come*. (봄이 왔다.)

☞ ⓒ 「be+자동사의 과거분사」는 동작보다 상태에 중점을 둔 표현으로, 대체로 「운동·생성」을 나타내는 동사(go, come, arrive, return, rise, fall, become, grow 등)에 한한다. He *has gone*. Spring *has come*.은 동작에 중점을 둔 표현.

▶ **GR 44. 조동사 have의 용법**

조동사 have는 완료시제(=have+과거분사)를 만들거나, 「have+to 부정사」의 형태로 필요를 나타낸다.

(예) ⓐ We *have finished* the work.
He *has gone* to America.
ⓑ I *have to* do it.

☞ ⓑ =I *must* do it.

▶ **GR 45. 조동사 do의 용법**

조동사 do는 ⓐ 의문문·부정문, ⓑ 강조, ⓒ 대동사로서의 용법 이외에, ⓓ 도치문에도 쓰인다.

(예) ⓐ *Do* you speak English?
He *did* not go there.
ⓑ I *do* think so. (나는 정말 그렇게 생각해.)
ⓒ He runs faster than I *do*(=run).
"Who took it?" "I did(=took it)."
ⓓ Never *did* I see it again.

☞ ⓑ I think so.의 강조. ⓒ 대동사는 같은 동사의 반복을 피하기 위해 쓴다. ⓓ I never saw it again.의 never를 강조한 것. do는 보통 강조하기 위하여 부사, 목적어, 보어 따위를 앞에 내놓아 어순이 바뀔 때에 쓰는데, 특히 부정일 때 많이 쓴다.

▶ **GR 46. may의 용법**

may는 ⓐ 허가(~해도 좋다), ⓑ 추측(~일지도 모르다), ⓒ 가능성(~할 수 있다), ⓓ 목적, ⓔ 양보, ⓕ 기원을 나타낼 때 쓴다.

(예) ⓐ *May* I go?—Yes, you *may*. / No. you *may* 〔*must*〕 not.
ⓑ It *may* 〔*may not*〕 be true.
(그것은 사실일지도 〔사실이 아닐지도〕 몰라.)
He *may have seen* it.
(그는 그것을 보았을 지도 몰라.)

ⓒ Work hard while you *may* (=can).
ⓓ Work hard so 〔in order〕 that you *may* succeed.
(성공할 수 있도록 열심히 공부해라.)
ⓔ However hard you *may* try, you cannot overtake him.
(아무리 노력해도 그를 따라잡을 수는 없다.)
ⓕ *May* he live long! (그의 장수를 기원합니다.)

☞ ⓐ may not는 불허, must not은 금지를 나타낸다. may not과 같은 뜻으로 be not supposed to ~가 쓰이기도 한다. You *are not supposed to* play here. (여기서 놀면 안 된다.) ⓑ 「may have+과거분사」는 과거의 일에 대한 추측.

▶ GR 47. can의 용법

can은 ⓐ 능력(~할 수 있다), ⓑ 허가(~해도 좋다), ⓒ 강한 의혹(~일 리가 있을까?), ⓓ 부정적 추측(~일 리가 없다)을 나타낸다.

(예) ⓐ *Can* you speak English? — No, I *can't*.
ⓑ *Can* (=May) I go to the movies? — Yes, you *can* (=may).
(영화관에 가도 됩니까? — 그래, 가도 좋다.)
ⓒ *Can* it be true? (그것이 사실일 리가 있을까?)
ⓓ It *cannot* be true. (그것은 사실일 리가 없다.)
He *cannot have been* ill. (그는 아팠을 리가 없다.)

☞ ⓐ 필요할 때에는 can 대신에 be able to를 쓴다. I *will* 〔*may, must*〕 **be able to** do it. ⓑ Can I ~? 대신에 Could I ~?를 쓰면 정중한 표현이 된다. ⓒ can 대신 could를 쓰면 의문·의외의 기분이 강조된다. ⓓ =It is impossible that he was ill. 「cannot have+과거분사」는 과거의 일에 대한 부정적 추측.

▶ GR 48. may, can을 포함한 숙어

may well 「~하는 것도 당연하다」, **may as well** 「~하는 편이 낫다」, **might as well ... as ~** 「~할 바에야 …하는 편이 낫다」
cannot ... too ~ 「아무리 ~해도 지나치게 …하는 일이 없다」, **cannot but ~=cannot help ~ing** 「~하지 않을 수 없다」, **as ... as (~) can be** 「더 할 나위 없이 …이다」, **as ~ as one can** 「될 수 있는 대로 ~」

(예) ⓐ You *may well* say so.
(네가 그렇게 말하는 것도 당연하다.)
ⓑ You *may as well* (=had better) take the tube.
(지하철을 타는 편이 낫다.)
ⓒ You *might as well* throw money into the ditch *as* give it to him. (그에게 돈을 줄 바에야 시궁창에 버리는 편이 낫다.)
ⓓ You *cannot* be *too* careful in the choice of your friends.
(친구 선택에 아무리 주의해도 지나치는 법은 없다.)

ⓔ I *could not but* laugh. = I *could not help* laugh*ing.*
(나는 웃지 않을 수 없었다.)
ⓕ The little girl was *as* happy *as* happy *could be.*
(그 어린 소녀는 더할 나위 없이 행복했다.)
ⓖ He ran *as* fast *as* he *could* (=possible).
(그는 될 수 있는 대로 빨리 뛰었다.)

▶ **GR 49. must의 용법**

must는 ⓐ 필요·의무(~하여야 하다), ⓑ 강한 금지(~해서는 안 되다), ⓒ 강한 추측(~임에 틀림없다)을 나타낼 때 쓴다.

(예) ⓐ *Must* I go? — Yes, you *must.* / No, you *need not.*
ⓑ You *must not* go. (너는 가서는 안 된다.)
ⓒ The report *must* be true.
(그 보고는 사실임에 틀림없다.)
The report *must have been* true.
(그 보고는 사실이었음에 틀림없다.)

☞ ⓐ 필요할 때에는 must 대신에 have to를 쓴다. I *had to* go. / I *will have to* go. / I *have had to* go. (현재 완료) ⓑ *cf*. You *may* go. (허가) / You *don't have to* (=need not) go. (불필요) ⓒ 「~임에 틀림없다」의 부정은 cannot. The report *cannot* be true. (그 보고는 사실일 리가 없다.) 「must+have+과거분사」는 과거 일에 대한 추측.

▶ **GR 50. should와 ought to의 용법**

should와 ought to는 ⓐ 의무·당연(~하여야 하다), ⓑ 강한 추측(~임에 틀림없다, 당연히 ~일 것이다), ⓒ 과거에 실현되지 않은 일에 대한 후회·비난을 나타낸다.

(예) ⓐ We *should* 〔*ought to*〕 obey the law.
(우리는 법에 따라야 한다.)
ⓑ It *should* 〔*ought to*〕 be fine tomorrow.
(내일은 틀림없이 날씨가 좋을 것이다.)
He *should* 〔*ought to*〕 *have arrived* by this time.
(그는 지금 도착해 있을 것이다. — 도착하지 않았으면 이상하다)
ⓒ You *should* 〔*ought to*〕 *have bought* the book.
(너는 그 책을 샀어야 했는데. — 사지 않았다.)

☞ ⓑ 「should have+과거분사」는 과거 일에 대한 추측을 나타낼 때도 있다. It *should have been* a great surprise to him, for he turned pale. (그것은 그에게 뜻밖이었을지도 모른다. 새파랗게 질렸으니까.)

▶ **GR 51. should의 기타 용법**

should는 GR 50에서 설명한 용법 이외에, ⓐ 의문사와 더불어 강한 의문을 나타내며, ⓑ 완곡한 표현, ⓒ **lest**가 이끄는 부사절, ⓓ 당연·의외·유감 따위를 나타내는 that 절, ⓔ 제안·결정·명령 따위를 나타내는 동사에 계속되는 명사절 안에 쓰인다.

(예) ⓐ Why *should* you stay in Seoul in this hot weather?
(이런 더위에 왜 서울에 남아 있지?)
How *should* I know it? (내가 어떻게 그걸 알아?)
ⓑ I *should* like to go there. (나 거기 가고 싶은데.)
ⓒ Work hard *lest* you *should* fail.
(실패하지 않도록 열심히 공부해라.)
ⓓ It is natural that he *should* get angry.
(그가 노한 것도 당연하다.)
It is strange that he *should* have failed.
(그가 실패했다니 이상하다.)
It is a pity that the house *should* have been reduced to ashes. (그 집이 잿더미가 됐다니 유감이다.)
ⓔ I suggest that you *should* join us.
(당신도 우리에게 가담할 것을 권합니다.)
It was agreed that we *should* follow the decision.
(우리는 그 결정에 따르기로 의견이 일치되었다.)
He ordered that the plan *should* be carried out without delay.
(그 계획이 즉각 실행되도록 그는 명령을 했다.)

☞ ⓓ와 ⓔ의 경우, should는 가정법이므로 주절의 시제에 영향을 받지 않으며, 미어에서는 흔히 생략한다.

▶ GR 52. would의 용법

would는 ⓐ 과거의 습관(~하곤 했다), ⓑ 원망(~하고 싶다), ⓒ 주어의 의지·고집(기필코 ~하려고 했다), ⓓ 과거에 대한 추측(~했을 것이다), ⓔ 공손한 부탁(~하여 주지 않겠습니까?)을 나타낸다.

(예) ⓐ He *would* often say so, when young.
(그는 젊었을 때 가끔 그렇게 말했다.)
ⓑ If you *would* (=wish to) be happy, be good.
(행복하고 싶으면 선량한 사람이 되어라.)
ⓒ He *would* take it for the worse.
(그는 나쁜 뜻으로 들으려고 했다.)
The door *would* not open. (문이 도무지 안 열렸다.)
ⓓ He *would* be strong, when he was a sportsman.
(그는 운동선수였을 때 튼튼했을 것이다.)
ⓔ *Would* you kindly show me the way?
(길을 가르쳐 주시지 않겠습니까?)

☞ ⓐ would는 보통 과거의 불규칙적인 습관을 나타내며, 규칙적인 습관에는 used to를 쓴다. ⓒ would not은 거부를 나타낸다. ⓔ Will you ~?보다 공손한 표현.

▶ GR 53. used to의 용법

used(본동사)는 항상 과거형으로 to부정사가 따르며, ⓐ 과거의 습관적 행위(늘 ~했다, ~하는 것이 예사〔습관〕이었다), ⓑ 과거의 영속적 상태(원래는〔이전에는〕 ~하였다)를 나타낸다.

(예) ⓐ He *used to* work hard.
(그는 늘 열심히 공부했다.)
I *used to* see him often.
(나는 그를 자주 만났다.)
ⓑ There *used to* be a house here.
(전에는 여기에 집이 있었다.)
The bell *used* always *to* ring at one.
(전에는 언제나 한 시에 벨이 울렸다.)

☞ ⓐ 「be used to+명사」는 「~에 익숙해져 있다」란 뜻. I *was used to* hard work. (나는 힘든 일에 익숙해져 있었다.)
※ **used to**의 의문문·부정문 : 미국에서는 보통 do를 써서 Did you use to ~? did not use to ~와 같이 나타내지만, 영국에서는 주로 Used you to ~? used not [usedn't] to ~의 형식을 쓴다.

▶ GR 54. need의 용법

need는 본동사로서 긍정·의문·부정에 두루 쓰이나, 의문·부정에 있어서는 조동사로서도 쓰인다. 「**need not have**+과거분사」는 「… 하지 않아도 되었는데 ~하였다」란 뜻이다.

(예) ⓐ *Need* he go with us?
(그가 우리와 같이 갈 필요가 있느냐?)
ⓑ He *need* not do it.
(그는 그것을 할 필요가 없다.)
ⓒ I *need* hardly say that English is an international language.
(영어가 국제어란 것은 거의 말할 필요가 없다.)
ⓓ He *need* not have hurried.
(그는 서두를 필요가 없었다.)

☞ ⓐ = Does he *need* to go with us? (본동사) ⓑ = He does not *need* to do it. (본동사) ⓒ hardly는 준부정을 나타내는 부사. ⓓ = He did not *need* to hurry, but he hurried. 조동사 need에는 과거형이 없으므로 본동사로서 did not need to를 쓴다. 과거형이나 미래형에는 have to나 necessary로 대용한다.

▶ GR 55. dare의 용법

dare는 본동사로서 긍정·의문·부정에 두루 쓰이나, 의문·부정에 있어서는 조동사로서도 쓰인다. 과거형은 dared 또는 durst.

(예) ⓐ She *dared* to go there all alone.
(그 여자는 감히 거기에 혼자 갔다.)
ⓑ *Dare* he go there?
(그가 거기에 갈 용기가 있어?)
ⓒ He *dared* [*durst*] not come.
(그는 감히 오지 못했다.)

☞ ⓐ 여기서 dared는 본동사. ⓑ = Does he *dare* to go there? (본동사) ⓒ = He didn't *dare* to come. (본동사)

6. 태(Voice)

동사가 나타내는 행위의 방향성이 동사의 형태에 나타나는 경우, 이를 태라고 한다. 언어 표현상, Columbus *discovered* America.에서는 행동이 주어에서 나왔고, America *was discovered* by Columbus.에서는 행동이 주어에 미치고 있으므로, 그 방향이 다르다. 문법상 전자를 능동태(Active Voice), 후자를 수동태(Passive Voice)라고 한다.

수동태는 「**be**+과거분사」의 형식을 취하며, 원래 타동사만이 수동태를 이루나 「자동사+전치사」 따위의 타동사 상당 어구도 수동태가 되는 경우가 흔히 있다. 수동태는 시제에 따라 다음과 같은 형태를 갖는다.

	현 재	과 거	미 래
단순형	It **is done.**	It **was done.**	It **will be done.**
완료형	It **has been done.**	It **had been done.**	It **will have been done.**
진행형	It **is being done.**	It **was being done.**	It **will be being done.**

▶ GR 56. 수동태를 쓰는 경우

ⓐ 행위자가 분명치 않거나 밝힐 필요가 없을 때, ⓑ 행위자보다 동작을 받는 것에 중점을 둘 때, ⓒ 한 문장 중에서 주어의 변경을 피하기 위해서나 수동태 표현이 자연스러울 때에는 수동태를 쓴다.

(예) ⓐ He *was killed* in World War II.
He *was elected* mayor.
(그는 시장으로 뽑혔다.)
ⓑ The dog *was run over* by a car.
(개가 자동차에 치였다.)
The book *was issued* after the author's death.
(그 책은 저자가 죽은 뒤 발행되었다.)
ⓒ He loves his neighbors and *is loved* by them.
(그는 이웃을 사랑하고, 이웃에게 사랑을 받는다.)

▶ GR 57. 수동태의 두 가지 뜻

수동태는 「~되다」라고 동작을 나타낼 때와, 「~되어 있다」라고 상태를 나타낼 때가 있다. 「be+과거분사」는 동작과 상태의 구분이 분명치 않으므로, 이를 분명히 하기 위하여 동작은 「**get** 〔**become, grow** 따위〕+과거분사」로, 상태는 「**lie** 〔**rest, remain, stand** 따위〕+과거분사」로 나타내기도 한다.

(예) ⓐ The door *is shut* at six every morning.
(문은 매일 아침 6시에 닫힌다. —동작)
The door *is shut,* so you cannot enter.
(문이 닫혀 있어서 너는 들어갈 수 없다. —상태)

ⓑ I *got* 〔*became*〕 *acquainted* with him three years ago.
(나는 3년 전에 그를 알게 되었다. — 동작)
I *was acquainted* with him.
(나는 그를 알고 있었다. — 상태)

ⓒ He *was buried* there yesterday.
(그는 어제 거기에 묻히었다. — 동작)
He *lay buried* there.
(그는 거기에 묻히어 있었다. — 상태)

▶ GR 58. 수동태를 능동태로 번역할 경우

영어에서는 수동으로 표현하나, 우리말로 옮길 때에는 능동으로 새기는 것이 자연스러울 때가 있다.

(예) ⓐ I *was surprised* at the news.
(나는 그 소식을 듣고 놀랐다.)
ⓑ He *was drowned* to death last night.
(그는 어젯밤에 익사했다.)
ⓒ After we *were seated* at the table she suddenly began chattering fluently.
(우리가 식탁에 앉자 그 여자는 거침없이 지껄여 대기 시작했다.)

☞ ⓐ be surprised「놀라다」 ⓑ be drowned「익사하다」 ⓒ be seated = seat oneself「앉다」
(유례) be disappointed「실망하다」 be wounded「부상하다」
be satisfied「만족하다」 be frozen to death「동사하다」
be pleased「기뻐하다」
be burnt to death「타죽다」 be brought up「크다」
be derailed「탈선하다」

▶ GR 59. 수동의 뜻을 가진 능동태

형태는 능동이지만 수동의 뜻을 가진 동사가 있다. 이를 능동수동태라 하며, 흔히 보어나 부사(구)를 수반한다.

(예) ⓐ This book **sells** (= *is sold*) well.
(이 책은 잘 팔린다.)
ⓑ This book **reads** (= *is read*) like a novel.
(이 책은 소설처럼 읽어진다.)
ⓒ My hat **blew** (= *was blown*) into the river.
(내 모자가 바람에 날려 강에 빠졌다.)
ⓓ The ship **is building** (= *is being built*).
(배가 건조되고 있다.)
ⓔ The book **is printing** (= *is being printed*).
(인쇄 중)

▶ GR 60.「have + 물건 + 과거분사」와「have + 사람 + 원형」

ⓐ「**have** 〔**get**〕 + 목적어(물건) + 과거분사」와 ⓑ「**have** + 목적어(사람) + 원형」은 「~시키다」란 사역의 뜻 이외에 「~당하다」란 수동의 뜻을 나타낼 때도 있다.

(예) ⓐ I *had* 〔*got*〕 my watch **stolen.**
(나는 시계를 도둑맞았다. — 수동)
I *had* 〔*got*〕 my watch **mended.**
(나는 시계를 수선시켰다. — 사역)

ⓑ He *had* her wife **die.** (그는 상처했다. — 수동)
She *had* her daughter **sweep** the room.
(=She *got* her daughter **to sweep** the room.)
(그 여자는 자기 딸에게 방을 청소케 했다. — 사역)

☞ 사역의 경우에는 have나 get에, 수동(또는 완료)의 경우에는 과거분사나 원형에 악센트가 온다. 「have+목적어+과거분사」는 완료를 나타낼 때도 있다. I must *have* the work **finished** by noon. (나는 그 일을 정오까지 마쳐야 한다)

▶ GR 61. 태의 전환 원칙(1) — 시제

「be+과거분사」에서 be는 주어의 인칭·수에 따라 바뀌나, **시제는 바뀌지 않는다.**

(예) ⓐ Jane *sweeps* the living room.
→ The living room **is swept** by Jane.
ⓑ My words *have* greatly *encouraged* him.
→ He **has been** greatly **encouraged** by my words.
(그는 내 말에 크게 용기를 얻었다.)

☞ 능동태가 현재면 수동태도 현재, 현재완료이면 수동태도 현재완료.

▶ GR 62. 태의 전환 원칙 (2) — 조동사

may, must, can, should, would, ought to 따위의 **조동사는 바뀌지 않는다.** 다만, shall과 will은 미래의 종류(단순미래, 의지미래)에 따라 바뀌는 경우가 있다.

(예) ⓐ You *can* and *ought to* do it.
→ It **can** and **ought to** be done by you.
ⓑ Somebody *must* have taken it away.
→ It **must** have been taken away by somebody.
(누군가에 의해서 그것이 치워졌음에 틀림없다.)
ⓒ You *shall* not call me a fool.
→ I won't (=**will** not) be called a fool by you.
(너에게 바보란 소리를 듣지 않겠다.)

☞ ⓒ 말하는 사람의 의지 → 주어의 의지.

▶ GR 63. 태의 전환 원칙 (3) — 이중 목적어

give, show, tell, teach 따위와 같이 **목적어 둘을 가진 동사**는 각기 간접목적어와 직접목적어를 주어로 하여 **두 개의 수동태를 만들 수 있다.**

(예) ⓐ My uncle gave *me this watch.*
→ *I* **was given** this watch by my uncle.
→ *This watch* **was given** (*to*) me by my uncle.
ⓑ He asked *his teacher no further questions* after that.

→ *His teacher* **was asked** no further questions by him after that.
No further questions **were asked** *of* his teacher by him after that.

(그는 그 후 선생님에게 더 이상의 질문을 하지 않았다.)

ⓒ I wrote him *a letter of introduction.*
→ *A letter of introduction* **was written** (*to*) him by me.
(나는 그에게 소개장을 써 보냈다.)

☞ ⓐ, ⓑ 두 개의 목적어 중 뒤에 남는 목적어를 유보목적어(Retained Object)라고 한다. 유보목적어가 간접목적어일 때에는, 능동태에서 간접목적어를 전치사 to (for, of)를 써서 부사구로 바꿀 때처럼(p. 961 참조), 그 앞에 전치사 to (for, of)가 추가되는 수가 많다. 예문 ⓐ는 to를 쓴 경우, ⓑ는 of를 쓴 경우. ⓒ write, sing, make, entrust (~에게 …을 맡기다) 따위의 동사는 간접목적어를 주어로 삼지 못한다. 반대로, 직접목적어가 구나 절일 때에는 이를 직접 주어로 삼지 못한다.

▶ GR 64. 태의 전환 원칙 (4) — 목적격 보어

「타동사+목적어+목적격 보어」인 경우, 목적격 보어는 수동태에서도 그 자리에 남으나, 그 용법은 목적격 보어에서 주격 보어로 바뀐다.

(예) ⓐ You must not leave the door *open.*
→ The door must not **be left** *open.*
(문을 열어 놔서는 안 된다.)

ⓑ The boys elected him *captain of the team.*
→ He **was elected** *captain of the team* by the boys.
(그는 소년들에 의해서 그 팀의 주장으로 선출되었다.)

☞ ⓐ「타동사+목적어+형용사」 ⓑ「타동사+목적어+명사」. 목적격 보어가 명사일지라도 이를 주어로 삼지 못한다.

▶ GR 65. 태의 전환 원칙 (5) — 지각·사역동사

능동태에서 지각동사나 사역동사의 목적격 보어로 쓰인 원형 부정사는 수동태에서는 **to** 부정사로 바뀐다.

(예) ⓐ We heard him *say* so.
→ He **was heard** *to say* so.
(우리는 그가 그렇게 말하는 것을 들었다.)

ⓑ He made her *go.*
→ She **was made** *to go* by him.
(그는 그 여자를 가게 했다.)

☞ ⓐ 「지각동사+목적어+원형 부정사」. 지각동사 : see, hear, watch, feel, perceive, observe 따위. ⓑ「사역동사+목적어+원형 부정사」. 사역동사 : make, let, have 따위. cause, allow, get 따위도 사역동사이지만, 능동태에서도 to 부정사를 쓴다. What *caused* him **to change** his mind? (무엇이 그의 마음을 바꾸게 했는가?)

▶ GR 66. 태의 전환 원칙 (6) — 동사구

둘 이상의 낱말이 모여 하나의 타동사와 같이 뒤에 목적어를 취할 때에는, 그 목적어를 주어로 하여 수동태를 만들 수 있다.

(예) ⓐ She *looked after* my dog.
→ My dog **was looked after** by her.
(내 개는 그 여자에 의해서 돌보아졌다.)
ⓑ The villagers *looked down upon* him.
→ He **was looked down upon** by the villagers.
(그는 마을 사람들에게 멸시당했다.)
ⓒ They *took good care of* the child.
→ {The child **was taken good care of** (by them).
Good care **was taken of** the child (by them).}
(그 아이는 그들에 의해서 잘 보살펴졌다.)

☞ ⓐ「자동사+전치사」: look after, depend on, call for「요구하다」 따위. ⓑ「자동사+부사+전치사」: look down upon, speak well of, do away with「없애다, 폐지하다」 따위. ⓒ「타동사+명사+전치사」: pay no regard to, take care of, pay attention to, make use of(이상은 이 안의 명사를 주어로 수동태를 하나 더 만들 수 있음), make fun of, catch sight of, take hold of 따위.

▶ GR 67. 태의 전환 원칙 (7) — 명령문·의문문

명령문의 수동태는 「**Let**+목적어+**be**+과거분사」로, 의문문의 수동태는 「(의문사+)**be**동사+주어+과거분사～?」로 나타낸다.

(예) ⓐ Do it at once.
→ **Let** it *be done* at once.
ⓑ Do not forget it.
→ {**Let** it *not be forgotten.*
Don't **let** it *be forgotten.*}
ⓒ Who showed you the way?
→ {**By whom** *were* you *shown* the way?
By whom *was* the way *shown (to)* you?}

☞ ⓑ 부정의 수동태는 두 가지로 할 수 있음에 주의. ⓒ Who가 주어인 의문문은 By whom을 주어 앞에 내놓는다.

▶ GR 68. 태의 전환 원칙 (8) — 진행형·목적어가 절인 문장

진행형의 수동태는 「**be**동사+**being**+과거분사」로 나타내며, say, think, know, consider, believe 따위의 동사가 that절을 목적어로 취할 때의 수동태는 「**It is**+과거분사+**that**절」 또는 「**that**절의 주어+**be**동사+과거분사+**to**부정사～」로 나타낸다.

(예) ⓐ The mayor *is giving* an address.
→ An address **is being given** by the mayor.
(시장이 연설을 하고 있다.)
ⓑ They *say that* he was a popular writer.

→ { **It is said that** he was a popular writer.
He **is said to** have been a popular writer.

☞ ⓐ being을 빠뜨리지 않도록 주의. ⓑ to have been이라고 완료부정사를 쓴 것은 that절의 시제(was)가 주절의 시제(say)보다 앞섰기 때문.

▶ GR 69. 「by＋행위자」의 생략

ⓐ 능동태의 주어가 막연한 사람(we, you, one, they, people 따위)일 때, ⓑ 특별히 행위자를 보일 필요가 없을 때, ⓒ 행위자보다 동작을 받는 편에 큰 관심이 있을 때에는 수동태에서 「by＋행위자」를 생략한다.

(예) ⓐ **They** *speak* English in Canada.
→English *is spoken* in Canada.
ⓑ **I** *saw* him enter the room.
→He *was seen* to enter the room.
ⓒ **You** *must send for* **a doctor** at once.
→**A doctor** *must be sent for* at once.
(곧 의사를 부르러 보내야 한다.)

▶ GR 70. 「by＋행위자」의 by 대신 다른 전치사를 쓰는 경우

수동태의 행위자는 「by＋행위자」로 나타내는 것이 보통이나, 동사에 따라서는 by 대신에 **at, in, with** 따위를 쓴다.

(예) ⓐ The sight surprised us.
→We *were surprised* **at** the sight.
(우리는 그 광경을 보고 놀랐다.)
ⓑ The book did not interest him at all.
→He *was* not *interested* **in** the book at all.
(그는 그 책에 전혀 흥미가 없었다.)
ⓒ Did the result satisfy you?
→*Were* you *satisfied* **with** the result?

☞ (유례) be pleased at 〔with〕, be amazed at 〔by〕, be amused at 〔by, with〕, be disappointed at 〔with, of, in〕, be displeased at 〔by, with〕, be rejoiced at 〔by〕, be tormented with 〔by〕, be touched with 〔by〕, be covered with, be crowded with, be filled with, be shaken with (sobs), be accompanied with 〔by〕, be caught in (the rain)

7. 법 (Mood)

법이란 동사의 동작이나 상태를 표현하는 방법으로서, 다음 세 가지가 있다.

(1) 직설법(Indicative Mood) : 사실을 사실대로 표현하는 것.
You *are* honest. (너는 정직하다.)

(2) 가정법(Subjunctive Mood) : 불확실한 일이나 사실과 반대되는 일을 가정해서 표현하는 것.
I wish you *were* honest.
(나는 네가 정직하다면 좋겠다. —정직하지 않은 것을

전제)

(3) 명령법(Imperative Mood) : 상대방에게 명령·의뢰 따위를 표현하는 것.
Be honest. (정직해라.)

▶ **GR 71. 명령법**

2인칭에 대한 명령은 주어 **You**를 생략하고 동사원형을 쓰며, 1인칭·3인칭에 대한 명령은 **let**을 써서 간접적으로 표현한다. 부정의 명령, 즉 금지를 나타내는 명령은 원형 앞에 **Don't, Never**를 쓴다.

(예) ⓐ *Open* the door.
Be more careful in your study.
(더 주의해서 공부해라.)
ⓑ **Let** *me* visit him. (나에게 그를 방문하게 해 주시오.)
Let *him* go. (그를 가게 해라.)
Let's start at once. (곧 출발하자. — 권유)
ⓒ **Don't** *open* the door.
Don't *let* her go with him.
(그 여자를 그와 같이 가게 하지 마시오.)
Never *be* late for school.
(절대로 학교에 늦지 마라.)

☞ ⓐ 강조 또는 주의를 끌기 위해 You를 쓸 때가 있다. **Yóu** *stand* up, Tom. (톰, 너 일어서.) **Yóu** *be* honest. (넌 정직해라.) 강조하기 위해 조동사 do를 쓰기도 한다. **Do** *finish* your work! (일을 꼭 마쳐!) ⓒ 권유를 나타내는 Let's ~. 의 부정은 Don't let's ~. 또는 Let's not ~.

▶ **GR 72. 「명령법+and〔or〕」**

명령법 다음에 and, or(또는 or else, otherwise)를 써서 조건을 나타낼 때가 있다. ⓐ 「**명령법+and**」는 「~해라. 그러면」, ⓑ 「**명령법+or**」는 「~해라. 그렇지 않으면」이란 뜻.

(예) ⓐ *Work* hard, *and* you will succeed.
(열심히 공부해라. 그러면 성공할 것이다.)
Let him work hard, *and* he will succeed.
(그에게 열심히 공부하게 해라. 그러면 그는 성공할 것이다.)
ⓑ *Work* hard, or you will fail.
(열심히 공부해라. 그렇지 않으면 너는 실패할 것이다.)

☞ ⓐ Work hard, and ~. = *If* you work hard, ~.
Let him work hard, and ~ = *If* he works hard, ~.
ⓑ = *If* you don't work hard, ~. = *Unless* you work hard, ~.
※「**명사+and〔or〕**」: 때로는 명령법의 동사가 생략되고 명사나 비교급 따위만 남는 수가 있다. *One more effort*, **and** you will succeed. = Make one more effort, ~. (한 번 더 노력하면 성공할 것이다.)

▶ GR 73. 「양보」를 나타내는 명령법

명령법을 써서 「~할지라도」란 양보의 뜻을 나타낼 때가 있다.

(예) ⓐ **Say** *what he will*, no one believes him.
(그가 무슨 말을 하든 아무도 그를 믿지 않는다.)
ⓑ **Try** *as you may*, you can't please everybody.
(아무리 노력해도 모든 사람을 기쁘게 할 수는 없다.)
ⓒ **Let** *the matter be what it may*, do your best.
(무슨 일이 됐든 최선을 다해라.)
ⓓ Do what you ought to, **come** *what may*.
(무슨 일이 생기든, 해야 할 바를 해라.)

☞ ⓐ =Whatever he may say, ~. ⓑ =However hard you may try, ~. ⓒ =**Be** *the matter what it may*, ~. =Whatever the matter may be, ~. ⓓ =~, whatever may happen.

▶ GR 74. 가정법 현재

if절에 인칭·수에 관계 없이 동사의 원형을 써서, 현재나 미래에 대한 불확실성·의문을 나타낸다. 또한, 가정법 현재는 기원문, 제안·요청·명령 따위를 나타내는 명사절(that절)에도 쓰인다.

(예) ⓐ *If* it **rain** tomorrow, I will not go.
(만약 내일 비가 오면 나는 가지 않겠다.)
ⓑ God **bless** you! (신의 가호가 있기를!)
ⓒ He *suggested* 〔*requested, ordered*〕 *that* the plan (*should*) **be** carried out without delay.

☞ ⓐ 현대 영어에서는 흔히 가정법 현재 대신에 직설법을 쓴다. = *If* it **rains** tomorrow, ~. ⓑ 현대 영어에서는 기원문에 May를 문두에 두어 나타내는 것이 보통이며, 이 때에는 직설법. *May* he live long! (그가 오래 살기를 기원합니다.) ⓒ 원래는 that절에 should를 쓰나, 이를 생략하면 가정법 현재가 된다.

▶ GR 75. 가정법 미래

「**If ... should** 〔**would, were to**〕+동사 원형, ~」의 형식으로 미래나 현재에 관한 가정을 나타낸다. should는 단순 미래, would는 주어의 의지, were to ~는 실현성이 없는 가정을 나타낼 때 쓴다.

(예) ⓐ *If* I **should** fail, I *would try* again.
(만약 실패하면 다시 노력하겠다.)
ⓑ *If* you **would** be rich, you *should work* hard.
(만약 부자가 되고 싶으면 너는 열심히 일해야 한다.)
ⓒ *If* I **were to** ask him, he *would help* us.
(만약 내가 그에게 요구하면(그럴 리는 없지만), 그는 우리를 도와 줄 것이다.)

☞ 가정법 미래의 귀결절의 동사에는 제한이 없으며, 경우에 따

라서는 if절을 「양보」처럼 번역할 때도 있다. I'll start, if it *should rain.* (만약 비가 와도 나는 출발한다.)

▶ GR 76. 가정법 과거

「**If . . .** 과거(be 동사는 **were**) . . . , ~ **should** 〔**would, could, might, must** 따위〕+동사 원형 ~」의 형식으로, 현재의 사실과 반대되는 상상·가정을 나타낸다.

(예) ⓐ *If* I **had** the book, I *would lend* it to you.
(만약 내게 그 책이 있으면 너에게 빌려 줄 텐데.)
ⓑ *If* I **were** healthy, I *could go* on a hike.
(만약 내가 건강하다면 소풍을 갈 수 있을 텐데.)

☞ ⓐ =As I *don't have* the book, I *cannot lend* it to you. ⓑ = As I *am not* healthy, I *cannot go* on a hike. 구어체에서는 were 대신 was(직설법 과거)를 쓰기도 한다.

▶ GR 77. 가정법 과거완료

「**If . . .** 과거완료 . . . , ~ **should** 〔**would, could, might, must** 따위〕 **have**+과거분사 ~」의 형식으로 과거의 사실과 반대되는 상상·가정을 나타낸다.

(예) ⓐ *If* you **had** not **helped** me at that time, I *must have failed.* (만약 그 때 네가 나를 도와 주지 않았더라면 나는 틀림없이 실패했을 것이다.)
ⓑ *If* I **had known** your address, I *would have written* to you. (만약 네 주소를 알았더라면 편지했을 텐데.)

☞ 조건절은 「과거 사실의 반대」를 나타내고, 귀결절은 「현재 사실의 반대」를 나타내는 경우도 있다. *If* I **had been** diligent when I was young, I *should be* happier now. (만약 젊었을 때 부지런했더라면, 나는 지금 더 행복할 텐데.) 이 경우, now, today 따위의 부사를 수반하는 경우가 많다.

▶ GR 78. 「I wish+가정법」

ⓐ 「**I wish**+가정법 과거」는 현재 사실에 반대되는 소망을, ⓑ 「**I wish**+가정법 과거완료」는 과거 사실에 반대되는 소망을 나타내며, ⓒ **I wish . . . should** 〔**would**〕 ~는 미래 사실에 관하여 다소 염려스러운 소망을 나타낸다.

(예) ⓐ I *wish* I **were** as tall as she.
(내가 그 여자만큼 크다면 좋을 텐데.)
ⓑ I *wish* I **had done** so.
(내가 그렇게 했더라면 좋을 걸.)
ⓒ I *wish* it **would** be fine tomorrow.
(내일 날씨가 좋으면 좋겠는데.)

☞ ⓐ = I am sorry I *am* not as 〔so〕 tall as she. **Would that** 또는 **Oh,** 〔**O**〕 **that**을 써서 소망을 나타낼 때도 있다. *Would* 〔*Oh, O*〕 *that* he were here to help us! (그가 여기에 있어 우리를 도와 주면 좋으련만.) O 다음에는 콤마가 없으나 Oh 다음에는 콤마가 있음에 주의. ⓑ =I am sorry I *didn't do so.* ⓒ 실현성 있는 희망은 hope를 쓴다. hope는 가정법을 취하

지 않는다. I *hope* it *will* be fine tomorrow. (내일 날씨가 좋기를 바란다.)

▶ GR 79. 가정법을 포함한 관용적 표현

ⓐ **It is time**+가정법 과거(~할 시간이다), ⓑ **as if**+가정법(마치 ~처럼), ⓒ **as it were**(소위) 따위는 가정법을 쓰는 관용적 표현이다. as if 뒤에 가정법 과거를 쓰면 주절과 같은 시제를, 가정법 과거완료를 쓰면 주절보다 하나 앞선 시제를 나타낸다.

(예) ⓐ *It is time* I **went** to bed.
(나는 이제 잘 시간이다.)

ⓑ He *is not* ill, but he looks *as if* he **were** ill.
(그는 아프지 않은데, 마치 아픈 것처럼 보인다.)
He *was not* ill, but he looks *as if* he **had been** ill.
(그는 아프지 않았는데, 마치 아팠던 것처럼 보인다.)

ⓒ He is, *as it were*(=so to speak), a walking dictionary.
(그는 소위 살아 있는 사전이다.)

☞ ⓐ =It is time that I should go to bed. ⓑ as if 다음의 동사는 가정법이므로 주절의 시제에 영향을 받지 않는다. He **treats** me *as if* I **were** a child. (그는 마치 내가 아이인 것처럼 다룬다.) He **treated** me *as if* I **were** a child. (그는 마치 내가 아이인 것처럼 다루었다.) *cf.* It looks *as if* it'**s going to** rain. (구어체) ⓒ *cf.* **as it is**「(있는) 그대로 《문장 뒤》, 사실은 《문장 앞》」. Leave it *as it is.* (있는 대로 놔두어라.) *As it is,* I can't go. (실은 나는 못 가.)

▶ GR 80. if-clause의 대용

가정법에 있어서, if절을 쓰지 않고, ⓐ 부정사, ⓑ 분사, ⓒ 전치사(구), ⓓ 접속사, ⓔ 명사, ⓕ 부사 따위로 가정을 나타낼 때가 있다. 이 경우, 어느 가정법에 속하는가는 주절을 보고 판단한다.

(예) ⓐ *To hear him talk,* you would think that he was a man of importance.
(그가 말하는 것을 들으면 너는 그가 중요한 인물이었던 것으로 생각할 것이다.)

ⓑ *Born in better times,* he would have been known all over the world.
(더 좋은 시대에 태어났더라면 그는 전세계에 알려졌을 것이다.)

ⓒ *With two more levers,* we could have removed the rock.
(지렛대 두 개만 더 있었더라면 우리는 그 바위를 제거할 수 있었을 것이다.)
But for your help, I should have been drowned.
(네 도움이 아니었더라면 나는 익사했을 것이다.)

ⓓ He worked hard ; *otherwise* he would have failed.

(그는 열심히 일했다. 그렇지 않았더라면 실패했을 것이다.)

ⓔ *A man of sense* would not say such a thing.
(지각 있는 사람이라면 그런 것을 말하지 않을 텐데.)

ⓕ *Ten years ago* his theory would not have been generally accepted.
(10년 전이었더라면 그의 이론은 공인되지 않았을 것이다.)

☞ ⓐ =If you heard 〔should hear, were to hear〕 him talk, ~. ⓑ =If he had been born in better times, ~. ⓒ =If we had had two more levers, ~./=If it had not been for your help, ~. ⓓ =He worked hard; if he had not worked hard, ~. ⓔ = If he were a man of sense, ~. ⓕ =If it had been ten years ago, ~.

▶ GR 81. if의 대용 어구

가정법에 있어서, if 대신에 **suppose, supposing (that), provided (that), providing (that), in case, so long as** 따위도 쓰인다.

(예) ⓐ *Suppose* I were your teacher, what would you want me to teach?
(만약 내가 너의 선생이라면 너에게 무엇을 가르쳤으면 좋겠느냐?)

ⓑ *Supposing (that)* it were true, what would happen?
(그것이 사실이라면 무슨 일이 생길까?)

ⓒ *In case* I should fail, I would try again.
(실패하면 다시 해 보겠다.)

☞ ⓒ in case에는 「~하면 안 되니까」란 뜻도 있다. Don't go near the water *in case* you fall in. (빠지면 안 되니까 물 가까이 가지 마라)

▶ GR 82. if의 생략

가정법에 있어서, if를 생략하고 **조동사(또는 be 동사)를 주어 앞에 내놓는다.** 가정법 과거에서 동사가 were 이외인 경우에는 주어 앞에 조동사 Did를 쓴다.

(예) ⓐ **Were** *I* a bird, I would fly to you.
(내가 새라면, 너한테 날아갈 텐데.)

ⓑ **Could** *he speak* English, he would be employed.
(그가 영어를 할 수 있으면, 고용될 텐데.)

ⓒ **Did** *I possess* the book, I would lend it to you.
(내게 그 책이 있다면, 너에게 빌려 줄 텐데.)

ⓓ **Had** *I been* there, I should have been hurt.
(내가 거기에 있었더라면, 부상당했을 것이다.)

ⓔ **Should** *I fail* this time, I would try again.
(이번에 실패한다면 다시 해 보겠다.)

☞ ⓐ =If I were a bird, ~. ⓑ =If he could speak English, ~. ⓒ =If I possessed the book, ~. ⓓ =If I had been there, ~. ⓔ =If I should fail this time, ~.

▶ GR 83. if-clause의 생략

가정법의 if절이 생략되고, 귀결절만 쓰이는 경우가 있다. 이러한 표현은 완곡, 정중, 겸손을 나타낼 때가 많다.

(예) ⓐ I *could have come* earlier.
(나는 더 일찍 올 수도 있었다.)
ⓑ I *should* 〔*would*〕 *like* to see it.
(나는 그것을 보고 싶은데요.)
ⓒ *Could* you show me the way?
(저에게 길을 가리켜 줄 수 있습니까?)
ⓓ *Would* you open the door?
(문 좀 열어 주시겠습니까?)
ⓔ *Might* I ask you a question?
(질문을 해도 됩니까?)

☞ ⓐ if I had tried to (come) 또는 if I had wanted to (come)이 생략됨. ⓑ if I could가 생략됨. like to ~보다 완곡한 표현. ⓒ Can you ~?보다 정중한 표현. ⓓ Will you ~?보다 정중한 표현. ⓔ May I ~?보다 겸손한 표현.

▶ GR 84. 귀결절(주절)의 생략

가정법에 있어서 귀결절, 즉 주절이 생략되고 조건절만 남아 있는 경우가 있다. 놀라움, 희망 따위를 나타내고, **if only**의 형식을 취할 때가 많다.

(예) ⓐ *If* he *would* come!
(그가 오면 좋으련만!)
ⓑ Oh, *if only* I *had* a pretty dress like that!
(오오, 저런 예쁜 옷이 내게 있기만 하다면 좋으련만!)
ⓒ *If only* I *had known* the answer!
(내가 그 해답을 알기만 했더라면 좋았을 걸!)
ⓓ *What if* you *should* fail!
(만약 네가 실패하면 어쩌지!)

☞ ⓐ =If he would come, *I should be very glad.* (=I wish he would come). ⓑ =Oh, *how glad* 〔*happy*〕 *I should be,* if only I had a pretty dress like that! (=I wish I had a pretty dress like that.) ⓒ *How glad* 〔*happy*〕 *I should have been,* if only I had known the answer! (=I wish I had known the answer.) ⓓ =What *would happen* if you should fail? *cf. What* (does it matter) *if* he *is* poor? (그가 가난하다고 무슨 문제야? —상관 없다) 이런 경우에는 직설법.

8. 부정사(Infinitive)

특정 주어의 인칭·수에 따라서, 또는 특정 시제에 따라서 제한받지 않는 동사의 형태를 부정사라고 한다. 따라서 부정사는 동사의 원형이며, 명령문을 제외하고는 문장의 술어 동사가 될 수 없다.

부정사는 원래 동사이기 때문에 그 자체의 목적어를 취하거나 부사적 요소에 의하여 수식을 받을 수 있으나, 그 자체는 문장 안에서 명사, 형용사, 부사처럼 작용을 한다. 부정사는 원형 앞에 to가 붙는 경우와 그렇지 않은 경우가 있는데, 전자를 **to**부정사(to-Infinitive), 후자를 원형 부정사(Root-Infinitive)라고 한다.

부정사 { (**to**) 부정사 to do
원형 부정사 do

부정사는 다음과 같이 6개의 형태가 있다.

태 / 시제	능 동 태	진 행 형	수 동 태
단순형	(to) do	(to) be doing	(to) be done
완료형	(to) have done	(to) have been doing	(to) have been done

▶ GR 85. 부정사의 명사적 용법

부정사가 명사 구실을 할 때에는 문장 안에서 ⓐ 주어, ⓑ 목적어, ⓒ 보어가 된다. 또, ⓓ 「의문사(who, what, which, how, when, where 따위)+부정사」의 형식으로 명사 구실을 할 때도 있다.

(예) ⓐ *To know* oneself is very hard.
=**It** is very hard *to know* oneself.
(자신을 알기란 대단히 어렵다.)
ⓑ He pretended **not** *to see* me.
(그는 나를 못 본 체했다.)
I found **it** difficult *to read* the book.
(나는 그 책을 읽기가 어렵다는 것을 알았다.)
ⓒ To see is *to believe.*
(보는 것이 믿는 것이다.)
I believe him *to be* honest.
(나는 그가 정직하다고 믿는다.)
ⓓ He told me **whom** *to choose* for my guide.
(그는 내 안내인으로 누구를 택할지 말해 주었다.)
Do you know **how** *to drive* a car?
(너는 어떻게 차를 운전하는지(차 운전법을) 아느냐?)
When and **how** *to do* it is the question.
(그것을 언제, 어떻게 할지가 문제이다.)

☞ ⓐ 부정사가 주어일 때에는 「It(가주어) … to ～(진주어)」의 형식을 쓸 수 있다. ⓑ 부정사의 부정은 「not 〔never〕+부정사」. 부정사가 목적어이고 뒤에 보어가 따를 때에는 반드시 「동사+it(가목적어)+보어+부정사(진목적어)」의 형식을 취한다. ⓒ =Seeing is believing. 수격보어/=I believe that he is honest. 목적격 보어 ⓓ 「의문사+부정사」는 동사의 목적어로 쓰일 때가 많으나, 주어와 보어로도 쓰인다.

▶ GR 86. 부정사의 형용사적 용법(1) — 수식어

부정사가 명사(또는 대명사)를 뒤에서 직접 수식할 때에는, ⓐ 명사가 부정사의 의미상의 주어나, ⓑ 의미상의 목적어가 되는 경우, ⓒ 부정사가 명사와 동격인 경우, ⓓ 순수한 수식 관계인 경우로 나뉜다.

(예) ⓐ He has no *friend* **to help** him.
(그에게는 그를 도와 줄 친구가 없다.)
ⓑ I had no *food* **to eat.**
(나는 먹을 음식이 없었다.)
ⓒ I made a *promise* **to finish** it by tomorrow.
(나는 내일까지 그것을 마치기로 약속했다.)
ⓓ Autumn is the best *season* **to study.**
(가을은 공부하기 제일 좋은 계절이다.)

☞ ⓐ=~ no friend *who will help him.* ⓑ=~ no food *which I could eat. cf.* There was no *seat* for me **to sit on.**=~ no seat **on** *which I could sit.*(내가 앉을 자리가 없었다.) 전치사를 빠뜨리지 않도록 주의. ⓒ=~ a promise *that I would finish* ~.

▶ GR 87. 부정사의 형용사적 용법(2) — 보어

부정사가 be 동사의 보어로서 「**be+부정사**」의 형식을 취할 때에는 예정·운명·의무·가능 따위를 나타낸다. 또, 부정사는 be 이외의 불완전 자동사(seem, appear, prove 따위)의 보어로도 쓰인다.

(예) ⓐ The party *is* **to be** held next Friday.
(파티가 다음 금요일에 열릴 예정이다.)
He *was* never **to see** his native land again.
(그는 다시 자기 조국을 보지 못할 운명이었다.)
You *are* **to do** your best.
(너는 최선을 다해야 한다. — 의무)
Not a soul *was* **to be seen** in the street.
(거리에는 한 사람도 볼 수 없었다. — 가능)
ⓑ He *seems* **to be** ill. (그는 아픈 것 같다.)
He *appeared* **to enjoy** the concert.
(그는 음악회가 마음에 드는 것 같았다.)

☞ ⓐ 「be+부정사」가 가능을 나타낼 때에는 수동태의 부정사를 쓰는 경우가 많다.

▶ GR 88. 부정사의 부사적 용법(1) — 동사 수식

부정사가 동사를 수식할 때에는 ⓐ **목적**(~하기 위하여), ⓑ **원인**(~하여), ⓒ **결과**(~하여 …), ⓓ **판단의 근거·이유**(~하다니), ⓔ **조건·가정**(~하면) 따위를 나타낸다.

(예) ⓐ We eat **to** 〔*so as to, in order to*〕 **live.**
(우리는 살기 위해서 먹는다.)
ⓑ I was glad **to see** her.
(나는 그 여자를 만나서 기뻤다.)
ⓒ He grew up **to be** a musician.
(그는 자라서 음악가가 되었다.)
He worked hard *only* **to fail.**
(그는 열심히 일했으나 결국 실패하고 말았다.)
ⓓ He must be mad **to talk** like that.
(그가 저런 식으로 말하다니(말하는 것을 보니) 틀림없이 미쳤다.)

ⓔ I should be content **to keep** company with him.
(그와 친할 수 있다면 만족스러울 텐데.)

☞ ⓐ「목적」의 뜻을 확실히 하기 위해서는 to 대신에 **so as to, in order to**를 쓴다. ⓑ「감정」을 나타낼 때에는 보통 감정을 나타내는 동사·형용사가 선행한다. ⓒ=He grew up *and became* a musician./=He worked hard *but failed.*「결과」를 나타낼 때 **so … as to** ~를 쓰는 경우도 있다. He got up *so* early *as to* catch the first train.(그는 일찍 일어나서 첫 열차를 탔다.) ⓔ=I should be content *if I could keep* company with him.

▶ GR 89. 부정사의 부사적 용법(2) — 형용사·부사·문장 수식

부정사는 형용사나 부사(특히 enough, too)를 뒤에서 수식하거나 문장 전체를 수식하여 부사 구실을 한다.

(예) ⓐ This water is *good* **to drink.** (이 물은 마시기 좋다.)
ⓑ He is not old *enough* **to go** to school.
(그는 학교에 다닐 만한 나이가 되지 않았다.)
He is *too* old **to work.**
(그는 너무 늙어서 일할 수 없다.)
ⓒ **To tell the truth**, I don't like him.
(사실은 나는 그를 싫어한다.)

☞ ⓑ enough to ~는「~하기에 충분히」란 뜻. enough가 부사일 때에는 보통 형용사·부사·동사의 뒤에 오나, 형용사일 때에는 명사 앞 또는 뒤에 온다. I didn't have *enough* time 〔time *enough*〕 to visit you. too … to ~는「너무…하여 ~할 수 없다」란 뜻. ⓒTo tell the truth는 독립 부정사.

▶ GR 90. 독립 부정사

독립 부정사(Absolute Infinitive)는 문법상 다른 어구와 독립하여 문장 전체를 수식하는 부사 구실을 한다.

(예) ⓐ **To tell the truth**, I have no money.「사실을 말하면」
ⓑ *to be frank* (with you)「솔직히 말하면」
ⓒ *to be sure*「확실히」
ⓓ *to do him justice*「그를 공평하게 평하면」
ⓔ *to be brief*「간단히 말하면」
ⓕ *to begin with*「우선 첫째로」
ⓖ *to make the matter worse*「설상가상으로」
ⓗ *to add to one's difficulties*「더욱 곤란한 것은」
ⓘ *to say nothing of* ~「~은 말할 것도 없고」
ⓙ *not to mention* ~「~은 물론」
ⓚ *not to say* ~「~은 말할 필요도 없이」
ⓛ *to say the least of it*「줄잡아 말해도, 적어도」
ⓜ *strange to say*「이상한 얘기지만」

▶ GR 91. 대부정사

같은 동사의 반복을 피하기 위하여, 쉽사리 알 수 있을 때에는「to+동사 원형」대신 to만을 쓸 때가 있다. 이것을 대부정사(Pro-Infinitive)라고 하며, 구어에서 흔히 쓰인다.

(예) ⓐ I don't know him, nor do I want **to.**
(나는 그를 알지도 못하고, 또 알고 싶지도 않다.)
ⓑ I attended the meeting though my father told me *not* **to.**
(아버지께서 참석하지 말라고 하셨으나, 나는 그 모임에 참석했다.)

☞ 이 경우 to는 [tu:]라고 읽는다. ⓐ to=to know him ⓑ not to=not to attend the meeting

▶ GR 92. 분리 부정사

부사(구)가 **to**와 동사 원형 사이에 삽입될 때가 있는데, 이를 분리 부정사(Split Infinitive)라고 한다. 분리 부정사는 부사가 부정사를 수식함을 확실히 나타내려 할 때 쓴다.

(예) ⓐ Try **to** *entirely* **forget** your fault.
(네 과실을 완전히 잊도록 해라.)
ⓑ It is difficult **to** *really* **understand** her character.
(그 여자의 성격을 확실히 이해하기가 어렵다.)

☞ ⓐ **Try** *entirely* **to forget** your fault.라고 하면 entirely가 Try를 수식하는지 forget을 수식하는지 분명치 않다.

▶ GR 93. 원형 부정사

to가 없는 원형 부정사는 ⓐ 조동사 뒤, ⓑ 지각동사의 목적격 보어, ⓒ 사역동사의 목적격 보어, ⓓ 관용적 표현(had better, cannot but 따위)에 쓰인다.

(예) ⓐ I *can* 〔*may, must, shall, will*〕 **go.**
ⓑ I *saw* him **come.**
(나는 그가 오는 것을 보았다.)
I *felt* the house **shake.**
(나는 집이 흔들리는 것을 느꼈다.)
ⓒ Tom *made* him **do** so.
(톰이 그에게 그렇게 하도록 시켰다.)
He *let* her **go.** (그가 그 여자를 가게 했다.)
ⓓ You *had better* **start** at once.
(곧, 출발하는 것이 좋다.)
I *cannot but* **laugh.**
(나는 웃지 않을 수 없다.)
He *did nothing but* **cry.**
(그는 울기만 했다.)
I *would* 〔*had*〕 *rather* 〔*sooner*〕 **die** than live in disgrace.
(나는 치욕을 받으며 사느니 차라리 죽고 싶다.)
They *helped* me (**to**) **get** into the car.
(그들은 나를 도와 차에 태웠다.)

☞ ⓐ ought, used는 to를 수반. I *ought* 〔*used*〕 **to** go. ⓑ 지각동사: see, hear, feel, watch, perceive 따위. ⓒ 사역동사: make, bid, let, have 따위. ※ ⓑ와 ⓒ의 경우, 수동태에서는 to가

붙음에 주의. He *was seen* **to come.**/He *was made* **to do** so.

▶ GR 94. 부정사의 시제(1) — 단순 부정사

부정사는 그 자신 뚜렷한 시제가 없으나, 술어 동사의 시제에 따라 시제가 결정된다. 단순 부정사는 술어 동사가 ⓐ **seem, appear, be said, be believed, be thought** 따위일 때에는 술어 동사와 같은 때를, ⓑ **hope, wish, want, expect, promise** 따위일 때에는 미래의 때를 나타낸다.

(예)

ⓐ
- He *seems* **to be** ill. (그는 아픈 것 같다.)
  =that he *is* ill.
- He *seemed* **to be** ill. (그는 아픈 것 같았다.)
  =that he *was* ill.

ⓑ
- He *hopes* **to succeed.**
  (그는 성공하기를 바란다.)
  =that he *will* succeed.
- He *hoped* **to succeed.**
  (그는 성공하기를 바랐다.)
  =that he *would* succeed.

ⓒ
- I *expect* you **to work** hard.
  (열심히 일하기 바란다.)
  =that you *will* work hard.
- I *expected* you **to work** hard.
  (열심히 일하기 바랐다.)
  =that you *would* work hard.

☞ ⓑ의 경우는 술어 동사가 희망·기대 따위를 나타내는 경우가 많다.

▶ GR 95. 부정사의 시제(2) — 완료 부정사

완료 부정사(to have+과거분사)는, 술어 동사가 ⓐ **seem, appear, be said, be believed, be thought** 따위일 때에는 술어 동사보다 이전의 때를, ⓑ **hope, wish, want, intend, expect, promise** 따위의 과거형일 때에는 실현되지 않은 일을 나타낸다. 또한, ⓒ 「**should** 〔**would, could, might, ought to** 따위〕+완료 부정사」는 그 행위가 실현되지 않았음을 나타낸다.

(예)

ⓐ
- He *seems* **to have been** ill.
  (그는 아팠던 것 같다.)
  =that he *was* 〔*has been*〕 ill.
- He *seemed* **to have been** ill.
  (그는 아팠던 것 같았다.)
  =that he *had been* ill.

ⓑ I *expected* **to have come.**
=*I expected* to come, *but* I *did not* come.
(나는 오려고 했었는데 — 오지 못했다.)

ⓒ You **should** 〔**ought to**〕 **have come** earlier.
(너는 더 일찍 왔어야 했다.)

☞ ⓑ I *had expected* 〔*wanted, wished* 따위〕 **to come.**이라고도 한다.

▶ GR 96. 부정사의 태

부정사에는 능동태와 수동태가 있다. 단순형의 수동태는 「**to be**+과거분사」, 완료의 수동태는 「**to have been**+과거분사」의 형식을 취한다.

(예) ⓐ His name seems *to be known* to many people.
(그의 이름은 많은 사람에게 알려진 것 같다.)
ⓑ The letter seems *to have been written* by him.
(그 편지는 그에 의해 쓰여진 것 같다.)

☞ ⓐ =It seems that his name *is known* to many people. ⓑ = It seems that the letter *was written* by him.

※ 능동의 부정사가 수동의 뜻을 가진 경우
This is a house **to let** (=*to be let*).
This luggage is not easy **to carry** (=*to be carried*).
There is no time **to lose** (=*to be lost*).
I have nothing **to fear** (=*to be feared*).

▶ GR 97. 부정사의 의미상 주어

부정사의 의미상 주어는 ⓐ 주어와 일치하는 경우, ⓑ 목적어와 일치하는 경우, ⓒ 「**for**+(대)명사」로 나타내는 경우, ⓓ 「**of**+(대)명사」로 나타내는 경우로 나뉜다.

(예) ⓐ **I** expect *to succeed.* (나는 성공할 것으로 기대한다.)
ⓑ I expect **him** *to succeed.*
(나는 그가 성공할 것으로 기대한다.)
ⓒ It is natural *for* **him** *to say* so.
(그가 그렇게 말하는 것도 당연하다.)
ⓓ It is kind *of* **you** *to say* so. (그렇게 말하니 고맙다.)

☞ ⓐ =I expect that **I** *will succeed.* ⓑ =I expect that **he** *will succeed. cf.* **I** promised him *to come.* (나는 그에게 오겠다고 약속했다.) to come의 의미상 주어는 주어인 I. him은 간접목적어. ⓒ him이 의미상의 주어임. 「그가 하는 것(to ~)은」이라고 새긴다. ⓓ 「of+의미상 주어」의 앞에 오는 형용사는 bold, brave, careful, clever, cruel, foolish, good, kind, polite, rude, stupid, wicked, wise 따위와 같이 사람의 성질을 나타내는 것이 많다.

▶ GR 98. 부정사의 의미상 주어를 나타내지 않는 경우

일반적으로 부정사의 의미상 주어는 문장에 나타나 있으나, ⓐ 일반 사람이 의미상의 주어인 경우, ⓑ 독립 부정사의 경우에는 나타나 있지 않다.

(예) ⓐ It is wrong *to tell* a lie. (거짓말하는 것은 나쁘다.)
ⓑ *To tell the truth,* I don't like him.
(사실, 나는 그를 좋아하지 않는다.)

☞ ⓐ =It is wrong that **we** *should tell* a lie. ⓑ =*If we* 〔*I*〕 *tell the truth,* I don't like him.

9. 분 사(Participles)

분사는 동사의 변화형으로서 동사와 형용사의 구실을 겸한다. 따라서 분사는 동사 본래의 성격을 지니고 있기 때문에 그 자체의 목적어, 보어, 부사적 요소를 가질 수 있다.

부사에는 현재분사(Present Participle)와 과거분사(Past Participle) 두 종류가 있으며, 현재분사는 어미가 -ing로 끝나고, 과거분사는 원형·과거형과 더불어 동사의 3기본형의 하나이다.

분사는 진행형(be+현재분사), 완료형(have+과거분사), 수동태(be+과거분사)를 만드는 외에 형용사적 용법(수식어, 보어)을 가지며, 그 형태는 다음과 같다.

	타 동 사		자 동 사
	능 동 태	수 동 태	
현재분사	breaking	being broken	going
과거분사	—	broken	gone
완 료 형	having broken	having been broken	having gone

▶ GR 99. 분사의 형용사적 용법(1) — 수식어

분사는 명사(또는 대명사)를 직접 수식한다. 현재분사는 능동의 뜻을, 과거분사는 수동의 뜻을 나타내며, 단독일 때에는 명사 앞에 오고 다른 어구가 따를 때에는 명사 뒤에 온다.

(예) ⓐ the *sleeping* baby (자고 있는 아이)
the baby *sleeping* in the bed
(침대에서 자고 있는 아이)
ⓑ *printed* books (인쇄된 책)
books *printed* in English
(영어로 인쇄된 책)

☞ ⓐ =the baby who *is sleeping* (in the bed) ⓑ =books which *are printed* (in English). *fallen* leaves (낙엽), *retired* officer (퇴역 장교) 따위와 같이 자동사의 과거분사가 수식어로 쓰일 때도 있다.

▶ GR 100. 분사의 형용사적 용법 (2) — 보어

분사는 ⓐ 주격보어와 ⓑ 목적격보어로 쓰인다. 현재분사는 능동의 뜻을, 과거분사는 수동의 뜻을 나타낸다.

(예) ⓐ He *kept* **waiting** for her.
(그는 그 여자를 계속 기다리고 있었다.)
He *looks* **surprised.** (그는 놀란 것같이 보인다.)
ⓑ He *kept* her **waiting.**
(그는 그 여자를 기다리게 했다.)
I *had* 〔*got*〕 my watch **stolen.**
(나는 내 시계를 도난당했다.)
I *had* 〔*got*〕 my watch **mended.**
(나는 내 시계를 수선시켰다.)

☞ ⓑ 「have 〔get〕+목적어(물건)+과거분사(목적격보어)」는 주

어의 의지가 들어 있을 때에는 「~시키다(사역)」, 그렇지 않을 때에는 「~당하다(수동)」로 새김에 주의. *cf.* I *had* him **repair** my watch. (나는 그에게 시계를 수선시켰다.)

▶ GR 101. 명사·부사로서의 분사

분사는 형용사와 마찬가지로 앞에 the를 붙여 명사적으로 쓰이며, 또, 현재분사는 형용사 앞에서 부사처럼 쓰이기도 한다.

(예) ⓐ **The wounded** and **the dying** *were* taken to the nearest hospital. (부상자와 죽어가는 사람들은 가장 가까운 병원으로 옮겨졌다.)

ⓑ The wind is **piercing** *cold.* (바람이 살을 에듯 찼다.)

☞ ⓐ =Wounded men and dying men were taken to ~. 「the+분사」가 사람을 나타낼 때에는 일반적으로 복수 보통명사가 되어 복수로, 사물을 가리킬 때에는 추상명사나 집합명사가 되어 단수로 취급한다. **The unexpected** *has* happened. (생각지 않은 일이 생겼다.) ⓑ 부사 구실을 하는 분사는 현재분사에 한하며, 사용되는 말도 한정되어 있다. *boiling* 〔*burning*〕 hot 「찌는 듯이 더운」, *dripping* wet 「흠뻑 젖은」, *amazing* fine 「놀랄 만큼 훌륭한」, *shocking* bad 〔poor〕 「지독히 나쁜〔가난한〕」

▶ GR 102. 분사 구문

분사가 접속사와 술어 동사를 겸하여, 부사절이나 등위절과 같은 구실을 하는 구문을 분사 구문이라고 한다. 분사 구문은 ⓐ 때, ⓑ 이유·원인, ⓒ 조건, ⓓ 양보, ⓔ 부대 상황을 나타낸다.

(예) ⓐ *Seeing him,* I ran up to him. (=**When** I saw him, ~.)

ⓑ *Feeling tired,* I went to bed earlier than usual. (=**As** I felt tired, ~.)

ⓒ *Turning to the left,* you will find the station. (=**If** you turn to the left, ~.)

ⓓ *Admitting what you say,* I still think you are wrong. (=**Though** I admit what you say, ~.)

ⓔ The train started at six, *arriving there at ten.* (=~, **and** arrived there at ten.)

☞ ⓓ 양보를 나타내는 분사 구문은 admitting, granting으로 시작하는 것이 대부분. ⓔ 부대 상황을 나타내는 분사 구문은 주절이 나타내는 동작·상태와 동시에 행해지는 것을 나타낼 때도 많은데, 이 때에는 보통 「~하면서」라고 새긴다. She sat by him, *knitting.* (그 여자는 뜨개질을 하면서 그의 옆에 앉아 있었다.)

※ 부정형의 분사 구문: 분사 앞에 not, never를 놓는다.

Not *having received* an answer, I wrote to him again./ **Never** *having* 〔*Having* **never**〕 seen him before, I could not tell who he was. (나는 그를 전에 만난 적이 없어서 그가

누군지 알 수 없었다.)

▶ **GR 103. 「접속사+분사 구문」**

분사 구문은 접속사를 생략하는 것이 원칙이나, 뜻을 명확히 하기 위하여 앞에 접속사를 보일 때도 있다.

(예) ⓐ **While** *walking along the street,* I met Tom.
(=While I was walking along the street, ~.)
ⓑ **Though** *studying harder,* I cannot get a good mark.
(=Though I study harder, ~.)
(더 열심히 공부해도 좋은 점수를 얻을 수 없다.)

☞ 이 경우에는 절의 생략으로 보아도 좋다.

▶ **GR 104. 분사 구문의 의미상의 주어—독립 분사 구문**

분사의 의미상의 주어와 문장의 주어가 같을 때에는 분사의 의미상의 주어를 생략하나, 다를 때에는 생략하지 않는데, 이를 독립 분사 구문(Absolute Participle)이라고 한다.

(예) ⓐ **Night** *coming on,* we started.
(=When night came on, ~.)
ⓑ **It** *being fine,* I went out for a walk.
(=As it was fine, ~.)
ⓒ The sun rose, **the fog** *disappearing.*
(=The sun rose and the fog disappeared.)

☞ ⓒ 해가 떠서 그 결과 안개가 사라진다. 이러한 경우에는 결과를 나타내는 쪽을 분사 구문으로 하는 것이 보통이다.

▶ **GR 105. 무인칭 독립 분사**

분사의 의미상의 주어가 일반 사람(we, one 따위)일 경우에는 문장의 주어와 다를지라도 이를 생략하는데, 이를 무인칭 독립 분사(Impersonal Absolute Participle)라고 하며, 특정한 성구에 한하여 쓰인다.

(예) ⓐ **Judging** (=If we judge) **from** the rumor, he seems to be rich.
(소문으로 판단하면 그는 부자인 것 같다.)
ⓑ *generally speaking* 「일반적으로 말하면」
ⓒ *talking of* ~ 「~에 관해서 말하자면」
ⓓ *frankly speaking* 「솔직히 말하면」
ⓔ *granting that* ~ 「비록 ~라 할지라도」
ⓕ *considering that* ~ 「~을 고려하면」
ⓖ *seeing that* ~ 「~임을 보면」

☞ *cf.* such being the case 「사정이 이러하므로」, other things being equal 「다른 조건이 같다면」

▶ **GR 106. 「with+독립 분사 구문」**

부대 상황을 나타내는 독립 분사 구문 앞에 with를 붙이는 경우가 있다.

(예) ⓐ He lay still, **with** *his eyes* **closed.**

(그는 눈을 감고(눈을 감은 상태로) 가만히 누워 있었다.)

ⓑ I cannot write **with** *you* **standing** there.
(네가 거기에 서 있으니까(서 있는 상태에서는) 편지를 쓸 수 없다.)

☞ *cf.* He walked *with a hand in his pocket.* (그는 호주머니에 손을 넣고 걸었다.) She sat there *with her mouth open.* (그 여자는 입을 벌리고 거기에 앉아 있었다.)

▶ GR 107. 분사 구문의 시제 — 단순형 · 완료형

분사는 그 자체의 시제는 없고 술어 동사의 시제에 따라 결정되는데, 단순형은 술어 동사와 대체로 같은 시제를, 완료형(having+과거분사)은 술어 동사보다 앞선 시제를 나타낸다.

(예) ⓐ **Living** next door, I seldom *see* him.
(=Though I *live* next door, ~.)

ⓑ The weather **permitting,** I *will go* on a picnic tomorrow.
(=If the weather *permits,* ~.)

ⓒ **Leaving** here at five, he *arrived* there at ten.
(=He *left* here at five and arrived there at ten.)

ⓓ **Having finished** my work, I *went* out for a walk.
(=When 〔After〕 I *had finished* my work, ~.)

ⓔ **Having been deceived** so often, I *am* now forced to be on my guard.
(=As I *have been deceived* so often, ~.)

☞ ⓑ 때나 조건을 나타내는 부사절에서는 미래 대신에 현재형을 쓰므로 If the weather *will* permit이라고 할 수 없음에 주의. ⓒ=He left here at five, *arriving* there at ten. 시간차가 있을 경우에는, 앞에 있는 것이, 「주어+동사」이든지 분사구문이든지 간에, 시간적으로 빠름을 나타낸다.

▶ GR 108. 분사 구문의 태

분사 구문에는 능동태와 수동태가 있다. 수동태의 분사는 원칙적으로 「**being**+과거분사」(단순형) 또는 「**having been**+과거분사」(완료형)의 형식을 취하나, 뜻이 애매해질 염려가 없을 때에는 being이나 having been을 생략하고 과거분사만을 쓴다.

(예) ⓐ The world of children is narrow, **being limited** by their home and district.
(=~, as it *is limited* by their home and district.)
Seen 〔*Being seen*〕 from an airplane, it would look like a great green sea.
(=If it *were seen* from an airplane, ~.)

ⓑ **Having been taught** since his childhood, he is a good speaker of English.
(=As he *has been taught* since his childhood, ~.)
Born 〔*Having been born*〕 in better times, he would

have been known all over the world.
(=If he *had been born* in better times, ~.)
This (*having been*) **done,** he appeared to be satisfied.
(=When this *had been done,* ~.)

☞ *cf. Kind and honest,* she is loved by all. =**Being** *kind and honest,* ~. =As she is kind and honest, ~. 형용사 앞의 being 도 생략할 때가 있음에 주의.

▶ GR 109. 분사 구문의 위치

분사 구문은 흔히 문장 앞쪽이나 뒤쪽에 위치하나, 문장 가운데에 위치할 때도 있다.

(예) ⓐ *Seeing me,* he ran away.
ⓑ I am sleepy, *having sat up late last night.*
(나는 어젯밤에 늦게까지 자지 않고 앉아 있어서 졸음이 온다.)
ⓒ Mother, *playing the piano,* did not notice me.
(어머니는 피아노를 치고 계셨기 때문에 나를 알아채지 못하셨다.)

☞ ⓐ 주어가 대명사일 때에는 분사 구문을 문장 안에 넣지 못한다. He, seeing me, ran away. 는 잘못. ⓑ *cf.* Mother *playing the piano* did not notice me. (피아노를 치고 계신 어머니는 나를 알아채지 못했다.) 콤마를 빼면 분사 구문이 아니고, 명사를 수식하는 형용사구가 됨에 주의.

10. 동명사(Gerund)

동명사는 동사 변화형의 하나로서, 어미가 -ing인 점에서는 현재 분사와 같으나, 현재분사가 동사와 형용사의 성질을 겸비한 데 비하여 동명사는 동사와 명사의 성질을 갖는다.

동명사는 동사로서의 성질을 갖기 때문에 그 자체의 목적어, 보어, 부사적 요소를 가지며, 다음 네 가지 형태가 있다.

시제 \ 태	능 동 태	수 동 태
단 순 형	doing	being done
완 료 형	having done	having been done

▶ GR 110. 동명사의 용법

동명사는 명사와 마찬가지로 문장 안에서 주어, 보어, 동사나 전치사의 목적어로 쓰인다.

(예) ⓐ **Speaking** English is not easy.
ⓑ My hobby is **collecting** stamps.
ⓒ He *stopped* **smoking.**
(그는 담배를 끊었다.)
I am fond *of* **reading.**

☞ ⓐ= *To speak* English is not easy. ⓑ=My hobby is *to collect* stamps. ⓒ He stopped *to smoke.*는 「담배를 피우기 위해 섰다」란 뜻.

▶ GR 111. 동명사와 현재분사

동명사와 현재분사가 모두 「동사 원형+-ing」 꼴이기 때문에, 그 구별이 어려운데, 동명사가 명사 앞에서 형용사적으로 쓰일 때에 「용도」를 나타내는 것은 동명사, 「동작·상태」를 나타내는 것은 현재분사이다.

(예)
ⓐ a **dáncing** hall (=a hall for dancing) 「댄스홀」〈동명사〉
a **dáncing** gírl (=a girl who is dancing) 「춤추는 소녀」〈현재 분사〉

ⓑ a **sléeping**-car (=a car for sleeping) 「침대차」〈동명사〉
a **sléeping** báby (=a baby who is sleeping) 「잠자는 아이」〈현재 분사〉

ⓒ *Your* **being** absent gave me much trouble. 〈동명사〉
(=The fact that you were absent gave me much trouble.)
You **being** absent, I had much trouble. 〈현재 분사〉
(=As you were absent, ~.)

☞ 「동명사+명사」는 보통 동명사에는 강세가 오고 명사에는 강세가 오지 않으나, 「현재분사+명사」는 명사에도 강세가 온다.

▶ GR 112. 동명사와 부정사 — 목적어

동사에 따라서는 목적어로서 ⓐ 동명사만을 취하는 것, ⓑ 부정사만을 취하는 것, ⓒ 양쪽 다 취하여 뜻이 같은 것, ⓓ 양쪽 다 취하나 뜻이 달라지는 것이 있다.

(예) ⓐ I *finished* **reading** the book.
(나는 그 책을 다 읽었다.)
Would you *mind* **opening** the door?
(문을 열어도 괜찮겠습니까?)

ⓑ I *hope* **to see** you again.
I *plan* **to spend** the summer at the seaside.
(나는 여름을 바닷가에서 보낼 계획이다.)

ⓒ She *began* **singing.** =She *began* **to sing.**
Prices *continued* **rising.**
=Prices *continued* **to rise.**

ⓓ I *like* **swimming.** (수영을 좋아한다. — 일반적)
I *like* **to swim** now.
(지금 수영하고 싶다. — 일시적)

I *remember* **seeing** him in London.
(나는 런던에서 그를 만난 기억이 있다. — 과거)
Remember **to post** this letter.
(이 편지 붙일 것을 잊지 마라. — 미래)

☞ ⓐ 동명사만을 취하는 동사: avoid, finish, mind「꺼리다」, miss「~하지 못하다」, enjoy, escape「면하다」, stand「참다」, deny「부정하다」, repent, admit, give up「포기하다」 따위. (전치사도 동명사만을 목적어로 취함에 유의) ⓑ 부정사만을 취하는 동사: wish, hope, desire, expect, want, mean「예정하

다」, care「좋아하다」, choose, decide, promise, plan, agree 따위. ⓒ 동명사·부정사를 취하는 것: begin, start, intend, continue「계속하다」, omit 따위. ⓓ 동명사·부정사를 다 취하나 뜻이 달라지는 것: like, dislike, hate(이상은 목적어가 동명사이면 일반적, 부정사는 특정 경우를 나타냄); remember, forget (이상은 목적어가 동명사면 과거, 부정사는 미래를 나타냄) 따위.

▶ GR 113. 동명사의 시제(1) — 단순형

동명사는 그 자체의 시제는 없으나, 술어 동사와 관련지어져 그 시제가 결정된다. 단순형의 동명사(~ing)는 일반적으로 술어 동사와 같은 시제를 나타낸다. 그러나 **hope, doubt, sure** 따위와 같이 미래에 관한 말에서는 미래를 나타낸다.

(예) ⓐ He *is* proud of **being** rich.
(=He *is* proud that he *is* rich.)
He *was* proud of **being** rich.
(=He *was* proud that he *was* rich.)
ⓑ There *is no hope of* his **being** saved.
(=There *is* no hope that he *will* be saved.)
(그가 구조될 희망은 없다.)

☞ ⓑ his는 동명사 being의 의미상의 주어.

▶ GR 114. 동명사의 시제(2) — 완료형

동명사의 완료형(having+과거분사)은 술어 동사보다 앞선 시제를 나타낸다. 다만, 전후 사정으로 시제 관계가 확실할 때에는 굳이 완료형을 쓰지는 않는다.

(예) ⓐ He *repents* of **having been** idle.
(=He *repents* that he *was* 〔*has been*〕 idle.)
He *repented* of **having been** idle.
(=He *repented* that he *had been* idle.)
ⓑ I remember **visiting** him once.
(=I *remember* that I *visited* him once.)

☞ ⓑ visiting을 구태여 having visited라고 할 필요가 없다.

▶ GR 115. 동명사의 태

동명사에는 능동태와 수동태가 있다. 단순형의 수동태는 「**being**+과거분사」, 완료형의 수동태는 「**having been**+과거분사」의 형식으로 나타낸다.

(예) ⓐ I hate **being criticized** behind my back.
(내가 없는 데서 비평을 받기는 싫다.)
ⓑ He was proud of **having been told** to make a speech on behalf of graduating students.
(그는 졸업생을 대표해서 연설하라는 말을 들은 것을 자랑스럽게 여겼다.)

☞ *cf.* This watch *needs* **mending** (=*being mended*). (이 시계는 수선이 필요하다.) need, want, require 따위의 뒤에 오는 능동태의 동명사는 수동태의 뜻을 나타낸다.

▶ GR 116. 동명사의 의미상의 주어

동명사의 의미상의 주어가 문장의 주어와 같거나 일반적인 말(Seeing is believing. 따위)일 때에는 생략한다. 그러나, 문장의 주어와 같지 않을 때에는 명사·대명사의 소유격(구어에서는 목적격)을 동명사 앞에 써서 나타낸다.

(예) ⓐ Do you mind **me** 〔**my**〕 *smoking* here?
(여기서 (내가) 담배를 피워도 괜찮습니까?)
ⓑ She is proud of **her mother** (**'s**) *being* a pianist.
(그 여자는 자기 어머니가 피아니스트인 것을 자랑한다.)

☞ ⓐ=Do you mind if I smoke here? ⓑ=She is proud that her mother is a pianist. *cf.* **Her mother's** *being* a pianist is her pride. 동명사가 문장의 주어일 때에는 소유격.
※의미상 주어로 소유격을 쓰지 않는 경우: 의미상 주어가 무생물이거나 소유격이 없는 말일 때. There is no prospect of **the concert** *being* a success. (음악회가 성공할 가망은 없다.)/He would not hear of **that** *being* impossible. (그는 그것이 불가능하다는 것을 들으려 하지 않는다.)

▶ GR 117. 동명사의 관용적 표현

동명사를 포함한 관용구는 상당히 많으므로 잘 기억해 둘 필요가 있다.

(예) ⓐ I don't **feel like** go**ing** out this evening.
(나는 오늘 저녁에 나가고 싶지 않다.)
ⓑ *It is no use* 〔*good*〕 *~ing* (=It is useless to ~) 「~해도 소용 없다」
ⓒ *cannot help ~ing* (=cannot but ~) 「~하지 않을 수 없다」
ⓓ *There is no use ~ing* (=It is impossible to ~, We cannot ~) 「~할 수 없다」
ⓔ *on ~ing* (=when, as soon as) 「~하자마자, ~할 때에」
ⓕ *come near ~ing* 「(하마터면)~할 뻔하다, 막 ~하려고 하다」
ⓖ *be worth ~ing* (=be worth to ~) 「~할 가치가 있다」
ⓗ *prevent* 〔*keep*〕 ... *from ~ing* 「…에게 ~하지 못하게 하다」
ⓘ (*so*) *far from ~ing* (=by no means, anything but) 「~하기는 커녕, 결코 ~아니다」
ⓙ *be busy* (*in*) *~ing* 「~하느라고 바쁘다」
ⓚ *How* 〔*What*〕 *about ~ing?* 「하는 것이 어때? ~에 대해서는 어찌 생각하나?」
ⓛ *What do you say to ~ing?* 「~하는 것이 어떨까?」
ⓜ *Would* 〔*Do*〕 *you mind ~ing?* 「~해 주지 않겠느냐? ~해도 괜찮겠느냐?」
ⓝ *make a point of ~ing* 「~하는 것을 중요시하다, 반드시 ~하다」

ⓞ *be on the point of ~ing*「바야흐로 ~하려고 하다」
ⓟ *not* 〔*never*〕 ... *without ~ing*「~하지 않고는 …하지 않는다, …하면 반드시 ~하다」
ⓠ *of one's own ~ing*「자기가 ~한…」
ⓡ *insist on ~ing*「~하기를 주장하다〔고집하다〕」
ⓢ *give up ~ing*「~하기를 그만두다〔포기하다〕」
ⓣ *succeed in ~ing*「~하는 데 성공하다」
ⓤ *fail in ~ing*「~하는 데 실패하다」
ⓥ *prohibit...from ~ing*「…에게 ~하는 것을 금하다」

☞ ⓖ like, near, worth는 동명사를 목적어로 취하는 예외적인 형용사. ⓘ *cf.* He is *far from* (*being*) happy. ⓙ in을 생략하고 busy ~ing로 하는 것이 보통.

11. 관계대명사(Relative Pronouns)

관계대명사는 앞에 나온 명사를 대신하는 대명사의 구실과, 뒤에 계속되는 절을 그 명사에 접속시켜 주는 접속사의 구실을 겸하는 말이다.

She has a son. + He is wise.
→ She has a son **and he** is wise.
→ She has a son **who** is wise.

맨 아래 문장에서 who는 son을 대신하는 대명사의 구실과, 앞뒤 두 문장을 연결하는 접속사(and)의 구실을 겸하고 있다. 이 경우, who가 이끄는 절은 바로 앞의 명사 son을 수식하는 형용사절의 구실을 한다. 관계대명사가 대신하고 있는 명사(son)를 선행사(Antecedent)라고 한다.

관계대명사는 일반적으로 선행사에 따라 **who, which, that, what** 네 가지가 쓰이나, 접속사 **as, but, than**도 마치 관계대명사처럼 쓰일 때가 있어 이것을 특수한 관계대명사로 다룬다.

관계대명사의 종류와 격 변화는 다음과 같다.

격 / 선행사	주 격	소 유 격	목적격
사람	who	whose	whom
동 물 · 사 물	which	whose, of which	which
사물 · 동물 · 사물	that	없 음	that
사물(선행사를 포함)	what	없 음	what

▶ GR 118. 관계대명사 **who**

관계대명사 who는 사람을 선행사로 하며, **who** (주격) — **whose** (소유격) — **whom** (목적격)의 격변화를 한다.

(예) ⓐ The boy *who* broke the window ran away.
(유리창을 깬 소년은 달아났다.)
ⓑ A woman *whose* husband is dead is called a widow.
(남편이 죽은 부인을 미망인이라고 한다.)

ⓒ Those *whom* the gods love die young.
(신이 사랑하는 자는 단명하다. — 미인박명)

☞ ⓐ *cf.* They have a *dog* **who** always gives me a big welcome. (그들에게는 항상 나를 대환영하는 개가 있다.) 동물이나 도시명, 국명이 의인화되어 who를 쓰는 수도 있다. ⓒ 속담에서는 선행사(Those)를 생략하고 **Whom** gods love die young. 이라고 한다. (유례) **Who** (=He who) goes slowly goes far. (천천히 가는 자가 멀리 간다.)

▶ GR 119. 관계대명사 **which**

관계대명사 which는 동물·사물을 선행사로 하며, **which** (주격) — **whose, of which** (소유격) — **which** (목적격)의 격변화를 한다.

(예) ⓐ The white building *which* stands on the hill is our school.
(언덕 위에 있는 흰 건물은 우리 학교이다.)

ⓑ I bought a notebook { *whose* cover / the cover *of which* / *of which* the cover } was red.
(나는 표지가 빨간 공책을 하나 샀다.)

ⓒ The story *which* I read yesterday was moving.
(내가 어제 읽은 이야기는 감동적이었다.)

☞ ⓑ 소유격은 위 예문에서와 같이 세 가지로 쓸 수 있으나 「whose+명사」, 「명사+of which」가 일반적.
※주의해야 할 **which**의 선행사: which는 동물·사물 이외에 앞의 구·절이나 형용사를 선행사로 할 경우도 있으며, 사람을 나타내는 말이지만 그 사람 자체가 아니라 직위·성격 따위를 가리킬 때에는 who를 쓰지 않고 which를 쓴다.
He said *he saw me there,* **which** (=but it) was a lie.
He is *rich,* **which** I am not.
(그는 부자지만 나는 부자가 아니다.)
My father intended me for a *lawyer,* **which** I didn't like.
(아버지는 나를 변호사가 되게 하려고 했으나 난 그것이 싫었다.)

▶ GR 120. **who, which**의 제한적 용법과 계속적 용법

관계대명사 who와 which에는 선행사를 한정하는 형용사절을 이끄는 제한적 용법과, 선행사를 직접 수식하지 않고 선행사에 관해서 보충적인 설명을 더해 주는 계속적 용법이 있다.

(예) ⓐ
She has two daughters *who* became musicians. 〈제한적〉
(그 여자는 음악가가 된 딸이 둘 있다. — 다른 딸이 있을 수도 있다.)
She has two daughters, *who* (=and they) became musicians. 〈계속적〉
(그 여자는 딸이 둘 있는데, 그들은 음악가가 되었다. — 딸은 둘뿐)

ⓑ I want to buy a book *which* treats of atomic energy. 〈제한적〉
(나는 원자력을 다룬 책을 하나 사고 싶다.)
I want to buy this book, *which* (=for it) treats of atomic energy. 〈계속적〉
(나는 이 책을 사고 싶다. 이 책은 원자력을 다루고 있으니까.)

☞ 제한적 용법에서는 관계대명사 앞에 콤마(,)가 없으나, 계속적 용법에서는 보통 콤마가 있다. 또한, 제한적 용법에서는 관계대명사를 접속사와 대명사로 바꿔 쓸 수 없으나, 계속적 용법에서는 「접속사(and, but, for, though 따위)+대명사」로 바꿔 쓸 수 있다. 관계대명사 that에는 계속적 용법이 없다.

▶ GR 121. 관계대명사 **that**

관계대명사 that는 사람, 동물, 사물 중 어느 것이나 선행사로 취할 수 있고, 소유격은 없다(whose, of which로 대용). that는 특히 제한적 의미가 강할 때 많이 쓰며, 계속적 용법은 없다.

(예) ⓐ He is the man *that* (=who) loves us.
(그는 우리를 사랑해 주는 사람이다.)
ⓑ The dog *that* (=which) bit me was caught.
(나를 문 개는 잡혔다.)
ⓒ Where is the book *that* (=which) I bought yesterday? (내가 어제 산 책은 어디에 있느냐?)

▶ GR 122. 관계대명사 **that**를 쓰는 경우

ⓐ 선행사에 최상급, 서수 및 제한적인 의미가 강한 말(the only, the same, the very, the last, every, all 따위)이 따를 경우, ⓑ 선행사가 **all, something, nothing, everything** 따위의 부정대명사일 경우, ⓒ 선행사가 「사람+동물」인 경우와, ⓓ 의문사 뒤에서는 특히 관계대명사 that를 쓴다.

(예) ⓐ This is **the best** movie **that** I have ever seen.
(이것은 내가 지금까지 본 가장 좋은 영화이다.)
He is *the only* boy **that** can do it.
(그것을 할 수 있는 것은 그 소년밖에 없다.)
ⓑ *All* **that** glitters is not gold.
(번쩍인다고 다 금은 아니다.)
ⓒ Look at *the boy and his dog* **that** are running over there. (저쪽에 달리고 있는 소년과 그의 개를 봐라.)
ⓓ *Who* **that** knows him would trust his words?
(그를 아는 사람은 누가 그의 말을 믿겠는가?)

▶ GR 123. 「전치사+관계대명사」

관계대명사에 전치사가 따를 때에는, 전치사가 관계대명사(whom, which) 앞이나, 관계대명사절 뒤에 온다. 단, 전치사 바로 뒤에는 that를 쓰지 않는다.

(예) ⓐ This is the house **in** *which* he lives.
= This is the house *which* 〔*that*〕 he lives **in.**
(이것이 그가 사는 집이다.)
ⓑ He is the boy **with** *whom* I often play tennis.
= He is the boy *whom* 〔*that*〕 I often play tennis **with.**
(그는 내가 가끔 정구를 같이 하는 소년이다.)
ⓒ The color **of** *which* he is fond is white.
= The color *which* 〔*that*〕 he is fond **of** is white.
(그가 좋아하는 색은 흰색이다.)

☞ ⓐ *cf.* He lives **in** the house. ⓑ *cf.* I play tennis **with** the boy. 전치사를 뒤로 돌릴 때에는 whom을 생략하는 것이 보통. ⓒ *cf.* He is fond **of** the color. laugh at, be fond of 따위와 같이 「동사(또는 형용사)+전치사」가 한 덩어리를 이룬 경우에는 전치사를 뒤로 돌리는 것이 보통이다.
※ 전치사를 뒤로 돌리지 못할 때도 있다. I bought many books, *some of which* I have already read. (나는 책을 많이 샀는데, 그 중에는 이미 읽은 것도 있었다.)

▶ GR 124. 관계대명사의 수와 인칭

관계대명사의 수와 인칭은 선행사와 일치한다.

(예) ⓐ **I** *who* **am** old cannot go there.
(늙은 나는 거기에 갈 수 없다.)
ⓑ She is one of those **women** *who* always **speak** ill of others. (그 여자는 항상 남을 험담하는 여자 중의 한 사람이다.)
ⓒ He is the only **one** of my students *that* **speaks** English well. (내 학생 중에서 영어를 잘 하는 것은 그밖에 없다.)

☞ *cf.* It is **you** *that* **are** wrong. 강조 구문 It is ... that ~에서 that는 본질적으로는 관계대명사이다.

▶ GR 125. 이중 제한

두 개의 관계대명사가 등위접속사(and, or, but 따위)로 연결되지 않고 동일한 선행사에 걸려 있는 경우가 있다. 이를 이중 제한이라고 하며, 첫째 절에서 관계대명사는 흔히 생략된다.

(예) ⓐ Are there **any books** (***that***) *you want* ***which*** *you don't have?*
(네가 갖지 않은 책으로, 네가 바라는 책이 있느냐?)
ⓑ Can you mention **any one** (***that***) *we know* ***who*** *is as talented as he?*
(우리가 아는 사람으로, 그이만큼 재주가 있는 사람이 있느냐?)

☞ ⓐ any books ↙ **(that)** you want
↖ **which** you don't have

ⓑ any one ↙ (**that**) we know
↖ **who** is as talented as he

▶ **GR 126. 환상 관계사절**

두 개의 종속절이 관계대명사를 접점으로 하여 고리 모양으로 연결되어 있는 경우가 있다. 이를 환상 관계사절이라고 한다.

(예) That is Mr. Smith **who** *they say is* the most influential man in this town. (저분이, 이 읍에서 가장 유력한 사람이라는 스미스씨이다.)

☞ Mr. Smith | **who** | they say ← is the most influential man

cf. That is Mr. Smith. They say he is the most influential man in this town.

▶ **GR 127. 관계대명사 what**

관계대명사 what는 그 자체내에 선행사(사물)를 포함하고 있어 the thing(s) which ~또는 that 〔those〕 which ~에 상당하는 명사절을 만든다. what의 소유격은 없다.

(예) ⓐ **What** he says is true. (그가 말하는 것은 사실이다.)
ⓑ He is no longer **what** he used to be.
(그는 이제 이전의 그가 아니다.)

☞ ⓑ what he used to be는 the man he used to be의 뜻으로 사람의 됨됨이를 나타냄.

▶ **GR 128. 관계대명사 what의 관용적 표현**

관계대명사 what이 이끄는 절이 하나의 성구로서 삽입절로 쓰일 때가 많다. 이 경우, what절은 부사 구실을 한다.

(예) ⓐ She is rich, and **what is still better,** is very beautiful. (그녀는 부자고, 더욱 좋은 것은 대단히 아름답다.)
ⓑ *from what I hear* 〔*have seen*〕「내가 들은〔본〕 바에 의하면」
ⓒ *let others say what they will*「남이 뭐라고 하든」
ⓓ *what is called*「소위, 이른바」
ⓔ *what is more*「게다가, 더우기, 그 위에」
ⓕ *what is best of all*「게다가 가장 좋은 것은」
ⓖ *what makes the matter worse*「더욱 나쁜 것은, 엎친 데 덮친 격으로」
ⓗ *A is to B what C is to D*「A의 B에 대한 관계는 C의 D에 대한 관계와 같다」

▶ **GR 129. 관계대명사의 격의 결정**

관계대명사의 격은 선행사에 따라 결정되지 않고, 관계대명사 뒤에 오는 절, 즉 관계사절의 구조에 따라 주격, 소유격, 목적격이 결정된다.

(예) ⓐ The man **who** I thought *was* my friend deceived me.
(내가 친구라고 생각했던 사람이 나를 속였다.)
ⓑ The man **whom** I *believed* to be responsible for this accident is the engineer.
(이 사건에 책임이 있다고 내가 믿는 사람은 기사이다.)

☞ ⓐ의 who는 was의 주어이므로 주격, ⓑ의 whom은 believed의 목적어이므로 목적격. 관계사절 안에 삽입구가 있을 때에는 틀리기 쉬우므로 특히 주의해야 한다. ⓐ의 I thought는 삽입구이나, ⓑ의 I believed는 삽입구가 아니다.

▶ GR 130. 관계 대명사 **as**

관계대명사로서의 as는 ⓐ **such ~ as, the same ~ as, as ~ as**처럼 상관적으로 쓰이는 제한적 용법과, ⓑ 앞(또는 뒤)에 나오는 절의 내용을 선행사로 하는 계속적 용법이 있다.

(예) ⓐ Choose **such** *friends* **as** will benefit you.
(너에게 이로움을 줄 그런 친구를 택해라.)
This is **the same** *knife* **as** I lost.
(이것은 내가 잃어버린 것과 같은 (종류의) 칼이다.)
As *many men* **as** came were welcomed.
(온 사람은 다 환영을 받았다.)
ⓑ *He was absent,* **as** was often the case.
= **As** was often the case, *he was absent.*
(종종 그랬듯이, 그는 (그 때에도) 결석했다.)

☞ ⓐ 이 경우, 선행사는 such, the same, as 뒤에 오는 명사이며, 관계대명사 as는 who나 which와 같은 뜻. *cf.* This is **the same** knife **that** I lost. (이것은 내가 잃어버린 (것과 동일한) 칼이다.) ⓑ 이 경우의 as는 which의 용법과 비슷하나, 양상의 뜻을 내포하고 있는 부사절에 해당하는 점이 다르다. *He was an American,* **as**(= *which fact*) I knew from his accent. (그는 미국 사람이었다. 그것은 그의 말투로 안 것이지만.) **As** is well known, *the higher up we go, the colder it becomes.* (잘 알려진 바와 같이, 높이 올라갈수록 더 추워진다.)

▶ GR 131. 관계대명사 **but**

관계대명사로서의 but은 부정 또는 이에 준하는 구문에 쓰여 **that ... not**의 뜻을 가진다.

(예) ⓐ There is no rule *but* has exceptions.
(예외 없는 규칙은 없다.)
ⓑ Who is there *but* knows it.
(그것을 모르는 사람이 누가 있겠는가? — 모르는 사람은 없다.)

☞ ⓐ = There is *no* rule **that** has **no** exceptions. ⓑ = Who is there **that** does **not** know it? = There is *no* one **who** does **not** know it. ※ 접속사로서의 but에도 that ... not의 뜻이 있으나, 접속사의 경우에는 선행사가 없다. It *never* rains *but* it pours. (비가 오기만 하면 억수같이 쏟아진다.)

▶ GR 132. 관계대명사 than

than은 그것이 이끄는 절에서 주어 노릇을 할 때에는 관계대명사와 같은 구실을 한다.

(예) ⓐ Don't use more words *than* are necessary.
(필요 이상의 말은 쓰지 마라.)
ⓑ Children should not have more money *than* is needed.
(아이들이 필요 이상의 돈을 가져서는 안 된다.)

☞ ⓐ =Don't use more words *than* **those which** are necessary.
ⓑ =Children should not have more money *than* **that which** is needed. *cf.* He is taller *than* I. (than은 접속사)

▶ GR 133. 관계대명사의 생략

제한적 용법의 관계대명사는 ⓐ 동사·전치사의 목적어인 경우에는 생략할 수 있다. 또한, 주격의 관계대명사일지라도 ⓑ 보어인 경우, ⓒ **There is**로 시작되는 문장이거나 관계대명사 뒤에 **there is**가 올 경우, ⓓ **It is ~ that** 의 강조 구문일 경우에는 이를 생략할 수 있다.

(예) ⓐ He is the man (**whom**) I *saw* yesterday.
(그는 어제 내가 만난 사람이다.)
This is the house (**which**) I live *in*.
(이것은 내가 사는 집이다.)
ⓑ He is not the man (**that**) he *was* before.
(그는 이전의 그가 아니다)
ⓒ *There is* a man at the door (**who**) wants to see you.
(너를 만나고자 하는 사람이 문간에 있다.)
At last the boy had done all (**that**) *there was* to be done.
(마침내 그 소년은 해야 할 일을 전부 해 버렸다.)
ⓓ What *was it* (**that**) drove him mad?
(그를 미치게 한 원인은 무엇이었는가?)

☞ ⓐ 전치사의 목적어인 관계대명사를 생략할 때에는 반드시 전치사를 뒤로 돌린다. 따라서, This is the house *in* I live.라고는 할 수 없다. ⓑ that은 was의 보어.

▶ GR 134. 복합관계대명사

복합관계대명사는 who (whose, whom), which, what에 -ever를 붙인 대명사로서, 명사절이나 양보를 나타내는 부사절을 이끈다. 모두 선행사를 자체 안에 포함한다.

주 격	소 유 격	목 적 격	뜻
whoever =anyone who =no matter who	**whosever** =anyone whose =no matter whose	**whomever** =anyone whom =no matter whom	~하는 누구든지, 누가~하더라도

whichever =any that =no matter which	———	**whichever**	~하는 어느 것이든지, 어느 것이 ~하든지
whatever =anything that =no matter what	———	**whatever**	~하는 것은 무엇이든지, 무엇이 ~하든지

(예)

ⓐ **Whoever** (=*Anyone who*) comes first may have it.
(누구든 맨 먼저 오는 사람이 그것을 가질 것이다.)
Whoever (=*No matter who*) may say so, it is not true.
(누가 그렇게 말하든지 그것은 사실이 아니다.)
Whosever (=*No matter whose*) it was, it is now mine.
(그것이 누구의 것이었든지간에 지금은 내것이다.)
Give it to **whomever** (=*anyone whom*) you like.
(누구든지 네가 좋아하는 사람에게 그것을 주어라.)
Whomever (=*No matter whom*) I quote, you retain your opinion.
(내가 누구의 말을 인용해도 너는 너의 의견을 바꾸지 않는구나.)

ⓑ Take **whichever** (=*any that*) you choose.
(무엇이든지 네가 선택하는 것을 가져라.)
Whichever (=*No matter which*) you choose, make sure that it is a good one.
(어느 것을 선택하든지 그것이 좋은 것인지를 확인해라.)

ⓒ Do **whatever** (=*anything that*) you like.
(무엇이든지 네가 좋아하는 것을 해라.)
Whatever (=*No matter what*) you do, do it well.
(네가 무엇을 하든지 잘 해라.)

☞ 복합관계대명사의 격은 그것이 이끄는 절 안에서의 구실에 따라 결정되며, anyone who, any(thing) that의 뜻일 때는 명사절, no matter who (which, what)의 뜻일 때는 부사절이다.

▶ GR 135. 관계형용사

관계대명사 which, what이나 복합관계대명사 whichever, whatever가 뒤에 명사를 수반하여 형용사처럼 쓰일 때가 있다. 이를 관계형용사라고 한다.

(예) ⓐ I said nothing, **which** (=*and this*) fact made him angry.
(나는 아무 말도 하지 않았는데, 이 때문에 그는 화가 났다.)
ⓑ I gave him **what** help (=*all the* help *that*) I could.
(나는 할 수 있는 데까지 그를 도왔다.)
ⓒ Buy **whichever** hat (=*any* hat *that*) you like best.
(어느 모자든지 가장 네 마음에 드는 것을 사라.)

☞ ⓑ 「what+명사」는 흔히 all의 뜻을 내포한다. He spent **what** money (=*all the* money *that*) he earned. (그는 번 돈을 몽땅 써 버렸다.)

12. 관계부사 (Relative Adverbs)

관계부사는, 관계대명사가 접속사와 대명사의 구실을 하는 데 비하여, 접속사와 부사의 구실을 한다. 따라서, 관계부사는 「전치사+관계대명사」로 바꿔서 표현할 수 있을 때가 많다.

This is the village. [+] I was born [there] (=in it).

This is the village **where** (=*in which*) I was born.

관계부사도 관계대명사와 같이 선행사를 가지며, 다음과 같이 선행사에 따라 네 가지가 쓰인다.

관계부사	선행사	전치사+관계대명사
when	때	at, on, in+which
where	장소	at, on, in+which
why	이유	for which
how	방법	in which

▶ GR 136. 관계부사의 제한적 용법

관계 부사 **when** (때), **where** (장소), **why** (이유), **how** (방법)는 접속사와 부사의 구실을 겸하며, 형용사절을 이끌어 선행사를 수식한다. 관계부사는 「전치사+관계대명사」로 바꿀 수 있는 경우가 많다.

(예) ⓐ Now is the *time* **when** (=*at which*) I need him most.
(때)
(지금은 내가 그를 가장 필요로 하는 때이다.)
ⓑ This is the *house* **where** (=*in which*) he lives.
(장소)
(이것은 그가 사는 집이다.)
ⓒ That is the *reason* **why** (=*for which*) he ran away.
(이유)
(그것이 그가 도망한 이유이다.)
ⓓ Tell me the *way* 〔**how**〕 (=*in which*) he did it.
(방법)
(그가 그것을 한 방법을 나에게 말해 다오.)

☞ ⓓ 형식상으로는 way는 선행사, how는 관계부사이나, 실제로는 the way how라고는 쓰지 않고 둘 중 하나를 생략하여 the way 또는 how만을 쓰거나 the way that을 쓴다. ※ 관계부사 대신에 **that**을 쓸 때도 많음에 주의.

▶ GR 137. 관계부사 또는 선행사의 생략

관계부사는 흔히 생략된다. 또한, 반대로 선행사(time, place, reason, way)가 생략되는 경우도 있다. 이 때, when, why, how는 명사절을, where는 명사절 또는 부사절을 이끈다.

(예) ⓐ Do you know *the time* 〔**when**〕 he will arrive?
(너는 그가 도착할 시간을〔때를〕 아느냐?)
ⓑ I know *the place* 〔**where**〕 the treasure is buried.
(나는 그 보물이 묻혀 있는 곳을 안다.)
ⓒ Do you know *the reason* 〔**why**〕 he is absent?
(너는 그가 결석한 이유를 아느냐?)
ⓓ Is that *the way* 〔**how**〕 you treat your friends?
(너는 친구들을 그런 식으로 대하느냐?)

▶ GR 138. 관계부사 **when, where**의 계속적 용법

관계부사 when과 where에는 계속적 용법이 있다. 이 경우, 관계부사는 「접속사 (and, but, for 따위)＋부사」로 바꿀 수 있으며, 보통 앞에 콤마(,)가 있다. why, how에는 계속적 용법이 없다.

(예) ⓐ He stayed there two days, **when** (＝*and then*) he was called back to London.
(그는 거기서 2일 있었는데, 그 때 런던으로 소환되었다.)
He began to read a book, **when** (＝*and then*) the bell rang.
(그는 책을 읽기 시작했는데, 그때 벨이 울렸다.)
ⓑ We flew to London, **where** (＝*and there*) we stayed a week.
(우리는 비행기로 런던에 가서, 거기에서 1주일 동안 있었다.)
He went to the store, **where** (＝*for there*) they sold sugar.
(그는 그 상점에 들어갔다. 거기서 설탕을 파니까.)

☞ ⓐ 둘째 예문에서 when의 선행사는 앞의 절 He began to read a book 전체.

▶ GR 139. 복합관계부사

관계부사 when, where, how의 어미에 -ever를 붙인 **whenever, wherever, however**를 복합관계부사라고 한다. 복합관계부사는 그 자체 안에 선행사를 포함하며, 부사절을 이끈다.

(예) ⓐ **Whenever** (＝*At any time when*) I meet him, I think

of his father.
(나는 그를 만날 때는 언제든지 그의 아버지를 생각한다.)
Whenever (=*No matter when*) you (may) go, you will find him at desk.
(언제 가든지 너는 그가 책상에 앉아 있는 것을 볼 것이다.)

ⓑ Sit **wherever** (=*at any place where*) you like.
(아무 데나 앉고 싶은 데 앉아라.)
Wherever (=*No matter where*) you (may) go, you will never find a place like home.
(어디에 가든지 너는 집과 같은 곳을 찾지 못할 것이다.)

ⓒ **However** (=*No matter how*) hard he (may) work, he will never succeed.
(그는 아무리 열심히 일해도 결코 성공하지 못할 것이다.)

☞ no matter when [where, how]의 뜻일 때에는 양보의 부사절.

13. 접속사 (Conjunctions)

▶ GR 140. 등위접속사·종속접속사

말과 말을 대등한 관계로 이어 주는 접속사를 등위접속사 (and, but, or, nor, for, so, yet 따위), 주종의 관계로 이어 주는 접속사를 종속접속사 (when, if 따위)라고 한다.

(예) ⓐ Boys **and** girls go to school **or** to church.
(단어+단어) (구+구)
I went, **but** he stayed.
(등위절) (등위절)

ⓑ **When** I am busy, **I** ask him to help.
(종속절) (주절)

▶ GR 141. 연결 등위접속사

and「~과, 그리고, 그러면」, **both** A **and** B「A와 B 둘 다」, **not only** A **but also** B「A뿐만 아니라 B도」, A **as well as** B「B와 마찬가지로 A도」, **besides**「게다가」, **moreover**「더욱이」 따위.

(예) ⓐ Work hard, *and* you will succeed.
(열심히 공부해라. 그러면 너는 성공할 것이다.)

ⓑ The general was kind *not only* to his men *but also* to his enemies.
(장군은 그의 부하에게 뿐만 아니라 적에게도 친절했다.)

☞ ⓐ「명령법+and」 ⓑ 등위 상관접속사는 서로 호응하는 단어와 단어, 구와 구, 절과 절을 이어 준다. but also 뒤에 전치사 to가 반복되어 있음에 주의.

▶ **GR 142. 선택 등위접속사**

or「혹은, 그렇지 않으면」, **either** A **or** B「A나 B 어느 한 쪽」, **neither** A **nor** B「A도 B도 아니다」, **nor**「~도 또한 아니다」따위.

(예) ⓐ Work hard, *or* you will fail.
(열심히 공부해라. 그렇지 않으면 너는 실패할 것이다.)
ⓑ *Neither* wealth *nor* power alone produces happiness.
(재산도 권력도 그것만으로는 행복을 낳지 못한다.)
ⓒ You do*n't* like snakes, *nor* do I.
(너도 뱀을 싫어하지만, 나도 싫어한다.)

☞ ⓐ「명령법+or」 ⓑ A or B, either A or B, neither A nor B가 주어일 때의 동사는 동사에 가까운 주어의 수·인칭에 일치. ⓒ nor는 앞의 부정을 받아 다시 부정할 때 쓰며, 주어와 동사가 도치된다.

▶ **GR 143. 반대 등위접속사**

but「~이나, 그러나」, **not** A **but** B「A가 아니라 B」, **yet**「그러나」, **still**「그렇지만, 하지만」, **nevertheless**「그럼에도 불구하고」, **while**「~하지만, (그런데) 한편으로는 ~」따위.

(예) ⓐ He is *not* a young man *but* an elderly man.
(그는 청년이 아니라 중년이다.)
ⓑ I am sleepy, (*but*) *still* I will work.
(나는 졸리지만 일하겠다.)
ⓒ *While* you are too young, I am too old.
(너는 너무 어리고 나는 너무 늙었다.)

☞ ⓑ still은 원래 부사이지만 마치 접속사처럼 쓰여 but, however보다 더 뜻이 강하다. ⓒ =You are too young, *while* I am too old. while은 원래 종속접속사이나, 이런 경우에는 등위 접속사로 취급.

(유례) **not that ~, but that ...**「~ 때문이 아니라 … 때문이다」
It is true ~, but... / **Indeed ~ but ...** }「정말〔과연〕 ~하지만…」
never ~ but ...「~ 하면 반드시 …하다」
and yet; but yet「그러나 또」

▶ **GR 144. 추리·이유 등위접속사**

so, and so「그래서, 따라서」, **therefore**「그러므로, 그러니까」, **then**「그러면, 그러니까」, **for**「왜냐하면 ~하니까」따위.

(예) ⓐ She told me to go, *so* I went.
(그 여자가 가라고 해서 나는 갔다.)
ⓑ It will rain, *for* the barometer is falling.
(비가 올 것이다. 청우계가 떨어지고 있는 걸 보니까.)

☞ ⓐ so가 글머리에 올 때에는「그럼, 역시」란 뜻. *So* you're

back again!(역시 돌아왔군 그래!) ⓑ because는 직접적인 원인, for는 추가적인 설명이나 판단의 근거.

▶ GR 145. 명사절을 이끄는 종속접속사—that, if, whether

종속접속사로서의 that, if, whether는 명사절을 이끌어, ⓐ 주어, ⓑ 보어, ⓒ 동사의 목적어, ⓓ 전치사의 목적어 및 ⓔ 동격으로 쓰인다.

(예) ⓐ **That** *you would fail* was certain.
=***It*** was certain **that** *you would fail.*
(네가 실패할 것은 확실했다.)
Whether *we go or not* depends on the weather.
(우리가 가는가 안 가는가는 날씨에 달려 있다.)
ⓑ The trouble is **that** *the boy is sick.*
(곤란한 것은 그 소년이 아프다는 것이다.)
The question is **whether** *we should go or not.*
(문제는 우리가 가야 하느냐 가지 않아야 하느냐이다.)
ⓒ I know **that** *he did it.*
(나는 그가 그것을 한 걸 안다.)
I doubt **whether** 〔**if**〕 *he was there.*
(그가 거기에 있었는지 어쩐지 의문이다.)
ⓓ That will do ***except*** **that** *it is too long.*
(너무 길다는 것을 제외하고는 그것으로 됐다.)
He was worried ***about*** **whether** *he passed the examination.*
(그는 시험에 합격했는지 어쩐지 걱정이었다.)
ⓔ The fact **that** *the suspected man came here* is undeniable.
(그 용의자가 여기 왔다는 사실은 부정할 수 없다.)

☞ ⓒ doubt 뒤에 오는 접속사는 긍정문에서는 whether나 if, 부정문에서는 that. I *don't doubt* **that** he was there. ⓔ (유례) the news **that** ~ 「~라는 소식」, the rumor **that** ~ 「~라는 소문」, the question **whether** ~「~인지 어쩐지의 문제」 따위.
※ **whether**와 **if**의 차이 : 둘 다 「~인지 어쩐지」란 뜻이나, whether 뒤에는 or not가 올 수 있고, whether 절은 주어, 보어, 목적어로 다 쓰이나 if절은 주어나 보어로는 쓰이지 않는다.

▶ GR 146. 「때」의 부사절을 이끄는 종속접속사

「때」를 나타내는 접속사는 그 수가 많으므로 편의상 다음 세 가지 유형으로 나누어 본다.

(예) (1) 단순 접속사 : **when, while, as** 「~할 때」, **before, after, till, until, since** 「~한 이래」, **once** 「한 번 ~하면」 따위.
ⓐ It is now five years *since* I last came here.
(지난 번에 여기 온 이래 이제 5년이 되었다.)
ⓑ *Once* you start, you must finish it.
(일단 시작하면 그것을 끝내야 한다.)

(2) **as soon as류 : no sooner ... than, scarcely 〔hardly〕...when 〔before〕; directly, instantly; the moment, the instant, the minute** 「~하자마자」 따위.

ⓒ *Scarcely* had she seen me *when* / *No sooner* had she seen me *than* } she ran away.

ⓓ *Directly* she saw me, / *The moment* she saw me, } she ran away.

ⓔ *As soon as* she saw me, she ran away.
(그 여자는 나를 보자마자 달아났다.)

(3) 기타 성구 : **as long as** 「~하는 동안은」, **every time** 「~할 때마다(=whenever)」, **the first time (that)** 「~하자 맨 먼저」, **by the time** 「~할 때까지」 따위.

ⓕ He said he certainly would let me know *the first time* he saw her.
(그는 그 여자를 보면 바로 나에게 틀림없이 알려주겠다고 했다.)

☞ ⓐ since는 주절에 it is ~나 완료형 시제를 수반할 때 쓰인다. ⓑ once에는 「~하자마자」란 뜻도 있다. *Once* (I was) back in Korea, I found myself busy with the work. (한국에 돌아오자마자 그 일로 매우 분주했다.) ⓒ no sooner, hardly, scarcely 따위는 보통 글머리에 나와 주어와 동사의 위치가 바뀌고, 과거완료형을 취한다. ⓓ directly, instantly는 부사에서, the moment, the instant, the minute는 명사에서 전용된 것.
※ 시간을 나타내는 접속사는 형용사절을 이끌 때도 있다. He died in the year *after* the war was over. (그는 전쟁이 끝난 다음 해에 죽었다.)

▶ GR 147. 「목적」의 부사절을 이끄는 종속접속사

that ~ (may), so that ~ (may), in order that ~ (may) 「~하기 위하여, ~하도록」; **lest ~ (should), for fear (that) ~ (should)** 「~하지 않도록」 따위.

(예)
ⓐ Work hard { *that* / *so that* / *in order that* } you *may* succeed.
(성공하도록 열심히 일해라.)

ⓑ Work hard { *lest* you *should* fail. / *for fear* (*that*) you *should* fail.
(실패하지 않도록 열심히 일해라.)

☞ ⓐ may 대신에 can, will, shall을 쓰는 수도 있다. =Work hard (in order) to succeed. ⓑ should 대신에 might 따위를 쓰는 수도 있다. lest에 부정의 뜻이 포함되어 있음에 주의. =Work hard so as not to fail.

▶ GR 148. 「결과」의 부사절을 이끄는 종속접속사

so ~ that, such ~ that 「매우 ~하여」; **so that** 「그래서」 따위.

(예) ⓐ He is { *so* honest / *such* an honest man } *that* everybody trusts him.
(그는 매우 정직하여〔정직한 사람이어서〕 모두 그를 믿는다.)
ⓑ He spoke clearly, *so that* everybody could hear him.
(그는 똑똑히 말해서 모두 그의 말을 들을 수 있었다.)

☞ ⓐ so ~ that이나 such ~ that은 같은 뜻이나, so 다음에는 형용사·부사가 오고, such 다음에는 명사가 온다. 또한, so ~ that은 목적이나 정도를 나타낼 때도 있다. We have *so* arranged matters *that* one of us is always on duty. (우리들 중에서 하나는 늘 근무할 수 있도록 정해 놓았다.—목적) / No country is *so* wild *that* we cannot explore it. (우리가 탐험할 수 없을 정도로 거친 지역은 없다.—정도)

▶ GR. 149. 「원인·이유」의 부사절을 이끄는 종속접속사

because, as, since 「~이므로」, **now** (**that**) 「이제 ~이므로」, **seeing** (**that**) 「~인 것을 보면, ~이므로」 따위.

(예) ⓐ *Since* he was king, he could do no wrong.
(그는 왕이므로 그릇된 일을 할 수 없었다.)
ⓑ *Now* (*that*) he is gone, we miss him very badly.
(그는 가 버리고 없어서 우리는 몹시 적적했다.)
ⓒ *Seeing* (*that*) life is short, we must not waste time.
(인생은 짧으므로 우리는 시간을 낭비하지 말아야 한다.)

☞ ⓐ because가 이유를 논리적으로 말함에 비하여, since나 as는 부수적인 이유를 나타내며 구어적.
(유례) **not ~ because** 「…라고 해서 ~은 아니다」
not because A, **but because** B=**not that** A, **but that** B 「A 때문이 아니라 B 때문에」
inasmuch as =since
considering (**that**) 「~을 고려에 넣으면」
on the ground that 「~라는 이유로」

▶ GR 150. 「조건」의 부사절을 이끄는 종속접속사

if, if only 「~하기만 하면」, **unless**(=if ~ not), **in case** (=if), **so**〔**as**〕**long as** 「~하는 한」, **suppose** 「만약 ~이라면」 따위.

(예) ⓐ *If only* he works hard, I will employ him.
(그가 열심히 일하기만 한다면 나는 그를 고용하겠다.)
ⓑ I will wait *in case* the doctor is out.
(의사가 외출 중인 경우에는 기다리겠다.)
ⓒ You may stay here *so*〔*as*〕*long as* you keep quiet.
(조용히 하는 한 너는 여기 있어도 좋다.)
ⓓ *Suppose* you are late, what excuse will you make?
(만약 늦는다면 무엇이라고 변명하겠는가?)

☞ ⓓ Suppose ~는 명령형. 분사 구문의 형식을 써서 Supposing (that) ~이라고 해도 같은 뜻.
(유례) **provided** (**that**), **providing** (**that**) 「만약 ~하면(=if)」
granted (**that**), **granting** (**that**) 「~이라 치면, 설사 ~이라 해도」
(**in**) **so** 〔**as**〕 **far as** 「~하는 한에서는」

▶ GR 151. 「양보」의 부사절을 이끄는 종속접속사
though, **although**, **as** 「~할지라도」; **if**, **even if**, **even though** 「비록 ~할지라도」, **whether…or** ~ 「…하든 ~하든」 따위.

(예) ⓐ *Though* 〔*Although*〕 he is poor, he is happy.
(그는 가난하지만 행복하다.)
ⓑ Woman *as* I am, I may help you in need of time.
(나는 비록 여자이지만 어려운 때에는 도움이 될 것입니다.)
ⓒ *If* he is poor, he is honest.
(그는 가난하지만 정직하다.)
ⓓ I couldn't be angry with him, *even if* 〔*though*〕 I tried.
(나는 화를 내려 했으나 그에게 화를 낼 수 없었다.)
ⓔ *Whether* he comes *or* not, it doesn't concern me.
(그가 오든 오지 않든 나에게는 상관 없다.)

☞ ⓐ though나 although는 서로 넘나들며 쓰이나, although는 격식을 차린 문체나 주절에 앞서는 절에 쓰이는 경향이 있다.
ⓑ as가 though의 뜻일 때에는 「보어(명사·형용사·부사) **as**+주어+동사」의 어순을 취한다. 보어가 명사일 경우에는 관사가 따르지 않음에 주의. 같은 형식으로도 이유를 나타낼 때가 있다. Woman *as* I am, I cannot support my family. (나는 여자이기 때문에 가족을 부양할 수 없다.)
※ 주의해야 할 양보 구문 :
(1) 의문사+**ever**(복합관계사) / **No matter**+의문사 } +주어+(**may**)「아무리 ~해도」
Whatever 〔*No matter what*〕 you (*may*) do, do it in earnest.
(무엇을 하든 열심히 해라.)
(2) 동사(Be, Let 따위)+의문사(또는 as 따위)+**will**(또는 **may**) 「설사 ~할지라도」
Come what may, we must do our duty.
(무슨 일이 있어도 우리는 우리 의무를 다해야 한다.)
Laugh as they would, he maintained the story was true.
(그들은 웃었으나, 그는 그 이야기가 사실이라고 우겼다.)
cf. Be it ever so humble, there is no place like home.
(아무리 보잘 것 없어도 집만큼 좋은 곳은 없다.)

▶ GR 152. 「비교·모양」의 부사절을 이끄는 종속접속사
as … as ~「~와 같은 정도로 …」, **not so** 〔**as**〕 **… as** ~ 「~만큼 … 아니다」, **than** 「~보다도」 따위는 비교를 나타내고 **as** 「~처럼」, **as if** 「마치 ~처럼」, **as …, so** ~ 「…와 같이」 따위는 모양을 나타낸다.

(예) ⓐ I love him *as* much *as* she.
(나는 그 여자가 사랑하는 만큼 그를 사랑한다.)
ⓑ It's *not as* good *as* I thought.
(그것은 내가 생각한 것만큼 좋지 않다.)
ⓒ Don't be longer *than* you can help.
(될 수 있는 대로 오래 걸리지 않게 해라.)
ⓓ Do in Rome *as* the Romans do.
(로마에서는 로마 사람들이 하는 대로 해라.)
ⓔ He looks *as if* he *were* ill.
(그는 마치 아픈 것처럼 보인다.)
ⓕ (Just) *As* the desert is like a sea, *so* is the camel like a ship. (사막이 바다와 같은 것처럼, 낙타는 배와 같은 것이다.)

☞ ⓐ 앞의 as는 부사, 뒤의 as는 접속사. *cf.* I love him *as* much *as* **her.** (나는 그 여자를 사랑하는 만큼 그를 사랑한다.)
ⓔ as if 뒤에는 가정법을 쓴다. He looks *as if* he **had been** ill. (그는 아팠던 것처럼 보인다.)

▶ GR 153. 종속절에서의 생략

종속접속사가 이끄는 절에서는 접속사나 「주어+be 동사」 따위를 생략할 경우가 있다.

(예) (1) **that**의 생략 : that절(명사절)이 목적어인 경우
ⓐ He said (*that*) he liked fish, but *that* his father did not.(자기는 생선을 좋아하나 자기 아버지는 좋아하지 않는다고 말했다.)

(2) 「주어+**be**동사」의 생략 : 부사절(when, while, though, if, whether, unless 따위의 절)에서 그 주어가 주절의 주어와 같은 경우
ⓑ **Though** (*he was*) sick, he worked all day.
(그는 아팠으나 온종일 일했다.)
ⓒ **Whether** (*he is*) sick or well, he is always cheerful.
(그는 아프거나 건강하거나 항상 명랑하다.)
ⓓ **When** (*he is*) eating, he never talks.
(그는 식사중에는 절대 말하지 않는다.)
ⓔ Don't speak **unless** (*you are*) spoken to.
(말하라고 하기 전에는 말하지 마라.)

(3) 「**it**+**be** 동사」의 생략 : 다음 부사절에서는 주어가 주절의 주어와 같지 않더라도 「it+be 동사」를 생략한다.
ⓕ I will do so, **if** (*it is*) **necessary.**
(필요하다면 그렇게 하겠다.)
ⓖ Call on me, **if** (*it is*) **possible.**
(가능하면 나에게 찾아오너라.)

(4) 비교를 나타내는 절(as, than 따위의 절)에서는 대조를 이루는 부분만 남기고 나머지는 흔히 생략한다.
ⓗ He is not so clever **as** she (*is clever*).

(그는 그 여자만큼 현명하지 않다.)

ⓘ I like you far better **than** he (*likes you*).

(그보다 내가 훨씬 더 너를 좋아한다.)

☞ ⓐ 동격의 that, It ... that절의 that, 부사절의 that은 생략하지 않는다. 또한, 명사절일지라도 두 개의 that절이 있을 때에는 뒤의 절에는 반드시 that을 붙인다. ⓒ =*Sick or well,* he is always cheerful. 「주어+be 동사」뿐만 아니라 Whether까지 생략할 때도 있다. *rain or shine=wet or fine* 「날씨가 좋든 비가 오든」, *waking or sleeping=asleep or awake* 「자나 깨나」 따위.

14. 전치사(Prepositions)

전치사는 명사나 명사 상당 어구 앞에서 다른 말과의 관계를 나타내며, 문장 안에서 형용사구나 부사구를 만든다.

about	as	beyond	inside	outside	toward(s)
above	at	by	into	over	under
across	before	down	like	past	until
after	behind	during	near	round	up
against	below	except	of	since	upon
along	beside	for	off	through	with
among	besides	from	on	till	within
around	between	in	opposite	to	without

▶ GR 154. 전치사의 목적어

전치사의 목적어로 쓰이는 말은 보통 ⓐ 명사, ⓑ 대명사이지만 그 밖에 ⓒ 동명사, ⓓ 부정사, ⓔ 형용사 또는 분사, ⓕ 부사, ⓖ 구, ⓗ 절이 쓰이기도 한다.

(예) ⓐ I went *to* **New York.**

(나는 뉴욕에 갔다.)

ⓑ I went there *with* **him.**

(나는 그와 함께 거기에 갔다.)

ⓒ I went *without* **saying a word.**

(나는 한 마디 말도 하지 않고 갔다.)

ⓓ He was *about* **to start.**

(그는 바야흐로 출발하려 하고 있었다.)

ⓔ They gave him up *for* **dead.**

(그들은 그를 죽었다고 단념했다.)

I take it *for* **granted** that man is mortal.

(사람이 죽는 것은 당연하다고 생각한다.)

ⓕ Go out *from* **here.** (여기서 나가라.)

ⓖ He works hard *from* **before sunrise.**

(그는 해가 뜨기 전부터 열심히 일한다.)

ⓗ There is some truth *in* **what he said.**

(그가 말한 것에는 일리가 있다.)

☞ ⓓ 부정사가 전치사의 목적어로 쓰이는 것은 about, but, except, save에 한한다. ⓕ 때·장소를 나타내는 부사로는 *from* abroad 「외국에서」, *since* then 「그 때 이래로」, *till* then 「그 때까지」 따위가 있다. ⓖ from before는 2중 전치사

라고 생각해도 된다.

▶ GR 155. 전치사의 위치

전치사는 그 목적어 앞에 오는 것이 원칙이지만, ⓐ 목적어가 의문사일 때, ⓑ 목적어가 관계대명사일 때, ⓒ 부정사와 함께 형용사적으로 쓰일 때, ⓓ 전치사를 포함하는 동사구를 수동태로 쓸 때, ⓔ 강조하기 위해 전치사의 목적어가 문두에 나올 경우에는 그 목적어와 분리되어 문미에 온다.

(예) ⓐ **Where** do you come *from* ? (너의 고향은 어디냐?)
What are you talking *about* ?
(너는 무엇에 관해 말하고 있느냐?)
ⓑ This is the man **whom** I spoke *of* yesterday.
(이 분은 내가 어제 말했던 그 사람이다.)
ⓒ I have no mother **to talk with.**
(나는 이야기를 나눌 어머니가 없다.)
ⓓ I **was laughed at.** (나는 비웃음을 당했다.)
ⓔ **My advice** he would not listen *to*.
(나의 충고를 그는 들으려고 하지 않았다.)

☞ ⓐ =*From* **where** do you come?/ =*About* **what** are you talking? 이처럼 전치사를 문두에 놓는 것은 문어체에 한한다. ⓑ =This is the man *of* **whom** I spoke yesterday. ⓒ =I have no mother *with whom* **to talk.** 명사를 수식하는 형용사 용법의 부정사가 관계대명사와 함께 쓰일 때, 전치사는 관계대명사의 앞에 온다. ⓓ =They laughed *at me*.

▶ GR 156. 때의 일시점 at, on, in

at은 시각, on은 날·특정한 일시, in은 비교적 긴 기간(달, 계절, 해 따위)을 나타낸다.

(예) ⓐ School begins *at* eight o'clock.
(수업은 8시에 시작한다.)
ⓑ *On* Sunday we have no school.
(일요일에는 수업이 없다.)
ⓒ *In* spring flowers bloom. (봄에는 꽃이 핀다.)

☞ ⓐ (*at*) about one o'clock와 같은 경우에는 at을 생략할 때가 많다. ⓑ *in* the morning, *in* the afternoon, *in* the evening이라고 하지만, 「일요일 아침에」「개인 아침에」「5월 2일 아침에」는 *on* Sunday morning, *on* a fine morning, *on* the morning of May 2nd 처럼 on을 쓴다. (그러나, 「5월 2일 아침 일찍」은 *early in the morning* of May 2nd.

▶ GR 157. 때의 경과 in, within ; after

때의 경과를 나타낼 때, 미래에 대해서는 in, 과거에 대해서는 after를 쓴다.

(예) ⓐ He'll be back *in* 〔*within*〕 a few days.
(2, 3일 지나면 그는 돌아올 것이다.)
ⓑ He came back *after* a few days.
(그는 2, 3일 후 돌아왔다.)

▶ GR 158. 시한 till, by

till은 계속의 시한, by는 완료의 시한을 나타낸다.

(예) ⓐ Wait here *till* five. (5시까지 여기서 기다려라.)
ⓑ Be back *by* five. (5시까지는 돌아오너라.)

☞ ⓐ till은 계속을 나타내는 동사 last「계속하다」, stay, wait 따위와 함께 쓰인다. ⓑ by는 완료형이나 완료를 나타내는 동사 finish, complete 따위와 함께 쓰인다.

▶ GR 159. 기간 for, during, through

for는 수사 또는 그 상당 어구를 수반하는 기간, during은 일정한 기간, through는 계속적인 기간을 나타낸다.

(예) ⓐ He has been ill *for* three months.
(그는 3개월 동안 줄곧 앓고 있다.)
ⓑ *During* the night the rain changed to snow.
(밤 사이에 비는 눈으로 바뀌었다.)
ⓒ I stayed at Kyŏngju *through* the summer.
(나는 여름 동안 경주에 있었다.)

▶ GR 160. 기점 since, from

since는 현재까지 계속되는 사항의 기점을, from은 단순한 기점을 나타낸다.

(예) ⓐ It has been snowing *since* yesterday.
(어제부터 눈이 줄곧 내리고 있다.)
ⓑ He works *from* morning till night.
(그는 아침부터 저녁까지 일한다.)

☞ ⓐ *from* childhood, *from* now on은 예외.

▶ GR 161. 장소 at, in, on

at은 비교적 좁은 지점, in은 넓은 공간, on은 넓은 표면을 나타낸다.

(예) ⓐ He arrived *at* Seoul Station.
ⓑ He arrived *in* Korea.
ⓒ We can see a boat *on* the sea.

☞ *cf.* He is swimming *in* the lake. He plunged *into* the lake. in은「안에 있는 상태, 안에서 행해지고 있는 동작」, into는「안으로 들어가는 동작」을 나타낸다.

▶ GR 162. 위치 on, above, over, up, beneath, below, under, down

on은 표면의 접촉, above는 위쪽, over는 바로 위의 위치를, beneath는 바로 아래의 접촉, below는 아래쪽, under는 바로 아래의 위치를 나타내며, up은 운동 방향이 위쪽, down은 운동 방향이 아래쪽임을 나타낸다.

(예) ⓐ There is a vase *on* the table.
ⓑ The sun was shining *above* our heads.
ⓒ A jet flew *over* the city.
ⓓ The ice gave way *beneath* our feet.

ⓔ The sun has just sunk *below* the horizon.
ⓕ I was sitting *under* a big tree.
ⓖ They went *up* a hill.
ⓗ The boy ran *down* the hill.

☞ ⓑ above는 어떤 것에 접촉되어 있지 않고 위치가 그것보다 높을 때 쓰며, 반드시 바로 위를 뜻하지는 않는다.

▶ GR 163. by, beside, along, across, through

by, beside는 「~의 옆에」, along은 「(가늘고 긴 것)을 따라」, across는 「~을 횡단하여, 교차하여」, through는 「~을 관통하여」란 뜻을 나타낸다.

(예) ⓐ There is a tree *by* the gate.
(문 옆에 나무가 있다.)
Sit down *beside* me. (내 옆에 앉아라.)
ⓑ The trees were planted *along* the street.
(거리를 따라 나무가 심어져 있었다.)
ⓒ Take care when you go *across* the street.
(거리를 횡단할 때 주의하여라.)
ⓓ The Thames flows *through* London.
(템즈 강은 런던을 관류한다.)

▶ GR 164. between, among

between은 둘 사이, among은 셋 이상의 사이를 나타낸다.

(예) ⓐ Taejon lies *between* Seoul and Pusan.
(대전은 서울과 부산 사이에 있다.)
ⓑ The oranges were divided *among* the three of us.
(오렌지는 우리 셋이서 나누었다.)

▶ GR 165. to, for, toward(s)

to는 도착점, for는 방향, toward(s)는 단순한 방향 또는 도착점을 포함하지 않는 운동에 쓰인다.

(예) ⓐ He went *to* New York.
ⓑ He started from New York *for* Chicago.
ⓒ The sunflower turns *toward(s)* the sun.
(해바라기는 태양 쪽을 향한다.)

☞ to는 go, come, return 따위의 동사 다음에, for는 leave, start, set out, be bound, make 따위의 동사 다음에 쓰인다.

▶ GR 166. 목적·추구 for, after

for는 「~하기 위하여」란 뜻의 목적, after는 「~을 추구하여, ~을 뒤쫓아」란 뜻의 추구를 나타낸다.

(예) ⓐ What did you come to me *for* ?
(너는 무엇 때문에 나에게 왔느냐?)
ⓑ The policeman ran *after* the thief.
(그 경관은 도둑을 뒤쫓았다.)

☞ ⓐ on은 journey, business, errand 따위의 앞에 쓰여 목적을

나타내기도 한다. go *on* a picnic「소풍하러 가다」 ⓑ for가 추구의 뜻으로 쓰일 때도 있다. seek *for* 〔*after*〕 happiness 「행복을 추구하다」

▶ GR 167. 결과 to, into

to는「~하게도」란 뜻의 결과, into는「(…을) ~으로 (하다)」란 뜻의 변화의 결과를 나타낸다.

(예) ⓐ *To* my joy, I found that he was alive.
(기쁘게도 그가 살아 있다는 것을 알았다.)
ⓑ She was frightened *into* silence.
(그녀는 놀라서 침묵해 버렸다.)

☞ ⓐ 이 표현은 주어보다 앞에 위치하여 콤마로 구분되어 있는 경우가 많으나 문장의 가운데나 끝에 오는 경우도 있다. He returned safe *to* the immense joy of his parents.

▶ GR 168. 원인·이유 from, through, of, at, for

from은 직접적인 원인, through는 매개적인 원인, of는 사인이 되는 병명, at은 감정의 원인, for는 이유를 나타낸다.

(예) ⓐ I am suffering *from* a bad cold.
ⓑ He lost his place *through* neglect of duty.
ⓒ He died *of* cancer.
ⓓ I was surprised *at* the news.
ⓔ Rome is famous *for* its historic sites.

☞ ⓓ over가 감정의 원인을 나타낼 때가 있다. mourn *over* 〔*for*〕 the death「죽음을 슬퍼하다」, weep *over* one's death 「아무의 죽음을 슬퍼하여 울다」 따위.

▶ GR 169. 재료 of, from, out of

of는 재료가 제품으로 되어도 원형이 그대로 있을 때(물리적 변화), from은 재료가 제품으로 되면 원형을 잃을 때(화학적 변화), out of는 능동태 문장에서 동사(make)와 of가 분리되어 있을 때 보통 **of** 대신에 쓰인다.

(예) ⓐ This statue is made *of* stone.
ⓑ Wine is made *from* grapes.
ⓒ We Koreans make many things *out of* paper.

☞ ⓒ 수동태로 할 경우는 보통 out가 생략된다.

▶ GR 170. 행위자·수단 by, with

by는 수동태의 다음에 쓰여 행위자, with는 도구나 수단을 나타낸다.

(예) ⓐ He was killed *by* the thief.
ⓑ Write your composition *with* a pencil.

☞ ⓐ by는 수단을 나타내는 것에도 쓰인다(무관사에 주의). *by* land 〔sea, air〕, *by* train 〔express, car, ship, bicycle〕, *by* letter 〔telephone, telegram, wire〕. *cf.* 「걸어서」 *on* foot,「말타고」 *on* horseback ⓑ *cf. in* pencil, *in* ink, (speak) *in* English

▶ GR 171. 근원·출처 **from, of**

from은 come, rise, hear, be descended 따위의 다음에 쓰여 근원을, of는 우리말의 「~로부터」란 뜻의 출처를 나타낸다.

(예) ⓐ "Where do you come *from*?" "I come *from* Pusan."
ⓑ I bought 〔borrowed〕 it *of* (=from) him.
Don't expect too much *of* (=from) me.
I asked a favor 〔a question〕 *of* him.

☞ ⓐ *cf.* He comes *from* Inchon. 「인천 출신」 He comes *of* a good family. 「양가 태생」

▶ GR 172. 구별·분리 **from, of**

from은 구별·상이·선택·방지·억제, of는 분리를 나타낸다.

(예) ⓐ We should be careful to distinguish right *from* wrong. (우리는 선악을 구별하는 데 주의해야 한다.)
Nothing shall prevent me *from* doing my duty.
(아무 것도 내가 의무를 수행하는 것을 막지 못할 것이다.)
ⓑ I was robbed *of* my purse in the car.

☞ ⓐ *cf.* A differ *from* B 「A는 B와 다르다」, tell 〔know〕 A *from* B 「A와 B를 구별하다」 ⓑ 「rob 〔deprive〕+사람+*of*+물건」 「~에게서 …을 훔치다」, 「cure 〔heal〕+사람+*of*+병」 「~의 병을 고치다」

▶ GR 173. 관련 **of, about, on**

of는 다만 어떤 일이 있든가 생긴 것, about는 상세한 일, on은 연설·논문 따위의 주제에 쓰인다.

(예) ⓐ He has spoken *of* his mother who died last year.
ⓑ I have heard of it, but I don't know *about* it.
ⓒ He lectured *on* the recent affairs of Europe.

☞ ⓐ *cf.* 「remind+사람+of ~」 「…에게 ~을 생각나게 하다」, 「inform+사람+of ~」 「…에게 ~을 알리다」, 「convince+사람+of ~」 「…에게 ~을 깨닫게 하다」, 「accuse+사람+of ~」 「…을 ~로 고발하다〔비난하다〕」 ⓑ say, speak, know, think 따위가 about를 수반할 때에는 자세한 사정에 관한 것을 나타낸다.

▶ GR 174. 영어 특유의 표현에 쓰인 전치사

ⓐ 「take 〔catch, hold, seize〕+사람+**by** the hand」, ⓑ 「strike 〔knock, beat〕+사람+**on** the head」, ⓒ 「look 〔stare〕+사람+**in** the face」, ⓓ 「congratulate+사람+**on** ~」 따위.

(예) ⓐ He seized the porter *by* the arm.
(그는 짐꾼의 팔을 잡았다.)
ⓑ He struck me *on* the head.
(그는 나의 머리를 때렸다.)

ⓒ A speaker must look his audience *in* the face.
(연사는 청중의 얼굴을 곧바로 보지 않으면 안 된다.)

ⓓ I congratulate you *on* your success.
(나는 너의 성공을 축하한다.)

☞ ⓐ, ⓑ, ⓒ의 용법에서 전치사는 각각 상이하나, 그 다음에 오는 신체의 부분을 나타내는 명사 앞에는 정관사 the가 항상 붙는다. ⓓ I congratulate your success.라고 해서는 안 된다.

▶ GR 175. 주요 전치사구

두 개 이상의 낱말이 모여 하나의 전치사 구실을 하는 것을 전치사구라고 한다. 다음의 것들은 중요하니 암기해 두자.

(예) ⓐ *According to* the Bible, God made the world in six days.
(성경에 의하면 신은 이 세상을 6 일만에 만들었다고 한다.)

ⓑ Mary wishes to go to America *for the purpose of* studying music.
(메리는 음악을 공부하기 위해 미국에 가고자 한다.)

☞ ⓐ according *to* 뒤에는 명사, according *as* 뒤에는 절이 옴에 주의.

(유례)

in spite of ~「~에도 불구하고」
according to ~「~에 따라서, ~에 의하면」
because of ~「~ 때문에」(원인·이유)
in honor of ~「~을 축하하여, ~에게 경의를 표하여」
but for ~「~이 없다면」
in front of ~「~의 앞에」
for the purpose of ~「~하기 위하여」(목적)
on behalf of ~「~을 대표하여, ~을 위하여」
in case of ~「~의 경우에는」
by way of ~「~을 경유하여, ~할 셈으로」
instead of ~「~의 대신으로, ~하지 않고」
in relation to ~「~에 관하여」
in accordance with ~「~에 따라서, ~하는 대로」
in favor of ~「~에 찬성하여」
on good 〔bad〕 terms with ~「~와 사이가 좋은〔나쁜〕」
without regard to ~「~에 상관 없이」
at the sight of ~「~을 보고, ~을 보자」
on the ground of ~「~의 이유로」
at the expense of ~「~의 비용으로, ~을 희생하여」
in comparison with ~「~에 비하면」

▶ GR 176.「동사+전치사」

「동사+전치사」로 된 구를 동사구라고 한다. 이 경우 동사 다음에 쓰인 전치사에 따라 의미상의 차이가 생긴다.

(예) ⓐ He didn't **agree** *to* my opinion.
(그는 나의 의견에 찬성하지 않았다.)

I do not **agree** *with* him on this matter.
(나는 이 문제에 관해 그와 같은 의견이 아니다.)

ⓑ I hate **comparing** myself *with* them.
(나 자신을 그들과 비교하기는 싫다.)
Life is often **compared** *to* a voyage.
(인생은 흔히 항해에 비유된다.)

☞ ⓐ 「agree + *to* + 의견·제안」, 「agree *with* + 사람」 ⓑ compare *with* 「비교하다」, compare *to* 「비유하다」

(유례)

- **ask** (a question) **of** (him) 「(그)에게 질문하다」
- **ask** (him) **for** (a ticket) 「(차표)를 (그)에게 부탁하다」
- **ask after** (him) 「(그)의 안부를 묻다」

- **attend** (a meeting) 「(모임)에 참석하다」
- **attend to** (what he says) 「(그의 말)에 주의하다」
- **attend to** (one's work) 「(일)에 열중하다」
- **attend upon** (him) 「(그)에게 시중들다」
- be **attended with** (danger) 「(위험)을 수반하다」

- **call on** + 사람 「(사람)을 방문하다」
- **call at** + 장소 「(장소)를 방문하다」
- **call after** 「~의 이름을 따서 명명하다」
- **call for** (help) 「(도움)을 청하다」
- **call on** 〔**upon**〕 (him) **for** (support) 「(그)에게 (원조)를 구하다」

- **consist in** ~ 「~에 있다」(=lie in ~)
- **consist of** ~ 「~으로 구성되다」(=be composed of ~)
- **consist with** ~ 「~와 양립하다, ~에 일치하다」

- **deal in** (coal) 「(석탄)을 팔다」
- **deal with** (a person) 「(사람)을 다루다」
- **deal with** (a question) 「(문제)를 논하다」

- **do with** + 사람·물건 「~을 처치하다」
- **do without** + 물건 「~ 없이 지내다」
- **have to do with** ~ 「~와 관계가 있다」

- **enter** (the room) 「(방)에 들어가다」
- **enter into** (conversation) 「(회화)를 시작하다」
- **enter on** (a new work) 「(새 사업)을 시작하다」

- **fail in** (business) 「(사업)에 실패하다」
- **fail of** (its purpose) 「(목적)을 달성하지 못하다」
- **fail to** ~ 「~하지 못하다, ~하지 않다」

- **inquire of** (him) **about** (the matter) 「(문제)에 대해 (그)에게 묻다」
- **inquire after** + 사람 「~의 안부를 묻다」
- **inquire into** ~ 「~을 조사하다」
- **inquire for** ~ 「~의 안부를 묻다, ~을 구하다」

- **look after** (a child) 「(아이)를 돌보다」
- **look for** ~ 「~을 찾다」
- **look into** (a matter) 「(사건)을 조사하다」
- **look to** (him) **for** (help) 「(그)에게 (도움)을 구하다」
- **look down** (**up**)**on** ~ 「~을 경멸하다」
- **look up to** ~ 「~을 존경하다」
- **look on** ~ **as** ... 「~을 …으로 간주하다」

provide (him) **with** (food)
=**provide** (food) **to** (him) 「(그)에게 (음식)을 공급하다〔주다〕」
※ supply, furnish, trust, present도 같은 용법.
provide for (the future) 「(장래)에 대비하다」
provide against (danger) 「(위험·재난)에 대비하다」

part from+사람 「~와 헤어지다」
part with+물건 「~을 버리다」

see (him) **off** 「(그)를 배웅하다」(off는 부사)
see (**to it**) **that** ~ 「~하도록 하다〔주선하다〕」

take A **for** B 「A를 B이라고 생각하다」
take after ~ 「~을 닮다」
take to ~ 「~을 좋아하다, ~하기 시작하다」

wait for ~ 「~을 기다리다」
wait up(**on**) ~ 「~을 받들다, ~의 시중들다」

▶ GR 177. 「형용사〔과거분사〕+전치사」

전치사에 따라 뜻이 달라지는 형용사, for를 수반하는 형용사, in을 수반하는 형용사〔과거분사〕, to를 수반하는 형용사 따위에 주의.

(예) (1) 전치사에 따라 뜻이 달라지는 형용사

be **angry at** 〔**about**〕 (something) 「~에 대해 화내고 있다」
be **angry with** (a man *for* doing) 「~에 대해 … 했다고 화내고 있다」

be **anxious at** 〔**about**〕 (some matter) 「~을 걱정하고 있다」
be **anxious for** (something) 「~을 갈망하고 있다」
be **anxious to** (know) 「(알)고 싶어하다」

be **familiar to**+사람 「~에게 잘 알려져 있다」
be **familiar with**+물건 「~을 잘 알고 있다」

be **good at** (music) 「(음악)을 잘 하다」
be **good for** (the health) 「(건강)에 좋다, 도움이 되다」

be **tired of** (hearing) 「(듣기)에 싫증나다」
be **tired with** (walking) 「(걸어)서 지치다」

be **dependent on** ~ 「~에 의지하다」
be **independent of** ~ 「~에서 독립하고 있다, ~와 관계가 없다」

be **concerned in** 〔**with**〕 ~ 「~에 관계가 있다」
be **concerned about** 〔**for**〕 ~ 「~을 걱정하다」

be **possessed by** 〔**with**〕 ~ 「~에 사로잡혀 있다」
be **possessed of** ~ 「~을 소유하고 있다」

(2) **for**를 수반하는 형용사

be **famous** 〔**noted**〕 **for** ~ 「~로 유명하다」
be **sorry for** ~ 「~을 유감으로 생각하다, 후회하다」

be **responsible** (*to* a person) **for** ～「～에 대해 …에게 책임이 있다」
be **suitable** 〔**fit**〕 **for** ～「～에 적합하다」

(3) **in**을 수반하는 형용사〔과거분사〕
be **absorbed** 〔**lost**〕 **in** ～「～에 열중하고 있다」
be **dressed in** (white) ～「(흰 옷)을 입고 있다」
be **engaged** 〔**occupied**〕 **in** ～「～에 종사하고 있다」
be **wanting** 〔**lacking**〕 **in** ～「～이 결핍되어 있다」
be **well versed in** ～「～에 숙달되어 있다」

(4) **to**를 수반하는 형용사
be **equal** 〔**unequal**〕 **to** (a task) ～「(일)을 감당할 수 있다〔없다〕」
be **indifferent to** (politics) ～「(정치)에 무관심하다」
be **liable** 〔**apt**〕 **to** ～「～하기 쉽다」
be **sensitive to** ～「～에 민감하다」
be **preferable to** ～「～보다 더 좋아하다」
be **subject to** (colds)「(감기)에 걸리기 쉽다」
be **superior** 〔**inferior**〕 **to** ～「～보다 우수〔열등〕하다」
be **true to** (one's principles) ～「(자기의 주의)에 충실하다」
be **welcome to** ～「～을 자유로 …해도 좋다」
be **thankful** 〔**grateful, obliged**〕 **to**＋사람＋**for** ～「～에게 …을 고맙게 생각하다」

▶ GR 178.「be＋형용사〔과거분사〕＋전치사」
전체를 하나의 동사로 취급하여 암기해 두자.

(예) (1) **of**를 수반하는 형용사
be proud of ～「～을 자랑하다」(＝**boast of**)
be ignorant of (the fact) ～「(사실)을 알지 못하다」
be afraid of (dogs)「(개)를 무서워하다」
be ashamed of ～「～을 부끄러워하다」
be aware of ～「～을 알아채고 있다」
be capable 〔**incapable**〕 **of** ～「～을 할 수 있다〔없다〕」
be careful 〔**careless**〕 **of** ～「～에 주의〔부주의〕하다」
be certain 〔**sure, confident**〕 **of** ～「～을 확신하고 있다」
be destitute 〔**devoid**〕 **of** ～「～이 결핍되어 있다」
be fond of ～「～을 좋아하다」
be full of ～「～으로 가득 차 있다」
be empty of ～「～이 없다」
be true of ～「～에 적합하다〔해당되다〕」

be worthy 〔**unworthy**〕 **of** ~ 「~할 가치가 있다〔없다〕」

(2) **from**을 수반하는 형용사

be far from (happy) 「결코 (행복)하지 않다」
be free from (danger) 「(위험)이 없다」
cf. be free of charge 「무료이다」
be absent from (school) 「(학교)를 결석하다」
be different from ~ 「~와 다르다」

▶ GR 179. 「동사+부사〔명사〕+전치사」

전체를 하나의 동사로 취급하여 암기해 두자.

(예) (1) 동사+부사+전치사

catch up with ~ 「~을 뒤쫓아 미치다」 (=**come up with** ~)
do away with ~ 「~을 제거하다」 (=**get rid of**), 「~을 그만두다」
fall 〔**come**〕 **short of** ~ 「~에 미치지 않다, ~이 부족하다」
get along with ~ 「~와 의좋게 지내다」
look down upon ~ 「~을 경멸하다」 (=despise)
look up to ~ 「~을 존경하다」 (=respect)
look forward to ~ 「~을 기대하다, 손꼽아 기다리다」
make up for ~ 「~의 보상을 하다, ~을 만회하다」
put up with ~ 「~을 참다, 견디다」 (=endure)
speak ill 〔**well**〕 **of** ~ 「~을 나쁘게〔좋게〕 말하다」

(2) 동사+명사+전치사

find fault with ~ 「~의 결점을 찾다」
give way to ~ 「~에 굴복하다」
cf. give rise to ~ 「~을 일으키다」
make allowance for ~ 「~을 참작하다」
make fun of ~ 「~을 조롱하다」
make friends with ~ 「~와 친하게 되다」
think little 〔**nothing**〕 **of** ~ 「~을 소홀히 하다」
make 〔**think**〕 **much of** 「~을 존중하다」
cf. make the most of ~ 「~을 최대한으로 이용하다」
take advantage of ~ 「~을 이용하다, ~을 틈타다」
take (**a**) **pride in** ~ 「~을 자만하다」
take part in ~ 「~에 참가하다」 (=**participate in**)

▶ GR 180. 「전치사+**a** 〔**the** 따위〕+명사」

다음은 「전치사+a 〔the, one's, 형용사〕+명사」 형식의 성구로서 혼동하기 쉬운 것이므로 잘 암기해 두자.

(예) **at a loss** 「어쩔 줄을 모르고」 (=puzzled)
at one's wits'〔wit's〕end 「어리벙벙하여」
beyond〔out of〕one's power 「~의 힘이 미치지 않는」
within〔in〕one's power 「할 수 있는」
by all means 「반드시, 꼭」
by any means 「어떻게 해서든지, 반드시」
by no means 「결코 ~이 아니다」 (=not ~ at all)
beyond time 「시간에 늦어」
on time 「정각에」
in time 「시간에 맞게, 조만간」
for the world 「절대로 (~ 않다)」
for the life of one 「아무래도」(보통 부정어와 함께 쓰임)
for one's life 「목숨을 걸고, 필사적으로」
of interesting 「흥미가 있는」(=interesting)
to the minute 「1 분도 틀림없이, 정확히」
to the point〔purpose〕 「적절한, 요령 있는」
under any circumstances 「어떤 일이 있더라도」
under construction 「건축중」
without〔past, beyond, out of〕question 「물론」

15. 명 사(Nouns)

명사는 사물의 이름을 나타내며 다음 5 종류로 나뉜다. 보통명사, 집합명사는 셀 수 있는 명사(Countables), 고유명사, 물질명사, 추상명사는 셀 수 없는 명사(Uncountables)이다.

보통명사	a man, a hat	셀 수 있는 명사
집합명사	a family, a nation	
고유명사	Edison, America	셀 수 없는 명사
물질명사	glass, water	
추상명사	beauty, growth	

▶ GR 181. 보통명사의 추상명사화

「**the**+보통명사」가 추상명사로 쓰일 때가 있다.

(예) ⓐ *The* **pen** is mightier than *the* **sword.**
(글은 무력보다 강하다.)
ⓑ It is *the* **mother** in her showing itself.
(그것은 겉으로 나타난 그녀의 모성애이다.)

☞ ⓑ =maternal affection

▶ GR 182. 집합명사와 군집명사

집합명사가 집합체를 나타낼 때는 보통 명사처럼 취급하지만, 그 구성원을 나타낼 때는 군집명사라 하여 단수형이라도 복수로 취급한다.

(예) ⓐ My **family** *is* a large one. 〈집합명사〉
(나의 가족은 대가족이다.)
My **family** *are* all very well. 〈군집명사〉
(가족은 모두 건강하다.)

ⓑ The English are *a* practical **people.** 〈집합명사〉
(영국인은 실용적인 국민이다.)
There *were* not many **people** in the hall. 〈군집명사〉
(홀 안에는 사람이 많이 있지 않았다.)

☞ 항상 복수로 취급을 하는 군집명사에는 the crew(승무원), police(경찰), the clergy(목사들), the cattle(소) 따위가 있다.

▶ GR 183. 셀 수 없는 집합명사

furniture, poetry, scenery는 집합체를 나타내는 셀 수 없는 명사.

(예) ⓐ There is much *furniture* in this room.
ⓑ I love to enjoy natural *scenery.*
(나는 자연 풍경을 좋아한다.)

☞ ⓐ *cf. a piece* 〔*an article*〕 *of* furniture「가구 하나」

▶ GR 184. 고유명사의 보통명사화

고유명사가 보통명사화하여 「~라는〔와 같은〕 사람」, 「~의 작품」, 「~ 집안의 사람」 따위를 나타낼 때에는 보통 a, an, the를 붙이거나 복수형을 취한다.

(예) ⓐ He is *a* **Mr. Brown**. (브라운씨라는 사람)
ⓑ He is *an* **Edison**. (에디슨과 같은 인물)
ⓒ There are *four* **Jacks** in our class.
(우리 학급에는 잭이라는 학생이 4 명 있다.)
ⓓ I'm reading **Shakespeare**. (셰익스피어의 작품)
ⓔ *The* **Hans** own a summer house at the beach.
(한씨 집안의 사람들)

☞ ⓑ =a great inventor like Edison ⓒ =four boys called Jack (잭이라 불리우는 네 소년들)

▶ GR 185. 고유명사에 the를 붙이는 경우

고유명사 중에서 ⓐ 하천·해양·운하·반도·사막 따위의 이름, ⓑ 산맥·군도·국가·가족 따위의 복수형의 고유명사, ⓒ 공공 건축물·신문·잡지·서적 이름에는 the를 붙인다.

(예) ⓐ *the* Thames, *the* Pacific, *the* Suez Canal, *the* Korean Peninsula, *the* Sahara
ⓑ *the* Alps, *the* Philippines (필리핀 군도·필리핀 공화국), *the* Trumans(트루먼가)
ⓒ *the* White House(백악관), *the* British Museum, *the*

Times(타임지), *the* Reader's Digest(리더즈 다이제스트)

☞ ⓐ 만에는 the가 붙지 않는다. Hudson Bay ⓑ 단수의 산, 단수의 섬, 국명, 도시명, 언어에는 the가 붙지 않는다. Everest, Mont Blanc, Wake Island, France, London, German (독일어. 단, the German language) ⓒ 공원·역·다리·항구·거리·대학 따위의 이름에는 보통 the를 붙이지 않는다. Sajik Park, Seoul Station, London Bridge, Pusan Harbor, Wall Street

▶ GR 186. 물질명사와 추상명사의 공통점

둘 다 ⓐ 복수형이 없고 관사를 붙이지 않으며, ⓑ 양을 나타내는 형용사 some, any, much, little을 붙일 수 있다. 또 ⓒ 형용사구〔절〕에 의해 한정될 때는 the를 붙이며, ⓓ 보통명사화가 가능하다.

(예) ⓐ There is **milk** in the glass.

ⓑ *much* **water** (많은 물), *much* **difficulty** (많은 어려움)

ⓒ *the* **water** *of this well* (이 우물의 물), *the* **difficulty** *of a task*(일의 어려움)

ⓓ This is *an* excellent **coffee**. 〈종류〉
He went through various **experiences**.
(갖가지 경험을 했다.) 〈구체적인 개개의 경험〉
She was once *a* **beauty**.
(그녀는 이전에 미인이었다.)

▶ GR 187. 물질명사·추상명사의 수량을 나타내는 법

물질명사·추상명사의 수량은 용기, 단위 따위와 같은 계수를 나타내는 말을 앞에 붙여서 나타낸다.

(예) ⓐ *a cup of* tea〔coffee〕(한 잔의 차〔커피〕)
a glass of water〔milk, whisky〕
(한 컵의 물〔밀크, 위스키〕)
a piece of bread〔meat〕(한 조각의 빵〔고기〕)
a sheet of paper (한 장의 종이)
a bottle of ink (한 병의 잉크)
a pound of sugar (1 파운드의 설탕)

ⓑ *a piece*〔*bit*〕*of* advice (하나의 충고)
two pieces〔*items*〕*of* news (두 개의 뉴스)

▶ GR 188. 추상명사의 관용적 용법

추상명사에는 ⓐ「추상명사+**itself**」, ⓑ「**all**+추상명사」, ⓒ「**of**+추상명사」따위의 관용적 표현이 있다.

(예) ⓐ He is **diligence** *itself*. (=very diligent)

ⓑ The children were *all* **attention.** (=very attentive)

ⓒ That is *of* **importance.** (=important)

☞ ⓐ it의 강조형 itself를 명사와 동격으로 써서 그 명사의 뜻을

강조. ⓑ「very＋형용사」의 뜻. ⓒ 상태를 강조하는 표현으로, 형용사 구실.

▶ GR 189. 명사의 복수형(1)—규칙 변화

명사의 규칙 복수형은 다음 규칙에 따라 -s, -es를 붙이며, 발음에는 [s, z, iz]의 세 가지가 있다.

(예) ⓐ —s : book**s** [s], dog**s** [z], house**s** [háuziz]
ⓑ -s, -x, -sh, -ch [tʃ] → —es : class**es** [iz], box**es** [iz], dish**es** [iz], bench**es** [iz]
(예외) monarch**s** [s]
ⓒ -th → —s: path**s** [ðz], mouth**s** [ðz], death**s** [θs], earth**s** [θs]
ⓓ 자음자＋o → —es : hero**es** [z], potato**es** [z], negro**es** [z]
(예외) piano**s** [z], photo**s**, zero**s**
ⓔ 모음자＋o → —s : cuckoo**s** [z], curio**s** [z], bamboo**s** [z]
ⓕ 자음자＋y → —ies : city → cit**ies** [z], country → countr**ies** [z]
ⓖ 모음자＋y → —s : boy**s** [z], chimney**s** [z]
ⓗ [f] → —ves : half → hal**ves** [z], knife → kni**ves** [z]
(예외) roof**s** [s], safe**s**, handkerchief**s**

▶ GR 190. 명사의 복수형(2)—불규칙 변화

명사의 불규칙 복수형은 ⓐ 모음의 변화, ⓑ -en, -ren 복수, ⓒ 불변화(단수·복수 동형), ⓓ 복합어의 복수, ⓔ 문자·숫자 따위의 복수, ⓕ 외래어의 복수 따위로 나누어 정리할 수 있다.

(예) ⓐ man → m**e**n [men], woman → wom**e**n [wímin], foot → f**ee**t, tooth → t**ee**th, goose → g**ee**se, mouse → m**i**ce [mais]
ⓑ child → child**ren**, ox → ox**en**, brother → breth**ren** (동포)
ⓒ deer (사슴), sheep (양), salmon (연어), trout (송어), carp (잉어), fish(es) (고기), Chinese (중국인), series (연속), species (종, 종류)
ⓓ looker**s**-on (방관자), passer**s**-by (통행인), grown-up**s** (성인), mother**s**-in-law (장모), commander**s**-in-chief (총사령관), forget-me-not**s** (물망초), merry-go-round**s** (회전목마), on-looker**s** (방관자), m**e**n-servant**s** (남자 하인), wom**e**n-doctor**s** (여의사)
ⓔ M.P.'**s** (국회의원), PTA'**s** (사친회), 5'**s** (5의 복수), the 1970'**s** (1970년대), i'**s** (i의 복수)
ⓕ crisis [-sis] (위기) → cris**es** [-siːz], axis (축) → ax**es**, analysis (분석) → analys**es**, oasis (오아시스) → oas**es**, hypothesis (가설) → hypothes**es**, basis (기초) → bas**es**, datum (자료) → dat**a**, medium(매개) → medi**a**, bacterium (세균) → bacteri**a**, memorandum (비망록)→ memorand**a**, memorandums, phenomenon (현상)→

phenomena, criterion (기준) → criteria, stimulus (자극) → stimuli, radius (반경) → radii

▶ GR 191. 분화 복수

단수와 복수의 뜻이 전혀 다른 명사.

(예) air (공기) → airs (젠체하는 태도)
advice (충고) → advices (보고)
authority (권위) → authorities (당국)
content (용적, 내용) → contents (목차)
force (힘) → forces (군대, 부대)
glass (유리, 컵) → glasses (안경)
good (선) → goods (상품, 화물)
pain (고통) → pains (노력, 노고)

▶ GR 192. 독특한 뜻을 가지는 복수형

명사에 따라서는 복수형이 단수형의 뜻 이외에 독특한 뜻을 가지는 것이 있다.

(예) arm (팔) → **arms** (무기)
brain (뇌) → **brains** (머리의 작용, 지력)
color (색깔) → **colors** (군기)
compass (나침판) → **compasses** (컴퍼스)
custom (습관) → **customs** (관세, 세관)
letter (문자, 편지) → **letters** (문학)
line (행, 선) → **lines** (시구)
number (수) → **numbers** (운문)
oil (기름) → **oils** (유화)
part (부분) → **parts** (재능)
spectacle (광경) → **spectacles** (안경)
quarter (4분의 1) → **quarters** (숙소, 부서)

▶ GR 193. 뜻이 다른 두 개의 복수형

뜻이 상이한 두 개의 복수형을 갖는 명사가 있다.

(예) cloth { clot**hs** (천) / clot**hes** (옷) }
brother { brot**hers** (형제) / breth**ren** (동포) }
genius { geniu**ses** (천재) / gen**ii** (악귀) }
penny { penn**ies** 〈동전 개수〉 / pence 〈화폐 단위〉 }

▶ GR 194. 복수형으로 쓰이는 명사

항상 복수형으로 쓰이는 명사는 ⓐ 두 부분으로 되어 있는 것, ⓑ 신체의 일부, ⓒ 병명, ⓓ 학문 따위의 명칭, ⓔ 건조물 따위의 명칭, ⓕ 기타 명사의 복수형, ⓖ 형용사에서 온 복수형으로 구분해 볼 수 있다.

(예) ⓐ scissors [sízərz] (가위) trousers [tráuzərz] (바지)
braces (바지의 멜빵) shoes (구두)
spectacles (안경) tongs (부젓가락)
gloves (장갑)

ⓑ brows (눈썹) bowels (내장)
ⓒ measles [mí:zlz] (홍역) blues (우울증)
hysterics (히스테리) staggers (현기증)
ⓓ mathematics (수학) economics (경제학)
linguistics (언어학) phonetics (음성학)
statistics (통계학) athletics (경기)
ⓔ lodgings (하숙) works (공장)
headquarters (본부) barracks (병사)
ⓕ news (뉴스) fireworks (꽃불)
tidings (소식) wages (임금)
ashes (재) savings (저금)
ⓖ commons (평민) rapids (급류)
drinkables (음료) eatables (식료품)
movables (동산) valuables (귀중품)
belongings (소유물) surroundings (환경)

▶ GR 195. 「수사+명사」

「수사+명사」가 형용사적으로 쓰일 때는 항상 단수형으로 쓰인다.

(예) an **eight-day** clock (8 일 만에 태엽을 감는 시계)
a **three-year-old** child (세 살 먹은 아이)
a **two-mile** race (2 마일 경주)
a **ten-pound** note (10 파운드 지폐)

☞ *cf.* after **three years'** absence

▶ GR 196. 명사의 격

문장 속에서 명사(또는 대명사)의 다른 낱말에 대한 관계를 격(Case)이라 하며, ⓐ 주격, ⓑ 소유격, ⓒ 목적격의 세 가지가 있다.

(예) ⓐ That **man** is young. 〈주격〉
ⓑ This is that **man's** hat. 〈소유격〉
ⓒ I like that **man.** 〈목적격〉

☞ 명사는 주격과 목적격이 같은 형태이므로 문장 속에서 양자를 구별하도록 해야 한다.

▶ GR 197. 명사의 소유격을 만드는 법

명사의 소유격은 ⓐ 어미에 **-'s**(Apostrophe s)를, ⓑ -s로 끝나는 복수 명사와 ⓒ -s로 끝나는 단수 명사는 **-'** (Apostrophe)만을, ⓓ 복합명사나 어군의 소유격에서는 끝의 낱말에만 **-'s**를 붙인다.

(예) ⓐ Jack'**s** book, a cow'**s** tail
ⓑ boys' books, birds' nest
ⓒ Jones' [dʒounz] daughter, Dickens' novels
ⓓ my father-in-law'**s** house (나의 장인의 집)
the king of England'**s** palaces (영국 왕의 궁전)

☞ ⓑ -s로 끝나지 않은 복수 명사에는 원칙대로 -'s를 붙인다: children'**s** dictionary, men'**s** clothing ⓒ -'s를 붙여도 된다.

Dickens's [díkinziz] novels, Jones's [dʒóunziz] daughter

▶ **GR 198. -'s와 of-*phrase***

-'s를 붙이는 것은 생물 명사에 한하고, 무생물 명사에는 **of ~**를 쓴다. 다만, 무생물이라도 시간·거리·중량·가치·의인화한 것과, 관용구에는 **-'s**를 쓴다.

(예) ⓐ This is my **father's** house.
(이것은 나의 아버지의 집이다.)
ⓑ The handle **of this knife** is not good.
(이 칼의 손잡이는 좋지 않다.)
ⓒ five **minutes'** walk, **today's** paper (오늘 신문), ten **miles'** distance, a **dollar's** worth (1 달러의 가치), six **pounds'** weight (6 파운드의 무게), the **sun's** ray, **Fortune's** smile (행운의 여신의 미소)
ⓓ at one's **wits'** [**wit's**] end (어찌할 바를 몰라)
to one's **heart's** content (마음껏)
at one's **fingers'** ends (정통하여)
in one's **mind's** eye (마음 속에)
one's **journey's** end (여로의 끝)

☞ ⓐ 생물 명사 ⓑ 무생물 명사 ⓒ 시간·거리·중량·가치·의인화한 것 ⓓ 관용구

▶ **GR 199.** 독립 소유격

ⓐ 전후 관계로 뒤에 올 명사를 알 수 있는 경우, ⓑ 뒤에 올 명사가 **shop, house, building** 따위일 때는 소유격 뒤의 명사는 생략해도 된다.

(예) ⓐ My **uncle's** is a large *family.*
(나의 아저씨의 가족은 대가족이다.)
ⓑ I met him at his **uncle's**.
(나는 그를 그의 아저씨 집에서 만났다.)

☞ ⓐ =My uncle's family ⓑ =his uncle's house

▶ **GR 200.** 이중 소유격

a, an, this, that, these, those, no, any, some 따위와 소유격을 함께 쓸 경우에는 「**of**+독립 소유격」을 쓴다.

(예) ⓐ He is **a** friend *of my brother's.* (그는 형의 친구이다.)
ⓑ It is **no** fault *of the doctor's.*
(그것은 의사의 잘못이 아니다.)
ⓒ **This** garden *of Mr. Smith's* is very beautiful.
(스미스씨의 이 정원은 대단히 아름답다.)

☞ **of**는 동격을 나타낸다. ⓐ =a friend who is my brother's (*friend*) ⓑ =no fault that is the doctor's (*fault*) ⓒ =this garden which is Mr. Smith's (*garden*)

▶ **GR 201.** 소유격의 의의

명사의 소유격은 소유 관계·주격 관계·목적격 관계·동격 관계 및 저자·발명자·목적·시간·도량·특질을 나타낸다.

(예) ⓐ the *boy's* dog (그 소년이 소유한 개)
ⓑ my *mother's* death
(나의 어머니의 죽음—나의 어머니가 죽은 것)
ⓒ my *mother's* murderers (나의 어머니를 살해한 자들)
ⓓ St. *James's* Park (세인트 제임즈(라고 불리는) 공원)
ⓔ *Shakespeare's* drama (셰익스피어(가 쓴) 극본)
ⓕ *Einstein's* theory (아인슈타인의 상대성 원리)
ⓖ a *girls'* school (여학교)
ⓗ a *minute's* hesitation (일순간의 주저)
ⓘ a *stone's* throw (돌을 던지면 닿는 곳)
ⓙ lead a *dog's* life (비참한 생활을 하다)

☞ ⓐ =the dog of the boy ⓒ =those who murdered my mother ⓔ =the drama written by Shakespeare ⓖ =a school for girls

▶ GR 202. 명사의 성

명사의 문법상의 성별을 성(Gender)이라고 하며, ⓐ 남성, ⓑ 여성, ⓒ 통성, ⓓ 중성의 네 가지 종류가 있다.

(예) ⓐ man, father, boy
ⓑ woman, mother, girl
ⓒ person, parent, child
ⓓ table, house, flower

☞ 대명사로 받는 경우 ⓐ는 he, ⓑ는 she, ⓒ는 it(상황에 따라 he, she), ⓓ는 it로 받는다.

▶ GR 203. 남성어와 여성어

생물 명사에는 남성을 나타내는 말과 여성을 나타내는 말의 구별이 있다.

(예) (1) 여성형 어미 **-ess**를 붙이는 것

ⓐ	author (작가)	author**ess** (여류 작가)
	god (신)	godd**ess** (여신)
	heir (상속인)	heir**ess** (여자 상속인)
	host (주인)	host**ess** (여주인)
	poet (시인)	poet**ess** (여류 시인)
	prince (왕자)	princ**ess** (공주)
	baron (남작)	baron**ess** (남작 부인)
	count (백작)	count**ess** (백작 부인)
	lion (사자)	lion**ess** (암사자)
ⓑ	actor (배우)	actr**ess** (여배우)
	editor (기자)	editr**ess** (여기자)
	emperor (황제)	empr**ess** (황후)
	duke (공작)	duch**ess** (공작 부인)
	waiter (급사)	waitr**ess** (여급사)
	tiger (호랑이)	tigr**ess** (암호랑이)

(2) 다른 변화 어미를 붙이는 것

ⓒ	bride (신부)	bride**groom** (신랑)
	widow (과부)	widow**er** (홀아비)

ⓓ hero [híərou] (영웅) heroine [hérouin] (여걸)

(3) 성을 나타내는 말을 첨가하는 것

ⓔ **man**-servant (남자 하인) **maid**-servant (여자 하인)
boy friend (남자 친구) **girl** friend (여자 친구)
male cousin (남자 사촌) **female** cousin (여자 사촌)
he-goat (숫염소) **she**-goat (암염소)

ⓕ washer**man** (세탁인) washer**woman** (세탁부)
land**lord** (주인) land**lady** (여주인)
pea**cock** (수공작) pea**hen** (암공작)

(4) 다른 말로 나타내는 것

ⓖ bachelor (독신 남자) spinster (미혼 여자)
brother (형제) sister (자매)
gentleman (신사) lady (숙녀)
husband (남편) wife (아내)
king (왕) queen (여왕)
lad (소년) lass (소녀)
man (남자) woman (여자)
master (주인) mistress (여주인)
monk (수사) nun (수녀)
nephew (조카) niece (조카딸)
papa (아빠) mam(m)a (엄마)
son (아들) daughter (딸)
uncle (아저씨) aunt (아주머니)
wizard (마법사) witch (마녀)

ⓗ bull 또는 ox (황소) cow (암소)
dog (수캐) bitch (암캐)
horse (수말) mare (암말)
stag (수사슴) hind (암사슴)
cock 또는 rooster (수탉) hen (암탉)

☞ ⓑ 남성형 어미를 바꾼 다음 -ess를 붙여 여성형을 만든 것. ⓒ 여성형이 기본이 되어 거기에 접미어를 붙여 남성형을 만들 수 있는 것은 bride와 widow뿐이다. ⓔ 복합어의 제 1요소에 의해 성별을 나타낸 것. ⓕ 복합어의 제 2요소에 의해 성별을 나타낸 것. ⓖ 인간에 관한 것. ⓗ 동물에 관한 것.

16. 대 명 사 (Pronouns)

대명사는 명사를 대신하며, 인칭대명사(Personal Pronouns), 지시대명사(Demonstrative Pronouns), 부정대명사(Indefinite Pronouns), 의문대명사(Interrogative Pronouns), 관계대명사(Relative Pronouns)가 있다.

▶ GR 204. 인칭대명사의 인칭·성·수·격

인칭대명사는 수와 격에 따라 변화하고, 3 인칭·단수에는 성의 구별이 있다.

<table>
<tr><td colspan="2">수</td><td colspan="3">단 수</td><td colspan="3">복 수</td></tr>
<tr><td colspan="2">인칭＼격</td><td>주 격</td><td>소유격</td><td>목적격</td><td>주 격</td><td>소유격</td><td>목적격</td></tr>
<tr><td colspan="2">1 인칭</td><td>I</td><td>my</td><td>me</td><td>we</td><td>our</td><td>us</td></tr>
<tr><td colspan="2">2 인칭</td><td>you
(thou)</td><td>your
(thy)</td><td>you
(thee)</td><td>you
(ye)</td><td>your</td><td>you</td></tr>
<tr><td rowspan="3">3 인칭</td><td>남성</td><td>he</td><td>his</td><td>him</td><td rowspan="3">they</td><td rowspan="3">their</td><td rowspan="3">them</td></tr>
<tr><td>여성</td><td>she</td><td>her</td><td>her</td></tr>
<tr><td>중성</td><td>it</td><td>its</td><td>it</td></tr>
</table>

(예) ⓐ **You, he** and **I** are friends.
(너와 그와 나는 친구이다.)
ⓑ *You* and *he* have done **your** duty.
(너와 그는 너희의 의무를 다했다.)
ⓒ *I* thought *it* was **he**.
=*I* thought *it* to be **him**. (나는 그이라고 생각했다.)

☞ ⓐ 둘 이상의 인칭 대명사를 나열할 때에는, 단수는 you, he, I, 복수는 we, you, they의 어순으로 함에 주의. ⓑ your는 You와 he를 받는다. ⓒ he는 주격 보어, him은 목적격 보어. 인칭대명사의 주격은 주어와 주격 보어로, 목적격은 목적어와 목적격 보어로 쓰인다.

▶ GR 205. 인칭대명사의 부정 용법

we, you, they는 막연히 일반 부정의 사람을 나타내는 경우가 있다.

(예) ⓐ *We* should respect the old.
(노인을 존경해야 한다.)
ⓑ *You* never can tell.
(앞으로의 일은 아무도 모른다.)
ⓒ *They* speak Spanish in Mexico.
(멕시코에서는 스페인어를 쓴다.)

☞ 부정대명사 one을 쓰면 딱딱한 느낌이 나므로 위의 대명사를 쓰는 경우가 많다.

▶ GR 206. it의 특별 용법

it은 앞에 나온 말을 받는 외에, ⓐ 비인칭의 **it**, ⓑ 상황의 **it**, ⓒ 강조 주어, ⓓ 형식 주어, ⓔ 형식 목적어로서의 용법이 있다.

(예) ⓐ *It* is ten o'clock now. (지금 10시이다.)
ⓑ We had a good time of *it* yesterday.
(어제는 즐거웠다.)
ⓒ *It* was yesterday that I met him.
(내가 그를 만난 것은 바로 어제였다.)
ⓓ *It* is difficult to speak English.
(영어를 말하기는 어렵다.)
ⓔ I think *it* difficult to speak English.
(나는 영어를 말하기는 어렵다고 생각한다.)

☞ ⓐ it은 막연히 날씨·기온·계절·명암·시간·거리 따위를 나타낼

때 주어로 쓰인다. ⓑ it은 막연한 상태·사정을 가리킨다. ⓐ와 ⓑ의 it은 「그것은」이라고 해석하지 않음에 주의. ⓒ It is 〔was〕… that 〔who, whom, which〕의 형식으로 문장 안의 주어·목적어·부사 어구를 강조한다. ⓓ to speak English가 진주어, It은 형식 주어이다. ⓔ it은 형식 목적어이고, to speak English가 진목적어.

▶ GR 207. 소유대명사의 용법

소유대명사는 3인칭으로 취급하고, 격의 변화가 없으며, 단수나 복수가 같은 형태이다. 또 앞에 나온 명사뿐만 아니라 뒤의 명사를 가리키기도 한다.

(예) ⓐ That novel is **mine** (=my novel).
Those novels are **mine** (=my novels).
Yours {*is* / *are*} big.

ⓑ His parents are present ; **yours** (=your parents) are not.
(그의 부모님은 출석했으나, 너의 부모님은 보이지 않는다.)
His (=His family) is a large family.
(그의 가족은 대가족이다.)

▶ GR 208. a friend of mine형

a, no, this, that 따위에 인칭대명사의 소유격을 잇따라 쓸 수 없다. 이 경우에는 「**of+소유대명사**」를 쓴다.

(예) ⓐ **This** garden *of his* is beautiful.
(그의 이 정원은 아름답다.)

ⓑ Where did you buy **that** book *of yours* ?
(너의 저 책을 어디서 샀느냐?)

ⓒ Yesterday I met **a** friend *of mine* at the park.
(어제 내 친구 하나를 공원에서 만났다.)

☞ ⓒ 「내 친구 하나」를 a my friend라고 할 수 없으므로 동격의 of를 써서 my friend란 뜻의 mine을 결합시켜 a friend of mine (=a friend who is mine)으로 나타낸다. 「친구 중의 한 사람」의 뜻일 때는 one of my friends, 어떤 친구인지 알고 있는 경우는 my friend라고 한다.

▶ GR 209. of one's own

one's own은 **a, some, any, no** 따위와 함께 쓸 때는 **of one's own**형으로 한다.

(예) ⓐ I have **no** house *of my own.*
(나는 내 자신의 집이 없다.)

ⓑ The company has **a** building *of its own.*
(그 회사는 전용의 빌딩을 갖고 있다.)

☞ 소유격의 뜻을 강조할 때는 own을 첨가한다. **his own** servant (그 자신의 하인). 이 경우의 own은 형용사 용법이다.

▶ GR 210. 재귀대명사의 용법

재귀대명사에는 ⓐ 재귀 용법, ⓑ 강조 용법, ⓒ 관용적 용법이 있고, 소유격은 **one's own.**

(예) ⓐ He killed *himself.* (그는 자살했다.)
ⓑ I know it *myself.* 〈주어의 강조〉
(나도 그것을 알고 있다.)
I saw the man *himself.* 〈목적어의 강조〉
(나는 그 사람 자신을 만났다.)
ⓒ **for oneself** (혼자 힘으로), **by oneself** (혼자), **of itself** (저절로), **in itself** (본래, 그 자체로서), **beside oneself** (정신을 잃고, 미쳐), **to oneself** (독점하여)
ⓓ He has no car *of his own.* (그에게는 자기 자신의 차가 없다.)

☞ ⓐ 재귀 용법이란 동사의 작용이 다른 데 미치지 않고 자신(주어)에게 돌아오는 용법을 말한다. *cf.* He killed him. (갑은 을을 죽였다.) ⓑ 강조 용법이란 주어나 목적어와 동격으로 이를 강조하는 용법. ⓓ his own을 a, no, this, that 따위와 함께 쓸 때는 of one's own. GR 209 참고.

▶ GR 211. 의문대명사 who, what, which

의문대명사는 문두에 오고, 단수·복수가 같은 꼴이다.

(예) ⓐ *Who* is he? *What* are they?
ⓑ *Which* is the right way?
ⓒ *Whose* is this book?
ⓓ *Who* (= *Whom*) do you mean?
(너는 누구에 대해 말하고 있느냐?)

☞ 전치사는 의문대명사의 앞에 나올 수 있다. *By* whom was this book written? (whom은 전치사 by의 목적어) ⓓ who는 구어에서 whom 대신에 쓰인다.

▶ GR 212. 의문대명사와 의문형용사

what, which가 단독으로 쓰이면 의문대명사, 명사를 수반하면 의문형용사이다.

(예) ⓐ *What* are you reading? 〈의문대명사〉
What book are you reading? 〈의문형용사〉
ⓑ *Which* do you like best?
(어느 것을 너는 제일 좋아하느냐?) 〈의문대명사〉
Which book do you like best?
(어느 책을 너는 제일 좋아하느냐?) 〈의문형용사〉

▶ GR 213. 의문대명사가 명사절을 이끄는 경우

의문대명사가 명사절을 이끌어 타동사의 목적어로 될 때, 이를 간접 의문문이라 한다. 이 경우, 의문대명사가 보어·목적어이면 「의문대명사 + 주어 + 동사」, 주어이면 「의문대명사 + 동사」의 어순.

(예) ⓐ **Who** is he? 〈독립된 의문문〉
Do you know **who he is?** 〈간접 의문문〉

ⓑ { **Which** do you like better?
I don't know **which you like better.**

ⓒ { **Who** broke the window?
Ask him **who broke the window.**

☞ ⓒ 의문대명사가 주어인 경우, 어순은 바뀌지 않는다.

▶ GR 214. do you know, do you think와 의문사

일반적으로 간접 의문문의 의문사는 간접 의문문 앞에 오지만, 주절이 do you think 따위일 때, 즉 yes, no로 대답할 수 없는 경우는, 의문사가 문두에 온다.

(예) ⓐ *Do you know* **what** it is? — Yes, I do.
ⓑ **What** *do you think* it is? — I think it is a book.

☞ ⓐ yes, no로 대답할 수 있다. 이런 형식에 쓰이는 동사는 know, tell, ask 따위. ⓑ yes, no로 대답할 수 없다. 이런 형식에 쓰이는 동사는 think, imagine, suppose, say 따위.

▶ GR 215. 지시대명사 this [these], that [those]

ⓐ this [these]는 가까운 것, that [those]는 먼 것을 가리킨다. ⓑ that [those]는 명사의 반복을 피하기 위해 쓴다. ⓒ this, that은 전후의 절을 받는다. ⓓ that [those]는 관계대명사의 선행사로도 쓴다. ⓔ this는 「후자」, that은 「전자」의 뜻으로 쓴다.

(예) ⓐ { I don't like *this* at all.
Who is *that* boy over there?

ⓑ { The population of Seoul is larger than *that* of Pusan.
(서울의 인구는 부산의 인구보다 많다.)
The ears of a hare are longer than *those* of a fox.
(토끼의 귀는 여우의 귀보다 길다.)

ⓒ He promised to pay his debt and *this* he did the next day.
(그는 부채를 갚겠다고 약속하고 그 다음 날 갚았다.)

ⓓ { *that* **which** is beautiful (아름다운 것)
those **who** are diligent (근면한 사람들)

ⓔ Health is above wealth; *this* does not give so much pleasure as *that*. (건강은 부보다 낫다. 후자(부)는 전자(건강)만큼 행복을 주지 않는다.)

☞ ⓑ that=the population, those=the ears ⓒ this는 앞의 절을 받고, did의 목적어. ⓓ those who=people who ⓔ this=wealth, that=health

▶ GR 216. 대명사 same, such, so

same은 「동일한 것」, **such**는 「그와 같은 것[사람]」, **so**는 「그렇게」란 뜻의 대명사.

(예) ⓐ Is this the *same* as you gave him?
(이것은 네가 그에게 준 것과 같은 것이냐?)

ⓑ Never read *such* as you can't understand.
(이해할 수 없는 그런 것은 결코 읽지 마라.)
ⓒ I think *so*. (나는 그렇게 생각한다.)

☞ ⓐ *cf.* Is this the *same* **watch** as you gave him? (형용사) ⓒ so가 대명사로 쓰일 때는 보통 tell, say, think의 목적어인 경우이다.

▶ GR 217. 부정대명사 one

부정대명사 one은 일반 사람을 가리키거나, 명사의 반복을 피할 때 쓴다. one에 형용사가 붙을 때는 부정관사를 붙이거나 복수형(ones)으로 할 수 있다.

(예) ⓐ **One** must do *one's* best.
(사람은 최선을 다하지 않으면 안 된다.)
ⓑ Have you got a knife?
— Yes, I have got **one**.
ⓒ I keep three dogs; **a** *big* **one** and two *small* **ones.**
(나는 개 세 마리를 기르고 있다. 큰 것 한 마리와 작은 것 두 마리이다.)

☞ ⓐ one으로 시작되어 있으면 보통 one, one's, oneself로 받는다. 미국에서는 his, himself로 받는 경우가 있다. ⓑ one=a knife로 「같은 종류」의 것에 쓴다. *cf.* Have you got **the** *knife?* — Yes, I have got **it**.

▶ GR 218. each other, one another

each other, one another는 대명사로 타동사·전치사의 목적어로 쓰인다. each other는 둘인 경우, one another는 셋 이상의 경우에 보통 쓴다.

(예) ⓐ The two boys struck *each other* and one of them cried.
(그 두 소년들은 서로 때리다가 그 중의 하나가 울었다.)
ⓑ They helped *one another*. (그들은 서로 도왔다.)

☞ each other, one another는 실제로 엄밀한 구별 없이 쓰인다.

▶ GR 219. one ~ the other, the one ~ the other

one ~ the other는 「(두 개 가운데서) 하나는 ~ 나머지 하나는 …」, **the one ~ the other**는 「전자는 ~ 후자는 …」이란 뜻으로 쓰인다.

(예) ⓐ We have two dogs; *one* is white, and *the other* black.
(우리는 개 두 마리가 있다. 하나는 흰둥이고 하나는 검둥이다.)
ⓑ Mary has a white and a red rose; *the one* is lovelier than *the other*.
(메리는 흰 장미와 빨간 장미를 가지고 있다. 흰 장미가 빨간 장미보다 예쁘다.)

☞ ⓐ one ~ the others는 「(세 개 이상 가운데서) 하나는 ~ 나머지 전부는 …」의 뜻. ⓑ the one=the former=a white rose, the other=the latter=a red rose

▶ GR 220. the other, another

the other 는 「두 개 가운데서 다른 하나」, **another** 는 「나머지 것 가운데서 어느 것이라도 좋으니 하나」란 뜻.

(예) ⓐ This room is not so good. Show me *the other*.
ⓑ This room is not so good. Show me *another*.

☞ ⓐ =the other room ⓑ =another room

▶ GR 221. some ~ others, some ~ the others

some ~ others 는 「어떤 사람은 ~ 어떤 사람은 …」, **some ~ the others** 는 「어떤 사람은 ~ 나머지 전부는 …」이란 뜻.

(예) ⓐ *Some* said yes, and *others* said no.
(긍정한 사람도 있고 부정한 사람도 있었다.)
ⓑ *Some* said yes, and *the others* said no.
(어떤 사람은 긍정했으나 나머지 전부는 부정했다.)

☞ ⓑ the others=the rest

▶ GR 222. some, any

some은 긍정에, **any**는 부정·의문·조건에 쓰인다. 다만, 긍정의 답을 기대하거나 권유를 나타내는 의문문에서는 some을 쓴다. 또, 긍정문에 any를 쓰면, 「무엇이든, 누구든」이란 뜻.

(예) ⓐ Do you want *any* of these books?
(이 책들 중에서 원하는 것이 있느냐?)
Yes, I want *some* of them.
(예, 몇 권 있습니다.)
No, I *don't* want *any* of them.
(아니오, 아무 것도 없습니다.)
ⓑ Don't you need *some* pencils? — Yes, I do.
(연필이 필요하지? — 예, 필요합니다.)
Will you have *some* tea?
(차를 드시지요?)
ⓒ *Any* child can do it.
(그것은 어떤 아이라도 할 수 있다.)

☞ ⓑ, ⓒ에서처럼 any, some 다음에 명사가 오면 형용사로 된다. 이것을 대명형용사(Pronominal Adjective)라고 하며, 용법은 대명사의 경우와 같다.

▶ GR 223. either, neither, both

둘 중에서, either는 그 어느 하나를 가리키고, neither는 양쪽 모두 부정, both는 양쪽 모두 긍정한다. **both**는 항상 복수로, **either, neither**는 단수로 취급한다.

(예) ⓐ *Either* of the two nations wants peace.
(두 국민 중 어느 한 쪽은 평화를 원하고 있다.)
ⓑ *Neither* of the two nations wants war.
(두 국민 중 어느 쪽도 전쟁을 원하지 않는다.)

ⓒ *Both* of the two nations want peace.
(두 국민은 다 평화를 원하고 있다.)

☞ ⓐ 다음의 예에서 either는 both와 비슷한 뜻이지만, 형용사로 쓰였다. There are shops on **either** side. (양 쪽에 상점이 있다.) I don't know, either.의 either는 부사이다. ⓑ neither는 not ~ either의 뜻으로 전체 부정. ⓒ both가 not와 함께 쓰이면 부분 부정. **Both** his parents are *not* dead. (양친이 둘 다 죽은 것은 아니다. —한 사람은 살아 있다.) 이 경우의 both는 형용사. both의 어순에 주의.

▶ GR 224. many, much, few, little

many, few는 셀 수 있는 명사에, much, little은 셀 수 없는 명사에 쓰인다. few나 little은 「조금밖에 없다」, a few 〔little〕은 「조금은 있다」란 뜻.

(예) ⓐ *Many* of them thought that he was insane.
(그들 중에는 그가 미쳤다고 생각한 사람이 많았다.)
There is *much* to be said on both sides.
(양쪽 모두 상당한 논거가 있다.)

ⓑ There are not *many* customers in the shop.
(가게에는 그다지 손님이 많지 않다.)
There is not *much* wine left in the bottle.
(병에는 술이 그다지 많이 남아 있지 않다.)

ⓒ I have *few* friends here.
(여기에는 친구가 거의 없다.)
I have *a few* friends here.
(여기에는 친구가 조금은 있다.)

ⓓ We have *little* rain here.
(여기에는 비가 거의 오지 않는다.)
We have *a little* rain here.
(여기에는 비가 조금은 온다.)

☞ ⓐ 는 대명사로 쓰인 예, ⓑ ⓒ ⓓ는 형용사로 쓰인 예이다.

▶ GR 225. each, every, all

each는 개개의 것, **every**는 개개의 것 전부를 말하고, **all**은 전체를 총괄해서 나타낸다. each, every는 단수, all은 복수로 취급한다. 다만, 양을 나타낼 경우 all은 단수 취급.

(예) ⓐ **Each** of the boys *has* his own bicycle.
(소년들은 각자가 자기 자신의 자전거를 가지고 있다.)

ⓑ **Every** boy *has* his own bicycle.
(자기 자신의 자전거를 가지고 있지 않은 소년은 없다.)

ⓒ **All** the boys *have* their own bicycle.
(모든 소년은 자기 자신의 자전거를 가지고 있다.)

☞ ⓐ each는 he로 받는 것이 원칙이다. **Each** has *his* own room. ⓑ every에는 단독 용법이 없고, 항상 형용사로만 쓰인다. ⓒ all이 단독으로 쓰일 경우 「사람」을 가리킬 경우는 복

수, 「사물」을 가리킬 경우는 단수로 취급한다. **All** *is* over. (만사는 끝났다.) **All** *were* happy. (모두가 기뻐하고 있었다.)

17. 관 사 (Articles)

▶ GR 226. 부정관사의 용법

부정관사는 ⓐ any, ⓑ one, ⓒ a certain, ⓓ the same, ⓔ per, ⓕ a person like ~란 뜻으로 쓰이며, ⓖ 물질명사나 추상명사 앞에 쓰여 이를 보통명사화한다.

(예) ⓐ *An* owl can see in the dark.
ⓑ Rome was not built in *a* day.
ⓒ *A* Mr. Smith came to see you.
(스미스란 분이 너를 만나러 왔다.)
ⓓ Birds of *a* feather flock together. (유유 상종.)
ⓔ He works eight hours *a* day.
(그는 하루 8시간 일한다.)
ⓕ He is *a* Napoleon. (그는 나폴레옹 같은 인물이다.)
ⓖ She looked at herself in *a* glass.
Will you do me *a* kindness?
(부탁이 있는데요.)

☞ ⓖ a glass=a mirror, a kindness=a kind act. 모음으로 시작하는 말 앞에는 an을 씀에 주의. *an* apple, *an* honest man, *cf.* *a* European, such *a* one

▶ GR 227. 정관사의 용법

the는 ⓐ 앞에 나온 명사, ⓑ 특정, ⓒ 한정, ⓓ 종류 전체를 나타낼 때 쓰이며, 이 밖에도, ⓔ 관용구, ⓕ 「the+단수 보통명사」=추상명사, ⓖ 「the+형용사」=복수 보통명사·추상명사, ⓗ 「the+고유명사」 따위의 용법이 있다.

(예) ⓐ I met a boy. *The* boy was an orphan.
ⓑ Please open *the* door.
ⓒ *The* color of this book is black.
ⓓ *The* cow is a useful animal.
ⓔ in *the* morning, in *the* distance, *the* right man in *the* right place, sell by *the* pound
ⓕ *The* pen is mightier than *the* sword.
ⓖ *The* rich are not always happy.
The unexpected has happened. 「불의의 일」
ⓗ *the* Thames, *the* Alps, *the* White House

☞ a는 임의의 것을, the는 한정된 것을 나타낸다. 이와 같은 근본적인 뜻에서 여러 가지 용법이 생겼다. the는 모음 앞에서는 [ði]로 발음한다.

▶ GR 228. 관사의 위치

as, so, such, too, what, how, quite, rather는 a보다 앞에, **all, both**는 the 보다 앞에 위치한다.

(예) ⓐ Mary is *as* pretty **a** girl as her elder sister.
(메리는 언니만큼 예쁜 소녀이다.)

ⓑ That was *so* difficult **a** problem that I could not solve it. (그것은 너무 어려운 문제였으므로 나는 풀 수 없었다.)

ⓒ I've never seen *such* **a** beautiful sight.
(이런 아름다운 경치를 본 것은 처음이다.)

ⓓ He is *quite* **a** scholar.
(그는 확실히 학자이다.)

ⓔ *All* **the** boys know his name.

ⓕ *Both* **the** brothers are good players of tennis.

▶ GR 229. 관사의 반복

둘 이상의 명사나 형용사가 접속사로 이어져 있을 경우, 관사의 반복에 의해 별개의 것을 나타낸다.

(예) ⓐ **The** poet and statesman *is* dead. 〈동일한 사람〉
The poet and the statesman *are* dead. 〈다른 두 사람〉

ⓑ **A** black and **a** white dog *were* running. 〈두 마리〉
A black and white dog *was* running. 〈한 마리〉

☞ *a* watch and chain [wɔ́tʃəntʃéin] (시계 줄이 달린 시계)처럼 일체를 이루는 것은 관사를 하나만 붙인다.

▶ GR 230. 관사의 생략

ⓐ 한정되지 않은 추상명사·물질명사·복수 보통명사(종류 전체), ⓑ 가족 관계나 혈연을 나타내는 명사, ⓒ 호칭, ⓓ 신분·관직을 나타내는 말이 동격어 또는 보어인 경우, ⓔ 공공 건물이 본래의 목적에 쓰이고 있는 경우, ⓕ 식사·병·언어·학과명, ⓖ as를 쓴 양보 구분의 명사, ⓗ a kind [sort] of 다음의 명사, ⓘ 대조 관계의 구나 관용구에서는 관사를 생략한다.

(예) ⓐ *Life* is hard. (인생은 괴로운 것이다.)
Milk is made into *butter.*
Cows are useful animals.
(소라는 것은 유용한 동물이다.)

ⓑ *Father* (=My father) is busy working on the farm.

ⓒ Come here, *boys.*

ⓓ Frank Smith, *son* of John, was elected *president.*

ⓔ *School* begins at eight.
(학교(수업)는 8시에 시작된다.)

ⓕ I had *breakfast* at six this morning.

ⓖ *Hero* as he was, he turned pale.

ⓗ He is a kind of *stock-broker.*

ⓘ He is living *from hand to mouth.*
(그는 하루 벌어 하루 먹고 산다.)

☞ ⓐ 한정될 경우는 the를 붙인다. **The life** *we live here* is hard. (여기에서의 우리 생활은 어렵다.) ⓔ 공공 건물 자체를 말할 때는 the를 붙인다. *The* **school** stands on a hill. ⓖ =Though he was a hero, ~.

18. 형용사(Adjectives)

▶ GR 231. 형용사의 용법

형용사 중에는 명사 앞의 수식어로만 쓰이는 것(한정 용법)과 보어로만 쓰이는 것(서술 용법)이 있고, 또 두 가지 용법으로 쓰이나 뜻이 달라지는 것이 있다.

(예) ⓐ He is a *mere* child.
(그는 다만 아이에 불과하다.)
ⓑ I am *afraid* of the dog.
(나는 개가 무섭다.)
ⓒ Elizabeth is the *present* queen.
(엘리자베스가 현재의 여왕이다.)
The queen is *present* at the meeting.
(그 모임에는 여왕이 참석하고 있다.)

☞ ⓐ 한정 용법만 있는 형용사 : elder (손위의), former (이전의), gold (금의), inner (안쪽의), latter (나중의), upper (위쪽의), wooden (목재의), woollen (양모의) 따위. ⓑ 서술 용법만 있는 형용사 : afraid (두려워하여), akin (동족의), alike (닮은), alive (살아 있는), alone (홀로), asleep (잠들어), awake (깨어 있는), ashamed (부끄러워하여), aware (알고), content (만족하여), desirous (원하는), unable (할 수 없는), well (건장한), worth (~의 가치가 있는) 따위. ⓒ (유례) a *certain* lady (어떤 부인), It is quite *certain.* (그것은 확실하다.)/the *late* Professor Brown (고 브라운 교수), He was *late.* (그는 지각했다.) **certain**과 **sure** : —***It is certain*** that he will succeed.=***I am sure*** that he will succeed.

▶ GR 232. 형용사의 어순

형용사가 여러 개 겹칠 때의 형용사의 어순은 「관사·대명형용사+수량 형용사+대소·형상+성질+상태+연령·신구+국적·재료」이다. 또, -thing으로 끝나는 말을 수식할 때, 최상급·all·every 따위 다음에 오는 명사를 -able, -ible형 형용사가 수식할 때, 형용사구·형용사절이 명사를 수식할 때, 어떤 고정된 표현을 할 때에 형용사는 후치된다.

(예) ⓐ *these four tall young American* girls
a small Korean wooden house
ⓑ There is **nothing** *interesting.*
(재미있는 것은 아무 것도 없다.)
ⓒ It is **the best** scheme *imaginable.*
(그것은 생각해 낼 수 있는 제일 좋은 계획이다.)
ⓓ He is **a man** *of learning.*
(그는 학자이다.)
ⓔ the **sum** *total* (총계), **Asia** *Minor* (소아시아), **governor**-*general* (총독)

☞ ⓐ형용사가 여러 개 겹칠 경우에는 형용사를 명사 뒤에 쓰기도 한다. She was a lady *beautiful, kind and rich.* (그녀는 아름답고, 친절하고, 돈 있는 부인이었다.)

▶ GR 233. It is convenient, *etc.*

interesting, impossible, surprising, convenient, necessary, important, difficult 따위는 사람이 주어로 된 구문에서는 쓰이지 않는다.

(예) ⓐ Come and see me tomorrow if it is *convenient* to you.
(형편이 좋으시다면 내일 와 주십시오.)
ⓑ It is *necessary* that you should work harder.
(너는 더 열심히 일해야 할 필요가 있다.)
ⓒ It is *important* for us to obey the laws.
(우리가 법률에 따르는 것이 중요하다.)
ⓓ It is *difficult* for him to solve the problem.
(그가 그 문제를 풀기는 어렵다.)
ⓔ The book is *interesting* to me.

☞ ⓐ convenient for you to do so처럼 부정사가 계속될 때에는 for를 쓴다. ⓑ =It is necessary *for you to work harder.* ⓒ =It is important *that we should obey the laws.* ⓓ는 It is difficult that ...의 구문으로는 쓰이지 않는다. difficult를 사람이 주어로 된 구문에 쓰는 경우도 있다. *He is difficult* to please [to deal with].

▶ GR 234. 고유 형용사

고유 형용사란 고유명사에서 온 형용사로서, 대문자로 시작한다. 고유 형용사는 대부분 국어나 국민을 나타내는 명사로도 쓰인다.

(예) Korea → **Korean** [형] 한국의, 한국 사람의, 한국어의 [명] 한국인, 한국어

Korean goods (한국 제품)
a *Korean* girl
a *Korean* dictionary

☞ 고유명사를 그대로 명사 앞에 붙여 형용사로 쓰는 경우도 있다. *Korea* Strait (대한 해협), *Chicago* University (시카고 대학)

※ 고유 형용사 일람표

고유명사	고유 형용사	고유 명사		
국 명	(… 의, … 말)	개인 (단수)	개인 (복수)	국 민 전 체
America	*American	an American	Americans	the Americans
Australia	*Australian	an Australian	Australians	the Australians
Belgium	*Belgian	a Belgian	Belgians	the Belgians
China	Chinese	a Chinese	Chinese	the Chinese
Denmark	Danish	a Dane	Danes	the Danes
England	English	an Englishman	Englishmen	the English
Finland	Finnish	a Finn	Finns	the Finns
France	French	a Frenchman	Frenchmen	the French
Germany	German	a German	Germans	the Germans

Greece	Greek	a Greek	Greeks	the Greeks
Holland	Dutch	a Dutchman	Dutchmen	the Dutch
Ireland	Irish	an Irishman	Irishmen	the Irish
Italy	Italian	an Italian	Italians	the Italians
Japan	Japanese	a Japanese	Japanese	the Japanese
Korea	Korean	a Korean	Koreans	the Koreans
Norway	Norwe-gian	a Norwegian	Norwe-gians	the Norwegians
Russia	Russian	a Russian	Russians	the Russians
Scotland	Scotch	a Scotchman	Scotchmen	the Scotch
Spain	Spanish	a Spaniard	Spaniards	the Spanish
Sweden	Swedish	a Swede	Swedes	the Swedish
Switzer-land	*Swiss	a Swiss	Swiss	the Swiss
Turkey	Turkish	a Turk	Turks	the Turks

(위의 일람표에서 *표 이외는 고유형용사가 국어를 뜻하는 명사로 된다. America의 국어는 English이고, Switzerland의 국어는 German, French, Italian.)

▶ GR 235. 수량 형용사 many, much, (a) few, (a) little

수는 **many, (a) few**+보통명사로, 양은 **much, (a) little**+물질명사로, 정도는 **great, much, (a) little**+추상명사로 나타낸다.

(예) ⓐ He has *many* books.
He has (*a*) *few* books.
ⓑ There is *much* water in the bottle.
There is (*a*) *little* water in the bottle.
ⓒ He has *great* skill in music.
He has (*a*) *little* skill in music.

☞ some, any, all, no, more, enough 따위는 수·양·정도에 공통으로 쓰인다.

▶ GR 236. as many 와 so many

as many는 「같은 수」, **so many**는 「그만큼의 수」의 뜻이다.

(예) ⓐ He found ten mistakes in *as many* lines.
(그는 10 행에 10 개의 잘못을 발견했다.)
ⓑ They climbed the mountain like *so many* ants.
(그들은 마치 개미 떼처럼 산을 기어 올랐다.)

☞ ⓐ as many lines=ten lines

▶ GR 237. many a 와 many

many a는 단수 명사에 쓰여 단수 취급, **many**는 복수 명사에 쓰여 복수 취급을 한다. 그러나 뜻은 같다.

(예) ⓐ *Many a* student **likes** music.
ⓑ *Many* students **like** music.

☞ many a와 many는 용법상 차이가 있으나 뜻은 모두 같다. many a는 문어적 표현.

19. 수 사 (Numerals)

수사에는 개수를 나타내는 기수(Cardinals)와, 순서를 나타내는 서수(Ordinals)가 있다.

(1) 기수사 (Cardinal Numbers)

1 one	11 **eleven**	21 **twenty-one**
2 two	12 **twelve**	30 **thirty**
3 three	13 thirteen	40 **forty**
4 four	14 fourteen	50 fifty
5 five	15 **fifteen**	60 sixty
6 six	16 sixteen	70 seventy
7 seven	17 seventeen	80 **eighty**
8 eight	18 **eighteen**	90 ninety
9 nine	19 nineteen	100 **a** 〔**one**〕 **hundred**
10 ten	20 **twenty**	1000 **a** 〔**one**〕 **thousand**

※ ① 11, 12는 특수한 형태. ② 13~19는 -teen으로 끝난다. ③ 20~90은 -ty로 끝난다. ④ 21~99은 하이픈(-)으로 연결한다. ⑤ hundred 다음에 수사가 오는 경우는 and를 쓴다. (미국에서는 and를 종종 생략) one hundred **and** twenty ⑥ thousand와 hundred 사이에는 and를 쓰지 않으나, hundred가 없는 경우는 and를 쓴다. one thousand **and** one ⑦ 영어에는 「만」이란 말은 없다. 예컨대 4만은 「40천」처럼 천 단위를 써서 나타낸다. 콤마는 각각 thousand, million을 나타낸다. ⑧ million 「100만」 위의 billion은 영국에서는 「조」(million million(s), 미국에서는 「10억」 (thousand million(s))을 가리킨다. 미국에서 「조」는 trillion이라고 한다. ⑨ hundred, thousand는 다른 수사가 앞에 있어도 복수형(-s)은 취하지 않는다 : three *hundred* boys, ten *thousand* girls ⑩ 100 이하의 숫자는 특수한 경우를 제외하고는 숫자를 쓰지 말고 영어로 쓰는 편이 좋다. 즉, **two** men처럼.

(2) 서수사 (Ordinal Numbers)

first (1st)	eleventh (11th)	**twenty-first** (21st)
second (2nd)	**twelfth** (12th)	thirtieth (30th)
third (3rd)	thirteenth (13th)	fortieth (40th)
fourth (4th)	fourteenth (14th)	fiftieth (50th)
fifth (5th)	fifteenth (15th)	sixtieth (60th)
sixth (6th)	sixteenth (16th)	seventieth (70th)
seventh (7th)	seventeenth (17th)	eightieth (80th)
eighth (8th)	eighteenth (18th)	ninetieth (90th)
ninth (9th)	nineteenth (19th)	hundredth (100th)
tenth (10th)	**twentieth** (20th)	thousandth (1000th)

※ ① first, second, third 이외에는 -th를 붙인다. ② 서수사 앞에는 보통 the를 붙인다. 그러나 a가 붙으면 「또 하나의, 다른」의 뜻이 된다. **The** *second* man stood up. (두 번째 사람이 일어섰다.) **A** *second* man stood up. (또 한 사람이 일어섰다.)

▶ **GR 238.** 배 수 (Multiplicatives)

「절반」은 half, 「두 배」는 twice, 3배 이상은 「수사+times」로 나타내며, 「~의 — 배의 …」는 「배수+**as . . . as** ~」의 형식을 쓴다.

(예) ⓐ *half* a mile=a *half* mile (반 마일)
two hours and a *half*=two and a *half* hours (두 시간 반)

ⓑ You have { **half** / **half again** / **twice** / **three times** } **as** many books **as** I have.
(너는 내 절반〔1배 반, 2배, 3배〕의 책을 갖고 있다.)

☞ 「두 배」는 double, two times를 쓰기도 한다. 「3 배」는 thrice라고도 하나 옛말투.

▶ GR 239. 수사의 주의해야 할 4 용례

수사의 용법 중 다음 4가지 경우는 특히 주의를 요한다.

(예) ⓐ **a couple of** days=two days ; a few days 〖미〗
ⓑ **a dozen** (**of**) eggs (계란 한 다스)
two dozen (**of**) eggs (계란 두 다스)
three pair(**s**) **of** shoes 〔glasses, scissors, trousers〕 (신발 세 켤레〔안경 세 개, 가위 세 자루, 바지 세 벌〕)
ⓒ **dozens of** (수십 개의)
scores of (수십의)
hundreds of (수백의)
thousands of (수천의)
ⓓ **in one's teens** (10대에)
ten to one (십중팔구)
in the nineteen eighties (1980년대에)
by twos and threes (둘씩 셋씩, 삼삼오오)

☞ ⓐ 미국 구어에서는 of를 생략하여 a couple days라고도 함. ⓑ dozen은 수사 뒤에서 단수·복수 동형이며, pair는 두 개 한 벌로 된 것의 개수를 나타내고 단수형이나 복수형이나 다 쓴다. ⓒ 「복수형 수사+of」는 그 수를 기준으로 하여 수가 많음을 나타낸다. tens of thousands (수만의), hundreds of thousands of (수십만의), millions of (수백만의) 따위. ⓓ 관용적 표현.

▶ GR 240. 소수·분수 읽는 법

소수를 나타낼 때 point 〔decimal〕의 앞은 보통의 기수를 읽을 때와 같으나, 소수 부분은 숫자를 하나씩 읽는다. 분수를 읽을 때에는 분자는 「기수사」, 분모는 「서수사」, 분자가 2 이상의 경우는 분모의 서수사를 복수로 한다.

(예) ⓐ 0.3=zero point 〔decimal〕 three
43.165=forty-three point 〔decimal〕 one six five
ⓑ $\frac{1}{2}$=a 〔one〕 half $\frac{1}{4}$=one-fourth ; a quarter
$\frac{3}{4}$=three-fourths ; three quarters
$8\frac{3}{5}$=eight and three-fifths

☞ ⓑ 분자와 분모의 수가 클 경우에는 「분자수 by 〔over〕 분모수」로 읽는다. $\frac{325}{450}$=three hundred and twenty-five by 〔over〕 four hundred and fifty

▶ GR 241. 분수 주어의 수

분수 주어는 양의 경우는 단수, 수의 경우는 복수로 취급한다. one and a half는 항상 단수 취급.

(예) ⓐ *Three-fourths* of the earth's surface **is** water.
(지구 표면의 4분의 3은 물이다.)
ⓑ *Three-fourths* of the boys **have** caught cold.
(소년들의 4분의 3은 감기에 걸려 있다.)
ⓒ *One and a half* days **is** all I can spare.
(나에게는 고작 하루 반밖에 여유가 없다.)

▶ GR 242. 시간·날짜를 읽는 법

시간은 「분수+to 〔past〕+시간수」 또는 「시간수−분수」로 읽는다. 날짜는 보통 서수로 읽으며, 연호는 백자리와 십자리를 구분해서 읽는다.

(예) ⓐ 10.03=three minutes past ten ; ten three
10.15=a quarter past ten ; ten fifteen
10.30=half past ten ; ten thirty
10.40=twenty (minutes) to eleven ; ten forty
the 10.00 p.m. train=the ten p.m. [píː ém] train
ⓑ Apr. 15, 1960=April (the) fifteenth, nineteen sixty ; April fifteen, nineteen sixty

☞ ⓐ 「~시」의 경우는 o'clock를 쓸 수 있지만 뒤에 「분」이 붙어 있는 경우에는 o'clock를 쓰지 않는다. 「… 분」의 수가 5, 10, 20, 25의 경우는 minutes를 생략할 수 있으나 기타의 경우는 생략하지 않는다. 미국에서는 past 대신 after, to 대신에 before가 쓰인다.

▶ GR 243. 서수사 읽는 법

서수를 기수로 읽는 경우가 있으므로 주의.

(예) ⓐ No. 1=number one
ⓑ page 21=page twenty-one ; the twenty-first page
ⓒ pp. 15−19=pages (from) fifteen to nineteen
ⓓ Lesson V=lesson five (제 5 과)
ⓔ Part II=part two (제 2 부)
ⓕ Vol. III=volume three (제 3 권)
ⓖ Book IV=book four
ⓗ Chapter IV=chapter four ; the fourth chapter
ⓘ § 6=section six ; chapter six (제 6 절 또는 제 6 장)
ⓙ World War II = World War Two ; the Second World War
ⓚ Elizabeth II=Elizabeth the Second

☞ ⓐ number first라고는 읽지 않는다. ⓙ World War the Second라고는 읽지 않는다.

▶ GR 244. 연호·전화 번호 읽는 법

연호는 보통 두 자리를 끊어 양쪽을 보통의 수처럼 읽으며, 천자리 미만의 연대는 보통의 수처럼 읽는다. 전화 번호는 숫자를 하나씩 읽는다.

(예) ⓐ 1958=nineteen (hundred) fifty-eight
1807=eighteen [ou] seven; eighteen hundred and seven
1500=fifteen hundred
300 B.C.=three hundred B.C. [bíːsíː]
1940's=the nineteen forties (1940년대)
19— =nineteen blank
ⓑ 828—5398=eight two eight, five three nine eight

☞ ⓐ「~년대」라고 할 때는 정관사를 붙임에 주의. 연대의 100 자리 이상의 수가 자명할 경우는 생략형을 쓰기도 한다. '79=nineteen seventy-nine. ⓑ 전화 번호의 0은 O[ou], zero, nought, cipher 따위로 읽는다.

▶ GR 245. 화폐·온도계 읽는 법

우리 나라의 화폐 단위는 *won*, 미국은 dollar, 영국은 pound이다. won은 항상 단수로만 쓰인다. 영국이나 미국에서는 온도를 보통 화씨(Fahrenheit [fáːrənhait])로 나타내나, 우리 나라는 섭씨(centigrade [séntəgreid])로 나타낸다.

(예) ⓐ ₩10,500,000=ten million, five hundred thousand won
ⓑ $40,18=forty dollars (and) eighteen (cents)
ⓒ £6 8s. 4d.=six pounds eight (shillings) and four (pence)
ⓓ 10℃=ten degrees centigrade (섭씨 10도)
ⓔ 85°F=eighty-five degrees Fahrenheit

☞ ⓐ million은 그 앞에 two, three, ten 따위의 수가 있을 때는 -s를 붙여도 되고, 안 붙여도 된다. 그러나 여기서처럼 그 다음에 다른 수가 올 때는 -s를 붙이지 않는다. ⓔ Fahrenheit는 보통 F로 약해서 쓴다. 독일의 물리학자 G. D. Fahrenheit (1686~1736)가 고안하였으므로 그의 이름을 딴 것이다.

▶ GR 246. 수식 읽는 법

영어의 수식을 읽는 법은 다음과 같다.

(예) ⓐ 3+4=7
Three and four {make [makes] / are [is]} seven.
Three plus four {equals / is} seven.
ⓑ 8−3=5
{Three from eight / Eight minus three} {is / leaves} five.
ⓒ 3×5=15

Three times five is 〔are, makes〕 fifteen.
Three (multiplied) by five is fifteen.

ⓓ 15÷5=3
Five into fifteen goes three times.
Fifteen divided by five is 〔equals〕 three.

ⓔ 15 : 5=3 : 1
Fifteen is to five what three is to one.

ⓕ **X=Y**
X equals Y.

20. 부 사 (Adverbs)

부사는 주로 동사·형용사·부사를 수식하며, 크게 단순부사, 의문부사, 관계부사로 나뉜다.

	단 순 부 사	의 문 부 사	관 계 부 사
때	now, then, before, today 따위	when?	when
장 소	here, there, near, far 따위	where?	where
양 (정도)	very, much, little, enough 따위	how?	—
모 양	so, well, quickly, easily 따위	how?	how
원인·이유	therefore, accordingly 따위	why?	why
긍정·부정	yes, no, never, not 따위	—	—

※ 관계부사는 p. 1013 참조.

▶ GR 247. 부사와 형용사의 어형

부사의 대부분은 형용사의 어미에 -ly를 붙여서 만든다. 이 밖에 ⓐ 형용사와 동형의 부사, ⓑ 형용사와 동형인 부사에 다시 -ly를 붙여서 만든 부사, ⓒ 전치사와 동형인 부사가 있다.

(예) ⓐ {He is an *early* riser. 〈형용사〉
He rises *early*. 〈부사〉

{She is a *pretty* girl. 〈형용사〉
(그녀는 예쁜 소녀이다.)
That is a *pretty* good house. 〈부사〉
(저것은 꽤 좋은 집이다.)

ⓑ {He has come too *late*. 〈부사〉
(그는 너무 늦게 왔다.)
He has *lately* come to Korea. 〈부사〉
(그는 최근에 한국에 왔다.)

ⓒ {He was standing *by* me. 〈전치사〉
He was standing *by*. 〈부사〉

☞ ⓑ cheap—cheaply, direct—directly, just—justly, hard—hardly, high—highly, most—mostly, near—nearly, right—rightly 따위는 형용사와 동형인 부사에 다시 -ly를 붙여서 부사로 만든 것이다. 이 경우 보통 양자 사이에 뜻의 차이가 생긴다. ⓒ는 전치사에서 전용된 것.

▶ **GR 248.** 부사의 위치(**1**)—동사를 수식할 때

대부분의 부사는 동사 뒤에, 빈도부사(always, often, never, hardly, seldom, almost 따위)는 동사 앞(be 동사는 그 뒤)에 오며, 일정한 때를 나타내는 부사(today, tomorrow 따위)는 문두나 문미에 온다. 또, 「조동사+본동사」로 Tense를 나타낼 경우에는 보통 그 중간에 오고, 부정사에 따르는 부사는 그 앞에 온다.

(예) ⓐ He *talks* **slowly.** I *understand* you **perfectly.**
ⓑ He **always** *talks* slowly. He *is* **always** idle.
I **never** *saw* him.
ⓒ **Yesterday** we went there.
=We went there **yesterday.**
ⓓ He will **never** *come.*
I have **almost** *finished* the work.
We must decide **where** *to go.*
He decided **not** *to go.*

☞ ⓐ -ly로 끝나는 모양을 나타내는 부사는 동사의 앞에 오는 경우도 있다. I **perfectly** *understand* you. 부사는 동사와 목적어 사이에 오지 않음에 주의.

▶ **GR 249.** 부사의 위치(**2**)—형용사·부사 따위를 수식할 때

형용사·부사(구, 절)를 수식하는 부사는 그 앞에, 명사·대명사를 수식하는 부사는 바로 앞이나 뒤에 온다.

(예) ⓐ He is **very** *tall.* He works **very** *hard.*
He arrived **just** *before sunset.*
He works **simply** *because he likes to work.*
ⓑ **Even** *a child* can read this book.
You **only** 〔**Only** *you*〕 can guess.

☞ ⓐ 부사 enough는 예외로 형용사·부사의 뒤에 위치한다. ⓑ the building *there* 「거기의 건물」, the *then* king 「그 당시의 왕」의 there, then은 형용사로 전용된 것이라고 보아도 된다.

▶ **GR 250.** 어구 수식 부사와 문장 수식 부사

부사는 낱말을 수식할 때와 문장 전체를 수식할 때 뜻의 차이가 있으니 주의하지 않으면 안 된다.

(예) ⓐ He did not die *happily* (=in a happy way).
(그는 행복한 죽음을 하지 않았다.)
ⓑ *Happily* he did not die.
(=It was happy that he did not die.)
(다행히도 그는 죽지 않았다.)

☞ ⓐ는 어구(die) 수식, ⓑ는 문장 수식. 문장 수식의 부사는 문두 또는 동사의 앞에 둔다.

▶ **GR 251. only**의 위치와 뜻의 차이

only는 그 위치에 따라 여러 가지 뜻의 차이가 있다.

(예) ⓐ *Only* he promised to help me.
(그만이 나를 도와 줄 약속을 했다.)

ⓑ He *only* promised to help me.
(그는 나를 도와 줄 약속을 했을 뿐이다.)
ⓒ He promised *only* to help me.
(그는 나를 도와 만 준다고 약속했다.)
ⓓ He promised to help me *only*.
(그는 나만 도와 준다고 약속했다.)

☞ ⓐ 다른 사람은 약속하지 않았다. ⓑ 실행은 하지 않았다. ⓒ 다른 약속은 하지 않았다. ⓓ 다른 사람에게는 도와 줄 약속을 하지 않았다.

▶ GR 252. 부사의 위치(3)—강조

강조하기 위해 부사가 문두에 놓일 경우는 보통 주어와 동사의 위치가 전도된다.

(예) ⓐ **Seldom** *is he* ill. (그는 좀처럼 앓지 않는다.)
ⓑ **Never** *did I* see such a fool.
(저런 바보는 처음 본다.)

☞ never, little, hardly 따위의 부정의 부사가 문두에 나올 경우는 이 어순에 따른다.

▶ GR 253. 부사의 위치(4)—둘 이상의 부사(구)

두 개 이상 부사(구)가 나란히 쓰일 때의 어순은 「양상+장소+때」 또는 「장소+양상+때」이다.

(예) ⓐ It rained *heavily here yesterday*.
(어제 여기에 비가 몹시 왔다.)
ⓑ He came *here safely yesterday morning*.
(그는 어제 아침 여기에 무사히 왔다.)

▶ GR 254. 명사의 부사적 용법

일시·거리·수량·양상을 나타내는 명사가 전치사를 수반하지 않고 부사의 역할을 하는 경우가 많다. 이를 부사적 목적격(Adverbial Objective Case)이라고 한다. 특히 yesterday, next, this, every 따위와 함께 쓰인 때를 나타내는 부사구에는 전치사가 쓰이지 않는다.

(예) ⓐ I walked *five miles*. (나는 5 마일 걸었다.)
ⓑ Come *this way*, please. (어서 이 쪽으로 오십시오.)
ⓒ He came here *last Sunday*.

▶ GR 255. once와 ever

once는 「일찌기, 한 번」의 뜻으로 긍정문에, **ever**는 「이제까지, 이전에, 언젠가」의 뜻으로 의문문·부정문·조건문 또는 최상급을 수반한 종속절에 쓰인다.

(예) ⓐ I have *once* seen a lion.
(나는 일찌기 사자를 본 적이 있다.)
I've seen him only *once*.
(나는 단지 한 번 그를 본 적이 있다.)
ⓑ Have you **ever** seen a tiger?
(너는 이전에 사자를 본 적이 있느냐?)

If you *ever* see him, tell him that I am well.
(언젠가 그를 만나면 내가 건강하다고 말해라.)
Nothing *ever* happened in this quiet village.
(이 평화스런 마을에서는 이제까지 아무 일도 일어난 적이 없었다.)
It is the best thing I have *ever* seen.
(그것은 이제까지 내가 본 것 중에서는 제일 좋은 것이다.)

☞ ⓐ once는 그 위치에 따라 뜻의 차이가 생기니 주의. 「일찌기」의 뜻일 때는 동사의 앞 또는 문두에, 「한 번」의 뜻일 때는 동사의 다음에 오는 것이 원칙이다. ⓑ ever는 긍정문에 쓰이면 「항상」의 뜻이 될 때가 많다.

▶ GR 256. already, yet, still

already는 긍정문에 쓰여 「벌써」란 뜻이다. **yet**는 의문문에 쓰이면 「벌써」란 뜻이지만 부정문에 쓰이면 「아직」이란 뜻이 된다. **still**은 긍정문에 쓰여 「아직도」란 뜻.

(예) ⓐ I have *already* read it.
(나는 벌써 그것을 읽어 버렸다.)
ⓑ Have you read it *yet ?*
(너는 그것을 벌써 읽었느냐?)
I have *not* read it *yet.*
(나는 그것을 아직도 읽지 않았다.)
ⓒ I am *still* reading it.
(나는 아직도 그것을 읽고 있는 중이다.)

☞ ⓐ Have you read it *already ?* 처럼 의문문에 already를 쓰면 의외·놀람을 나타낸다.

▶ GR 257. ago와 before

ago는 현재를 기준으로 하여 「(지금부터) ~ 전」의 뜻으로 과거 시제에 쓰이고 **before**는 과거를 기준으로 하여 「(그 때부터) ~ 전」의 뜻으로 과거완료 시제에 쓰인다.

(예) ⓐ I met him two years *ago.*
(나는 2년 전에 그를 만났다.)
ⓑ I had met him two years *before.*
(나는 (그 때부터) 2년 전에 그를 만났었다.)

☞ ⓑ before는 단독으로 쓰일 경우는 「이전에, 이제까지」의 뜻으로, 현재완료나 과거 시제에도 쓰인다. I (have) met him *before.*

▶ GR 258. very와 much

very는 형용사·원급·현재분사를, **much**는 동사·비교급·과거분사를 수식한다.

(예) ⓐ { I am **very** *fond* of it.
I *like* it very **much.**
ⓑ { This is **very** *good.*
This is **much** *better* than that.

ⓒ { I heard a **very** *surprising* news.
I was **much** *surprised* at the news.

☞ ⓒ 형용사적 역할이 강한 과거분사에는 very를 쓴다. I am *very* tired. 또, afraid, alike, aware 따위처럼 서술적 용법밖에 없는 형용사에는 very를 쓰지 않는다. *much* afraid, *much* alike, *much* aware로 한다. These twins are *very* **much** alike.에서 very는 much를 수식하고 있다.

▶ GR 259. too ~ to, cannot ~ too, only too

too ~ to는 「너무 …하여 ~할 수 없다」란 부정의 뜻, **cannot ~ too**는 「아무리 …하여도 지나치는 법은 없다」란 뜻, **only too**는 「더없이, 유감스럽게도」란 뜻으로 쓰인다.

(예) ⓐ She is **too** young ***to*** marry.
(그녀는 너무 어려서 결혼할 수 없다.)
ⓑ We *cannot* be **too** careful of cars.
(아무리 차에 주의하여도 지나치는 법은 없다.)
ⓒ It is *only* **too** true. (그것은 유감스럽게도 사실이다.)
I am *only* **too** glad to hear it.
(그것을 들으니 더없이 기쁘다.)

☞ ⓐ =She is so young that she cannot marry.

▶ GR 260. too와 either

too는 전반, 후반이 다 긍정인 경우, **either**는 전반, 후반이 모두 부정인 경우에 쓰인다.

(예) ⓐ He can swim, and I can, *too.*
(그도 헤엄칠 수 있고 나도 헤엄칠 수 있다.)
ⓑ He can't swim, and I can't, *either.*
(그도 헤엄칠 수 없고 나도 헤엄칠 수 없다.)

☞ ⓐ =…, and so can I. ⓑ =…, nor can I.

▶ GR 261. 부정 부사

hardly, scarcely, rarely, seldom, little, few는 부정적 의미를 나타낸다.

(예) ⓐ *Hardly* any money is left. (거의 한푼도 안 남았다.)
ⓑ There is *scarcely* any wine left in the bottle.
(병 속에는 거의 한 방울의 술도 남아 있지 않다.)
ⓒ I *seldem* go to church.
(나는 좀처럼 예배 보러 가지 않는다.)
ⓓ He knows *little* of the world.
(그는 거의 세상을 모르고 있다.)

☞ ⓐ, ⓑ는 부분 부정으로 「정도, 분량」을 나타낸다. ⓒ seldom, rarely는 「횟수」를 나타낸다. ⓓ little은 부정의 뜻이지만, a little은 긍정의 뜻이다.

▶ GR 262. yes와 no

묻는 문장이 긍정이든 부정이든, 대답하는 내용이 긍정일 때는 **yes,** 부정일 때는 **no**를 쓴다.

(예) *Haven't* you read the book yet?
(그 책을 아직 읽지 않았느냐?)
{ **Yes,** I have.(아니, 읽었다.)
{ **No,** I haven't.(그래, 읽지 않았다.)

☞ 물음에 대한 yes, no의 사용법이 우리말과 다른 경우가 있으니 주의해야 한다.

▶ GR 263. 전부 부정과 부분 부정

never, none, not at all 따위는 전부 부정을, **not always** 〔**all, every, quite, necessarily**〕 따위는 부분 부정을 나타낸다.

(예) ⓐ He is *never* idle.(그는 결코 태만하지 않다.)
ⓑ He is *not always* idle.
(그는 항상 태만하다고는 할 수 없다.)
ⓒ I know *none* of them.(나는 그들을 아무도 모른다.)
ⓓ I *don't* know *all* of them.
(내가 그들 전부를 알고 있는 것은 아니다.)

☞ ⓐ, ⓒ는 전부 부정, ⓑ, ⓓ는 부분 부정.

▶ GR 264. 의문부사의 용법

의문부사는 ⓐ 의문문, ⓑ 명사절, ⓒ 명사구를 만든다.

(예) ⓐ **Where** did he do it?
(어디서 그가 그것을 했느냐?)
When did he do it? (언제 그가 그것을 했느냐?)
Why did he do it? (왜 그가 그것을 했느냐?)
How did he do it? (어떻게 그가 그것을 했느냐?)
ⓑ I wonder **where** *he did it.*
Let me know **when** *he did it.*
Do you know **why** *he did it?*
No one knows **how** *he did it.*
ⓒ I don't know **where** *to go.* (나는 어디에 가야 할지 모른다.)
He taught me **how** *to swim.*
(그는 헤엄치는 법을 나에게 가르쳤다.)

☞ ⓑ 간접 의문문으로 명사절. Do you know 대신에 Do you think 〔imagine, suppose 따위〕를 쓰면 의문부사는 문두에 온다. **Why** *do you think* he did it? (GR 214 참조)

21. 비 교(Comparison)

▶ GR 265. 비교 변화

형용사·부사의 정도를 비교하는 어형상의 변화에는 원급—비교급—최상급의 3가지가 있으며, 규칙 변화와 불규칙 변화가 있다.

(예) ⓐ cold—cold**er**—cold**est**
〈일반적으로 어미에 -er, -est를 붙인다.〉
large—large**r**—large**st**
〈-e로 끝난 것은 -r, -st만 붙인다.〉

big—big**ger**—big**gest**
〈어미가 「단모음+단자음」인 것은 자음을 겹친다.〉
dry—dr**ier**—dr**iest**
〈어미가 「자음+y」이면 y를 i로 바꾼다.〉

ⓑ políte—polit**er**—polit**est**
tender—tender**er**—tender**est**

ⓒ useful—**more** useful—**most** useful
beautiful—**more** beautiful—**most** beautiful

ⓓ good, well —better—best　　many, much —more—most

old— older—oldest 〈나이〉; elder—eldest 〈형제〉　　far— farther—farthest 〈거리〉; further—furthest 〈정도〉

late— later—latest 〈시간〉; latter—last 〈순서〉　　bad(ly), ill —worse—worst

little—less—least

☞ ⓐ 단음절어. 다만, false, just, right, wrong, real 따위는 보통 more, most를 쓴다. ⓑ 2음절어로서 끝에 악센트가 오는 것, -er, -el, -y, -ow, -some으로 끝나는 것은 -er, -est를 붙인다. ⓒ -ful, -less, -ous, -ing, -ish, -ive 따위로 끝나는 2음절어와 3음절 이상의 대부분의 말에는 more, most를 쓴다. 다만, common, pleasant 따위처럼 -er, -est나 more, most 두 가지 다 쓸 수 있는 것도 있음에 주의. ⓓ 불규칙 변화.

▶ GR 266. 동등 비교

「~와 같은 만큼…」은「**as**+원급+**as** ~」로, 「~만큼 … 않다」는「**not as** 〔**so**〕+원급+**as** ~」로 나타낸다.

(예) ⓐ He is *as* young *as* she. (그는 그녀만큼 젊다.)
She can run *as* fast *as* I (can run).
ⓑ He is *not as* 〔*so*〕 young *as* she.
(그는 그녀만큼 젊지 않다.)

☞ ⓐ 앞의 as는 부사, 뒤의 as는 접속사. ⓑ 구어에서는 not as …as가 자주 쓰인다.

▶ GR 267. as ~ as를 쓴 성구

as ~ as possible 〔**one can**〕「될 수 있는 대로 ~」, **as ~ as … can be**「더없이 ~한」, **as ~ as any**「누구(무엇)에도 못지 않게」, **as ~ as ever** …「…한 어느 …에도 지지 않게 ~」, **as ~ as ever** 「변함 없이, 여전히」, **not so much** A **as** B(=B rather than A), **not so much as**(=not even) 따위.

(예) ⓐ Read *as* many books *as possible* 〔you *can*〕.
(가능한 한 많은 책을 읽어라.)
ⓑ He is *as* happy *as* happy *can* be.
(그는 더없이 행복하다.)
ⓒ He can run *as* fast *as any* other boy.
(그는 어느 소년에 못지 않게 빨리 달릴 수 있다.)

ⓓ He is *as* poor *as ever.* (그는 여전히 가난하다.)
ⓔ He is *not so much* a scholar *as* a poet.
(그는 학자라기보다는 오히려 시인이다.)
He did *not so much as* smile. (그는 웃지도 않았다.)

▶ GR 268. 우등 비교

「A는 B보다 더 ~하다」는 「비교급+**than**」의 형태로 나타낸다.

(예) ⓐ **He** loves you *better than* **I.**
(나보다 그가 너를 더 사랑한다.)
He loves **you** *better than* **me.**
(그는 나보다 너를 더 사랑한다.)
ⓑ Gold is **heavier** and **more valuable than** any other metal. (금은 어떤 금속보다 무겁고 가치가 있다.)
ⓒ He is *much* 〔*far*〕 **older than** I.
(그는 나보다 훨씬 나이가 많다.)
ⓓ He is *the* **taller** *of the two.*
(둘 중에서 그가 더 크다.)

☞ ⓐ 비교하는 상대와 격이 같아야 함에 주의. 첫 예문은 …than I love *you.* (주격)의 생략, 둘째 예문은 …than he loves *me.* (목적격)의 생략. ⓑ 형용사나 부사가 둘 겹칠 때에는 둘 다 비교급을 쓴다. any other 뒤에는 단수형이 옴에 주의. ⓒ 비교급을 수식하는 부사(구)는 바로 앞에 온다. ⓓ 비교급 뒤에 of the two가 따를 때에는 앞에 the를 붙인다.

▶ GR 269. 라틴어계의 비교급

superior, inferior, senior, junior, prior처럼 -or로 끝나는 라틴어계의 비교급에는 than을 쓰지 않고 「**to**+목적격」을 쓴다.

(예) ⓐ He is *superior to* me. (그는 나보다 우월하다.)
ⓑ He is *junior to* me. (그는 나의 후배이다.)
ⓒ The accident happened *prior to* his arrival.
(그 사고는 그가 도착하기 전에 일어났다.)

☞ prefer, preferable도 to를 쓴다. I *prefer* working **to** doing nothing. (아무 것도 하지 않는 것보다 일하는 것이 좋다.)

▶ GR 270. 열등 비교

「A는 B보다 덜 ~하다」는 「**less**+원급+**than**」의 형태로 나타낸다.

(예) ⓐ She is *less* beautiful *than* her sister.
(그녀는 동생만큼 아름답지 않다.)
ⓑ He is *less* clever *than* his brother.
(그는 형만큼 영리하지 못하다.)

▶ GR 271. 「more+원급+than」

동일한 것의 두 가지 성질을 비교할 때에는 -er형의 비교급을 쓰지 않고 「**more**+원급+**than**」의 형식을 쓴다.

(예) ⓐ She is *more* kind *than* wise.
(그녀는 현명하다기보다는 친절하다.)
ⓑ The remark is *more* witty *than* just.
(그 말은 기지가 풍부하기는 하나 정확하지는 않다.)

▶ GR 272. 점진 비교

「점점 ~하다」는 「비교급+**and**+비교급」의 형태로 나타낸다.

(예) ⓐ The days are getting *shorter and shorter.*
(낮이 점점 짧아지고 있다.)
ⓑ The weather is getting *colder and colder.*
(날씨가 점점 추워지고 있다.)

☞ ⓑ =It's getting colder day by day.

▶ GR 273. 비례 비교

「**the**+비교급…, **the**+비교급 ~」은 「…하면 할수록 그만큼 더 ~」, 「(**all**) **the**+비교급」은 「그만큼 더 ~」, **none the less**는 「그러함에도 불구하고」란 뜻.

(예) ⓐ *The more* one has, *the more* one wants.
(사람은 가지면 가질수록 더 욕심을 낸다.)
ⓑ I like him (*all*) *the better* for his faults.
(그에게 결점이 있기 때문에 나는 그만큼 더 그를 좋아한다.)
ⓒ It is *none the less* true.
(그럼에도 불구하고 그것은 사실이다.)

☞ ⓐ 앞의 the는 관계부사, 뒤의 the는 지시부사.

▶ GR 274. 비교급을 쓴 성구

다음은 비교급을 쓴 대표적인 성구의 보기이다. 이 밖에도 중요한 것이 많으며, 서로 혼동하기 쉬운 것이 있으므로 특히 주의를 요한다.

(예)

ⓐ
She is *no less* beautiful *than* her sister.
(그녀는 언니에 못지 않게 아름답다.)
She is *not less* beautiful *than* her sister.
(그녀는 언니보다 나으면 나았지 못하지 않게 아름답다.)

ⓑ
He paid *no less than* eight thousand won.
(그는 8천 원이나 지불했다.)
He paid *not less than*(=at least) eight thousand won. (그는 적어도 8천 원은 지불했다.)

ⓒ
He has *no more than*(=only) a thousand won with him.
(그는 천 원밖에 가지고 있지 않다.)
He has *not more than*(=at most) a thousand won with him.
(그가 가지고 있는 돈은 많아야 천 원이다.)

ⓓ I am *no more* young *than* you are.
(네가 젊지 않은 것처럼 나도 젊지 않다.)
I am *not more* young *than* you are.
(=I am *not so* young *as* you.)
(나도 젊지만 너만큼 젊지는 않다.)

ⓔ She is *more or less* excited.
(그녀는 다소 흥분하고 있다.)

ⓕ *More often than not,* we lay awake all night.
(종종 우리는 뜬눈으로 밤을 새웠다.)

ⓖ I want it *no more.* (=I *don't* want it *any more.*)
(더 이상 그것을 원하지 않는다.)

ⓗ He is *no longer* a child.
(=He is *not* a child *any longer.*)
(그는 이제는 아이가 아니다.)

ⓘ *Sooner or later* we shall have to face the question.
(조만간 그 문제에 부닥치지 않으면 안 될 것이다.)

ⓙ I *know better than to* go alone.
(혼자 갈 만큼 어리석지는 않다.)

ⓚ I *would rather* 〔*sooner*〕 die *than* disgrace myself.
(치욕을 당하느니 차라리 죽는 편이 좋겠다.)

▶ GR 275. 최상급을 쓴 비교

형용사의 최상급에는 원칙적으로 the를 붙이고 부사의 최상급에는 붙이지 않는다. 그리고 동일한 것에 대해서 말할 때, 보어로 쓰이는 형용사의 최상급 앞에는 the를 쓰지 않는다.

(예) ⓐ This lake is *the deepest* in the world.
(이 호수는 세계에서 제일 깊다.)
I like apples *best* of all fruits.
(나는 과일 중에서 사과를 제일 좋아한다.)

ⓑ This lake is *deepest* at this point.
(이 호수는 여기가 제일 깊다.)

☞ ⓐ 많은 호수와 비교하여, 그 가운데서도 「제일 깊다」란 뜻.

▶ GR 276. **most**의 주의해야 할 용법

관사 없이 most ~는 「대부분의 ~」, a most ~는 「매우」, the most ~는 「제일 ~」의 뜻으로 쓰인다.

(예) ⓐ *Most* people attended the meeting.
(대부분의 사람들은 그 모임에 참석했다.)

ⓑ He is a *most* (=very) honest boy.
(그는 매우 정직한 소년이다.)

ⓒ She is *the most* beautiful girl in our office.
(그녀는 우리 사무실에서 제일 아름다운 소녀이다.)

▶ GR 277. 최상급을 쓴 부사구

다음 최상급을 쓴 부사구는 중요한 것이니 암기해 두자.

(예) ⓐ *At* (*the*) *best* we cannot arrive before noon.
(기껏해야 정오 전에는 도착할 수 없다.)
ⓑ You will lose only five cents *at* (*the*) *worst.*
(최악의 경우라도 너는 5 센트밖에 손해를 안 볼 것이다.)
ⓒ I can pay you five dollars *at* (*the*) *most.*
(고작해서 5 달러밖에 지불할 수 없다.)
ⓓ We should read one book a month *at* (*the*) *least.*
(우리는 적어도 한 달에 책 한 권씩은 읽어야 한다.)
ⓔ You should come back before noon *at the latest.*
(늦어도 정오 전에 돌아와야 한다.)
ⓕ He was *not in the least* injured.
(그는 조금도 다치지 않았다.)
ⓖ Lying is a bad habit, *to say the least* (*of it*).
(줄잡아 말하더라도 거짓말을 하는 것은 나쁜 버릇이다.)
ⓗ I like it *least of all.*
(나는 그것을 제일 좋아하지 않는다.)

▶ GR 278. 원급·비교급·최상급의 상호 전환

다음은 원급·비교급을 써서 최상급을 나타내는 대표적인 보기를 들어 놓은 것이므로 잘 기억해 둘 필요가 있다.

(예)
ⓐ
He is **the tallest** boy in his class. 〈최상급〉
He is **taller** *than any other* boy in his class. 〈비교급〉
No other boy in his class is *so* **tall** *as* he. 〈원 급〉

ⓑ
Time is **the most** *important* of all. 〈최상급〉
Nothing is **more** *important* than time. 〈비교급〉
Nothing is *so* **important** *as* time. 〈원 급〉

ⓒ
This is **the best** fountain pen I have ever had. 〈최상급〉
This is **better** *than any other* fountain pen I have ever had. 〈비교급〉
I have *never* had *such* a **good** fountain pen *as* this. 〈원 급〉

22. 시제의 일치 (Sequence of Tense)와 화법 (Narration)

▶ GR 279. 시제의 일치

주절의 동사가 과거일 때, 종속절의 동사는 과거 또는 과거완료를 쓴다.

(예) ⓐ He *told* me that he **was** going to write a letter.
(그는 나에게 편지를 쓸 작정이라고 말했다.)
ⓑ My father *was* very glad to hear that I **had been** successful.
(내가 성공했다는 말을 듣고 아버지는 매우 기뻐하셨다.)

ⓒ I *went* to his house that I **might** see him and tell him all that **had happened.**
(그를 만나서 일어난 일을 전부 말해 주기 위해 나는 그의 집에 갔다.)

☞ 주절의 동사가 현재·미래·현재완료인 경우, 종속절의 동사는 시제의 일치에 따르지 않는다. 주절의 동사가 현재에서 과거로 되었을 때 종속절의 시제는, 현재→과거, 현재완료·과거→과거완료로 변한다.

▶ GR 280. 시제 일치의 예외

ⓐ 불변의 진리, ⓑ 현재의 사실·습관은 현재로, ⓒ 역사상의 사실은 과거로 한다. ⓓ 가정법과 ⓔ 조동사(**must, ought to, need not, had better**)는 시제 일치의 적용을 받지 않으며, ⓕ **as, than**의 비교절에서는 동사의 시제에 제한이 없다.

(예) ⓐ Copernicus *discovered* that the earth **is** round.
(코페르니쿠스는 지구가 둥글다는 것을 발견했다.)

ⓑ He *said* that Europe **is** separated from America by the Atlantic Ocean.
Did you say you always **get** up at five in the morning?

ⓒ He *said* that Columbus **discovered** America.

ⓓ He *said* that Barbara **would fly** to me if she **had** wings.

ⓔ He *told* me that I **must** be back by five.
(그는 나에게 5시까지 돌아와야 한다고 했다.)

ⓕ He *spoke* English as well as you **do**(=speak).
He *loved* me more than you **do**(=love me).

☞ ⓒ *cf.* He *says* that Columbus **discovered** America.
ⓓ *cf.* He *tells* me that Barbara **would fly** to me if she **had** wings.

▶ GR 281. 평서문의 화법 전환

직접화법을 간접화법으로 전환할 때 주의할 점은 다음과 같다. 간접화법을 직접화법으로 전환할 때는 그 반대이다.

(예) (1) 전달동사와 피전달부 : say to는 tell로, 콤마(,)와 인용 부호 안은 that절로 바꾼다.

ⓐ
She **says,** "He is happy."
She **says** (**that**) he is happy.
(그녀는 그가 행복하다고 말한다.)

ⓑ
He **said to** me, "She is ill."
He **told** me (**that**) she was ill.
(그는 나에게 그녀가 앓고 있다고 말했다.)

(2) 인칭 대명사 : 피전달부를 화자의 입장에서 적당히 바꾼다.

ⓒ
He said to *them,* "**I** cannot help **you**."
He told *them* (that) **he** couldn't help **them.**
(그는 그들에게 도울 수 없다고 말했다.)

(3) 피전달부의 동사의 시제 : 전달동사가 과거나 과거완료인 경우, 피전달부의 동사는 현재→과거, 과거·현재완료·과거완료→과거완료로 한다.

ⓓ He said, "It **is** true."
He said (that) it **was** true.
(그는 그것은 사실이다라고 말했다.)

ⓔ She said, "I (**have**) **lost** my watch.
She said (that) she **had lost** her watch.
(그녀는 시계를 잃었다고 말했다.)

☞ ⓐ 전달동사가 say 단독이면 그대로 쓴다. ⓓ, ⓔ 피전달부가 불변의 진리·현재의 습관이나 상태·역사적 사실·가정법 따위인 경우는 시제의 일치에 따르지 않는다.

He said, "The earth **goes** round the sun." 〈진리〉
He said (that) the earth **goes** round the sun.

The teacher said, "Columbus **discovered** America." 〈역사적 사실〉
The teacher said (that) Columbus **discovered** America.

She said, "I wish I **were** a millionaire." 〈가정법〉
She said (that) she wished she **were** a millionaire.

▶ GR 282. 화법 전환과 조동사

화법 전환 때 전달동사가 과거이면 피전달부의 현재형의 조동사는 과거형으로 변한다. 다만, will, shall이 단순미래이면 주어의 인칭에 따라 바꾸고, 의지미래의 will, shall은 그대로 과거형으로만 바꾸면 된다. 또, must, ought to 따위는 그대로 사용한다.

(예)

ⓐ He said, "I **shall** soon recover." 〈단순미래〉
He said that he **would** soon recover.
(그는 곧 회복될 것이라고 말했다.)

ⓑ He said to me, "I **will** do my best." 〈의지미래〉
He told me that he **would** do his best.
(그는 최선을 다하겠다고 나에게 말했다.)

ⓒ I said to him, "You **must** go out."
I told him (that) he **must** go out.
(나는 그에게 나가지 않으면 안 된다고 말했다.)

▶ GR 283. 화법 전환과 지시대명사·부사

화법 전환 때 지시대명사〔형용사〕나, 때·장소를 나타내는 부사는 보통 다음과 같이 바뀐다.

this→that, today→that day, tonight→that night, tomorrow→ the day after 〔the next day〕, yesterday→ the day before 〔the previous day〕, now→then, ago→before, next→ the next, last→the previous, here→there.

(예)

ⓐ He said, "I bought **this** camera three months **ago.**"
He said (that) he had bought **that** camera three months **before.**"
(그는 그 카메라를 세 달 전에 샀다고 말했다.)

ⓑ She said "I will leave **here tomorrow.**
She said (that) she would leave **there the next day.**
(그 여자는 다음 날 거기를 출발한다고 말했다.)

☞ 때나 장소가 바뀌지 않은 경우에는 간접화법에서도 같은 표현이 되므로 바꿀 필요가 없다.

This morning she said, "I will leave *tomorrow.*"
This morning she said that she would leave *tomorrow.*

▶ GR 284. 의문문의 화법 전환

의문문의 화법 전환 요령은 다음과 같다. 단, 피전달부의 동사의 시제나 대명사·부사의 변화 따위는 평서문의 경우와 같다.

(예) (1) 의문사가 없는 의문문의 경우 : say to는 ask나 inquire로, 피전달부의 연결어는 접속사 if나 whether로, 물음표(?)는 마침표(.)로 한다.

ⓐ She **said to** me, "*Have you* ever *been* abroad?"
She **asked** me **if** 〔**whether**〕 *I had* ever *been* abroad. (그녀는 나에게 외국에 간 적이 있느냐고 물었다.)

ⓑ You **said to** me, "Do you know his address?"
You **asked** me **if** 〔**whether**〕 *I knew* his address.
(너는 나에게 그의 주소를 아느냐고 물었다.)

(2) 의문사가 있는 의문문의 경우 : 피전달부의 의문문을 간접의문문으로 바꾼다. 기타 요령은 (1)과 같다.

ⓒ I **said to** him, "**Where** *are you* going?"
I **asked** him **where** *he was* going.
(나는 그에게 어디에 가고 있느냐고 물었다.)

ⓓ He **said to** her, **"What is** the matter with you?"
He **asked** her **what was** the matter with her.
(그는 그녀에게 웬 일이냐고 물었다.)

☞ ⓓ 의문대명사가 주어 또는 be동사의 보어인 경우 어순은 변하지 않는다.

▶ GR 285. 명령문의 화법 전환

명령문의 화법 전환 요령은 다음과 같다.

(예) (1) 전달동사와 피전달부의 명령형 : say to는 tell로, 명령형은 to부정사로 하여 목적어의 다음에 둔다. 다만, 피전달부의 내용에 따라 의뢰는 ask, beg를, 명령은 order, command를, 충고는 advise를 쓰기도 한다.

ⓐ He **said to** me, "**Start** at once."
He **told** me **to start** at once.
(곧 출발하라고 그는 나에게 말했다.)

ⓑ My friend **said to** me, "**Please lend** me this book."
My friend **asked** 〔**begged**〕 me **to lend** him that book.
(친구는 나에게 그 책을 빌려 달라고 부탁했다.)

(2) 부정의 명령문 : not to ~로 한다.

ⓒ The doctor **said to** my father, "**Don't smoke** too much."
The doctor **advised** my father **not to smoke** too much.
(의사는 나의 아버지에게 너무 많이 담배를 피우지 않도록 충고했다.)

(3) 제안의 **Let's** ~ : suggest 〔propose〕 that ~ (should)의 형태로 한다.

ⓓ He **said to** us, "Let's go camping."
He **suggested** (to us) **that** we (**should**) **go** camping. (그는 우리들에게 캠프하러 가자고 말했다.)

(4) 호칭이 있는 경우 : 호칭을 전달동사의 간접목적어로 한다.

ⓔ He said, "Hurry back to work, **Jim.**"
He told **Jim** to hurry back to work.
(그는 짐에게 빨리 돌아가 일하라고 했다.)

☞ ⓑ 의문문에 쓰이는 ask는「묻다」의 뜻이지만, 명령문에 쓰이는 ask는「부탁하다」의 뜻이다. ⓓ Let me ~, Let him ~ 따위의 간접 명령은 일반 명령문과 같이 취급하여 전달하면 된다. He said to me, "**Let** me do it."→He told me **to let** him do it.

▶ GR 286. 감탄문의 화법 전환

say를 cry, exclaim, shout 따위로 바꾸고, 감탄사 Oh, Ah, Alas는 with delight, with regret, with joy, with a sigh 따위의 부사구로 나타낸다. 감탄문을 very를 써서 평서문으로 바꾸어 that로 연결하거나, what이나 how를 그대로 접속사로 써도 좋다. 문미의 느낌표(!)는 마침표(.)로 바꾼다.

(예) ⓐ He **said,** "How exciting the game is!"
He **exclaimed** how exciting the game was.

ⓑ He said, "**Hurrah!** I have passed!"
He exclaimed **with delight** that he had passed.

ⓒ He said, "How happy I am!"
He said **that** he was **very** happy.
He said **how** happy he was.

▶ GR 287. 기원문의 화법 전환

전달동사로 pray, wish를 쓰고, 다음에 that ~ may나 to 부정사의 구를 쓴다.

(예) ⓐ They **said,** "May God protect us from evil."
They **prayed that** God **might** protect them from evil.

ⓑ She **said,** "May God bless my son!"
She **prayed** to God **to** bless her son.

☞「O that+가정법」은 같은 뜻의「I wish+가정법」으로 변화시

킨다. He said, "**O that** the desert *were* my dwelling-place." **He exclaimed** that **he wished** the desert *were* his dwelling-place.

▶ GR 288. 중문의 화법 전환

피전달문이 접속사 and, but로 연결되어 있는 중문일 경우, 간접화법에서는 that을 되풀이하여 쓴다. 이 경우, 최초의 절의 that은 생략해도 된다. 또 접속사 for, so 따위의 뒤에서는 that을 되풀이해서는 안 된다.

(예)

ⓐ She said, "It is raining, **and** I cannot go."
She said (**that**) it was raining **and that** she couldn't go.
(그녀는 "비가 오고 있다. 그래서 갈 수 없다." 라고 말했다.)

ⓑ He said, "It is morning, **for** the birds are singing."
He said (**that**) it was morning, **for** the birds were singing.
(그는 "아침이다, 새가 울고 있으니."라고 말했다.)

☞ ⓐ 두 개의 문장의 주어가 같을 경우, 뒤의 「that+주어」는 생략할 수 있다. He said, "I met her two weeks ago, **but** I have not seen her since."→He said that he had met her two weeks before, **but** (**that he**) had not seen her since.

▶ GR 289. 복문의 화법 전환

복문의 화법 전환은 앞에서 설명한 평서문, 의문문, 중문의 전환상의 요령을 알고 있으면 충분하다. 특별히 다른 요령은 없다.

(예)

ⓐ He *said to* me, "Do you know the woman whom you met in the park?"
He *asked* me **if** I *knew* the woman whom I *had met* in the park.

ⓑ My uncle *said to* me, "I have always believed that honesty is the best policy."
My uncle *told* me **that** he *had* always *believed* that honesty *is* the best policy.

ⓒ My father *said to* me, "You may go if you like, but you must come back by noon."
My father *told* me **that** I *might* go if I liked, **but that** I *must* come back by noon.

ⓓ "He *said to* Ned, "Go back at once and tell them at the shop that the change is wrong."
He *told* Ned *to* go back at once and *tell* them at the shop that the change *was* wrong.

ⓔ He *said to* me "If I were you, I would admit it."
He *told* me **that** he *would* admit it if he *were* I.

☞ ⓑ 「진리」이므로 is는 불변. ⓔ 가정법이므로 시제의 일치에 따르지 않는다. 귀결절을 앞에, if절을 뒤에 돌려도 된다.

▶ **GR 290. 두 종류 이상의 문장의 화법 전환**

필요에 따라 전달동사를 각각 다른 동사로 쓰고, 이들 문장을 and로 연결시킨다.

(예) ⓐ He *said to* me, "I am busy. Please help me."
He *told* me that he was busy **and** *asked* me to help him.

ⓑ Mother *said to* me, "Study hard. Are you tired?"
Mother *told* me to study hard **and** *asked* me if I was tired.

ⓒ I *said to* her, "What a big doll you have! Where did you get it?"
I *told* her that she had a very big doll **and** *asked* her where she got it.

☞ ⓐ 평서문+명령문 ⓑ 명령문+의문문 ⓒ 감탄문+의문문

23. 구(Phrases)와 절(Clauses)

둘 이상의 낱말이 모여 하나의 품사와 같은 구실을 할 때, 주어와 술어를 갖지 않은 어군을 구라 하고, 주어와 술어를 가진 어군을 절이라고 한다.

구와 절은 문법적 관계나 구실에 따라 다음과 같이 나뉜다.

구—명사구, 형용사구, 부사구, 동사구, 전치사구, 접속사구, 대명사구, 감탄사구

절—
- 등위절
- 주 절
- 종속절—
  - 명사절
  - 형용사절
  - 부사절

▶ **GR 291. 구의 종류**

구란 「주어+술어」의 관계를 갖지 않은 어군으로서, 하나의 품사의 구실을 하며, 그 구실에 따라 ⓐ 명사구(주어, 보어, 목적어), ⓑ 형용사구(명사·대명사 수식, 보어), ⓒ 부사구(동사·형용사·부사·문장 수식) 따위로 나뉜다.

(예) ⓐ *To learn English* is not easy.
(영어를 배우기란 쉽지 않다.)
My hobby is *collecting stamps.*
(나의 취미는 우표 모으기이다.)
I taught him *how to swim.*
(나는 그에게 수영법을 가르쳐 주었다.)

ⓑ A bird *in the hand* is worth two *in the bush.*
(수중의 한 마리 새는 숲속의 두 마리의 값어치가 있다.)
This is *of importance* (=important).
(이것은 중요하다.)

ⓒ He arrived here *in safety* (=safely).
(그는 무사히 여기에 도착했다.)
This water is good *to drink.* (이 물은 마시기 좋다.)
To tell the truth, I don't like him.
(사실을 말하자면 나는 그를 싫어한다.)

☞ 기타의 구 : 동사구(call at, take care of 따위), 전치사구(in front of, because of 따위), 접속사구(as soon as, as far as 따위), 대명사구(each other, one another 따위), 감탄사구(Good heavens! Dear me! 따위)

▶ GR 292. 절의 종류

절이란 문장의 일부로서 「주어+술어」의 관계를 가진 어군을 말한다. 절에는 문법상 대등한 관계를 가진 등위절과, 다른 것에 종속적인 관계를 가진 종속절이 있다. 종속절에 대하여 문장의 주를 이루는 절을 주절이라고 한다.

(예) ⓐ **This is my hat** and **that is yours.**
└— 등위절 —┘　└— 등위절 —┘
ⓑ **Though they all went,** I stayed at home.
└—— 종속절 ——┘　└—— 주 절 ——┘

☞ ⓐ 등위절은 등위접속사로 연결된 것이 대부분이다. ⓑ 종속절은 종속접속사, 관계사 따위로 연결된 것이 많다.

▶ GR 293. 종속절의 종류

종속절은 그것이 문장 안에서 하는 구실에 따라 ⓐ 명사절, ⓑ 형용사절, ⓒ 부사절의 세 가지로 나뉜다.

(예) ⓐ *That you would fail* is certain.
(네가 실패할 것은 분명하다.)
Do you know *where he lives?*
(너는 그가 어디 사는지 아느냐?)
The question was *whether she would marry him.*
(문제는 그 여자가 그와 결혼할지 어쩔지였다.)
ⓑ We respect a man *who always speaks the truth.*
(우리는 항시 사실을 말하는 사람을 존경한다.)
Tell me the time *when she will come.*
(그녀가 올 시간을 나에게 말해 다오.)
ⓒ *If the sky clears up,* she will go shopping.
(하늘이 개면 그 여자는 쇼핑하러 갈 것이다.)
You should stand *where you will not be in the way.*
(너는 방해가 되지 않는 곳에 서야 한다.)

☞ ⓐ 명사절은 접속사, 의문사(간접의문문), 관계대명사(what) 따위가 이끄는 것이 대부분이다. ⓑ 형용사절은 관계대명사, 관계부사가 이끄는 것이 대부분이다. ⓒ 부사절은 접속사, 관계부사 따위가 이끄는 것이 많다.

24. 문장의 상호 전환

문장이란 여러 낱말이 모인 것으로, 주어를 중심으로 하는 주부와 동사를 중심으로 하는 술부를 갖추고 있는 것이라고 간단히 정의할 수 있으나, 실제적인 면에서 보면 여러 가지 어군이 모여 복잡한 구조를 이루고 있으며, 내용면에서도 그 종류가 다양하다. 문장의 종류는 내용면과 구조면에서 분류해 보면 다음과 같다.

(1) 내용상 문장의 종류

ⓐ 평 서 문 (Declarative Sentence)	사실을 그대로 서술하는 문장. You are very honest.
ⓑ 의 문 문 (Interrogative Sentence)	의문을 나타내는 문장. 문미에 물음표(?)를 붙인다. Are you very honest?
ⓒ 명 령 문 (Imperative Sentence)	명령을 나타내는 문장. 원형 동사로 시작된다. Be honest.
ⓓ 감 탄 문 (Exclamatory Sentence)	감탄을 나타내는 문장. 문미에 느낌표(!)를 붙인다. How honest you are!
ⓔ 기 원 문 (Optative Sentence)	기원을 나타내는 문장. 문미에 느낌표(!)를 붙이는 경우가 많다. God bless you!

(2) 구조상 문장의 종류

ⓐ 단문(Simple Sentence) : 「주어+술어 동사」를 한 개 포함하는 문장.

ⓑ 중문(Compound Sentence) : 단문이 and, but, or, nor, for, so 따위에 의해 대등한 관계로 연결되어 있는 문장.

Spring comes *and* **flowers open.**
등위절+등위 접속사+등위절

ⓒ 복문(Complex Sentence) : 대등한 관계의 중문인 경우와 달라, 주종 관계로 연결되어 있는 문장. 주가 되는 문장을 주절, 종속되는 문장을 종속절이라고 한다.

When spring comes, *flowers open.*
종속절(부사절) 주 절

ⓓ 혼문(Mixed Sentence) : 중문과 복문이 혼합된 문장.

중 문 (flowers open and brids sing)
When spring comes, flowers open **and** brids sing.
복 문 (When spring comes, flowers open)

※ ⓑ and, but이 있다고 해서 반드시 중문은 아니다. 「주어+동사」의 관계가 단일 관계이면 단문으로 취급한다. *Tom* **and** *Marry* (=They) came. ⓒ 「주절+종속절」의 순서로 쓰일 때도 있다. 관계대명사나 관계부사는 제한적 용법의 경우에는 복문, 계속적 용법의 경우에는 중문으로 취급한다.

This is the house **where** *he stayed for a week.* 〈복문〉
(이것은 그가 1주일 동안 머물렀던 집이다.)
He went to Paris, **where** he stayed for a week. 〈중문〉
(그는 파리에 가서, 거기에서 1주일 동안 머물렀다.)

▶ GR 294. 평서문 ⇌ 부가의문문

ⓐ 앞의 문장이 긍정이면 부정형(단축형)을, 부정이면 긍정형을 문미에 첨가한다. ⓑ 명령·의뢰 문장의 경우는 앞의 문장이 긍정형이든 부정형이든 보통 will you?를 쓴다. ⓒ Let's로 시작되는 문장에는 shall we?를 쓴다.

(예) ⓐ It looks like rain.
It looks like rain, *doesn't it ?*
I don't hurt you.
I don't hurt you, *do I ?*
ⓑ Fetch me a chair.
Fetch me a chair, *will you ?*
Don't be late for school.
Don't be late for school, *will you ?*
ⓒ Let's have a swim here.
Let's have a swim here, *shall we ?*

☞ 부가의문문은 상대의 동의를 구하는 경우는 내림조로 읽으나, 실제로 상대의 대답·의견을 구하는 경우는 올림조로 읽는다.
It looks like rain, *doesn't it ?*(↘)
You can drive a car, *can't you ?*(↗)

▶ GR 295. 평서문 ⇌ 감탄문

감탄문은 보통 what, how 따위와 같은 말로 시작하여 S+V의 어순. 문미에는 느낌표(!)를 붙인다.

(예) ⓐ He is a **very** lucky fellow to have such a thing.
What a lucky fellow he is to have such a thing!
(그런 것을 가졌다니 그는 참으로 행운아야!)
ⓑ This building is *very* tall.
How tall this building is!

☞ 감탄문과 의문문의 구별 : 감탄문은 「S+V」, 의문문은 「V+S」의 어순.
How tall this building *is !*
How tall *is* this building?

▶ GR 296. 긍정문 ⇌ 부정문

긍정문을 부정문으로 전환시킬 때는 다음 사항에 주목해야 한다.

(예) (1) **be**동사·조동사의 부정 : 그 다음에 not만을 두면 부정형이 된다.
ⓐ I am a boy.
I am **not** a boy.
ⓑ I can swim.
I can *not* (=*can't*) swim.
(2) **have** 동사·일반 동사의 부정 : do not, does not, did

not를 쓴다.

ⓒ { I have a car.
I *do not* have a car.

ⓓ { He went there.
He *did not* go there.

(3) **not**를 사용한 단축형에 주의 :
am not→ain't, are not→aren't, is not→isn't, have not →haven't, has not→hasn't, shall not→shan't, will not →won't, can not→can't

(4) 변화하는 형용사·부사에 주의 : some→any, already →yet, too→either, as ~ as →not as 〔so〕 ~ as, so→ nor 〔neither〕

ⓔ { He has *already* come.
He has **not** come *yet.*

ⓕ { I know, *too*.
I do **not** know, *either*.

(5) 혼동하기 쉬운 조동사의 부정 : may(해도 좋다)→ must not(해서는 안 되다), must(~하지 않으면 안 되다)→need not(~할 필요가 없다), must(~임에 틀림없다)→cannot(~일 리가 없다)

ⓖ { You *may* swim in this pond.
You *must not* swim in this pond.

ⓗ { You *must* do your homework.
You *need not* do your homework.

▶ GR 297. 부정문 ⇌ 같은 뜻의 긍정문

부정문을 같은 뜻의 긍정문으로 전환시키는 방법에는 다음과 같은 것이 있다.

(예) ⓐ { You are *so* young *that* you can*not* go there.
You are **too** young **to** go there.

ⓑ { She is *not at all* young.
She is **far from** young.
She is **anything but** young.

ⓒ { *Nobody but* a genius could do such a thing.
Only a genius could do such a thing.

ⓓ { There is *no* rule that has *no* exceptions.
Every rule has some exceptions.

ⓔ { It *never* rains *but* it pours.
When it rains, it **always** pours.

☞ ⓐ, ⓑ, ⓒ는 not을 쓰지 않는 부정적인 표현 방법, ⓓ, ⓔ는 이중 부정으로 긍정의 뜻을 나타낸 경우이다.

▶ GR 298. 긍정문의 부정적 해석

부정어가 쓰여 있지 않으나 부정으로 해석해야 뜻이 명확해지는 것이 있으니 주의.

(예) ⓐ He is the **last** man to do that.
(그는 그런 일을 하지 않을 사람이다.)

ⓑ It is the **best** book **I** (**have**) **ever read.**
(그것은 내가 이제까지 읽어 보지 못한 좋은 책이다.)

ⓒ He **failed to** understand a single word.
(그는 한 마디도 알 수 없었다.)

ⓓ Rain **prevented** from starting.
(비 때문에 나는 출발할 수 없었다.)

ⓔ (**So**) **far from** admir**ing** your work, he dislikes it.
(그는 너의 작품을 칭찬하기는커녕 싫어한다.)

ⓕ He **tried to** open the door, **but in vain.**
(그는 문을 열려고 했으나 열 수 없었다.)

☞ ⓕ =He tried to open the door, but he could not open it.

▶ GR 299. 부분 부정 ⇌ 전부부정

all, every, both, always, necessarily 따위에 부정어 not이 쓰이면 부분 부정이 된다.

(예)

ⓐ **All** of them are **not** present. 〈부분 부정〉
(=*Some* of them are absent.)
None of them are present. 〈전부 부정〉
(=*All* of them are absent.)

ⓑ **Every** man **cannot** be a poet. 〈부분 부정〉
(누구나 시인이 될 수 있는 것은 아니다.)
No man can be a poet. 〈전부 부정〉
(아무도 시인이 될 수 없다.)

ⓒ I **don't** know **both** of them. 〈부분 부정〉
(=I know *one* of them.)
I know **neither** of them. 〈전부 부정〉
(그들 중의 아무도 모른다.)

ⓓ The rich are **not always** happy. 〈부분 부정〉
(부자가 반드시 행복하다고는 할 수 없다.)
The rich **are not at all** 〔**never**〕 happy.
(부자는 결코 행복하지 않다.) 〈전부 부정〉

☞ not very, not much, not too도 「그다지 ~하지 않다」란 뜻의 부분 부정이 된다. This water is *not very* hot. (이 물은 그다지 뜨겁지 않다.)

※ 전부 긍정·부분 부정·전부 부정

전부 긍정	부 뷴 부 정	전 부 부 정
all	not+all 「모두가 다 ~은 아니다」	none, no 「모두 ~ 아니다」
every	not+every 「모두가 다 ~라고 할 수 없다」	no 「조금도 ~않다」
both	not+both 「양쪽 다 ~하지는 않다」	not+either 「양쪽 다 ~하지 않다」
always	not+always 「반드시 ~한 것은 아니다」	never, not at all 「결코 ~하지 않다」

▶ GR 300. 보통문 ⇄ 강조문

보통문을 강조문으로 전환시키는 방법에는 다음과 같은 것이 있다.

(예) (1) 강조어를 첨가한다.

ⓐ He is **very** clever.
(그는 매우 영리하다.)

ⓑ I know nothing **at all**(=*whatever*).
(나는 조금도 모른다.)

ⓒ Who **in the world** are you?
(도대체 너는 누구냐?)

ⓓ He tried to make it **himself.**
(그는 자기 자신 그것을 만들려고 했다.)

(2) 반복에 의한다.

ⓔ He is **very, very** clever.
(그는 아주아주 영리하다.)

ⓕ I **read** and **read.**
(나는 읽고 또 읽었다.)

(3) **do**를 쓴다(본동사의 강조).

ⓖ I **do** [dúː] want to go.
(나는 꼭 가고 싶다.)

(4) 형식적 주어를 사용한다.

ⓗ He is a great artist, **that Pablo Picasso.**
(그는 대예술가야, 저 파블로 피카소는.)

(5) 어순을 바꾼다 : 부사·목적어·보어를 강조하기 위해 문두에 놓는다.

ⓘ I shall never see you.
→**Never** *shall I* see you.

ⓙ I never saw such a thing.
→**Never** *did I* see such a thing.

ⓚ The man fell down.
→**Down** *fell the man.*

ⓛ He fell down.
→**Down** *he fell.*

ⓜ **Not a word** *did he say.*
(그는 한 마디도 말하지 않았다.)

ⓝ **Blessed** *are the pure* in spirit.
(마음이 깨끗한 사람은 행복하다.)

(6) **It is** 〔**was**〕 ~**that**의 구문을 쓴다.

ⓞ *It was* **Tom** *that* 〔*whom*〕 I met last night.
(지난 밤에 내가 만난 것은 톰이었다.)

ⓟ *It was* **last night** *that* I met Tom.
(내가 톰을 만난 것은 바로 지난 밤이었다.)

☞ ⓚ 주어가 명사인 경우의 어순은 「동사+주어」, ⓛ 주어가 대명사인 경우는 「주어+동사」의 어순. ⓞ의 that은 관계대명사, ⓟ의 that은 접속사. 강조되는 부분이 부사·부사구·부사절인 경우 that은 접속사이다.

제 4 편　작문 공식 100

영작문은 영문을 작성하는 작업으로, 이를 구두로 하면 회화가 된다. 따라서 영작문을 연습하는 것은 회화에 숙달되는 수단이기도 한 것이다. 영작문에 숙달되기 위한 기초 조건은 우선 기본 문형 33을 익힌 다음 문법 필수 사항 300·상관 어구·관용구를 정확히 활용하는 것이다.
이런 취지에서 여기에 수록한 작문 공식 100은 위에서 말한 기초 조건을 보다 실용적인 면에서 활용하여 영작문을 작성하는 데 길잡이가 되리라고 확신한다. 평소 꾸준한 연습을 통해 영작문에 숙달되기를 바란다.

1. 구문에 관한 표현

▶ CF 1.

~가 있다　　**There×be+S**

[해설] 「~가 있다」라고 물건이나 사람의 존재를 말할 때에는 「There×be+S」의 형식을 쓴다. be는 주어의 수에 일치하여 단수 또는 복수가 된다. 다만, 특정한 것의 존재를 나타내는 데는 **there**를 쓰지 않고 「**S×be**」로 한다. 부사(구)를 문두에 둘 때에는 「부사(구)+**be×S**」의 어순으로 하는 것이 어조상 좋을 때도 있다.

기본 문형

ⓐ 이 방에는 창이 세 개 있다.
There are three windows in this room.
ⓑ 여기에는 수영할 줄 모르는 사람이 없다.
There is no one who cannot swim here.
ⓒ 너의 가방은 저 의자에 있다.
Your bag is on that chair.
ⓓ 저 건물 3층에 내가 일하는 사무실이 있다.
On the third floor of that building *is the office* where I work.

☞ **be** 대신 **have**를 쓰는 경우도 있다.
ⓐ =This room ***has*** three windows.
cf. *There are* a lot of mountains in Korea.
(한국에는 산이 많다.)
→ Korea ***has*** a lot of mountains.

▶ CF 2.

(—가) …하는 것은 ~이다　　**It is ~ (for __) to...**
[형식 주어]　　**It is ~ that** (*etc.*)**...**

[해설] 주어가 구나 절로서 길 때에는, 형식 주어 It를 문두에 내놓고 진짜 주어는 It is ~ 뒤에 오게 한다. 주어로서의 구는 부정사가 많으나, 「~해도 소용 없다」라고 할 때처럼 동명

사를 쓰는 경우도 있다. 절은 that가 이끄는 경우가 많으나, 「~인지 어쩐지는」이란 뜻일 때에는 whether가 이끄는 절이 오며, 또, 의문사를 쓰는 경우도 있다.

부정사의 의미상의 주어를 나타내야 할 때에는 「**for**+목적격」을, 동명사의 의미상의 주어는 소유격(또는 목적격)을 부정사 또는 동명사 바로 앞에 쓴다.

기본 문형

ⓐ 노인이 매일 단어 50개를 암기하는 것은 쉽지 않다.
It is not easy *for* an old man *to* memorize 50 words each day.

ⓑ 네가 그를 설득하려 해도 소용없다.
It is no use *your* try*ing* to persuade him.

ⓒ 네가 입시에 합격했다는 것은 장한 소식이다.
It's splendid news *that* you have passed the entrance examination.

ⓓ 그가 약속을 지킬지 어쩔지는 의문이다.
It is doubtful *whether* he will keep his word.

ⓔ 어떻게 그 거액의 돈을 가져갔는지 불가사의다.
It is a mystery *how* the large sum of money was carried away.

☞ ⓐ 「거짓말하는 것은 나쁘다.」와 같이 만인 누구에게나 공통되는 내용에서는 for ~로 부정사의 의미상의 주어를 일부러 밝힐 필요가 없다.
It is wrong to tell a lie.
ⓑ It's no use ~ing는 관용적 표현.
ⓒ~ⓔ는 **It is** ~ (**for** —) **to** ...를 써서 바꿀 수 없다.

▶ CF 3.

—가 ~하는 것이 필요하다 (*etc.*)
It is necessary (*etc.*) **that—should** ~

해설 「필요하다, 당연하다, 바람직하다, 이상하다」처럼 의무·충고·타당성·의외 따위를 나타낼 때에는 It is necessary 〔natural, desirable, strange, etc.〕 that — should ~로 나타낸다. 이 경우, **should**는 습관적으로 넣은 것이며, 미어에서는 흔히 생략한다.

기본 문형

ⓐ 네가 그에게 사과하는 것은 당연하다.
It is natural *that* you *should* apologize to him.

ⓑ 그가 그렇게 말한 것은 이상하다.
It is strange *that* he *should* have said that.

ⓒ 네가 결정을 내리는 것이 중요하다.
It is important *that* you *should* make a decision.

☞ 이상은 It is ... for—to ~의 문형을 써서 바꿀 수 있다.
ⓐ =*It is* natural *for* you *to* apologize to him.
ⓑ =*It is* strange *for* him *to* have said that.
ⓒ =*It is* important *for* you *to* make a decision.

▶ CF 4.

—가 ~하는 것은 { 유감이다 / 기쁜 일이다 }

It is { regrettable that ~ / a matter for congratulation that ~ }

해설 「유감이다, 유감스럽다」란 표현에는 regrettable, to be regretted, a great pity를 쓴다. 그러나 regretful은 「(사람이) 유감으로 생각하는, 후회하는」이란 뜻이므로 It is ... that ~의 구문에는 쓰이지 않는다.

「기쁜 일이다」는 a matter for congratulation, a pleasing fact를 쓴다. **glad, delighted**는 사람이 주어일 때 쓴다.

기본 문형

ⓐ 요즈음 하루도 교통 사고 없이 넘어가지 못하는 것은 참으로 유감이다.
It is really *regrettable that* in these days not a day passes but there are traffic accidents.

ⓑ 그는 자기가 한 일을 후회하고 있다.
He is regretful for what he has done.

ⓒ 최근 한국에서 과학 기술의 중요성이 통감되기에 이른 것은 기쁜 일이다.
It is a matter for congratulation that the importance of scientific technique has recently come to be keenly felt in Korea.

ⓓ 네가 여기에 함께 있어 주어 참으로 기쁘다.
I am very *glad that* you are here with me.

☞ ⓐ regrettable 대신에 **to be regretted, a great pity**를 써도 좋다.
→ *It is a matter to be regretted that ~.*
→ *It is a great pity that ~.*
ⓒ It is a pleasing fact that ~. 으로 할 수도 있다.

▶ CF 5.

—가 …하는 것은 ~이다 **It is ~ that 〔who〕...**
[강조 구문]

해설 문장의 일부에 특히 상대방의 주의를 끌기 위해 쓰는 형식이 있다. 보통으로 말하면 「너는 잘못 생각하고 있다」라고 할 것을 「너」를 강조하고 싶을 때에는 「네가 잘못 생각한 거야.」라든가, 「잘못 생각한 것은 너야.」라고 한다.

이것을 영어로 말해 보면, "You are mistaken."은 보통 문장이고, you를 강조하면 "It is **you** that are mistaken."이 된다. **It is** 다음에 오는 말이 사람이면 **who**를 써도 좋다.

기본 문형

ⓐ 이 꽃병을 깬 것은 윤희라고 생각한다.
I think *it was* Yunhi *that* broke this vase.

ⓑ 네가 파리에 간 것이 언제였지?
When *was it that* you visited Paris?

ⓒ 이 문제를 풀기가 아주 힘들었다.

It was with great difficulty *that* I could solve this problem.

ⓓ 내가 이 애들을 본 것은 여기서였다.
It was here *that* I saw these children.

☞ 다음 문장의 고딕체 부분을 강조하여 it is ~ that 구문으로 바꾼 것이 위의 문형이다.
ⓐ =I think **Yunhi** broke this vase.
ⓑ =**When** did you visit Paris?
ⓒ =I could solve this problem **with great difficulty.**
ⓓ =I saw these children **here.**

▶ CF 6.

…라고들 한다
It is said 〔They say ; I 〔We〕 hear〕 that …

해설 「…라고들 한다, …라는 소문이다」라고 할 때에는 They say that …, 또는 수동태로 It is said that …을 쓰는 것이 일반적이지만, 경우에 따라서는 I hear …, **I am told that** …, We hear …를 써도 좋을 때가 있다.
또한, 「~에 의하면 …라고 한다」는 **according to** ~를 써도 좋다.

■ 기본 문형 ■

ⓐ 이 지방의 기후는 매우 온화하다고들 한다.
It is said that the climate of this district is very mild.

ⓑ 그는 입원하고 있다고들 한다.
I hear he is in hospital.

ⓒ 오늘 신문에 의하면 로스앤젤레스에 심한 지진이 있었다고 한다.
According to today's paper, there was a severe earthquake in Los Angeles.

☞ ⓐ =The climate of this district ***is said to*** be very mild.
ⓑ =***I am told*** that he is in hospital.
ⓒ =Today's paper ***says that*** there was ~.

▶ CF 7.

…은 말할 것〔나위〕도 없다 { **It goes without saying that …** / **Needless to say** }

해설 「…은 말할 것도 없다」는 It goes without saying that …을 써도 좋으나, 이것은 어디까지나 문어적 표현이다. needless to say는 It is needless to say that …에서 온 관용구로서, 문두에 온다. 또한, There is no need to say that …을 써도 좋고, 구어체로는 I need not say that …이라고 해도 좋을 때가 있다. 「~은 말할 것도 없고; ~은 물론」 따위는 not to mention, to say nothing of 따위를 쓴다.

■ 기본 문형 ■

ⓐ 건강이 재산보다 낫다는 것은 말할 나위도 없다.
It goes without saying that health is above wealth.

ⓑ 흡연이 당신 병에 나쁘다는 것은 말할 것도 없습니다.
Needless to say smoking is bad for your disease.
ⓒ 그는 영어는 말할 것도 없고 프랑스어도 할 수 있다.
He can speak French, *to say nothing of* English.

☞ ⓐ =*Needless to say* health is above wealth.
ⓑ =***I need not say that*** smoking is bad for your disease.
ⓒ =He can speak French ***as well as*** English.
=He can speak ***not only*** English ***but*** French.

▶ CF 8.

— 가 ~하는 데 (시간이) …걸리다 **It takes ... to ~**

해설 「(시간이 얼마) 걸리다」는 take를 쓴다. 사람이나 사물을 주어로 하는 용법 이외에, 「— 가 ~하는 데 (시간이) …걸리다」라고 할 때에는 It를 가주어로 하여 「**It takes**+사람+시간+**to ~**」의 형식을 써서 나타낸다. 또한, 「**It takes**+시간+**for — to ~**」의 형식도 쓰인다.

기본 문형

ⓐ 내가 걸어서 정거장까지 가는 데 15분 걸렸다.
It took me fifteen minutes *to* walk to the station.
ⓑ 그는 그 일을 마치는 데 5시간 걸렸다.
He took five hours *to* finish the work.
ⓒ 이 집을 짓는 데 목수 10명이 6주일 걸렸다.
This house took ten carpenters six weeks *to* build.

☞ ⓐ =*It took* fifteen minutes *for* me *to* go to the station on foot.
ⓑ =*It took* him five hours *to* finish the work.
ⓒ =*It took* six weeks *for* ten carpenters *to* build this house.

▶ CF 9.

…할 날도 머지 않다 { **It will not be long before ...** / **The day will come soon when ...** }

해설 「…할 날도 머지 않다, 머지 않아 …할 때가 올 것이다」라고 할 때에는 위와 같은 표현을 쓰는데, before가 이끄는 절은 부사절이므로, 미래의 일일지라도 현재형을 쓴다. 그러나, when이 이끄는 절은 day에 걸리는 형용사절이므로 미래형을 쓴다.

거꾸로 「…하기까지는 오래 걸릴 것이다」라고 할 때에는 It will be long before ~를 쓴다.

기본 문형

ⓐ 머지 않아 사건의 진상을 알 수 있을 것이다.
It will not be long before we can know the truth of the matter.
ⓑ 내 말이 사실임을 알 날도 머지 않을 것이다.
The day will come soon when my words will come true.
ⓒ 이 일이 완성되기까지는 오랜 세월이 걸릴 것이다.
It will be long before this work can be finished.

☞ ⓐ, ⓑ는 어떤 표현을 쓰든 마찬가지. ⓒ before를 till로 쓰지 않도록 주의.

▶ **CF 10.**

…한 지 ~이 되다	**It is ~ since ...**

해설 「…한 지 ~이 되다」라고 할 때에는 It is ~ since ...를 쓰는 것이 간단하나, 경우에 따라서는 현재완료형을 써서 나타낼 수 있다. **since**의 절에서는 과거 시제를 쓰는 것이 특징.

기본 문형

ⓐ 내가 한국에 온 지 10년이 된다.
It is ten years *since* I came to Korea.

ⓑ 그가 미국에 간 지 얼마나 되느냐?
How long *is it since* he went to America?

☞ ⓐ =I *have been* in Korea for ten years.=Ten years *have passed* since I came to Korea.
ⓑ =How long *has* he *been* in America?

▶ **CF 11.**

…하고 나서야 비로소 ~하다	**not ~ until ...** **It is not until ... that ~**

해설 「…하고 나서야 비로소 ~하다」는 영어로 not ~ until인데, 이는 강조 구문이다. 영어를 우리말로 새길 때에도 이를 적용하면 좋다.

기본 문형

ⓐ 건강을 잃고 나서야 비로소 그 고마움을 안다.
We do *not* know the blessing of health *until* we lose it.

ⓑ 사람의 진가는 죽고 나서야 비로소 알 수 있다.
It is not until a man dies *that* you can tell his real worth.

☞ ⓐ =*It is not until* we lose our health *that* we know the blessing of it.
ⓑ =You *cannot* tell a man's real worth *until* he dies.

▶ **CF 12.**

…은 의심할 여지가 없다; 명백하다	**There is no doubt that ...** **No doubt ...** **It is evident that ...**

해설 「…은 의심할 여지가 없다」는 「…은 명백하다」와 내용적으로는 같으나, 직역하려면 There is no doubt that 〔about〕 ...을 쓰든가, No doubt를 부사구로 앞에 내세우면 좋다. 「…을 나는 의심치 않는다」라고 할 때에는 **I have no doubt that ...**을 쓴다.

기본 문형

ⓐ 그가 약속을 어긴 것은 의심할 여지가 없다.
There is no doubt that he broke his word.

ⓑ 그가 대구 출신임은 의심할 여지가 없다.
No doubt he comes from Taegu.
ⓒ 그가 그 사건과 관계가 없음은 아주 명백하다.
It is quite *evident that* he has nothing to do with the matter.

☞ ⓐ = ***There is no doubt about*** his having broken his word.
ⓑ = *There is no doubt that* he comes from Taegu.
ⓒ = *No doubt* he has nothing to do with the matter.

▶ CF 13.

…하는 사람은 누구나	**whoever …; anyone who …**
…하지 않은 사람은 없다	**every …**
아무도 …하지 않다	**no one …; nobody …; none …**

해설 「…하는 사람은 누구나」가 주어일 때에는 whoever 또는 anyone who를 쓰며, 우리말에서 「…하지 않은 사람은 없다」고 문미에 올 때에도 영어에서는 이를 every …라고 주어로 내세운다. 「아무도 …하지 않다」는 no one …, nobody …, none …을 주어로 한다. 또한, 수사 의문문 「누가 …하겠는가?」도 Who …? 라고 하는 대신에 「아무도 …하지 않다」로 바꾸어 옮겨도 좋다.

기본 문형

ⓐ 이 책을 읽는 사람은 누구나 문학에 흥미를 가질 것이다.
Whoever reads this book will have an interested in literature.
ⓑ 취미를 갖지 않은 사람은 없다.
Everybody has his hobby.
ⓒ 아무도 그의 말에 동의하지 않았다.
Nobody agreed with him.
ⓓ 우리 중에는 아무도 그 책을 읽은 사람이 없다.
None of us have ever read the book.

☞ ⓐ = *Anyone who* reads this book will feel interest in literature.
ⓑ everybody의 소유격은 **his.** ⓓ **none**은 보통 복수 취급.

▶ CF 14.

…하는 사람〔것〕이 많다〔적다〕	**Many 〔Few〕 …**

해설 「…하는 사람〔것〕이 많다〔적다〕」는 우리말에서는 술부에 해당되나, 영어에서는 주어로서 많음을 나타내는 어구 many, a large number of, not a few 따위를 쓰거나, 적음을 나타내는 어구 few, little, very few 따위를 쓴다. many와 few는 셀 수 있는 명사에, much와 little은 셀 수 없는 명사에 쓴다.

기본 문형

ⓐ 영어를 배우는 사람은 많으나, 잘 말할 수 있는 사람은 적다.
Many learn English, but *few* can speak it well.

ⓑ 출석한 사람으로 취직을 신청한 사람은 극히 적었다.
Very few of the persons present applied for employment.

☞ ⓐ *Many* = **Many people**, *few* = **few people**

▶ CF 15.

…만큼 ~한 것은 없다 무엇보다도 ~하다	**Nothing is** { **so ~ as …** / 비교급+**than ~** }

해설 「…만큼 ~한 것은 없다」라고 할 때에는, nothing을 주어로 하고, 「**so**+원급+**as**」를 쓰거나 「비교급+**than**」을 써서 나타낸다. 「무엇보다도 ~하다」라고 할 때에도 이 표현을 써도 좋고 최상급을 써서 나타내도 좋다.

■ 기본 문형 ■

ⓐ 시간보다 귀중한 것은 없다.
Nothing is { *so* precious *as* / *more* precious *than* } time.

ⓑ 사회 생활에는 무엇보다도 상식이 중요하다.
Nothing is more important to social life *than* common sense.

☞ ⓐ =Time is ***the most*** precious thing of all.
ⓑ =Common sense is ***the most*** important thing to social life of all.

▶ CF 16.

아무리〔어떻게, 언제, 어디에〕 ~하더라도; 누가〔무엇이〕 ~하더라도	**However** (*etc.*)…**S**×**may** ~ / **Whoever** (*etc.*) **may** ~

해설 양보를 나타내는 「~하더라도」는 ~ever …may 또는 **no matter ~ … may**를 써서 나타낼 수 있다. 이 **may** 대신에 직설법을 쓸 수도 있다. 양보절은 문두에 오는 것이 보통이며, whoever, whatever는 may ~의 주어가 된다.

■ 기본 문형 ■

ⓐ 누가 열어 봐도 이 문은 도무지 열리지 않는다.
Whoever may try, this door will not open.

ⓑ 무슨 일이 생기더라도 나는 각오가 되어 있다.
Whatever may happen, I am prepared for it.

ⓒ 아무리 부자라도 너는 게으름을 피워서는 안 된다.
However rich you are, you must not be idle.

ⓓ 그가 어디에 있더라도 우리는 그를 찾아야 한다.
Wherever he is, we must find him.

ⓔ 네가 어떤 말을 하더라도 그는 너를 믿지 않을 것이다.
No matter what you (*may*) say, he will not believe you.

☞ ⓐ =*No matter who* tries, this door will not open.
ⓑ =*No matter what* happens, I am prepared for it.

ⓒ =*No matter how* rich you are, you must not be idle.
ⓓ =*No matter where* he is, we must find him.
ⓔ =*Whatever* you *may* say, he will not believe you.

▶ CF 17.

~하여라. 그러면 〔그렇지 않으면〕…
명령법, and 〔or〕...

해설 「~하여라. 그러면 …」에는 「명령법, and ...」를, 「~하여라. 그렇지 않으면 …」에는 「명령법, or ...」를 쓴다. 다만, 전자에는 if ~를, 후자에는 if not ~을 쓸 수도 있다.

기본 문형

ⓐ 이 약을 먹어라. 그러면 감기가 나을 것이다.
Take this medicine, *and* you will get over your cold.
ⓑ 일찍 일어나라. 그렇지 않으면 학교에 늦는다.
Get up early, *or* you'll be late for school.

☞ ⓐ =***If*** you take this medicine, you will get over your cold.
ⓑ =***If*** you ***don't*** get up early, you will be late for school.

2. 술부에 관한 표현

▶ CF 18.

…같다; …라고 생각되다; …처럼 보이다
seem; look; appear

해설 「…같다; …라고 생각되다; …처럼 보이다」처럼 심리적 상태를 나타낼 때에는 seem, look, appear 따위의 술어 동사를 쓴다. 다만, seem은 「마음속으로 생각하다」란 뜻으로, look나 appear는 「외견상 그렇게 보이다」란 뜻으로 쓰인다. 이 술부형에 관해서는 기본 문형에 특히 유의.

기본 문형

ⓐ 그는 정직한 사람 같다.
He *seems* (to be) an honest man.
ⓑ 그는 오래 앓은 것 같다.
He *seems* to have long been ill.
ⓒ 너는 안색이 좋지 않게 보인다.
You *look* pale.
ⓓ 그는 아주 바보 같다.
He *looks* like a perfect fool.
ⓔ 금년 겨울에는 눈이 많이 올 것 같다.
It appears to snow a lot this winter.
ⓕ 나에겐 너희가 모두 미친 것처럼 생각돼.
It appears to me *that* you are all crazy.

☞ ⓐ =***It seems*** (to me) ***that*** he is an honest man.
ⓑ =***It seems that*** he has long been ill.
ⓕ =***It seems*** to me ***that*** you are all crazy.

▶ CF 19.

~하고 싶다; ~하고자 하다 **would like to ~; want to ~**

해설 「~하고 싶다; ~하고자 하다」에 해당하는 가장 일반적인 말은 「would 〔should〕 like to+원형」이다. 이 should와 would는 가정법에서 온 것으로서 정중하고 삼가는 듯한 표현이다. 따라서, 단순히 희망을 나타낼 때에는 「want to+원형」을 쓰면 된다.

기본 문형

ⓐ 다음 일요일에 당신을 찾아뵙고 싶습니다.
I *would like to* call on you next Sunday.

ⓑ 그것을 보고 싶습니까?
Would you *like to* see it?

ⓒ 당신은 딸들에게 그런 소설을 읽게 하고 싶습니까?
Would you *like* your daughters *to* read such a novel?

ⓓ 난 여기에 오래 머무르고자 한다.
I *want to* stay here long.

ⓔ 내가 방 청소하는 걸 도와주기 바란다.
I *want* you *to* help me sweep the room.

☞ 미국에서는 would like to ~가, 영국에서는 should like to ~가 보통. ⓒ, ⓔ처럼 **to**의 의미상의 주어를 보일 때에는 **like, want** 뒤에 목적어를 넣는다.

▶ CF 20.

~하고 싶어지다; ~하고 싶은 마음이 들다 **feel like ~ing**

해설 「~하고 싶다」고 의욕을 적극적으로 나타낼 때에는 would like to나 want to를 쓰나, 「~하고 싶어지다; ~하고 싶은 마음이 들다」라고 소극적인 의욕을 나타낼 때에는 feel like ~ing를 쓴다. 이 경우, like는 형용사로서 worth ~ing와 같이 뒤에 동명사를 목적어로 수반한다. like 대신에 inclined나 disposed를 써서 「feel inclined to+원형」「feel disposed for+~ing〔명사, to ~〕」라고 하면 의욕이 그 방향으로 쏠림을 나타낸다.

기본 문형

ⓐ 이렇게 날씨가 좋은 날에는 학교를 빼먹고 싶어진다.
I *feel like* play*ing* truant from school on such a fine day.

ⓑ 나는 오늘 일하고 싶은 마음이 없다.
I don't *feel like* work*ing* today.

☞ ⓐ =I ***feel inclined to*** play truant from school on such a fine day.
ⓑ =I don't ***feel disposed for*** work 〔working〕 today.

▶ CF 21.

(대관절) …일까? ; ~인지 모르겠다 **I wonder ...**

해설 「(대관절, 도대체)…일까?, ~인지 모르겠다」라고 자기 심중의 의혹을 나타낼 때에는 I wonder 뒤에 목적어로서 **if, whether** 또는 의문사가 이끄는 절을 이어 준다. 이 경우, if는 「…인지 어떤지」란 뜻으로 whether와 같다.

기본 문형

ⓐ 그가 돌아올지 모르겠어.
I wonder if he will come back.
ⓑ 대관절 그가 어디 갔을까?
I wonder where he has gone.
ⓒ 당신의 도움을 청해도 괜찮을까요?
I wonder whether I might ask you to help me.

☞ ⓐ if 대신 whether를 써도 좋다. ⓑ where는 의문부사로서 접속사 구실을 한다. ⓒ might는 가정법으로 정중한 표현.

▶ CF 22.

…을 염려하다; (유감으로) 생각하다 **I'm afraid ; I fear**
…을 바라다; (희망적으로) 생각하다 **I hope**

해설 「…을 염려하다」는 be anxious about로도 나타내지만, 다소 가벼운 뜻으로는 I'm afraid, 또는 좀 딱딱한 표현으로는 I fear를 쓴다. 거꾸로 「바라다」는 hope인데, 이것은 가벼운 뜻으로도 쓰인다. 모두 구어에서는 뒤에 오는 **that**를 생략한다. 일반적으로 「생각하다」는 think를 쓰나, 「…가 아닌가 생각하다」란 뜻으론 suspect나 doubt를 쓸 수도 있다.

기본 문형

ⓐ 그는 돌아올 수 없을 것 같다.
I'm afraid he'll not be able to come back.
ⓑ 그는 성공할까? ── 성공하지 못할 것 같애.
Will he succeed? ── No, *I'm afraid* not.
ⓒ 내일 날이 갰으면 좋겠는데.
I hope it will clear up tomorrow.
ⓓ 그는 아플지도 몰라. ── 아프지 않았으면.
He may be ill. ── *I hope* not.
ⓔ 가끔 그 여자가 돈 게 아닌가 생각돼.
I sometimes *suspect* she is mad.

☞ ⓐ 구어에서는 I am afraid that …의 **that**를 생략한다.
ⓑ =I'm afraid (*he will*) not (*succeed*).
ⓒ **I hope** 뒤에서도 **that**를 생략한다.
ⓓ =I hope (*he is*) not (*ill*).
ⓔ *cf.* ***I doubt*** that she is mad.
(그 여자가 돈 게 아닌가 생각해.)
I doubt if she is sane.
(그 여자가 제 정신이 있는지 어쩐지 모르겠다.)

▶ CF 23.

~할 예정〔작정〕이다 **be going to ~**

해설 「~할 예정〔작정〕이다」라고 의도를 나타낼 때에는 「be going to+원형」이 가장 보편적으로 쓰인다. 이 밖에 **intend to ~, mean to ~** 따위도 쓰이지만, 이것들은 다른 뜻으로도 쓰인다. 또한, I'm thinking of ~ing를 써서 좋을 경우도 있다.

■기본 문형■

ⓐ 내달에 빚을 갚을 예정이다.
I'm going to pay the debt next month.

ⓑ 장래 무엇이 될 작정이냐?
What *are* you *going to* be in future?

ⓒ 이것은 선물로 너에게 줄 예정이다.
This is *intended* as a gift for you.

ⓓ 나는 오늘 종일 집에 있을 예정이다.
I *mean to* stay at home all today.

☞ ⓐ, ⓑ의 **be going** 대신 **intend, mean**을 써도 같은 뜻.
ⓓ =I *am going to* stay at home all today.

▶ CF 24.

~할 것 같다; ~하려 하고 있다 **be going to ~**

해설 「~할 것 같다; ~하려 하고 있다」처럼, 말하는 사람이 확실히 그러리라고 느끼거나 생각하는 것을 나타낼 때에도 be going to를 쓰면 좋다. 이 경우, 주어는 사람이 아니고 사물일 때가 많다.

■기본 문형■

ⓐ 이 의자는 부서질 것 같다.
This chair *is going to* collapse.

ⓑ 조심해! 얼음이 갈라질 것 같아.
Be careful! This ice *is going to* crack.

ⓒ 비가 올 것 같다. 우산을 가져가는 게 좋겠다.
It *is going to* rain. You had better take an umbrella.

☞ ⓐ *cf.* This chair *will* collapse if you sit on it. 조건이 붙을 때에는 **be going to** 대신에 **will**을 쓴다.

▶ CF 25.

~하기 쉽다; ~하는 경향이 있다 **be apt to ~**

해설 이와 같은 뜻으로 be apt to ~ 이외에 **be liable to ~, be inclined to ~, tend to ~, have a tendency to~** 따위도 쓰인다.

■기본 문형■

ⓐ 교육을 받지 않은 사람은 열등감을 갖기 쉽다.
An uneducated man *is apt to* have inferiority complex.

ⓑ 감기에 걸리기 쉬운 사람은 피부를 튼튼히 해야 한다.
Those who *are liable to* catch cold must harden their skin.

ⓒ 그는 남을 얕보는 나쁜 경향이 있다.
He *has a* bad *tendency to* look down upon others.

☞ ⓐ apt 대신 liable, inclined를 써도 좋다. ⓑ liable에는 ***liable to error, liable to disease***처럼 명사와 결합하는 용법도 있다.

▶ CF 26.

~하기로 하고 있다 make it a rule to ~

해설 「~하기로 하고 있다」에 해당하는 말로는 make it a rule to~가 가장 응용 범위가 넓으나, always, usually 따위를 써도 좋을 때가 있다. 이 **it**는 「**to**+원형」과 동격인 형식목적어이다. 이의 변형으로서 one's rule is to ~란 말도 쓰인다.

■ 기본 문형 ■

ⓐ 나는 일찍 자고 일찍 일어나기로 하고 있다.
I *make it a rule to* keep early hours.

ⓑ 나는 절대로 돈을 꾸어 주지 않기로 하고 있다.
I *make it a rule* never *to* lend money.

☞ ⓐ =***My rule is to*** keep early hours.
ⓑ make it a rule ***never*** to ~「절대로 ~하지 않기로 하고 있다」

▶ CF 27.

~하여야 하다; ~하지 않으면 안 되다
must ~; should ~; ought to ~

해설 의무나 필요를 나타내는 데는 조동사 must; should; ought to를 쓴다. must는 과거형, 미래형이 없으므로 had to, will 〔shall〕 have to로 대용한다. ought to는 바람직한 것·도덕적 의무·본분 따위를 나타내는 점에서는 should와 같으나, should는 조언을 구하거나 줄 때에도 쓰인다. 또, should는 ought to만큼 뜻이 강하지 않으며, 권고를 나타낼 때 쓰면 좋다.

■ 기본 문형 ■

ⓐ 너는 하라는 대로 하지 않으면 안 된다.
You *must* do as you are told to.

ⓑ 너는 내일까지 그의 회답을 기다려야 할 것이다.
You *will have to* wait for his reply until tomorrow.

ⓒ 우리는 그의 의견에 동의해야만 했다.
We *had to* agree with him.

ⓓ 너는 내일 아침 일찍 일어나야 한다.
You *ought to* get up early tomorrow morning.

ⓔ 너는 그가 사과해야 한다고 생각하느냐?
Do you think he *should* apologize?

☞ ⓐ *cf.* He said you ***must*** do as you were told to. **must, ought to, should**는 시제 일치의 예외. ⓔ should=ought to

▶ CF 28.

~할 필요가 없다 need not ~, don't have to ~

해설 「~해야 하다」는 must, 금지를 나타내는 「~해서는 안 되다」는 must not이나, 「~할 필요가 없다」라고 할 때에는 have to의 부정인 don't have to 또는 need not를 쓴다. need

는 긍정일 때에는 본동사이므로 need to ~처럼 뒤에 to부정사를 쓰지만, 의문·부정일 때에는 조동사이므로 뒤에 원형이 따른다. 다만, 조동사로서의 need에는 과거형이 없으므로 본동사의 용법에 따른다.

기본 문형

ⓐ 그렇게 빨리 가야 해? ── 아니, 아직 갈 필요 없어.
Must you go so soon? ── No, I *need not* go yet.

ⓑ 우리는 서두를 필요가 없었다.
We *didn't need* to hurry.

ⓒ 그 일을 그와 상의할 필요가 있느냐?
Need we talk with him over it?

ⓓ 내일은 휴일이니까 회사에 갈 필요가 없다.
Tomorrow is a holiday, so I *won't have to* go to office.

☞ ⓐ =No, I *don't have to* go yet.
ⓑ *cf.* We **need not have hurried.**
(우리는 서두를 필요가 없었는데 서둘렀다.)
ⓒ =Is there any *need* for us to talk with him over it? 〈명사〉
ⓓ **don't have to**의 미래형은 **will 〔shall〕 not have to.**

▶ CF 29.

~했어야 했는데; ~하지 않은 것은 잘못이다	**should** / **ought to**	**have**+과거분사

해설 과거에 있어서, 달성되지 않았거나 실현되지 않은 의무를 나타내는 「~했어야 했는데(안 했다); ~하지 않은 것은 잘못이다」 따위의 표현에는 should have, ought to have에 과거분사를 붙여서 나타낸다. 거꾸로 「~해서는 안 되었는데」라고 과거의 일에 대한 비판을 나타낼 때에는 **should *not* have; ought *not* to have** 뒤에 과거분사를 붙여서 나타낸다.

기본 문형

ⓐ 너는 그를 도와 주어야 했는데.
You *ought to have helped* him.

ⓑ 너는 그 여자에게 미안하다고 했어야 한다고 생각해.
I think you *should have told* her that you were sorry.

ⓒ 넌 그렇게 화를 내서는 안 되었는데.
You *should not have got* so angry.

☞ *cf.* ⓐ =You did not help him.
ⓑ =You did not tell her that you were sorry.
ⓒ =You got so angry.

▶ CF 30.

~할 수 있다; ~해도 좋다	**can ; may**

해설 「…할 수 있다」라는 능력은 can으로 나타낸다. can의 과거형은 could, 미래형은 will 〔shall〕 be able to를 쓴다. may도 can과 같은 뜻으로 쓰이나, 자연히 발생하는 가능성 또는 결정한 결과 생기는 가능성을 나타낸다.

「~해도 좋다」라는 허가·용인은 may를 써서 나타내나, 구어에서는 can을 쓰기도 한다.

▩ 기본 문형 ▩

ⓐ 너는 프랑스 말을 할 수 있느냐?
Can you speak French?

ⓑ 나는 영어로는 의사 소통을 할 수 없었다.
I *could*n't make myself understood in English.

ⓒ 담배를 피워도 괜찮습니까? —— 예, 괜찮습니다.
May I smoke? —— Yes, you *may*.

ⓓ 사서류는 열람실에서 가지고 나가면 안 됩니다.
Dictionaries *may not* be taken away from the reading room.

☞ ⓐ =*Is it possible* for you *to* speak French?
ⓑ =*I found it impossible to* make myself understood in English.
ⓒ *Can* I smoke?는 구어체.
ⓓ **must not**는 강한 금지, **may not**는 불허용.

▶ CF 31.

~임에 틀림없다; 틀림없이 ~일 것이다 **must ~**

해설 「~임에 틀림없다; 틀림없이 ~일 것이다」라고 추측을 나타낼 때에는 must를 쓰면 편리하다. **must**는 「~일지도 모르다」란 뜻의 **may**보다 뜻이 강하며, 그 부정, 즉 「~일 리가 없다」라고 할 때에는 cannot를 쓴다. 또한, 이미 알려진 사실이나 조건으로 판단하여 「당연히 그러함에 틀림없다」라고 할 때에는 ought to나 should를 쓴다. 과거의 일을 추측하여 「~이었음에 틀림없다」라고 할 때에는 「**must have**+과거분사」로 나타낸다.

▩ 기본 문형 ▩

ⓐ 그는 이제 80세 가까이 되었음에 틀림없다.
He *must* be nearly eighty now.

ⓑ 그는 아직 오지 않았다. 열차를 놓쳤음에 틀림없다.
He has not yet come. He *must have missed* the train.

ⓒ 그가 아침 6시에 여기를 떠났다면, 지금쯤은 틀림없이 부산에 도착했을 것이다.
If he left here at six in the morning, he *ought to have arrived* in Pusan by now.

☞ ⓐ =***It is certain that*** he is nearly eighty now.
ⓑ =***It is certain that*** he missed the train.
ⓒ *cf.* If he left home at six, he ***ought to*** be here now.
(6시에 집을 나섰다면 지금 여기 와 있어야 할 것이다.)

▶ CF 32.

~일 리가 없다; ~은 있을 수 없다
cannot ~; it is impossible that ~

해설 「~일 리가 없다; ~은 있을 수 없다」는 cannot ~ 또는

it is impossible that ~; it is hardly possible that ~을 써서 나타낼 수 있다. 이러한 말은 어떤 일이 있을 수 없다는 신념을 나타내는 표현이다. 「~했을 리가 없다」는 「**cannot have**+과거분사」로 나타낸다.

기본 문형

ⓐ 그 소식이 사실일까? —— 사실일 리가 없다.
Can the news be true? —— No, it *cannot* be true.
ⓑ 그가 그 사실을 알았을 리가 없다.
He *cannot have known* the fact.

☞ ⓑ =***It is impossible that*** he knew 〔should have known〕 the fact.

▶ CF 33.

~일지도 모르다; ~했을지도 모르다
may; may have+과거분사

해설 가능성을 나타내는 「~일지도 모르다」는 형용사 possible, 명사 possibility, 부사 possibly, 또는 가능성이 희박할 때에는 perhaps 따위를 써서 나타낼 수 있으나, 의심이나 불확실성이 내포되어 있는 가능성을 나타낼 때에는 may를 쓴다. 과거 일에 관하여 「~했을지도 모르다」라고 할 때에는 「may have+과거분사」로 나타낸다.

기본 문형

ⓐ 그는 시험에 합격할지도 모른다.
It is *possible* that he will pass the examination.
ⓑ 그는 이 책을 읽어보지 못했을지도 모른다.
Possibly he has never read this book.
ⓒ 그 여자가 그를 처음 만난 것이 파리였는지도 모른다.
Perhaps it was in Paris that she saw him for the first time.
ⓓ 내일 비가 올지도 모르겠다.
It *may* rain tomorrow.
ⓔ 그 소식은 사실일지도 모르고 사실이 아닐지도 모른다.
The news *may*, or *may* not, be true.
ⓕ 그는 병을 앓고 있었는지도 모른다.
He *may have been* ill.
ⓖ 경마에서 100만 원을 딸지도 모르지.
We *might* win a million won at the races.

☞ ⓐ =There is a *possibility* of his passing the examination.
ⓑ *cf.* He *may* never *have read* this book.
ⓒ *cf.* She *may have seen* him in Paris for the first time.
ⓖ 현실과 멀어 미래의 가능성이 희박할 때는 **might**를 쓴다.

▶ CF 34.

~일 것이다; ~할 것이다 **will; shall ~**

해설 주로 미래에 생길 일에 대한 추측을 나타내어 「~일 것이다, ~할 것이다」라고 할 때에는 will이나 shall을 쓴다. **will**에는 의지가 내포되어 있으며, shall은 점차 will로 바뀌는 경향이 있다는 점에 유의할 필요가 있다. 그러나, shall은 you shall, he shall처럼 옛 말투이면서도 영작문에서 쓰이는 경우가 적지 않으며, 1인칭에도 쓰이고, 부정의 **shall never**의 용법도 있으므로 주의할 필요가 있다.

▩ 기본 문형 ▩

ⓐ 그를 문병하러 병원에 갈 수 있으리라 생각한다.
I think I *shall* be able to see him at the hospital.

ⓑ 택시를 불러 주면 고맙겠습니다.
I *shall* be glad if you *will* call me a taxi.

ⓒ 당신의 친절을 평생 잊지 못할 것입니다.
I *shall never* forget your kindness.

ⓓ 일찍 출발하자.
Let's start early, *shall* we?

☞ ⓐ 미국에서는 **will**을 쓴다. 가능・의무를 나타내는 미래는 의지를 포함하지 않는다.
ⓑ *if you will* 의 will은 **you**의 의지를 나타낸다.
ⓒ 강한 부정을 나타내는 의지 미래에는 shall never를 쓴다. 본래 shall은 의무를 나타내므로 「의무로서도 결코 ~할 수 없다」란 뜻.
ⓓ **Let's ...** 의 부가 의문문에는 **shall we?**를 쓴다.

▶ CF 35.

(…하면) ~할텐데
(**if**+과거형), **would**〔**should, could, might**〕+원형

해설 「(…하면) ~할텐데」라고 **현재의 사실과 반대되는 가정・상상**을 나타낼 때에는, 조건을 나타내는 if절에는 가정법 과거를 쓰고, 결과를 나타내는 주절에는 would, should, could, might에 원형을 붙여서, 가정법 과거의 형식을 쓴다. 이 경우, 조동사의 용법은 각각 will, shall, can, may의 용법에 준한다.

▩ 기본 문형 ▩

ⓐ 내가 너라면 그 제안을 받아들일텐데.
If I *were* you, I *would* accept the offer.

ⓑ 그에게 원조를 청하면 너를 도와 줄지도 모른다.
If you *asked* for his aid, he *might* help you.

ⓒ 그 책을 나에게 빌려 준다면 고마울텐데.
I *should* be glad *if* you *would* lend me the book.

☞ ⓐ =As I am not you, I won't accept the offer.
ⓑ =As you do not ask for his aid, he may not help you.
ⓒ I *shall* be glad if you *will* lend me the book. 보다 공손한 표현.

▶ CF 36.

(…했다면) ~했을텐데
(**if**+**had**+과거분사), **would**〔**should, could, might**〕 **have**+과거분사

해설 「(…했다면) ~했을텐데」라고 과거 사실에 반대되는 가정・상상을 나타낼 때에는, would, should, could, might에 「have+과거분사」를 붙여서 나타낸다. 이 경우, 조건을 나타내는 if절에는 「had+과거분사」를 쓴다.

■ 기본 문형 ■

ⓐ 어제 날씨가 좋았더라면, 어디엔가 나갔을텐데.
If it *had been* fine yesterday, I *would have gone* out somewhere.

ⓑ 의사의 충고를 들었더라면, 그는 아직 살아 있을지 모를텐데.
If he *had taken* his doctor's advice, he *might* still *be* alive.

☞ ⓐ =As it was not fine yesterday, I could not go out anywhere.
ⓑ =As he did not take his doctor's advice, he is now dead.
조건절이 완료형인 경우, 그 귀결절은 「might have+과거분사」가 되는 것이 보통이나, 의미상, 과거와 같은 귀결이 될 때도 있다.

▶ CF 37.

…하면 좋을텐데; …했더라면 좋았을텐데	**I wish**+ { 가정법 과거 가정법 과거완료

해설 「…하면 좋을텐데」라고 현재 불가능한 소망을 나타낼 때에는, I wish 뒤에 가정법 과거를 술어 동사로 하는 절을 붙인다. 이 경우, 절을 이끄는 접속사 that를 생략하는 것이 특징이다.
또한, 「…했더라면 좋았을텐데」라고 과거에 있어서 불가능했던 일에 대한 소망을 나타낼 때에는, I wish 뒤에 가정법 과거완료를 술어 동사로 하는 절을 붙인다.

■ 기본 문형 ■

ⓐ 내 차가 있다면 좋을텐데.
I wish I *had* a car of my own.

ⓑ 어제 나를 찾아왔더라면 좋았을텐데.
I wish you *had called* on me yesterday.

☞ ⓐ =I am sorry I have no car of my own.
ⓑ =I am sorry you did not call on me yesterday.
cf. You ***should*** 〔***ought to***〕 ***have called*** on me yesterday.
(어제 나를 찾아왔어야 했는데.)

▶ CF 38.

~해도 쓸데없다; ~해도 소용없다	{ **It is no use ~ing** **There is no use in ~ing**

해설 「…해도 쓸데〔소용〕없다」라고 할 때에는, **It**를 형식 주어로 하고 **~ing**를 진주어로 하는 It is no use ~ing를 쓰거나, There is no use (in) ~ing를 쓴다. 또한, It is no good

~ing 도 쓴다.

기본 문형

ⓐ 엎질러진 우유를 보고 울어도 소용없다.
It is no use cry*ing* over spilt milk.
ⓑ 그에게 말해 봐도 쓸데없다.
It is no good talk*ing* to him.
ⓒ 우리가 지킬 수 없는 약속을 해 봤자 쓸데없다.
There is no use (*in*) mak*ing* a promise we shouldn't be able to keep.

☞ ⓐ 속담으로, 「한 번 엎지른 물은 다시 주워 담지 못한다.」에 해당.

▶ CF 39.

~을 당연한 것으로 생각하다
take it for granted that ~

해설 「~을 당연한 것으로 생각하다」는 take it for granted that ~으로 나타내는데, **it**는 **that** 이하와 동격인 형식 목적어, for granted는 as being granted(인정된 것으로서)와 같은 뜻이다. 수동태로서 it is taken for granted that ... 의 형식으로도 쓸 수 있으며, 주어가 명사일 때에는 **be taken for granted**만으로 족하다.

기본 문형

ⓐ 나는 물론 그가 약속을 지키리라 생각한다.
I *take it for granted that* he will keep his promise.
ⓑ 시간을 지키는 것은 당연한 것으로 여겨진다.
Punctuality *is taken for granted.*
ⓒ 지금은 언론의 자유가 당연한 것으로 생각되고 있다.
Freedom of speech *is* now *taken for granted.*

☞ ⓐ *cf.* ***It is taken for granted that*** you should be punctual.

▶ CF 40.

~하기만 하면 되다; 오로지 ~할 뿐이다
have only to ~
All you (*etc.*) **have to do is to ~**

해설 「~하기만 하면 되다」나 「~할 뿐이다」는 「have only to+원형」, 또는 all을 주어로 하여 「All you (*etc.*) have to do is to+원형」으로 나타낼 수 있다. 이 경우, all은 「전부」라고 번역하지 않고 「뿐」이란 뜻으로 새기며, 단수로 취급하여 **is**로 받는 점에 주의하여야 한다.

기본 문형

ⓐ 너는 그에게 사과하기만 하면 된다.
You *have only to* apologize to him.
ⓑ 나는 오로지 최선을 다할 뿐이다.
All I have to do is to do my best.
ⓒ 그를 만나 보기만 하면 된다.
All you have to do is to see him.

☞ ⓐ =*All you have to do is to* apologize to him.
ⓑ =I *have only to* do my best.
ⓒ =You *have only to* see him.

▶ CF 41.

~하는 편이 좋(겠)다 **had better ~**

해설 「~하는 편이 좋다」는 「had better+원형」으로 나타낸다. 이 **had**는 가정법이므로 **it would be better for ... to** ~로 바꿔 표현된다. 「~하지 않는 편이 좋다」는 「had better not+원형」, 「~한 편이 좋았을텐데」는 「had better have+과거분사」로 나타낸다. 또한, 「~하는 것이 제일 좋다」고 할 때에는 최상급 best를 써서 「had best+원형」을 쓴다.

■ 기본 문형 ■

ⓐ 너는 더 몸조심을 하는 편이 좋다.
You *had better* take greater care of yourself.
ⓑ 너는 담배를 피우지 않는 편이 좋아.
You *had better not* smoke.
ⓒ 그에게 더 호된 벌을 주었어야 좋았을텐데.
You *had better have punished* him more severely.
ⓓ 너는 즉시 출발하는 게 상책이야.
You *had best* start at once.

☞ ⓐ =*It would be better for* you *to* take greater care of yourself.
ⓑ =*It would be better for* you *not to* smoke.
ⓒ =*It would have been better for* you *to* punish him more severely.
ⓓ =*It would be best for* you *to* start at once.

▶ CF 42.

~하지 않을 수 없다 { **cannot but**+원형 / **cannot help**+동명사 }

해설 「~하지 않을 수 없다」는 cannot but에 원형을 붙이거나, cannot help에 동명사를 붙여서 나타낸다. 「cannot but+원형」은 「~하는 이외에 아무 것도 할 수 없다」, 「cannot help+동명사」는 「~하는 것을 피할 수 없다」란 뜻.

■ 기본 문형 ■

ⓐ 나는 웃지 않을 수 없었다.
I *could not but* laugh.
ⓑ 그의 고통에는 동정하지 않을 수 없었다.
I *could not help* sympathiz*ing* with him in his afflictions.

☞ ⓐ =I *could not help* laugh*ing*.
ⓑ =I *could not but* sympathize with him in his afflictions.

▶ CF 43.

~하는 것도 당연하다〔무리가 아니다〕 **may well ~**

해설 「~하는 것도 당연하다; 무리가 아니다」는 it is no

wonder that ... should ~; it is only natural that ... should ~을 써도 좋으나, may well에 원형을 붙여서 나타내면 편리하다. 「당연했다; 무리가 아니었다」는 might well을 쓰면 되나, 「(과거에) ~한 것도 당연하다」는 **may well have** 에 과거분사를 붙여서 나타낸다.

기본 문형

ⓐ 그 여자가 자기 아들을 자랑하는 것도 무리가 아니다.
She *may well* be proud of her son.
ⓑ 그가 화를 낸 것도 당연하다.
He *may well have got* angry.

☞ ⓐ = ***It is only natural that*** she ***should*** be proud of her son.
ⓑ = ***It is no wonder that*** he ***should have got*** angry.
※ 다음과 같은 표현을 써도 같은 뜻.
ⓐ = She *has good reason* to be proud of her son.
= She is proud of her son, *and with good reason*.

▶ CF 44.

(전에는) ~했다; ~하는 것이 예사였다 { **would ~** / **used to ~** }

해설 과거의 습관은 would에 sometimes, often 따위의 부사를 덧붙이거나, used to에 원형을 붙여서 나타낸다. would에는 보통 빈도를 나타내는 부사가 따르나, used to에는 이런 부사를 쓰지 않으므로, used to가 would에 비하여 규칙적인 습관을 나타내는 것처럼 느껴지기 쉬우나, 뚜렷한 구별은 없다. 다만, 현재에 대비(對比)하여 과거의 상태나 존재를 나타내어 「(전에는, 원래는) ~했다〔있었다〕」라고 할 때에는 used to만 쓴다.

기본 문형

ⓐ 나는 전에 강에 낚시질하러 곧잘 가곤했다.
I *would often* go fishing in the river.
ⓑ 거기가 내가 어릴 적에 살던 곳이다.
That's where I *used to* live when I was a child.
ⓒ 전에는 이 둑에 소나무가 많이 있었지요?
There *used to* be a lot of pine trees along this bank, didn't 〔*use(d)n't*〕 there?

☞ ⓑ 현재와 대비하여 과거의 상태를 나타낸다.
ⓒ 미국에서는 used의 부정·의문에 조동사 do를 쓰는 것이 보통. use(d)n't는 [júːsnt]로 발음.

▶ CF 45.

방금 ~했다 **have just done**

해설 「방금 ~했다」는 「have+과거분사」에 just를 넣어 나타낸다. 다만, **just now**를 쓰면 과거 시제가 됨에 주의.

또한, 이와 비슷한 현재완료의 용법으로서, 「아직 ~하지 않았다」란 **have not yet done,** 「벌써 ~했느냐?」란 **have you done yet?** 따위도 함께 알아둘 필요가 있다.

기본 문형

ⓐ 방금 12시를 쳤다.
It *has just struck* twelve.

ⓑ 벌써 아이들은 학교에 갔느냐?
Have the children *gone* to school *yet?*

ⓒ 나는 아직 그 책을 다 읽지 않았다.
I *have not yet finished* reading the book.

☞ ⓐ =The clock struck twelve *a short time ago.*
ⓑ 의문문에는 yet를 쓰나, 그 대신 already를 쓰면 놀라움을 나타낸다.
ⓒ **yet**는 문미에 둘 수도 있다.

▶ CF 46.

(죽) ~하고 있다	**have**+과거분사 〈상태〉 **have been**+~**ing** 〈동작〉

해설 과거부터 현재까지 상태가 계속됨을 나타낼 때에는, 기간을 나타내는 부사(구·절)와 함께 현재 완료형을 쓴다. 동작일 경우에는 「have been+~ing」로 된다.

기본 문형

ⓐ 그의 아버지는 오랫 동안 아파서 누워 있다.
His father *has been* ill in bed for a long time.

ⓑ 아침 일찍부터 비가 오고 있다.
It *has been* rain*ing* since early morning.

ⓒ 서울에서 얼마 동안이나 살고 있느냐?
How long *have* you *lived* 〔*been living*〕 in Seoul?

☞ ⓒ live는 상태를 나타내는 동사이므로, 계속을 나타낼 때 현재 완료형을 쓰는 것이 보통이나, 현재완료 진행형을 쓰면 계속과 미완료의 개념을 한층 명확히 하고, 말하는 사람의 주관을 반영시키는 힘을 가지게 된다.

▶ CF 47.

~에 갔다 왔다; ~에 간 적이 있다	**have been to ~**

해설 「~에 간 적이 있다」는 have been to를 쓰고 「~에 가 버렸다」는 **have gone to**를 쓰는 것이 보통이므로 혼동하지 않도록 주의할 필요가 있다. 또한, have been to는 「~에 갔다 왔다」란 뜻으로도 쓰인다. to 대신에 in이 쓰일 때도 있는데, 「~에 있던 적이 있다」란 뜻이 된다.

기본 문형

ⓐ 너는 파리에 가 본 적이 있느냐?
Have you ever *been to* Paris?

ⓑ 너는 어디 갔다 왔느냐?
Where *have* you *been?*

ⓒ 그는 인디아로 가 버렸다.
He *has gone to* India.

☞ ⓐ =Did you ever visit Paris?
ⓑ =Where did you go and come back here?
ⓒ =He went to India, **and he is not here now.**

▶ CF 48.

…까지 ~했다〔하고 있었다〕　**had**+과거분사

해설 과거 어느 때까지의 동작·상태의 완료나 계속을 나타낼 때, 우리말로는 「~했다〔하고 있었다〕」란 정도로 나타내어 과거 시제와 뚜렷한 구별이 되지 않으나, 영어에서는 반드시 과거 완료형을 써서 이를 구별하고 있다.

기본 문형

ⓐ 우리가 극장에 도착했을 때에는 이미 연극이 시작되어 있었다.
When we arrived at the theater, the play *had* already *started.*

ⓑ 정거장에 도착하니, 형님이 막 도착하셨더라.
On reaching the station, I found that my brother *had* just *arrived.*

ⓒ 나는 이 대학에 들어오기 전에 프랑스어를 공부하고 있었다.
I *had been* study*ing* French before I entered this university.

ⓓ 우리는 정초 휴가중에 파티 몇 군데에 참석했었다.
We *had been* to several parties during the New Year's holidays.

☞ ⓐ =The play started, ***and after that*** we arrived at the theater.
ⓑ =My brother arrived, ***and at the same time*** I reached the station.
ⓒ =I was studying French, ***and after that*** I entered this university.
ⓓ 때를 나타내는 말은 없으나, 과거 어느 때에 있었던 일이었음이 암시되어 있다.

▶ CF 49.

~한 것을 기억하고 있다; ~한 기억이 있다
remember ~ing

해설 「기억하고 있다」는 remember. 「~한 것을 기억하고 있다; ~한 기억이 있다」라고 할 때에는 「**remember that**+과거형」을 써도 좋으나, 간단히 ~ing형을 쓰면 된다. 「having+과거분사」로 나타내야 할 것도 습관상 ~ing만으로 나타낸다.

이와 비슷한 것으로 **remember** 뒤에 「**to**+원형」이 쓰일 때도 있는데, 이것은 「(앞으로 무슨 일을 할 것을) 잊지 않고 있다; 잊지 않고 ~하다」란 뜻이 된다.

기본 문형

ⓐ 나는 그런 말을 한 기억이 없다.
I don't *remember* say*ing* such a thing.

ⓑ 그를 어디서 만났는지 기억하고 있느냐?
Do you *remember* where you saw him?
ⓒ 학교 가는 길에 이 편지를 잊지 말고 부쳐라.
Remember to post this letter on your way to school.

☞ ⓐ =I don't ***remember that*** I ***said*** such a thing.
ⓒ =***Don't forget*** that you must post this letter on your way to school.

▶ CF 50.

~해 주지 않겠느냐?	**Will you ...?** **Would you mind ~ing?**

해설 「~해 다오」라고 부탁을 나타낼 때에는 명령형, 또는 이것에 please를 넣어 쓸 수도 있으나, Will you ...?가 가장 일반적으로 쓰인다. 또, 더 공손한 표현으로 Would you mind ~ing?를 쓰기도 한다.

Will you ...?에는 미래형을 물을 때에도 쓰임은 물론이고, Would you mind ~ing?는 Do you mind ~ing?와 마찬가지로 허가를 요청할 때에도 쓰인다. **Won't you ...?**는 「…하지 않겠느냐?」라고 권유를 나타낼 때 쓴다.

기본 문형

ⓐ 이 책을 빌려 주지 않겠느냐?
Will you lend me this book?
ⓑ 그가 돌아올 때까지 기다리시지 않겠습니까?
Would you mind wait*ing* until he comes back?

☞ ⓐ =*Please* lend me this book.
ⓑ *cf. Do you mind* if I open the window?
(창을 열어도 괜찮습니까?)

▶ CF 51.

…하자; …은 어때?	**Let's ...** **What 〔How〕 about ...?**

해설 「…하자, …은 어때?」라고 상대방을 꾀거나 권유를 나타낼 때에는 Let's... 또는 What 〔How〕 about ...?을 쓴다. Let's... 뒤에 부가의문문 shall we?를 덧붙여 쓸 때도 있다. 또한, **What do you say to ~?**란 표현도 있다.

기본 문형

ⓐ 어딘가로 수영하러 가자.
Let's go somewhere for a swim.
ⓑ 한 잔 하는 게 어때?
How about a drink?
ⓒ 시내 구경하는 게 어때?
What about seeing the sights of the city?

☞ Let's는 Let us의 생략형. Let us have a look at it. (그것을 한 번 보여다오.)처럼 부드러운 명령을 나타낼 때도 있다. How about ...은 **How do you think about** ...의 생략.

▶ CF 52.

~할 예정이다; ~하기로 되어 있다 **be to ~**

해설 예정이나 계획의 뜻으로 「~할 예정이다; ~하기로 되어 있다」라고 할 때에는 be에 「to+원형」을 붙여서 나타내는 것이 편리하다. 물론, 말하는 사람이 확신을 가지고 예정을 나타낼 때에는 현재 시제를 써도 좋으나, 이 경우에는 미래를 나타내는 부사(구)가 따르는 것이 보통이다. 또한, be ~ing로 예정이나 계획을 나타낼 때도 있다.

기본 문형

ⓐ 그와 나는 공항에서 만나기로 되어 있다.
He and I *are to* meet at the airport.

ⓑ 우리는 오늘 아침에 출발할 예정이었으나 내일 아침까지 연기해야만 했다.
We *were to have started* this morning but had to postpone until tomorrow morning.

ⓒ 그들은 오늘 저녁 6시에 영국으로 떠난다.
They *leave* for England *at six this evening.*

ⓓ 그는 내일 아침 여기에 올 예정이다.
He *is coming* here tomorrow morning.

☞ ⓑ 「**be to have**+과거분사」는 실현되지 않은 과거의 예정을 나타낸다.
ⓒ *leave*는 말하는 사람의 확신을 나타낸다. will leave 라고 하면 말하는 사람의 추측이 된다.
ⓓ He *is to* come here tomorrow morning. 이라고 하면 제삼자의 명령의 결과 생기는 예정을 나타낸다.

▶ CF 53.

~하여지다; ~하여져 있다 **be+과거분사**

해설 「~하여지다; ~하여져 있다」란 수동태는 「be+과거분사」로 나타낸다. 다만, be 이외에 **get, become, stand** 따위의 동사를 쓸 때도 있다. 우리말에서는 「~하여지다」라고 하지 않는 경우에도 영어에서는 수동태로 표현될 때가 있으므로 주의해야 한다.

기본 문형

ⓐ 친구처럼 책도 아주 주의해서 선택되어야 한다.
Books, like friends, ought to *be chosen* with utmost care.

ⓑ 그의 외아들이 트럭에 치었다.
His only son *was run* over by a truck.

ⓒ 그는 아이들에게 잘 알려져 있다.
He *is* well *known* to children.

ⓓ 우리는 이런 결과에 만족할 수 없다.
We cannot *be satisfied* with such result.

☞ ⓐ **we**나 **you**를 주어로 하면 능동태가 된다.
You ought to choose books, like friends, with utmost care.
ⓒ ***be well known*** 뒤에는 ***to***를 쓴다.
ⓓ 우리말은 능동이지만 영어에서는 수동임에 주의. ***be***

satisfied 뒤에는 **with**를 쓴다.

▶ CF 54.

(사람)이 (물건)을 ~시키다; 당하다 } **have+목적어+과거분사**

해설 「사람이 물건을 ~시키다, 당하다」라고 할 때에는 「have+목적어(물건)+과거분사」의 형식을 쓴다. 「시키다」는 사역, 「당하다」는 경험 수동태이다. 이 경우, 목적어는 보어인 과거분사의 의미상의 주어가 된다.

기본 문형

ⓐ 나는 편지를 대필시켰다.
I *had* a letter *written* for me.

ⓑ 나는 한 달에 두 번 이발한다.
I *have* my hair *cut* twice a month.

ⓒ 나는 어디에선지 지갑을 도난당했다.
I *had* my purse *stolen* somewhere.

☞ ⓐ 사역. ⓑ 자기가 제손으로 머리를 깎는 것이 아니라 남을 시켜 깎는 것이므로 사역. ⓒ 경험 수동태.

▶ CF 55.

…을 (사람)에게 ~시키다 **have+목적어+원형**

해설 「…을 사람에게 ~시키다」라고 할 때에는 「have+목적어(사람)+원형」의 형식을 써서 나타낸다. 이 경우, 목적어는 보어인 원형(부정사)의 의미상의 주어가 된다. 같은 뜻을 **get**으로 나타내려면 원형 대신에 「**to**+원형」을 쓴다.

기본 문형

ⓐ 나는 그에게 이 라디오를 수선시켰다.
I *had* him *repair* this radio.

ⓑ 나는 태호에게 그 책을 사 달라고 시켰다.
I *had* Taeho *buy* the book for me.

☞ him, Taeho는 repair, buy에 대하여 의미상의 능동적 주어.

▶ CF 56.

…가 ~하는 것을 보다〔듣다〕 **see 〔hear〕+목적어+원형**

해설 「…가 ~하는 것을 보다〔듣다〕」라고 할 때에는 지각 동사 뒤에 「목적어+원형」을 써서 나타낸다. 이 경우, 목적어는 원형의 의미상의 능동적 주어가 된다. 지각 동사는 **see, hear, feel, watch, listen to** 따위이다.

기본 문형

ⓐ 나는 그가 웃는 것을 본 적이 없다.
I have never *seen* him *laugh*.

ⓑ 너는 그 여자가 노래하는 것을 들은 적이 있느냐?
Have you ever *heard* her *sing* ?

ⓒ 집이 흔들리는 것이 느껴졌다.
The house *was felt to shake.*

☞ ⓑ =Has she ever been heard ***to sing ?*** ⓒ =We felt the house *shake*. 수동태에서는 원형이 「to+원형」으로 바뀜에 주의할 것.

▶ CF 57.

…가 ~하고 있는 것을 보다〔듣다〕
see 〔hear〕+목적어+~ing

해설 지각 동사 뒤에 「목적어+~ing」가 따르면, 「~하고 있는」이라고 동작이 계속되고 있음을 나타낸다. 이에 대하여 「목적어+원형」이 오면 동작이 완료된 것, 또는 일반적인 것을 나타낸다.

I saw him ***swimming.*** (=When I saw him, he was swimming.)
(나는 그가 수영하고 있는 것을 보았다.)
I saw him ***swim.*** (=He swam and I saw it.)
(나는 그가 수영하는 것을 보았다.)

기본 문형

ⓐ 그 여자가 노래하고 있는 것을 들어라.
Listen to her *singing*.
ⓑ 나는 해가 지평선 아래로 넘어가고 있는 것을 보았다.
I *watched* the sun *setting* below the horizon.

☞ *cf.* They *saw* him *dancing*. → He was seen dancing. (그가 춤추고 있는 것이 보였다.)

▶ CF 58.

생각도 못 하다; 꿈에도 생각지 못하다 — **never think of; least expect,** (*etc.*)

해설 「생각지도 못하다, 조금도 예기치 못하다, 꿈에도 생각지 못하다」 따위는 never think of, least expect, little dream 〔imagine〕 따위로 나타낼 수 있다. 또, **the last** ~와 같은 표현을 쓰는 예도 있다. 「생각지도 못하다」가 「문제 밖이다」란 뜻일 때에는 be out of the question을 쓰고, 「상상할 수 없다」란 뜻일 때에는 be unthinkable을 써도 좋다.

기본 문형

ⓐ 이처럼 비 오는 날에 소풍 가는 것은 생각지도 않아.
I *never think of* going on a picnic on such a rainy day.
ⓑ 여기서 널 만나리라고는 생각도 못했다.
You are *the last* person I expected to see here.
ⓒ 이런 결과가 되리라고는 꿈에도 생각 못했다.
I *little dreamed* that such a result would come to pass.

☞ ⓐ =It ***is out of the question*** that we should go on a picnic on such a rainy day. ⓑ =I ***never expected*** to see you here.

▶ CF 59.

~할 가치가 있다 — **be worth ~ing; be worthy of; deserve**

해설 「~할 가치가 있다」고 할 때에는 be worth ~ing나 deserve를 쓴다. **worth는 서술적으로만 쓰이는 형용사로 뒤에 목적어를 수반한다.** 형식 주어를 쓴 It is worth while to ~ 의 구문도 많이 쓰이는데, 이 때 while은 time의 뜻을 가진 명사로서 worth의 목적어, It=to ~의 관계이다. worth와 마찬가지로 worthy도 형용사인데, 서술적 용법에서는 뒤에 **of를 수반하고**, a worthy book(가치 있는 책)과 같이 명사 앞에도 쓸 수 있다는 점이 worth와 다르다. deserve는 「~을 받을 가치가 있다」란 뜻으로, 명사나 동명사를 목적어로 취할 뿐 아니라 부정사구를 수반할 때도 있다.

기본 문형

ⓐ 이 책은 읽을 가치가 있다.
This book *is worth* read*ing.*

ⓑ 그의 행위는 칭찬받을 가치가 있다.
His conduct *is worthy of* praise.

ⓒ 이 일은 고려할 가치가 있다.
This matter *deserves* consider*ing.*

☞ ⓐ =***It is worth while to*** read this book.
ⓑ =His conduct *deserves to* be praised.
ⓒ =This matter *deserves to* be considered.

▶ CF 60.

~하여 놀라다〔기뻐하다; 당황하다〕 **be surprised〔pleased; at a loss〕 to ~〔at ~〕**

해설 「~하여 놀라다 〔기뻐하다; 당황하다〕」라고 할 때에는 사람을 주어로 하므로, be surprised처럼 감정을 나타내는 동사는 「**be+과거분사**」의 형식을 취한다. 「~하여」는 감정의 원인을 나타내며, 「to+원형」 또는 at~으로 나타낸다.

기본 문형

ⓐ 나는 그가 아파 누워 있는 것을 보고 놀랐다.
I *was surprised to* find him ill in bed.

ⓑ 그 여자는 5년 동안 만나지 못했던 아들을 만나게 되어서 무척 기뻤다.
She *was* greatly *pleased to* see her son (whom) she had not seen for five years.

ⓒ 나는 무슨 말을 해야 할지 몰라 당황했다.
I *was at a loss* what *to* say.

ⓓ 그가 집에 없는 것을 알고 실망했다.
I *was disappointed at* finding him away from home.

☞ ⓐ *cf.* I *was surprised* ***at*** the news (=to hear the news)./***To my surprise,*** I found him ill in bed.
ⓑ *cf.* I *am pleased* ***that*** you have come back.
(나는 네가 돌아와서 기쁘다.)
He *was pleased* ***with*** my gift.
(그는 내 선물이 마음에 들었다.)
ⓒ *cf.* I *was at a loss* ***for*** an answer.
(나는 어찌 대답할지 몰랐다.)

ⓓ *cf.* He *is disappointed* ***in*** his son.
(그는 자식에 실망하고 있다.)

▶ CF 61.

…하게도 ~하다 **be … enough to** ~ (*etc.*)

해설 「친절하게도 길을 안내해 주다」와 같은 말은 be kind enough to show the way 또는 have the kindness to show the way, 또는 단지 kindly show the way와 같이 표현한다.

기본 문형

ⓐ 그는 친절하게도 이 책을 나에게 빌려 주었다.
He *was kind enough to* lend me this book.

ⓑ 그는 뻔뻔스럽게도 나에게 하룻밤 재워 달라고 했다.
He *had the impudence to* ask me for a night's lodging.

☞ ⓐ =He ***had the kindness to*** lend me this book.
ⓑ =He ***had the cheek*** 〔***nerve***〕 ***to*** ask me for a night's lodging.

▶ CF 62.

…하면 반드시 ~하다
cannot 〔**never**〕 … **without** ~**ing**

해설 「…하면 반드시 ~하다」는 cannot 또는 never에 without ~ing를 덧붙여서 나타낸다. 이는 이중 부정의 형식으로 의미상으로는 긍정이 된다. without 대신에 **but**가 이끄는 절이 올 때도 있는데, 이 but는 that … not의 뜻을 가진 접속사이다.

또한, 경우에 따라서는 when ~을 종속절로 하고, 주절에 always를 써 같은 뜻을 나타낼 수도 있다.

기본 문형

ⓐ 그는 나가기만 하면 반드시 책을 좀 산다.
He *never* goes out *without* buy*ing* some book or other.

ⓑ 비가 내렸다 하면 반드시 쏟아진다.
It *never* rains *but* it pours.

☞ ⓐ = ***When*** he goes out, he ***always*** buys some book or other.
ⓑ =It *never* rains *without* pour*ing*.

▶ CF 63.

~하느라고〔으로〕 바쁘다 **be busy** ~**ing** 〔**with** ~〕

해설 「~하느라고 바쁘다」는 be busy ~ing로 나타내고, 「~으로 바쁘다」는 「**be busy with**+명사」로 나타낸다.

기본 문형

ⓐ 나는 시험 준비를 하느라고 바쁘다.
I *am busy* prepar*ing* for the examination.

ⓑ 어머니는 자질구레한 집안일로 바쁘시다.
Mother *is busy with* family cares.

ⓒ 내가 보았을 때 그는 트렁크를 꾸리느라 바빴다.
I found him *busy* pack*ing* his trunk.

☞ ⓐ *cf.* He *is busy with* his studies.
(그는 공부하느라 바쁘다.)
ⓑ *cf.* She *is busy* tak*ing* domestic cares.
(그 여자는 집안일을 돌보느라고 바쁘다.)

▶ CF 64.

아무리 ～하여도 지나치지 않다〔부족하다〕
cannot … too ～

해설 「아무리 ～하여도 지나치지 않다; 아무리 ～하여도 오히려 부족하다」는 cannot … too ～를 써서 나타낸다. 이와 비슷한 표현으로 **It is impossible to … too ～, It is impossible to over～** 따위를 쓸 수도 있다.

▩ 기본 문형 ▩

ⓐ 그의 아들은 아무리 칭찬해도 오히려 부족할 정도다.
We *cannot* praise his son *too* much.
ⓑ 읽을 책을 선택하는 데에는 충분히 주의를 할 필요가 있다.
You *cannot be too* careful in choosing books to read.
ⓒ 무엇이라 감사 말씀 다 드릴 수가 없습니다.
I *cannot* thank you *too* much.

☞ ⓐ =***It is impossible to*** *overpraise* his son.
ⓑ =You must take the greatest care to choose books to read.
ⓒ =I don't know how to express my thanks. / I am more grateful for this than I can tell you.

▶ CF 65.

…은 ～의 덕택이다; ～ 때문이다 } **owe … to ～; attribute … to ～**

해설 「…은 ～의 덕택이다; ～ 때문이다」라고 할 때에는 owe … to ～, attribute … to ～를 쓴다. **to** 뒤에는 명사·대명사·동명사가 온다.

또한, owe는 「빚지고 있다」란 뜻에서 「의무를 지고 있다, ～의 덕택이다, 은혜를 입고 있다」란 뜻이 되고, attribute는 「결과를 …로 돌리다」란 뜻이다. 「～의 덕택에」라고 할 때에는, **thanks to ～**를 쓴다.

▩ 기본 문형 ▩

ⓐ 내가 사업에 성공하는 것은 그의 덕택이다.
I *owe* it *to* him that I am successful in my business.
ⓑ 오늘의 내가 된 것은 어머니 덕택이다.
What I am I *owe to* my mother.
ⓒ 그의 성공은 천재인 데다 열심히 노력한 덕택이라고 생각된다.
We *attribute* his success *to* genius and hard work.
ⓓ 그의 도움 덕택에 나는 어려움을 잘 극복했다.
Thanks to his help, I succeeded in tiding over the difficulties.

☞ ⓐ it는 that 이하와 동격인 형식 목적어.

ⓑ What I am은 owe의 목적어인 명사절이나, 어조상 문두에 둔 것.

3. 접속 어구에 관한 표현

▶ CF 66.

…이 아니고 ~ **not …, but ~**

해설 「…이 아니고~」라는 우리말 표현은 영어의 상관 어구 not …, but ~로 나타내면 된다. 경우에 따라서는 ~, not … 와 같은 표현을 써도 좋다.

기본 문형

ⓐ 그는 나의 형이 아니고 사촌이다.
He is *not* my brother, *but* my cousin.

ⓑ 구름에 따라서는 작은 물방울이 아니고 얼음 조각으로 된 것도 있다.
Some clouds are made up, *not* of tiny drops of water, *but* of bits of ice.

ⓒ 올림픽에서 가장 중요한 것은 이기는 것이 아니고 참가하는 것이다.
The most important thing in the Olympic Games is *not* to win, *but* to take part in.

☞ ⓐ =He is my cousin, ***not*** my brother.
ⓑ =Some clouds are made up of bits of ice, ***not*** of tiny drops of water.
ⓒ =The most important thing in the Olympic Games is to take part in it, ***not*** to win.

▶ CF 67.

…의 ~ 배 **~ times as — as …**

해설 「A는 B의 ~배의 크기」와 같은 우리말 표현은, 영어로는 A is ~ times as large as B. 또는 A is ~ **times the size of** B.로 나타낸다. 「크기」는 large, 「길이」는 long을 쓴다.

기본 문형

ⓐ 나는 그의 2배의 책을 가지고 있다.
I have *twice as* many books *as* he has.

ⓑ 브라질은 우리 나라의 몇 배 정도의 크기이냐?
How many *times as* large *as* Korea is Brazil?

ⓒ 이 도시의 인구는 서울의 5분의 1이다.
The population of this city is *one-fifth as* large *as* that of Seoul.

ⓓ 나의 정원은 너의 정원의 반 정도의 넓이이다.
My garden is *half as* wide *as* yours.

☞ ⓐ =I have *twice the number of* his books.
ⓑ =How many *times the size of* Korea is Brazil?/How many *times larger* is Brazil *than* Korea?
ⓒ =This city is *one-fifth as* populous *as* Seoul.
ⓓ =My garden is *half the width of* yours.

▶ CF 68.

대단히 …하므로 ~ **so … that ~; such … that ~**

해설 「대단히 …하므로 ~」은 영어의 상관 어구를 이용하여 「so+형용사・부사+that ~」 또는 「such a+명사+that ~」의 형태로 나타낼 수 있다. 물론, as나 so를 써서 나타낼 수도 있다. 또 **such를 so great의 뜻으로 쓰는 용법**도 알아 둘 필요가 있다.

■ 기본 문형 ■

ⓐ 그는 대단히 정직하므로 큰 신뢰를 받고 있다.
He is *so* honest *that* he is greatly trusted.

ⓑ 나는 화가 몹시 나서 한 마디도 할 수 없었다.
I was *so* angry *that* I could not speak a word.

ⓒ 그는 편지를 쓸 수 없을 정도로 바쁠 리가 없다.
He can*not* be *so* busy *that* he cannot write a letter.

ⓓ 아기가 너무 열이 높아 하마터면 죽을 뻔했다.
The baby had *such* a fever *that* he nearly died.

ⓔ 그가 아주 변해서 우리는 깜짝 놀랐다.
Such was his change *that* we were surprised.

☞ ⓐ =He is *such* an honest man *that* he is greatly trusted.
ⓒ =He can***not*** be ***too*** busy ***to*** write a letter.
ⓔ =He was *so* much changed *that* we were surprised.

▶ CF 69.

너무 …하므로 ~할 수 없다
too … to ~; so … that not ~

해설 「너무 …하므로 ~할 수 없다」는, 단문으로는 too … to ~로, 복문으로는 so … that not ~로 표현할 수 있다. 또 이들 상관 어구를 사용하지 않고 as가 이끄는 부사절의 복문으로도 나타낼 수 있다.

■ 기본 문형 ■

ⓐ 이 가방은 너무 무거워서 내가 들고 다닐 수가 없다.
This bag is *too* heavy for me *to* carry.

ⓑ 그는 너무 말을 빨리 하기 때문에 그의 말을 알아들을 수가 없다.
He speaks *too* fast for me *to* understand him.

ⓒ 내가 너무 빨리 달렸기 때문에 그들은 나를 뒤쫓아 올 수가 없었다.
I ran *too* fast for them *to* catch up with me.

☞ ⓐ =This bag is *so* heavy *that* I *cannot* carry it.
ⓑ =He speaks *so* fast *that* I *cannot* understand him.
ⓒ =I ran *so* fast *that* they *could not* catch up with me.
too…to ~의 구문에서, to ~의 의미상의 목적어가 물건이고, 문장의 주어와 동일물인 경우 it는 생략한다. 사람인 경우는 생략하지 않는다.

▶ CF 70.

마치 ~인 것처럼 **as if 〔though〕+가정법**

해설 「마치 ~인 것처럼」은 as if, as though로 시작되는 절로 나타내고, 그 절 안에서는 가정법 과거형・가정법 과거완료형을 쓴다. 이 경우, 주절의 동사와 같은 때를 나타내는 경우는 과거형, 그것보다 이전일 때는 과거완료가 쓰인다. 즉 주절의 동사가 현재일 때, 직설법 현재형에 해당될 경우는 과거형으로, 직설법과거형・현재완료형에 해당되는 경우는 가정법 과거완료를 쓴다.

기본 문형

ⓐ 그는 마치 무엇이든 다 알고 있는 것처럼 말한다.
He speaks *as if* he *knew* everything.

ⓑ 너는 마치 유령이라도 본 것 같은 얼굴을 하고 있구나.
You look *as if* you *had seen* a ghost.

ⓒ 그가 가난한 것도 아닐 테고.
It isn't *as if* he *were* poor.

☞ ⓐ *cf.* In fact he does not know everything.
(실제는 그가 무엇이든 다 알고 있는 것은 아니다.)
ⓒ는 관용적인 표현.

▶ CF 71.

~에도 불구하고; ~을 무릅쓰고 **though ~; in spite of ~**

해설 「~에도 불구하고, ~을 무릅쓰고」는 though로 인도되는 부사절 또는 in spite of 로 인도되는 부사구로 나타낸다.

기본 문형

ⓐ 나의 충고에도 불구하고, 그는 여전히 태만하다.
In spite of my advice, he remains as idle as ever.

ⓑ 비가 몹시 오는 데도 불구하고 그는 역까지 나를 마중나왔다.
Though it was raining heavily, he came to meet me at the station.

ⓒ 모든 노력을 다했지만 우리는 그 보석을 찾을 수 없었다.
In spite of all our efforts, we could not find out the jewel.

☞ ⓐ =*Though* I advised him, he remains as idle as ever.
ⓑ =*In spite of* the heavy rain, he came to meet me at the station.
ⓒ =*Though* we made all efforts, we could not find out the jewel.

▶ CF 72.

~ 때문에 [이유・원인] { **on account of ~;** **owing to ~,** (*etc.*)

해설 이유・원인을 나타내는 「~ 때문에, ~이므로」는 절로 나타내려면 **as, since, because** 따위를 쓰지만, 구의 형식으로 나타내려면 on account of ~, owing to ~, **because of ~**, due to ~ 따위를 쓰면 된다. 등위 접속사 for는 「왜냐하면 ~하니까」처럼 추가해서 이유를 나타낼 때 쓰인다.

■ 기본 문형 ■

ⓐ 어머니의 병 때문에 나는 출발을 연기하지 않으면 안 되었다.
I had to put off my departure *on account of* my mother's illness.

ⓑ 가뭄 때문에 농작물을 망쳤다.
Owing to the drought, the crop has failed.

ⓒ 폭설 때문에 기차가 지연되었다.
The train was delayed *because of* the heavy snow.

☞ ⓐ =*As* my mother fell ill, I had to put off my departure./ My mother's illness obliged me to put off my departure.
ⓑ =The drought has caused damage to the crop.
ⓒ =The heavy snow delayed the train./*As* it snowed heavily, the train was delayed.

▶ CF 73.

～하기 위하여; ～하도록 [목적]	**in order to ～, so as to ～;** **for the purpose of ～ing ;** **so that ... may ～**

해설 목적을 나타내는 우리말의 「～하기 위하여, ～하도록」 따위의 표현은 다만 부정사구만을 사용해도 되지만, 목적의 뜻을 명확히 하기 위해서는 in order to ～, so as to ～ 따위를 쓰는 경우가 있다. 전치사구로 나타내려면 for the purpose of ～ing, **with a view to ～ing** 따위를 쓰면 되고, 절의 형식으로는 so 〔in order〕 that ... may ～가 대표적이다.

■ 기본 문형 ■

ⓐ 그는 오페라를 연구하기 위해 이탈리아에 갔다.
He went to Italy *for the purpose of* study*ing* opera.

ⓑ 그는 가족이 안락하게 살 수 있도록 열심히 일하고 있다.
He is working hard (*so*) *that* his family *may* live in comfort.

☞ ⓐ는 부정사나 동명사의 의미상의 주어와 전체 문장의 주어가 동일하지만, ⓑ는 문장의 주어와 종속절의 주어가 상이한 점에 주의. 이처럼 의미상의 주어와 문장의 주어가 다를 경우에는 (in order) for *A* to do로 하든가 부정사 대신 that절을 쓰게 된다.

cf. He stepped aside *for her to pass.*
He stepped aside *that she might pass.*
(그녀가 지나갈 수 있도록 그는 비켜 섰다.)

▶ CF 74.

～하지 않도록	**so as not to ～; so that ... may not ～;** **for fear of ～ 〔～ing〕; lest ... should ～**

해설 「～하기 위하여」의 부정은 「～하지 않도록」이므로, not to ～, so as 〔in order〕 not to ～, 또는 두 개의 주어가 상이할

경우는 so that ... may not ~나 lest ... should ~ (문어적)를 쓴다.

기본 문형

ⓐ 내일 아침에는 학교에 지각하지 않도록 일찍 일어나라.
Get up early tomorrow morning *so as not to* be late for school.

ⓑ 감기들지 않도록 주의하여라.
Take care *not to* catch cold.

ⓒ 아이들이 미끄러지지 않도록 돌보아 주십시오.
Take care of the children *that* they *may not* slip.

ⓓ 비가 오지 않을까 생각하여 우산을 가지고 갔다.
I took my umbrella with me *for fear of* rain.

ⓔ 20년간의 친교가 단절되지 않도록 우리 두 사람은 최선을 다해야 한다.
Both of us should do our best *lest* a friendship of twenty years' standing *should* be broken off.

☞ ⓐ, ⓑ는 문장의 주어와 부정사의 의미상의 주어가 같을 때 쓰고, 다를 때는 ⓒ처럼 절의 형식을 쓰면 된다.

▶ CF 75.

~이 없다면	**if it were not for ~**	**but for; without**
~이 없었다면	**if it had not been for ~**	

해설 현재의 사실과 반대되는 가정・상상을 나타내는 「~이 없다면〔아니라면〕」은 if it were not for ~로 나타내고, 과거의 사실과 반대되는 가정・상상을 나타내는 「~이 없었다면〔아니었더라면〕」은 if it had not been for ~로 나타내는 것이 보통이지만, 좀 더 간단한 but for ~, without ~를 가정법 과거나 과거완료에 이용할 수도 있다.

기본 문형

ⓐ 물과 공기가 없으면 생물은 살 수 없을 것이다.
If it were not for air and water, no creatures could live.

ⓑ 그 때 네가 도와주지 않았다면 나는 익사했을텐데.
If it had not been for your help, I should have been drowned.

☞ ⓐ = *But for* air and water, no creatures could live.
ⓑ = *But for* your help, I should have been drowned.

▶ CF 76.

가령〔만일〕 ~한다면　　**if ... were to ~ 〔should ~〕**

해설 미래에 대한 불확실한 상상은 if절 안에 were to ~ 또는 should ~를 써서 나타낸다. 특히 있음직하지도 않은 미래의 가정에는 were to ~를 쓴다. 또, 주어의 의지에 관계가 있는 사항이면 would ~를 써서 나타낸다.

기본 문형

ⓐ 만약 은행이 파산한다면 어떻게 할까?
If the bank *were to* fail, what should I do?

ⓑ 만약 다음 일요일에 비가 온다면 모임은 연기하지 않으면 안 될 것이다.
If it *should* rain next Sunday, we should have to put off the party.

ⓒ 가령 네가 일류 대학의 입학 시험에 합격하고 싶다면 훨씬 더 열심히 공부할 필요가 있을 것이다.
If you *would* pass the entrance examination for a first class university, you would have to work much harder.

☞ ⓐ는 거의 있음직하지 않은 것을 전제로 하여 상상하고 있고, ⓑ는 만일에라도 비가 올 가능성이 있음을 고려한 표현. ⓒ는 **you**의 의지를 가정하는 형식.

▶ CF 77.

…하기도 하고 ～하기도 하여
what with … and what with ～.

[해설] 「…하기도 하고 ～하기도 하여, …다 ～다 하여」는 what with … and what with ～로 나타낸다. 이 **what**는 부사로 「어느 정도는」(**partly**)의 뜻이고, **with**는 원인을 나타낸다. 뒷 부분의 what with는 생략해도 된다. 수단을 나타낼 때는 what *by* … and what *by* ～를 쓴다. 또 between을 써서 what between … and ～로 할 때도 있다.

■ 기본 문형 ■

ⓐ 춥기도 하고 굶주리기도 하여 우리는 더 이상 걸을 수 없었다.
What with the cold and (*what with*) hunger, we could not walk any farther.

ⓑ 취하기도 하고 무섭기도 했기 때문에 그녀는 사실에 대해서는 그다지 잘 알고 있지 않았다.
What with drink and fright, she did not know much about the facts.

☞ ⓐ = ***What between*** the cold and hunger, we ～.
ⓑ = She did not know much about the facts ***partly because*** she was drunk and ***partly because*** she was frightened.

▶ CF 78.

～한 채; ～하고 **with + 목적어 + 보어**

[해설] 「～한 채, ～하고, ～하면서」 따위의 우리말을 간단히 영역하는 방법에는 부대상황을 나타내는 with에 목적어를 첨가하고, 그 다음에 그를 설명하는 보어를 취하는 형식이 있다. 이 경우, 목적어는 그 보어에 대해 의미상의 주어가 되고, 보어로는 형용사·분사·부사 또는 구를 사용할 수가 있다.

■ 기본 문형 ■

ⓐ 입을 벌린 채 자는 것이 보기 흉하다
It does not look well to sleep *with your mouth open.*

ⓑ 그는 벽에 기대고 서 있었다.

He stood *with his back against the wall.*

ⓒ 음식을 입에 가득 넣은 채 말을 해서는 안 된다.
Don't speak *with your mouth full.*

ⓓ 나는 눈을 감은 채 그의 이야기를 듣고 있었다.
I was listening to him *with my eyes closed.*

ⓔ 달도 아직 뜨지 않고 칠흙같이 어두운 밤이었다.
It was pitch-dark *with the moon not yet up.*

☞ ⓐ your mouth는 open의 의미상의 주어. **open**은 형용사인 점에 주의.
ⓑ his back은 against the wall의 의미상의 주어. 이 전치사구가 보어.
ⓒ your mouth는 full의 의미상의 주어.
ⓓ my eyes는 closed의 의미상의 주어. 수동적 관계를 나타내므로 과거분사 closed를 쓴다. 「눈이 감겨져 있는 상태로」의 뜻.
ⓔ the moon은 up의 의미상의 주어. not yet는 부사 up을 수식한다.

▶ CF 79.

～할 때마다	**every time** ～
～할 때는 언제든지	**whenever** ～

해설 「～할 때마다」는 every time이 이끄는 부사절로 나타내고, 「～할 때는 언제든지」는 whenever 또는 **any time**이 이끄는 부사절로 나타내면 된다. 다만, 실제로 우리말을 영어로 옮길 때에는 이러한 구별없이 어느 쪽을 써도 되는 경우가 많다.

기본 문형

ⓐ 내가 그를 방문할 때마다 그는 부재중이다.
Every time I visit him, I find him away from home.

ⓑ 그는 여행할 때마다 기분이 상쾌해지고 원기가 왕성하여져 돌아온다.
Every time he makes a journey, he returns home refreshed and in high spirits.

ⓒ 한가하면 언제든지 놀러 오십시오.
Come and see me *any time* you are free.

ⓓ 당신의 형편이 닿는 대로 이 편지에 답장해 주십시오.
Please reply to this letter *whenever* it is convenient to you.

☞ ⓐ every time 전체를 합성 접속사로 생각하고, 이것이 이끄는 절은 때를 나타내는 부사절로 취급한다. whenever를 써도 된다.
ⓑ refreshed and in high spirits는 주격 보어. whenever를 써도 된다.
ⓒ (***at***) any time (***when***) you are free의 생략. 여기서 free는 「(일·약속 따위에) 얽매이지 않은, 한가한」이란 뜻.
ⓓ convenient는 it is convenient to you로 나타내며, you are convenient 라고는 하지 않으니 주의를 요한다.

▶ CF 80.

～하면 할수록 … ～함에 따라 …	**the** +비교급, **the**+비교급

해설 「～하면 할수록 …」은 비례 비교의 일정한 표현을 쓰면 간단해서 좋다. 「～하면 할수록」을 「the+비교급」으로 나타내어 문두에 두고 「그 만큼…」이란 뜻의 주절을 「the+비교급」으로 나타낸다. 여기서 쓰인 the는 모두 부사이다. 주절의 주어가 명사인 경우는 종종 주어와 동사가 도치될 때도 있다. 또 as(～함에 따라)가 이끄는 부사절을 써서 위와 같은 뜻을 나타낼 수도 있다.

■ 기본 문형 ■

ⓐ 먹으면 먹을수록 살찌게 된다.
The more you eat, *the fatter* you become.
ⓑ 돈을 벌면 벌수록 무거운 세금이 과해진다.
The more you earn, *the more heavily* you are taxed.
ⓒ 빠르면 빠를수록 좋다.
The sooner, the better.
ⓓ 급하면 급할수록 돌아가라.
The more haste, *the less* speed.

☞ ⓐ more는 much의 비교급으로 eat를 수식한다. fatter는 fat의 비교급으로 become의 보어.
ⓑ more는 **more money**의 뜻으로 earn의 목적어. the more heavily는 taxed의 수식어.
ⓒ 생략 구문. =The sooner *you come,* the better *it is.*
ⓓ 격언으로 「급하면 급할수록 속도를 늦추어야 한다.」의 뜻. =The more haste *you want to make,* the less speed *you should make.*

▶ CF 81.

～이기 때문에 더 …	**all the**+비교급+**because** ～ 〔**for** ～〕

해설 「～이기 때문에 더 …」는 all the 다음에 비교급을 첨가하고, 절의 경우는 **because**로, 명사의 경우는 **for**로 그 이유를 나타낸다. 「～이지만 그래도(역시)」는 none the less because ～ 〔for ～〕로 나타낸다.

■ 기본 문형 ■

ⓐ 그는 정직하기 때문에 더 사랑을 받는다.
He is loved *all the better for* his honesty.
ⓑ 그에게 결점이 있지만 나는 그를 좋아한다.
I love him *none the less for* his faults.

☞ ⓐ =He is loved *all the better because* he is honest.
ⓑ =I love him *none the less because* he has faults.

▶ CF 82.

～하자마자	**on ～ing** ; **as soon as ～**

해설 「～하자마자」는 on ～ing로 나타내는 것이 가장 간단한

형식이다. 이를 절로 나타내려면 as soon as ~를 쓰면 된다. 이 밖에 **no sooner … than~**, **scarcely** 〔**hardly**〕 … **when** 〔**before**〕~ 의 형식도 쓰이지만 영작문을 작성할 때는 가급적 피하는 것이 좋다.

■ 기본 문형 ■

ⓐ 런던에 도착하자마자 하이드 파크를 구경하러 갔다.
On getting to London, I went to Hyde Park for sightseeing.

ⓑ 부산에 도착하면 곧 전보를 쳐 다오.
Please wire to me *as soon as* you reach Busan.

ⓒ 집을 나서자마자 비가 오기 시작했다.
No sooner had I left home *than* it began to rain.

☞ ⓐ =*As soon as* I got to London, I went to Hyde Park for sightseeing.
ⓑ =Please wire to me *on reaching* Pusan.
ⓒ =*As soon as* I left home, it began to rain.

▶ CF 83.

~뿐만 아니라 …도 **not only ~ but …**

[해설] 「~뿐만 아니라 …도」는 not only ~ but …을 써서 나타낸다. only 대신에 merely를 써도 뜻은 같다. 하여튼 둘 다 동질적인 것을 연결시키는 점에 주의하지 않으면 안 된다.

■ 기본 문형 ■

ⓐ 그의 아버지는 영어뿐만 아니라 프랑스어도 매우 잘 할 수 있다.
His father can speak *not only* English *but* French very well.

ⓑ 학생뿐만 아니라 교수들도 어딘가 잘못이 있다.
Something is wrong with *not only* the students *but* the professors.

ⓒ 그는 정직할 뿐만 아니라 마음이 넓다.
He is *not only* honest *but* broad-minded.

ⓓ 그는 그 여인을 만났을 뿐만 아니라 그녀가 노래 부르는 것도 들었다.
Not only did he see the lady, *but* he heard her sing as well.

ⓔ 당신뿐만 아니라 그에게도 책임이 있다.
Not only you *but* he is responsible for it.

☞ ⓐ =He can speak French ***as well as*** English.
ⓑ =Something is wrong with the professors ***as well as*** the students.
ⓒ =He is ***both*** honest ***and*** broad-minded.
ⓓ =Not only를 문두에 내놓았기 때문에 did를 써서 도치시킨 것이다.
ⓔ 주어(A, B)가 not only A but B로 결합되어 있는 경우 술어 동사는 **B**의 인칭과 수에 일치한다.

▶ CF 84.

…이든지 ~이든지 (여하간에) **whether … or ~**

해설 「…이든지 ~이든지 (여하간에)」라고 양보를 나타내는 표현은 whether … or ~을 쓴다. 「…이든지 아니든지」는 **whether … or not** 로 나타낸다.

■ 기본 문형 ■

ⓐ 비가 오든 개든 나는 내일 출발할 생각이다.
I am to start tomorrow, *whether* it is fine *or* wet.

ⓑ 우리 편이든 적이든 모두 도와 주어야 한다.
We should help them all, *whether* friend *or* enemy.

ⓒ 좋든 싫든 간에 세금은 내지 않으면 안 된다.
Whether you like it *or not,* you should pay the taxes.

ⓓ 좋은 안이든 아니든 간에 우리는 그 계획을 즉시 실행할 필요가 있다.
Whether it is a good idea *or not,* it is necessary for us to put the plan into practice at once.

☞ ⓐ whether it is fine or wet=rain or shine (비가 오든 개든).

ⓑ whether … or ~로 friend와 enemy를 연결한 것. 대조적으로 두 개의 명사를 나열할 때는 무관사.

▶ CF 85.

…든가 ~든가 (어느 한 쪽) **either … or ~**
…도 아니고 ~도 아니다 **neither … nor ~**

해설 양자에 대해서 어느 한 쪽을 선택할 때는 either … or ~의 형식을 쓴다. 양자를 모두 부정할 때는 neither … nor ~를 쓰면 된다. 「양쪽 다」의 뜻일 때는 both를 쓴다. **both** 에 **not**를 붙이면 「양쪽 다 …한 것은 아니다」란 뜻의 부분부정이 되어, either를 써서 긍정문으로 한 것과 뜻이 같아지는 점에 주의를 요한다.

■ 기본 문형 ■

ⓐ 스미스씨든가 부인이든가 어느 한 분은 여기에 오기로 되어 있다.
Either Mr. Smith *or* Mrs. Smith is to come here.

ⓑ 당신은 프랑스어든지 영어든지 어느 하나를 말할 수 있습니까?
Can you speak *either* French *or* English?

ⓒ 그 사람도 나도 그 문제에 대해서는 모른다.
Neither he *nor* I know anything about the matter.

ⓓ 나는 움직일 수도 없었고 소리를 낼 수도 없었다.
I could *neither* move *nor* make any noise.

ⓔ 나는 그 자매를 둘 다 알고 있는 것은 아니다.
I *don't* know *both* of the sisters.

☞ ⓐ either … or ~, neither … nor ~가 주어로 될 때 술어 동사는 뒷 부분의 주어의 인칭과 수에 일치한다.

ⓑ *cf.* I can speak *neither* French *nor* English. (둘 다 말할

수 없다.) / I can speak *both* French *and* English. (둘 다 말할 수 있다.)

ⓒ He does not know anything about the matter, **nor do I.**의 표현이 자주 쓰이는 경향이 있다.

ⓓ neither ... nor~ 는 move와 make를 연결시킨다.

ⓔ =I know *either* of the sisters.

※ either 나 neither 는 단수 취급, both는 복수 취급.

▶ CF 86.

~하기 전에; ~할 때까지 **before ~**

[해설] 「~하기 전에」는 before ~로 나타낸다. 우리말로 「~할 때까지」라고 할 때 「~하기 전에」의 뜻이면 주의하지 않으면 안 된다. 「그가 돌아 올 때까지 기다려라.」의 「까지」는 계속을 나타내므로 **till**을 쓰지만, 「그가 돌아 올 때까지 목욕물을 데워 놓아라.」의 「까지」는 「돌아 오기 전에」의 뜻이므로 before로 나타낸다.

■ 기본 문형 ■

ⓐ 잊어버리기 전에 지금 해 두겠다.
I'll do it now *before* I forget it.

ⓑ 일을 끝마치기 전에 어두워졌다.
It got dark *before* I had finished the work.

ⓒ 졸리기 전에 숙제를 끝마치지 않으면 안 된다.
You must finish your hometask *before* you feel sleepy.

ⓓ 그가 돌아올 때까지 목욕물을 데워 놓아라.
Heat the bath *before* he comes back.

ⓔ 한국을 떠날 때까지 한 번 더 경주를 방문하고 싶다.
I should like to visit Gyeongju again *before* I leave Korea.

☞ ⓑ before절 안에 과거완료를 쓴 것은, 때의 전후 관계를 나타내는 것이 아니고, 완료성을 강조하기 위한 것이다.

ⓓ *cf.* Wait here ***till*** he returns.

ⓔ *cf.* I shall have finished writing this book ***by the time*** I leave Korea.
(한국을 떠날 때까지는 이 책을 다 쓸 것이다.)

▶ CF 87.

~이기 때문이다 **This is because ~**

[해설] 앞 문장의 내용이 주어가 되어 「이것은 ~이기 때문이다」라고 할 때 This is because ~를 쓴다. 이 경우 as나 since는 쓰지 않는다. 한 개의 문장으로 하려면 등위 접속사 **for**를 쓰면 된다.

■ 기본 문형 ■

ⓐ 그는 돈을 벌려고 기를 쓰는데, 그것은 부양 가족이 많기 때문이다.
He is anxious to get money. *This is because* he has a large family to support.

ⓑ 그는 폐암에 걸려 있다. 담배를 많이 피웠기 때문이다.

He is suffering from lung cancer. *This is because* he was a heavy smoker.

☞ ⓐ =He is anxious to get money, **for** he has a large family to support.
ⓑ =He is suffering from lung cancer, **for** he was a heavy smoker.

▶ CF 88.

될 수 있는 한 ~; 가능한 한 ~
as ~ as possible; as ~ as one can

해설 「될 수 있는 한 ~, 가능한 한 ~」은 as ~ as possible 또는 as ~ as one can을 써서 나타낼 수 있다. 또, 「비교급+**than one can help**」로 나타낼 수도 있다.

■ 기본 문형 ■

ⓐ 될 수 있는 한 빨리 오너라.
Come *as* soon *as possible.*
ⓑ 나는 될 수 있는 한 빨리 뛰었다.
I ran *as* fast *as I could.*
ⓒ 될 수 있는 한 옥외에 있는 편이 좋다.
You had better stay in the open air *as* much *as possible.*
ⓓ 될 수 있는 대로 그의 감정을 해치지 않도록 주의하지 않으면 안 된다.
You must be careful to hurt his feelings *as* little *as possible.*
ⓔ 나는 될 수 있는 한 돈을 꾸지 않기로 하고 있다.
I make it a rule to borrow no *more* money *than I can help.*

☞ ⓐ =Come *as* soon *as you can.* 이 as soon as는 「하자마자」란 뜻이 아니다. ⓔ *than I can help* 는 습관적으로 **cannot**의 **not**가 생략된 형태로, **help=avoid** 이므로 「나는 내가 피할 수 없는 이상으로 돈을 꾸지 않기로 하고 있다.」가 문자대로의 뜻. =I make it a rule not to borrow money *if I can help it.*

▶ CF 89.

…하는 사람도 있고, ~하는 사람도 있다
some ..., others~

해설 두 개 있는 가운데서 하나를 one으로 나타내면 나머지 하나는 한정되므로 the other로 나타낸다. 여러 개 있는 것 가운데서 몇 개를 some으로 나타내면 나머지도 복수이므로 the others로 된다. 이들은 모두 일정한 수에 대한 표현이지만, 부정의 수에 대해서는, 부정의 몇 개를 끄집어 내어도 나머지도 부정이므로 some 과 others 를 대조적으로 쓰면 된다. 특히 사람에 대해 「…하는 사람도 있고, ~하는 사람도 있다」라고 할 때는 some과 others가 some people과 other people의 대용으로 많이 쓰인다.

▩ 기본 문형 ▩

ⓐ 나는 개 두 마리가 있다. 한 마리는 희고 나머지 한 마리는 검다.
I have two dogs. *One* is white, and *the other* is black.

ⓑ 이 사과 중 몇 개는 네 몫이고 나머지는 내 몫이다.
Some of these apples are for you, and *the others* for me.

ⓒ 아주 불쾌하게 「예」라고 하는 사람도 있고, 기분 좋게 「아니」라고 말하는 사람도 있다.
Some say "yes" very unpleasantly, and *others* say "no" very pleasantly.

☞ ⓐ 두 마리의 개에 대해서, 임의의 한 마리를 **one**으로 나타냈기 때문에, 나머지는 **the other**로 나타낸다.
ⓑ apples는 복수형이므로 **some**을 빼고 나면, 나머지는 **the others**로 된다.
ⓒ **some people, other people**의 뜻으로 부정수에 대해 쓴다.

▶ CF 90.

일단〔한 번〕~하면	**once ~**

해설 once는 「한 번, 이전에」란 뜻의 부사로 쓰이는 외에 접속사로 「일단 ~하면」이란 뜻으로 쓰이기도 한다.

▩ 기본 문형 ▩

ⓐ 한 번 그를 보면 그의 얼굴은 잊어버리지 않을 것이다
Once you see him, you'll never forget his face.

ⓑ 일단 그 강을 건너 버리면 우리는 안전하다.
Once we cross the river, we are safe.

ⓒ 일단 규칙을 알기만 하면 그는 잘 할 것이다.
Once he understands the rule, he will do it successfully.

ⓓ 시간은 한 번 낭비하면 되돌릴 수가 없다.
Once lost, time cannot be recalled.

☞ ⓐ = **If** you *once* see him, you'll never forget his face.
ⓑ = **As soon as** we cross the river, we are safe.
ⓒ = **If** he *once* understands the rule, he will do it successfully.
ⓓ = **If** time is *once* lost, it cannot be recalled.

▶ CF 91.

…와 ~은 별개이다〔다르다〕	… **one thing, ~ another**

해설 「A와 B는 별개의 것이다」라는 뜻을 나타낼 때 A is different from B.로 해도 좋으나, one thing과 another를 대조시킨 상관 어구로도 나타낼 수 있다.

▩ 기본 문형 ▩

ⓐ 알고 있는 것과 가르치는 것은 별개의 문제이다.
To know is *one thing* ; to teach is *another.*

ⓑ 외국어를 읽는 것과 말하는 것은 전혀 다르다.
To read a foreign language is *one thing* ; to speak it is *another.*

☞ ⓐ =Knowing **is** quite **different from** teaching.
ⓑ =Reading a foreign language **is** quite **different from** speaking it.

4. 수식 어구에 관한 표현

▶ CF 92.

어느새 { **before one is aware of it;** **all too soon**

해설 「어느새」가 「그것을 알아차리기 전에」란 뜻이면 before one is aware of it를 쓴다. 「어느새 봄이 지났다」처럼 「유감스럽게도 빠르다」라는 뜻일 때는 all too soon을 쓴다.

■ 기본 문형 ■

ⓐ 어느 새 어두워졌다.
It has got dark *before I was aware of it.*
ⓑ 오랜 휴가도 어느 새 지났다.
Our long vacation has passed *all too soon.*

☞ ⓐ before I was aware of it 대신 all too soon을 쓰면 너무나 빨리 어두워져서 유감이다라는 감정이 포함된다. 따라서 ⓑ에서는 all too soon이 쓰였다.

▶ CF 93.

~에 비하여 **compared with ~; ... than ~**

해설 「~에 비하여」는 compared with ~, **in comparison with** ~를 쓰는 경우와 than을 써서 나타내는 경우가 있다.

■ 기본 문형 ■

ⓐ 국산차는 외국제 차에 비하여 아직 질이 떨어진다.
Compared with foreign cars, Korean cars are still inferior in quality.
ⓑ 율곡의 지식은 당시의 사람들에 비하여 특이했다.
Yulgog's knowledge was extraordinary *in comparison with* that of his contemporaries.
ⓒ 나에 비해서 여동생 쪽이 훨씬 미인이다.
My sister is much more beautiful *than* I.

☞ ⓐ *compared*는 분사 구문 **being compared**의 **being**이 생략돼 고정된 것. 의미상의 주어는 주절의 주어와 같아야 된다.
ⓑ that는 **the knowledge** 대신 쓰인 지시대명사.
ⓒ 여기서 「비해서」는 *than*을 쓰면 된다. Compared with me, my sister is much more beautiful. 보다 간단해 좋다.

▶ CF 94.

이제는 ~ 않다 **no longer**

해설 「이제는 ~ 않다」는 **not ... any longer** 또는 no longer를 써서 나타낸다. 「더 이상 ~ 않다」는 **no more**를 쓴다.

■ 기본 문형 ■

ⓐ 우주 여행도 이미 환상적인 꿈이 아니다.
A space travel is *no longer* a fantastic dream.

ⓑ 나는 더 이상 그를 기다릴 수가 없었다.
I could *not* wait for him *any longer.*
ⓒ 이제는 의심할 여지가 없다.
There is *no longer* any room for doubt.
ⓓ 이제는 여기에 있을 수 없다.
I ca*n't* stay here *any longer.*

☞ *cf.*「아버지는 이미 여기에 안 계신다.」Father is **no more** here.
「더 이상 그것을 생각하지 마라.」Think **no more** of it.
「더 이상 그녀를 만나지 못했다.」I saw her **no more.**

▶ CF 95.

~ 년만에; ~ 년만의 **after ~ years' absence** (*etc.*)

해설 「~ 년만에; ~ 년만의」는 after ~ years' absence로 나타낸다. absence 대신에 **interval, separation** 따위의 유사한 명사를 쓰는 경우도 있다.

■ 기본 문형 ■

ⓐ 3 년만에 고향의 마을로 돌아왔다.
I returned to my native village *after three years' absence.*
ⓑ 어제는 20 년만에 제인을 만났다.
Yesterday I met Jane *after an interval of twenty years.*
ⓒ 10 년만의 더위이다.
This is the hottest weather *in ten years.*
ⓓ 오래간만이다.
It's a long time since I saw you last.

☞ ⓐ =I returned to my native village where I had not visited ***for three years.***
ⓑ =Yesterday I met Jane whom I had not seen ***for twenty years.***
ⓒ =This is the hottest weather that we have had ***these ten years.***
ⓓ =I haven't seen you ***for a long time.***

▶ CF 96.

처음으로 **for the first time**

해설 「처음으로」는 for the first time으로 나타낸다. 「처음 ~하다」는 the first time to ~의 형태로 나타낼 수 있는 경우가 있다. 「처음에는」은 **at first; at the beginning**으로 나타낸다.

■ 기본 문형 ■

ⓐ 나는 화재가 무섭다는 것을 처음으로 알았다.
I realized *for the first time* how horrible a fire was.
ⓑ 이 곳에 처음으로 왔습니다.
I came here *for the first time.*
ⓒ 그는 처음으로 에베레스트 산을 정복한 한국인이었다.
He was *the first Korean to* conquer Mt. Everest.

ⓓ 내가 연단에 선 것은 이것이 처음이다.
This is the first time that I have ever stood on the platform.

☞ ⓐ =***That was the first time*** for me ***to*** realize how horrible a fire was.
ⓑ =I am a stranger here. / I've never been here before.
ⓒ =He was ***the first Korean that*** conquered Mt. Everest.
ⓓ =I have never stood on the platform before.

▶ CF 97.

반드시 ~라고는 할 수 없다 **not ~ always 〔necessarily〕**

해설 「반드시〔항상〕 ~라고는 할 수 없다」는 부분 부정으로 나타낸다. 영어에는 not에 always나 necessarily를 연관시켜 사용하는 관용적 표현이 있다.

기본 문형

ⓐ 그는 항상 쾌활하다고는 할 수 없다.
He is *not always* cheerful.
ⓑ 선생님의 해답이 반드시 올바르다고는 할 수 없다.
Our teacher's answers are *not always* correct.
ⓒ 그의 말을 언제나 믿는 것은 아니다.
I do*n't always* believe what he says.
ⓓ 재미있는 책이 반드시 좋은 책이라고는 할 수 없다.
An interesting book is *not necessarily* a good book.
ⓔ 그렇다고 해서 반드시 재미있는 책을 읽지 말아야 한다는 것은 아니다.
It does *not necessarily* follow that we should avoid reading an interesting book.

☞ *cf.* ⓐ He is ***never*** cheerful. (그는 항상 쾌활하지 않다.)
ⓑ The answers are ***never*** correct.
(그 해답은 결코 올바르지 않다.)
ⓒ I ***never*** believe what he says.
(나는 그가 말하는 것을 항상 믿지 않는다.)
ⓓ An interesting book is ***never*** a good book.
(재미있는 책은 결코 좋은 책이 아니다.)

▶ CF 98.

모두가 다 ~은 아니다 **not ~ all 〔every〕**

해설 「모두가 다 ~은 아니다」는 부분 부정으로, 영어에서는 all이나 every가 not와 관련되면 이 뜻을 나타나게 된다.

기본 문형

ⓐ 빛나는 것이 모두 금은 아니다.
All is *not* gold that glitters.
ⓑ 책이라고 모두 유익한 것은 아니다.
All books are *not* instructive.
ⓒ 나는 매일 목욕하지는 않는다.
I do *not* take a bath *every* day.

ⓓ 한국 신사가 모두 영어를 할 수 있다고는 할 수 없다.
Every Korean gentleman can*not* speak English.
ⓔ 이것을 너에게 전부 주지는 않겠다.
I'll *not* give you *all* of this.

☞ *cf.* ⓐ ***None*** are gold that glitter. (빛나는 것은 모두 금이 아니다.)
ⓑ ***No*** books are instructive.
(책은 하나도 유익한 것이 없다.)
ⓒ I ***never*** take a bath. (나는 결코 목욕하지 않는다.)
ⓓ ***No*** Korean gentleman can speak English.
(한국 신사는 아무도 영어를 할 수 있는 사람이 없다.)
ⓔ I'll give you ***none*** of this. (너에게 하나도 안 주겠다.)

▶ CF 99.

거의〔좀처럼, 결코〕~하지 않다　**hardly〔seldom; never〕**

해설 「거의〔좀처럼, 결코〕~하지 않다」란 부정의 표현은 hardly, scarcely, rarely, seldom, never로 나타낸다.

기본 문형

ⓐ 나는 책을 읽을 시간이 거의 없다.
I have *hardly* time to read.
ⓑ 그것을 믿을 사람은 거의 없을 것이다.
Scarcely anyone will believe it.
ⓒ 그런 대지진은 지금은 좀처럼 일어나지 않는다.
Such a big earthquake *rarely* happens now.
ⓓ 그는 좀처럼 예배보러 가지 않는다.
He *seldom* goes to church.
ⓔ 그는 결코 거짓말을 하지 않는다.
He *never* tells a lie.

☞ ⓐ *hardly*는 최저선에 가까워 거의 여유가 없음을 나타낼 때 쓴다.
ⓑ *scarcely* 는 거의 무에 가깝거나, 있다손 치더라도 거의 소용 없을 정도라는 뜻을 나타낼 때 쓴다.
ⓒ, ⓓ *rarely* 와 *seldom* 은, 극히 드물게밖에는 없음을 나타내고, 사실상 좀처럼 없음을 나타낸다.
ⓔ *never* 는 결코 있을 수 없음을 나타내는 강한 뜻의 말.

▶ CF 100.

점점 ~되다　비교급+**and**+비교급

해설 「점점」과 같은 표현은 비교급을 겹쳐 and로 연결시킨 형식을 쓴다.

기본 문형

ⓐ 가을이 되면 낮이 점점 짧아진다.
In autumn the days are getting *shorter and shorter.*
ⓑ 그녀는 점점 살찌는 것 같다.
She seems to grow *fatter and fatter.*

☞ **get, grow, become** 따위의 동사와 함께 쓰이는 경우가 많다.

부 록

(1~3 및 5는 출제 빈도가 높은 말을 추린 것.)

1. 발음이 틀리기 쉬운 단어

Ⅰ. 묵음자(Silent Letter)를 포함한 것

〔**b**〕 bom*b* [bɑm / bɔm] com*b* [koum] tom*b* [tu:m]
〔**c**〕 mus*c*le [mʌ́sl] s*c*issors [sízə*r*z]
〔**h**〕 fore*h*ead [fɔ́(:)rid, fɔ́:*r*hèd] *h*eir [ɛə*r*] shep*h*erd [ʃépə*r*d]
〔**l**〕 pa*l*m [pɑ:m] psa*l*m [sɑ:m] sa*l*mon [sǽmən]
〔**n**〕 autum*n* [ɔ́:təm] condem*n* [kəndém]
〔**p**〕 cor*p*s [kɔ:*r* (*pl.* kɔ:*r*z)] recei*p*t [risí:t]
〔**s**〕 ai*s*le [ail] i*s*land [áilənd]
〔**w**〕 ans*w*er [ǽnsə*r* / ɑ́:nsə] s*w*ord [sɔ:*r*d]

Ⅱ. 철자에 구애되어 발음이 틀리기 쉬운 것

〔**au**〕 [ɔ:] c*au*se [kɔ:z] f*au*lt [fɔ:lt]
[æ] dr*au*ght [dræft / drɑ:ft] l*au*gh [læf / lɑ:f]
〔**aw**〕 [ɔ:] d*aw*n [dɔ:n] dr*aw*n [drɔ:n]
〔**ch**〕 [k] ar*ch*itect [ɑ́:*r*kətèkt] epo*ch* [épək / í:pɔk]
[ʃ] mousta*ch*e [məstǽʃ / məstɑ́:ʃ]
[tʃ] spina*ch* [spínitʃ / -nidʒ]
〔**e**〕 [i:] d*e*cent [dí:sənt] *e*qual [í:kwəl] pr*e*vious [prí:viəs] sch*e*me [ski:m]
〔**ea**〕 [e] br*ea*th [breθ] (*cf.* br*ea*the [bri:ð])
l*ea*d (납) [led] (*cf.* l*ea*d (인도하다) [li:d])
sw*ea*t [swet] (*cf.* st*ea*l [sti:l]) w*ea*pon [wépən]
〔**ear**〕 [ə:*r*] h*ear*d [hə:*r*d] l*ear*n [lə:*r*n]
[ɑ:*r*] h*ear*t [hɑ:*r*t] h*ear*th [hɑ:*r*θ]
[ɛə*r*] t*ear* (찢다) [tɛə*r*] w*ear* [wɛə*r*]
[iə*r*] b*ear*d [biə*r*d] t*ear* (눈물) [tiə*r*]
〔**o**〕 [ou] *o*nly [óunli] p*o*st [poust]
[ʌ] fr*o*nt [frʌnt] gl*o*ve [glʌv] st*o*mach [stʌ́mək] t*o*ngue [tʌŋ]
[u] b*o*som [búzəm]
〔**oo**〕 [u:] f*oo*d [fu:d] sm*oo*th [smu:ð]
[u] h*oo*d [hud] w*oo*l [wul]
[ou] br*oo*ch [broutʃ]
〔**ou**〕 [au] c*ou*ch [kautʃ] f*ou*l [faul]
[ʌ] c*ou*ntry [kʌ́ntri] (*cf.* c*ou*nty [káunti]) s*ou*thern [sʌ́ðə*r*n]
〔**ough**〕 [ʌf] en*ough* [inʌ́f] r*ough* [rʌf] t*ough* [tʌf]
[ɔ:f] c*ough* [kɔ:f / kɔf] tr*ough* [trɔ:f / trɔf]
[ʌp] hicc*ough* (=hiccup) [híkʌp]
[au] b*ough* [bau] pl*ough* [plau]
〔**s**〕 [s] as*s*ume [əsú:m / əs*j*ú:m] do*s*e [dous]

[z] clum*s*y [klʌ́mzi] crim*s*on [krímzn] di*s*mal [dízməl]
lo*s*e [lu:z] / loo*s*e [lu:s]   u*s*e ⓓ [ju:z] / u*s*e ⓜ [ju:s]

〔**u**〕 [ʌ] p*u*nish [pʌ́niʃ]
[e] b*u*ry [béri]
[u] p*u*lpit [púlpit]

Ⅲ. 품사나 어형 변화에 따라 바뀌는 것

① admire [ədmáiər] — admirable [ǽdmərəbəl]
apply [əplái] — applicable [ǽplikəbəl]
② democrat [déməkræ̀t] — democracy [dimɑ́krəsi / -mɔ́k-]
— democratic [dèməkrǽtik]
photograph [fóutəgræ̀f / -grɑ̀:f] — photography [fətɑ́grəfi / -tɔ́g-]
— photographic [fòutəgrǽfik]
③ exhibit [igzíbit] — exhibition [èksəbíʃən]
luxury [lʌ́kʃəri] — luxurious [lʌgʒúəriəs / lʌgzjúə-]
④ famous [féiməs] — infamous [ínfəməs]
pious [páiəs] — impious [ímpiəs]
⑤ cavalry [kǽvəlri] — cavalier [kæ̀vəlíər]
employer [implɔ́iər] — employee [implɔ́ii:, èmplɔií:]

Ⅳ. 기 타

abr*oa*d [əbrɔ́:d]	all*ow* [əláu]	bl*oo*d [blʌd]
br*ow* [brau]	co*l*onel [kə́:rnl]	c*ou*ntry [kʌ́ntri]
co*s*mos [kɑ́zməs / kɔ́zmɔs]		d*o*ve [dʌv]
fat*i*gue [fətí:g]	fr*ei*ght [freit]	gu*i*lt [gilt]
h*ei*ght [hait]	k*now*ledge [nɑ́lidʒ / nɔ́l-]	
l*ei*sure [lí:ʒər / léʒə]	l*eo*pard [lépərd]	l*i*vely [láivli]
ma*ch*ine [məʃí:n]	*o*ccur [əkə́:r]	*ow*l [aul]
parl*ia*ment [pɑ́:rləmənt]		p*ea*sant [pézənt]
pref*a*ce [préfis]	q*ua*y [ki:]	rec*i*p*e* [résəpi]
rout*i*ne [ru:tí:n]	s*ew* [sou]	s*oa*p [soup]
s*ou*p [su:p]	st*ea*k [steik]	sw*ea*t [swet]
t*o*ngue [tʌŋ]	w*o*m*e*n [wímin, -mən]	

2. 철자가 틀리기 쉬운 단어

Ⅰ. 품사에 따라 철자, 특히 모음자가 바뀌는 것

advi*c*e ⓜ / advi*s*e ⓓ	arg*ue* / arg*u*ment	behav*e* / behav*i*or	day, d*ai*ly / d*ia*ry
devi*c*e ⓜ / devi*s*e ⓓ	excel / excel*l*ent	f*ire* / f*iery*	f*ou*r, f*ou*rth / f*o*rty, f*ou*rteen
happ*y* / happ*i*ness	h*i*gh / h*ei*ght	li*e* / li*ar*	maint*ai*n / maint*e*nance
monst*er* / monst*r*ous	nine, *nin*th / ninet*ee*n, / nin*e*ty	pron*ou*nce / pron*u*nciation	

{prophe*c*y ㊔ {rememb*er* {tr*ue*, tr*u*ly
{prophe*s*y ㊐ {remembr*ance* {tr*u*th

Ⅱ. **-ar, -er, -or**이 붙는 단어

모두 행위자(～하는 사람)를 나타내는 접미사인데, -er을 취하는 말이 가장 많고, -ar과 -or을 취하는 말은 그 수가 한정되어 있다.

1. **-ar**

beggar, burgl*ar*, li*ar*, schol*ar*

이 외에 행위자를 나타내는 말은 없으나, calend*ar*, cig*ar*, gramm*ar*, particul*ar* 따위의 -ar의 철자에 주의.

2. **-or**

ancest*or*, auth*or*, bachel*or*, conduct*or*, creat*or*, direct*or*, doct*or*, edit*or*, govern*or*, inspect*or*, profess*or*, success*or*, visit*or*

3. **-er**

buy*er*, compos*er*, consum*er*, discover*er*, philosoph*er*, writ*er*

이 밖에도 -er은 각종 동사에 붙어서 행위자를 나타내는 명사를 만든다.

Ⅲ. **ei**와 **ie**를 포함하는 단어

ei와 ie가 [iː]로 발음되는 것은 철자를 혼동하기 쉬운데, ei는 *s* 또는 *c* 뒤에 오는 경우가 많다.

1. **ei :** c*ei*ling, conc*ei*ve (conc*ei*t), dec*ei*ve (dec*ei*t), perc*ei*ve, rec*ei*ve (rec*ei*pt), s*ei*ze (s*ei*zure)
2. **ie :** ach*ie*ve, bel*ie*ve, br*ie*f, ch*ie*f, f*ie*ld, gr*ie*ve, n*ie*ce, p*ie*ce, s*ie*ge, th*ie*f

Ⅳ. 철자가 중복되는 것

ac*c*om*m*odate	ad*d*ress	an*n*ounce
ap*p*ear	ap*p*roach	as*s*embly
as*s*istant	com*m*and	com*m*it*t*ee
com*m*on	cor*r*espondent	cur*r*ent
des*s*ert	ef*f*ort	embar*r*as*s*ment
exag*g*erate	im*m*ediate	im*m*igrant ((*cf.* e*m*igrant))
ir*r*itate	lug*g*age	mir*r*or
neces*s*ary	oc*c*upy	op*p*ortunity
op*p*ose	pos*s*es*s*ion	profes*s*or
quar*r*el	recom*m*end	satel*l*ite
scis*s*ors	strug*g*le	suc*c*es*s*
suf*f*icient	ten*n*is	tobac*c*o
tomor*r*ow	tyran*n*y	vil*l*age

이 밖에 「단모음＋단자음」으로 끝나고, 그 음절에 악센트가 있는 동사·형용사의 어형 변화에서는 자음을 거듭함에 주의하라.

stop — stop*p*ed — stop*p*ing　　omit — omit*t*ed — omit*t*ing
hot — hot*t*er — hot*t*est　　thin — thin*n*er — thin*n*est

Ⅴ. 기 타

anc*ie*nt	anx*ie*ty	appear*a*nce	b*icy*cle
b*uo*y	con*sc*ience	de*sc*end	des*ig*n
dis*c*ipline	er*r*on*eou*s	etique*tte*	for*eign*
fr*ie*nd	j*ea*lous	l*ei*sure	medi*cine*
ne*ph*ew	oc*c*ur*r*ence	privile*g*e	r*ei*gn
rest*au*rant	s*ch*edule	s*c*ience	sep*a*rate
sold*ier*	s*ui*cide	y*ach*t	

3. 혼동하기 쉬운 단어 일람

다음은 꼴이 비슷하여 우리가 평상시 그 용법을 틀리기 쉬운 것을 비교하여 보여 주고 있다. 한 번 읽어 보면 발음·철자·뜻 따위를 잘못 알고 있던 것이 있음을 알 것이다.

adapt [ədǽpt] *v.* 적합시키다
adopt [ədάpt] *v.* 채용하다

advice [ədváis] *n.* 충고
advise [ədváiz] *v.* 충고하다

affect [əfékt] *v.* 영향을 주다
effect [ifékt] *n.* 결과 *v.* 초래하다, 성취하다

affection [əfékʃən] *n.* 애정
affectation [æ̀fektéiʃən] *n.* ~체함, 짐짓 꾸밈

altar [ɔ́:ltər] *n.* 제단
alter [ɔ́:ltər] *v.* 변경하다

arrow [ǽrou] *n.* 화살
allow [əláu] *v.* 허용하다

bath [bæθ / bɑ:θ] *n.* 목욕 *v.* 목욕하다
bathe [beið] *v.* 미역감다 *n.* 미역감기

beside [bisáid] *prep.* ~ 옆에
besides [bisáidz] *prep.* ~ 외에 *ad.* 그 밖에

blood [blʌd] *n.* 피
brood [bru:d] *v.* 알을 품다 *n.* 한배 병아리

blow [blou] *v.* 불다 *n.* 강타
brow [brau] *n.* 눈썹

break [breik] *v.* 깨다 *n.* 깨짐
bleak [bli:k] *a.* 황폐한
brake [breik] *n.* 제동기 *v.* 브레이크를 걸다

breath [breθ] *n.* 숨
breathe [bri:ð] *v.* 숨쉬다

capital [kǽpətl] *n.* 자본
Capitol [kǽpətl] *n.* 〖미〗 국회 의사당

career [kəríər] *n.* 경력 *v.* 질주하다
carrier [kǽriər] *n.* 운반인

certain [sə́:rtn] *a.* 확실한
curtain [kə́:rtən] *n.* 막

clean [kli:n] *a.* 깨끗한 *ad.* 깨끗이 *v.* 깨끗이 하다
cleanly [klí:nli] *ad.* 깨끗이
cleanly [klénli] *a.* 깨끗한
cleanse [klenz] *v.* 깨끗이 하다

cloth [klɔ:θ] *n.* 천
cloths [klɔðz, klɔθs] *n.* cloth의 복수
clothe [klouð] *v.* 입히다
clothes [klouz, klouð] *n.* 옷

coarse [kɔ:rs] *a.* 거친
course [kɔ:rs] *n.* 진로

color [kʌ́lər] *n.* 색 *v.* 채색하다
collar [kάlər / kɔ́-] *n.* 깃 *v.* 목덜미를 잡다

command [kəmǽnd / -mά:nd] *n.* 명령 *v.* 명령하다
commend [kəménd] *v.* 권하다
commence [kəméns] *v.* 시작하다〔되다〕

complement [kάmpləmənt] *n.* 보어, 보충
compliment [kάmpləmənt] *n.* 칭찬

consent [kənsént] *n.* 동의 *v.* 동의하다
contend [kənténd] *v.* 다투다
content [kəntént] *v.* 만족시키다 *n.* 만족 *a.* 만족한

corps [단수 kɔːr, 복수 kɔːrz] *n.* 군단, 단체
corpse [kɔːrps] *n.* 시체

council [káunsəl] *n.* 회의
counsel [káunsəl] *n.* 상담 *v.* 충고하다

country [kʌ́ntri] *n.* 나라
county [káunti] *n.* 〖영〗 주; 〖미〗 군(郡)

credible [krédəbəl] *a.* 신용할 수 있는
creditable [krédətəbəl] *a.* 칭찬 할 만한
credulous [krédʒələs] *a.* 잘 믿는, 잘 속는

daily [déili] *a.* 매일의 *ad.* 매일
dairy [dɛ́əri] *n.* 착유장
diary [dáiəri] *n.* 일기

daring [dɛ́əriŋ] *a.* 대담한 *n.* 대담
darling [dɑ́ːrliŋ] *a.* 귀여운 *n.* 귀여운 사람

decent [díːsənt] *a.* 예의 바른
descent [disént] *n.* 하강

desert [dézərt] *n.* 사막
desert [dizə́ːrt] *n.* 공적 *v.* 버리다
dessert [dizə́ːrt] *n.* 디저트

differ [dífər] *v.* 다르다
defer [difə́ːr] *v.* 연기하다

difference [dífərəns] *n.* 상위
deference [défərəns] *n.* 존경

disease [dizíːz] *n.* 병
decease [disíːs] *n.* 사망

down [daun] *ad.* 아래로
dawn [dɔːn] *n.* 새벽 *v.* 날이 새다

draught [dræft] *n.* 한 모금
drought [draut] *n.* 가뭄

dyeing [dáiiŋ]<dye 물들이다
dying [dáiiŋ]<die 죽는

eminent [émənənt] *a.* 저명한
imminent [ímənənt] *a.* 절박한

employer [implɔ́iər] *n.* 고용주
employee [implɔ́iiː] *n.* 고용인

envelop [invéləp] *v.* 봉하다
envelope [énvəloup] *n.* 봉투

enviable [énviəbəl] *a.* 부러운
envious [énviəs] *a.* 부러워하는

expand [ikspǽnd] *v.* 확대하다
expend [ikspénd] *v.* 소비하다

fragment [frǽgmənt] *n.* 파편
fragrant [fréigrənt] *a.* 향기로운
flagrant [fléigrənt] *a.* 극악한

gaol [dʒeil] *n.* 감옥 *v.* 투옥하다
goal [goul] *n.* 결승점

gentle [dʒéntl] *a.* 온순한
genteel [dʒentíːl] *a.* 양가의

globe [gloub] *n.* 지구(의)
grove [grouv] *n.* 작은 숲
glove [glʌv] *n.* 장갑

hanged [hǽŋd] *v.* hang(교수형에 처하다)의 과거·과거 분사
hung [hʌŋ] *v.* hang(걸다)의 과거·과거 분사

haven [héivən] *n.* 항구
heaven [hévən] *n.* 하늘

human [hjúːmən] *a.* 인간의
humane [hjuːméin] *a.* 자비로운

industrial [indʌ́striəl] *a.* 산업의
industrious [indʌ́striəs] *a.* 근면한

inflection [inflékʃən] *n.* 굴절
infliction [inflíkʃən] *n.* 처벌

ingenious [indʒíːnjəs] *a.* 재간 있는
ingenuous [indʒénjuəs] *a.* 솔직한

interpret [intə́ːrprit] *v.* 통역하다
interrupt [ìntərʌ́pt] *v.* 가로막다

literary [lítərèri] *a.* 문학의
literally [lítərəli] *ad.* 문자 그대로

lose [luːz] *v.* 잃다
loose [luːs] *a.* 헐거운 *v.* 놓아주다

ludicrous [lúːdəkrəs] *a.* 익살스러운
ridiculous [ridíkjələs] *a.* 우스운, 어이없는

mediate [míːdièit] *v.* 중재하다
meditate [médətèit] *v.* 숙고하다

memorable [mémərəbəl] *a.* 기억할 수 있는
memorial [məmɔ́ːriəl] *a.* 기념의

morn [mɔːrn] *n.* 아침
mourn [mɔːrn] *v.* 슬퍼하다, 애도하다

needful [níːdful] *a.* 필요한
needy [níːdi] *a.* 가난한

odious [óudiəs] *a.* 싫은
odorous [óudərəs] *a.* 향기로운

odor [óudər] *n.* 향
order [ɔ́ːrdər] *n.* 명령 *v.* 명하다

participle [páːrtisìpl] *n.* 분사
particle [páːrtikl] *n.* 분자

physic [fízik] *n.* 의술
physique [fizíːk] *n.* 체격
physics [fíziks] *n.* 물리학

poplar [páplər] *n.* 포플러
popular [pápjələr] *a.* 통속의

preposition [prèpəzíʃən] *n.* 전치사
proposition [pràpəzíʃən] *n.* 제안

prince [prins] *n.* 왕자
princes [prínsiz] *n.* prince의 복수
princess [prínses] *n.* 공주
princesses [prínsesiz] *n.* princess의 복수

principal [prínsəpəl] *a.* 주요한
principle [prínsəpəl] *n.* 주의, 원칙

quit [kwit] *v.* 그치다
quite [kwait] *ad.* 아주
quiet [kwáiət] *a.* 조용한 *v.* 진정시키다, 조용해지다

reality [riǽləti] *n.* 진실
realty [ríː(ː)əlti] *n.* 부동산

respectable [rispéktəbəl] *a.* 존경할 만한
respectful [rispéktfəl] *a.* 공손한
respective [rispéktiv] *a.* 각각의

revolution [rèvəlúːʃən] *n.* 혁명
evolution [èvəlúːʃən] *n.* 진화

seize [siːz] *v.* 붙잡다
siege [siːdʒ] *n.* 포위

sensible [sénsəbəl] *a.* 분별 있는
sensitive [sénsətiv] *a.* 민감한

sensual [sénʃuəl] *a.* 관능적인
sensuous [sénʃuəs] *a.* 감각적인

sever [sévər] *v.* 절단하다
severe [səvíər] *a.* 엄한

sparrow [spǽrou] *n.* 참새
swallow [swálou] *n.* 제비 *v.* 삼키다

stationary [stéiʃənèri] *a.* 정지된
stationery [stéiʃənèri] *n.* 문방구

statue [stǽtʃuː] *n.* 상(像)
stature [stǽtʃər] *n.* 키

straight [streit] *a.* 똑바른
strait [streit] *a.* 좁은 *n.* 해협

study [stʌ́di] *n.* 연구, 서재 *v.* 공부하다
sturdy [stə́ːrdi] *a.* 튼튼한
studio [stjúːdiòu] *n.* 화실, 촬영실

successful [səksésfəl] *a.* 성공한
successive [səksésiv] *a.* 연속의

surgeon [sə́ːrdʒən] *n.* 외과의, 군의관
sergeant [sáːrdʒənt] *n.* 하사관

sweet [swiːt] *a.* 단 *n.* 단맛
sweat [swet] *n.* 땀 *v.* 땀을 흘리다

unit [júːnit] *n.* 단위
unite [juːnáit] *v.* 결합하다

vacation [veikéiʃən] *n.* 휴가
vocation [voukéiʃən] *n.* 직업

vague [veig] *a.* 막연한
vogue [voug] *n.* 유행

vain [vein] *a.* 헛된
vane [vein] *n.* 바람개비
vein [vein] *n.* 정맥, 광맥

warn [wɔːrn] *v.* 경계하다
worn [wɔːrn] *v.* wear의 과거 분사

wildness [wáildnis] *n.* 야생
wilderness [wíldərnis] *n.* 황야

wonder [wʌ́ndər] *n.* 경이 *v.* 놀라다
wander [wándər] *v.* 헤매다

4. 미어와 영어의 차이

영어와 미어는 다 같이 English이므로 본질적으로는 다르지 않으나, 영어와 미어를 비교해 보면 세부적인 점에서는 약간의 차이가 있다. 이 중 주요한 것을 들어 보기로 한다. 물론 이것은 절대적인 것은 아니다.

Ⅰ. 발음(**Pronunciation**)

(A) a. 모음 (Vowels)

[f] [s] [l] [n] 따위의 앞에 있는 'a'를 보통 미국에서는 [æ], 영국에서는 [ɑː]로 발음한다.

	〖미〗	〖영〗		〖미〗	〖영〗
	[æ]	[ɑː]		[i]	[ai]
ask	æsk	ɑːsk	hostile	hástil	hɔ́stail
class	klæs	klɑːs	organization		
half	hæf	hɑːf		ɔ̀ːrgənizéiʃən	ɔ̀ːrgənaizéiʃən

일반적으로 미국음에서는 [r] 앞의 [ə]는 빼며, [r]을 포함한 영국음의 이중 모음은 미국에서는 장음으로 발음되는 경향이 있다.

	[ɛ(ː), e(ː)]	[ɛə]		[u(ː)]	[uə]
fairy(요정)	fɛ́ːri	fɛ́əri	curious	kjú(ː)riəs	kjúəriəs
various	vɛ́(ː)riəs	vɛ́əriəs	during	djú(ː)riŋ	djúəriŋ
	[i(ː)]	[iə]		[ɑ]	[ɔ]
experience			college	kálidʒ	kɔ́lidʒ
	ikspí(ː)riəns	ikspíəriəns	hot	hɑt	hɔt
period	pí(ː)riəd	píəriəd	stop	stɑp	stɔp
	[əː]	[ʌ]		[uː]	[juː]
courage	kə́ːridʒ	kʌ́ridʒ	duty	djúːti	djúːti

current	kə́:rənt	kʌ́rənt
new	nju:	nju:

b. 자음(Consonants)

[r]——미국에서는 자음 앞이나 어미에서 [r]이 가볍게 발음된다.

	〔미〕	〔영〕
door	dɔ:*r*	dɔ:
floor	flɔ:*r*	flɔ:
paper	péipə*r*	péipə
part	pɑ:*r*t	pɑ:t
score	skɔ:*r*	skɔ:

	〔미〕	〔영〕
	[*h*w]	[w]
what	*h*wɑt	wɔt
where	*h*wɛə	wɛə
white	*h*wait	wait

(B) 영어와 미어에서 Accent의 위치가 다른 것이 있다.

	〔미〕	〔영〕
advertisement	æ̀dvə*r*táizmənt	ədvə́:tismənt
laboratory	lǽbərətɔ̀:ri	ləbɔ́rət*ə*ri

(C) 또, 발음이 전연 다른 것도 있다.

	〔미〕	〔영〕
either	í:ðə*r*	áiðə
figure	fígjə*r*	fígə
massage	məsɑ́:ʒ	mǽsɑ:ʒ

	〔미〕	〔영〕
nephew	néfju(:)	névju(:)
schedule	skédʒu(:)l	ʃédju:l

Ⅱ. 철자(**Spelling**)

일반적으로 미국식 Spelling이 합리화되어 있으며, 또 간략하게 되어 있다.

〔미〕	〔영〕
(1) **-or**	**-our**
color	colour
humor	humour
labor	labour
neighbor-hood	neighbour-hood
rumor	rumour
(2) **-er**	**-re**
center	centre
meter	metre
theater	theatre
(3) 단자음자	중자음자
traveler	traveller
wagon	waggon

(4) 미어에서는 중자음, 영어에서는 단자음으로 쓰는 것.

fulfill	fulfil
skillful	skilful

(5) 미식에서는 어미 따위에 있는 **e**를 생략한다.

ax	axe
goodby	good-bye

(6) 외래어의 발음되지 않는 어미는 미국에서는 생략한다.

〔미〕	〔영〕
catalog	catalogue
cigaret	cigarette
program	programme

(7) silent letters는 미국에서는 생략되는 수가 많다.

judgment	judgement
mold	mould
mustache	moustache
(8) **-nse**	**-nce**
defense	defence
offense	offence
(9) **-ize**	**-ise**
-ization	**-isation**
civilization	civilisation
realize	realise
sympathize	sympathise

(10) 미어에서는 **hyphen**을 생략하는 수가 많다.

goodby	good-bye
prewar	pre-war
(11) **e**	**ae, ee**
encyclo-pedia	encyclo-paedia
employe	employee

(12) 기 타

check	cheque
draft	draught
inquire	enquire
naught	nought
plow	plough

Ⅲ. 용어(**Vocabulary**)

〖미〗	〖영〗
airplane	aeroplane
apartment(아파트)	flat
baggage	luggage
bill(지폐)	note
billion	thousand millions
box office	booking-office
bucket(바께쓰)	pail
campaign	electioneering
can(깡통)	tin
candy(사탕)	sweet
cane	stick
check baggage	book luggage
conductor(차장)	guard
corn	maize
cracker	biscuit
drugstore	chemist's shop
editorial(사설)	leader
elevator	lift
fall	autumn
fan(팬)	enthusiast
freight train	goods train
gasoline	petrol
get along(살아 가다)	get on
grade(학급)	form
hurry up	make haste
locomotive	engine
mail	post
mailbox	pillar-box

〖미〗	〖영〗
motorman	driver
oatmeal(오트밀)	porridge
O.K.	All right
on the street	in the street
package(소포)	parcel
peanuts	monkey nuts
pie(파이)	tart
pitcher(주전자)	jug
plant(공장)	works
radio(라디오)	wireless
railroad	railway
saloon(술집)	public house
schedule	timetable
second floor	first floor
(first floor	ground floor)
Secretary(장관)	Minister
shoe polish	bootpolish
sidewalk(보도)	pavement
special delivery(속달)	express delivery
stock(주)	share
store	shop
streetcar	tramcar
subway(지하철)	tube
suspenders(바지 멜빵)	braces
trillion(조)	billion
vest(조끼)	waistcoat
walk out	go on strike

5. 주요 반의어

Ⅰ. 형용사의 반의어

abstract (추상적인)	↔ concrete (구체적인)
affirmative (긍정적인)	↔ negative (부정적인)
arctic (북극의)	↔ antarctic (남극의)
bitter (쓴)	↔ sweet (단)
complex (복잡한)	↔ simple (단순한)
conservative (보수적인)	↔ progressive (진보적인)
familiar (친숙한)	↔ strange (낯선)
friendly (친한)	↔ hostile (적의 있는)
heavy (무거운)	↔ light (가벼운)
innocent (무죄의)	↔ guilty (유죄의)

interior (내부의) ↔ exterior (외부의)
natural (자연의) ↔ artificial (인공의)
noble (고상한) ↔ base (천한)
normal (보통의) ↔ abnormal (이상한)
obscure (애매한) ↔ clear (또렷한)
Oriental (동양의) ↔ Occidental (서양의)
public (공공의) ↔ private (개인의)
right (바른) ↔ wrong (그른)
rural (시골의) ↔ urban (도시의)
sharp (예리한) ↔ dull (무딘)
smooth (매끄러운) ↔ rough (거친)
special (특별한) ↔ general (일반의)
subjective (주관적인) ↔ objective (객관적인)
superior (뛰어난) ↔ inferior (열등한)
vague (막연한) ↔ distinct (명확한)
wet (젖은) ↔ dry (마른)

Ⅱ. 동사의 반의어

accept (받아들이다) ↔ refuse (거절하다)
affirm (긍정하다) ↔ deny (부정하다)
ascend (올라가다) ↔ descend (내려가다)
ask (묻다) ↔ answer (답하다)
conceal (숨기다) ↔ reveal (드러내다)
expire (숨을 내쉬다) ↔ inspire (숨을 들이쉬다)
include (포함하다) ↔ exclude (제외하다)
increase (증가하다) ↔ decrease (감소하다)
lose (잃다) ↔ gain (얻다)
open (열다) ↔ shut (닫다)
praise (칭찬하다) ↔ blame (비난하다)
push (밀다) ↔ pull (끌다)
remember (기억하다) ↔ forget (잊다)
respect (존경하다) ↔ despise (경멸하다)
succeed (성공하다) ↔ fail (실패하다)

Ⅲ. 명사의 반의어

analysis (분석) ↔ synthesis (종합)
attack (공격) ↔ defense (방어)
bravery (용감) ↔ cowardice (비겁)
care (주의) ↔ neglect (태만)
harm (해) ↔ benefit (은혜)
joy (기쁨) ↔ sorrow (슬픔)
knowledge (지식) ↔ ignorance (무지)
majority (대부분) ↔ minority (소수)
maximum (최대한) ↔ minimum (최소한)
optimist (낙천가) ↔ pessimist (염세가)
success (성공) ↔ failure (실패)
sympathy (동정) ↔ antipathy (반감)
theory (이론) ↔ practice (실제)
vice (악덕) ↔ virtue (미덕)
victory (승리) ↔ defeat (패배)

wealth (부) ↔ poverty (빈궁)

Ⅳ. 부사의 반의어

back (뒤로) ↔ forth (앞으로)
early (일찍) ↔ late (늦게)
frequently (자주) ↔ rarely (드물게)
often (종종, 흔히) ↔ seldom (좀처럼)
outside (밖으로) ↔ inside (안으로)

6. 형용사의 비교 변화

Ⅰ. 규칙 변화

〔**A**〕 1음절어 및 소수의 2음절어에서는 비교급(Comparative Degree)에 -er, 최상급(Superlative Degree)에 -est를 붙인다.

cold — cold*er* — cold*est* small — small*er* — small*est*
narrow — narrow*er* — narrow*est*
handsome — handsom*er* — handsom*est*

〔주〕 ① -e로 끝나는 말에는 -r, -st만을 붙인다.
close — close*r* — close*st* wise — wise*r* — wise*st*
② 「단모음+단자음」으로 끝나는 것은 그 자음자를 겹친다.
big — big*ger* — big*gest* hot — hot*ter* — hot*test*
③ 「자음자+y」로 끝나는 것은 y를 i로 고치고 -er, -est를 붙인다.
dry — dr*ier* — dr*iest* easy — eas*ier* — eas*iest*
「모음자+y」의 경우에는 그대로
gay — gay*er* — gay*est*

〔**B**〕 대부분의 2음절어 및 3음절 이상의 말에는 비교급에 more, 최상급에는 most를 쓴다.

careful — *more* careful — *most* careful
famous — *more* famous — *most* famous
charming — *more* charming — *most* charming

〔주〕 ① 2음절어에 -er, -est를 붙이는 것은 -er, -le, -ow, -some, -y 따위로 끝나는 말
(예) clever, sincere ; idle, noble ; narrow ; handsome ; heavy, happy, holy ; common, pleasant, polite
② 2음절어에 more, most를 쓰는 것은 -ful, -less, -ous, -ve, -ing 따위로 끝나는 말.
(예) useful, careful ; careless ; famous ; jealous ; active ; pleasing

Ⅱ. 불규칙 변화

bad, ill -worse-worst
good, well -better-best
many, much -more-most
little-less or lesser-least

old- older-oldest(노소·신구) / elder-eldest(형제 관계)
late- later-latest(시간) / latter-last(순서)
far- farther-farthest(거리) / further-furthest(정도)

7. 고유 형용사 일람

Ⅰ. 어미가 **-sh, -ch**로 끝나는 것 (괄호 안의 것은 국민명)

Britain (영국)	→ British (Britisher)
Denmark (덴마크)	→ Danish (Dane)
England (영국)	→ English (Englishman)
France (프랑스)	→ French (Frenchman)
Holland (네덜란드)	→ Dutch (Dutchman)
Ireland (아일랜드)	→ Irish (Irishman)
Poland (폴란드)	→ Polish (Pole)
Scotland (스코틀랜드)	→ Scotch, Scottish (Scot, Scotchman)
Spain (스페인)	→ Spanish (Spaniard)
Sweden (스웨덴)	→ Swedish (Swede)
Turkey (터키)	→ Turkish (Turk)

Ⅱ. 어미가 **-an**으로 끝나는 것

Africa (아프리카)	→ African (African)
America (아메리카)	→ American (American)
Arabia (아라비아)	→ Arabian (Arab) Arabic (Arabian)
Australia (오스트레일리아)	→ Australian (Australian)
Canada (캐나다)	→ Canadian (Canadian)
Europe (유럽)	→ European (European)
Germany (독일)	→ German (German)
India (인도)	→ Indian (Indian)
Italy (이탈리아)	→ Italian (Italian)
Korea (한국)	→ Korean (Korean)
Mexico (멕시코)	→ Mexican (Mexican)
Norway (노르웨이)	→ Norwegian (Norwegian)
Rome (로마)	→ Roman (Roman)
Russia (러시아)	→ Russian (Russian)

Ⅲ. 어미가 **-ese**로 끝나는 것

China (중국)	→ Chinese (Chinese)
Japan (일본)	→ Japanese (Japanese)
Portugal (포르투갈)	→ Portuguese (Portuguese)

Ⅳ. 기 타

Argentina (아르헨티나)	→ Argentine (Argentine)
Greece (그리스)	→ Greek (Greek)
Philippines (필리핀)	→ Philippine (Filipino)
Switzerland (스위스)	→ Swiss (Swiss)

8. 불규칙 동사 · 조동사 분류 활용표

1. 여기에 열거한 것은 불규칙 동사·조동사 활용중 반드시 기억해 두어야 할 것으로 모두 141어(語)이다.
2. 분류 방식은 우선 현재형에서 과거 및 과거 분사를 만들 때 모음이 변화하고, 어미가 t로 끝나는 것을 〔**A**〕 그룹으로 하고, 다음에 주로 모음만이 변화하는 것을 〔**B**〕 그룹, 혼합 변화를 하는 것을 〔**C**〕 및 〔**D**〕 그룹으로 하였으며, 끝으로 조동사 변화를 〔**E**〕 그룹으로 나누었다. 또한, 각 그룹을 다시 같은 유형의 것끼리 묶어 (1), (2), (3) 따위로 갈라서 기억하는 데 편리하게 하였다.

3. 복합어는 그 root(예컨대 forget에서 get 따위)의 변화에 준하므로 생략하였다.
4. [ ] 안에는 특히 틀리기 쉬운 발음을 보였다.
5. 이탤릭체는 두 가지 활용이 있음을 나타낸다.

〔A〕 (1) **keep — kept — kept**형

(현재형의 모음 [iː]가 [e]로 바뀌고 어미에 t가 붙는 것)

〔현 재〕	〔과 거〕	〔과거 분사〕
deal (다루다)	dealt [delt]	dealt [delt]
dream (꿈꾸다)	dreamt [dremt] *dreamed*	dreamt [dremt] *dreamed*
feel (느끼다)	felt	felt
kneel (무릎 꿇다)	knelt	knelt
leap (뛰다)	leapt [lept] *leaped*	leapt[lept] *leaped*
mean (뜻하다)	meant [ment]	meant [ment]
sleep (자다)	slept	slept
sweep (쓸다)	swept	swept

(2) **smell — smelt — smelt**형

(현재형의 모음이 변화하지 않고 어미가 **t**로 바뀌는 것)

bless (축복하다)	blest *blessed*	blest *blessed*
burn (태우다)	burnt *burned*	burnt *burned*
dwell (살다)	dwelt *dwelled*	dwelt *dwelled*
learn (배우다)	learnt *learned*	learnt *learned*
spell (철자하다)	spelt	spelt
spill (엎지르다)	spilt *spilled*	spilt *spilled*

(3) **leave — left — left**형

(현재형의 어미 ve가 f로 바뀌고 t가 붙는 것)

cleave (쪼개다)	cleft, *clove*	cleft, *cloven*

(4) **bring — brought — brought**형

(모음이 바뀌고 과거 및 과거 분사가 t로 끝나는 것)

buy (사다)	bought	bought
catch (잡다)	caught	caught
fight (싸우다)	fought	fought
seek (찾다)	sought	sought
teach (가르치다)	taught	taught
think (생각하다)	thought	thought

(5) **cut — cut — cut**형

(현재형이 **t, d**로 끝나고, 현재, 과거, 과거 분사가 모두 같은 꼴인 것)

burst (터지다)	burst	burst
cast (던지다)	cast	cast
cost (비용이 들다)	cost	cost

hit (치다)	hit	hit
hurt (해치다)	hurt	hurt
let (시키다)	let	let
put (두다)	put	put
rid (제거하다)	rid, *ridded*	rid, *ridded*
set (장치하다)	set	set
shed (흘리다)	shed	shed
shut (닫다)	shut	shut
split (쪼개다)	split	split
spread (펴다)	spread	spread
thrust (밀다)	thrust	thrust

(6) **send — sent — sent**형

(현재형이 d로 끝나고, 이것이 t로 바뀌어 과거, 과거분사가 되는 것)

bend (구부리다)	bent	bent
build (짓다)	built	built
lend (빌리다)	lent	lent
rend (찢다)	rent	rent
spend (소비하다)	spent	spent

〔B〕 (1) **speak — spoke — spoken**형

(현재형의 모음이 바뀌어 과거가 되고, 그 과거형에 n이 붙어 과거 분사가 되는 것)

bear (나르다)	bore	borne
(낳다)	bore	born
bite (물다)	bit	bitten, *bit*
break (깨뜨리다)	broke	broken
choose (고르다)	chose	chosen
freeze (얼다)	froze	frozen
hide (숨다)	hid	hidden, *hid*
lie (눕다)	lay	lain
steal (훔치다)	stole	stolen
swear (맹세하다)	swore	sworn
tear (찢다)	tore	torn
wear (입다)	wore	worn
weave (짜다)	wove	woven, *wove*

(2) **give — gave — given**형

(현재형이 모음 변화를 하여 과거가 되고, 현재형에 (e)n이 붙어 과거 분사가 되는 것)

am, is, are (이다)	was ; *were*	been
beat (때리다)	beat	beaten, *beat*
bid (명하다)	bade [bæd] *bad*	bidden *bid*
blow (불다)	blew [blu]	blown
draw (끌다)	drew [dru:]	drawn
drive (몰다)	drove	driven
eat (먹다)	ate [eit]	eaten
fall (떨어지다)	fell	fallen
go (가다)	went	gone

grow (자라다)	grew	grown
know (알다)	knew	known
ride (타다)	rode	ridden [rídn]
rise (오르다)	rose	risen [rízn]
see (보다)	saw	seen
shake (흔들다)	shook	shaken
strive (힘쓰다)	strove	striven
take (취하다)	took	taken
throw (던지다)	threw	thrown
write (쓰다)	wrote	written

(3) **meet — met — met형**

(현재형의 모음이 단음으로 되어 과거, 과거분사가 되는 것)

bleed (출혈하다)	bled	bled
breed (기르다)	bred	bred
feed (먹이다)	fed	fed
flee (달아나다)	fled	fled
lead (인도하다)	led	led
light (불을 켜다)	lit *lighted*	lit *lighted*
read [riːd](읽다)	read [red]	read [red]
shoot (쏘다)	shot	shot

(4) **sit — sat — sat형**

(모음 변화를 하여 과거 및 과거 분사가 같은 것)

awake (깨다)	awoke	awoke, *awaked*
bind (묶다)	bound	bound
cling (매달리다)	clung	clung
clothe (입다)	clad *clothed*	clad *clothed*
dig (파다)	dug	dug
find (발견하다)	found	found
fling (던지다)	flung	flung
get (얻다)	got	got, *gotten*
grind (빻다)	ground	ground
hang (매달다)	hung	hung
(목매달다)	hanged	hanged
hear (듣다)	heard	heard
hold (쥐다)	held	held
lose (잃다)	lost	lost
sell (팔다)	sold	sold
shine (빛나다)	shone	shone
((구두 따위를) 닦다)	shined	shined
spin (실을 잣다)	spun, *span*	spun
stand (서다)	stood	stood
stick (달라붙다)	stuck	stuck
sting (찌르다)	stung	stung
strike (치다)	struck	struck

swing (흔들다)	swung	swung
tell (말하다)	told	told
win (이기다)	won [wʌn]	won [wʌn]
wind [waind] (감다)	wound [waund]	wound [waund]
wring (짜다)	wrung	wrung

(5) **begin — began — begun**형
(3형 모두 모음이 다른 것)

do (하다)	did	done
drink (마시다)	drank	drunk
fly (날다)	flew [flu:]	flown [floun]
ring (울리다)	rang	rung
shrink (오그라들다)	shrank *shrunk*	shrunk *shrunken*
sing (노래하다)	sang	sung
spring (튀다)	sprang *sprung*	sprung
swim (헤엄치다)	swam	swum

〔C〕 **show — showed — shown**형
(과거, 과거 분사 중 하나가 불규칙 변화를 하는 것)

hew (자르다)	hewed	hewn *hewed*
lade (싣다)	laded	laden *laded*
saw (톱질하다)	sawed	sawn *sawed*
sew (꿰매다)	sewed	sewn *sewed*
shave (면도하다)	shaved	shaven *shaved*
shear (베다)	sheared	shorn *sheared*
swell (부풀다)	swelled	swollen *swelled*

〔D〕 (1) **say — said — said**형
(현재형의 ay가 ai로 바뀌고 d가 붙어 과거, 과거 분사가 되는 것)

lay (놓다)	laid	laid
pay (지불하다)	paid	paid

(2) **make — made — made**형
(현재형의 자음이 바뀌어 과거, 과거분사가 되는 것)

have (가지다)	had	had

〔E〕 조동사의 불규칙 활용

can	could	—
may	might	—
must	must	—
shall	should	—
will	would	—

9. 문법 필수 사항 색인

10. 참고 사항 색인

(4) 동사구

a. I enjoy *playing baseball.*

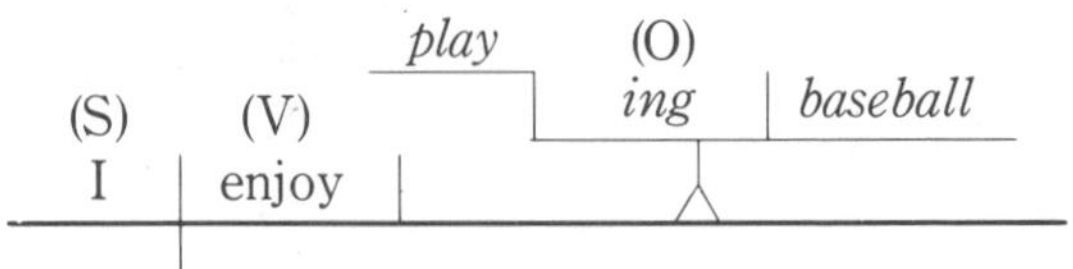

b. She is proud of *her father being rich.*

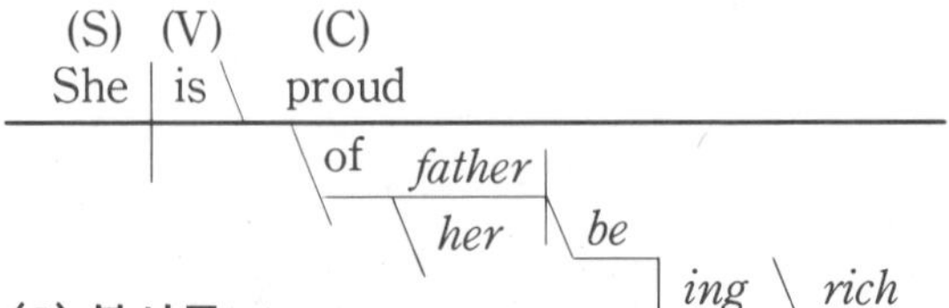

(5) 분사구

a. *The sun having set,*
we started for the village.

sun
hav
The
ing
set
(S)
(V)
we
started
for the village

b. The train starts at six,
arriving at Chicago at ten.

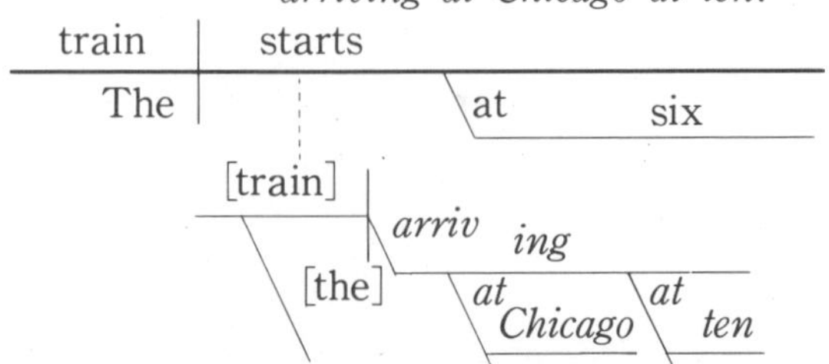